SOINS INFIRMIERS
MÉDECINE-CHIRURGIE

2 Appareils respiratoire et cardiovasculaire, système hématologique et soins d'urgence

SHARON MANTIK LEWIS, RN, PhD, FAAN
PROFESSOR, COLLEGE OF NURSING
RESEARCH ASSOCIATE PROFESSOR, DEPARTMENT OF PATHOLOGY
UNIVERSITY OF NEW MEXICO
ALBUQUERQUE, NEW MEXICO

MARGARET MCLEAN HEITKEMPER, RN, PhD, FAAN
PROFESSOR, BIOBEHAVIORAL NURSING AND HEALTH SYSTEMS
SCHOOL OF NURSING
UNIVERSITY OF WASHINGTON
SEATTLE, WASHINGTON

SHANNON RUFF DIRKSEN, RN, PhD
ASSOCIATE PROFESSOR, COLLEGE OF NURSING
ARIZONA STATE UNIVERSITY
TEMPE, ARIZONA

AUTEURS DE LA
VERSION FRANÇAISE : SUZANNE AUCOIN
PAULINE AUDET
JOCELYNE G. BARABÉ
MONIQUE BÉDARD
GILLES BÉLANGER
SUZANNE BHÉRER
NICOLE BIZIER
HÉLÈNE BOISSONNEAULT
JOHANNE BOUCHARD
MARIE-CLAUDE BOUCHARD
YVON BRASSARD
DANIÈLE DALLAIRE
MARLÈNE FORTIN
NATHALIE GAGNON (QUÉBEC)
NATHALIE GAGNON (SHERBROOKE)
GAÉTAN GIRARD
LUCIE MAILLÉ
MARTHE MERCIER
GUYLAINE PAQUIN
LUCIE RHÉAUME
LORRAINE T. SAWYER
CLAIRE THIBAUDEAU
CHANTAL TREMBLAY
JOHANNE TURCOTTE
FRANCINE VINCENT

Beauchemin

SOINS INFIRMIERS
MÉDECINE-CHIRURGIE
Tome 2

Sharon Mantik Lewis
Margaret McLean Heitkemper
Shannon Ruff Dirksen

Traduction de *Medical-surgical Nursing : assessment and management of clinical problems*, Fifth edition, by Sharon Mantik Lewis, Margaret McLean Heitkemper & Shannon Ruff Dirksen. Copyright © 2000 by Mosby, Inc. All rights reserved.

© 2003, **GB** Groupe **Beauchemin**, éditeur ltée

3201, avenue Jean-Béraud
Laval (Québec) H7T 2L2
Téléphone : (514) 334-5912
                      1 800 361-4504
Télécopieur : (450) 688-6269
www.beaucheminediteur.com

Nous reconnaissons l'aide financière du gouvernement du Canada par l'entremise du Programme d'aide au développement de l'industrie de l'édition (PADIÉ) pour nos activités d'édition.

ISBN : 2-7616-2033-X

Dépôt légal : 3e trimestre 2003
Bibliothèque nationale du Québec
Bibliothèque nationale du Canada

Imprimé au Canada

1 2 3 4 5   06 05 04 03

Équipe du manuel français

Éditeur : **Jean-François Bojanowski**
Chargées de projet : **Josée Desjardins, Majorie Perreault, Violaine Charest-Sigouin**
Traduction : **Dominique Amrouni, Josée Rochon et collaborateurs (E. Bannem, J. Bergeron, J. Coulombe, I. Faucher, S. Ferland, J. Guillemette, J.-N. Huard, S. Larochelle, P. Lemaire, E. Morrissette, F. Poulin, G. Royer)**
Auteurs de la version française : **Suzanne Aucoin, Pauline Audet, Jocelyne G. Barabé, Monique Bédard, Gilles Bélanger, Suzanne Bhérer, Nicole Bizier, Hélène Boissonneault, Johanne Bouchard, Marie-Claude Bouchard, Yvon Brassard, Danièle Dallaire, Marlène Fortin, Nathalie Gagnon (Québec), Nathalie Gagnon (Sherbrooke), Gaétan Girard, Lucie Maillé, Marthe Mercier, Guylaine Paquin, Lucie Rhéaume, Lorraine T. Sawyer, Claire Thibaudeau, Chantal Tremblay, Johanne Turcotte, Francine Vincent**
Révision scientifique : **Maude Bégin, diététiste-nutritionniste, membre de l'Ordre professionnel des diététistes du Québec (OPDQ), Lorraine Bojanowski, Inf., M. Sc. inf., M. B. A., Yves Castonguay, professeur de biologie humaine, Cégep Montmorency, Lucie Verret, B. phar, DPH, M.Sc., pharmacienne**
Recherche et consultation : **Louise Hudon**
Révision linguistique : **Sophie Beaume, Barbara Delisle, Nathalie Larose, Nathalie Liao, Nathalie Mailhot, Louise Martel, Diane Plouffe, Isabelle Roy, Anne-Marie Taravella, Brigitte Vandal**
Correction d'épreuves : **Claire Campeau, Sophie Cazanave, Nathalie Larose, Nathalie Mailhot, Marie Pedneault, Brigitte Vandal**
Conception et production : **Dessine-moi un mouton inc.**
Impression : **Imprimeries Transcontinental inc.**

AVANT-PROPOS

L'importance du jugement clinique de l'infirmière ne fait plus de doute. La pratique professionnelle actuelle nécessite encore plus d'autonomie dans l'application de la pensée critique. D'après les dernières modifications à la *Loi sur les infirmières et infirmiers*, l'exercice de la profession infirmière consiste à évaluer l'état de santé d'une personne, à déterminer un plan de soins et de traitements infirmiers et à en assurer la réalisation, à prodiguer les soins et les traitements infirmiers et médicaux dans le but de maintenir ou de rétablir la santé et de prévenir la maladie, ainsi qu'à fournir les soins palliatifs. Les activités professionnelles de l'infirmière sont une fois de plus reconnues pour leur contribution au mieux-être des individus, des familles et des collectivités. C'est donc dire que le rôle qu'elle y joue en est un de premier plan. Il ne se résume pas à l'application simple et réflexe d'une ordonnance médicale ou à l'exécution d'un acte purement technique. Au-delà du geste, il y a la réflexion. Surtout la réflexion, devrait-on dire. Car avant d'agir, il faut décider, et faire un choix judicieux implique un questionnement approfondi sur la cible de nos interventions, en l'occurrence la personne prise dans son entité, vivant une situation tantôt bénigne, tantôt précaire quant à sa santé et interagissant avec son entourage dans un environnement spécifique.

A priori, la compétence à décider repose donc sur une évaluation initiale solide de l'état de la personne requérant des services infirmiers professionnels. *A posteriori*, c'est toute la capacité de l'infirmière à analyser une situation qui prend la relève et continue le processus : émettre des hypothèses, mettre des éléments en parallèle, les comparer en les scrutant minutieusement, faire des liens ; bref, entreprendre une démarche systématique de résolution de problèmes. Eh oui, on y revient toujours !

Mais qu'en est-il de l'élève infirmière engagée dans l'apprentissage d'une profession en constante évolution ? Sera-t-elle suffisamment préparée à faire face aux nombreuses et grandes responsabilités qui ne cessent de se multiplier ? Saura-t-elle répondre aux fonctions qui l'attendent ? Tout au long de sa formation, elle se voit confrontée aux exigences qui commandent l'acquisition d'habiletés cognitives, relationnelles, comportementales, psychomotrices et, reconnaissons-le, morales. C'est ici qu'il faut considérer la question des moyens. Le présent volume, adapté au contexte de la pratique québécoise dans les milieux de soins de santé, est le plus volumineux ouvrage du genre jamais édité au Québec. Il constitue l'aboutissement du travail soutenu et rigoureux d'une équipe d'enseignantes et d'enseignants profondément impliqués dans la formation de la relève infirmière. Ils ont su produire un ouvrage qui dépasse l'adaptation pure d'un produit étranger. Leur souci de fournir aux élèves un manuel au contenu riche et contemporain est réel. La participation de plusieurs autres professionnels de la santé concourt à sa qualité en tant qu'instrument de référence fiable. Les notions d'anatomie et de physiologie précèdent les renseignements détaillés sur l'étude des maladies, les moyens de les diagnostiquer et de les traiter. Les clients qui vivent l'expérience de la maladie sont souvent aux prises avec les problèmes qui en découlent ; des plans de soins infirmiers complètent donc l'ensemble.

Savoir pour mieux servir. L'aphorisme ne sonne pas faux quand il est question d'assumer son autonomie professionnelle. Nul doute que, dans la visée d'une pratique infirmière de pointe, l'acquisition de connaissances de plus en plus poussées en constitue les prémices. Du moins, c'est la contribution que ce nouveau livre sur les soins infirmiers en médecine et chirurgie a la prétention de se reconnaître.

LES CARACTÉRISTIQUES DU MANUEL

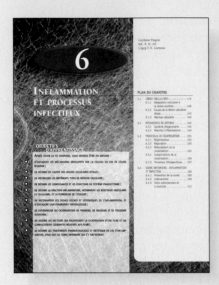

Ouverture du chapitre

L'ouverture de chacun des chapitres consiste en un plan du chapitre qui informe de façon détaillée des éléments abordés dans celui-ci. On y présente également une liste des objectifs d'apprentissage qui précisent les connaissances à acquérir et les habiletés à maîtriser à la fin du chapitre.

Repérage

Pour naviguer avec aisance et rapidité à travers le manuel, les principales sections sont numérotées. Le plan du chapitre donne le numéro de page des sections principales.

Encadrés

Encadrés « Diversité culturelle »

Riches en information, les encadrés « Diversité culturelle » traitent de l'adaptation des soins aux particularités culturelles du client.

Encadrés « Gérontologie »

Des encadrés « Gérontologie » mettent l'accent
sur les soins particuliers à apporter aux personnes âgées,
dont le poids démographique se fait de plus en plus sentir
dans le système de santé.

Encadrés « Enseignement au client »

Plus de 50 encadrés
« Enseignement au client »
offrent à la future infirmière
des pistes d'enseignement
pour aider le client qui
doit prendre part à son
traitement, de même que
les proches qui doivent
le soutenir.

Encadrés « Soins dans la famille »

La famille étant un élément de plus en plus intégré dans
le processus de soins, ces encadrés permettent à la future
infirmière d'enseigner à la famille les soins particuliers à
prodiguer à un proche.

Encadrés « Processus diagnostique et thérapeutique »

Quelque 75 encadrés
« Processus diagnostique et
thérapeutique » expliquent
clairement et succinctement
le processus diagnostique et
thérapeutique s'appliquant
à divers cas cliniques.

Encadrés « Plan de soins infirmiers »

De nombreux plans de soins complets, adaptés à
des problèmes infirmiers pertinents, décrivent
les interventions à poser, de même que les
justifications de ces interventions.

Encadrés « Collecte de données »
Ils illustrent les données que les infirmières recueillent lors de l'évaluation de la clientèle.

Encadrés « Recherche »
Ils font état des toutes dernières recherches dans le domaine des soins infirmiers.

Tableaux
Des tableaux portant sur l'examen clinique et gérontologique, les anomalies courantes décelées au cours de l'examen physique, les épreuves diagnostiques, la pharmacothérapie, les recommandations nutritionnelles et les soins d'urgence viennent souligner, compléter ou résumer l'information fournie dans le texte, afin de permettre une meilleure intégration de la matière.

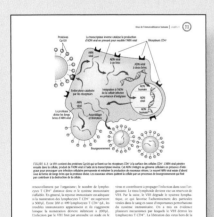

Illustrations et photographies
Elles présentent de façon claire et attrayante les éléments à l'étude.

Annexe
On y propose un large éventail de valeurs de laboratoire auxquelles les élèves peuvent se référer.

REMERCIEMENTS

L'éditeur tient à souligner l'excellent travail des consultants et des consultantes du réseau collégial qui, grâce à leurs commentaires éclairés, ont permis d'enrichir les versions provisoires de chacun des chapitres. Il remercie, entre autres :

Mme Chantal Audet, Inf., D. Sc. inf., Cégep de Ste-Foy

Mme Karin Beaulieu-Lebel, B. Sc. inf., Cégep de Lévis-Lauzon

Mme Carole Boily, Inf., D. Sc. inf., Collège d'Alma

Mme Nicole Champagne, Inf., B. Sc., M. Sc., M. Éd., Collège de Chicoutimi

Mme Suzanne Gagnon, Bc. Sc. inf., Cégep du Vieux-Montréal

Mme Claire Gaudreau, B. Sc. inf., M. Éd., Cégep de Rimouski

Mme Louise Hudon, B. Sc. inf., Dip. ens., Cégep de Ste-Foy

Mme Mireille Jodoin, professeure en soins infirmiers, St-Jean-sur-Richelieu

Mme Sylvie Levasseur, enseignante, Cégep du Vieux-Montréal

Mme Mélanie Martel, professeure, Inf., B. Sc.

Mme Lynn Paradis, Inf., Cégep de Rimouski

Mme Julie Picher, Inf., B. Sc. inf., enseignante, Cégep du Vieux-Montréal

M. Sylvain Poulin, enseignant en soins infirmiers, Cégep de Limoilou

M. Serge Thériault, chargé de cours, Université du Québec à Chicoutimi (UQAC)

Mme Marie-Josée Tremblay, Inf., B. Sc. inf., Collège d'Alma

Mme Bach Vuong, B. Sc. inf., B. Sc. (biochimie), D.E.S. Sc. inf., Collège Bois-de-Boulogne

Sources des Figures

TOME 3

CHAPITRE 14

14.1 Redessiné à partir de PRICE, S.A., et L.M. WILSON. *Pathophysiology: clinical concepts of disease processes*, 5ᵉ éd., St. Louis, Mosby, 1997 ; 14.2, 14.3 Tiré de THOMPSON, J.M., et autres. *Clinical nursing*, 4ᵉ éd., St. Louis, Mosby, 1997 ; 14.4A Tiré de BONE, R.C., et autres (éd.). *Pulmonary and critical care medicine*, vol. 1, St. Louis, Mosby, 1993 ; 14.4B Tiré de STAUB, N.C., et K.H. ALBERTINE. « Anatomy of the lungs ». Dans MURRAY, J.F., et J.A. NADEL (éd.), *Textbook of respiratory medicine*, 2ᵉ éd., Philadelphia, Saunders, 1994 ; 14.8A Redessiné à partir de *Principles of pulse oximetry*, Nellcor, Inc, Haywood, Calif ; 14.8B Tiré de POTTER, P.A. et A.G. PERRY. *Fundamentals of nursing: concepts, process, and practice*, 4ᵉ éd., St. Louis, Mosby, 1997 ; 14.11 Redessiné à partir de WILKINS, R.L., et autres. *Clinical assessment in respiratory care*, 3ᵉ éd., St. Louis, Mosby, 1997 ; 14.15 Tiré de BEARE, P.G., et J.L. MYERS. *Adult health nursing*, 3ᵉ éd., St. Louis, Mosby, 1998 ; 14.16A Avec l'aimable autorisation de Olympus America, Melville, NY ; 14.16B Tiré de MEDURI, G.U, et autres. « Protected bronchoalveolar lavage », *Am Respir Dis*, vol. 143, 1991, p. 855 ; 14.18 Redessiné à partir de DU BOIS, R.M., et S.W. CLARKE. *Fiberoptic bronchoscopy in diagnosis and management*, Orlando, Fla, Grune & Stratton, 1987.

CHAPITRE 15

15.4 Avec l'aimable autorisation de Robert Margulies, Miami. Tiré de SMOLLEY, L.A. « How to help patients with obstructive sleep apnea », *J Respir Dis*, vol. 11, 1990, p. 723 ; 15.5 Avec l'aimable autorisation de Respironics, Inc., Murrysville, Pa ; 15.11 Avec l'aimable autorisation de Passy-Muir, Inc, Irvine, Calif ; 15.13 Obtenu de l'American Cancer Society ; 15.16 Avec l'aimable autorisation de CLG Photographics, St. Louis.

CHAPITRE 16

16.3C, 16.5 Tiré de DAMJANOV, I., et J. LINDER. *Anderson's pathology*, 10ᵉ éd., St. Louis, Mosby, 1996, avec l'aimable autorisation de CLG Photographics, Inc., St. Louis ; 16.10 Avec l'aimable autorisation de Deknatel, Inc., Fall River, Mass.

CHAPITRE 17

17.3 Redessiné à partir de PRICE, S.A., et L.M. WILSON. *Pathophysiology : clinical concepts of disease processes*, 5ᵉ éd., St. Louis, Mosby, 1997 ; 17.12A et B Tiré de POTTER, P.A. et A.G. PERRY. *Fundamentals of nursing: concepts, process, and practice*, 4ᵉ éd., St. Louis, Mosby, 1997 ; 17.14 Avec l'aimable autorisation de Nellcor Puritan Bennett, Inc.

CHAPITRE 18

18.1 Micrograph copyright 1994 Dennis Kunkel, PhD, Micro Vision, Kailua, Hawaii. Dans MCCANCE, K.L, et S.E. HUETHER. *Pathophysiology: the biologic basis for disease in adults and children*, 3ᵉ éd., St. Louis, Mosby, 1998 ; 18.3 Tiré de ERLANDSON, S., et J. MAGNEY. « Color atlas of histology », St. Louis, Mosby, 1992. Dans MCCANCE, K.L, et S.E. HUETHER. *Pathophysiology: the biologic basis for disease in adults and children*, 3ᵉ éd., St. Louis, Mosby, 1998.

CHAPITRE 19

19.4 Redessiné à partir de RAVEN, P.H., et G.B. JOHNSON. *Biology*, 2ᵉ éd., St. Louis, Mosby, 1991 ; 19.5 Redessiné à partir de MCCANCE, K.L, et S.E. HUETHER. *Pathophysiology: the biologic basis for disease in adults and children*, 3ᵉ éd., St. Louis, Mosby, 1998 ; 19.8 Tiré de BINGHAM, B.J.G., M. HAWKE, et P. KWOK. *Atlas of clinical otolaryngology*, St. Louis, Mosby, 1992 ; 19.12, 19.13 Reproduit de GROENWALD, S.L., M.H. FROGGE, et J. GOODMAN (éd.). *Cancer nursing: principles and practice*, Boston, Jones & Bartlett, 1993.

CHAPITRE 20

20.1, 20.3 Modifié d'après PRICE, S.A, et L.M. WILSON. *Pathophysiology: clinical concepts of disease processes*, 5ᵉ éd., St. Louis, Mosby, 1997 ; 20.5, 20.10, 20.13 Modifié d'après KINNEY, M., et autres. *Comprehensive cardiac care*, 8ᵉ éd., St. Louis, Mosby, 1996 ; 20.15 Modifié d'après KINNEY, M., et autres. *Comprehensive cardiac care*, 7ᵉ éd., St. Louis, Mosby, 1991

CHAPITRE 21

21.1 Redessiné à partir de WEST, J.B. *Physiological basis of medical practice*, 12ᵉ éd., Baltimore, Williams & Wilkins, 1991 ; 21.8 Tiré de KISSANE, J.M. *Anderson's pathology*, 9ᵉ éd., St. Louis, Mosby, 1990 ; 21.11, 21.12 Obtenu du US Department of Health and Human Services, *The sixth report of the Joint National Committee on Detection , Evaluation, and Treatment of High Blood Pressure (JNC-VI)*, Washington, DC, National Institutes of Health, 1997.

CHAPITRE 22

22.12 Modifié et reproduit avec autorisation d'après MATRISCIANO, L., et J.G., ALSPACH. « Unstable angina: an overview », *Critical care nurses*, vol. 12, 1992, p. 31 ; 22.14 Tiré de *Heart Disease and Stroke*, vol. 2, 1993, p. 199, copyright American Heart Association ; 22.14 Tiré de *Heart Disease and Stroke*, vol. 2, 1993, p. 201, copyright American Heart Association ; 22.16, 22.17 Avec l'aimable autorisation de la Mayo Clinic, Rochester, Minn.

CHAPITRE 23

23.3 Redessiné à partir de MCCANCE, K.L, et S.E. HUETHER. *Pathophysiology: the biologic basis for disease in adults and children*, 3ᵉ éd., St. Louis, Mosby, 1998 ; 23.4, 23.6 Redessiné à partir de THELAN, L.A., et autres. *Textbook of critical care nursing: diagnosis and management*, 3ᵉ éd., St. Louis, Mosby, 1998 ; 23.5, 23.7 Tiré de STEVENS, A., et J. LOWE. *Pathology*, St. Louis, Mosby, 1995.

CHAPITRE 24

24.2 Tiré de GOLDBERGER, A.L., et E. GOLD-BERGER. *Clinical electrocardiography: a simplified approach*, 6ᵉ éd., St. Louis, Mosby, 1999 ; 24.4, 24.7, 24.10, 24.12 Tiré de THELAN, L.A., et autres. *Textbook of critical care nursing: diagnosis and management*, 3ᵉ éd., St. Louis, Mosby, 1998 ; 24.6, 24.11B, 24.19 Tiré de CONOVER, M.B. *Understanding electrocardiography, arrhythmias, and the 12-lead ECG*, 7ᵉ éd., St. Louis, Mosby, 1996 ; 24.11A, 24.13, 24.14, 24.15, 24.20 Tiré de CONOVER, M.B. *Understanding electrocardiography, arrhythmias, and the 12-lead ECG*, 6ᵉ éd., St. Louis, Mosby, 1992 ; 24.21, 24.27 Avec l'aimable autorisation de Physio-Control Corporation, Redmond, Wash ; 24.24A, 24.25 Avec l'aimable autorisation de Medtronic, Inc., Minneapolis, Minn.

CHAPITRE 25

25.2 Tiré de KISSANE, J.M. *Anderson's pathology*, 9ᵉ éd., St. Louis, Mosby, 1990 ; 25.4 Tiré de ANDERSON, W.A.D., et T.M. SCOTT. *Synopsis of pathology*, 10ᵉ éd., St. Louis, Mosby, 1980 ; 25.5 Tiré de GUZETTA, C.E, et B.M. DOSSEY. *Cardiovascular nursing: holistic practice*, St. Louis, Mosby, 1992 ; 25.6 Redessiné à partir de LORELL, B.H., et E. BRAUNWALD. *Pericardial disease in heart disease: a textbook of cardiovascular medicine*, 3ᵉ éd., Philadelphia, Saunders, 1998 ; 25.7, 25.10, 25.11B Tiré de STEVENS, A., et J. LOWE. *Pathology*, St. Louis, Mosby, 1995 ; 25.9, 25.11A Tiré de MCCANCE, K.L, et S.E. HUETHER. *Pathophysiology: the biologic basis for disease in adults and children*, 3ᵉ éd., St. Louis, Mosby, 1998 ; 25.12 Redessiné à partir de BLOCK, P.C. « Balloon valvuloplasty », *Cardiol Consult*, vol. 9, 1988, p. 4 ; 25.13 Tiré de NICHOLS, L., et autres. « Percutaneous aortic vavuloplasty procedure and implications for nursing », *Heart Lung*, vol. 18, 1989, p. 357; 25.14A Avec l'aimable autorisation de St. Jude Medical, Inc, St. Paul, Minn. Tous droits réservés; 25.14B Avec l'aimable autorisation de Medtronic, Inc., Minneapolis, Minn; 25.14C Avec l'aimable autorisation de l'American Red Cross Tissue Services et de Baxter Healthcare Corporation. Cardiovascular Group, Santa Ana, Calif.

CHAPITRE 26

26.1 Avec l'aimable autorisation de Menzoian, Boston, Mass; 26.3 Tiré de DAMJANOV, I., et J. LINDER. *Anderson's pathology*, 10ᵉ éd., St. Louis, Mosby, 1996; 26.8 Avec l'aimable autorisation de FW LoGerfo, Boston, Mass; 26.9, 26.10, 26.13 Tiré de KAMAL, A., et J.C. BROCKEL-HURST. *Color atlas of geriatric medicine*, 2ᵉ éd., Mosby-Year Book-Europe, 1991; 26.12 Tiré de LOFGREN, K.A. « Varicose veins ». Dans HAIMOVICI, H. (éd.), *Vascular surgery: principles and techniques*, New York, McGraw-Hill, 1976.

CHAPITRE 27

27.3, 27.4, 27.5, 27.6 Tiré de THELAN, L.A., et autres. *Textbook of critical care nursing: diagnosis and management*, 3ᵉ éd., St. Louis, Mosby, 1998.

CHAPITRE 28

28.6 Tiré de RICHMOND, T.S. « The patient with a cervical spinal cord injury », *Focus on critical care*, vol. 12, 1985, p. 27; 28.7 Avec l'aimable autorisation de Respironics, Inc, Pittsburgh.

CHAPITRE 29

29.1, 29.16 Avec l'aimable autorisation de Spacelabs Medical, Redmond, Wash; 29.2 Redessiné à partir de GARDNER, P.E. *Hemodynamic pressure monitoring*, Redmond, Wash, 1994, Spacelabs Medical; 29.3 Redessiné à partir de FLYNN, J.B.M., et N.P. BRUCE. *Introduction to critical care skills*, St. Louis, Mosby, 1993; 29.4, 29.6, 29.7, 29.11, 29.20 THELAN, L.A., et autres. *Textbook of critical care nursing: diagnosis and management*, 3ᵉ éd., St. Louis, Mosby, 1998; 29.5 Avec l'aimable autorisation de Edwards Critical Care Division, Baxter Healthcare Corporation, Santa Ana, Calif; 29.9 Avec l'aimable autorisation de Datascope Corporation, Fairfield, N.J.; 29.12A, Tiré de BEARE, P.G, et J.L. MYERS. *Adult health nursing*, 3ᵉ éd., St. Louis, Mosby, 1998; 29.14 Tiré de SILLS, J.R. « Respiratory care certification guide: the complete review resource for the entry level exam », 2ᵉ éd., St. Louis, Mosby, 1994. Dans THELAN, L.A., et autres. *Textbook of critical care nursing: diagnosis and management*, 3ᵉ éd., St. Louis, Mosby, 1998; 29.15 Avec l'aimable autorisation de Lifecare, Westminster, Colo; 29.17 Avec l'aimable autorisation de Mollinckrodt, Inc., Carlsbad, Calif; 29.18 Avec l'aimable autorisation de Camino Laboratories, San Diego.

CHAPITRE 30

30.2, 30.3 Avec l'aimable autorisation de Cameron Bangs, MD, tiré de AUERBACH, P. (éd.). *Wilderness medicine: management of wilderness and environmental emergencies*, 3ᵉ éd., St. Louis, Mosby, 1995.

TABLE DES MATIÈRES

PARTIE IV
Soins infirmiers reliés aux troubles de ventilation respiratoire

CHAPITRE 14
Évaluation de l'appareil respiratoire

CHAPITRE 15
Troubles des voies respiratoires supérieures

CHAPITRE 16
Troubles des voies respiratoires inférieures

CHAPITRE 17
Bronchopneumopathies obstructives

PARTIE V
Soins infirmiers reliés aux troubles de transport de l'oxygène

CHAPITRE 18
Évaluation du système hématologique

CHAPITRE 19
Troubles hématologiques

PARTIE VI
Soins infirmiers reliés aux troubles d'apport en oxygène

CHAPITRE 20
Évaluation de l'appareil cardiovasculaire

CHAPITRE 21
Hypertension

CHAPITRE 22
Coronaropathie

CHAPITRE 23
Insuffisance cardiaque congestive et chirurgie cardiaque

CHAPITRE 24
Arythmies cardiaques

CHAPITRE 25
Cardiopathies inflammatoires et valvulaires

PARTIE VII
Soins infirmiers en situations d'urgence

CHAPITRE 27
Choc et syndrome de défaillance multiviscérale

CHAPITRE 28
Insuffisance respiratoire

CHAPITRE 29
Soins intensifs

CHAPITRE 30
Situations d'urgence

PARTIE IV
Soins infirmiers reliés aux troubles de ventilation respiratoire

Chapitre 14

Yvon Brassard
Inf., B. Sc., M. Éd., D.E.
Cégep André-Laurendeau

Nathalie Gagnon
B. Sc. inf., B.A.
Cégep F.-X.-Garneau

ÉVALUATION DE L'APPAREIL RESPIRATOIRE

PLAN DU CHAPITRE

OBJECTIFS D'APPRENTISSAGE

APRÈS AVOIR LU CE CHAPITRE, VOUS DEVRIEZ ÊTRE EN MESURE :

- DE DÉCRIRE LES STRUCTURES ET LES FONCTIONS DES VOIES RESPIRATOIRES SUPÉRIEURES ET INFÉRIEURES AINSI QUE CELLES DE LA CAGE THORACIQUE ;

- DE DÉCRIRE LE PROCESSUS QUI DÉCLENCHE ET RÉGULE L'INSPIRATION ET L'EXPIRATION ;

- DE DÉCRIRE LA DIFFUSION PULMONAIRE DES GAZ ;

- DE DÉTERMINER LES FONCTIONS DES MÉCANISMES DE DÉFENSE DES VOIES RESPIRATOIRES ;

- DE DÉCRIRE L'IMPORTANCE DES VALEURS DES GAZ SANGUINS ARTÉRIELS AINSI QUE LA COURBE DE DISSOCIATION DE L'OXYHÉMOGLOBINE DANS LA FONCTION RESPIRATOIRE ;

- DE RECONNAÎTRE LES SIGNES ET SYMPTÔMES D'UNE OXYGÉNATION INSUFFISANTE AINSI QUE LEURS CONSÉQUENCES ;

- DE DÉCRIRE LES CHANGEMENTS LIÉS AU VIEILLISSEMENT DE CET APPAREIL AINSI QUE LES MODIFICATIONS QU'ILS ENTRAÎNENT DANS LES RÉSULTATS D'EXAMEN ;

- DE DÉTERMINER LES DONNÉES OBJECTIVES ET SUBJECTIVES IMPORTANTES QUI DEVRAIENT ÊTRE FOURNIES PAR LE CLIENT ;

- DE DÉCRIRE LES TECHNIQUES UTILISÉES LORS DE L'ÉVALUATION PHYSIQUE DE L'APPAREIL RESPIRATOIRE ;

- DE FAIRE LA DISTINCTION ENTRE LES RÉSULTATS NORMAUX ET ANORMAUX DE L'ÉVALUATION PHYSIQUE DE L'APPAREIL RESPIRATOIRE ;

- DE DÉCRIRE LE BUT DES ÉPREUVES DIAGNOSTIQUES, LES INTERVENTIONS DE L'INFIRMIÈRE QUI S'Y RATTACHENT AINSI QUE L'IMPORTANCE DE CES RÉSULTATS.

14.1 STRUCTURES ET FONCTIONS DE L'APPAREIL RESPIRATOIRE

Le premier rôle de l'appareil respiratoire est d'effectuer les échanges gazeux. Cela implique le transfert de l'oxygène et du dioxyde de carbone entre l'atmosphère et le sang. L'appareil respiratoire est divisé en deux parties : les voies respiratoires supérieures et les voies respiratoires inférieures (voir figure 14.1). Les voies respiratoires supérieures sont composées du nez, du pharynx, des amygdales pharyngées (végétations), des amygdales palatines, de l'épiglotte, du larynx et de la trachée. Les voies respiratoires inférieures comprennent les bronches, les bronchioles, les canaux alvéolaires et les alvéoles. À l'exception des bronches souches droite et gauche, toutes les structures des voies respiratoires inférieures se trouvent à l'intérieur des poumons. Le poumon droit est divisé en trois lobes (supérieur, moyen et inférieur) et il est responsable de 55 % de la ventilation pulmonaire. Le poumon gauche en a deux (supérieur et inférieur) ; il est, quant à lui, responsable de 45 % de la ventilation pulmonaire (voir figure 14.2). Les structures de la cage thoracique (les côtes, la plèvre, les muscles respiratoires) sont également essentielles à la respiration.

14.1.1 Voies respiratoires supérieures

Le nez est composé d'os et de cartilages. À l'intérieur, il est divisé par le septum en deux passages, les narines. L'intérieur du nez a la forme d'un cône en spirale, appelé le cornet, qui augmente la surface d'échange servant au réchauffement et à l'humidification de l'air.

L'intérieur du nez communique directement sur les sinus. La cavité nasale est reliée au pharynx et est constituée d'un passage tubulaire. Celui-ci est divisé de haut en bas en trois parties : le rhinopharynx, l'oropharynx et le laryngopharynx.

Le nez, tout comme le reste des voies respiratoires supérieures, est tapissé d'une muqueuse qui humidifie l'air. Lorsque l'air y pénètre, il est humidifié et filtré par de petits poils qui ont une fonction protectrice. Les particules inhalées qui mesurent plus de 10 μm (p. ex. la poussière ou les bactéries) sont retenues par les poils nasaux, ce qui les empêche d'atteindre les voies respiratoires inférieures. Lorsque l'air atteint l'alvéole, il devrait être saturé à 100 % de vapeur d'eau. En humidifiant l'air, l'organisme perd près de 250 ml d'eau par jour ; ce processus est appelé perte insensible.

Les terminaisons nerveuses olfactives (les récepteurs du sens de l'odorat) se trouvent sur la paroi interne supérieure du nez. Les amygdales pharyngées (végétations) et les amygdales palatines sont de petites masses de tissu lymphatique qui se trouvent respectivement dans le rhinopharynx et l'oropharynx. L'air pénètre dans l'oropharynx par le nez ou la bouche. Cependant, la personne qui respire par la bouche ne profite pas de l'humidification et du filtrage qui s'effectuent par le nez.

L'épiglotte est une languette cartilagineuse qui se trouve à la base de la langue. Lorsqu'on avale, elle couvre le larynx pour empêcher les liquides et les solides de pénétrer dans les voies respiratoires. Toute affection qui altère l'état de conscience ou la capacité d'avaler risque de porter atteinte à la fonction de l'épiglotte et prédispose à l'aspiration bronchique, par exemple un accident vasculaire cérébral ou la présence d'une canule de trachéotomie (voir chapitre 15).

Après avoir traversé l'oropharynx, l'air est acheminé dans le laryngopharynx et le larynx, où se trouvent les cordes vocales, puis il atteint la trachée. La trachée est un tube cylindrique d'environ 10 à 12 cm de long et de 1,5 à 2,5 cm de diamètre. Elle est supportée par des cartilages en forme de U qui l'empêchent de s'affaisser et maintiennent son ouverture. Sur la surface postérieure, les cartilages de la trachée sont reliés par un tissu conjonctif et un muscle lisse. Cette structure permet à l'œsophage de gonfler lorsqu'on avale une bouchée de nourriture. La trachée bifurque vers les bronches souches droite et gauche à un endroit qui s'appelle la carène.

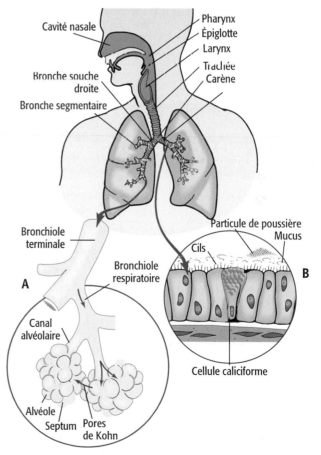

FIGURE 14.1 Structures des voies respiratoires. A. Unité fonctionnelle pulmonaire. B. Muqueuse ciliée.

Celle-ci se trouve à la jonction du manubrium sternal, souvent appelée l'angle de Louis. Elle est très sensible au toucher. Par exemple, l'introduction d'un cathéter d'aspiration dans la trachée provoque une toux vigoureuse.

14.1.2 Voies respiratoires inférieures

Après avoir traversé la carène, l'air passe dans les voies respiratoires inférieures. Les bronches souches, les vaisseaux pulmonaires et les nerfs pénètrent dans les poumons par une ouverture nommée le hile.

La bronche souche droite est plus courte, plus large et plus droite que la bronche souche gauche. C'est la raison pour laquelle l'aspiration bronchique d'un objet, de nourriture ou de sécrétions est plus fréquente dans la bronche souche du poumon droit que dans celle du gauche.

Les bronches souches principales se divisent plusieurs fois pour former les bronches lobaires, segmentaires et sous-segmentaires. Les ramifications suivantes sont les bronchioles. Les bronchioles les plus éloignées s'appellent les bronchioles respiratoires et, au-delà

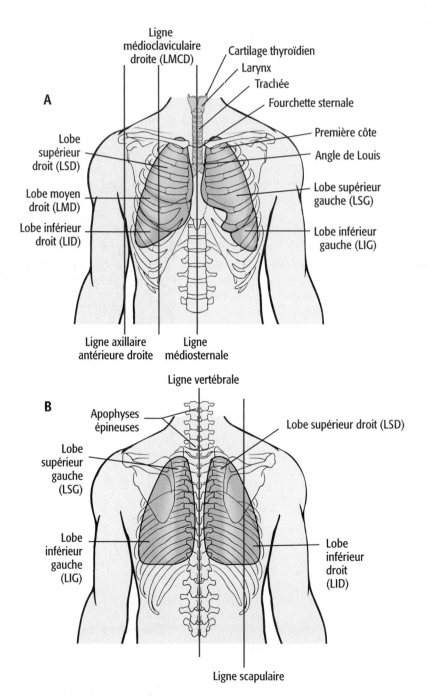

FIGURE 14.2 Points de repère et structures de la cage thoracique. A. Vue antérieure. B. Vue postérieure.

de ces dernières, se trouvent les canaux et les sacs alvéolaires (voir figure 14.3). Les bronchioles sont entourées de muscles lisses qui se dilatent et se contractent selon les stimuli envoyés par le système nerveux central (SNC) (sympathique et parasympathique). Les termes **bronchoconstriction** et **bronchodilatation** désignent la réduction et l'augmentation du diamètre des voies respiratoires.

Aucun échange d'oxygène ou de dioxyde de carbone n'est possible tant que l'air n'a pas pénétré dans les bronchioles respiratoires. La zone des voies respiratoires allant du nez jusqu'aux bronchioles sert uniquement de passage conducteur ; c'est pour cette raison qu'on l'appelle **espace mort anatomique**. Cet espace doit être rempli d'air à chaque respiration, mais cet air ne contribue pas aux échanges gazeux. Chez l'adulte, le volume courant (VC), ou le volume d'air échangé à chaque respiration, est d'environ 500 ml. Sur ces 500 ml inspirés, environ 150 ml restent dans l'espace mort.

Après avoir traversé la zone conductrice, l'air atteint les bronchioles respiratoires et les alvéoles (voir figure 14.4). Les alvéoles sont de petits sacs qui forment l'unité fonctionnelle des poumons ; elles sont reliées les unes aux autres par les pores de Kohn, qui permettent le mouvement de l'air d'alvéole en alvéole (voir figure 14.1). Les bactéries peuvent également se déplacer dans ces pores, ce qui entraîne la propagation d'une infection à des zones qui n'étaient pas infectées. Les 300 millions d'alvéoles chez l'adulte occupent un volume total de 2500 ml. Cela représente une surface pour les échanges gazeux équivalente à environ la taille d'un terrain de tennis. Les alvéoles sont séparées des capillaires par une couche ou un espace interstitiel (voir figure 14.5). La membrane alvéolocapillaire est très mince (moins de 1 μm). Elle est donc favorable aux échanges gazeux. Chez une personne atteinte d'œdème pulmonaire par exemple, l'excès de liquide remplit l'espace interstitiel et les alvéoles. Il se produit alors une altération des échanges gazeux.

Surfactant. On pourrait imaginer le poumon comme un assemblage constitué de 300 millions de bulles (les alvéoles) de 0,3 mm de diamètre chacune. Comme ce genre de structure est intrinsèquement instable, les alvéoles ont tendance à s'affaisser. La surface alvéolaire est composée de deux types de cellules : le type I et le type II. Les cellules de type I forment la structure, alors que les cellules de type II sécrètent du surfactant (voir figure 14.5). Le surfactant baisse la tension superficielle dans les alvéoles, ce qui réduit ainsi la pression nécessaire pour les gonfler et, par conséquent, leur tendance à s'affaisser. Lorsqu'une personne prend une respiration un peu plus longue, toutes les cinq ou six respirations, c'est un soupir. Ce soupir étire les alvéoles et provoque la sécrétion de surfactant par les cellules de type II.

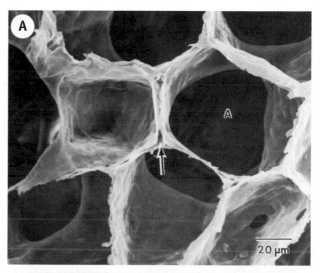

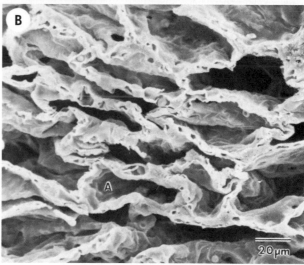

FIGURE 14.4 Micrographie électronique à balayage du parenchyme pulmonaire. A. Alvéoles (A) et capillaire alvéolaire (flèche). B. Effets de l'atélectasie. Les alvéoles (A) se sont partiellement ou totalement affaissées.

Voies respiratoires conductrices					Organes respiratoires
Trachée	Bronches, bronches segmentaires	Bronches sous-segmentaires	Bronchioles		Canaux alvéolaires, alvéoles
			non respiratoires	respiratoires	
Générations	8	15	21-22	24	28

FIGURE 14.3 Structures des voies respiratoires inférieures

Le fonctionnement normal du poumon dépend de la production et de la sécrétion continues de surfactant. Lorsque la quantité de surfactant est insuffisante, l'alvéole s'affaisse. L'atélectasie correspond à l'affaissement des alvéoles qui se vident d'air (voir figure 14.4).

Le client en période postopératoire est prédisposé à l'atélectasie parce qu'il a tendance à éviter les respirations profondes de crainte de ressentir de la douleur (voir chapitre 13). Lors du syndrome de détresse respiratoire aiguë (SDRA), la membrane alvéolo-capillaire est abîmée, ce qui provoque l'entrée de liquide dans les alvéoles. Ce phénomène provoque l'inactivation ou la destruction du surfactant et, par conséquent, une atélectasie généralisée (voir chapitre 28).

Apport sanguin. Dans les poumons, il existe deux types de circulation : pulmonaire et bronchique. La circulation pulmonaire fournit le sang nécessaire aux poumons pour les échanges gazeux. L'artère pulmonaire reçoit du sang non oxygéné du ventricule droit du cœur. Chaque capillaire pulmonaire est directement relié à plusieurs alvéoles ; c'est à cet endroit que l'échange d'oxygène et de dioxyde se produit. Les veines pulmonaires ramènent du sang oxygéné à l'oreillette gauche du cœur.

La circulation à l'intérieur des bronches débute dans les artères bronchiques qui émanent de l'aorte thoracique. Elle fournit l'oxygène aux bronches et aux autres tissus pulmonaires. Le sang quitte la circulation bronchique en passant par les veines azygos qui le drainent vers l'oreillette gauche. Chez le receveur d'une greffe pul-monaire, les vaisseaux bronchiques ne sont pas branchés lorsque le poumon du donneur est implanté. Ainsi, la viabilité des bronches du donneur dépend de la circulation collatérale jusqu'à ce que la revascularisation locale des tissus se fasse. La circulation collatérale assure un apport sanguin dans un organe donné en faisant appel à des vaisseaux autres que ceux de l'organe (voir chapitre 16).

14.1.3 Cage thoracique

La structure de la cage thoracique est formée de 24 côtes (12 de chaque côté). Les côtes et le sternum protègent les poumons et le cœur des blessures. Les autres structures de la cage thoracique comprennent la plèvre et les muscles respiratoires.

La cavité thoracique est recouverte d'une membrane qu'on appelle la plèvre pariétale et les poumons, d'une autre membrane appelée plèvre viscérale. Les plèvres pariétale et viscérale se rejoignent pour former une poche à double paroi. L'espace entre les couches pleurales, appelé la **cavité pleurale**, est un espace virtuel. Chez l'adulte normal, cet espace est rempli par une couche de liquide permettant de lubrifier l'espace interpleural. Cela permet à ces couches de glisser les unes sur les autres pendant la respiration augmentant ainsi leur cohésion. L'expansion de la plèvre et du poumon est ainsi facilitée lors de l'inspiration. Le liquide est extrait de l'espace pleural par la circulation lymphatique.

Généralement, l'espace pleural contient de 20 à 25 ml de liquide au total. Plusieurs affections provoquent l'accumulation de grandes quantités de ce liquide, notamment lors d'un épanchement pleural, d'insuffisance cardiaque ou d'empyème. L'**épanchement pleural** est fréquent lorsque des cellules malignes bloquent le drainage lymphatique ou s'il existe un déséquilibre entre la pression intravasculaire et oncotique, comme lors d'insuffisance cardiaque. Les infections bactériennes qui s'étendent à la plèvre risquent également d'entraîner une accumulation de liquide. L'empyème désigne la présence de liquide pleural purulent. La douleur pleurétique est un symptôme de l'existence de problèmes relatifs à la plèvre et elle apparaît lorsque la plèvre pariétale est atteinte. Par contre, la plèvre viscérale ne contient pas de récepteurs de la douleur.

Le diaphragme est le muscle le plus important de la respiration. Pendant l'inspiration, il se contracte et pousse le contenu abdominal vers le bas. Simultanément, les muscles intercostaux externes et les muscles parasternaux se contractent, augmentant ainsi la dimension latérale et antéropostérieure du thorax. Ce phénomène entraîne l'accroissement de la taille de la cavité thoracique (voir figure 14.6). Ainsi, la pression intrathoracique diminue et entraîne la pénétration de l'air dans les poumons.

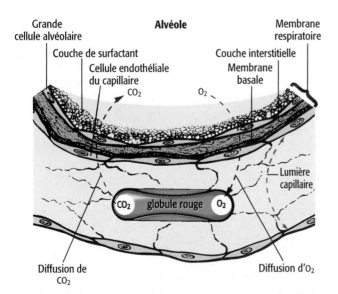

FIGURE 14.5 Agrandissement d'une petite portion de la membrane respiratoire. Une couche de tissu interstitielle très fine sépare la cellule endothéliale et la membrane basale se trouvant du côté du capillaire de la grande cellule alvéolaire et de la couche de surfactant situées du côté alvéolaire de la membrane respiratoire. L'épaisseur totale de la membrane respiratoire est inférieure à 1/2,55 cm.

Le diaphragme est composé de deux semi-diaphragmes, chacun innervé par les nerfs phréniques droit et gauche. Ceux-ci émanent de la moelle épinière entre les troisième et cinquième vertèbres cervicales (C3 et C5). Si le nerf phrénique est endommagé, le fonctionnement du diaphragme est altéré. Les lésions des nerfs phréniques sont causées par un objet contondant, pénétrant ou chirurgical. De tels traumatismes provoquent la paralysie du semi-diaphragme accompagnée d'une paralysie du côté de la lésion. Les lésions de la moelle épinière située au-dessus du niveau C3 provoquent la paralysie totale du diaphragme. Le client atteint de ce genre de lésion ne peut respirer un volume courant (VC) normal sans l'aide d'un ventilateur mécanique parce qu'il ne peut inspirer qu'un VC de 50 à 100 ml (le VC normal étant de 500 ml). Si la lésion de la moelle épinière est partielle ou située au-dessous de ce niveau, le fonctionnement phrénique et diaphragmatique est suffisant pour respirer sans ventilateur mécanique.

14.1.4 Physiologie de la respiration

Ventilation. La ventilation comprend l'inspiration (le mouvement de l'air entrant dans les poumons) et l'expiration (le mouvement de l'air sortant des poumons). L'air pénètre dans les poumons et en sort parce que la pression intrathoracique est différente de la pression présente dans les voies respiratoires supérieures. La contraction

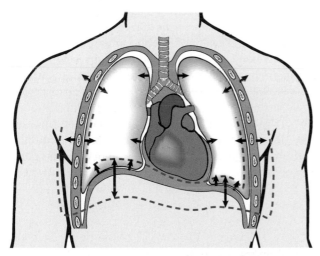

FIGURE 14.6 Section frontale du thorax illustrant le mouvement des poumons et de la cage thoracique pendant l'inspiration et l'expiration. Pendant l'inspiration, les muscles inspiratoires se contractent et le thorax se gonfle. La pression alvéolaire descend au-dessous de la pression atmosphérique, ce qui permet à l'air d'entrer dans la voie respiratoire jusque dans les poumons. Pendant l'expiration, les muscles inspiratoires se détendent. Les poumons reprennent leur position initiale grâce à leur élasticité. La pression alvéolaire s'élève et devient supérieure à la pression atmosphérique, ce qui permet à l'air de sortir des poumons. Les flèches simples montrent le gonflement des poumons et de la cage thoracique. Les flèches doubles indiquent le mouvement des bases pulmonaires.

du diaphragme, des muscles intercostaux et du scalène augmente les dimensions du thorax et réduit la pression intrathoracique. Le gaz se déplace d'une zone de pression élevée (atmosphérique) à une zone dont la pression est plus basse (intrathoracique) (voir figure 14.6). Certains problèmes (p. ex. la paralysie du nerf phrénique, la fracture des côtes, une maladie neuromusculaire) limitent le mouvement du diaphragme ou de la cage thoracique, ce qui réduit le VC. Cette réduction entraîne la dilatation partielle des poumons et une altération des échanges gazeux. Parmi les interventions exécutées pour résoudre ce problème, on compte la stimulation mécanique du nerf phrénique, l'anesthésie par blocage nerveux pour soulager la douleur provoquée par la fracture des côtes et la ventilation mécanique.

Contrairement à l'inspiration, l'expiration est un phénomène passif permettant au thorax de revenir à sa position d'origine. La pression intrathoracique augmente et pousse l'air à sortir des poumons. L'expiration devient un processus actif dans certaines maladies comme lorsqu'un client souffrant d'emphysème a une dyspnée importante (voir chapitre 17). Pendant une respiration active ou pendant les respirations « assistées », les muscles scalènes sterno-cléido-mastoïdiens aident à expirer.

Élasticité et compliance. L'élasticité désigne la tendance qu'ont les poumons à se rétracter après s'être étirés ou allongés. L'élasticité des tissus pulmonaires est assurée par les fibres d'élastine situées dans les parois alvéolaires ainsi qu'autour des bronchioles et des capillaires.

La **compliance** (la capacité de dilatation pulmonaire) est la mesure de l'élasticité des poumons et du thorax. Lorsque la compliance est réduite, l'inspiration devient plus difficile. On rencontre ce problème dans les maladies où il y une augmentation de liquide dans les poumons (p. ex. l'œdème pulmonaire et le SDRA), les maladies qui réduisent l'élasticité des tissus pulmonaires (p. ex. la fibrose pulmonaire) ainsi que celles qui limitent les mouvements pulmonaires (p. ex. l'épanchement pleural). La distension pulmonaire augmente avec l'âge, avec la destruction des parois alvéolaires et avec la diminution de l'élasticité des tissus, comme c'est le cas dans l'emphysème.

Diffusion. L'oxygène et le dioxyde de carbone se déplacent dans la membrane capillaire alvéolaire grâce à la diffusion. Le sens général de la diffusion va de la zone où la concentration est la plus élevée vers la zone où la concentration est la moins élevée. Ainsi, l'oxygène de l'atmosphère va du gaz alvéolaire au sang artériel et le dioxyde de carbone du sang artériel au gaz alvéolaire. La diffusion se poursuit jusqu'à ce que l'équilibre soit atteint (voir figure 14.5).

La capacité des poumons à oxygéner adéquatement le sang artériel est déterminée par la mesure de la pression partielle en oxygène dans le sang artériel (PaO_2) et la saturation du sang artériel en oxygène (SaO_2). L'oxygène est transporté dans le sang sous deux formes : l'oxygène dissous et l'oxygène fixé à l'hémoglobine (oxyhémoglobine). La PaO_2 représente la quantité d'oxygène dissous dans le plasma et elle s'exprime en millimètres de mercure (mm Hg). La SaO_2 représente la quantité d'oxygène fixé à l'hémoglobine par rapport à la quantité d'oxygène que l'hémoglobine peut potentiellement fixer. C'est pour cette raison que la SaO_2 est exprimée en pourcentage. Ainsi, si la SaO_2 est de 90 %, cela veut dire que 90 % des sites de fixation de l'hémoglobine sont saturés par l'oxygène.

Courbe de dissociation de l'oxyhémoglobine. L'affinité de l'hémoglobine pour l'oxygène est décrite par la courbe de dissociation de l'oxyhémoglobine (voir figure 14.7). L'apport d'oxygène aux tissus dépend de la quantité d'oxygène transporté vers les tissus et de la facilité avec laquelle l'hémoglobine libère l'oxygène une fois qu'elle arrive aux tissus. Dans la partie supérieure horizontale de la courbe, une variation importante de la PaO_2 provoque une variation mineure de la saturation de l'hémoglobine. Ainsi, si la PaO_2 baisse de 100 à 60 mm Hg, la saturation de l'hémoglobine varie seulement de 7 % (allant donc de 97 % à 90 %). L'hémoglobine demeure donc saturée à 90 % malgré la baisse de PaO_2 de 40 mm Hg. Cette partie de la courbe explique également la raison pour laquelle le client est considéré comme étant suffisamment oxygéné lorsque la PaO_2 est supérieure à 60 mm Hg. Une hausse de la PaO_2 au-dessus de ce taux change très peu la saturation de l'hémoglobine et le fait d'éviter une concentration élevée en oxygène réduira les risques de toxicité de l'oxygène. La **toxicité de l'oxygène** fait référence aux blessures alvéolaires causées par une forte concentration en oxygène, c'est-à-dire plus élevée que 40 % à 60 %.

La portion inférieure de la courbe de dissociation de l'oxyhémoglobine révèle un phénomène différent. Au fur et à mesure que l'hémoglobine libère l'oxygène, de plus grandes quantités d'oxygène sont envoyées aux tissus. Il s'agit là d'un mécanisme important pour maintenir le gradient de la pression entre le sang et les tissus et pour fournir la quantité suffisante d'oxygène aux tissus périphériques même si l'apport d'oxygène est compromis.

De nombreux facteurs modifient l'affinité de l'hémoglobine pour l'oxygène. Lorsque la courbe de dissociation de l'oxygène est décalée à gauche, le sang absorbe rapidement l'oxygène qui se trouve dans les poumons, mais le distribue moins rapidement aux tissus. Ce changement de rythme se produit chez les personnes atteintes d'alcalose, d'hypothermie et lorsque la pression partielle du gaz carbonique ($PaCO_2$) dans le sang artériel diminue (voir figure 14.7). Le client dont la maladie provoque un décalage de la courbe à gauche, tout comme celui qui souffre d'hypothermie à la suite d'une chirurgie cardiaque, doit recevoir une grande concentration d'oxygène jusqu'à ce que sa température corporelle retourne à la normale. Cette oxygénation compense la quantité d'oxygène moindre qui se rend aux tissus. Lorsque la courbe est décalée à droite, le contraire se produit : le sang absorbe moins rapidement l'oxygène qui se trouve dans les poumons, mais l'achemine plus rapidement aux tissus. C'est ce qui se produit chez le client souffrant d'acidose, d'hyperthermie, et lorsque la $PaCO_2$ augmente.

Deux méthodes sont utilisées pour évaluer l'efficacité du transfert gazeux dans les poumons : les gaz sanguins artériels (GSA) et la saturométrie (oxymétrie). Ces méthodes sont généralement adéquates si le client est stable et s'il n'est pas atteint d'une maladie grave. En effet, un tel client souffre souvent d'une déficience qui altère l'acheminement de l'oxygène aux tissus. Chez ce client, il est possible d'évaluer le débit cardiaque, la consommation d'oxygène (VO_2), la pression du sang veineux mélangé en oxygène (PvO_2) et la saturation du sang veineux mélangé en oxygène (SvO_2) (voir chapitre 28).

Gaz sanguins artériels (GSA). Les GSA sont mesurés afin de déterminer l'état d'oxygénation et l'équilibre acido-basique d'un client. L'analyse des GSA comprend la mesure de la PaO_2, de la $PaCO_2$, de l'acidité (pH) et du

TABLEAU 14.1 Valeurs normales des gaz artériels et veineux*				
Gaz artériels				
Valeur de laboratoire	**Niveau de la mer PB 760 mm Hg**	**1,6 km au-dessus du niveau de la mer PB 629 mm Hg**	**Sang veineux mélangé**	
pH	7,35-7,45	7,35-7,45	pH	7,34-7,37
PaO_2	80-100 mm Hg	65-75 mm Hg	PvO_2	38-42 mm Hg
SaO_2	> 95 % [†]	> 95 % [†]	SvO_2	60 %-80 % [†]
$PaCO_2$	35-45 mm Hg	35-45 mm Hg	$PvCO_2$	44-46 mm Hg
HCO_3^-	22-26 mEq/L	22-26 mEq/L	HCO_3^-	24-30 mEq/L

* On suppose que le client a ≤ 60 ans et qu'il respire l'air ambiant.
† Les mêmes valeurs normales s'appliquent lorsque la SpO_2 et la SvO_2 sont obtenues par saturométrie.
mEq : milliéquivalent ; PB : pression barométrique ; PvO_2 : pression partielle de l'oxygène dans le sang veineux ; SvO_2 : saturation des veines en oxygène.

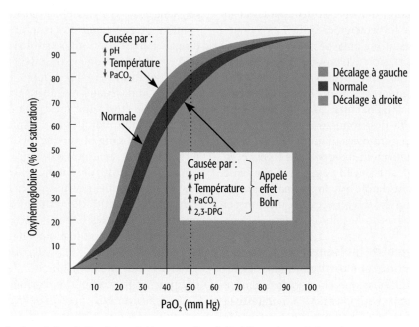

FIGURE 14.7 Courbe de dissociation de l'oxyhémoglobine. Les effets de l'acidité et des variations de température sont illustrés.

bicarbonate (HCO_3^-) dans le sang artériel. La saturation du sang en oxygène (SaO_2) est également calculée pendant cette analyse.

Le médecin prélève le sang pour ce type d'analyse par ponction artérielle ou en utilisant un cathéter artériel, généralement placé dans l'artère radiale ou fémorale. L'infirmière n'est pas autorisée à accomplir cet acte médical, sauf lorsqu'un dispositif appelé ligne artérielle est branché à un cathéter déjà posé dans l'artère radiale ou fémorale. Ce dispositif est installé chez la plupart des clients hospitalisés dans des unités spécialisées comme les soins intensifs. Ces deux techniques sont effractives invasives et ne permettent que des analyses intermittentes. Le monitorage continu des gaz intra-artériels est possible à l'aide d'un capteur de fibres optiques ou d'une électrode d'oxygène insérée dans un cathéter artériel. Le cathéter artériel et le monitorage continu des gaz sanguins artériels permettent la mesure de ces derniers sans procéder à des ponctions artérielles répétées.

Les valeurs normales des GSA sont présentées dans le tableau 14.1. La valeur normale de la PaO_2 diminue avec l'âge et varie avec l'altitude. En effet, à haute altitude, la pression barométrique baisse, ce qui entraîne une réduction de la quantité d'oxygène inspirée et une baisse de la PaO_2 (voir tableau 14.1). Le corps humain requiert une pression minimale. Dans une cabine d'avion, cette pression d'air doit rester au minimum à la pression atmosphérique qui règne à 2438 mètres, soit l'altitude d'une montagne de taille moyenne. Une cabine d'avion peut être assimilée à un volume clos. Comme l'air de refroidissement requis pour le confort des passagers est injecté à l'intérieur de ce volume clos, il est nécessaire de maintenir la pression dans la cabine à la valeur requise. Ceci est réalisé par l'intermédiaire d'une sorte de robinet qui est ouvert ou fermé avec soin par un système automatique : le système de mise sous pression. La plupart des avions sont mis sous pression pour voler à une altitude allant jusqu'à 2439 mètres au-dessus du niveau de la mer. Une personne ne présentant aucune maladie verra sa PaO_2 baisser de 16 à 32 mm Hg à cette altitude. Le client qui est sous oxygénothérapie ou qui a une PaO_2 inférieure à 72 mm Hg doit être sérieusement examiné avant de prendre l'avion, car il risque d'avoir besoin d'un ajustement du débit d'oxygène pendant le vol. Il est primordial d'obtenir un avis médical avant toute modification du débit de l'oxygène.

Sang veineux mélangé. Pour un client dont l'état cardiaque est normal, une mesure de la PaO_2 ou de la SaO_2 suffit en général pour déterminer si l'oxygénation est adéquate. Cela n'est souvent pas le cas pour celui dont le débit cardiaque est altéré ou qui est instable sur le plan hémodynamique. En effet, ce type de client risque de souffrir d'un apport insuffisant d'oxygène aux tissus ou de le consommer de façon anormale. Il est possible de calculer la quantité d'oxygène acheminée aux tissus et celle consommée. De même, il est possible d'analyser la PvO_2 et la SvO_2 pour déterminer si les tissus reçoivent suffisamment d'oxygène.

On utilise un cathéter placé dans l'artère pulmonaire, qu'on appelle **cathéter artériel pulmonaire**, pour prélever du sang veineux mélangé (voir chapitre 29). Le sang prélevé d'une artère pulmonaire est appelé sang veineux mélangé parce qu'il s'agit de sang veineux provenant du lit tissulaire, qui est retourné au cœur et qui s'est mélangé dans le ventricule droit. Les valeurs normales du sang veineux mélangé se trouvent dans le tableau 14.1. Lorsque l'apport d'oxygène aux tissus est insuffisant, notamment lorsque le transport effectué par l'hémoglobine est inadéquat, la PvO_2 et la SvO_2 baissent. Dans le diagnostic de l'hypoxémie, la valeur du sang veineux mélangé résulte des données fournies par les systèmes pulmonaire et cardiovasculaire. La PaO_2 nous renseigne sur l'alimentation en oxygène des tissus et la PvO_2 sur la demande des tissus en oxygène. Lorsque la valeur de la PvO_2 est plus faible que la normale, cela signifie que l'alimentation en oxygène est insuffisant et qu'elle ne répond donc pas au besoin d'oxygène.

Saturométrie ou oxymétrie pulsée. Les valeurs des GSA fournissent de l'information pertinente sur l'oxygénation et l'équilibre acidobasique. Mais ces examens sont effractifs, nécessitent des analyses de laboratoire et exposent le client à un risque d'hémorragie causé par la ponction artérielle. Il est possible d'effectuer un monitorage continu et non effractif (c.-à-d. sans prélèvement de sang) de l'oxygène artériel en utilisant la saturométrie. Cette technique consiste à fixer une sonde au doigt, à l'orteil, au front ou sur le septum nasal lorsqu'on ne peut la fixer à une extrémité (voir figure 14.8).

Le saturomètre émet deux longueurs d'onde de lumière, l'une rouge et l'autre infrarouge, qui passent d'une diode électroluminescente (placée sur un côté de la sonde) à un photodétecteur (placé du côté opposé de la sonde). Le sang bien oxygéné absorbe la lumière différemment du sang non oxygéné. Le saturomètre détermine la quantité de lumière absorbée par le réseau vasculaire et utilise cette information pour calculer la saturation. La saturation artérielle en oxygène peut être déterminée avec les GSA ou par la saturométrie. Quant à la saturation pulsatile en oxygène (SpO_2), on l'obtient par la saturométrie. La SpO_2 (saturométrie) et la fréquence cardiaque sont affichées sur le moniteur (voir figure 14.8, B). La SpO_2 normale est supérieure à 95 %.

La saturométrie est particulièrement utile lors des épreuves à l'effort et lors de la mesure du débit de l'oxygène chez un client constamment sous oxygène. Les variations de la SpO_2 sont rapidement décelées et des modifications au plan de soins peuvent être apportées (voir tableau 14.2). La saturométrie ne fournit aucune information sur l'état de la ventilation (pH, $PaCO_2$). Ainsi, elle ne doit pas se faire au détriment des GSA.

Les valeurs obtenues par saturométrie sont moins exactes si la SpO_2 est inférieure à 70 %. À ce taux, il est possible que le saturomètre affiche la valeur réelle, plus ou moins 4 % : par exemple, si la SpO_2 est de 70 %, la valeur réelle est comprise entre 66 % et 74 %. La saturométrie manque également de précision si des variantes de l'hémoglobine, comme la carboxyhémoglobine ou la méthémoglobine, sont présentes. Le mouvement, une perfusion lente, l'anémie, des lumières vives et fluorescentes, des colorants intravasculaires, des ongles épais en acrylique et une peau foncée sont d'autres facteurs qui en compromettent la précision. Si l'exactitude des résultats de la SpO_2 est douteuse, il est nécessaire de procéder à une analyse des GSA.

Il est également possible d'utiliser la saturométrie pour effectuer une surveillance de la SvO_2. Lorsqu'on effectue une telle surveillance, la sonde électroluminescente est placée sur la lumière du cathéter de l'artère pulmonaire. Une diminution de la SvO_2 laisse supposer une baisse de l'acheminement d'oxygène aux tissus ou une augmentation de la consommation d'oxygène. Les variations de la SvO_2 sont des signes précurseurs d'un changement du débit cardiaque et de l'acheminement d'oxygène aux tissus. La valeur normale de la SvO_2 est de 60 % à 80 %.

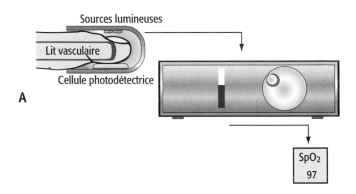

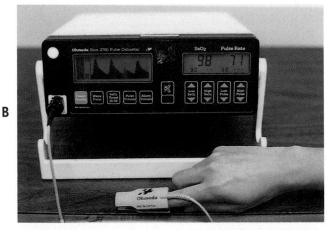

FIGURE 14.8 A. La lumière d'une diode électroluminescente traverse le lit vasculaire, puis est transmise par un saturomètre à une cellule photodétectrice. Le saturomètre compare les quantités de lumière émise et absorbée et calcule la SpO_2. Il affiche la valeur calculée sous forme numérique. B. Un saturomètre portatif affiche la saturation en oxygène et la fréquence cardiaque

Apport en oxygène. L'information fournie par les GSA ou la saturométrie sert à évaluer l'oxygénation. Il faut se poser plusieurs questions pour savoir si l'oxygénation est adéquate :

- Quelle est la SpO$_2$ et la PaO$_2$ du client par rapport aux valeurs normales ? (Les valeurs normales sont fournies dans le tableau 14.1.)
- Quel est le degré d'hypoxémie et quelle en est la tendance ? Y a-t-il eu une baisse rapide de la SpO$_2$ ou de la PaO$_2$? Une baisse soudaine de l'oxygène dans le sang peut être mortelle. Par contre, une baisse progressive est tolérable et s'accompagne des symptômes de fièvre. Les valeurs anormales de la SpO$_2$ et de la PaO$_2$ sont fournies dans le tableau 14.2.
- Les signes et symptômes révèlent-ils une oxygénation inadéquate ? Des modifications dans les appareils respiratoire et cardiovasculaire, dans le système nerveux central et dans la fonction rénale sont observées lorsque l'apport d'oxygène aux tissus est inadéquat (voir tableau 14.3). Comme les tissus du cerveau sont très sensibles à une baisse d'oxygène, les premiers signes de l'hypoxémie sont parfois la peur, la fatigue et l'irritabilité. Si ces signes et ces symptômes sont observés, une modification du plan de soins s'impose.
- Comment s'effectue l'oxygénation pendant l'activité ou l'exercice ? La saturométrie est utilisée pour surveiller la SpO$_2$ pendant un test de marche de six minutes. Elle est aussi employée pour évaluer la désaturation en oxygène lors des activités de la vie quotidienne (AVQ) du client. Une SpO$_2$ < 88 % pendant l'effort indique un besoin d'oxygène.

14.1.5 Régulation de la respiration

Le centre respiratoire est composé d'un groupe de cellules situées dans la médulla sur le tronc cérébral. Ces cellules réagissent aux signaux chimiques et mécaniques du corps. Les impulsions sont envoyées de la médulla aux muscles respiratoires à travers la moelle épinière et les nerfs phréniques. La respiration est régulée par des chimiorécepteurs et des capteurs mécaniques.

Chimiorécepteurs. Un chimiorécepteur est un récepteur qui réagit aux variations de la composition chimique (PaO$_2$ et pH) du liquide qui l'entoure. Les chimiorécepteurs centraux se trouvent dans la médulla et répondent aux variations de concentration de l'ion hydrogène (H$^+$). Une augmentation de la concentration de H$^+$ (l'acidose) pousse la médulla à augmenter la fréquence respiratoire et le volume courant, alors qu'une baisse de H$^+$ (l'alcalose) provoque l'effet contraire. Les variations de la PaCO$_2$ régulent la ventilation grâce à leur effet sur le pH du liquide céphalorachidien (LCR). Lorsque la PaO$_2$ augmente, une grande quantité de CO$_2$ se mélange au H$_2$O et forme de l'acide carbonique (H$_2$CO$_3$), ce qui abaisse le pH dans le LCR, puis stimule et augmente la fréquence respiratoire. Le processus inverse se produit lorsque la PaO$_2$ baisse.

Les chimiorécepteurs périphériques se trouvent dans les corpuscules carotidiens, à l'endroit où les artères carotides communes bifurquent, dans les sinus carotidiens et au-dessous de la crosse aortique. Les chimiorécepteurs périphériques répondent à la baisse de la PaO$_2$, du pH et à la hausse de la PaCO$_2$. Ces variations stimulent également le centre respiratoire situé dans le bulbe rachidien.

Chez une personne en bonne santé, une augmentation de la PaCO$_2$ ou une baisse du pH provoque une augmentation immédiate de la fréquence respiratoire ; le processus est extrêmement précis. La PaCO$_2$ ne varie pas de plus de 3 mm Hg si le travail des poumons est adéquat. Des maladies comme la bronchopneumopathie chronique obstructive (BPCO), communément appelées maladies pulmonaires obstructives chroniques (MPOC), altèrent le fonctionnement des poumons et risquent de provoquer une élévation chronique de la PaCO$_2$. Un client atteint sera plutôt insensible aux augmentations ultérieures de la PaCO$_2$ qui sont censées stimuler sa respiration. Il maintiendra la ventilation surtout grâce à la réponse hypoxique provenant des chimiorécepteurs périphériques (voir chapitre 17).

Mécanorécepteurs. Les mécanorécepteurs (juxtacapillaire et irritant) se trouvent dans les poumons, les voies respiratoires supérieures, la cage thoracique et le diaphragme. Ils sont stimulés par plusieurs facteurs, comme les irritants, l'étirement des muscles et la déformation de la paroi alvéolaire. Les signaux provenant des mécanorécepteurs musculaires aident à réguler la respiration. Lorsque les poumons se gonflent, les mécanorécepteurs musculaires pulmonaires déclenchent l'arrêt de toute expansion supplémentaire des poumons en envoyant un signal au centre inspiratoire. Ce processus s'appelle le réflexe de Hering-Breuer et il sert à empêcher l'étirement excessif des poumons. Les impulsions des mécanorécepteurs voyagent à travers le nerf vague jusqu'au cerveau. On pense que les récepteurs juxtacapillaires provoquent la respiration rapide (tachypnée) que l'on observe lors d'un œdème pulmonaire. Ces récepteurs sont stimulés par le liquide présent dans l'espace interstitiel pulmonaire.

14.1.6 Mécanismes de protection des voies respiratoires

Les mécanismes de protection des voies respiratoires sont efficaces lorsqu'il s'agit d'empêcher les poumons d'inhaler des particules, des micro-organismes et des gaz toxiques. Parmi ces mécanismes, on compte la filtration de l'air, la clairance mucociliaire, le réflexe tussigène, la réponse bronchoconstrictive et les macrophages alvéolaires.

Filtration de l'air. Les poils nasaux filtrent l'air inspiré. De plus, le flux d'air change rapidement d'orientation quand il se déplace dans le rhinopharynx et le larynx. Il en résulte une turbulence plus vigoureuse, laquelle met en contact les particules et les bactéries avec la muqueuse qui recouvre le rhinopharynx et le larynx. La plupart des grosses particules (de diamètre supérieur à 5 µm) sont éliminées de cette façon.

La vitesse du flux d'air ralentit considérablement une fois que l'air dépasse le larynx, ce qui facilite le dépôt de petites particules (de 1 à 5 µm). Ces particules se déposent par sédimentation, un peu comme le sable dans une rivière. Les particules d'une taille inférieure à 1 µm, trop petites pour se déposer de cette manière, se déposent dans les alvéoles. La poussière de charbon, responsable de la pneumoconiose, est une de ces minuscules particules qui peuvent s'accumuler. La taille des particules est importante. En effet, celles dont la taille dépasse les 5 µm sont moins dangereuses, car elles sont éliminées dans le rhinopharynx ou les bronches et n'atteignent donc pas les alvéoles.

Mécanisme de clairance mucociliaire.
Au-dessous du larynx, le mucus se déplace grâce au mécanisme de clairance mucociliaire, communément appelé escalier (*escalator*) mucociliaire. Ce terme fait référence à la relation qui existe entre la sécrétion de mucus et l'activité ciliaire. Du mucus est constamment sécrété à un débit de 100 ml par jour par les cellules caliciformes et les glandes sous-muqueuses. Ces sécrétions forment une couche muqueuse qui contient des particules accumulées et des débris des zones pulmonaires distales (voir figure 14.1). Une petite quantité de mucus normalement sécrétée est avalée sans qu'on ne le remarque. L'immunoglobuline A sécrétoire (IgA) présente dans le mucus protège l'organisme contre les bactéries et les virus.

Des cils couvrent les voies respiratoires de la trachée jusqu'aux bronchioles respiratoires (voir figure 14.1). Chaque cellule ciliée contient environ 200 cils qui se rabattent à un rythme régulier d'environ 1000 fois par minute dans les grandes voies respiratoires, ce qui déplace le mucus vers la bouche. Plus on s'éloigne dans l'arbre trachéobronchique, plus le rythme des cils ralentit. Ainsi, les particules qui entrent plus profondément dans les voies respiratoires sont éliminées moins rapidement. L'action des cils est altérée par la déshydratation, le tabagisme, l'inhalation d'air à concentration élevée en oxygène, l'infection, la consommation de substances comme l'atropine, l'alcool, les anesthésiques et les drogues comme la cocaïne et le crack. Les clients atteints de bronchite chronique ou de fibrose kystique souffrent d'infections répétées des voies respiratoires supérieures. Les cils sont souvent détruits par ces infections, ce qui altère l'élimination des sécrétions, provoque une toux grasse chronique et des infections respiratoires.

Réflexe tussigène.
La toux est un réflexe de protection qui nettoie les voies respiratoires par un flux d'air expulsé à haute pression et à grande vitesse. Il s'agit d'un mécanisme complémentaire à la clairance mucociliaire, surtout lorsque cette dernière est surchargée ou inefficace. La toux est seulement efficace pour enlever les sécrétions situées au-dessus des bronches sous-segmentaires (la trachée et les bronches souches). Les autres sécrétions doivent être expulsées par le mécanisme de clairance mucociliaire ou par des interventions comme le drainage postural avant de pouvoir être éliminées par la toux.

Réponse bronchoconstrictive.
La réponse bronchoconstrictive est un autre mécanisme de défense. Lorsque de grandes quantités de substances irritantes

---

GÉRONTOLOGIE

Effets du vieillissement sur l'appareil respiratoire
ENCADRÉ 14.1

Les changements liés au vieillissement de l'appareil respiratoire touchent la structure, les mécanismes de défense et la régulation de la respiration. Parmi les changements de structure, on compte une diminution de l'élasticité du poumon, de la compliance de la cage thoracique et une augmentation du diamètre antéropostérieur de cette dernière. On observe une diminution du nombre d'alvéoles fonctionnelles du parenchyme pulmonaire. Les petites voies respiratoires dans les bases pulmonaires se ferment plus tôt pendant l'expiration. Ainsi, une plus grande quantité de l'air inspiré est distribuée aux extrémités des poumons et la ventilation se combine mal avec la perfusion, ce qui baisse la PaO_2. La PaO_2 à un âge donné se calcule à l'aide de l'équation suivante :

$$PaO_2 \text{ (mm Hg)} = 103,5 - (0,42 \times \text{âge en années})$$

Par exemple, la PaO_2 normale pour un client de 80 ans est de 70 mm Hg, soit $103,5 - (0,42 \times 80) = 70$ mm Hg, alors que, pour une personne de 25 ans, la PaO_2 est de 93 mm Hg.

Les mécanismes de défense sont moins efficaces à cause d'une immunité cellulaire plus faible et d'une moins grande production d'anticorps. La phagocytose des macrophages alvéolaires est moins efficace. Une personne âgée tousse de façon moins énergique et un moins grand nombre de ses cils bronchiques sont fonctionnels. La sécrétion d'IgA, un mécanisme important pour neutraliser les effets des virus, est réduite.

La régulation respiratoire est altérée et le client réagit plus lentement à la variation des taux d'oxygène ou de dioxyde de carbone sanguins. Ainsi, la PaO_2 baisse et la $PaCO_2$ augmente avant que la fréquence respiratoire ne change.

Chez les personnes du même âge, il existe beaucoup de variations individuelles relatives à ces changements. Le client qui a beaucoup fumé, qui est obèse ou qui souffre d'une maladie chronique est prédisposé aux dénouements moins favorables.

Les changements touchant le vieillissement de l'appareil respiratoire et les modifications qu'ils entraînent dans les résultats d'examen sont présentés dans le tableau 14.4.

sont inhalées (p. ex. de la poussière, des aérosols), les bronches se resserrent pour empêcher les irritants d'y pénétrer. Une personne dont les voies respiratoires sont hyperréactives, comme chez une personne atteinte d'asthme, souffre de bronchoconstriction lorsqu'elle respire de l'air froid, du parfum ou de fortes odeurs.

Macrophages alvéolaires. Étant donné qu'il n'y a pas de cellules ciliées à partir des bronchioles, seuls les macrophages alvéolaires assurent la défense. Ceux-ci phagocytent rapidement les particules étrangères inhalées comme les bactéries. Les débris sont délogés des bronchioles pour être éliminés par les cils ou enlevés des poumons par le système lymphatique. Les particules qui ne peuvent pas être phagocytées ont tendance à rester dans les poumons et risquent de stimuler des réactions inflammatoires ou fibrogènes. La poussière de charbon et la silice, par exemple, stimulent une réaction fibreuse (voir chapitre 16). Comme la fonction des macrophages alvéolaires est altérée par le tabagisme, le fumeur qui est exposé à beaucoup de poussière dans son travail (p. ex. mines ou fonderies) est prédisposé aux maladies pulmonaires.

14.2 ÉVALUATION DE L'APPAREIL RESPIRATOIRE

Pour obtenir un diagnostic juste, il faut bien connaître les antécédents médicaux du client et procéder à un examen physique complet. L'évaluation de la respiration peut être un examen à part entière ou faire partie d'un examen physique exhaustif. Lors de ce type d'examen,

l'infirmière doit exercer son jugement en tenant compte des problèmes exprimés par le client et de son niveau de détresse respiratoire. Si cette détresse est importante, il faut se limiter à l'information pertinente et remettre l'évaluation exhaustive jusqu'à ce que l'état du client se stabilise. Les signes et symptômes d'une oxygénation inadéquate se trouvent dans le tableau 14.3.

14.2.1 Données subjectives

Renseignements importants

Antécédents de santé. L'infirmière doit déterminer la fréquence des problèmes touchant les voies respiratoires supérieures (p. ex. rhumes, maux de gorge, problèmes de sinus, allergies) et si les conditions météorologiques influencent ces données. Elle doit interroger le client qui souffre d'allergies au sujet des facteurs déclencheurs comme les médicaments, le pollen, la fumée ou les animaux domestiques. Les caractéristiques des réactions allergiques doivent également être examinées, notamment l'écoulement nasal, la respiration sifflante (*wheezing*), la gorge qui pique ou la gêne respiratoire, et l'intensité de ces caractéristiques doit être notée. La fréquence et les causes déclenchant une crise d'asthme doivent également être définies. Si son débit expiratoire de pointe a déjà été mesuré, les meilleures valeurs obtenues sont des informations qui permettent d'évaluer son asthme.

Il faut également chercher à savoir si le client a déjà souffert de problèmes touchant les voies respiratoires inférieures, comme la BPCO, la pneumonie ou la tuberculose. Comme les symptômes respiratoires se manifestent souvent dans d'autres systèmes, il faut demander au client s'il a déjà souffert d'autres problèmes de santé.

TABLEAU 14.2 Valeurs critiques de la PaO_2 et de la SpO_2*		
PaO_2 (%)	SpO_2 (%)	Interprétations
≥ 70	≥ 94	Adéquates, sauf si le client est instable du point de vue hémodynamique ou s'il a des problèmes à éliminer l'oxygène. Il est possible que des valeurs plus élevées soient nécessaires dans le cas de débit cardiaque diminué, d'arythmies, d'un décalage vers la gauche de la courbe de dissociation d'oxyhémoglobine ou d'inhalation de monoxyde de carbone. Les avantages d'un taux d'oxygène plus élevé dans le sang doivent être comparés aux risques de toxicité de l'oxygène.
60	90	Adéquates chez presque tous les clients. Ces valeurs se trouvent dans la partie descendante de la courbe de dissociation d'oxyhémoglobine. Fournit une bonne oxygénation avec une plus petite marge d'erreur que dans le cas d'antécédents cardiaques.
55	88	Adéquates pour les clients atteints d'hypoxémie chronique s'ils n'ont pas de problèmes cardiaques. Ces valeurs sont également utilisées comme critère pour décider s'il faut prescrire une oxygénothérapie continue.
40	75	Inadéquates, mais peuvent être acceptables à court terme si le client souffre de rétention de dioxyde de carbone. Dans ce cas, les respirations doivent être stimulées par une faible PaO_2 ; ainsi, la PaO_2 ne peut être augmentée rapidement. L'infirmière peut effectuer l'oxygénothérapie par masque à une basse concentration (24-28 %) pour augmenter graduellement la PaO_2. Le monitorage pour les arythmies est nécessaire.
< 40	< 75	Inadéquates. Le client risque de souffrir d'hypoxie des tissus et d'arythmies cardiaques.

* Les mêmes valeurs critiques s'appliquent pour la SpO_2 et la SaO_2. Ces valeurs sont relatives au repos ou à l'effort.

TABLEAU 14.3 Signes et symptômes d'une oxygénation inadéquate

Signes et symptômes	Apparition
Respiratoires	
Tachypnée	Précoce
Dyspnée à l'effort	Précoce
Dyspnée au repos	Tardive
Utilisation de muscles accessoires	Tardive
Tirage pendant l'inspiration	Tardive
Pause pour reprendre son souffle entre les phrases ou les mots	Tardive
Cardiovasculaires	
Tachycardie	Précoce
Hypertension légère	Précoce
Arythmie (p. ex. contractions ventriculaires précoces)	Précoce ou tardive
Hypotension	Tardive
Cyanose	Tardive
Peau froide et moite	Tardive
Neurologiques	
Peur inexpliquée	Précoce
Agitation et irritabilité inexpliquées	Précoce
Confusion et léthargie inexpliquées	Précoce ou tardive
Combativité	Tardive
Coma	Tardive
Autres	
Diaphorèse	Précoce ou tardive
Diminution de l'urine	Précoce ou tardive
Fatigue inexpliquée	Précoce ou tardive

Par exemple, un client ayant des problèmes cardiaques risque de présenter de la dyspnée, qui est une conséquence de l'insuffisance cardiaque. Aussi, celui qui est infecté par le virus de l'immunodéficience humaine (VIH) risque de présenter plus fréquemment des infections respiratoires, car son système immunitaire est affaibli.

Médicaments. Il faut poser des questions précises au client au sujet des médicaments prescrits ou en vente libre qu'il a pris pour traiter ses problèmes respiratoires. Les classes de médicaments les plus couramment utilisées pour ces types de problèmes sont les antihistaminiques, les bronchodilatateurs, les corticostéroïdes, les antitussifs et les antibiotiques. Il est primordial de lui demander tous les renseignements relatifs à la prise des médicaments, c'est-à-dire la raison pour laquelle il les prenait, leur nom, la dose, la fréquence, la durée, leurs effets et tous les effets indésirables qu'ils ont provoqués.

Si le client reçoit de l'oxygène pour atténuer sa dyspnée, il faut obtenir et noter au dossier la concentration d'oxygène qu'il prend, la méthode d'administration utilisée et l'efficacité de la thérapie. Il faut également évaluer les mesures de sécurité adoptées pendant l'administration de l'oxygène.

Interventions chirurgicales et autres traitements. L'infirmière doit savoir si le client a déjà été hospitalisé pour des problèmes respiratoires. Si tel est le cas, il faut obtenir les dates des hospitalisations, les traitements reçus (y compris la chirurgie) et la description du problème au moment de la consultation.

L'infirmière devrait se renseigner au sujet des traitements que le client a reçus, tels qu'un nébuliseur, un humidificateur, un mécanisme de dégagement des voies respiratoires, une oscillation du thorax à haute fréquence, un drainage postural ou de la percussion. Il est important qu'elle connaisse la fréquence de ces traitements et les résultats obtenus.

EXAMEN CLINIQUE ET GÉRONTOLOGIQUE

TABLEAU 14.4 Appareil respiratoire

Modifications	Différences dans l'évaluation des résultats
Structure ↓ de l'élasticité ↓ de la compliance de la cage thoracique ↑ du diamètre antéropostérieur ↓ du fonctionnement des alvéoles	Thorax en tonneau, ↓ mouvement de la cage thoracique; ↓ amplitude respiratoire; ↓ capacité pulmonaire vitale; ↑ capacité résiduelle fonctionnelle; ↓ des bruits de la respiration notamment aux bases pulmonaires; ↓ PaO_2 et SaO_2; pH et $PaCO_2$ normaux.
Mécanismes de défense ↓ de l'immunité cellulaire ↓ des anticorps spécifiques ↓ du fonctionnement ciliaire ↓ de la force de la toux ↓ du fonctionnement des macrophages alvéolaires	↓ efficacité de la toux; ↓ élimination des sécrétions; ↑ risque d'infection des voies respiratoires supérieures, pneumonie. Les infections respiratoires risquent de s'aggraver et de persister.
Régulation respiratoire ↓ de la réaction à l'hypoxémie ↓ de la réaction à l'hypercapnie	Plus grandes ↓ PaO_2 et ↑ $PaCO_2$ avant que le rythme respiratoire ne change. Une hypoxémie ou une hypercapnie importante risque d'apparaître lorsque les sécrétions ne sont pas expectorées, la sédation est excessive ou lorsque les positions limitent l'expansion thoracique.

ANTÉCÉDENTS DE SANTÉ

Appareil respiratoire

Mode perception et gestion de la santé

- Décrivez vos activités quotidiennes. Y a-t-il eu, au cours des derniers jours, un changement dans les activités que vous pouvez pratiquer ? dans les derniers mois ? dans les dernières années ? Si tel est le cas, est-ce dû à votre santé ?
- Comment vos problèmes respiratoires ont-ils modifié votre autonomie ?
- Avez-vous déjà fumé ? Fumez-vous ? Si oui, combien de cigarettes par jour et depuis combien de temps ? Avez-vous cessé de fumer ou avez-vous diminué le nombre de cigarettes fumées à cause de votre santé* ?
- Avez-vous reçu le vaccin Pneumovax ? Quand avez-vous reçu le vaccin contre la grippe ?
- Quelles boissons alcoolisées buvez-vous ? Combien de fois en buvez-vous par semaine ? Quelle est la quantité absorbée ?
- Consommez-vous de la drogue* ? Quelle est la fréquence de votre consommation ?
- Utilisez-vous un appareil pour vous aider à respirer ? Si oui, lequel ? À quelle fréquence l'utilisez-vous ? Est-ce que cela vous aide ? Est-ce que cela vous crée des problèmes ?

Mode nutrition et métabolisme

- Avez-vous perdu du poids récemment à cause de difficultés à vous alimenter ? Est-ce que ces difficultés sont entraînées par un problème respiratoire ? Combien de kilos avez-vous perdus ? Est-ce volontaire ?
- Y a-t-il un aliment en particulier qui influence votre expectoration ou votre respiration* ?

Mode élimination

- Votre problème de respiration rend-il le fait d'aller aux toilettes difficile* ?
- La dyspnée vous rend-elle inactif au point de devenir constipé ?

Mode activité et exercice

- Êtes-vous essoufflé lorsque vous faites un effort physique* ? Lorsque vous êtes inactif* ?
- Votre essoufflement vous empêche-t-il de faire les activités que vous voudriez faire* ?
- Combien d'étages a votre maison ? un ? deux ? Combien de marches devez-vous monter pour accéder à votre demeure ?
- Êtes-vous capable de pratiquer vos activités habituelles ? Si non, expliquez.
- Que faites-vous lorsque vous êtes essoufflé ?

Mode sommeil et repos

- Vos problèmes de respiration vous réveillent-ils la nuit* ?
- Dormez-vous sur le dos ? Si non, combien d'oreillers utilisez-vous ? Devez-vous dormir assis dans un fauteuil ?
- Savez-vous si vous ronflez ? Votre conjoint ou conjointe vous l'a-t-il ou l'a-t-elle déjà dit ?

Mode cognition et perception

- Ressentez-vous de la douleur lorsque vous respirez* ?
- Vous sentez-vous parfois agité, irritable ou confus sans aucune raison apparente* ?
- Avez-vous de la difficulté à vous rappeler certaines choses* ?

Mode perception et concept de soi

- Expliquez-moi comment vos problèmes respiratoires ont changé votre vie.
- Sortez-vous parfois sans prendre de l'oxygène ? Quand et pourquoi ?

Mode relations et rôle

- Vos problèmes respiratoires vous ont-ils créé des difficultés au travail, dans votre famille ou dans vos relations sociales ?*

Mode sexualité et reproduction

- Vos problèmes respiratoires ont-ils modifié vos relations sexuelles* ?
- Voulez-vous discuter des façons de réduire la dyspnée pendant vos relations sexuelles ?

Mode adaptation et tolérance au stress

- Combien de fois par semaine sortez-vous de la maison ?
- Voudriez-vous faire partie d'un groupe de soutien ? Suivre un programme de rééducation pulmonaire ?
- Le stress a-t-il un effet sur votre respiration* ?
- Quel effet a votre problème respiratoire sur vos émotions ?

Mode valeurs et croyances

- Prenez-vous toujours les médicaments qui vous sont prescrits ? Combien de fois par semaine, en moyenne, omettez-vous de les prendre ? Expliquez pourquoi.
- Pensez-vous que les solutions qu'on vous a proposées pour résoudre vos problèmes respiratoires améliorent vraiment la situation ? Si non, pourquoi ?

* Si oui, décrivez.

Collecte de données. Les questions relatives aux antécédents de santé qu'il faut poser au client sont présentées dans l'encadré 14.2.

Mode perception et gestion de la santé. L'infirmière doit demander au client s'il a remarqué un changement notable de sa santé dans les derniers jours, mois ou années. Dans le cas d'une BPCO, les fonctions pulmonaires déclinent insidieusement sur plusieurs années et le client risque de ne rien remarquer, car il modifie ses activités en fonction de la réduction de sa tolérance à l'effort.

Si une infection des voies respiratoires supérieures se combine à un problème chronique, la dyspnée et la réduction de la tolérance à l'effort risquent d'apparaître assez rapidement. Le client qui souffre d'asthme voit les symptômes apparaître ou s'aggraver pendant l'effort, en présence d'animaux ou lorsqu'il y a un changement de température. Ces facteurs de risque rendent le client anxieux et le poussent à éviter bien des situations.

L'infirmière doit examiner et noter les signes vitaux indiquant la présence de problèmes respiratoires (voir tableau 14.5). Elle doit décrire l'évolution de la maladie du client, c'est-à-dire le moment où elle a débuté, le type de symptômes qui apparaissent et les facteurs qui les améliorent ou qui les aggravent. Étant donné que les problèmes respiratoires sont chroniques, le client risque de signaler un changement dans les symptômes plutôt qu'une apparition de nouveaux symptômes. L'infirmière doit soigneusement noter ces changements subtils, car ils révèlent souvent l'origine de l'affection. Ainsi, un changement dans le volume, dans la consistance (fluidité) ou dans la couleur des expectorations suggère l'apparition d'une infection de l'appareil respiratoire inférieur.

Si le client présente de la dyspnée, l'infirmière doit déterminer si elle apparaît au repos ou pendant un effort physique. L'échelle de dyspnée utilisée à l'hôpital Laval ou une autre échelle analogique visuelle sont utiles pour déterminer l'intensité de la dyspnée (voir figures 14.9 et 14.10).

Si le client tousse, l'infirmière évalue la qualité de la toux. Par exemple, une toux grasse indique la présence de sécrétions ; une toux sèche et quinteuse indique l'irritation ou l'obstruction des voies respiratoires. Une toux rauque et aboyante suggère l'obstruction des voies aériennes supérieures causée par une inhibition du mouvement des cordes vocales reliée à un œdème sousglottique. L'infirmière doit donc évaluer si la toux est faible ou forte et si elle produit des sécrétions. Le fait de

Essoufflement	
0	aucun
0,5	Très, très léger
1	Très léger
2	Léger
3	Modéré
4	Un peu grave
5	Grave
6	
7	Très grave
8	
9	
10	Très, très grave (presque maximal)
Maximal	

FIGURE 14.9 Échelle de rapport-catégorie de Borg. En utilisant cette échelle de 0 à 10, comment qualifieriez-vous votre essoufflement en ce moment ?

ÉVALUATION DE LA DYSPNÉE	
Escalier, pentes	1
Marche à pas normal avec des gens de son âge	2
Marche lentement à son rythme et doit s'arrêter	3
AVQ	4
Repos	5

FIGURE 14.10 Échelle de dyspnée de l'hôpital Laval, à Sainte-Foy (Québec)

déterminer le moment de l'apparition de la toux et de savoir si elle est chronique facilite l'établissement du diagnostic.

Si la toux est grasse, il faut évaluer les caractéristiques suivantes des expectorations : la quantité, la couleur, la consistance et l'odeur. La quantité doit être mesurée en millilitres chaque jour. L'infirmière doit noter toute augmentation ou diminution de la quantité. La couleur normale est claire et blanchâtre. Si le client fume, la couleur des expectorations va généralement du transparent au gris, avec parfois des taches brunes. L'expectoration du client qui souffre de BPCO est blanchâtre ou jaunâtre, surtout le matin au lever. Si le client rapporte un changement dans la couleur des expectorations allant de normale à jaune, rose, rouge, brun ou vert, il faut surveiller l'apparition de complications pulmonaires. Si la consistance des expectorations devient épaisse, filante ou écumeuse, il faut le noter. Ce type de changements révèle une déshydratation, un drainage des sinus ou un œdème pulmonaire. Généralement, les expectorations n'ont pas d'odeur ; si elles en dégagent, c'est qu'il y a présence d'une infection.

L'infirmière doit demander au client si ses antécédents familiaux comprennent des problèmes respiratoires qui pourraient être génétiques comme l'asthme, l'emphysème résultant d'une anomalie de l'α_1-antitrypsine ou la fibrose kystique. Si les antécédents familiaux révèlent une exposition aux bacilles de la tuberculose, il faut le noter.

L'infirmière doit demander au client où il a vécu et où il a voyagé. En effet, s'il a déjà résidé en Asie, en Afrique ou en Amérique latine, il est prédisposé à la tuberculose. Parmi les facteurs de risque qui prédisposent à la mycose pulmonaire, on compte le séjour dans le sud-ouest des États-Unis (coccidioïdomycose) et dans la vallée du Mississippi (histoplasmose).

L'infirmière doit également se renseigner sur les habitudes de tabagisme du client, qu'elles soient actuelles ou

TABLEAU 14.5 Indices révélant des problèmes respiratoires	
Manifestations	**Description**
Essoufflement (dyspnée)	Sensation de détresse causée par une respiration difficile. Plainte la plus fréquemment exprimée par les personnes souffrant de problèmes respiratoires. Le client peut s'habituer à cette sensation et ne plus se rendre compte de sa présence. Difficile à évaluer parce qu'il s'agit d'une expérience subjective.
Respiration sifflante (*wheezing*)	Le client peut l'entendre ou pas. Il est possible qu'il le décrive comme une gêne respiratoire ou une oppression.
Douleur pleurétique au thorax	Douleur continue qui commence par un malaise à l'inspiration et qui se termine par une douleur poignante et intense à la fin de l'inspiration. Elle est généralement aggravée par une respiration profonde ou par la toux.
Toux	Les caractéristiques de la toux sont des signaux importants dans l'établissement d'un diagnostic.
Production d'expectorations	Sécrétions expulsées des poumons grâce à la toux. Contiennent du mucus, des débris cellulaires ou des micro-organismes, et parfois du sang et du pus. La quantité, la couleur et les composants des expectorations sont des indications importantes pour l'établissement d'un diagnostic.
Hémoptysie	Toux contenant du sang : soit du sang rouge clair, soit des expectorations teintées de sang. Il faut examiner les facteurs déclencheurs.
Changement dans la voix	L'enrouement, le stridor (sifflement durant l'inspiration) ou une toux au bruit sourd ou aboyante révèlent des anomalies possibles des voies respiratoires supérieures, un dysfonctionnement des cordes vocales ou un reflux gastro-œsophagien pathologique.

passées, et les quantifier en termes de paquets-années. Cette évaluation se fait en multipliant le nombre de paquets fumés par jour par le nombre d'années de tabagisme. Par exemple, une personne qui a fumé un paquet par jour pendant 15 ans a un antécédent de 15 paquets/années. Le risque de cancer du poumon augmente proportionnellement au nombre de cigarettes fumées. Le tabagisme accroît les risques de BPCO et aggrave les symptômes de l'asthme et de la bronchite chronique.

L'infirmière doit demander au client s'il a reçu une immunisation contre la grippe et la pneumonie à pneumocoques (Pneumovax). Le vaccin contre la grippe doit être administré une fois par an à l'automne. Le Pneumovax est recommandé pour les personnes de 65 ans et plus et pour celles souffrant d'une maladie cardiovasculaire chronique, d'une maladie pulmonaire chronique ou de diabète. Un rappel du vaccin est actuellement conseillé seulement si le client a reçu le vaccin plus de cinq ans auparavant et s'il était âgé de moins de 65 ans au moment de la vaccination. Le médecin doit évaluer la nécessité de ce rappel. Chez les personnes souffrant d'une asplénie fonctionnelle ou anatomique ou chez celles qui sont immunodéprimées (p. ex. les receveurs d'une greffe), on recommande une vaccination initiale et une seule revaccination tous les cinq ans ou selon les recommandations du médecin traitant.

L'infirmière doit demander au client ce qu'il utilise pour soulager ses symptômes lors de problèmes respiratoires (p. ex. du matériel d'oxygénothérapie à domicile, des aérosols-doseurs ou un nébuliseur pour l'administration de médicaments, un instrument de pression positive pour éviter l'apnée du sommeil) et, le cas échéant, le type de matériel utilisé, la fréquence d'utilisation, son efficacité et les effets secondaires éprouvés. De plus, elle doit demander au client de lui montrer comment il utilise ce matériel. Nombreux sont ceux qui n'utilisent pas correctement les aérosols-doseurs (voir chapitre 17). Elle doit aussi lui demander s'il utilise un dispositif d'espacement (aérochambre) avec les aérosols-doseurs.

Mode nutrition et métabolisme. La perte de poids fait partie des symptômes de nombreuses maladies respiratoires. L'infirmière doit donc déterminer si cette perte est intentionnelle et, dans le cas contraire, si l'apport

TABLEAU 14.6 Sons de percussion	
Son	**Description**
Sonorité	Son grave émanant de poumons normaux.
Hypersonorité	Forte, son plus grave qu'une sonorité normale émanant de poumons distendus, comme dans le cas d'une BRCO ou d'asthme aigu.
Tympanisme	Son ressemblant au bruit d'un tambour, fort, creux, émanant d'un estomac ou d'intestins remplis de gaz, ou d'un pneumothorax.
Matité	Son élevé, d'intensité et de durée moyennes, émanant de zones de tissus solides (deltoïde, vaste externe) et pulmonaires, d'un tissu pulmonaire partiellement consolidé (pneumonie) ou de l'espace pleural rempli de liquide.
Submatité	Son doux et aigu de courte durée émanant d'un tissu très dense et dans lequel il n'y a pas d'air, comme dans la zone supérieure du foie.

alimentaire est altéré par l'anorexie (causée par les effets indésirables des médicaments), par la fatigue (causée par l'hypoxémie et l'augmentation du travail respiratoire), par la satiété précoce (causée par l'hyperventilation pulmonaire) ou par l'isolement social. L'anorexie et la perte de poids sont des symptômes qui apparaissent souvent chez les clients atteints de BPCO, du sida, du cancer des poumons et de tuberculose. L'apport hydrique doit également être noté, car la déshydratation risque d'épaissir le mucus, ce qui peut obstruer les voies aériennes.

La prise de poids indique possiblement la rétention de liquide causée par un dysfonctionnement cardiovasculaire. Un excès de poids risque de perturber la ventilation normale et de causer l'apnée du sommeil (voir chapitre 15).

Mode élimination. Les habitudes d'élimination saines dépendent de la possibilité d'avoir accès à des toilettes lorsque le besoin s'en fait sentir. L'intolérance à l'effort causée par la dyspnée entraîne parfois de l'incontinence urinaire. La dyspnée peut être provoquée par une mobilité réduite, ce qui entraîne la constipation dans certains cas. L'infirmière doit interroger le client souffrant de dyspnée sur ces deux possibilités.

Mode activité et exercice. L'infirmière doit déterminer si l'activité du client est limitée par la dyspnée au repos ou à l'effort. Elle doit également essayer de savoir si la demeure compte un nombre important de marches et de paliers. Cela peut être une cause augmentant l'isolement et l'essoufflement.

L'infirmière doit chercher à savoir si le client est capable d'effectuer les AVQ sans souffrir de dyspnée ou d'autres symptômes respiratoires. S'il en est incapable, la quantité et le type de soins dont il a besoin doivent être notés. Il faut également perfectionner les stratégies d'autocontrôle pour réduire au minimum la dyspnée. L'immobilité et la sédentarité prédisposent à l'hypoventilation qui, elle, entraîne l'atélectasie ou la pneumonie.

Mode sommeil et repos. L'infirmière doit demander au client s'il dort toute la nuit sans interruption. Il est possible que ceux souffrant de BPCO et d'asthme se réveillent la nuit à cause d'une gêne respiratoire, d'une respiration sifflante (*wheezing*) ou de toux. Si tel est le cas, il faudrait utiliser un bronchodilatateur à effet prolongé ou se faire prescrire un autre médicament. Les clients qui souffrent d'une maladie cardiovasculaire (p. ex. insuffisance cardiaque) dorment parfois la tête surélevée sur plusieurs oreillers (orthopnée). Ceux qui souffrent d'apnée se plaignent de ronflements, d'insomnie et de somnolence pendant la journée. Si le client présente de la diaphorèse nocturne, il faut le noter, car celle-ci peut être une manifestation de la tuberculose.

Mode cognition et perception. Étant donné que l'hypoxie risque d'entraîner des symptômes neurologiques, l'infirmière devrait demander au client s'il souffre de peur, d'agitation et d'irritabilité, qui peuvent être causées par une oxygénation cérébrale inadéquate (voir tableau 14.3). C'est d'ailleurs pour cette raison qu'il est préférable qu'une tierce personne soit présente pendant l'enseignement; elle pourra en effet renforcer ultérieurement l'information fournie.

La capacité du client à participer au plan de soins doit également être évaluée. En effet, des connaissances insuffisantes risquent d'entraîner une non-observance du traitement et une résistance à ce dernier. Si le client ne participe pas au traitement prescrit, cela peut aggraver ses problèmes respiratoires.

L'infirmière devrait chercher à savoir si le client ressent un malaise ou de la douleur lorsqu'il respire. Si c'est le cas, il faut procéder à un examen approfondi pour s'assurer qu'il ne s'agit pas de problèmes cardiaques. Les problèmes touchant l'appareil respiratoire tels que la pleurésie, les fractures de côtes et le syndrome de Tietze (costochondrite) provoquent des douleurs thoraciques. La douleur pleurétique est aiguë et vive et se manifeste lorsque le client bouge ou respire profondément. Les côtes fracturées provoquent une douleur aiguë localisée lorsque le client respire. Finalement, le syndrome de Tietze se manifeste par de la douleur au sternum lorsqu'il respire.

Mode perception et concept de soi. La dyspnée limite l'activité, altère le développement normal des fonctions et des rôles. Elle perturbe souvent l'estime de soi. Le client qui a peur que l'on voit ses lunettes nasales risque de refuser de prendre de l'oxygène en public. C'est pour cette raison que l'infirmière doit chercher à savoir l'importance qu'il accorde à son image corporelle. Il serait peut-être bénéfique de le diriger vers des groupes de soutien ou vers un programme de rééducation pulmonaire pour l'aider à acquérir un soutien et à établir des stratégies d'adaptation efficaces.

Mode relations et rôle. Des problèmes respiratoires aigus ou chroniques risquent de compromettre le travail du client ou les activités qui y sont reliées. L'infirmière doit donc lui poser des questions sur l'incidence des activités, l'utilisation des médicaments, de l'oxygène et des routines spéciales (p. ex. le drainage des poumons atteints de fibrose kystique) sur sa famille, son travail et sa vie sociale.

La progression des problèmes respiratoires chroniques risque de limiter les activités du client et de nuire à son rôle et à ses responsabilités au travail ou à la maison. Il est donc important de lui demander s'il souffre de ce type de problème.

L'infirmière doit se renseigner au sujet du travail du client et de la fréquence à laquelle il est exposé à des émanations, à des toxines, à l'amiante, au charbon et à la silice. Il faut également chercher à savoir si les éléments auxquels il est allergique, comme la poussière ou les émanations toxiques, sont présents dans son environnement de travail. Certaines activités de loisir comme la menuiserie (sciure de bois) ou la poterie (silice) et l'exposition aux animaux (allergies) entraînent également des problèmes respiratoires. Les voies respiratoires hyperréactives provoquent une respiration sifflante (*wheezing*) chez le client asthmatique lorsqu'il est en présence d'émanations toxiques, de fumée ou d'autres produits chimiques.

Mode sexualité et reproduction. La plupart des clients peuvent continuer à avoir des relations sexuelles satisfaisantes malgré leurs limites physiques importantes. Cependant, l'infirmière doit quand même chercher à savoir, avec tact, si les difficultés respiratoires ont modifié les habitudes sexuelles. Si tel est le cas, elle peut le renseigner au sujet des positions qui réduisent la dyspnée pendant les relations sexuelles et lui proposer d'autres possibilités.

Mode adaptation et tolérance au stress. La dyspnée provoque de l'anxiété et celle-ci l'aggrave, ce qui entraîne le client dans un cercle vicieux. Il évite alors les activités qui provoquent de la dyspnée et devient ainsi de moins en moins actif et de plus en plus dyspnéique. Cette aggravation de la maladie entraîne souvent l'isolement social et physique. C'est pour cette raison que l'infirmière doit lui demander combien de fois par semaine il sort et interagit avec les autres. Il serait également peut-être bénéfique de le diriger vers une travailleuse sociale, des groupes de soutien ou un programme de rééducation.

La nature chronique de plusieurs maladies respiratoires comme la BPCO et l'asthme risque de provoquer un stress permanent. Il faut donc chercher à savoir quelles sont les stratégies d'adaptation que le client a adoptées pour gérer ce stress.

Mode valeurs et croyances. L'infirmière doit évaluer l'observance du traitement. Si l'observance n'est pas optimale, il faut en trouver les raisons, y compris les facteurs culturels, les contraintes financières (le coût des prescriptions), le fait de ne pas voir d'amélioration de la maladie ou toute autre raison.

14.2.2 Données objectives

Examen physique. Les signes vitaux comme la température, le pouls, la respiration et la pression artérielle, sont des informations importantes à recueillir avant l'examen de l'appareil respiratoire.

Nez. On examine le nez pour déceler toute inflammation ou déformation et pour en évaluer la symétrie. L'infirmière incline la tête du client vers l'arrière et pousse le bout du nez doucement vers le haut. À l'aide d'un spéculum nasal et d'un bon éclairage, elle en examine l'intérieur. La muqueuse doit être rosée et humide et il ne doit y avoir ni œdème, ni exsudat, ni hémorragie. La cloison nasale doit être examinée pour déceler toute déviation, perforation ou saignement. Certaines déviations nasales sont cependant normales chez les adultes. Le cornet du nez doit être examiné pour déceler les polypes pouvant être présents sur une muqueuse nasale œdémateuse. Les polypes ont l'aspect de doigts, et ils sont le résultat d'une irritation à long terme de la muqueuse ou d'allergies.

Bouche et pharynx. En utilisant une bonne source lumineuse, l'infirmière regarde l'intérieur de la bouche pour examiner la coloration et vérifier s'il y a des lésions, des masses, une rétraction de la gencive, un saignement et si la dentition est en mauvais état. Elle examine également la symétrie de la langue, les lésions éventuelles et le pharynx en appuyant l'abaisse-langue sur le milieu de l'arrière de la langue. Le pharynx devrait être lisse et humide, sans exsudat, ulcération ou gonflement. La coloration, la symétrie et tout œdème des amygdales doivent être notés. L'infirmière stimule le réflexe pharyngé en mettant un abaisse-langue à l'arrière du pharynx. Une réaction normale de nausée indique que les nerfs crâniens IX et X sont intacts et que les voies respiratoires sont protégées contre une éventuelle broncho-aspiration.

Cou. L'infirmière examine le cou du client pour en vérifier la symétrie et voir s'il y a des zones molles ou œdémateuses. Elle palpe les ganglions lymphatiques pendant que le client est assis le dos droit et qu'il a la nuque légèrement tendue. L'examen se fait de l'avant vers l'arrière, des ganglions autour des oreilles vers les ganglions à la base du crâne, puis vers ceux sous les angles des mandibules jusqu'à la ligne médiane. Il est

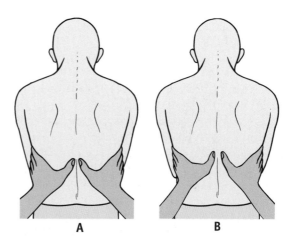

FIGURE 14.11 Évaluation de l'expansion thoracique. A. Expiration B. Inspiration maximale.

possible que le client ait de petits ganglions mobiles qui sont insensibles (des ganglions granulaires); ils n'indiquent pas une affection. Les ganglions souples, durs ou fixes révèlent l'existence d'une maladie. L'infirmière doit noter l'emplacement et les caractéristiques de tous les ganglions palpés.

Thorax et poumons. Pour déceler les anomalies, on peut dessiner des lignes imaginaires sur la poitrine (voir figure 14.2). Les anomalies sont par la suite décrites selon leur emplacement par rapport à ces lignes (p. ex. 2 cm de la ligne médioclaviculaire droite).

Il est préférable de faire l'examen du thorax dans une salle chaude et bien éclairée et de prendre les mesures nécessaires pour respecter l'intimité du client. Selon la préférence du soignant, il est possible de commencer par l'examen du thorax antérieur ou postérieur.

Inspection. La face antérieure du thorax doit être exposée. S'il en est capable, le client doit s'asseoir droit ou s'appuyer les bras sur la table de chevet. L'infirmière examine d'abord l'apparence et note toute présence de détresse respiratoire, comme la tachypnée, l'incapacité de s'allonger complètement ou l'utilisation de muscles accessoires. Ensuite, elle détermine la forme et la symétrie du thorax. Les mouvements thoraciques doivent être égaux des deux côtés et le diamètre antéropostérieur (AP) doit être égal au diamètre d'un côté à l'autre. Le diamètre thoracique AP normal est de 1:2 et est inférieur au diamètre transversal, qui est de 5:7. Une augmentation du diamètre AP (p. ex. thorax en tonneau) est parfois une conséquence normale du vieillissement ou de l'hyperventilation des poumons. Il peut aussi indiquer la présence d'une BPCO. L'infirmière doit vérifier s'il n'y a pas d'anomalies dans la région du sternum (p. ex. thorax en carène, en entonnoir, en tonneau; scoliose).

Par la suite, elle observe le rythme, l'amplitude et la fréquence respiratoires. La fréquence normale est de 12 à 20 respirations par minute et, chez les personnes âgées, elle est de 16 à 25. La durée de l'inspiration (I) doit être la moitié de celle de l'expiration (E) (c.-à-d. I:E = 1:2). L'infirmière doit déceler les modes de respiration anormaux, comme les respirations de Kussmaül (respiration rapide et profonde), de Cheyne-Stokes (amplitude respiratoire qui augmente et diminue de façon rythmique, entrecoupée d'une période d'apnée) et de Biot (respiration irrégulière et période d'apnée tous les quatre ou cinq cycles).

La couleur de la peau fournit des indices sur l'état de la respiration. La cyanose est provoquée par l'hypoxémie ou la diminution du débit cardiaque. Chez les personnes à la peau foncée, elle s'observe plus facilement dans les conjonctives, les lèvres, les paumes de la main et sous les pieds. L'infirmière doit examiner les doigts du client pour déterminer s'il souffre d'hippocratisme digital (une augmentation de l'angle entre la base de l'ongle et l'ongle allant jusqu'à 180° ou plus, généralement accompagnée d'un élargissement et d'un épaississement des doigts, et d'une pulpe bombée) (voir chapitre 17).

Lorsque l'infirmière examine le côté postérieur du thorax, elle doit demander au client de se pencher en croisant les bras. Cette position écarte les omoplates de la colonne vertébrale, ce qui augmente la surface de la zone qui doit être examinée. La séquence d'observations qui a été effectuée sur le côté antérieur doit être répétée sur le côté postérieur. De plus, une courbure anormale de la colonne vertébrale doit être signalée. Les courbures anormales qui nuisent à la respiration sont la cyphose, la scoliose et la cyphoscoliose.

Palpation. L'infirmière détermine la position de la trachée en plaçant ses index doucement de chacun de ses côtés,

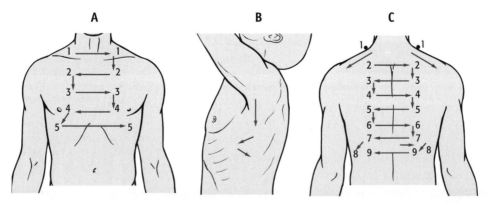

FIGURE 14.12 Étapes de l'examen du thorax. A. Examen de la partie antérieure. B. Examen de la partie latérale gauche. C. Examen de la partie postérieure. Pour effectuer la palpation, placer les paumes des mains à l'endroit numéroté « 1 » sur les côtés droit et gauche du thorax. Comparer l'intensité des vibrations. Faire de même pour tous les autres endroits numérotés. Pour effectuer la percussion, frapper doucement le thorax dans chaque position désignée en allant vers le bas d'un côté à l'autre et en comparant la résonance de percussion. Pour effectuer l'auscultation, poser le stéthoscope dans chaque position et écouter au moins un cycle d'inspiration et d'expiration complet.

ANOMALIES COURANTES DÉCELÉES LORS DE L'ÉVALUATION

TABLEAU 14.7 Thorax et poumons

Résultat	Description	Étiologie possible et interprétation*
Inspection		
Respiration avec les lèvres pincées	Expiration par la bouche avec les lèvres pincées pour ralentir l'expiration.	BPCO, asthme. Indique ↑ de l'essoufflement. Stratégie enseignée pour ralentir l'expiration, ↓ de la dyspnée.
Position du tripode ; incapacité de s'étendre complètement	Se pencher vers l'avant, les bras et les coudes appuyés sur la table de malade.	BPCO, asthme exacerbé, œdème pulmonaire. Indique une détresse respiratoire de modérée à grave.
Utilisation des muscles accessoires ; tirage intercostal	Les muscles du cou et des épaules sont utilisés pour respirer. Les muscles intercostaux se rétractent pendant l'inspiration.	BPCO, asthme exacerbé, rétention des sécrétions. Indique une détresse respiratoire grave, hypoxémie.
Contracture musculaire antalgique	↓ volontaire du volume courant pour ↓ la douleur pendant l'expansion thoracique.	Incision de l'abdomen et du thorax. Trauma thoracique, pleurésie.
↑ du diamètre AP	Le diamètre AP du thorax est égal au diamètre latéral. L'inclinaison des côtes est plus horizontale (90°) par rapport à la colonne vertébrale.	BPCO, asthme, fibrose kystique. Hyperventilation des poumons. Âge avancé.
Tachypnée	Fréquence > 20 respirations/min ; > 25 respirations/min chez les personnes âgées.	Fièvre, anxiété, hypoxémie, maladies pulmonaires restrictives. ↑ de la fréquence au-dessus de la normale indique un travail respiratoire accru.
Respiration de Kussmaül	Respirations régulières, rapides et profondes.	Acidose métabolique. ↑ de la fréquence aide le corps à ↑ l'excrétion de CO_2.
Cyanose	Couleur bleuâtre de la peau visible aux lobes des oreilles, sous les paupières ou le lit unguéal.	↓ du transfert de l'oxygène dans les poumons, ↓ du débit cardiaque. Indicateur non fiable et non spécifique.
Hippocratisme digital	↑ de la profondeur, de l'épaisseur de la courbure des doigts.	Hypoxémie chronique. Fibrose kystique, cancer des poumons et bronchectasie.
Abdomen paradoxal	Mouvement de l'abdomen vers l'intérieur (plutôt que le mouvement normal vers l'extérieur) pendant l'inspiration.	Mode de respiration inefficace. Indicateur non spécifique et détresse respiratoire importante.
Palpation		
Déviation trachéale	Mouvement de la trachée vers la droite ou vers la gauche à partir de la position normale médiane.	Indicateur de changement de position des organes du médiastin. Urgence médicale si cela est causé par la pression causée par un pneumothorax.
Vibrations vocales altérées	Augmentation ou diminution des vibrations.	↑ si pneumonie ou œdème pulmonaire ; ↓ si épanchement pleural, atélectasie, hyperventilation des poumons ; absent dans les cas de pneumothorax et d'atélectasie massive.
Mouvement du thorax altéré	Mouvement asymétrique ou parfois symétrique, mais réduit des deux côtés du thorax pendant l'inspiration.	Mouvement asymétrique causé par l'atélectasie, le pneumothorax, l'épanchement pleural, la contracture musculaire antalgique ; mouvement symétrique mais réduit causé par un thorax en tonneau, une affection restrictive et des maladies neuromusculaires.
Percussion		
Hypersonorité	Son fort et grave dans les zones qui produisent normalement des sons élevés.	Hyperventilation des poumons (BPCO), affaissement d'un poumon (pneumothorax) et air emprisonné (asthme).
Matité	Son de tonalité moyenne dans les zones qui produisent normalement des sons élevés.	↑ de la densité (pneumonie, atélectasie massive), ↑ du liquide pleural (épanchement pleural).

ANOMALIES COURANTES DÉCELÉES LORS DE L'ÉVALUATION

TABLEAU 14.7   Thorax et poumons *(suite)*

Résultat	Description	Étiologie possible et interprétation*
Auscultation Crépitants	Série de sons courts et aigus qu'on entend juste avant la fin de l'inspiration ; ils sont la conséquence d'une égalisation rapide de la pression de gaz lorsque les alvéoles affaissées ou les bronchioles terminales s'ouvrent soudainement, avec un bruit sec ; ce dernier ressemble à celui qui se produit lorsqu'on fait rouler des cheveux entre les doigts derrière l'oreille.	Fibrose interstitielle (amiantose), œdème interstitiel (œdème pulmonaire à ses débuts), remplissage alvéolaire (pneumonie), perte de volume pulmonaire (atélectasie), une des premières phases de l'insuffisance cardiaque.
Crépitants	Série de sons courts et graves causés par l'air qui passe dans les voies respiratoires obstruées par du mucus, dans une cage thoracique instable ou dans un pli de la muqueuse ; s'entend clairement pendant l'inspiration et parfois pendant l'expiration ; le bruit ressemble à celui produit lorsqu'on souffle dans une paille qui se trouve dans l'eau ; plus grande quantité de bulles avec l'augmentation des liduides.	Insuffisance cardiaque, œdème pulmonaire, pneumonie accompagnée d'une congestion grave, BPCO.
Ronchi	Grondement continu, ronflements causés par les sécrétions qui obstruent les grandes voies respiratoires ; bruit maximal pendant l'expiration ; changement notable généralement après avoir toussé ou expectoré. Ces bruits ressemblent au son produit lorsque l'on souffle dans le goulot d'une bouteille de boisson gazeuse en verre.	BPCO, fibrose kystique, pneumonie, bronchectasie.
Respiration sifflante (*wheezing*)	Son aigu et grinçant causé par la vibration des parois bronchiques ; d'abord audible pendant l'expiration, mais il est possible qu'on l'entende pendant l'inspiration lorsque l'obstruction des voies respiratoires augmente ; on peut également l'entendre sans stéthoscope.	Bronchospasme (provoqué par l'asthme), obstruction des voies respiratoires (provoquée par un corps étranger, tumeur), BPCO.
Stridor	Son musical continu de tonalité constante ; résulte de l'obstruction partielle du larynx ou de la trachée.	Laryngite striduleuse (faux croup), épiglottite, œdème des cordes vocales après extubation, corps étranger.
Absence de son	Pas de son audible dans la région du poumon ni dans la zone pulmonaire.	Épanchement pleural, obstruction des bronches souches, atélectasie massive, pneumonectomie, lobectomie.
Frottement pleural	Grincement ou grondement provenant de surfaces rugueuses ou enflammées de la plèvre qui frottent les unes contre les autres ; s'entend facilement pendant l'inspiration ou l'expiration ou les deux, et aucun changement ne se produit après avoir toussé ; provoque généralement un malaise, surtout pendant les inspirations profondes.	Pleurésie, pneumonie, infarctus pulmonaire.
Bronchophonie, pectoriloquie aphone	Chuchotement plus fort et plus net dans une région donnée. Présente lorsque les tissus sont rétractés ou lors d'atélectasie, les sons ne sont plus filtrés. Ils parviennent donc facilement jusqu'à la paroi thoracique et on peut les discerner au stéthoscope.	Pneumonie.
Égophonie	Le son « i » s'entend « a » à l'auscultation, à cause d'une modification (diminution) dans la transmission des sons de la voix. Elle est attribuable à une condensation ou à une atélectasie.	Pneumonie, épanchement pleural.

* Se limite aux facteurs étiologiques communs (pour un exposé plus détaillé sur les maladies, voir chapitres 15 à 17).
BPCO : bronchopneumopathie chronique obstructive ; AP : antéropostérieur.

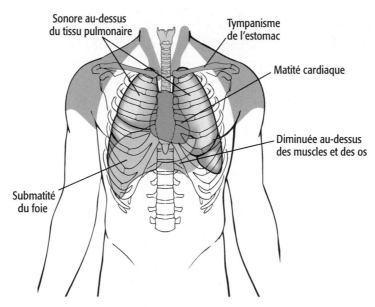

FIGURE 14.13 Schéma des zones de percussion et sons produits du côté antérieur du thorax

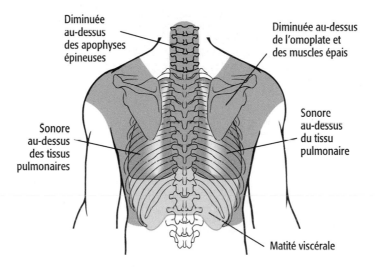

FIGURE 14.14 Schéma des zones de percussion et sons produits du côté postérieur du thorax. On effectue la percussion à partir de l'extrémités des poumons jusqu'à leur base, en comparant les sons dans les zones thoraciques opposées.

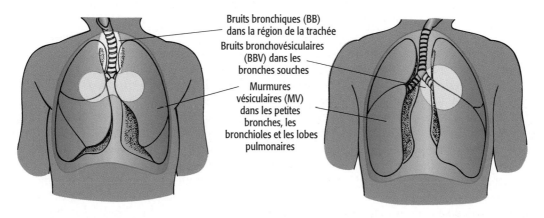

FIGURE 14.15 Sons pulmonaires normaux

TABLEAU 14.8 Résultats des examens du thorax pour les maladies pulmonaires courantes

Maladies	Inspection	Palpation	Percussion	Auscultation
Bronchite chronique	Thorax en tonneau ; cyanose	↓ du mouvement ↑ des vibrations	Hypersonorité ou matité si consolidation	Crépitants ; ronchi ; respiration sifflante (*wheezing*)
Emphysème	Thorax en tonneau ; position du tripode ; utilisation des muscles accessoires	↓ du mouvement	Hypersonorité ou matité si consolidation	Crépitants ; ronchi réduits si ne s'aggrave pas
Asthme exacerbé	Expiration prolongée ; position du tripode ; lèvres pincées	↓ du mouvement ↓ des vibrations si hyperventilation	Hypersonorité	Respiration sifflante (*wheezing*) ; ↓ des bruits de la respiration, signe de mauvais augure s'il n'y a pas d'amélioration (mouvement de l'air grandement réduit)
non exacerbé	Aucun changement	Normale	Normale	Normale
Pneumonie	Tachypnée, utilisation des muscles accessoires, couleur pourpre ou cyanose	Mouvement asymétrique si le lobe est touché ; ↑ des vibrations dans la zone touchée	Matité près de la zone touchée	Au début : crépitants, ronchi Par la suite : crépitants, ronchi
Atélectasie	Pas de changement à moins que cela ne touche le segment entier, le lobe	Si minime, pas de changement Si grande, ↓ du mouvement ; ↑ des vibrations	Matité près de la zone touchée	Crépitants (peuvent disparaître lorsque le client respire profondément) ; absente si elle est importante
Œdème pulmonaire	Tachypnée ; respiration laborieuse ; cyanose	↓ du mouvement ou mouvement normal	Matité ou normale selon la quantité de liquide	Crépitants fins ou sourds
Épanchement pleural	Tachypnée ; utilisation des muscles accessoires	↓ du mouvement ↑ des vibrations de l'épanchement ; pas de vibration de l'épanchement	Matité	Réduite ou inexistante ; égophonie
Fibrose pulmonaire	Tachypnée	↓ du mouvement	Normale	Crépitants

juste au-dessus du découpage suprasternal et en poussant doucement vers l'arrière. La trachée est mobile ; sa position normale est à la ligne médiane ; une déviation vers la droite ou la gauche est anormale. Lors d'un pneumothorax ou d'un hémothorax grave, la trachée peut être déviée (vers le côté opposé au pneumothorax). Lorsque le client a subi une pneumonectomie, la trachée est déviée vers le côté opéré. En présence d'atélectasie lobaire, elle est déviée vers le lobe affaissé.

L'infirmière détermine la symétrie de l'expansion du thorax et de l'amplitude du mouvement dans la région du diaphragme. Elle met ses mains sur la paroi thoracique inférieure antérieure, le long du bord des côtes et les avance jusqu'à ce que les pouces se rencontrent à la ligne médiane. Elle demande au client de respirer profondément et elle observe le mouvement des pouces qui ne se touchent pas. L'expansion normale est de 2,5 cm. Du côté postérieur du thorax, elle pose les mains sur la dixième côte et bouge les pouces jusqu'à ce qu'ils se rencontrent à la colonne vertébrale (voir figure 14.11).

Le mouvement du thorax normal doit être égal. Une expansion inégale se produit lorsque l'entrée d'air est limitée par une affection touchant les poumons (p. ex. l'atélectasie, le pneumothorax), la paroi thoracique (douleur relative à une incision) ou la plèvre (p. ex. épanchement pleural). Une expansion égale mais réduite est provoquée par les maladies qui entraînent un thorax surélevé, un thorax en tonneau ou une maladie neuromusculaire (p. ex. emphysème, sclérose latérale amyotrophique, lésions à la colonne vertébrale). Il est possible que le mouvement soit absent ou asymétrique si le client présente un épanchement pleural, une atélectasie ou un pneumothorax.

Les vibrations vocales sont les vibrations de la paroi thoracique produites par la parole. Pour les percevoir, l'infirmière met les paumes de ses mains contre le thorax du client et lui demande de répéter une expression

- Le nez est symétrique sans déformations. La muqueuse nasale est rosée et humide, sans œdème, ni exsudat, ni sang. La cloison nasale est droite et sans perforation. On ne voit pas de polypes.
- La muqueuse buccale est rose pâle et humide, sans exsudat ni ulcération.
- Les amygdales sont présentes et ne sont ni enflammées ni œdémateuses.
- Le pharynx est lisse, humide et rosé.
- Le cou est symétrique et la trachée est sur la ligne médiane.
- Le thorax a une configuration normale et ne comporte pas de lésions. Les respirations sont normales et leur fréquence est de 12-20 par minute. L'expansion est égale des deux côtés sans augmentation des vibrations vocales. La percussion est sonore tout au long de la respiration. Les bruits de respiration sont normaux, sans crépitants, sans ronchi ni respiration sifflante (*wheezing*). Il n'y a pas de ganglions axillaires palpables.

du type « 99 ». Pendant ce temps, elle bouge ses mains d'un côté à l'autre et de haut en bas sur le thorax du client (voir figure 14.12). Elle doit palper toutes les zones du thorax et comparer les vibrations de zones similaires. Les vibrations vocales sont les plus intenses dans les premier et deuxième espacements à côté du sternum, et entre les omoplates parce que ces zones sont les plus proches des grandes bronches. Les vibrations sont moins intenses loin de ces zones.

Une augmentation, une diminution ou une absence de vibration doivent être notées. Les vibrations augmentent lorsque les poumons se remplissent de liquide ou deviennent plus denses. Ce changement se produit lorsque le client souffre de pneumonie, de tumeur pulmonaire ou d'un épanchement pleural (le poumon est écrasé vers le haut). Les vibrations diminuent lorsque la main est éloignée du poumon (p. ex. épanchement pleural) ou que le poumon est surélevé (p. ex. thorax en tonneau). En cas de pneumothorax ou d'atélectasie, il y a absence de vibration. Il est plus difficile de percevoir les vibrations du côté antérieur du thorax à cause de la présence de grands muscles et de tissus mammaires.

Le ronchus ronflant est une vibration palpable causée par le passage de l'air dans du mucus bronchique épais. Il est possible de le sentir lorsqu'on pose la main sur le thorax du client qui inspire profondément et il peut changer ou disparaître après que ce dernier a toussé. Le ronchus ronflant est un résultat normal de l'examen.

Percussion. La percussion sert à évaluer la densité ou l'aération des poumons. Les sons de la percussion sont décrits dans le tableau 14.6.

On effectue la percussion sur le côté antérieur du thorax lorsque le client est en position semi-assise ou en décubitus dorsal. En commençant par les clavicules, l'infirmière effectue la percussion vers le bas en allant d'espacement en espacement (voir figure 14.12). La zone au-dessus du tissu pulmonaire devrait être sonore, à l'exception de la zone de matité cardiaque (voir figure 14.13). Pour ce qui est de la percussion du côté postérieur du thorax, le client devrait être assis tout en étant penché vers l'avant, les bras croisés. Le côté postérieur du thorax devrait être sonore à partir du tissu pulmonaire jusqu'au diaphragme (voir figure 14.14).

Auscultation. Lorsqu'elle ausculte le thorax, l'infirmière doit demander au client de respirer doucement et profondément par la bouche. Elle doit procéder en comparant les zones opposées du thorax à partir des extrémités des poumons jusqu'à leur base (voir figure 14.12) en posant le stéthoscope au-dessus des tissus pulmonaires et non sur des proéminences osseuses. Chaque fois qu'elle pose le stéthoscope à un endroit, elle doit écouter au moins un cycle d'inspiration et d'expiration. Elle doit noter la tonalité du son (p. ex. aigu, grave), sa durée et la présence de bruits adventices. L'emplacement des bruits normaux auscultatoires est plus évident si on utilise le modèle pulmonaire (voir figure 14.15).

Il existe trois bruits normaux de respiration : vésiculaire, bronchovésiculaire et bronchique. Les murmures vésiculaires sont plutôt doux, graves et ressemblent à un froissement de cheveux. On peut les entendre dans toutes les zones pulmonaires, sauf celle des bronches souches. Ils ont un rapport de 3:1 et l'inspiration y est plus longue que l'expiration. Les sons bronchovésiculaires sont d'une tonalité et d'une intensité moyennes et on peut les entendre dans les bronches souches, des deux côtés du sternum et du côté postérieur entre les omoplates. Ces sons ont un rapport de 1:1 et sont composés d'une inspiration et d'une expiration égales. Les sons bronchiques sont plus forts et plus aigus que les précédents et ressemblent à de l'air qui se déplace dans des tuyaux creux. Ils ont un rapport de 2:3 et une pause entre l'inspiration et l'expiration reflète le court arrêt entre ces cycles respiratoires. On peut entendre les sons bronchiques dans la région du manubrium sternal.

L'expression **bruits adventices ou anormaux** désigne les bruits bronchiques et bronchovésiculaires qu'on entend dans les champs pulmonaires périphériques. Parmi les sons adventices, on compte les crépitants, les ronchi, la sibilance et les frottements pleuraux.

Les résultats de l'évaluation d'un appareil respiratoire normal sont présentés dans l'encadré 14.3. Les résultats anormaux dérivés d'anomalies pulmonaires et thoraciques sont présentés dans le tableau 14.7. Les résultats de l'examen du thorax dans les cas de maladies pulmonaires sont présentés dans le tableau 14.8. Les changements liés au vieillissement de l'appareil respiratoire et les résultats d'évaluation sont présentés dans le tableau 14.4.

ÉPREUVES DIAGNOSTIQUES

TABLEAU 14.9 Appareil respiratoire

Examen	Description et objectif	Interventions infirmières
Analyse sanguine Hémoglobine (Hg)	Ce test permet de déterminer la quantité d'hémoglobine libre. Cet examen est fait par ponction veineuse. Le taux normal pour un homme adulte est de 13,5-18 g/dl (135-180 g/L) ; le taux normal pour une femme adulte est de 12-16 g/dl (120-160 g/L).	Expliquer la procédure et son objectif.
Hématocrite (Ht)	Ce test permet de déterminer la proportion de globules rouges dans le plasma. Une augmentation de l'hématocrite (polyglobulie) est observée chez les clients atteints d'hypoxémie chronique. Cet examen est fait par ponction veineuse. La normale pour un homme adulte est de 40-54 % (0,40-0,54) ; pour une femme adulte, elle est de 38-47 % (0,38-0,47).	Expliquer la procédure et son objectif.
Gaz sanguins artériels (GSA)	On obtient du sang veineux par la ponction des artères radiales ou fémorales à l'aide d'un cathéter artériel. Les GSA servent à évaluer l'équilibre acidobasique, l'état de la ventilation, le besoin d'une oxygénothérapie continue, des changements dans l'oxygénothérapie ou les changements dans les paramètres d'un ventilateur*. Un monitorage continu des GSA est également possible au moyen d'une électrode ou d'un capteur inséré dans le cathéter artériel.	Indique si le client prend de l'oxygène (pourcentage, L/min). Éviter de modifier l'oxygénothérapie ou les interventions (p. ex. aspiration, changement de position) 20 minutes avant l'obtention des échantillons. Aider le client à se positionner (c.-à-d. les paumes vers le haut, les poignets en légère hyperextension si on utilise les artères radiales). Prélever le sang dans une seringue héparinée. Pour s'assurer les meilleurs résultats, vider les bulles d'air et poser l'échantillon sur la glace, sauf si l'analyse suit dans la minute. Appliquer une pression sur l'artère pendant cinq minutes après le prélèvement pour éviter qu'un hématome ne se forme sur le site de ponction artérielle. Ce prélèvement est effectué par le médecin.
Saturométrie (oxymétrie pulsée)	Ce test évalue la saturation en oxygène des artères et des veines. Le dispositif s'attache aux lobes d'oreilles, au doigt, au nez pour le monitorage de la SpO_2 ou est inséré dans un cathéter d'artère pulmonaire pour le monitorage de la SvO_2. La saturométrie est utilisée pour un monitorage continu dans les unités de soins intensifs, chez les clients hospitalisés qui risquent d'avoir des maladies cardiaques ou pulmonaires, lors des périodes préopératoires et postopératoires, en consultation externe ou lors des épreuves à l'effort**.	Mettre la sonde sur un doigt, le front, le lobe d'oreille ou l'arête du nez. Lorsqu'on analyse les valeurs de la SpO_2 et de la SvO_2, on commence par une évaluation initiale de l'état du client afin de vérifier qu'il n'existe pas de facteurs qui risquent de modifier les résultats du saturomètre. Pour la SpO_2, on compte parmi ces facteurs le mouvement, une perfusion trop lente, la lumière vive, l'utilisation d'un agent de contraste intravasculaire, les ongles en acrylique, la couleur foncée de la peau. Pour la SvO_2, on compte le changement dans l'apport ou la consommation d'O_2. Pour la SpO_2, aviser le médecin si on observe un changement de ±4 % par rapport à la valeur de départ ou une ↓ jusqu'à < 90 %. Pour la SvO_2, aviser le médecin d'un changement de ±10 % par rapport à la valeur de départ ou d'une ↓ jusqu'à < 60 %.
Examen des expectorations Culture et antibiogramme	Un échantillon d'expectorations est recueilli dans un récipient stérile. L'objectif est de diagnostiquer l'infection bactérienne, de choisir un antibiotique spécifique et d'évaluer le traitement.	Expliquer au client comment produire un échantillon valable (voir méthode de Gram). Si le client n'arrive pas à donner un échantillon, il est possible que le médecin procède à une bronchoscopie (voir figure 14.16).
Méthode de Gram	La coloration des expectorations permet de classer les bactéries en types gram-négatif ou gram-positif. Les résultats orientent la thérapie jusqu'à ce que les résultats de culture et d'antibiogramme soient obtenus.	Aviser le client d'expectorer dans le récipient après avoir toussé profondément. Il faut obtenir des expectorations (de type mucoïde) et non de la salive. Prélever l'échantillon tôt le matin, car les sécrétions s'accumulent pendant la nuit. Si la procédure ne fonctionne pas, augmenter l'apport en liquide, sauf si un tel apport est contre-indiqué. Prélever les expectorations dans un récipient stérile lors de l'aspiration de sécrétions trachéales. Envoyer l'échantillon au laboratoire sans tarder.

ÉPREUVES DIAGNOSTIQUES

TABLEAU 14.9 Appareil respiratoire *(suite)*

Examen	Description et objectif	Interventions infirmières
Culture et coloration de Ziehl-Nielsen	Ce test est effectué pour recueillir des expectorations pour des bacilles acidorésistants (tuberculose). On utilise une série de trois échantillons recueillis avant le déjeuner.	Expliquer au client comment produire un échantillon valable (voir méthode de Gram), couvrir ce dernier et l'envoyer au laboratoire pour analyse.
Cytologie	On recueille un seul échantillon d'expectorations qu'on met dans un récipient spécial et auquel on ajoute un fixateur. L'objectif est de déterminer si des cellules anormales sont présentes, signe de la présence d'une affection maligne.	Envoyer l'échantillon sans tarder au laboratoire. Expliquer au client comment produire un échantillon valable (voir méthode de Gram). Si le client ne parvient pas à produire des sécrétions, il est possible de procéder à une bronchoscopie (voir figure 14.17).
Radiologie Radiographie du thorax	Ce test permet de déceler, de diagnostiquer et d'évaluer les changements. Les plans le plus communément examinés sont les plans antéropostérieurs et latéraux.	Dire au client de se déshabiller jusqu'à la taille, d'enfiler la chemise et d'enlever tout objet de métal qu'il porte entre le cou et la taille.
Tomodensitométrie (TDM)	Ce test est effectué pour diagnostiquer les lésions difficiles à évaluer par les examens de rayons X conventionnels, comme celles qui se trouvent dans le hile, le médiastin et la plèvre. Les images montrent différents plans des organes.	Les mêmes que pour la radiographie du thorax.
Imagerie par résonance magnétique (IRM)	On utilise ce test pour diagnostiquer les lésions difficiles à détecter par les images obtenues par tomodensitométrie (p. ex. l'apex des poumons près de la colonne vertébrale).	Les mêmes que pour la radiographie du thorax. Dire au client d'enlever tous les objets de métal qu'il porte avant le test (p. ex. bijoux, montre).
Ventilation-perfusion (V/P)	Ce test repère les zones des poumons qui ne reçoivent pas d'air (ventilation) et de sang (perfusion). Il consiste à injecter des isotopes radioactifs et à inhaler de petites quantités de gaz radioactif (xénon). Un appareil qui détecte les contrastes enregistre la radioactivité. Une ventilation sans perfusion peut indiquer la présence d'une embolie.	Les mêmes que pour la radiographie du thorax. Vérifier que le client n'est pas allergique à l'agent de contraste. Il n'est pas nécessaire de prendre des mesures de précaution après le test, car les isotopes dégagent de la radioactivité pendant un très court laps de temps.
Angiographie pulmonaire	Cet examen permet de visualiser le système vasculaire pulmonaire et de repérer les obstructions et les maladies comme les embolies. Un produit de contraste est injecté, généralement par un cathéter, dans les artères pulmonaires ou au côté droit du cœur.	Les mêmes que pour la radiographie du thorax. Ne pas oublier que les agents de contraste risquent de causer des rougeurs, une sensation de chaleur ou la toux. Vérifier la pression dans la zone du pansement après la procédure. Surveiller la pression artérielle, la fréquence du pouls et la circulation distale sur le site d'injection. Rapporter et consigner les changements importants.
Tomographie par émission de positons (TEP)	Ce test permet de distinguer les nodules pulmonaires malins et bénins. Il consiste en une injection IV d'isotopes radioactifs de demi-vie courte.	Les mêmes que pour l'examen de radiographie du thorax. Il n'est pas nécessaire de prendre des précautions après l'intervention, car les isotopes ne sont radioactifs que pendant un court laps de temps.
Examens endoscopiques Bronchoscopie	Cet examen fait partie des procédures du service ambulatoire mais peut être réalisé lors d'une hospitalisation. Un fibroscope flexible sert à établir des diagnostics, à faire des biopsies, à prélever des échantillons et à évaluer les changements dus à un traitement. Il sert également à aspirer les bouchons de mucus et à enlever les corps étrangers.	Aviser le client de ne rien ingérer par la bouche 6 à 12 heures avant l'examen. Obtenir un consentement écrit. Pour aider le client à se détendre, donner du diazépam (Valium) intraveineux, un anxiolytique avant la procédure, si le médecin en a prescrit. Après la procédure, ne laisser le client rien ingérer par la bouche jusqu'à ce que le réflexe pharyngé (déglutition) revienne. L'infirmière doit vérifier l'apparition d'un œdème de la glotte. Si le client a subi une biopsie, surveiller les signes d'hémorragie et de pneumothorax.
Médiastinoscopie	Ce test permet d'effectuer l'inspection et la biopsie des ganglions lymphatiques dans le médiastin.	Préparer le client à l'intervention chirurgicale. Obtenir un consentement écrit. Après l'intervention, effectuer la même surveillance que pour la bronchoscopie.

TABLEAU 14.9 Appareil respiratoire *(suite)*

Examen	Description et objectif	Interventions infirmières
Biopsie Biopsie pulmonaire	Les biopsies pulmonaires chirurgicale et transbronchique permettent de prélever les échantillons. Ce test permet d'obtenir des échantillons qui seront analysés en laboratoire.	Si la procédure est effectuée à l'aide d'un bronchoscope, il s'agit des mêmes interventions que pour la bronchoscopie ; si le client a subi une biopsie pulmonaire chirurgicale, ce sont les mêmes interventions que pour la pleurotomie. Obtenir un consentement écrit.
Autres Thoracentèse	Ce test sert à obtenir un échantillon de fluide pleural en vue d'établir un diagnostic, à enlever le fluide pleural ou à instiller des médicaments. Le médecin insère une aiguille de gros calibre dans la cage thoracique jusqu'à l'espace pleural. Après cette procédure, on effectue une radiographie du thorax pour vérifier la présence d'un pneumothorax.	Expliquer la procédure au client et obtenir un consentement signé avant l'intervention. Mettre le client dans une position droite, lui dire de ne pas parler ni tousser et l'aider pendant la procédure. Surveiller les signes d'oxygénation inadéquate après la procédure. Si une grande quantité de liquide a été enlevée, surveiller une diminution de l'essoufflement. Envoyer les échantillons étiquetés au laboratoire.
Étude de la fonction respiratoire (test de la fonction respiratoire ou spirométrie)	Ce test évalue le fonctionnement des poumons. Il consiste à utiliser un spiromètre qui permet de schématiser le mouvement de l'air pendant que le client fait les exercices respiratoires prescrits**.	Éviter de prévoir cette intervention immédiatement après le repas. Éviter de faire inhaler un bronchodilatateur six heures avant l'intervention. Expliquer la procédure au client. Permettre au client de se reposer après l'intervention.

* Pour connaître les valeurs normales, voir tableaux 14.1 et 14.2.
** Pour connaître les valeurs normales, voir tableaux 14.10 et 14.11.
GSA : gaz sanguins artériels ; IV : intraveineux ; NPO (*nil per os*) : ne rien prendre par voie orale (à jeun) ; USI : unités de soins intensifs.

14.3 ÉPREUVES DIAGNOSTIQUES DE L'APPAREIL RESPIRATOIRE

14.3.1 Analyses sanguines

Les analyses sanguines les plus communes utilisées pour évaluer l'appareil respiratoire sont celles de l'hémoglobine (Hb), de l'hématocrite (Ht) et des gaz sanguins artériels (GSA) (voir tableau 14.9). Le tableau 14.9 décrit également les interventions infirmières qui sont associées à ces analyses.

14.3.2 Saturométrie (oxymétrie pulsée)

La saturométrie est utilisée pour un monitorage non effractif de la SpO_2 et de la SvO_2 (voir tableaux 14.1 et 14.2). Les soins infirmiers relatifs à la saturométrie sont présentés dans le tableau 14.9.

14.3.3 Examens des expectorations

Il est possible de prélever des sécrétions par expectoration ou par bronchoscopie. La bronchoscopie est une technique qui consiste à insérer un endoscope flexible dans les voies respiratoires. Les échantillons servent à déceler un micro-organisme infectieux (p. ex. mycobactérie, *Pneumocystis carinii*) par la culture ou l'utilisation d'antibiogrammes, ou à confirmer un diagnostic (p. ex. cellules malignes). Les interventions infirmières relatives au prélèvement des échantillons sont décrites dans le tableau 14.9. Il est important d'examiner la couleur et la viscosité des expectorations, et de vérifier si elles contiennent du sang rouge clair (hémoptysie).

14.3.4 Tests cutanés

Les tests cutanés sont effectués pour vérifier les réactions allergiques ou pour évaluer l'exposition à des bacilles ou à des champignons tuberculeux. Les tests cutanés consistent en une injection intradermique d'antigène. Un résultat positif indique que le client a été exposé à l'antigène, mais n'indique pas nécessairement qu'il est atteint de la maladie. Un résultat négatif indique qu'il n'y a pas eu d'exposition ou qu'il y a eu suppression de l'immunité cellulaire, comme dans le cas d'une infection par le VIH.

Les interventions associées à ces tests sont semblables à celles de tous les tests cutanés. Pour éviter un résultat erroné, l'infirmière doit s'assurer que l'injection est intradermique et non sous-cutanée. Après l'injection,

TABLEAU 14.10 Analyse des réactions cutanées aux examens de tuberculose

Taille de l'induration	Considérer le test comme positif chez les groupes suivants
5 mm ou plus	Contact avec une personne chez qui on a diagnostiqué une TB contagieuse. Radiographie pulmonaire révélant des lésions fibreuses, susceptibles de guérir à ce stade. Infection par le VIH diagnostiquée ou soupçonnée.
10 mm ou plus	Autres facteurs de risque connus qui ↑ considérablement les risques d'être atteint de TB une fois infecté (p. ex. diabète, traitements aux agents immunosuppresseurs, néphropathie en phase terminale, cancer de l'oropharynx ou du tractus gastro-intestinal supérieur). Personne née dans une région à forte prévalence de la maladie (p. ex. Asie du Sud-Est, Afrique, Amérique latine). Personnes ayant peu accès aux soins médicaux, sans-abri. Résidents d'établissements de soins prolongés, de prisons. Consommateurs de drogues IV.
15 mm ou plus	Toutes les autres personnes.

Un résultat faux-positif risque de se manifester chez les personnes déjà atteintes de TB et celles ayant une infection évolutive	Parmi les causes, on compte :
	    Immunodépression, infection de TB foudroyante.
	    Test effectué trop tôt après l'exposition à la TB (il est parfois nécessaire d'attendre 10 semaines avant une réaction immunitaire).
	    Vieillissement (peut entraîner une diminution de l'hypersensibilité retardée).
	    L'infection à la TB remonte à longtemps. La sensibilité à la tuberculine risque de diminuer avec le temps, ce qui provoque une réaction négative. Cependant, le test à la tuberculine risque de stimuler (exagérer) la capacité de réagir à la tuberculine, ce qui entraînera des réactions positives aux tests futurs.

10-25 % des personnes souffrant de TB ont une réaction négative lorsqu'elles sont testées à l'aide de tuberculine	Des tests effectués en deux étapes sont donc recommandables pour les personnes qui risquent d'être exposées plus souvent (p. ex. personnel des soins de santé, personnes qui risquent de voir leur hypersensibilité retardée). Analyser comme suit : 1er test positif, considérer la personne comme infectée ; 2e test négatif, recommencer 1 à 3 semaines plus tard ; 2e test positif, considérer l'infection comme évolutive ou prendre en compte l'infection précédente (selon les facteurs de risque) et dispenser les soins nécessaires ; 2e test négatif, considérer la personne comme non infectée. Analyser les tests positifs suivants comme de nouvelles infections.

TB : tuberculose ; VIH : virus de l'immunodéficience humaine.

elle doit entourer les sites d'injection et demander au client de ne pas enlever ces marques. Lorsqu'elle note l'administration de l'antigène, elle devrait dessiner un schéma de l'avant-bras et de la main et y indiquer les sites d'injection. Un tel schéma est particulièrement utile lorsque plusieurs antigènes sont administrés.

Pour lire les résultats du test, l'infirmière doit prévoir un bon éclairage. Si le client présente une induration, elle devrait faire glisser un crayon feutre à partir de la périphérie vers l'induration, et ce, aux quatre coins de l'affection. Lorsque le crayon atteint une zone surélevée, elle y fait une marque. L'infirmière mesure par la suite le diamètre de l'induration en millimètres. Les zones rougies et plates sont mesurées. (Voir le tableau 14.10 pour connaître les réactions caractéristiques d'un test de tuberculose positif.)

14.3.5 Examens radiologiques

Radiographie du thorax. La radiographie du thorax est l'examen le plus courant pour établir un diagnostic portant sur l'appareil respiratoire. Elle sert également à évaluer la progression d'une maladie ainsi que la réaction du client au traitement. Les plans les plus utilisés sont les plans antero-postérieur et latéral. (Voir le tableau 14.9 pour les interventions infirmières relatives à la radiographie du thorax.)

Tomodensitométrie (TDM). Les images obtenues par tomodensitométrie sont utilisées pour examiner l'organisme dans tous les plans. Elles permettent d'observer des zones qui sont difficiles à visualiser à l'aide des radiographies conventionnelles comme le médiastin, le hile et la plèvre. Grâce à l'ajout d'une technique qui augmente les contrastes et qui est de haute ou moyenne résolution, il est possible d'examiner tous les organes du thorax et d'y déceler une affection.

Imagerie par résonance magnétique (IRM). Dans un champ magnétique intense, il est possible de modifier l'alignement des noyaux d'hydrogène en superposant une radiofréquence et l'on peut mesurer la vitesse à laquelle ils retrouvent leur alignement. L'imagerie par résonance magnétique utilise cette technique pour produire

TABLEAU 14.11 Volumes et capacités pulmonaires

Paramètres	Définition	Valeurs normales
Volumes		
Volume courant (VC)	Volume d'air inspiré et expiré à chaque respiration ; une petite proportion de la capacité totale pulmonaire.	0,5 L
Volume de réserve expiratoire (VRE)	Air supplémentaire qui peut être expiré en forçant une fois que l'expiration est terminée.	1,0 L
Volume résiduel (VR)	Quantité d'air qui reste dans les poumons après une expiration forcée ; air qui se trouve dans les poumons et qui peut être utilisé pour les échanges gazeux entre les respirations.	1,5 L
Volume de réserve inspiratoire (VRI)	Le volume d'air maximal qu'il est possible d'inspirer une fois que l'inspiration normale est terminée.	3,0 L
Capacités		
Capacité pulmonaire totale (CPT)	Volume d'air maximal que les poumons peuvent contenir (CPT = VRI + VC + VRE + VR).	6,0 L
Capacité résiduelle fonctionnelle (CRF)	Volume d'air qui reste dans les poumons une fois que l'expiration normale est terminée (CRF = VRE + VR) ; augmentation ou diminution possible lorsque le client est atteint d'une maladie pulmonaire.	2,5 L
Capacité vitale (CV)	Volume d'air maximal qu'il est possible d'expirer après avoir effectué une inspiration maximale (CV = VRI + VC + VRE) ; généralement, la CP est plus élevée chez les hommes que chez les femmes.	4,5 L
Capacité inspiratoire (CI)	Volume d'air maximal qu'il est possible d'inspirer après une expiration normale (CI = VC + VRI).	3,5 L

TABLEAU 14.12 Mesures relatives à la fonction pulmonaire

Mesures	Description	Valeur normale*
Capacité vitale forcée (CVF)	Quantité d'air qu'il est possible de se forcer à expirer rapidement après une inspiration maximale.	Plus de 80 % de la valeur prédite
Volume expiratoire maximal par seconde (VEMS)	Quantité d'air expiré dans la première seconde de la CVF ; indice important relatif à la gravité de l'obstruction des voies respiratoires.	Plus de 80 % de la valeur prédite
VEMS/CVF	Division de la valeur de la VEMS par la CVF ; utile pour différencier les maladies pulmonaires obstructives et restrictives.	Plus de 80 % de la valeur prédite
Débit expiratoire maximal médian (DEMM 25-75 %)	Mesure du débit d'air au milieu de l'expiration forcée ; un des premiers indices d'une maladie touchant les petites voies aériennes.	Plus de 80 % de la valeur prédite
Ventilation maximale minute (VMM)	Respiration profonde effectuée le plus rapidement possible pendant un laps de temps déterminé ; test du débit d'air, de la force des muscles, de la coordination, de la résistance des voies respiratoires ; facteur important en matière de tolérance à l'effort.	À peu près 170 L/min
Débit expiratoire de pointe (DEP)	Débit d'air maximal pendant l'expiration forcée ; aide à surveiller la bronchoconstriction chez les asthmatiques.	Jusqu'à 600 L/min
Pression inspiratoire de pointe (PIP)	Quantité de pression négative produite pendant l'inspiration ; indique la capacité de respirer profondément et de tousser.	<-80 cm H_2O

* Les valeurs normales varient selon la taille, le poids, l'âge et le sexe.

des images des organes. Ses indications sont cependant limitées ; elle est surtout utile pour évaluer les images de l'apex, des poumons ou de la colonne vertébrale, ainsi que pour distinguer les organes vasculaires des organes non vasculaires.

Scintigraphie de ventilation-perfusion. La scintigraphie de ventilation-perfusion est d'abord utilisée pour déterminer s'il y a présence d'une embolie pulmonaire. Il n'existe pas de soins particuliers qui doivent être prodigués avant ou après la procédure. Un radio-isotope

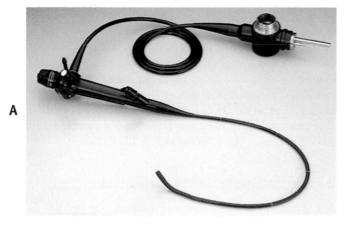

A

intraveineux est administré pour la partie perfusion du test ; de cette façon, le système vasculaire pulmonaire est mis en évidence par des clichés. Pour la portion ventilation du test, le client inhale un gaz radioactif qui définit les alvéoles et un autre cliché est réalisé. Les images normales montrent une radioactivité homogène. L'absence ou une baisse de radioactivité suggère une perfusion ou un débit d'air insuffisant.

Angiographie pulmonaire. L'angiographie pulmonaire est employée pour confirmer le diagnostic d'une embolie si les résultats de la scintigraphie du poumon

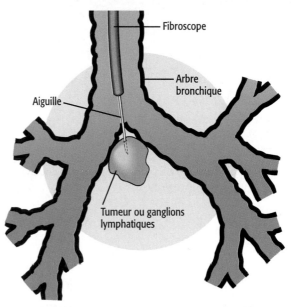

B

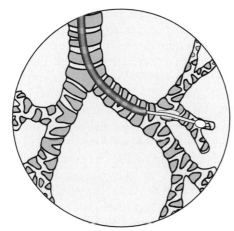

FIGURE 14.16 Fibroscope bronchique. A. Cathéter transbronchique à extrémité gonflable et fibroscope bronchique flexible. B. Le cathéter est inséré dans une petite bronche et le ballon est gonflé avec 1,5 à 2 ml d'air pour obstruer la voie respiratoire. On effectue un lavage broncho-alvéolaire en instillant 30 ml de sérum physiologique et en les retirant lentement après chaque instillation. Les échantillons sont ensuite envoyés au laboratoire pour être analysés.

FIGURE 14.18 Biopsie transthoracique à l'aiguille (BTTA). Le schéma représente une aiguille servant à la biopsie transbronchique traversant la cage thoracique et entrant dans une masse de ganglions lymphatiques sous-carinaux ou une tumeur.

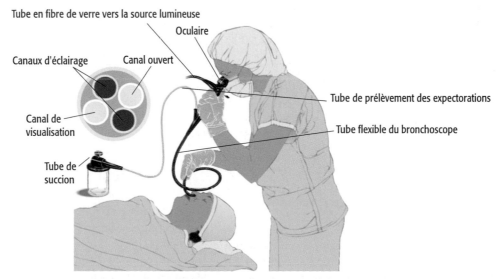

FIGURE 14.17 Fibroscope flexible. Deux des quatre canaux sont des sources lumineuses, un autre permet la visualisation et le dernier permet le passage d'instruments ou l'administration d'un anesthésique ou d'oxygène.

Reproduit avec l'autorisation de Pagana, K.D., et T. Pagana, *L'infirmière et les examens paracliniques,* 5ᵉ éd., Edisem/Maloine, 2000.

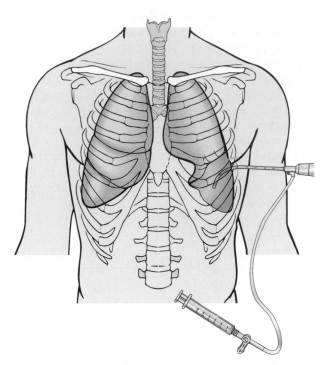

FIGURE 14.19 Thoracentèse. L'aiguille a pénétré dans l'espace pleural pour en extraire du liquide.

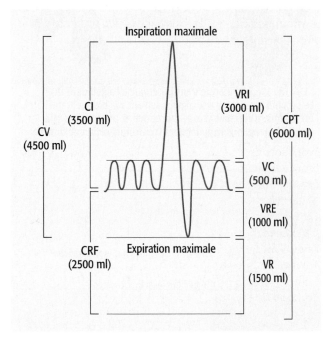

FIGURE 14.20 Relations entre les volumes et les capacités pulmonaires

ne sont pas concluants. Après avoir injecté un colorant opaque aux rayons X (milieu de contraste) dans l'artère pulmonaire, on réalise une série de clichés radiographiques. Ce test détecte également les lésions congénitales ou acquises des vaisseaux pulmonaires.

Tomographie par émission de positons (TEP). Les images obtenues grâce à la tomographie par émission de positons requièrent l'utilisation de radionucléides de courte demi-vie. La TEP sert à distinguer les nodules solitaires pulmonaires malins de ceux qui sont bénins. Les cellules pulmonaires malignes absorbent davantage le glucose. L'imagerie par TEP, qui utilise une préparation de glucose radioactif IV, montre une absorption accrue du glucose dans les cellules pulmonaires malignes.

14.3.6 Examens endoscopiques

Bronchoscopie. C'est une intervention qui permet de voir les bronches grâce à un fibroscope flexible ou un bronchoscope rigide. On l'utilise pour obtenir des échantillons de biopsie, pour évaluer les changements qu'a entraînés un traitement et pour retirer les bouchons de mucus ou les corps étrangers. Il est possible d'injecter de petites quantités (30 ml) de sérum physiologique stérile par l'endoscope et de retirer ensuite le liquide pour en examiner les cellules. Cette technique, appelée lavage broncho-alvéolaire, permet de diagnostiquer la pneumocystose (voir figures 14.16 et 14.17).

La bronchoscopie fait partie des examens effectués en consultation externe, en salle d'opération ou dans les unités de soins intensifs (USI). Lors de l'intervention, le client peut être allongé ou assis. Après avoir anesthésié localement le rhinopharynx et l'oropharynx, le médecin couvre le bronchoscope de lidocaïne (Xylocaïne), un anesthésique. Il l'insère, généralement par le nez, jusqu'aux voies respiratoires. Il est possible d'effectuer une bronchoscopie chez un client étant sous respirateur.

Le bronchoscope est inséré dans le tube endotrachéal. Les soins infirmiers qui doivent être prodigués lors de cette intervention sont décrits dans le tableau 14.9.

Médiastinoscopie. Lors d'une médiastinoscopie, un fibroscope est inséré jusqu'au médiastin par une petite incision à la fourchette sus-sternale. Elle permet d'examiner les ganglions lymphatiques et de faire une biopsie. Ce test permet de diagnostiquer un carcinome, des infections granulomateuses et la sarcoïdose. Cette intervention s'effectue en salle d'opération sous anesthésie générale.

14.3.7 Biopsie pulmonaire

La biopsie pulmonaire est transbronchique ou chirurgicale. On l'effectue pour obtenir des tissus, des cellules et des sécrétions afin de les analyser. La biopsie pulmonaire transbronchique consiste à passer une pince ou une aiguille dans le bronchoscope. On obtient ainsi un échantillon en le prélevant avec la pince ou en l'aspirant dans la seringue (voir figure 14.18). La culture ou l'examen des échantillons permettent de déterminer si on est en présence de cellules malignes. On combine la biopsie pulmonaire transbronchique et le lavage broncho-alvéolaire pour différencier les infections liées au rejet de greffe chez les receveurs de poumons. Les soins infirmiers associés à cette intervention sont les mêmes que pour la bronchoscopie. On effectue la biopsie pulmonaire chirurgicale lorsque les maladies pulmonaires ne peuvent être diagnostiquées par d'autres examens. On anesthésie le client, on lui ouvre le thorax par une thoracotomie et on prélève un échantillon. Les soins infirmiers sont les mêmes pour tous les clients qui subissent une thoracotomie (voir chapitre 16).

14.3.8 Thoracentèse

La thoracentèse consiste à insérer une aiguille dans la paroi thoracique jusqu'à la cavité pleurale pour obtenir un échantillon qui servira à établir un diagnostic, à retirer du liquide pleural ou à instiller des médicaments dans l'espace pleural (voir figure 14.19). Le client est en position assise, le dos droit et les coudes posés sur une table à roulettes. Il doit avoir les pieds et les jambes appuyés sur une surface stable. On lui désinfecte la peau et on lui administre un anesthésique local (Xylocaine) par voie sous-cutanée. Il est possible d'insérer un drain thoracique pour permettre le drainage de liquide supplémentaire. Les soins infirmiers qui doivent être dispensés pendant cette intervention se trouvent dans le tableau 14.9.

14.3.9 Étude de la fonction pulmonaire (test de la fonction respiratoire ou spirométrie)

L'étude de la fonction pulmonaire mesure le volume des poumons et le débit d'air. Ces résultats servent à diagnostiquer les maladies pulmonaires, à surveiller la progression d'une maladie, à évaluer les incapacités et à connaître les réactions aux bronchodilatateurs. On l'effectue à l'aide d'un spiromètre. On commence par noter l'âge, le sexe, la taille et le poids du client. Ces données sont entrées dans l'ordinateur couplé au spiromètre et sont utilisées pour calculer les valeurs prédites pour chaque test. Le client insère un embout buccal, inspire profondément et expire le plus fortement, longuement et rapidement possible. Il faut l'encourager verbalement pour s'assurer qu'il continue à souffler jusqu'à ce qu'il expire complètement. L'ordinateur fournit la valeur réelle, la valeur prédite (normale) et le pourcentage de la valeur prédite pour chaque test. Une valeur normale est comprise entre 80 et 120 % de la valeur prédite. Les valeurs normales pour l'étude de la fonction respiratoire sont présentées dans les tableaux 14.11 et 14.12 et à la figure 14.20.

Il est possible d'utiliser les paramètres des fonctions pulmonaires pour déterminer le besoin de ventilation artificielle ou le moment propice à l'abandon de la ventilation. On fait alors appel aux capacités pulmonaires, à la pression inspiratoire maximale et à la ventilation par minute pour déterminer ce besoin (voir tableau 14.11).

14.3.10 Épreuves d'effort

Les épreuves à l'effort servent à établir des diagnostics, à déterminer la capacité à l'effort et à évaluer le degré d'incapacité. Une épreuve à l'effort complète consiste à effectuer le monitorage de l'oxygène et du dioxyde de carbone expirés, de la fréquence respiratoire, de la fréquence et du rythme cardiaques pendant que le client marche sur un tapis roulant.

Il est également possible de faire passer une version modifiée de l'examen (test de désaturation). Pendant ce test, on ne surveille que la saturation. On utilise également ce test pour déterminer le débit d'oxygène nécessaire pour maintenir la saturation à un niveau sécuritaire lorsque les clients qui suivent une oxygénothérapie à la maison sont actifs ou font un effort physique.

Les marches chronométrées permettent également de mesurer la capacité du client à l'effort. Pendant ce test, on lui demande de marcher le plus loin possible pendant un laps de temps défini (6 à 12 minutes), de s'arrêter lorsqu'il est essoufflé et de reprendre dès qu'il s'en sent capable. La distance parcourue permet de surveiller la progression de la maladie ou d'évaluer son amélioration à la suite d'une rééducation.

MOTS CLÉS

BIBLIOGRAPHIE
Version originale
1. Nai-San W: Anatomy. In Dail DH, Hammer SP, editors: Pulmonary pathology, ed 2, New York, 1994, Springer-Verlag.
2. Light RW: Mechanics of respiration. In George RB and others, editors: *Chest medicine: essentials of pulmonary and critical care medicine*, ed 3, Baltimore, 1995, Williams & Wilkins.
3. Dettemeier PA: *Pulmonary nursing care*, St Louis, 1992, Mosby.
4. Kersten LD: *Comprehensive respiratory nursing: a decision-making approach*, Philadelphia, 1989, Saunders.

5. Elpern EH and others: Pulmonary aspiration in mechanically ventilated patients with tracheostomies, *Chest* 105:563, 1994.

6. Peters JI, Levine SM: Lung transplantation. In George RB and others, editors: *Chest medicine: essentials of pulmonary and critical care medicine,* ed 3, Baltimore, 1995, Williams & Wilkins.

7. Light RW: Diseases of the pleura, mediastinum, chest wall, and diaphragm. In George RB and others, editors: *Chest medicine: essentials of pulmonary and critical care medicine,* ed 3, Baltimore, 1995, Williams & Wilkins.

8. Shoemaker WC, Parsa MH: Invasive and noninvasive physiologic monitoring. In Shoemaker WC and others, editors: *Textbook of critical care,* ed 3, Philadelphia, 1995, Saunders.

9. Noll ML, Byers JF: Usefulness of measures of SvO_2, SpO_2, vital signs and derived dual oximetry parameters as indicators of arterial blood variables during weaning of cardiac surgery patients from mechanical ventilation, *Heart Lung* 24:220, 1995.

10. Schapira RM, Reinke LF: The outpatient diagnosis and management of chronic obstructive pulmonary disease: pharmacotherapy, administration of supplemental oxygen, and smoking cessation techniques, *J Gen Intern Med* 10:40, 1995.

11. Gong H: Air travel and oxygen therapy in cardiopulmonary patients, *Chest* 101:1104, 1992.

12. Pfister SM: Home oxygen therapy: indications, administration, recertification, and patient education, *Nurse Pract* 20:44, 1995.

13. Wanner A, Salathe M, O'Riordan T: Mucociliary clearance in the airways, *Am J Respir Crit Care Med* 154:1868, 1996.

14. Cotes JE: Physiology in the aging lung. In Crystal RG, West JB, Weibel ER, Barnes PJ, editors: *The lung: scientific foundations,* ed 2, Philadelphia, 1997, Lippincott-Raven.

15. Goroll AH, May LA, Mulley AG: *Primary care medicine, office evaluation and management of the adult patient,* ed 3, Philadelphia,1995, Lippincott.

16. Centers for Disease Control and Prevention: Prevention of pneumococcal disease: recommendations of the advisory committee on immunization practices, Atlanta, *MMWR,* Department of Health and Human Services 46, 1997.

17. Incalzi RA and others: Chronic obstructive pulmonary disease: an original model of cognitive decline, *Am Rev Respir Dis* 148:418, 1993.

18. Ries AL and others: Effects of pulmonary rehabilitation on physiologic and psychosocial outcomes in patients with chronic obstructive pulmonary disease, *Ann Intern Med* 122:823, 1995.

19. Bates B: *A visual guide to physical examination, thorax and lungs,* ed 3 (23 minute videocassette), Philadelphia, 1995, Lippincott.

20. Repasky TM: Tension pneumothorax, *AJN* 94:47, 1994.

21. Sasse S, Kramer F: Infectious and noninfectious pulmonary complications in patients infected with the human immunodeficiency virus. In George RB and others, editors: *Chest medicine: essentials of pulmonary and critical care medicine,* ed 3, Baltimore, 1995, Williams & Wilkins.

22. Sibilano H: TB or not TB: the tuberculosis index of suspicion nursing assessment tool, *Perspect Respir Nurs* 7:1, 1996.

23. Centers for Disease Control and Prevention: *Core curriculum on tuberculosis,* ed 3, Atlanta, 1994, Department of Health and Human Services.

24. Sostman HD, Matthay RA: Chest imaging. In George RB and others, editors: *Chest medicine: essentials of pulmonary and critical care medicine,* ed 3, Baltimore, 1995, Williams & Wilkins.

25. Anderson WM, Light RW: Invasive diagnostic procedures. In George RB, Light RW, Matthay MA, Matthay RA, editors: *Chest medicine: essentials of pulmonary and critical care medicine,* ed 3, Baltimore, 1995, Williams & Wilkins.

26. American Thoracic Society: Standardization of spirometry, 1994 update, *Am J Respir Crit Care Med* 152:1107, 1995.

27. Steele B: Timed walking tests of exercise capacity in chronic cardiopulmonary illness, *J Cardiopulm Rehabil* 16:25, 1996.

Édition de langue française

1. PAGANA, K.D., et T. Pagana. *L'infirmière et les examens paracliniques,* 5ᵉ éd., Edisem/Maloine, 2000, 530 p.

2. HÔPITAL LAVAL. Institut universitaire de cardiologie et pneumologie. « Évaluation de la dyspnée », *Suivi systématique des clientèles,* Sainte-Foy, 2001.

Yvon Brassard
Inf., B. Sc., M. Éd., D.E.
Cégep André-Laurendeau

Nathalie Gagnon
B. Sc. inf., B.A.
Cégep F.-X.-Garneau

Chapitre **15**

TROUBLES DES VOIES RESPIRATOIRES SUPÉRIEURES

OBJECTIFS D'APPRENTISSAGE

APRÈS AVOIR LU CE CHAPITRE, VOUS DEVRIEZ ÊTRE EN MESURE :

- DE DÉCRIRE LES MANIFESTATIONS CLINIQUES DES PROBLÈMES DU NEZ ET LES SOINS INFIRMIERS S'Y RAPPORTANT ;

- DE DÉCRIRE LES MANIFESTATIONS CLINIQUES ET LES SOINS INFIRMIERS REQUIS LORSQUE LE CLIENT PRÉSENTE UN PROBLÈME DES SINUS ;

- DE DÉCRIRE LES MANIFESTATIONS CLINIQUES ET LES SOINS INFIRMIERS CONCERNANT LES PROBLÈMES DU PHARYNX ET DU LARYNX ;

- DE DISCUTER DES SOINS INFIRMIERS DU CLIENT AYANT BESOIN D'UNE TRACHÉOSTOMIE ;

- D'INDIQUER LES ÉTAPES À SUIVRE LORS DES SOINS DE TRACHÉOSTOMIE ET DE L'ASPIRATION DES SÉCRÉTIONS TRACHÉALES ;

- DE DÉCRIRE LES FACTEURS DE RISQUE ET LES SYMPTÔMES AVANT-COUREURS LIÉS À UN CANCER DE LA TÊTE ET DU COU ;

- DE DISCUTER DES SOINS INFIRMIERS À L'ÉGARD DU CLIENT AYANT SUBI UNE LARYNGECTOMIE ;

- D'EXPLIQUER LES MÉTHODES EMPLOYÉES POUR LA RÉÉDUCATION DE LA VOIX D'UN CLIENT AYANT PERDU L'USAGE DE LA PAROLE DE FAÇON TEMPORAIRE OU PERMANENTE.

PLAN DU CHAPITRE

*L*es structures qui composent les voies respiratoires supérieures sont le nez, les sinus, le pharynx, le larynx et la trachée. Chaque respiration expose ces structures à des micro-organismes, des émanations, des gaz et des agents carcinogènes. C'est pourquoi les problèmes qui touchent les voies respiratoires supérieures sont courants.

15.1 PROBLÈMES STRUCTURELS ET TRAUMATIQUES DU NEZ

15.1.1 Déviation de la cloison nasale

Une **déviation de la cloison nasale** touche le cartilage, habituellement le droit, qui sépare le nez en deux parties. Cette déviation est surtout provoquée par un traumatisme au nez ou par une disproportion congénitale (état dans lequel la taille de la cloison nasale n'est pas proportionnelle à celle du nez). À l'examen, on constate que la cloison est fléchie d'un côté, ce qui perturbe le passage de l'air. Les symptômes varient : le client peut éprouver une sensation de gêne en respirant par le nez, présenter un œdème nasal ou une muqueuse sèche, être incommodé par la formation de croûtes ou connaître de fréquents épisodes d'**épistaxis** (saignements). De plus, une cloison nasale fortement déviée peut bloquer le mucus qui s'écoule des cavités sinusales, ce qui risque de provoquer une **sinusite** (infection). La respiration par le nez est subjective, et seul le client peut évaluer le degré d'obstruction et de malaise qu'il ressent.

La prévention de ces problèmes vise les facteurs précipitants, tels que les chutes accidentelles pendant l'enfance. Le traitement médical d'une déviation de la cloison nasale comprend le recours à des décongestionnants ou à des corticostéroïdes en aérosol pour réduire l'œdème nasal (voir figure 15.1). La chirurgie constitue une solution pour les clients qui présentent des symptômes graves. Une **septoplastie** peut être faite pour corriger la déformation de la cloison nasale. Cette chirurgie peut être pratiquée seule ou avec une **rhinoplastie**. Les complications sont rares.

15.1.2 Fracture du nez

Une fracture du nez est souvent provoquée par un traumatisme d'une force considérable au milieu du visage. Les complications comprennent l'obstruction des voies respiratoires, l'épistaxis et la déformation inesthétique. Les fractures du nez sont classées comme unilatérales, bilatérales ou complexes. Une fracture unilatérale ne produit habituellement que peu ou pas de déplacement. Les fractures bilatérales sont les plus courantes et donnent au nez une apparence aplatie. Les coups

Avant d'utiliser l'inhalateur, se moucher doucement afin de dégager les narines.

Suivre les étapes suivantes :

1. Retirer l'embout protecteur de l'inhalateur nasal.

2. Bien agiter la bouteille.

3. Tenir l'inhalateur entre le pouce et l'index.

4. Basculer légèrement la tête vers l'arrière et insérer l'extrémité de l'inhalateur dans une narine en la pointant légèrement vers la paroi nasale externe. Tenir l'autre narine fermée avec un doigt.

5. Appuyer sur la bouteille pour libérer une dose et, en même temps, inhaler légèrement.

6. Retenir l'inspiration pendant quelques secondes, puis expirer lentement par la bouche.

7. Retirer l'inhalateur de la narine et répéter le processus pour l'autre narine. Répéter les étapes 4 à 6 si plus d'une inhalation par narine est prescrite.

8. Remettre l'embout protecteur sur l'inhalateur.

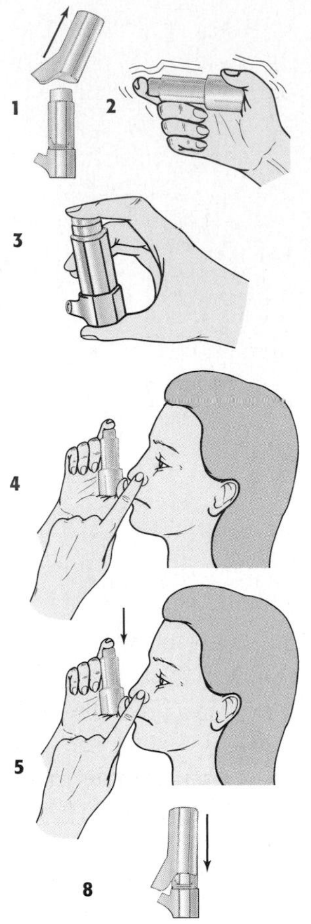

FIGURE 15.1 Mode d'utilisation d'un inhalateur intranasal

frontaux puissants provoquent des fractures complexes et peuvent même atteindre les os du front. Le diagnostic est fondé sur l'anamnèse, l'examen clinique et les clichés radiologiques.

À l'examen, l'infirmière doit évaluer la capacité du client à respirer par chaque narine et noter la présence d'œdème, d'épistaxis ou d'hématome. Il peut y avoir une ecchymose sous un œil ou sous les deux yeux, souvent appelée **ecchymose périorbitaire** (œil au beurre noir, *racoon eye*). L'intérieur du nez est examiné pour détecter tout signe de déviation de la cloison nasale, d'hémorragie ou d'écoulement clair, ce qui laisserait supposer une fuite de liquide céphalorachidien (LCR). Dans ce cas, un spécimen peut être prélevé et envoyé au laboratoire pour déterminer s'il s'agit bien de LCR. Une lésion d'une force suffisante pour fracturer les os nasaux entraîne une tuméfaction importante des **tissus mous**. Lorsque la tuméfaction est étendue, il peut s'avérer difficile de vérifier la gravité de la déformation ou de réparer la fracture. Il faut laisser le temps à l'œdème de diminuer.

Les objectifs des soins infirmiers sont :
- réduire l'œdème ;
- prévenir les complications ;
- informer le client ;
- lui apporter un soutien affectif.

On peut appliquer de la glace sur le visage et le nez afin de réduire l'œdème ainsi que le saignement. Lorsqu'une fracture est confirmée, on tente de la remettre en place au moyen d'une réduction orthopédique ou d'une réduction ouverte (septoplastie, rhinoplastie). Ces interventions rétablissent l'apparence esthétique et la fonction normale du nez tout en fournissant un passage suffisant à l'air.

15.1.3 Rhinoplastie

La rhinoplastie, soit la reconstruction chirurgicale du nez, est pratiquée pour des raisons esthétiques ou pour améliorer la fonction des voies respiratoires lorsqu'un traumatisme ou des déformations acquises entraînent une obstruction nasale. L'évaluation des attentes du client constitue un aspect important de la préparation à une rhinoplastie. Toute modification réelle ou apparente de l'image corporelle (p. ex. un nez déformé ou large) peut nuire à l'estime de soi et avoir un effet sur les relations interpersonnelles. Les attentes du client par rapport aux résultats chirurgicaux doivent être évaluées en fonction du changement désiré. Des photos grandeur nature du nez, tel qu'il sera après avoir été modifié, peuvent servir à simuler l'apparence et aider le client à décider s'il veut ou non subir la chirurgie. Afin d'éviter toute déception, on doit faire preuve de franchise et lui dire la vérité au sujet des résultats escomptés de la chirurgie.

Processus thérapeutique. La rhinoplastie est pratiquée en chirurgie ambulatoire sous anesthésie locale. Cette opération consiste à ajouter ou enlever du tissu nasal dans le but de rallonger ou de raccourcir le nez. On utilise parfois des implants en plastique pour remodeler le nez. Après la chirurgie, une mèche peut être insérée pour appliquer une pression et prévenir le saignement ou la formation d'un hématome septal. Des attelles septales (petites pièces de plastique) peuvent être insérées pour aider à prévenir la formation de tissu cicatriciel entre le site opératoire et la paroi latérale du nez. On place sur le nez une attelle de plastique moulée. Des bandelettes adhésives de type Steri-Strip permettent de rapprocher la peau sur le cartilage septal. Habituellement, on enlève la mèche le lendemain de la chirurgie et l'attelle au bout de trois à cinq jours.

Soins infirmiers : chirurgie nasale. Parmi les exemples de chirurgie nasale, on trouve la rhinoplastie, la septoplastie et la réduction de la fracture du nez. Avant la chirurgie, on doit donner comme consigne au client d'éviter de prendre des médicaments contenant de l'acide acétylsalicylique (AAS) pendant deux semaines pour réduire le risque de saignement. Les interventions infirmières, durant la période postopératoire immédiate, comprennent l'évaluation de la respiration, le soulagement de la douleur ainsi que l'observation du site opératoire afin de détecter tout signe d'hémorragie et d'œdème. Puisque ces chirurgies ne nécessitent qu'un bref séjour au centre hospitalier, le client doit être en mesure de détecter toute complication précoce ou tardive. Cependant, une période plus ou moins longue peut s'écouler avant que le client ne puisse voir le résultat définitif, car l'œdème ainsi que les ecchymoses doivent se résorber. Certains des diagnostics infirmiers relatifs au client qui a subi une chirurgie nasale sont présentés dans l'encadré 15.1.

15.1.4 Épistaxis

L'épistaxis (saignement de nez) se produit dans tous les groupes d'âge, notamment chez les enfants et les personnes âgées. Elle peut être causée par :
- un traumatisme ;
- des corps étrangers ;
- l'usage abusif d'aérosol nasal ;
- l'abus de drogues ;
- une malformation anatomique ;
- une rhinite allergique ;
- une tumeur.

Tout état qui prolonge le temps de saignement ou altère la numération plaquettaire prédispose à l'épistaxis. Le temps de saignement peut également être prolongé si le client prend de l'AAS ou des anti-inflammatoires non stéroïdiens (AINS). Certaines affections, comme l'hypertension, augmentent le risque d'épistaxis. Les enfants et les jeunes adultes ont tendance à manifester un saignement nasal antérieur, alors que les adultes âgés présentent plus souvent un saignement nasal postérieur. La plupart des saignements proviennent de la cloison nasale antérieure (aire de Little), où plusieurs artères se rencontrent. La muqueuse qui les tapisse est fortement vascularisée, ce qui rend cette région (zone de Kiesselbach) vulnérable aux traumatismes. Le saignement postérieur se produit habituellement dans la partie supérieure de la cloison nasale. Les saignements proviennent fréquemment des choanes, qui sont situées sous la partie postérieure du cornet inférieur. En général, les saignements antérieurs cessent spontanément ou peuvent être traités par le client, alors que les saignements postérieurs nécessitent habituellement des soins médicaux.

Plan de soins infirmiers

Client ayant subi une chirurgie nasale (rhinoplastie, septoplastie, réduction de la fracture du nez)

DIAGNOSTIC INFIRMIER : difficulté à se maintenir en santé reliée au manque de connaissances du cheminement postopératoire, du soulagement de la douleur et de la prévention des complications, se manifestant par les interrogations sur les soins et l'anxiété.

PLANIFICATION
Résultat escompté
• Le client expliquera les renseignements pertinents concernant les activités et les autosoins.

INTERVENTIONS	Justifications
• Expliquer l'intervention chirurgicale, le cheminement postopératoire et les autosoins requis.	• Réduire l'anxiété et accroître le degré de collaboration du client.
• Répondre aux questions, s'il y a lieu.	
• Évaluer les perceptions du client relativement à son image corporelle et ses attentes quant à la chirurgie.	• Obtenir des renseignements concernant les soins à donner.

DIAGNOSTIC INFIRMIER : mode de respiration inefficace relié à la présence d'une mèche, d'un œdème nasal ou d'attelles intranasales, se manifestant par des plaintes d'essoufflement, d'altération de la fréquence, du rythme et de l'amplitude respiratoires.

PLANIFICATION
Résultats escomptés
• Le client présentera une fréquence, une amplitude et un rythme respiratoires normaux.
• Le client maintiendra une saturométrie à 90 % (tel qu'il est prescrit).
• Le client ne présentera aucune tuméfaction ou une tuméfaction minime et pas de cyanose.

INTERVENTIONS	Justifications
• Évaluer la présence de signes de détresse respiratoire.	
• Relever la tête du lit.	
• Fournir de l'oxygénothérapie, si elle est prescrite. Sinon, aviser le médecin lorsque la saturométrie est inférieure à 90 %.	
• Demander au client de ne pas se moucher et d'ouvrir la bouche lorsqu'il éternue et lorsqu'il tousse.	• Maintenir la mèche dans la bonne position.
• Appliquer des compresses froides sur la région de l'incision.	• Favoriser la vasoconstriction et réduire l'œdème.
• Demander au client de téléphoner à son médecin ou au service Info-santé (s'il a obtenu son congé du centre hospitalier) ou d'informer l'infirmière (s'il est hospitalisé) s'il éprouve de plus en plus de difficulté à respirer ou si la mèche se déplace.	• Permettre une intervention précoce en vue de prévenir la détresse respiratoire.

DIAGNOSTIC INFIRMIER : douleur reliée à un œdème causé par l'intervention chirurgicale, se manifestant par de la douleur.

PLANIFICATION
Résultat escompté
• Le client dira qu'il ne ressent pas de douleur ou très peu.

INTERVENTIONS	Justifications
• Informer le client de la bonne dose d'analgésiques à prendre.	• Favoriser une utilisation appropriée des médicaments afin de prévenir la douleur.
• Décrire le degré de douleur auquel le client doit s'attendre.	• Réduire l'anxiété et l'inciter à signaler une douleur intense, ce qui pourrait indiquer une complication.
• Inculquer au client des mesures non pharmacologiques (p. ex. l'élévation de la tête du lit et l'application de compresses froides).	• Minimiser l'œdème du visage et la douleur causée par celui-ci.
• Donner fréquemment des soins buccaux et lubrifier les lèvres.	• Garder les muqueuses humides.

Plan de soins infirmiers   ENCADRÉ 15.1

Client ayant subi une chirurgie nasale (rhinoplastie, septoplastie, réduction de la fracture du nez) *(suite)*

- Informer le client d'éviter l'acide acétylsalicylique (AAS) et les anti-inflammatoires non stéroïdiens (AINS).
- Enseigner au client à utiliser un coton-tige imbibé de peroxyde d'hydrogène pour nettoyer les croûtes séchées et à appliquer de la gelée hydrosoluble pour lubrifier la zone lorsque la mèche est enlevée.
- Préconiser l'utilisation d'un humidificateur de chevet.

- Ces médicaments prolongent la durée du saignement.
- Favoriser la propreté et le bien-être, et réduire le risque d'infection.
- Réduire l'assèchement de la muqueuse et favoriser le bien-être.

DIAGNOSTIC INFIRMIER : perturbation de l'image corporelle reliée à un œdème postopératoire et à la modification de l'apparence du visage, se manifestant par la verbalisation d'une préoccupation relative à l'apparence.

PLANIFICATION
Résultat escompté
- Le client exprimera des sentiments optimistes au sujet du résultat de la chirurgie.

INTERVENTIONS
- Informer le client que la majeure partie de l'œdème et des ecchymoses au visage s'atténueront graduellement au fil des semaines.
- Aider le client à demeurer réaliste en ce qui a trait aux résultats chirurgicaux.

Justifications
- Réduire l'anxiété. (Cela peut prendre jusqu'à huit mois avant que l'œdème s'estompe complètement.)
- Éviter toute déception.

Processus thérapeutique

COMPLICATION POSSIBLE : hémorragie nasale reliée à une hémostase inadéquate et à une grande vascularisation du site opératoire.

PLANIFICATION
Objectifs
- Surveiller tout signe de saignement.
- Signaler tout écart par rapport à un saignement acceptable.
- Effectuer les interventions infirmières appropriées.

INTERVENTIONS
- Demander au client de signaler tout drainage continu de liquide sanguinolent qui s'écoule du site opératoire après 24 heures et de ne pas prendre d'AAS ni d'AINS.
- Signaler au médecin tout saignement frais ou tout déplacement de la mèche.

Justifications
- Ces produits augmentent le risque de saignement. Si le client prend de l'AAS pour un problème cardiaque, il doit en parler à son médecin avant d'arrêter son traitement.
- Un traitement précoce de l'hémorragie doit être entrepris.

Soins infirmiers et processus thérapeutique : épistaxis. L'infirmière doit appliquer des mesures de premiers soins pour arrêter l'épistaxis. Ces mesures consistent à :
- garder le client calme ;
- le placer en position assise, penché vers l'avant ou, si cela n'est pas possible, en position couchée avec la tête et les épaules relevées ;
- appliquer une pression directe en pinçant toute la partie inférieure molle du nez pendant 10 à 15 minutes ;
- appliquer des compresses froides sur le nez et demander au client de sucer des glaçons ;
- insérer partiellement une petite compresse de gaze dans la narine qui saigne et appliquer une pression avec les doigts si le saignement continue ;
- obtenir de l'aide médicale si le saignement persiste.

Lorsque les premiers soins sont inefficaces, le traitement médical consiste d'abord à localiser le siège du saignement, puis à appliquer un agent vasoconstricteur, à cautériser ou à insérer une mèche. Celle-ci peut être préparée à l'aide d'une gaze imbibée d'onguent antibiotique, puis être enfoncée fermement à l'endroit désiré et demeurer en place pendant 48 à 72 heures.

Si une mèche postérieure s'impose, le client doit être hospitalisé. Dans ce cas, on peut se servir de ballonnets gonflables comme mèche ou insérer une bande de gaze roulée (voir figure 15.2). On attache une corde à la mèche, qui est introduite dans le nez, puis ramenée dans la bouche et collée à la joue avec un diachylon afin d'en faciliter le retrait. Une attelle nasale (une compresse de gaze repliée) doit être collée avec un diachylon au-dessus des narines pour absorber l'écoulement.

Il est possible qu'une mèche postérieure perturbe l'état de conscience ou l'état respiratoire, notamment chez les personnes âgées. Certains clients éprouvent une hypo-ventilation (augmentation de la $PaCO_2$) et une hypoxé-mie (diminution de la PaO_2) pouvant provoquer des arythmies cardiaques ou un arrêt respiratoire. L'infir-mière doit donc surveiller attentivement la fréquence respiratoire, la fréquence et le rythme cardiaques, la satu-ration en oxygène à l'aide de la saturométrie (SpO_2) et le niveau de conscience, de même qu'observer tout signe d'aspiration bronchique et d'infection. L'insertion d'une mèche est une intervention douloureuse puisqu'une pression suffisante doit être appliquée pour arrêter le saignement. Le méchage nasal risque de causer une infection à cause des bactéries (p. ex. *Staphylococcus aureus*) présentes dans la fosse nasale. Le client doit recevoir un analgésique narcotique faible (p. ex. acétami-nophène avec codéine) et un antibiotique efficace contre les staphylocoques afin d'être protégé contre l'infection.

Les mèches postérieures sont laissées en place pendant au moins trois jours. On doit administrer un analgé-sique au client avant de les enlever, car cette intervention est très désagréable. Une fois les mèches retirées par le médecin, on peut nettoyer les narines en douceur et les lubrifier avec de la vaseline.

Une chirurgie s'impose lorsque le méchage posté-rieur ne parvient pas à enrayer l'épistaxis. L'intervention la plus courante consiste à ligaturer l'artère maxillaire interne en pratiquant une **incision de Caldwell-Luc** sous la lèvre supérieure pour accéder à l'artère. Dans certains cas, on peut également ligaturer d'autres artères, si cela s'avère nécessaire.

L'infirmière doit prévenir le client, avant son retour à la maison, d'éviter :
- de se moucher fortement ;
- de pratiquer une activité vigoureuse ;
- de soulever des poids ;
- de faire des efforts pendant quatre à six semaines.

Elle doit lui enseigner comment éternuer la bouche ouverte et lui mentionner d'éviter de prendre des pro-duits contenant de l'AAS ou des AINS.

15.2 INFLAMMATION ET INFECTION DU NEZ ET DES SINUS

15.2.1 Rhinite allergique

Une **rhinite allergique** est la réaction de la muqueuse nasale à un antigène spécifique (allergène). Les crises de rhinite saisonnière se produisent habituellement au prin-temps et à l'automne et sont causées par une allergie aux pollens des arbres, des fleurs ou des graminées. Une crise typique dure plusieurs semaines pendant les périodes où

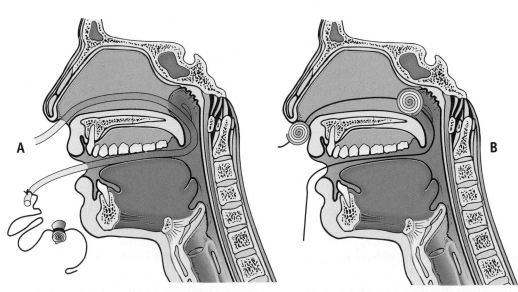

FIGURE 15.2 Méthode utilisée pour insérer une mèche postérieure. **A.** Une sonde est insérée du côté du nez qui saigne et ramenée par la bouche à l'aide d'une pince hémostatique. Une corde, attachée à la sonde et à la mèche, permet de tirer cette dernière vers le haut, derrière le palais mou et dans le nasopharynx. **B.** La mèche est en place dans le nasopharynx postérieur. L'insertion d'une autre mèche dans la narine permet de maintenir la première mèche dans la bonne position.

la densité pollinique est la plus élevée, puis disparaît et reparaît à la même période l'année suivante. La rhinite périodique se manifeste de façon intermittente ou continue. Les symptômes sont habituellement provoqués par certains éléments déclencheurs dans l'environnement, tels que des poils et des squames d'animaux de compagnie, des acariens détriticoles, des moisissures ou certains aliments. Étant donné que les symptômes de la rhinite périodique s'apparentent à ceux du rhume banal, le client peut croire qu'il souffre d'un rhume continu ou répété.

Manifestations cliniques. Les manifestations cliniques de la rhinite allergique sont la congestion nasale, les éternuements, les yeux et le nez qui démangent et qui coulent, un odorat altéré et un écoulement nasal aqueux. Les cornets du nez sont pâles, humides et œdémateux ; ils peuvent être gonflés et appuyer contre la cloison nasale. Les extrémités postérieures des cornets peuvent enfler au point de bloquer l'aération ou l'écoulement et d'entraîner une sinusite. Les céphalées, la congestion, la pression et l'écoulement rhinopharyngé sont au nombre des réactions d'une personne fréquemment exposée à des allergènes, de même que la toux, l'enrouement ou un besoin récurrent de s'éclaircir la voix. La congestion peut être suffisante pour causer le ronflement. Des polypes nasaux peuvent être présents si l'allergie persiste depuis longtemps.

Soins infirmiers et processus thérapeutique : rhinite allergique. Plusieurs mesures peuvent être employées pour soulager la rhinite allergique. La première étape consiste à découvrir les éléments déclencheurs des réactions allergiques (voir encadré 15.2). La pharmacothérapie comprend les antihistaminiques, les décongestionnants et les aérosols nasaux. En général, on prescrit d'abord un antihistaminique ou un décongestionnant par voie orale. Si ce traitement n'est pas efficace, des corticostéroïdes en aérosol (béclométhasone) peuvent également être prescrits pour réduire l'inflammation. Ce médicament est faiblement absorbé par la circulation et, par conséquent, ses effets secondaires systémiques sont rares. Une autre solution consiste à prescrire un anticholinergique en aérosol (bromure d'ipratropium), qui est également efficace pour réduire la **rhinorrhée**. Les décongestionnants en aérosol sont déconseillés en raison de l'effet rebond qu'entraîne leur utilisation prolongée. On peut avoir recours à l'immunothérapie lorsque le client tolère mal les médicaments ou n'obtient aucun résultat, et si un allergène spécifique, dont le contact est impossible à éviter, peut être détecté. L'immunothérapie consiste à contrôler l'exposition du client à de petites quantités d'un antigène connu par des injections hebdomadaires dans le but de réduire la sensibilité. (Le chapitre 7 traite de l'immunothérapie.)

SOINS DANS LA FAMILLE

Moyens pour atténuer les symptômes de rhinite allergique `ENCADRÉ 15.2`

- Le meilleur traitement consiste à éviter tout contact avec les allergènes.

- Éviter la poussière domestique. Mettre l'accent sur la chambre à coucher. Enlever la moquette. Limiter le nombre de meubles. Recouvrir les oreillers, le matelas et le sommier d'une housse de vinyle étanche. Dans la chambre, ne garder que les vêtements utilisés fréquemment. Placer les autres vêtements dans des sacs de vinyle étanches avec fermeture éclair. Installer un filtre à air. Fermer l'évent de climatisation dans la chambre.

- Éviter les acariens détriticoles. Laver la literie à l'eau très chaude (54 °C) chaque semaine. Porter un masque en passant l'aspirateur. Mettre un sac double dans l'aspirateur. Installer un filtre à air sur l'orifice d'échappement de l'aspirateur. Éviter de dormir ou de vous étendre sur des meubles rembourrés. Enlever les tapis posés sur le béton. Au besoin, demander à quelqu'un d'autre de nettoyer la maison.

- Éviter les spores de moisissure. Les trois éléments qui favorisent la croissance de spores de moisissure sont l'obscurité, l'humidité et les courants d'air. Éviter les endroits où le taux d'humidité est élevé (p. ex. les sous-sols, les chalets au bord d'un lac, les paniers à linge, les serres, les écuries,

les étables). Les déshumidificateurs sont rarement utiles. Aérer les pièces fermées, ouvrir les portes et installer des ventilateurs. Songer à ajouter des fenêtres aux pièces sombres. Envisager de garder une petite lumière allumée dans les placards. Une lumière au sous-sol munie d'une minuterie qui fournit de la clarté plusieurs heures par jour peut réduire la croissance de moisissures.

- Éviter les pollens. Demeurer à l'intérieur, portes et fenêtres closes, pendant la grande saison pollinique. Éviter d'utiliser des ventilateurs. Installer un climatiseur muni d'un bon filtre à air. Laver les filtres à air chaque semaine pendant la grande saison pollinique. Mettre le climatiseur de l'automobile en position « recyclage » lorsque vous conduisez. Demander à quelqu'un d'autre de s'occuper de l'entretien du parterre.

- Éviter les allergènes causés par les animaux de compagnie. Sortir les animaux de compagnie de la maison. Nettoyer à fond la surface habitable. Ne pas s'attendre à un soulagement instantané, car les symptômes ne s'estompent généralement pas de façon significative pendant les deux premiers mois qui suivent le départ de l'animal.

- Éviter la fumée. La présence d'un fumeur nuira à tout bon programme visant à réduire les symptômes.

Adapté de Peter B. Boggs, *Sneezing your head off ? : How to live with your allergic nose*, Boggs, 1994, p. 125-137.

Le client doit tenir un journal où il inscrit la réaction allergique qui s'est produite et les activités qui ont précipité cette dernière. Des mesures peuvent ensuite être adoptées pour éviter ces éléments déclencheurs. L'évitement est le meilleur traitement (voir encadré 15.2). Le client qui suit une pharmacothérapie a besoin de consignes précises concernant l'utilisation appropriée des médicaments. Celui qui prend des antihistaminiques conventionnels doit être mis en garde contre les effets secondaires sédatifs. Les antihistaminiques non sédatifs éliminent ou réduisent la somnolence, mais coûtent plus cher. Les corticostéroïdes intranasaux ou le Cromolyn en aérosol sont efficaces contre la rhinite saisonnière. Le meilleur soulagement est souvent obtenu en combinant un corticostéroïde en aérosol avec un antihistaminique non sédatif.

15.2.2 Rhinite virale aiguë

La rhinite virale aiguë (rhume ou **coryza**) est causée par des virus qui envahissent les voies respiratoires supérieures. Cette maladie infectieuse est très fréquente et se propage au moyen de gouttelettes aéroportées, projetées par une personne infectée lorsqu'elle respire, parle, éternue ou tousse, ou par le contact direct avec les mains. La fréquence de la maladie augmente pendant les mois d'hiver, lorsque les gens demeurent à l'intérieur. D'autres facteurs, tels que le frisson, la fatigue, le stress physique et émotif et l'affaiblissement du système immunitaire, peuvent accroître la vulnérabilité. Habituellement, le client atteint de rhinite virale aiguë ressent d'abord un chatouillement et une irritation suivis d'éternuements, de sécheresse du nez ou du nasopharynx, de sécrétions nasales abondantes, d'obstruction nasale, de larmoiements, d'hyperthermie, de malaise général et de céphalées. Après la phase de rhinorrhée claire, le nez devient davantage obstrué et l'écoulement est plus épais. En l'espace de quelques jours, les symptômes généraux s'améliorent, les voies nasales deviennent de nouveau perméables et la respiration normale se rétablit.

Soins infirmiers et processus thérapeutique : rhinite virale aiguë. On recommande :
- de prendre du repos ;
- de boire beaucoup de liquides ;
- de suivre un bon régime alimentaire ;
- de prendre des antipyrétiques et des analgésiques.

Les complications de la rhinite virale aiguë comprennent la pharyngite, la sinusite, l'otite moyenne, l'amygdalite et les infections bronchiques. À moins que des symptômes de complications ne soient présents, une antibiothérapie n'est pas recommandée. Les antibiotiques n'ont aucun effet sur les virus et peuvent produire des organismes résistants s'ils ne sont pas utilisés de façon judicieuse.

Pendant la saison froide, on doit conseiller au client atteint d'une maladie chronique ou d'un état immunitaire affaibli d'éviter les situations où il y a beaucoup de monde, les contacts étroits, ainsi que toute personne qui présente des symptômes évidents de rhume. S'il ne peut éviter ces contacts, le lavage fréquent des mains et le fait de s'abstenir de les porter au visage peuvent contribuer à prévenir une propagation directe.

Certains des diagnostics infirmiers relatifs au client souffrant d'infection des voies respiratoires supérieures sont présentés dans l'encadré 15.3. On doit inciter le client à boire davantage de liquides pour liquéfier les sécrétions. Le traitement aux antihistaminiques ou aux décongestionnants réduit l'écoulement rhinopharyngé et diminue considérablement la gravité de la toux, de l'écoulement nasal et de la congestion. On doit également apprendre au client à reconnaître les symptômes d'une infection bactérienne secondaire, tels qu'une température supérieure à 38 °C, de l'exsudat sur les amygdales, des ganglions sensibles et œdémateux, ainsi qu'une gorge érythémateuse et douloureuse. Chez le client souffrant d'une affection pulmonaire, les signes d'infection comprennent un changement dans la consistance, la couleur ou le volume des expectorations. Étant donné que l'infection peut évoluer rapidement, on doit aviser le client souffrant d'une maladie respiratoire chronique d'examiner les expectorations et lui

TABLEAU 15.1 Virus pouvant causer la grippe	
Type	**Caractéristiques**
Type A	Associé à des cas graves. À l'origine d'épidémies et de pandémies ; se répand dans le monde entier tous les 10 à 40 ans. Seul type causant des infections graves, voire mortelles.
Type B	Plus bénin que le A. Peut provoquer des épidémies.
Type C	Plus rare. Symptômes ressemblant à ceux du rhume. Ne cause pas d'épidémies.

Plan de soins infirmiers

ENCADRÉ 15.3

Client atteint d'une infection des voies respiratoires supérieures

DIAGNOSTIC INFIRMIER : dégagement inefficace des voies respiratoires relié à un œdème des muqueuses, se manifestant par de la toux, l'augmentation des sécrétions nasales et respiratoires et l'intolérance à respirer l'air froid.

PLANIFICATION

Résultats escomptés
- Le client présentera une réduction ou une absence de toux.
- Le client aura une production normale de sécrétions.

INTERVENTIONS	Justifications
• Humidifier l'air au besoin.	• Aider à hydrater la muqueuse respiratoire.
• Encourager le client à boire beaucoup.	• Aider à liquéfier les sécrétions.
• Administrer un antihistaminique décongestionnant au besoin.	• Réduire l'écoulement rhinopharyngé et la toux.
• Administrer des pastilles pour la gorge ou un antitussif au besoin.	• Soulager l'irritation de la gorge et la toux.
• Demander au client de mettre un foulard ou un masque sur le nez et la bouche lorsqu'il respire de l'air froid.	• Prévenir l'assèchement et l'irritation des muqueuses buccale et respiratoire.

DIAGNOSTIC INFIRMIER : risque de thermorégulation inefficace relié à l'infection.

PLANIFICATION

Résultats escomptés
- Le client aura une température inférieure ou égale à 38 °C.
- Le client manifestera une absence de frissons et de diaphorèse.
- Le client présentera un état d'hydratation suffisant.

INTERVENTIONS	Justifications
• Surveiller les signes de température supérieure à 38 °C et de diaphorèse.	• Permettre une intervention précoce.
• Vérifier la température.	• Obtenir une évaluation continue et être informé de la réaction au traitement.
• Administrer des antipyrétiques au besoin.	• Abaisser la température.
• Effectuer, s'il y a lieu, une toilette rafraîchissante.	• Aider à abaisser la température par dispersion de la chaleur.
• Garder le client au sec et légèrement couvert.	• Éviter tout refroidissement et une hausse subséquente de température consécutive aux tremblements.
• Encourager le client à boire beaucoup.	• Remplacer le liquide perdu par transpiration et assurer une volémie adéquate afin de favoriser une fonction rénale optimale.

Processus thérapeutique

COMPLICATION POSSIBLE : pneumonie virale ou bactérienne reliée à une infection secondaire.

PLANIFICATION

Objectifs
- Surveiller la situation pour déceler tout signe de pneumonie.
- Signaler tout signe positif de pneumonie.
- Appliquer les interventions infirmières appropriées.

INTERVENTIONS	Justifications
• Renseigner le client sur l'importance d'une bonne alimentation, du repos et de l'activité.	• Prévenir l'apparition de la maladie.
• Demander au client de signaler les symptômes qui ne s'estompent pas (p. ex. hyperthermie, dyspnée, production de sécrétions ou changement dans leur volume, leur couleur et leur consistance, ganglions sensibles, exsudat amygdalien).	• Détecter précocement toute complication.
• Administrer des antibiotiques selon l'ordonnance si une infection bactérienne se manifeste.	

conseiller de bien suivre la prescription médicale si des antibiotiques sont requis.

15.2.3 Grippe

Chaque année, la grippe entraîne des taux de morbidité et de mortalité significatifs. Avec la pneumonie, elle est la principale cause de décès par maladies infectieuses au Canada. Globalement, ces deux maladies sont responsables d'environ 8000 décès par année, dont la plupart surviennent chez les personnes de plus de 60 ans souffrant de maladie cardiaque ou pulmonaire chronique sous-jacente. Bien qu'il soit possible de prévenir la grippe, seulement 50 % des personnes de plus de 65 ans et 10 à 15 % des personnes de moins de 65 ans qui présentent un risque élevé se font vacciner (voir encadré 15.4). Les etudes serologiques revelent que, chaque hiver, de 10 à 20 % de l'ensemble de la population est infecté par le virus de la grippe. Celui-ci possède une remarquable aptitude à se modifier au fil du temps, ce qui explique sa capacité de provoquer une épidémie étendue. Il existe trois types de virus : A, B et C (voir tableau 15.1). Au cours de certaines années, le virus de type A subit un changement antigénique mineur, tandis qu'au cours d'autres années il subit une mutation antigénique. Lorsqu'un changement mineur se produit, il y a moins de cas de grippe parce que la plupart des gens ont une immunité partielle. Le virus de type B a tendance à causer des épidémies localisées. L'infection par le virus de type C est courante, mais elle est peu susceptible de provoquer des symptômes. Les sous-types sont désignés en fonction de la souche, du foyer d'isolement et de l'année (p. ex. souche A/Beijing/184/93).

Manifestations cliniques. Les gens confondent souvent grippe et rhume. Le début d'une grippe est habituellement soudain et comporte des symptômes généralisés de céphalées, de fièvre, de frissons et de myalgie, accompagnés de toux et de maux de gorge. Des symptômes plus bénins, semblables à ceux du rhume, peuvent également se manifester. En général, les signes physiques sont minimes lors de l'auscultation pulmonaire. La dyspnée et les crépitants diffus sont des signes de complication pulmonaire. Dans les cas simples, les symptômes diminuent en moins de sept jours. Certains clients, notamment les personnes âgées, peuvent éprouver une faiblesse ou une lassitude qui persiste pendant des semaines. La phase de convalescence peut être marquée par des voies respiratoires hyperactives et une toux chronique. Les éléments importants à considérer pour l'établissement du diagnostic sont, entre autres, l'anamnèse et les résultats de l'évaluation clinique, ainsi que la présence d'autres cas de grippe dans la collectivité.

La pneumonie est la complication la plus fréquente. Bien que la pneumonie virale primaire d'origine grippale

soit la complication la moins courante, elle est la plus grave. Le client présente des symptômes de grippe qui s'aggravent au lieu de s'atténuer, et peut même mourir. S'il y a présence d'expectorations, celles-ci ne contiennent aucun organisme prédominant. Le traitement vise essentiellement à donner des soins de soutien. Le client qui souffre d'une pneumonie bactérienne secondaire verra ses symptômes diminuer pendant deux à trois jours, puis présentera une toux et des expectorations purulentes. Un traitement aux antibiotiques est habituellement efficace s'il est entrepris tôt. La pneumonie virale et bactérienne se manifeste par des symptômes des deux types de pneumonie.

Soins infirmiers et processus thérapeutique : grippe. L'infirmière doit préconiser la **vaccination antigrippale** auprès des clients à risque élevé lors des consultations habituelles au cabinet du médecin ou avant l'obtention de leur congé s'ils sont hospitalisés (voir encadré 15.4). Le taux d'efficacité du vaccin est de 70 à 90 % chez les adultes. Pour être efficace, il doit être administré à l'automne (à la mi-octobre), avant que l'exposition à la contagion ait lieu. Le vaccin antigrippal fait partie des soins essentiels prodigués aux personnes de 65 ans et plus. On doit également accorder la préséance aux groupes susceptibles (les travailleurs de la santé, par exemple) de transmettre la grippe aux personnes à risque élevé, que ce soit les clients en centre d'hébergement et de soins de longue durée (CHSLD), les personnes souffrant d'affections chroniques (diabète, cancer, déficit immunitaire ou insuffisance rénale), les enfants et adolescents qui suivent un traitement prolongé à l'acide acétylsalicylique ou les personnes infectées par le VIH. Malgré des avantages évidents, bien des gens hésitent à se faire vacciner. Les vaccins actuels sont hautement purifiés et les réactions sont extrêmement rares. Le seul effet secondaire peut être une douleur au point d'injection. La seule contre-indication est l'hypersensibilité aux œufs, puisque les antigènes de surface sont cultivés sur œufs.

Les principaux objectifs des soins infirmiers consistent à dispenser des soins de soutien visant à soulager les symptômes et à prévenir les effets secondaires (voir encadré 15.3). À moins que le client ne présente un risque élevé ou que des complications ne se manifestent, un traitement symptomatique est généralement suffisant pour traiter la grippe. Il arrive que certaines personnes âgées et celles souffrant d'une maladie chronique doivent être hospitalisées. Les antibiotiques ne sont pas indiqués à moins qu'une infection bactérienne secondaire ne se manifeste. Du chlorhydrate d'amantadine (Symmetrel) peut être prescrit par voie orale pour prévenir ou atténuer les symptômes grippaux de type A chez les clients courant un risque élevé d'être exposés à la grippe et qui ne sont pas vaccinés. Ce médicament provoque fréquemment des effets secondaires, comme des troubles digestifs et des hallucinations, et est mal toléré. Le zanamivir (Relenza) est un nouvel agent qui peut être administré par aérosol nasal ou inhalé. Il est efficace aussi bien contre la grippe de type A que contre celle de type B et a démontré qu'il pouvait réduire de 20 % la durée des symptômes.

15.2.4 Sinusite

La **sinusite** se manifeste lorsque l'ostium (orifice donnant accès à une cavité) des sinus est rétréci ou bloqué par l'inflammation ou l'hypertrophie des muqueuses (voir figure 15.3). Les sécrétions qui s'accumulent derrière l'obstruction offrent un milieu propice à la croissance de bactéries, de virus et de champignons pouvant causer une infection. La sinusite bactérienne est souvent causée par *Streptococcus pneumoniae*, *Haemophilus influenzae* ou *Moxarella catarrhalis*. La sinusite virale est consécutive à une infection des voies respiratoires supérieures dans laquelle le virus pénètre la muqueuse et réduit le transport ciliaire. La sinusite fongique est rare et se manifeste habituellement chez les clients affaiblis ou immunodéprimés.

La sinusite aiguë résulte habituellement d'une infection des voies respiratoires supérieures, d'une rhinite allergique, des effets de la natation, des suites d'une chirurgie ou d'une extraction dentaire ; toutes ces causes peuvent provoquer des changements inflammatoires et la rétention de sécrétions. La sinusite chronique est une infection persistante généralement associée à des allergies et à des polypes nasaux. En général, elle résulte d'épisodes récurrents de sinusite aiguë qui entraînent

la perte irréversible de l'épithélium cilié normal tapissant la cavité sinusale.

Manifestations cliniques. La sinusite aiguë entraîne une douleur considérable dans la région du sinus touché, un écoulement nasal purulent, de la congestion nasale, de la fièvre et une sensation de malaise. L'examen consiste à inspecter la muqueuse nasale et à palper les parties des sinus pour y déceler toute douleur. Les signes qui indiquent une sinusite aiguë sont, entre autres, une muqueuse hyperémiée et œdémateuse, des cornets nasaux agrandis et une sensibilité au toucher à la hauteur des sinus atteints. La douleur est provoquée par l'accumulation de pus et l'absorption d'air derrière un ostium obstrué. Le client peut également avoir des céphalées récurrentes, dont l'intensité peut varier selon la position de la tête, et survenir au moment de l'écoulement des sécrétions.

La sinusite chronique est difficile à diagnostiquer puisque les symptômes peuvent être non spécifiques. Le client est rarement fébrile. Bien qu'il puisse éprouver une douleur faciale, une congestion nasale et un écoulement accru, la douleur intense et l'écoulement purulent sont souvent absents. Les symptômes peuvent être semblables à ceux d'une allergie. Des radiographies ou une tomodensitométrie (TDM) des sinus peuvent être effectuées pour confirmer le diagnostic. La TDM peut montrer que les sinus sont remplis de liquide ou que la muqueuse est œdémateuse. Une endoscopie nasale peut également être effectuée pour examiner les sinus et prélever un échantillon de sécrétions pour une culture et un antibiogramme. Ce test consiste à insérer une sonde optique flexible qui permet de procéder à un examen élaboré de la cavité nasale.

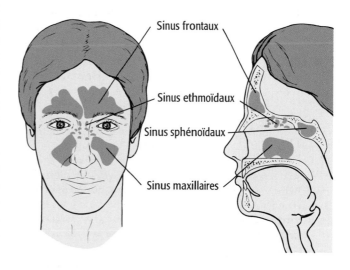

FIGURE 15.3 Localisation des sinus

Les personnes asthmatiques sont nombreuses à souffrir de sinusite. Le lien entre ces deux maladies n'est pas clair. Il est possible que la sinusite déclenche l'asthme en stimulant le bronchospasme réflexe. Selon une autre hypothèse, la sinusite et l'asthme peuvent indiquer la même maladie sous-jacente dans différentes parties des voies respiratoires. Il est important de reconnaître cette possibilité, car le traitement approprié de la sinusite entraîne souvent une réduction des symptômes d'asthme.

Soins infirmiers et processus thérapeutique : sinusite.
Le traitement de la sinusite aiguë comprend des antibiotiques pour traiter l'infection, des décongestionnants ou des expectorants pour réduire l'œdème tissulaire, des corticostéroïdes nasaux pour diminuer l'inflammation et des mesures pour favoriser le drainage des muqueuses (voir encadré 15.5). Les antihistaminiques conventionnels sont déconseillés, étant donné qu'ils augmentent la viscosité du mucus et favorisent la persistance des symptômes. Cependant, les antihistaminiques non sédatifs n'entraînent pas ces effets. L'antibiothérapie se poursuit habituellement pendant 10 à 14 jours dans le cas de sinusite aiguë. Lorsque les symptômes ne parviennent pas à s'estomper, l'antibiotique doit être remplacé par un agent à large spectre plus puissant. Dans le cas de sinusite chronique, une flore bactérienne mixte est souvent présente, et les infections sont difficiles à éliminer. Des antibiotiques à large spectre sont utilisés pendant quatre à six semaines.

Le client qui se plaint de troubles des sinus persistants ou récurrents, que le traitement médical ne parvient pas à enrayer, pourrait subir une chirurgie endoscopique nasale pour soulager le blocage provoqué par l'hypertrophie ou la déviation de la cloison nasale. Cette intervention ne requiert aucune hospitalisation et se fait généralement sous anesthésie locale. Le malaise est minime, et plus de 80 % des clients qui subissent cette intervention signalent une diminution considérable des symptômes. Ils peuvent retourner au travail après cinq jours, mais doivent éviter les activités vigoureuses pendant trois à quatre semaines. Les diagnostics infirmiers relatifs au client souffrant de sinusite aiguë comprennent, entre autres, ceux qui sont présentés dans l'encadré 15.6

15.3 OBSTRUCTION DU NEZ ET DES SINUS

15.3.1 Polypes

Les **polypes nasaux** sont des évaginations bénignes de la muqueuse œdémateuse qui se forment lentement en réaction à l'inflammation du sinus ou de la muqueuse nasale. Une fois qu'ils sont présents, ils croissent et se gonflent jusqu'à ce qu'ils fassent saillie dans les voies respiratoires ou qu'ils obstruent le nez. Ils peuvent être multiples et dépasser la taille d'un raisin. Le client peut être anxieux et craindre que les polypes ne soient malins. Les manifestations cliniques sont, entre autres, la congestion nasale, l'écoulement nasal (habituellement de mucus clair) et une distorsion de la parole. Les polypes nasaux peuvent être enlevés par chirurgie endoscopique ou chirurgie au laser, mais leur récurrence est fréquente.

15.3.2 Corps étrangers

Divers corps étrangers peuvent se loger dans les voies respiratoires supérieures. Des corps étrangers inorganiques, comme de petits boutons ou des perles, ne provoquent aucun symptôme et peuvent ne pas être détectés ; ils peuvent être découverts par accident lors d'un examen de routine. Les corps étrangers organiques, tels que le bois, le coton, les haricots, les pois et le papier, produisent une réaction inflammatoire locale et un écoulement nasal pouvant devenir purulent et nauséabond. Les corps étrangers doivent être retirés du nez par la voie de pénétration. Toutefois, éternuer en tenant

---

ENSEIGNEMENT AU CLIENT

| Guide pour l'enseignement au client atteint d'une sinusite aiguë ou chronique | ENCADRÉ 15.5 |

- Boire de six à huit verres d'eau par jour pour liquéfier les sécrétions.
- Prendre des douches très chaudes deux fois par jour ; utiliser un inhalateur de vapeur (vaporisation d'eau bouillie pendant 15 minutes), un humidificateur de chevet ou un aérosol nasal de solution saline pour favoriser le drainage des sécrétions.
- Signaler une température de 38 °C, qui peut indiquer une infection.
- Respecter la posologie des médicaments :
  - prendre des analgésiques pour soulager la douleur ;
  - prendre des décongestionnants ou des expectorants pour atténuer la congestion et améliorer la respiration ;

- prendre des antibiotiques, tels qu'ils sont prescrits, contre l'infection. S'assurer de les prendre pendant toute la durée de l'ordonnance et de signaler tout symptôme qui se prolonge ou varie ;
  - administrer correctement les aérosols nasaux.
- Ne pas fumer et éviter l'exposition à la fumée. Celle-ci constitue un irritant et peut aggraver les symptômes.
- Si des allergies prédisposent à la sinusite, suivre les directives relatives à la maîtrise du milieu environnant, à la pharmacothérapie et à l'immunothérapie pour réduire l'inflammation et prévenir l'infection des sinus.

Plan de soins infirmiers

Client atteint de sinusite aiguë ou chronique

DIAGNOSTIC INFIRMIER : douleur reliée à un drainage réduit des sinus, une inflammation, une infection ou des mesures de confort inadéquates, se manifestant par une douleur dans la région des sinus atteints, un écoulement nasal infecté, une douleur faciale ou des plaintes de congestion.

PLANIFICATION

Résultats escomptés
- Le client dira qu'il n'a aucune douleur lorsqu'on applique une pression sur le sinus atteint.
- Le client ne présentera aucun drainage de sécrétions.
- Le client respectera la technique d'administration des vasoconstricteurs.
- Le client aura une température normale.

INTERVENTIONS	Justifications
• Expliquer la nécessité de prendre les antibiotiques pendant la durée prescrite.	• Réduire le risque d'infection récurrente.
• Encourager le client à augmenter l'apport de liquides (de six à huit verres d'eau par jour), à prendre une douche très chaude le matin et l'après-midi et à bien se moucher.	• Favoriser le nettoyage des voies nasales et le drainage des sécrétions. D'autres interventions comprennent l'irrigation du nez avec de l'eau salée (1 à 1,5 ml de sel ajouté à 250 ml d'eau bouillie) ou des inhalations de vapeur (vaporisation d'eau bouillie pendant 15 minutes).
• Enseigner au client la bonne façon d'utiliser les inhalateurs nasaux (voir figure 15.1) et d'autres médicaments contre les maladies avec des facteurs prédisposants (p. ex. l'asthme et les allergies). Insister sur la nécessité de respecter la posologie des médicaments.	• Réduire le risque de symptômes récurrents.
• Informer le client de relever la tête du lit.	• Favoriser le drainage des sécrétions.
• L'aviser de respecter la posologie des analgésiques et de bien utiliser les décongestionnants et les expectorants.	• Favoriser l'utilisation adéquate des médicaments afin de soulager la douleur et l'œdème.
• L'informer d'éviter de prendre des antihistaminiques.	• Ces médicaments augmentent la viscosité du mucus et favorisent le maintien des symptômes.

DIAGNOSTIC INFIRMIER : difficulté à se maintenir en santé reliée à un manque de connaissances de l'autogestion des soins, du soulagement de la douleur et de la prévention de la sinusite chronique, se manifestant par l'anxiété, la remise en question des soins, l'écoulement nasal purulent continu, la douleur aux sinus et la toux.

PLANIFICATION

Résultats escomptés
- Le client ne présentera aucun écoulement nasal, aucune toux, ni aucune pression sur les sinus.
- Le client décrira les exigences en matière d'autosoins liés à l'hydratation, à la prévention des infections et au soulagement de la douleur.

INTERVENTIONS	Justifications
• Informer le client à propos de l'utilisation d'analgésiques, d'expectorants, de décongestionnants et d'antibiotiques, de techniques d'hygiène nasale, de l'alimentation et de l'hydratation.	• Accroître ses connaissances en matière d'autosoins.
• Répondre en détail à toutes les questions sur les responsabilités en matière d'autosoins.	• Promouvoir la santé par la connaissance de l'autogestion des soins.
• Informer le client d'appliquer les mesures relatives à la sinusite aiguë.	• Offrir un traitement précoce afin d'éviter un état chronique.
• Lui enseigner comment éviter les facteurs prédisposant aux exacerbations, tels que la natation et le plongeon.	
• Si l'allergie est en cause, suivre les directives relatives à la maîtrise du milieu environnant, à la pharmacothérapie et à l'immunothérapie.	• Réduire l'inflammation des sinus et prévenir leur infection.

Plan de soins infirmiers ENCADRÉ 15.6

Client atteint de sinusite aiguë ou chronique *(suite)*

DIAGNOSTIC INFIRMIER : risque d'infection relié à une perturbation de l'intégrité des muqueuses.

PLANIFICATION
Résultats escomptés
- Le client ne présentera aucun signe d'inflammation.
- Le client aura une température et une numération leucocytaire normales.

INTERVENTIONS	Justifications
• Signaler une température de 38 °C.	• Peut indiquer une infection.
• Aviser le client de prendre ses médicaments selon l'ordonnance et d'informer la personne soignante ou son médecin si les symptômes se maintiennent ou changent.	• Ces symptômes peuvent indiquer la nécessité de modifier la posologie des antibiotiques.
• Signaler tout signe d'infection.	

la narine opposée fermée peut être efficace. On doit éviter d'irriguer le nez ou de pousser l'objet vers l'arrière, car ces méthodes pourraient causer une aspiration bronchique ou une obstruction des voies respiratoires. S'il ne peut retirer l'objet en éternuant ou en se mouchant, le client doit consulter un médecin.

15.4 PROBLÈMES LIÉS AU PHARYNX

15.4.1 Pharyngite aiguë

Une **pharyngite aiguë** est une inflammation aiguë des parois pharyngées. Celle-ci peut notamment toucher les amygdales, le palais et la luette. Cette inflammation peut être provoquée par une infection virale, bactérienne ou fongique. La pharyngite virale représente environ 70 % des cas, alors que la pharyngite folliculaire aiguë (angine streptococcique), causée par le streptocoque bêta-hémolytique, compte pour 15 à 20 % des cas. Les bactéries *Neisseria gonorrhoeae* et *Corynebacterium diphteriae* peuvent aussi infecter le pharynx. La pharyngite fongique, notamment la **candidose**, peut se manifester à la suite de l'utilisation prolongée d'antibiotiques ou de corticostéroïdes en aérosol ou chez les clients immunodéprimés, en particulier ceux qui sont porteurs du VIH. (Le chapitre 8 traite du client infecté par le VIH.)

Manifestations cliniques. La gravité des symptômes de pharyngite aiguë va de plaintes de « gorge irritée » à une douleur si intense qu'elle rend la déglutition difficile. Des plaques blanches et irrégulières laissent supposer une infection par *Candida albicans*. Lorsqu'il s'agit d'une infection virale, la gorge paraît rougeâtre et présente une certaine congestion des vaisseaux sanguins. Dans le cas d'angine streptococcique, elle est habituellement d'un rouge pourpre intense et présente un exsudat jaune

morcelé ainsi qu'une hypertrophie du tissu lymphoïde. En présence de diphtérie, on peut observer une fausse membrane d'un gris-blanc, appelée pseudomembrane, qui couvre l'**oropharynx**, le nasopharynx et le laryngopharynx, et s'étend parfois jusqu'à la trachée. Cependant, on ne doit pas toujours se fier à l'apparence de la gorge pour établir un diagnostic. Un prélèvement est effectué pour établir la cause et orienter le choix de la médication. Toutefois, même en présence d'une grave infection, les résultats de la culture peuvent s'avérer négatifs.

Soins infirmiers et processus thérapeutique : pharyngite aiguë. Les objectifs des soins infirmiers sont :
- la prévention des infections ;
- le soulagement des symptômes ;
- la prévention des complications secondaires.

Étant donné que les résultats des cultures peuvent être négatifs, même lorsque l'infection est présente, le client soupçonné de souffrir d'angine streptococcique est traité avec des antibiotiques. La préparation doit être gardée dans la bouche le plus longtemps possible avant d'être avalée et le traitement doit se poursuivre jusqu'à ce que les symptômes aient disparu. Des gargarismes avec solution saline ou antiseptique peuvent également être utilisés. Le client doit être encouragé à boire beaucoup de liquides. La gélatine et les liquides fades et froids ne sont pas irritants pour le pharynx, alors que les jus d'agrumes sont à éviter, car ils irritent les muqueuses.

15.4.2 Abcès périamygdalien

L'**abcès périamygdalien** résulte habituellement d'une complication de la pharyngite ou d'une amygdalite aiguë ; elle se produit lorsque l'infection bactérienne parvient à infiltrer une amygdale ou les deux. Celles-ci peuvent s'élargir suffisamment pour menacer la perméabilité des voies respiratoires. Le client éprouvera une forte fièvre, des frissons, et on observera une leucocytose. Une antibiothérapie intraveineuse précoce peut éliminer l'infection et empêcher le développement d'un abcès. Si un abcès se développe, une incision et un drainage s'imposent. On peut procéder à une amygdalectomie immédiate ou prévoir une amygdalectomie élective, une fois que l'infection s'est estompée.

15.4.3 Apnée obstructive du sommeil

L'**apnée obstructive du sommeil** est un état caractérisé par l'interruption répétitive du passage de l'air pendant le sommeil. L'obstruction se produit lorsque la langue et le palais mou tombent à la renverse et bloquent en partie ou en totalité le pharynx (voir figure 15.4). L'obstruction peut durer de 15 à 90 secondes. Pendant la période d'apnée, le client présente une hypoxémie (réduction de la PaO_2) et une hypercapnie (augmentation de la $PaCO_2$) graves. Ces changements constituent des stimulants ventilatoires qui amènent le client à s'éveiller partiellement. Au cours de cette phase, il a un réflexe de sursaut et halète, ce qui amène la langue et le palais mou à s'avancer et les voies respiratoires à s'ouvrir. Les cycles d'apnée et d'éveil se produisent à répétition, de 200 à 400 fois pendant un cycle de sommeil de 6 à 8 heures.

On ne connaît pas exactement l'étiologie de l'apnée du sommeil. Cependant, trois facteurs semblent en cause :
- un pharynx étroit ;
- une modification du contrôle neuronal des muscles respiratoires ;
- un déséquilibre hormonal.

L'apnée du sommeil se produit chez 1 à 4 % des hommes en bonne santé et il est de 7 à 10 fois plus courant chez les hommes que chez les femmes. On l'observe fréquemment chez les hommes et les femmes atteints d'obésité morbide.

Manifestations cliniques et épreuves diagnostiques.

Les manifestations cliniques de l'apnée du sommeil sont, entre autres, les réveils fréquents la nuit, l'insomnie et l'hypersomnie. Le ronflement peut être si fort qu'une autre personne ne peut pas dormir dans la même chambre. Des céphalées matinales (dues à l'hypercapnie qui provoque une vasodilatation des vaisseaux sanguins au cerveau), des changements de personnalité et de l'irritabilité sont également fréquents. Ces symptômes modifient de nombreux aspects du mode de vie du client. La perte de sommeil chronique prédispose à une diminution de la capacité de se concentrer, à de fréquentes pertes de mémoire, à l'impossibilité d'accomplir les tâches quotidiennes et à des difficultés dans les relations interpersonnelles. Les hommes peuvent souffrir de dysfonction érectile. Les accidents routiers sont plus courants chez les clients souffrant d'apnée du sommeil. De plus, la vie familiale et la capacité de garder un emploi sont souvent compromises. En conséquence, le client peut souffrir d'une grave dépression. Il doit être évalué pour connaître son adaptation psychologique et être orienté vers des personnes compétentes si l'on détecte des troubles.

Le diagnostic est confirmé pendant le sommeil au moyen de la polysomnographie. Le mouvement de la cage thoracique et de l'abdomen, le débit aérien nasobuccal, la saturométrie (SpO_2), les mouvements oculaires ainsi que la fréquence et le rythme cardiaques sont enregistrés et le temps de chaque stade du sommeil est déterminé. Un tel diagnostic exige des données qui

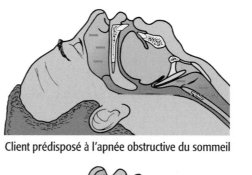

Client prédisposé à l'apnée obstructive du sommeil

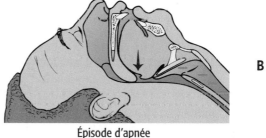

Épisode d'apnée

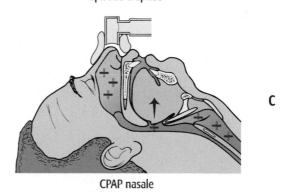

CPAP nasale

FIGURE 15.4 Façon dont l'apnée du sommeil se produit. A. Le client prédisposé à l'apnée obstructive du sommeil a un pharynx étroit. B. Pendant le sommeil, les muscles du pharynx se détendent, ce qui provoque la fermeture du passage. Le manque de débit d'air entraîne des épisodes d'apnée répétés. C. Grâce à la ventilation spontanée en pression positive continue (CPAP) nasale, la pression positive permet de maintenir les voies respiratoires ouvertes et de prévenir l'obstruction du débit d'air.

couvrent plusieurs épisodes d'apnée (aucun débit aérien avec effort respiratoire) ou d'hypopnée (diminution de 30 à 50 % de la ventilation pulmonaire avec effort respiratoire).

Soins infirmiers et processus thérapeutique : apnée du sommeil. L'apnée du sommeil légère peut se guérir grâce à des mesures simples. On doit aviser le client d'éviter les sédatifs et les boissons alcoolisées trois ou quatre heures avant le sommeil. Il peut être bénéfique de l'orienter vers un programme d'amaigrissement puisque les symptômes sont exacerbés par un surplus de masse corporelle. Le client peut aussi éliminer les symptômes en portant un dispositif dentaire pendant la nuit. Ce dispositif permet d'avancer la mandibule pendant le sommeil pour prévenir l'obstruction des voies respiratoires. Certaines personnes tirent profit de leur appartenance à un groupe de soutien où elles peuvent exprimer leurs préoccupations et leurs sentiments et discuter de stratégies pour résoudre leurs difficultés.

Chez les clients qui présentent des symptômes plus graves, on peut avoir recours à la ventilation spontanée en pression positive continue (CPAP) (voir figure 15.5). Ce traitement exige le port d'un masque nasal relié à un ventilateur à grand débit et ajusté de façon à maintenir une pression positive suffisante (de 5 à 15 cm d'eau) dans les voies respiratoires pendant l'inspiration et l'expiration afin d'empêcher qu'elles ne s'affaissent. Certains clients sont incapables de s'adapter à ce système de haute pression et n'arrivent pas à expirer. Un traitement plus perfectionné sur le plan technologique, la pression positive expiratoire à deux niveaux (BiPAP), permet de fournir une pression supérieure pendant l'inspiration (moment où les voies respiratoires sont plus susceptibles d'être fermées) et une pression inférieure pendant l'expiration (moment où elles sont moins

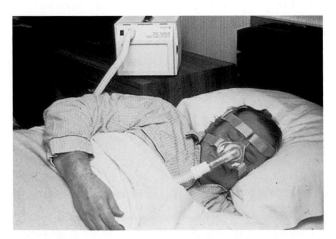

FIGURE 15.5 Le soulagement de l'apnée du sommeil consiste souvent à dormir avec un masque nasal. La pression fournie par l'air provenant du compresseur permet d'ouvrir l'oropharynx et le nasopharynx.

susceptibles de l'être), ce qui, par conséquent, peut être bénéfique et mieux toléré. Bien que ce traitement soit extrêmement efficace, l'observance est faible même si les symptômes sont soulagés.

Si les autres mesures échouent, il est possible de traiter l'apnée du sommeil par voie chirurgicale. Les deux interventions les plus courantes sont l'uvulopalatopharyngoplastie (UPPP ou UP3) et l'avancement génioglossal, ainsi que la myotomie de l'os hyoïde (GAHM ou *genioglossal advancement and hyoid myotony*). L'UPPP consiste à exciser les piliers amygdaliens, l'uvule et le palais mou postérieur dans le but d'enlever le tissu obstructif. Cette intervention réussit souvent à soulager une partie des symptômes, mais non la totalité. La myotomie, quant à elle, consiste à faire avancer l'attache de la partie musculaire de la langue sur la mandibule, ce qui limite l'obstruction des voies respiratoires par la langue pendant le sommeil ; les symptômes sont soulagés chez 67 % des clients. Les diagnostics infirmiers relatifs au client souffrant d'apnée du sommeil comprennent, entre autres, ceux qui sont présentés dans l'encadré 15.7.

15.5 PROBLÈMES LIÉS À LA TRACHÉE ET AU LARYNX

15.5.1 Obstruction des voies respiratoires

L'**obstruction des voies respiratoires** peut être complète ou partielle. L'obstruction complète constitue une urgence médicale. L'obstruction partielle peut survenir en raison de l'aspiration bronchique d'un aliment ou d'un corps étranger. Elle peut aussi résulter d'un œdème laryngé consécutif à une extubation, une sténose laryngée ou trachéale ou une dépression neurologique. Les symptômes sont :
- du stridor ;
- l'utilisation des muscles accessoires ;
- du tirage sus-sternal et intercostal ;
- une respiration sifflante (*wheezing*) ;
- de l'instabilité psychomotrice ;
- de la tachycardie ;
- de la cyanose.

Un examen et un traitement rapides sont essentiels, puisqu'une obstruction partielle peut rapidement se transformer en obstruction complète. Les interventions visant à dégager les voies respiratoires comprennent la manœuvre de Heimlich, la cricothyroïdotomie, l'intubation endotrachéale et la trachéostomie. Le client peut présenter peu de symptômes si l'obstruction est mineure. Des symptômes inexpliqués ou récurrents indiquent la nécessité de procéder à d'autres tests, tels qu'une radiographie pulmonaire, des tests de la fonction respiratoire et une bronchoscopie.

Plan de soins infirmiers

Client atteint d'apnée du sommeil

DIAGNOSTIC INFIRMIER : perturbation des habitudes de sommeil reliée à l'incapacité de dormir normalement à cause de l'obstruction des voies respiratoires pendant le sommeil, se manifestant par le ronflement, l'instabilité psychomotrice pendant le sommeil, les céphalées matinales et l'hypersomnie.

PLANIFICATION
Résultat escompté
- Le client fera le lien entre le sommeil et le trouble respiratoire.

INTERVENTIONS	Justifications
• Aider le client à comprendre que les troubles respiratoires peuvent être une cause de symptômes.	• L'encourager à se conformer au traitement.
• Évaluer la gravité des symptômes.	• Déterminer leur effet sur la vie du client et l'urgence d'un traitement.
• Informer le client de ne pas consommer d'alcool ni de sédatifs durant les trois ou quatre heures précédant le sommeil.	• Favoriser un sommeil plus reposant.
• Lui suggérer d'essayer de dormir sur le côté.	• Réduire le risque d'obstruction des voies respiratoires en décubitus dorsal.
• L'informer de la nécessité d'éviter de conduire jusqu'à ce que le traitement soit efficace.	• La somnolence diurne peut l'amener à s'endormir au volant.

DIAGNOSTIC INFIRMIER : perturbation de l'estime de soi reliée aux changements dans l'image corporelle, la perception du rôle et l'identité, se manifestant par la réticence à discuter des symptômes, le refus de participer à ses propres soins et le retrait des activités sociales.

PLANIFICATION
Résultats escomptés
- Le client participera à des groupes de soutien.
- Le client exprimera des sentiments positifs à l'égard de lui-même.

INTERVENTIONS	Justifications
• Évaluer la capacité du client à comprendre les symptômes qu'il ressent et à s'y adapter.	• Déterminer l'efficacité de l'adaptation.
• Informer le client et sa conjointe de l'existence de groupes de soutien.	• Partager leurs préoccupations et leurs sentiments avec d'autres clients souffrant d'apnée du sommeil et discuter de stratégies pour faire face à ce problème.
• Évaluer le client en fonction des symptômes de dépression.	• Ces symptômes sont fréquents dans l'apnée du sommeil.

DIAGNOSTIC INFIRMIER : excès nutritionnel relié à une augmentation de l'appétit et à un manque d'exercices, se manifestant par l'incapacité de limiter l'apport calorique pour réduire sa masse corporelle ou maintenir une masse normale.

PLANIFICATION
Résultats escomptés
- Le client entreprendra un programme d'amaigrissement.
- Le client atteindra un indice de masse corporelle acceptable.

INTERVENTIONS	Justifications
• Aider le client à reconnaître que l'obésité contribue à la maladie actuelle.	• Elle constitue un facteur prédisposant courant.
• Le renseigner sur les méthodes pour maigrir.	• Susciter sa motivation par la connaissance de diverses méthodes.

➡ **Plan de soins infirmiers**

Client atteint d'apnée du sommeil *(suite)*

DIAGNOSTIC INFIRMIER : difficulté à se maintenir en santé reliée à un manque de connaissances de l'utilisation de l'équipement pour modifier le mode de respiration, se manifestant par l'instabilité psychomotrice, le questionnement sur les soins, la non-observance de l'utilisation du dispositif dentaire ou de la CPAP (ventilation spontanée en pression positive continue) nasale, les plaintes de sécheresse nasale, de brûlures et de congestion, et les manifestations d'épistaxis et de conjonctivite.

PLANIFICATION
Résultats escomptés
- Le client utilisera le dispositif dentaire ou le masque de façon adéquate.
- Le client observera le plan de soins.
- Le client ne présentera pas de conjonctivite ni d'épistaxis.
- Le client ajustera correctement le masque.

INTERVENTIONS	Justifications
• Montrer au client comment insérer le dispositif dentaire.	• Favoriser sa mise en place correcte.
• Vérifier que le dispositif dentaire est bien ajusté dans la bouche sans pression excessive sur les dents et les gencives.	• Assurer un bien-être maximal et prévenir la douleur.
• Lui montrer comment appliquer la CPAP et utiliser l'appareil.	• Assurer un bien-être maximal.
• L'informer que l'appareil créera une pression positive.	• Permettre de maintenir les voies respiratoires ouvertes pendant le sommeil.
• L'aviser que la conjonctivite et l'épistaxis résultent de l'air qui entre dans les yeux et le nez.	
• Lui demander de placer un humidificateur dans sa chambre ou de mettre en marche celui qui se trouve dans l'échangeur d'air.	• Le débit d'air assèche la muqueuse nasale.
• L'informer que les corticostéroïdes en aérosol ou les solutions salines peuvent être utilisés.	• Réduire l'inflammation de la muqueuse nasale ou l'hydrater.

15.5.2 Trachéostomie

Une **trachéotomie** est une incision chirurgicale pratiquée dans la trachée de façon à rétablir la respiration. Une **trachéostomie** est la stomie (abouchement de la trachée) qui résulte de la trachéotomie. Les indications relatives à une trachéostomie sont les suivantes :
- contourner l'obstruction des voies respiratoires supérieures ;
- faciliter l'aspiration des sécrétions ;
- permettre une ventilation assistée à long terme ;
- permettre l'alimentation orale et la parole chez le client qui requiert une ventilation assistée à long terme.

La plupart des clients requérant une ventilation assistée sont initialement porteurs d'un tube endotrachéal, car il peut être inséré rapidement en cas d'urgence. (Le chapitre 29 traite des soins à dispenser au client ayant un tube endotrachéal.) Étant donné qu'une trachéostomie nécessite une dissection chirurgicale, il ne s'agit habituellement pas d'une intervention d'urgence.

Il existe plusieurs avantages à choisir la trachéostomie. Par exemple, elle réduit le risque de lésions à long terme aux voies respiratoires ; le bien-être du client peut être accru en raison de l'absence de tube dans la bouche ; le client peut manger puisque la canule pénètre plus bas dans la voie respiratoire (voir figure 15.6) ; il peut parler si le ballonnet de trachéostomie peut être dégonflé ou si une canule de trachéostomie est utilisée ; et sa mobilité n'a pas besoin d'être limitée puisque la canule de trachéostomie est fixée solidement.

Soins infirmiers : trachéostomie

Prestation des soins de trachéostomie. Avant l'intervention, l'infirmière doit expliquer le but de la trachéostomie au client et à sa famille et les informer que celui-ci ne pourra pas parler si le ballonnet est gonflé ; l'élocution normale sera possible dès que le ballonnet sera dégonflé. Il existe diverses canules pour répondre aux besoins particuliers du client. Elles contiennent toutes une plaque frontale ou une bride, qui repose sur le cou entre les clavicules, et elles sont dotées d'un obturateur ou mandrin utilisé lors de l'insertion du tube (voir figure 15.6, C). Au cours de l'insertion, l'obturateur est placé à l'intérieur de la canule externe, le bout arrondi faisant saillie à l'extrémité du tube pour faciliter l'intervention. Après l'insertion, on doit l'enlever immédiatement pour que l'air puisse passer et le ranger dans un endroit facile d'accès (p. ex. dans un sac de plastique transparent collé à la tête du lit avec du ruban adhésif) afin de pouvoir l'utiliser rapidement en cas d'expulsion accidentelle de la canule.

Certaines canules de trachéostomie sont également munies d'une canule interne qu'on peut enlever facilement pour la nettoyer (voir figure 15.6, B). La procédure de nettoyage permet de déloger le mucus. Dans les cas où il n'y a pas d'accumulation de mucus parce que l'humidification est suffisante, il est possible d'utiliser une canule de trachéostomie sans canule interne. Les soins à donner au client trachéostomisé consistent à aspirer les sécrétions (voir figure 15.7 et encadré 15.8) et à changer les cordons de trachéostomie (voir figure 15.8 et encadré 15.9). Les soins de trachéostomie, y compris ceux des canules internes d'usage unique ou non, sont présentés dans l'encadré 15.9.

Des canules de trachéostomie à ballonnet ou sans ballonnet peuvent être employées. En général, on utilise une canule de trachéostomie munie d'un ballonnet gonflé si le client est exposé à l'aspiration bronchique ou s'il a besoin d'une ventilation assistée. Étant donné qu'un tel ballonnet exerce une pression sur la muqueuse trachéale, il est important de le gonfler avec le minimum d'air requis pour sceller le passage de l'air. La pression de gonflement ne doit pas dépasser 20 mm Hg ou 25 cm d'eau, car une pression supérieure risque de comprimer les capillaires de la trachée, de restreindre le débit sanguin et de provoquer une nécrose de la trachée. Une autre méthode, appelée **technique de fuite minimale**, consiste à gonfler le ballonnet avec la quantité minimale d'air nécessaire et à retirer 0,1 ml d'air. L'un des inconvénients de cette technique est le risque d'aspiration bronchique des sécrétions se trouvant autour du ballonnet. Cette technique ne doit pas être utilisée lorsque la trachéostomie a été pratiquée pour contourner une obstruction des voies respiratoires supérieures, comme dans le cas des clients ayant subi une chirurgie à la tête et au cou.

Chez certains clients, on dégonfle le ballonnet pour enlever les sécrétions qui s'accumulent au-dessus de ce dernier. Avant le dégonflement, le client doit expectorer les sécrétions, s'il en est capable ; on doit ensuite procéder à l'aspiration des sécrétions buccales et trachéales (voir figure 15.7 et encadré 15.8). Cette mesure est importante pour prévenir l'aspiration bronchique des sécrétions pendant le dégonflement. Le ballonnet doit être dégonflé pendant l'expiration, puisque le gaz expiré permet de propulser les sécrétions accumulées dans la bouche. Le client doit également tousser ou les sécrétions buccales seront aspirées après le dégonflement du ballonnet ; celui-ci doit être regonflé pendant l'inspiration. Le volume d'air requis pour gonfler le ballonnet

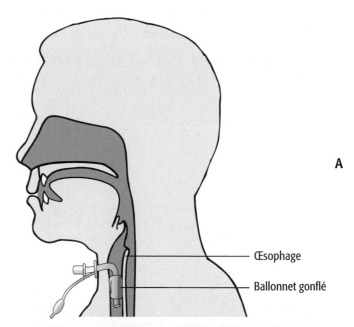

Œsophage

Ballonnet gonflé

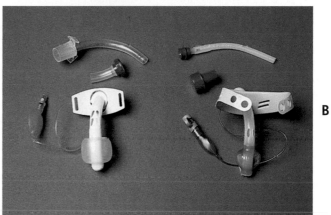

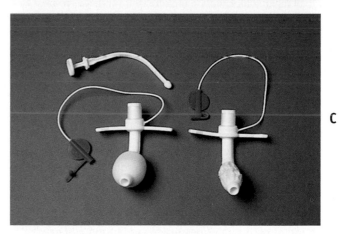

FIGURE 15.6 Types de canules de trachéostomie. A. Canule de trachéostomie insérée dans la voie respiratoire à l'aide d'un ballonnet gonflé. B. Canule fenêtrée de trachéostomie Shiley et Portex munie d'un ballonnet, d'une canule interne, d'un obturateur de décanulation (mandrin) et d'un ballonnet témoin. C. Canule de trachéostomie Bivona (Fome) munie d'un ballonnet de mousse et d'un obturateur (l'un des ballonnets est dégonflé) (voir encadré 15.10).

Procédure d'aspiration des sécrétions par une canule de trachéostomie | ENCADRÉ 15.8

- Évaluer fréquemment le besoin d'aspirer les sécrétions. Les indications d'aspiration comprennent les crépitants rudes ou les ronchi sur les grandes voies respiratoires, une toux grasse, une augmentation de la pression inspiratoire de pointe sur le ventilateur mécanique, de même que de l'agitation si elle est accompagnée d'une diminution de la SpO$_2$ ou de la PaO$_2$. On ne doit pas aspirer d'emblée les sécrétions d'un client, surtout s'il est en mesure de dégager ses voies respiratoires en toussant.
- Si l'aspiration est indiquée, expliquer la procédure au client.
- Rassembler l'équipement stérile nécessaire : un cathéter à succion (pas plus large que la moitié de la lumière de la canule de trachéostomie), des gants, de l'eau stérile et un récipient.
- Vérifier la source et le régulateur d'aspiration. Régler la pression d'aspiration jusqu'à ce que le cadran affiche une pression de −120 à −150 mm Hg en obstruant le tube avec un doigt.
- Se laver les mains. Mettre des lunettes de protection au besoin et des gants stériles.
- Utiliser la technique stérile pour ouvrir l'emballage, remplir le récipient d'eau stérile, enfiler les gants et brancher le cathéter à la source d'aspiration. Désigner une main comme contaminée pour débrancher, manier le matériel jetable et faire fonctionner le régulateur d'aspiration. Aspirer l'eau par le cathéter pour vérifier le système.
- Prendre la SpO$_2$, la fréquence et le rythme cardiaques ; ces données de base serviront à détecter les changements pendant l'aspiration.
- Dispenser une préoxygénation, au besoin, en utilisant l'un des moyens suivants : régler le ventilateur pour fournir 100 % d'oxygène ; utiliser un ballon de réanimation de type Ambu muni d'un réservoir branché à 100 % d'oxygène ; ou demander au client de prendre trois ou quatre respirations profondes pendant l'administration de l'oxygène. La méthode choisie dépendra de l'état de santé du client, de la gravité de la maladie et de son degré de collaboration. Il est

possible que le client trachéotomisé de longue date qui ne souffre pas d'une maladie aiguë soit en mesure de tolérer l'aspiration sans l'utilisation d'un ballon de type Ambu ni d'un ventilateur.
- Insérer doucement le cathéter *sans aspirer* pour réduire la quantité d'oxygène expulsée des poumons. Insérer la sonde à environ 12 à 15 cm. Arrêter si vous rencontrez un obstacle.
- Retirer la sonde de 1 ou 2 cm et appliquer l'aspiration par intermittence, tout en retirant la sonde dans un mouvement rotatif. Si le volume de sécrétions est important, appliquer l'aspiration de façon continue.
- Si le client présente des bouchons de mucus ou des sécrétions épaisses, on peut injecter de 3 à 5 ml de solution de chlorure de sodium dans les voies respiratoires pour décoller suffisamment les sécrétions et les dégager par la toux ou l'aspiration.
- Limiter le temps d'aspiration à 10 secondes. L'interrompre si la fréquence cardiaque diminue de 20 battements ou augmente de 40 bpm par rapport aux données de base, si une arythmie se produit ou si la SpO$_2$ chute à moins de 90 %.
- Après chaque passage de l'aspiration, oxygéner le client au moyen de trois ou quatre respirations par ventilateur, par ballon de type Ambu ou par des respirations profondes avec de l'oxygène.
- Rincer le cathéter à succion avec de l'eau stérile.
- Répéter la procédure jusqu'à ce que les voies respiratoires soient dégagées. Limiter à trois passages l'insertion du cathéter à aspiration.
- Remettre la concentration d'oxygène au réglage antérieur.
- Se défaire du cathéter en l'enroulant autour des doigts de la main gantée et en ramenant le gant par-dessus la sonde. Jeter le tout dans le contenant à déchets approprié.
- Ausculter le client pour évaluer les changements dans les sons émis par les poumons. Consigner l'heure, la quantité et l'apparence des sécrétions, ainsi que la réaction à l'aspiration.

doit être surveillé chaque jour, puisqu'il peut augmenter s'il y a une dilatation de la trachée due à la pression du ballonnet. L'infirmière doit évaluer la capacité du client à protéger ses voies respiratoires de l'aspiration bronchique et demeurer avec lui lorsque le ballonnet est gonflé pour la première fois. Une canule de trachéostomie sans ballonnet est utilisée lorsque le client est en mesure de protéger ses voies respiratoires contre l'aspiration et qu'il n'a pas besoin de ventilation assistée.

Lorsqu'une trachéostomie est pratiquée, des sutures de rétention sont souvent effectuées sur le cartilage trachéal. Les extrémités des sutures doivent être collées sur la peau avec un diachylon à un endroit facile d'accès dans l'éventualité où la canule serait délogée. On doit veiller à ne pas enlever la canule de trachéostomie pendant les premiers jours après l'intervention, car la

stomie n'est pas cicatrisée. Étant donné que le remplacement de la canule peut être difficile, plusieurs précautions s'imposent :
- garder au chevet du client une canule de rechange de dimension égale ou inférieure, facilement accessible en cas d'une réinsertion d'urgence ;
- ne pas changer les cordons d'attache pendant les 24 premières heures après l'insertion ;
- demander au médecin de procéder au premier changement de canule, généralement au moins sept jours après la trachéostomie.

Si la canule est délogée accidentellement, l'infirmière doit immédiatement tenter de la replacer en saisissant les sutures de rétention et en écartant l'ouverture. Elle doit placer l'obturateur dans la canule de rechange, appliquer un lubrifiant hydrosoluble sur l'extrémité et

Soins de trachéostomie
ENCADRÉ 15.9

- Expliquer l'intervention au client.
- Rassembler l'équipement stérile nécessaire (p. ex. un cathéter à succion, des gants, de l'eau, un récipient, des cordons, un écouvillon ou des cure-pipes, des compresses de gaze, du peroxyde d'hydrogène [3 %] et un pansement de trachéostomie [facultatif]). Note : La technique aseptique est utilisée à domicile plutôt que la technique stérile.
- Placer le client en position de semi-Fowler.
- Rassembler le matériel requis sur la table à roulettes à côté du client.
- Se laver les mains. Mettre des lunettes de protection au besoin et des gants.
- Ausculter les bruits thoraciques. En présence de ronchi ou de crépitants, aspirer les sécrétions des voies respiratoires si le client est incapable de les expectorer (voir encadré 15.8).
- Déverrouiller et enlever la canule interne s'il y en a une, car bon nombre de canules de trachéostomie n'en ont pas. L'entretien de ces canules, sauf celui de la canule interne, comprend toutes les étapes suivantes.
- Dans le cas d'une canule interne jetable, la remplacer par une nouvelle. Si elle n'est pas à usage unique, suivre les étapes suivantes :
  - plonger la canule interne dans du peroxyde d'hydrogène à 3 % et nettoyer l'intérieur et l'extérieur de la canule à l'aide d'un écouvillon ou d'un cure-pipe ;
  - enlever le peroxyde d'hydrogène de la canule. Plonger celle-ci dans l'eau stérile. La retirer et la secouer pour la faire sécher ;
  - insérer la canule interne dans la canule externe en mettant la partie courbée vers le bas et la verrouiller en place.
- Retirer les sécrétions séchées de la stomie à l'aide d'une compresse de gaze trempée dans le peroxyde d'hydrogène. Rincer à l'eau stérile avec une autre compresse. Tapoter autour de la stomie pour la faire sécher. Ne pas oublier de nettoyer sous la plaque avant de trachéostomie à l'aide d'un coton-tige.
- Maintenir la position des sutures de rétention de la trachée, s'il y a lieu, en appliquant un ruban adhésif de type Steri-strip au-dessus et au-dessous de la stomie.
- Changer les cordons de trachéostomie. Les attacher solidement en laissant l'espace d'un doigt entre les agrafes et la peau (voir figure 15.8). Pour empêcher le retrait accidentel de la canule, la fixer en appuyant doucement sur la bride pendant le changement des cordons. *Ne pas changer les cordons pendant les 24 premières heures après l'intervention chirurgicale.*
- À titre de solution de rechange, certains clients préfèrent les cordons en velcro, qui sont plus faciles à ajuster.
- À moins qu'il y ait des quantités excessives d'exsudat, éviter d'utiliser un pansement de trachéostomie puisqu'il favorise l'humidité et peut prédisposer à l'infection.
- Si le drainage est excessif, placer un pansement autour de la canule (voir figure 15.8). Un pansement spécial pour trachéostomie ou une gaze sans doublure doit être utilisé. Ne pas couper la gaze pour éviter que le client n'inspire les fils ou que ceux-ci s'enroulent autour de la canule de trachéostomie. Changer le pansement souvent, car des pansements humides favorisent l'infection et l'irritation de la stomie.
- Répéter les soins trois fois par jour et au besoin.

insérer la canule dans la stomie à un angle de 45° par rapport au cou. Si l'insertion réussit, l'infirmière doit retirer immédiatement l'obturateur pour que l'air puisse circuler. Une autre méthode consiste à insérer un cathéter d'aspiration pour permettre le passage de l'air et servir de guide aux fins d'insertion. L'infirmière doit enfiler la canule de trachéostomie par-dessus le cathéter, puis retirer ce dernier. Elle doit évaluer le degré de détresse respiratoire si elle est incapable de replacer la canule. Une légère dyspnée peut être atténuée en plaçant le client en position de semi-Fowler jusqu'à l'arrivée de l'équipe soignante. Une dyspnée grave peut évoluer vers un arrêt respiratoire. Dans ce cas, on doit recouvrir la stomie d'un pansement stérile et ventiler le client à l'aide d'un masque et d'un ballon de ventilation (Ambu) jusqu'à l'arrivée de l'équipe de réanimation.

Après le premier changement de canule, on doit changer cette dernière environ une fois par mois. Après plusieurs mois, la voie sera bien formée. L'infirmière pourra alors montrer au client comment changer la canule à l'aide d'une technique aseptique pour les soins à domicile (voir figure 15.10). L'enseignement variera en fonction de la maladie du client et de l'appareillage choisi.

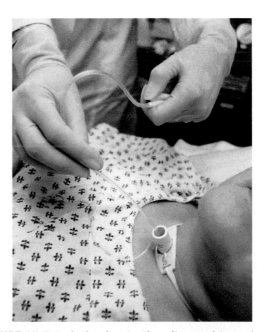

FIGURE 15.7 Aspiration des sécrétions d'une trachéostomie. En respectant une technique stérile, on retire le cathéter à succion de la voie respiratoire tout en aspirant. Le tube du ballonnet témoin peut être posé sur la poitrine du client.

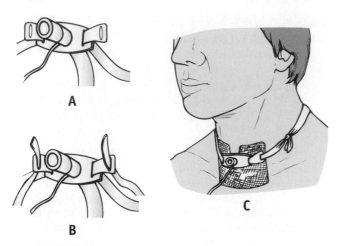

FIGURE 15.8 Changement des cordons de trachéostomie.
A. Découper une fente à environ 2,5 cm d'une extrémité du cordon et placer cette dernière dans l'ouverture de la canule. B. Faire une boucle avec l'autre extrémité du cordon. C. Attacher les cordons ensemble à l'aide d'un double nœud sur le côté du cou. Quand le cordon propre est bien fixé, on peut couper délicatement le cordon souillé.

Certains diagnostics infirmiers relatifs au client ayant subi une trachéostomie sont présentés dans l'encadré 15.10.

Problème de déglutition. Le client qui est incapable de protéger ses voies respiratoires contre l'aspiration bronchique a besoin d'un ballonnet gonflé. Cependant, ce type de ballonnet peut créer un problème de déglutition, puisqu'il nuit à la fonction normale des muscles servant à cette fonction. C'est pourquoi il est important d'évaluer le risque d'aspiration, une fois le ballonnet dégonflé. Il est possible que le client puisse avaler sans aspirer lorsque le ballonnet est dégonflé, mais non lorsqu'il est gonflé. Dans ce cas, on peut ensuite laisser le ballonnet dégonflé ou le remplacer par une canule sans ballonnet (voir figure 15.9).

Afin d'évaluer le risque d'aspiration bronchique, l'infirmière dégonfle le ballonnet et demande au client d'avaler une petite quantité de liquide clair, tel que du jus de raisin, ou 30 ml d'eau auxquels elle ajoute un colorant alimentaire bleu. Elle note s'il y a présence de toux et de sécrétions. Elle aspire, au besoin, à la hauteur de la trachée pour y détecter la présence de sécrétions colorées en bleu. S'il n'y a aucun signe d'aspiration, on considère que la fonction épiglottique est adéquate.

Parler avec une canule de trachéostomie. Diverses techniques peuvent favoriser la parole chez un client ayant subi une trachéostomie. S'il respire spontanément, il peut être en mesure de parler en dégonflant le ballonnet, ce qui permet à l'air expiré de monter vers le haut au-dessus des cordes vocales. Bien souvent, on insère

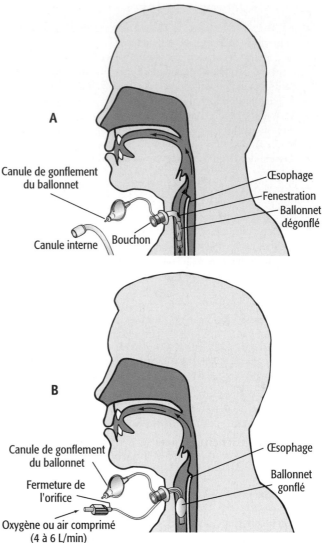

FIGURE 15.9 Canules de trachéostomie pour parler. A. Canule fenêtrée de trachéostomie avec ballonnet dégonflé. La canule interne est retirée et la canule de trachéostomie est munie d'un bouchon pour permettre à l'air de passer par-dessus les cordes vocales. B. Canule de trachéostomie pour parler. Un tube est utilisé pour gonfler le ballonnet. Le deuxième tube est branché à une source d'air ou d'oxygène comprimé. Lorsque l'orifice du second tube est bouché, l'air passe par-dessus les cordes vocales, ce qui permet de parler avec un ballonnet gonflé. (Voir encadré 15.10 pour les soins infirmiers.)

une petite canule sans ballonnet pour que l'air expiré puisse passer librement autour de la canule. Si le client reçoit une ventilation assistée, la parole peut être possible en permettant une fuite d'air constante autour du ballonnet. De plus, les canules de trachéostomie et les valves de phonation ont été conçues pour favoriser la parole. L'infirmière peut donc promouvoir l'usage de ces appareils spécialisés. Leur utilisation peut procurer de grands bienfaits psychologiques et faciliter les autosoins du client trachéotomisé.

FIGURE 15.10 Changement de la canule de trachéostomie à domicile. Quand la trachéostomie est en place depuis plusieurs mois, la voie d'insertion de la canule est bien formée. La cliente peut donc apprendre à changer elle-même une canule à l'aide d'une technique aseptique à domicile.

Une canule fenêtrée possède des ouvertures sur la surface externe qui permettent à l'air de passer au-dessus des cordes vocales (voir figures 15.6, B et 15.9, A). Ce genre de canule permet au client de respirer spontanément par le larynx, de parler et d'expectorer les sécrétions, tandis que la canule de trachéostomie demeure en place. Cette canule peut être utilisée par le client pouvant déglutir sans risque d'aspiration bronchique, mais une aspiration est nécessaire pour enlever les sécrétions. Elle peut également être utilisée par le client qui ne requiert pas une ventilation assistée 24 heures sur 24 (p. ex. uniquement pendant le sommeil).

Avant d'utiliser cet appareil, on doit déterminer si le client est en mesure de déglutir sans aspiration bronchique (voir encadré 15.8). En l'absence d'aspiration, l'infirmière doit :
- retirer la canule interne ;
- dégonfler le ballonnet ;
- mettre le bouchon de décanulation ou mandrin sur la canule (voir figure 15.9, A).

Il est important d'exécuter ces étapes dans l'ordre, puisqu'une détresse respiratoire grave pourrait se manifester si le bouchon est mis avant d'avoir retiré la canule interne et que le ballonnet ne soit pas dégonflé. Lorsqu'une canule fenêtrée vient d'être insérée, l'infirmière doit souvent examiner le client en vue de déceler tout signe de détresse respiratoire. S'il n'est pas en mesure de tolérer l'intervention, elle doit enlever le capuchon, remplacer la canule interne et regonfler le ballonnet. L'un des inconvénients des canules fenêtrées est le risque de voir apparaître des polypes trachéaux causés par la granulation des tissus trachéaux dans les ouvertures fenêtrées.

Une canule de trachéostomie comporte deux tubes en tire-bouchon. L'un des tubes se branche au ballonnet et sert à gonfler celui-ci, et le second se branche à une ouverture située juste au-dessus du ballonnet (voir figure 15.9, B). Lorsque le second tube est branché à une source d'air à faible débit (4 à 6 L/min), une quantité suffisante d'air monte au-dessus des cordes vocales pour faciliter la parole. Ainsi, le client peut parler même si le ballonnet est gonflé.

Lorsqu'une valve de phonation est installée, une canule sans ballonnet doit être mise en place ou le ballonnet doit être dégonflé pour permettre l'expiration (voir figure 15.11). La capacité de tolérer le dégonflement du ballonnet sans aspiration bronchique et sans détresse respiratoire doit également être évaluée chez les clients munis de cet appareil. S'il n'y a pas d'aspiration, le ballonnet est dégonflé et la valve est installée sur l'ouverture de la canule de trachéostomie. La valve de phonation contient un mince diaphragme de plastique qui s'ouvre à l'inspiration et se ferme à l'expiration. Pendant l'inspiration, l'air entre par la valve. Au cours de l'expiration, le diaphragme empêche l'expiration et l'air de monter vers le haut, au-dessus des cordes vocales et dans la bouche.

Décanulation. La canule de trachéostomie peut être retirée lorsque le client peut échanger suffisamment d'air et expectorer de façon satisfaisante. La stomie est fermée avec des bandes adhésives (Steri-strip) et recouverte d'un pansement occlusif, lequel doit être changé lorsqu'il est souillé ou mouillé. L'infirmière doit montrer au client comment placer les doigts sur la stomie au moment de tousser, de déglutir ou de parler. Le tissu épithélial commencera à se former dans les 24 à 48 premières heures et l'ouverture prendra plusieurs jours avant de se refermer. Il n'est pas indispensable de pratiquer une intervention chirurgicale pour fermer la trachéostomie.

15.5.3 Polypes laryngés

Des **polypes laryngés** peuvent apparaître sur les cordes vocales à la suite de surmenage vocal (p. ex. si la personne a trop parlé ou trop chanté) ou d'irritation (due à l'intubation ou au tabagisme). Le symptôme le plus courant est l'enrouement. Un traitement conservateur, tel que le repos de la voix, peut être indiqué pour traiter les polypes. L'ablation peut être indiquée dans le cas de gros polypes pouvant provoquer une dyspnée et un stridor. Habituellement bénins, ces polypes doivent être enlevés, car ils risquent de devenir malins.

Plan de soins infirmiers

ENCADRÉ 15.10

Client ayant subi une trachéostomie

DIAGNOSTIC INFIRMIER : dégagement inefficace des voies respiratoires relié à la présence d'une canule de trachéostomie et à la difficulté d'expulser les expectorations, se manifestant par des bruits adventices, des sécrétions abondantes et épaisses, une augmentation de l'agitation et une toux inefficace ou absente.

PLANIFICATION
Résultats escomptés
- Le client respirera librement.
- Le client expectorera ses sécrétions sans qu'on ait besoin de les aspirer.
- Le client présentera des bruits respiratoires normaux.

INTERVENTIONS	Justifications
• Évaluer la détresse respiratoire.	• Déterminer la nécessité des interventions.
• Maintenir la tête du lit relevée de 30 à 40°.	• Permettre une toux plus énergique et soulager la dyspnée.
• Assurer une humidification et une hydratation suffisantes.	• Liquéfier les sécrétions.
• Favoriser la toux, la respiration profonde et la marche.	• Aider à mobiliser les sécrétions.
• Nettoyer ou changer, au besoin, la canule interne s'il y en a une.	• Réduire l'accumulation de sécrétions sur la lumière interne.
• Maintenir la pression du ballonnet au minimum pour vérifier le passage de l'air en mesurant avec un manomètre, à une pression maximale de 25 cm d'eau ou avec la technique de fuite minimale.	• Réduire la pression exercée sur la trachée. La technique de fuite minimale ne peut être utilisée lorsque la trachéostomie vise à contourner l'obstruction des voies respiratoires supérieures, comme c'est le cas pour la chirurgie de la tête et du cou.
• Dégonfler le ballonnet au moins une fois par jour ; le dégonfler pendant l'expiration et le regonfler lors de l'inspiration.	• Enlever les sécrétions accumulées.
• Dégager la bouche et la trachée avant et après le dégonflement en faisant tousser le client ou en aspirant ses sécrétions.	• Réduire l'aspiration bronchique.
• Garder la canule de trachéostomie attachée solidement, en laissant l'espace d'un doigt entre les cordons et la peau.	• Éviter qu'elle ne se déloge accidentellement.

DIAGNOSTIC INFIRMIER : altération de la communication verbale reliée à l'utilisation d'un tube pharyngé et d'un ballonnet, se manifestant par l'incapacité de communiquer et la présence de signes de frustration.

PLANIFICATION
Résultat escompté
- Le client communiquera ses besoins en fonction de son état de conscience.

INTERVENTIONS	Justifications
• Si le client est alerte, mettre la cloche d'appel à sa portée et répondre immédiatement à sa demande d'aide.	• Dissiper toute anxiété.
• Évaluer la capacité du client à lire et à écrire : lui fournir une ardoise magique, un bloc-notes et un crayon à la mine, un tableau de communication comportant des pictogrammes et un électrolarynx (de type Cooper-Rand).	• À titre de moyens de communication substituts.
• L'assurer qu'il retrouvera la parole une fois que le ballonnet sera dégonflé (si une laryngectomie totale n'a pas été effectuée).	• Dissiper toute crainte que la situation ne soit permanente.
• Proposer l'utilisation de tubes acoustiques (p. ex. petite canule sans ballonnet, canule fenêtrée, valve de phonation, canule de trachéostomie).	• Permettre la parole.
• Encourager l'expression gestuelle.	• Communiquer les besoins et les désirs.

Plan de soins infirmiers

ENCADRÉ 15.10

Client ayant subi une trachéostomie *(suite)*

DIAGNOSTIC INFIRMIER : risque d'infection relié à la déviation des mécanismes de défense des voies respiratoires et à l'atteinte de l'intégrité de la peau.

PLANIFICATION
Résultats escomptés
- Le client aura une numération leucocytaire normale.
- Le client aura une température normale.
- Le client éliminera des sécrétions claires.
- Le client ne présentera aucun érythème ni aucune sécrétion purulente provenant de la stomie.

INTERVENTIONS	Justifications
• Surveiller et signaler une augmentation de la numération leucocytaire et de la température, un changement de couleur des sécrétions et un écoulement purulent.	• Déceler tout signe d'infection et effectuer une intervention médicale précoce.
• Utiliser une technique aseptique rigoureuse relative à l'aspiration des sécrétions et aux soins de trachéostomie pendant l'hospitalisation.	• Réduire les risques d'infection.
• Changer l'équipement d'oxygénothérapie toutes les 48 heures.	• Éviter qu'un tube contaminé ne devienne une source d'infection.
• Garder la stomie propre et sèche en la nettoyant fréquemment.	

DIAGNOSTIC INFIRMIER : déficit nutritionnel relié à une diminution de l'apport alimentaire, une altération du goût et une difficulté à déglutir, se manifestant par un apport calorique insuffisant et une perte de masse corporelle.

PLANIFICATION
Résultats escomptés
- Le client retrouvera son appétit habituel.
- Le client maintiendra une masse corporelle stable.

INTERVENTIONS	Justifications
• Fournir, au besoin, une évaluation continue de l'apport nutritionnel et du nombre de kilojoules.	• Évaluer la pertinence du régime alimentaire.
• Surveiller la masse corporelle.	• Fournir des renseignements à des fins d'évaluation.
• Donner au client des aliments et des boissons à teneur élevée en calories et en protéines.	• Maximiser l'apport nutritionnel.
• Épaissir, au besoin, les aliments et les boissons.	• Faciliter la déglutition et réduire l'aspiration bronchique.
• Évaluer la présence de problèmes de déglutition.	• Déterminer si le ballonnet gonflé prédispose à l'aspiration.
• Offrir une alimentation entérale si le client est incapable de s'alimenter suffisamment.	• Maintenir l'apport nutritionnel.
• Donner des soins buccodentaires toutes les huit heures et au besoin.	• Favoriser le bien-être et stimuler l'appétit du client.

DIAGNOSTIC INFIRMIER : perturbation de la déglutition reliée à une obstruction mécanique consécutive à la canule de trachéostomie, se manifestant par l'incapacité de déglutir sans aspiration.

PLANIFICATION
Résultats escomptés
- Le client avalera normalement.
- Le client ne présentera aucune aspiration bronchique.

INTERVENTIONS	Justifications
• Évaluer les réflexes de déglutition et laryngé en dégonflant le ballonnet.	• La toux constitue un signe d'aspiration.

Plan de soins infirmiers

Client ayant subi une trachéostomie *(suite)*

- Si le client tolère le ballonnet dégonflé, lui demander d'avaler un liquide clair (jus de raisin) ou de l'eau avec un colorant alimentaire bleu.

- Déterminer la présence d'aspiration. Si le client ne tousse pas et si aucune sécrétion colorée n'est aspirée, il peut tolérer l'alimentation avec un ballonnet dégonflé.

DIAGNOSTIC INFIRMIER : prise en charge inefficace du programme thérapeutique reliée au manque de connaissances portant sur les soins de trachéostomie à domicile, se manifestant par le questionnement sur les soins (client ou famille), l'agitation et l'instabilité psychomotrice lors de la planification du congé.

PLANIFICATION
Résultats escomptés
- Le client effectuera adéquatement les techniques de soins de trachéostomie.
- Le client expliquera les objectifs des soins et les situations nécessitant le recours aux professionnels de la santé.

INTERVENTIONS	Justifications
• Évaluer la capacité du client et de ses proches de veiller à la propreté de la canule de trachéostomie, à celle de la stomie et au dégagement des voies respiratoires et la capacité de bien réagir en cas d'urgence.	• Déterminer si le service des soins à domicile est nécessaire.
• Enseigner la bonne technique de lavage des mains.	• Réduire le risque d'infection.
• Enseigner les soins aseptiques de la canule de trachéostomie et la préparation d'une solution saline stérile.	• Le client est capable de prendre soin de lui-même à domicile.
• Enseigner, au besoin, l'aspiration aseptique des sécrétions.	• Le client est plus autonome dans ses soins.
• Enseigner au client et à ses proches les signes et symptômes à signaler aux professionnels de la santé, tels que les changements dans les sécrétions (jaunâtres, verdâtres ou teintées de sang) ou une température élevée.	• Ceux-ci peuvent être des signes avant-coureurs d'infection respiratoire.
• Adresser le client au CLSC.	• Il peut obtenir de l'aide et un soutien continu.

Processus thérapeutique

COMPLICATION POSSIBLE : hypoxémie reliée à une canule mal ajustée ou brisée et à l'accumulation de sécrétions.

PLANIFICATION
Objectifs
- Surveiller les signes d'hypoxémie.
- Signaler tout écart par rapport aux paramètres acceptables.
- Appliquer les interventions infirmières appropriées.

INTERVENTIONS	Justifications
• Examiner le client pour déceler tout signe d'instabilité psychomotrice, d'agitation, de confusion, de tachycardie, d'arythmie, de SpO_2 inférieure à 90 % et d'expulsion accidentelle de la canule des voies respiratoires.	• Déterminer si celle-ci est bien placée.
• Relever la tête du lit si le client le tolère.	
• Ausculter les poumons.	• Déterminer le besoin d'aspiration des sécrétions. Procéder à l'aspiration si des crépitants rudes ou des ronchi sont présents et que le client est incapable d'expectorer.
• Si le cathéter à succion ne peut être inséré, des mesures d'urgence doivent être appliquées.	• La canule est délogée.
• Si la canule est délogée ou mal placée, saisir les sutures de rétention (s'il y en a) et écarter l'ouverture. Lubrifier la canule et l'insérer sur l'obturateur à un angle de 45° par rapport au cou. Si l'opération réussit, retirer immédiatement l'obturateur.	

Plan de soins infirmiers

Client ayant subi une trachéostomie *(suite)*

- Une autre méthode consiste à insérer un cathéter à succion pour permettre le passage de l'air et servir de guide d'insertion. Enfiler la canule de trachéostomie par-dessus le cathéter et retirer ce dernier.
- S'il est impossible de réinsérer la canule, évaluer le degré de détresse respiratoire.
- Aviser le médecin. Si la détresse respiratoire est importante, ventiler à l'aide d'un ballon de réanimation de type Ambu jusqu'à ce que de l'aide arrive.

- Déterminer si le client peut respirer sans canule pendant une courte période.
- Assurer une ventilation suffisante.

15.5.4 Cancer de la tête et du cou

Selon Statistique Canada (1998), 2 % des cas de cancer au Québec sont des cancers de la cavité buccale et du pharynx et 1 % sont des cancers du larynx. En 1999, le Fichier des tumeurs du Québec a enregistré 700 cas de cancer de la cavité buccale et du pharynx. Le ratio homme-femme est d'environ trois pour une. Cependant, l'incidence de ce cancer est actuellement à la hausse chez les femmes, fort probablement à cause de la consommation croissante de tabac et d'alcool. L'âge habituel au moment du diagnostic est de 50 ans ou plus. Bien que ce problème ne représente environ que 5 % des cas de cancer, il entraîne une invalidité importante en raison de la perte possible de la voix, du défigurement et des conséquences sociales. Même si on ne connaît pas les causes exactes de cette maladie, elle comporte des facteurs de risque bien connus. La majorité des cas, soit environ 90 % des cancers de la tête et du cou, apparaissent après un usage prolongé de tabac et d'alcool. L'exposition à diverses émanations délétères et à divers produits chimiques peut également prédisposer certaines personnes à ce risque. L'étiologie virale serait en cause dans au moins 15 % des cas. La haute incidence des titres élevés du virus d'Epstein-Barr (VEB) chez les clients atteints d'un cancer du nasopharynx laisse supposer un lien entre le VEB et ce type de cancer. La recherche génétique a démontré qu'une mutation à l'intérieur d'un gène suppresseur tumoral sur le chromosome 17 est liée au cancer de la tête et du cou.

Manifestations cliniques. L'infirmière est dans une position privilégiée pour déceler les premiers signes de cancer de la tête et du cou. Le dépistage précoce est vital, car il favorise un taux de guérison élevé. Toutefois, les premiers symptômes ne sont pas souvent signalés parce que le client n'en voit pas l'importance ni n'en connaît les conséquences.

Les premiers signes et symptômes de cancer des voies respiratoires supérieures varient selon l'emplacement de

FIGURE 15.11 Valve de phonation de Passy-Muir. La valve est placée sur l'embout de la canule de trachéostomie après que le ballonnet a été dégonflé. Deux options sont possibles : une valve blanche pour les clients non ventilés et une bleue (illustré) pour les clients ventilés. Il s'agit d'une valve à sens unique qui permet à l'air d'entrer dans les poumons pendant l'inspiration et le redirige vers le haut par-dessus les cordes vocales et dans la bouche pendant l'expiration.

la tumeur. Un cancer de la cavité buccale peut se manifester sous forme d'excroissance indolore dans la bouche, d'un ulcère qui ne se cicatrise pas ou d'un changement dans l'ajustement des prothèses dentaires. La douleur est un symptôme tardif et elle peut être aggravée par la consommation d'aliments acides. Les cancers de l'oropharynx, du laryngopharynx et du larynx supraglottique produisent rarement des symptômes précoces et sont habituellement diagnostiqués aux stades tardifs. Il peut arriver que le client se plaigne de mal de gorge unilatéral persistant ou d'otalgie. L'enrouement peut être un symptôme de cancer précoce du larynx. Une évaluation médicale est indiquée lorsqu'une bosse dans le cou ou de l'enrouement dure plus de deux semaines. Certains clients ressentent comme une boule dans la gorge ou un changement dans la qualité de la voix. Les stades tardifs de cancers de la tête et du cou comportent des signes et symptômes faciles à déceler, tels que la douleur, la dysphagie, la mobilité réduite de la langue, l'obstruction des voies respiratoires et les neuropathies associées à une atteinte des nerfs crâniens.

L'infirmière doit examiner en profondeur la cavité buccale, y compris la région sublinguale, les prothèses dentaires, le palais mou et la langue. Les ganglions lymphatiques du cou doivent être palpés avec les deux mains. Il peut y avoir un épaississement de la muqueuse buccale, qui est habituellement molle et souple. Les signes de leucoplasie (plaque blanche) ou d'érythroplasie (plaque rouge) doivent être notés en vue d'une biopsie ultérieure. La leucoplasie et le carcinome *in situ* (localisé à un endroit défini) peuvent précéder de bien des années un carcinome infiltrant.

Épreuves diagnostiques. Lorsqu'on soupçonne la présence de lésions, on peut examiner les voies respiratoires supérieures à l'aide d'une laryngoscopie indirecte, qui consiste à utiliser un miroir laryngé pour visualiser la région du larynx, ou utiliser un nasopharyngoscope souple. On procède à un examen visuel du larynx et des cordes vocales pour détecter des lésions et déterminer la mobilité du tissu. Une tomodensitométrie (TDM) ou une imagerie par résonance magnétique (IRM) peut être effectuée pour déceler une dispersion locale et régionale. Le tissu néoplasique est reconnaissable parce qu'il contient un tissu de plus grande densité ou parce qu'il déforme, déplace ou détruit les structures anatomiques normales. On prélève habituellement plusieurs échantillons aux fins de biopsie afin de déterminer l'étendue de la maladie.

Processus thérapeutique. À partir des renseignements obtenus, on se basera sur la taille de la tumeur (T), le nombre et l'emplacement des ganglions (G) en cause et l'étendue de la métastase (M) pour déterminer le stade de la maladie. La classification TGM (tumeur, ganglions,

métastase) permet de classer la maladie par stades, de I à IV, et oriente le traitement. Environ un tiers des clients atteints de cancer de la tête et du cou ont des lésions extrêmement confinées qui sont de stade I ou II au moment du diagnostic. Ces clients peuvent subir une radiothérapie ou une chirurgie orientées vers la guérison. Cet objectif est atteint chez environ 80 % des clients atteints d'un cancer de stade I et chez 60 % des clients atteints d'un cancer de stade II. Aux stades III et IV de la maladie, moins de 30 % des clients guérissent. Le choix du traitement est basé sur les antécédents de santé, l'étendue de la maladie, les facteurs esthétiques, l'urgence du traitement et le choix du client.

La radiothérapie peut être efficace pour guérir des lésions précoces des cordes vocales. Ce traitement réussit habituellement à éliminer la tumeur tout en conservant la qualité de la voix. Si la radiothérapie échoue ou si la lésion est trop avancée pour ce traitement, on peut avoir recours à une chirurgie. On procède à une cordectomie lorsqu'une tumeur superficielle touche une corde. Cette intervention est moins importante que l'hémilaryngectomie, qui consiste à enlever une corde vocale ou une partie de cette dernière et qui nécessite une trachéostomie temporaire (voir figure 15.12). Une laryngectomie supraglottique consiste à enlever les

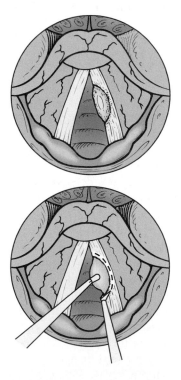

FIGURE 15.12 Ablation du cancer du larynx. Ce cancer de la corde vocale gauche répond aux critères de résection par cordectomie transorale. Cette corde est complètement mobile et la lésion est entièrement à découvert. Elle ne touche pas la commissure antérieure et ne la traverse pas.

structures situées au-dessus des cordes vocales inférieures (vraies cordes vocales), soit les cordes vocales supérieures (fausses cordes vocales) et l'épiglotte.

Le client est fortement exposé à l'aspiration bronchique après la chirurgie et a besoin d'une trachéostomie temporaire. L'hémilaryngectomie et la laryngectomie supraglottique sont deux interventions qui permettent de conserver la voix, qui est cependant haletante et enrouée.

Les lésions avancées sont traitées au moyen d'une laryngectomie totale au cours de laquelle on enlève tout le larynx et toute la loge préépiglottique. Cette intervention est suivie d'une trachéostomie permanente. La figure 15.13 illustre les configurations du débit d'air avant et après une laryngectomie totale. Une dissection radicale du cou accompagne souvent cette intervention afin de réduire les risques de propagation aux ganglions. Selon le degré d'atteinte, une dissection et une reconstruction importantes peuvent être effectuées.

L'intervention consiste à pratiquer une grande excision à la hauteur des ganglions et des canaux lymphatiques (voir figure 15.14). Selon la gravité de la lésion primaire et de son étendue, il est possible que le chirurgien enlève ou coupe transversalement les structures suivantes : le muscle sternocléidomastoïdien et tout autre muscle étroitement associé, la veine jugulaire interne, la mandibule, la glande sous-maxillaire, une partie des glandes thyroïde et parathyroïde et le nerf rachidien.

Lorsque c'est possible, on procède à une dissection modifiée du cou comme solution de rechange. Cette intervention est pratiquée en épargnant le plus grand nombre possible de structures pour limiter le défigurement et la perte de fonctions. Une dissection modifiée du cou consiste habituellement à disséquer les principaux vaisseaux lymphatiques cervicaux et l'espace cervical latéral tout en préservant les nerfs et les vaisseaux, y compris les nerfs sympathique, vague, rachidien et la veine jugulaire interne. La dissection du cou ne touche habituellement qu'à un côté du cou lorsqu'il y a présence d'un cancer des cordes vocales. Cependant, il est possible qu'on doive procéder à une dissection bilatérale si la lésion est médiane. Lors d'une telle intervention, on effectue une dissection modifiée sur au moins un côté du cou afin de réduire les déficits structuraux et fonctionnels.

Le client peut refuser une intervention chirurgicale si les lésions sont avancées, en raison de l'étendue de l'intervention ou parce que celle-ci représente un trop grand risque médical. Dans ce cas, la radiothérapie externe peut être utilisée comme traitement unique ou être combinée avec des traitements de chimiothérapie.

Le cancer de la tête et du cou peut également être traité au moyen de la curiethérapie, une méthode concentrée et localisée de radiothérapie qui utilise des sources radioactives scellées en les implantant dans les tissus atteints ou en les introduisant dans les cavités

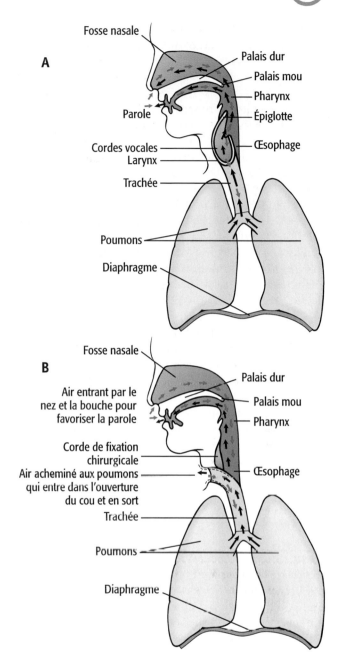

FIGURE 15.13 A. Débit d'air normal qui entre dans les poumons et en sort. B. Débit d'air qui entre dans les poumons et en sort après une laryngectomie totale. Les clients qui utilisent la voix œsophagienne emprisonnent l'air dans l'œsophage et le relâchent pour créer un son.

naturelles au contact de la tumeur. L'objectif consiste à acheminer de fortes doses de radiations à la zone cible tout en limitant l'exposition des tissus avoisinants. De minces aiguilles creuses de plastique sont insérées dans la région de la tumeur et une source radioactive, des grains d'iridium, est injectée dans les aiguilles. Ces grains émettent une radiothérapie continue. La curiethérapie peut être utilisée seule ou être combinée avec la radiothérapie externe, ou elle peut accompagner une intervention chirurgicale. (Le chapitre 9 traite de la radiothérapie et de la curiethérapie.)

Recommandations nutritionnelles. Après une dissection radicale du cou, il est possible que le client ne soit pas en mesure d'absorber des aliments par la bouche à cause de l'œdème, de l'emplacement des sutures ou de la difficulté à déglutir. Des liquides doivent donc être administrés par voie parentérale pendant les 24 à 48 premières heures. Après cette période, l'alimentation par gavage se fait habituellement au moyen d'un tube nasogastrique ou d'une sonde nasojéjunale mise en place pendant la chirurgie. Parfois, on peut avoir recours à une gastrostomie pour une alimentation temporaire. (L'alimentation nasogastrique et la gastrostomie sont décrites dans le chapitre 32.) Dans certains cas, l'œsophagostomie et la pharyngostomie sont parfois utilisées. L'infirmière doit observer la tolérance du client au gavage et voir à faire modifier la quantité, l'heure et la formule en conséquence si celui-ci souffre de nausées, de vomissements, de diarrhée ou de distension abdominale. Elle doit généralement renseigner le client à propos de l'alimentation par sonde. Lorsqu'il peut déglutir, on lui donne de petites quantités d'eau. Il est essentiel de le surveiller attentivement pour déceler tout signe de suffocation. Une succion peut s'avérer nécessaire pour prévenir l'aspiration bronchique.

Des problèmes de déglutition sont à prévoir lorsque le client recommence à manger. Le type et le degré de difficulté varient en fonction de l'intervention. Lors d'une laryngectomie épiglottique, le chirurgien excise la partie supérieure du larynx, y compris l'épiglotte et les cordes vocales supérieures. Le client est en mesure de parler puisque les cordes vocales inférieures sont intactes. Cependant, il doit apprendre une nouvelle technique, la déglutition supraglottique, pour compenser le retrait de l'épiglotte et réduire le risque d'aspiration (voir encadré 15.11). Lors de l'apprentissage de cette technique, il peut s'avérer utile de boire des boissons gazéifiées pour commencer, puisque l'effervescence fournit des indices sur la position du liquide. Les liquides

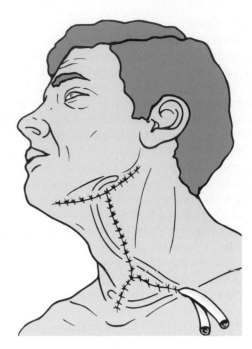

FIGURE 15.14 Incision cervicale radicale avec tube de drainage en place

dilués et légers doivent être évités, car ils sont difficiles à avaler et augmentent le risque d'aspiration bronchique. Il faut privilégier les aliments solides en purée, car ils sont plus épais et plus faciles à avaler.

Une bonne alimentation est importante pendant la radiothérapie, puisque les calories et les protéines sont nécessaires à la réparation des tissus. Des antiémétiques ou des analgésiques peuvent être administrés avant les repas pour réduire les nausées et la douleur buccale. Il est possible que le client tolère mieux les aliments fades. On peut accroître l'apport calorique en ajoutant du lait en poudre aux aliments pendant leur préparation, en choisissant des aliments à teneur élevée en calories et en utilisant des suppléments oraux. L'ajout de sauce aux aliments peut s'avérer utile pour augmenter les calories et humidifier les aliments afin de faciliter la déglutition. Lorsqu'il est impossible de maintenir un apport calorique suffisant, on peut avoir recours à l'alimentation entérale.

ENSEIGNEMENT AU CLIENT

Étapes visant à exécuter la déglutition supraglottique
ENCADRÉ 15.11

- Respirer profondément pour aérer les poumons.
- Exécuter la manœuvre de Valsalva pour rapprocher les cordes.
- Mettre des aliments dans la bouche et déglutir. Certains aliments entreront dans les voies respiratoires et demeureront sur les cordes vocales fermées.
- Tousser pour déloger les aliments sur les cordes vocales.
- Déglutir pour que les aliments se délogent des cordes vocales.
- Respirer après la séquence toux-déglutition pour empêcher l'aspiration des aliments se trouvant sur les cordes vocales.

Adapté de B.A. Sigler et L. SHURING. *Ear, nose, and throat disorders*, St. Louis, Mosby, 1994, p. 240.

Soins infirmiers : cancer de la tête et du cou

Collecte de données. L'encadré 15.12 présente les données subjectives et objectives à recueillir auprès d'une personne atteinte d'un cancer de la tête et du cou.

Diagnostics infirmiers. Quelques-uns des diagnostics infirmiers relatifs au client atteint d'un cancer de la tête et du cou sont présentés dans l'encadré 15.13.

Planification. Les objectifs généraux à l'égard du client atteint d'un cancer de la tête et du cou sont les suivants :
- maintenir les voies respiratoires libres ;
- éviter que le cancer ne se propage à d'autres organes ;
- ne présenter aucune complication liée au traitement ;
- avoir un apport nutritionnel suffisant ;
- ne ressentir aucune douleur ou très peu ;
- être en mesure de communiquer ;
- avoir une image corporelle acceptable.

Exécution

Promotion de la santé. Le cancer de la tête et du cou est étroitement lié aux habitudes personnelles, principalement le tabagisme. Un autre engouement populaire est l'usage du cigare. Les utilisateurs de longue date de tabac sans fumée et de cigares sont davantage exposés au cancer de la bouche. La consommation prolongée d'alcool a été mise en cause comme facteur potentiel du cancer de la tête et du cou.

L'abandon de l'usage du tabac est essentiel lorsqu'un diagnostic de cancer est établi. La réaction au traitement et le taux de survie du client atteint d'un cancer de la tête et du cou, qui continue de fumer pendant la radiothérapie, sont plus faibles que chez celui qui ne fume pas pendant le traitement. De plus, le risque d'un cancer primitif secondaire augmente considérablement chez ceux qui continuent de fumer.

Interventions en phase aiguë. L'infirmière doit renseigner le client et sa famille à propos du type de traitement et du type de soins requis. L'évaluation des préoccupations fait partie intégrante du plan de soins. Le client et sa famille doivent faire face au choc psychologique du diagnostic de cancer, aux changements liés à l'apparence physique et à la nécessité de modifier leurs modes de communication. Le plan de soins doit comprendre l'évaluation du réseau de soutien, car le client peut n'avoir personne pour l'aider après sa sortie du centre hospitalier, être sans emploi ou ne pas pouvoir conserver son emploi actuel. Il peut donc s'avérer utile de consulter une travailleuse sociale et une infirmière du CLSC pour aider à la planification du congé.

• Radiothérapie. L'infirmière peut proposer des interventions pour réduire les effets secondaires de la radiothérapie. La xérostomie (bouche sèche), problème le plus fréquent et le plus ennuyeux, commence habituellement après quelques semaines de traitement. La

---

COLLECTE DE DONNÉES

Cancer de la tête et du cou

ENCADRÉ 15.12

Données subjectives

Information importante concernant la santé
- Antécédents de santé : antécédents familiaux positifs ; usage prolongé de tabac (cigarette, pipe, cigare, tabac à chiquer, tabac sans fumée) ; consommation excessive et prolongée d'alcool ; exposition à la radiation ou exposition professionnelle à des métaux lourds et à des émanations ; antécédents d'infections virales (p. ex. virus d'Epstein-Barr) ; mauvaise hygiène buccale.
- Médicaments : consommation prolongée de décongestionnants et de médicaments sans ordonnance contre le mal de gorge.

Modes fonctionnels de santé
- Mode perception et gestion de la santé : ne privilégie pas les mesures préventives en matière de santé ; antécédents de grande consommation d'alcool et d'usage prolongé de tabac.
- Mode nutrition et métabolisme : ulcères buccaux qui ne guérissent pas, changement dans l'ajustement des prothèses dentaires, changement dans l'appétit, perte de masse corporelle, problème de déglutition (p. ex. sensation d'une bosse dans la gorge, douleur lors de la déglutition, aspiration bronchique lors de la déglutition).

- Mode activité et exercice ; épuisement à la suite d'efforts modérés.
- Mode cognition et perception : mal de gorge, douleur lors de la déglutition, douleur irradiant à l'oreille, dyspnée, ganglions lymphatiques sensibles.

Données objectives

Appareil respiratoire
- Enrouement, changement dans la qualité de la voix, laryngite chronique, voix nasillarde, masse palpable au cou et ganglions lymphatiques durs et fixes, déviation de la trachée ; stridor (signe tardif).

Appareil gastro-intestinal
- Plaque blanche (leucoplasie) ou plaque rouge (érythroplasie) dans la bouche, ulcération de la muqueuse, langue asymétrique, exsudat dans la bouche ou le pharynx, masse ou épaississement de la muqueuse.

Résultats possibles
- Masse à la laryngoscopie directe ou indirecte ; tumeur sur les tissus mous constatée à la radiographie, tomodensitométrie (TDM) ou imagerie par résonance magnétique (IRM) ; biopsie positive.

Plan de soins infirmiers

Client ayant subi une laryngectomie totale ou une dissection radicale du cou

DIAGNOSTIC INFIRMIER : anxiété reliée au manque de connaissances concernant l'intervention chirurgicale, le soulagement de la douleur et la prévention de complications, se manifestant par un questionnement au sujet de la chirurgie imminente, de l'agitation et de l'instabilité psychomotrice.

PLANIFICATION
Résultats escomptés
• Le client dira qu'il se sent moins anxieux par rapport à la chirurgie.
• Le client exprimera un sentiment de confiance relativement à l'intervention chirurgicale.

INTERVENTIONS	Justifications
• Évaluer les renseignements que souhaite obtenir le client.	• Dissiper ses craintes et répondre à ses questions.
• Faciliter la discussion sur les modifications escomptées de l'apparence physique ; l'inciter à partager ses sentiments et ses préoccupations.	• Favoriser l'adaptation et l'acceptation.
• Lui fournir des renseignements sur la phase postopératoire immédiate (canules de trachéostomie, stomie, incisions, autres modes de communication, tube nasogastrique, tube de drainage, soulagement de la douleur).	• Réduire son sentiment d'impuissance et accroître son sentiment de maîtrise.

DIAGNOSTIC INFIRMIER : dégagement inefficace des voies respiratoires relié à la modification des voies respiratoires supérieures, la stomie trachéale, la présence de la canule de trachéostomie, la difficulté à expectorer, se manifestant par une toux inefficace ou absente, des ronchi ou des crépitants rudes à l'auscultation, une fréquence respiratoire et un mode de respiration anormaux.

PLANIFICATION
Résultats escomptés
• Le client respirera librement sans sécrétions.
• Le client sera eupnéique.

INTERVENTIONS	Justifications
• Ausculter les poumons et surveiller la fréquence respiratoire, le mode de respiration, la SpO$_2$ et l'état de conscience toutes les 4 heures après l'opération pendant 24 heures.	• Déterminer l'efficacité des échanges gazeux.
• Inciter le client à tousser, à respirer profondément et à marcher.	• Déloger les sécrétions.
• Aspirer les sécrétions, au besoin, par la canule de trachéostomie ou la stomie.	• Dégager les sécrétions.
• Administrer de l'air ou de l'oxygène humidifié dans la trachéostomie ou la stomie selon l'ordonnance.	• Garder les sécrétions humides.
• Nettoyer la canule interne de trachéostomie ou de laryngectomie trois fois par jour et au besoin.	• Empêcher le mucus de s'encroûter, ce qui peut obstruer la lumière.

DIAGNOSTIC INFIRMIER : altération de la perfusion tissulaire reliée à de l'œdème tissulaire et à une perturbation du drainage vasculaire et lymphatique, se manifestant par un gonflement cutané et un écoulement séreux des drains de plaie.

PLANIFICATION
Résultats escomptés
• Le client présentera une réduction de l'œdème tissulaire.
• Le client ne présentera aucun écoulement des drains ou en présentera peu.
• Le client aura des signes vitaux stables.
• Le client présentera des signes de cicatrisation des lignes d'incision.

INTERVENTIONS	Justifications
• Maintenir la tête du lit à un angle de 30 à 40°.	• Réduire l'œdème tissulaire.

Plan de soins infirmiers

Client ayant subi une laryngectomie totale ou une dissection radicale du cou *(suite)*

- Surveiller la fréquence cardiaque, la pression artérielle et les taux d'hémoglobine et d'hématocrite.
- Surveiller la perméabilité des drains, ainsi que la quantité et la couleur de l'écoulement.
- Nettoyer l'incision selon l'ordonnance.

- Déceler tout saignement excessif.
- Déterminer si celui-ci est excessif.
- Prévenir l'infection.

DIAGNOSTIC INFIRMIER : déficit nutritionnel relié à l'intervention chirurgicale, l'œdème, la dysphagie, la présence d'un tube naso-gastrique, se manifestant par l'absence d'absorption buccale.

PLANIFICATION
Résultats escomptés
- Le client mangera suffisamment.
- Le client sera capable de déglutir.
- Le client maintiendra sa masse corporelle.

INTERVENTIONS
- Donner fréquemment des soins d'hygiène buccale avec une solution saline ou du peroxyde d'hydrogène dilué.
- Administrer une alimentation entérale selon l'ordonnance.

- Au début de l'alimentation par voie orale, offrir des liquides clairs et progresser en fonction de la tolérance du client.
- Surveiller l'apport calorique et la masse corporelle pour évaluer sa réaction.

Justifications
- Procurer du bien-être et éliminer les sécrétions.

- Fournir des nutriments suffisants pendant que la plaie se cicatrise.
- Lui donner le temps de s'adapter à l'apprentissage de la consommation des aliments.

DIAGNOSTIC INFIRMIER : altération de la communication verbale reliée à l'ablation des cordes vocales, se manifestant par l'incapacité de parler.

PLANIFICATION
Résultat escompté
- Le client communiquera clairement par la méthode choisie.

INTERVENTIONS
- Évaluer la capacité du client à lire et à écrire.
- Lui enseigner à utiliser d'autres modes de communication (ardoise magique, tableau de communication, pictogrammes, électrolarynx).
- Encourager l'utilisation d'outils de communication et lui accorder suffisamment de temps pour communiquer.
- Consulter une orthophoniste.

Justification

- Lui apprendre à utiliser une prothèse vocale, un électrolarynx ou à développer la voix œsophagienne.

DIAGNOSTIC INFIRMIER : perturbation de l'image corporelle reliée à une chirurgie qui défigure et à la perte de la communication verbale, se manifestant par le retrait, la dépression, l'isolement, le refus de se regarder, d'aider aux soins ou de recevoir des visiteurs.

PLANIFICATION
Résultats escomptés
- Le client reconnaîtra les changements dans la structure et la fonction corporelles.
- Le client fera part de ses sentiments à l'égard des changements chirurgicaux.
- Le client participera aux autosoins.

➡ **Plan de soins infirmiers**

Client ayant subi une laryngectomie totale ou une dissection radicale du cou *(suite)*

INTERVENTIONS	Justifications
• Évaluer le concept d'image corporelle du client.	• Déceler s'il risque de ne pas parvenir à s'adapter.
• Lui procurer de l'intimité.	• Lui démontrer du respect pendant qu'il s'adapte au changement de fonction et d'apparence corporelles.
• L'encourager à porter une attention particulière à son hygiène personnelle.	• Une meilleure apparence augmente l'estime de soi.
• L'encourager à socialiser avec sa famille et ses amis.	• L'acceptation par ses proches constitue un facteur vital dans sa propre acceptation.
• Fournir des renseignements sur les mesures contribuant à améliorer l'apparence, tels que le port de vêtements à haut col et d'accessoires.	• L'aider à s'adapter avec succès.
• Répondre honnêtement aux questions sur les changements d'image corporelle.	• Favoriser l'acceptation et fournir des renseignements exacts.
• Le faire participer aux autosoins.	• Cette participation est le signe d'une adaptation adéquate.
• Valoriser la confiance en soi du client.	• L'aider à accepter davantage son apparence physique modifiée.

DIAGNOSTIC INFIRMIER : douleur reliée à l'intervention chirurgicale, se manifestant par le signalement d'un malaise, une expression faciale de douleur, des changements de la pression artérielle, du pouls et de la fréquence respiratoire.

PLANIFICATION
Résultat escompté
• Le client dira que sa douleur est soulagée de façon satisfaisante.

INTERVENTIONS	Justifications
• Évaluer les manifestations de douleur (p. ex. expression faciale, refus de tousser ou de bouger).	• Planifier des interventions appropriées.
• Administrer l'analgésique selon l'ordonnance et évaluer son efficacité.	• Réduire la douleur et prévenir la dépression respiratoire.
• Faire pivoter la tête et le thorax.	• Prévenir toute tension sur les sutures.
• Garder en tout temps la tête du lit élevée de 30 à 40°.	• Limiter l'œdème.
• Recourir au service de physiothérapie pour faire des exercices.	• Permettre au client de conserver la force et la mobilité de son épaule qui a été affaiblie par la dissection radicale du cou.

DIAGNOSTIC INFIRMIER : prise en charge inefficace du programme de soins infirmiers reliée à un manque de connaissances des soins à domicile après le congé du centre hospitalier, se manifestant par la préoccupation de sa capacité à assurer ses autosoins à domicile.

PLANIFICATION
Résultat escompté
• Le client expliquera les étapes à suivre pour assurer l'autogestion des soins.

INTERVENTIONS	Justifications
• Fournir au client et à ses proches des consignes écrites.	• Une documentation exacte réduit le risque d'erreur.
• Enseigner au client et à ses proches l'entretien de la canule de laryngectomie et de stomie et leur demander de refaire la procédure plusieurs fois à l'hôpital.	• S'assurer que la technique est exécutée adéquatement.
• Dire au client de couvrir la stomie avant de procéder à des soins, tels que le rasage ou l'application de maquillage.	• Éviter d'aspirer des corps étrangers.
• Lui demander de signaler tout changement, tel qu'un rétrécissement de la stomie, un problème de déglutition ou une bosse dans la gorge.	• Déceler la récurrence possible d'une tumeur ou d'une sténose trachéale.

Plan de soins infirmiers   **ENCADRÉ 15.13**

Client ayant subi une laryngectomie totale ou une dissection radicale du cou *(suite)*

- Lui expliquer comment assurer une humidité suffisante à domicile à l'aide d'un humidificateur de chevet, en s'assoyant dans une salle de bain très humide ou en injectant de 3 à 5 ml de solution saline stérile normale dans la canule ou la stomie de laryngectomie.
- Lui demander de signaler tout changement dans la production de mucus, tel qu'une modification de couleur (jaune ou vert) ou des sécrétions teintées de sang.
- Adresser le client au CLSC.

- Cela peut indiquer une infection ou une irritation trachéale.

- Évaluer les autosoins.

quantité de salive diminue et celle-ci s'épaissit. Le changement peut être temporaire ou permanent. Le chlorhydrate de pilocarpine (Salagen) peut s'avérer efficace pour accroître la production de salive ; la prise de ce médicament doit commencer avant le début de la radiothérapie et se poursuivre pendant 90 jours. Ce symptôme peut également être soulagé en buvant plus souvent (aviser le client de toujours avoir une bouteille d'eau sous la main), en mâchant de la gomme sans sucre ou un bonbon sans sucre, en utilisant des gargarismes non alcoolisés (des solutions de bicarbonate de soude ou de glycérine) et de la salive artificielle (Sialor).

Il est possible que le client se plaigne de stomatite, en particulier si la cavité buccale se situe dans le champ de traitement. L'irritation, l'ulcération et la douleur constituent des plaintes courantes. Des rince-bouche à base d'eau et de peroxyde d'hydrogène (dans une proportion de 3 pour 1) ou de bicarbonate de soude et d'eau (5 ml de bicarbonate de soude pour 250 ml d'eau) peuvent servir à nettoyer et soulager les tissus irrités.

Les rince-bouche commerciaux et les aliments chauds et épicés sont à éviter parce qu'ils sont irritants. Dans le cas de problème grave, on peut utiliser un mélange en parts égales d'antiacide, de diphenhydramine (Benadryl) et de lidocaïne topique. La peau est souvent rouge et sensible au toucher dans la région traitée par la radiothérapie. Le client doit éviter toute exposition au soleil afin de réduire le malaise.

- Traitement chirurgical. Les soins préopératoires du client devant subir une dissection radicale du cou comprennent la prise en considération de ses besoins physiques et psychosociaux. La préparation physique est la même que pour n'importe quelle chirurgie importante et comporte une attention spéciale accordée à l'hygiène buccodentaire. Les explications et le soutien affectif revêtent une importance particulière et doivent inclure les mesures postopératoires relatives à la communication et à l'alimentation. L'intervention

chirurgicale doit être expliquée au client et l'infirmière doit s'assurer que celui-ci a bien compris.

L'enseignement doit être adapté en fonction de l'intervention chirurgicale prévue. Dans le cas d'une laryngectomie, il doit comprendre des informations relatives aux changements prévus sur le plan de la parole. L'infirmière ou l'orthophoniste doivent enseigner au client un autre moyen de communication que la parole, que ce dernier soit utilisé de façon temporaire ou permanente.

Après la chirurgie, la priorité consiste à maintenir les voies respiratoires libres. Il est possible que l'inflammation dans la région du site opératoire comprime la trachée. Par conséquent, l'infirmière doit placer le client en position de semi Fowler pour réduire l'œdème et limiter la tension exercée sur les sutures. Elle doit vérifier fréquemment les signes vitaux en raison du risque d'hémorragie et de détresse respiratoire. Selon le type de chirurgie effectuée, des pansements compressifs, des mèches ou des tubes de drainage (Hemovac, Jackson Pratt) peuvent être utilisés. Dans le cas d'une dissection radicale du cou, on procède généralement au drainage de la plaie à l'aide d'un système portatif, tel que celui d'Hemovac. Les pansements ne sont habituellement pas utilisés après une chirurgie par greffes de lambeaux, afin de mieux observer l'incision et d'éviter d'exercer une pression excessive sur le tissu. Le drainage doit être sanguinolent et diminuer graduellement dans les 24 heures suivant la chirurgie. La perméabilité des tubes doit être vérifiée toutes les quatre heures afin de s'assurer que le drainage s'effectue bien, de mesurer la quantité et d'observer la nature de l'écoulement. Le liquide s'accumulera sous le lambeau s'il y a obstruction du drain, ce qui risque de perturber la cicatrisation des plaies et d'entraîner une infection. Une fois que les tubes de drainage sont enlevés, la région doit être surveillée attentivement pour déceler la présence d'un œdème. Une aspiration peut s'avérer nécessaire si le liquide continue de s'accumuler.

Immédiatement après la chirurgie, le client laryngectomisé a besoin d'aspirations fréquentes par la canule de laryngectomie. La quantité et la consistance des sécrétions changent habituellement avec le temps. Au début, le client peut avoir des sécrétions abondantes, teintées de sang, qui diminuent et épaississent. Lorsqu'il y a des bouchons de mucus ou d'épaisses sécrétions, on peut administrer 3 à 5 ml de solution saline physiologique dans les voies respiratoires pour liquéfier suffisamment les sécrétions afin de dégager les voies respiratoires par la toux ou l'aspiration. L'infirmière peut enseigner au client comment effectuer cette procédure à domicile pour lui permettre d'humidifier et de déloger les sécrétions. L'utilisation d'un humidificateur peut également être bénéfique.

Après une dissection du cou, un programme d'exercices doit être établi pour aider le client à maintenir la force et la mobilité de l'épaule et du cou. Un tel programme est particulièrement important lorsque le nerf rachidien et les muscles sternocléido-mastoïdiens sont touchés ou lésés par la chirurgie. Sans programme d'exercices, le client ne retrouvera aucune mobilité de l'épaule et aura peu d'amplitude articulaire à la hauteur du cou. Il doit poursuivre ce programme d'exercices après son congé du centre hospitalier pour prévenir toute invalidité fonctionnelle subséquente.

• Rééducation de la voix. Après une laryngectomie totale, une **orthophoniste** doit rencontrer le client pour discuter des options en matière de rééducation de la voix. Les diverses associations de personnes laryngectomisées visent à aider les clients opérés à recouvrer l'usage de la parole. Certains groupes locaux ont aussi des bénévoles qui visitent les clients, de préférence avant l'opération. La prothèse vocale, la voix œsophagienne et l'électrolarynx sont quelques-unes des options de rééducation.

La prothèse vocale la plus couramment utilisée est celle de Blom-Singer (voir figure 15.15). Ce dispositif fait de plastique souple est inséré dans une fistule créée entre l'œsophage et la trachée. La ponction peut être créée au moment de la chirurgie ou après, selon la préférence du chirurgien. Une sonde de caoutchouc rouge est placée dans la fistule trachéo-œsophagienne et doit demeurer intacte jusqu'à ce qu'une voie se soit formée. La prothèse vocale est alors insérée pour permettre à l'air des poumons de pénétrer dans l'œsophage par la stomie trachéale. Une valve antireflux prévient l'aspiration des aliments ou de la salive de l'œsophage dans la trachéostomie. Pour parler, le client doit bloquer manuellement la stomie avec le doigt. L'air passe des poumons, par la prothèse, à l'œsophage, puis sort de la bouche. La parole est produite par l'air qui vibre contre l'œsophage et les mots sont articulés en faisant bouger la langue et les lèvres. Une valve peut également être utilisée avec ce dispositif. Lorsque la valve est en place, il n'est pas nécessaire de fermer la valve avec le doigt pour parler. La prothèse doit être régulièrement nettoyée et remplacée lorsqu'elle devient obstruée par le mucus.

Un électrolarynx est un dispositif manuel à piles qui permet de parler en utilisant les ondes sonores. Celui de Cooper-Rand utilise un tube de plastique placé dans un coin de la voûte palatine pour créer des vibrations. Pour obtenir des sons normaux à l'aide de ce dispositif, le client doit suivre les recommandations suivantes : 1) éviter de se servir de la langue pour maintenir le tube en place ; 2) comprimer le générateur de tonalité pendant de courts intervalles et parler en utilisant des groupes de mots au lieu de faire des phrases complètes ; 3) parler en faisant de grands mouvements avec les lèvres, la langue et la mâchoire, plutôt qu'en gardant la bouche partiellement fermée ; 4) parler en regardant son interlocuteur ; 5) s'exercer souvent avec le dispositif puisque l'acquisition des habiletés demande du temps.

Le larynx artificiel est un autre type de dispositif qui est placé contre la gorge plutôt que dans la bouche. Il est utilisé une fois que la chirurgie est complètement cicatrisée et qu'il n'y a plus d'œdème (voir figure 15.16). Avec de l'entraînement, le client peut apprendre à bouger les lèvres de façon à parler normalement.

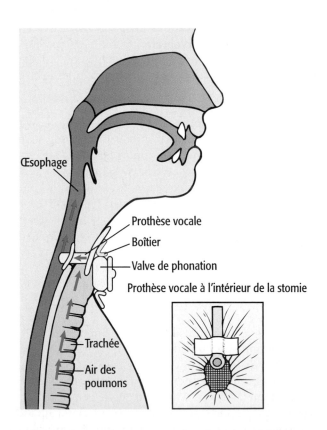

Œsophage

Prothèse vocale

Boîtier

Valve de phonation

Prothèse vocale à l'intérieur de la stomie

Trachée

Air des poumons

FIGURE 15.15 Prothèse de Blom-Singer et valve de phonation. Cette prothèse et cette valve permettent aux clients qui subissent une laryngectomie de parler normalement. Le petit diagramme montre une stomie et une prothèse vocale sans valve de phonation.

FIGURE 15.16 Larynx artificiel électronique à piles destiné à un client ayant subi une laryngectomie totale

Ces deux dispositifs procurent une hauteur de la voix de tonalité basse et émettent des sons semblables à ceux d'un robot ou d'une machine.

La voix œsophagienne consiste à avaler de l'air, à l'emprisonner dans l'œsophage et à le libérer pour créer un son. L'air provoque une vibration du segment pharyngo-œsophagien et un son (qui ressemble initialement à un rot). Bien que 50 % des clients parviennent à acquérir certaines habiletés de la parole en s'exerçant, seulement 10 % apprennent à parler avec aisance.

• Soins de stomie. Avant d'obtenir son congé du centre hospitalier, le client laryngectomisé doit apprendre comment effectuer les soins de stomie. La région entourant la stomie doit être lavée quotidiennement à l'aide d'un linge humide. Si une canule de laryngectomie est en place, celle-ci doit être complètement retirée au moins une fois par jour et nettoyée de la même façon qu'une canule de trachéostomie. Il est possible que la canule interne doive être retirée et nettoyée plus souvent. Le client peut porter un foulard, une chemise avec un col lâche ou un cache-cou pour protéger la stomie. Il doit la couvrir lorsqu'il tousse pour éviter que les expectorations la contaminent ou lorsqu'il effectue des activités pouvant entraîner l'aspiration de corps étrangers (p. ex. le rasage, le maquillage). Étant donné que l'eau peut facilement pénétrer dans la stomie, le client doit porter un col de plastique lorsqu'il prend une douche. La natation est contre-indiquée. Au début, l'humidification est administrée au moyen d'un masque de trachéostomie. Une fois que le client obtient son congé, l'humidification peut se faire au moyen d'un humidificateur de chevet ou par l'instillation de 3 à 5 ml de solution saline stérile, ce qui procure une humidification et stimule la toux. Un apport élevé de liquides doit être maintenu, surtout par temps sec. Le client doit être sensibilisé à l'importance de porter un bracelet MedicAlert ou toute autre pièce d'identité qui, en cas d'urgence, procure des informations aux personnes qui lui porteront du secours (voir figure 40.13).

Étant donné que le client ne respire plus par le nez, il est possible qu'il ne puisse pas sentir la fumée ni les aliments. Il est donc important de lui conseiller d'installer des détecteurs de fumée et de monoxyde de carbone dans la maison. Il est également essentiel que les aliments soient nutritifs, colorés et préparés de façon attrayante puisque le goût risque d'être altéré à la suite de la perte de l'odorat et de la radiothérapie.

• Dépression. La dépression est courante chez le client ayant subi une dissection radicale du cou. Il est possible qu'il ne puisse pas parler à cause de la trachéostomie et qu'il ne puisse pas retenir sa salive. Le cou et les épaules peuvent être engourdis en raison des nerfs coupés transversalement et le visage peut être déformé à cause de l'œdème. Le client doit être en mesure de comprendre que bon nombre de ces changements physiques sont réversibles, une fois que l'œdème aura diminué et que la canule de trachéostomie aura été retirée. La dépression peut également être liée à la crainte du pronostic. L'infirmière peut aider le client à traverser un épisode de dépression en lui permettant de verbaliser ses sentiments, en lui transmettant son acceptation et en l'aidant à retrouver une image acceptable de lui-même. Il est parfois indiqué de l'adresser à un psychologue ou à un psychiatre dans le cas d'une dépression longue ou grave.

• Sexualité. Il est possible que le client se sente moins désirable sur le plan sexuel et qu'il éprouve un sentiment d'infériorité. L'infirmière peut l'aider en abordant le sujet de la sexualité et en l'encourageant à discuter de ce problème avec sa conjointe. Évidemment, il peut s'avérer difficile pour lui de parler de problèmes sexuels puisque sa communication verbale est altérée. Le fait de l'aider à percevoir la sexualité au delà de l'apparence peut dissiper une certaine anxiété.

Soins ambulatoires et soins à domicile. Il est fréquent qu'un client trachéotomisé reçoive son congé du centre hospitalier tout en ayant besoin d'un tube d'alimentation nasogastrique ou d'une sonde de gastrostomie. Par conséquent, le recours aux soins à domicile du CLSC peut s'avérer nécessaire au début pour évaluer la capacité du client et de sa famille à dispenser les autosoins. Ils doivent apprendre à utiliser la canule et la sonde et savoir qui appeler en cas de difficulté.

Le client peut reprendre ses exercices, ses loisirs et ses activités sexuelles lorsqu'il s'en croit capable. La plupart des clients sont en mesure de retourner au travail un ou deux mois après la chirurgie. Cependant, au moins 50 % ne retrouvent jamais d'emploi à temps plein. Les changements qui suivent une laryngectomie totale peuvent être perturbateurs. La perte de la parole et de la capacité de goûter et de sentir, l'incapacité de produire des sons audibles (y compris de rire et de pleurer) et la présence d'une trachéostomie permanente qui produit un mucus indésirable représentent des situations accablantes. Bien que ces changements soient discutés avant la chirurgie, il est possible que le client ne soit pas préparé à l'étendue de ces bouleversements. S'il vit en couple, la réaction de sa conjointe à la modification de son apparence est déterminante. L'acceptation par une autre personne peut contribuer à améliorer l'image qu'il a de lui-même. Une autre partie importante de la réadaptation consiste à l'encourager à participer aux autosoins.

Un visage défiguré et tout autre aspect mutilant de la chirurgie radicale de la tête et du cou peuvent avoir, à long terme, des répercussions importantes sur l'image corporelle et le mode de vie. Bon nombre de ces interventions chirurgicales entraînent une déformation aussi bien sur le plan fonctionnel que sur le plan esthétique. Le client peut avoir de la difficulté à manger et à parler ; la modification de son apparence physique peut être embarrassante et déprimante. Il peut avoir besoin de renseignements au sujet des prothèses, de l'orthophonie et de la chirurgie reconstructive, laquelle peut être effectuée au moment de la chirurgie initiale ou dès que la tumeur aura été enlevée. Divers types de lambeaux et de greffes peuvent être utilisés. Il peut s'avérer nécessaire de reconstruire le nez ou la mandibule ou de fermer des orifices cutanés. Les matériaux de prothèses, comme le Silastic et Plastigel (qui est mou), sont souvent utilisés pour corriger diverses déformations.

Malgré le recours à des interventions chirurgicales et à la radiothérapie, le taux de guérison est extrêmement faible dans le cas du cancer avancé de la tête et du cou. Le cancer métastatique est souvent douloureux, laissant la personne gravement affaiblie. Si la douleur est insupportable, on doit ordonner un traitement thérapeutique pour la soulager et orienter le client vers des soins palliatifs, s'il y a lieu.

Évaluation. Les résultats escomptés à l'égard du client opéré pour un cancer de la tête et du cou sont présentés dans l'encadré 15.13.

MOTS CLÉS

BIBLIOGRAPHIE
Version originale

1. Sigler BA, Schuring LT: *Ear, nose, and throat disorders*, St Louis, 1993, Mosby.
2. Pulli RS, Hengerer AS: *Epistaxis: evaluating and managing a common problem*, J Respir Dis 17:764, 1996.
3. Pulli RS, Hengerer AS. *Epistaxis: options for managing posterior bleeding*, J Respir Dis 17:841, 1996.
4. Philip G, Togias AG: *Allergic rhinitis: clues to the differential*, J Respir Dis 16:359, 1995.
5. Philip G, Togias AG: *Allergic rhinitis: today's approach to treatment*, J Respir Dis 16:367, 1995.
6. Colman BH: *Hall and Colman's diseases of the nose, throat, ear, and head and neck: a handbook for students and practitioners*, New York, 1992, Churchill Livingstone.
7. Murray JE, Petty TL: *Frontline treatment for COPD*, Hackettstown, NJ, 1996, Snowdrift Pulmonary Foundation.
8. Fishman NO: *Viral pneumonias*. In Fishman AP, editor: *Pulmonary diseases and disorders companion handbook*, ed 2, New York, 1994, McGraw Hill.
9. Glezen WP: *Influenza: time to prepare for the '96-97 season*, J Respir Dis 17:643, 1996.
10. Gross PA, Hermongenes AW, Sacks HS, and others: *The efficacy of influenza vaccine in elderly persons: a meta-analysis and review of the literature*, Ann Intern Med 123:518, 1995.
11. Hayden FG and others: *Efficacy and safety of the neuraminidase inhibitor zanamivir in the treatment of influenza virus infections*, N Engl J Med 337:874, 1997.
12. Einarsson O, Wirth JA: *Sinopulmonary syndromes*, Clin Pulm Med 3:199, 1996.
13. Lockey RF: *Management of chronic sinusitis*, Hosp Pract 31:141, 1996.
14. Douville L: *Pharmacologic highlights: management of acute sinusitis*, J Am Acad Nurse Pract 7:407, 1995.
15. Schwab RJ: Sleep-disordered breathing. In Fishman AP, editor: *Pulmonary diseases and disorders companion handbook*, ed 2, New York, 1994, McGraw Hill.
16. Ferguson KA and others: *A randomized crossover study of an oral appliance vs nasal-continuous positive airway pressure in the treatment of mild-moderate obstructive sleep apnea*, Chest 109:1269, 1996.
17. Likar LL and others: *Group education sessions and compliance with nasal CPAP therapy*, Chest 111:1273, 1997.
18. Engleman HM and others: *Self-reported use of CPAP and benefits of CPAP therapy*, Chest 109:1470, 1996.
19. Atwood CW, Sanders MH, Strollo PJ: *Palatal and nonpalatal surgery for sleep apnea hypopnea syndrome*, Clin Pulm Med 4:205, 1997.
20. Hoffman LA: *Timing of tracheostomy*, Respir Care 39:378, 1994.
21. Weilitz PB, Dettenmeier PA: *Test your knowledge of tracheostomy tubes*, AJN 94:46, 1994.

22. Dettenmeier PA: *Pulmonary nursing care,* St Louis, 1992, Mosby.

23. Harlid R and others: *Respiratory tract colonization and infection in patients with chronic tracheostomy: a one-year study in patients living at home,* Am J Respir Crit Care Med 154:124, 1997.

24. Bell SD: *Use of Passy-Muir tracheostomy speaking valve in mechanically ventilated patients,* Crit Care Nurse 16:63, 1996.

25. Kaut K, Turcott JC, Lavery M: *Passy-Muir speaking valve,* DCCN 15:298, 1996.

26. Manzano JL and others: *Verbal communication of ventilator-dependent patients,* Crit Care Med 21:512, 1993.

27. Vokes EE and others: *Head and neck cancer,* N Engl J Med 328:184, 1993.

28. Lore JM: *Early diagnosis and treatment of head and neck cancer,* CA Cancer J Clin 45:325, 1995.

29. Haynes VL: *Caring for the laryngectomy patient,* AJN 96:16B, 1996.

30. Lochart JS, Bryce J: *Restoring speech with tracheoesophageal puncture,* Nursing 23:59, 1993.

Édition de langue française

1. Institut canadien d'information sur la santé, Association pulmonaire du Canada, Santé Canada, Statistique Canada. *Les maladies respiratoires au Canada* (en ligne), septembre 2001 [http://www.hc-sc.gc.ca/pphb-dgspsp/publicat/rdc-mrc01/pdf/mrc0901f.pdf]. (Page consultée le 17 mars 2003.)

Yvon Brassard
B. Sc. inf., M. Éd., D.E.
Cégep André-Laurendeau

Nathalie Gagnon
B. Sc. inf., B.A.
Cégep F.-X.-Garneau

Chapitre **16**

TROUBLES DES VOIES RESPIRATOIRES INFÉRIEURES

OBJECTIFS D'APPRENTISSAGE

APRÈS AVOIR LU CE CHAPITRE, VOUS DEVRIEZ ÊTRE EN MESURE :

- D'EXPLIQUER LA PHYSIOPATHOLOGIE ET LES MANIFESTATIONS CLINIQUES DE LA BRONCHITE AIGUË ;

- DE DÉCRIRE LA PHYSIOPATHOLOGIE, LA CLASSIFICATION, LES MANIFESTATIONS CLINIQUES ET LE PROCESSUS THÉRAPEUTIQUE DE LA PNEUMONIE, AINSI QUE LES SOINS INFIRMIERS AU CLIENT QUI EN EST ATTEINT ;

- DE DÉCRIRE LA PATHOGENÈSE, LA CLASSIFICATION, LES MANIFESTATIONS CLINIQUES, LES COMPLICATIONS, LES ANOMALIES DIAGNOSTIQUES ET LE PROCESSUS THÉRAPEUTIQUE DE LA TUBERCULOSE ;

- DE DÉTERMINER LES CAUSES, LES MANIFESTATIONS CLINIQUES ET LE PROCESSUS THÉRAPEUTIQUE DES INFECTIONS PULMONAIRES FONGIQUES ;

- D'EXPLIQUER LA PHYSIOPATHOLOGIE, LES MANIFESTATIONS CLINIQUES ET LE PROCESSUS THÉRAPEUTIQUE DE LA BRONCHIECTASIE ET DE L'ABCÈS PULMONAIRE ;

- DE DÉFINIR LES FACTEURS PRÉDISPOSANT AUX MALADIES PULMONAIRES PROFESSIONNELLES, LEURS CARACTÉRISTIQUES CLINIQUES ET LE PROCESSUS THÉRAPEUTIQUE S'Y RAPPORTANT ;

- DE DÉCRIRE LES CAUSES, LES FACTEURS DE RISQUE, LA PATHOGENÈSE, LES MANIFESTATIONS CLINIQUES ET LE PROCESSUS THÉRAPEUTIQUE DU CANCER DU POUMON ;

- DE CERNER LES MÉCANISMES EN CAUSE, AINSI QUE LES MANIFESTATIONS CLINIQUES D'UN PNEUMOTHORAX, DES FRACTURES DE CÔTES ET D'UN VOLET THORACIQUE ;

- DE DÉCRIRE L'UTILITÉ DU DRAIN THORACIQUE, LES TYPES DE DRAINS ET LES SOINS INFIRMIERS QUI Y SONT RELIÉS ;

- D'EXPLIQUER LES TYPES DE CHIRURGIE THORACIQUE ET LES SOINS PRÉOPÉRATOIRES ET POSTOPÉRATOIRES APPROPRIÉS ;

- DE COMPARER ET DE METTRE EN ÉVIDENCE LES TROUBLES PULMONAIRES RESTRICTIFS EXTRAPULMONAIRES ET INTRAPULMONAIRES EN RELATION AVEC LEURS CAUSES, AINSI QUE LEURS MANIFESTATIONS CLINIQUES ET LEURS PROCESSUS THÉRAPEUTIQUES ;

- DE DÉCRIRE LA PHYSIOPATHOLOGIE, LES MANIFESTATIONS CLINIQUES ET LES PROCESSUS THÉRAPEUTIQUES DE L'HYPERTENSION ARTÉRIELLE PULMONAIRE ET DU CŒUR PULMONAIRE.

*U*ne grande variété de problèmes touchent l'appareil respiratoire inférieur. Les maladies pulmonaires qui se caractérisent principalement par un trouble obstructif, comme l'asthme, l'emphysème, la bronchite chronique ou la fibrose kystique, sont traitées au chapitre 17. Tous les autres problèmes des voies respiratoires inférieures sont traités dans le présent chapitre.

D'après Santé Canada (2001), plus de trois millions de Canadiens doivent faire face à de graves maladies respiratoires, telles que l'asthme, la bronchopneumopathie chronique obstructive (BPCO), le cancer du poumon, la grippe, la pneumonie, la bronchiolite, la tuberculose, la fibrose kystique et le syndrome de détresse respiratoire. Plusieurs de ces maladies touchent les adultes de 65 ans et plus, et le nombre de personnes qui en souffrent augmentera au fur et à mesure que la population vieillira. Dans l'ensemble, la grippe et la pneumonie contribuent grandement aux décès et aux hospitalisations chez les aînés. La tuberculose, bien que guérissable et évitable, demeure un problème de santé publique important aux États-Unis, au Canada et partout ailleurs dans le monde.

16.1 BRONCHITE AIGUË

La **bronchite aiguë** est une inflammation des voies respiratoires inférieures habituellement causée par une infection qui atteint surtout les clients souffrant de maladies respiratoires chroniques. D'autres personnes peuvent aussi en être atteintes, généralement à la suite des séquelles d'une infection des voies respiratoires supérieures. La bronchite chronique, quant à elle, est une inflammation chronique sans infection dont les poussées évolutives représentent une affection potentiellement mortelle. Elle fait partie des BPCO (voir chapitre 17). La plupart des cas de bronchite aiguë sont provoqués par un virus. Toutefois, les bactéries (*Streptococcus pneumoniae* ou *Haemophilius influenzae*) sont aussi des causes fréquentes tant chez les fumeurs que chez les non-fumeurs.

Dans le cas d'une bronchite aiguë, la toux chronique, consécutive à une infection aiguë des voies respiratoires supérieures (p. ex. rhinite, pharyngite), représente le symptôme le plus courant. La toux est souvent accompagnée d'une production d'expectorations mucoïdes et claires, qui peuvent également être purulentes. Les symptômes associés sont la fièvre, les céphalées et les malaises. Un examen physique peut permettre de déceler une température, un pouls et une fréquence respiratoire légèrement élevés, accompagnés de murmures vésiculaires. Une radiographie pulmo-naire permet de différencier une bronchite aiguë d'une pneumonie, puisqu'il y a habituellement absence de consolidation et d'infiltrats dans le cas d'une bronchite.

Le traitement d'une bronchite aiguë est généralement symptomatique et comprend des liquides, du repos ainsi que des antitussifs lorsque la toux nuit au sommeil. Les antibiotiques ne sont généralement pas prescrits, sauf si le client est fumeur ou s'il souffre d'une BPCO.

Le client atteint de BPCO qui présente des symptômes de bronchite aiguë est normalement traité de manière empirique à l'aide d'antibiotiques à large spectre. Des modifications sont ensuite apportées au traitement si ces antibiotiques s'avèrent inefficaces. Souvent, on apprend aux clients atteints d'une BPCO à reconnaître les symptômes d'une bronchite aiguë afin qu'ils puissent entreprendre un traitement aux antibiotiques dès que les symptômes se manifestent. Un grand nombre de cliniciens estiment que l'infection risque de s'aggraver si le client attend de consulter le médecin avant de prendre des antibiotiques.

16.2 PNEUMONIE

La **pneumonie** ou **pneumopathie** est une inflammation aiguë du parenchyme pulmonaire. Selon Santé Canada (2001), il s'agit de la principale cause de décès découlant de maladies infectieuses au Canada.

16.2.1 Étiologie

Mécanismes de défense normaux. Normalement, les voies respiratoires en aval du larynx sont stériles grâce à des mécanismes de défense qui les protègent. Ces mécanismes ont les fonctions suivantes (voir chapitre 14) :
- la filtration de l'air ;
- le réchauffement et l'humidification de l'air inspiré ;
- la fermeture de l'épiglotte sur la trachée ;
- le réflexe tussigène ;
- le mécanisme d'activité mucociliaire ;
- la sécrétion d'immunoglobuline A ;
- les macrophages alvéolaires.

Facteurs prédisposant à la pneumonie. Une pneumonie risque de survenir surtout si les mécanismes de défense sont inefficaces ou surpassés par la virulence ou la quantité des agents infectieux. Une diminution de l'état de conscience entraîne une diminution de la toux et des réflexes de l'épiglotte, ce qui provoque l'aspiration bronchique. L'intubation trachéale nuit aux réflexes tussigènes normaux et au mécanisme d'activité mucociliaire. Elle entrave aussi l'action des voies respiratoires supérieures où la filtration et l'humidification de l'air se produisent normalement. Le mécanisme d'activité mucociliaire est affaibli par la pollution atmosphérique, le tabagisme, les infections virales des voies respiratoires supérieures ainsi que par les effets normaux du vieillissement. Dans les cas de malnutrition, la formation et le fonctionnement des lymphocytes et des leucocytes polymorphonucléaires sont altérés. Certaines maladies, comme la leucémie, l'alcoolisme et le diabète, sont associées à une augmentation de la fréquence de bacilles Gram négatif dans l'oropharynx (les bacilles Gram négatif ne font pas partie de la flore normale des voies respiratoires). La flore de l'oropharynx peut aussi être altérée après un traitement aux antibiotiques visant à traiter une autre infection de l'organisme. Les facteurs de risque prédisposant à la pneumonie sont énumérés dans l'encadré 16.1.

Modes d'entrée des micro-organismes pathogènes.

Les micro-organismes qui causent la pneumonie peuvent atteindre les poumons de trois façons :
- l'aspiration des sécrétions du nasopharynx ou de l'oropharynx (pneumonie primaire). Un grand nombre de mirco-organismes responsables de la pneumonie se trouvent normalement dans le pharynx des adultes en santé ;
- l'inhalation de micro-organismes présents dans l'air comme *Mycoplasma pneumoniae* et la mycose pulmonaire (pneumonie secondaire) ;
- la propagation hématogène d'une infection antérieure ailleurs dans le corps comme *Staphylococcus aureus* (pneumonie atypique).

16.2.2 Types de pneumonie

La pneumonie peut être causée par des bactéries, des virus, des mycoplasmes, des champignons, des parasites et des produits chimiques. Bien qu'il soit possible de la classer selon l'organisme en cause, une façon cliniquement plus efficace consiste à déterminer s'il s'agit d'une **pneumonie extrahospitalière** ou d'une **pneumonie nosocomiale**.

La classification de la pneumonie dans l'une ou l'autre de ces classes est très importante en raison des différences entre les micro-organismes en cause et le choix des antibiotiques appropriés (voir tableau 16.1).

Pneumonie extrahospitalière. La pneumonie extrahospitalière est caractérisée par une infection des voies respiratoires inférieures du parenchyme pulmonaire qui débute avant ou dans les deux premiers jours de l'hospitalisation. L'organisme causal peut être décelé dans seulement 50 % des cas et implique le plus souvent *Streptococcus pneumoniae*, *Haemophilus influenzae* et d'autres micro-organismes atypiques comme *Legionella*, *Mycoplasma*, *Chlamydia* et d'autres micro-organismes viraux (voir tableau 16.1). Les lignes directrices de l'*American Thoracic Society*, l'équivalent au pays de la Société canadienne de thoracologie ou *Canadian Thoracic Society*, classent les clients atteints d'une pneumonie extrahospitalière en fonction de quatre critères distincts : la gravité de l'infection ; le besoin d'hospitalisation ; les personnes âgées (plus de 60 ans) ; la comorbidité (voir tableau 16.2).

Pneumonie nosocomiale. La pneumonie nosocomiale est une infection parenchymateuse qui se développe au cours de l'hospitalisation ; elle se manifeste habituellement

---

Facteurs de risque prédisposant à la pneumonie — ENCADRÉ 16.1

- Tabagisme
- Pollution atmosphérique
- Altération de l'état de conscience : alcoolisme, traumatisme crânien, convulsion, anesthésie, surdose de médicaments
- Intubation trachéale (intubation endotrachéale, trachéostomie)
- Infection des voies respiratoires supérieures
- Maladies chroniques : bronchopneumopathie chronique obstructive, diabète, cardiopathie, insuffisance rénale, cancer
- Immunodépression
  - Médicaments (corticostéroïdes, chimiothérapie, thérapie immunodépressive après une transplantation)
  - VIH
- Malnutrition
- Inhalation ou aspiration de produits nocifs
- Maladie débilitante
- Alitement et immobilité prolongée
- Altération de la flore de l'oropharynx

TABLEAU 16.1 Causes de la pneumonie

Pneumonie extrahospitalière	Pneumonie nosocomiale
*Streptococcus pneumoniae**	*Pseudomonas aeruginosa*
Mycoplasma pneumoniae	*Enterobacter*
Haemophilus influenzae[†]	*Escherichia coli*
Virus respiratoires	*Proteus*
Chlamydia pneumoniae	*Klebsiella*
Legionella pneumophila	*Staphylococcus aureus*
Anaérobies buccaux	*Streptococcus pneumoniae*
Moraxella catarrhalis	Anaérobies buccaux
Staphylococcus aureus	
Nocardia	
Bactérie aérobie Gram négatif d'origine entérique (p. ex. *Klebsiella*)	
Champignons	
Mycobacterium tuberculosis	

* Principale cause de pneumonie extrahospitalière.
[†] Deuxième cause de pneumonie extrahospitalière.

TABLEAU 16.2 Classement des clients et traitement contre la pneumonie extrahospitalière selon les lignes directrices de l'*American Thoracic Society* (ATS)

	Gravité de la maladie			
	Classe 1 : bénigne à modérée	Classe 2 : bénigne à modérée	Classe 3 : moyennement grave	Classe 4 : grave
Besoin d'hospitalisation	Non	Non	Oui, mais pas à l'unité de soins intensifs.	Oui, habituellement à l'unité de soins intensifs.
Âge	≤60	<60 >60	Tout âge	Tout âge
Comorbidité	Non	Oui Oui ou non	Oui ou non	Oui ou non
Antibiothérapie	Macrolide* : envisager un macrolide récent pour les fumeurs ou les clients intolérants à l'érythromycine. Tétracycline : n'est pas toujours efficace contre la pneumonie à streptocoques. Quinolones**	Céphalosporines de deuxième génération† ou triméthoprime/sulfaméthoxazole ou inhibiteur de bêta-lactame/bêta-lactamase§. Ajout possible d'érythromycine ou d'autres macrolides au traitement si on croit que *Legionella* est en cause. Quinolones**	Céphalosporines de deuxième ou troisième génération‡ ou inhibiteur de bêta-lactame/bêta-lactamase§. Ajout possible d'érythromycine ou d'autres macrolides au traitement si on croit que *Legionella* est en cause (ajout de rifampine [Rifadin, Rofact] si l'infection à *Legionella* est confirmée).	Macrolide (ajout de rifampine si l'infection à *Legionella* est confirmée). Inclure une céphalosporine de troisième génération à effet antipseudomonal (p. ex. ceftazidime [Fortaz]) ou un autre agent antipseudomonal (p. ex. ciprofloxacine [Cipro]).

Tiré de l'*American Thoracic Society* (ATS)

* Macrolides : azithromycine (Zithromax), clarithromycine (Biaxin), érythromycine.
† Céphalosporines de deuxième génération : céfaclor (Ceclor), cefprozil (Cefzil).
‡ Céphalosporines de troisième génération : ceftazidime (Fortaz).
§ Inhibiteurs de bêta-lactame/bêta-lactamase : amoxicilline-clavulanate (Clavulin).
** Quinolones : ciprofloxacine (Cipro), ofloxacine (Floxin), lévofloxacine (Levaquin), moxifloxacine (Avelox).

48 heures après l'admission. L'incidence est d'environ 5 à 10 cas sur 1000 clients hospitalisés. Cependant, cette incidence augmente de 6 à 20 fois dans le cas de clients nécessitant une ventilation assistée. Parmi toutes les infections nosocomiales, la pneumonie a le plus haut taux de morbidité et de mortalité. Les micro-organismes en cause diffèrent de ceux qui provoquent la pneumonie extrahospitalière (voir tableau 16.1). Les bactéries responsables de la plupart des pneumonies nosocomiales sont, notamment, *Pseudomonas*, *Enterobacter*, *Staphylococcus aureus* et *Streptococcus pneumoniae*. Un grand nombre d'organismes causant la pneumonie nosocomiale pénètrent dans les poumons après l'aspiration de particules situées dans le pharynx. Il est possible que l'utilisation d'immunosuppresseurs, la faiblesse généralisée et l'intubation endotrachéale soient des facteurs prédisposants. Le matériel d'inhalothérapie qui n'est pas désinfecté régulièrement peut aussi devenir une autre source d'infection. Les clients atteints d'une pneumonie nosocomiale sont classés en trois groupes distincts selon les critères suivants : 1) la gravité de la maladie ; 2) la présence ou non d'hôtes spécifiques ou de facteurs thérapeutiques prédisposant à des pathogènes spécifiques ; 3) le fait qu'il s'agisse d'une pneumonie précoce (moins de cinq jours après l'admission) ou avancée (plus de cinq jours

après l'admission). Les trois groupes sont les suivants (voir tableau 16.3) :
- groupe 1 : les clients atteints d'une pneumonie nosocomiale légère à modérée ou d'une pneumonie nosocomiale aiguë précoce, ayant débuté à n'importe quel moment pendant l'hospitalisation, mais ne comportant aucun facteur de risque inhabituel ;
- groupe 2 : les clients atteints d'une pneumonie nosocomiale légère à modérée, ayant débuté à n'importe quel moment pendant l'hospitalisation et comportant certains facteurs de risque spécifiques ;
- groupe 3 : les clients atteints d'une pneumonie nosocomiale aiguë précoce ou avancée, comportant des facteurs de risque spécifiques.

Mycose pulmonaire. Les champignons peuvent aussi causer la pneumonie (voir la section portant sur les infections pulmonaires fongiques).

Pneumonie d'aspiration. La pneumonie d'aspiration est aussi appelée **pneumonie nécrosante** en raison des changements pathologiques qui se produisent dans les poumons. Elle est souvent causée par l'aspiration d'aliments dans la trachée qui atteignent ensuite les poumons. Le client sujet à la pneumonie d'aspiration a généralement des antécédents de pertes de conscience

TABLEAU 16.3 Micro-organismes pathogènes associés à la pneumonie nosocomiale et antibiotiques recommandés

Groupe 1 : Pneumonie nosocomiale bénigne ou modérée, aucun facteur de risque inhabituel, apparition à n'importe quel moment ou pneumonie nosocomiale grave et apparition précoce

	Principaux micro-organismes en cause	Principaux antibiotiques
	Bacille Gram négatif d'origine entérique (non pseudomonal, p. ex. *Enterobacter*, *Escherichia coli*, *Proteus*, *Klebsiella*, *Serratia marcescens*, *Haemophilus influenzae*) *Staphylococcus aureus* sensible à la méthicilline *Streptococcus pneumoniae*	Céphalosporines (de deuxième ou de troisième génération non antipseudomonale) *ou* Inhibiteur de bêta-lactame/bêta-lactamase

Groupe 2 : Pneumonie nosocomiale associée à des facteurs de risque et à des micro-organismes spécifiques, apparition à n'importe quel moment

Facteurs de risque	Micro-organismes pathogènes principaux et spécifiques à risque	Principaux antibiotiques et autres agents spécifiques supplémentaires
Chirurgie abdominale, aspiration Coma, traumatisme crânien, diabète, insuffisance rénale Dose élevée de corticostéroïdes Séjour prolongé à l'unité des soins intensifs, corticostéroïdes, antibiotiques, maladie pulmonaire	Anaérobies *S. aureus* *Legionella* *Pseudomonas aeruginosa*	Clindamycine (Dalacin) ou inhibiteur de bêta-lactame/bêta-lactamase +/- vancomycine (Vancocin) (jusqu'à ce que *S. aureus* résistant à la méthicilline soit éliminé) Érythromycine +/- rifampine (Rifadin, Rofact) Traiter comme une pneumonie nosocomiale grave (voir groupe 3)

Groupe 3 : Pneumonie nosocomiale grave, apparition précoce, associée à des facteurs de risque de la maladie ou pneumonie nosocomiale grave, apparition tardive

	Principaux micro-organismes pathogènes	Antibiotiques
	P. aeruginosa Espèces *Acinetobacter* Vérifier la possibilité de SARM	Aminoside ou ciprofloxacine (Cipro) et un des agents suivants : pénicilline antipseudomonale, inhibiteur bêta-lactame/bêta-lactamase, ceftazidime (Ceftaz), imipénem (Primaxin) *et* +/- vancomycine (si possibilité de SARM).

Tiré de l'American Thoracic Society, Hospital-acquired pneumonia in adults : Diagnosis, assessment of severity, initial antimicrobial therapy : a consensus statement, *Am J Respir Crit Care Med* 153:1711, 1996.
* Si *S. pneumoniae* n'est pas en cause.
SARM : *S. aureus* résistant à la méthicilline.

(p. ex. consécutives à une convulsion, une anesthésie, un traumatisme crânien ou une consommation d'alcool). Lorsqu'une personne perd conscience, ses réflexes tussigènes et pharyngés sont altérés, augmentant ainsi les risques d'aspiration. Les segments pulmonaires qui se trouvent au point le plus bas en position couchée sont les parties les plus souvent atteintes.

L'aspiration bronchique de nourriture, d'eau ou de vomissements déclenche ce type de pneumonie. Lorsque la matière aspirée est une substance inerte (p. ex. déglutition barytée ou contenu stomacal), elle provoque habituellement l'obstruction des voies respiratoires. Si la matière aspirée contient du liquide gastrique, le parenchyme pulmonaire subit une lésion chimique, ce qui entraîne ordinairement une infection au cours des 48 à 72 heures suivantes. En général, l'organisme infectieux fait partie de la flore normale de l'oropharynx et les organismes multiples, incluant les micro-organismes aérobies et anaérobies, sont isolés des expectorations du client atteint d'une pneumonie d'aspiration. L'antibiothérapie doit être prescrite en fonction de l'évaluation de la gravité de la maladie, du type de pneumonie (extrahospitalière ou nosocomiale) et du type d'organisme en cause.

Pneumonie opportuniste. Certains clients dont le système immunitaire est affaibli risquent d'être plus vulnérables aux infections respiratoires. Les personnes qui souffrent de malnutrition aiguë ou d'immunodéficience, les greffées et celles qui sont soumises à la radiothérapie, à la chimiothérapie ou qui reçoivent des corticostéroïdes (surtout pendant une période prolongée) sont prédisposées à cette affection. Ces clients présentent plusieurs dérèglements, dont la perturbation de la fonction des lymphocytes T et B, la diminution de la fonction de la moelle osseuse ou le déséquilibre du taux ou de la fonction des neutrophiles et des macrophages. En plus des agents en cause (notamment les bactéries Gram négatif), d'autres agents, tels que *Pneumocystis carinii*, le cytomégalovirus (CMV) et les champignons, peuvent aussi causer une pneumonie chez les clients immunodéprimés.

Pneumocystis carinii est un pathogène opportuniste dont l'habitat naturel est le poumon. Autrefois, il était classé comme un protozoaire, mais on le considère aujourd'hui comme un champignon. Cet organisme cause rarement une pneumonie chez les clients en santé. La pneumonie à *Pneumocystis carinii* touche 70 % des personnes infectées par le VIH et est la principale infection opportuniste chez les clients souffrant du syndrome d'immunodéficience acquise (sida). Dans ce type de pneumonie, une radiographie pulmonaire montre normalement des signes d'infiltration alvéolaire bilatérale diffuse. Lorsque la maladie est étendue, les poumons sont extrêmement denses. Toutefois, l'interprétation de la radiographie pulmonaire peut s'avérer non concluante dans bien des cas. Les manifestations cliniques sont insidieuses et comprennent la fièvre, la tachypnée, la tachycardie, la dyspnée, la toux non productive et l'hypoxémie. Les bruits respiratoires peuvent être normaux (murmures vésiculaires). Les signes physiques pulmonaires sont minimes si l'on tient compte de la gravité de la maladie. Le traitement, d'une durée de 21 jours, consiste à prescrire du triméthoprime-sulfaméthoxazole (Septra) comme agent principal et de la pentamidine parentérale (Pentacarinat). Dans le cas de personnes prédisposées à une pneumonie à *P. carinii* (p. ex. les clients atteints de troubles hématologiques malins ou du sida), une prophylaxie au triméthoprime-sulfaméthoxazole peut être préconisée. De la pentamidine (Pentacarinat) en aérosol peut être utilisée comme mesure prophylactique. (Le chapitre 8 traite de la pneumonie à *P. carinii*.)

Le CMV, aussi appelé **virus de la maladie des inclusions cytomégaliques**, est une cause de pneumonie virale chez les clients immunodéprimés, surtout les receveurs d'une greffe. Le CMV, un type de virus herpétique, donne naissance à des infections latentes et provoque une réactivation lors de l'excrétion du virus infectieux. Bien que ce type de pneumonie interstitielle puisse être bénin, il peut aussi être très grave et causer une insuffisance pulmonaire et la mort. Souvent, le CMV coexiste avec d'autres bactéries opportunistes ou des agents mycologiques causant la pneumonie. Le traitement contre la pneumonie à CMV comprend du ganciclovir IV (Cytovene) et du foscarnet.

16.2.3 Physiopathologie

La pneumonie à pneumocoques est la cause la plus fréquente de pneumonie bactérienne. Il existe quatre stades caractéristiques du processus morbide :
- congestion : une fois que les pneumocoques ont atteint les alvéoles par l'intermédiaire de gouttelettes ou de salive, un épanchement de liquide se manifeste dans les alvéoles. Les organismes se multiplient dans le liquide séreux et l'infection se propage. Les pneumocoques endommagent l'hôte en raison de leur prolifération massive et de leur interférence avec la fonction respiratoire ;
- hépatisation rouge : une dilatation massive des capillaires se produit et les alvéoles se remplissent de micro-organismes, de neutrophiles, d'érythrocytes et de fibrines (voir figure 16.1). Le poumon devient rouge et granuleux, un peu comme le foie, d'où le nom **hépatisation** donné au processus ;
- hépatisation grise : le débit sanguin diminue et les leucocytes et la fibrine s'accumulent dans la partie affectée du poumon ;
- résolution : s'il n'y a aucune complication, une résolution complète et un rétablissement suivront. L'exsudat est détruit et traité par les macrophages. Le tissu pulmonaire normal se régénère et les capacités d'échange gazeux reviennent à la normale.

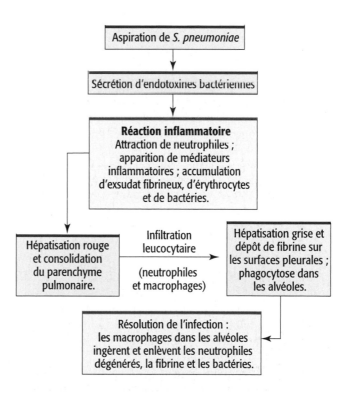

FIGURE 16.1 Cheminement physiopathologique de la pneumonie à pneumocoques

16.2.4 Manifestations cliniques

Bien que les distinctions ne soient pas claires, on classe habituellement les pneumonies extrahospitalières selon deux types de syndrome, soit typique ou atypique. Le **syndrome typique** de la pneumonie se caractérise par une poussée de fièvre subite, des frissons, une toux productive d'expectorations purulentes et une douleur thoracique de type pleurale (dans certains cas). En plus des signes de condensation pulmonaire à l'examen physique, comme la matité à la percussion, on peut aussi déceler une augmentation de frémissements, de bruits respiratoires bronchiques et de crépitants. Dans le cas des clients âgés ou affaiblis, la confusion ou la stupeur peuvent être les signes prédominants. Bien que le syndrome typique de la pneumonie soit habituellement causé par le pathogène causant le plus fréquemment des pneumonies extrahospitalières, *S. pneumonia*, il peut aussi être causé par d'autres pathogènes bactériens comme *Haemophilus influenzae*.

Le **syndrome atypique** se caractérise par une apparition plus graduelle, une toux sèche et des manifestations extrapulmonaires comme des céphalées, de la myalgie, de la fatigue, des maux de gorge, des nausées, des vomissements et de la diarrhée. On entend souvent des crépitants lors de l'examen physique. La pneumonie atypique est habituellement causée par *Mycoplasma pneumoniae*, mais peut aussi être causée par *Legionella* et *Chlamydia pneumoniae*.

Bien que les manifestations initiales de la pneumonie virale soient très variables, les virus causent aussi une pneumonie qui se caractérise la plupart du temps par une manifestation atypique accompagnée de frissons, de fièvre, de toux sèche et de symptômes extrapulmonaires. La pneumonie virale primaire peut être causée par une infection du virus influenza. Elle peut aussi être liée à des maladies virales systémiques comme la rougeole, la varicelle-zona et l'herpès.

Les clients atteints de pneumonie à *S. aureus* hématogène peuvent n'éprouver que des symptômes de dyspnée et de fièvre. Une infection nécrosante entraîne la destruction du tissu pulmonaire. En général, les clients atteints de cette affection sont très malades.

16.2.5 Complications

Dans la plupart des cas de pneumonie, la maladie suit une évolution sans complication. Toutefois, certaines complications potentielles peuvent survenir et elles se manifestent habituellement chez les clients atteints de maladies chroniques sous-jacentes et prédisposés à d'autres facteurs de risque. Les voici :

- pleurésie : cette inflammation de la plèvre est un des problèmes relativement fréquents qui accompagnent la pneumonie ;
- épanchement pleural : cet épanchement potentiel est habituellement stérile et est réabsorbé en une semaine ou deux. Un drainage par thoracentèse s'avère parfois nécessaire ;
- atélectasie : les alvéoles d'un lobe ou d'une partie du lobe peuvent être affaissées et privées d'air par un bouchon muqueux. Une toux productive et des respirations profondes sont généralement efficaces pour dégager ces régions ;
- résolution différée : ce phénomène est le résultat d'une infection chronique et une condensation résiduelle est présente à la radiographie. Habituellement, les signes physiques reviennent à la normale en l'espace de deux à quatre semaines. La résolution différée se produit la plupart du temps chez les clients âgés, souffrant de dénutrition, alcooliques ou atteints d'une BPCO ;
- abcès pulmonaire : cette complication n'est pas fréquente. Elle survient dans les cas de pneumonies à *S. aureus* et Gram négatif (voir la section portant sur les abcès pulmonaires plus loin dans ce chapitre) ;
- empyème : cette accumulation d'exsudat purulent dans la cavité pleurale est plutôt rare, mais nécessite un traitement aux antibiotiques ainsi qu'un drainage des exsudats par drainage thoracique ou drainage chirurgical ouvert ;
- péricardite : la propagation de l'organisme infectieux, venant d'une plèvre infectée ou d'une voie hématogène dans le péricarde, entraîne une péricardite ;
- arthrite : elle est causée par la propagation systémique de l'organisme infectieux. Les articulations touchées sont œdémateuses, rouges et douloureuses et un exsudat purulent peut être aspiré ;
- méningite : elle peut être causée par *S. pneumoniae*. Si le client atteint d'une pneumonie est désorienté, tient des propos confus ou est somnolent, une ponction lombaire peut s'avérer nécessaire pour évaluer la possibilité d'une méningite ;
- endocardite : l'atteinte de l'endocarde et des valvules cardiaques par les organismes infectieux peut entraîner l'endocardite. Les manifestations cliniques sont semblables à celles d'une endocardite bactérienne aiguë (voir chapitre 25).

16.2.6 Épreuves diagnostiques

Les antécédents de santé, l'examen clinique et la radiographie pulmonaire procurent habituellement suffisamment de renseignements pour prendre les décisions quant aux soins et éviter ainsi des épreuves de laboratoire coûteuses (voir encadré 16.2).

La radiographie pulmonaire montre souvent un ensemble de caractéristiques typiques de l'organisme infectieux et est un complément inestimable dans le

Pneumonie — ENCADRÉ 16.2

Diagnostic
- Antécédents de santé et examen physique
- Radiographie pulmonaire
- Coloration de Gram des expectorations
- Culture d'expectorations et test de sensibilité (aspiration trachéale ou bronchoscopie avec aspiration si le client ne peut expectorer par la toux)
- Gaz sanguins artériels (s'il y a lieu) ou saturométrie
- Formule sanguine complète (FSC)
- Hémocultures (s'il y a lieu)

Processus thérapeutique
- Antibiothérapie appropriée (voir tableaux 16.2 et 16.3)
- Augmentation de l'apport liquidien, au moins 3 L/24 h, s'il n'y a pas de restriction (p. ex. insuffisance cardiaque)
- Repos et activité limitée
- Antipyrétiques
- Analgésiques
- Oxygénothérapie (s'il y a lieu)

diagnostic d'une pneumonie. La condensation lobaire ou segmentaire est généralement causée par les bactéries *S. pneumoniae* ou *Klebsiella*. Les infiltrats pulmonaires diffus sont normalement causés par une infection avec des virus comme *Legionella* ou par des pathogènes opportunistes comme *P. carinii*. Les ombres dans les cavités peuvent indiquer la présence d'une infection nécrosante et la destruction du tissu pulmonaire, souvent causée par *S. aureus*, des bactéries Gram négatif et *Mycobacterium tuberculosis*. L'épanchement pleural, qui peut se manifester dans un grand nombre d'infections respiratoires, est également facilement perceptible sur une radiographie pulmonaire.

Le principal organisme infectieux dans les expectorations peut être déterminé par la coloration de Gram. Dans les cas où le client est incapable de produire volontairement un spécimen d'expectorations, on peut avoir recours à une procédure comme l'aspiration transtrachéale ou la bronchoscopie. L'aspiration transtrachéale nécessite l'introduction d'un cathéter dans la trachée par la membrane cricothyroïdienne ; on recueille ainsi des sécrétions pour en faire l'analyse. Il faut prévoir de 24 à 72 heures pour l'hémoculture et l'analyse des expectorations (s'il y a lieu).

Une analyse des gaz sanguins artériels (GSA) peut habituellement révéler la présence d'hypoxémie. La leucocytose est manifeste chez la plupart des clients atteints d'une pneumonie bactérienne qui affichent habituellement une numération leucocytaire supérieure à 15×10^9/L et une déviation vers la gauche de la formule d'Arneth (ce qui signifie que des cellules immatures sont libérées dans la circulation, indiquant ainsi une infection bactérienne aiguë).

16.2.7 Processus thérapeutique

Administrée au tout début de la maladie, une antibiothérapie appropriée permet de traiter efficacement la plupart des pneumonies bactériennes ou à mycoplasmes.

Dans les cas sans complications, les clients réagissent à la pharmacothérapie dans les 48 à 72 heures suivant le début du traitement. Une baisse de température, une amélioration de la respiration et une diminution de la douleur thoracique sont les signes d'une réaction favorable à la pharmacothérapie. Les signes physiques anormaux peuvent continuer à se manifester pendant plus de sept jours.

En plus de l'antibiothérapie, on peut avoir recours à des mesures symptomatiques comme l'oxygénothérapie pour traiter l'hypoxémie, des analgésiques pour soulager les douleurs thoraciques et assurer le confort du client, et des antipyrétiques tels que l'acide acétylsalicylique (Aspirin) ou l'acétaminophène (Tylenol) pour faire baisser la température. Lors de la phase fébrile aiguë, le client doit se reposer et ses activités doivent être restreintes.

La plupart des personnes atteintes d'une maladie bénigne ou modérée, qui n'ont pas d'autres processus morbides sous-jacents, peuvent être traitées en consultation externe. Cependant, le client doit être hospitalisé s'il est atteint d'une grave maladie sous-jacente ou si la pneumonie lui cause d'importants problèmes de dyspnée, d'hypoxémie ou d'autres complications. Les lignes directrices relatives à l'hospitalisation d'un client atteint d'une pneumonie extrahospitalière sont présentées dans le tableau 16.2.

Actuellement, il n'existe aucun traitement définitif contre la pneumonie virale. L'amantadine (Symmetrel), un médicament antiviral empêchant le virus de pénétrer dans la cellule hôte, est approuvé pour le traitement par voie orale de la pneumonie grippale. Des vaccins contre l'adénovirus et la grippe sont actuellement disponibles. Puisque la pneumonie causée par l'adénovirus est plutôt rare dans la population en général, l'administration du vaccin contre l'adénovirus se limite aux groupes à risque élevé. Le vaccin contre la grippe est considéré comme un soutien principal dans la prévention et on recommande aux personnes à risque élevé de se faire vacciner annuellement, de préférence au mois de novembre.

Vaccin antipneumococcique. Ce vaccin est d'abord administré aux personnes à risque qui sont dans l'une des situations suivantes : 1) celles qui sont atteintes d'une maladie chronique, soit pulmonaire ou cardiaque, ou bien de diabète ; 2) celles qui se rétablissent d'une grave maladie ; 3) les personnes âgées de plus de 65 ans ; 4) les personnes soignées dans un centre d'hébergement et de soins de longue durée (CHSLD). Ce vaccin est très important puisque le taux d'infections de *S. pneumoniae* résistant aux médicaments ne cesse d'augmenter.

La vaccination actuelle assure théoriquement une protection pour toute la vie. Toutefois, dans le cas des personnes immunodéprimées risquant de développer une infection à pneumocoques mortelle (p. ex. un client ayant subi une splénectomie ou atteint d'un syndrome néphrotique, d'une insuffisance rénale, du sida ou receveur d'une greffe), il est recommandé de répéter la vaccination tous les cinq ans.

Pharmacothérapie. L'utilisation des sulfamides dans les années 1930 et de la pénicilline dans les années 1940 a représenté une véritable révolution dans le traitement de la pneumonie. Cependant, les principaux problèmes posés par l'antibiothérapie sont l'apparition de souches d'organismes résistants et l'hypersensibilité ou les réactions allergiques à certains antibiotiques.

Dans la plupart des cas de pneumonie extrahospitalière chez les adultes en santé, l'hospitalisation n'est pas nécessaire. L'antibiothérapie administrée par voie orale est souvent un traitement empirique composé d'antibiotiques à large spectre (le traitement empirique repose sur les observations et l'expérience, sans que la cause exacte ne soit nécessairement connue). Une fois que la classe d'infection du client a été déterminée (voir tableau 16.2), le traitement empirique peut être établi en fonction du type d'organisme infectieux possible. Par exemple, dans le cas des clients de la classe 1, les organismes infectieux sont *S. pneumoniae*, *M. pneumoniae*, *C. pneumoniae*, *H. influenzae* et les virus des voies respiratoires. Un traitement aux macrolides (médicaments efficaces dans le traitement des infections bactériennes en raison de leur effet bactéricide ou bactériostatique) est recommandé, soit de l'érythromycine ou un macrolide plus récent si le client est fumeur ou s'il a une intolérance à l'érythromycine. La tétracycline est recommandée pour les personnes allergiques aux macrolides, mais cet antibiotique n'est pas très efficace contre les pneumocoques.

En ce qui concerne les pneumonies nosocomiales, on recommande une antibiothérapie empirique reposant sur la similitude des pathogènes dans les différents groupes de clients (voir tableau 16.3). Même dans le cas d'épreuves diagnostiques approfondies, il arrive souvent qu'on ne puisse pas découvrir l'agent causal.

Au cours d'un traitement empirique, il est important de savoir reconnaître les individus qui ne réagissent pas aux médicaments. Certaines modifications doivent alors être apportées selon les résultats des cultures ou selon la réaction clinique. Cette dernière est évaluée à partir de divers facteurs, tels qu'un changement de température, des sécrétions purulentes, la leucocytose, le degré d'oxygénation et les radiographies. Dans la plupart des cas, le rétablissement n'est apparent qu'après une période de 48 à 72 heures suivant le début du traitement. Le traitement empirique ne doit pas être modifié pendant cette période, sauf si des signes évidents de détérioration se manifestent ou si les résultats des cultures l'orientent autrement.

L'état des clients atteints d'une pneumonie qui nécessite une ventilation assistée peut se détériorer rapidement. Les personnes dont l'état se détériore ou celles qui ne réagissent pas au traitement devront faire l'objet d'une investigation rigoureuse afin d'évaluer les étiologies non infectieuses, les complications, la présence d'autres processus infectieux coexistants ou la possibilité d'une pneumonie causée par un pathogène résistant. Il peut s'avérer nécessaire d'élargir le spectre antimicrobien en attendant les résultats des cultures et des autres épreuves, telles que la tomodensitométrie (TDM), l'échographie ou la scintigraphie pulmonaire.

Recommandations nutritionnelles. Un apport liquidien d'au moins trois litres par jour est important dans le traitement symptomatique de la pneumonie. Cependant, cet apport doit être restreint si le client souffre d'insuffisance cardiaque. Dans le cas où l'apport oral ne peut être maintenu, il peut s'avérer nécessaire d'administrer des solutés et des électrolytes par voie intraveineuse au client atteint d'une infection aiguë. Un apport calorique d'au moins 6300 kJ par jour doit être maintenu afin de fournir suffisamment d'énergie pour pallier les réactions métaboliques accrues. Le client souffrant de dyspnée tolèrera mieux des repas plus petits mais fréquents.

16.2.8 Soins infirmiers : pneumonie

Collecte de données. Les données subjectives et objectives qui doivent être recueillies auprès du client atteint d'une pneumonie sont présentées dans l'encadré 16.3.

Diagnostics infirmiers. Les diagnostics infirmiers pour le client atteint d'une pneumonie comprennent, entre autres, ceux présentés dans l'encadré 16.4.

Planification. Les objectifs généraux des soins infirmiers viseront à ce que le client :
- présente des bruits respiratoires normaux et clairs ;
- ait une respiration eupnéique ;
- ait une radiographie pulmonaire normale ;
- ne présente aucune complication liée à la pneumonie.

COLLECTE DE DONNÉES

Évaluation infirmière pour la pneumonie

ENCADRÉ 16.3

Données subjectives

Information importante concernant la santé

- Antécédents de santé : cancer du poumon, BPCO, diabète, maladie débilitante chronique, malnutrition, altération de l'état de conscience, sida, exposition à des toxines chimiques, des poussières ou des allergènes.
- Médicaments : usage d'antibiotiques, de corticostéroïdes, de chimiothérapie ou autres immunodépresseurs.
- Chirurgies ou autres traitements : chirurgie abdominale ou thoracique récente, splénectomie, intubation endotrachéale ou autre chirurgie avec anesthésie générale.

Modes fonctionnels de santé

- Mode perception et gestion de la santé : tabagisme, alcoolisme, infection récente des voies respiratoires supérieures, malaises.
- Mode nutrition et métabolisme : anorexie, nausées, vomissements, frissons.
- Mode activité et exercice : alitement prolongé ou immobilité, fatigue, faiblesse, dyspnée, toux (productive ou non), congestion nasale.
- Mode cognition et perception : douleurs lors de la respiration, douleurs thoraciques, maux de gorge, céphalées, douleurs abdominales et musculaires.

Données objectives

Généralités

- Fièvre, instabilité psychomotrice ou léthargie ; position antalgique.

Appareil respiratoire

- Tachypnée ; pharyngite ; mouvements asymétriques de la cage thoracique ou tirage ; battements des ailes du nez ; utilisation des muscles accessoires (cou, abdomen) ; gémissements expiratoires ; crépitants, frottement lors de l'auscultation ; matité lors de la percussion sur les régions consolidées, vibrations vocales accrues à la palpation ; expectorations rosées, rouilles, purulentes, vertes, jaunes ou blanches, teintées de sang (la quantité peut être minime ou abondante).

Appareil cardiovasculaire

- Tachycardie

Système neurologique

- Changements dans l'état mental, de la simple confusion au délire.

Résultats possibles

- Leucocytose ; GSA anormaux avec une PaO_2 faible ou normale, diminution de la $PaCO_2$, augmentation du pH au début, suivie d'une diminution de la PaO_2, d'une augmentation de la $PaCO_2$ et d'une diminution du pH ; test de coloration de Gram et résultats de culture des expectorations positifs ; infiltrats localisés ou diffus, abcès, épanchement pleural ou pneumothorax visible à la radiographie pulmonaire.

Exécution

Promotion de la santé. Plusieurs interventions peuvent aider à prévenir l'occurrence et la morbidité associées à la pneumonie. L'infirmière qui enseigne aux clients les bonnes habitudes de santé à adopter, comme une alimentation saine, une bonne hygiène, un repos adéquat et la pratique régulière d'exercices, leur permet de maintenir des mécanismes de résistance naturelle contre les organismes infectieux. On doit éviter, dans la mesure du possible, toute exposition à une infection des voies respiratoires supérieures. Si une telle infection se manifeste, un traitement doit être amorcé rapidement à l'aide de mesures symptomatiques (p. ex. repos, liquides). Si les symptômes persistent pendant plus de sept jours, des soins médicaux deviennent nécessaires. Les personnes prédisposées à une pneumonie (les personnes âgées atteintes d'une maladie chronique, par exemple) doivent être encouragées à se faire vacciner contre la grippe et les pneumocoques.

Dans un centre hospitalier, le rôle de l'infirmière consiste à reconnaître les clients à risque et à prendre les mesures nécessaires pour prévenir l'apparition de la pneumonie. Le client dont l'état de conscience est altéré doit être installé de façon à prévenir ou à diminuer les risques d'aspiration bronchique (p. ex. position de décubitus latéral ou position assise). Il doit être changé de position au moins toutes les deux heures afin de faciliter l'expansion pulmonaire et de prévenir l'accumulation de sécrétions .

Le client qui est alimenté par un tube nasogastrique nécessite une attention particulière afin de prévenir l'aspiration (voir chapitre 32). Bien que l'extrémité distale de la sonde soit petite, il est possible qu'une rupture de l'intégrité du sphincter inférieur de l'œsophage se produise, ce qui laissera passer des reflux de substances gastriques et intestinales.

Une personne qui souffre de dysphagie (comme dans le cas d'un AVC) aura besoin d'aide pour manger, boire et prendre ses médicaments afin d'éviter l'aspiration. Celle qui vient de subir une intervention chirurgicale ou celle qui est alitée auront fréquemment besoin d'assistance pour changer de position et effectuer leurs

➡ Plan de soins infirmiers

Client atteint de pneumonie

DIAGNOSTIC INFIRMIER : mode de respiration inefficace relié à une pneumonie et à la douleur, se manifestant par de la dyspnée, de la tachypnée, des battements des ailes du nez et une altération de l'amplitude thoracique.

PLANIFICATION
Résultats escomptés
- Le client présentera une fréquence respiratoire de 12 à 18 respirations par minute.
- Il dira qu'il se sent à l'aise.

INTERVENTIONS	Justifications
• Surveiller les signes vitaux et ausculter les poumons toutes les deux à quatre heures.	• Obtenir des données continues sur la réaction du client à la thérapie.
• Surveiller les gaz sanguins artériels (GSA).	• Évaluer l'état d'oxygénation.
• Administrer de l'oxygène, comme indiqué.	• Maintenir un niveau d'oxygénation optimal et augmenter le confort du client.
• Installer le client en position de semi-Fowler ou dans une autre position confortable.	• Optimiser l'amplitude pulmonaire.

DIAGNOSTIC INFIRMIER : dégagement inefficace des voies respiratoires relié à la douleur, au positionnement, à la fatigue et à des sécrétions épaisses, se manifestant par une toux grasse non productive ou des expectorations épaisses, des bruits respiratoires adventices ou de la dyspnée.

PLANIFICATION
Résultats escomptés
- Le client présentera des bruits respiratoires normaux et clairs.
- Il aura une toux efficace avec expectorations.
- Il présentera une radiographie pulmonaire normale ou montrant des signes de résolution.

INTERVENTIONS	Justifications
• Aider le client à tousser en soutenant la cage thoracique et lui enseigner la façon de tousser avec efficacité (inhaler tranquillement par le nez, expirer et tousser).	• Dégager les voies respiratoires en faisant remonter les sécrétions à la bouche.
• Administrer un expectorant et des antitussifs selon l'ordonnance.	• Augmenter la production de liquide bronchique et stimuler l'expectoration et soulager la toux grasse non productive.
• Humidifier l'air inhalé.	• Maintenir l'humidité des muqueuses nasales et buccales.
• Maintenir la consommation de liquide à trois litres par jour.	• Liquéfier les sécrétions et les rendre plus faciles à expectorer.
• Utiliser la physiothérapie respiratoire ou d'autres techniques de dégagement des voies respiratoires, s'il y a lieu.	• Dégager les sécrétions.
• Avoir recours à l'aspiration au besoin.	• Maintenir les voies respiratoires dégagées.

DIAGNOSTIC INFIRMIER : douleur reliée à une pleurésie et à un non-soulagement de la douleur ou à des mesures de confort inefficaces, se manifestant par une douleur thoracique d'origine pleurale, un frottement pleural, des respirations courtes et superficielles et une diminution des bruits respiratoires.

PLANIFICATION
Résultats escomptés
- Le client dira qu'il ne ressent aucune douleur ou une diminution de celle-ci.
- Il présentera une expansion pulmonaire complète.

INTERVENTIONS	Justifications
• Évaluer le degré de douleur et sa localisation.	• Obtenir de l'information sur le besoin d'analgésiques ou d'autres types de soulagement.
• Administrer des analgésiques selon l'ordonnance.	• Soulager la douleur en interrompant la conduction du système nerveux central.

Plan de soins infirmiers

Client atteint de pneumonie (*suite*)

- Utiliser le blocage des nerfs intercostaux, si cela est nécessaire.
- Surveiller les signes de complications potentielles (p. ex. épanchement pleural, empyème) si la douleur persiste.
- Procéder à des interventions analgésiques complémentaires, comme le massage dorsal, la distraction et la relaxation.

- Traiter la douleur d'origine pleurale qui ne disparaît pas avec les analgésiques.
- Dispenser un traitement approprié.

- Soulager la douleur et réduire le besoin d'analgésiques.

DIAGNOSTIC INFIRMIER : risque de difficulté à se maintenir en santé relié à une mauvaise connaissance du plan thérapeutique après la sortie du centre hospitalier.

PLANIFICATION

Résultat escompté

- Le client observera le plan thérapeutique, y compris les médicaments, la thérapie liquidienne et l'horaire d'activités.

INTERVENTIONS	Justifications
• Évaluer la capacité du client à effectuer ses soins à la maison.	• Évaluer ses connaissances sur ses autosoins.
• L'encourager à terminer l'antibiothérapie.	• Prévenir une rechute de pneumonie et la naissance d'une nouvelle souche résistante.
• Lui faire comprendre qu'il est primordial de se reposer et de restreindre ses activités.	• Maintenir le progrès vers le rétablissement et prévenir une rechute.
• L'encourager à bien se reposer, à bien s'alimenter et à respirer de l'air frais.	• Aider le processus de guérison.
• L'encourager à cesser ou à diminuer sa consommation de cigarettes, s'il y a lieu.	• Optimiser le mécanisme de clairance mucociliaire.
• L'encourager à continuer les exercices de toux et de respiration profonde.	• Éliminer toutes les sécrétions et améliorer la ventilation.
• L'informer de l'importance du suivi et du besoin de recourir à des soins médicaux dès que des symptômes liés aux infections respiratoires se manifestent.	• Prévenir une rechute.
• Encourager les clients atteints de maladie chronique (p. ex. cardiaque, pulmonaire ou diabète), ceux qui se remettent d'une maladie grave, qui sont âgés de plus de 65 ans ou qui sont dans un centre d'hébergement et de soins de longue durée (CHSLD) à se faire vacciner (vaccins antigrippal et antipneumococcique).	• Ces personnes sont susceptibles d'attraper une pneumonie.

DIAGNOSTIC INFIRMIER : déficit nutritionnel relié à la hausse du métabolisme, à la fatigue, à l'anorexie, aux nausées et aux vomissements, se manifestant par la perte de masse corporelle.

PLANIFICATION

Résultats escomptés

- Le client maintiendra un poids santé.
- Il sera capable d'effectuer ses activités de la vie quotidienne.

INTERVENTIONS	Justifications
• Aider le client à prendre ses repas.	• Pour conserver son énergie.
• Déterminer ses préférences alimentaires et satisfaire ses goûts lorsque cela est possible.	• Stimuler l'ingestion de nutriments essentiels.
• L'encourager à avoir une bonne hygiène buccodentaire avant les repas.	• Enlever le mauvais goût lié aux expectorations ou aux médicaments.
• Lui offrir plusieurs petits repas.	• Prévenir la pression contre le diaphragme et minimiser la dépense énergétique.
• Surveiller la masse corporelle du client et son apport calorique.	• Évaluer si le régime alimentaire doit être modifié.

➡ Plan de soins infirmiers

Client atteint de pneumonie (*suite*)

DIAGNOSTIC INFIRMIER : hyperthermie reliée aux effets de la maladie, se manifestant par de l'hyperthermie, de la diaphorèse, des frissons, des bouffées congestives, de la soif, des céphalées et une sensation de malaise.

PLANIFICATION
Résultats escomptés
- Le client aura une température corporelle normale.
- Il dira qu'il se sent à l'aise à mesure que la fièvre tombera.

INTERVENTIONS	Justifications
• Administrer les antibiotiques, comme il est prescrit.	• Traiter l'infection.
• Administrer les antipyrétiques, comme il est prescrit.	• Faire baisser la fièvre et augmenter le confort.
• Vérifier la température toutes les deux à quatre heures.	
• Surveiller toute fièvre continue ou récurrente et en aviser le médecin.	• Cela peut être un signe d'aggravation de la maladie.
• Assurer l'apport liquidien (au moins trois litres par jour).	• Remplacer la perte liquidienne causée par la fièvre et la diaphorèse.
• Changer les draps et les vêtements régulièrement si le client présente de la diaphorèse.	• Assurer son confort, le garder au sec et prévenir les frissons.

DIAGNOSTIC INFIRMIER : intolérance à l'activité reliée à l'interruption du cycle veille-sommeil, à l'hypoxie et à la faiblesse, se manifestant par la fatigue, le manque de volonté, l'irritabilité, la dyspnée, la tachycardie, la tachypnée et les étourdissements à l'effort.

PLANIFICATION
Résultats escomptés
- Le client dira qu'il se sent reposé.
- Il effectuera ses activités de la vie quotidienne sans fatigue ni dyspnée.

INTERVENTIONS	Justifications
• Garder le client au lit et limiter ses activités physiques.	• Conserver son énergie.
• Évaluer sa réaction à l'activité et planifier les changements en conséquence.	• Évaluer l'hypoxémie.
• Limiter les visites et les longues conversations.	
• Regrouper les soins infirmiers.	• Lui assurer des périodes de repos ininterrompues.
• Placer les objets essentiels (p. ex. mouchoirs, cloche d'appel) à sa portée.	• L'aider à conserver son énergie tout en favorisant son autonomie.

Processus thérapeutique

COMPLICATION POSSIBLE : hypoxémie reliée à une perturbation des échanges gazeux pulmonaires.

PLANIFICATION
Objectifs
- Surveiller les signes d'hypoxémie.
- Signaler toute déviation des paramètres acceptables.
- Effectuer les interventions infirmières appropriées.

INTERVENTIONS	Justifications
• Administrer de l'oxygène et des antibiotiques selon l'ordonnance.	• Traiter l'hypoxémie et l'infection.
• Surveiller les signes vitaux.	
• Observer et évaluer l'état mental (état de conscience, instabilité psychomotrice, anxiété, confusion) et l'état respiratoire (cyanose, changements dans la fréquence respiratoire).	
• Signaler tout changement par rapport aux données initiales.	• Dispenser un traitement précoce au client.

exercices de respiration profonde (voir chapitre 13). L'infirmière doit s'assurer de ne pas administrer une trop grande quantité de narcotiques et de sédatifs, puisqu'ils peuvent causer une altération du réflexe tussigène et une accumulation de liquide dans les poumons. Dans le cas d'un client ayant subi une anesthésie locale à la gorge, il faut attendre que le réflexe de déglutition soit rétabli avant de lui faire avaler des aliments ou des liquides.

Une asepsie rigoureuse et l'observance des mesures de prévention contre l'infection doivent être pratiquées par l'infirmière afin de réduire l'incidence d'infections nosocomiales. Le client atteint d'une infection ne doit pas être placé dans la même chambre qu'un client en phase postopératoire ou atteint d'une maladie pulmonaire chronique. L'équipement d'inhalothérapie doit être changé et désinfecté régulièrement et le matériel jetable doit être privilégié autant que possible. Une technique stérile doit être respectée lors de l'aspiration des sécrétions.

Interventions en phase aiguë. Bien qu'un grand nombre de clients atteints d'une pneumonie soient traités en consultation externe, le plan de soins infirmiers s'applique à ces personnes ainsi qu'à celles qui sont hospitalisées (voir encadré 16.4). L'infirmière ne doit pas oublier que la pneumonie est une maladie infectieuse aiguë. Même si la plupart des pneumonies sont guérissables, il peut arriver que des complications se manifestent. Par conséquent, l'infirmière doit être en mesure de reconnaître ces complications et leurs manifestations.

Soins ambulatoires et soins à domicile. Le client doit être rassuré au sujet de ses chances de se rétablir complètement d'une pneumonie. Il est extrêmement important d'insister sur la nécessité de prendre tous les médicaments prescrits et de se présenter pour un suivi médical et une évaluation après le traitement. Un repos adéquat est indispensable pour s'assurer d'un rétablissement continu et pour prévenir une rechute. Le client doit être informé que plusieurs semaines peuvent être nécessaires avant qu'il ne retrouve toute sa vigueur et une sensation de bien être. Une période de convalescence prolongée peut être requise pour les clients âgés ou ceux atteints d'une maladie chronique.

Les clients prédisposés à une pneumonie doivent être renseignés au sujet des différents vaccins offerts contre l'infection. Ils doivent aussi continuer de faire leurs exercices de respiration profonde pendant six à huit semaines suivant leur sortie du centre hospitalier.

Évaluation. Les résultats escomptés à l'égard du client atteint d'une pneumonie sont présentés dans l'encadré 16.4.

16.3 TUBERCULOSE

La **tuberculose** (TB) est une maladie infectieuse causée par la bactérie *Mycobacterium tuberculosis*. Bien qu'elle atteigne habituellement les poumons, elle peut aussi toucher les reins, les os, les glandes surrénales, les ganglions lymphatiques et les méninges, et elle peut se propager à tout l'organisme.

Grâce à l'introduction de la chimiothérapie à la fin des années 1940 et au début des années 1950, la prévalence de la TB a considérablement diminué. Elle demeure toutefois un important problème de santé partout dans le monde. On estime que le tiers de la population mondiale a été infecté par le bacille tuberculeux. Chaque année, on recense environ huit millions de nouveaux cas évolutifs qui se solderont par deux à trois millions de décès. On estime qu'environ 10 % des Canadiens sont porteurs d'une infection tuberculeuse latente. Bien que ces personnes aient été infectées par le bacille de Koch, elles ne sont pas contagieuses, mais pourraient développer une TB évolutive plus tard. Les statistiques montrent que la TB, bien qu'elle soit guérissable et évitable, demeure toujours un grave problème de santé publique. Les principaux facteurs qui ont contribué à la recrudescence de la TB sont les suivants : 1) l'émergence de souches de *M. tuberculosis* résistantes aux antibiotiques ; 2) les proportions épidémiques de TB chez les clients atteints du virus de l'immunodéficience humaine. L'infection au VIH est le principal facteur de risque lié au développement de la TB.

Le phénomène des souches résistantes aux antibiotiques est survenu parce que l'observance de la thérapeutique pharmacologique n'était pas surveillée, causant ainsi des échecs de traitement et l'effervescence de souches résistantes. Les clients devaient donc suivre des traitements ou des posologies auxquels leurs infections n'étaient plus sensibles. Il y a eu un relâchement général de vigilance dans le traitement des clients atteints de TB.

Les personnes à risque de contracter cette maladie sont surtout les sans-abri, les résidents de milieux urbains défavorisés, les immigrants (surtout les Haïtiens et les Sud-Asiatiques), les personnes âgées, les personnes institutionnalisées (p. ex. centres d'hébergement et de soins de longue durée [CHSLD], prisons) et toutes les personnes défavorisées sur le plan socioéconomique qui n'ont pas facilement accès aux médicaments. Toute immunodéficience (p. ex. VIH, cancer) ou tout problème de santé pouvant entraîner un déficit immunitaire (p. ex. insuffisance rénale, malnutrition, diabète, usage chronique de corticostéroïdes, abus d'alcool, radiothérapie) augmentent les risques d'infection à la TB. La prévalence est élevée dans certaines régions où vivent d'importantes populations autochtones.

16.3.1 Étiologie et physiopathologie

La bactérie *M. tuberculosis* est un bacille Gram positif et acidorésistant qui se propage normalement par des gouttelettes aéroportées, produites lorsqu'une personne infectée tousse, éternue ou parle (voir figure 16.2). Une fois que les organismes infectieux sont libérés dans la pièce, ils se dispersent et peuvent être inhalés. Une brève exposition à quelques bacilles de TB cause rarement une infection. En fait, les probabilités d'être infecté sont beaucoup plus grandes si on a des contacts proches et fréquents avec une personne atteinte. La TB n'est pas très infectieuse ; sa transmission nécessite habituellement une exposition en contact direct et fréquent ou de longue durée. Elle n'est pas transmissible par les mains, les livres, les verres, la vaisselle ou autres objets.

Lorsque des bacilles sont inhalés, ils pénètrent dans les bronches et s'implantent dans les bronchioles ou les alvéoles. Les parties inférieures des poumons sont habituellement le foyer initial de l'implantation bactérienne. Une fois implantés, les bacilles se multiplient sans aucune résistance initiale de l'hôte. Ils sont englobés par les phagocytes (d'abord les neutrophiles et ensuite les macrophages) et peuvent même poursuivre leur multiplication à l'intérieur de ces derniers.

Avant que la réaction immunitaire cellulaire ne soit enclenchée, les bacilles peuvent se propager dans les canaux lymphatiques, atteindre les ganglions et infecter le sang par les canaux thoraciques. Ils peuvent donc s'étendre à tout l'organisme avant même que la réaction immunitaire cellulaire ne commence à combattre l'infection. Les milieux favorables à leur prolifération sont les lobes supérieurs des poumons, les reins, les épiphyses, le cortex cérébral et les glandes surrénales.

L'immunité cellulaire finit par restreindre la multiplication et l'évolution de l'infection. Une réaction tissulaire caractéristique, nommée **granulome épithélioïde**, survient une fois que le système immunitaire cellulaire commence à combattre l'infection. Le granulome (aussi appelé **tubercule épithélioïde**) est le résultat de la fusion des macrophages qui s'infiltrent. Il est entouré par des lymphocytes. La réaction dure habituellement de 10 à 20 jours.

La partie centrale de la lésion (appelée **tubercule de Ghon**) subit une nécrose caractérisée par une apparence caséeuse, d'où son nom de **nécrose caséeuse**. Cette lésion peut aussi subir une nécrose liquéfiante, caractérisée par un déversement du liquide dans les bronches, ce qui produit une cavité. Des substances tuberculeuses peuvent pénétrer dans la trachée et les bronches et favoriser ainsi la transmission de particules infectieuses aéroportées.

La cicatrisation de la lésion primaire se produit habituellement par résolution, fibrose et calcification. Le tissu de granulation entourant la lésion peut devenir encore plus fibreux et former une cicatrice de collagène autour du tubercule. Un **complexe de Ghon** se forme, constitué du tubercule de Ghon et des ganglions lymphatiques régionaux. Les complexes de Ghon calcifiés sont visibles sur les radiographies pulmonaires.

Lorsqu'une lésion tuberculeuse régresse et cicatrise, l'infection entre dans une période latente pendant laquelle l'infection demeure, mais ne produit aucune maladie clinique. L'infection peut être manifeste si les organismes persistants se multiplient rapidement, ou elle peut demeurer latente.

Si la réaction immunitaire initiale est insuffisante, les organismes deviennent très virulents et l'infection devient alors une maladie clinique. Certaines personnes y sont davantage prédisposées, notamment les immunodéprimées (p. ex. les clients infectés par le VIH, ceux qui suivent une chimiothérapie ou une thérapie aux corticostéroïdes de longue durée) ou les personnes souffrant de diabète.

Les organismes latents, mais viables, persistent pendant des années. Une réactivation de la TB peut se produire si le mécanisme de défense de l'hôte est altéré. Bien que les causes exactes de la réactivation ne soient pas claires, elles concernent surtout les personnes âgées dont la résistance est diminuée, les personnes atteintes de maladies concomitantes et celles qui suivent une thérapie immunodépressive.

16.3.2 Classification

L'*American Thoracic Association* et l'*American Lung Association* ont adopté un système de classification qui couvre toute la population (voir encadré 16.6).

16.3.3 Manifestations cliniques

Au stade précoce de la TB, le client ne présente habituellement aucun symptôme. Un grand nombre de

DIVERSITÉ CULTURELLE

Tuberculose   ENCADRÉ 16.5

- Au Canada et aux États-Unis, la tuberculose atteint surtout la population âgée, les gens pauvres dans les milieux urbains, les groupes minoritaires et les clients atteints du sida.
- L'incidence de la tuberculose chez les personnes de race blanche est au moins deux fois moins élevée que chez les autres races, peu importe l'âge.
- Les groupes ethniques qui ont une incidence de tuberculose élevée sont les immigrants nés en Asie, en Afrique et en Amérique latine. D'autres groupes ethniques, comme les Amérindiens, les gens de race noire et d'origine asiatique, ont aussi une incidence de tuberculose élevée.
- Les immigrants de l'Asie du Sud-Est, les Haïtiens et les hispaniques ont une incidence de tuberculose semblable à celle de leur pays d'origine.

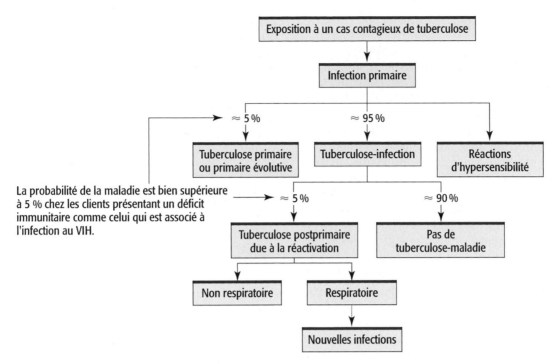

FIGURE 16.2 Pathogenèse de la tuberculose chez l'hôte infecté
Tiré des *Normes canadiennes pour la lutte antiberculeuse,* Association pulmonaire du Canada et Gouvernement du Canada, 2000.

Classification de la tuberculose — ENCADRÉ 16.6

Classe 0
Aucune exposition à la tuberculose, aucune infection (aucun antécédent d'exposition, test à la tuberculine négatif).

Classe 1
Exposition à la tuberculose, aucun signe d'infection (antécédents d'exposition, test à la tuberculine négatif).

Classe 2
Infection à la tuberculose sans manifestation de la maladie (réaction évidente au test à la tuberculine, examens bactériologiques négatifs, aucun résultat radiologique ou aucune manifestation clinique liée à la tuberculose).

Classe 3
Infection à la tuberculose avec maladie cliniquement évolutive (examens bactériologiques positifs ou réaction évidente au test à la tuberculine ou signe de la maladie sur la radiographie).

Classe 4
Aucune maladie actuelle (antécédents de tuberculose ou résultats radiographiques anormaux chez une personne ayant une réaction importante au test à la tuberculine; examens bactériologiques négatifs, aucune manifestation clinique ni aucun signe de la maladie sur la radiographie).

Classe 5
Possibilité de tuberculose (diagnostic en attente); le client ne doit pas se trouver dans cette classe pendant plus de trois mois.

Tirée de l'*American Thoracic Society.*

cas sont décelés par hasard, lors de radiographies pulmonaires de routine, surtout chez les personnes âgées.

Les manifestations systémiques initiales se traduisent par de la fatigue, des malaises, de l'anorexie, une perte de masse corporelle, une légère fièvre (surtout en fin d'après-midi) ainsi que de la diaphorèse nocturne. La perte pondérale peut ne pas sembler excessive avant que la maladie ne soit avancée et on l'attribue souvent au surmenage ou à d'autres facteurs. Les femmes en préménopause peuvent avoir des menstruations irrégulières.

Une des manifestations pulmonaires caractéristiques est une toux qui devient fréquente et qui produit des expectorations mucoïdes ou mucopurulentes. Une douleur thoracique caractérisée comme sourde est aussi possible. L'hémoptysie est plutôt rare et elle se produit normalement lorsque la maladie est très avancée. La tuberculose a parfois des manifestations soudaines et aiguës; le client présente de l'hyperthermie, des frissons, des symptômes grippaux généralisés, une douleur pleurale et une toux grasse productive.

Si le client atteint de tuberculose est infecté par le VIH, les constatations recueillies lors de l'examen clinique et des radiographies pulmonaires seront atypiques. Des signes classiques comme la fièvre, la toux et la perte de masse corporelle peuvent être associés au *P. carinii* ou à d'autres maladies opportunistes reliées au VIH. Les manifestations cliniques de problèmes respiratoires doivent faire l'objet d'examens minutieux afin d'en déterminer la cause exacte.

16.3.4 Complications

Tuberculose miliaire. Lorsqu'un complexe de Ghon nécrotique érode un vaisseau sanguin, un grand nombre d'organismes infectieux envahissent la circulation sanguine et se répandent dans tous les organes. Ce type de TB porte le nom de **tuberculose miliaire ou micronodulaire** ou de **tuberculose hématogène**. Le client peut être atteint d'une infection aiguë accompagnée de fièvre, de dyspnée et de cyanose ou d'une maladie chronique accompagnée de manifestations systémiques comme une perte de masse corporelle, de la fièvre ou des troubles gastro-intestinaux. Une hépatomégalie, une splénomégalie ou une lymphadénopathie généralisée peuvent aussi se produire.

Épanchement pleural. L'épanchement pleural est causé par les substances caséeuses qui envahissent la cavité pleurale. La substance bactérienne déclenche une réaction inflammatoire et un exsudat pleural riche en protéines. Une forme de pleurésie appelée **pleurésie sèche** peut se manifester à la suite d'une lésion tuberculeuse superficielle touchant la plèvre. Elle se traduit par une douleur pleurale localisée lors d'inspirations profondes.

Pneumonie tuberculeuse. Une pneumonie aiguë peut survenir lorsqu'une grande quantité de bacilles de la TB sont libérés de la lésion nécrotique liquéfiée et atteignent les poumons ou les ganglions lymphatiques. Les manifestations cliniques sont semblables à celles de la pneumonie bactérienne et comprennent des frissons, de la fièvre, une toux productive, une douleur pleurale et une leucocytose.

Autres organes atteints. Bien que les poumons soient le foyer initial de la TB, d'autres organes peuvent être touchés. Au cours du processus morbide, les méninges peuvent être infectées, de même que les os et les tissus. Les reins, les glandes surrénales, les ganglions lymphatiques et les voies génitales, aussi bien celles de l'homme que celles de la femme, peuvent également être atteints.

16.3.5 Épreuves diagnostiques

Test à la tuberculine. La réaction immunitaire de l'organisme peut être vérifiée par l'hypersensibilité à un test à la tuberculine. Une réaction positive se produit entre 3 et 10 semaines après l'infection, ce qui correspond au temps requis par l'organisme pour déclencher une réaction immunitaire.

On utilise d'abord une fraction protéique purifiée (FPP ou PPD, c.-à-d. *purified protein derivative*) de tuberculine pour déceler la réaction d'hypersensibilité retardée (la procédure à suivre pour le test à la tuberculine est expliquée dans le chapitre 14). Une fois acquise, la sensibilité à la tuberculine a tendance à demeurer toute la vie. Bien qu'une réaction positive indique la présence d'une infection tuberculeuse, on ne peut savoir si l'infection est latente ou évolutive et, par conséquent, si elle est la cause d'une maladie clinique.

Puisque la réaction au test à la tuberculine peut être diminuée chez un client immunodéprimé, une réaction inférieure à 10 mm d'induration peut être considérée comme positive. Le tableau 14.10 présente les lignes directrices de l'interprétation des tests à la tuberculine.

Radiographie pulmonaire. Bien que les résultats des radiographies pulmonaires soient importants, il est impossible de diagnostiquer une TB en s'appuyant seulement sur cet examen, car d'autres maladies peuvent montrer des similitudes avec la TB sur les radiographies. Les anomalies les plus fréquentes sont l'atteinte du ganglion lymphatique multinodulaire et la formation de cavités dans les lobes supérieurs des poumons. Ce phénomène est souvent appelé **complexe du ganglion lymphatique parenchymateux**. La calcification des lésions pulmonaires survient habituellement plusieurs années après l'infection.

Examens bactériologiques. La démonstration bactériologique du bacille de la TB est indispensable pour poser un diagnostic. L'examen au microscope de frottis d'expectorations pour déceler les bacilles acidorésistants est habituellement la première preuve de la présence de bacilles de Koch. Cet examen, simple et rapide, permet d'obtenir des données très importantes. Un des principaux désavantages est qu'il faut un échantillon comprenant plus de 10 000 bactéries par millilitre pour que le frottis soit positif. En plus des expectorations, d'autres substances peuvent être analysées, comme le reflux gastrique, le liquide céphalorachidien ou le pus d'un abcès.

La méthode diagnostique la plus efficace est la technique de culture. Le principal inconvénient de cette méthode est que la mycobactérie prend de six à huit semaines à se développer. L'avantage est que l'on peut détecter d'infimes quantités de bactéries (aussi peu que 10 par millilitre).

Le diagnostic sérologique de la TB par le dosage immunoenzymatique (ELISA), utilisé pour mesurer les IgG des anticorps contre les antigènes mycobactériens, est un procédé récent et prometteur. La méthode des empreintes génétiques utilise la technique de réaction en chaîne de la polymérase pour déterminer les différentes souches de *M. tuberculosis*.

16.3.6 Processus thérapeutique

L'hospitalisation pour le traitement initial de la TB n'est pas nécessaire dans la plupart des cas, car beaucoup de clients sont traités en consultation externe (voir encadré 16.7) et peuvent même continuer à travailler et à maintenir leur mode de vie sans trop de changements. L'hospitalisation est envisagée lorsque le client doit subir un examen diagnostique, est gravement malade ou affaibli, éprouve une réaction indésirable aux médicaments ou si le traitement s'avère inefficace.

L'élément clé de la thérapeutique est la pharmacothérapie. Les médicaments sont utilisés pour traiter une personne atteinte et pour prévenir l'apparition d'autres maladies chez celle qui est infectée.

Pharmacothérapie

Maladie évolutive. En raison de la prévalence croissante de la résistance aux antibiotiques, le client atteint d'une TB évolutive doit être soumis à un traitement d'attaque comprenant normalement une combinaison d'au moins quatre médicaments. Le but de ce traitement combiné est d'augmenter l'efficacité thérapeutique et de diminuer l'évolution des souches de *M. tuberculosis* résistantes. Il a été prouvé que des souches résistantes se manifestaient lorsqu'un seul médicament était utilisé pour traiter la maladie.

Les cinq principaux médicaments utilisés sont l'isoniazide (INH), la rifampine (Rifadin, Rofact), le pyrazinamide (Tebrazid), la streptomycine et l'éthambutol (voir tableau 16.4). On estime que la combinaison de doses fixes de médicaments antituberculeux pourrait aussi favoriser l'observance des recommandations du traitement. Pour simplifier le traitement, une combinaison de rifampine et de pyrazinamide (Rifater) est possible. Les autres médicaments sont principalement administrés pour traiter les souches résistantes ou si le client manifeste une intoxication aux médicaments primaires. Un grand nombre de médicaments envisagés en seconde intention représentent un risque d'intoxication plus élevé et nécessitent une surveillance accrue. Les

récents médicaments antituberculeux, non intégrés parmi les classes de médicaments de première ou seconde intention, sont les quinolones, notamment la ciprofloxacine (Cipro) et l'ofloxacine (Floxin).

Un des problèmes du traitement antituberculeux est la durée pendant laquelle le client doit prendre les médicaments. Dans le passé, le traitement médical curatif s'étalait normalement sur une période de 18 à 26 mois. Par la suite, des traitements de six à neuf mois se sont avérés efficaces.

Le traitement des foyers infectieux, où la résistance aux médicaments est reconnue comme un problème, peut nécessiter l'ajout initial de médicaments qui ne font pas partie du profil de résistance du foyer en particulier et être adapté selon la culture d'expectorations. Il est important de bien évaluer l'efficacité du traitement ainsi que les effets secondaires toxiques au cours du suivi des clients soumis à un traitement de longue durée, par des cultures d'expectorations hebdomadaires au début, puis mensuelles. Le traitement médicamenteux est considéré comme efficace si le prélèvement d'expectorations démontre un résultat négatif.

Même si la tuberculose a tendance à évoluer rapidement chez les clients coïnfectés par le VIH, la réaction aux médicaments standards est bonne. Le client coïnfecté doit suivre un traitement antituberculeux pendant encore au moins six mois à la suite des premiers résultats négatifs de cultures d'expectorations.

Le suivi est très important, notamment pour s'assurer que le client observe le traitement médicamenteux. La non-observance est l'un des principaux facteurs de l'émergence de résistance aux antibiotiques et d'échec du traitement. Un grand nombre de personnes ne respectent pas la prise des médicaments malgré leur compréhension de l'évolution de la maladie et de l'importance d'être traitées. À la fin du traitement, le client est suivi pendant un an afin de s'assurer qu'il ne subsiste aucune souche résistante. Les personnes atteintes du *M. tuberculosis*, sans manifestation de maladie évolutive, sont porteuses de quantités minimes d'organismes.

Le principal effet secondaire de l'isoniazide, de la rifampine et du pyrazinamide est l'hépatite. Des tests de la fonction hépatique doivent être passés, notamment par les personnes de plus de 35 ans. L'augmentation du taux de transaminase dans le foie, jusqu'à trois fois la normale, sans aucun symptôme, ne constitue pas une raison pour cesser le traitement.

Traitement prophylactique. La pharmacothérapie peut être utilisée pour éviter qu'une infection à la TB ne se transforme en maladie clinique. Les indications du traitement préventif (chimioprophylaxie) sont présentées dans l'encadré 16.8. Les personnes qui ont été en contact étroit avec des clients infectés doivent subir un test à la tuberculine.

PROCESSUS DIAGNOSTIQUE ET THÉRAPEUTIQUE

Tuberculose   ENCADRÉ 16.7

Diagnostic
- Antécédents de santé et examen physique
- Test à la tuberculine
- Radiographie pulmonaire
- Examens bactériologiques
- Culture et frottis des expectorations

Processus thérapeutique
- Traitement de longue durée aux médicaments antimicrobiens*
- Examens bactériologiques de suivi

* Voir tableau 16.4.

PHARMACOTHÉRAPIE

TABLEAU 16.4 Tuberculose (TB)

Médicament	Mécanismes d'action	Effets secondaires	Commentaires
Isoniazide (INH), Isotamine	Perturbe le métabolisme de l'ADN du bacille de la TB.	Névrite périphérique, hépatotoxicité, hypersensibilité (érythème, fièvre, arthralgie), névrite optique, névrite (vitamine B_6).	Le métabolisme s'effectue principalement dans le foie et l'excrétion par les reins ; administration de pyridoxine (vitamine B_6) pendant le traitement à dose élevée comme mesure prophylactique ; utilisé comme seul agent prophylactique en cas de TB évolutive pour les personnes qui ont une réaction positive au test à la tuberculine ; a la capacité de pénétrer la barrière hémato-encéphalique.
Rifampine (Rifadin, Rofact)	A des effets à large spectre, inhibe l'ARN polymérase du bacille de la TB.	Hépatite, réaction fébrile, perturbation gastro-intestinale, neuropathie périphérique, hypersensibilité.	Utilisée surtout avec l'isoniazide ; faible incidence d'effets secondaires ; suppression des effets de la pilule contraceptive ; possibilité d'urine orangée.
Éthambutol	Inhibe la synthèse de l'ARN et a un pouvoir bactériostatique sur le bacille de la TB.	Érythème, perturbation gastro-intestinale, malaise, névrite périphérique, névrite optique.	Effets secondaires rares ou réversibles à l'arrêt du médicament ; surtout utilisé comme substitut en cas de toxicité à l'isoniazide ou à la rifampine.
Streptomycine	Inhibe la synthèse protéinique et est bactéricide.	Ototoxicité (8e nerf crânien), néphrotoxicité, hypersensibilité.	Utilisation risquée chez les personnes âgées ou celles atteintes d'une maladie rénale et les femmes enceintes ; doit être administrée par voie parentérale.
Pyrazinamide (Tebrazid)	Effet bactéricide (le mécanisme exact est inconnu).	Fièvre, érythème, hyperuricémie, ictère (rare).	Taux d'efficacité élevé en combinaison avec la streptomycine ou la capréomycine.
Amikacine (Amikin)	Perturbe la synthèse protéinique.	Ototoxicité, néphrotoxicité.	Utile dans certains cas pour traiter des souches résistantes.

ADN : acide désoxyribonucléique ; ARN : acide ribonucléique.

Certains individus sont porteurs d'une infection de TB latente pouvant se transformer en maladie évolutive dans certains cas. Ce sont, notamment, les clients ayant un test à la tuberculine positif et qui sont immunodéprimés à un certain degré (p. ex. un client qui suit une corticothérapie prolongée ou qui est infecté par le VIH), qui sont atteints d'une affection maligne comme la maladie de Hodgkin ou qui souffrent de diabète. Les clients qui se situent dans l'une de ces situations doivent suivre un traitement prophylactique antituberculeux.

Le médicament normalement utilisé pour la chimioprophylaxie est l'isoniazide. Ce médicament est à la fois efficace et peu coûteux. Il peut être administré par voie orale, habituellement une fois par jour, pendant une période de six mois dans les cas sans complications et pour une période de 12 mois, si le client présente des

- Client récemment infecté.
- Client avec infection connue ou soupçonnée au VIH et ayant une réaction positive au test à la tuberculine.
- Exposition des membres de la famille et autres proches du client récemment infecté.
- Réactions importantes au test à la tuberculine dans certaines situations cliniques spécifiques (client prenant des corticostéroïdes, souffrant de diabète, de silicose, d'insuffisance rénale terminale ou ayant subi une gastrectomie).
- Autres résultats importants lors du test à la tuberculine (augmentation ≥10 mm en deux ans pour les personnes âgées de moins de 35 ans ; augmentation ≥15 mm pour celles âgées de plus de 35 ans ; tous les enfants de moins de 2 ans avec un test à la tuberculine de >10 mm).
- Autres réactions importantes de test à la tuberculine chez les personnes âgées de moins de 35 ans (personnes nées à l'extérieur du Canada, dans des pays à haute prévalence ; populations à faible revenu ; populations raciales et ethniques à haut risque comme les personnes de race noire, les hispaniques, les Amérindiens ou les personnes résidant dans des centres d'hébergement et de soins de longue durée).

Tiré de l'American Thoracic Society (ATS).

anomalies sur les radiographies pulmonaires ou s'il est séropositif pour le VIH.

Vaccin. Plusieurs vaccins vivants, contre la TB, sont disponibles et sont communément appelés BCG en raison du nom de la souche originale de bactérie utilisée dans les vaccins (bacille de Calmette-Guérin). Le vaccin BCG doit être administré seulement si la chimioprophylaxie à l'isoniazide ne peut être utilisée. Il est recommandé pour les personnes dont le test à la tuberculine est négatif, mais qui sont fréquemment exposées à la TB pulmonaire (p. ex. celles qui travaillent dans les pays où le taux de prévalence est élevé). Il devrait également être administré au sein des collectivités ou des groupes qui présentent un taux très élevé de nouvelles infections malgré l'existence de traitements d'attaque et de programmes de surveillance.

16.3.7 Soins infirmiers : tuberculose

Collecte de données. Il est très important de déterminer si le client a été exposé ou non à une personne atteinte de TB. L'infirmière doit recueillir les renseignements relatifs à une toux productive, des sueurs nocturnes, des hausses de température en fin d'après-midi, une perte de masse corporelle, une douleur thoracique

pleurale ou des râles crépitants dans la région supérieure des poumons. Si le client a une toux productive, un échantillon d'expectorations prélevé tôt le matin sera nécessaire pour effectuer un frottis de bacille acidorésistant dans le but de déceler la présence de mycobactéries.

Diagnostics infirmiers. Les diagnostics infirmiers relatifs au client atteint de tuberculose sont, entre autres :
- un mode de respiration inefficace relié à une diminution de la capacité pulmonaire ;
- un déficit nutritionnel relié à un faible appétit chronique, la fatigue et une toux productive ;
- la non-observance du traitement reliée à un manque de connaissances du processus morbide, un manque de motivation et la longue durée du traitement ;
- la difficulté à se maintenir en santé reliée à un manque de connaissances du processus morbide et du régime thérapeutique ;
- l'intolérance à l'activité reliée à la fatigue, un déficit nutritionnel et des épisodes fébriles chroniques.

Planification. Les objectifs généraux à l'égard du client atteint de TB sont les suivants :
- il observera le régime thérapeutique ;
- il n'éprouvera aucune récurrence de la maladie ;
- il aura une fonction pulmonaire normale ;
- il prendra les mesures nécessaires pour prévenir la propagation de la maladie.

Exécution

Promotion de la santé. Le but ultime est évidemment l'éradication de la TB. Les infirmières des CLSC et les infirmières cliniciennes ont des responsabilités très importantes. Les programmes de dépistage sélectif au sein des groupes à risque sont essentiels pour déceler la TB au sein de la population. La personne dont le test à la tuberculine est positif doit passer une radiographie pulmonaire pour confirmer le diagnostic. Une autre mesure importante consiste à identifier les personnes qui ont été en contact avec le client déjà atteint de tuberculose. Ces personnes doivent être examinées en raison de la possibilité d'infection et, dans ce cas, être soumises à un traitement chimioprophylactique.

L'infirmière doit vérifier si le client a été exposé à une personne atteinte de TB, s'il présente des symptômes respiratoires, comme la toux, la dyspnée ou une production d'expectorations, accompagnés de sueurs nocturnes et d'une perte pondérale inexpliquée. Même si le problème respiratoire est causé par une autre affection, comme de l'emphysème, une pneumonie ou un cancer du poumon, il est possible que le client soit également atteint de TB.

CONSIDÉRATIONS ÉTHIQUES

Observance du traitement | ENCADRÉ 16.9

Situation

Le CLSC découvre qu'un client sans domicile fixe atteint de tuberculose ne prend pas ses médicaments. Il dit à l'infirmière qu'il lui est difficile de se rendre à la clinique pour les chercher et d'observer le plan de soins infirmiers. L'infirmière se préoccupe de la santé du client et de celle des autres personnes au refuge, au parc et dans les centres qui offrent des repas.

Discussion

La tuberculose est devenue une préoccupation de santé publique de même qu'un problème à résoudre par le client. Les sans-abri ne sont pas enclins à suivre les traitements, à moins qu'ils soient motivés et aptes à affronter les problèmes quotidiens et leur état clinique. Si la tuberculose n'est pas traitée correctement, le client peut non seulement infecter d'autres personnes, mais sa maladie peut développer une résistance aux médicaments et donner naissance à une souche de bacilles encore plus résistante. Il y a donc deux clients impliqués dans cette maladie, soit le client infecté et le public. Par conséquent, les services sociaux doivent intervenir afin d'aider cette personne à observer efficacement le traitement. Il peut être possible de placer le client dans une maison de transition jusqu'à la fin du traitement. Il est évident que les responsables de l'hygiène publique doivent intervenir afin de protéger la population si le client n'est pas apte ou prêt à coopérer.

Considérations d'ordre éthique et juridique

- Les objectifs médicaux du traitement sont compromis si le client ne coopère pas.
- L'autonomie du client peut être sujette à certaines obligations si la protection de la santé publique est compromise.
- Les intérêts de la santé publique peuvent user de lois permettant à une institution de détenir un client et de le traiter afin d'éviter la propagation de maladies infectieuses.

Interventions en phase aiguë. Bien que des soins intensifs soient rarement nécessaires pour le client atteint de TB, il peut arriver qu'un court séjour en centre hospitalier s'avère indispensable. L'isolement respiratoire peut être indiqué jusqu'à ce que la pharmacothérapie se soit prouvée efficace, c'est-à-dire durant au moins deux semaines, et que le client ait montré des signes de réaction clinique au traitement. Il est recommandé d'isoler le client atteint de TB résistante aux médicaments jusqu'à ce que les frottis aient montré des résultats négatifs sur une période de trois jours consécutifs. S'il ne présente aucun risque de transmission du bacille tuberculeux (p. ex. s'il ne tousse pas), l'isolement respiratoire n'est pas nécessaire. Les masques sont peu efficaces, à moins qu'ils ne soient fabriqués avec des tissus conçus pour filtrer entièrement les gouttelettes aéroportées. Les masques filtrants à haute efficacité contre les particules peuvent être utiles,

puisqu'ils filtrent presque 100 % des particules de plus de 3 µm de diamètre. Tous les masques utilisés doivent être de qualité et moulés de telle sorte qu'ils puissent couvrir entièrement la bouche et le nez, tout en s'ajustant parfaitement.

Le client doit aussi être informé de l'importance de se couvrir la bouche et le nez avec des mouchoirs de papier chaque fois qu'il tousse, éternue ou expectore. Ces mouchoirs doivent être jetés dans un sac de papier et brûlés. Les masques sont nécessaires seulement lorsque les personnes sont en contact direct et doivent être portés de préférence par le client. Celui-ci doit aussi être avisé de se laver les mains immédiatement après avoir touché à des expectorations et des mouchoirs de papier usés. Des précautions particulières doivent être prises au cours des interventions visant la production d'expectorations ainsi que durant des procédures à haut risque, telles qu'une bronchoscopie ou une endoscopie.

Soins ambulatoires et soins à domicile. La plupart des échecs du traitement sont causés par le client qui néglige de prendre ses médicaments, qui ne les prend pas de manière régulière ou qui cesse de les prendre prématurément. Il est donc important que l'infirmière établisse une bonne relation thérapeutique. Dans cette optique, elle doit tenir compte du mode de vie du client et lui accorder une certaine flexibilité dans la planification de son traitement afin de s'assurer de sa coopération. L'infirmière doit bien le renseigner, de sorte qu'il comprenne parfaitement l'importance de suivre le traitement prescrit. Un renforcement continu l'aidera à comprendre que l'observance du traitement se traduira par une guérison. Il est possible que certains clients aient l'impression qu'il existe un stigmate social lié à la TB. Il est nécessaire d'en discuter et de les rassurer quant au fait que les personnes atteintes de TB peuvent guérir si elles suivent bien le traitement prescrit. Un grand nombre de personnes se souviennent encore que les tuberculeux étaient autrefois envoyés dans un sanatorium et qu'ils étaient isolés du reste de la société. L'attitude du personnel soignant envers les clients atteints de TB doit être la même que celle adoptée envers ceux atteints d'une pneumonie. Les deux maladies sont infectieuses et guérissables. L'Association pulmonaire du Québec offre une excellente documentation visant à renseigner les personnes au sujet de la maladie et fournit des services d'entraide pour les clients et leur famille.

Une fois le traitement pharmacologique terminé, la plupart des clients sont considérés comme suffisamment traités. Un suivi peut s'avérer nécessaire pendant les 12 mois suivant le traitement. Il devrait comprendre des examens bactériologiques et des radiographies pulmonaires. Le client doit être en mesure de reconnaître les symptômes indiquant une récurrence de la

TB, puisqu'il y a possibilité de rechute dans 5 % des cas. Si ces symptômes se manifestent, il doit immédiatement consulter son médecin.

Le client doit être informé de certains facteurs susceptibles de réactiver la TB, tels qu'une thérapie immunodépressive ou une affection débilitante prolongée ou maligne. S'il se trouve dans l'une ou l'autre de ces situations, le personnel soignant doit en être informé afin de surveiller une possible réactivation de la maladie. Une pharmacothérapie antituberculeuse peut alors s'avérer nécessaire.

Évaluation. Les résultats escomptés à l'égard du client atteint de TB sont les suivants :
- résolution complète de la maladie ;
- fonction pulmonaire normale ;
- absence de complications.

16.3.8 Mycobactéries atypiques

Une maladie pulmonaire très semblable à la TB peut être causée par des mycobactéries acidorésistantes atypiques. Il est impossible de faire une distinction clinique ou radiologique entre ce type de maladie pulmonaire et la TB autrement que par une culture bactériologique. Étant donné qu'on ne croit pas que ces organismes soient aéroportés, ils ne peuvent être transmis par des gouttelettes.

Les mycobactéries atypiques qui affectent le poumon sont les suivantes : *M. kansasii*, *M. scrofulaceum*, *M. intracellularis* et *M. xenopi*. Ces bactéries (notamment, *M. avium intracellulare* et *M. scrofulaceum*) peuvent aussi envahir les ganglions lymphatiques de la tête et du cou et, par conséquent, entraîner une adénite. Ce type de maladie pulmonaire atteint tout particulièrement les hommes de race blanche ayant des antécédents de BPCO, de fibrose kystique ou de silicose. L'infection à *Mycobacterium avium intracellulare* est une cause fréquente d'infection opportuniste chez les clients infectés par le VIH (voir chapitre 8).

Le traitement dépend de l'identification de l'agent causal et de la sensibilité du client aux médicaments. Un grand nombre de médicaments antituberculeux sont aussi utilisés pour combattre les infections causées par des bactéries atypiques.

16.4 INFECTIONS PULMONAIRES FONGIQUES

L'incidence de ces infections ne cesse d'augmenter. Elles se manifestent surtout chez les personnes gravement affaiblies à la suite d'un traitement aux corticostéroïdes, aux antinéoplasiques et aux immunodépresseurs, ou

TABLEAU 16.5 Infections fongiques du poumon	
Micro-organisme en cause	**Caractéristiques**
Histoplasmose *Histoplasma capsulatum*	Indigène des sols des vallées fluviales d'Amérique du Nord, inhalation de champignons dans les voies respiratoires, les personnes infectées sont habituellement exemptes de symptômes, maladie chronique généralement résolutive et semblable à la tuberculose.
Coccidioïdomycose *Coccidioides immitis*	Inhalation d'arthrospores dans les poumons, réaction suppurative et granulomateuse dans les poumons, infection symptomatique chez le tiers des personnes atteintes.
Blastomycose *Blastomyces dermatitidis*	Inhalation de champignons dans les voies respiratoires, évolution de la maladie souvent insidieuse, atteinte cutanée possible.
Cryptococcose *Cryptococcus neoformans*	Levure, indigène partout dans le monde dans les excréments de pigeons, inhalation de champignons dans les poumons, possibilité de méningite.
Aspergillose *Aspegillus niger* ou *Aspergillus fumigatus*	Moisissure de la bouche, très répandue, infiltration du tissu pulmonaire pouvant provoquer une pneumonie nécrosante ; l'aspergillose bronchopulmonaire allergique peut nécessiter une thérapie aux corticostéroïdes chez les clients atteints d'asthme.
Candidiase *Candida albicans*	Principale cause de mycose chez les clients hospitalisés et immunodéprimés, colonisation fréquente et très répandue des voies respiratoires supérieures et gastro-intestinales, infections fréquentes après une antibiothérapie à large spectre (systémique ou inhalée), possibilité d'infiltrations pulmonaires locales et de consolidation bilatérale répandue avec hypoxémie.
Actinomycose *Actinomyces israeli*	Faux champignon, présence de filaments pseudo-mycéliens ; bactéries anaérobies Gram positif avec des hyphes qui se ramifient ; présence de pneumonie nécrosante après aspiration ; pneumonie, surtout dans les lobes inférieurs, avec abcès ou formation d'empyème.
Nocardiose *Nocardia asteroides*	Faux champignon ; bactéries aérobies avec hyphes qui se ramifient ; saprophyte du sol très répandue dans la nature ; infection contractée dans la nature ; rarement présente dans les expectorations qui accompagnent la maladie.

encore aux antibiotiques ; les clients souffrant de fibrose kystique ou du sida peuvent aussi en être atteints. Les types d'infections pulmonaires fongiques sont présentés dans le tableau 16.5. Comme ces infections ne sont pas transmissibles de personne à personne, l'isolement est inutile. Leurs manifestations cliniques ressemblent à celles d'une pneumonie bactérienne. Les tests cutanés et sérologiques aident à découvrir les organismes infectieux en cause. Toutefois, l'analyse d'un échantillon d'expectorations ou de liquide organique constitue le meilleur test diagnostique.

16.4.1 Processus thérapeutique

L'amphotéricine B est le médicament le plus utilisé pour traiter les graves infections systémiques fongiques. Étant donné que ce médicament est mal absorbé par la voie gastro-intestinale, il doit être administré par voie intraveineuse afin d'atteindre une concentration sanguine et tissulaire adéquate. L'amphotéricine B est considérée comme toxique et peut entraîner des effets secondaires comme des réactions d'hypersensibilité, de la fièvre, des frissons, des malaises, des nausées et des vomissements, une thrombophlébite au point d'injection ainsi qu'une insuffisance rénale. Un grand nombre d'effets secondaires ressentis au cours de la perfusion peuvent être évités en administrant de l'aspirine ou de la diphenhydramine (Benadryl) une heure avant l'injection. L'ajout d'une petite dose d'hydrocortisone dans la perfusion permet de diminuer l'irritation des veines. Il est important de surveiller la fonction rénale du client lorsque ce médicament est administré, puisque les altérations peuvent être partielle-

ment réversibles. Les perfusions d'amphotéricine sont incompatibles avec la plupart des autres médicaments et doivent habituellement être administrées tous les deux jours, après la fin du traitement quotidien initial qui dure plusieurs semaines. La durée totale du traitement à l'amphotéricine peut varier de 4 à 10 semaines.

Les dérivés d'imidazole et de triazole administrés par voie orale, comme le kétoconazole (Nizoral), le fluconazole (Diflucan) ou l'itraconazole (Sporanox), se sont avérés très efficaces contre les infections fongiques. Leur efficacité a permis d'offrir une solution de remplacement à l'usage de l'amphotéricine B dans bien des cas. Les résultats du traitement peuvent être surveillés grâce au titrage de la sérologie fongique.

16.5 BRONCHIECTASIE

16.5.1 Étiologie et physiopathologie

La **bronchiectasie** se caractérise par la dilatation anormale et permanente d'une ou de plusieurs bronches. La conséquence physiopathologique qui en résulte est la destruction des structures élastiques et musculaires des parois bronchiques. Il existe deux types pathologiques de bronchiectasie : sacciforme ou cylindrique (voir figure 16.3). La **bronchiectasie sacciforme** se manifeste surtout dans les grosses bronches et est caractérisée par une dilatation causant d'importantes cavités à leurs extrémités. La **bronchiectasie cylindrique** atteint les bronches moyennes qui sont à peine ou modérément

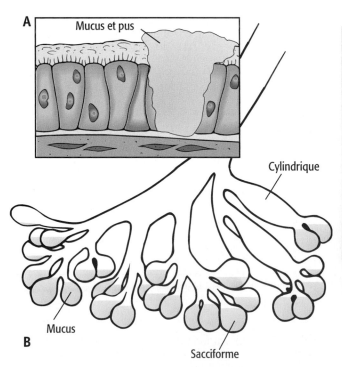

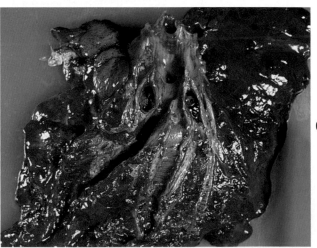

C

FIGURE 16.3 Affections pathologiques lors d'une bronchiectasie. A. Section longitudinale de la paroi bronchique lésée par une infection chronique. B. Amas de substance purulente dans les bronchioles dilatées, causant une infection chronique. C. Bronchiectasie cylindrique. Les bronches dilatées (A) et les bronchioles (B) peuvent être pratiquement sectionnées jusqu'à la surface pleurale.

dilatées. La **bronchiectasie fusiforme**, un sous-type de la bronchiectasie cylindrique, cause davantage un effet de « poche », contrairement à la dilatation causée par la bronchiectasie cylindrique.

Pratiquement toutes les formes de bronchiectasie sont associées à des infections bactériennes. Une grande variété d'agents infectieux peuvent être en cause, notamment les adénovirus, les virus grippaux, les bactéries *S. aureus* et *Klebsiella* ainsi que les anaérobies. Ces infections affaiblissent les parois bronchiques et entraînent la formation de poches d'infection. Une fois que les parois bronchiques sont atteintes, le mécanisme mucociliaire se trouve endommagé, ce qui provoque l'accumulation de bactéries et de mucus dans les poches. L'infection s'aggrave et se transforme en bronchiectasie.

Selon la cause sous-jacente, on la désigne comme étant localisée ou généralisée. Une **bronchiectasie localisée** est le résultat d'une pneumonie nécrosante ou à pneumocoques, dont les séquelles se limitent à une seule région du poumon ou à une obstruction focale des voies respiratoires. Toute forme d'obstruction peut prédisposer une personne à la bronchiectasie (p. ex. une tumeur bronchopulmonaire ou à la poitrine, des corps étrangers aspirés, des sécrétions épaisses et collantes comme celles présentes chez les clients atteints d'une bronchite chronique ou de fibrose kystique). L'obstruction a pour effet de distendre les bronches et les bronchioles et de les faire ballonner sous le niveau d'obstruction, ce qui crée un milieu idéal pour la prolifération des organismes.

Bien que la principale cause de **bronchiectasie généralisée** soit la présence d'une infection bactérienne de type nécrosant et multifocal, d'autres circonstances, comme les facteurs congénitaux, les aspirations gastriques récurrentes et les inhalations toxiques, constituent des conditions propices à leur développement. Les facteurs congénitaux comprennent les altérations de la structure bronchique, comme les kystes et les culs-de-sac, qui entraînent l'accumulation de sécrétions. Une anomalie ciliaire, causant l'immobilité des cils, est aussi associée à la bronchiectasie. Dans les cas de fibrose kystique, il est possible qu'une rétention et un épaississement du mucus bloquent les voies respiratoires. De nombreux déficits immunitaires sont associés aux pneumonies bactériennes récurrentes. Certaines expositions à des inhalations, surtout les gaz irritants comme l'oxyde de soufre et l'azote, peuvent aussi provoquer une bronchiectasie.

On estime que le processus morbide pourrait se manifester dès l'enfance, comme une déficience acquise qui commence par des problèmes respiratoires consécutifs à une grippe, la rougeole ou la coqueluche. Les infections récurrentes des voies respiratoires inférieures sont d'autres maladies d'enfance qui peuvent prédisposer une personne à la bronchiectasie. Ce type de processus est typique chez les personnes atteintes de fibrose kystique, d'asthme, de carence en α-1 antitrypsine ou de déficit immunitaire.

16.5.2 Manifestations cliniques

Les premières manifestations de la bronchiectasie peuvent varier considérablement selon l'étendue et la localisation du processus morbide. Elles peuvent comprendre une toux chronique avec production d'expectorations mucopurulentes, une hémoptysie ou une pneumonie récurrente. La toux est paroxystique et souvent stimulée par les changements de position. On peut également observer d'autres symptômes, tels que la dyspnée à l'effort, la fatigue, la perte pondérale, l'anorexie et l'haleine fétide. Une combinaison de crépitants, de ronchi et une respiration sifflante (*wheezing*) sont perceptibles à l'auscultation des poumons. Il est fréquent qu'une sinusite accompagne une bronchiectasie diffuse, laquelle se manifeste généralement par une respiration sifflante (*wheezing*), de l'hippocratisme digital et un cœur pulmonaire.

16.5.3 Épreuves diagnostiques

On peut soupçonner une bronchiectasie lorsqu'une personne a une toux productive chronique avec des expectorations abondantes (pouvant être striées de sang). Les constatations caractéristiques dans l'anamnèse, comme une maladie d'enfance compliquée par une infection des voies respiratoires ou une bronchite chronique, sont très importantes. On effectue habituellement des radiographies pulmonaires sur lesquelles on peut percevoir des infiltrats striés. Une bronchographie nécessite l'injection d'un produit de contraste radio-opaque dans les bronches, à l'aide d'un cathéter ou d'un bronchoscope. Cette méthode était autrefois utilisée pour évaluer les cas de bronchiectasie modérée ou aiguë. Depuis que la TDM est utilisée, le dépistage s'est nettement amélioré. Une bronchoscopie peut s'avérer utile pour découvrir la source des sécrétions ou les foyers d'hémoptysie chez les personnes souffrant de toux productive chronique.

Un prélèvement d'expectorations visant à évaluer la quantité, les caractéristiques et le contenu des microbes, peut s'avérer une excellente source d'information supplémentaire pour connaître la gravité de l'altération et vérifier s'il y a manifestation d'une infection évolutive. L'épreuve de la fonction pulmonaire peut montrer des anomalies dans le cas d'une bronchiectasie avancée, notamment une baisse de la capacité vitale, du débit respiratoire et de la ventilation maximale minute (VMM), ainsi qu'une augmentation des discordances ventilation-perfusion causant l'hypoxémie. Une formule sanguine complète peut être normale ou montrer des preuves de leucocytose ou d'anémie causée par une infection chronique intrathoracique.

16.5.4 Processus thérapeutique

La bronchiectasie est difficile à traiter. Les antibiotiques sont la principale forme de traitement et doivent être administrés en fonction des résultats de la culture d'expectorations. Les bronchodilatateurs, les agents mucolytiques et les expectorants sont également utilisés. Il est important que le client maintienne une bonne hydratation afin de liquéfier ses sécrétions. La physiothérapie respiratoire et les autres techniques de dégagement des voies respiratoires sont aussi indispensables pour favoriser les expectorations (le chapitre 17 traite de ces techniques). Le client doit réduire son exposition aux polluants et aux irritants atmosphériques, cesser de fumer et recevoir les vaccins antigrippal et antipneumococcique.

Bien que la résection chirurgicale d'un lobe ou d'un segment du poumon soit moins fréquente qu'avant, il est possible qu'on y ait recours pour un client souffrant de pneumonie à répétition, d'hémoptysie et de complications invalidantes, si le traitement conservateur n'est pas efficace. La chirurgie n'est toutefois pas recommandée lorsque la maladie est diffuse dans tout l'organisme. La greffe pulmonaire peut être une solution dans le cas des clients qui sont invalides malgré tous les traitements possibles (cette chirurgie est traitée plus loin dans ce chapitre).

16.5.5 Soins infirmiers : bronchiectasie

L'incidence de la bronchiectasie a connu une diminution au cours des dernières années. Cette baisse est due en partie à la vaccination contre la rougeole et la coqueluche, ce qui diminue l'incidence des bronchiectasies causées par ces maladies. Le dépistage et le traitement précoces des infections des voies respiratoires inférieures aident à prévenir les complications. Toute lésion obstructive ou tout corps étranger doit être retiré rapidement. D'autres mesures servant à réduire l'occurrence ou l'évolution de la bronchiectasie comprennent l'arrêt de l'usage du tabac et la diminution de l'exposition aux polluants. Les enfants souffrant de toux chronique doivent être examinés afin d'en déterminer la cause.

L'une des principales tâches de l'infirmière consiste à assurer le drainage et l'élimination des expectorations bronchiques. Plusieurs techniques de dégagement des voies respiratoires peuvent être utilisées pour faciliter l'élimination des sécrétions. Il est important d'enseigner au client les exercices de respiration profonde et les techniques de toux (voir encadré 17.9). L'infirmière doit procéder à une physiothérapie respiratoire, accompagnée d'un drainage postural, sur les parties atteintes du poumon (voir figure 17.16). Pour certains clients, il peut s'avérer nécessaire de relever le pied du lit d'environ 10 à 15 cm pour faciliter le drainage. Des oreillers peuvent également être utilisés pour placer le client en position de drainage postural. Le flutter est un type de dispositif portatif qui sert à éliminer les sécrétions respiratoires en faisant vibrer les voies respiratoires lors de l'expiration. De deux à quatre séances de 15 minutes par jour permettent au client d'expectorer une bonne quantité de mucus. Le masque à pression positive expiratoire sert à respirer contre une résistance d'expiration et est souvent utilisé avec un nébuliseur (le chapitre 17 traite de la procédure d'inhalothérapie).

La prise d'antibiotiques, de bronchodilatateurs ou d'expectorants est primordiale. Le client doit comprendre l'importance de suivre le traitement médicamenteux prescrit. Il doit être informé des effets secondaires ou indésirables qui doivent être signalés au médecin.

Le repos est essentiel afin de prévenir le surmenage. L'alitement peut s'avérer nécessaire pendant la phase aiguë de la maladie. Les frissons et l'excès de fatigue doivent être évités.

Bien qu'une bonne alimentation soit indispensable, elle peut être difficile à maintenir, car les clients atteints de bronchiectasie sont souvent anorexiques. Une bonne hygiène buccale visant à nettoyer et retirer les couches d'expectorations sèches peut aider à stimuler l'appétit. Des aliments appétissants, savoureux et bien présentés contribuent à augmenter l'appétit. Il est très important de veiller à ce que le client boive suffisamment afin de liquéfier les sécrétions et de faciliter leur élimination. À moins de contre-indications en raison d'une insuffisance cardiaque congestive concomitante ou d'une maladie rénale, il doit boire au moins trois litres de liquide par jour. Pour atteindre cette consommation quotidienne, il doit augmenter son absorption liquidienne en prenant un verre de plus par jour jusqu'à concurrence de trois litres. Il doit normalement boire des liquides à faible teneur en sodium afin d'éviter la rétention hydrique.

L'hydratation directe des voies respiratoires peut aussi s'avérer efficace pour éliminer les sécrétions. Cette procédure est effectuée à l'aide d'un nébuliseur à jets qui administre une solution saline normale. Cependant, le client atteint de bronchiectasie doit éviter les nébuliseurs ultrasonores, puisqu'ils provoquent souvent des bronchospasmes. À la maison, une douche chaude avec beaucoup de vapeur peut s'avérer très efficace en remplacement d'un équipement coûteux qu'il faut nettoyer fréquemment et qui est souvent inutile. Afin d'éviter une bronchoconstriction, il est important que le client utilise un bronchodilatateur pendant 10 à 15 minutes avant d'utiliser un aérosol non irritant.

Il faut enseigner au client et à sa famille comment reconnaître les manifestations cliniques importantes qui doivent être signalées au personnel soignant, comme une augmentation de la production d'expectorations, de l'hémoptysie, une augmentation de la dyspnée, de la fièvre, des frissons et des douleurs thoraciques.

16.6 ABCÈS PULMONAIRE

16.6.1 Étiologie et physiopathologie

L'abcès pulmonaire est une lésion du parenchyme qui forme une cavité contenant du pus. Cette lésion est causée par la nécrose du tissu pulmonaire. Dans bien des cas, les causes et les agents pathogènes sont semblables à ceux de la pneumonie. La principale explication étiologique est l'aspiration de corps étrangers dans les poumons. Les facteurs de risque d'aspiration sont l'alcoolisme, les troubles épileptiques, les surdoses de médicaments, l'anesthésie générale et les AVC. La plupart des abcès pulmonaires sont causés par des agents infectieux. En plus d'entraîner une infection, les micro-organismes en cause provoquent la formation de nécrose du tissu pulmonaire. Parmi ces organismes, on trouve des Gram négatif gastrorésistants (p. ex. *Klebsiella*), des bactéries *S. aureus* et des bacilles anaérobies (p. ex. *Bacteroides*, *Actinomyces*). L'abcès pulmonaire peut aussi être causé par un infarctus pulmonaire hématogène provoqué par une embolie pulmonaire, la croissance d'une tumeur maligne, la tuberculose ou diverses maladies fongiques et parasitaires des poumons.

Les parties le plus souvent affectées sont les segments apicaux des lobes inférieurs et les segments postérieurs des lobes supérieurs. Des tissus fibreux se forment habituellement autour de l'abcès dans le but de le cloisonner. L'abcès peut s'éroder dans les bronches, produisant ainsi des expectorations fétides. Il peut s'étendre jusqu'à la plèvre et causer une douleur pleurale. De multiples petits abcès peuvent également se former dans les poumons.

16.6.2 Manifestations cliniques et complications

L'apparition d'un abcès pulmonaire survient habituellement de façon insidieuse quand des micro-organismes anaérobies en sont la principale cause, mais son apparition se fait plus aiguë lorsque les micro-organismes en cause sont aérobies. Les manifestations les plus fréquentes sont une toux productive d'expectorations purulentes (souvent d'un brun foncé) et fétides. L'hémoptysie n'est pas rare, surtout lorsqu'il se produit une rupture de l'abcès dans une bronche. Cette situation peut entraîner d'autres manifestations courantes, comme de la fièvre, des frissons, de l'apathie, une douleur pleurale, de la dyspnée, de la toux ou une perte de masse corporelle. Les antécédents peuvent révéler des facteurs prédisposants, tels que l'alcoolisme, une pneumonie ou une infection buccale.

L'examen physique des poumons indique une matité à la percussion et une diminution des bruits respiratoires à l'auscultation des segments atteints. Il peut y avoir une transmission du souffle tubaire en périphérie si les bronches adjacentes deviennent perméables et qu'un écoulement se manifeste à partir des segments. Des crépitants peuvent aussi être entendus plus tard, lorsque l'abcès est drainé. L'examen bucco-dentaire révèle souvent la présence de caries dentaires, de gingivite ou d'infection parodontale.

Les complications potentielles sont un abcès pulmonaire chronique, une hémorragie causée par l'érosion d'un abcès dans les vaisseaux sanguins, un abcès cérébral causé par la propagation hématogène de l'infection, une fistule bronchopleurale ou un empyème causé par la perforation d'un abcès dans la cavité pleurale.

16.6.3 Épreuves diagnostiques

La radiographie pulmonaire prise avant le drainage de l'abcès montrerait une lésion cavitaire de type solitaire présentant un niveau hydroaérique (image radiologique caractéristique de la coexistence, dans une cavité, d'un épanchement liquide et d'un épanchement gazeux). Une fois que l'abcès serait drainé apparaîtrait une région de consolidation avec une paroi autour d'une zone translucide. Une culture d'expectorations et le test de coloration de Gram sont nécessaires pour découvrir l'organisme infectieux. Les échantillons d'expectorations peuvent être prélevés par voie trachéale ou transthoracique afin d'éviter la contamination buccale. On peut recourir à une bronchoscopie si le drainage de l'abcès est retardé ou si des facteurs laissent supposer une affection maligne sous-jacente. Une leucocytose élevée est souvent présente.

16.6.4 Soins infirmiers et processus thérapeutique: abcès pulmonaire

La première méthode de traitement est habituellement l'administration d'antibiotiques pendant une période de six à huit semaines. Dans le passé, la pénicilline représentait le médicament de choix en raison de la présence fréquente d'organismes anaérobies. Toutefois, de récentes études, portant sur la production de β-lactamases par les bactéries anaérobies causant les abcès pulmonaires, démontrent que les médicaments, comme la clindamycine (Dalacin) ou le métronidazole (Flagyl), doivent être utilisés en combinaison avec la pénicilline comme traitement primaire. La clindamycine est assurément le médicament par excellence contre les infections comprenant des abcès fétides à grandes cavités ou pour le client atteint d'une toxicité systémique aiguë.

Puisque l'antibiothérapie doit se poursuivre sur une période prolongée, le client doit être conscient de l'importance de suivre le traitement pendant toute la durée prescrite. Il doit être informé des effets secondaires indésirables qu'il lui faudra signaler. Il arrive qu'on lui demande de se présenter périodiquement au centre hospitalier au cours de l'antibiothérapie afin d'effectuer d'autres cultures et tests de sensibilité dans le but de s'assurer que les organismes infectieux ne résistent pas aux antibiotiques. Une fois l'antibiothérapie terminée, on procède à une réévaluation.

Il est important d'enseigner au client comment tousser d'une manière efficace (voir encadré 17.9). La physiothérapie respiratoire et le drainage postural sont parfois utilisés pour drainer les abcès localisés dans la partie inférieure ou supérieure du poumon. Selon la partie atteinte, le drainage postural facilite l'élimination des sécrétions (voir figure 17.16). Des soins buccaux dispensés à toutes les deux ou trois heures sont nécessaires pour éliminer l'odeur fétide et le goût désagréable des expectorations. Un mélange en parties égales de NaCl, d'huile minérale et de rince-bouche est souvent très efficace.

Les mesures symptomatiques comprennent le repos, une bonne alimentation et un apport liquidien suffisant afin d'accélérer le rétablissement. On doit inciter le client à consulter un dentiste s'il a une mauvaise dentition et une hygiène buccodentaire insuffisante (voir chapitre 33).

Il est rare qu'une chirurgie soit indiquée; cependant, elle peut parfois être nécessaire lorsqu'une grande lésion cavitaire est réinfectée ou lorsqu'on doit établir un diagnostic en présence d'un néoplasme sous-jacent ou d'une maladie chronique associée. L'usage de la bronchoscopie pour drainer un abcès est controversé. Certains médecins estiment que cette procédure peut contribuer à la propagation de l'infection dans les autres parties du poumon. Si l'on doit procéder à une bronchoscopie, il est recommandé d'attendre de 24 à 48 heures à la suite d'un traitement antimicrobien.

16.7 MALADIES PULMONAIRES PROFESSIONNELLES

Les maladies pulmonaires professionnelles sont causées par l'inhalation de poussières ou de produits chimiques. La durée de l'exposition et la quantité inhalée ont une très grande influence sur les risques d'atteinte des poumons de la personne exposée. La susceptibilité de l'hôte est un autre facteur très important.

La **pneumoconiose** est un terme employé pour désigner les maladies pulmonaires causées par l'inhalation et la rétention de particules de poussière. La signification littérale de pneumoconiose est « poussière dans les poumons ». La silicose, l'amiantose, la sidérose et la bérylliose sont des exemples de pneumoconiose. La réaction classique à l'inhalation d'une substance est l'infiltration diffuse des phagocytes dans le parenchyme. Cette réaction peut provoquer une **fibrose pulmonaire diffuse** (excès de tissus conjonctifs), résultat d'une régénération tissulaire consécutive à une inflammation. La pneumoconiose et les autres maladies pulmonaires professionnelles sont présentées dans le tableau 16.6.

La **pneumopathie chimique** est causée par l'exposition à des émanations de produits chimiques toxiques. Il en résulte une infection diffuse du parenchyme caractérisée par un œdème pulmonaire. Les signes cliniques chroniques sont les mêmes que ceux d'une bronchiolite oblitérante, laquelle montre habituellement une radiographie thoracique normale ou une hyperinflation. La pneumopathie des ensileurs en est un exemple.

La **pneumopathie d'hypersensibilité** ou alvéolite allergique extrinsèque est la réaction qui se produit lorsqu'une personne inhale des antigènes auxquels elle est allergique. La maladie des éleveurs d'oiseaux et l'asthme du fermier en sont des exemples.

Le **cancer du poumon**, soit un carcinome malpighien ou un adénocarcinome, est le type de cancer le plus fréquemment associé à l'exposition à l'amiante. Les personnes exposées à cette matière courent un risque plus élevé de développer la maladie. Il y a un intervalle minimum de 15 à 19 ans entre la première exposition et le développement du cancer. Les mésothéliomes pleuraux et péritonéaux sont aussi reliés à l'exposition à l'amiante.

16.7.1 Manifestations cliniques

Les symptômes aigus de l'œdème pulmonaire peuvent être perçus dès les premières expositions aux émanations chimiques. Toutefois, il arrive fréquemment que les effets de nombreuses maladies pulmonaires professionnelles ne se manifestent que 10 à 15 ans après les premières expositions aux émanations irritantes. La dyspnée et la toux sont souvent les premières manifestations. Les douleurs thoraciques et la toux productive se manifestent habituellement un peu plus tard. Les complications qui en découlent le plus souvent sont la pneumonie, la bronchite chronique, l'emphysème et le cancer du poumon. Le cœur pulmonaire est une complication tardive, notamment dans les cas de fibrose pulmonaire diffuse. Habituellement, le client consulte un médecin en raison des premiers signes de ces complications.

Les tests de fonction pulmonaire montrent souvent une capacité vitale réduite. Dans de nombreux cas, la

TABLEAU 16.6 Maladies pulmonaires professionnelles

Maladie	Agents/industries	Description	Complications
Amiantose	Fibres d'amiante présentes dans les isolants et matériaux de construction (carrelage de recouvrement pour les toits, produits du ciment), chantiers navals, textiles (pour l'ignifugation), l'embrayage et la garniture de frein des automobiles.	La maladie apparaît environ 15 à 35 ans après la première exposition. Une fibrose interstitielle se développe. Des plaques pleurales, lésions calcifiées, se développent sur la plèvre. Les manifestations précoces sont la dyspnée, des crépitants et une altération de la capacité vitale.	Fibrose pulmonaire interstitielle diffuse. Cancer du poumon, surtout chez les fumeurs ; mésothéliome (type rare de cancer qui touche la plèvre et la membrane péritonéale).
Bérylliose	Poussière de béryllium présente dans la construction des avions, en métallurgie et dans l'ergol.	Formation de granulomes sarcoïdosiques. Une pneumopathie aiguë résulte d'une exposition fréquente. Une fibrose interstitielle est aussi possible.	Évolution de la maladie possible après l'élimination des substances inhalées en cause.
Maladie des éleveurs d'oiseaux	Déjections et plumes d'oiseaux.	Présence d'une pneumopathie d'hypersensibilité.	Fibrose pulmonaire évolutive.
Byssinose	Coton, lin, poussière de chanvre (industrie textile).	L'obstruction des voies respiratoires est causée par la contraction des muscles lisses. Une maladie chronique résulte d'une obstruction aiguë des voies respiratoires et d'une diminution de l'élasticité.	Évolution de la maladie chronique après l'arrêt de l'exposition à la poussière.
Pneumoconiose des mineurs (anthracose)	Poussière de charbon.	Incidence élevée chez les mineurs (20 à 30 %). Les dépôts de poussière de charbon entraînent la formation de lésions le long des bronchioles qui se dilatent en raison de l'affaiblissement de la structure des parois. Une obstruction chronique des voies respiratoires et des bronchioles se produit. Les symptômes précoces sont la dyspnée et la toux.	Fibrose pulmonaire évolutive massive ; risque élevé de bronchite chronique et d'emphysème chez les fumeurs.
Asthme du fermier	Inhalation de matières aéroportées présentes dans le foin moisi ou autres sources semblables.	Une pneumopathie d'hypersensibilité se produit. La forme aiguë est semblable à la pneumonie, avec des manifestations de frissons, de fièvre et de malaise. La forme chronique insidieuse est typique des fibroses pulmonaires.	Fibrose pulmonaire évolutive.
Sidérose	Oxyde de fer présent dans les matériaux de soudure, les fonderies et les mines de fer.	Des dépôts de poussière se trouvent dans les poumons.	
Silicose	Farine de quartz présente dans les mines de quartz, d'or, de cuivre, d'étain, de charbon, dans les fonderies et les carrières et dans les procédés de sablage, de poterie et de maçonnerie.	Dans le cas de forme *chronique* de la maladie, la poussière est enveloppée par les macrophages et peut être détruite, formant ainsi des nodules fibreux. La forme *aiguë* de la maladie est causée par une exposition intense, mais de courte durée. En cinq ans, la maladie évolue et la fibrose pulmonaire devient une déficience aiguë.	Sensibilité accrue à la tuberculose ; fibrose évolutive massive ; incidence élevée de bronchite chronique.
Pneumopathie des ensileurs	Oxydes d'azote émanant de la fermentation de la végétation dans les silos fraîchement remplis.	Une pneumopathie chimique se produit.	Bronchiolite oblitérante évolutive.

radiographie révèle une atteinte du poumon qui est spécifique au trouble primaire. La TDM s'avère fort utile pour déceler une atteinte précoce du poumon.

L'asthme professionnel est caractérisé par l'apparition de symptômes d'essoufflement, d'une respiration sifflante (*wheezing*), de toux et d'oppression thoracique résultant d'une exposition à des émanations ou à la poussière, ce qui déclenche une réaction allergique. L'obstruction peut initialement être réversible ou intermittente, mais une exposition continuelle entraîne des problèmes d'obstruction permanente. Le toluène diisocyanate (TDI), utilisé dans la production de mousse de polyuréthane rigide, est reconnu comme étant l'agent étiologique le plus courant de l'asthme professionnel.

16.7.2 Processus thérapeutique

Le meilleur traitement consiste à tenter de prévenir ou de diminuer considérablement les risques professionnels. Des systèmes de ventilation modernes et efficaces peuvent réduire l'exposition aux irritants. Dans certains métiers, le masque est de mise. Des inspections périodiques et une surveillance des lieux de travail par des organismes, comme la Commission de la santé et de la sécurité du travail (CSST), obligent les employeurs à offrir un milieu de travail sécuritaire à leurs employés.

Le tabagisme représente une attaque de plus contre les poumons et toute personne qui risque de contracter une maladie pulmonaire professionnelle devrait s'abstenir de fumer. De plus, la fumée secondaire constitue une importante source d'exposition qui augmente les risques de cancer du poumon. C'est pourquoi il existe aujourd'hui des lois permettant à tous les employés de jouir d'un environnement de travail sans fumée.

Un diagnostic précoce demeure essentiel si l'on veut freiner le processus morbide. Le meilleur traitement est de cesser ou de diminuer l'exposition à l'agent dangereux. Certains milieux de travail où il y a des risques connus de maladies pulmonaires peuvent être dans l'obligation de faire passer des radiographies et des tests de fonction pulmonaire périodiques à tous les employés exposés à ces risques. Ces mesures permettent ainsi de déceler les problèmes pulmonaires avant l'apparition des symptômes.

Il n'y a pas de traitement spécifique contre la plupart des maladies pulmonaires professionnelles; il est habituellement symptomatique. Par contre, toute maladie coexistante, comme la pneumonie, la bronchite chronique, l'emphysème ou l'asthme, est traitée de façon appropriée.

16.8 CANCER DU POUMON

Le cancer du poumon est la principale cause de mortalité chez les hommes et les femmes atteints d'une affection maligne. Il est à l'origine d'environ 30 % des décès attribuables au cancer chez les hommes et de 20 % des décès dus au cancer chez les femmes. Les dernières statistiques canadiennes (2002) montrent que 18 400 personnes sont décédées de cette maladie. Jusqu'à récemment, le cancer touchait davantage les hommes que les femmes. Toutefois, depuis les années 1930, où il est devenu socialement acceptable pour les femmes de fumer la cigarette, la situation a évolué. Depuis 1987, le cancer du poumon a fait beaucoup plus de victimes chez les femmes que n'importe quel autre cancer. Le cancer du poumon survient plus fréquemment chez les personnes de 50 ans et plus qui ont des antécédents de tabagisme. Il se manifeste surtout chez les personnes âgées de 40 à 75 ans, et l'incidence maximale se trouve entre 55 et 65 ans.

16.8.1 Étiologie et facteurs de risque

Le tabac demeure l'irritant respiratoire chronique qui constitue le plus grand facteur de risque. Il est responsable d'environ 80 à 90 % des cancers du poumon. Environ 1 fumeur sur 10 développera un cancer du poumon. Le tabagisme conduit à une altération de l'épithélium bronchique, lequel retrouve son état normal lorsqu'une personne cesse de fumer. Le risque de développer un cancer du poumon diminue dès que le fumeur abandonne l'usage du tabac et il continuera de décroître avec le temps. On estime à environ 15 ans le nombre d'années nécessaires avant qu'un ex-fumeur atteigne le même niveau de risque de cancer du poumon qu'un non-fumeur.

Ce risque est directement lié à l'exposition à la fumée du tabac, risque que l'on calcule en fonction du nombre de cigarettes fumées dans la vie de la personne, la profondeur de l'inhalation ainsi que le taux de nicotine et de goudron contenu dans les cigarettes fumées. Le *Report of the Surgeon General* présente des données qui montrent que la fumée secondaire est aussi nocive que la source principale et conclut que ses émanations constituent un risque de développer un cancer du poumon chez les non-fumeurs.

L'hérédité peut jouer un rôle tant sur la tendance des enfants à fumer que sur leur prédisposition à développer

DIVERSITÉ CULTURELLE

Cancer du poumon | ENCADRÉ 16.10

- Le cancer du poumon a une fréquence et un taux de mortalité plus élevés chez les gens de couleur.
- Le cancer du poumon est depuis peu le cancer le plus diagnostiqué chez les gens de race noire.
- La prévalence du tabagisme est supérieure chez les gens de race noire et les hispaniques que chez les personnes de race blanche.

ce type de cancer à l'âge adulte. Étant donné que seulement quelques personnes à risque (1 sur 10) développent effectivement un cancer du poumon, la capacité de l'hôte à tolérer les multiples agressions du tabac sur les poumons constitue sûrement un facteur très important. La plupart du temps, les personnes atteintes précocement d'un cancer du poumon semblent avoir une prédisposition génétique à cette maladie. Un certain nombre de gènes en déterminent la prédisposition : 1) les proto-oncogènes et les gènes suppresseurs de tumeurs ; 2) les gènes encodant les enzymes qui métabolisent les cocancérigènes pour activer les cancérigènes ; 3) les enzymes de détoxification des cancérigènes.

Les personnes qui fument le cigare ou la pipe courent également un risque de développer un cancer pulmonaire légèrement supérieur à celui des non-fumeurs. Chez les fumeurs de cigare, l'incidence est plus élevée que chez ceux qui fument la pipe. Dans le cas des personnes qui fument beaucoup de petits cigares et en inhalent la fumée, le risque est comparable à ceux des fumeurs de cigarettes.

Un autre facteur de risque très important est l'inhalation de cancérigènes comme l'amiante, le radon, le nickel, le fer et les oxydes de fer, l'uranium, les hydrocarbures aromatiques polycycliques, les chromates, l'arsenic ainsi que la pollution atmosphérique. L'exposition à ces substances est fréquente chez les employés d'établissements industriels qui travaillent dans le domaine des mines et des fonderies ou dans les usines de pétrole et de produits chimiques. De plus, un fumeur qui est en contact avec un ou plusieurs de ces produits chimiques ou avec une forte pollution atmosphérique court un risque très élevé de développer un cancer du poumon.

Il peut aussi arriver qu'un non-fumeur n'ayant jamais travaillé avec des cancérigènes développe un cancer du poumon. On ignore les raisons de ce phénomène, mais l'hérédité peut être une cause importante. La réaction de l'hôte aux agressions de l'environnement est déterminante et certaines personnes sont plus susceptibles que d'autres d'en être atteintes.

Un autre facteur de risque possible est la présence d'une maladie pulmonaire préexistante comme la TB, la fibrose pulmonaire, la bronchiectasie et la BPCO. Une inflammation chronique précède souvent un cancer. L'incidence du cancer pulmonaire est en corrélation avec le taux d'urbanisation et de densité de la population. Une raison qui explique ce phénomène est l'exposition élevée aux irritants et aux polluants.

16.8.2 Physiopathologie

La pathogenèse du cancer primitif du poumon n'est pas bien comprise. Plus de 90 % des cancers prennent naissance dans l'épithélium bronchique. Ils se développent lentement et une tumeur peut prendre de 8 à 10 ans avant d'atteindre 1 cm et d'être détectée sur une radiographie. Les cancers du poumon se situent principalement dans les bronches segmentales ou ailleurs, notamment dans les lobes supérieurs (voir figure 16.4). Les modifications pathologiques des bronches montrent des changements inflammatoires non spécifiques accompagnés d'une hypersécrétion de mucus, d'une desquamation cellulaire, d'une hyperplasie réactive des cellules basales et d'une métaplasie de l'épithélium respiratoire normal en cellules pavimenteuses stratifiées (les types pathologiques de cancer du poumon sont présentés dans la figure 16.5).

On classe souvent les cancers primitifs du poumon selon deux sous-types (voir tableau 16.7), soit le cancer du poumon à grandes cellules et celui à petites cellules. Les métastases de ces types de cancers se propagent principalement par extension directe, par la circulation sanguine et par le système lymphatique. Les lieux propices aux métastases sont le foie, le cerveau, les os, les ganglions lymphatiques scalènes et les glandes surrénales.

Syndrome paranéoplasique. Certains cancers du poumon provoquent le **syndrome paranéoplasique**, qui est caractérisé par de multiples manifestations que causent des substances (p. ex. hormones, enzymes, antigènes) produites par les cellules tumorales. Les cancers du poumon à petites cellules sont fréquemment associés au syndrome paranéoplasique. Les manifestations systémiques sont les suivantes :

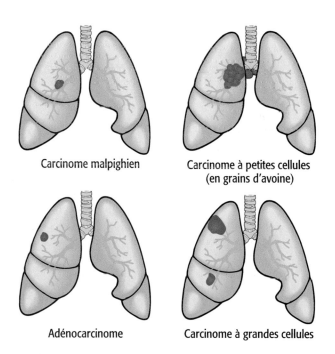

Carcinome malpighien

Carcinome à petites cellules (en grains d'avoine)

Adénocarcinome

Carcinome à grandes cellules

FIGURE 16.4 Foyers prédominants des types de cancer du poumon

TABLEAU 16.7 Comparaison des types de cancers primitifs du poumon

Type de cellule	Facteurs de risque	Caractéristiques	Réaction au traitement
Cancer du poumon à grandes cellules			
Carcinome à cellules malpighiennes (épidermoïde)	Presque toujours associé au tabagisme ; aussi associé aux expositions professionnelles aux agents cancérigènes (p. ex. uranium, amiante).	Représente environ 30 à 35 % des cancers du poumon ; est plus fréquent chez les hommes ; prend naissance dans l'épithélium bronchique, provoque des symptômes précoces en raison de ses caractéristiques d'obstruction bronchique ; n'a pas une tendance élevée à la métastase, métastase locale par extension directe, cause des lésions pulmonaires en cavité.	On tente souvent une résection chirurgicale ; l'espérance de vie est plus grande que celle des cancers du poumon à petites cellules.
Adénocarcinome	A été associé à la cicatrisation pulmonaire et à la fibrose interstitielle chronique ; n'est pas lié au tabagisme.	Représente environ 35 à 45 % des cancers du poumon ; est plus fréquent chez les femmes ; absence courante de manifestations cliniques tant que les métastases ne se sont pas dispersées ; se métastase par la circulation sanguine ; habituellement localisé dans les parties périphériques des poumons (voir figure 16.4).	On tente souvent une résection chirurgicale ; la réaction à la chimiothérapie n'est pas très bonne.
Carcinome indifférencié à grandes cellules	Corrélation élevée avec le tabagisme et l'exposition professionnelle aux agents cancérigènes.	Représente environ 5 à 10 % des cancers du poumon ; cause souvent des cavités ; hautement métastasique par le sang et les ganglions lymphatiques ; habituellement périphérique plutôt que central.	On ne tente habituellement aucune chirurgie à cause du taux élevé de métastases ; la tumeur peut être sensible aux radiations, mais récidive souvent.
Cancer du poumon à petites cellules			
Petites cellules anaplasiques indifférenciées (comprenant les cellules en grains d'avoine)	Associé au tabagisme et à l'exposition professionnelle aux agents cancérigènes.	Représente 15 à 25 % des cancers du poumon ; est la forme la plus maligne ; a tendance à se répandre rapidement par les ganglions lymphatiques et la circulation sanguine ; souvent associé à des troubles endocriniens ; surtout central et peut causer une obstruction bronchique et une pneumonie.	Cancer ayant le pronostic le moins prometteur ; toutefois, de récentes percées dans le domaine sont importantes ; la radiothérapie est utilisée comme thérapie adjuvante et comme mesure palliative ; l'espérance de vie moyenne est de 12 à 18 mois.

- hormonales (voir tableau 16.8) ;
- dermatologiques, comme la dermatomyosite et la dystrophie papillaire et pigmentaire ;
- neuromusculaires, comme une neuropathie périphérique, une dégénérescence corticocérébrale ou un syndrome semblable à la myasthénie grave ;
- vasculaires et hématologiques, comme le purpura thrombobocytopénique, l'anémie, la réaction de forme leucémique, la thrombophlébite ou l'endocardite non bactérienne ;
- relatives au tissu conjonctif, comme l'arthralgie non spécifique, l'ostéo-arthropathie hypertrophiante de Pierre Marie et l'hippocratisme digital.

16.8.3 Manifestations cliniques

L'évolution du cancer du poumon est souvent insidieuse. Les manifestations cliniques sont habituellement non spécifiques et apparaissent tardivement dans le processus morbide. Elles dépendent du type de cancer primitif du poumon. Il peut souvent y avoir beaucoup de métastases avant que les premiers symptômes ne soient apparents. Les pneumopathies chroniques causées par l'obstruction des bronches peuvent être les premières manifestations, provoquant de la fièvre, des frissons et de la toux.

Un des symptômes les plus évidents, et souvent le premier décelé, est la toux chronique qui peut être productive. Les expectorations avec présence de sang (hémoptysie) peuvent provenir de saignements causés par une affection maligne. L'hémoptysie n'est pas un symptôme qui se présente normalement en phase précoce. Une douleur thoracique peut se manifester, soit localisée ou unilatérale, variant d'une intensité faible à aiguë. En cas d'obstruction bronchique, il peut y avoir de la dyspnée et une respiration sifflante (*wheezing*) à l'auscultation.

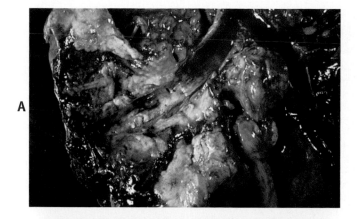

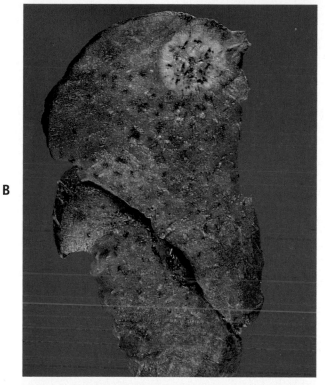

FIGURE 16.5 Cancer du poumon. A. Carcinome malpighien. Cette tumeur hilaire prend naissance dans la bronche principale. B. Adénocarcinome périphérique. La tumeur montre une pigmentation noire prédominante, possiblement évoluée dans une cicatrice anthracotique. C. Carcinome à petites cellules. La tumeur forme des nodules confluents. Sur une vue en coupe, les nodules ont l'apparence de l'encéphale.

Les manifestations tardives se traduisent par des symptômes systémiques non spécifiques comme l'anorexie, la fatigue, la perte de masse corporelle, les nausées et les vomissements. L'enrouement de la voix peut témoigner de l'atteinte du nerf laryngé. Une paralysie unilatérale du diaphragme, de la dysphagie et l'obstruction de la veine cave supérieure peuvent se produire en raison de la propagation de la malignité dans la poitrine. Les ganglions lymphatiques du cou et des aisselles peuvent être palpables. L'atteinte du médiastin peut causer l'épanchement péricardique, la tamponnade cardiaque et des arythmies.

16.8.4 Épreuves diagnostiques

La radiographie pulmonaire est souvent utilisée pour diagnostiquer un cancer du poumon. Toute personne souffrant d'une toux qui persiste au-delà de deux à trois semaines doit être examinée. Les résultats peuvent indiquer la présence d'une tumeur ou d'anomalies liées à des problèmes d'obstruction causés par l'atélectasie et la pneumopathie. La radiographie peut aussi montrer des signes d'épanchement pleural.

La tomodensitométrie (TDM) est également utilisée comme moyen diagnostique. Grâce à cette méthode, il est possible de localiser et de déterminer l'étendue des masses thoraciques ainsi que l'atteinte du médiastin ou l'hypertrophie des ganglions lymphatiques. L'imagerie par résonance magnétique (IRM) peut être combinée avec la TDM ou la remplacer. La tomographie par émission de positons (TEP) s'avère un outil fort utile pour déceler les cancers en phase précoce, classifier la tumeur et surveiller les effets du traitement. La TEP permet de mesurer l'activité métabolique différentielle des tissus lésés et normaux.

Un diagnostic formel de cancer du poumon peut être posé lorsque des cellules malignes ont été découvertes. Des échantillons d'expectorations sont habituellement prélevés pour réaliser des épreuves cytologiques dans le but de déceler des tumeurs sur les parois bronchiques. Les résultats les plus précis sont obtenus avec des échantillons prélevés tôt le matin lorsque survient une toux profonde. Cependant, même en présence d'un cancer du poumon, il est possible qu'il y ait absence de cellules malignes dans l'échantillon.

La bronchoscopie est très utile pour le diagnostic d'un cancer du poumon, surtout lorsque les lésions sont endobronchiques ou près d'une voie respiratoire. Elle offre une visualisation directe et permet le prélèvement d'échantillons pour une biopsie. Cette méthode s'avère habituellement la meilleure pour confirmer la présence d'une tumeur maligne.

La médiastinoscopie consiste à introduire un endoscope par voie sous-sternale afin d'explorer la partie supérieure du médiastin. On l'utilise pour examiner une métastase logée dans la région du médiastin antérieur, du

TABLEAU 16.8 Syndromes de sécrétions hormonales ectopiques du cancer du poumon

Syndrome	Hormone ectopique	Type de cellule
Syndrome de Cushing	Hormone adrénocorticotrope	Petites cellules
Syndrome de sécrétion inappropriée d'hormone antidiurétique	Hormone antidiurétique	Petites cellules
Hypercalcémie	Hormone parathyroïde	Cellules malpighiennes
Gynécomastie	Hormone folliculostimulante	Grandes cellules
Syndrome carcinoïde	Acide 5-hydroxyindole-acétique provenant de la dégradation de la sérotonine	Petites cellules

hile ou extrapleurale. Elle est également utilisée pour déterminer le stade de cancer du poumon. Cette donnée est cruciale pour établir un plan de traitement.

Il est possible d'avoir recours à l'angiopneumographie ou à la scintigraphie pulmonaire pour évaluer l'état général des poumons. La cytoponction (biopsie transthoracique à l'aiguille) sert à prélever un fragment tissulaire afin de déterminer l'histologie de la tumeur. Cette méthode est principalement utile en présence d'une lésion périphérique près de la paroi de la cage thoracique et elle est souvent réalisée pour tenter d'éviter une thoracotomie. Dans le cas où l'on procède à une thoracentèse pour drainer l'épanchement pleural, le liquide doit être analysé afin d'y déceler la présence de cellules malignes. L'encadré 16.11 résume le processus diagnostique du cancer du poumon.

PROCESSUS DIAGNOSTIQUE
ET THÉRAPEUTIQUE

Cancer du poumon   `ENCADRÉ 16.11`

Diagnostic
- Antécédents de santé et examen physique
- Radiographie pulmonaire
- Examen cytologique des expectorations
- Bronchoscopie
- Tomodensitométrie (TDM)
- Imagerie par résonance magnétique (IRM)
- Spirométrie (préopératoire)
- Médiastinoscopie
- Angiographie pulmonaire
- Scintigraphie pulmonaire
- Biopsie transthoracique à l'aiguille (BTTA)

Processus thérapeutique
- Chirurgie
- Radiothérapie
- Chimiothérapie
- Photothérapie (laser à néodyme-YAG)
- Thérapies biologiques

16.8.5 Classification

Les cancers du poumon à grandes cellules sont classés selon le système TGM, semblable à celui des autres tumeurs (voir tableau 16.9). Les critères de classification sont les suivants : T, qui correspond à l'étendue de la tumeur, sa localisation et son degré d'infiltration ; G, correspondant à l'état des ganglions lymphatiques ; M, qui renvoie à la présence ou l'absence de métastases distantes. Les données du système TGM aident grandement au pronostic et au choix du traitement approprié.

Jusqu'à maintenant, la classification des cancers du poumon à petites cellules ne s'est pas avérée utile puisqu'il y a déjà des métastases au moment où le diagnostic est posé. En fait, le cancer du poumon à petites cellules est défini comme limité (confiné à un hémothorax et aux ganglions lymphatiques) ou comme étendu (toute maladie au-delà de ces limites).

16.8.6 Processus thérapeutique

Traitement chirurgical. La résection chirurgicale est habituellement la seule chance de guérir d'un cancer du poumon. Malheureusement, celui-ci est souvent décelé si tard qu'il est impossible de localiser la tumeur et, par conséquent, de procéder à une résection. Les carcinomes à petites cellules ont habituellement des métastases étendues au moment du diagnostic. C'est pour cette raison que l'intervention chirurgicale est souvent contre-indiquée. Par contre, les carcinomes malpighiens ont plus de chances d'être traités par chirurgie, puisqu'ils demeurent localisés ; lorsqu'ils produisent des métastases, ils le font principalement par propagation locale.

Lorsqu'une tumeur est considérée opérable avec un potentiel de rémission considérable, l'état cardiopulmonaire du client doit être évalué afin de déterminer s'il peut tolérer l'intervention. Des études cliniques de la fonction pulmonaire, des analyses des GSA et d'autres examens doivent être effectués selon la condition du client.

Les contre-indications de thoracotomie comprennent l'hypercapnie, l'hypertension pulmonaire, le cœur pulmonaire et une diminution considérable de la fonction pulmonaire. Les maladies cardiaques, rénales ou hépatiques coexistantes sont aussi des contre-indications à la chirurgie.

Bien qu'une tumeur puisse avoir un degré de résection raisonnable, il est possible qu'elle soit située dans un endroit critique, comme la trachée ou trop près du cœur, ce qui la rend inopérable. Le type de chirurgie habituellement pratiquée est la **lobectomie** (ablation d'un lobe ou de plusieurs lobes du poumon) et parfois la **pneumonectomie** (ablation complète d'un poumon).

Radiothérapie. On l'utilise comme mesure curative lorsque le client a une tumeur dont le degré de résection est suffisant et que le risque chirurgical est faible. Les adénocarcinomes sont le type de cellules les plus résistantes aux radiations. Bien que les carcinomes à petites cellules soient sensibles à la radiothérapie, les radiations (même lorsqu'elles sont combinées avec la chimiothérapie) n'améliorent pas vraiment le taux de mortalité en raison des métastases précoces de ce type de cancer.

La radiothérapie sert aussi de procédure palliative pour réduire les symptômes de détresse comme la toux, l'hémoptysie, l'obstruction bronchique et le syndrome de la veine cave supérieure. Elle peut aussi traiter la douleur causée par des lésions métastatiques osseuses ou cérébrales. Il n'a pas encore été prouvé que l'utilisation de la radiothérapie comme traitement adjuvant préopératoire ou postopératoire augmentait de façon significative la survie des clients.

Chimiothérapie. La chimiothérapie peut être utilisée pour traiter les clients qui ont une tumeur dont le degré de résection est trop faible ou comme traitement adjuvant à la chirurgie dans les cas de cancer du poumon à grandes cellules avec une métastase distante. De nombreux médicaments chimiothérapeutiques et des protocoles de polychimiothérapie ont été utilisés. Ces médicaments comprennent les noms suivants : étoposide (Vepesid), carboplatine (Paraplatin-AQ), cisplatine, gemcitabine (Cemzar), topotécan (Hycamtin), irinotécan (Camptosar), paclitaxel (Taxol), vinorelbine (Navelbine), cyclophosphamide (Cytoxan), ifosfamide (Ifex) et docetaxel (Taxotere).

La chimiothérapie n'a permis que de modestes améliorations quant à la survie des clients atteints d'un cancer du poumon à grandes cellules avancé. Elle a eu un impact beaucoup plus important dans les cas de cancers à petites cellules, mais la plupart des clients meurent encore de cette maladie.

Thérapie biologique. La thérapie biologique a été utilisée comme traitement adjuvant pour les clients atteints de tumeurs malignes. (Le chapitre 9 traite de la thérapie biologique.)

Photothérapie. La chirurgie au laser, grâce au laser à néodyme (yttrium-aluminium-grenat [NdYAG] passant dans un fibroscope bronchique), permet l'ablation de lésions bronchiques obstructives pouvant atteindre jusqu'à 2 cm d'épaisseur. Il s'agit d'une intervention complexe qui nécessite souvent une anesthésie générale pour réguler le réflexe tussigène. Le soulagement des symptômes d'obstruction des voies respiratoires, à la suite d'une nécrose thermique et d'atrophie de la tumeur, peut s'avérer remarquable. Toutefois, ce traitement n'est pas une thérapie curative contre le cancer.

16.8.7 Soins infirmiers : cancer du poumon

Collecte de données. Il est important d'évaluer la compréhension du client et de sa famille concernant les épreuves diagnostiques (celles subies et celles à venir), les diagnostics posés ou potentiels, les options de traitement et le pronostic. L'infirmière peut aussi évaluer le niveau d'anxiété, le degré de soutien fourni par les proches ainsi que l'aide dont il aura besoin. Les données subjectives et objectives devant être recueillies auprès du client atteint d'un cancer du poumon sont présentées dans l'encadré 16.12.

Diagnostics infirmiers. Les diagnostics infirmiers à l'égard du client atteint d'un cancer du poumon sont les suivants :
- dégagement inefficace des voies respiratoires relié à l'augmentation des sécrétions trachéo-bronchiques ;
- anxiété reliée à un manque de connaissances du diagnostic ou à une méconnaissance du pronostic et des traitements ;
- douleur reliée à la pression de la tumeur sur les structures avoisinantes et à l'érosion tissulaire ;
- déficit nutritionnel relié à l'augmentation des besoins métaboliques, aux sécrétions accrues, à la faiblesse et à l'anorexie ;
- difficulté à se maintenir en santé reliée à un manque de connaissances du processus morbide et du traitement ;
- mode de respiration inefficace relié à une diminution de la capacité pulmonaire.

Planification. Les objectifs généraux à l'égard du client atteint d'un cancer du poumon sont les suivants :
- il aura un mode de respiration efficace ;
- il présentera un dégagement adéquat des voies respiratoires ;
- il aura une oxygénation tissulaire adéquate ;
- il dira que la douleur est légère ou nulle ;
- il aura une attitude réaliste envers le traitement et le pronostic.

TABLEAU 16.9 Classification TGM du cancer du poumon

Définitions des tumeurs

T_x Tumeur décelée par examen cytologique, mais non visible à la radiographie et par bronchoscopie.
T_0 Aucune preuve de tumeur.
T_{is} Carcinome *in situ*.
T_1 Tumeur inférieure à 3 cm de diamètre.
T_2 Tumeur supérieure à 3 cm de diamètre ou infiltration de la plèvre viscérale ou avec atélectasie ou pneumopathie obstructive s'étendant jusqu'au hile.
T_3 Tumeur avec extension directe à la paroi thoracique, au diaphragme, à la plèvre médiastinale ou au péricarde sans atteinte des viscères médiastinaux ; tumeur à 2 cm de la carène, mais ne l'atteignant pas.
T_4 Tumeur envahissant le médiastin ou la carène avec épanchement pleural malin.

Atteinte des nodules

G_0 Aucune métastase aux ganglions.
G_1 Métastase aux ganglions lymphatiques hilaires ipsilatéraux ou péribronchiques.
G_2 Métastase aux ganglions lymphatiques de la sous-carène ou médiastinaux ipsilatéraux.
G_3 Métastase aux ganglions lymphatiques hilaires ou médiastinaux controlatéraux ou autres ganglions scalènes ou supraclaviculaires.

Métastases distantes

M_0 Aucune métastase décelée.
M_1 Présence d'une métastase distante.

Classification des stades

Carcinome occulte	T_x	G_0	M_0
Stade 0	T_{is}	Carcinome *in situ*	M_0
Stade I	T_1	G_0	M_0
	T_2	G_0	M_0
Stade II	T_1	G_1	M_0
	T_2	G_1	M_0
Stade IIIA	T_3	G_0	M_0
	T_3	G_1	M_0
	T_{1-3}	G_2	M_0
Stade IIIB	Toutes les T	G_3	M_0
	T_4	Tous les G	M_0
Stade IV	Toutes les T	Tous les G	M_1

TGM : tumeur, nodule, métastase.

Exécution

Promotion de la santé. La meilleure façon de freiner l'épidémie de cancer du poumon est de cesser de fumer. Les interventions infirmières importantes qui aideront à atteindre ce but comprennent les programmes antitabac et l'appui actif pour modifier l'information et les mesures qui ont entraîné les tendances sociales, politiques et économiques à l'égard du tabagisme. Certains changements récents se sont produits grâce aux pressions des non-fumeurs qui ont dénoncé les effets pervers de la fumée secondaire sur la santé et ont permis l'adoption de plusieurs projets de loi, notamment l'interdiction de fumer dans la plupart des endroits publics et sur les vols des lignes aériennes commerciales. D'autres actions prônant la lutte contre le tabagisme, comme la restriction des annonces publicitaires à la télévision et les étiquettes d'information obligatoires sur les paquets de cigarettes, sont des exemples des premiers pas vers une société de non-fumeurs. D'autres stratégies visent à bannir les cigarettes et les produits dérivés du tabac ou à les surtaxer afin de décourager les adolescents d'adopter cette mauvaise habitude. Malgré ces quelques améliorations, les pays producteurs et les compagnies de tabac exercent encore une grande influence politique.

Des efforts doivent être faits pour aider les fumeurs à cesser de fumer (voir encadré 16.13). Les effets de la dépendance à la nicotine rendent la tâche très difficile,

COLLECTE DE DONNÉES

Cancer du poumon

ENCADRÉ 16.12

Données subjectives

Information importante concernant la santé

- Antécédents de santé : exposition à la fumée secondaire ; agents carcinogènes aéroportés (p. ex. amiante, uranium, chromates, hydrocarbures, arsenic) ou autres polluants ; environnement urbain ; maladie pulmonaire chronique comme la tuberculose, une BPCO ou une bronchiectasie.
- Médicaments : médicaments contre la toux et les autres affections respiratoires.

Modes fonctionnels de santé

- Mode perception et gestion de la santé : antécédents de tabagisme ; antécédents familiaux de cancer du poumon ; infections respiratoires fréquentes.
- Mode nutrition et métabolisme : anorexie, nausées, vomissements, dysphagie (tardive) ; perte de masse corporelle ; frissons.
- Mode activité et exercice : fatigue ; toux chronique (productive ou non) ; dyspnée, hémoptysie (symptôme tardif).
- Mode cognition et perception : douleur ou oppression thoracique, douleur aux épaules et aux bras, céphalées, douleurs osseuses (symptôme tardif).

Données objectives

Généralités

- Fièvre, adénopathie axillaire et cervicale, syndromes paranéoplasiques (syndrome de sécrétion inappropriée d'ADH ; sécrétion d'ACTH ; hypercalcémie ; problèmes des tissus conjonctifs, dermatologiques, neuromusculaires et vasculaires).

Appareil tégumentaire

- Ictère (métastase au foie) ; œdème du cou et du visage (syndrome de la veine cave supérieure), hippocratisme digital.

Appareil respiratoire

- Respiration sifflante (*wheezing*), enrouement de la voix, stridor, paralysie unilatérale du diaphragme, épanchement pleural (signes tardifs).

Appareil cardiovasculaire

- Épanchement péricardique, tamponnade cardiaque, arythmies (signes tardifs).

Système neurologique

- Démarche instable (métastase au cerveau).

Appareil locomoteur

- Fractures pathologiques, amyotrophie (tardive).

Résultats possibles

- Faible taux de potassium sérique et hypercalcémie (syndrome paranéoplasique) ; lésions apparentes à la radiographie pulmonaire, la TDM ou la scintigraphie pulmonaire ; examens cytologiques d'expectorations ou de lavures bronchiques positifs ; fibroscopie bronchique et résultats de biopsie positifs.

ACTH : hormone adrénocorticotrope ; ADH : hormone antidiurétique.

---

c'est pourquoi les fumeurs ont besoin d'aide pour arrêter l'usage du tabac. La thérapie de remplacement de la nicotine diminue considérablement le besoin de fumer et augmente le pourcentage de fumeurs qui réussissent à ne plus fumer. Les timbres de nicotine sont disponibles en différentes doses ; le programme est graduel et les doses diminuent progressivement jusqu'à ce que le client ne ressente plus le besoin de les utiliser. L'encadré 16.13 énumère les différentes méthodes utilisées pour cesser de fumer.

Les recherches portant sur le comportement des fumeurs et les stratégies pour les inciter à cesser de fumer se poursuivent. Toutefois, de nombreux facteurs sont reconnus comme importants dans l'incitation à fumer ou à conserver cette habitude, comme la pression des camarades, l'insubordination, la curiosité, l'image de soi, les indices du milieu environnemental (par ex. la qualité de l'air) et les besoins psychologiques. Les programmes pour aider les fumeurs ont recours à des stratégies, telles que l'éducation, les mesures environnementales, le soutien social et le sevrage progressif à la nicotine, dont le taux de succès reste variable. Il existe également d'autres méthodes comme l'hypnose, l'acupuncture, la thérapie comportementale et la thérapie par aversion. Tout récemment, on a introduit l'utilisation du laser comme thérapie. Son utilisation s'effectue en pointant ce rayon sur diverses régions utilisées en acupuncture. Les programmes qui ont actuellement le plus de succès sont ceux qui combinent la thérapie comportementale avec la pharmacothérapie afin de diminuer la dépendance à la nicotine. Les programmes de groupe d'appui, d'entraide et d'aide personnelle constituent également d'autres possibilités.

Les conseils et la motivation des professionnels de la santé peuvent jouer un rôle considérable dans le sevrage à la nicotine. Moins de 5 % des fumeurs réussissent à cesser de fumer au moment de leur première tentative et le fumeur moyen doit souvent faire plusieurs essais avant d'y parvenir. Il faut encourager ceux qui tentent de perdre cette habitude et les convaincre que fumer quelques cigarettes pendant une période de désaccoutumance (un simple écart) n'a rien à voir avec le fait de recommencer à fumer (dans ce cas, une rechute). Même si le fumeur connaît un écart, il est important de l'inciter à poursuivre sa tentative de sevrage et de ne pas le voir comme un échec. Les mesures d'aide disponibles doivent tenir compte de la signification qu'a le tabagisme pour le fumeur. Le client doit également être informé que plusieurs compagnies d'assurances couvrent une partie des frais de la thérapie antitabac. L'infirmière doit connaître les ressources

Désaccoutumance au tabac

ENCADRÉ 16.13

Les méthodes suivantes sont efficaces pour arrêter de fumer. Les clients ont plus de chances de réussir s'ils adoptent plus d'une méthode.

Méthodes de désaccoutumance au tabac

Timbres à la nicotine*

- Les marques de timbres à la nicotine les plus courantes sont Nicoderm et Habitrol. Les timbres Nicoderm sont en vente libre.
- Un nouveau timbre doit être appliqué tous les jours (préférablement le matin) entre le cou et la ceinture.
- La plupart des fumeurs doivent commencer à utiliser les timbres à concentration intégrale (15 à 22 mg de nicotine) quotidiennement pendant quatre semaines et ensuite passer à un timbre à concentration moindre (5 à 14 mg de nicotine) pour encore quatre ou cinq semaines.
- Une irritation cutanée mineure constitue un effet secondaire possible ; c'est pourquoi il est important d'appliquer le timbre à un endroit différent chaque jour.

Gomme à mâcher à la nicotine

- La gomme à mâcher à la nicotine (Nicorette) est vendue sans ordonnance en concentrations de 2 et 4 mg.
- Un morceau de gomme de 2 mg contient la même quantité de nicotine qu'une cigarette.
- La gomme doit être mâchée jusqu'à ce qu'un goût « poivré » vienne en bouche et ensuite être gardée entre la joue et les dents.
- Chaque morceau de gomme doit être gardé en bouche pendant environ 30 minutes.

Aérosol de nicotine

- L'aérosol de nicotine (Nicotrol NS, non vendu au Canada) est vaporisé directement dans chaque narine.
- Il doit être utilisé comme mesure préventive ou lorsque survient une envie impérieuse de prendre une cigarette.
- Les effets secondaires comprennent la rhinorrhée et l'épiphora (écoulement de larmes sur les joues), la sensation de brûlure dans le nez, l'irritation de la gorge, des éternuements ou de la toux.

Traitement antinicotine

- Le bupropion (Zyban), médicament vendu sur ordonnance, augmente les taux de dopamine et d'épinéphrine dans le cerveau.
- Ces substances chimiques sont aussi stimulées par la nicotine et donnent au client un sentiment de bien-être et d'énergie.
- Les effets secondaires comprennent les céphalées, la xérostomie, l'insomnie, la somnolence. Plusieurs clients disent se sentir plus irritables et faire de l'insomnie lors de l'emploi de bupropion.

Gérer les envies impérieuses de fumer et le stress

- Connaître les facteurs qui donnent l'envie de fumer. Par exemple, être en présence d'autres fumeurs, être pressé par le temps, argumenter, se sentir triste ou frustré, consommer de l'alcool.
- Éviter les situations difficiles pendant la durée du sevrage. Essayer de diminuer le niveau de stress. Prendre le temps de faire des choses agréables. L'exercice, comme la marche, le jogging ou le vélo, peut aussi s'avérer très efficace.
- Il est important de se distraire des situations qui donnent envie de fumer, soit en parlant à quelqu'un, en s'occupant à autre chose ou en lisant un livre.

Soutien et encouragement

- L'aide psychologique peut aider à réapprendre à vivre en tant qu'ex-fumeur. Il existe des programmes pour cesser de fumer qui sont très efficaces.
- Lors d'une envie impérieuse de fumer, il peut être efficace d'appeler quelqu'un pour demander de l'aide (un ex-fumeur de préférence).
- Il ne faut pas avoir peur d'exprimer ses émotions (peur de ne pas être en mesure de cesser de fumer ou problèmes avec les amis et la famille). Du matériel d'information et des lignes d'assistance téléphonique sont aussi offerts :
  - Association pulmonaire du Québec ;
  - Société canadienne du cancer, ligne « J'arrête ». Service téléphonique bilingue, gratuit et confidentiel. On peut y avoir accès de partout au Québec et obtenir de l'aide d'agents formés en cessation tabagique ;
  - Défi « J'arrête, j'y gagne », programme santé Acti-menu ;
  - il existe aussi un « répertoire québécois des ressources favorisant la réduction du tabagisme », que l'on peut se procurer au Conseil québécois sur le tabac et la santé.

Pour éviter une rechute

La plupart des rechutes surviennent pendant les trois premiers mois suivant l'arrêt. Il ne faut pas se décourager lors d'une rechute. La plupart des gens s'y prennent à maintes reprises avant d'arrêter pour de bon. Il faut essayer différentes façons afin de se défaire de cette habitude. Les facteurs suivants doivent être pris en considération, car ils peuvent être à l'origine d'une rechute :

- changer l'environnement : se débarrasser des cigarettes et des cendriers à la maison, dans la voiture et au travail. Nettoyer partout afin d'enlever l'odeur de la cigarette. Éviter les produits du tabac comme les cigares et la pipe ;
- alcool : limiter la consommation d'alcool pendant le sevrage ;
- autres fumeurs à la maison : convaincre son partenaire ou ses colocataires de profiter de l'occasion pour cesser de fumer. Établir certaines règles avec les fumeurs afin de ne jamais être en contact avec leur fumée ;
- gain pondéral : il faut régler un problème à la fois et penser d'abord à cesser de fumer. La gomme à mâcher à la nicotine peut aider à retarder le gain pondéral (on ne prend pas nécessairement du poids) ;
- mauvaise humeur ou dépression : si ces symptômes persistent, il peut s'avérer nécessaire d'en parler au médecin. Un traitement aux antidépresseurs peut être envisagé au besoin ;

ENSEIGNEMENT AU CLIENT

Désaccoutumance au tabac (*suite*)

ENCADRÉ 16.13

- symptômes aigus de sevrage : le corps subit de nombreux changements lorsqu'une personne cesse de fumer. Ces changements comprennent l'assèchement de la bouche (xérostomie), la toux, les picotements dans la gorge et le sentiment d'irritation. La gomme à mâcher à la nicotine et le timbre à la nicotine permettent de diminuer ces symptômes ;

- pensées : il faut essayer de ne pas penser à la cigarette. Faire de l'exercice et des activités agréables permettent d'oublier l'envie de fumer ;
- faire une liste : faire une liste des « écarts », tâcher d'en comprendre les causes et de trouver les façons de les éviter.

Tiré de *You Can Quit Smoking*. Consumer Version, Clinical Practice Guidelines, N[18]. AHCPR Publication N[96]-0695 (avril 1996). Agency for Health Care Policy and Research Rockville, MD.
Mayo Clinic Health Letter (novembre 1997).
* Ne pas fumer en utilisant les timbres à la nicotine.

disponibles dans la communauté pour aider les fumeurs qui désirent cesser de fumer. Un des principaux aspects de la conjugaison des efforts qui visent à prévenir les problèmes de santé liés au tabagisme consiste en la reconnaissance des facteurs qui influencent les personnes, notamment les enfants et les adolescents, à commencer à fumer. Les programmes mis sur pied pour aider les enfants à prendre conscience des influences extérieures (p. ex. la pression des camarades) qui peuvent inciter au tabagisme proposent des comportements de rechange et diminuent considérablement les tendances potentielles au tabagisme chez ces enfants. Les effets pervers du tabagisme sur la santé ainsi que les conséquences de la dépendance à la nicotine chez les fumeurs doivent être soulignés et les enfants doivent en être avertis dès l'école primaire.

Une infirmière qui fume est dans une position fâcheuse pour aider un client à perdre cette habitude. Elle doit donc elle-même tenter de cesser de fumer avant de pouvoir servir de modèle. Un ex-fumeur peut toutefois être bien placé pour donner de précieux conseils.

Même en l'absence de problèmes respiratoires, l'infirmière doit recueillir les renseignements liés aux agents cancérigènes respiratoires lorsqu'elle procède à l'anamnèse du client. Elle doit s'informer s'il est ou s'il a été exposé à l'amiante, l'uranium, l'arsenic, le nickel, le fer, les oxydes de fer ou à toute autre forme de pollution atmosphérique dans son travail. Elle doit aussi connaître tous ses antécédents par rapport au tabagisme. Cette information peut servir à évaluer le risque pour le client de développer un cancer du poumon et aussi à lui enseigner à reconnaître les symptômes précoces. Toute personne souffrant de pneumonie qui persiste pendant plus de deux semaines malgré l'antibiothérapie et ayant des antécédents d'exposition à des carcinogènes respiratoires, doit être examinée pour s'assurer qu'il ne s'agit pas d'un cancer du poumon.

Toute personne souffrant d'une toux chronique ou percevant un changement dans les caractéristiques de la toux doit être incitée à consulter un médecin. De plus, toute personne atteinte d'une infection des voies respiratoires récurrente ou chronique doit être examinée avec soin, surtout si elle fume.

Interventions en phase aiguë. Les soins dispensés au client atteint du cancer du poumon visent d'abord à le soutenir et à le rassurer pendant l'évaluation diagnostique. (Le chapitre 14 explique les interventions infirmières spécifiques liées aux épreuves diagnostiques.)

L'infirmière a aussi l'importante responsabilité d'aider le client et sa famille à accepter le diagnostic. Le client peut se sentir coupable à cause de sa dépendance au tabac et ressentir le besoin d'exprimer ses émotions à une personne objective qui ne le jugera pas. L'infirmière doit répondre avec honnêteté à toutes les questions du client concernant son état de santé. L'aide d'un travailleur social, d'un psychologue ou d'un membre d'une communauté religieuse peut s'avérer nécessaire.

Les soins spécifiques dépendent du plan de traitement. Les soins postopératoires sont décrits plus loin dans ce chapitre et les soins dispensés au client à la suite d'une radiothérapie ou d'une chimiothérapie sont traités dans le chapitre 9. L'infirmière joue un rôle important pour assurer le confort du client, lui enseigner des méthodes visant à atténuer la douleur et évaluer la nécessité d'une hospitalisation (voir chapitre 9).

Soins ambulatoires et soins à domicile. Le client qui a subi une résection chirurgicale doit être suivi de près afin de déceler tout signe de métastases. Le client et sa famille doivent aviser le médecin si des symptômes comme de l'hémoptysie, de la dysphagie, des douleurs thoraciques ou de l'enrouement se manifestent.

Il existe peu de moyens pour prolonger de façon significative la vie d'un grand nombre de personnes atteintes du cancer du poumon. La radiothérapie et la chimiothérapie peuvent servir de traitement palliatif pour soulager les symptômes de détresse. La douleur constante devient un problème majeur. (Le chapitre 5 traite des mesures analgésiques et le chapitre 9 aborde les soins dispensés aux clients atteints du cancer du poumon.)

Évaluation. Les résultats escomptés à l'égard du client atteint du cancer du poumon sont les suivants :
- mode de respiration adéquat ;
- douleur légère ou nulle ;
- attitude réaliste quant au pronostic.

16.8.8 Autres types de tumeurs du poumon

Les sarcomes, les lymphomes et les adénomes bronchiques sont d'autres types de tumeurs pulmonaires. Les adénomes bronchiques sont de petites tumeurs qui prennent naissance dans la partie inférieure de la trachée ou dans les bronches principales. Elles sont considérées comme malignes parce qu'elles sont localement infiltrantes et souvent proliférantes. Les manifestations cliniques des adénomes bronchiques sont l'hémoptysie, la toux chronique, la respiration sifflante (*wheezing*) obstructive localisée et les symptômes de bronchite purulente. Si le problème date d'un certain temps, il peut aussi s'être développé une bronchiectasie secondaire. Les adénomes bronchiques entraînent fréquemment des manifestations paranéoplastiques endocriniennes qui peuvent être traitées par résection chirurgicale.

Les poumons sont habituellement le foyer de métastases secondaires et sont plus souvent touchés par la propagation métastatique que par les tumeurs primitives. Les capillaires pulmonaires, qui ont un grand réseau, constituent des foyers par excellence pour les embolies tumorales. De plus, les poumons disposent aussi d'un très grand réseau lymphatique. Les affections malignes primaires qui se répandent jusqu'aux poumons proviennent souvent des seins, des voies gastro-intestinales ou génito-urinaires. Les symptômes généraux des métastases pulmonaires sont la douleur thoracique et la toux non productive.

Les tumeurs bénignes du poumon sont généralement appelées **tumeurs mésenchymateuses**. Bien qu'elles soient rares, elles peuvent devenir malignes. Les plus fréquentes sont les chondromes, qui prennent naissance dans les cartilages bronchiques et les léiomyomes (myomes de fibres de muscles lisses et non striés).

Les hamartomes du poumon sont des mélanges de tissus fibreux, de gras et de vaisseaux sanguins. Ce sont des malformations congénitales du tissu conjonctif des parois bronchiques.

16.9 TRAUMATISMES ET LÉSIONS THORACIQUES

Il existe deux types principaux de traumatismes thoraciques : 1) le traumatisme contondant ; 2) le traumatisme pénétrant. Le **traumatisme contondant** se produit lorsque le corps est heurté par un objet contondant, comme le volant d'une voiture lors d'un accident. Les lésions externes peuvent sembler minimes, mais l'impact peut causer de très graves lésions internes, telles qu'une rupture de la rate, et mettre en danger la vie du client. Le **contrecoup**, un type de traumatisme contondant, est causé par l'impact des parties du corps contre d'autres objets. Ce type de lésion diffère principalement du traumatisme contondant en ce qui a trait à la vélocité de l'impact. Les organes internes sont rapidement secoués de part et d'autre et se heurtent contre la structure osseuse qui les enveloppe, ce qui cause à la fois des lésions à l'endroit de l'impact et du côté opposé. Lorsque la vélocité de l'impact est suffisamment grande, les organes et les vaisseaux sanguins peuvent littéralement se déchirer de leur point d'origine. Beaucoup de traumatismes crâniens sont causés par un contrecoup.

Le **traumatisme pénétrant** se produit lorsqu'un corps étranger transperce ou perfore les tissus organiques (p. ex. blessure par balle, coup de couteau). Le tableau 16.10 décrit les traumatismes sélectifs selon

TABLEAU 16.10 Principaux traumatismes thoraciques et mécanismes de blessures	
Mécanisme de blessures	**Blessures fréquemment engendrées**
Traumatisme contondant Traumatisme thoracique causé par l'impact sur le volant.	Fractures de côtes, volet thoracique, pneumothorax, hémopneumothorax, contusion cardiaque, contusion pulmonaire, tamponnade cardiaque, rupture des gros vaisseaux sanguins.
Blessure à l'épaule causée par la ceinture de sécurité.	Fracture de la clavicule, luxation de l'épaule, fractures de côtes, contusion pulmonaire, contusion péricardique, tamponnade cardiaque.
Lésion par écrasement (p. ex. matériaux lourds écrasant le thorax).	Pneumothorax et hémopneumothorax, volet thoracique, déchirure et rupture des gros vaisseaux sanguins, diminution du retour sanguin au cœur et du débit cardiaque.
Traumatisme pénétrant Coup de feu ou coup de couteau à la poitrine.	Pneumothorax ouvert, pneumothorax sous tension, hémopneumothorax, tamponnade cardiaque, lésion œsophagienne, rupture de la trachée et des gros vaisseaux sanguins.

TABLEAU 16.11 Traumatismes thoraciques

Étiologie	Constatations	Interventions
Traumatisme contondant Accident de voiture Accident de piéton Chute Attaque avec objet contondant Lésion par écrasement Explosion **Traumatisme pénétrant** Coup de couteau Coup de feu Coup de bâton Flèche Autres projectiles	**Appareil respiratoire** Dyspnée, détresse respiratoire. Toux avec ou sans hémoptysie. Cyanose de la région péribuccale, du visage, du lit unguéal et des muqueuses. Déviation de la trachée. Fuite d'air audible s'échappant d'une lésion thoracique. Diminution des bruits respiratoires du côté blessé. Diminution de la saturation en oxygène. Sécrétions spumeuses. **Appareil cardiovasculaire** Signes de l'état de choc : pouls rapide et filant. Diminution de la pression artérielle. Pression artérielle pincée (diminution de la pression différentielle). Pression artérielle différente d'un bras à l'autre. Veines jugulaires distendues. Bruits cardiaques sourds. Arythmies. **Constatations superficielles** Contusion. Éraflures. Lésion thoracique ouverte. Mouvement thoracique asymétrique. Emphysème sous-cutané.	**Interventions initiales** S'assurer que les voies respiratoires sont libres. Administrer de l'oxygène à haut débit par un masque à circuit ouvert. Établir un accès intraveineux à l'aide de deux cathéters de gros calibre. Débuter l'administration parentérale de liquide de remplacement. Enlever les vêtements pour accéder à la blessure. Couvrir la plaie à thorax ouvert avec un pansement plastifié et en coller trois côtés. Stabiliser l'objet empalé avec un gros pansement. *Ne pas retirer l'objet.* Vérifier s'il existe d'autres blessures et les traiter s'il y a lieu. Stabiliser les segments des côtes mobiles avec la main et appliquer de grandes bandes de ruban adhésif à l'horizontale le long du segment ballant. Placer le client en position de semi-Fowler ou du côté blessé si la respiration est plus facile *après* s'être assuré qu'il n'y a pas de blessure à la colonne cervicale. **Surveillance continue** Surveiller les signes vitaux, l'état de conscience, la saturation en oxygène, le rythme et la fréquence cardiaques, l'état respiratoire et le débit urinaire. Prévoir l'intubation en cas de détresse respiratoire. Enlever le pansement si un pneumothorax sous tension se manifeste après que la plaie à thorax ouvert a été recouverte.

leur mécanisme de lésion. Les soins d'urgence dispensés au client ayant subi un traumatisme thoracique sont présentés dans le tableau 16.11.

Les lésions thoraciques varient de la simple fracture d'une côte à une rupture de l'aorte, de la veine cave ou d'autres vaisseaux principaux qui peut mettre la vie du client en danger. Les mesures d'urgence courantes liées aux lésions thoraciques sont présentées dans le tableau 16.12.

16.9.1 Pneumothorax

Un **pneumothorax** est le collapsus partiel ou total d'un poumon causé par une accumulation d'air dans la cavité pleurale. Cet état doit être soupçonné en présence d'un traumatisme contondant de la paroi thoracique. Le pneumothorax peut être ouvert ou fermé. Un état appelé **hémopneumothorax** signifie qu'un pneumothorax causé par un traumatisme est accompagné d'une accumulation de sang (hémothorax).

Pneumothorax fermé. Le pneumothorax fermé ne présente aucune lésion externe. La forme la plus fréquente est le **pneumothorax spontané** causé par la rupture de petites bulles (kystes gazeux intrapleuraux) dans la cavité pleurale viscérale. La cause de la rupture de ces bulles est inconnue. Cet état se produit la plupart du temps chez les hommes avec une silhouette filiforme, qui sont fumeurs et âgés de 20 à 40 ans. Ce type de pneumothorax a tendance à récidiver. Les autres causes de pneumothorax fermé sont les suivantes :

- lésion aux poumons causée par une ventilation mécanique ;
- lésion aux poumons causée par l'introduction d'un cathéter dans la veine sous-clavière ;
- perforation de l'œsophage ;
- lésion aux poumons causée par un cancer ou par une fracture à une côte ;
- rupture de bulles ou kystes chez un client atteint d'une BPCO.

Pneumothorax ouvert. Le pneumothorax ouvert se produit lorsque de l'air pénètre dans la cavité pleurale par une ouverture dans la paroi de la cage thoracique (voir figure 16.6, B). Une blessure par balle, un coup de couteau ou une thoracotomie chirurgicale en sont des exemples. Une lésion thoracique pénétrante est souvent appelée **plaie à thorax ouvert**.

SOINS D'URGENCE

TABLEAU 16.12 Lésions thoraciques

Lésion	Définition	Manifestations cliniques	Mesures d'urgence
Pneumothorax	Air dans la cavité pleurale (voir figure 16.6, B).	Dyspnée, diminution du mouvement de la paroi thoracique, bruits respiratoires faibles ou absents du côté lésé, hyper-résonance à la percussion.	Introduction d'un drain thoracique accompagné de drainage sur succion ou ventilé.
Hémothorax	Sang dans la cavité pleurale, habituellement combiné avec un pneumothorax.	Dyspnée, bruits respiratoires faibles ou absents, matité à la percussion, choc.	Introduction d'un drain thoracique, autotransfusion, traitement de l'hypovolémie au besoin.
Pneumothorax sous tension	Air dans la cavité pleurale qui ne s'en échappe pas. L'augmentation continue d'air déplace les organes intra-thoraciques et accroît la pression intrathoracique (voir figure 16.7).	Cyanose, respiration de Kussmaül, agitation violente, déviation de la trachée vers le côté non atteint, emphysème sous-cutané, veines jugulaires distendues, hyperrésonance à la percussion.	Décompression à l'aiguille suivie de l'introduction d'un drain thoracique.
Volet thoracique	Fracture de deux côtes adjacentes ou plus avec atteinte de la stabilité de la paroi thoracique (voir figure 16.8).	Mouvement paradoxal de la paroi thoracique, détresse respiratoire, hémothorax associé, pneumothorax, contusion pulmonaire.	Stabilisation du segment mobile par pansement; oxygénothérapie; traitement des lésions associées; analgésie.
Tamponnade cardiaque	Accumulation rapide de sang dans le sac péricardique, comprime le myocarde parce que le péricarde ne se décontracte plus et empêche le cœur de pomper avec efficacité.	Bruits du cœur distants et sourds, hypotension, veines jugulaires distendues, augmentation de la pression veineuse centrale.	Ponction péricardique et réparation chirurgicale au besoin.

Un pneumothorax ouvert doit être couvert à l'aide d'un pansement plastifié qui sera fixé sur trois côtés et aura un côté ouvert servant de clapet. Ce pansement permet à l'air de s'échapper et diminue les risques de pneumothorax sous tension. Si l'objet ayant causé la perforation est toujours en place, il ne faut pas tenter de le retirer avant qu'un médecin ne soit présent. Dans l'intervalle, il est recommandé de maintenir l'objet en place à l'aide d'un pansement épais.

Pneumothorax sous tension. Un pneumothorax sous tension peut résulter d'un pneumothorax ouvert ou fermé (voir figure 16.7). Dans le cas d'une lésion thoracique ouverte, un lambeau peut servir de valve anti-reflux; l'air peut donc pénétrer en inspirant, mais ne peut pas sortir. La pression intrathoracique augmente, le poumon s'affaisse et le médiastin se déplace vers le côté non affecté qui devient alors compressé. À mesure que la pression intrathoracique augmente, le débit cardiaque diminue en raison de la diminution du retour veineux et de la compression des vaisseaux sanguins. Un pneumothorax sous tension peut être causé par la ventilation mécanique et les techniques de réanimation. Il peut aussi se produire si les drains thoraciques sont comprimés ou deviennent obstrués après leur insertion pour traiter un pneumothorax. Il suffit de dégager le drain ou l'obstruction pour remédier à cette situation.

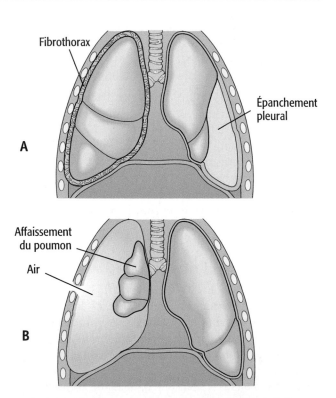

FIGURE 16.6 Troubles pleuraux. A. Fibrothorax résultant de l'accumulation d'exsudat inflammatoire et d'épanchement pleural. B. Pneumothorax ouvert résultant de l'affaissement du poumon causé par la perturbation de la paroi thoracique et de la pénétration de l'air extérieur.

Le pneumothorax sous tension est un cas d'urgence médicale puisque les appareils respiratoire et circulatoire sont atteints. Si la tension dans la cavité pleurale n'est pas traitée, le client peut mourir des suites d'une insuffisance du débit cardiaque ou d'une hypoxémie marquée.

Hémothorax. L'hémothorax est une accumulation de sang dans l'espace intrapleural. Un hémothorax qui se manifeste lors d'un pneumothorax ouvert est appelé un hémopneumothorax. Il peut être causé par un traumatisme thoracique, une tumeur pulmonaire maligne, des complications causées par l'anticoagulothérapie, une embolie pulmonaire ou la rupture des adhésions pleurales.

Manifestations cliniques. Une légère tachycardie et de la dyspnée peuvent être les seules manifestations lorsqu'il s'agit d'un pneumothorax mineur. Cependant, si celui-ci est important, le client peut éprouver une détresse respiratoire, ainsi que de la tachypnée superficielle, de la dyspnée et une respiration de Kussmaül. Une douleur thoracique, perçue comme un coup de couteau, et une toux avec ou sans hémoptysie peuvent aussi se manifester. À l'auscultation, aucun bruit de respiration n'est perceptible au-dessus de la région touchée et une hypersonorité peut être présente. Le pneumothorax est visible sur une radiographie pulmonaire.

Il y a des risques de détresse respiratoire aiguë, de tachycardie et d'hypotension si un pneumothorax sous tension est présent. Un déplacement du médiastin se produit et la trachée est déplacée vers le côté non touché.

Processus thérapeutique. Le traitement dépend de la gravité du pneumothorax et de la nature de la maladie sous-jacente. Dans les cas où l'état du client est stable et que la quantité d'air et de liquide accumulée dans l'espace intrapleural est minime, aucun traitement n'est nécessaire puisque le pneumothorax se résorbera spontanément. Cependant, si la quantité d'air et de liquide est minime, il est possible de procéder à une aspiration à l'aide d'une aiguille de gros calibre pour aérer la cavité pleurale. Une valve de Heimlich peut également servir à évacuer l'air de la cavité pleurale. La forme de traitement la plus courante et définitive en cas de pneumothorax et d'hémothorax consiste à introduire un drain thoracique qui est ensuite connecté à un système de drainage.

Il est possible que les pneumothorax spontanés à répétition doivent être traités par pleurectomie partielle ou par pleurodèse au laser en vue de favoriser l'adhérence des feuillets viscéral et pariétal de la plèvre. L'injection de doxycycline (Doxycin), un agent irritant, peut être utilisée au cours de la **pleurodèse** ou du **talcage**.

16.9.2 Fractures des côtes

Les fractures de côtes représentent le type de traumatisme thoracique le plus fréquent. Les côtes quatre et neuf sont les plus souvent fracturées parce qu'elles sont moins protégées par les muscles thoraciques que les autres. Une côte fracturée qui est fragmentée ou déplacée peut endommager la plèvre et les poumons.

Les manifestations cliniques d'une fracture des côtes comprennent la douleur (surtout lors de l'inspiration) à l'endroit de l'impact. Le client protège la région touchée en ne prenant que de courtes respirations pour tenter de diminuer la douleur. Il en résulte une diminution de l'amplitude ventilatoire qui peut provoquer une atélectasie.

Le but principal du traitement est de diminuer la douleur afin que le client puisse respirer convenablement et avoir une bonne amplitude thoracique. L'analgésie intercostale par blocage nerveux, grâce à une anesthésie locale, peut servir à soulager la douleur. Les nerfs des côtes fracturées et les nerfs intercostaux situés au-dessus et au-dessous des côtes fracturées sont aussi bloqués. L'effet de l'anesthésie peut durer plusieurs heures, voire plusieurs jours. Il est possible de répéter l'anesthésie au besoin afin de soulager la douleur. L'immobilisation du thorax avec un pansement est plutôt rare. La plupart des médecins croient qu'il faut éviter cette mesure parce qu'elle réduit l'expansion pulmonaire et prédispose les clients à l'atélectasie. Les narcotiques doivent être prescrits avec beaucoup de précaution et selon les besoins de chaque client puisqu'ils tendent à diminuer la fonction respiratoire.

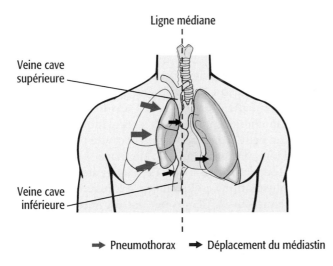

Ligne médiane

Veine cave supérieure

Veine cave inférieure

→ Pneumothorax   → Déplacement du médiastin

FIGURE 16.7 Pneumothorax sous tension. L'augmentation de la pression pleurale sur le côté touché entraîne le déplacement du médiastin et cause ainsi des troubles respiratoires et cardiovasculaires.

16.9.3 Volet thoracique

Le volet thoracique résulte d'une fracture multiple des côtes, ce qui cause une instabilité de la paroi thoracique, car celle-ci ne peut fournir la structure osseuse nécessaire au maintien de la dilatation et de la ventilation (voir figure 16.8). La région touchée (volet) se déplace vers la région intacte et entraîne une respiration paradoxale. Par conséquent, la région touchée est aspirée à l'inspiration, puis est repoussée lors de l'expiration. Ce mouvement thoracique paradoxal empêche la ventilation efficace du poumon dans la région touchée et le poumon sous-jacent peut subir de graves lésions. Toute douleur ou lésion pulmonaire associée menant à une perte de compliance contribuera à perturber le mode de respiration et provoquera l'hypoxémie.

Un volet thoracique est habituellement apparent à l'œil nu lors de l'examen du client inconscient. Celui-ci a une respiration courte et superficielle ainsi qu'une tachycardie. Chez un client conscient, il est possible que le volet thoracique ne soit pas apparent au début en raison de contractions douloureuses dans la paroi thoracique. Le client éprouve de la dyspnée et les mouvements thoraciques sont asymétriques et non coordonnés. La palpation des mouvements anormaux de la respiration, la crépitation de la côte, la radiographie pulmonaire et les GSA sont utiles pour poser un diagnostic.

Le traitement initial consiste à administrer une ventilation adéquate, de l'oxygène humidifié et des solutés cristalloïdes par voie intraveineuse. Le traitement définitif consiste à redonner une bonne amplitude pulmonaire et à assurer une bonne oxygénation. Bien que de nombreux clients puissent être traités sans avoir recours à la ventilation mécanique, il arrive que certains d'entre eux doivent être intubés pour une brève période jusqu'à ce que le diagnostic définitif ait été établi.

La pression positive en fin d'expiration (PPFE ou PEEP, c.-à-d. *positive end-expiratory pressure*), combinée avec une ventilation mécanique pour assurer une bonne oxygénation, permet de maintenir une pression positive dans les poumons au cours du cycle respiratoire. La ventilation mécanique est traitée dans le chapitre 29. Le parenchyme pulmonaire et les côtes fracturées guérissent avec le temps.

16.9.4 Drains thoraciques et drainage pleural

En temps normal, la pression intrapleurale est sous la pression atmosphérique (environ 4 mm Hg sous la pression atmosphérique lors de l'expiration et environ 8 mm Hg sous la pression atmosphérique lors de l'inspiration). La pression intrapleurale et la cavité intrapleurale sont traitées dans le chapitre 14. Lorsque la pression intrapleurale devient égale à la pression atmosphérique, les poumons s'affaissent (pneumothorax), car ils ne peuvent plus se dilater. L'air peut pénétrer dans la cavité intrapleurale par de multiples mécanismes, comme un traumatisme thoracique (p. ex. blessure par balle, côte fracturée), une thoracotomie et un pneumothorax spontané. L'accumulation d'un excès de liquide peut se produire dans la cavité pleurale à la suite d'une perturbation du drainage lymphatique (p. ex. tumeur maligne) ou de changements dans la pression osmotique colloïdale (p. ex. insuffisance cardiaque congestive). L'empyème est un liquide pleural purulent qui peut être associé à des abcès pulmonaires ou à une pneumonie.

Il n'est pas toujours nécessaire de retirer de petites accumulations d'air ou de liquide dans la cavité pleurale par une thoracentèse ou par l'introduction d'un drain thoracique. En fait, elles se réabsorbent avec le temps. Le but des drains thoraciques et des drainages

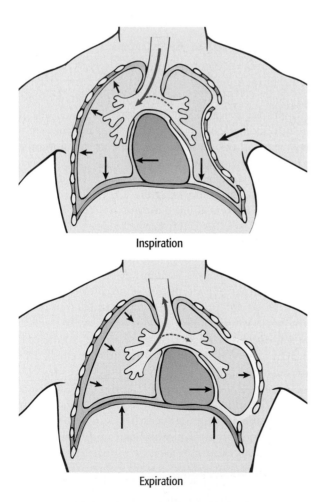

Inspiration

Expiration

FIGURE 16.8 Respiration paradoxale produite par le volet thoracique. À l'inspiration, le volet est entraîné par le mouvement du médiastin vers le côté intact. À l'expiration, le volet est repoussé par le mouvement du médiastin vers le côté atteint.

pleuraux est de retirer l'air et les liquides afin de rééquilibrer la pression intrapleurale et l'amplitude pulmonaire.

Introduction d'un drain thoracique.
Selon la situation, un drain thoracique peut être introduit en salle d'urgence, dans la chambre du client ou en salle d'opération. Dans ce dernier cas, il est introduit par une incision de thoracotomie. En salle d'urgence ou dans la chambre, le client est assis ou couché sur le côté ; la région touchée est maintenue élevée et nettoyée avec une solution antiseptique, puis on y injecte un anesthésique local. Après avoir effectué une petite incision, on introduit un ou deux drains thoraciques dans la cavité pleurale. Un drain est introduit du côté antérieur dans le deuxième espace intercostal afin de retirer l'air (voir figure 16.9). L'autre drain est introduit du côté postérieur dans les huitième et neuvième espaces intercostaux afin de drainer les liquides et le sang. Les drains sont suturés à la paroi thoracique et la plaie punctiforme est recouverte d'un pansement hermétique. Le tube est clampé au moment de son insertion, puis la pince est retirée une fois qu'il est en place dans la cavité pleurale et qu'il est raccordé au drain. Chaque tube peut être raccordé à un système de drainage distinct. La plupart du temps, on utilise un raccord en Y pour fixer les drains thoraciques sur le même système de drainage.

Drainage pleural.
La plupart des systèmes de drainage pleural ont trois compartiments de base avec des fonctions distinctes.

Le premier compartiment, la **chambre de recueil**, est gradué en millilitres. Il reçoit les liquides et l'air de la cavité thoracique. Le contenu de cette chambre est dirigé vers le **compartiment scellé sous eau** qui sert de valve antireflux. L'air de la chambre de recueil entre en passant par un raccord qui le plonge sous l'eau dans le deuxième compartiment. Les bulles d'air montent alors dans l'eau et l'air ne peut retourner dans la chambre de recueil à cause du joint d'eau.

Le troisième compartiment, appelé **compartiment régulateur d'aspiration**, sert à régulariser l'aspiration du système. Il comprend des tubes submergés dans une colonne d'eau qui est aussi à aire ouverte. L'aspiration du compartiment se fait par une autre ouverture. La quantité d'aspiration appliquée est régularisée par la profondeur des tubes dans l'eau et non par la force d'aspiration appliquée au système. Le degré de succion est prescrit par le médecin. Une augmentation de l'aspiration n'entraîne pas une augmentation de la pression négative appliquée au système. En fait, le surplus d'aspiration retourne simplement dans l'air par le tube à aire ouverte.

Il est plus facile d'éliminer l'air dans la cavité pleurale lorsque la pression intrathoracique est plus élevée, comme lors de l'expiration, la toux ou l'éternuement. Ainsi, on peut constater une plus grande quantité de bulles d'air dans le compartiment scellé sous eau. Un manque de bulles lors d'une de ces activités peut indiquer un blocage du drain thoracique (p. ex. le tube est coudé ou un caillot l'obstrue) ou une amplitude pulmonaire sans qu'il reste d'air dans la cavité pleurale.

Une grande variété de systèmes de drainage jetables en plastique sont vendus sur le marché. Un système très populaire est le Pleur-evac, illustré à la figure 16.10. Le mode d'utilisation de ces appareils est fourni par le fabricant. Le dispositif de plastique permet au client de se déplacer et diminue les risques de bris ou de fuites d'air du système de drainage.

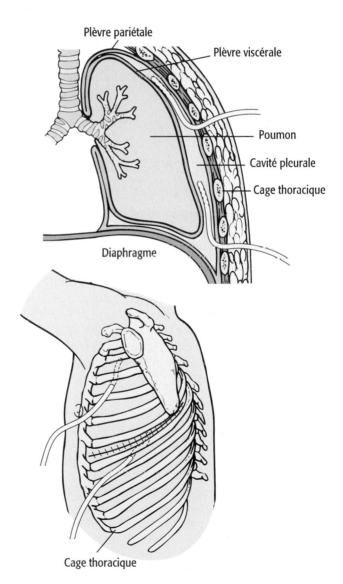

FIGURE 16.9 Introduction de drains thoraciques

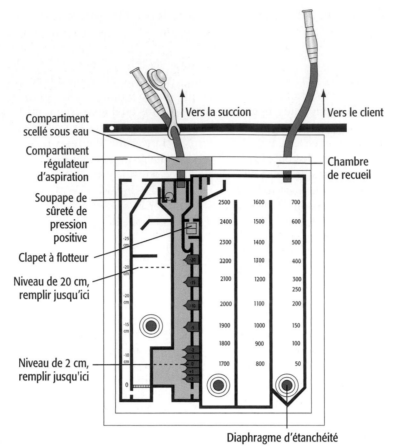

Compartiment scellé sous eau

Compartiment régulateur d'aspiration

Soupape de sûreté de pression positive

Clapet à flotteur

Niveau de 20 cm, remplir jusqu'ici

Niveau de 2 cm, remplir jusqu'ici

Vers la succion

Vers le client

Chambre de recueil

Diaphragme d'étanchéité

FIGURE 16.10 Système de drainage Pleur-evac

Valve de Heimlich. Un autre dispositif pouvant être utilisé pour évacuer l'air de la cavité pleurale est la valve de Heimlich (voir figure 16.11). Elle comporte un tube de caoutchouc pliable que l'on fixe à l'extrémité d'un drain thoracique. Elle s'ouvre lorsque la pression est supérieure à la pression atmosphérique et se referme lorsque l'inverse se produit. Elle fonctionne de la même manière que le joint d'eau et est habituellement utilisée lors des transports d'urgence ou lors de situations particulières de soins à domicile.

Soins infirmiers : drains thoraciques.

Certaines lignes directrices générales pour les soins infirmiers dispensés aux clients utilisant un drain thoracique et un système de drainage scellé sous eau sont traitées dans l'encadré 16.14.

On ne recommande plus de clamper le drain thoracique dans la pratique clinique à moins qu'il ne soit plus raccordé. Le danger d'une accumulation subite d'air dans la cavité pleurale causant un pneumothorax sous tension est beaucoup plus important que celui d'une petite quantité d'air atmosphérique qui pénètre dans la cavité pleurale. Un drain thoracique peut être momentanément clampé pour changer le dispositif de drainage ou pour vérifier s'il y a des fuites d'air. Lorsqu'un drain thoracique se défait, la chose la plus importante à faire est de rétablir immédiatement le système scellé sous eau et de fixer un nouveau système de drainage dès que possible. Dans certains hôpitaux, on submerge le drain thoracique dans de l'eau stérile (environ 2 cm d'eau) jusqu'à ce que le système soit rétabli. Il est important que l'infirmière connaisse le protocole de son unité, les situations cliniques individuelles (en cas de présence d'une fuite d'air) et les préférences du médecin avant de pratiquer un blocage prolongé du drain thoracique.

FIGURE 16.11 Valve de Heimlich

Lignes directrices pour administrer des soins au client porteur de drains thoraciques et d'un système de drainage

ENCADRÉ 16.14

- Garder les drains le plus droit possible. Ne jamais laisser le client se coucher sur ses drains. Le drain doit toujours être installé plus bas que le thorax du client. Porter une attention particulière à leur position lors des déplacements.
- Garder tous les raccords bien serrés entre les drains thoraciques, les tubes et le drain collecteur. Coller un ruban adhésif sur les raccords afin de prévenir les fuites d'air. Certains centres hospitaliers donnent comme consigne à leur personnel de garder au chevet du client deux pinces hémostatiques pour clamper momentanément le drain si la tubulure était détachée par accident.
- Vérifier la prescription médicale. Garder les bons niveaux d'eau dans les compartiments scellés sous eau et dans le régulateur d'aspiration en y ajoutant de l'eau stérile au besoin, car l'évaporation de l'eau peut faire baisser les niveaux.
- Inscrire l'heure, le temps écoulé et le niveau de liquide sur le bocal de drainage selon les directives prescrites. Le marquage peut être effectué à des intervalles qui varient de une heure à huit heures. Tout changement de débit ou de nature du drainage (p. ex. jaune clair à sanguinolent) doit être immédiatement signalé au médecin et noté au dossier.
- Observer les bulles d'air dans le compartiment scellé sous eau et les fluctuations dans le tube de verre ou les drains thoraciques. Des bulles doivent s'échapper du tube de verre. Si aucune fluctuation n'est observée (augmentation à l'inspiration et diminution à l'expiration chez le client respirant spontanément; ou l'inverse pendant la ventilation mécanique à pression positive), le système de drainage est bloqué ou les poumons ont repris leur expansion. Une fuite d'air est possible s'il y a une augmentation de bulles

- Vérifier les bulles dans le compartiment scellé sous eau; elles sont normalement intermittentes. Si elles sont continuelles et constantes, la source de la fuite d'air peut être trouvée en clampant momentanément le tube à différents endroits successifs en s'éloignant du client jusqu'à ce que les bulles cessent. Il peut s'avérer nécessaire de remettre du ruban adhésif sur les raccords ou de remplacer l'appareil de drainage pour régler le problème.
- Surveiller la condition clinique du client. Les signes vitaux et la saturation doivent être vérifiés régulièrement, les poumons auscultés et la paroi thoracique examinée afin de déceler tout mouvement thoracique anormal.
- Ne jamais élever le système de drainage à la hauteur de la poitrine du client pour éviter que le liquide ne retourne dans les poumons. Fixer le système de support conçu à cet effet. Il ne faut pas vider le contenant de drainage.
- Surveiller l'état du pansement pour noter toute présence de saignement. Vérifier que le drain ne coule pas sous le client et s'assurer qu'il n'est pas obstrué par la fibrine présente dans les caillots de sang. Évaluer la présence d'emphysème sous-cutané au pourtour du pansement en palpant la cage thoracique à la recherche de crépitements.
- Encourager le client à respirer profondément et à effectuer ses exercices respiratoires périodiquement afin de faciliter l'expansion pulmonaire et l'expulsion de mucus.
- Vérifier la position de l'appareil. S'il est déstabilisé et que le joint d'étanchéité est défait, le redresser et demander au client de prendre quelques respirations profondes, suivies d'expirations forcées et de manœuvres de toux.

Retrait du drain thoracique. Le client porteur d'un drain thoracique doit passer des radiographies pulmonaires chaque jour afin de vérifier si l'expansion pulmonaire se produit. Le drain thoracique est retiré une fois que les poumons ont retrouvé une amplitude normale et qu'il n'y a plus de liquide à drainer. On diminue parfois le volume d'aspiration du drain avant de le retirer. Les étapes de la procédure de retrait sont les suivantes: 1) couper la suture; 2) appliquer un pansement de gaze avec de la gelée de pétrole; 3) demander au client de prendre une grande inspiration puis d'expirer et de retenir son souffle en forçant (manœuvre de Valsalva); 4) retirer le drain très rapidement pour éviter l'entrée d'air. La plaie est ensuite recouverte de povidone-iode (Proviodine) (sauf si le client y est allergique) et d'un pansement hermétique. La plèvre se referme d'elle-même et la plaie se cicatrise en quelques jours. On doit surveiller la plaie pour y détecter tout signe d'écoulement et le pansement doit être renforcé s'il y a lieu. Il est habituellement refait tous les trois jours.

Le client doit être surveillé afin de déceler toute manifestation de détresse respiratoire qui pourrait provoquer un nouveau pneumothorax ou une récurrence.

16.10 CHIRURGIE DU THORAX

La chirurgie thoracique est pratiquée pour de multiples raisons, dont certaines ne sont pas liées à des troubles pulmonaires primitifs. Par exemple, on pratique une thoracotomie dans le cas d'une chirurgie cardiaque ou œsophagienne. Les types de chirurgies du thorax sont comparés dans le tableau 16.13.

16.10.1 Soins préopératoires

Avant une chirurgie thoracique, les données de base sont recueillies concernant l'état cardiorespiratoire du client. Les épreuves diagnostiques effectuées sont l'étude de la fonction pulmonaire, les radiographies pulmonaires,

TABLEAU 16.13 Chirurgies thoraciques

Type	Description	Indication	Commentaires
Lobectomie	Ablation d'un lobe du poumon.	Cancer du poumon, bronchiectasie, tuberculose, emphysème, tumeur pulmonaire bénigne, infections fongiques.	Chirurgie pulmonaire la plus courante, introduction postopératoire de deux drains thoraciques, expansion des tissus pulmonaires restants pour remplir l'espace.
Pneumonectomie	Ablation totale d'un poumon.	Cancer du poumon (plus courant), tuberculose étendue, bronchiectasie, abcès pulmonaire.	Utilisée seulement lorsque la lobectomie ou la résection segmentaire ne permettent pas d'enlever tout le poumon atteint, habituellement aucun drain thoracique sous succion, un liquide remplit graduellement l'espace laissé par l'ablation du poumon, positionner le client sur le dos ou du côté opéré et relever sa tête.
Résection segmentaire (segmentectomie)	Ablation d'un ou de plusieurs segments pulmonaires.	Bronchiectasie, tuberculose.	Techniquement difficile, effectuée pour retirer un segment pulmonaire, introduire des drains thoraciques, expansion des tissus pulmonaires restants pour remplir l'espace.
Résection cunéiforme périphérique	Ablation d'une petite lésion localisée n'occupant qu'une partie de segment.	Biopsie pulmonaire, excision de petits ganglions.	Nécessite l'introduction de drains thoraciques postopératoires.
Décortication	Ablation ou séparation d'épaisses membranes fibreuses de la plèvre viscérale.	Empyème.	Utilisation de drains thoraciques et du drainage postopératoire.
Thoracotomie exploratoire	Incision du thorax pour examiner les tissus hémorragiques ou lésés.	Traumatisme thoracique.	Utilisation de drains thoraciques et du drainage postopératoire.
Thoracotomie n'atteignant pas les poumons	Incision du thorax pour opérer d'autres organes que les poumons.	Réparation d'hernie hiatale, chirurgie cardiaque, chirurgie de l'œsophage, résection de la trachée, réparation d'un anévrisme aortique.	–
Thoracoplastie	Ablation de côtes sans pénétrer dans la plèvre.	Réduction de la cavité thoracique.	Importance historique dans le traitement de la tuberculose, peut servir à diminuer la taille d'un poumon dans une région d'empyème chronique, pratiquée avant la chirurgie de résection (rarement).
Thorascopie (thoracotomie endoscopique)	Une à quatre incisions de 2 cm par lesquelles on introduit une caméra fibroscopique et d'autres instruments (p. ex. pour l'aspiration).	Client sans antécédent de thoracotomie ; lésions périphériques ou du médiastin ; la fonction pulmonaire doit être efficace pour pratiquer une thoracotomie conventionnelle.	Complications possibles comprenant l'hémorragie, la perforation du diaphragme, l'infection, un pneumothorax sous tension ; le drain thoracique est introduit par l'une des incisions ; les incisions peuvent être suturées ou fermées à l'aide de pansements de rapprochement.

l'électrocardiogramme (ECG), les GSA, l'azote uréique du sang (BUN), la créatinine sérique, la glycémie, les électrolytes sériques et la formule sanguine complète (FSC). D'autres épreuves de fonction cardiaque peuvent être faites, comme un cathétérisme cardiaque pour un client devant subir une pneumonectomie. Un examen physique minutieux des poumons, comprenant la percussion et l'auscultation, est nécessaire afin de permettre à l'infirmière de comparer les résultats préopératoires et postopératoires.

Il est important de faire comprendre au client qu'il doit cesser de fumer avant la chirurgie afin de diminuer les sécrétions et augmenter sa saturation en oxygène. Cependant, il peut arriver que certaines personnes soient trop anxieuses pour cesser de fumer pendant cette période. La physiothérapie respiratoire peut être utile, notamment pour les clients qui souffrent d'un abcès pulmonaire ou d'une bronchiectasie.

L'enseignement préopératoire doit porter sur les exercices de respiration profonde et la spirométrie incitative.

Le client qui effectue ces exercices avant la chirurgie aura plus de facilité à les faire pendant la phase postopératoire. L'infirmière doit l'informer que des analgésiques lui seront administrés pour soulager la douleur et que l'adoption d'une posture antalgique à l'aide d'un oreiller l'aidera à respirer profondément sans ressentir d'inconfort.

Dans la plupart des chirurgies thoraciques, on introduit des drains qui sont raccordés à un système de drainage scellé sous eau. L'utilité de ces drains doit être expliquée au client. De plus, il arrive souvent qu'on donne de l'oxygène pendant les 24 premières heures après la chirurgie. L'infirmière doit également enseigner au client les exercices d'amplitude articulaire à effectuer du côté opéré, qui sont semblables aux exercices recommandés après une mastectomie (voir chapitre 43).

L'idée de perdre une partie d'un organe vital est souvent terrifiante. Le client doit être rassuré que les poumons possèdent un degré de réserve fonctionnelle élevé. Même après l'ablation d'un poumon, il reste suffisamment de tissu pulmonaire pour assurer l'oxygénation.

L'infirmière doit être en mesure de répondre aux questions posées par le client et sa famille. Elle se doit d'être honnête dans ses réponses et les encourager à exprimer leurs inquiétudes, leurs émotions et leurs doutes. (Le chapitre 11 traite des soins et de l'enseignement préopératoires généraux.)

16.10.2 Traitement chirurgical

La thoracotomie est considérée comme une chirurgie majeure parce qu'elle implique une large incision de l'os, du muscle et des cartilages du thorax. Les deux types d'incision thoracique sont la **sternotomie médiane**, qui consiste à ouvrir le sternum, et la **thoracotomie latérale**. La sternotomie médiane est surtout pratiquée lors d'une chirurgie cardiaque. Les deux types de thoracotomie latérale sont la thoracotomie postérolatérale et la thoracotomie antérolatérale. La thoracotomie postérolatérale est utilisée dans la plupart des chirurgies pulmonaires. L'incision est faite à partir de la ligne axillaire antérieure, au-dessous du mamelon, sur la face postérieure du quatrième, cinquième ou sixième espace intercostal. Il est extrêmement rare qu'il soit nécessaire d'enlever des côtes. De puissants écarteurs mécaniques sont utilisés pour atteindre plus facilement le poumon. L'incision antérolatérale est faite dans le quatrième ou cinquième espace intercostal entre l'extrémité du sternum et la ligne axillaire. Cette procédure est fréquemment utilisée dans les cas de traumatismes, de chirurgies du médiastin et de résections cunéiformes des lobes supérieurs et moyens du poumon.

L'étendue de l'incision entraîne souvent une douleur aiguë chez le client après l'intervention chirurgicale. Il n'ose pas lever le bras ni l'épaule du côté opéré puisque

les muscles ont été sectionnés. Un drain thoracique est introduit dans la cavité pulmonaire, sauf s'il s'agit d'une pneumonectomie. Dans ce cas, la cavité d'où le poumon a été retiré se remplit graduellement de liquide sanguinolent.

Chirurgie thoracoscopique. La thoracoscopie ou thoracotomie endoscopique est une procédure qui permet d'éviter dans bien des cas une thoracotomie complète. Elle consiste à pratiquer trois ou quatre incisions de 2 cm sur le thorax afin d'y introduire le thorascope (une caméra fibroscope spéciale) ainsi que les instruments nécessaires et de les manipuler. La **thoracoscopie vidéo assistée** améliore la visualisation du chirurgien puisqu'il peut voir l'intérieur de la cavité thoracique sur un écran récepteur. Le thoracoscope est muni d'une caméra qui grossit l'image sur l'écran. La thoracoscopie est utile pour diagnostiquer et traiter diverses affections pulmonaires, pleurales et médiastinales.

Les clients admissibles à ce type de procédure ne doivent pas avoir d'antécédents de chirurgie thoracique conventionnelle, car des adhérences pourraient rendre l'accès plus difficile. Le client dont les lésions sont en périphérie du poumon ou du médiastin est un bon candidat pour ce type de chirurgie, car l'accès est plus facile. S'il doit subir une thoracoscopie, sa fonction pulmonaire préopératoire doit être suffisante pour permettre au chirurgien de pratiquer une thoracotomie conventionnelle si des complications surviennent (une hémorragie, par exemple). D'autres complications peuvent survenir comme une perforation du diaphragme, une embolie gazeuse, une fuite d'air pleural chronique ou un pneumothorax sous tension.

Comparativement à une thoracotomie conventionnelle, la thoracoscopie présente plusieurs avantages : les adhérences sont moins importantes ; la perte de sang est minime ; l'anesthésie est plus courte ; il n'y a pas de séjour à l'unité des soins intensifs dans la plupart des cas ; l'hospitalisation est plus courte et le rétablissement est plus rapide ; la douleur est moins intense ; la physiothérapie postopératoire n'est pas nécessaire puisque la dislocation de la structure thoracique est minime. Les clients qui ne sont pas admissibles à la thoracotomie peuvent subir une thoracoscopie.

Le drain thoracique est introduit à la fin de la procédure dans l'une des incisions, lesquelles sont refermées par des points de suture ou recouvertes de diachylons de rapprochement. L'évaluation infirmière et les soins postopératoires comprennent la surveillance de l'état respiratoire et de l'amplitude pulmonaire avec le drain thoracique ainsi que la vérification des incisions pour déceler tout signe d'écoulement et de déhiscence. La complication la plus fréquente est la fuite d'air prolongée. Le client doit être encouragé à vaquer à ses activités habituelles le plus rapidement possible. Le séjour au centre hospitalier dure en moyenne de un à cinq jours, selon le type de chirurgie.

16.10.3 Soins postopératoires

Les mesures spécifiques liées aux soins dispensés après une thoracotomie sont présentées dans l'encadré 16.15. Les soins de suivi dépendent du type d'intervention chirurgicale. Le chapitre 13 traite des soins postopératoires généraux.

16.11 TROUBLES RESPIRATOIRES RESTRICTIFS

Les troubles respiratoires restrictifs sont caractérisés par une diminution de la compliance pulmonaire ou thoracique, ou les deux. Ce phénomène est contraire aux troubles obstructifs, qui sont caractérisés par une augmentation de la résistance au débit d'air. L'étude de la fonction pulmonaire est le meilleur moyen de différencier les troubles respiratoires restrictifs des troubles respiratoires obstructifs (voir tableau 16.14). Les troubles restrictifs sont caractérisés par une réduction de la capacité vitale (CV) et de la capacité pulmonaire totale (CPT), avec une capacité résiduelle fonctionnelle (CRF) et un volume résiduel (VR) normaux ou réduits. Les troubles obstructifs sont caractérisés par une CV normale ou réduite, une CPT accrue, un rapport réduit du volume expiratoire maximum par seconde (VEMS) à la capacité vitale fonctionnelle (CVF), une augmentation de la CRF et du VR. Des troubles mixtes (c.-à-d. obstructifs et restrictifs) se manifestent souvent. Par exemple, un client peut souffrir à la fois d'une bronchite chronique (problème obstructif) et d'une fibrose pulmonaire (problème restrictif).

Les troubles restrictifs sont habituellement classés parmi les troubles intrapulmonaires et extrapulmonaires. Les causes extrapulmonaires de la maladie pulmonaire restrictive sont les troubles qui touchent le système nerveux central, le système neuromusculaire et la paroi thoracique (voir tableau 16.15) tout en n'altérant pas les tissus pulmonaires. Cependant, les causes intrapulmonaires de la maladie pulmonaire restrictive touchent la plèvre ou les tissus pulmonaires (voir tableau 16.16).

16.11.1 Épanchement pleural

Types. La cavité pleurale se situe entre le poumon et la paroi thoracique et contient normalement une fine couche de liquide. L'épanchement pleural est une accumulation de liquide dans la cavité pleurale (voir figure 16.6, A). L'épanchement comme tel n'est pas une maladie, mais plutôt un signe de maladie grave. On le qualifie souvent de transsudatif, faible en protéines, ou d'exsudatif, riche en protéines. Un épanchement transsudatif se produit principalement lors d'un état non inflammatoire et se traduit par une accumulation de liquide faible en protéines et en cellules. L'épanchement pleural transsudatif (aussi appelé **hydrothorax**) est causé par l'un des deux éléments suivants : 1) une augmentation de la pression hydrostatique lors d'insuffisance cardiaque congestive, la cause la plus fréquente d'épanchement pleural ; ou 2) une diminution de la pression oncotique (causée par l'hypoalbuminémie), fréquente dans les cas de maladie rénale ou d'hépatite chronique. Dans ces situations, le liquide sort des capillaires et pénètre dans la cavité pleurale.

Un exsudat est une accumulation de liquide et de cellules dans une région où il y a de l'inflammation. Un épanchement pleural exsudatif résulte d'une augmentation de la perméabilité capillaire, qui est typique d'une réaction inflammatoire. Ce type d'épanchement se produit à la suite d'affections comme les tumeurs pulmonaires malignes, les infections pulmonaires, l'embolie pulmonaire et les maladies gastro-intestinales (p. ex. maladie pancréatique ou perforation de l'œsophage).

Le type d'épanchement pleural peut être établi en prélevant du liquide pleural par une thoracentèse (ponction thoracique visant à retirer du liquide de la cavité pleurale). Les exsudats ont une densité au-dessus de 1,015 et un contenu riche en protéines. Le liquide est jaune foncé ou ambré. Les transsudats ont une densité

TABLEAU 16.14 Relation entre les volumes pulmonaires et les types de déficits ventilatoires					
Interprétation	CVF	VEMS	VEMS/CVF	VR	CPT
Normale	Normale	Normal	Normal	Normal	Normale
Obstruction des voies respiratoires	Normale ou basse	Bas	Bas	Élevé	Élevée
Restriction pulmonaire	Basse	Normal ou bas	Normal ou élevé	Normal ou bas	Basse
Obstruction et restriction	Basse	Bas	Bas	Variable	Variable

CPT : capacité pulmonaire totale ; CVF : capacité vitale fonctionnelle ; VEMS : volume expiratoire maximum par seconde ; VR : volume résiduel.

Plan de soins infirmiers

Client ayant subi une thoracotomie

DIAGNOSTIC INFIRMIER : dégagement inefficace des voies respiratoires relié à une incapacité de tousser en raison de la douleur résultant de l'intervention chirurgicale et du positionnement, se manifestant par des ronchi, une respiration sifflante (*wheezing*) et une incapacité à tousser ou à respirer profondément.

PLANIFICATION
Résultats escomptés
- Le client aura des poumons clairs à l'auscultation.
- Il sera capable d'éliminer ses sécrétions.

INTERVENTIONS	Justifications
• Placer le client en position de semi-Fowler.	• Augmenter le débit cardiaque et optimiser l'expansion pulmonaire.
• L'aider à se retourner, à respirer profondément et à tousser toutes les heures ou toutes les deux heures au début.	• Déloger ou drainer les sécrétions accumulées dans les poumons.
• Soutenir l'incision thoracique.	• Faciliter les exercices de respiration et de toux.
• Planifier des exercices de toux et de respirations profondes une fois la douleur soulagée.	• Déloger les sécrétions, ouvrir les voies respiratoires et obtenir une expansion optimale des poumons.
• Ausculter les poumons avant et après les séances de toux et de respirations profondes.	• Évaluer l'efficacité de l'intervention.
• Humidifier l'air.	• Liquéfier les sécrétions et en faciliter l'expectoration.
• Procéder à l'aspiration des sécrétions.	• Éliminer les sécrétions des voies respiratoires.

DIAGNOSTIC INFIRMIER : perturbation des échanges gazeux reliée à l'accumulation d'air et de liquide dans les poumons et la cavité pleurale, se manifestant par la tachycardie, des respirations anormales et des GSA anormaux.

PLANIFICATION
Résultats escomptés
- Le client présentera une expansion pulmonaire complète.
- Il présentera des murmures vésiculaires aux deux poumons.
- Il aura des GSA normaux.

INTERVENTIONS	Justifications
• Surveiller le système de drainage thoracique.	• Assurer une ventilation suffisante et déceler la présence d'hémorragie.
• Surveiller la fréquence respiratoire, la saturation, le type de respiration et les résultats des GSA.	• Dépister précocement des changements importants de la fonction respiratoire.
• Administrer de l'oxygène à faible débit (1 à 4 L/min) par lunettes nasales.	• Traiter l'hypoxémie.
• Aider le client à changer de position.	• Assurer son confort et faciliter la ventilation pulmonaire.

DIAGNOSTIC INFIRMIER : mode de respiration inefficace relié à la douleur, la position et une complication possible du côté atteint, se manifestant par de l'essoufflement, des respirations superficielles et l'utilisation des muscles respiratoires accessoires.

PLANIFICATION
Résultats escomptés
- Le client aura une fréquence respiratoire de 12 à 20 respirations par minute.
- Il sera eupnéique.

INTERVENTIONS	Justifications
• Ausculter les poumons du client toutes les deux ou trois heures.	• Évaluer la fréquence, la qualité et la profondeur de la respiration et le besoin d'aspiration des sécrétions trachéales.

⟶ **Plan de soins infirmiers**

Client ayant subi une thoracotomie (*suite*)

- Observer les signes de complications comme le pneumothorax ou l'hémothorax avec des symptômes d'essoufflement aigu ; de la tachypnée superficielle ; de la dyspnée ; de la toux et la respiration de Kussmaül.
- Aider le client à prendre des respirations profondes.
- Positionner le client.
- Encourager la spirométrie incitative toutes les deux ou trois heures.

- L'encourager et améliorer les échanges gazeux.
- Assurer son confort et faciliter sa respiration.
- Fournir des résultats visuels au client sur l'efficacité de sa respiration.

DIAGNOSTIC INFIRMIER : anxiété reliée à la dyspnée et à la douleur, se manifestant par des expressions faciales d'anxiété, une incapacité à coopérer et à suivre les directives pour respirer lentement.

PLANIFICATION
Résultat escompté
- Le client dira qu'il se sent moins anxieux.

INTERVENTIONS
- Demeurer avec le client pendant les exercices respiratoires.
- Vérifier la perméabilité et le drainage des drains thoraciques.
- Donner de la rétroaction sur l'efficacité de la respiration.
- Administrer des analgésiques selon l'ordonnance ou pratiquer des méthodes complémentaires comme la distraction, la visualisation et la relaxation.

Justifications
- L'encourager et lui fournir des explications.
- Assurer leur bon fonctionnement.
- L'encourager et diminuer son anxiété.
- La douleur augmente l'anxiété et diminue l'observance du client quant aux traitements nécessaires.

---

inférieure, leur contenu est faible en protéines et le liquide est translucide ou jaune pâle. Ce liquide peut également servir à analyser les érythrocytes et les leucocytes, les cellules malignes, les bactéries, le glucose, le pH et la lacticodéshydrogénase (LDH).

Un **empyème** est un épanchement pleural contenant du pus. Il est causé par des affections comme la pneumonie, la tuberculose et l'abcès pulmonaire. Le **fibrothorax** est une complication potentielle de l'empyème, causant une fusion fibreuse de la plèvre viscérale ou pariétale (voir figure 16.6, A).

16.11.2 Manifestations cliniques

Les manifestations cliniques courantes de l'épanchement pleural sont la dyspnée progressive et une diminution du mouvement de la cage thoracique du côté affecté. Il peut y avoir une douleur de type pleural en raison de la maladie sous-jacente. L'examen physique du thorax indique une matité à la percussion et une diminution ou une absence de bruits respiratoires dans la région touchée. La radiographie pulmonaire indique une anomalie si l'épanchement est supérieur à 250 ml. Les manifestations de l'empyème comprennent l'épanchement pleural, la fièvre, la diaphorèse nocturne, la toux et la perte de

masse corporelle. Une thoracentèse révèle un exsudat contenant une substance épaisse et purulente.

16.11.3 Thoracentèse

Lorsque la cause de l'épanchement pleural est inconnue, une thoracentèse s'avère nécessaire pour prélever du liquide aux fins d'analyse et de diagnostic (voir figure 14.19). Une thoracentèse thérapeutique peut aussi être pratiquée pour retirer du liquide lorsque l'épanchement est volumineux et perturbe la respiration.

La thoracentèse est effectuée en faisant asseoir le client sur le bord du lit et en lui demandant de se pencher vers l'avant et de s'appuyer contre la table à roulettes. Le point de ponction est déterminé selon la radiographie pulmonaire et la percussion du thorax sert à évaluer le degré maximal de matité. La peau est désinfectée avec une solution antiseptique et une anesthésie locale est pratiquée. L'aiguille de thoracentèse est introduite dans l'espace intercostal. Le liquide peut être aspiré à l'aide d'une seringue ou un drain peut être raccordé pour faire écouler le liquide dans un récipient collecteur stérile. Une fois le liquide aspiré, on retire l'aiguille et un pansement est appliqué sur le point de ponction.

TABLEAU 16.15   Causes extrapulmonaires des maladies pulmonaires restrictives

Maladie ou altération	Description	Commentaires
Système nerveux central Traumatisme crânien, lésion du SNC (p. ex. tumeur, AVC)	Traumatisme ou impact sur le centre respiratoire causant de l'hypoventilation ou de l'hyperventilation ; relation entre les manifestations et l'augmentation de la pression intracrânienne (voir chapitre 54).	Le but est de traiter la cause sous-jacente, de maintenir les voies respiratoires libres, d'utiliser une ventilation mécanique pour le traitement symptomatique et de surveiller tout signe d'augmentation de la pression intracrânienne.
Utilisation de narcotiques et de barbituriques	Dépression du centre respiratoire, fréquence respiratoire inférieure à 12 respirations/min.	Dépression respiratoire causée par une surdose de médicaments ou une administration involontaire de médicaments à une personne ayant des troubles respiratoires. Ces médicaments ne doivent pas être administrés à une personne ayant une fréquence respiratoire inférieure à 12 respirations/min.
Système neuromusculaire Syndrome de Guillain-Barré	Inflammation aiguë des nerfs périphériques et des ganglions ; paralysie des nerfs intercostaux causant une respiration diaphragmatique ; paralysie des fibres pré- et postganglionnaires vagales diminuant la capacité des bronchioles à se resserrer, à se dilater et à réagir aux irritants.	Le client a souvent besoin d'une ventilation mécanique pour le traitement symptomatique (voir chapitre 57).
Sclérose latérale amyotrophique	Trouble dégénératif progressif des motoneurones de la colonne vertébrale, du tronc cérébral et du cortex moteur ; atteinte du système respiratoire résultant de l'interruption de la transmission nerveuse aux muscles respiratoires, notamment le diaphragme.	Voir chapitre 57 pour les manifestations cliniques et la gestion des soins.
Myasthénie grave	Trouble de la plaque motrice, atteinte du système respiratoire résultant de l'interruption de la transmission nerveuse aux muscles respiratoires.	Voir chapitre 57 pour les manifestations cliniques et la gestion des soins.
Dystrophie musculaire	Maladie héréditaire ; atteinte potentielle de tous les muscles squelettiques ; paralysie des muscles respiratoires, notamment les intercostaux, le diaphragme et les muscles accessoires.	Troubles pulmonaires survenant tardivement dans le processus morbide.
Paroi thoracique Traumatisme thoracique (p. ex. volet thoracique, fracture d'une côte)	Fracture d'une côte causant une douleur respiratoire ; soutien volontaire de la cage thoracique causant des respirations rapides et superficielles ; perturbation de la capacité ventilatoire causée par la respiration paradoxale.	
Syndrome de Pickwick (obésité extrême)	Surplus de tissu adipeux perturbant l'amplitude de la paroi thoracique et du diaphragme, somnolence causée par l'hypoxémie et la rétention de CO_2, polycythémie causée par l'hypoxie chronique.	La perte pondérale cause habituellement le renversement des symptômes. La prévention et un traitement précoce des infections respiratoires sont importants. L'affection est exacerbée en position couchée.
Cyphoscoliose	Déviation postérieure et latérale de la colonne ; ventilation restreinte causée par la perturbation de l'excursion thoracique ; augmentation de l'effort de respiration ; respirations rapides et superficielles ; réduction du volume pulmonaire ; compression des alvéoles et des vaisseaux sanguins.	Seul un petit nombre de personnes affectées ont des troubles respiratoires sévères.

On prélève habituellement de 1000 à 1200 ml de liquide pleural à la fois afin d'éviter une déviation du médiastin ou de compromettre le retour veineux. Une radiographie pulmonaire de vérification est nécessaire afin de déceler la possibilité d'un pneumothorax qui aurait été causé par la perforation de la plèvre viscérale. Il est important d'observer le client pour détecter tout signe de détresse respiratoire pendant et après la procédure.

TABLEAU 16.16   Causes intrapulmonaires des maladies pulmonaires restrictives

Maladie ou altération	Description
Troubles pleuraux Épanchement pleural	Accumulation de liquide dans la cavité pleurale causée par l'altération de la pression hydrostatique ou oncotique, accumulation de liquide supérieure à 250 ml, visible aux radiographies pulmonaires.
Pleurésie	Inflammation pleurale, classification selon l'état fibrineux (sec) ou sérofibrineux (humide), la pleurésie humide est accompagnée d'une augmentation du liquide pleural et peut provoquer un épanchement pleural.
Pneumothorax	Accumulation d'air dans la cavité pleurale accompagnée d'un collapsus pulmonaire.
Troubles du parenchyme Atélectasie	Affection pulmonaire caractérisée par un affaissement et une privation d'air des alvéoles ; peut être aiguë (chez un client en période postopératoire) ou chronique (chez un client atteint d'une tumeur maligne).
Pneumonie	Inflammation aiguë du tissu pulmonaire causée par des bactéries, des virus, des champignons, des produits chimiques, de la poussière ou d'autres facteurs.
Fibrose pulmonaire	Excès de tissus conjonctifs dans les poumons résultant de la guérison et de la réparation des tissus à la suite d'une inflammation, possibilité de fibrose localisée (p. ex. abcès pulmonaire, tuberculose, pneumonie) ou diffuse (p. ex. pneumoconiose, sarcoïdose, fibrose kystique, syndrome de Hamman-Rich), et possibilité de dyspnée progressive à l'effort résultant d'une diminution de la compliance pulmonaire et du travail ventilatoire. La fibrose pulmonaire diffuse rend progressivement invalide et peut être mortelle.
SDRA*	Atélectasie, œdème pulmonaire, congestion et recouvrement de la paroi alvéolaire par la membrane hyaline ; entraîne de multiples affections, notamment un poumon de choc, une toxicité à l'oxygène, une septicémie à Gram négatif, une circulation extracorporelle et une pneumonie d'aspiration.

* Voir les manifestations cliniques et les soins au chapitre 62.
SDRA : syndrome de détresse respiratoire aiguë.

16.11.4 Processus thérapeutique

L'objectif principal du traitement de l'épanchement pleural est de traiter la cause sous-jacente. Par exemple, le traitement adéquat d'une insuffisance cardiaque congestive au moyen de diurétiques et d'une restriction sodique permet de diminuer l'ampleur de l'épanchement pleural. Cependant, s'il est consécutif à une affection maligne, il sera plus difficile à traiter, car ce type d'épanchement est souvent récurrent et la cavité pleurale se remplit rapidement après une thoracentèse. Dans ce cas, on a parfois recours à la perfusion directe d'agents chimiothérapeutiques dans la cavité pleurale afin de diminuer le nombre d'épanchements récurrents.

Le traitement de l'empyème consiste à drainer la cavité pleurale par thoracentèse ou par thoracotomie avec tube. Une antibiothérapie appropriée est aussi nécessaire afin d'éradiquer totalement le micro-organisme en cause. Une décortication chirurgicale est effectuée pour séparer les membranes de la plèvre lorsque l'empyème provoque un fibrothorax et entraîne des restrictions pulmonaires aiguës.

16.11.5 Pleurésie

La **pleurésie** est une inflammation de la plèvre. Les causes les plus fréquentes sont la pneumonie, la tuberculose, les traumatismes thoraciques, les infarctus pulmonaires et les néoplasmes. L'inflammation se résorbe normalement en traitant adéquatement l'atteinte initiale. On qualifie la pleurésie de **fibrineuse** (sèche), caractérisée par un dépôt de fibrine sur la surface de la plèvre, ou de **sérofibrineuse** (humide), caractérisée par une augmentation de la production de liquide pouvant provoquer un épanchement pleural.

La douleur de la pleurésie est habituellement brusque et aiguë au début et s'accentue à l'inspiration. La respiration du client est courte et rapide afin d'éviter tout mouvement inutile de la plèvre et de la paroi thoracique. Un frottement pleural, bruit provoqué par le glissement l'un sur l'autre du feuillet viscéral et du feuillet pariétal inflammatoires, peut se produire lors de l'inspiration. Ce bruit est habituellement plus fort à l'inspiration, mais peut aussi être perceptible à l'expiration.

Le traitement de la pleurésie vise à soigner la maladie sous-jacente et à soulager la douleur. La prise d'analgésiques et l'adoption d'une position en décubitus latéral ou d'une attitude antalgique du côté affecté peuvent soulager la douleur. L'infirmière doit montrer au client comment soutenir la cage thoracique lorsqu'il tousse. Dans le cas de douleur sévère, il est possible d'anesthésier la région intercostale.

16.11.6 Atélectasie

L'**atélectasie** est une affection pulmonaire caractérisée par l'affaissement des alvéoles qui sont privées d'air. La principale cause est l'obstruction des voies respiratoires par les sécrétions et les exsudats retenus. Ce phénomène se produit régulièrement chez le client en période postopératoire. Normalement, les pores de Kohn permettent le passage collatéral de l'air d'une alvéole à l'autre. Il est nécessaire de prendre de grandes respirations pour ouvrir les pores au maximum. C'est pourquoi les exercices de respiration profonde sont importants dans la prévention de l'atélectasie chez les clients à risque élevé (p. ex. les clients en phase postopératoire ou immobilisés). La fibrose pulmonaire est une complication potentielle de l'atélectasie chronique. (Le chapitre 13 traite de la prévention et du traitement de l'atélectasie.)

16.11.7 Fibrose pulmonaire

L'inhalation de substances organiques ou inorganiques dans l'environnement ou le milieu de travail est une cause fréquente de fibrose pulmonaire diffuse (voir la section portant sur les inhalations au début du présent chapitre). D'autres causes comprennent le syndrome de Hamman-Rich (une forme inhabituelle de pneumonie interstitielle) et la sarcoïdose. La **sarcoïdose** est une maladie systémique de cause inconnue caractérisée par la présence d'une inflammation granulomateuse des poumons chez environ 90 % des clients. La maladie peut être systémique et atteindre les yeux, la peau, le foie, les reins ou le cœur. L'évolution clinique de la maladie peut être résolutive ou progressive et comprendre une inflammation granulomateuse étendue et de la fibrose. La fibrose pulmonaire marquée se manifeste dans les cas de maladie pulmonaire restrictive aiguë. Un cœur pulmonaire peut apparaître en phase avancée. Il n'existe aucun traitement spécifique pour traiter la sarcoïdose. Elle est souvent résolutive et le client se rétablit sans traitement. Les corticostéroïdes peuvent soulager les symptômes et diminuer l'inflammation aiguë.

16.12 TROUBLES VASCULAIRES PULMONAIRES

16.12.1 Œdème aigu pulmonaire

L'œdème aigu pulmonaire est une accumulation anormale de liquide dans les alvéoles et les espaces interstitiels des poumons. Il s'agit d'une complication de diverses maladies cardiaques et pulmonaires (voir encadré 16.16). On le considère comme une urgence médicale et un état pouvant mettre la vie du client en danger.

Normalement, il existe un équilibre entre les pressions hydrostatique et oncotique dans les capillaires pulmonaires. Lorsque la pression hydrostatique augmente ou que la pression oncotique colloïdale diminue, le liquide est transporté des capillaires pulmonaires vers l'espace interstitiel ; cette phase est appelée **œdème interstitiel**. À ce stade, le système lymphatique parvient habituellement à drainer le liquide excédentaire. Cependant, si le liquide continue de s'écouler des capillaires pulmonaires, il pénètre dans les alvéoles ; cette phase est appelée **œdème alvéolaire**. L'œdème pulmonaire perturbe l'échange gazeux en causant une altération de la voie de diffusion entre les alvéoles et les capillaires pulmonaires.

La cause la plus fréquente en est l'insuffisance cardiaque gauche. (Le chapitre 23 décrit les manifestations cliniques et le traitement de l'œdème pulmonaire.) Les formes chroniques sont plutôt rares. Cette affection peut être asymptomatique pendant longtemps et des changements structuraux comme la fibrose pulmonaire peuvent en résulter. Une manifestation précoce de cette affection peut être la dyspnée nocturne paroxystique, qui est entraînée par une augmentation de la pression hydrostatique dans les poumons en position couchée.

16.12.2 Embolie pulmonaire

L'embolie pulmonaire est causée par un thrombus dans la circulation veineuse ou le côté droit du cœur (maladie thromboembolique) et par d'autres sources comme le liquide amniotique, l'air, la graisse, la moelle épinière et des substances étrangères injectées par voie intraveineuse. Les veines profondes des jambes sont la source la plus fréquente de thrombus. Celui-ci se détache et voyage comme un embole jusqu'à ce qu'il se loge dans le système vasculaire pulmonaire.

Le résultat d'une occlusion thromboembolique est l'occlusion totale ou partielle du débit sanguin artériel pulmonaire vers certaines régions du poumon. Par conséquent, le tissu pulmonaire distal à l'embole est

Causes de l'œdème aigu pulmonaire ENCADRÉ 16.16

- Insuffisance cardiaque congestive.
- Surcharge liquidienne due à l'administration des solutés intraveineux.
- Hypoalbuminémie : syndrome néphrotique, maladie hépatique, troubles nutritionnels.
- Altération de la perméabilité capillaire des poumons : toxines inhalées, inflammation (p. ex. pneumonie), hypoxémie aiguë, quasi-noyade.
- Ventilation mécanique.
- Affections malignes du système lymphatique.
- Syndrome de détresse respiratoire (p. ex. toxicité à l'oxygène).
- Causes inconnues : affection neurologique, surdose de narcotiques, haute altitude.

ventilé mais non perfusé. À mesure que la pression augmente dans le système vasculaire pulmonaire, une hypertension pulmonaire peut se manifester. (Le chapitre 26 traite de l'embolie pulmonaire.)

16.12.3 Hypertension pulmonaire

L'hypertension pulmonaire implique divers problèmes qui se manifestent comme une atteinte initiale (hypertension pulmonaire primitive) ou une complication d'un grand nombre de maladies cardiaques et respiratoires. Elle est caractérisée par une pression pulmonaire élevée due à une augmentation de la résistance vasculaire pulmonaire du débit sanguin acheminée dans les petites artères et les artérioles. Il doit y avoir une réduction du lit vasculaire pulmonaire de 60 à 70 % avant qu'une hypertension pulmonaire puisse se manifester.

Étiologie et physiopathologie. Normalement, la circulation pulmonaire se caractérise par une faible résistance et une basse pression. Le débit cardiaque peut augmenter considérablement sans que la pression du système vasculaire pulmonaire n'augmente. En cas d'hypertension pulmonaire, l'augmentation de la résistance vasculaire peut être anatomique ou vasomotrice, selon l'origine. Les raisons de l'augmentation anatomique de la résistance vasculaire sont les suivantes : 1) affaiblissement des capillaires causé par une lésion de la paroi alvéolaire, comme dans les cas de BPCO ; 2) renforcement de la vascularisation pulmonaire, comme dans la fibrose pulmonaire ; 3) obstruction du débit sanguin, comme dans le cas d'une embolie pulmonaire.

On remarque une augmentation de la vasomotricité dans la résistance vasculaire pulmonaire lors d'affections caractérisées par l'hypoxie alvéolaire et l'hypercapnie. Ces affections entraînent une vasoconstriction locale et font dévier le sang des alvéoles mal ventilées. L'hypoxie alvéolaire et l'hypercapnie peuvent être provoquées par diverses affections, notamment le syndrome de Pickwick, la cyphoscoliose, les maladies neuromusculaires et d'autres affections caractérisées par une hypoventilation alvéolaire dans le cas de poumons normaux.

Une combinaison de restriction anatomique et de constriction vasomotrice peut survenir. Ce phénomène se produit chez les clients atteints de bronchite chronique de longue date qui manifestent une hypoxie chronique en plus d'une perte d'élasticité du tissu pulmonaire.

Hypertension pulmonaire primitive. L'**hypertension pulmonaire primitive** n'est pas associée aux maladies cardiaques ni pulmonaires. La majorité des personnes souffrant de ce trouble sont les femmes âgées de 20 à 40 ans. La cause fondamentale demeure inconnue, bien qu'on soupçonne une anomalie des cellules endothéliales du système artériel pulmonaire. Il semble aussi y avoir un facteur génétique quant à son occurrence. Aucun traitement définitif n'est offert et l'état se détériore progressivement dans les quelques années suivant l'apparition des symptômes.

Manifestations cliniques. Les plus fréquentes sont la dyspnée, la fatigue, la douleur thoracique et parfois la syncope survenant lors d'efforts physiques. Initialement, ces symptômes se manifestent seulement lors d'une augmentation du débit cardiaque (p. ex. lors d'exercices ou de fièvre) ou lors d'hypoxémie (p. ex. infection pulmonaire). Par la suite, l'hypertension pulmonaire peut même se manifester au repos. Cet état augmente la charge de travail du ventricule droit et provoque une hypertrophie ventriculaire droite (affection appelée cœur pulmonaire), ce qui peut entraîner une insuffisance cardiaque. En général, la radiographie pulmonaire montre une augmentation anormale des artères pulmonaires centrales et un dégagement des champs pulmonaires. L'ECG montre habituellement une hypertrophie ventriculaire droite.

Processus thérapeutique. Le traitement de l'hypertension pulmonaire résultant d'un trouble cardiaque ou pulmonaire consiste principalement à traiter le trouble sous-jacent, comme une BPCO ou une embolie pulmonaire. Le dépistage précoce demeure essentiel si l'on veut interrompre le cycle répété responsable de la progression de ce trouble (voir figure 16.12).

Un grand nombre de clients atteints d'hypertension pulmonaire primitive peuvent être traités avec efficacité grâce à un traitement à base d'inhibiteurs calciques comme la nifédipine (Adalat) et le diltiazem (Cardizem, Tiazac) ou un traitement à l'époprosténol (Flolan). L'époprosténol, une prostacycline qui provoque la vasodilatation pulmonaire, permet de réduire la résistance vasculaire pulmonaire tout en ayant peu d'effets sur la résistance vasculaire systémique. Ce médicament est administré en perfusion continue par voie intraveineuse. Les principaux problèmes qui ont été relevés sont les infections liées à l'accès vasculaire. L'administration d'adénosine (Adenocard) IV et l'inhalation de monoxyde d'azote ont également été utilisées pour diminuer la résistance vasculaire pulmonaire.

Le traitement diurétique peut aider à diminuer la dyspnée et l'œdème périphérique et peut être utile pour réduire la surcharge de volume du ventricule droit. L'anticoagulothérapie peut aussi s'avérer efficace puisque la thrombose in situ est courante. La greffe pulmonaire est recommandée pour les clients qui ne réagissent pas à l'époprosténol et dont l'état s'aggrave et risque de provoquer une insuffisance cardiaque droite aiguë. Il ne semble pas y avoir de récurrence de la maladie chez ceux ayant subi une greffe du poumon.

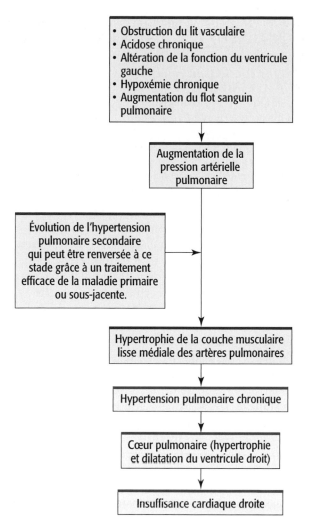

FIGURE 16.12 Pathogenèse de l'hypertension pulmonaire et du cœur pulmonaire

16.12.4 Cœur pulmonaire

Le **cœur pulmonaire** est une hypertrophie du ventricule droit secondaire aux maladies du poumon, du thorax ou de la circulation pulmonaire. L'hypertension pulmonaire est habituellement une affection préexistante chez les clients atteints d'un cœur pulmonaire. Il peut se produire avec ou sans insuffisance cardiaque manifeste. L'embolie pulmonaire en est la cause la plus fréquente. Toutefois, le cœur pulmonaire est habituellement chronique, résultant d'une hypoxémie alvéolaire lors d'une BPCO. Pratiquement tous les problèmes touchant le système respiratoire peuvent causer un cœur pulmonaire. L'étiologie et la pathogenèse de l'hypertension pulmonaire et du cœur pulmonaire sont schématisées à la figure 16.12.

Manifestations cliniques. Les manifestations cliniques du cœur pulmonaire comprennent la dyspnée, une toux chronique productive, une respiration sifflante (*wheezing*), une douleur rétrosternale ou sus-sternale et la fatigue. L'hypoxémie chronique entraîne la polycythémie et augmente la volémie et la viscosité sanguine. (Il arrive souvent qu'une polycythémie se manifeste dans le cas d'un cœur pulmonaire consécutif à une BPCO.) Les mécanismes compensatoires consécutifs à l'hypoxémie peuvent aggraver l'hypertension pulmonaire. Les épisodes de cœur pulmonaire chez un client atteint de problèmes respiratoires chroniques sous-jacents sont fréquemment provoqués par une infection aiguë des voies respiratoires.

Lorsqu'une insuffisance cardiaque s'ajoute au cœur pulmonaire, d'autres manifestations peuvent survenir, comme un œdème périphérique, un gain pondéral, des veines jugulaires distendues, un pouls bondissant et une hépatomégalie. (Le chapitre 23 traite de l'insuffisance cardiaque.) L'hypertrophie du ventricule droit et de l'artère pulmonaire sera visible à la radiographie pulmonaire.

Processus thérapeutique. Le traitement du cœur pulmonaire vise principalement à traiter l'affection pulmonaire sous-jacente qui précipite la maladie cardiaque (voir encadré 16.17). L'oxygénothérapie à faible débit est utilisée pour corriger l'hypoxémie et réduire la vasoconstriction lorsque l'état du trouble respiratoire est chronique. Cependant, une concentration plus élevée d'oxygène peut s'avérer nécessaire lorsque l'état est aigu (p. ex. causé par une embolie pulmonaire). Toute manifestation de déséquilibre hydrique, électrolytique ou acidobasique doit être corrigée. Une alimentation pauvre en sodium et des diurétiques permettent de diminuer le volume plasmatique et la charge exercée sur le cœur. Un traitement aux bronchodilatateurs est indiqué

PROCESSUS DIAGNOSTIQUE ET THÉRAPEUTIQUE

Cœur pulmonaire	ENCADRÉ 16.17

Diagnostic
- Antécédents de santé et examen physique
- Gaz sanguins artériels (GSA)
- Électrolytes sériques et urinaires
- Surveillance par électrocardiogramme (ECG)

Processus thérapeutique
- Oxygénothérapie
- Bronchodilatateurs
- Diurétiques
- Alimentation hyposodée
- Restriction liquidienne
- Antibiotiques
- Traitement digitalique (en cas d'insuffisance cardiaque gauche)
- Vasodilatateurs
- Inhibiteurs calciques

si le problème respiratoire sous-jacent est causé par une obstruction. Une antibiothérapie est prescrite si une infection est en cause. Un traitement digitalique peut être utilisé dans le cas d'insuffisance cardiaque gauche. Une phlébotomie peut être indiquée si le client a un taux d'hématocrite très élevé afin de réduire le volume sanguin.

(Pour le traitement de la douleur chronique du cœur pulmonaire causé par une BPCO, voir le chapitre 17.) Une oxygénation continue à faible débit pendant le sommeil, de l'exercice et l'alimentation quotidienne en plusieurs petits repas peuvent aider le client à se sentir mieux et à être plus actif. D'autres traitements comprennent ceux utilisés pour traiter l'hypertension pulmonaire, notamment les médicaments vasodilatateurs, les inhibiteurs calciques et les anticoagulants. La greffe pulmonaire, thérapie viable pour les clients atteints d'une maladie pulmonaire avancée, peut être une option si le traitement médical n'est pas efficace.

16.13 GREFFE PULMONAIRE

L'amélioration des critères de sélection, les percées technologiques et de meilleures méthodes immunodépressives ont contribué à rehausser le taux de survie. Divers troubles pulmonaires sont potentiellement traitables grâce à certains types de greffe (voir encadré 16.18).

Différentes options sont offertes dont la greffe de poumon simple, la greffe de poumon bilatérale, la greffe cœur-poumon et la greffe de lobe d'un donneur vivant.

Les clients atteints de maladie pulmonaire en phase terminale doivent subir une évaluation étendue étant donné que les donneurs de poumon sont parmi les plus difficiles à trouver pour les greffes d'organes. Le candidat d'une greffe pulmonaire ne doit pas souffrir de trouble psychologique ni de maladie systémique et ne doit pas être fumeur. Il ne doit pas avoir d'affection maligne ni de récents antécédents de malignité ou souffrir d'insuffisance rénale ou hépatique. Le candidat et sa famille doivent subir une évaluation psychologique pour déterminer leur capacité à gérer le traitement postopératoire qui requiert une observance rigoureuse de la thérapie immunodépressive, un suivi continu pour surveiller les signes précoces d'infection et le signalement rapide de toute manifestation d'infection aux fins d'évaluation médicale. La thérapie immunodépressive comprend habituellement de la cyclosporine, de l'azathioprine (Imuran) et de la prednisone. (Le chapitre 38 et le tableau 38.8 traitent des médicaments immunodépresseurs.)

L'infection est une complication pulmonaire postopératoire précoce de la greffe. Au début, le client a une respiration superficielle et éprouve de la difficulté à

Indications pour une greffe pulmonaire	ENCADRÉ 16.18

- Emphysème
- Carence en α_1-antitrypsine
- Fibrose pulmonaire idiopathique
- Maladie pulmonaire interstitielle
- Fibrose kystique
- Bronchiectasie
- Fibrose pulmonaire secondaire d'autres maladies (p. ex. sarcoïdose)
- Maladie cardiaque congénitale avec complexe d'Eisenmenger

éliminer les sécrétions causées par la dénervation du poumon sous la trachée, ce qui diminue la clairance mucociliaire et le drainage lymphatique. L'infection du receveur est la principale cause de morbidité et de décès. La thérapie immunodépressive, nécessaire pour prévenir le rejet, rend le client sensible à un grand nombre d'agents pathogènes, notamment des microorganismes protozoaires, viraux, fongiques et bactériens. Les infections sont principalement pulmonaires et sont habituellement de nature nosocomiale ou opportuniste. Des mesures vigoureuses sont nécessaires pour dégager les poumons (p. ex. les bronchodilatateurs en aérosol, la physiothérapie respiratoire et les techniques de respiration profonde et de toux) et minimiser les complications potentielles.

Le rejet aigu du poumon greffé se produit normalement au cours des trois premiers mois suivant la greffe et les symptômes comprennent la dyspnée, la fièvre à évolution lente, la tachypnée et des infiltrats ou de la consolidation visibles sur les radiographies pulmonaires. Le traitement contre le rejet consiste à administrer de fortes doses de méthylprednisolone par voie intraveineuse. (Le chapitre 38 aborde le traitement contre le rejet.)

La **bronchiolite oblitérante** (défaut obstructif touchant les voies respiratoires et causant une occlusion progressive) est la manifestation primaire d'un rejet chronique. Son apparition survient habituellement au moins six mois après la greffe. L'affection est souvent subaiguë et montre progressivement une anomalie obstructive des voies respiratoires. Elle se manifeste par la toux, la dyspnée ou une infection récurrente des voies respiratoires inférieures. Il n'existe aucun traitement efficace contre cette complication.

Les clients obtiennent leur congé du centre hospitalier et reçoivent un dispositif portatif de spirométrie pour surveiller leur propre fonction pulmonaire. À mesure que les techniques et les outils pour la greffe de poumon évoluent, les possibilités de prolonger considérablement la vie des clients sont bien réelles et ne cessent d'augmenter.

MOTS CLÉS

BIBLIOGRAPHIE

Version originale

1. Levine BS: Pulmonary conditions. In Meredith PV, Horan NJ, editors: *Adult primary care, a handbook for nurse practitioners,* Philadelphia, Saunders (in press).
2. Esposito AL, Dempsey CJ, Doyle JM: Acute bronchitis. In Rakel RE, editors: *Conn's current therapy,* Philadelphia, 1997, Saunders.
3. Fine MJ and others: A prediction rule to identify low-risk patients with community-acquired pneumonia, *N Engl J Med* 336:243, 1997.
4. Levinson ME: Pneumonia including necrotizing pulmonary infections (lung abscess). In Fauci AS and others; editors: *Harrison's principles of internal medicine,* ed 14, New York, 1998, McGraw-Hill.
5. Gotfried M: Appropriate use of antibiotics in treatment of community-acquired pneumonia, *Infect Med* 13(suppl A):15, 1996.
6. Mayer J, Campbell GD: ATS recommendations for treatment of adults with hospital acquired pneumonia, *Infect Med* 13:1027, 1996.
7. Cassiere HA: Aspiration pneumonia: current concepts and approach to management, *Medscape Resp Care* 2, 1998.
8. Herman CM, Chen GJ, High KP: Pneumococcal penicillin resistance and the cost-effectiveness of pneumococcal vaccine, *Infect Med* 15:233, 1998.
9. Rodvold KA: A treatment algorithm for CAP based on the ATS guidelines, *Infect Med* 13(suppl A):22, 1996.
10. Calianno C: Pneumonia—repelling a deadly invader, *Nursing* 26:33, 1996.
11. Carter M: TB prevention and treatment, *Infect Med* 15:32, 1998.
12. Bradford WZ, Daley CL: Multiple drug-resistant tuberculosis, *Infect Dis Clin North Am* 12:157, 1998.
13. Jordan TJ, Mangura BT, Reichman LB: Management after exposure to tuberculosis, *Hosp Pract* 32:73, 1997.
14. Cassiere HA, Fein AM: Lung abscess: diagnosis and treatment, *Medscape Resp Care* 1, 1997.
15. American Cancer Society: *Cancer facts and figures,* 1998.
16. Report of the Surgeon General: The health consequences of involuntary smoking, Washington, DC, US Department of Health and Human Services.
17. Minna JD: Neoplasms of the lung. In Fauci AS and others, editors: *Harrison's principles of internal medicine,* ed 14, New York, 1998, McGraw-Hill.
18. Chiramannil A: Lung cancer, *AJN* 98:46, 1998.
19. Chiappori A, DeVore RF, Johnson DH: New agents in the management of non–small-cell lung cancer, *Cancer Control: JMCC* 4:317, 1997.
20. Bonomi P: Eastern Cooperative Oncology Group experience with chemotherapy in advanced non–small cell lung cancer, *Chest* 113 (suppl 1):13S, 1998.
21. Lilenbaum RC: Recent advances in chemotherapy for lung cancer, *Curr Opin Pulm Med* 2:285, 1996.
22. Laskowski-Jones L: Meeting the challenge of chest trauma, *AJN* 95:23, 1995.
23. O'Hanlon-Nichols T: Commonly asked questions about chest tubes, *AJN* 96:60, 1996.
24. Pettinicchi TA: Trouble shooting chest tubes, *Nursing* 28:58, 1998.
25. Shawgo T: Thoracoscopic surgery: a new approach to pulmonary disease, *Crit Care Nurse* 16:76, 1996.
26. Gaine SP, Rubin LJ: Medical and surgical treatment options for pulmonary hypertension, *Am J Med Sci* 315:179, 1998.
27. Wood DE and others: Lung transplantation part I: indications and operative management, *West J Med* 165:355, 1996.

28. Edelman JD, Kotloff RM: Lung transplantation: a disease-specific approach, *Clin in Chest Med* 18:627, 1997.

Édition de langue française

1. RÉGIE DE L'ASSURANCE MALADIE. *Liste de médicaments.* Québec, Service de l'assistance aux professionnels et des publications, octobre 2001.
2. CLAYTON, Bruce D., et Yvonne N. STOCK. *Soins infirmiers : pharmacologie de base.* Laval, Groupe Beauchemin éditeur, 2003.
3. SANTÉ CANADA. *Les maladies respiratoires au Canada* (en ligne), octobre 2001 (consulté le 31 mars 2003) [http://www.hc-sc.gc.ca/pphb-dgspsp/ publicat/rdc-mrcØ1/index_f.html].
4. ASSOCIATION PULMONAIRE DU QUÉBEC. *Association pulmonaire du Québec* (en ligne), 2003 (consulté le 13 juin 2003) [http://www.pq.lung.qc.ca].
5. U.S. DEPARTMENT OF HEALTH AND HUMAN SERVICES. *You Can Quit Smoking* (en ligne), 2000 (consulté le 13 juin 2003) [http://www.surgeon-general.gov/tobacco/consquits.htm].
6. ASSOCIATION PULMONAIRE DU CANADA ET GOUVERNEMENT DU CANADA. *Normes canadiennes pour la lutte antituberculeuse,* 5e éd. 2000.

Chapitre 17

BRONCHO-PNEUMOPATHIES OBSTRUCTIVES

Yvon Brassard
B. Sc. inf., M. Éd., D.E.
Cégep André-Laurendeau

Nathalie Gagnon
B. Sc. inf., B.A.
Cégep F.-X.-Garneau

PLAN DU CHAPITRE

OBJECTIFS D'APPRENTISSAGE

APRÈS AVOIR LU CE CHAPITRE, VOUS DEVRIEZ ÊTRE EN MESURE :

- DE DÉCRIRE L'ÉTIOLOGIE, LA PHYSIOPATHOLOGIE, LES MANIFESTATIONS CLINIQUES ET LE PROCESSUS THÉRAPEUTIQUE RELATIFS À L'ASTHME ;

- DE DÉCRIRE LES SOINS PRODIGUÉS AU CLIENT ATTEINT D'ASTHME ;

- DE FAIRE LA DISTINCTION ENTRE L'ÉTIOLOGIE, LA PHYSIOPATHOLOGIE, LES MANIFESTATIONS CLINIQUES ET LE PROCESSUS THÉRAPEUTIQUE DE LA BRONCHITE CHRONIQUE ET CEUX DE L'EMPHYSÈME ;

- DE DÉCRIRE LES EFFETS DU TABAGISME SUR LES POUMONS ;

- D'EXPLIQUER LES SOINS PRODIGUÉS AUX CLIENTS ATTEINTS DE BRONCHITE CHRONIQUE ET D'EMPHYSÈME ;

- DE CITER LES INDICATIONS RELATIVES À L'OXYGÉNOTHÉRAPIE, SES MODES D'ADMINISTRATION ET LES COMPLICATIONS POUVANT SURVENIR LORS DE SON ADMINISTRATION ;

- DE DÉCRIRE LA PHYSIOPATHOLOGIE ET LES MANIFESTATIONS CLINIQUES DE LA FIBROSE KYSTIQUE, AINSI QUE LE PROCESSUS THÉRAPEUTIQUE ET LES SOINS INFIRMIERS QUI S'Y RATTACHENT.

*L*es bronchopneumopathies obstructives en-globent toutes les maladies caractérisées par une résistance accrue au passage de l'air attribuable à une obstruction ou à un rétré-cissement des voies respiratoires. L'obstruction des voies respiratoires peut survenir en raison d'une accumula-tion de sécrétions ou à cause de la présence d'œdème, d'un rétrécissement de la lumière interne, d'un bron-chospasme ou de la destruction des tissus pulmonaires. L'asthme est une maladie inflammatoire chronique des poumons causée par une réaction des voies respiratoires qui entraîne une obstruction du débit d'air, mais dont les effets sont réversibles. On regroupe l'emphysème et la bronchite chronique sous une appellation commune : les bronchopneumopathies chroniques obstructives (BPCO). Celles-ci sont malheureusement irréversibles.

Chez le client atteint d'asthme, le débit d'air fluctue, alors que, chez le client atteint de bronchite chronique ou d'emphysème, la réduction du débit d'expiration est souvent plus constante. Les personnes atteintes d'une bronchopneumopathie obstructive présentent parfois les caractéristiques de deux ou trois de ces maladies. La fibrose kystique est une autre forme de maladie pul-monaire obstructive ; il s'agit d'une affection génétique dans laquelle l'obstruction des voies respiratoires se produit à cause des variations de consistance des sécré-tions glandulaires.

17.1 ASTHME

L'**asthme** est défini comme une affection inflamma-toire chronique des voies respiratoires caractérisée par une inflammation de la muqueuse bronchique qui cause une obstruction plus ou moins marquée des voies respiratoires. Cette inflammation provoque des épisodes récurrents de toux, de dyspnée, de respira-tion sifflante (*wheezing*) et d'oppression thoracique. Ceux-ci se produisent particulièrement la nuit et au petit matin. L'obstruction des voies respiratoires peut disparaître spontanément ou nécessiter un traitement. L'hypersensibilité des voies respiratoires est variable et entraîne des fluctuations spontanées de la gravité de l'obstruction. L'évolution clinique de l'asthme demeure imprévisible et peut comprendre des épisodes impor-tants et persistants de dyspnée, de respiration sifflante (*wheezing*) et de perte de contrôle pouvant mettre la vie en danger.

Au Canada, l'enquête nationale de 1998-1999 sur la santé de la population (ENSP) a révélé que la préva-lence globale de l'asthme diagnostiqué par un médecin représente 8,4 % : 7,5 % chez les adultes (1,629 million)

et 10,7 % chez les enfants et les adolescents (0,845 mil-lion). Selon l'Institut canadien d'information sur la santé (2001), le nombre de cas diagnostiqués par un médecin était plus élevé chez les jeunes garçons que chez les jeunes filles, alors que c'était l'inverse chez les hommes et les femmes adultes. La morbidité reliée à l'asthme est énorme. C'est une maladie qui a des réper-cussions sur l'assiduité scolaire, les choix profession-nels, l'activité physique et bien d'autres aspects de la vie. Un sondage mené par Glaxo Wellcome (1999) con-firme cette affirmation : 38 % des Canadiens atteints d'asthme ont déclaré avoir réduit leur activité physique et 20 % disent s'être absentés de l'école ou du travail ou avoir annulé leurs activités sociales en raison de leur asthme (ENSP, 2001). Dans cette même étude, on dévoile même que 57 % des gens qui souffrent d'asthme ne parviennent pas à en maîtriser les effets. L'asthme cause de nombreux décès chaque année, particulière-ment chez les femmes âgées de 65 ans et plus. Chez les enfants et les jeunes adultes, les décès attribuables à l'asthme ne sont pas très courants, mais les taux d'hos-pitalisation reliés à cette clientèle ont nettement aug-menté (ENSP, 2001). Les cas non diagnostiqués et ceux pour lesquels le traitement est inapproprié contribuent à la morbidité et à la mortalité reliées à cette maladie. On peut attribuer le taux élevé de morbidité associé à l'asthme à un accès limité aux soins de santé, à une mauvaise évaluation de sa gravité, au fait que le client attend trop longtemps avant de demander de l'aide, à un traitement médical inapproprié, à la non-observance du traitement prescrit et à une augmentation du nom-bre d'allergènes présents dans l'environnement.

17.1.1 Déclencheurs des crises d'asthme

L'encadré 17.1 dresse la liste des principaux éléments déclencheurs des crises d'asthme, dont plusieurs sont décrits dans la présente section.

Allergènes. Une grande proportion des gens atteints d'asthme ont des antécédents familiaux d'allergies et d'affections allergiques (y compris la fièvre des foins, l'asthme et l'eczéma). De plus, il semble que, pour les enfants sensibles à des allergènes inhalés (acariens de la poussière domestique, coquerelles, moisissures), une exposition importante au cours de la première année de vie peut contribuer à exacerber ce phénomène (ENSP, 2001) (voir encadré 17.1). Chez certaines personnes, il se produit une réaction exagérée de l'immunoglobuline E (IgE) aux allergènes (poussière, pollen, herbes, duvet et poils d'animaux). Ces allergènes se fixent aux récep-teurs de l'IgE sur les mastocytes (voir figure 17.1). Comme les complexes IgE-mastocyte demeurent latents, une deuxième exposition à l'allergène déclenche

- Inhalation d'allergènes
  - Duvet d'animaux
  - Acariens de la poussière de maison
  - Pollens
  - Moisissures
- Polluants atmosphériques
  - Gaz d'échappement
  - Parfums
  - Oxydants
  - Dioxyde de soufre
  - Fumée de cigarette
  - Produits aérosol
- Infection virale des voies respiratoires supérieures
- Sinusite
- Exercice, air froid et sec
- Médicaments
  - Acide acétylsalicylique (Aspirin)
  - Médicaments anti-inflammatoires non stéroïdiens (AINS)
  - Antagonistes adrénergiques β_2 (bêta-bloquants)
- Exposition professionnelle
  - Sels métalliques
  - Poussières de bois et de végétaux
  - Produits chimiques et plastiques industriels
  - Agents pharmaceutiques
- Additifs alimentaires
  - Sulfites (bisulfites et métasulfites)
  - Tartrazine
- Hormones/menstruations
- Reflux gastro-œsophagien

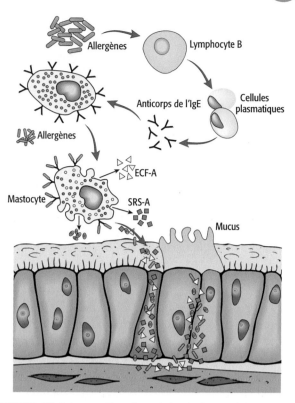

FIGURE 17.1 La première phase de la réaction est déclenchée lorsqu'il y a réticulation croisée entre un allergène ou un irritant et les récepteurs de l'immunoglobuline E (IgE) sur les mastocytes, lesquels sont alors activés pour libérer de l'histamine et d'autres agents inflammatoires.
ECF-A : facteur chimiotactique éosinophile de l'anaphylaxie ; SRS-A : substance à réaction différée de l'anaphylaxie.

la dégranulation des mastocytes, parfois plusieurs années après la première exposition à l'antigène (les réactions allergiques sont traitées au chapitre 7).

Infections respiratoires. Les infections respiratoires (en particulier les infections virales) sont l'un des facteurs déclencheurs les plus fréquents d'une crise d'asthme aiguë. À l'exception de la sinusite, les infections respiratoires bactériennes jouent rarement un rôle important dans l'aggravation de l'asthme. Puisqu'elles entraînent des modifications inflammatoires dans le système trachéobronchique et perturbent le mécanisme mucociliaire, les infections augmentent l'hypersensibilité du système bronchique. Cette sensibilité accrue des voies respiratoires peut durer de deux à huit semaines après l'infection, autant chez un client atteint d'asthme que chez une personne ne présentant pas la maladie. Une infection respiratoire peut déclencher une inflammation des voies respiratoires et provoquer de l'asthme qui s'atténue au bout de deux à trois semaines, qui persiste plusieurs mois et disparaît spontanément ou qui nécessite une intervention médicale. Le client atteint d'asthme doit éviter les personnes enrhumées ou grippées et recevoir chaque année le vaccin contre la grippe.

Il doit d'ailleurs éviter les médicaments en vente libre contre le rhume, à moins qu'ils ne soient approuvés par un médecin ou un pharmacien.

Problème nasal ou sinusal. Près de 30 % des gens atteints d'asthme ont des problèmes chroniques de sinus et plus de 30 % ont un problème nasal. Ces problèmes sont notamment la rhinite allergique, qui peut être saisonnière ou constante, ainsi que la présence de polypes nasaux. Les problèmes de sinus sont généralement reliés à une inflammation de la muqueuse. Cette inflammation est souvent d'origine allergique et non infectieuse. Par contre, il peut aussi s'agir d'une sinusite bactérienne. Pour rétablir la respiration chez le client atteint d'asthme, la sinusite doit être traitée et les gros polypes nasaux doivent être enlevés (la sinusite est décrite au chapitre 15).

Exercice. L'asthme qui se déclenche au cours d'exercices physiques porte le nom de bronchospasme induit par l'exercice. En général, il survient après plusieurs minutes d'exercices intenses (p. ex. course à pied, gymnastique aérobique, marche rapide, montée d'escaliers). Il est caractérisé par un bronchospasme, de la dyspnée, de la toux et une respiration sifflante (*wheezing*). Le cromoglycate sodique (Intal), l'agoniste β₂ salbutamol (Ventolin) et le nédocromil (Tilade) parviennent à maintenir la bronchodilatation durant l'exercice lorsqu'ils sont inhalés 10 à 20 minutes auparavant. Les agonistes β₂ à action prolongée (p. ex. le salmétérol [Serevent, Advair Diskus]) peuvent également donner de bons résultats. Le client doit s'échauffer brièvement en faisant deux à trois minutes d'étirements avant de commencer l'exercice. Par temps froid ou sec, on peut atténuer les symptômes en respirant à travers une écharpe ou un passe-montagne.

*Les termes agoniste adrénergique β, agoniste β et adrénergique β sont des synonymes et ils sont utilisés de manière interchangeable dans cet ouvrage.

Médicaments et additifs alimentaires.

Certaines personnes atteintes d'asthme peuvent présenter une sensibilité aux médicaments, particulièrement si elles sont atteintes de polypes nasaux. Entre 12 et 25 % des personnes qui font de l'asthme présentent ce que l'on appelle la **triade de l'asthme**, c'est-à-dire des polypes nasaux, de l'asthme et une sensibilité à l'acide acétylsalicylique (Aspirin) ainsi qu'aux médicaments anti-inflammatoires non stéroïdiens (AINS). L'acide acétylsalicylique (AAS) est présent dans de nombreux médicaments en vente libre et dans certains aliments, breuvages et arômes. Chez certaines personnes qui souffrent d'asthme, la respiration devient sifflante environ deux heures après l'administration d'AAS ou d'AINS (ibuprofène [Motrin, Advil], indométhacine [Indocid]). Les β-bloquants, comme le propranolol (Indéral) et le timolol, peuvent déclencher l'asthme parce qu'ils inhibent la stimulation adrénergique des bronchioles et empêchent donc la bronchodilatation. Les inhibiteurs de l'enzyme de conversion de l'angiotensine (IECA) provoquent la toux chez certaines personnes et risquent donc d'accentuer les symptômes de l'asthme. Les autres agents susceptibles de déclencher de l'asthme chez les sujets sensibles sont la tartrazine (colorant jaune numéro 5 présent dans de nombreux aliments), les vitamines et le métabisulfite sodique (agent de conservation alimentaire généralement présent dans les fruits, la bière, le vin et fréquemment utilisé dans les comptoirs à salades pour protéger les légumes contre l'oxydation).

On pense que ces médicaments et additifs alimentaires agissent sur les voies métaboliques de la prostaglandine, augmentant la production de leucotriènes, dont certains sont susceptibles d'avoir un effet bronchoconstricteur. En général, la réaction débute entre 15 minutes et 3 heures après l'ingestion. Elle se manifeste par une abondante rhinorrhée, souvent accompagnée de nausées, de vomissements, de crampes abdominales et de diarrhée. L'asthme aigu commence après l'apparition des symptômes nasaux. Un traitement préalable aux corticostéroïdes ou au cromoglycate sodique n'em-

pêche pas la réaction. Par contre, l'administration d'adrénaline peu après l'apparition des symptômes permet en général de les atténuer.

Bien que la sensibilité aux salicylates persiste pendant plusieurs années, la nature et l'intensité de la réaction peuvent varier avec le temps. Il est nécessaire de supprimer la tartrazine du régime alimentaire, d'éviter l'AAS et les AINS.

Comme les allergies alimentaires peuvent provoquer les symptômes de l'asthme, il est parfois nécessaire de supprimer certains aliments du régime alimentaire pour en prévenir l'apparition. Les allergies alimentaires qui déclenchent de l'asthme sont rares chez l'adulte, mais fréquentes chez les enfants.

Reflux gastro-œsophagien pathologique.

On ne sait pas exactement par quel mécanisme le reflux gastro-œsophagien pathologique provoque l'asthme. On suppose que le reflux d'acide gastrique dans l'œsophage peut être aspiré dans les poumons et provoquer une bronchoconstriction réflexe. Bien que le reflux gastro-œsophagien pathologique intervienne surtout au cours d'une crise d'asthme nocturne, il peut aussi déclencher de l'asthme durant la journée. Chez les clients qui présentent une hernie hiatale, un stress excessif, des antécédents de reflux ou d'ulcère, l'asthme peut, en conséquence, être déclenché par un reflux acide (le reflux gastro-œsophagien pathologique est abordé au chapitre 33).

Stress émotionnel.

Le stress psychologique ou émotionnel est un autre facteur qui intervient souvent dans la cause de l'asthme. Il peut aggraver ou atténuer le processus de la maladie (APA, 2000). L'asthme n'est pas une maladie psychophysiologique. Dans le DSM-IV-TR, l'asthme est répertorié dans la classe des « Conditions où les facteurs psychologiques affectent les conditions médicales ». Une crise d'asthme causée par un déclencheur quelconque peut créer de la panique et de l'anxiété. Il faut s'attendre à des réactions émotives dans ce genre d'expérience. On ignore dans quelle mesure les facteurs psychologiques contribuent au déclenchement et à la poursuite d'une crise d'asthme, mais cela varie probablement d'un client à l'autre, et chez le même client, d'un épisode à l'autre.

17.1.2 Physiopathologie

L'asthme se caractérise par une inflammation des voies respiratoires, une hyperirritabilité et une hypersensibilité non spécifiques de l'arbre trachéobronchique. Les mécanismes qui déclenchent l'asthme sont encore inconnus. L'hypersensibilité des voies respiratoires observée dans le cas de l'asthme est causée par une bronchoconstriction en réaction à des agents physiques, chimiques et pharmacologiques. On a toujours envisagé l'asthme comme étant une maladie causée par un bronchospasme, mais les variations physiopathologiques qui l'accompagnent sont également le résultat d'une inflammation des voies respiratoires.

La phase précoce de la réaction est caractérisée par un bronchospasme qui induit les séquelles inflammatoires de la phase tardive de la réaction (voir figure 17.2). La phase précoce est déclenchée par la réticulation croisée entre un allergène et un irritant, ainsi que par les récepteurs de l'IgE sur les mastocytes présents sous la membrane basale des parois bronchiques (voir figure 17.1). L'activation des mastocytes entraîne la libération de granules (voir tableau 6.12) et la destruction de la membrane cellulaire en phospholipides. Les deux processus entraînent la production d'histamine, de bradykinine, de leucotriènes, de prostaglandines, de facteurs d'acti-

vation des plaquettes et de facteurs chimiotactiques. Un processus similaire peut se produire chez un client atteint d'asthme après une séance d'exercices physiques. Ces médiateurs provoquent une forte inflammation qui correspond à la réaction immédiate classique de l'asthme. Cette réaction consiste en une contraction des muscles lisses des bronches, en une vasodilatation et en une perméabilité accrues à cet endroit, ainsi qu'en la présence de lésions épithéliales. Il se produit alors un bronchospasme, une augmentation de la sécrétion de mucus difficile à expectorer, ainsi que la formation d'œdème (voir figure 17.2). Cette réaction immédiate atteint son intensité maximale de 30 à 60 minutes après l'exposition au facteur déclencheur (allergène, irritant) et persiste pendant 30 à 90 minutes. Les manifestations cliniques sont une respiration sifflante (*wheezing*), l'oppression thoracique, la dyspnée et la toux.

La phase tardive de la réaction atteint son paroxysme de cinq à six heures après l'exposition et peut durer plusieurs heures ou plusieurs jours. Elle est essentiellement caractérisée par une inflammation. Après avoir infiltré les voies respiratoires, les éosinophiles et les neutrophiles peuvent libérer des médiateurs causant la production d'histamine par les mastocytes, ainsi que d'autres médiateurs. Ces médiateurs finissent par établir un cycle qui se répète. De plus, des lymphocytes et des monocytes pénètrent dans la région.

Ces phénomènes caractéristiques de la phase tardive de la réaction augmentent la réactivité des voies respiratoires et risquent donc d'aggraver les symptômes des crises ultérieures. Le sujet devient alors hypersensible à certains allergènes et à des stimuli non spécifiques comme la pollution atmosphérique, l'air froid ou la poussière. Il est parfois difficile de découvrir le déclencheur initial à ce stade, et la stimulation nécessaire pour produire une réaction diminue. L'hypersensibilité des voies respiratoires peut être reliée à l'exposition des terminaisons nerveuses sensorielles suivant une lésion épithéliale causée par les effets répétés de la phase tardive. La résistance accrue des voies respiratoires emprisonne l'air dans les alvéoles et entraîne une dilatation excessive des poumons.

Les principales caractéristiques physiopathologiques de l'asthme sont une réduction du diamètre des voies respiratoires, une augmentation de leur résistance reliée à l'inflammation des muqueuses, la contraction des muscles lisses des bronches, ainsi qu'une production excessive de mucus (voir figure 17.3). Ces modifications s'accompagnent d'une hypertrophie des muscles lisses des bronches, d'un épaississement de la membrane basale, d'une hypertrophie des glandes muqueuses, d'expectorations épaisses et collantes et d'un emprisonnement de l'air dans les alvéoles. Tous ces phénomènes ont pour effet de modifier la fonction des muscles respiratoires, d'amener une distribution anormale de la ventilation et de la perfusion, ainsi que de

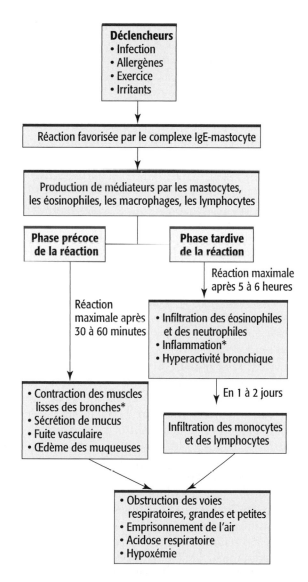

FIGURE 17.2 Phase précoce et phase tardive de l'asthme. Les énoncés suivis d'un astérisque sont des processus primaires.

perturber l'analyse des gaz sanguins artériels (GSA). Bien que l'asthme soit considéré comme une maladie des voies respiratoires, tous les aspects de la fonction pulmonaire finissent par être touchés. Si l'inflammation des voies respiratoires n'est pas traitée ou si elle ne se résorbe pas, elle risque de causer par la suite des lésions pulmonaires progressives et irréversibles.

En plus des aspects inflammatoires, on suppose que l'asthme fait intervenir des perturbations du contrôle nerveux des voies respiratoires. Il est toutefois possible que ces problèmes soient consécutifs au processus inflammatoire.

Les bronches sont innervées par le système nerveux autonome, qui comprend le système sympathique et parasympathique. La tonicité des muscles lisses des voies respiratoires est réglée par le système nerveux parasympathique par l'intermédiaire du nerf vague. Les impulsions afférentes et efférentes sont acheminées jusqu'à la *medulla* en passant par le nerf vague, puis elles retournent aux poumons. Lorsque les terminaisons nerveuses des voies respiratoires sont stimulées par des stimuli mécaniques ou chimiques (p. ex. pollution atmosphérique, air froid, poussières, allergènes), une production accrue d'acétylcholine entraîne la bronchoconstriction.

Les récepteurs adrénergiques α et β du système nerveux sympathique sont situés dans les bronches. Lorsque les récepteurs adrénergiques α sont stimulés, le calibre des bronches se rétrécit (bronchoconstriction). Lorsque les récepteurs adrénergiques β sont stimulés (les récepteurs adrénergiques β_2 sont principalement situés dans les bronches), les bronches se dilatent (bronchodilatation). L'adrénaline agit à la fois sur les récepteurs adrénergiques α et β et les médicaments adrénergiques β_2 agissent principalement sur les récepteurs adrénergiques β.

17.1.3 Manifestations cliniques

L'asthme est caractérisé par une évolution variable et imprévisible. Il provoque des épisodes récurrents de respiration sifflante (*wheezing*), de dyspnée, d'oppression thoracique et de toux, surtout la nuit et tôt le matin. Une crise d'asthme peut se déclarer brutalement ou de manière plus graduelle. Les crises surviennent souvent la nuit et peuvent durer de quelques minutes à plusieurs heures. Entre les crises, le client est parfois asymptomatique et sa fonction respiratoire est normale ou aux limites de la normale. Mais certaines personnes dont la fonction pulmonaire est gravement atteinte peuvent présenter un état asthmatique permanent qui comporte des effets importants.

Durant une crise d'asthme, l'expiration est parfois prolongée. Au lieu de la valeur normale de 1:2, le rapport inspiration/expiration peut atteindre 1:3 ou 1:4. Normalement, les bronchioles se contractent durant l'expiration ; mais à cause du bronchospasme, de l'œdème et de la présence de mucus dans les bronchioles, les voies respiratoires sont plus étroites, alors l'air met plus de temps à sortir des bronchioles. C'est ce qui produit une respiration sifflante (*wheezing*), l'emprisonnement de l'air dans les alvéoles et la dilatation pulmonaire caractéristique.

La respiration sifflante (*wheezing*) n'est pas un signe fiable pour juger de la gravité d'une crise. De nombreux clients ont une respiration très sifflante au cours des crises mineures, alors que d'autres ne présentent aucunement ce symptôme durant une crise importante. En cas de crise importante, l'absence de respiration sifflante (*wheezing*) à l'expiration résulte parfois de la diminution marquée du débit d'air. Pour que la respiration sifflante (*wheezing*) se produise, il faut que le client puisse déplacer suffisamment d'air pour provoquer le son. En général, ce phénomène survient d'abord à l'expiration. Au cours de l'évolution de l'asthme, il peut se produire durant l'inspiration et l'expiration. Une forte diminution du murmure vésiculaire est un signe précurseur indiquant une obstruction importante et une insuffisance respiratoire imminente.

Chez certains clients atteints d'asthme, la toux est le seul symptôme. Le bronchospasme est parfois insuffisant pour provoquer l'obstruction du débit de l'air, mais il peut accroître le tonus bronchique et ainsi

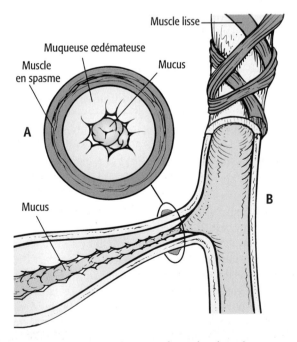

FIGURE 17.3 Facteurs causant une obstruction des voies respiratoires dans les cas d'asthme. A. Section transversale d'une bronchiole obstruée par un spasme musculaire, muqueuse œdémateuse et présence de mucus dans la lumière. B. Section longitudinale d'une bronchiole.

provoquer une irritation et une stimulation des récepteurs tussigènes. Il arrive que la toux soit non productive et que les sécrétions soient difficiles à mobiliser. Elles peuvent être composées de mucus épais, collant, blanc et gélatineux.

L'asthme rend le passage de l'air difficile à l'entrée et à la sortie des poumons, ce qui donne au client l'impression de suffoquer. Pendant une crise importante, le client doit donc s'asseoir le dos droit ou légèrement penché en avant et se servir des muscles respiratoires accessoires pour inspirer une quantité d'air suffisante. Plus la respiration devient difficile, plus l'anxiété du client augmente.

L'examen du client durant ce genre de crise révèle souvent des signes d'hypoxémie, de l'agitation, une anxiété accrue, un comportement anormal, de la tachycardie, de l'hypertension artérielle, ainsi qu'un pouls paradoxal supérieur à 12 mm Hg. Le pouls paradoxal se recherche lors de la prise de la pression artérielle. Il se caractérise par une variation de la pression artérielle systolique (PAS) mesurée au cours de l'inspiration par rapport à sa valeur au cours de l'expiration. La différence de pression exprimée en millimètres de mercure entre l'audition des premiers bruits, seulement en expiration, et l'audition des bruits aux deux temps respiratoires (PAS max.-PAS min.), exprime la valeur du pouls paradoxal. Il est significatif à partir de 10 mm Hg. Une différence supérieure à 20 mm Hg traduit une obstruction bronchique majeure. Le pouls paradoxal traduit la difficulté de remplissage des cavités cardiaques droites. Ce signe est indicatif d'un asthme aigu grave, mais aussi d'une tamponnade cardiaque, d'un infarctus touchant le ventricule droit, d'un choc cardiogénique ou de toute forme de cardiopathie restrictive.

Le rythme respiratoire est en nette augmentation (généralement supérieur à 30 respirations/min) avec l'aide des muscles accessoires. La percussion des poumons met en évidence de l'hypersonorité et l'auscultation indique la présence d'une respiration sifflante (wheezing) à l'inspiration et à l'expiration. La diminution ou l'absence du murmure vésiculaire peut indiquer une baisse marquée du débit de l'air occasionnée par la fatigue et l'incapacité d'exercer une force musculaire suffisante pour la ventilation. La diminution ou l'absence du murmure vésiculaire peut également être un signe d'atélectasie ou de pneumothorax.

17.1.4 Classification de l'asthme

L'asthme peut être classé en plusieurs degrés (4) de gravité : léger intermittent, léger persistant, modéré persistant ou grave persistant (voir tableau 17.1). Le degré de gravité peut fluctuer chez un même client. Si l'asthme est bien maîtrisé, les symptômes sont minimes, le client est capable de dormir toute la nuit sans

interruption, de participer à des activités sportives, de faire de l'exercice et même de s'adonner à une activité plus exigeante.

17.1.5 Complications

L'asthme modéré et grave peut entraîner des complications, notamment la fracture des côtes, le pneumothorax, le pneumomédiastin, l'atélectasie, la pneumonie et l'état de mal asthmatique pathologique.

État de mal asthmatique. L'état de mal asthmatique est une crise d'asthme grave mettant la vie en danger et résistant au traitement habituel. Le client qui en est atteint risque de présenter une insuffisance respiratoire. Plus ce type de mal est important et durable, plus il risque de s'aggraver. Le supplément de l'ENSP (2001) sur l'asthme a révélé que 18 % des personnes présentant un asthme actif avaient consulté un médecin à l'urgence au moins une fois au cours de l'année précédente. L'asthme continue d'être une cause majeure d'hospitalisation au Canada. Il impose un lourd fardeau financier au système de santé canadien et réduit la qualité de vie des personnes qui en sont atteintes, ainsi que celle de leur famille.

Les causes de l'état de mal asthmatique comprennent les maladies virales, la prise d'AAS ou d'autres AINS, le stress émotionnel, une exposition accrue aux polluants environnementaux ou à d'autres allergènes, l'interruption brutale de la médication (en particulier les corticostéroïdes et la théophylline), l'usage abusif de médicaments en aérosol et la prise de β-bloquants adrénergiques. En général, lors d'une consultation médicale, le client déclare un asthme difficile à maîtriser et qui est en progression depuis plusieurs jours ou plusieurs semaines.

Les manifestations cliniques de l'état de mal asthmatique sont causées par une résistance accrue des voies respiratoires suivant un œdème, une obstruction par des mucosités et un bronchospasme suivi d'un emprisonnement de l'air dans les alvéoles pulmonaires. Ces manifestations ressemblent à celles de l'asthme, mais elles sont plus graves et durent plus longtemps. Le client atteint de ce mal est souvent extrêmement anxieux et il a peur de suffoquer, la dyspnée augmente énormément et il présente de la diaphorèse. L'absence de diaphorèse peut indiquer une déshydratation importante. Le tirage des muscles sterno-cléido-mastoïdiens, intercostaux et supraclaviculaires traduit le travail accru de la respiration. Si l'on parvient à le mesurer, le débit expiratoire de pointe (DEP) est généralement inférieur à 100 ou 150 L/min.

Bien que la respiration sifflante (wheezing) soit souvent audible sans stéthoscope, l'auscultation n'est pas toujours fiable, parce que l'obstruction de l'air est parfois si marquée que le débit est insuffisant pour produire une

TABLEAU 17.1 Classification de l'asthme par degré de gravité : caractéristiques cliniques avant le traitement

Degré de gravité	Symptômes	Symptômes nocturnes	Fonction pulmonaire*
Étape 4 Grave persistant	Symptômes constants Activité physique limitée Exacerbations fréquentes	Fréquents	VEMS/DEP inférieur ou égal à 60 % de la valeur prédite Variabilité du DEP supérieure à 30 %
Étape 3 Modéré persistant	Symptômes quotidiens Inhalation quotidienne d'un agoniste β_2 à action rapide Exacerbations gênant l'activité Exacerbations au moins deux fois/semaine et pouvant durer plusieurs jours	Plus fréquents qu'une fois/semaine	VEMS/DEP supérieur à 60 % mais inférieur à 80 % de la valeur prédite Variabilité du DEP supérieure à 30 %
Étape 2 Léger persistant	Symptômes présents plus de deux fois/semaine mais moins qu'une fois par jour Exacerbations pouvant gêner l'activité	Plus fréquents que deux fois/mois	VEMS/DEP supérieur ou égal à 80 % de la valeur prédite Variabilité du DEP comprise entre 20 et 30 %
Étape 1 Léger intermittent	Symptômes présents moins de deux fois/semaine Asymptomatique avec DEP normal entre les exacerbations Exacerbations brèves (quelques heures à quelques jours) Intensité des exacerbations variable	Moins de deux fois/mois	VEMS/DEP supérieur ou égal à 80 % de la valeur prédite Variabilité du DEP inférieure à 20 %

Practical guide for the diagnosis and management of asthma, based on Expert panel report 2 : guidelines for the diagnosis and management of asthma, Washington, DC, 1997, National Institutes of Health.
* Valeurs prédites en pourcentage du volume expiratoire maximal par seconde (VEMS) et en pourcentage représentant la valeur optimale du client pour le débit expiratoire de pointe (DEP).
Note : assigner le client à l'étape la plus grave d'une manifestation quelconque. Pour chaque client, il peut y avoir chevauchement des manifestations entre les étapes. Un individu peut changer de catégorie avec le temps. Quel que soit le degré de gravité de l'asthme chronique, le client peut présenter des exacerbations bénignes, modérées ou graves. Certains clients atteints d'asthme inter-mittent peuvent présenter des exacerbations graves qui mettent leur vie en danger, séparées par de longues périodes de fonctionnement pulmonaire normal et sans symptômes. Si le client a deux exacerbations ou plus par semaine (symptômes s'aggravant progressivement et pouvant durer plusieurs heures ou plusieurs jours), il est sans doute atteint d'asthme chronique moyen à grave.

respiration sifflante (*wheezing*) audible ou d'autres bruits respiratoires adventices (on parle alors de silence respiratoire). Le thorax semble constamment dilaté et le client ressent souvent une gêne respiratoire indiquant une diminution marquée du débit d'air par les voies res-piratoires bronchiques qui sont rétrécies.

L'expiration forcée à l'aide de la musculature abdomi-nale peut augmenter la pression intrathoracique trans-mise aux gros vaisseaux et au cœur. Elle entraîne une distension des veines jugulaires et un pouls paradoxal de 40 mm Hg ou plus. Il est en général difficile d'ausculter un pouls paradoxal accompagné de bruits respiratoires adventices ou d'un travail respiratoire accru. Ce phéno-mène risque d'entraîner l'hypertension, la tachycardie sinusale et l'arythmie ventriculaire. Ces trois affections sont reliées à l'hypoxémie, aux catécholamines pro-venant d'une réaction endogène à l'hypoxémie ou à une coronaropathie chez les clients âgés. Les résultats de l'électrocardiogramme (ECG) peuvent mettre en évi-dence une tachycardie sinusale ou des signes d'insuffi-sance cardiaque droite à la suite de la vasoconstriction pulmonaire, laquelle est représentée par une onde P de type pulmonaire et une déviation axiale vers la droite.

En général, l'hypoxémie avec hypocapnie survient lorsque le client essaie d'hyperventiler et de maintenir une oxygénation et une ventilation pulmonaire adé-quates. Au fur et à mesure que la crise s'aggrave, la dys-pnée augmente, et il devient de plus en plus difficile pour le client de vaincre la résistance imposée à l'expiration de l'air. Lorsqu'il commence à se fatiguer, la rétention du dioxyde de carbone (CO_2) augmente. La dégradation des gaz sanguins artériels mène à la normocapnie (pression artérielle du CO_2 normale), puis à l'hypercapnie et à l'hy-poxémie (voir tableau 17.2). Une élévation moyenne de la $PaCO_2$ peut être tolérée sans ventilation mécanique, à condition que le client soit alerte, qu'il se montre coopératif et que son état continue de s'améliorer après les deux à trois premières heures suivant le traitement.

Les complications de l'état de mal asthmatique sont le pneumothorax, le pneumomédiastin, le cœur pulmonaire aigu avec insuffisance ventriculaire droite et une fatigue grave des muscles respiratoires menant à un arrêt respiratoire. Le décès par mal asthmatique est dû en général à un arrêt respiratoire ou à une insuffisance cardiaque.

17.1.6 Épreuves diagnostiques

La respiration sifflante (*wheezing*) et la détresse respiratoire caractérisent plusieurs affections, y compris l'asthme, la bronchite chronique, l'emphysème, la fibrose kystique, l'œdème pulmonaire, l'obstruction des bronches et des voies respiratoires supérieures, la trachéobronchite, la bronchiolite, l'embolie pulmonaire, l'aspiration de sécrétions, d'aliments ou de corps étrangers. Selon la gravité des manifestations cliniques, il faut donc effectuer certains examens diagnostiques pour déterminer si ces symptômes sont causés principalement par l'asthme (voir encadré 17.2).

Si le client ne présente pas de détresse respiratoire (dyspnée), une description détaillée des antécédents de santé révèle parfois des crises antérieures de nature similaire, souvent déclenchées par une cause connue. Les crises d'asthme saisonnières peuvent indiquer que les déclencheurs sont des pollens. Les crises nocturnes peuvent être causées par la présence d'un chat, de l'apnée du sommeil, un reflux gastro-œsophagien ou la présence d'acariens dans le matelas et l'oreiller. Il est important de déterminer si le client arrive à dormir toute la nuit et s'il participe à un programme d'exercices aérobiques, car ces renseignements aident à reconnaître les déclencheurs de l'asthme.

Les études de la fonction pulmonaire donnent souvent des résultats normaux entre les crises si le client ne présente pas d'autre maladie pulmonaire sous-jacente. Ces examens servent souvent à diagnostiquer et à maîtriser l'asthme et ils constituent un moyen essentiel de mesurer l'obstruction des voies respiratoires. Chez le client asthmatique, le volume expiratoire maximal par seconde (VEMS), le DEP et le rapport du VEMS sur la capacité vitale forcée (CVF) sont souvent inférieurs à la normale, de même que le débit expiratoire maximal mesuré au milieu de la CVF, le degré d'obstruction étant fonction des valeurs obtenues (les valeurs normales pour les études de la fonction pulmonaire sont présentées au chapitre 14). Il existe une corrélation entre le DEP et le VEMS. Le DEP est particulièrement utile pour le diagnostic et le traitement de l'asthme.

Lors d'une crise importante, ces paramètres diminuent par rapport à leurs valeurs initiales et peuvent, chez certains clients, demeurer dans les limites de la normale durant une rémission. Il est rare que le médecin ait besoin de confirmer le diagnostic en provoquant un bronchospasme à l'aide de quantités connues d'irritants bronchiques, notamment l'histamine ou la méthacholine. Une augmentation de 12 à 15 % ou plus du VEMS sous l'effet d'un bronchodilatateur chez un client ne présentant pas de crise importante est un autre indice diagnostique de l'asthme.

La présence d'éosinophiles dans les expectorations et une éosinophilie sérique égale ou supérieure à 5 % de la numération de globules blancs avec des taux élevés d'IgE sérique sont fortement indicatrices d'asthme chez un client symptomatique. Chez un client asymptomatique, la radiographie du thorax est généralement normale, alors qu'une dilatation pulmonaire excessive sera visible au cours d'une crise importante. En cas de crise

TABLEAU 17.2 Correspondance entre les résultats d'analyse des gaz sanguins artériels et les manifestations cliniques durant une crise d'asthme aiguë

Période	pH	PaCO$_2$	PaO$_2$	Processus physiologique	Manifestations cliniques
Début de la crise	↑	↓	↓	Hyperventilation alvéolaire → hypocapnie Hypoxémie consécutive à un défaut de correspondance entre ventilation et perfusion Ventilation alvéolaire adéquate CO$_2$ moins bien éliminé	Utilisation de tous les muscles accessoires à la respiration pour vaincre la résistance accrue des voies respiratoires Augmentation du rythme cardiaque, diaphorèse, gêne respiratoire, toux, respiration sifflante (*wheezing*)
Crise progressive	N	N	↓	Diminution de la ventilation alvéolaire efficace Hypercapnie indiquant que la ventilation n'est plus adéquate	Fatigue et dyspnée reliées à l'augmentation du travail respiratoire
Crise prolongée, état de mal asthmatique	↓	↑	↓	Hypoventilation alvéolaire → acidose respiratoire Aggravation de l'hypoxémie résultant de l'hypoventilation et du défaut de correspondance entre ventilation et perfusion	Épuisement, diminution des murmures vésiculaires, intubation et ventilation mécanique nécessaires

PROCESSUS DIAGNOSTIQUE ET THÉRAPEUTIQUE

Asthme | ENCADRÉ 17.2

Diagnostic
- Antécédents de santé et examen physique
- Épreuves de la fonction pulmonaire, notamment réponse au traitement bronchodilatateur
- Surveillance du débit expiratoire de pointe (DEP)
- Radiographie du thorax
- Analyse des GSA et saturométrie
- Tests d'allergies cutanées (s'il y a lieu)
- Taux sanguin d'éosinophiles et d'IgE (s'il y a lieu)

Processus thérapeutique
Asthme léger intermittent ou persistant
- Désignation, évitement ou élimination des déclencheurs
- Désensibilisation (immunothérapie) s'il y a lieu
- Médication (voir tableau 17.3)
- Plan de traitement de l'asthme (voir tableau 17.5)

État de mal asthmatique
- Médicament adrénergique β_2 ou agents anticholinergiques inhalés
- Aminophylline IV (s'il y a lieu)
- O_2 par masque ou lunettes nasales
- Corticostéroïdes IV
- Perfusions IV
- Magnésium IV
- Intubation et ventilation assistée (s'il y a lieu)

GSA : gaz sanguins artériels ; IgE : immunoglobuline E.

plus légère, les GSA (si on peut les obtenir) indiquent une alcalose respiratoire avec une pression artérielle de l'oxygène (PaO_2) pratiquement normale. L'hypercapnie et l'acidose respiratoire et métabolique signifient que la maladie est grave. En cas d'asthme léger, il suffit de surveiller la saturométrie pour déterminer l'état d'oxygénation du client.

Les tests cutanés d'allergies peuvent être utiles pour déterminer la sensibilité à certains allergènes (antigènes). Mais un test positif ne veut pas forcément dire que c'est l'allergène (antigène) qui est à l'origine de la crise d'asthme. D'autre part, un résultat négatif au test d'allergie ne signifie pas que l'asthme n'est pas de nature allergique. On utilise parfois un test RAST (épreuve radio-immunologique, abréviation de *radioallergosorbent test*. C'est un examen de laboratoire permettant de détecter les immunoglobulines E [IgE] caractéristiques de l'allergie.) pour découvrir les causes allergiques chez certains clients dont les résultats aux tests cutanés sont négatifs et chez ceux qui ne peuvent pas subir les tests (p. ex. en cas d'eczéma grave).

Si le client présente une respiration sifflante (*wheezing*) et une détresse respiratoire aiguë, il n'est pas en mesure de fournir ses antécédents de santé de façon détaillée. Par contre, un membre de sa famille peut

habituellement le faire. Les études de la fonction respiratoire, la saturométrie et les GSA permettent d'obtenir des renseignements sur la gravité de la crise d'asthme et sur la réaction du client vis-à-vis de son traitement. On effectue également une formule sanguine complète (FSC) et une mesure des électrolytes sériques (Na, K, Cl) pour orienter le traitement.

On peut prélever un spécimen d'expectorations afin d'effectuer une coloration de Gram (voir chapitre 14), ainsi qu'une culture afin d'écarter la présence d'une infection bactérienne. La culture devient nécessaire lorsque les expectorations sont purulentes, si le client a des antécédents d'infection des voies respiratoires supérieures, s'il présente de la fièvre ou si la numération des globules blancs est élevée. Pendant une crise d'asthme aiguë, une dilatation excessive du thorax est généralement visible à la radiographie. Celle-ci révèle parfois des complications, notamment une accumulation de mucosités, un pneumothorax, une atélectasie ou un pneumomédiastin.

17.1.7 Processus thérapeutique

Médicaments employés selon les types d'asthme.
L'asthme se divise en quatre degrés : léger intermittent, léger persistant, modéré persistant et grave persistant. L'enseignement en vue d'une collaboration active des clients demeure la pierre angulaire du traitement de tous les types d'asthme. Il doit être dispensé par les professionnels de la santé. L'enseignement doit commencer au moment du diagnostic et doit être intégré à chaque étape des soins. L'autogestion des soins doit être adaptée aux besoins de chaque client et tenir compte de ses croyances et pratiques culturelles. Il faut veiller à évaluer les objectifs en fonction de la perception qu'a le client de l'amélioration de son état, en particulier du point de vue de sa qualité de vie et de sa capacité à exercer ses activités habituelles.

Lorsqu'il s'agit d'asthme léger intermittent, il n'est souvent pas nécessaire de prendre des médicaments tous les jours. Par contre, il est primordial d'éviter les facteurs pouvant déclencher la crise et d'utiliser un bronchodilatateur à action rapide lorsqu'elle se manifeste. Si le client présente une obstruction chronique du débit d'air et des crises d'asthme fréquentes, il faut lui recommander d'éviter les déclencheurs et de prendre des médicaments avant de faire de l'exercice. La médication choisie dépend de la gravité des symptômes (voir tableau 17.3). En cas d'asthme léger persistant, le client doit inhaler des agents adrénergiques β_2, du cromoglycate sodique (Intal) ou du nédocromil (Tilade) avant de faire de l'exercice ou s'il prévoit être exposé à des allergènes connus. Le montélukast sodique (Singulair) par voie orale, un antileucotriènes, est également conseillé une fois par jour au coucher. Les leucotriènes sont des

TABLEAU 17.3 **Approche progressive pour le traitement de l'asthme chez l'adulte**		
Étape	**Médication quotidienne pour le traitement prolongé**	**Médication pour le soulagement rapide**

Étape 4
Grave persistant
	Deux médicaments par jour
	Agent anti-inflammatoire
	    (corticostéroïde en inhalation à forte dose)
	et
	bronchodilatateur à action prolongée
	    (agoniste β_2 en inhalation ou par voie orale ou
	    théophylline)
	et
	corticostéroïde par voie orale
		Agoniste β_2 en inhalation à action rapide
		L'utilisation quotidienne ou croissante indique la nécessité d'un traitement supplémentaire prolongé

Étape 3
Modéré persistant
	Un ou deux médicaments par jour
	Agent anti-inflammatoire (corticostéroïde en inhalation
	    à dose moyenne)
	ou (ou les deux)
	Corticostéroïde en inhalation à dose moyenne plus
	    bronchodilatateur à action prolongée
		Agoniste β_2 en inhalation à action rapide
		L'utilisation quotidienne ou croissante indique la nécessité d'un traitement supplémentaire prolongé

Étape 2
Léger persistant
	Un médicament par jour
	Agent anti-inflammatoire (corticostéroïde en inhalation
	    à faible dose)
	ou
	Théophylline à action prolongée
	Note : on peut envisager l'administration de modifica-
	    teurs des leucotriènes (Singulair, Accolate)
		Agoniste β_2 en inhalation à action rapide
		L'utilisation quotidienne ou croissante indique la nécessité d'un traitement supplémentaire prolongé

Étape 1 Léger intermittent	**Pas de médication quotidienne**	Agoniste β_2 en inhalation à action rapide L'utilisation plus de deux fois/semaine peut indiquer la nécessité d'amorcer un traitement prolongé

PRINCIPES D'INTERVENTION
Passer à l'étape supérieure si l'amélioration ne se maintient pas. Vérifier d'abord la technique utilisée par le client pour administrer ses médicaments, s'il respecte fidèlement le traitement et s'il évite les déclencheurs environnementaux.
Passer progressivement aux étapes inférieures si l'examen de l'état du client à intervalles de 1 à 6 mois donne à penser qu'il est possible de réduire le traitement.

Note : le traitement progressif sert de guide pour faciliter la prise des décisions cliniques, mais non pas pour établir une ordonnance donnée. En règle générale, choisir l'étape la plus élevée qui convient de façon à maîtriser rapidement la situation. Une administration urgente de corticostéroïdes systémiques peut être nécessaire n'importe quand. Il est nécessaire de renseigner le client sur la maîtrise du milieu environnant, sur la manière de reconnaître les signaux d'avertissement, sur la médication, sur l'évaluation et le perfectionnement de la technique de surveillance à toutes les étapes.

Practical guide for the diagnosis and management of asthma, based on Expert panel report 2: guidelines for the diagnosis and management of asthma, Washington, DC, 1997, National Institutes of Health.

produits sécrétés par les cellules inflammatoires des bronches.

Le client atteint d'asthme modéré persistant a besoin de prendre régulièrement des anti-inflammatoires par inhalation, notamment des corticostéroïdes (la dose la plus faible possible permettant de soulager les symptômes), du cromoglycate sodique ou du nédocromil. Dans les cas d'asthme modéré persistant et grave persistant, des corticostéroïdes par inhalation ou par voie orale, des agonistes β_2 par inhalation ou par voie orale et de la théophylline peuvent être administrés pour atténuer les symptômes. Certaines personnes ont besoin

de corticostéroïdes oraux de façon continue. Ceux-ci sont administrés un jour sur deux (si cela est possible) afin de réduire les effets systémiques indésirables.

Le client est souvent dans un état de détresse respiratoire important lorsqu'il se présente à l'urgence. Le choix du traitement pour l'asthme modéré et grave persistant dépend de l'importance de la crise et de la réponse au traitement initial. On peut déterminer la gravité de manière objective en mesurant le VEMS ou le DEP. Le fait d'évaluer la variation par rapport au meilleur DEP du client (si ce dernier est connu) et par rapport à sa saturométrie initiale peut aider à déterminer l'importance de la crise. Il faut commencer immédiatement l'oxygénothérapie, et son administration doit être surveillée par saturométrie. Dans les cas plus graves, on mesure le degré d'oxygénation avec les GSA. Le traitement initial doit comprendre des agonistes adrénergiques β$_2$ en inhalation par aérosol-doseur à l'aide d'une aérochambre ou d'un nébuliseur. En général, les médicaments administrés à l'aide de nébuliseurs le sont toutes les 20 minutes. Ceux qui sont administrés par aérosol-doseur avec une aérochambre le sont toutes les quatre heures ou selon les besoins du client.

Des corticostéroïdes sont indiqués si la réponse initiale est insuffisante (p. ex. s'il n'y a pas de réponse après 30 à 60 minutes), si le client a eu plusieurs crises d'asthme récemment ou s'il suit un traitement aux corticostéroïdes par voie orale. Selon l'importance de la crise, on décidera d'administrer les corticostéroïdes par voie orale ou intraveineuse. Le traitement doit se poursuivre jusqu'à ce que le client respire confortablement, que la respiration sifflante (*wheezing*) ait disparu et que les résultats des épreuves de la fonction pulmonaire soient semblables aux valeurs de référence. Bien que l'avantage que présente l'administration d'aminophylline par voie intraveineuse soit controversé, on peut l'envisager si la crise est grave ou si la réponse du client au traitement par les agonistes β$_2$ en inhalation est minimale ou nulle.

État de mal asthmatique.

Le traitement de l'état de mal asthmatique consiste surtout à corriger l'hypoxémie et à améliorer la ventilation. La plupart des mesures thérapeutiques sont les mêmes que pour la crise d'asthme aiguë, mais il est parfois nécessaire d'augmenter la fréquence d'administration et la dose de bronchodilatateurs en inhalation. Lorsqu'on utilise un aérosol-doseur, la dose est en général de deux à six bouffées toutes les 5 à 20 minutes, en fonction du médicament sélectionné. On peut prescrire un traitement continu d'agonistes β$_2$ administrés par nébuliseur. On commence en général un traitement par des agents en inhalation, même s'ils ont déjà été administrés à domicile, parce qu'il est possible que ces doses aient été insuffisantes et que de plus fortes doses administrées sous surveillance donnent des résultats satisfaisants.

Il est essentiel d'exercer une surveillance permanente du client. Pendant une crise d'asthme grave, il est rarement possible d'obtenir ne serait-ce que le DEP. L'administration d'aminophylline IV peut être ajoutée au plan thérapeutique si le client ne répond pas aux agonistes adrénergiques β. On administre des corticostéroïdes IV, mais il faut attendre de 6 à 12 heures pour que leur effet maximal se fasse sentir. De la méthylprednisolone (Solu-Medrol) IV est administrée toutes les quatre à six heures. On administre parfois du sulfate de magnésium IV en guise de bronchodilatateur. Bien qu'elle ne figure plus dans les directives pour le traitement de l'asthme, l'épinéphrine par voie souscutanée est encore administrée à l'occasion. Dans ce cas, il faut surveiller de près la pression artérielle et l'ECG.

On administre au client un supplément d'O$_2$ par masque ou par lunettes nasales pour atteindre une PaO$_2$ égale ou supérieure à 60 mm Hg, ainsi qu'une saturation en O$_2$ égale ou supérieure à 90 %. Le médecin peut insérer un cathéter artériel pour pouvoir surveiller fréquemment les GSA. Comme la perte liquidienne insensible augmente, de même que le métabolisme basal, il faut administrer des liquides par voie intraveineuse pour hydrater le client. L'administration de bicarbonate de sodium est en général réservée au traitement de l'acidose respiratoire ou métabolique grave (pH inférieur à 7,29) parce qu'il n'est pas possible d'obtenir une bronchodilatation efficace à l'aide d'agents adrénergiques en cas d'acidose extrême. Rarement effectuée en cas de crise aiguë, la bronchoscopie est parfois nécessaire pour parvenir à éliminer des bouchons de mucus.

Les crises d'asthme sont parfois si graves que le client a besoin d'une ventilation mécanique s'il ne répond pas au traitement. Les indications de la ventilation mécanique sont la rétention chronique ou progressive de CO$_2$, l'acidose respiratoire, la dégradation de l'état général qui se manifeste par de la fatigue, de la somnolence accrue, de l'acidose métabolique et l'arrêt cardiorespiratoire. En cas d'état de mal asthmatique, l'instauration de la ventilation mécanique a pour objectif d'atteindre une PaO$_2$ supérieure ou égale à 60 mm Hg, une saturation en O$_2$ égale ou supérieure à 90 % et un pH normal. On a parfois recours à l'héliox, mélange d'hélium et d'oxygène, pendant la ventilation mécanique ou avec nébulisation pour diminuer la résistance des voies respiratoires et améliorer la ventilation.

Si le client répond au traitement, une respiration sifflante (*wheezing*) plus intense se fait parfois entendre dans les voies respiratoires à cause de l'augmentation du débit d'air. À mesure que l'état s'améliore et que le débit d'air augmente, les bruits respiratoires s'accentuent et la respiration sifflante (*wheezing*) diminue. Lorsque le client commence à répondre au traitement et que les symptômes s'atténuent, il est important de savoir que même si le bronchospasme a en grande partie disparu, il faut parfois attendre plusieurs jours avant d'observer une amélioration en ce qui concerne l'œdème, l'infiltration cellulaire de la muqueuse des voies respiratoires, ainsi que les bouchons de mucosités visqueuses. Il faut donc poursuivre le traitement intensif même après une amélioration notable. L'administration de corticostéroïdes IV diminue en général à mesure que l'état du client s'améliore. On les remplace par des corticostéroïdes oraux, dont on diminue progressivement la dose sur plusieurs semaines. On ajoute

PHARMACOTHÉRAPIE

TABLEAU 17.4 Médicaments administrés dans le traitement de l'asthme et de la bronchopneumopathie chronique obstructive (BPCO)

Médicament	Voie d'administration	Mécanismes d'action	Effets indésirables	Commentaires
AGONISTES ADRÉNERGIQUES B_2 Orciprénaline (ou métaprotérénol) (Alupent)	Nébuliseur, sirop, aérosol-doseur	Stimule les récepteurs adrénergiques B_2 provoque la bronchodilatation. Augmente le dégagement mucociliaire.	Tachycardie, variation de PA, nervosité, palpitations, tremblements musculaires, nausées, vomissements, vertige, insomnie, sécheresse buccale, céphalées, hypokaliémie.	Ne pas administrer au client atteint d'angine de poitrine ou d'autres maladies cardiaques. Action assez rapide (cinq à dix minutes). Durée d'action de trois à quatre heures, jusqu'à huit heures pour la voie orale.
Salbutamol (Ventolin)	Nébuliseur, aérosol-doseur, comprimés oraux, Rotahaler, injection, sirop, solution	Stimule de façon sélective les récepteurs B_2, provoque la bronchodilatation.	Comme ci-dessus, mais les effets cardiaques sont moins importants.	Action rapide (une à trois minutes). Durée d'action de quatre à huit heures.
Terbutaline (Bricanyl)	Aérosol-doseur	Comme ci-dessus.	Comme ci-dessus.	Action lente. Durée d'action de quatre à six heures.
Épinéphrine (Vaponefrin)	Voie sous-cutanée, nébuliseur	Stimule les récepteurs $α$, $β_1$ et $β_2$, provoque la bronchodilatation.	Céphalées, étourdissements, palpitations, tremblements, agitation, hypertension, arythmie, tachycardie.	Utilisée principalement pour traiter les crises d'asthme bronchique graves. Ne pas administrer si le client présente de l'arythmie ou de l'hypertension. Informer le client sur l'auto-administration des aérosols.
Salmétérol (Serevent)	Aérosol-doseur, inhalateur à poudre sèche	Action prolongée.	Céphalées, sécheresse de la gorge, diarrhée, infection des voies respiratoires supérieures.	Ne pas dépasser deux bouffées toutes les 12 heures. Ne pas administrer en cas d'exacerbation aiguë.

PHARMACOTHÉRAPIE

TABLEAU 17.4 Médicaments administrés dans le traitement de l'asthme et de la bronchopneumopathie chronique obstructive (BPCO) (suite)

Médicament	Voie d'administration	Mécanismes d'action	Effets indésirables	Commentaires
AGENTS ANTI-INFLAMMATOIRES				
Hydrocortisone (Solu-Cortef) Méthylprednisolone (Medrol) (Solu-Medrol) Prednisone	Intraveineuse Orale Intraveineuse Orale	Ont des effets anti-inflammatoires et immunosuppresseurs. Diminuent l'œdème bronchique. Action synergique avec les agonistes β₂. Diminuent la sécrétion de mucosités. Efficaces dans la phase tardive de la réaction de l'asthme.	Aspect physique semblable au syndrome de Cushing, modifications cutanées (acné, vergetures, hématomes), ostéoporose, augmentation de l'appétit, obésité du tronc, ulcère gastroduodénal, hypertension, hypokaliémie, cataracte, menstruations irrégulières, faiblesse musculaire, immunodépression, catabolisme, dysphonie, retard de croissance.	Le traitement un jour sur deux minimise les effets indésirables. Administrer la dose orale le matin avec du lait ou des aliments. En cas d'administration à forte dose, surveiller le client pour déceler la présence de gastralgies. Les inhibiteurs de l'H₂ (ranitidine [Zantac], famotidine [Pepcid]) et les antiacides peuvent aider à minimiser les effets gastro-intestinaux. Pour prévenir l'ostéoporose, on peut administrer de la vitamine D, du calcium et des biphosphonates au client qui prend des corticostéroïdes comme traitement prolongé. Ne jamais interrompre soudainement l'administration, mais diminuer progressivement la dose pour éviter l'insuffisance d'adrénaline. Aviser le médecin si les symptômes reviennent pendant la diminution progressive de la dose. Peut être administré en concomitance avec un bronchodilatateur.
Béclométhasone (Qvar)	Aérosol-doseur, vaporisation nasale	Comme ci-dessus. Action locale dans l'appareil respiratoire avec une absorption systémique relativement faible.	Muguet, enrouement de la voix, gorge irritée, sécheresse buccale, toux, quelques effets systémiques.	N'est pas recommandée pour les crises d'asthme aiguës. Rincer la bouche avec de l'eau ou un rince-bouche pour prévenir les infections fongiques buccales. L'emploi d'une aérochambre avec l'aérosol-doseur peut diminuer la fréquence du muguet. Utiliser après un bronchodilatateur administré avec aérosol-doseur. Les stéroïdes en aérosol-doseur peuvent être interrompus durant une crise d'asthme aiguë. Le vaporisateur nasal est utilisé en cas de rhinite allergique.

PHARMACOTHÉRAPIE

TABLEAU 17.4 Médicaments administrés dans le traitement de l'asthme et de la bronchopneumopathie chronique obstructive (BPCO) (suite)

Médicament	Voie d'administration	Mécanismes d'action	Effets indésirables	Commentaires
Fluticasone (Flovent)	Aérosol-doseur	Comme ci-dessus, mais plus puissant.	Forte incidence d'infections aux levures.	Comme pour la béclométhasone.
Budésonide (Pulmicort)	Aérosol-doseur, inhalateur à poudre sèche	Comme ci-dessus.	Comme ci-dessus.	
Cromoglycate sodique (Intal)	Inhalateur à poudre sèche, aérosol-doseur, vaporisation nasale	Inhibe la libération d'histamine et de SRS-A en agissant directement sur les mastocytes. Peut agir par interférence avec l'influx d'ions calcium à travers la membrane cellulaire. Mécanisme exact inconnu.	Irritation de la gorge, effets relativement non toxiques, bronchospasme.	Utilisé pour l'asthme (p. ex. avant l'exercice) de manière prophylactique si la cause est un allergène. Apprendre au client à utiliser correctement l'inhalateur. Pour réduire l'irritation pharyngée, on peut administrer un verre d'eau après le traitement. Peut prendre de quatre à six semaines avant de produire une réaction clinique. Le vaporisateur nasal (Cromolyn) est utilisé en cas de rhinite allergique.
Nédocromil (Tilade)	Aérosol-doseur	Semblable au cromoglycate sodique, mais avec des effets à large spectre.	Comme ci-dessus. Goût désagréable passager, rhinite.	
ANTICHOLINERGIQUES Ipratropium (Atrovent)	Nébuliseur, aérosol-doseur	Provoque la bronchodilatation en bloquant l'action de l'acétylcholine.	Sécheresse de la muqueuse buccale, toux, bouffées vasomotrices, mauvais goût.	Chez certains clients, il est parfois indiqué d'administrer des agonistes adrénergiques β_2 en alternance avec de l'atropine. Vision trouble temporaire en cas de vaporisation dans les yeux.
Ipratropium et salbutamol (Combivent)	Aérosol-doseur	Association d'anticholinergique et d'agoniste β_2.		Le client doit veiller à respecter les doses prescrites et à ne pas en faire un usage excessif.

PHARMACOTHÉRAPIE

TABLEAU 17.4 Médicaments administrés dans le traitement de l'asthme et de la bronchopneumopathie chronique obstructive (BPCO) (suite)

Médicament	Voie d'administration	Mécanismes d'action	Effets indésirables	Commentaires
Dérivés de la méthylxanthine Agent IV : aminophylline Agents oraux : Choledyl Choledyl SA Quibron Slo-Bid Theo-Dur Theolair Uniphyl Phyllocontin	Comprimés oraux, IV, élixir	Les principaux effets sont la relaxation des muscles lisses des bronches et une meilleure contractilité du diaphragme fatigué. Les autres effets sont une légère diurèse, l'augmentation des sécrétions gastriques acides, la stimulation de l'expulsion mucociliaire, la stimulation du SNC et de la respiration, la vasodilatation pulmonaire, une tolérance accrue à l'exercice.	Tachycardie, variations de la PA, arythmies, anorexia, nausées, vomissements, nervosité, irritabilité, céphalées, tremblements musculaires, bouffées vasomotrices, douleur épigastrique, diarrhée, insomnie, palpitations.	Les réactions au métabolisme des médicaments sont très diverses. Le tabagisme en diminue la demi-vie ; l'insuffisance cardiaque et la maladie hépatique l'augmentent. La cimétidine (Tagamet), la ciprofloxacine (Cipro), l'érythromycine et plusieurs autres médicaments peuvent rapidement augmenter la théophyllinémie. Les effets gastro-intestinaux indésirables peuvent être atténués si le médicament est administré avec des aliments ou des antiacides. Conseiller au client de s'allonger s'il ressent des étourdissements. L'encourager à prendre ses médicaments même lorsqu'il se sent bien. Ne pas prendre de dose supplémentaire en cas de symptôme, sauf sur prescription. Signaler les effets indésirables mais ne pas interrompre le traitement, sauf si les symtômes sont importants.
Modificateurs des leucotriènes Antagonistes des récepteurs des leucotriènes Zafirlukast (Accolate) Montélukast sodique (Singulair)	Comprimés oraux	Bloque l'action des leucotriènes dès qu'ils sont formés. Produit à la fois des effets bronchodilatateurs et anti-inflammatoires.	Céphalées, étourdissements, nausées, vomissements, diarrhée, fatigue, douleur abdominale.	Administrer au moins une heure avant ou deux heures après les repas. Affecte le métabolisme de l'érythromycine et de la théophylline. Ne pas administrer pour traiter les épisodes asthmatiques aigués.

PA : pression artérielle ; SNC : système nerveux central ; SRS-A : substance à réaction différée de l'anaphylaxie ; IV : intraveineux.

en général des corticostéroïdes en inhalation lors de la diminution de la dose orale. L'administration d'aminophylline IV, de l'aérosolthérapie et la physiothérapie respiratoire doivent continuer pendant plusieurs jours après l'amélioration clinique. La toux du client devient souvent productive, les bruits respiratoires sont plus faciles à entendre et les bouchons de mucus peuvent être plus facilement délogés. On peut encore entendre une respiration légèrement sifflante (*wheezing*) lorsque le client effectue une expiration forcée. Finalement, le client peut utiliser des bronchodilatateurs adrénergiques β_2 avant sa sortie d'hôpital.

Pharmacothérapie (voir tableau 17.4). Les pneumologues traitant l'asthme recommandent une approche pharmacothérapeutique progressive, le type et la quantité de médicaments étant fonction de la gravité de l'asthme (voir tableau 17.3). Ils insistent sur le fait que l'asthme chronique demande un traitement quotidien prolongé en plus des médicaments qui conviennent pour traiter les exacerbations aiguës. Pour expliciter cette exigence, on range désormais la médication en deux classes générales : 1) la médication pour le traitement prolongé destiné à combattre l'asthme chronique et 2) la médication qui apporte un soulagement rapide pour traiter les symptômes et les exacerbations. L'inflammation étant considérée comme un élément précoce et persistant de l'asthme, le traitement de l'asthme chronique doit en viser la suppression à long terme.

Médicaments anti-inflammatoires. L'inflammation chronique est une caractéristique majeure de l'asthme. Les corticostéroïdes qui suppriment la réaction inflammatoire constituent la médication anti-inflammatoire la plus puissante et la plus efficace qui existe actuellement.

La forme inhalée est utilisée pour le traitement de longue durée. Les corticostéroïdes systémiques sont alors administrés pour maîtriser rapidement les exacerbations de l'asthme et également en cas d'asthme modéré et grave lorsque le traitement par voie inhalée maximal est inefficace.

Corticostéroïdes. Bien qu'ils soient remarquablement efficaces pour supprimer l'inflammation causée par l'asthme, les corticostéroïdes ne sont pas encore assez administrés. Ils ne bloquent pas la phase immédiate de la réaction classique aux irritants, aux allergènes ou à l'exercice, mais ils bloquent la phase tardive de la réaction et l'hypersensibilité bronchique subséquente. Ils commencent à agir environ trois à six heures après l'administration orale en inhibant la libération de médiateurs par les macrophages et les éosinophiles, en réduisant l'infiltration microvasculaire dans les voies respiratoires, en inhibant l'influx de cellules inflammatoires dans le site de réaction et en diminuant l'éosinophilie du sang périphérique.

En général, les corticostéroïdes sous forme inhalée doivent être administrés pendant quatre ou cinq jours au moins avant qu'un effet thérapeutique puisse être observé. Les nouveaux corticostéroïdes en inhalation (p. ex. fluticasone [Flovent], budésonide [Pulmicort]) commencent à avoir un effet thérapeutique au bout de 48 à 72 heures. Ils sont actifs localement et permettent en général de maîtriser l'asthme sans effets systémiques indésirables. Lorsqu'ils sont administrés sous forme d'aérosols au moyen d'un aérosol-doseur, leur faible absorption systémique élimine les effets de cette nature résultant de la suppression d'adrénaline observée avec les corticostéroïdes oraux ou IV.

La candidose de l'oropharynx, l'enrouement de la voix et la toux sèche sont des effets indésirables locaux causés par l'inhalation de corticostéroïdes. On peut atténuer ou éviter ces problèmes en utilisant une aérochambre avec l'aérosol-doseur et en faisant un gargarisme avec de l'eau après chaque administration. L'emploi d'une aérochambre pour inhaler des corticostéroïdes peut contribuer à faire pénétrer davantage le produit dans les poumons et moins dans l'estomac, et permet de réduire les effets systémiques indésirables.

Un traitement aux corticostéroïdes administré par voie orale est indiqué pour traiter les exacerbations aiguës de l'asthme. Il est généralement de courte durée. Les effets indésirables correspondant à un tel traitement comprennent l'insomnie, les brûlures d'estomac, les changements d'humeur, la vision trouble, les céphalées, l'augmentation de l'appétit et la prise de masse corporelle. Des doses d'entretien de corticostéroïdes oraux sont parfois nécessaires pour maîtriser la maladie chez une minorité de clients atteints d'asthme chronique grave. L'administration d'une seule dose le matin coïncidant avec la production endogène de cortisol et la prise un jour sur deux permettent de réduire leurs effets indésirables. Les effets indésirables du traitement de longue durée par les corticostéroïdes sont présentés au chapitre 41.

Les femmes postménopausées qui sont atteintes d'asthme et qui prennent des corticostéroïdes doivent prendre des quantités suffisantes de calcium et de vitamine D. De plus, elles doivent faire régulièrement des exercices sollicitant leurs articulations (l'ostéoporose est traitée au chapitre 58).

Cromoglycate et nédocromil. Le cromoglycate sodique (Intal) est souvent classé parmi les stabilisateurs des mastocytes alors que son mécanisme d'action exact n'est pas connu. Il inhibe la réponse immédiate à l'exercice et aux allergènes et prévient la phase tardive de la réponse. L'administration prolongée peut réduire et prévenir l'hyperactivité bronchique causée par le pollen chez les clients asthmatiques sensibles. C'est le médicament anti-inflammatoire idéal pour les enfants, mais il peut aussi donner des résultats satisfaisants chez les adultes en cas d'asthme saisonnier. Il est particulièrement efficace pour le bronchospasme provoqué par l'exercice, s'il est administré de 10 à 20 minutes avant l'exercice. Le plan d'enseignement au client doit insister sur la justification de l'emploi et sur la méthode adéquate d'administration du cromoglycate.

Le nédocromil (Tilade) est un anti-inflammatoire bronchique à large spectre. Semblable au cromoglycate, il inhibe les phases immédiate et tardive de la réaction asthmatique et réduit l'hyperactivité bronchique. Il peut être administré en guise de traitement préalable à une exposition aux irritants environnementaux, à l'air sec, aux allergènes ou avant l'exercice. Il est particulièrement efficace en cas d'asthme léger intermittent ou chronique qui nécessite un traitement fréquent par un bronchodilatateur. La posologie habituelle est de deux bouffées quatre fois par jour, mais on le prescrit fréquemment deux fois par jour. Les effets indésirables les plus fréquents sont un léger goût désagréable mais passager et une rhinite.

Modificateurs des leucotriènes. Deux nouveaux groupes de médicaments sont administrés à l'heure actuelle pour le traitement de l'asthme ; il s'agit des antagonistes des récepteurs des leucotriènes (zafirlukast [Accolate]) et du montélukast sodique (Singulair). Ces types de médicaments gênent la synthèse des leucotriènes ou bloquent leur action. Les leucotriènes sont produits à partir du métabolisme de l'acide arachidonique (voir figure 6.6). Ce sont de puissants bronchoconstricteurs et certains d'entre eux causent également de l'œdème et l'inflammation des voies respiratoires, ce qui contribue aux symptômes de l'asthme. Les modificateurs des leucotriènes peuvent avoir des effets bénéfiques chez divers types de clients, autant ceux dont les symptômes sont légers que ceux qui sont atteints d'asthme plus grave. Ils ne sont pas indiqués pour inverser le bronchospasme en cas de crise d'asthme aiguë. Il est également recommandé de ne pas les administrer en guise de monothérapie pour traiter l'asthme chronique. Ces médicaments ont un avantage majeur : ils ont à la fois des effets bronchodilatateurs et anti-inflammatoires.

Bronchodilatateurs. Les trois classes de bronchodilatateurs utilisés à l'heure actuelle pour le traitement de l'asthme sont les agonistes adrénergiques β_2, les dérivés de la méthylxanthine et les anticholinergiques.

Médicaments agonistes adrénergiques β_2. Les agonistes β_2 en inhalation comme le salbutamol (Ventolin), l'orciprénaline (Alupent) et la terbutaline (Bricanyl) ont un délai d'action de quelques minutes et agissent pendant quatre à huit heures. Les agonistes β_2 en inhalation sont indiqués pour le soulagement à court terme de la bron-

choconstriction et constituent le traitement de choix en cas d'exacerbations aiguës de l'asthme. Les agonistes β_2 servent également à prévenir le bronchospasme provoqué par l'exercice ou par d'autres stimuli parce qu'ils empêchent la production de médiateurs par les mastocytes. Ils n'inhibent pas la phase tardive de la réaction. S'ils sont administrés fréquemment, les agonistes β_2 peuvent provoquer des tremblements, de l'anxiété, de la tachycardie, des palpitations et des nausées.

Le salmétérol (Serevent) est un agoniste β_2 sous forme inhalée à effet prolongé (8 à 12 heures). Ce médicament est utile en cas d'asthme nocturne. Le plan d'enseignement au client doit insister sur le fait que ces médicaments ne doivent être administrés que toutes les 12 heures et ne doivent pas servir de traitement pour obtenir un soulagement rapide du bronchospasme.

Méthylxanthine. Les préparations de méthylxanthine (théophylline) sont des bronchodilatateurs moins efficaces que les agonistes β_2. La tendance actuelle consiste à introduire la théophylline comme bronchodilatateur complémentaire plus tard dans le traitement. Elle a parfois un effet synergique avec les agonistes β_2 et doit être administrée par voie orale ou intraveineuse. Les préparations de théophylline à libération prolongée sont préférables pour le traitement de longue durée.

Bien que le mécanisme d'action exact ne soit pas connu, le principal effet thérapeutique des dérivés de la méthylxanthine est la bronchodilatation, qui est utile dans la phase immédiate de la réaction. Cependant, la bronchodilatation par rapport aux concentrations thérapeutiques de théophylline demeure minime.

La théophylline atténue la phase immédiate des crises d'asthme et la partie bronchoconstrictive de la phase tardive de la réaction. Elle n'a cependant pas d'effet sur l'hypersensibilité bronchique. La théophylline à action prolongée peut être administrée au coucher pour traiter l'asthme nocturne. Le problème majeur de la théophylline est l'incidence relativement élevée des effets indésirables, tels que les nausées, les céphalées, les effets gastro-intestinaux, la tachycardie, les arythmies cardiaques et les convulsions.

Pour vérifier l'efficacité et l'innocuité de la théophylline, il est nécessaire de surveiller ses concentrations sériques, car son métabolisme peut être altéré par de nombreux aliments, médicaments et affections physiopathologiques. Parfois, les doses qui convenaient auparavant au client risquent de donner des concentrations toxiques ou inférieures aux valeurs thérapeutiques. Les médicaments qui inhibent le métabolisme de la théophylline et qui en augmentent la concentration dans le sang sont, entre autres, la cimétidine (Tagamet), l'érythromycine (Erythromycine), la ciprofloxacine (Cipro), le diltiazem (Cardizem), le vérapamil (Isoptin) et l'allopurinol (Zyloprim).

Médicaments anticholinergiques. Le diamètre des voies respiratoires est essentiellement régi par la partie parasympathique du système nerveux central. Les effets de l'acétylcholine sur les voies respiratoires sont accentués par la sécrétion de mucus et la contraction des muscles lisses et provoquent la bronchoconstriction. Les agents anticholinergiques (p. ex. l'ipratropium [Atrovent]) inhibent seulement la partie de la bronchoconstriction qui correspond au système nerveux parasympathique. Ces médicaments sont donc moins efficaces que les agonistes β₂ et sont généralement administrés en association avec d'autres bronchodilatateurs. Les agents anticholinergiques agissent surtout sur les voies respiratoires de gros diamètre, tandis que l'effet bronchodilatateur des agonistes β₂ agit plutôt sur les voies respiratoires de plus petit calibre. Les anticholinergiques sont peu utilisés pour le traitement de l'asthme, mais peuvent servir de bronchodilatateurs de remplacement pour les clients qui présentent des effets indésirables importants avec les agonistes β₂ en inhalation. Ils peuvent aussi avoir des effets cumulatifs s'ils sont administrés en association avec les agonistes β₂ (p. ex. Combivent).

Le délai d'action des anticholinergiques est plus long que celui des agonistes β₂ ; leur effet maximal survient au bout d'une heure et dure, en général, entre quatre et six heures. Les effets systémiques indésirables des anticholinergiques en inhalation sont rares parce qu'ils ne sont pas facilement absorbés.

Enseignement au client relatif aux médicaments. Les renseignements relatifs aux médicaments doivent comprendre le nom, la posologie, le mode d'administration et l'horaire ; tenir compte des heures de repas et des autres activités de la vie quotidienne, de leur fonction, des effets indésirables et des mesures à prendre dans ce cas, des conséquences d'un éventuel usage abusif et de l'importance de renouveler l'ordonnance avant de ne plus avoir de médicament.

L'administration adéquate des médicaments est l'un des principaux facteurs intervenant dans le traitement de l'asthme. La majorité des médicaments contre l'asthme sont administrés exclusivement ou de préférence par inhalation, ce qui est souvent préférable à l'administration orale parce que cela nécessite des doses moins fortes et que les effets systémiques sont moindres. De plus, le délai d'action des bronchodilatateurs est plus court. Les dispositifs d'inhalation sont les nébuliseurs et les aérosols-doseurs. Les nébuliseurs, qui en général distribuent une dose plus importante de médicament, s'utilisent normalement pour l'asthme grave. Les aérosols-doseurs sont généralement efficaces, mais certaines personnes, en particulier les personnes âgées et les gens atteints d'arthrite, n'ont pas toujours la coordination nécessaire pour actionner l'aérosol-doseur et

FIGURE 17.4 Utilisation d'un aérosol-doseur avec un dispositif d'espacement (aérochambre)

inhaler le médicament. On peut résoudre ce problème de coordination à l'aide d'un dispositif d'espacement (aérochambre) (voir figure 17.4). Si le client ne parvient toujours pas à recevoir la dose de médicament requise, il peut utiliser un nébuliseur.

Il faut enseigner comment utiliser l'aérosol-doseur (voir figure 17.5), car de nombreux clients ne l'emploient pas correctement. Puisqu'au maximum 10 à 15 % du médicament inhalé va atteindre les poumons, il est impératif d'utiliser le dispositif convenablement. Les problèmes couramment observés sont présentés dans l'encadré 17.3. Il est important d'observer le client de profil et d'évaluer chaque étape du processus. Même les clients asthmatiques qui ont l'habitude d'utiliser un inhalateur font souvent des erreurs. Il existe des enregistrements vidéo (disponibles auprès des compagnies pharmaceutiques) démontrant la technique d'utilisation adéquate.

Il faut nettoyer l'inhalateur en enlevant le bouchon protecteur et en le rinçant à l'eau tiède (voir figure 17.5). Le client qui a besoin d'utiliser plusieurs

---

Problèmes observés lors de l'utilisation des aérosols-doseurs   ENCADRÉ 17.3

- Manque de coordination entre l'inspiration et l'activation.
- Aérosol-doseur actionné dans la bouche tout en respirant par le nez.
- Inspiration trop rapide.
- Souffle non retenu pendant 10 secondes.
- Aérosol-doseur à l'envers ou sur le côté.
- Inhalation de plus d'une bouffée à chaque inspiration.
- Inhalateur non secoué avant de l'utiliser.
- Attente de moins d'une minute entre les bouffées.
- Médicament qui rebondit contre les dents, la langue ou le palais à cause de l'ouverture insuffisante de la bouche.
- Force musculaire insuffisante pour actionner l'aérosol-doseur.
- Incapacité à comprendre et à suivre les instructions.

Comment utiliser correctement votre aérosol-doseur

L'emploi d'un inhalateur ne paraît pas compliqué, mais la plupart des gens ne l'utilisent pas convenablement. Dans ce cas, une quantité moindre de médicament pénètre dans les poumons. (Votre médecin peut vous donner un autre type d'inhalateur.)

Pendant les deux prochaines semaines, lisez ces étapes à voix haute en effectuant toutes ces opérations ou demandez à quelqu'un de vous les lire. Demandez à votre médecin ou à l'infirmière de vérifier si vous utilisez votre inhalateur correctement.

Utilisez l'un des trois modes d'emploi illustrés ci-dessous (A et B sont les meilleurs, mais vous pouvez utiliser C si vous avez des difficultés avec A ou B).

Étapes d'utilisation de l'inhalateur

Se préparer
1. Enlever le capuchon et secouer l'inhalateur.
2. Expirer à fond.
3. Tenir l'inhalateur comme vous l'a montré l'infirmière (A, B ou C).

Inspirer lentement
4. En commençant à inspirer lentement par la bouche, presser une fois sur l'inhalateur. (Si l'on utilise un dispositif d'espacement [aérochambre], appuyer d'abord sur l'inhalateur. Au bout de cinq secondes, commencer à respirer lentement.)
5. Continuer d'inspirer lentement, aussi profondément que possible.

Retenir la respiration
6. Retenir la respiration en comptant lentement jusqu'à 10 si l'on peut.
7. Pour les médicaments en inhalation à effet rapide (agonistes β_2), attendre environ une minute entre les bouffées.

A. Tenir l'inhalateur à une distance de 2,5 à 5 cm de la bouche (environ la largeur de deux doigts).

B. Utiliser un dispositif d'espacement (une aérochambre). Il en existe de plusieurs formes et ils peuvent être utiles pour n'importe quel client.

C. Mettre l'inhalateur dans la bouche. Ne pas l'utiliser pour administrer des corticostéroïdes.

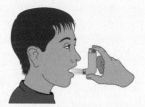  

Comment nettoyer l'inhalateur au besoin

Examiner l'orifice de sortie de l'inhalateur. Si de la poudre est visible dans l'orifice ou autour, nettoyer l'inhalateur. Enlever le réservoir en métal de l'embout buccal en plastique qui est en forme de L. Rincer uniquement l'embout et le capuchon à l'eau tiède. Les laisser sécher toute la nuit. Le matin, remettre le réservoir et le capuchon en place.

Quand remplacer l'inhalateur

On doit vérifier la date de péremption du produit. Aussi, on peut secouer l'inhalateur près de son oreille et écouter s'il en contient encore.

Pour les médicaments administrés chaque jour (par exemple) : Si le réservoir contient 200 bouffées (nombre inscrit sur le réservoir) et si vous devez prendre 8 bouffées par jour : 200 bouffées dans le réservoir/8 bouffées par jour = 25 jours.

Le réservoir va donc durer 25 jours. Si vous commencez à l'utiliser le 1er mai, vous devez le remplacer au plus tard le 25 mai.

Vous pouvez inscrire la date sur votre réservoir.

Pour les médicaments à soulagement rapide, administrer au besoin et compter toutes les bouffées.

Ne pas mettre le réservoir dans l'eau pour voir s'il est vide. Cela n'est d'aucune utilité.

FIGURE 17.5 Comment utiliser correctement l'aérosol-doseur

---

types d'aérosols-doseurs ne sait pas toujours dans quel ordre les prendre. En règle générale, les agonistes β_2 doivent être administrés en premier pour dilater les voies respiratoires. Les inhalateurs de corticostéroïdes doivent être utilisés en dernier lieu, parce qu'ils doivent être suivis d'un gargarisme pour prévenir la candidose de l'oropharynx. Pour certains clients, il peut être utile de numéroter les inhalateurs par ordre d'utilisation et

d'inscrire le nombre de bouffées en gros caractères à l'aide d'un marqueur indélébile sur le dispositif.

Le risque d'usage excessif est un problème majeur lorsque le médicament est administré par aérosol-doseur (le client a tendance à l'utiliser plus souvent que prescrit au lieu de consulter le médecin), surtout dans le cas des agonistes β_2. Si des symptômes asthmatiques supplémentaires surviennent, le client peut avoir tendance

Asthme

ENCADRÉ 17.4

Données subjectives

Information importante concernant la santé

- Antécédents de santé : rhinite ou sinusite allergique ; crise d'asthme antérieure ; exposition aux pollens, aux poils d'animaux, aux plumes, aux moisissures, aux poussières, aux irritants inhalés, aux changements climatiques, à l'exercice, à la fumée ; infection des sinus ; reflux gastro-œsophagien.
- Médicaments : utilisation de corticostéroïdes, de bronchodilatateurs, du cromoglycate sodique, d'anticholinergiques, d'antibiotiques ; médicaments comme l'acide acétylsalicylique, les anti-inflammatoires non stéroïdiens, les β-bloquants qui risquent de déclencher une crise chez des clients asthmatiques sensibles.

Modes fonctionnels de santé

- Mode perception et gestion de la santé : antécédents familiaux d'allergies ou d'asthme ; infection récente des voies respiratoires supérieures ou des sinus.
- Mode activité et exercice : fatigue, diminution ou absence de tolérance à l'exercice ; dyspnée, toux, toux grasse productive avec expectorations jaunes ou vertes ; gêne respiratoire, sensation de suffocation, manque d'air.
- Mode sommeil et repos : sommeil interrompu, insomnie.
- Mode adaptation et tolérance au stress : peur, anxiété, détresse émotionnelle, stress dans le milieu de travail ou au domicile.

Données objectives

Généralités

- Agitation ou épuisement, confusion, position du corps droite ou penchée en avant.

Appareil tégumentaire

- Diaphorèse, cyanose (péribuccale, lit unguéal).

Appareil respiratoire

- Respiration sifflante (*wheezing*), crépitants, diminution ou absence des murmures vésiculaires, ronchi à l'auscultation ; hyperrésonance à la percussion ; expectorations (épaisses, blanches, collantes), difficulté respiratoire accrue avec utilisation des muscles respiratoires accessoires ; tirage intercostal et sus-claviculaire ; tachypnée avec hyperventilation ; expiration prolongée.

Appareil cardiovasculaire

- Tachycardie, pouls paradoxal, distension des veines jugulaires, hypertension ou hypotension, extrasystoles ventriculaires.

Résultats possibles

- GSA anormaux pendant les crises, saturation en O_2 réduite, éosinophilie dans le sang et les expectorations, taux élevé d'IgE sérique, résultats positifs aux tests cutanés de dépistage des allergènes, dilatation excessive du thorax pendant les crises visible sur les radiographies, études de fonction pulmonaire anormales montrant une diminution du débit expiratoire ; amélioration de la CVF, du VEMS, du DEP et du rapport VEMS/CVF entre les crises et avec les bronchodilatateurs.

CVF : capacité vitale forcée ; DEP : débit expiratoire de pointe ; GSA : gaz sanguins artériels ; VEMS : volume expiratoire maximal par seconde.

à utiliser l'aérosol-doseur à plusieurs reprises. Les agonistes β$_2$ contribuent à soulager le bronchospasme, mais ils ne traitent pas la réaction inflammatoire. Il faut donc donner des instructions précises au client au sujet de l'utilisation adéquate de ces médicaments.

Au cours du traitement prolongé de l'asthme, la non-observance thérapeutique est un problème important. Le client utilise l'inhalateur d'agonistes β$_2$ parce qu'il lui procure un soulagement immédiat, mais il arrive souvent qu'il ne suive pas le traitement de longue durée prescrit (corticostéroïdes en inhalation), car il ne ressent pas de bienfait immédiat. Il est important de lui expliquer l'utilité de prendre le traitement prescrit de façon continue et d'insister sur le fait qu'une amélioration maximale peut prendre plus d'une semaine. Il faut également lui préciser que si le traitement n'est pas suivi régulièrement, l'inflammation risque d'augmenter dans les voies respiratoires et ainsi d'aggraver l'asthme.

17.1.8 Soins infirmiers : asthme

Collecte de données. Si le client peut parler et ne présente pas de détresse respiratoire, on peut lui deman-

der de décrire en détail ses antécédents de santé, notamment les facteurs favorisant les crises et les moyens qu'il a utilisés jusqu'à présent pour soulager les symptômes. Les données subjectives et objectives à recueillir auprès du client sont indiquées dans l'encadré 17.4.

Diagnostics infirmiers. Les diagnostics infirmiers pour le client atteint d'asthme peuvent comprendre, entre autres, les diagnostics figurant dans l'encadré 17.5.

Planification. Les objectifs généraux pour le client atteint d'asthme sont les suivants : fonction pulmonaire normale ou quasi normale ; niveau d'activité normal (y compris l'exercice et les autres activités physiques) ; absence d'exacerbations importantes de l'asthme ou diminution de la fréquence des crises ; connaissances suffisantes pour participer au traitement et se prendre en charge.

Exécution

Prévention. Le rôle des infirmières dans la prévention des crises d'asthme ou dans la diminution de leur gravité consiste essentiellement à prodiguer un enseignement

➡ Plan de soins infirmiers

Client asthmatique

DIAGNOSTIC INFIRMIER : mode de respiration inefficace relié à une résistance accrue des voies respiratoires causée par le bronchospasme, un œdème des muqueuses et une production de mucosités, se manifestant par la dyspnée, une respiration sifflante (*wheezing*), une fréquence respiratoire rapide et l'utilisation des muscles accessoires.

PLANIFICATION
Résultats escomptés
- Absence de respiration sifflante (*wheezing*) et de gêne respiratoire.
- Rétablissement des murmures vésiculaires normaux indiquant un meilleur débit de l'air.
- Fréquence respiratoire de 12 à 24 par minute.
- GSA, saturométrie et étude de la fonction pulmonaire dans les limites normales ou revenant à la valeur de référence.

INTERVENTIONS	Justifications
• Évaluer les fréquences cardiaque et respiratoire, les bruits pulmonaires, la diminution du débit pulmonaire, l'utilisation des muscles accessoires, la coloration des muqueuses et des lèvres.	• Reconnaître la dyspnée aiguë.
• Installer le client dans une position confortable (p. ex. au lit en position de semi-Fowler ou dans un fauteuil à bascule).	• Maximiser l'expansion thoracique et prolonger la phase expiratoire afin de réduire la quantité d'air emprisonné.
• Administrer des bronchodilatateurs tels que prescrits.	• Traiter le bronchospasme.
• Administrer de l'oxygène tel que prescrit.	• Augmenter la saturation en oxygène.
• Ausculter les poumons.	• Détecter les murmures vésiculaires, surveiller l'efficacité du traitement et l'état du client.
• Surveiller les GSA ou la saturométrie.	• Surveiller la saturation en oxygène la PaO_2 et la $PaCO_2$.
• Administrer des bronchodilatateurs avant les exercices de toux et d'inspiration profonde ou la physiothérapie du thorax.	• Ouvrir les voies respiratoires pour faciliter le déplacement des expectorations vers la bouche.
• Vérifier l'efficacité du traitement par nébuliseur en évaluant les murmures vésiculaires, l'expectoration des sécrétions, le DEP et la saturométrie.	• Déterminer s'il est nécessaire d'augmenter ou de réduire la fréquence des traitements.
• Enseigner au client à inspirer profondément par le nez et à expirer durant un temps deux à trois fois plus long que l'inspiration avec les lèvres pincées.	• Augmenter la capacité vitale et la PaO_2 et réduire le rythme respiratoire.

DIAGNOSTIC INFIRMIER : dégagement inefficace des voies respiratoires relié à un bronchospasme, à une toux inefficace, à une production excessive de mucosités, à des sécrétions épaisses ou à la fatigue, se manifestant par une toux inefficace, l'incapacité d'expectorer, la présence de bruits adventices.

PLANIFICATION
Résultats escomptés
- Bruits respiratoires indiquant un bon déplacement de l'air.
- Toux efficace, productive ou sécrétions transparentes ou blanches.

INTERVENTIONS	Justifications
• Surveiller et maîtriser l'environnement pour déceler la présence éventuelle d'allergènes (p. ex. poussière, fumée, fleurs).	• Réduire les crises d'asthme.
• Enseigner des techniques de toux efficace.	• Faire en sorte que le client puisse dégager ses voies respiratoires en propulsant les sécrétions vers la bouche pour les expectorer.
• Si le client est incapable de tousser ou d'expectorer, en déterminer les causes possibles (p. ex. fatigue des muscles respiratoires, douleur, viscosité des expectorations, bronchospasme grave, baisse de l'état de conscience).	• Pouvoir effectuer les interventions qui conviennent.

Plan de soins infirmiers

Client asthmatique (*suite*)

- Faciliter et évaluer l'administration des bronchodilatateurs et des médicaments mucolytiques (p. ex. guaifénésine [Humibid]), du traitement par corticostéroïdes, de la physio-thérapie du thorax.
- Observer et noter la nature et la quantité des expectorations et des sécrétions produites par la toux ou par aspiration.
- Envoyer les expectorations au laboratoire pour les soumettre à une coloration de Gram, à une culture et à une épreuve de sensibilité en cas de soupçon d'une infection.

- Améliorer l'état respiratoire.

- Déterminer la présence d'une infection.

DIAGNOSTIC INFIRMIER : anxiété reliée à une respiration difficile, à une perte de maîtrise perçue ou réelle et à la peur de suffoquer, se manifestant par de l'agitation, de la tachycardie et de l'hypertension artérielle.

PLANIFICATION
Résultats escomptés
- Le client dira qu'il se sent calme.
- Il dira qu'il est moins anxieux.

INTERVENTIONS
- Donner des explications simples et concises accompagnées de démonstrations et en répétant plusieurs fois au besoin.
- Rester à ses côtés.
- Anticiper ses besoins.
- Lui fournir des conseils pour qu'il puisse prévenir les récidives.
- Traiter rapidement les exacerbations d'une crise.
- Placer le client dans une chambre près du poste des infirmières.
- Lui enseigner les techniques de relaxation.
- Expliquer que certains médicaments (p. ex. agonistes β_2 fréquents, corticostéroïdes, théophylline) risquent d'accroître encore plus l'anxiété et l'irritabilité.

Justifications
- Favoriser la compréhension et la coopération du client.

- Le rassurer et réduire son anxiété.

- Prévenir l'apparition de l'état de mal asthmatique.
- Le rassurer par la proximité du personnel soignant et permettre d'effectuer de fréquentes observations.
- Réduire l'anxiété.

DIAGNOSTIC INFIRMIER : risque d'infection relié à une diminution de la fonction pulmonaire, à un dégagement inefficace des voies respiratoires et à un éventuel traitement aux corticostéroïdes.

PLANIFICATION
Résultats escomptés
- Le client n'aura aucune expectoration ou aura des expectorations transparentes ou blanches.
- Il aura une température normale.
- Il présentera des poumons clairs à la radiographie.

INTERVENTIONS
- Déterminer les manifestations d'une infection respiratoire, notamment une élévation de la température, du pouls et de la fréquence respiratoire ; une augmentation de la toux ; un changement de coloration, de consistance ou de quantité des expectorations, ainsi que la présence de bruits respiratoires adventices.
- Si les expectorations sont purulentes, effectuer une coloration de Gram, une culture et une épreuve de sensibilité.

Justifications

- Déterminer quel est le micro-organisme responsable de l'infection.

Plan de soins infirmiers

Client asthmatique (*suite*)

- Administrer les antibiotiques prescrits.
- Surveiller la température toutes les quatre heures et, prn, la nature et la quantité des expectorations.
- Surveiller la diminution localisée du murmure vésiculaire, la baisse de PaO_2, l'incapacité d'expectorer les sécrétions.
- Prévoir des exercices de respiration profonde et de toux.

- Traiter l'infection.
- Déceler les signes d'infection.

- Déterminer s'il y a aggravation de l'état du client.

- Améliorer la respiration et faciliter l'expectoration des sécrétions.

DEP : débit expiratoire de pointe ; GSA : gaz sanguins artériels ; prn : au besoin.

au client et à sa famille. Il faut enseigner au client à reconnaître ses déclencheurs personnels de l'asthme (p. ex. fumée de cigarette, poils d'animaux) et les irritants (air froid, AAS, aliments, chats, pollution de l'air ambiant) et à les éviter. Si l'on ne peut pas éviter l'air froid, on peut réduire le risque d'une crise d'asthme en se couvrant suffisamment et en portant une écharpe ou un passe-montagne. Le client doit éviter l'AAS et les AINS s'il sait qu'ils peuvent déclencher une crise. De nombreux médicaments en vente libre contiennent de l'AAS, et il faut donc conseiller au client de lire attentivement les étiquettes. Les agents inhibiteurs des récepteurs adrénergiques β (p. ex. le propranolol [Indéral]) sont contre-indiqués, car ils inhibent la bronchodilatation. La désensibilisation (immunothérapie) est partiellement efficace dans certains cas pour diminuer la sensibilité du client à des allergènes déterminés (voir chapitre 7).

Le diagnostic et le traitement rapides des infections des voies respiratoires supérieures et de la sinusite peuvent prévenir une exacerbation de l'asthme. Si des irritants professionnels font partie des facteurs étiologiques, le client peut envisager de changer d'emploi. Il faut l'encourager à continuer de boire deux à trois litres de liquide par jour, d'avoir une alimentation saine et de prendre suffisamment de repos. S'il prévoit faire de l'exercice, l'administration d'un agoniste β, tel que le cromoglycate sodique ou le nédocromil de 10 à 20 minutes avant l'activité devrait prévenir le bronchospasme.

Intervention en phase aiguë. Pendant une crise d'asthme aiguë, il est important de surveiller les fonctions respiratoire et cardiovasculaire. On doit, entre autres, ausculter les bruits pulmonaires, prendre le pouls, noter le rythme et la fréquence respiratoires ainsi que la pression artérielle, surveiller les GSA, la saturométrie, le

VEMS et le DEP. Il faut également évaluer la difficulté respiratoire du client (c.-à-d. l'utilisation des muscles accessoires et le niveau de fatigue), ainsi que sa réponse au traitement. Si l'état du client se dégrade, le médecin doit être averti immédiatement pour qu'une intervention médicale soit effectuée sans tarder. Les interventions infirmières consistent à administrer de l'O_2, des bronchodilatateurs, des médicaments (sur ordonnance) et à surveiller constamment le client, notamment en vérifiant l'efficacité de ces interventions. Le client peut parfois recevoir différents traitements d'inhalothérapie et de physiothérapie respiratoire.

Un objectif important des soins infirmiers pendant une crise aiguë est d'atténuer le sentiment de panique du client. Une attitude calme et rassurante peut ainsi l'aider à se détendre. Il est important de rester auprès de lui pour qu'il se sente réconforté. Il est parfois utile de l'encourager à expirer lentement avec les lèvres pincées pour prolonger l'expiration. On doit l'installer dans une position confortable (généralement assis) pour maximiser l'expansion thoracique.

Lorsque la crise aiguë s'apaise, l'infirmière doit veiller à ce que le client soit au calme pour pouvoir se reposer. Lorsqu'il ne se sent plus épuisé, l'infirmière doit essayer d'obtenir des renseignements sur ses antécédents de santé et s'informer sur la façon dont l'asthme a l'habitude de se manifester. Si des membres de la famille sont présents, ils peuvent être en mesure de fournir des renseignements à ce sujet. L'infirmière doit effectuer une évaluation approfondie des données physiques (voir encadré 17.4). Ces renseignements sont importants pour établir un plan de soins personnalisé. Un plan de soins bien conçu et formulé par écrit à partir de renseignements pertinents permet au client de mieux comprendre et de mieux maîtriser la situation. Il peut aussi l'aider à avoir davantage confiance et à respecter plus fidèlement le traitement.

Soins ambulatoires et soins à domicile. Il ne faut jamais oublier que l'asthme peut être maîtrisé et que tout doit être fait pour que le client n'ait pas de symptômes. Celui-ci prend souvent plusieurs médicaments dont les voies d'administration et les horaires sont différents (p. ex. diminution progressive de la fréquence d'administration des corticostéroïdes à l'aide de plusieurs inhalateurs ayant des indications différentes). Le traitement est parfois complexe et peut porter à confusion. Le client asthmatique doit se familiariser avec les nombreux médicaments et acquérir des stratégies d'autosoins. Le client et le professionnel de la santé ont besoin de surveiller la réaction aux médicaments. Sans l'exercice d'une étroite surveillance, on risque facilement d'administrer trop ou trop peu de médicaments. Certains clients peuvent avoir intérêt à tenir un journal dans lequel ils notent les médicaments administrés, la présence de respiration sifflante (*wheezing*) ou de toux, le DEP, les effets indésirables des médicaments, ainsi que les activités pratiquées. Ces renseignements seront utiles pour aider le personnel soignant à ajuster la médication. Le client doit comprendre qu'il est important de poursuivre le traitement même en l'absence de symptômes. Si le bronchospasme s'aggrave ou s'il y a présence d'effets indésirables graves, il doit consulter son médecin.

Il est important d'avoir une alimentation saine et de faire de l'exercice physique (p. ex. natation, marche, vélo stationnaire) selon la tolérance de chacun. On peut souvent prévenir la dyspnée à l'effort en administrant un agoniste β_2 par aérosol-doseur (cromoglycate sodique ou nédocromil). De même, il est essentiel que le client ait suffisamment de repos et que son sommeil ne soit pas interrompu (par les symptômes de l'asthme).

Un plan de traitement (voir tableau 17.5) doit être rédigé en partenariat avec le client et sa famille. Le plus souvent, ce plan est élaboré en fonction des symptômes et des valeurs du débit expiratoire de pointe et lorsque le client parvient à maîtriser son asthme (il n'est pas réveillé la nuit par les symptômes de l'asthme, il est capable d'effectuer certains exercices aérobiques ou activités ardues, il n'a pas de symptômes fréquents en journée).

Pour suivre le plan de traitement, le client doit mesurer son débit expiratoire de pointe au moins une fois par jour. Il est fréquent que les clients asthmatiques ne perçoivent pas les changements survenant dans leur respiration. Avec le temps, ils s'habituent à respirer avec cette capacité pulmonaire réduite. Par conséquent, si elle est effectuée convenablement, la surveillance du DEP peut constituer une bonne mesure objective de l'asthme (voir encadré 17.6). Pour le client asthmatique, le DEP est l'équivalent de la pression artérielle chez les personnes atteintes d'hypertension.

Si le DEP est dans la zone verte (en général 80 à 100 % de la meilleure valeur personnelle du client), il doit continuer de prendre ses médicaments habituels. En cas de rhume ou d'infection des sinus, qui risquent de déclencher l'asthme, il peut en général augmenter la dose de corticostéroïdes en inhalation d'un tiers ou de la moitié selon le plan de traitement, puis réduire à nouveau la dose lorsque le rhume est passé.

Si le DEP est dans la zone jaune (généralement 50 à 80 % de la meilleure valeur personnelle), le client doit évaluer ce qui peut déclencher son asthme. En fonction du plan de traitement, il peut adopter différentes stratégies. Par exemple, il peut utiliser plus souvent l'inhalateur d'agonistes β_2.

Si le DEP est dans la zone rouge (50 % ou moins de la meilleure valeur personnelle du client), le problème est sérieux et une intervention s'impose. Outre l'administration accrue d'agonistes β_2 par inhalateur, on peut lui prescrire des corticostéroïdes oraux. Il est possible qu'il ait besoin également de consulter le médecin.

Il est important d'insister sur la nécessité de mesurer le DEP chaque jour parce que dans la plupart des cas, les problèmes apparaissent avec le temps. Il est rare que le DEP passe rapidement de la zone verte à la zone rouge, mais cela n'est pas impossible. Le client a en général le temps de changer ses médicaments, d'éviter les déclencheurs et d'avertir le médecin.

Lorsqu'on élabore un plan de traitement, il est important de faire intervenir les membres de la famille, car ils sont souvent désemparés face à la situation. Il faut leur enseigner ce qu'ils peuvent faire pour venir en aide au client durant une crise d'asthme. Ils doivent savoir où se trouvent les inhalateurs, les médicaments en comprimés et les numéros de téléphone à signaler en cas d'urgence. On peut également leur indiquer comment diminuer l'anxiété du client lorsqu'une crise survient. Lorsque l'état du client s'est stabilisé et que la crise s'est calmée, le soignant peut rappeler au client de mesurer chaque jour son DEP en lui demandant, par exemple, dans quelle zone il se trouve aujourd'hui ou combien vaut son débit expiratoire de pointe.

Une aide psychologique est parfois indiquée pour aider le client et la famille à résoudre les problèmes personnels, familiaux, sociaux ou professionnels que l'asthme a pu créer. Les thérapies de relaxation (yoga, méditation, techniques de relaxation, techniques de respiration) peuvent être utiles pour aider le client à détendre ses muscles respiratoires et pour diminuer la fréquence respiratoire. Un contexte émotionnel équilibré est aussi un facteur important pour prévenir les crises ultérieures. Dans le cadre de l'enseignement au client, il convient de mentionner que l'Association pulmonaire canadienne publie des documents d'information sur l'asthme.

Évaluation. Les résultats escomptés pour le client asthmatique figurent à l'encadré 17.5.

TABLEAU 17.5 Plan de traitement de l'asthme

Nom : _____ **Débit expiratoire de pointe personnel :** _____ **Date :** _____

ZONE VERTE – CONTINUER
Asthme bien maîtrisé
Respiration d'amplitude normale
Absence de toux, de respiration sifflante (*wheezing*),
de gêne respiratoire et d'essoufflement
Aucun problème pour parler ou pour marcher

Valeur du débit expiratoire de pointe :
_____ à _____
(80 à 100 % de la meilleure valeur personnelle)

ZONE JAUNE – ATTENTION
Asthme mal maîtrisé
Symptômes bénins à modérés
Toux, respiration sifflante (*wheezing*), gêne respiratoire
ou essoufflement
Aucun problème pour parler ou pour marcher mais
parfois anxieux
Incapable de dormir à cause des symptômes de l'asthme

Valeur du débit expiratoire de pointe :
_____ à _____
(50 à 80 % de la meilleure valeur personnelle)

ZONE ROUGE – DANGER
Indique une urgence médicale
Symptômes graves
Toux, respiration sifflante (*wheezing*), gêne respiratoire
ou essoufflement en permanence
Capable de parler uniquement par phrases courtes et
ressent beaucoup d'anxiété
• Lèvres et ongles rosés

Valeur du débit expiratoire de pointe :
_____ à _____
(0 à 50 % de la meilleure valeur personnelle)

Symptômes très graves
Gêne respiratoire majeure, respiration difficile, posture
penchée vers l'avant, tirage à l'inspiration
Difficultés pour parler ou pour marcher
Activités interrompues et incapacité de les reprendre
Lèvres et ongles cyanosés

Plan A : Continuez de prendre la médication habituelle. Prenez des médicaments préventifs en permanence.
Inhalation de bronchodilatateur (**Soulagement rapide**) : _____
Inhalation de stéroïdes (**Prévention/maîtrise**) : _____
Autres inhalateurs ou nébuliseurs : _____
Consignes complémentaires :
• Dès les premiers signes de rhume, vous pouvez doubler la dose d'inhalation de corticostéroïdes jusqu'à la fin du rhume. Par la suite, continuez avec la dose habituelle.
• Surveillez chaque jour votre débit expiratoire de pointe. En cas d'exposition à des déclencheurs ou en cas de rhume, surveillez le débit expiratoire de pointe au moins deux fois par jour.
• Utilisez un médicament à soulagement rapide 10 minutes avant de faire de l'exercice si vous êtes atteint de bronchospasme induit par l'exercice.

❶ **Plan B :** Poursuivez le plan A et ajoutez un bronchodilatateur à soulagement rapide. Prenez immédiatement de deux à quatre bouffées de bronchodilatateur à soulagement rapide ou d'un traitement par nébuliseur _____.
❷ Attendez 20 minutes.
• Si le débit expiratoire de pointe retourne dans la zone verte ou si les symptômes de l'asthme s'atténuent, suivez le plan de la zone verte.
• Si le débit expiratoire de pointe reste dans la zone jaune ou si les symptômes ne s'atténuent pas, répétez les étapes ❶ et ❷.
❸ Vous pouvez les répéter une troisième fois si votre état ne s'améliore toujours pas. Si le débit est toujours dans la zone jaune au bout de _____ heures ou si les symptômes ne diminuent pas, _____ ou commencez à prendre de la prednisone (Deltasone) ou de la méthylprednisolone (Medrol) selon la prescription suivante :
Attention : Si le débit expiratoire de pointe passe dans la zone rouge à un moment quelconque, passez au plan C.

❶ **Plan C :** C'est la **zone de danger!** Agissez immédiatement.
Prenez immédiatement de deux à six bouffées de bronchodilatateur à soulagement rapide ou d'un traitement par nébuliseur _____.
❷ Si le débit expiratoire de pointe est toujours dans la zone rouge au bout de 10 à 20 minutes, commencez à prendre de la prednisone (Deltasone) ou de la méthylprednisolone (Medrol) selon la prescription suivante :

_____

❸ Répétez les étapes ❶ et ❷ au total trois fois en une heure si les symptômes persistent.
❹ Contactez votre médecin si vous n'avez pas d'ordonnance pour commencer la prise de prednisone (Deltasone) ou de méthylprednisolone (Medrol) ou si vos symtômes ne s'atténuent pas.

ARRÊT

Plan D : Appelez immédiatement le 911 pour aller au service des urgences.
• Prenez six bouffées de bronchodilatateur à soulagement rapide par inhalateur toutes les 5 à 10 minutes ou utilisez un nébuliseur en permanence pendant que vous attendez ou pendant le trajet en ambulance.
• Si vous avez de la prednisone prescrite, prenez-en 40 mg immédiatement.

Chaque fois que vous avez une crise d'asthme, restez calme. Expirez lentement les lèvres pincées. Si cela est possible, trouvez l'agent qui a déclenché la crise et essayez de l'éviter. Si vous avez besoin d'aide, appelez votre médecin

_____ _____
Signature du médecin Signature du client

Lovelace Health Systems Adult Asthma Program, Albuquerque, NM.

Comment utiliser le débitmètre de pointe

ENCADRÉ 17.6

Le débitmètre de pointe vous permet de vérifier si votre asthme est bien maîtrisé. Les débitmètres de pointe sont particulièrement utiles pour les personnes atteintes d'asthme modéré ou grave.

Ce guide va vous indiquer comment trouver votre meilleur débit de pointe personnel ; comment l'utiliser pour déterminer la zone colorée correspondant à votre débit expiratoire de pointe ; comment mesurer votre débit expiratoire de pointe et quand le mesurer.

Débitmètre de pointe

Comment trouver votre meilleur débit expiratoire de pointe personnel

Pour trouver votre meilleur débit expiratoire de pointe, vous devez mesurer votre débit expiratoire de pointe chaque jour durant deux à trois semaines. Votre asthme devrait être bien maîtrisé au cours de cette période. Mesurez votre débit expiratoire de pointe aussi près que possible des heures indiquées ci-dessous (cet horaire doit seulement servir à trouver votre meilleure valeur personnelle). Pour vérifier votre asthme chaque jour, vous mesurerez votre débit le matin.

• Chaque jour entre midi et quatorze heures.

• Chaque fois que vous prenez votre bronchodilatateur à soulagement rapide pour atténuer les symptômes (mesurez votre débit après la prise de ce médicament).

• À une autre heure suggérée par votre médecin.

Inscrivez la valeur obtenue pour chaque mesure. Votre meilleure valeur personnelle correspond à la plus haute valeur mesurée au cours de ces deux à trois semaines.

Votre meilleure valeur personnelle peut varier avec le temps. Demandez à votre médecin à quel moment vous devez la vérifier à nouveau.

Les zones de votre débit expiratoire de pointe

Les zones de votre débit expiratoire de pointe dépendent de votre meilleure valeur personnelle. Elles vont vous aider à vérifier le degré de gravité de votre asthme et à prendre les mesures nécessaires pour continuer à le maîtriser. Les couleurs des zones sont inspirées des feux de circulation.

• La zone verte (80 à 100 % de votre meilleure valeur personnelle) indique une bonne maîtrise de l'asthme. Si vous avez l'habitude de prendre des médicaments chaque jour pour maîtriser votre asthme, continuez de le faire. Vous devez continuer de les prendre même lorsque votre débit expiratoire de pointe se trouvera dans la zone jaune ou rouge.

• La zone jaune (50 à 80 % de votre meilleure valeur personnelle) signifie que vous devez être vigilant, car votre asthme s'aggrave. Augmentez la dose de votre bronchodilatateur à soulagement rapide. Il est possible que votre médecin vous recommande d'augmenter les doses des autres médicaments que vous prenez contre l'asthme.

• La zone rouge (en dessous de 50 % de votre meilleure valeur personnelle) signale un état d'alerte médicale ! Augmentez la dose de votre bronchodilatateur à soulagement rapide ou augmentez sa fréquence. Appelez votre médecin sans tarder.

Demandez à votre médecin de vous rédiger un plan d'action indiquant ce qui suit :

• Les valeurs du débit expiratoire de pointe correspondant aux zones verte, jaune et rouge. Marquez les zones sur votre débitmètre avec du ruban adhésif de couleur ou avec un marqueur de couleur.

• Les médicaments que vous devez prendre lorsque vous vous trouvez dans chacune des zones.

Comment mesurer votre débit expiratoire de pointe

• Déplacez le repère jusqu'en bas de l'échelle graduée.

• Tenez-vous debout ou assis le dos droit.

• Respirez à fond. Remplissez complètement vos poumons.

• Retenez votre respiration pendant que vous mettez la bouche sur l'embout buccal, entre vos dents. Fermez les lèvres autour de l'embout. Ne mettez pas la langue dans l'orifice.

• Soufflez aussi fort que possible. Votre débitmètre va mesurer la vitesse à laquelle vous expirez l'air.

• Inscrivez la valeur obtenue, sauf si vous toussez ou si vous faites une erreur. Dans ce cas, recommencez l'opération.

• Répétez les étapes précédentes encore deux fois et inscrivez le plus grand des trois nombres obtenus. C'est votre débit expiratoire de pointe.

• Vérifiez dans quelle zone se trouve votre débit expiratoire de pointe. Faites ce que votre médecin vous a recommandé de faire lorsque votre débit se trouve dans cette zone.

Votre médecin peut vous demander d'inscrire chaque jour la valeur que vous avez mesurée. Vous pouvez l'inscrire sur un calendrier ou sur une simple feuille de papier. Ceci devrait vous aider et permettre à votre médecin de voir comment évolue votre asthme avec le temps.

Quand utiliser le débitmètre de pointe pour vérifier votre asthme

• Chaque matin au réveil, avant de prendre vos médicaments. Faites-en une habitude quotidienne.

• Lorsque vous avez des symptômes, lors d'une crise d'asthme et après avoir pris des médicaments pour calmer cette crise. Ceci peut vous indiquer la gravité de la crise et si vos médicaments sont efficaces.

• À tout autre moment suggéré par votre médecin.

Si vous utilisez plusieurs débitmètres (p. ex. à domicile et à l'école), veillez à ce qu'ils soient du même modèle.

Comment utiliser le débitmètre de pointe (*suite*)

ENCADRÉ 17.6

À chaque visite chez votre médecin, apportez :
- votre débitmètre de pointe ;
- vos valeurs du débit expiratoire de pointe si vous les avez notées chaque jour.

- Demandez également à votre médecin ou à l'infirmière de vérifier si vous employez correctement le débitmètre pour vous assurer d'une utilisation adéquate.

Practical guide for the diagnosis and management of asthma, based on Expert panel report 2 : guidelines for the diagnosis and management of asthma, Washington DC, National Institutes of Health, 1997.

17.2 EMPHYSÈME ET BRONCHITE CHRONIQUE

La **bronchopneumopathie chronique obstructive (BPCO)** est, par définition, une affection caractérisée par la présence d'une obstruction du débit de l'air causée par la bronchite chronique ou l'emphysème. L'obstruction est généralement progressive, peut s'accompagner d'une hyperactivité des voies respiratoires et être partiellement réversible. Autrefois, l'asthme était classé parmi les BPCO, mais il n'y est plus maintenant, parce que l'inflammation est considérée comme son signe caractéristique. Les clients atteints de BPCO peuvent aussi être atteints d'asthme, et il arrive que certains clients asthmatiques présentent une obstruction irréversible des voies respiratoires. La **bronchite chronique** est définie par la présence d'une toux productive chronique qui dure trois mois et survient au cours de deux années consécutives chez un client pour qui les autres causes de la toux chronique ont été écartées. L'**emphysème** est défini comme un élargissement permanent et anormal des cavités aériennes distales des bronchioles terminales, accompagné par la destruction de leurs parois et sans fibrose apparente. Même si l'emphysème et la bronchite chronique sont deux maladies distinctes, elles ont de nombreux points communs.

On estime que le nombre de personnes atteintes de BPCO a doublé depuis 25 ans. Selon l'Enquête nationale sur la santé de la population de 1998-1999, 3,2 % de la population adulte de plus de 34 ans, soit 2,8 % des hommes (211 900 Canadiens) et 3,6 % des femmes (286 600 Canadiennes), a déclaré souffrir d'une bronchite chronique ou d'un emphysème qui avait été diagnostiqué par un médecin. Malheureusement, comme de nombreuses personnes ne reconnaissent pas les premiers symptômes de cette maladie, elles ne se font pas traiter. Ces chiffres peuvent donc sous-estimer la prévalence réelle de la BPCO dans la population canadienne. Plus de la moitié des personnes atteintes de BPCO meurent dans les dix ans qui suivent le diagnostic. Les hausses observées des taux de morbidité et de mortalité semblent reliées à l'évolution antérieure du tabagisme. Bien que, par le passé, on ait considéré la BPCO principalement comme une maladie s'attaquant aux hommes, en 1998-1999, on a rapporté davantage de diagnostics chez les femmes que chez les hommes. L'augmentation prévue du nombre d'individus atteints de BPCO aura des répercussions importantes sur les familles et la prestation de services hospitaliers et communautaires. Comme la fréquence du tabagisme a diminué au cours des 30 dernières années, on devrait s'attendre à une baisse ultérieure des taux de mortalité par BPCO chez les hommes.

17.2.1 Étiologie

L'exposition à la fumée de tabac est la principale cause de BPCO au Canada. Plusieurs facteurs de risque modifiables contribuent également à son apparition. L'exposition professionnelle aux poussières et à certaines fumées (p. ex. cadmium, poussière d'or, poussière de charbon, poussière céréalière) est l'autre facteur de risque le plus important. L'exposition à des poussières non spécifiques risque d'aggraver l'effet du tabagisme. La pollution atmosphérique extérieure peut accroître le risque de BPCO, et les recherches ont mis en évidence une association entre cette pollution et l'augmentation des symptômes, dont la difficulté respiratoire. Des infections respiratoires répétées durant l'enfance et l'exposition à la fumée secondaire causent une diminution de la fonction respiratoire, ce qui peut prédisposer le sujet à une éventuelle BPCO. Une déficience génétique en α_1-antitrypsine, qui protège les tissus pulmonaires, est aussi associée à l'augmentation des risques de BPCO.

Tabagisme. Le tabagisme est le principal facteur de risque de BPCO. Dans 80 à 90 % des cas, l'usage de la cigarette en constitue la cause sous-jacente. Même si la prévalence de l'usage de la cigarette a diminué au Canada, le tabagisme demeure un problème majeur de santé publique parmi les jeunes. La première expérience du tabagisme a généralement lieu avant la fin du secondaire et, chaque jour, de nombreux adolescents commencent à fumer. Malgré une baisse globale du nombre de fumeurs au Canada et dans la plupart des pays industrialisés, la prévalence de l'usage de la cigarette continue d'augmenter dans de nombreux pays en voie de développement. Une obstruction significative sur le plan clinique des voies aériennes se produit chez 15 % des fumeurs et, au Canada, 80 à 90 % des décès par BPCO sont attribuables au tabagisme. Pour la plupart de ceux qui meurent d'une maladie pulmonaire reliée au tabagisme, le décès est précédé d'une longue période de morbidité débilitante caractérisée par de fréquentes hospitalisations et la perte de nombreuses années de productivité. Le tabagisme coûte extrêmement cher à l'individu et à la société. Au Canada, plus d'un décès sur cinq est relié au tabagisme et il reste la cause de décès prématuré la plus facile à prévenir. Le tabagisme n'intervient pas seulement dans l'étiologie de l'emphysème, de la bronchite chronique et du cancer du poumon ; il peut également entrer en jeu dans les cancers de la bouche, du pharynx, du larynx, de l'œsophage, du pancréas, du rein, de l'estomac, du col de l'utérus et de la vessie. Il est responsable de près de 87 % des décès attribuables au cancer des poumons.

Lorsqu'on fume une cigarette, près de 4000 substances chimiques et gaz sont inhalés dans les poumons. On a isolé de nombreux carcinogènes présents dans la fumée de cigarette, dont le plus dangereux est le 3,4-benzopyrène. Au moins 43 autres constituants ont été désignés comme carcinogènes, cocarcinogènes, promoteurs de tumeurs, initiateurs de tumeurs et mutagènes. La nicotine n'est probablement pas carcinogène, mais elle a d'autres effets toxiques. En stimulant le système nerveux sympathique, elle a pour effet d'augmenter la fréquence cardiaque et la vasoconstriction périphérique, d'élever la pression artérielle et d'accroître la charge de travail du cœur. Ces effets de la nicotine aggravent les problèmes chez une personne atteinte de coronaropathie.

Le tabagisme a plusieurs effets directs sur les voies respiratoires (voir tableau 17.6). L'effet irritant de la fumée entraîne une hyperplasie des cellules, notamment des cellules caliciformes, laquelle a pour effet d'accroître la production de mucosités. Comme l'hyperplasie réduit le diamètre des voies respiratoires, le dégagement des sécrétions devient plus difficile. Le tabagisme réduit l'activité ciliaire et peut même entraîner une perte de cellules ciliées. Il provoque également une dilatation anormale de la cavité aérienne distale avec destruction des parois alvéolaires. Les noyaux de nombreuses cellules grossissent et deviennent atypiques, ce qui est considéré comme un état précancéreux.

Après un an seulement de tabagisme, on peut observer des changements dans le fonctionnement des bronchioles et des alvéoles. Au début, ces changements sont surtout inflammatoires et s'accompagnent d'œdème des muqueuses et d'un influx de cellules inflammatoires. Par la suite, on note la présence d'une fibrose autour des bronchioles. Ces changements inflammatoires affectant les petites voies respiratoires peuvent être réversibles lorsque le sujet cesse de fumer, du moins chez les jeunes.

Le monoxyde de carbone (CO), retrouvé dans la fumée de cigarette, est aussi présent en concentrations comparables aux gaz d'échappement des automobiles. Il a une grande affinité pour l'hémoglobine, avec laquelle il se combine plus facilement que l'oxygène, et il réduit la capacité d'absorption d'oxygène chez le fumeur. Ce dernier inhale un pourcentage d'oxygène inférieur à la normale, et la quantité d'oxygène disponible aux alvéoles diminue. À cause de l'effet stimulant de la nicotine sur le système nerveux sympathique, le cœur a besoin d'une quantité plus importante d'O_2 et, comme la capacité d'absorption du sang est réduite, le cœur doit pomper plus rapidement pour alimenter suffisamment les tissus en O_2. Le CO semble également perturber la performance psychomotrice ainsi que le jugement et peut causer de l'anxiété.

Le tabagisme passif est l'exposition d'un non-fumeur à la fumée de cigarette d'autrui ; on parle aussi de fumée secondaire ou de tabagisme secondaire. Chez les enfants dont les parents sont fumeurs, la prévalence des symptômes respiratoires et des maladies respiratoires est plus élevée que chez les enfants de parents non

TABLEAU 17.6 Effets de la fumée de cigarette sur l'appareil respiratoire

Région touchée	Effets à court terme	Effets à long terme
Muqueuse respiratoire		
Rhinopharynx	↓ de l'odorat	Cancer
Langue	↓ du goût	Cancer
Cordes vocales	Enrouement	Toux chronique, cancer
Bronches et bronchioles	Bronchospasme, toux	Bronchite chronique, asthme, cancer
Cils vibratiles	Paralysie, accumulation de sécrétions, toux	Bronchite chronique, cancer
Glandes muqueuses	↑ des sécrétions, ↑ de la toux	Hyperplasie et hypertrophie des glandes, bronchite chronique
Macrophages alvéolaires	↓ de leur fonction	Incidence accrue d'infection
Élastine et fibres de collagène	↑ de leur destruction par les protéases, ↓ de la fonction des antiprotéases (α_1-antitrypsine) ↓ de la synthèse et de la réparation de l'élastine	Emphysème

fumeurs et leurs épreuves de la fonction pulmonaire semblent présenter des déficiences faibles mais mesurables. Chez les adultes, l'exposition involontaire à la fumée de cigarette est reliée à une diminution de la fonction pulmonaire, à un risque accru de cancer du poumon et à une hausse des taux de mortalité par cardiopathie ischémique.

Infection. Les infections répétitives des voies respiratoires sont un facteur important contribuant à l'aggravation et à la progression de la BPCO. Les infections répétitives portent atteinte aux mécanismes de défense normaux et rendent les bronchioles et les alvéoles plus vulnérables. En outre, la personne atteinte de BPCO a une plus grande prédisposition aux maladies respiratoires, ce qui par la suite accentue la destruction pathologique des tissus pulmonaires et la progression de la maladie. Les micro-organismes les plus fréquemment à l'origine de l'infection sont *Haemophilus influenzae*, *Streptococcus pneumoniae* et *Moraxella catarrhalis*. La rétention de sécrétions est propice à leur prolifération.

Pollution de l'air ambiant. Il est prouvé que les taux élevés de pollution de l'air urbain sont dangereux pour les personnes atteintes de maladies cardiaques ou pulmonaires, mais le rôle de la pollution atmosphérique dans l'étiologie des BPCO au Canada n'est pas clairement établi et semble faible par rapport à celui du tabagisme.

Hérédité. L'α_1-antitrypsine (AAT) est la seule anomalie génétique connue menant à la BPCO. Au Canada, moins de 1 % des BPCO sont attribuables à un déficit en AAT. Inhibiteur des protéases α_1, l'antitrypsine est une protéine sérique produite par le foie et normalement présente dans les poumons. Un déficit important en AAT entraîne un emphysème prématuré, accompagné souvent d'une bronchite chronique et parfois d'une bronchiectasie. L'emphysème survient lorsque le déficit en AAT provoque la lyse des tissus pulmonaires par les enzymes protéolytiques des neutrophiles et des macrophages. Normalement, l'AAT inhibe l'action de ces enzymes ; lorsque le taux d'AAT diminue, l'inactivation devient donc insuffisante pour empêcher la destruction des tissus pulmonaires. Chez ces clients, le processus morbide est fortement exacerbé par le tabagisme.

Le taux d'AAT est réglé par une paire de gènes autosomiques codominants. Les symptômes de l'emphysème apparaissent souvent vers la quarantaine, et la maladie est aussi fréquente chez les femmes que chez les hommes. Les personnes atteintes de ce type d'emphysème sont le plus souvent originaires d'Europe du Nord.

Vieillissement. L'emphysème est un phénomène fréquemment rencontré chez une personne âgée, même chez un non-fumeur. Avec l'âge, la structure des poumons change, de même que la cage thoracique et les

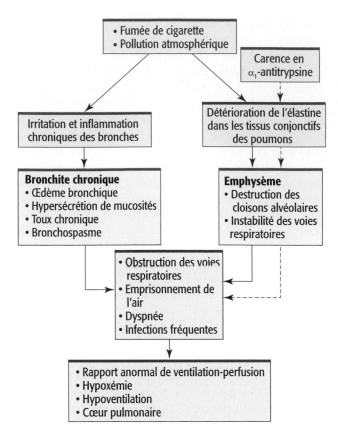

FIGURE 17.6 Physiopathologie de la bronchite chronique et de l'emphysème. Les flèches en pointillé indiquent le rôle de la carence en α_1-antitrypsine (s'il y a lieu).

muscles respiratoires. Le vieillissement ne provoque pas à lui seul un emphysème significatif sur le plan clinique.

En vieillissant, le poumon perd graduellement son élasticité ; il s'arrondit et devient plus petit. Le nombre d'alvéoles fonctionnelles diminue suivant la perte de structures de soutien alvéolaire et du septum intra-alvéolaire. Ces changements sont semblables à ceux que l'on observe chez le client emphysémateux. L'amincissement des parois alvéolaires contribue à la perte de tissus des parois et des capillaires des alvéoles. Les capillaires disponibles pour assurer l'échange gazeux étant moins nombreux, le taux d'oxygène artériel diminue. La PaO_2 baisse à raison de 4 mm Hg tous les 10 ans à partir de l'âge de 20 ans. La surface disponible pour les échanges gazeux diminue : elle passe de 80 m^2 à 20 ans à 65 à 70 m^2 vers 70 ans.

Les changements affectant la cage thoracique sont attribuables à l'ostéoporose et à la calcification des cartilages costaux. La cage thoracique devient raide et rigide et les côtes perdent de leur mobilité. À cause de l'augmentation de la capacité résiduelle fonctionnelle (CRF), la cage thoracique change progressivement de forme, devient plus ronde et augmente de volume. À la suite de ces changements, la paroi thoracique perd de sa souplesse et la dyspnée augmente.

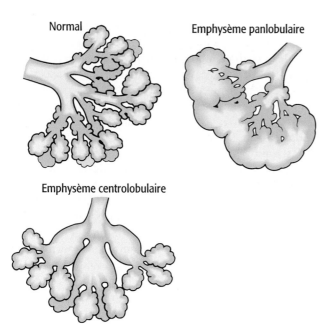

FIGURE 17.7 Types morphologiques d'emphysème. Dans le cas de l'emphysème panlobulaire, la totalité du lobule primaire est touchée, la destruction et la distension des bronchioles respiratoires sont distales. Dans le cas de l'emphysème centrolobulaire, la destruction est centrale et fait surtout intervenir les bronchioles respiratoires.

17.2.2 Physiopathologie

Sur le plan clinique, il est fréquent d'observer chez la même personne une combinaison d'emphysème et de bronchite chronique avec une prédominance de l'une des deux affections (voir figure 17.6).

Emphysème. L'emphysème est une affection des poumons caractérisée par un élargissement permanent et anormal des cavités aériennes distales des bronchioles terminales, accompagné par la destruction de leurs parois et l'absence de fibrose visible. Les changements structurels sont, notamment, la dilatation excessive des alvéoles ; la destruction des parois alvéolaires ; la destruction du réseau capillaire des alvéoles ; le resserrement des voies respiratoires, qui deviennent plus petites et tortueuses ; la perte d'élasticité des poumons.

Il existe deux grands types d'emphysème : centrolobulaire et panlobulaire (voir figure 17.7). Dans le cas de l'emphysème centrolobulaire, les lésions sont surtout situées dans la partie centrale du lobule. Les bronchioles respiratoires s'élargissent, les parois sont détruites et les bronchioles deviennent confluentes. Plus fréquent que l'emphysème panlobulaire, l'emphysème centrolobulaire s'accompagne souvent de bronchite chronique.

Par contre, l'emphysème panlobulaire correspond à la distension et à la destruction de l'ensemble du lobule et touche les bronchioles respiratoires, les conduits et sacs alvéolaires, ainsi que les alvéoles. Il y a perte pro-

gressive des tissus pulmonaires et diminution de la surface d'échange des capillaires alvéolaires. L'emphysème panlobulaire grave s'observe souvent en cas de déficit en AAT. Chez certains clients atteints d'emphysème, des bulles (gros kystes) se forment. Lorsque l'emphysème est grave, il est difficile de distinguer les deux types, qui peuvent coexister dans le même poumon.

Les mécanismes physiopathologiques de l'emphysème ne sont pas parfaitement connus. Les petites bronchioles deviennent obstruées par le mucus, les spasmes des muscles lisses, le processus inflammatoire et l'affaissement de leurs parois. Les processus infectieux récurrents entraînent une production et une stimulation accrues de neutrophiles et de macrophages. Ces cellules libèrent des enzymes protéolytiques qui peuvent détruire les tissus alvéolaires, ce qui accentue encore l'inflammation, l'œdème et la formation d'exsudats.

Chez une personne en bonne santé, il y a équilibre entre les élastases et protéases et les antiprotéases dans les poumons. Chez les fumeurs, les neutrophiles et les macrophages sont plus nombreux et la défense normale des antiprotéases risque d'être submergée par la production de leurs élastases et protéases. De plus, le tabagisme active l'AAT. Dans le cas de l'emphysème induit par l'AAT, l'activité de cette dernière est fortement diminuée et peut être dépassée par l'activité normale des protéases.

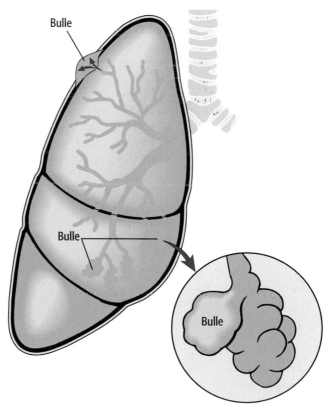

FIGURE 17.8 Bulles d'emphysème

Chez le client atteint d'emphysème, l'élastine et le collagène, qui sont les structures de soutien du poumon, sont détruits et il n'y a donc plus de tension ni de traction sur les parois des bronchioles. Comme lorsqu'on gonfle un sac en papier, l'air entre facilement dans les poumons, mais il ne peut pas en sortir de lui-même et y reste donc emprisonné. Les bronchioles ont alors tendance à s'affaisser (surtout à l'expiration), et l'emprisonnement de l'air dans les alvéoles distales entraîne une dilatation exagérée des poumons et une distension excessive des alvéoles. C'est cet air emprisonné qui donne au thorax la forme d'un tonneau. Les poumons se gonflent facilement mais ne peuvent se vider que partiellement. À mesure que le nombre d'alvéoles détruites augmente et que les alvéoles fusionnent, des cavités aériennes plus grosses peuvent se former (voir figure 17.8).

La perte des parois alvéolaires et des capillaires qui les entourent entraîne une diminution de la surface d'échange disponible pour la diffusion de l'oxygène dans le sang. Le client atteint d'emphysème compense par une augmentation de la fréquence respiratoire pour accroître la ventilation alvéolaire. En général, les problèmes d'hypoxémie au repos n'apparaissent que dans la phase tardive de la maladie, mais ils peuvent survenir pendant l'exercice, et l'administration d'oxygène complémentaire est parfois utile. L'hypercapnie et l'acidose respiratoire n'apparaissent que plus tard au cours de l'évolution de la maladie.

Bronchite chronique. La bronchite chronique se caractérise par une production excessive de mucosités dans les bronches, accompagnée d'une toux qui persiste durant au moins trois mois au cours d'une même année, et ce, pendant deux années consécutives. Les changements pathologiques survenant dans les poumons sont les suivants : une hyperplasie des glandes sécrétant le mucus dans la trachée et les bronches ; une augmentation du nombre de cellules caliciformes ; la disparition des cils vibratiles ; des changements inflammatoires chroniques et le rétrécissement des petites voies respiratoires ; une altération du fonctionnement des macrophages alvéolaires entraînant un accroissement des infections bronchiques. Les voies aériennes sont souvent peuplées de colonies de micro-organismes, et des infections peuvent se déclarer lorsque ceux-ci prolifèrent. Des quantités excessives de mucus se trouvent dans les voies respiratoires et peuvent parfois obstruer les petites bronchioles. Par la suite, des cicatrices peuvent se former sur les parois des bronches. Contrairement à ce qui se produit dans le cas de l'emphysème, les structures alvéolaires et capillaires sont intactes.

L'inflammation chronique est le premier mécanisme pathologique contribuant aux changements caractéristiques de la bronchite chronique. La réaction inflammatoire provoque une vasodilatation, une congestion et un œdème des muqueuses. Les glandes muqueuses sont stimulées et deviennent hyperplasiques. Cette hyperplasie, la tuméfaction inflammatoire et l'excès de mucosités épaisses entraînent un rétrécissement de la lumière des voies respiratoires et une diminution du débit d'air. Cette résistance accrue à l'écoulement de l'air augmente la difficulté respiratoire. L'hypoxémie et l'hypercapnie sont plus fréquentes dans le cas de la bronchite chronique que dans celui de l'emphysème. Les bronchioles contractées étant obstruées par le mucus, elles opposent un obstacle physique à la ventilation. De plus, la fréquence respiratoire diminue, et on observe une tendance à l'hypoventilation et à la rétention de CO_2. Il s'ensuit que de nombreuses régions des poumons ne sont pas ventilées et que la diffusion de l'oxygène ne peut pas se faire. Le client atteint de bronchite chronique a besoin d'une administration d'O_2 au repos et durant l'exercice à mesure que la maladie évolue. Le processus de cicatrisation consécutif aux changements inflammatoires peut également entraîner une fibrose péribronchique.

La toux est stimulée par les mucosités accumulées, qui ont du mal à être éliminées à cause de la baisse d'activité ciliaire et mucociliaire. La toux est souvent inefficace pour expectorer les sécrétions parce que la personne ne parvient pas à inspirer suffisamment à fond pour envoyer l'air jusqu'aux sécrétions. Le client atteint de bronchite chronique présente souvent un bronchospasme, surtout s'il a des antécédents de tabagisme ou d'asthme, ce qui accentue encore la résistance des voies aériennes et, par conséquent, augmente le travail respiratoire et aggrave la perturbation des échanges gazeux.

17.2.3 Manifestations cliniques

La plupart des clients atteints de BPCO présentent des caractéristiques des deux maladies (voir tableau 17.7 et figure 17.9).

Emphysème. La dyspnée est un symptôme initial de l'emphysème qui s'aggrave progressivement. Le client éprouve d'abord de la dyspnée à l'effort, ensuite elle commence à le gêner dans ses activités quotidiennes, pour finir par se manifester même au repos. Il présente une légère toux, sans expectorations mucoïdes ou seulement en petite quantité. La quantité d'air emprisonné augmente à mesure que les alvéoles hyperdistendues deviennent plus nombreuses. Ceci a pour effet d'aplatir le diaphragme et d'augmenter le diamètre antéropostérieur du thorax pour lui conférer une forme caractéristique en tonneau. La respiration abdominale efficace diminue à cause de l'aplatissement du diaphragme causé par la distension excessive des poumons. Le client

TABLEAU 17.7   Comparaison de l'emphysème et de la bronchite chronique*

	Emphysème	Bronchite chronique
Caractéristiques cliniques		
Âge	30 à 40 ans (apparition) 60 à 70 ans (invalidant)	20 à 30 ans (apparition) 40 à 50 ans (invalidant)
Constitution morphologique	Mince	Tendance à l'obésité
Antécédents de santé	Bonne santé en général, dyspnée insidieuse occasionnelle, tabagisme	Infections récurrentes des voies respiratoires, tabagisme
Perte de masse	Souvent importante	Absente ou légère
Dyspnée	Progressant lentement et finissant par devenir invalidante	Variable, relativement tardive
Expectorations	Peu abondantes, mucoïdes	Abondantes, mucopurulentes
Toux	Négligeable	Considérable
Examen du thorax	Augmentation marquée du diamètre AP, bruits respiratoires calmes ou réduits, expansion diaphragmatique limitée	Augmentation légère à marquée du diamètre AP, crépitants diffus, ronchi, respiration sifflante (*wheezing*)
Cœur pulmonaire	Rare, sauf en phase terminale	Fréquent avec de nombreux épisodes
Résultats des épreuves diagnostiques		
GSA	Presque normale, légère ↓ PaO_2, $PaCO_2$ normale ou en légère ↓	↓ PaO_2, ↑ $PaCO_2$
Radiographie du thorax	Dilatation excessive de la cage thoracique, diaphragme plat, atténuation des vaisseaux périphériques, cœur normal ou de petit volume, élargissement des marges intercostales	Augmentation du volume du cœur, diaphragme normal ou aplati, signes d'inflammation chronique, champs pulmonaires congestionnés
Volume des poumons		
Capacité pulmonaire totale	Augmentée	Normale ou légèrement augmentée
Volume résiduel	Augmenté	Augmenté
Capacité vitale	Diminuée	Diminuée
VEMS	Diminué	Diminué
VEMS/CVF	Diminué (< 70 %)	Diminué (< 70 %)
Hématocrite et hémoglobine	Normales jusqu'en phase terminale	Augmentées
Maladie	Emphysème panlobulaire	Emphysème centrolobulaire

* La plupart des personnes atteintes de BPCO présentent les caractéristiques de l'emphysème pulmonaire et de la bronchite chronique.
AP : antéropostérieur ; CVF : capacité vitale forcée ; VEMS : volume expiratoire maximal par seconde.

respire de plus en plus par le thorax et utilise ses muscles accessoires et intercostaux. Ce type de respiration n'est pas tellement efficace, puisque les côtes deviennent fixes dans une position inspiratoire.

Le client peut présenter de l'hypoxémie (en particulier durant l'exercice), mais celle-ci n'apparaît parfois que dans la phase tardive de la maladie. Il est généralement excessivement mince et sa masse corporelle est inférieure à la normale. La cause de cette perte de masse est encore indéterminée. Il est possible qu'il soit dans un état d'hypermétabolisme et que ses besoins énergé-

tiques soient accrus en partie à cause de l'augmentation de la dyspnée. Par conséquent, il maigrit, même si l'apport calorique est suffisant. Le client atteint d'emphysème souffre de malnutrition protéinocalorique avec perte de masse musculaire et de tissus adipeux (la malnutrition est traitée au chapitre 32).

Plus tard dans l'évolution de la maladie, il est possible de voir apparaître une bronchite chronique secondaire. Dans les stades avancés de ces deux maladies, le client peut présenter de l'hippocratisme digital (voir figure 17.10).

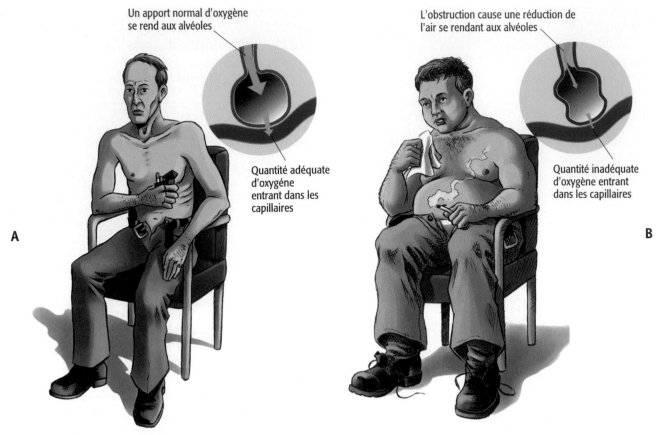

FIGURE 17.9 Bronchopneumopathies chroniques obstructives (BPCO). A. Apparence d'une personne atteinte d'emphysème.
B. Apparence d'une personne atteinte de bronchite chronique.
Adapté de Luckman et Sorenson, *Medical Surgical Nursing*, St. Louis, Mosby, 1987.

Bronchite chronique. Les premiers symptômes de la bronchite chronique se manifestent généralement par une toux productive fréquente durant la plus grande partie de l'hiver. Elle est souvent exacerbée par des irritants respiratoires et par l'air froid et humide. Le bronchospasme peut avoir lieu à la fin des quintes de toux. De fréquentes infections respiratoires constituent d'autres manifestations courantes de la maladie. Un peu plus tard, le client peut présenter de la dyspnée à l'effort. Il a presque toujours des antécédents de tabagisme pendant de nombreuses années. Malheureusement, il a sou-

vent tendance à attribuer la toux à la cigarette plutôt qu'à une maladie pulmonaire, et cela a pour effet de retarder le début du traitement. De plus, il risque de ne pas avoir conscience de la toux parce qu'il s'y habitue.

L'hypoxémie et l'hypercapnie résultent de l'hypoventilation causée par la résistance accrue des voies respiratoires. La peau prend une teinte violacée en raison de la polyglobulie et de la cyanose. La polyglobulie est causée par la production accrue de globules rouges dans l'organisme qui essaie de compenser l'hypoxémie. Le taux d'hémoglobine peut atteindre 200 g/L ou plus. La cyanose apparaît lorsque le taux d'hémoglobine non oxygénée en circulation atteint 50 g/L.

Une personne atteinte de bronchite chronique a généralement une masse corporelle normale ou supérieure à la normale et possède une constitution robuste. Il est fréquent qu'elle présente un emphysème de type centrolobulaire.

17.2.4 Complications

Cœur pulmonaire. Le **cœur pulmonaire** est une hypertrophie du côté droit du cœur, avec ou sans insuffisance cardiaque, qui est attribuable à l'hypertension

TABLEAU 17.8	Corrélation entre le VEMS et les manifestations cliniques probables
VEMS approximatif (ml)	**Manifestation clinique probable**
1500	Essoufflement commençant à peine à se faire remarquer
1000	Essoufflement au cours de l'activité
500	Dyspnée au repos

VEMS : volume expiratoire maximal par seconde.

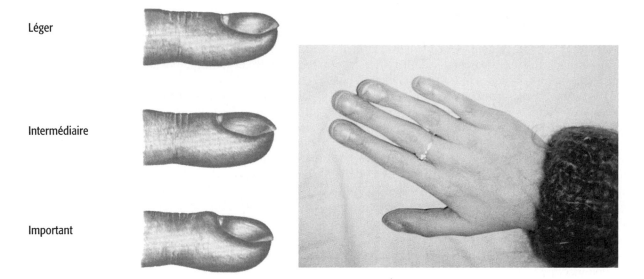

Léger

Intermédiaire

Important

FIGURE 17.10 Stades de l'hippocratisme digital

Price, S.A., et L.M. Wilson. *Pathophysiologie : clinical concepts of disease processes,* 5e éd., St. Louis, Mosby, 1997.
Wong, L.D. *Soins infirmiers Pédiatrie,* Laval, Éditions Études Vivantes, 2002.

pulmonaire. Dans les BPCO, l'hypertension pulmonaire est principalement causée par la constriction des vaisseaux pulmonaires en réaction à l'hypoxie alvéolaire, vasoconstriction qui est en outre favorisée par l'acidose (voir figure 17.11). L'hypoxie alvéolaire chronique est aussi à l'origine de l'hypertrophie du muscle de l'artère

pulmonaire. L'hypoxie chronique stimule également l'érythropoïèse, qui entraîne la polyglobulie et augmente la viscosité du sang.

Normalement, la pression est plus basse dans le ventricule droit et dans le système circulatoire des poumons que dans le ventricule gauche et dans la circulation

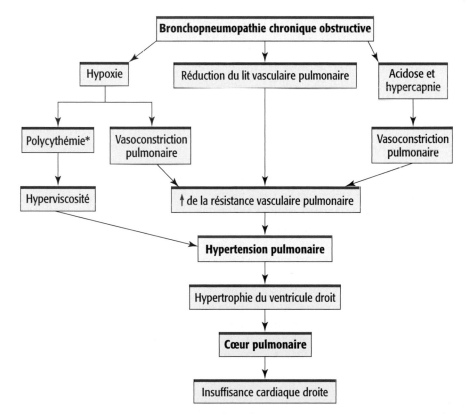

FIGURE 17.11 Mécanismes intervenant dans la physiopathologie du cœur pulmonaire consécutif à une bronchopneumopathie chronique obstructive

* La polycythémie fait référence à une augmentation du nombre de globules rouges sanguins qui provoque une hyperviscosité du sang.

systémique. En cas d'hypertension pulmonaire, les pressions du côté droit du cœur doivent augmenter pour pousser le sang vers les poumons, ce qui finit par créer une insuffisance cardiaque droite.

Les manifestations cliniques du cœur pulmonaire sont reliées à la dilatation et à l'insuffisance du ventricule droit, associées à une augmentation subséquente du volume intravasculaire et à une congestion veineuse systémique. Les changements observés dans les bruits cardiaques comprennent une accentuation de la composante pulmonaire du deuxième bruit (B_2), un galop B_3 diastolique au ventricule droit et un bruit d'éjection systolique précoce le long du bord sternal gauche. Les changements observés à l'ECG comprennent une augmentation d'amplitude de l'onde P (de type pulmonaire) dans les dérivations II, III et V_1 ; une tendance à la déviation axiale droite et un bloc incomplet de la branche droite du faisceau de His. Des signes évidents d'une insuffisance cardiaque droite peuvent se manifester, notamment une distension des veines jugulaires, une hépatomégalie avec sensibilité de l'hypocondre droit, de l'ascite, de la détresse respiratoire, un œdème périphérique et un gain pondéral.

Le traitement du cœur pulmonaire consiste à administrer en permanence de l'O_2 à faible débit. L'oxygénothérapie prolongée peut inverser la progression de l'hypertension pulmonaire chez le client atteint de BPCO. Bien que l'administration de digitaliques ne soit pas indiquée pour l'insuffisance cardiaque droite, on y a souvent recours pour l'insuffisance cardiaque gauche. Il est souvent recommandé de suivre un régime sans sel, surtout si le client présente une insuffisance cardiaque globale (congestive). Des diurétiques sont généralement administrés, mais on les prescrit avec prudence parce qu'ils ont tendance à appauvrir l'organisme en potassium et en chlorure, ainsi qu'à réduire le volume intravasculaire et le débit cardiaque (le cœur pulmonaire est présenté de manière plus détaillée au chapitre 16).

Aggravation de la bronchite chronique.

Chez le client atteint d'une BPCO légère, les voies aériennes sont colonisées par *Haemophilus influenzae* et *Streptococcus pneumoniae,* des micro-organismes qui sont relativement non pathogènes. Les facteurs qui perturbent le fonctionnement normal du système mucociliaire, et par conséquent ralentissent ou empêchent l'élimination des particules de matière, contribuent au risque d'infections aiguës. Les micro-organismes qui sont le plus souvent à l'origine de la bronchite chronique sont *H. influenzae*, *M. catarrhalis* et *S. pneumoniae*. Les formes plus graves de la BPCO sont souvent causées par *Pseudomonas*, K*lebsiella pneumoniae* et *E. coli*.

Les manifestations cliniques d'une exacerbation sont, entre autres, l'aggravation de la toux, l'hémoptysie, la respiration sifflante (*wheezing*), l'aggravation de l'essoufflement et des variations dans la quantité, la coloration, la consistance et la viscosité des expectorations. Les clients sont traités par des antibiotiques, qui sont associés à une administration accrue de bronchodilatateurs, parfois avec corticostéroïdes, humidification et drainage postural.

Insuffisance respiratoire aiguë.

En présence de BPCO, l'insuffisance respiratoire aiguë est le plus souvent causée par une infection aiguë des voies respiratoires (généralement virale) ou par une bronchite aiguë. Très souvent, le client atteint de BPCO attend trop longtemps avant de consulter un médecin lorsqu'il présente de la fièvre, une accentuation de la toux, de la dyspnée ou d'autres symptômes caractéristiques des exacerbations de BPCO. Une aggravation du cœur pulmonaire, seule ou coïncidant avec d'autres facteurs étiologiques de l'insuffisance respiratoire, risque de provoquer une détresse respiratoire importante. L'insuffisance respiratoire peut aussi être précipitée par l'interruption du traitement par bronchodilatateurs ou par corticostéroïdes. L'administration d'agents β-bloquants (p. ex. du propranolol [Indéral]) peut également exacerber l'insuffisance respiratoire chez le client présentant une BPCO de type asthmatique.

L'usage inconsidéré de sédatifs et de narcotiques, surtout en phase préopératoire ou postopératoire chez un client qui retient le CO_2, risque de supprimer le rythme de ventilation et d'entraîner une insuffisance respiratoire. L'hypercapnie pose un problème sérieux lors de l'oxygénothérapie. À cause de l'élévation persistante du taux de CO_2, le centre respiratoire ne réagit plus aux augmentations de CO_2 par une stimulation de la respiration. L'hypoxémie devient donc le principal stimulant respiratoire. Si on administre une quantité trop importante d'oxygène, le rythme hypoxique est aboli et la respiration ralentit ou s'arrête. La personne atteinte de BPCO qui retient le CO_2 doit être traitée avec un faible débit d'oxygène (2-3 L/min) et les GSA doivent être surveillés de près. Une intervention chirurgicale causant une douleur importante au thorax ou aux organes abdominaux nécessite parfois la pose d'une bande abdominale et peut entraîner une ventilation inefficace et une insuffisance respiratoire. Pour prévenir les complications pulmonaires postopératoires chez le client ayant des antécédents de tabagisme importants et de BPCO, il est nécessaire d'effectuer des examens préopératoires approfondis comprenant l'étude de la fonction pulmonaire et la surveillance des GSA (l'insuffisance respiratoire est définie et présentée au chapitre 28).

Ulcère gastroduodénal et reflux gastro-œsophagien.

L'incidence de l'ulcère gastroduodénal est plus élevée chez les personnes atteintes de BPCO. La raison en est inconnue, mais l'on suppose qu'elle est reliée aux effets indésirables de l'administration prolongée de bronchodilatateurs ou de corticostéroïdes. Le caractère stressant de la maladie est peut-être un autre facteur. Il est important de faire un dépistage de sang occulte dans les aspirations gastriques ainsi que dans les selles.

Le reflux gastro-œsophagien, qui n'est pas toujours relié à la présence d'une hernie hiatale, est fréquent chez le client atteint de BPCO et risque d'aggraver les symptômes respiratoires. Le reflux et les brûlures d'estomac qui l'accompagnent peuvent être aggravés ou même précipités par la théophylline ou les médicaments adrénergiques β_2. L'irritation de l'œsophage ou l'aspiration de l'arbre trachéobronchique peuvent entraîner une constriction et une obstruction des voies respiratoires (le traitement de la hernie hiatale et du reflux gastro-œsophagien figure au chapitre 33).

Pneumonie. La pneumonie est une complication fréquente. La BPCO devient plus grave en présence de *S. pneumoniae*, de *H. influenzae* et de certains virus. Elle se manifeste le plus souvent par des expectorations purulentes. Les manifestations systémiques comme la fièvre, les frissons et la leucocytose ne sont pas toujours présentes (le traitement de la pneumonie est présenté au chapitre 16).

17.2.5 Épreuves diagnostiques

Un objectif important des examens diagnostiques consiste à déterminer la gravité de la maladie et ses effets sur la qualité de vie du client. Ces facteurs permettent au soignant d'élaborer un plan de traitement adapté. Les anomalies ne sont pas toujours visibles sur les radiographies du thorax effectuées au début de la maladie, mais un peu plus tard, on peut observer les résultats présentés au tableau 17.7.

Les antécédents de santé et l'examen physique sont extrêmement importants pour établir le diagnostic. L'étude de la fonction pulmonaire sert à diagnostiquer la BPCO et à en déterminer la gravité. Une étude de la fonction respiratoire (spirométrie) est généralement effectuée avant et après l'inhalation de bronchodilatateurs. Les observations les plus caractéristiques sont reliées à la résistance accrue du débit de l'air en phase expiratoire. Les résultats types sont les suivants :
- diminution du VEMS ;
- diminution du débit expiratoire maximal (DEM) 25 %-75 % ;
- diminution de la ventilation maximale par minute (VMM) ;
- diminution de la capacité vitale (CV) ;
- diminution du rapport VEMS/CVF ;
- diminution de la capacité de diffusion du monoxyde de carbone ;
- augmentation du volume résiduel (VR) ;
- augmentation de la capacité pulmonaire totale (CPT) ;
- augmentation de la CVF.

Lorsque le rapport VEMS/CVF est inférieur à 70 %, il est possible qu'on soit en présence d'une bronchopneumopathie obstructive. La valeur du VEMS en ml peut donner une idée approximative de la gravité de la maladie et de sa progression (voir tableau 17.8). Lorsqu'on la compare aux valeurs antérieures, elle permet également d'estimer la tolérance à l'activité à laquelle peut s'attendre le client.

Les GSA sont généralement surveillés de près. Chez un client atteint de BPCO en phase avancée, les résultats attendus sont une PaO_2 basse, une $PaCO_2$ élevée, une diminution du pH et une augmentation des taux de bicarbonate. En phase initiale, la PaO_2 est parfois normale ou légèrement diminuée et la $PaCO_2$ est normale. On peut effectuer une saturométrie pour déterminer le degré de saturation en O_2 dans le sang, afin d'évaluer son degré de désaturation pendant l'exercice. L'ECG peut être normal ou montrer des signes d'insuffisance ventriculaire droite (p. ex. bas voltage, déviation axiale

PROCESSUS DIAGNOSTIQUE ET THÉRAPEUTIQUE

Bronchopneumopathie chronique obstructive   ENCADRÉ 17.7

Diagnostic
- Antécédents de santé et examen physique
- Radiographie du thorax
- Étude de la fonction pulmonaire
- Spécimen des expectorations pour coloration de Gram et culture (s'il y a lieu)
- GSA
- ECG
- Épreuve d'effort avec saturométrie (s'il y a lieu)
- Échographie ou scintigraphie cardiaques (s'il y a lieu)

Processus thérapeutique
- Traitement des infections respiratoires
- Traitement par bronchodilatateurs
  - Agonistes adrénergiques β
  - Agents anticholinergiques (ipratropium)
  - Médicaments à action prolongée à base de théophylline
- Corticostéroïdes
- Surveillance du DEP (s'il y a lieu)
- Physiothérapie thoracique et drainage postural (s'il y a lieu)
- Exercices respiratoires et enseignement de techniques pouvant maîtriser la dyspnée et l'anxiété
- Hydratation à raison de 3 litres/jour (sauf contre-indication)
- Arrêt de l'usage du tabac
- Périodes de repos suffisantes
- Enseignement au client et à sa famille
- Vaccination annuelle contre la grippe
- Vaccination contre la pneumonie (Pneumovax)
- O_2 à faible débit (si prescrit)
- Plan d'exercices progressifs
- Programme de rééducation pulmonaire

ECG : électrocardiogramme ; GSA : gaz sanguins artériels.

droite, onde P de type pulmonaire). Une échographie cardiaque (voir chapitre 20) peut également servir à évaluer la fonction ventriculaire droite ou gauche.

17.2.6 Processus thérapeutique

En général, la BPCO est un processus irréversible. Les éléments réversibles sont le diamètre des voies respiratoires et les sécrétions. Certains clients présentent un emphysème non réversible. Les principaux objectifs des soins pour le client atteint de BPCO sont les suivants : améliorer la ventilation ; faciliter l'élimination des sécrétions ; prévenir les complications et la progression des symptômes ; promouvoir son confort et sa participation aux soins ; améliorer le plus possible sa qualité de vie (voir encadré 17.7). La majorité de ces clients sont traités en consultation externe. Ils sont hospitalisés lors de complications, notamment en cas d'insuffisance respiratoire, de pneumonie ou d'insuffisance cardiaque.

Sevrage du tabac. Le sevrage du tabac dès le début de la maladie est probablement le facteur le plus important pour en ralentir la progression. Dès que le client cesse de fumer, le déclin accéléré de la fonction pulmonaire ralentit et, en général, la fonction pulmonaire s'améliore. Par conséquent, moins le client attend pour cesser de fumer, moins la perte de fonction pulmonaire est importante et plus les symptômes diminuent, en particulier la toux et la production d'expectorations. Le soignant a les responsabilités suivantes :
- Questionner. Repérer systématiquement chaque fumeur à toutes les visites.
- Conseiller. Recommander aux fumeurs de cesser de fumer et déterminer les fumeurs qui sont prêts à entreprendre cette démarche.
- Aider. Si le client se montre prêt à essayer de cesser de fumer, l'aider en lui procurant un plan de sevrage, en l'encourageant à suivre un traitement substitutif de nicotine (sauf dans certains cas spéciaux), en lui donnant des conseils utiles pour réussir à arrêter et en lui fournissant de la documentation complémentaire.
- Prendre des dispositions. Prévoir un suivi en personne ou par téléphone. Le traitement substitutif de nicotine ou le nouveau médicament bupropion (Zyban) sans nicotine peuvent être utiles pour minimiser les effets du manque de nicotine. Ces traitements adjuvants peuvent être associés à d'autres modalités comme un groupe de soutien, des documents d'information et un programme de modification du comportement. L'hypnose et l'acupuncture peuvent aussi être utiles. Quelle que soit la méthode utilisée, le facteur le plus important est la volonté du client et son engagement à cesser de fumer. (Les techniques de sevrage du tabac sont présentées au chapitre 16, dans la section sur le cancer du poumon, et à l'encadré 16.13).

Il convient de déterminer l'effet néfaste éventuel des autres irritants environnementaux ou professionnels et de définir les moyens de les supprimer ou de les éviter. Par exemple, le client doit éviter les produits capillaires en aérosols et les pièces enfumées. Il doit recevoir chaque année le vaccin contre la grippe. Le client atteint de BPCO étant extrêmement sensible aux infections pulmonaires, la revaccination antipneumococcique est recommandée tous les cinq ans.

Les infections respiratoires doivent être traitées le plus rapidement possible. Une augmentation de la quantité, de la viscosité ou de la purulence des expectorations est souvent un signe de la présence d'une infection respiratoire. Dans certains cas, on prescrit des antibiotiques pour 7 à 10 jours en recommandant au client de commencer à les prendre dès les premiers signes de changement des expectorations. Les antibiotiques administrés le plus souvent sont l'amoxicilline, l'amoxicilline avec clavulanate (Clavulin), la ciprofloxacine (Cipro), l'érythromycine et le triméthoprime/sulfaméthoxazole (Septra).

Pharmacothérapie. L'administration de bronchodilatateurs est souvent utile pour soulager les symptômes. Même si leur effet n'est pas aussi spectaculaire pour les clients atteints de BPCO que pour les clients asthmatiques, ils permettent en général de réduire la dyspnée et d'augmenter le VEMS. La plupart des médecins estiment qu'il vaut mieux administrer les bronchodilatateurs en guise de traitement continu plutôt que pour soulager les symptômes aigus. Mais l'administration régulière de bronchodilatateurs chez les clients atteints de BPCO est un sujet controversé, en particulier dans certains cas d'emphysème.

Les agonistes adrénergiques β sont administrés couramment comme bronchodilatateurs dans le traitement de la BPCO, de préférence par aérosolthérapie. Les agents anticholinergiques, en particulier l'ipratropium (Atrovent) par inhalateur, sont des bronchodilatateurs souvent encore plus efficaces que les agonistes β_2 chez les clients présentant une BPCO de type emphysème. Les anticholinergiques en inhalation sont préférables et ils ont des effets indésirables minimes. Il vaut mieux les administrer régulièrement. L'administration de théophylline à action prolongée est controversée malgré un léger effet bronchodilatateur en cas de réversibilité partielle de l'obstruction des voies respiratoires. Son principal avantage est peut-être d'améliorer la contractilité du diaphragme et d'atténuer la fatigue diaphragmatique.

L'administration de corticostéroïdes est également controversée. Ces médicaments sont plus efficaces chez les clients qui ont des antécédents d'asthme pendant l'enfance, qui présentent un bronchospasme, dont la maladie est relativement récente ou qui subissent de fréquentes aggravations ne répondant pas au traitement par les agonistes β_2 ou par la théophylline.

Oxygénothérapie. On a souvent recours à l'oxygénothérapie pour traiter les BPCO et autres problèmes reliés à l'hypoxémie. L'oxygène est un gaz incolore, inodore et sans saveur qui constitue 20,95 % de l'air ambiant. L'administration d'oxygène fait monter la pression partielle de l'oxygène (PO_2) dans l'air inspiré.

Indications. L'oxygène est en général administré pour traiter l'hypoxémie causée par les troubles respiratoires comme la BPCO, le cœur pulmonaire, la pneumonie, l'atélectasie, le cancer du poumon et l'embolie pulmonaire ; les troubles cardiovasculaires comme l'infarctus du myocarde, les arythmies cardiaques, l'angine de poitrine et le choc cardiogénique ; les troubles du SNC comme une surdose de narcotiques, une lésion crânienne ou une altération du sommeil (apnée du sommeil).

Méthodes d'administration. L'administration d'oxygène a pour but de fournir au client une quantité suffisante pour maximiser la capacité de transport d'oxygène par le sang. Il existe plusieurs méthodes pour l'administrer (voir tableau 17.9 et figures 17.12 et 17.13). La méthode choisie dépend de certains facteurs, notamment de la fraction d'oxygène inspirée et de l'humidification requise, de la collaboration du client et du niveau de confort.

On classe les systèmes de distribution de l'oxygène en deux genres : à faible débit et à haut débit. La plupart des appareils utilisés sont à faible débit, et la concentration de l'oxygène fourni varie en fonction de l'état respiratoire du client. Par contre, le masque Venturi est un dispositif à haut débit qui fournit l'oxygène à concentration fixe, quel que soit le mode respiratoire du client. Avec le masque Venturi, l'oxygène arrive dans un petit gicleur (dispositif Venturi) au centre d'un cône à large base (voir figure 17.12, C). L'air est inspiré à travers les orifices du cône lorsque l'oxygène traverse le petit gicleur. Le masque est muni de grands évents par lesquels peut s'échapper l'air expiré. L'étranglement ou l'étroitesse du gicleur détermine le degré d'entraînement et de dilution de l'oxygène pur avec l'air ambiant et donc la concentration en oxygène. Les respirateurs utilisés dans les unités de soins intensifs sont un autre exemple de système de distribution d'oxygène à haut débit.

Humidification et nébuliseurs. L'oxygène en bouteille ou distribué par les systèmes muraux est sec. Or, l'oxygène sec a un effet irritant sur les muqueuses et assèche les sécrétions. Avant de l'administrer, il est donc important de l'humidifier. Pour ce faire, on emploie un humidificateur à bulle (barboteur) lorsque le client utilise des lunettes nasales ou un masque à faible débit. Il est constitué d'un petit flacon de plastique rempli d'eau stérile distillée et raccordé à la source d'oxygène

par un débitmètre. L'oxygène entre dans le flacon, forme des bulles dans l'eau, puis passe dans la tubulure jusqu'aux lunettes nasales ou au masque du client. Cet appareil sert à recréer les conditions d'humidité de l'air ambiant. Mais l'utilité de cet appareil aux faibles débits compris entre un et quatre litres par minute est controversée lorsque le taux d'humidité ambiante est suffisant.

Le nébuliseur est un autre moyen d'administrer de l'oxygène humidifié. Il fournit une bruine de particules d'eau (aérosol) dont le taux d'humidité approche 100 %. On peut augmenter l'humidité en chauffant l'eau, car le gaz peut alors mieux retenir l'humidité. Lorsqu'on utilise un nébuliseur, il faut employer un tube de gros diamètre pour raccorder le dispositif à un masque facial ou à un tube en T, sinon la condensation risque d'empêcher l'écoulement de l'oxygène.

Complications

Combustion. L'oxygène entretient et augmente la vitesse de combustion. C'est pourquoi il est important d'interdire de fumer dans les endroits où on l'utilise. Une affiche d'interdiction de fumer doit être placée à un endroit bien visible sur la porte de la chambre. Il faut avertir le client de ne pas fumer lorsque l'oxygène est en fonction.

Narcose au CO_2. Dans certains cas de détresse respiratoire, il est important d'éviter d'augmenter le débit d'oxygène. Normalement, l'accumulation de dioxyde de carbone (CO_2) est un stimulant important du centre respiratoire. On peut toutefois observer une tendance à l'hypoventilation et à la rétention de CO_2 chez le client ayant des antécédents de BPCO prolongée (c.-à-d. dont la rétention de CO_2 est confirmée par les GSA) ou chez le client recevant de fortes doses de sédatifs. Peu à peu, le centre respiratoire devient moins sensible au taux élevé de CO_2. Pour ces personnes, l'hypoxémie devient donc le principal stimulant de la respiration. Lorsqu'on administre de l'O_2 à forte concentration, le stimulus hypoxique est éliminé et la ventilation devient superficielle et moins rapide. Par la suite, le client présente une hypercapnie et, enfin, une narcose au CO_2.

Il est critique de commencer l'administration d'O_2 à faible débit avant de pouvoir obtenir les résultats de l'analyse des gaz sanguins artériels. Ces derniers servent de guide pour déterminer le taux de la fraction d'oxygène inspiré qui est suffisant et qui peut être toléré. Il faut évaluer l'état de conscience du client et vérifier ses signes vitaux avant de commencer l'oxygénothérapie. On doit vérifier régulièrement ces paramètres par la suite.

Toxicité causée par l'oxygène. Une exposition prolongée à une PaO_2 élevée peut entraîner une toxicité pulmonaire causée par l'oxygène. L'apparition de la toxicité

TABLEAU 17.9   Méthodes utilisées pour administrer de l'oxygène

Avantages	Inconvénients	Interventions infirmières
ADMINISTRATION D'O$_2$ À FAIBLE DÉBIT		
Lunettes nasales		
Les lunettes nasales peuvent être utilisées par un client agité. C'est une méthode simple et sûre, relativement confortable et acceptable. Elle est utile pour les clients qui ont besoin de faibles concentrations d'O$_2$ (p. ex. en cas de rétention chronique de CO$_2$). Elle accroît la mobilité du client alité. Elle ne l'empêche pas de manger, de parler ni de tousser.	Les lunettes nasales sont difficiles à maintenir en place et peuvent facilement se déloger. Le client doit être alerte et faire preuve de coopération pour les garder en place. Les débits élevés (>5 L/min) assèchent les membranes nasales et risquent de provoquer des douleurs dans les sinus frontaux.	Les lunettes nasales doivent être stabilisées si le client est agité. Un débit de 2 L/min donne une concentration d'O$_2$ voisine de 28 %. La quantité d'O$_2$ inhalée dépend de l'air ambiant et du mode respiratoire du client. La plupart des clients atteints de BPCO peuvent tolérer un débit de 2 L/min de cette façon.
Masque facial		
L'oxygène peut être administré rapidement pendant de brèves périodes. On peut obtenir des concentrations d'O$_2$ voisines de 35 à 50 % avec des débits de 6 à 12 L/min. Le masque permet une humidification suffisante de l'air inspiré.	Le traitement est inadéquat si le client manque de tolérance. Le masque risque d'être inconfortable à cause de l'étanchéité requise entre le visage et ce dernier. Il peut causer une nécrose cutanée par pression et confiner la chaleur rayonnée par le visage autour du nez et de la bouche. Il faut l'enlever pour manger et boire.	Laver et assécher sous le masque toutes les deux heures. Le masque doit être ajusté serré. Pendant que le client mange, on peut lui fournir des lunettes nasales. Surveiller l'apparition de la nécrose de pression au sommet des oreilles à cause des lanières élastiques. On peut utiliser de la gaze ou un autre moyen de coussinage pour remédier à ce problème. La méthode requiert un débit d'au moins 5 L/min pour prévenir l'accumulation d'air expiré dans le masque.
Masque de réinspiration partielle		
Le masque est léger et simple d'emploi. Le réservoir conserve l'oxygène. On peut obtenir des concentrations d'oxygène de 40 à 60 % avec des débits de 6 à 10 L/min.	Le masque ne peut pas être utilisé avec un taux élevé d'humidité.	La méthode est utile lorsqu'il faut augmenter les concentrations d'oxygène dans le sang. Elle n'est pas recommandée pour le client atteint de BPCO et ne doit jamais être utilisée avec un nébuliseur. Ne pas laisser le réservoir se dégonfler durant l'inspiration.
Masque sans réinspiration		
De fortes concentrations d'O$_2$ peuvent être administrées avec précision grâce à cette méthode. L'oxygène s'écoule dans le réservoir et le masque durant l'inspiration. La soupape empêche le reflux de l'air expiré dans le réservoir. On peut obtenir des concentrations de 60 à 90 %.	Le masque ne peut pas être utilisé avec un taux élevé d'humidité.	Le masque doit être ajusté serré. Le débit doit être suffisant pour empêcher le réservoir de s'affaisser durant l'inspiration. Ne pas le laisser se dégonfler durant l'inspiration.
Lunettes nasales avec réservoir d'O$_2$		
Les lunettes nasales possèdent un réservoir intégré qui augmente la concentration d'O$_2$ administrée et permet au client de recevoir un débit plus faible, en général compris entre 30 et 50 %, ce qui est plus confortable et plus économique. Les clients les trouvent généralement plus confortables que les lunettes nasales sans réservoir.	Les lunettes nasales avec réservoir ne peuvent pas être nettoyées : le fabricant recommande de les changer chaque semaine. Elles sont plus coûteuses que celles sans réservoir. Leur utilisation nécessite une évaluation des GSA et une saturométrie pour déterminer le débit qui convient au client. Ce type de lunettes nasales est très visible et pèse lourdement sur les oreilles.	Cette méthode est généralement indiquée pour les clients qui ont besoin d'une oxygénothérapie prolongée à domicile. Les lunettes nasales peuvent être de type pendentif. Elles risquent de causer une nécrose au sommet des oreilles. On peut utiliser un moyen de coussinage pour éviter ce problème.
Cathéter transtrachéal[†]		
Le cathéter est moins visible. Le débit requis peut être réduit de 60 à 80 %, ce qui augmente nettement la réserve de la source portative d'O$_2$. L'irritation nasale est atténuée.	Le client et sa famille doivent apprendre l'ensemble du programme de soins pour trachéotomie et savoir comment changer le cathéter. L'intervention est effractive (invasive).	La méthode risque de ne pas convenir en cas de production excessive de mucosités attribuable à un bouchon de mucus.
Tente faciale		
La tente est idéale pour fournir un aérosol de densité modérée à haute. La concentration d'oxygène administrée varie avec le débit.	La tente faciale est moins fiable que le masque facial pour maintenir une forte concentration d'O$_2$.	Le masque ouvert de plastique s'ajuste sous le menton. Il faut vérifier la température de l'aérosol pour le maintenir près de la température corporelle. Cette méthode est rarement utilisée.

TABLEAU 17.9	Méthodes utilisées pour administrer de l'oxygène (*suite*)	
Avantages	**Inconvénients**	**Interventions infirmières**
Collier trachéal Le collier permet d'administrer l'oxygène et l'humidité par la trachéotomie.	Comme le liquide condensé dans la tubulure risque de s'écouler dans la trachéotomie, on ajoute en général des réservoirs à eau. Les sécrétions s'accumulent à l'intérieur du collier et autour de la trachéotomie. La concentration d'O_2 est dispersée dans l'atmosphère, car l'ajustement du collier n'est pas étanche.	Le collier se fixe au cou à l'aide de lanières élastiques et il doit être enlevé et nettoyé au moins toutes les quatre heures pour prévenir l'aspiration de liquides et l'apparition de l'infection.
Barre en T L'ajustement serré donne une meilleure administration d'oxygène et d'humidité que le collier trachéal.	Comme le liquide condensé dans la tubulure risque de s'écouler dans la trachéotomie, on ajoute en général des réservoirs à eau.	La barre en T doit être enlevée pour l'aspiration. On peut utiliser un dispositif muni d'un pivot pour ne pas avoir besoin de l'enlever. La vider au besoin.
Tente ou incubateur La tente ou l'incubateur permettent de vérifier la température et l'humidité.	La tente ou l'incubateur ont une utilité limitée. Les concentrations suffisantes d'O_2 sont difficiles à maintenir. Cette méthode isole le client.	Assécher la tente d'oxygène chaque fois qu'on l'ouvre. L'infirmière doit vérifier s'il n'y a pas de fuites autour de l'auvent. Ce type d'appareil se retrouve surtout dans les unités de pédiatrie.
ADMINISTRATION D'O_2 À HAUT DÉBIT **Masque Venturi*** Le masque donne des débits élevés et précis d'oxygène. Un dispositif léger en plastique de forme conique s'ajuste sur le visage. Il existe des masques pour des concentrations d'O_2 de 24, 28, 31, 35, 40 et 50 %. On peut utiliser des adaptateurs pour augmenter l'humidité.	Le masque est inconfortable et on doit l'enlever pour manger. Le client peut parler mais sa voix risque d'être étouffée. Les autres inconvénients sont les mêmes que pour le masque facial.	Le dispositif d'entraînement sur le masque doit être changé pour fournir des concentrations d'O_2 plus élevées. La méthode est particulièrement utile pour administrer de l'oxygène à concentration faible et constante aux clients atteints de BPCO. Les orifices d'entraînement de l'air ne doivent pas être bouchés.

* Voir figure 17.12, C.
† Voir figure 17.13.

dépend de la tolérance du client, de la durée d'exposition et de la dose. On pense que de fortes concentrations d'O_2 peuvent inhiber les surfactants pulmonaires et provoquer le syndrome de détresse respiratoire aiguë (SDRA).

Les manifestations initiales de la toxicité causée par l'oxygène sont une réduction de la capacité vitale, la toux, une douleur thoracique sus-sternale, la nausée, les vomissements, la paresthésie, l'écoulement nasal, les maux de gorge et une sensation de malaise. Le stade avancé de la toxicité atteint les échanges gazeux alvéolocapillaires et provoque un œdème avec production d'expectorations abondantes. Il se termine par une importante fibrose des poumons. Le débit de l'oxygène administré doit toujours être conforme à la prescription médicale. La prévention de la toxicité causée par l'oxygène est une précaution importante pour le client qui reçoit de l'O_2. La quantité administrée doit être suffisante pour maintenir la PaO_2 dans une gamme de valeurs normales ou acceptables pour le client. Les GSA doivent être surveillés régulièrement pour vérifier l'efficacité du traitement et pour guider la diminution progressive d'oxygène. La limite de sécurité de la concentration d'oxygène n'a pas encore été déterminée, mais toute concentration supérieure à 50 % et utilisée pendant plus de 24 heures doit être considérée comme étant potentiellement toxique. On peut estimer que les concentrations inférieures ou égales à 40 % sont relativement sécuritaires et ne peuvent pas entraîner de toxicité importante si l'utilisation est de courte durée.

Atélectasie par absorption. Normalement, l'azote, qui représente 79 % de l'air que nous respirons, n'est pas absorbé dans la circulation sanguine. Ceci empêche l'affaissement des alvéoles. Lorsqu'on administre de fortes concentrations d'oxygène, l'azote est entraîné hors des alvéoles et remplacé par de l'oxygène. En cas d'obstruction des voies respiratoires, l'oxygène est absorbé dans le courant sanguin et les alvéoles s'affaissent. Ce processus porte le nom d'atélectasie par absorption.

Infection. L'infection peut être un danger important lors de l'administration d'oxygène. Ce sont les nébuliseurs qui présentent le plus gros risque. L'utilisation constante d'humidité favorise la prolifération des bactéries, et l'organisme infectieux le plus fréquent est *Pseudomonas aeruginosa*. Il faut donc utiliser du matériel à usage unique fonctionnant en circuit fermé. Les centres

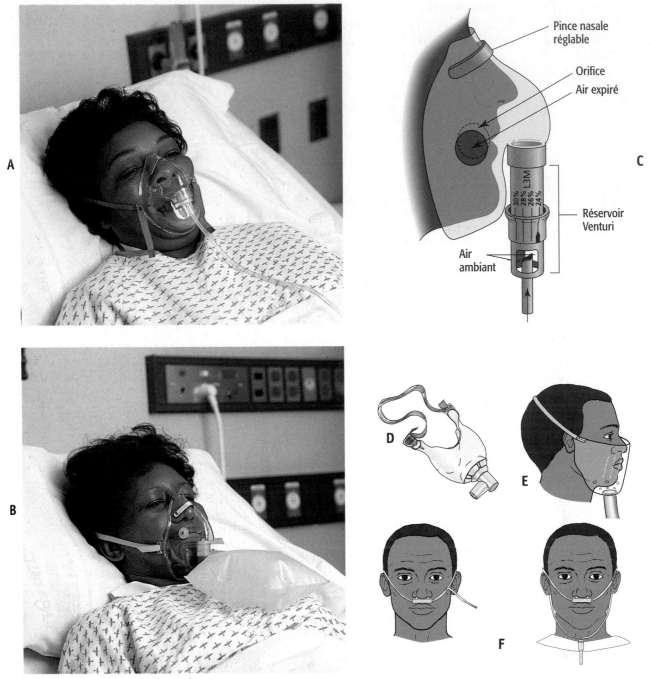

FIGURE 17.12 Méthodes d'administration de l'oxygène. A. Masque facial. B. Masque facial avec réservoir. C. Masque Venturi. D. Masque de trachéotomie. E. Tente faciale. F. Lunettes nasales.

hospitaliers doivent inclure un protocole relatif à l'entretien et au changement du matériel et des appareils nécessaires à l'oxygénothérapie. Le matériel et les sécrétions respiratoires doivent être soumis à une coloration de Gram et à de fréquentes cultures.

Oxygénothérapie continue à domicile. On a observé une amélioration de la qualité de vie et du pronostic chez les clients atteints de BPCO qui reçoivent de l'oxygène la nuit ou en permanence pour traiter leur hypoxémie. Le pronostic est amélioré grâce à la prévention de la progression de la maladie et du cœur pulmonaire subséquent. Une oxygénothérapie prolongée a pour avantage d'améliorer la fonction neuropsychologique, d'accroître la tolérance à l'effort, de diminuer l'hématocrite et de réduire l'hypertension pulmonaire. Elle a également pour effet d'améliorer le sommeil et, parfois, de réduire les arythmies nocturnes.

Les bienfaits éventuels d'une oxygénothérapie continue doivent être évalués lorsque l'état du client s'est

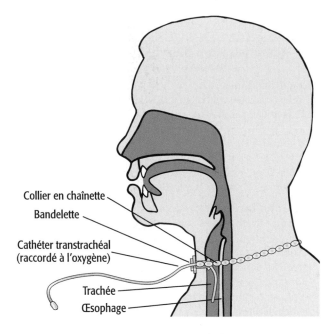

Collier en chaînette
Bandelette
Cathéter transtrachéal
(raccordé à l'oxygène)
Trachée
Œsophage

FIGURE 17.13 Cathéter transtrachéal pour l'administration d'O$_2$

stabilisé. Un diagnostic précis doit être formulé et un plan thérapeutique doit être prescrit par un médecin expérimenté dans le traitement des maladies respiratoires. Une oxygénothérapie de courte durée (de 1 à 30 jours) peut être indiquée pour le client dont l'hypoxémie persiste après le retour à domicile. Par exemple, en cas d'infection respiratoire grave chez un client atteint d'une BPCO sous-jacente, l'infection n'est pas toujours entièrement disparue après la fin du traitement aux antibiotiques. Aussi, le client peut présenter une hypoxémie constante durant quatre à six semaines après son hospitalisation. Par la suite, il est important de vérifier le taux d'oxygénation pour déterminer si l'oxygénothérapie est encore justifiée.

Les clients dont la maladie est stabilisée avec une PaO$_2$ de 55 mm Hg ou moins (ce qui correspond à une valeur de SaO$_2$ de 88 % ou moins) doivent recevoir une oxygénothérapie de longue durée. Si la désaturation n'est observée que pendant l'exercice ou le sommeil, on peut envisager une oxygénothérapie spécifiquement dans ces situations. Le besoin d'oxygène pendant ces

TABLEAU 17.10 Dispositifs d'administration d'oxygène à domicile

Dispositif	Avantages	Inconvénients	Commentaires
Oxygène liquide	Unité portative* que le client peut remplir à partir du réservoir. L'unité a une capacité suffisante pour six à huit heures à raison de 2 L/min; le réservoir dure à peu près sept à dix jours à raison de 2 L/min sans interruption.	Ce système n'est pas offert partout; il est généralement limité aux zones urbaines.	Lorsque le liquide se réchauffe et se transforme en gaz, une partie est évacuée du système. En été, l'évaporation est accélérée et le réservoir peut alors durer moins d'une semaine.
Oxygène en réservoir sous pression	Bonne distribution dans la plupart des régions. Le système peut être portatif avec un chariot. Il existe des bouteilles en aluminium qui sont nettement plus légères que celles en acier et plus faciles à manipuler.	Un réservoir dure environ 50 heures à raison de 2 L/min. Il est nécessaire d'entreposer 4 ou 5 grosses bouteilles à domicile pour en avoir une quantité suffisante pour une semaine à 10 jours. La bouteille portative sur chariot est lourde et encombrante. Un réservoir plus petit dure environ 4 à 10 heures (selon sa capacité) s'il est utilisé à raison de 2 L/min.	On peut utiliser des réservoirs plus petits qui pèsent environ 4,5 kg et peuvent se recharger à partir de grosses bouteilles. Le réservoir se porte en bandoulière ou en sac à dos; on peut aussi le placer sur un chariot portatif.
Concentrateur	Sur roues, il peut se déplacer d'une pièce à l'autre. L'approvisionnement hebdomadaire n'est pas nécessaire parce que l'unité fournit constamment de l'oxygène. Système compact idéal pour le client en zone rurale ou à domicile. On peut en faire la location dans un CLSC.	Les anciens modèles sont parfois bruyants. La concentration diminue nettement si le débit est >3 litres. Le client a besoin d'un réservoir de secours en cas de panne d'électricité.	Le concentrateur doit être gardé dans une autre pièce que la chambre à coucher; on peut utiliser une tubulure rallonge si le bruit de l'appareil gêne le sommeil du client.
Système de distribution pulsée ou sur demande	Simple à utiliser; le débit varie en fonction de la fréquence respiratoire (c.-à-d. plus le client respire vite, plus le débit est élevé).	Système mécaniquement complexe. Le système portatif n'est sûr que lorsque le client est éveillé, à moins qu'il n'y ait une alarme détectant la déconnexion. L'oxygénation risque d'être moins efficace à l'effort.	Le système peut être une unité séparée pouvant être utilisée avec du liquide ou une bouteille. Il peut être également intégré à l'unité portative d'oxygène liquide. Moins asséchant, il nécessite rarement une humidification.

* Les unités portatives pèsent en général plus de 4,5 kg et les unités ambulatoires moins de 4,5 kg.
CLSC : centre local de services communautaires.

FIGURE 17.14 Appareil d'oxygène portatif

Administration d'oxygène à domicile   ENCADRÉ 17.8

Masque ou canule
- Veiller à ce que les lanières ne soient pas trop serrées
- Enlever l'appareil deux ou trois fois par jour pour laver et assécher la peau qui se trouve sous les lanières et pour stimuler la peau
- Coussiner les points de pression
- Examiner le haut des oreilles pour déceler des signes éventuels de lésions cutanées à cause des points de pression

Muqueuses buccales et nasales
- Vérifier les muqueuses buccales et nasales deux ou trois fois par jour
- Appliquer un gel à base d'eau sur les lèvres et les muqueuses nasales.
- Procéder fréquemment à l'hygiène buccale
- Prévoir l'utilisation d'un humidificateur ou d'un appareil à nébulisation

Réduction du risque d'infection
- Enlever le masque ou le collier et le nettoyer à l'eau deux ou trois fois par jour
- À cette occasion, nettoyer soigneusement la peau et vérifier si elle ne porte pas de coupures, d'égratignures ou d'hématomes
- Changer fréquemment le matériel jetable
- Enlever les sécrétions expectorées

Réduction du risque d'incendie
- Afficher des pancartes d'interdiction de fumer aux endroits visibles de la maison
- Ne pas utiliser de rasoir électrique, de radio portative, de flammes nues, de couvertures en laine ou d'huiles minérales près de l'endroit où est administré l'oxygène
- Ne pas permettre de fumer au domicile

périodes doit être évalué par saturométrie (la saturométrie est présentée au chapitre 14).

Il est nécessaire d'effectuer des réévaluations périodiques en cas d'oxygénothérapie continue. On utilise en général des lunettes nasales (voir tableau 17.9) pour administrer de l'oxygène à domicile à partir d'une source centrale. L'oxygène est offert sous pression dans des bouteilles métalliques ou avec un concentrateur distribué en CLSC (centre local de services communautaires) (voir tableau 17.10). Pour pouvoir se déplacer à l'intérieur du domicile, le client peut utiliser des tubulures rallonges (pouvant aller jusqu'à 15 m de longueur) sans altérer le débit de l'oxygène, à condition que le débitmètre soit du type à compensation de contre-pression. Il existe de petits appareils portatifs pour les clients qui continuent d'avoir des activités hors du domicile (voir figure 17.14).

Le principe de fonctionnement des canules à réservoir consiste à emmagasiner l'oxygène dans un petit réservoir durant l'expiration. L'oxygène est ensuite fourni au client pendant l'expiration suivante. Les canules à réservoir peuvent réduire d'environ 50 % le débit requis. Il en existe qui se fixent à la monture des lunettes et qui sont moins visibles sur le visage.

Les autres appareils utilisés pour l'oxygénothérapie continue sont l'appareil transtrachéal et le système à demande intermittente. Le système transtrachéal nécessite une intervention chirurgicale pour introduire le petit cathéter dans la trachée du client (voir figure 17.13). Les soins infirmiers consistent à enseigner au client et à sa famille comment prendre soin du système. Le cathéter transtrachéal est moins visible que les canules nasales et ne provoque pas d'irritation. En outre, il réduit le débit requis de 30 à 50 %.

Les systèmes d'oxygénothérapie à domicile sont généralement loués auprès d'un CLSC. L'infirmière enseigne au client la façon d'utiliser le système d'administration de l'oxygène, son entretien et comment vérifier la quantité d'oxygène encore disponible (voir encadré 17.8).

Le client qui reçoit de l'oxygène à domicile doit être encouragé à demeurer actif et à se déplacer normalement. S'il utilise une automobile, il peut prendre les mesures nécessaires pour que de l'oxygène soit disponible une fois rendu à destination. S'il voyage en autobus, en train ou en avion, les compagnies de transport doivent être averties du besoin d'oxygène pendant le trajet au moment de la réservation des billets. Un client sous oxygénothérapie doit être examiné par un médecin avant d'entreprendre un voyage en avion. Les cabines d'avions sont pressurisées à une altitude de 2000 à 2400 m, donc le client qui suit une oxygénothérapie doit recevoir de l'oxygène pendant le vol. Il lui faut utiliser le système d'oxygène de l'avion ; il ne peut pas utiliser son propre système pendant le vol parce qu'il n'est pas pressurisé correctement. Les compagnies aériennes permettent aux clients de transporter leur appareil à oxygène dans le compartiment à bagages pour pouvoir l'utiliser à destination, mais le réservoir (bouteille ou liquide) doit être vide et les valves ouvertes. Certains clients doivent éviter une exposition prolongée à de hautes altitudes en voyage, à moins que leur médecin ne leur indique comment régler le débit d'O_2 pour compenser l'altitude.

Traitement chirurgical de la bronchopneumopathie chronique obstructive. Trois interventions chirurgicales différentes sont utilisées en cas de BPCO grave. L'une des plus anciennes est la bullectomie (suppression des bulles pulmonaires). Les bulles sont des cavités anormalement dilatées dans les poumons (voir figure 17.8). Elles compriment les tissus pulmonaires normaux ou anormaux. Certaines peuvent provoquer de l'hémoptysie ou des pneumothorax à répétition. L'intervention est rarement effectuée à cause du faible pourcentage de clients atteints de BPCO qui présentent de grosses bulles.

Un autre type d'intervention chirurgicale pratiquée à l'heure actuelle est la réduction de volume des poumons. La justification de ce type d'intervention est la suivante : en diminuant la taille du poumon emphysémateux, on diminue l'obstruction des voies respiratoires et on agrandit l'espace disponible pour les alvéoles. L'opération diminue le volume pulmonaire et améliore les mécanismes pulmonaire et thoracique. Il existe plusieurs sortes d'interventions de réduction de volume. Dans l'une d'entre elles, on effectue une sternotomie médiane, on enlève une partie de chaque poumon et on rattache les tissus à l'aide d'agrafes. Une autre approche consiste à effectuer une thoracoscopie unilatérale ou bilatérale avec sutures par agrafes ou à l'aide du laser. Parfois, on combine ces deux approches. La pneumonie est la complication postopératoire la plus fréquente. La troisième intervention chirurgicale est la greffe de poumon. Les clients atteints de BPCO sont les plus nombreux sur les listes d'attente de greffe pulmonaire. La greffe d'un seul poumon est la technique la plus couramment pratiquée, mais il est possible d'effectuer des greffes bilatérales. Chez des clients convenablement sélectionnés, la greffe du poumon prolonge la vie, améliore la capacité fonctionnelle et la qualité de vie. Mais le phénomène de rejet et les effets du traitement immunosuppresseur demeurent un obstacle. La greffe ne permet pas la guérison et remplace un ensemble de problèmes médicaux par un autre (la greffe du poumon est présentée au chapitre 16).

Soins respiratoires. Les soins respiratoires sont généralement prodigués par des inhalothérapeutes et des physiothérapeutes en collaboration avec des infirmières. Ils comprennent une rééducation respiratoire, des techniques de toux productive, une physiothérapie du thorax et un traitement par aérosol et nébulisation.

Rééducation respiratoire. Chez le client atteint de BPCO, la fréquence respiratoire s'accélère et l'expiration se prolonge pour compenser la dyspnée. De plus, il se sert des muscles respiratoires accessoires du cou et de la partie supérieure du thorax pour favoriser le mouvement des parois thoraciques. Or, ces muscles ne sont pas faits pour une utilisation prolongée et le client se fatigue vite. Des exercices de respiration peuvent l'aider pendant les périodes de repos et d'activité (p. ex. se lever, marcher, monter des escaliers). Les principaux types d'exercices respiratoires sont la respiration avec les lèvres pincées et la respiration diaphragmatique.

La respiration avec les lèvres pincées sert à prolonger l'expiration et, donc, à éviter l'affaissement des bronchioles et l'emprisonnement de l'air. Le client apprend à inspirer lentement par le nez, puis à expirer lentement avec les lèvres pincées comme pour siffler. L'expiration doit durer au moins trois fois plus longtemps que l'inspiration. Il est important que l'infirmière montre les exercices respiratoires au client pour qu'il puisse l'imiter. Les techniques suivantes peuvent servir à enseigner la respiration avec les lèvres pincées :
- souffler à travers une paille dans un verre d'eau pour former de petites bulles ;
- souffler sur une bougie allumée suffisamment fort pour courber la flamme sans l'éteindre ;
- souffler sans interruption une balle de ping-pong d'un bord à l'autre d'une table.

La respiration diaphragmatique (abdominale) consiste à utiliser le diaphragme plutôt que les muscles accessoires pour produire une inspiration maximale et ralentir la fréquence respiratoire. Le client doit être informé de la différence entre la respiration thoracique et la respiration abdominale. Pour ce faire, on peut lui demander de s'allonger ou de s'installer en position de semi-Fowler, de poser une main sur le thorax et l'autre sur l'abdomen. Il doit observer quelle est la main qui bouge durant l'inspiration. L'abdomen doit se soulever pendant l'inspiration au cours de la respiration diaphragmatique et se contracter à l'expiration lorsque le diaphragme expulse l'air hors des poumons. L'infirmière doit insister sur l'importance du mouvement du diaphragme pour augmenter l'expansion des poumons.

Pour s'exercer à la respiration diaphragmatique, le client doit garder la main sur l'abdomen et s'efforcer de remplir ce dernier en inspirant lentement par le nez. Une autre technique consiste à enrouler une serviette autour de l'abdomen sans trop serrer et à la resserrer pendant l'expiration. Le client essaie alors d'étirer la serviette par une lente inspiration diaphragmatique. À l'expiration, il respire avec les lèvres pincées et tire sur la serviette pour la resserrer afin d'obtenir une expiration efficace.

Une autre technique pour aider à la respiration diaphragmatique consiste à placer un petit oreiller, un magazine, un livre ou un petit sac de fèves (sac magique) sur l'abdomen. Cette approche a pour effet d'exercer une stimulation tactile et de donner une information visuelle. Si l'objet s'élève à l'inspiration, le client sait alors qu'il utilise la respiration diaphragmatique.

La respiration avec les lèvres pincées et la respiration diaphragmatique doivent être utilisées ensemble à 8 ou 10 reprises, trois ou quatre fois par jour ou chaque fois que le client prévoit faire un effort. Ces techniques permettent de mieux maîtriser la respiration, en particulier pendant l'exercice et les périodes de dyspnée.

En cas de dyspnée extrême, lorsque le client est hospitalisé à cause d'une infection ou d'une insuffisance cardiaque, le plus important est de l'aider à ralentir la fréquence respiratoire en ayant recours aux principes de la respiration avec les lèvres pincées. Comme la respiration diaphragmatique (abdominale) demande davantage d'énergie, il ne faut donc l'enseigner que lorsque l'état du client s'est stabilisé, soit avant sa sortie du centre hospitalier ou dans le cadre d'un programme de réadaptation à domicile.

Toux productive. De nombreux clients atteints de BPCO ont une toux inefficace qui ne leur permet pas de dégager correctement leurs voies respiratoires des expectorations qui les encombrent. De plus, ils craignent les quintes de toux, qui entraînent souvent de la dyspnée. Les éléments importants pour que la toux soit efficace sont présentés dans l'encadré 17.9. La toux par halètement est une technique qui peut être facilement enseignée au client. Les principaux objectifs de la toux productive sont de conserver l'énergie, de réduire la fatigue et de faciliter l'élimination des sécrétions.

Physiothérapie du thorax. La physiothérapie du thorax est indiquée si le client présente l'une ou l'autre des conditions suivantes : des sécrétions bronchiques excessives dont il a du mal à se débarrasser et une production d'expectorations supérieure à 25 à 30 ml par jour ; des signes évidents de rétention des sécrétions en présence de respiration assistée ; une atélectasie lobaire causée par un bouchon de mucus.

La physiothérapie du thorax comprend la percussion, la vibration et le drainage postural (voir encadré 17.10). La percussion et la vibration sont des techniques manuelles ou mécaniques servant à augmenter le drainage postural, qui consiste à utiliser la gravité pour drainer les bronches. Une fois que le client s'est mis en position de drainage postural, on procède à la percussion et à la vibration du thorax pour aider à déloger les sécrétions mobilisées. Ces méthodes peuvent contribuer à diriger les sécrétions vers des voies respiratoires de plus gros diamètre. Il faut ensuite avoir recours à une toux efficace pour expectorer les sécrétions. Après chaque changement de position de drainage postural, il faut laisser au client le temps de tousser et de respirer à fond. On doit éviter d'exécuter cette manœuvre immédiatement avant ou après les repas. Ces techniques sont individualisées en fonction de l'état pulmonaire du client et de sa réaction au traitement initial. Il faut parfois attendre plusieurs heures après la physiothérapie pour que les sécrétions soient expectorées. Il est important de déterminer si la physiothérapie est efficace et dans quelle mesure elle soulage les symptômes. Elle doit être effectuée par un personnel qualifié, car une physiothérapie qui n'est pas réalisée correctement risque d'entraîner des complications, notamment des fractures des côtes, des contusions, une hypoxémie et une sensation de malaise. Pour certains clients, la physiothérapie du thorax est stressante et n'apporte pas de bienfait. Elle peut aussi provoquer l'hypoxémie et les bronchospasmes.

Percussion. La percussion est effectuée dans la position de drainage postural qui convient avec les mains en cuillère (voir figure 17.15). Les mains forment un creux (cupule), les doigts et le pouce tournés vers l'intérieur. La main forme ainsi une poche d'air au-dessus du thorax. On utilise les deux mains en alternance en fléchissant

---

ENSEIGNEMENT AU CLIENT

Directives pour rendre la toux efficace　**ENCADRÉ 17.9**

- Le client se met en position assise, la tête légèrement inclinée, les épaules détendues et les avant-bras posés sur un coussin et, si cela est possible, les pieds posés au sol.
- Il baisse la tête et se penche vers l'avant en inspirant lentement et en expirant avec les lèvres.
- De nouveau assis le dos droit, le client utilise la respiration diaphragmatique pour inspirer lentement et profondément.
- Lui demander de répéter trois ou quatre fois les deux étapes précédentes afin de faciliter la mobilisation des sécrétions.
- Avant de commencer à tousser, le client doit effectuer une respiration abdominale profonde, se courber légèrement en avant puis toussoter (tousser trois à quatre fois à l'expiration). Pour tousser à fond, le client a parfois besoin de soutenir son thorax ou son abdomen ou de les maintenir avec une bande abdominale.

Étapes de la physiothérapie respiratoire   ENCADRÉ 17.10

- Effectuer la manœuvre une heure avant les repas ou une à trois heures après les repas.
- Administrer un bronchodilatateur par nébuliseur ou par aérosol-doseur environ 15 minutes avant la manœuvre (si prescrit).
- Regrouper le matériel nécessaire, notamment les mouchoirs de papier, le bassin réniforme, un sac en papier et des oreillers.
- Aider le client à prendre une position convenable pour le drainage postural en tenant compte des résultats des radiographies, de l'auscultation, de la palpation et de la percussion du thorax. La position devra être gardée de 5 à 15 minutes afin de permettre la mobilisation des sécrétions.
- Observer le client pendant le traitement pour vérifier sa tolérance. Observer en particulier les changements de caractéristiques de sa respiration, sa coloration et la présence de cyanose.
- Demander au client d'effectuer plusieurs respirations abdominales profondes.
- Effectuer une percussion sur la région en question pendant une à deux minutes.

- Effectuer une vibration sur la même région pendant que le client expire quatre ou cinq fois profondément*.
- Aider le client à tousser en lui faisant garder la même position. Il est parfois nécessaire de soutenir le thorax avec les mains en coupe ou avec une serviette pour effectuer une toux efficace. Le client devra peut-être s'asseoir afin de produire un débit d'air suffisant pour expulser les sécrétions. Il faut parfois attendre 30 minutes après la manœuvre pour obtenir une toux productive. Si la toux reste inefficace, il est parfois nécessaire de procéder à une aspiration des sécrétions.
- Répéter la percussion, la vibration et la toux jusqu'à ce que le client ne crache plus de mucus.
- Répéter la même manœuvre dans toutes les positions nécessaires.
- Après la manœuvre, aider le client à prendre une position confortable, l'aider à effectuer son hygiène buccale, puis jeter le matériel souillé.
- Surveiller l'hypoxémie si le client éprouve de la difficulté à inspirer pendant la manœuvre.
- Évaluer et noter l'efficacité du traitement d'après la quantité d'expectorations produites et les résultats de l'auscultation.

* Si l'on dispose d'un vibrateur électronique, l'utiliser pendant des périodes de 5 à 20 minutes dans chaque position selon la tolérance du client.

et en étirant les poignets. Si la percussion est faite correctement, on doit entendre un son creux. Le choc du coussin d'air facilite le déplacement du mucus épais. On peut placer une serviette mince sur la région percutée, ou bien le client peut porter un tee-shirt ou une chemise d'hôpital. La percussion ne doit pas être effectuée sur les reins, le sternum, la moelle épinière, ni sur les zones sensibles ou douloureuses. Les autres contre-indications sont l'hémoptysie, le carcinome et le bronchospasme induit.

Vibration. La vibration s'effectue en tendant les muscles des mains et des bras à plusieurs reprises et en appuyant légèrement de la paume de la main sur la région atteinte tandis que le client expire profondément et lentement. Les vibrations facilitent le déplacement des sécrétions vers des voies respiratoires de plus gros diamètre. Une vibration légère est mieux tolérée que la

percussion, et on peut l'utiliser dans des cas où la percussion, est contre-indiquée. Il existe dans le commerce des vibrateurs pour l'utilisation à domicile ou en milieu hospitalier.

Drainage postural. Les poumons sont divisés en cinq lobes, trois du côté droit et deux du côté gauche. Ils comportent 18 segments qui peuvent être drainés dans 18 positions différentes. La figure 17.16 représente les positions de drainage postural les plus couramment utilisées en pratique clinique. Ces diverses positions ont pour fonction de drainer chaque segment vers les voies respiratoires de plus gros diamètre. Les positions dépendent des régions atteintes, qui sont déterminées par radiographie du thorax ainsi que par percussion, palpation et auscultation. Il est fréquent d'administrer des bronchodilatateurs en aérosol avant le drainage. La position choisie doit être gardée de 5 à 15 minutes, et l'inclinaison est obtenue au moyen de coussins, de blocs de mousse, de livres ou d'une planche inclinée.

La fréquence et les positions choisies dépendent de l'emplacement de la rétention des sécrétions et de la tolérance du client à certaines positions contraignantes. La fréquence prescrite couramment varie entre deux et quatre fois par jour. Dans les cas aigus, on peut effectuer un drainage postural à intervalles de une ou deux heures. Il faut planifier la manœuvre de sorte qu'elle soit terminée au moins une heure avant les repas ou trois heures après.

Si le client a du mal à prendre certaines positions, on peut adapter la méthode en diminuant l'angle d'inclinaison ou la durée de la manœuvre. On peut utiliser

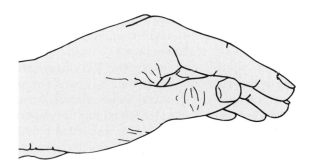

FIGURE 17.15 Position du creux de la main pour la percussion. La main doit former un creux comme pour recueillir de l'eau.

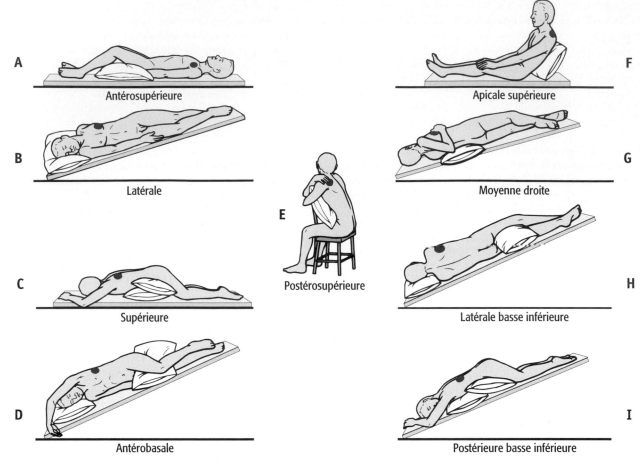

FIGURE 17.16 Positions caractéristiques pour le drainage postural. Sur chaque schéma, les régions colorées représentent la partie du poumon dans laquelle est effectué le drainage.

une position couchée sur le côté si le client ne tolère pas d'avoir la tête vers le bas. Certaines positions (p. ex. de Trendelenburg) ne doivent pas être utilisées si le client présente un traumatisme du thorax, une hémoptysie, une maladie cardiaque ou une blessure à la tête ou dans d'autres cas où son état est instable.

Appareil pour dégager le mucus. L'appareil pour dégager le mucus est un appareil portatif qui fournit une pression expiratoire positive pour les clients qui produisent des mucosités. La valve flottante a pour effet de faire vibrer les voies respiratoires (ce qui déloge le mucus des parois) ; d'élever par intermittence la pression endobronchique (ce qui contribue à préserver la perméabilité de la voie respiratoire) ; d'accélérer le débit expiratoire. L'appareil aide à expectorer le mucus dans les voies respiratoires jusqu'à la bouche.

Il est utilisé chez certains clients pour qui la physiothérapie du thorax ne peut pas être envisagée (p. ex. en cas de pneumothorax ou d'insuffisance cardiaque droite). Bien qu'il soit surtout utilisé pour les clients atteints de fibrose kystique, il donne des résultats satisfaisants en cas de bronchite chronique et de bronchiectasie.

Aérosolthérapie. Chez les clients atteints de BPCO, les médicaments sont le plus souvent administrés par aérosols-doseurs. C'est la voie d'administration idéale, mais on peut aussi utiliser des appareils qui fournissent de fines particules de liquide en suspension dans un gaz pour administrer les médicaments. Les nébuliseurs sont généralement alimentés par une génératrice à air comprimé ou à oxygène. À domicile, le client peut se servir d'un compresseur à air ; en centre hospitalier, les nébuliseurs sont alimentés par l'oxygène des prises murales ou par de l'air comprimé.

Les ordonnances de médicaments doivent indiquer le nom du médicament, la dose, le diluant et si le médicament doit être nébulisé avec de l'oxygène ou de l'air comprimé. L'utilisation d'oxygène par inadvertance risque de provoquer une apnée chez le client si l'hypoxie était le principal stimulant respiratoire. Le médicament administré en nébulisation (réduit en une fine vaporisation) peut être inhalé dans l'arbre trachéobronchique. L'aérosolthérapie a l'avantage d'agir rapidement et d'avoir peu d'effets indésirables. Les médicaments couramment administrés de cette manière sont, notamment, le salbutamol (Ventolin) et l'ipratropium (Atrovent). D'autres médicaments utilisés peu fréquemment peuvent aussi être administrés par aérosolthérapie, notamment les antibiotiques, la pentamidine (Pentacarinat) et le dornase alfa recombinant (Pulmozyme).

Le client se tient très droit, dans une position qui lui permet de bien respirer pour assurer la pénétration et le dépôt du médicament nébulisé. Il doit respirer lentement et profondément par la bouche et retenir sa respiration pendant deux ou trois secondes. La respiration profonde diaphragmatique favorise le dépôt du médicament. Entre ces respirations augmentant la capacité vitale forcée, on lui recommande de respirer normalement afin d'éviter l'hypoventilation alvéolaire et les étourdissements. Après le traitement, il doit essayer de tousser de manière efficace. Le drainage postural et la physiothérapie du thorax sont en principe effectués après l'administration des médicaments bronchodilatateurs.

L'un des inconvénients du matériel de nébulisation est le fait que l'appareil risque de devenir une source d'infection respiratoire. Comme le client atteint de BPCO a recours à la nébulisation à domicile, il est important que les professionnels de la santé en milieu hospitalier ou à domicile passent en revue les modalités d'entretien du matériel respiratoire utilisé à domicile. Une des méthodes de nettoyage la plus souvent utilisée et la plus efficace consiste à laver le nébuliseur chaque jour à l'eau savonneuse, à le rincer à l'eau et à le faire tremper pendant 20 à 30 minutes dans une solution de vinaigre blanc et d'eau en parts égales, puis à le rincer de nouveau à l'eau et à le faire sécher à l'air. On peut également utiliser des produits de nettoyage pour appareils respiratoires que l'on trouve dans les commerces de matériel médical. Il est primordial de respecter rigoureusement leur mode d'emploi. Pour gagner du temps, on peut nettoyer le nébuliseur en le plaçant dans le compartiment supérieur d'un lave-vaisselle, car l'eau chaude détruit la plupart des micro-organismes.

Alimentation du client atteint de BPCO. Le client atteint de BPCO doit essayer de maintenir sa masse corporelle dans les limites normales pour sa taille. La malnutrition et la perte de masse corporelle sont des phénomènes que l'on observe fréquemment chez le client atteint d'emphysème grave. La cause de cette perte n'est pas connue, mais on pense qu'elle peut être attribuable à une dépense accrue d'énergie ou à un apport calorique insuffisant. Le client doit faire un effort pour s'alimenter, surtout en phase avancée de la BPCO. La pression qu'exerce l'estomac plein sur le diaphragme aplati provoque un malaise. Comme certains clients ont parfois du mal à retenir leur respiration en avalant, ils absorbent des quantités insuffisantes d'aliments. Les autres raisons proposées pour expliquer la malnutrition comprennent la perte d'appétit reliée à une diminution du sens gustatif et olfactif, ainsi qu'aux troubles gastro-intestinaux.

Pour diminuer la dyspnée et conserver l'énergie, le client doit se reposer au moins 30 minutes avant de manger et doit sélectionner des aliments qui peuvent être préparés à l'avance. Il doit prendre de cinq à six petits repas pour éviter les ballonnements et la satiété précoce. Les exercices et les traitements doivent être évités au moins une heure avant et après les repas. L'effort intervenant dans la préparation et la consommation des aliments est souvent source de fatigue. L'utilisation d'un four à micro-ondes peut aider le client à dépenser moins d'énergie pour préparer les repas.

De nombreux clients ont une impression de ballonnement et de satiété précoce lorsqu'ils s'alimentent. Cette sensation peut être attribuée au fait qu'ils avalent de l'air en mangeant, aux effets indésirables des médicaments (en particulier des corticostéroïdes et de la théophylline) et à la position anormale du diaphragme par rapport à l'estomac à cause de la dilatation excessive des poumons. Lorsqu'il est plein, l'estomac appuie sur le diaphragme et diminue le mouvement des poumons. Dans ce cas, on peut conseiller une alimentation à base de liquides et d'aliments broyés ou de préparations vendues dans le commerce. Il faut éviter les aliments qui doivent être mastiqués longtemps ou bien les servir autrement (p. ex. râpés, en purée, etc.). Les aliments froids donnent parfois moins l'impression de satiété que les aliments chauds.

Le client atteint d'emphysème a des besoins nutritionnels en protéines et en calories supérieurs à la normale. Il faut lui recommander une alimentation riche en calories et en protéines qu'il doit répartir en cinq ou six petits repas par jour. Entre les repas, on peut lui proposer des suppléments nutritionnels à haute teneur en calories et en protéines. On peut augmenter l'apport calorique en ajoutant de la crème glacée à ces suppléments (les suppléments alimentaires sont présentés au chapitre 32). Il faut parfois éviter les aliments riches en glucides en cas de rétention du CO_2 ; ils se métabolisent en CO_2 et en augmentent donc la charge chez le client. Mais il s'agit d'un sujet controversé qui fait l'objet de recherches à l'heure actuelle. Dans la plupart des cas, il est tout simplement difficile de faire manger aux clients une quantité de nourriture suffisante. Les aliments fermentés qui produisent des gaz doivent être évités. Si une oxygénothérapie a été prescrite, il est parfois bon d'administrer de l'oxygène par lunettes nasales pendant que le client mange parce que le fait de manger lui fait dépenser de l'énergie. L'apport liquidien doit être d'au moins trois litres par jour, à moins de contre-indications pour d'autres raisons médicales, par exemple en cas d'insuffisance cardiaque. Le client doit absorber les liquides entre les repas (plutôt que pendant) pour éviter la distension de l'estomac et pour diminuer la pression sur le diaphragme. En cas d'insuffisance cardiaque concomitante, une alimentation hyposodée est indiquée.

COLLECTE DE DONNÉES

Client atteint d'emphysème ou de bronchite chronique   ENCADRÉ 17.11

Données subjectives

Information importante concernant la santé

- Antécédents de santé : exposition prolongée à la pollution chimique, aux irritants respiratoires, à des émanations professionnelles, à la poussière ; infections respiratoires répétitives ; hospitalisations antérieures.
- Médicaments : administration et durée d'administration d'O₂, de bronchodilatateurs, de corticostéroïdes, d'antibiotiques, d'anticholinergiques, de médicaments en vente libre, de produits homéopathiques.

Modes fonctionnels de santé

- Mode perception et gestion de la santé : tabagisme (nombre de paquets/année, tabagisme passif) ; antécédents familiaux de maladies respiratoires.
- Mode nutrition et métabolisme : anorexie, perte ou prise de masse corporelle.
- Mode activité et exercice : fatigue, incapacité d'accomplir les AVQ, palpitations, œdème des membres inférieurs ; dyspnée progressive, surtout à l'effort ; respiration sifflante (*wheezing*) ; toux récurrente ; production d'expectorations avec changement de coloration, d'odeur, de viscosité, de quantité ; orthopnée.
- Mode élimination : constipation, flatulence, ballonnements.
- Mode sommeil et repos : insomnie ; orthopnée, dyspnée paroxystique nocturne.
- Mode cognition et perception : sensibilité au thorax et à l'abdomen, céphalées.

Données objectives

Généralités

- Signes observables de faiblesse extrême, d'anxiété, de dépression, d'agitation, position du corps droite.

Appareil tégumentaire

- Cyanose (bronchite), pâleur ou coloration rosée de la peau, mauvaise turgescence cutanée, minceur de la peau, hippocratisme digital, tendance aux ecchymoses, œdème périphérique (cœur pulmonaire).

Appareil respiratoire

- Respiration rapide et superficielle, incapacité de parler, phase expiratoire prolongée, respiration par les lèvres pincées, respiration sifflante (*wheezing*), ronchi, crépitants, bruits respiratoires diminués ou bronchiques, diminution de l'expansion du thorax et du diaphragme, utilisation de la musculature accessoire ; matité ou hyperrésonance des bruits thoraciques à la percussion.

Appareil cardiovasculaire

- Tachycardie, arythmie, distension de la veine jugulaire, bruits cardiaques distants, B₃ du côté droit (cœur pulmonaire), œdème (en particulier aux pieds).

Appareil gastro-intestinal

- Ascite, hépatomégalie (cœur pulmonaire).

Appareil locomoteur

- Atrophie musculaire, augmentation du diamètre antéro-postérieur du thorax (thorax en tonneau)

Résultats possibles

- GSA anormaux, polycythémie, étude de la fonction pulmonaire mettant en évidence une obstruction du débit d'air à l'expiration (p. ex. VEMS faible, rapport VEMS/CV faible, VR important, DEP diminué par rapport à la valeur de référence, diminution du débit expiratoire), radiographie du thorax montrant un diaphragme aplati et une dilatation pulmonaire excessive ou des infiltrats, arythmies visibles à l'ECG.

AVQ : activités de la vie quotidienne ; CV : capacité vitale ; DEP : débit expiratoire de pointe ; GSA : gaz sanguins artériels ; VEMS : volume expiratoire maximal par seconde ; VR : volume résiduel.

La perte d'appétit et la nausée peuvent aussi être causées par la production accrue de mucus et par les effets de certains médicaments sur ordonnance. Si le client est anorexique, on peut avoir recours à diverses stratégies, notamment en lui faisant manger d'abord les aliments riches en calories, en lui proposant ses plats favoris et en ajoutant du beurre, de la mayonnaise ou des sauces pour accroître l'apport calorique. Il peut aussi prendre ses médicaments avec du lait ou pendant les repas ; on peut également effectuer le drainage bronchique environ une heure avant les repas. Si le client a un surplus de poids, ce qui est fréquent en cas de bronchite chronique, il faut lui prescrire une alimentation pauvre en lipides.

17.2.7 Soins infirmiers : emphysème et bronchite chronique

Collecte de données. Les données subjectives et objectives à recueillir auprès d'une personne atteinte d'em-

physème ou de bronchite chronique sont indiquées dans l'encadré 17.11.

Diagnostics infirmiers. Les diagnostics infirmiers pour le client atteint d'emphysème ou de bronchite chronique peuvent comprendre, entre autres, les diagnostics figurant dans l'encadré 17.12.

Planification. Les objectifs généraux pour le client atteint de BPCO sont les suivants : retour à la normale de la fonction pulmonaire ; capacité d'effectuer ses activités de la vie quotidienne (AVQ) ; soulagement de la dyspnée ; absence de complication reliée à la BPCO ; connaissances suffisantes pour exécuter un plan de traitement de longue durée ; amélioration globale de sa qualité de vie.

Exécution

Promotion de la santé. L'incidence de la BPCO pourrait diminuer si davantage de gens évitaient de commencer

Plan de soins infirmiers

ENCADRÉ 17.12

Client atteint de bronchopneumopathie chronique obstructive

DIAGNOSTIC INFIRMIER : dégagement inefficace des voies respiratoires relié à une obstruction du débit d'air en phase expiratoire, à une toux inefficace, à une humidification réduite des voies respiratoires et à une infection des voies respiratoires, se manifestant par la dyspnée, une toux inefficace ou absente, la présence de bruits respiratoires adventices ou la diminution des murmures vésiculaires.

PLANIFICATION
Résultats escomptés
- Le client présentera des bruits respiratoires normaux.
- Il toussera efficacement.

INTERVENTIONS	Justifications
• Faciliter la respiration profonde en surélevant la tête ou en suggérant au client la position assise.	• Maximiser la ventilation et prolonger la phase expiratoire afin de réduire la quantité d'air emprisonné dans les alvéoles.
• Installer le client en position de semi-Fowler.	• Faciliter la toux et prévenir l'aspiration des sécrétions.
• Assurer l'hydratation (apport d'environ deux à trois litres/jour par voie orale, air ambiant humidifié).	• Liquéfier les sécrétions et faciliter l'expectoration.
• Enseigner les techniques de toux efficace.	• Minimiser l'affaissement des voies respiratoires et aider le client à tousser correctement.
• Effectuer une physiothérapie du thorax (positionnement, percussion et vibration) sur indication.	• Utiliser l'effet de la gravité afin d'éliminer les sécrétions.
• Administrer des bronchodilatateurs en inhalation.	• Faciliter le dégagement des sécrétions.
• Enseigner les autres techniques de toux (p. ex. halètement, toux saccadée), les manifestations cliniques d'infection et les techniques de dégagement des voies respiratoires.	• Préparer le client à l'autogestion des soins à domicile.

DIAGNOSTIC INFIRMIER : perturbation des échanges gazeux : hypercapnie reliée à une hypoventilation alvéolaire, se manifestant par des céphalées au réveil, une $PaCO_2$ ≥45 mm Hg et anormale par rapport aux valeurs de départ du client.

PLANIFICATION
Résultats escomptés
- Le client présentera une $PaCO_2$ égale à 35-40 mm Hg ou une valeur habituelle de départ compensée.
- Il démontrera des techniques adéquates pour corriger la $PaCO_2$ (p. ex. dégagement des excrétions et traitements par bronchodilatateurs).
- Il présentera une amélioration de l'état de conscience.

INTERVENTIONS	Justifications
• Stimuler fréquemment le client (lui parler, le tourner ou l'installer en position confortable).	• Prévenir les complications liées à l'immobilité et mobiliser les sécrétions.
• Lui enseigner la respiration par les lèvres pincées.	• Prolonger la phase expiratoire et ralentir la fréquence respiratoire.
• L'aider à trouver une position confortable (position de tripode, support dorsal surélevé, appui des membres supérieurs pour soutenir la ceinture scapulaire).	• Réduire l'effort respiratoire.
• Éviter d'administrer des médicaments déprimant la fonction respiratoire (narcotiques).	• Assurer une ventilation alvéolaire suffisante.
• Administrer des bronchodilatateurs et enseigner comment s'en servir adéquatement.	• Traiter le bronchospasme et le rétrécissement des bronches.
• Enseigner les dangers éventuels d'une inspiration excessive d'O_2 avec une pression de CO_2 affaiblie.	• Un excès d'O_2 a pour effet de déprimer la fréquence respiratoire.
• Enseigner les manifestations cliniques et les conséquences de l'hypercapnie (p. ex. confusion, somnolence, céphalées, irritabilité, diminution de l'état de conscience, accélération de la respiration, rougeur du visage, diaphorèse).	• Reconnaître le problème assez tôt et amorcer le traitement.
• Conseiller d'éviter les médicaments dépresseurs du système nerveux central.	• Ils accentuent la dépression respiratoire.

➡ **Plan de soins infirmiers**

Client atteint de bronchopneumopathie chronique obstructive (*suite*)

DIAGNOSTIC INFIRMIER : perturbation des échanges gazeux : hypoxémie reliée à une hypoventilation alvéolaire, à un faible rapport ventilation/perfusion, à une perturbation de la diffusion, à une diminution du taux de l'O_2 dans l'air ambiant et à une baisse de pression barométrique (en haute altitude), se manifestant par une PaO_2 <60 mm Hg ou une valeur de la SaO_2 <90 % au repos et de la confusion.

PLANIFICATION
Résultats escomptés
- Le client présentera un retour de la PaO_2 dans l'intervalle de ses valeurs normales.
- Il sera capable d'effectuer ses AVQ.
- Il présentera une amélioration de son état de conscience.

INTERVENTIONS	Justifications
• Administrer de l'O_2 (s'il y a lieu).	• Accroître la saturation en O_2 sans déprimer la fréquence respiratoire.
• Sélectionner les systèmes et appareils d'administration d'oxygène (lunettes nasales, masque) en fonction des activités quotidiennes du client (repos, sommeil, exercice).	• Réduire les conséquences sur son mode de vie.
• Éviter les activités inutiles et l'aider à accomplir ses AVQ.	• Réduire la rétention de CO_2.
• Enseigner et encourager la respiration profonde et la respiration par les lèvres pincées.	• Dégager les voies respiratoires en propulsant les sécrétions vers la bouche et minimiser l'emprisonnement de l'air dans les alvéoles.
• Effectuer les techniques de dégagement des voies respiratoires (s'il y a lieu).	• Effectuer les interventions sans tarder.
• Enseigner au client et à sa famille les manifestations précoces d'une perturbation des échanges gazeux (p. ex. élévation du rythme respiratoire, irritabilité, anxiété, agitation, dyspnée).	
• Administrer des bronchodilatateurs et enseigner la façon de les utiliser convenablement.	
• Conseiller le client sur le traitement de l'hypoxémie en cas de voyage en avion ou à haute altitude (demander un avis médical si la situation se présente).	

DIAGNOSTIC INFIRMIER : prise en charge inefficace du programme thérapeutique reliée à une baisse d'énergie, à l'hypoxémie et à la dépression, se manifestant par l'incapacité d'accomplir seul ses AVQ.

PLANIFICATION
Résultat escompté
- Le client sera capable d'accomplir les activités de la vie quotidienne seul ou avec de l'aide.

INTERVENTIONS	Justifications
• Déterminer le type de déficit en matière d'autogestion des soins.	• Disposer des valeurs de départ afin de planifier les soins.
• Enseigner des moyens de conservation de l'énergie, par exemple se lever pendant l'expiration, utiliser des dispositifs pour faciliter les activités professionnelles, les techniques de transfert, les activités de stimulation et prévoir de fréquentes périodes de repos.	• Conserver l'énergie.
• Recommander une ergothérapie (s'il y lieu).	• Analyser les aides et les activités de conservation de l'énergie.
• Administrer de l'oxygène (s'il y a lieu).	
• Enseigner les exercices de conditionnement physique appropriés.	• Accroître la résistance et l'endurance.
• Étudier le besoin d'une aide personnelle à domicile et recommander au CLSC de dispenser ce service.	• Satisfaire les besoins fondamentaux du client.

Plan de soins infirmiers

Client atteint de bronchopneumopathie chronique obstructive (*suite*)

DIAGNOSTIC INFIRMIER : déficit nutritionnel relié à une perte d'appétit, à une baisse d'énergie, à l'essoufflement, à la distension gastrique, à la production d'expectorations et à la dépression, se manifestant par une perte de masse >10 % de la masse corporelle idéale, un taux d'albumine sérique inférieur aux valeurs normales de laboratoire, un manque d'intérêt pour la nourriture.

PLANIFICATION
Résultats escomptés
- Le client maintiendra sa masse corporelle dans l'intervalle de valeurs normales par rapport à l'âge, au sexe et à la taille.
- Il présentera des taux normaux de protéines et d'albumine sériques.

INTERVENTIONS	Justifications
• Surveiller l'apport calorique quotidien, la masse corporelle et l'albumine sérique.	• Déterminer l'apport nutritionnel nécessaire.
• Fournir des suggestions de menus riches en protéines et en calories.	
• Administrer des suppléments liquidiens riches en protéines et en calories (s'il y a lieu).	• Fournir un apport suffisant en calories et en protéines afin de prévenir la perte de masse corporelle et la diminution de la masse musculaire.
• Prévoir des périodes de repos après l'absorption d'aliments.	• Compenser la dérivation du débit sanguin nécessaire à la digestion vers le tractus gastro-intestinal.
• Administrer un supplément d'oxygène durant les repas au besoin (si prescrit).	
• Enseigner les exercices de conditionnement physique appropriés.	• Accroître la résistance et l'endurance.
• Recommander au besoin un organisme d'aide financière ou nutritionnelle (livraison de repas à domicile).	• Assurer une nutrition suffisante lors du retour à domicile.
• Prendre six petits repas répartis tout au long de la journée.	• Réduire les ballonnements et la dyspnée.

DIAGNOSTIC INFIRMIER : perturbation des habitudes de sommeil reliée à l'anxiété, à la dyspnée, à la dépression, à l'hypoxémie ou à l'hypercapnie et à l'essoufflement, se manifestant par l'insomnie, la léthargie, la fatigue, l'agitation, l'irritabilité, l'orthopnée, la dyspnée nocturne paroxystique.

PLANIFICATION
Résultats escomptés
- Le client dira qu'il se sent reposé.
- Il améliorera ses habitudes de sommeil.
- Il dira qu'il se sent reposé au réveil.

INTERVENTIONS	Justifications
• Déterminer les habitudes normales de sommeil.	• Connaître les valeurs initiales.
• Demander au client pourquoi il a de la difficulté à dormir et découvrir les causes de l'inconfort, ainsi que les raisons pour lesquelles il demeure éveillé.	
• Observer les manifestations de l'apnée du sommeil, notamment des réveils fréquents pendant la nuit, l'insomnie et une somnolence excessive en journée.	• Amorcer les interventions qui conviennent.
• Déterminer les méthodes de relaxation propres au client et lui enseigner d'autres méthodes.	• Favoriser le sommeil.
• Encourager l'exercice et l'activité en journée.	• Améliorer le sommeil la nuit.
• Lui conseiller de prendre une position facilitant la respiration.	
• Administrer de l'O_2 (si prescrit).	• Augmenter la PaO_2.
• Lui conseiller de créer un environnement favorisant le repos (p. ex. vêtements, température, position, bruit).	
• Lui recommander d'éviter les boissons alcoolisées, les produits contenant de la caféine ou d'autres stimulants avant le coucher.	• Éviter de gêner le sommeil.

Plan de soins infirmiers

Client atteint de bronchopneumopathie chronique obstructive (*suite*)

DIAGNOSTIC INFIRMIER : perturbation de la sexualité reliée à la dyspnée, à l'effet des médicaments et aux facteurs psychologiques, se manifestant par une perte de désir ou d'intérêt pour les relations sexuelles, une diminution des interactions sociales avec des partenaires sexuels actuels ou éventuels.

PLANIFICATION
Résultat escompté
- Le client exprimera sa satisfaction vis-à-vis de son fonctionnement sexuel.

INTERVENTIONS	Justifications
• Déterminer la raison fondamentale du dysfonctionnement (physique ou psychologique).	• Planifier les interventions qui conviennent.
• Enseigner l'administration d'O_2 durant les activités sexuelles et l'utilisation de l'aérosol doseur pour administrer des agonistes β_2 10 minutes avant les activités sexuelles (s'il y a lieu).	• Réduire la dyspnée consécutive à l'hypoxémie.
• Donner l'occasion au client et au partenaire de parler de leurs sentiments vis-à-vis de ce problème.	• Favoriser l'échange et la résolution mutuelle du problème.
• Aider le partenaire à comprendre le changement survenu.	• Éviter que la culpabilité et le blâme ne viennent perturber la relation.
• Encourager le client et le partenaire à envisager d'autres moyens d'expression sexuelle et à prévoir les activités sexuelles en fonction du niveau d'énergie durant la journée.	• Maintenir les moyens d'expression sexuelle.
• Conseiller le client et le partenaire sur les positions sexuelles à adopter.	• Conserver l'énergie.
• Recommander une aide psychologique si elle semble indiquée.	

DIAGNOSTIC INFIRMIER : perturbation de l'image corporelle reliée à des changements touchant l'apparence physique, le rôle, la maladie, le traitement, se manifestant par la verbalisation d'une baisse de capacité à fonctionner.

PLANIFICATION
Résultats escomptés
- Le client maintiendra des contacts sociaux.
- Il exprimera des sentiments positifs vis-à-vis de lui-même.

INTERVENTIONS	Justifications
• Observer le client pour voir s'il néglige sa tenue vestimentaire et son apparence physique, s'il semble déprimé ou anxieux, s'il a du mal à prendre des décisions, s'il évite les contacts sociaux, les interactions familiales ou les responsabilités professionnelles, s'il a des interactions sociales inefficaces ; déceler l'expression verbale ou non verbale d'une dévalorisation de soi, d'une augmentation des comportements dépendants.	• Déterminer s'il a un problème d'estime de soi.
• L'aider à reconnaître et à optimiser ses atouts physiques et psychologiques.	
• L'aider à entretenir des interactions sociales en participant à des activités familiales et sociales.	• Augmenter les sources de plaisir et préserver son estime de soi.
• Aider la famille ou les proches à comprendre les limitations du client et son besoin d'être accepté.	• Faire en sorte qu'ils continuent d'apporter leur soutien au client.
• Aider la famille à comprendre le besoin d'indépendance du client et son besoin de se sentir valorisé.	• Éviter que la famille le traite comme une personne invalide.
• Recommander une intervention psychologique ou la participation à des groupes de soutien, s'il y a lieu.	

Plan de soins infirmiers   **ENCADRÉ 17.12**

Client atteint de bronchopneumopathie chronique obstructive (*suite*)

DIAGNOSTIC INFIRMIER : risque d'infection relié à une diminution de l'efficacité de la fonction pulmonaire, à un traitement éventuel par corticostéroïdes, à un dégagement inefficace des voies respiratoires et au manque de connaissances concernant les manifestations cliniques de l'infection, ainsi que les mesures pour la prévenir.

PLANIFICATION
Résultats escomptés
- Le client adoptera des comportements visant à minimiser le risque d'infection.
- Il dira être conscient de la nécessité de demander un avis médical pour recevoir le traitement approprié.
- Il ne présentera aucun signe d'infection.

INTERVENTIONS	Justifications
• Recueillir des données auprès du client pour vérifier s'il y a changement de coloration, de quantité, d'odeur et de viscosité des expectorations ; s'il a du mal à dégager ses sécrétions ; s'il a mauvaise haleine ; si la toux augmente ; si la dyspnée s'accentue ; s'il a de la fièvre, des frissons, de la diaphorèse ; s'il présente une accélération de la fréquence respiratoire, des bruits respiratoires adventices (crépitants, respiration sifflante [*wheezing*]) ; s'il présente une hypoxémie ou une hypercapnie ou encore une fatigue excessive.	• Déterminer s'il y a présence d'une infection.
• Enseigner au client la technique du lavage des mains et lui recommander d'éviter les contacts (si cela est possible) avec des personnes atteintes d'infections des voies respiratoires.	• Réduire le risque d'infection.
• L'encourager à recevoir un vaccin contre la grippe et la pneumonie à pneumocoques.	• Diminuer la fréquence et la gravité de ces maladies.
• Lui enseigner les méthodes adéquates d'entretien et de nettoyage du matériel d'oxygénothérapie à domicile.	• Éliminer cette source d'infection.
• Lui conseiller de consulter un médecin en cas de signes précoces d'infection.	• Commencer sans tarder le traitement.
• Enseigner au client à amorcer le plan de traitement préalablement convenu avec le médecin lorsque l'infection survient (p. ex. augmenter l'apport liquidien, commencer l'administration d'antibiotiques, augmenter la dose de corticostéroïdes).	• Entreprendre les autosoins sans attendre l'infirmière.

AVQ : activités de la vie quotidienne ; CLSC : centre local de services communautaires.

à fumer ou si davantage de fumeurs cessaient de le faire. Une autre mesure de prévention pour préserver la santé des poumons consiste à éviter l'exposition à des polluants ou à des irritants professionnels ou environnementaux (ces facteurs sont expliqués dans la section sur les soins infirmiers au client atteint d'un cancer du poumon au chapitre 16).

Il est important qu'une maladie des voies respiratoires soit détectée tôt. Chez une personne qui ne fume que depuis quelques années, les indices d'une maladie obstructive sont parfois précoces. Il arrive souvent que l'étude de la fonction pulmonaire ne détecte ces changements que lorsque les lésions sont déjà importantes. Il est primordial que la personne cesse de fumer et évite d'inhaler des irritants tant que la maladie est encore réversible. Si elle ne suit pas ce conseil, la BPCO irréversible sera inévitable.

En tant que professionnelles de la santé, les infirmières qui fument doivent réfléchir au tabagisme et à ses effets sur leur santé. Il est également important qu'elles conseillent leurs clients et leurs collègues sur les dangers du tabagisme et qu'elles les encouragent à cesser l'usage du tabac. Il est aussi recommandé de diriger ces personnes vers des groupes d'entraide. Ces groupes sont parrainés par des organismes comme l'Association pulmonaire canadienne, la Société canadienne du cancer et la Fondation des maladies du cœur. Ils distribuent des brochures d'information contenant des conseils utiles, ainsi que des articles d'encouragement et de soutien. Les infirmières doivent participer activement à l'élaboration de politiques visant à interdire l'usage du tabac sur les lieux de travail, pour elles-mêmes et pour les autres, ainsi qu'à la lutte contre le tabagisme dans les lieux publics, aux revendications pour des cigarettes qui s'éteignent d'elles-mêmes afin d'éviter les blessures et les décès causés par les incendies, à l'interdiction de faire la publicité ou la promotion du tabac et à l'affichage obligatoire de mentions d'avertissement sur les paquets de cigarettes. Les infirmières, les médecins et les inhalothérapeutes qui fument, et dont les vêtements sont imprégnés par l'odeur de tabac, doivent être conscients que cela risque de gêner leurs clients.

Le diagnostic et le traitement rapides des infections des voies respiratoires sont d'autres moyens de faire baisser l'incidence de la BPCO. Il est parfois nécessaire d'éviter les contacts avec la foule au cours des périodes importantes de grippe, en particulier pour les personnes âgées ou pour celles qui ont des antécédents de problèmes respiratoires. Le vaccin contre la grippe et le vaccin antipneumococcique sont recommandés pour le client atteint de BPCO.

Les familles ayant des antécédents de déficience en AAT doivent savoir que la maladie est d'origine génétique. Une consultation génétique peut être utile si le client souhaite avoir des enfants.

Intervention en phase aiguë. Le client atteint de BPCO va avoir besoin d'une intervention rapide en cas de complications comme la pneumonie, le cœur pulmonaire et l'insuffisance respiratoire aiguë (les soins infirmiers correspondant à ces affections sont présentés aux chapitres 16 et 28). Dès que la crise est passée, l'infirmière peut évaluer la gravité du trouble respiratoire sous-jacent (la section sur la collecte des données au chapitre 14 peut servir de point de départ pour obtenir des renseignements auprès du client). Les renseignements obtenus vont aider à planifier les soins infirmiers.

Soins ambulatoires et soins à domicile. L'enseignement est de loin l'aspect le plus important dans les soins de longue durée du client (voir encadré 17.13). La BPCO étant une maladie chronique et invalidante, il a intérêt à pouvoir prendre en main sa maladie dans une certaine mesure. Comme les attentes, les motivations et les besoins en matière d'enseignement sont différents pour chaque client, l'enseignement doit être individualisé. Il est donc important de déterminer les connaissances du client, ses motivations et ses objectifs avant de commencer l'enseignement ou d'élaborer un plan d'enseignement. L'infirmière doit l'aider à comprendre qu'il est possible de planifier un traitement visant à préserver la fonction pulmonaire et à ralentir la progression de la maladie. La participation du client et de sa famille au plan de traitement est essentielle. Le professionnel de la santé trouve souvent qu'il n'est pas réaliste d'enseigner tout en même temps. Par exemple, si le client vient d'être hospitalisé pour une insuffisance respiratoire aiguë causée par une infection respiratoire, l'enseigne-

ment peut surtout viser à reconnaître les signes et les symptômes d'une infection respiratoire (fièvre, dyspnée importante, expectorations purulentes, plus grande utilisation des inhalateurs ou nébuliseurs sans soulagement) et à rédiger un plan de soins tenant compte des renseignements fournis par le client et pouvant servir si les symptômes réapparaissent. Ce plan peut consister d'abord à avertir le médecin ; à augmenter l'apport liquidien ; à accroître la fréquence des traitements par nébuliseurs (p. ex. passer de deux fois à quatre fois par jour) ; à commencer à prendre les antibiotiques prescrits ; à surveiller l'augmentation ou la diminution des symptômes ; à informer le médecin des effets de ces interventions.

Réadaptation pulmonaire La réadaptation pulmonaire doit être envisagée pour tous les clients atteints de BPCO symptomatique. Selon l'Association pulmonaire canadienne, les objectifs sont de soulager et de maîtriser le plus possible les symptômes et les complications physiopathologiques des troubles respiratoires et d'enseigner au client à atteindre la capacité optimale pour accomplir les activités de la vie quotidienne. L'objectif général est d'améliorer la qualité de vie. Les éléments de la réadaptation pulmonaire sont la physiothérapie, soit l'hygiène bronchique, le conditionnement à l'exercice, la rééducation respiratoire et la recherche de positions réduisant l'essoufflement (voir figure 17.17), la nutrition, l'enseignement et d'autres sujets comme l'arrêt de l'utilisation du tabac, les facteurs environnementaux, la promotion de la santé, l'aide psychologique et la réadaptation professionnelle. Même si, normalement, cette intervention est en grande partie comprise dans une approche exhaustive, on peut aussi envisager de recommander au client atteint de BPCO modérée à grave un programme structuré de réadaptation pulmonaire.

Facteurs reliés à l'activité. La conservation de l'énergie est un autre élément important de la réadaptation pulmonaire (voir figure 17.17). En général, le client atteint de BPCO respire en utilisant la partie supérieure de son thorax, le cou, ainsi que ses muscles accessoires plutôt que le diaphragme. Il éprouve donc de la difficulté à accomplir les activités qui font intervenir les membres supérieurs, en particulier celles qui demandent d'élever les bras au-dessus de la tête. Des exercices faisant travailler les membres supérieurs peuvent améliorer la fonction pulmonaire et réduire la dyspnée. Souvent, le client s'est déjà adapté en trouvant des moyens d'accomplir les activités quotidiennes tout en économisant l'énergie. Il est parfois bon de chercher d'autres façons de se coiffer, de se raser, de se doucher ou d'atteindre un objet en tendant les bras. Un ergothérapeute peut formuler des recommandations à ce sujet. Lorsqu'on

SOINS DANS LA FAMILLE

Bronchopneumopathie chronique obstructive

Objectif : Aider le client et sa famille à améliorer la qualité de vie par l'éducation et la promotion d'habitudes permettant de mieux vivre avec la BPCO.

Sujet	Ressources
Qu'est-ce qu'une BPCO ? • Anatomie et physiologie du poumon • Physiopathologie fondamentale de la BPCO • Manifestations cliniques de la BPCO, de l'infection respiratoire et de l'insuffisance cardiaque	*Mieux vivre avec une MPOC, modules 1-3* (Association pulmonaire canadienne) Bandes vidéo (Association pulmonaire canadienne)
Rééducation respiratoire • Respiration par les lèvres pincées • Respiration abdominale (diaphragmatique)	Démonstration et reprise de la démonstration par le client
Techniques de conservation de l'énergie • Stimulation et respiration avec les lèvres pincées (activité de stimulation tout en respirant avec les lèvres pincées)	*Mieux vivre avec une MPOC, module 1* (Association pulmonaire canadienne)

Médicaments
• Types (y compris le mécanisme d'action)
  – Méthylxanthines
  – Agonistes β_2
  – Corticostéroïdes
  – Anticholinergiques
  – Antibiotiques
• Horaire d'administration
	Mieux vivre avec une MPOC, modules 1-3 (Association pulmonaire canadienne)
	Rédiger la liste des médicaments et leur horaire d'administration.

Utilisation adéquate de l'aérosol-doseur, de l'aérochambre et du nébuliseur	Figure 17.5
Administration d'oxygène à domicile • Explication concernant les justifications de l'emploi de l'oxygénothérapie • Guide de l'oxygénothérapie à domicile	*Mieux vivre avec une MPOC, module 7* (Association pulmonaire canadienne) Voir encadré 17.8

Problèmes émotionnels psychosociaux
• Inquiétudes à propos des relations interpersonnelles
  – Dépendance
  – Intimité
• Problèmes émotionnels
  – Dépression
  – Anxiété
  – Panique
• Effets des médicaments
• Groupes de soutien et de réadaptation
	Mieux vivre avec une MPOC, modules 4-6 (Association pulmonaire canadienne)
	Entretien de soutien (avec le client, son conjoint et sa famille)

Plan de traitement de la BPCO • Mettre l'accent sur l'autogestion de ses soins • Reconnaître les manifestations cliniques habituelles • Nécessité de signaler les changements • Trouver la cause des symptômes • Reconnaître les manifestations des infections respiratoires et de l'insuffisance cardiaque • Visite de suivi annuelle	L'infirmière et le client élaborent et rédigent un plan de traitement qui répond aux besoins individuels de ce dernier.
Nutrition saine • Stratégies pour perdre de la masse corporelle (en cas d'excès pondéral) • Stratégies pour prendre de la masse corporelle (en cas d'insuffisance pondérale)	Consultation d'une diététiste

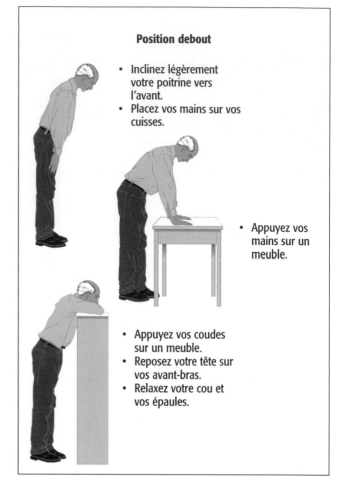

Position assise

- Pieds au sol.
- Inclinez légèrement votre poitrine vers l'avant.
- Appuyez vos coudes sur vos genoux.
- Appuyez votre menton sur vos mains.
- Pieds au sol.

- Inclinez légèrement votre poitrine vers l'avant.
- Appuyez vos coudes sur une table.
- Reposez votre tête sur un oreiller.

Position debout

- Inclinez légèrement votre poitrine vers l'avant.
- Placez vos mains sur vos cuisses.

- Appuyez vos mains sur un meuble.

- Appuyez vos coudes sur un meuble.
- Reposez votre tête sur vos avant-bras.
- Relaxez votre cou et vos épaules.

FIGURE 17.17 Positions permettant de réduire l'essoufflement

Reproduit de *Mieux vivre avec une MPOC*. Association pulmonaire du Québec, module 1, p. 13.

utilise un rasoir électrique ou un séchoir à cheveux, la position tripode (coudes appuyés sur une table, thorax immobile) avec un miroir posé sur la table fait dépenser beaucoup moins d'énergie que lorsqu'on se tient debout en face du miroir. Si le client reçoit une oxygénothérapie à domicile, il est essentiel qu'il porte son appareil à oxygène durant la toilette, car cette activité lui fait dépenser de l'énergie. Il faut l'encourager à se faire un emploi du temps et à planifier ses activités quotidiennes et hebdomadaires afin de se garder suffisamment de temps pour les périodes de repos. Il doit regrouper tout ce dont il a besoin dans une même pièce de façon à économiser son énergie. Il peut aussi utiliser un chariot à roulettes et y disposer ses objets usuels, afin d'éviter un va-et-vient continuel. Il doit également essayer de s'asseoir le plus souvent possible pour accomplir ses activités. Un autre moyen d'économiser l'énergie consiste à expirer en poussant, en tirant ou en exerçant un effort au cours d'une activité.

La marche est de loin le meilleur exercice physique pour le client atteint de BPCO. La marche coordonnée en respirant lentement avec les lèvres pincées, sans retenir la respiration, est une tâche difficile qui exige un effort conscient et des encouragements fréquents. Lorsqu'il coordonne la marche et sa respiration, le client doit apprendre à faire un pas en respirant par le nez, puis à faire deux à quatre pas en expirant avec les lèvres pincées (le nombre de pas dépend de sa tolérance). Il doit marcher lentement et se reposer quand il en sent le besoin, soit en s'asseyant, soit en s'adossant contre un arbre ou un poteau. Le client a parfois besoin d'oxygène en marchant. Dès qu'il réussit à marcher de manière coordonnée en respirant avec les lèvres pincées, on peut également lui conseiller d'intégrer la respiration diaphragmatique s'il s'y est déjà exercé et s'il la maîtrise au repos. L'infirmière doit marcher à côté de lui et au besoin lui faire verbalement des rappels concernant sa respiration (inspiration et expiration) et les pas qu'il doit faire. Avoir quelqu'un à ses côtés diminue l'anxiété et l'aide à garder une cadence lente. Pour l'infirmière, c'est une occasion d'observer le client et ses réactions physiologiques à l'activité. Lorsque le client devient dyspnéique, il est primordial de briser le cycle de l'anxiété (voir figure 17.18) par différents moyens. Le client doit

RECHERCHE

Effets de la réadaptation pulmonaire sur l'autonomie de clients atteints de BPCO

ENCADRÉ 17.14

Article : SHERER, Y.K., et L.E. SCHMIEDER. *The effect of a pulmonary rehabilitation program on self-efficacy, perception of dyspnea, and physical endurance*, Heart Lung, n° 26, 1997, p. 15.

Objectif : déterminer l'effet de la participation à un programme de réadaptation pulmonaire en consultation externe sur l'évolution de la perception de la dyspnée et l'endurance à l'effort chez des clients atteints de bronchopneumopathie chronique obstructive (BPCO).

Méthodologie : l'étude a été conçue pour mesurer des données avant et après le programme chez 60 clients ayant reçu un diagnostic de BPCO. Ces clients étaient âgés de 34 à 82 ans et participaient à un programme de réadaptation pulmonaire. Ce programme consistait en une séance de formation théorique, suivie d'un entraînement pratique. Des méthodes visant à accroître l'autonomie des clients ont été intégrées au programme de réadaptation pulmonaire. Les données mesurées avant et après le programme ont été obtenues à l'aide d'une échelle d'évaluation de la dyspnée et de données concernant la distance parcourue lors d'une épreuve de marche de 12 minutes.

Résultats et conclusion : des différences significatives ont été observées entre les données prises avant et après le programme pour les trois mesures qui ont été effectuées. Selon les résultats obtenus, les meilleures données recueillies correspondent à une perception moindre de la dyspnée et à une plus grande distance parcourue au cours des 12 minutes. Un programme de réadaptation pulmonaire peut améliorer l'autonomie ou la confiance des clients en leur capacité à s'adapter aux difficultés respiratoires ou à les éviter.

Incidences sur la pratique : L'amélioration de l'autonomie peut être un facteur dans la perception réduite de la dyspnée et dans la tolérance accrue à l'effort. Les méthodes visant à accroître l'autonomie escomptée par l'enseignement théorique et les exercices pratiques peuvent aider les clients atteints de BPCO à mieux surmonter leurs difficultés respiratoires.

alors se concentrer sur sa respiration et respirer en même temps que l'infirmière (ou que le membre de sa famille qui l'accompagne). Elle doit lui demander également d'adopter l'une des positions pouvant réduire l'essoufflement, illustrées dans le guide *Mieux vivre avec une MPOC* (module 1, p. 13) de l'Association pulmonaire du Québec. Il est important pour la personne dyspnéique d'arrêter de croire qu'elle ne réussira pas à maîtriser sa respiration. Il faut lui apprendre à rester positive et l'assister dans sa démarche par votre présence, surveiller l'apparition de symptômes d'hypoxie, vérifier si elle prend ses médicaments correctement et l'assister au

besoin. De nombreux clients atteints de BPCO modérée ou grave sont anxieux et ont peur de marcher ou de faire de l'exercice. Ces clients et leur famille ont besoin d'un soutien accru avant d'acquérir la confiance nécessaire pour marcher ou effectuer les exercices quotidiens.

Il faut encourager le client à marcher pendant 15 à 20 minutes par jour en augmentant progressivement la durée. Les clients présentant une invalidité importante peuvent commencer lentement en marchant pendant 2 à 5 minutes au moins 3 fois par jour, puis augmenter lentement la durée jusqu'à 20 minutes par jour en prévoyant, s'il y a lieu, des périodes de repos suffisantes. Certains d'entre eux ont avantage à prendre un agoniste β_2 par aérosol-doseur environ 10 minutes avant l'exercice. Les paramètres à surveiller chez le client atteint de BPCO bénigne sont le pouls au repos et après la marche. Ce dernier ne devrait pas dépasser 75 à 80 % de la fréquence cardiaque maximale (la fréquence cardiaque maximale est égale à 220 moins l'âge en nombre d'années). En cas de BPCO importante, et si le client ne présente pas de cardiopathie significative, c'est souvent la dyspnée qui limite l'exercice plutôt que l'accélération de la fréquence cardiaque. Il vaut donc mieux se fier à la dyspnée perçue par le client pour déterminer sa tolérance à l'exercice. L'échelle de Borg et celle de l'hôpital Laval (voir figures 14.9 et 14.10) peuvent être utilisées par le client pour déterminer l'intensité de la dyspnée.

Le client doit être averti qu'il sera probablement essoufflé pendant l'exercice (tout comme un individu en bonne santé), mais qu'il ne fait pas un effort excessif si la respiration retourne à la normale dans les cinq minutes suivant la fin de l'exercice. Il faut lui recommander d'attendre cinq minutes après la fin de l'exercice avant de prendre son agoniste β_2 en aérosol-doseur, afin d'avoir le temps de récupérer. En attendant, il doit respirer lentement avec les lèvres pincées. S'il faut attendre plus de cinq minutes avant que la respiration revienne à la normale, c'est probablement parce qu'il a fourni un effort excessif. Il devra donc ralentir pendant la séance suivante. Le client peut avoir intérêt à tenir un journal de son programme d'exercices pour disposer d'une évaluation réaliste des progrès qu'il fait. De plus, ce journal est un facteur de motivation et lui donne l'impression d'avoir accompli quelque chose. Le client peut aussi utiliser un vélo stationnaire, soit comme seule activité, soit en plus de la marche. Les bicyclettes et les tapis roulants sont particulièrement utiles lorsque les conditions météorologiques l'empêchent de marcher dehors.

Activité sexuelle. Le fait de modifier, sans s'abstenir, les activités sexuelles peut également contribuer à l'équilibre et au bien-être psychologique du client. L'administration d'un bronchodilatateur en inhalation avant les

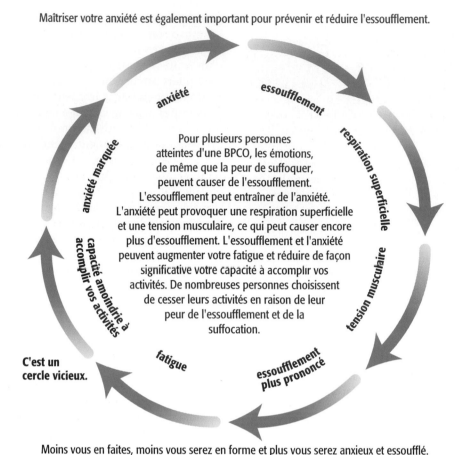

FIGURE 17.18 Cycle anxiété-essoufflement et façon de le briser
Tiré de *Mieux vivre avec une MPOC*. Association pulmonaire du Québec, module 1, p. 27.

relations sexuelles peut améliorer la ventilation. Le client dépensera aussi moins d'énergie s'il observe ces recommandations : planifier les activités sexuelles au moment de la journée où la respiration est la plus facile ; respirer lentement avec les lèvres pincées ; éviter les relations sexuelles après les repas ou après une autre activité fatigante ; ne pas prendre une position dominante ; ne pas prolonger les préliminaires. Ces aspects demandent une bonne communication entre les partenaires au sujet de leurs besoins et de leurs attentes.

Sommeil. Il est extrêmement important de dormir suffisamment, mais le client a parfois le sommeil perturbé par les médicaments qui provoquent de l'agitation et de l'insomnie. Plusieurs personnes présentent un écoulement dans l'arrière-gorge ou une congestion nasale qui provoque la toux et une respiration sifflante (*wheezing*) la nuit. L'administration de vaporisations salines nasales (Salinex) avant le coucher et le matin peut les aider à mieux dormir. Le médecin peut prescrire un décongestionnant nasal ou un inhalateur à base de corticostéroïdes à utiliser au coucher. Les préparations à effet prolongé à base de théophylline aident souvent à favoriser le sommeil en réduisant le bronchospasme et l'obstruction des voies respiratoires. Si le client a le sommeil agité, s'il ronfle, s'il a des périodes d'apnée en dormant et s'il a tendance à s'assoupir en journée, il est possible qu'il soit atteint d'apnée du sommeil (voir chapitre 15).

Facteurs psychosociaux. Les personnes atteintes de BPCO doivent souvent s'adapter à de nombreuses modifications de leur mode de vie et sont moins en mesure de prendre soin d'elles-mêmes, ont moins d'énergie pour les activités sociales et doivent parfois faire face à la perte de leur emploi. Cette adaptation représente la tâche la plus difficile à accomplir.

Lorsque le client est avisé du diagnostic de BPCO ou qu'il présente des complications qui nécessitent une hospitalisation, l'infirmière doit s'attendre à observer diverses réactions émotionnelles allant du déni et de la culpabilité à la dépression. Le client ressent parfois de la culpabilité parce qu'il sait que la maladie est en grande partie attribuable au tabagisme. Une dépression peut survenir lorsqu'il se rend compte de la gravité et du caractère chronique de la maladie. Le déni peut survenir en raison du fait que la maladie n'est pas encore assez grave pour le limiter dans ses activités physiques. L'infirmière doit faire preuve de compréhension et de sollicitude.

Les émotions fréquemment observées comprennent la dépression, l'anxiété, l'isolement social, le déni et la dépendance. Une étude démontre que 45 % des clients atteints de BPCO modérée à grave présentent une dépression. Il est important de reconnaître les manifestations de la dépression, mais ce n'est pas toujours facile. Une apparence déprimée, le repli social, l'autocomplaisance et une attitude pessimiste sont des indices auxquels il faut accorder une attention particulière pour déceler la présence d'une dépression.

L'expression de ces émotions est accentuée par le lien qui existe entre la respiration et l'expression des émotions. Par exemple, l'anxiété produit normalement une accélération de la fréquence respiratoire et la dépression entraîne l'inactivité, ce qui, dans le cas de la BPCO, peut se traduire par une diminution de la tolérance à l'effort, une aggravation de la dyspnée et de la dépendance qui ont pour effet d'accentuer la dépression. Un cercle vicieux risque alors de s'établir (voir figure 17.18). Il est parfois utile d'apprendre de nouveaux modes d'expression des émotions à l'aide de techniques de relaxation faisant intervenir la respiration. Le client peut avoir besoin d'apprendre à ralentir sa cadence par de fréquentes périodes de repos, à avoir une communication franche et honnête avec les personnes clés qui lui apportent leur soutien et à éviter les situations qui causent de l'anxiété (s'il y a lieu).

Plusieurs techniques de relaxation peuvent être bénéfiques. L'une d'entre elles est une technique progressive consistant à faire écouter au client l'enregistrement de sa propre voix ou celle d'un tiers ; il commence alors peu à peu à tendre et à relâcher ses groupes musculaires. La relaxation peut commencer au niveau de la tête et du cou et se terminer par les jambes. L'autohypnose, la rétroaction biologique, la méditation et le massage (par soi-même ou par autrui) sont d'autres méthodes de relaxation. Le client peut aussi avoir recours aux groupes de soutien de l'Association pulmonaire canadienne, des centres hospitaliers et des CLSC.

Le client demande souvent s'il n'a pas intérêt à déménager vers un climat plus chaud et plus sec. En général, les bienfaits d'un climat chaud et sec ne sont pas significatifs. Il faut toutefois éviter de déménager à des altitudes de 1200 m ou plus à cause de la baisse de pression partielle en oxygène dans l'atmosphère. Les déménagements présentent des inconvénients, car le fait de quitter l'activité professionnelle, les amis et l'environnement familier peut avoir un effet stressant. L'avantage que représente le changement de climat risque donc d'être atténué par les effets psychologiques du déménagement.

Évaluation. Les résultats escomptés pour le client atteint de BPCO sont présentés dans l'encadré 17.12.

17.3 FIBROSE KYSTIQUE (MUCOVISCIDOSE)

La fibrose kystique est une maladie récessive autosomique touchant plusieurs systèmes et appareils et caractérisée par une altération fonctionnelle des glandes exocrines touchant principalement les poumons, le pancréas et les glandes sudoripares. La production par les glandes muqueuses de sécrétions abondantes anormalement épaisses peut entraîner une maladie pulmonaire chronique obstructive et diffuse chez presque tous les clients. Entre 85 et 90 % des cas de fibrose kystique sont causés par une insuffisance pancréatique exocrine. Les glandes sudoripares secrètent davantage de sodium et de chlorure.

Selon l'étude de l'Institut canadien d'information sur la santé (2001), l'incidence de la fibrose kystique est estimée à un cas pour 2500 naissances. Une personne sur 25 est porteuse du gène de la maladie. Il y a une chance sur 625 pour que le père et la mère soient tous deux porteurs de cette maladie. Un enfant sur quatre issu de ce couple présentera la maladie. Selon le registre de la Fondation canadienne de la fibrose kystique, 3142 personnes au Canada vivaient avec cette maladie en 1997. De ce nombre, 54 % étaient des hommes et 46 % étaient des femmes. Chez la majorité des enfants atteints, la maladie avait été diagnostiquée vers l'âge de cinq ans.

Les premières manifestations cliniques apparaissent en général pendant l'enfance, mais dans certains cas, le diagnostic n'est établi qu'à l'âge adulte. Il fut un temps où la fibrose kystique était une maladie exclusivement pédiatrique. Mais à cause des progrès réalisés pour la traiter, près de 34 % des clients atteignent l'âge adulte et près de 10 % arrivent à vivre plus de 30 ans. L'espérance de vie moyenne est de 28 ans. Le spectre de la maladie et la vitesse de dégradation sont différents pour chaque client.

17.3.1 Étiologie et physiopathologie

La fibrose kystique est une maladie récessive autosomique attribuable à des mutations dans un gène situé sur le chromosome 7. Le CFTR (*cystic fibrosis transmembrane regulator*) est le gène mutant le plus courant responsable de la maladie. La principale anomalie dans la fibrose kystique est la mauvaise régulation de l'activité des canaux chloriques. Cette anomalie perturbe le transport ionique du sodium et du chlorure à travers les surfaces épithéliales. Les fortes concentrations de sodium et de chlorure dans la sueur du client atteint de fibrose kystique sont causées par une réabsorption réduite des chlorures dans les canaux sudorifères. Le mécanisme physiopathologique fondamental est une obstruction des canaux des glandes exocrines par d'épaisses sécrétions visqueuses qui adhèrent à la lumière des canaux et qui finit par provoquer la fibrose des glandes les plus éloignées du canal.

Dans l'appareil respiratoire, les voies supérieures et les voies inférieures peuvent être touchées. Les manifestations éventuelles touchant les voies respiratoires comprennent la sinusite chronique et des polypes nasaux. Les effets de la fibrose kystique sur les voies respiratoires sont ce qui caractérise la maladie sur le plan respiratoire. La maladie touche d'abord les petites voies aériennes (bronchiolite chronique) et atteint ensuite les voies respiratoires plus grosses, pour finir par détruire le parenchyme pulmonaire. D'épaisses sécrétions obstruent les bronchioles et entraînent un emprisonnement de l'air avec dilatation excessive des poumons. La stase des mucosités constitue un milieu idéal pour la prolifération des bactéries. La fibrose kystique est caractérisée par une infection chronique des voies respiratoires. Les micro-organismes les plus fréquemment observés dans les cultures provenant des expectorations sont *S. aureus*, *H. influenzae* et *P. aeruginosa*.

Les troubles pulmonaires qui peuvent être observés sont la pneumonie, la bronchiolite, la bronchite, la bronchiectasie, l'atélectasie et l'emphysème. L'inflammation et la cicatrisation entraînent une perte progressive de tissus pulmonaires, et l'hypoxie chronique qui en résulte provoque une hypertension pulmonaire et le cœur pulmonaire. Des bulles et de gros kystes dans les poumons sont également de graves manifestations de la destruction des tissus. Les autres complications pulmonaires comprennent l'hémoptysie, parfois mortelle, et le pneumothorax. L'hémoptysie peut se présenter sous diverses formes allant de stries peu nombreuses à des saignements abondants.

Au début, la fibrose kystique est une bronchopneumopathie obstructive causée par l'obstruction générale des voies respiratoires par des mucosités. Par la suite, l'affection se transforme en maladie pulmonaire restrictive à cause de la fibrose, de la destruction des poumons et des modifications subies par la cage thoracique. La mort est généralement attribuable à la disparition de la fonction pulmonaire. Le cœur pulmonaire est une complication tardive courante causée par la perte massive de tissus pulmonaires et par l'hypoxie chronique.

L'insuffisance pancréatique est principalement causée par la présence de mucosités obstruant le conduit pancréatique et ses ramifications, entraînant la fibrose des glandes acineuses du pancréas. La fonction exocrine du pancréas est perturbée et elle disparaît parfois complètement. Les enzymes pancréatiques comme le trypsinogène, la lipase et l'amylase n'atteignent plus l'intestin pour digérer les éléments nutritifs ingérés. Il y a donc une mauvaise assimilation des lipides, des protéines et des vitamines liposolubles (vitamines A, D, E et K). Cette mauvaise absorption des lipides compromet la croissance et empêche la personne de prendre de la masse corporelle. En cas d'insuffisance pancréatique avancée, la fonction endocrine risque aussi d'être touchée.

Le diabète peut survenir si les îlots de Langerhans deviennent fibreux. Il touche près de 15 % des clients atteints de fibrose kystique. Il se distingue du diabète de type I en ce sens qu'il n'est pas cétonique, que le client sécrète un peu d'insuline et qu'il est lent à se déclarer. Il est également différent du diabète de type II, car il se déclare chez des clients plus jeunes dont la masse corporelle est inférieure à la normale (au lieu d'être supérieure), et parce qu'en plus ceux-ci sont hypoinsulinémiques. Il convient d'effectuer un dépistage systématique en surveillant les valeurs de la glycémie. L'épreuve de tolérance au glucose (l'hyperglycémie provoquée) permet de savoir si la personne a besoin d'insuline.

Les glandes sudoripares sécrètent des volumes normaux de sueur, mais ne parviennent pas à absorber le chlorure de sodium contenu dans la sueur pendant son cheminement dans le conduit sudorifère. Elles excrètent donc quatre fois plus de sodium et de chlore que la quantité normale contenue dans la sueur. Cette anomalie ne semble pas affecter la santé générale du client, mais elle constitue un indicateur utile pour le diagnostic.

Les personnes atteintes de fibrose kystique ont souvent des troubles gastro-intestinaux. De nombreux professionnels de la santé connaissent bien l'occlusion intestinale observée chez le nouveau-né (iléus méconial), mais elle s'accompagne souvent d'un reflux gastro-œsophagien, du syndrome d'occlusion intestinale distale et de constipation. Le reflux gastro-œsophagien est un problème majeur chez les personnes atteintes de fibrose kystique, en particulier chez celles qui présentent une maladie pulmonaire. La relation entre le reflux et l'aggravation de la maladie respiratoire n'est pas connue, mais on sait que ces deux entités se renforcent mutuellement.

Le syndrome d'occlusion intestinale distale résulte d'une occlusion intermittente de la zone iléocæcale chez les clients atteints d'insuffisance pancréatique. Le degré d'occlusion de l'intestin peut varier à chaque épisode et une occlusion partielle peut se transformer en occlusion totale. Celle-ci nécessite une décompression gastrique et une consultation chirurgicale, mais les épisodes d'occlusion partielle sans complication se traitent par l'ingestion d'une solution électrolytique équilibrée d'éthylèneglycol. La constipation se manifeste dans le côlon sigmoïde et sa progression est proximale, alors que le syndrome d'occlusion intestinale distale apparaît dans la région iléocæcale et que sa progression est distale. Il est essentiel de surveiller de près les habitudes d'élimination intestinale du client.

Le foie peut être touché. La cirrhose biliaire passe parfois inaperçue jusqu'en phase tardive. La maladie hépatobiliaire est familière chez les clients âgés. Il peut y avoir cholestase chronique, inflammation, fibrose et hypertension portale, avec parfois occlusion intestinale. Une fois traités, ces problèmes récidivent chez près de la moitié des clients.

17.3.2 Manifestations cliniques

Les manifestations cliniques de la fibrose kystique varient en fonction de la gravité de la maladie. Dans 10 à 15 % des cas, la première observation est la présence d'un iléus méconial chez le nouveau-né. Les manifestations initiales durant l'enfance sont un retard de croissance, l'hippocratisme digital (voir figure 17.10, A et B), une toux persistante avec production de mucus, la tachypnée et des selles fréquentes et abondantes. L'abdomen devient parfois gros et protubérant et les membres prennent un aspect émacié.

Chez l'adulte, le premier symptôme de la maladie est souvent la toux. Avec le temps, elle devient persistante et produit des expectorations visqueuses, purulentes et souvent verdâtres. Les autres troubles respiratoires susceptibles d'indiquer la présence d'une fibrose kystique sont des infections pulmonaires répétitives comme la bronchiolite, la bronchite et la pneumonie. À mesure que la maladie évolue, les périodes de stabilité clinique sont interrompues par des exacerbations caractérisées par une aggravation de la toux, une perte de masse corporelle, un accroissement des expectorations et une diminution de la fonction pulmonaire. Les exacerbations deviennent de plus en plus fréquentes et la récupération de la perte de fonction pulmonaire devient de moins en moins complète et finit par entraîner une insuffisance respiratoire.

L'occlusion intestinale distale provoque des douleurs dans le quadrant inférieur droit, une perte d'appétit, des vomissements et, souvent, la présence d'une masse détectable à la palpation. La production insuffisante d'enzymes pancréatiques entraîne une malabsorption typique des protéines et des lipides avec des selles fréquentes, volumineuses et nauséabondes.

La fonction de reproduction est perturbée. Cet aspect est important parce que de plus en plus de personnes atteintes de fibrose kystique atteignent l'âge adulte. L'homme adulte est généralement stérile (mais non impuissant) à cause des modifications structurelles touchant le canal déférent, les vésicules séminales et l'épididyme. Chez la femme adulte, l'apparition des ménarches (premières menstruations) est souvent retardée. Durant les exacerbations de la maladie, les irrégularités du cycle menstruel et des aménorrhées secondaires sont des phénomènes assez fréquents. La grossesse est parfois impossible à cause de la viscosité accrue du mucus cervical. Certaines femmes atteintes de fibrose kystique deviennent enceintes, mais le taux de fertilité est inférieur à celui des femmes en santé. Le nourrisson est hétérozygote (et donc porteur du gêne) si le père n'est pas porteur. Si le père est porteur, la probabilité que l'enfant soit atteint de fibrose kystique est de 50 %.

La gravité et la progression de la maladie varient d'une personne à l'autre. Au cours de la dernière décennie, on a montré qu'un diagnostic rapide et des soins spécialisés permettent d'améliorer considérablement le pronostic.

17.3.3 Complications

Le pneumothorax est une complication fréquente (chez plus de 10 % des clients). La présence de sang en petite quantité dans les poumons est chose fréquente en cas d'infection pulmonaire. L'hémoptysie massive peut mettre la vie en danger. En cas de maladie pulmonaire avancée, l'hippocratisme digital devient évident chez la plupart des clients. L'insuffisance respiratoire et le cœur pulmonaire sont des complications plus tardives.

17.3.4 Épreuves diagnostiques

La principale épreuve diagnostique pour la fibrose kystique est le test de la sueur par l'ionthophorèse de pilocarpine. La pilocarpine transportée par un courant électrique de faible intensité sert à stimuler la production de sueur. On analyse la sueur recueillie sur un papier filtre ou un morceau de gaze pour déterminer ses concentrations de sodium et de chlorure. Le test dure environ 40 minutes. Des valeurs supérieures à 65 mEq/L pour le sodium et le chlorure indiquent l'éventualité d'une fibrose kystique, en particulier chez une personne qui présente d'autres caractéristiques cliniques de la maladie. Le degré d'élévation du sodium et du chlorure ne correspond pas forcément à la gravité de la maladie. Le diagnostic fœtal peut maintenant être fait en analysant les marqueurs génétiques du tissu des villosités choriales. Les autres examens diagnostiques comprennent la radiographie du thorax, l'étude de la fonction pulmonaire, l'analyse des selles pour déterminer les taux de lipides et la duodénoscopie pour obtenir une détermination quantitative des enzymes pancréatiques.

Comme les mutations de fibrose kystique sont nombreuses, l'analyse de l'ADN n'est pas utilisée pour le diagnostic primaire, mais il est probable qu'elle se fera de plus en plus pour corroborer le diagnostic de fibrose kystique.

17.3.5 Processus thérapeutique

Les principaux objectifs du traitement de la fibrose kystique sont de favoriser le dégagement des sécrétions ; de lutter contre l'infection dans les poumons ; d'assurer une nutrition adéquate.

Le traitement des troubles pulmonaires vise à atténuer l'obstruction des voies aériennes et à lutter contre l'infection. Pour éliminer les épaisses mucosités bronchiques, on a recours à des traitements par aérosolthérapie qui servent à liquéfier le mucus et à faciliter la toux. Les propriétés visco-élastiques anormales des sécrétions sont surtout attribuables aux glycoprotéines du mucus et à l'ADN des neutrophiles dégénérés. Les agents qui dégradent les fortes concentrations d'ADN dans les expectorations (p. ex. dornase alfa recombinant [Pulmozyme]) diminuent la viscosité des expectorations et augmentent le débit d'air. On peut avoir recours à des bronchodilatateurs (p. ex. agonistes β_2, théophylline) et à des mucolytiques.

Les techniques de dégagement des voies respiratoires sont essentielles pour diminuer la quantité de mucus. Elles comprennent la physiothérapie du thorax, le drainage postural et la respiration expiratoire sous pression. Les appareils pour dégager le mucus sont également efficaces. Chaque client peut avoir une technique préférée qu'il utilise régulièrement et qui est satisfaisante (ces techniques sont présentées plus haut dans ce chapitre, dans la section sur le traitement de la BPCO).

Les exercices aérobiques semblent efficaces pour dégager les voies respiratoires. Lorsqu'on planifie un programme d'exercices, il faut révoir des périodes de repos fréquentes réparties tout au long de l'exercice ; augmenter l'apport nutritionnel pour répondre aux exigences de l'exercice ; surveiller les manifestations d'hyperthermie ; faire boire de grandes quantités de liquide et remplacer les pertes de sel.

Plus de 95 % des clients meurent de complications résultant de l'infection pulmonaire. Le traitement antimicrobien est amorcé pour traiter l'infection. Les antibiotiques doivent être administrés avec précaution en tenant compte des résultats des cultures d'expectorations. Une intervention rapide avec des antibiotiques est utile et une antibiothérapie de longue durée est chose fréquente. Il est parfois nécessaire d'administrer un traitement prolongé à fortes doses parce que le client ne métabolise pas normalement certains médicaments et les excrète rapidement. Il faut donc surveiller de près la pharmacocinétique et les épreuves de fonction rénale. Les médicaments couramment utilisés sont le triméthoprime-sulfaméthoxazole (Septra), la tétracycline, le chloramphénicol, les céphalosporines, les pénicillines antistaphylococciques et les quinolones orales, notamment la ciprofloxacine (Cipro). Même si les traitements antimicrobiens par voie orale ou en aérosol suffisent dans 20 à 80 % des cas, certains clients ont besoin d'un traitement antimicrobien par voie IV pendant deux à quatre semaines. Certaines personnes peuvent poursuivre le traitement parentéral à domicile. Le traitement habituel pour les exacerbations infectieuses aiguës consiste en une association d'aminoside et de pénicilline ou en une céphalosporine de troisième génération. Les bronchodilatateurs et agents antimicrobiens en aérosol (p. ex. cromoglycate sodique) sont utilisés chez certains clients, en particulier avant la physiothérapie thoracique (voir encadré 17.10). En cas de cœur pulmonaire ou d'hypoxémie, le client peut avoir besoin d'une oxygénothérapie à domicile (l'oxygénothérapie est présentée plus haut dans ce chapitre). La sclérose de l'espace pleural (talcage) ou le curetage et l'abrasion de la plèvre par voie chirurgicale sont généralement indiqués en cas de récidives de pneumothorax.

La fibrose kystique est devenue une indication fréquente pour les transplantations cardiopulmonaires ou les greffes de poumon (les greffes de poumon sont présentées au chapitre 16). Chez le client atteint de fibrose kystique, la greffe du poumon améliore considérablement la fonction pulmonaire.

Le traitement de l'insuffisance pancréatique consiste à remplacer les enzymes pancréatiques par des lipases, des protéases et des amylases (p. ex. Cotazym, Creon, Ultrase, Viokase) administrés avant chaque repas ou collation. Il est recommandé d'avoir une alimentation riche en protéines, en calories et en multivitamines. En général, il n'est pas nécessaire de restreindre l'apport lipidique. Des vitamines liposolubles (A, D, E et K) doivent être administrées à titre de supplément. L'administration de suppléments caloriques améliore l'état nutritionnel. Des suppléments de sel sont indiqués en cas de diaphorèse excessive, par exemple par temps chaud, en cas de fièvre ou d'activité physique intense.

La thérapie génique a été administrée à titre expérimental pour traiter la fibrose kystique (la thérapie génique est abordée au chapitre 7).

17.3.6 Soins infirmiers : fibrose kystique

Collecte de données. Les données subjectives et objectives à recueillir auprès d'un client atteint de fibrose kystique sont indiquées à l'encadré 17.15.

Diagnostics infirmiers. Les diagnostics infirmiers pour le client atteint de fibrose kystique peuvent comprendre, entre autres, les diagnostics suivants : dégagement inefficace des voies respiratoires relié à la présence de mucosités bronchiques épaisses et abondantes, à la faiblesse et à la fatigue ; mode de respiration inefficace relié à la bronchoconstriction, à l'anxiété, à l'obstruction des voies respiratoires ; perturbation des échanges

COLLECTE DE DONNÉES

Fibrose kystique

ENCADRÉ 17.15

Données subjectives

Information importante concernant la santé

- Antécédents de santé : infections respiratoires et sinusales récurrentes, toux persistante avec production excessive d'expectorations
- Médicaments : administration de bronchodilatateurs, de corticostéroïdes, d'antibiotiques

Modes fonctionnels de santé

- Mode perception et gestion de la santé : antécédents familiaux de fibrose kystique ; diagnostic de fibrose kystique durant l'enfance
- Mode nutrition et métabolisme : intolérances alimentaires, appétit vorace, perte de masse corporelle
- Mode élimination : gaz intestinaux, élimination intestinale fréquente et abondante
- Mode activité et exercice : fatigue, diminution de la tolérance à l'effort, dyspnée, toux, production excessive d'expectorations ou de mucus
- Mode cognition et perception : douleurs abdominales
- Mode sexualité et reproduction : retard de l'apparition des ménarches, règles irrégulières, aménorrhée secondaire, diminution de la fertilité chez l'homme et la femme

Données objectives

Généralités

- Anxiété, dépression, agitation, manque de motivation

Appareil tégumentaire

- Cyanose (au pourtour de la bouche, au lit unguéal), hippocratisme digital, goût salé de la peau

Appareil respiratoire

- Écoulement nasal persistant, bruits respiratoires diminués, expectorations (épaisses, blanches et collantes), hémoptysie, augmentation des difficultés respiratoires, utilisation des muscles respiratoires accessoires, thorax en tonneau

Appareil cardiovasculaire

- Tachycardie

Appareil gastro-intestinal

- Abdomen protubérant, distension abdominale, selles grasses et nauséabondes

Résultats possibles

- GSA et études de la fonction respiratoire anormaux ; résultats anormaux du test de la sueur, de la radiographie du thorax, ainsi que de l'analyse des lipides fécaux

GSA : gaz sanguins artériels.

gazeux reliée à des infections pulmonaires répétitives ; déficit nutritionnel relié à des intolérances alimentaires, à la présence de gaz intestinaux et à une perturbation de la production d'enzymes pancréatiques.

Planification. Les objectifs généraux sont les suivants : le client dégagera ses voies respiratoires efficacement ; il réduira les facteurs de risque d'infections respiratoires ; il sera capable d'effectuer ses AVQ ; il participera activement à la planification et à l'exécution d'un plan thérapeutique.

Exécution. L'infirmière et les autres professionnels de la santé peuvent aider les jeunes adultes à devenir plus indépendants en les encourageant à prendre en charge leurs propres soins et à poursuivre leurs objectifs professionnels et scolaires. La sexualité est un aspect important qu'il faut aborder au cours des entretiens. Les retards menstruels ou les règles irrégulières sont des phénomènes assez fréquents. Parfois, le développement des caractéristiques sexuelles secondaires peut être retardé (p. ex. les seins chez les filles). La maladie est parfois un prétexte pour éviter certaines rencontres ou certains événements. De plus, les personnes en bonne santé hésitent parfois à entrer en relation avec une personne malade. Le jeune adulte va traverser d'autres crises et transitions et il faudra l'aider à les surmonter. Ses objectifs seront les suivants : acquérir la confiance en soi et le

respect de soi grâce à ses accomplissements ; persévérer pour atteindre les objectifs professionnels qu'il s'est fixé ; acquérir la motivation pour réussir ; apprendre à s'adapter au plan thérapeutique ; accepter de devenir plus dépendant si la santé se détériore.

La question du mariage et des enfants est un point délicat. Il est parfois bon de suggérer aux couples qui souhaitent avoir des enfants de suivre une consultation génétique. Les hommes atteints de fibrose kystique sont souvent stériles et les femmes qui en sont atteintes ont du mal à devenir enceintes. De plus, les enfants conçus seront soit porteurs du gène, soit atteints de la maladie. La courte espérance de vie du parent est également un facteur inquiétant dont il faut tenir compte, de même que sa capacité à prendre soin de l'enfant.

Les interventions en phase aiguë consistent à soulager la bronchoconstriction, l'obstruction des voies respiratoires et la limitation du débit d'air. Les interventions comprennent une physiothérapie vigoureuse du thorax, l'administration d'antibiotiques, une oxygénothérapie et des corticostéroïdes en cas de maladie grave. Une bonne nutrition est importante pour soutenir le système immunitaire. Grâce aux progrès technologiques réalisés dans le domaine de la perfusion longue durée (p. ex. *picc line*), l'administration des médicaments par voie intraveineuse est devenue beaucoup plus facile, et la transition du traitement IV à domicile est aussi simplifiée.

La physiothérapie thoracique est l'intervention de base en cas de dégagement inefficace des voies respiratoires. Le traitement à domicile de la fibrose kystique comprend un plan énergique de drainage postural avec percussion et vibration, de thérapie par aérosols et nébulisation, ainsi que de rééducation respiratoire. On enseigne au client les techniques de toux contrôlée, les exercices de respiration profonde et les exercices progressifs de conditionnement comme la bicyclette ou l'ergométrie pour les bras.

La fibrose kystique impose un lourd fardeau financier et émotionnel au client et à sa famille. Le coût des médicaments, du matériel spécialisé et des soins est souvent difficile à assumer. Pour les clients atteints de la maladie qui vivent assez longtemps pour être en âge de procréer, il est important de prévoir des séances de planification familiale et des consultations génétiques. Pour un jeune, le fait de vivre avec une maladie chronique est un fardeau parfois difficile à surmonter sur le plan émotionnel. Il existe souvent des ressources communautaires pour venir en aide aux familles et l'Association de la fibrose kystique peut aussi être utile. Lorsque le client atteint l'âge adulte, l'infirmière et d'autres professionnels de la santé qualifiés doivent être disponibles pour aider le client et sa famille à faire face aux complications de la maladie.

MOTS CLÉS

BIBLIOGRAPHIE
Version originale
1. American Thoracic Society: Standards for the diagnosis and care of patients with chronic obstructive pulmonary disease, *Am J Respir Crit Care Med* (Suppl) 152:5, 1995.
2. National Institutes of Health: *Highlights of The Expert Panel Report 2: Guidelines for the diagnosis and management of asthma*, pub no 97-4051A, 1997, US Department of Health and Human Services.
3. Fish J and others: Asthma care: new treatment strategies, new expectations, *Patient Care* 31:16, 1997.
4. Einarsson O, Wirth JA: Sinopulmonary syndromes, *Clin Pulm Med* 3:199, 1996.
5. Krishna MT, Chauhan AJ, Holgate ST: Molecular mediators of asthma: current insights, *Hosp Pract* 31:115, 1996.
6. Middleton A: Managing asthma: it takes teamwork, *AJN* 97:39, 1997.
7. Canales MA: Asthma management: putting your patient on the team, *Nursing* 27:33, 1997.
8. Fishman A and others: *Fishman's pulmonary diseases and disorders*, New York, 1997, McGraw-Hill.
9. Levy BD, Kitch B, Fanta CH: Medical and ventilatory management of status asthmaticus, *Intensive Care Med* 24:105, 1998.
10. Richman E: Asthma diagnosis and management: new severity classifications and therapy alternatives, *Clinician Reviews* 7:76, 1997.
11. Rachelefsky G: Helping patients live with asthma, *Hosp Pract* 30:51, 1995.
12. Drazen JM: New directions in asthma drug therapy, *Hosp Pract* 33:25, 1998.
13. O'Byrne PM, Israel E, Drazen JM: Antileukotrienes in the treatment of asthma, *Ann Intern Med* 127:472, 1997.
14. Mathews PJ: Monitoring the air waves using a peak flowmeter, *Nursing* 27:57, 1997.
15. Schapira R, Reinke L: The outpatient diagnosis and management of chronic obstructive pulmonary disease: pharmacotherapy, administration of supplemental oxygen, and smoking cessation techniques, *J Gen Intern Med* 10:40, 1995.
16. American Thoracic Society: Cigarette smoking and health, *Am J Respir Crit Care Med* 153:861, 1996.
17. The Agency for Health Care Policy and Research: Smoking cessation clinical practice guideline, *JAMA* 275:1270, 1996.
18. Barker AF and others: Replacement therapy for hereditary alpha$_1$-antitrypsin deficiency. A program for long-term administration, *Chest* 105:1046, 1994.
19. Ferguson GT: Screening and early intervention for COPD, *Hosp Pract* 33:67, 1998.
20. Grossman RF: Acute exacerbations of chronic bronchitis, *Hosp Pract* 32:85, 1997.
21. Wood A, Henningfield J: Nicotine medications for smoking cessation, *N Engl J Med* 333:1196, 1995.
22. Hurt RD and others: A comparison of sustained-release bupropion and placebo for smoking cessation, *N Engl J Med* 337:1195, 1997.
23. Hanson MJ: Caring for a patient with COPD: how to help him breathe easier once the damage is done, *Nursing* 27:39, 1997.
24. Tarpy SP, Celli B: Long-term oxygen therapy, *N Engl J Med* 333:710, 1995.
25. Calianno C and others: Oxygen therapy: giving your patient breathing room, *Nursing* 25:33, 1995.
26. Somerson SJ and others: Mastering emergency airway management, *AJN* 96:24, 1996.
27. O'Donohue WJ: Home oxygen therapy, *Med Clin North Am* 80:611, 1996.
28. Petty TL, O'Donohue WJ: Further recommendations for prescribing, reimbursement, technology development, and research in long-term oxygen therapy, *Am J Respir Crit Care Med* 150:875, 1994.
29. MacGregor RJ, Schakenbach LH: Lung volume reduction surgery: a new breath of life for emphysema patients, *Medsurg Nurs* 5:245, 1996.
30. Newsome EA, Ott BB: Lung volume reduction: surgical treatment for emphysema, *Am J Crit Care* 6:423, 1997.
31. Trulock EP: Lung transplantation for COPD, *Chest* 113(4 suppl):269S, 1998.
32. Breslin EH: Respiratory muscle function in patients with chronic obstructive pulmonary disease, *Heart Lung* 25:271, 1996.
33. Scherer YK, Schmieder LE: The effect of a pulmonary rehabilitation program on self-efficacy, perception of dyspnea, and physical endurance, *Heart Lung* 26:15, 1997.
34. Wingate BJ, Hansen-Flaschen J: Anxiety and depression in advanced lung disease, *Clin Chest Med* 18:495, 1997.
35. Rosenstein BJ, Zeitlin PL: Cystic fibrosis, *Lancet* 351:277, 1998.
36. Ruzal-Shapiro C: Cystic fibrosis: an overview, *Radiol Clin North Am* 36:143, 1998.
37. Alton EW and others: Towards gene therapy for cystic fibrosis: a clinical progress report, *Gene Therapy* 5:291, 1998.

Édition de langue française
1. Bio-Conseil. *Thérapeutes et naturopathes* [En ligne] (Page consultée le 27 avril 2003). [http://www.bio-conseil.com/PageHTML/dico.html].
2. PedsCCM. [En ligne] (Page consultée le 27 avril 2003) [http://pedsccm.wustl.edu/All-Net/french/pulmpage/asthma/asth].
3. École polytechnique Promotion 1987. *Contrôle de classement de biologie* [En ligne], décembre 1989 (Page consultée le 28 avril 2003) [http://www.enseignement.polytechnique.fr/biologie/annales/ANNALE5/X87.HTM].
4. Vulgaris-Médical. *Base de données* [En ligne], avril 2003 (Page consultée le 28 avril 2003) [http://www.vulgaris-medical.com/textd/disthora.html].
5. Institut canadien d'information sur la santé. *Les maladies respiratoires au Canada*, sept. 2001.
6. Association pulmonaire du Québec. *Mieux vivre avec une MPOC, module 1*. [http://www.poumon.ca/actionair].

PARTIE V
Soins infirmiers reliés aux troubles de transport de l'oxygène

Hélène Boissonneault
B. Sc. inf., D.A.P.
Cégep de Limoilou

Marlène Fortin
B. Sc. inf.
Cégep de Limoilou

Chapitre 18

ÉVALUATION DU SYSTÈME HÉMATOLOGIQUE

OBJECTIFS D'APPRENTISSAGE

APRÈS AVOIR LU CE CHAPITRE, VOUS DEVRIEZ ÊTRE EN MESURE :

- DE DÉCRIRE LES STRUCTURES ET LES FONCTIONS DU SYSTÈME HÉMATOLOGIQUE ;

- DE DISTINGUER LES DIFFÉRENTS TYPES DE CELLULES SANGUINES ET LEURS FONCTIONS ;

- D'EXPLIQUER LE PROCESSUS DE L'HÉMOSTASE ;

- DE DÉCRIRE LES CHANGEMENTS DU SYSTÈME HÉMATOLOGIQUE LIÉS À L'ÂGE ET LES DIFFÉRENCES OBSERVÉES DANS LES EXAMENS HÉMATOLOGIQUES ;

- DE RECONNAÎTRE LES DONNÉES IMPORTANTES DES EXAMENS SUBJECTIFS ET OBJECTIFS LIÉS AU SYSTÈME HÉMATOLOGIQUE QUI DOIVENT ÊTRE RECUEILLIES AUPRÈS D'UN CLIENT ;

- DE DÉCRIRE LES TECHNIQUES APPROPRIÉES UTILISÉES POUR L'EXAMEN PHYSIQUE DU SYSTÈME HÉMATOLOGIQUE ;

- DE DISTINGUER LES OBSERVATIONS NORMALES DES OBSERVATIONS ANORMALES LORS DE L'EXAMEN PHYSIQUE DU SYSTÈME HÉMATOLOGIQUE ;

- DE DÉCRIRE LE BUT DES ÉPREUVES DIAGNOSTIQUES DU SYSTÈME HÉMATOLOGIQUE, L'IMPORTANCE DE LEURS RÉSULTATS ET LES RESPONSABILITÉS DE L'INFIRMIÈRE QUI S'Y RATTACHENT.

PLAN DU CHAPITRE

*L'*hématologie *est l'étude du sang et du système hématopoïétique. Cette science se penche sur les cellules sanguines, la moelle osseuse, la rate et le système lymphatique. En milieu clinique, des connaissances fondamentales en hématologie sont utiles afin d'évaluer, chez le client, sa capacité à transporter l'oxygène et le dioxyde de carbone, sa coagulation et sa résistance aux infections. Une autre fonction homéostatique importante des cellules sanguines consiste à éliminer les cellules vieillies ou mortes. Cette fonction est accomplie par le système réticulo-histiocytaire. Ce système (autrefois connu sous le nom de système réticulo-endothélial) est composé de monocytes et de macrophages. Son rôle dans la phagocytose et la réponse immunitaire est décrit aux chapitres 6 et 7.*

18.1 STRUCTURES ET FONCTIONS DU SYSTÈME HÉMATOLOGIQUE

18.1.1 Moelle osseuse

La **moelle osseuse** est le tissu mou occupant la cavité interne des os. C'est dans la moelle osseuse que le système hématopoïétique (responsable de la production des cellules sanguines) produit les trois principales composantes cellulaires du sang : les érythrocytes (globules rouges [GR]) (voir figure 18.1), les leucocytes (globules blancs [GB]) et les plaquettes (thrombocytes). Ces composantes proviennent d'une même cellule souche et se développent en plusieurs types cellulaires distincts en parvenant à maturité (voir figure 18.2). L'infirmière qui connaît la fonction des divers types de cellules sanguines sera donc en mesure de mieux interpréter les données de laboratoire.

Chez le fœtus, la majeure partie de la moelle osseuse produit activement les cellules sanguines. Par contre, chez l'adulte, la production active de la moelle se limite généralement aux extrémités des os longs, aux vertèbres, aux os du crâne, au sternum, aux côtes, aux omoplates, à la clavicule, au pelvis et au sacrum.

18.1.2 Cellules sanguines

Érythrocytes. L'érythropoïèse, c'est-à-dire la production des érythrocytes ou globules rouges (voir figure 18.1), est surtout régulée par les besoins en oxygène des cellules et l'activité métabolique générale. Ce processus est stimulé par l'hypoxie et régi par l'érythropoïétine, une hormone synthétisée et libérée par les reins. Cette hormone stimule la moelle osseuse qui augmente la production d'érythrocytes et elle est aussi influencée par la disponibilité des nutriments. Parmi les nutriments

essentiels à cette hormone, citons le fer, la cobalamine (vitamine B_{12}) et l'acide folique.

Plusieurs espèces de cellules distinctes se développent au cours de la maturation des érythrocytes (voir figure 18.2). Le **réticulocyte** est un érythrocyte immature. La numération réticulocytaire mesure le taux de formation des nouveaux globules rouges dans la circulation sanguine. Les réticulocytes se transforment en érythrocytes matures dans les 48 heures suivant leur libération. Par conséquent, l'examen du nombre de réticulocytes constitue un bon moyen d'évaluer le taux et la capacité de production des érythrocytes. Le rôle des érythrocytes consiste à transporter les gaz (l'oxygène et le dioxyde de carbone) et à maintenir l'équilibre acidobasique au moyen du système tampon de l'hémoglobine.

L'hémoglobine (Hb), la principale composante des érythrocytes, donne au sang sa couleur rouge qui le caractérise lorsqu'il est combiné à l'oxygène. La molécule d'hémoglobine est formée de la globine, une protéine, et de la portion hème, un pigment rouge contenant du fer. La molécule de globine est formée de quatre chaînes polypeptidiques. Chaque chaîne est associée à un hème qui porte en son centre un atome de fer. Chaque atome de fer peut transporter une molécule d'O_2. Ainsi, une molécule de Hb peut transporter quatre molécules d'O_2 (oxyhémoglobine). Normalement, lorsque l'organisme utilise l'O_2, la molécule se dissout et est remplacée par une molécule de CO_2 (carboxyhémoglobine). La fonction de l'hémoglobine est donc de transporter l'oxygène. Ainsi, même si une quantité suffisante d'oxygène est

FIGURE 18.1 Micrographie électronique à balayage d'érythrocytes matures

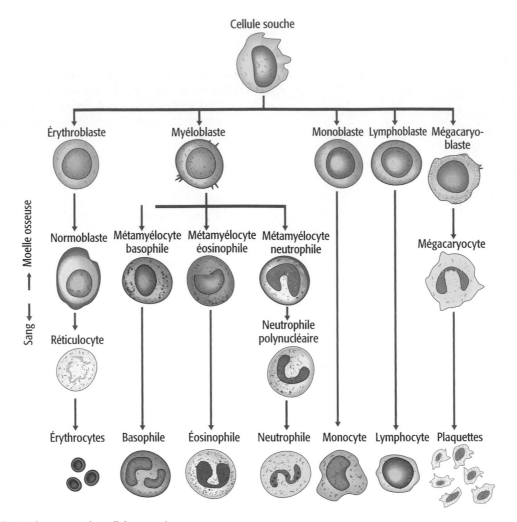

FIGURE 18.2 Développement des cellules sanguines

inspirée par les poumons, il est possible que cet oxygène ne puisse pas atteindre les tissus, s'il n'y a pas suffisamment d'hémoglobine pour le transporter. Par conséquent, tout type d'**anémie**, un état qui se caractérise par la diminution de la quantité de globules rouges ou d'hémoglobine, a un effet sur l'oxygénation tissulaire.

L'**hémolyse** est le processus par lequel les macrophages suppriment les globules rouges anormaux, défectueux et endommagés de la circulation. L'hémolyse a lieu dans la moelle osseuse, le foie et la rate et augmente la quantité de bilirubine, un produit de dégradation de l'Hb. La durée de vie moyenne d'un érythrocyte est de 120 jours.

Leucocytes. Les **leucocytes** se transforment aussi en divers types de cellules qui n'ont pas toutes le même degré de maturation (voir figure 18.2). Les leucocytes circulants matures se divisent en trois grandes catégories : les granulocytes, les monocytes et les lymphocytes (voir figure 18.3). La principale fonction des granulocytes et des monocytes est la phagocytose des

bactéries et des particules étrangères qui envahissent le corps. La **phagocytose** est un mécanisme par lequel les globules blancs ingèrent ou capturent tout élément indésirable pour ensuite le digérer et l'éliminer. La principale fonction des lymphocytes est liée à la réponse immunitaire (voir chapitre 7).

Granulocytes. Les granulocytes regroupent les neutrophiles, les éosinophiles et les basophiles, qui contiennent tous des granules dans leur cytoplasme. Ils sont aussi connus sous le nom de leucocytes polynucléaires.

La figure 18.2 illustre la maturation des neutrophiles. Après le stade métamyélocyte, le neutrophile immature poursuit son développement et devient un leucocyte polynucléaire mature. Le neutrophile immature ressemble au métamyélocyte, excepté que son noyau prend la forme d'un fer à cheval. Bien que des métamyélocytes soient parfois présents dans la circulation sanguine de personnes en santé et qu'ils soient capables de phagocytose, le neutrophile mature phagocyte de façon plus efficace. Le noyau du neutrophile est formé de deux à

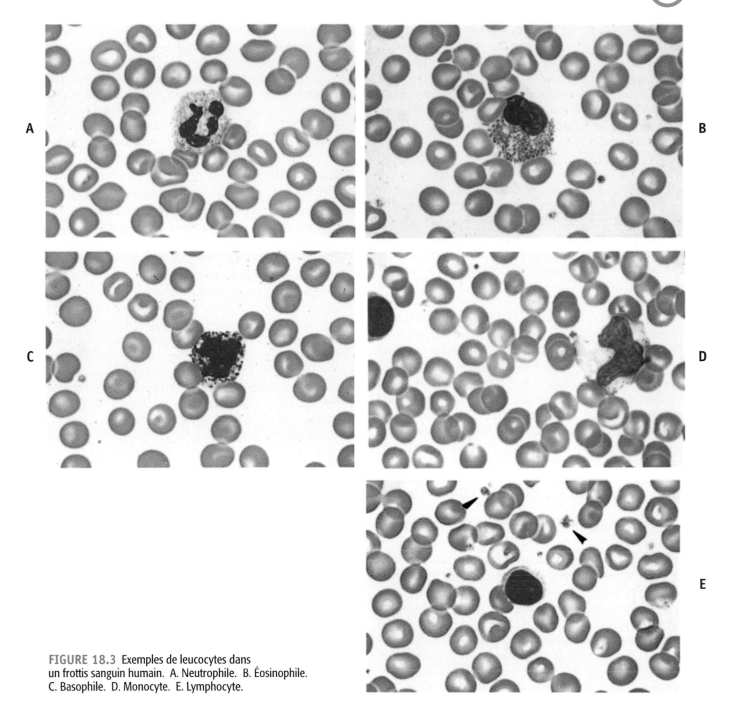

FIGURE 18.3 Exemples de leucocytes dans un frottis sanguin humain. A. Neutrophile. B. Éosinophile. C. Basophile. D. Monocyte. E. Lymphocyte.

cinq lobes, reliés entre eux par de minces fils de chromatine. C'est la raison pour laquelle le noyau de ces neutrophiles matures est dit « segmenté ».

Les neutrophiles ont une grande activité phagocytaire et constituent les principales cellules phagocytaires impliquées dans les réactions inflammatoires aiguës. Le mécanisme de phagocytose des éosinophiles, bien qu'il soit plus fiable, est semblable à celui des neutrophiles. L'une de leurs principales fonctions est de capturer les complexes antigènes-anticorps qui se forment au cours des réactions allergiques. Ils sont aussi capables de défendre l'organisme contre les infections parasitaires.

Les basophiles ont une capacité limitée de phagocytose. Les granules contenus dans leur cytoplasme renferment de l'héparine, de la sérotonine et de l'histamine. Un basophile stimulé par un antigène ou une lésion tissulaire réagit en libérant le contenu de ses granules. Cette activation est observée lors de réactions allergiques et inflammatoires.

Monocytes. Les monocytes se forment dans la moelle osseuse et circulent brièvement dans le sang. Ce sont les plus gros leucocytes. Ils se déplacent lentement et constituent des cellules phagocytaires puissantes pouvant ingérer de petites ou grandes masses de substances, comme des bactéries, des cellules mortes, des débris tissulaires ou des érythrocytes vieillis ou défectueux. Les monocytes sont les seconds leucocytes à intervenir en cas de lésion (les neutrophiles sont au premier rang). Lorsqu'ils quittent le sang pour pénétrer dans les tissus, les monocytes se transforment en macrophages, des cellules phagocytaires très efficaces.

Les macrophages qui résident dans les tissus sont désignés par des noms particuliers. Par exemple, les cellules de Küpffer (foie), les ostéoclastes (tissus osseux) et les macrophages alvéolaires (poumons). Ils protègent le corps contre les agents pathogènes au point d'entrée et ont un pouvoir phagocytaire plus important que les monocytes. Les macrophages secondent aussi les lymphocytes lors des réactions immunitaires cellulaires et humorales.

Lymphocytes. Les lymphocytes proviennent de la moelle osseuse et jouent un rôle fondamental dans le processus d'immunité cellulaire et humorale. On distingue deux types de lymphocytes : les lymphocytes B et les lymphocytes T. Les cellules B agissent comme médiateurs de la réaction immunitaire humorale. Lorsqu'ils sont stimulés par des antigènes, les lymphocytes B s'activent et deviennent des cellules spécialisées sécrétrices d'anticorps que l'on appelle plasmocytes. Les plasmocytes produisent des anticorps, appelés aussi **immunoglobulines**, qui agissent comme médiateurs de l'immunité humorale.

Les précurseurs des lymphocytes T naissent dans la moelle osseuse et migrent ensuite vers le thymus pour y subir une autre maturation. Les cellules T agissent comme médiateurs de l'immunité cellulaire et jouent un rôle dans la réaction immunitaire cellulaire contre les virus intracellulaires, la tuberculose, les irritants de contact (p. ex. l'herbe à puces), le cancer, les parasites, les champignons et les antigènes qui provoquent le rejet des organes transplantés. Divers types de lymphocytes T ont été identifiés, parmi lesquels les lymphocytes T auxiliaires et les lymphocytes T suppresseurs. Les infections engendrées par le virus de l'immunodéficience humaine (VIH) entraînent des altérations des lymphocytes T auxiliaires et une diminution de leur nombre, laissant la personne vulnérable aux agents pathogènes mentionnés plus haut, ainsi qu'aux tumeurs malignes. (La fonction lymphocytaire est présentée en détail au chapitre 7 et les infections par VIH sont traitées au chapitre 8).

Plaquettes. Les plaquettes, ou thrombocytes, sont dérivés des mégacaryocytes (voir figure 18.2). La principale fonction des plaquettes est de faire coaguler le sang. L'efficacité des plaquettes dépend de caractéristiques quantitatives et qualitatives. Les plaquettes doivent être suffisamment nombreuses, leur structure, adéquate et leur métabolisme, fonctionnel. Les plaquettes participent aussi à l'hémostase. Elles maintiennent l'intégrité capillaire en colmatant toute ouverture de la paroi capillaire. L'activation plaquettaire est amorcée dès qu'un vaisseau est lésé, alors qu'un nombre croissant de plaquettes s'accumulent pour former un clou plaquettaire (voir figure 18.4). Les plaquettes jouent également un rôle important dans le mécanisme de rétraction du caillot.

18.1.3 Rate

La rate est un organe du système hématologique qui est situé dans l'hypocondre gauche (partie latérale de la région supérieure de l'abdomen). Les fonctions de la rate peuvent être classées en quatre grands groupes :

- **L'hématopoïèse.** La rate produit des érythrocytes pendant le développement fœtal ;
- La filtration. La structure splénique offre un mécanisme de filtration idéal : par exemple, la rate élimine les érythrocytes vieillis et défectueux de la circulation au moyen du système réticulohystocytaire. Les mécanismes de réutilisation du fer constituent un autre exemple de filtration. La rate est capable de cataboliser l'hémoglobine libérée par l'hémolyse et de retourner les composés ferreux de l'hémoglobine dans la moelle épinière à des fins de réutilisation.
- L'immunité. La rate contient beaucoup de lymphocytes et de monocytes ;
- Le stockage. Environ 30 % de la masse plaquettaire est stockée dans la rate.

18.1.4 Système lymphatique

Le système lymphatique est composé de capillaires lymphatiques, de canaux et de ganglions lymphatiques. C'est par l'intermédiaire de la lymphe que le liquide de l'espace interstitiel, les protéines, les lipides provenant du tractus gastro-intestinal et certaines hormones sont capables de retourner au sang. Le système lymphatique permet également d'évacuer l'excès de liquide interstitiel dans le sang, un mécanisme important de prévention de l'œdème.

La lymphe est un liquide interstitiel de couleur jaune pâle qui est diffusé à travers les parois des capillaires lymphatiques. Elle circule dans des vaisseaux spéciaux, à la manière du sang qui se déplace dans les vaisseaux sanguins. La quantité de lymphe augmente lorsque la pression du liquide interstitiel s'élève. Il en résulte un plus grand volume de liquide dans le système lymphatique. Un lymphœdème se manifeste lorsque la pression interstitielle est trop élevée ou lorsqu'une obstruction quelconque empêche la réabsorption de la lymphe. Parfois, le lymphœdème est une complication consécutive à une mastectomie radicale, car l'ablation des ganglions lymphatiques crée une obstruction des voies lymphatiques.

Les capillaires lymphatiques sont des vaisseaux aux parois minces, tapissées de cellules endothéliales au diamètre irrégulier. Ils sont légèrement plus grands que les capillaires sanguins et ne contiennent pas de valves. Les capillaires lymphatiques s'unissent pour former des vaisseaux lymphatiques qui transportent la lymphe au canal lymphatique droit ou au canal thoracique. Ces grands canaux lymphatiques communiquent avec les veines sous-clavières du cou.

Les ganglions lymphatiques font aussi partie du système lymphatique. Sur le plan structural, les ganglions sont de petits organes ronds ou en forme de fève de diverses tailles. Leur principale fonction est de filtrer les bactéries et les particules étrangères transportées par la lymphe. Les ganglions lymphatiques sont répartis dans tout le corps le long des vaisseaux lymphatiques. Ils sont situés en superficie ou en profondeur. Il est possible de palper les ganglions superficiels; cependant, les ganglions profonds doivent être observés aux rayons X.

18.1.5 Foie

Le foie agit comme un filtre et produit les substances procoagulantes indispensables à l'hémostase et à la coagulation sanguine. D'autres fonctions du foie sont décrites au chapitre 35.

18.1.6 Mécanismes de coagulation

L'hémostase est le processus homéostatique normal de la coagulation sanguine et de la lyse du caillot sanguin. La coagulation sanguine permet de réduire la perte de sang, lorsque diverses structures corporelles sont lésées. Trois facteurs assurent une coagulation normale : la réaction vasculaire, la réaction plaquettaire et les facteurs de coagulation du plasma.

Réaction vasculaire. Dès qu'un vaisseau sanguin est lésé, une réaction vasoconstrictrice locale se produit immédiatement. Cette vasoconstriction réduit la fuite de sang du vaisseau en diminuant sa taille et en resserrant les surfaces endothéliales. Cette constriction améliore la viscosité de la paroi vasculaire, tout en maintenant le vaisseau fermé, même lorsque la vasoconstriction s'atténue. Le vasospasme peut durer de 20 à 30 minutes, le temps que la réaction plaquettaire se produise et que les facteurs de coagulation du plasma s'activent.

Réaction plaquettaire. Les plaquettes s'activent lorsqu'elles sont exposées au collagène interstitiel provenant d'un vaisseau sanguin lésé. Les plaquettes se collent les unes aux autres, c'est ce qu'on appelle **adhésion**, et se regroupent en amas, ce qu'on appelle **agrégation plaquettaire**

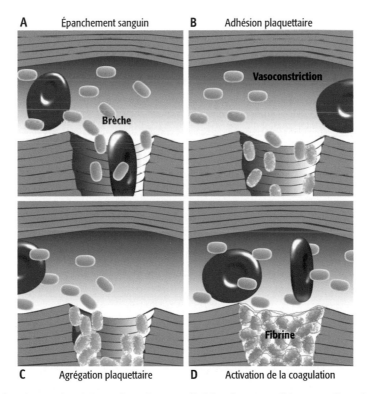

FIGURE 18.4 Formation du clou plaquettaire. A. Lorsqu'un vaisseau est lésé, les plaquettes adhèrent aux fibres de collagène du tissu conjonctif sous-endothélial, au site de lésion. B. Elles s'activent alors et libèrent des substances qui vont entraîner la vasoconstriction et le recrutement d'autres plaquettes. C. Les plaquettes nouvellement arrivées adhèrent les unes aux autres et forment une agrégation. D. L'accumulation d'un grand nombre de plaquettes forme une masse appelée clou plaquettaire, qui se resserre grâce aux filaments de fibrine pendant la coagulation.
Tiré de *Introduction à l'étude de l'hémostase et de la thrombose*. Boneu, B., J.P. Cazenave, 1997.

ou **agglutination**. Lorsqu'un vaisseau sanguin est lésé, les plaquettes circulantes sont exposées au collagène du revêtement interne du vaisseau. Les plaquettes libèrent alors des substances, comme le facteur plaquettaire 3 et la sérotonine, qui facilitent la coagulation. Au même moment, les plaquettes libèrent de l'adénosine diphosphate qui augmente l'adhésion et l'agrégation des plaquettes, favorisant ainsi la formation d'un clou plaquettaire.

En plus de leur contribution distincte à la coagulation, les plaquettes facilitent aussi les réactions des facteurs de coagulation du plasma. Comme le montre la figure 18.5, les lipoprotéines plaquettaires stimulent les réactions de conversion qui interviennent dans le processus de coagulation.

Facteurs de coagulation du plasma. Les facteurs de coagulation du plasma sont identifiés par des noms et

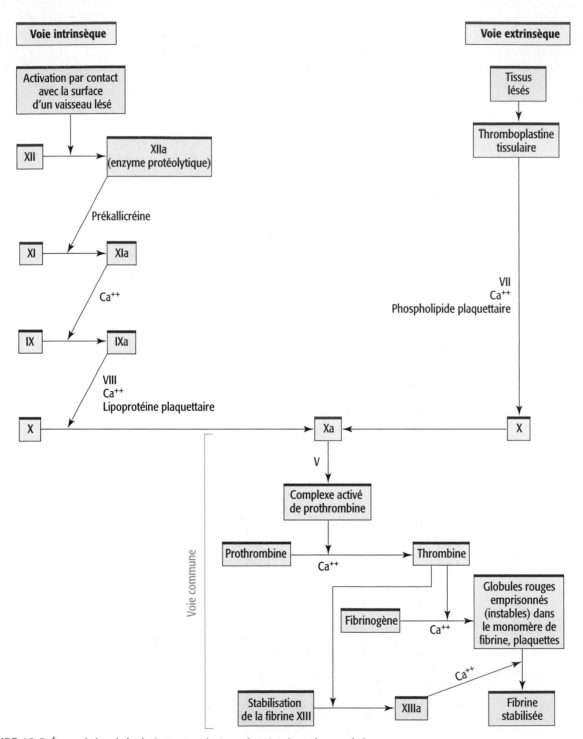

FIGURE 18.5 Étapes de la voie intrinsèque et extrinsèque du mécanisme de coagulation

des chiffres romains (voir tableau 18.1). Les protéines plasmatiques circulent sous une forme inactive jusqu'à ce qu'elles soient stimulées à amorcer la coagulation par voie intrinsèque ou extrinsèque. Une exposition au collagène libéré par une lésion endothéliale du vaisseau active la voie intrinsèque. La voie extrinsèque, quant à elle, se met en branle lorsque la thromboplastine tissulaire est libérée hors du vaisseau sanguin lésé.

Peu importe qu'elle soit activée par des substances internes ou externes au vaisseau sanguin, la coagulation aboutira à une voie finale commune résultant de réactions en cascade. Dans la voie commune, la thrombine constitue l'enzyme la plus efficace du processus de coagulation (voir figure 18.5). Elle transforme le fibrinogène en fibrine, l'élément principal du thrombus (ou caillot sanguin).

Anticoagulants. Alors que certains éléments sanguins favorisent la coagulation (hémostatise), d'autres empêchent la coagulation (anticoagulants). Ce contre-mécanisme de coagulation sanguine sert à maintenir le sang à l'état liquide. L'anticoagulation est le résultat d'une action antithrombique ou fibrinolytique. Comme son nom l'indique, l'antithrombine permet au sang de circuler en neutralisant la thrombine qui est un puissant coagulant. L'héparine endogène est un exemple d'anticoagulant.

La fibrinolyse est la deuxième façon de maintenir le sang à l'état liquide. Le processus fibrinolytique est amorcé lorsque le plasminogène est transformé en plasmine (voir figure 18.6). La thrombine est l'une des substances pouvant activer la conversion du plasminogène en plasmine et intensifier ainsi la fibrinolyse. La plasmine peut s'attaquer à la fibrine ou au fibrinogène en

TABLEAU 18.1 **Facteurs de coagulation**			
Facteur	Nom ou synonyme	Nature/Origine	Fonction ou voie
I	Fibrinogène	Protéine plasmatique d'origine hépatique	Voie commune ; converti en fibrine
II	Prothrombine	Protéine plasmatique ; synthétisée par le foie en présence de vitamine K	Voie commune ; converti en thrombine
III	Thromboplastine, facteur tissulaire	Lipoprotéines sécrétées par les tissus lésés	Catalyse la formation de la thrombine ; voie extrinsèque
IV	Calcium	Ion inorganique plasmatique d'origine alimentaire ou libéré par les os	Joue un rôle dans presque toutes les étapes de la coagulation
V	Proaccélérine, facteur labile, AC-globuline	Protéine plasmatique d'origine hépatique ou libérée par les plaquettes	Voies extrinsèque et intrinsèque
VI	Il n y a plus de facteur VI, car il serait identique au facteur V.		
VII	Facteur stable, convertine, proconvertine	Protéine plasmatique ; synthétisée par le foie en présence de vitamine K	Voie extrinsèque
VIII	Thromboplastinogène ou facteur antihémophilique A	Globuline d'origine hépatique ; son déficit cause l'hémophilie A	Voie intrinsèque
IX	Facteur Christmas, facteur antihémophilique B	Protéine plasmatique, synthétisée par le foie en présence de vitamine K ; son déficit cause l'hémophilie B	Voie intrinsèque
X	Facteur Stuart-Prower-Delia, facteur Stuart	Protéine plasmatique, synthétisée par le foie en présence de vitamine K	Voies extrinsèque et intrinsèque
XI	Facteur Rosenthal, facteur antihémophilique C	Protéine plasmatique, synthétisée par le foie ; son déficit cause l'hémophilie C	Voie intrinsèque
XII	Facteur Hageman	Protéine plasmatique d'origine inconnue ; enzyme protéolytique	Voie intrinsèque ; active la plasmine
XIII	Facteur de stabilisation de la fibrine (FSF)	Protéine plasmatique et plaquettaire ; source plasmatique inconnue	Stabilise les filaments de fibrine

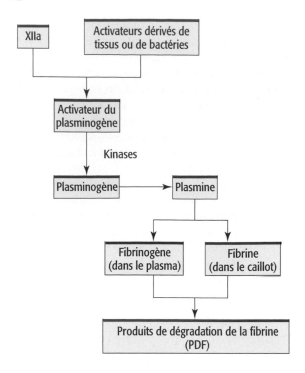

FIGURE 18.6 Synthèse fibrinolytique

fragmentant les molécules en plus petits éléments, soit les produits de dégradation de la fibrine. (Des renseignements supplémentaires concernant ces produits sont présentés au tableau 18.6 et dans la section portant sur la coagulation intravasculaire disséminée au chapitre 19.)

Un client sera prédisposé aux hémorragies si la fibrinolyse est trop importante. Dans un tel cas, l'hémorragie est attribuable à la destruction de la fibrine dans les clous plaquettaires ou aux effets anticoagulants d'une plus grande quantité de produits de dégradation de la fibrine, qui entraînent une altération de l'agrégation plaquettaire, une diminution de la prothrombine et une incapacité à stabiliser la fibrine.

18.2 ÉVALUATION DU SYSTÈME HÉMATOLOGIQUE

L'évaluation du système hématologique est surtout fondée sur une étude approfondie des antécédents de santé. Par conséquent, l'infirmière doit savoir quelles données y inclure afin de formuler des questions visant à obtenir le plus de renseignements possible liés au

---

GÉRONTOLOGIE

Effets du viellissement sur le système hématologique

- Le vieillissement physiologique est un processus graduel qui comprend une perte cellulaire et l'atrophie des organes. Après 30 ans, le renouvellement cellulaire de la moelle osseuse (cellules souches) diminue à près de 80%, puis autour de 50% à l'âge de 65 ans. Après 65 ans, le renouvellement cellulaire diminue à 30%. Bien que les cellules souches restantes maintiennent leur capacité fonctionnelle de division, leur nombre diminue parce qu'elles sont graduellement remplacées par des cellules adipeuses non fonctionnelles. Cette diminution du renouvellement cellulaire et des réserves de moelle osseuse prédispose la personne âgée aux problèmes liés à la coagulation, au transport de l'oxygène et à la lutte contre l'infection. Par conséquent, la personne âgée est plus vulnérable à une maladie aiguë ou chronique.

- Après l'âge moyen, les taux d'hémoglobine commencent à diminuer chez l'homme et la femme, et les plus faibles taux sont observés chez les personnes âgées. On évalue que la prévalence de l'anémie chez les personnes âgées varie entre 2 % parmi la classe socioéconomique supérieure et les personnes âgées autonomes et 40% parmi les personnes âgées vivant en établissements de santé. Bien qu'une carence en fer soit souvent responsable du faible taux d'hémoglobine, la cause de l'anémie chez de nombreuses personnes âgées n'a aucune étiologie connue.

- Même si l'absorption du fer n'est pas altérée chez la personne âgée, l'apport nutritionnel d'aliments riches en fer est souvent moins important. Il est donc indispensable d'évaluer les signes d'un processus morbide sous-jacent, comme le saignement gastro-intestinal, avant de conclure que la diminution du taux d'hémoglobine est uniquement attribuable à l'âge. La fragilité osmotique plus élevée des érythrocytes chez la personne âgée, peut expliquer l'augmentation du volume globulaire moyen (VGM) et la diminution de la teneur corpusculaire moyenne en hémoglobine (TCMH) des érythrocytes.

- En général, le vieillissement n'a aucune influence sur la numération totale des leucocytes, la formule leucocytaire totale et de la fonction leucocytaire. Cependant, il est possible qu'une personne âgée souffrant d'une infection ne présente qu'une faible élévation de la numération totale des leucocytes. Ces résultats de laboratoire laissent supposer une diminution de la réserve de granulocytes de la moelle chez la personne âgée. Même si les plaquettes ne sont pas touchées par le processus du vieillissement, des changements dans l'intégrité vasculaire peuvent se manifester, par exemple, des contusions qui surviennent facilement.

- Les effets du vieillissement sur les épreuves hématologiques sont présentés dans le tableau 18.2. Les changements immunitaires liés au vieillissement sont présentés au chapitre 7.

EXAMEN CLINIQUE ET GÉRONTOLOGIQUE

TABLEAU 18.2   Effets du vieillissement sur les épreuves hématologiques

Épreuves	Modifications
FSC	
Hb	Diminution
VGM	Augmentation
CGMH	Diminution
Numération GB	Diminution de la réaction à l'infection
Plaquettes	*Statu quo*
Épreuves de coagulation	
Temps de céphaline	Diminution
Fibrinogène	Peut être élevée
Facteurs V, VII, VIII, IX	Peuvent être élevés
VS	Augmentation importante
Épreuve sérique	
Fer sérique	Diminution
Capacité totale de fixation du fer	Diminution

FSC : formule sanguine complète ; VS : vitesse de sédimentation ; Hb : hémoglobine ; CGMH : concentration globulaire moyenne en hémoglobine ; VGM : volume globulaire moyen ; GB : globule blanc.

trouble hématologique. Les questions clés à poser à un client souffrant d'un trouble hématologique sont présentées dans l'encadré 18.2.

18.2.1 Données subjectives

Information importante concernant la santé

Antécédents de santé. Il est important de savoir si le client a déjà éprouvé des troubles hématologiques. On doit vérifier si les résultats de laboratoire antérieurs ont déjà signalé la présence d'anémie, de mononucléose, de malabsorption, de troubles hépatiques (p. ex. hépatite, cirrhose), de thrombophlébite ou thrombose et de troubles spléniques. Il y aurait lieu d'explorer les hémopathies, comme la leucémie.

Médication. De nombreux médicaments peuvent nuirent à la fonction hématologique normale (voir tableau 18.3). Les agents antinéoplasiques utilisés pour traiter les affections malignes peuvent entraîner une dépression de la moelle osseuse (voir chapitre 9). Les antécédents pharmaceutiques de tous les médicaments d'ordonnance ou en vente libre pris par le client constituent une composante importante de l'évaluation hématologique.

On doit également tenir compte de l'alimentation, de la consommation de vitamines et d'autres substances à base de plantes susceptibles d'interagir avec les médicaments. Par contre, il faut user de subtilité, car de nombreux clients éviteront de révéler qu'ils ont recours aux médecines douces.

Chirurgie ou autres traitements. L'infirmière doit interroger le client sur les interventions chirurgicales qu'il a subies : par exemple splénectomie, ablation d'une tumeur, mise en place d'une valve prothétique, excision chirurgicale du duodénum (où se fait l'absorption du fer), gastrectomie partielle ou totale (qui supprime les cellules pariétales et réduit ainsi le facteur intrinsèque et l'absorption de la cobalamine) et résection iléale (où se fait l'absorption de la cobalamine). L'infirmière doit aussi vérifier si la cicatrisation des plaies s'est déroulée normalement après l'intervention et si le client a fait des hémorragies avant, pendant ou après l'opération. Les saignements et la cicatrisation des plaies reliés à des lésions antérieures (y compris les traumatismes mineurs) et les extractions dentaires doivent être abordés. L'infirmière doit demander au client s'il souffre d'infections ou de troubles de coagulation récurrents ou d'insuffisance rénale (diminuant considérablement l'hématopoïèse).

Modes fonctionnels de santé

Mode perception et gestion de la santé. L'infirmière doit demander au client de décrire son état de santé actuel et habituel. Pour aider le client à maintenir une santé optimale, il est important de connaître ses perceptions et ses pratiques de prévention en matière de santé.

Il est indispensable de recueillir des données personnelles complètes, notamment l'âge, le sexe, la race et les antécédents ethniques, car il existe une influence génétique connue pour certaines conditions hématologiques ainsi que pour les hémopathies héréditaires. Par exemple, la drépanocytose atteint surtout les individus de race noire et l'anémie pernicieuse est particulièrement fréquente chez les personnes originaires de l'Europe du Nord.

Après avoir recueilli les données sur des antécédents familiaux, on doit vérifier si le client a déjà présenté les troubles suivants : ictère, anémie, tumeur maligne, dyscrasie des globules rouges, comme la drépanocytose, et troubles hématologiques, comme l'hémophilie. Il est aussi important de connaître le nombre de transfusions sanguines que le client a reçues et, le cas échéant, les complications qui sont survenues au cours de ces transfusions. Les allergies connues, les réactions allergiques et les chocs anaphylactiques doivent être documentés.

Les facteurs de risque, comme la consommation d'alcool et le tabagisme, pouvant perturber le système hématologique doivent être examinés. La consommation d'alcool doit être étudiée soigneusement, car l'alcool est

ANTÉCÉDENTS DE SANTÉ

Système hématologique

ENCADRÉ 18.2

Mode perception et gestion de la santé
- Avez-vous de la difficulté à accomplir vos activités de la vie quotidienne (AVQ) en raison d'un manque d'énergie ?*
- Fumez-vous ou prenez-vous de l'alcool ?*
- Avez-vous déjà reçu une transfusion sanguine ?*
- Existe-t-il des antécédents de troubles d'anémie, de cancer, de saignement ou de coagulation dans votre famille ?*
- Énumérez les médicaments que vous prenez.

Mode nutrition et métabolisme
- Éprouvez-vous des difficultés à vous alimenter, à mastiquer ou à avaler ?*
- Décrivez-moi votre appétit.
- Prenez-vous des vitamines, des suppléments alimentaires ou du fer ?*
- Souffrez-vous de nausées et de vomissements ?*
- Avez-vous eu des saignements ou des contusions inhabituels ?*
- Avez-vous remarqué des changements récents dans l'état de votre peau ?*
- Avez-vous des sueurs nocturnes ? Éprouvez-vous de l'intolérance au froid ?*
- Avez-vous remarqué de l'inflammation au niveau des aisselles, du cou ou des aines ?*

Mode élimination
- Avez-vous eu des selles noires goudronneuses ?*
- Avez-vous remarqué du sang dans vos urines ?*
- Avez-vous remarqué une diminution de l'élimination urinaire ?*
- Vous arrive-t-il d'avoir la diarrhée ?*

Mode activité et exercice
- Avez-vous récemment éprouvé une fatigue excessive ?*
- Êtes-vous essoufflé au repos ? Lorsque vous pratiquez une activité ?*
- Avez-vous des limites d'amplitude articulaire ?*
- Avez-vous une démarche chancelante ?*
- Avez-vous déjà remarqué des saignements ou des contusions après une activité ?*

Mode sommeil et repos
- Avez-vous le sentiment d'être fatigué ? Êtes-vous plus fatigué que normalement ?*
- Avez-vous le sentiment d'être reposé au réveil ? Si non, expliquez ce que vous ressentez.

Mode cognition et perception
- Éprouvez-vous une sensation d'engourdissement ou de fourmillement ?*
- Avez-vous déjà eu des problèmes visuels, auditifs ou gustatifs ?*
- Avez-vous remarqué des changements dans vos fonctions mentales ?*
- Éprouvez-vous de la douleur aux os, aux articulations ou à l'abdomen ? Sentez-vous que votre abdomen est gonflé ?*
- Lors d'une moblilisation, éprouvez-vous de la douleur aux articulations ?
- Sentez-vous que vos muscles sont endoloris ou sensibles ?*

Mode perception et concept de soi
- Votre problème de santé a-t-il des répercussions sur votre image de vous-même ?*
- Subissez-vous des changements physiques qui vous bouleversent ?*

Mode rôle et relation
- Dans le cadre de votre travail, êtes-vous en contact avec des substances dangereuses ?*
- Votre maladie actuelle cause-t-elle un changement dans vos rôles et vos relations ?*

Mode sexualité et reproduction
- Votre problème actuel vous cause-t-il des difficultés sexuelles qui vous préoccupent ?*
- Femmes : À quand remontent vos dernières menstruations ? Considérez-vous votre cycle menstruel normal ? Combien de temps dure normalement la période de saignement ? Avez-vous remarqué si les crampes sont plus nombreuses et s'il y a davantage de caillots ?*
- Hommes : Souffrez-vous d'impuissance ?*

Mode adaptation et tolérance au stress
- Dans votre entourage, disposez-vous d'un système de soutien pour vous aider au besoin ?
- Quelles stratégies d'adaptation utilisez-vous pendant les périodes intenses d'exacerbation des symptômes?

Mode valeurs et croyances
- Quel est votre point de vue par rapport aux transfusions sanguines ?*
- Votre système de valeurs et vos croyances s'opposent-ils au traitement prévu ?*

* Dans l'affirmative, demandez au client de décrire la situation.

un agent caustique qui peut endommager et léser la muqueuse gastro-intestinale, et provoquer un saignement local. L'hématémèse qui peut être un symptôme d'abus doit être étudiée. L'abus chronique d'alcool entraîne souvent une carence vitaminique. L'alcool est aussi dommageable pour la fonction plaquettaire et le foie (organe où sont produits plusieurs facteurs de coagulation). Par conséquent, l'apparition de saigne-

ments doit être anticipée dans les cas connus d'abus d'alcool.

Mode nutrition et métabolisme. Lors de l'entrevue et de la collecte de données, l'infirmière doit vérifier la masse du client et le questionner sur les modifications de son corps pouvant être liées à l'anorexie, aux nausées, aux vomissements ou à des malaises buccodentaires. Le

TABLEAU 18.3 Médicaments influant sur la fonction hématologique et les résultats de laboratoire*

Médicament	Utilisation thérapeutique	Effet hématologique
Amphotéricine B (Fungizone)	Antifongique	Anémie
Acide acétysalicylique (Aspirin) et composés contenant de l'aspirine (p. ex. Fiorinal Percodan)	Analgésique, antipyrétique, anti-inflammatoire	Diminution de l'agrégation plaquettaire, temps de saignement prolongé
Azathioprine (Imuran)	Immunosuppresseur	Anémie, leucopénie
Carbamazépine (Tegretol)	Anticonvulsivant	Anémie, leucopénie, thrombopénie
Chloramphénicol (Chloromycetin)	Antibiotique	Anémie, neutropénie, thrombopénie
Hydrochlorothiazide (HydroDiuril)	Diurétique	Thrombopénie (occasionnel)
Contraceptifs oraux et diéthylstilbœstrol	Régulation des naissances, symptômes de la ménopause, saignement utérin, cancer de la prostate	Augmentation des facteurs II, V, VII, VIII, IX, X ; augmentation du fibrinogène ; augmentation de la thrombopénie ; diminution de la prothrombine et temps de céphaline ; augmentation de la coagulation et formation de thromboembolie (général)
Phénytoïne (Dilantin)	Anticonvulsivant, antiarythmique	Anémie
Épinéphrine (Adrenalin)	Sympathomimétique	Leucocytose
Glucocorticoïdes (Prednisone)	Anti-inflammatoire	Lymphopénie, neutrophilie,
Isoniazide (INH)	Antituberculeux	Neutropénie
Méthyldopa (Aldomet)	Antihypertenseur	Anémie hémolytique
Phénylbutazone	Anti-inflammatoire	Anémie, leucopénie, neutropénie, thrombopénie
Procaïnamide (Pronestyl)	Antiarythmique	Agranulocytose
Sulfate de quinidine	Antiarythmique	Agranulocytose, anémie, thrombopénie
Triméthoprime Sulfaméthoxazole (Septra)	Antibactérien	Anémie, leucopénie, neutropénie, thrombopénie
Agents antinéoplasiques	Immunodépresseur, tumeurs malignes	Anémie, leucopénie, thrombopénie
Anti-inflammatoires non stéroïdiens (AINS)	Anti-inflammatoire, analgésique, antipyrétique	Inhibition de l'agrégation plaquettaire

* Ce tableau ne présente qu'une liste partielle de médicaments pouvant affecter le système hématologique.

bilan alimentaire peut procurer des indices sur la cause du déficit en érythrocytes. Le fer, la cobalamine et l'acide folique sont des éléments essentiels à la formation des érythrocytes. Les carences en fer et en acide folique sont associées à un apport inadéquat d'aliments, comme la viande, le foie, les œufs, le pain et les céréales enrichis et à grains entiers, les pommes de terre, les légumes verts feuillus, les fruits secs, les légumes et les agrumes. Il est également possible qu'une carence en acide folique soit compensée par un régime comprenant des aliments à forte teneur en fer.

Tout changement dans la texture ou la couleur de la peau doit être examiné, et on doit demander au client s'il a présenté des épisodes de saignement des gen-cives. La fréquence, la taille et la cause des pétéchies ou des ecchymoses doivent être notées. Une pétéchie permet de localiser une accumulation de sang sous la peau ou dans les muqueuses. Les petits vaisseaux fuient sous la pression, et le nombre de plaquettes est insuffisant pour arrêter le saignement. C'est le signe le plus susceptible de se produire à l'endroit où les vête-ments compriment les vaisseaux sanguins.

On doit également questionner le client pour savoir s'il souffre d'inflammation au cou, aux aisselles ou à l'aine. Une description détaillée de l'inflammation doit être notée, dont la taille de la zone œdémateuse, la tex-ture, l'amplitude de mouvement et la sensibilité. En général, les tumeurs lymphatiques primitives ne sont pas douloureuses. Des ganglions lymphatiques œdémateux et non sensibles peuvent notamment être un signe de la maladie de Hodgkin ou d'un lymphome non hodgkinien.

Toute présence d'hyperthermie doit être examinée attentivement. Il est important de savoir si le client fait de la fièvre au moment de l'examen et s'il souffre d'épisodes de fièvres récurrentes, de frissons ou de diaphorèse nocturne.

Mode élimination. L'infirmière doit demander au client s'il a remarqué la présence de sang dans son urine (hématurie) ou dans ses selles (méléna) ou s'il a eu des selles noires goudronneuses. Elle doit aussi noter s'il y a eu une diminution de la fréquence et de la quantité des mictions (diurèse) ou de la diarrhée.

Mode activité et exercice. Étant donné que la fatigue est un symptôme prédominant lié à de nombreux troubles hématologiques, on doit demander au client s'il se sent fatigué, affaibli ou s'il ressent une lourdeur aux extrémités. Les symptômes d'apathie, de malaise ou de palpitations doivent être notés, de même que tout changement dans la capacité du client à vaquer à ses activités de la vie quotidienne (AVQ).

Mode sommeil et repos. L'infirmière doit demander au client s'il se sent reposé après une nuit de sommeil, car bien souvent une personne présentant un trouble hématologique sera encore fatiguée au réveil.

Mode cognition et perception. La douleur doit être évaluée puisqu'elle est parfois causée par un trouble hématologique. L'arthralgie peut indiquer une affection auto-immune ou peut être causée par la goutte, elle-même consécutive à une augmentation de la production d'acide urique, qui peut être attribuable à un cancer hématologique ou une anémie hémolytique. La pression exercée par la moelle osseuse qui prend de l'expansion peut provoquer la douleur osseuse. L'hémarthrose chez le client souffrant de troubles hémorragiques peut être douloureuse.

La paresthésie, les engourdissements et le fourmillement peuvent être liés à un trouble hématologique et doivent être notés. On doit également vérifier attentivement si la vision, l'audition, le goût ou la cognition du client ont été altérés.

Mode perception et concept de soi. On doit vérifier quelles sont les conséquences de la maladie sur la perception et les capacités personnelles du client. De plus, les effets de certains symptômes sur l'apparence, comme les contusions, les pétéchies et l'inflammation ou l'hypertrophie des ganglions lymphatiques, doivent être évalués.

Mode relation et rôle. L'infirmière doit demander au client s'il a déjà été exposé à des radiations ou à des produits chimiques, soit en CH, au travail ou à la maison. Dans l'affirmative, on doit lui demander le type, la quantité et la durée de l'exposition.

On sait aujourd'hui qu'une personne ayant été exposée à des radiations, que ce soit pour des modalités de traitement en CH ou par accident, court un risque plus élevé de souffrir d'un trouble hématologique. Il en va de même pour une personne ayant été exposée à des produits chimiques (p. ex. benzène, plomb, naphtalène, phénylbutazone). Ces produits chimiques sont couramment employés par les potiers, les nettoyeurs ou les travailleurs qui utilisent des adhésifs. L'infirmière doit aussi examiner les répercussions de la maladie actuelle sur les fonctions et les responsabilités habituelles du client.

Mode sexualité et reproduction. Les données recueillies auprès des clientes doivent comprendre les antécédents menstruels détaillés, y compris l'âge de la ménarche et de la ménopause, la durée des menstruations et la quantité des pertes sanguines, l'incidence de la coagulation et des crampes, ainsi que tout autre problème. On doit aussi noter tout problème de saignement périnatal ou postnatal. L'infirmière doit questionner le client pour savoir s'il souffre d'impuissance, car ce problème est courant chez les hommes atteints de troubles hématologiques.

Mode adaptation et tolérance au stress. Un client souffrant d'un trouble hématologique a souvent besoin d'aide pour vaquer aux activités de la vie quotidienne (AVQ). On doit donc lui demander s'il dispose d'un soutien adéquat pour répondre à ses besoins quotidiens et quels sont les moyens qu'il utilise pour gérer son stress. Un client souffrant d'un trouble plaquettaire ou d'hémophilie peut être préoccupé par le risque d'hémorragie au point de changer son mode de vie habituel et de nuire ainsi à sa qualité de vie. L'infirmière doit vérifier dans quelle mesure le client comprend sa situation.

Mode valeurs et croyances. Il peut arriver qu'une personne souffrant d'un trouble hématologique ait besoin d'une transfusion sanguine ou d'une greffe de moelle osseuse. L'infirmière doit déterminer si ces types de traitement sont problématiques pour le client et si le traitement prévu va à l'encontre des valeurs et des croyances du client. Il est donc important que l'infirmière connaisse les différences culturelles en matière de sang et de transfusions sanguines.

18.2.2 Données objectives

Examen physique. Il est indispensable de procéder à un examen physique complet afin de pouvoir examiner tous les systèmes qui peuvent affecter ou perturber le système hématologique. Par exemple, une altération de l'état de conscience peut être causée par une hémorragie intracrânienne et indiquer la nécessité d'un examen neurologique. Une augmentation de la circonférence de l'abdomen peut être liée à une splénomégalie, une hépatomégalie ou une hémorragie abdominale et, par conséquent, justifier un examen gastro-intestinal complet. L'infirmière doit savoir que ces signes et symptômes peuvent être causés par des troubles hématologiques, même s'il ne s'agit pas d'une cause apparente (voir tableau 18.4).

Les ganglions lymphatiques sont répartis dans tout l'organisme. Les ganglions superficiels peuvent être examinés au moyen de la palpation (voir figure 18.7) et les ganglions profonds sont examinés par lymphangiographie. Les ganglions lymphatiques doivent être examinés de façon symétrique en tenant compte de l'emplacement, de la taille (en centimètres), du degré de fixation (p. ex. mobile ou fixe), de la sensibilité à la pression et de la texture.

L'examinateur doit les palper de façon superficielle dans les zones appropriées, en utilisant la plupart du temps la pulpe de l'index et du majeur. Il déplace doucement ses doigts sur la peau en tentant de déceler toute augmentation de volume des ganglions lymphatiques. Lorsque l'examinateur ne procède pas à un examen de leur état, les ganglions lymphatiques sont généralement palpés au cours de l'examen de la partie du corps où ils sont situés. Par exemple, les ganglions lymphatiques axillaires sont examinés lors de l'examen des seins. Il est important d'établir une séquence lors de l'examen des ganglions lymphatiques. Les ganglions lymphatiques situés près de la tête et du cou drainent les zones de la bouche, de la gorge, des seins, du thorax et des bras. Lors de l'examen physique, une séquence systématique consiste à palper les ganglions préauriculaires, auriculaires postérieurs, occipitaux, tonsillaires, sous-maxillaires, sous-mentonniers, de la chaîne jugulaire externe, de la chaîne cervicale postérieure, de la chaîne cervicale profonde et supra-claviculaires (voir figure 18.7).

Ensuite, on procède à la palpation des groupes de ganglions pectoraux, sous-scapulaires et latéraux, puis on descend vers les ganglions épitrochléens situés dans la région cubitale antérieure entre les biceps et les triceps. Ces ganglions drainent des zones spécifiques de l'avant-bras et de la main. Les ganglions lymphatiques inguinaux, qui drainent les membres inférieurs, sont palpés en dernier.

En général, les ganglions lymphatiques ne peuvent être palpés à moins qu'il y ait présence d'une hypertrophie résiduelle causée par une infection actuelle ou antérieure. Il est alors normal de déceler de petits ganglions (0,5 à 1,0 cm) mobiles, discrets, durs et insensibles que l'on appelle **ganglions hypertrophiques**. Des ganglions sensibles indiquent souvent une inflammation, alors que des ganglions durs et fixes laissent supposer une tumeur maligne.

Il est également possible de recueillir des données hématologiques supplémentaires en examinant d'autres systèmes anatomiques. Il est important d'inspecter soigneusement la peau (voir chapitre 49) et de palper le foie et la rate (voir chapitre 31) lors d'une évaluation du système hématologique. Les analyses de laboratoire et les épreuves diagnostiques sont les moyens les plus directs pour évaluer le système hématologique.

18.3 ÉPREUVES DIAGNOSTIQUES DU SYSTÈME HÉMATOLOGIQUE

L'infirmière doit être en mesure de reconnaître à quel moment il s'avère nécessaire d'expliquer en détail les interventions diagnostiques au client, car il est fréquent qu'un client atteint d'un trouble hématologique démontre de l'anxiété. Par conséquent, l'enseignement doit être simple, clair et sera répété, s'il y a lieu, afin de diminuer l'anxiété et de s'assurer que le client se conforme aux protocoles préparatoires. Le client hospitalisé et celui en consultation externe devant subir des tests ont habituellement plus de facilité à se conformer aux

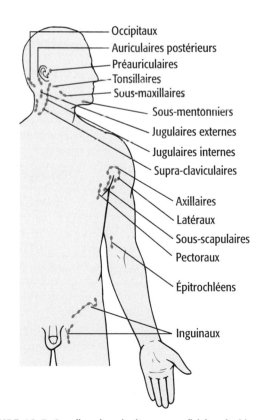

FIGURE 18.7 Ganglions lymphatiques superficiels palpables

ANOMALIES COURANTES DÉCELÉES AU COURS DE L'EXAMEN PHYSIQUE

TABLEAU 18.4 Système hématologique

Données objectives et subjectives	Étiologie et signification possibles
Peau Pâleur de la peau ou du lit unguéal	Diminution de la quantité d'hémoglobine (anémie).
Bouffée congestive	Augmentation de l'hémoglobine (polycythémie).
Ictère	Accumulation de pigment biliaire, causée par une hémolyse rapide ou excessive.
Purpura, pétéchies, ecchymoses, hématome	Déficit hémostatique des plaquettes ou des facteurs de coagulation entraînant une hémorragie cutanée.
Excoriation et prurit	Lésions de grattage en raison d'un prurit intense, consécutif à des troubles comme la maladie de Hodgkin ; augmentation de bilirubine.
Ulcères sur la jambe	Courants dans les cas de drépanocytose ; se manifestent surtout sur les malléoles.
Décoloration brunâtre	Hémosidérine et mélamine provenant de la dégradation des érythrocytes et de dépôts de fer, consécutifs à une surcharge en fer occasionnée par une transfusion.
Cyanose	Diminution de l'hémoglobine.
Télangiectasie	Tache hypérémique causée par une petite dilatation artérielle ou capillaire ; petit angiome ayant tendance à saigner.
Angiome	Tumeur bénigne contenant principalement du sang et des vaisseaux lymphatiques.
Nævus stellaire	Croissance ramifiée des capillaires dilatés ressemblant à une araignée ; associée à une maladie du foie et un taux d'œstrogène élevé, comme lors d'une grossesse.
Ongles Aplatis, concaves et rigides longitudinalement	Anémie ferriprive grave et chronique.
Yeux Ictère sclérotique	Accumulation de pigment biliaire, causée par une hémolyse rapide et excessive.
Pâleur conjonctivale	Diminution de la quantité d'hémoglobine (anémie).
Hémorragies rétiniennes	Plus fréquentes dans les états concomitants de thrombopénie et d'anémie que dans ceux de thrombopénie uniquement.
Dilatation des veines	Polycythémie.
Bouche Pâleur des muqueuses	Diminution de la quantité d'hémoglobine (anémie).
Ulcération des gencives et des muqueuses	Neutropénie, anémie grave.
Infiltration gingivale (inflammation, rougeur, saignement)	Leucémie causée par une mobilité altérée des granulocytes et des monocytes à travers le col gingival et les muqueuses ou par une incapacité des leucocytes atteints à combattre les infections buccales.
Saignement des gencives et des muqueuses	Maladies hémorragiques, thrombopénie.
Texture lisse de la langue	Anémie pernicieuse et ferriprive.
Ganglions lymphatiques Adénopathie, sensibilité à la pression	Réaction normale à l'infection chez les nourrissons et les enfants plus âgés ; facteur en cause de l'infiltration cancéreuse chez les adultes ; hypertrophie causée par l'infection, des infiltrats étrangers ou des troubles métaboliques, particulièrement avec des lipides.

ANOMALIES COURANTES DÉCELÉES AU COURS DE L'EXAMEN PHYSIQUE

TABLEAU 18.4 Système hématologique *(suite)*

Données objectives et subjectives	Étiologie et signification possibles
Thorax Augmentation du volume du médiastin	Hypertrophie des ganglions lymphatiques.
Sensibilité sternale généralisée	Leucémie résultant d'un renouvellement cellulaire accéléré de la moelle osseuse, causant ainsi une augmentation de la pression et de l'érosion osseuse.
Sensibilité sternale localisée	Myélomes multiples résultant de l'allongement du périoste.
Tachycardie	Mécanisme compensatoire de l'anémie pour augmenter le débit cardiaque.
Augmentation de la pression différentielle	Mécanisme compensatoire de l'anémie pour accélérer le débit cardiaque en augmentant le volume systolique.
Souffles	Généralement, souffle systolique en présence d'anémie, causé par la quantité accrue de sang à faible viscosité traversant la valve pulmonaire et une accélération de sa vitesse.
Bruits (notamment des bruits carotidiens)	Anémie causée par une augmentation du débit sanguin à faible viscosité circulant dans les vaisseaux sanguins.
Angine	Anémie.
Abdomen Hépatomégalie	Leucémie, cirrhose ou fibrose consécutive à un surplus de fer attribuable à la drépanocytose ou la thalassémie.
Splénomégalie	Leucémie, lymphomes et mononucléose.
Bruits et frottements spléniques	Infarctus splénique.
Système nerveux Douleur au toucher, position et sensibilité vibratoire, réflexes tendineux	Perturbation du système nerveux en raison d'un manque de cobalamine (vitamine B_{12}) ou d'une compression des nerfs par des masses.
Dos et extrémités Dorsalgie	Réaction hémolytique aiguë provenant d'une douleur au flanc en raison d'une atteinte rénale lors d'une hémolyse ; myélomes multiples provenant de tumeurs en croissance qui allongent le périoste ou affaiblissent les tissus de soutien, causant des étirements ligamentaires ou des spasmes musculaires et de la drépanocytose.
Arthralgie	Leucémie due à la douleur articulaire ; les os contiennent de la moelle et de la drépanocytose entraînées par l'hémarthrose.
Douleur osseuse	Infiltration osseuse par des cellules leucémiques ; déminéralisation osseuse résultant de diverses affections malignes du tissu hématopoïétique et de tumeurs malignes solides favorisant la possibilité de fractures pathologiques et de drépanocytose.

procédures lorsque les instructions relatives aux interventions sont écrites. Il peut s'avérer utile de remettre au client des instructions écrites dans sa langue maternelle dans les milieux où l'on dessert une clientèle provenant de diverses origines ethniques.

Les prélèvements sanguins fréquents peuvent être une source de stress pour le client. Certains clients et membres du personnel craignent que la quantité de sang prélevée pour les tests puisse entraîner des effets indésirables. Cependant, même si le client peut éprouver un certain malaise après de nombreux prélèvements sanguins, il est très rare que les prélèvements pour fins de diagnostic prédisposent le client à une grande perte sanguine.

L'infirmière doit tenter d'exploiter toutes les situations pour oser un jugement clinique et faire preuve d'autonomie dans son évaluation.

18.3.1 Épreuves de laboratoire

Formule sanguine complète. La formule sanguine complète (FSC) comporte plusieurs épreuves de laboratoire (voir tableau 18.5) dont chacune sert à évaluer les trois

TABLEAU 18.5 Formule sanguine complète (FSC)		
Épreuve	**Description et but**	**Valeurs normales**
Hb	Mesure la capacité des GR à transporter l'O_2.	Femmes : 118-158 g/L Hommes : 134-172 g/L
Ht	Mesure l'hématocrite des GR, exprimée comme un pourcentage de la volémie totale.	Femmes : 0,37-0,47 Hommes : 0,42-0,52
Numération totale GR	Évalue le nombre des GR circulants.	Femmes : 4,0-5,5 × 10^{12}/L Hommes : 4,5-6,0 × 10^{12}/L
Indices globulaires $VGM = \dfrac{Ht \times 10}{GR \times 10^6}$	Volume globulaire moyen ; détermine la taille relative des érythrocytes ; faible dans la microcytose ; élevé dans la macrocytose.	82-98 fL
$TGMH = \dfrac{Hb \times 10}{RBC \times 10^6}$	Teneur corpusculaire moyenne en Hb ; faible dans la microcytose ou l'hypochromie ; élevée dans la macrocytose.	27-31 pg
$CGMH = \dfrac{Hb}{Ht} \times 100$	Concentration globulaire moyenne en Hb ; faible dans l'hypochromie ; élevée dans la sphérocytose.	27-32 pg
Numération des GB	Mesure le nombre total de GB.	4-11 × 10^9/L
Formule leucocytaire	Vérifie la répartition de chaque type de leucocytes ; détermination de la valeur absolue en multipliant le pourcentage du type de cellule par la numération totale des GB et en divisant par 100.	Neutrophiles : 0,50-0,70 Éosinophiles : 0,02-0,04 Basophiles : 0-0,02 Lymphocytes : 0,20-0,40
Numération plaquettaire	Mesure le nombre de plaquettes disponibles pour maintenir les fonctions plaquettaires de coagulation (il ne s'agit pas de la mesure de la qualité de la fonction plaquettaire).	Monocytes : 0,01-0,09 160 000-400 000 × 10^9/L

Hb : hémoglobine ; Ht : hématocrite ; TGMH : teneur globulaire moyenne en hémoglobine ; CGMH : concentration globulaire moyenne en hémoglobine ; VGM : volume globulaire moyen ; GB : globules blancs ; GR : globules rouges ; FL : femtolitre ; pg : picogramme (10^{-12}).

principales cellules sanguines formées dans la moelle osseuse. Bien que l'état de chaque type cellulaire soit important, c'est tout le système qui peut être perturbé par une maladie ou le traitement de cette maladie. Lorsque la formule sanguine complète est abaissée, il y a présence d'un état appelé **pancytopénie**. Dans un tel cas, les soins doivent être axés sur le traitement de l'anémie, de l'infection et de l'hémorragie (voir chapitre 19). Le tableau 18.2 présente les effets du vieillissement sur les épreuves hématologiques.

Érythrocytes. Les valeurs normales de certains tests globulaires sont établies selon le sexe, car elles sont fondées sur la masse corporelle, et les hommes ont habituellement une masse corporelle plus importante que les femmes.

La valeur de l'hémoglobine (Hb) est réduite lorsqu'il y a présence d'anémie, d'hémorragie et d'hémodilution, comme c'est le cas lorsqu'il y a un apport excessif en liquide. Par contre, on décèle une augmentation de l'hémoglobine en présence de polycythémie ou d'hémoconcentration, qui peut se manifester lors d'une déplétion plasmatique.

La valeur de l'hématocrite (Ht) est déterminée en faisant tourner le sang à grande vitesse dans une centrifugeuse, ce qui permet de séparer les érythrocytes du plasma. Étant donné qu'ils sont les constituants sanguins les plus lourds, ils se déposent au fond du tube. La valeur de l'hématocrite représente le volume de globules rouges par rapport au volume total de sang. L'augmentation et la diminution de la valeur de l'Ht sont observées dans les mêmes conditions que l'augmentation et la diminution de la valeur de l'Hb. En général, la valeur de l'Ht équivaut à trois fois la valeur de l'Hb.

La numération totale des érythrocytes est calculée de la façon suivante : GR × 10^{12}/L. Cependant, cette numération n'est pas toujours fiable pour déterminer l'efficacité de la fonction des globules rouges. Par conséquent, il est important d'examiner d'autres données comme les indices de l'Hb et de l'Ht ainsi que les indices globulaires. La numération des érythrocytes est altérée par les mêmes facteurs qui augmentent et diminuent les valeurs de l'Hb et de l'Ht.

Les indices globulaires sont des indicateurs spéciaux qui reflètent le volume globulaire, la couleur et la saturation de l'hémoglobine (voir tableau 18.5). Ces paramètres

TABLEAU 18.6　Épreuves de coagulation

Épreuve	Description et but	Valeurs normales
Numération plaquettaire	Numération du nombre de plaquettes dans la circulation.	150 000-400 000 $\times$ 10^9/L
Temps de prothrombine (TP)	Examen de la coagulation extrinsèque en mesurant les facteurs I, II, V, VII, X.	8,5-10 s
Ratio international normalisé (RNI)	Système normalisé de signalement du TP, fondé sur des conditions de référence et calculé en comparant le TP du client avec une valeur témoin.	2,0-3,5* 0,7-1,8 → N
Temps de céphaline (TCA)	Exploration des voies intrinsèque et commune de la coagulation en mesurant les facteurs I, II, V, VIII, IX, X, XI, XII ; permet également de surveiller un traitement à l'héparine.	23-35 s
Test de Biggs et Douglas	Mesure de la formation de prothrombinase ; si anormal, une seconde étape est effectuée pour identifier le facteur de coagulation manquant.	< 12 s (100 %)
Temps de saignement	Mesure du temps de saignement d'une petite incision faite sur la peau ; démontre la capacité de resserrement des petits vaisseaux sanguins.	1-9 min
Temps de prothrombine (temps Quick)	Évaluation de l'efficacité de la thrombine ; un TP prolongé indique que la coagulation est inadéquate après une diminution de l'activité de la thrombine.	8-12 s
Fibrinogène	Mesure du taux de fibrinogène ; une augmentation peut indiquer un accroissement de la formation de fibrine, entraînant une hypercoagulabilité chez le client ; une diminution indique que le client présente une fragilité capillaire.	2,0-4,0 g/L
Produits de dégradation de la fibrine (PDF)	Évaluation du degré de fibrinolyse ; démontre qu'il y a un excès de fibrinolyse et une fragilité capillaire ; peut indiquer une coagulation intravasculaire disséminée.	< 10 mg/ml
Rétraction du caillot	Mesure de la rétraction du caillot de la paroi de l'éprouvette après 24 heures ; utilisée pour confirmer un trouble plaquettaire.	50-100 % en 24 h
Test au sulfate de protamine	Indication de la présence de monomères de fibrine (partie de la fibrine restante une fois que les éléments qui polymérisent et stabilisent le caillot se détachent) ; un test positif indique une prédisposition au saignement et la possibilité d'une coagulation intravasculaire disséminée.	Négatif

* Taux souhaité des schémas d'anticoagulation.

peuvent aider à comprendre la cause de l'anémie. (L'importance de ces paramètres est traitée au chapitre 19).

Leucocytes. La formule leucocytaire est d'une grande importance puisqu'il est possible que la numération totale des globules blancs reste normale, malgré un changement marqué dans un type de leucocyte. Par exemple, un client peut avoir une numération leucocytaire normale de 8,8 $\times$ 10^9/L alors que la formule leucocytaire peut présenter une réduction de 10 % dans le nombre de lymphocytes. Ces résultats sont anormaux et nécessitent des examens plus approfondis.

Un concept important lié aux neutrophiles polynucléaires est la déviation vers la gauche. Lorsque les infections sont graves, un plus grand nombre de granulocytes est libéré de la moelle osseuse comme mécanisme compensatoire. Ainsi, pour répondre à la demande accrue, de nombreux neutrophiles polynucléaires ou polynucléaires neutrophiles immatures sont libérés dans la circulation sanguine. La procédure de laboratoire habituelle consiste à indiquer les leucocytes par ordre de maturité

(voir figure 18.2), c'est-à-dire en inscrivant les cellules moins matures du côté gauche sur le rapport. C'est la raison pour laquelle la présence de nombreuses cellules immatures est appelée **déviation vers la gauche**.

Numération des plaquettes. Une hémorragie peut se produire lorsqu'il y a une diminution de la numération des plaquettes, affection que l'on appelle **thrombopénie**. Lorsque les plaquettes fonctionnent bien, la plupart des hématologues estiment qu'un client peut subir une intervention chirurgicale avec une numération plaquettaire aussi faible que 50 000 $\times$ 10^9/L (une numération normale est de 160 000 à 400 000 $\times$ 10^9/L). Cependant, une hémorragie spontanée peut survenir lorsque cette numération chute entre 20 000 et 30 000 $\times$ 10^9/L. La possibilité d'une hémorragie intracérébrale augmente de façon significative lorsque les plaquettes chutent à 10 000 $\times$ 10^9/L. Les épreuves de coagulation sont présentés au tableau 18.6.

Vitesse de sédimentation globulaire. La vitesse de sédimentation globulaire, ou vitesse de sédimentation

TABLEAU 18.7 Noms et compatibilités des groupes sanguins ABO*

Groupe sanguin	Agglutinogène globulaire	Agglutinine sérique	Groupes sanguins compatibles	Groupes sanguins incompatibles
A	A	Anti-B	A et O	B et AB
B	B	Anti-A	B et O	A et AB
AB	A et B	Absence	A, B, AB et O	Aucun
O	Absence (donneur universel)	Anti-A et anti-B	O	A, B et AB

* Les groupes sanguins ABO sont nommés d'après l'antigène présent sur les érythrocytes. La compatibilité est fondée sur les anticorps présents dans le sérum sanguin.

(VS), permet de mesurer la sédimentation des érythrocytes et est utilisée comme test non spécifique pour évaluer de nombreuses maladies, notamment les affections inflammatoires. Une augmentation de la vitesse de sédimentation est courante lors de réactions inflammatoires chroniques et aiguës, alors que la destruction des cellules est accrue. Elle est aussi présente chez les personnes aux prises avec une tumeur maligne, ayant subi un infarctus du myocarde ou souffrant de néphropathie en phase terminale. Bien qu'elle soit un test non spécifique, la vitesse de sédimentation est souvent utilisée comme dépistage de routine.

Détermination des groupes sanguins et du facteur rhésus (Rh). Les antigènes de groupes sanguins (A et B) sont uniquement présents sur les membranes des érythrocytes et forment la base du système ABO. La présence ou l'absence d'un ou des deux antigènes héréditaires permet de définir les quatre groupes sanguins : A, B, AB et O. Le groupe A possède des antigènes A, le groupe B possède des antigènes B, le groupe AB possède les deux antigènes et le groupe O n'en possède aucun. Chaque personne possède des anticorps dans le sérum sanguin, appelés anti-A et anti-B, qui réagissent aux antigènes A ou B. Ces anticorps sont présents lorsque l'antigène correspondant est absent de la surface des érythrocytes. Par exemple, les anticorps B sont présents chez les personnes de groupe A (voir tableau 18.7).

Les réactions sanguines fondées sur les incompatibilités ABO sont causées par l'hémolyse intravasculaire. Les érythrocytes s'agglutinent lorsque les anticorps sériques sont présents pour réagir avec les antigènes sur la membrane érythrocytaire. Par exemple, une agglutination se produirait dans le sang d'une personne de groupe A si le sang transfusé provenait d'une personne ayant des antigènes B (c.-à-d. de groupe B ou AB). Ainsi, les anticorps anti-B dans le sang de groupe A réagiraient avec les antigènes B, entraînant un processus appelé hémolyse pathologique.

Le facteur rhésus est fondé sur un troisième antigène, D, qui est aussi présent sur la membrane érythrocytaire. Les personnes rhésus positif (Rh⁺) détiennent l'antigène D, alors que les personnes rhésus négatif (Rh⁻) ne le possèdent pas. Environ 85 % de la population de race blanche est Rh⁺ et 15 %, Rh⁻ ; chez la population de race noire, cette proportion est légèrement différente (respectivement 90 et 10 %). Il est possible qu'une personne Rh⁻ soit exposée à du sang Rh⁺ à la suite d'une transfusion sanguine ou d'un accouchement. Une telle exposition entraîne la formation d'un anticorps anti-D qui agit contre les antigènes Rh. (Normalement, les personnes Rh⁺ n'ont pas d'anti-D). Ainsi, la personne est sensibilisée au facteur Rh⁺, et une deuxième exposition à ce facteur causera une réaction hémolytique grave. Le test de Coombs peut être utilisé pour évaluer l'état Rh de la personne (voir tableau 18.8).

18.3.2 Lymphangiographie

La **lymphangiographie** est une radiographie du système lymphatique après l'injection d'un produit de contraste. Ce test a comme objectif d'examiner les ganglions lymphatiques profonds. Bien que cette intervention soit peu utilisée de nos jours, elle continue à jouer un rôle dans la classification des lymphomes hodgkiniens et non hodgkiniens. Ce test peut être conjugué à d'autres examens, comme la tomodensitométrie ou la scintigraphie au gallium, afin de bien localiser les ganglions lymphatiques touchés par le cancer. Avant l'examen, on doit s'assurer que le client n'est pas allergique à l'iode ni aux mollusques et crustacés, et qu'il n'a jamais fait de réaction allergique aux agents de contraste.

L'examen débute par l'injection intradermique d'un agent de contraste bleu dans le pli interdigital des orteils. (L'injection peut se faire dans les mains, mais cette intervention est moins fréquente.) L'agent de contraste est absorbé par les vaisseaux lymphatiques qui deviennent visibles à travers la peau sur le dos du pied. Ensuite, on injecte un agent anesthésique local sur le dos de chaque pied et une petite incision superficielle est pratiquée sur les vaisseaux lymphatiques. Le vaisseau lymphatique est alors cathétérisé avec une petite aiguille. Une fois que

TABLEAU 18.8   Analyses sanguines diverses

Épreuves	Description et but	Valeurs normales
Vitesse de sédimentation (VS)	Mesure la vitesse à laquelle les GR se déposent dans une solution par unité de temps, soit 1 h. Le processus inflammatoire altère les protéines plasmatiques, ce qui provoque une agrégation des GR et les rend plus lourds. Constitue un indicateur relativement faible de l'évolution de la maladie.	Femmes : ≤ 20 mm/h Hommes : ≤ 15 mm/h
Taux des réticulocytes	Mesure les GR immatures ; démontre l'activité de la moelle osseuse à produire des GR.	0,5-2 % de tous les GR
Bilirubine	Mesure le degré d'hémolyse des GR ou l'incapacité du foie à sécréter des quantités normales de bilirubine ; ex. : hyperbilirubinémie indirecte en présence de troubles hémolytiques et hyperbilirubinémie directe en présence de calculs biliaires.	Totale : 1,0-10 µmol/L
Fer sérique	Mesure la quantité de fer lié à la transférrine (protéine de transport) et la quantité de ferritine (protéine de stockage) ; évalue précisément la quantité de protéines capables de fixer le Fe.	Femmes : 9,0-26,9 µmol/L Hommes : 7,1-26,8 µmol/L
Capacité totale de fixation du fer	Mesure indirecte de la capacité de saturation en Fe de la transferrine ; évalue le surplus de fer qui n'a pu se fixer à la transferrine.	45-73 µmol/L
Test de Coombs	Permet de distinguer les types d'anémie hémolytique ou une réaction transfusionnelle ; détecte les anticorps qui se lient aux GR étrangers.	
Direct	Détecte les anticorps qui adhèrent aux GR étrangers.	Négatif
Indirect	Indique par agglutination la présence d'anticorps anti-immunoglobulines dans le sérum sanguin.	Négatif

VSG : Vitesse de sédimentation globulaire ; GR : globules rouges.

l'aiguille est insérée, il est important que le client ne bouge plus les pieds pour éviter de déplacer l'aiguille. Par la suite, on injecte lentement une huile radio-opaque à l'aide d'une pompe automatisée. Pour un adulte, la dose habituellement administrée est de 7 ml et l'injection dure entre 45 et 60 minutes. La radioscopie peut être utilisée au cours de l'injection pour observer le remplissage des vaisseaux sanguins. On pratique une suture pour fermer l'incision sur les pieds lorsque l'intervention est terminée. Plusieurs radiographies sont prises sous divers angles immédiatement après l'injection de l'agent de contraste. D'autres radiographies doivent être prises le lendemain pour vérifier la dispersion de l'agent de contraste hors des canaux lymphatiques.

Les ganglions lymphatiques peuvent aussi être observés à l'aide de la lymphographie isotopique (technétium-99m). Comparativement à la lymphographie radiographique, la lymphographie isotopique est moins effractive et ne requiert aucune injection d'agent de contraste. Cependant, il est impossible d'effectuer des radiographies en série en raison de la courte durée de vie des isotopes.

Les interventions infirmières liées à la lymphangiographie et à d'autres épreuves courantes du système hématologique sont présentées au tableau 18.9.

18.3.3 Biopsies

L'examen de la moelle osseuse et la biopsie des ganglions lymphatiques font partie des interventions spécifiques de l'évaluation du système hématologique. En général, le médecin procède à ces interventions lorsqu'il lui est impossible d'établir un diagnostic à partir d'un frottis sanguin ou lorsqu'il est important d'obtenir de plus amples renseignements sur les troubles hématologiques possibles.

Examen de la moelle osseuse. L'examen de la moelle osseuse est important pour évaluer de nombreux troubles hématologiques. Cet examen s'effectue soit par prélèvement ou par biopsie de la moelle osseuse (voir figures 18.8 et 18.9) à l'aide d'une seringue et d'une aiguille. Les échantillons prélevés sont étalés sur des lames de verre afin de faciliter les diagnostics cytologiques.

Le site de prélèvement de la moelle osseuse dépend de l'âge du client et des habiletés techniques du médecin. Les crêtes iliaques antérieures et postérieures sont les sites de prélèvement les plus faciles chez l'adulte, alors que le tibia est également utilisé comme site de prélèvement chez le jeune enfant. Bien que les dangers liés au prélèvement de la moelle osseuse soient minimes, il est possible que l'aiguille pénètre dans l'os et endommage les structures sous-jacentes.

ÉPREUVES DIAGNOSTIQUES

TABLEAU 18.9 Système hématologique

Examens	Description et but	Interventions infirmières
Analyses d'urine Protéines de Bence Jones	Une mesure électrophorétique est utilisée pour détecter la présence de la protéine de Bence Jones, qui se trouve dans la plupart des cas de myélome multiple. Un résultat négatif est normal.	Obtenir un échantillon d'urine aseptique.
Examens par radionucléide Scintigraphie hépatosplénique	Un radionucléide est injecté par voie intraveineuse. Un scintillateur enregistre sur film la distribution des particules radioactives émises. Met en évidence les modifications structurales de la rate et du foie.	Avant l'examen : rassurer le client qu'il ne sera pas exposé à de fortes radiations, puisque que seules des traces d'isotopes sont utilisées. Après l'examen : aucune précaution contre les radiations n'est nécessaire pour le client.
Scintigraphie osseuse	L'intervention est identique à la précédente, mais évalue la structure osseuse après l'injection d'une substance radio-opaque.	Avant l'examen : rassurer le client qu'il ne sera pas exposé à de fortes radiations, puisque que seules des traces d'isotopes sont utilisées. Après l'examen : aucune précaution contre les radiations n'est nécessaire pour le client.
Lymphographie isotropique	Une substance radio-opaque comme le technétium 99m sert à examiner le système lymphatique. La technique est moins effractive que la lymphographie radiographique.	Avant l'examen : rassurer le client qu'il ne sera pas exposé à de fortes radiations, puisque que seules des traces d'isotopes sont utilisées. Après l'examen : aucune précaution contre les radiations n'est nécessaire pour le client.
Examens radiologiques Lymphangiographie	Le but visé est de déterminer le stade évolutif d'un lymphone. Un produit radio-opaque à base d'huile est perfusé dans les vaisseaux lymphatiques de chaque pied ou de chaque main. Des radiographies sont prises immédiatement et le lendemain, et peuvent être répétées après six mois à un an.	Avant l'examen : expliquer la procédure au client. Le prévenir qu'il doit demeurer immobile pendant l'examen. Obtenir un consentement signé. S'assurer que le client n'est pas allergique à l'iode et aux fruits de mer. Administrer un sédatif avant l'opération, si indiqué. Aviser le client que le colorant bleu peut donner une teinte bleutée à la peau, à l'urine et aux selles pendant un à deux jours. Lui mentionner qu'il pourrait avoir de la fièvre de façon transitoire, un malaise général et des douleurs musculaires diffuses pendant 12 à 24 h. Après l'examen : surveiller les signes d'embolie pulmonaire causée par l'huile (toux sèche, dyspnée, douleur pleurale et hémoptysie). Repos au lit pendant 24 h après l'examen. Élever le membre examiné pour prévenir l'oedème.
Tomodensitométrie (TDM)	Cet examen radiologique non effractif examine la rate, le foie ou les ganglions lymphatiques. L'image résulte du balayage de l'abdomen par des rayons X émis sous divers angles.	Aucune responsabilité infirmière spécifique.
Imagerie par résonnance magnétique (IRM)	Cette technique de scanographie diagnostique utilise un champ magnétique pour générer des images de la rate, du foie et des ganglions lymphatiques.	Avant l'examen : demander au client d'enlever tous les objets de métal et vérifier s'il porte des implants métalliques, un stimulateur cardiaque ou des clips pour les anévrismes cérébraux. L'aviser de vider sa vessie avant l'examen. Il est important de rester immobile durant l'examen.
Biopsies Moelle osseuse	Le prélèvement de moelle osseuse permet de diagnostiquer les maladies hématopoïtiques et de mesurer l'efficacité d'un traitement contre la leucémie ou certaines tumeurs.	Avant l'examen : expliquer l'intervention et son but au client. Obtenir un consentement signé. Obtenir une ordonnance si le client paraît anxieux. Après l'examen : appliquer un pansement compressif sur le site de ponction. S'assurer que le saignement a cessé. Surveiller les signes de choc (accélération du pouls, hypotension). Aviser le client de se reposer au lit pendant 30 à 60 minutes. Administrer les analgésiques prescrits en cas d'endolorissement.

ÉPREUVES DIAGNOSTIQUES

TABLEAU 18.9 Système hématologique *(suite)*

Examens	Description et but	Interventions infirmières
Biopsie des ganglions lymphatiques	Le but est de prélever en salle d'opération des tissus lymphatiques à des fins d'analyse histologique afin d'établir un diagnostic et un traitement.	Avant l'examen : expliquer l'intervention au client. Lui faire signer le formulaire de consentement. Utiliser une technique stérile lors des changements de pansement après l'intervention. Après l'examen : examiner attentivement l'évolution de la cicatrisation de la plaie. Évaluer l'état du client pour déceler toute complication, notamment le saignement et l'œdème.
Ouverte	Le prélèvement est effectué en salle d'opération avec une visualisation directe de la zone.	
À l'aiguille (fermée)	Le prélèvement peut être effectué au chevet du client ou en clinique externe.	
Analyses sanguines⁺		

* Voir chapitre 29.
⁺ Voir tableaux 18.5, 18.6 et 18.8

On désinfecte la peau autour du site de ponction à l'aide d'un agent antibactérien. Ensuite, on injecte un anesthésique local à travers la peau, le tissu sous-cutané et le périoste. Des analgésiques systémiques ou des anxiolytiques sont souvent administrés avant l'intervention afin d'atténuer la douleur et de diminuer l'anxiété. Il est possible que le client ressente de la douleur au moment où l'aiguille est introduite dans le périoste. Une fois que la zone est anesthésiée, l'aiguille servant à la ponction est insérée dans le cortex osseux. Ensuite, on enlève le stylet de l'aiguille, on fixe le raccord à une seringue de 10 ml et on prélève entre 0,2 et 0,5 ml de liquide médullaire. Ce liquide est de couleur rouge ou jaune. La moelle osseuse est un tissu épais et gras que l'on trouve dans la cavité des os. Pour les greffes, on utilise la moelle rouge, qui est la seule à servir à la fabrication des cellules sanguines. Lors du prélèvement, le client ressent une douleur liée à l'aspiration, ce qui peut être très désagréable pendant quelques secondes.

L'aiguille est retirée, une fois que le prélèvement est fait. On exerce ensuite une pression sur le site de ponction pour freiner l'hémorragie. Il faut parfois maintenir la pression pendant 5 à 10 minutes, et même plus longtemps, si le client souffre de thrombopénie.

Lorsqu'une biopsie osseuse s'avère nécessaire, l'intervention préparatoire est identique, mais l'aiguille utilisée est différente. Elle est munie d'une lame tranchante qui permet de prélever un échantillon de tissu osseux. Une fois les prélèvements terminés, une mince couche de moelle ou de tissus est soigneusement étalée sur une lame de verre.

Biopsie des ganglions lymphatiques. Dans le cas d'une biopsie des ganglions lymphatiques, on doit prélever des tissus lymphatiques pour réaliser un examen histologique visant à déterminer le diagnostic et le traitement. Cette intervention peut se faire par une biopsie ouverte ou fermée (à l'aiguille). Lors d'une biopsie ouverte, une incision est effectuée, et le ganglion lymphatique et les tissus avoisinants sont disséqués dans la mesure du possible. Cette intervention doit être faite avec beaucoup de minutie, car les cellules néoplasiques

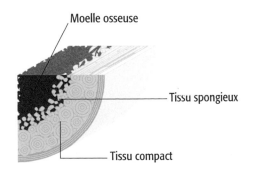

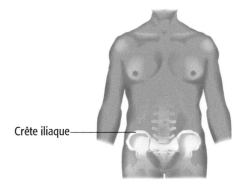

FIGURE 18.8 Site de ponction de moelle osseuse
Tiré de Association européenne contre les leucodystrophies, 2003.

risquent de se disséminer au cours de la biopsie, si le scalpel passe à travers des tissus qui contiennent des cellules cancéreuses. On effectue une biopsie ouverte sous anesthésie locale ou générale en salle d'opération.

Il est également possible d'effectuer une biopsie à l'aiguille (fermée) pour analyser les tissus lymphatiques. Cette technique doit être faite par un médecin, soit au chevet du client ou en clinique externe. L'intervention complète requiert la stérilité. Le personnel infirmier doit être conscient qu'une hémorragie insidieuse peut se produire et, par conséquent, doit exercer une pression directe sur le site après la biopsie pour favoriser l'hémostase. L'infirmière doit vérifier fréquemment le site afin de déceler tout signe d'hémorragie et surveiller les signes vitaux, notamment si la numération plaquettaire est faible. Le pansement stérile doit être changé conformément à l'ordonnance, et la plaie chirurgicale doit être examinée à chaque quart de travail pour vérifier la cicatrisation et tout signe d'infection. Enfin, il est important de rappeler que le résultat négatif d'une biopsie à l'aiguille ne fait qu'indiquer qu'il n'y a pas de cellules cancéreuses dans le tissu prélevé. Cependant, un résultat positif est un signe suffisant pour confirmer un diagnostic.

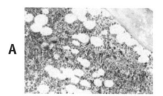

FIGURE 18.9 Cellules de moelle osseuse. A. L'examen microscopique de coupes du tissu médullaire montre, dans la plupart des cas, une moelle riche avec prolifération dystrophique des mégacaryocytes et distension des vaisseaux, et surtout une densification du réseau réticulinique de soutien caractérisant la « fibrose réticulinique ». B. Une minorité de cas se présente différemment, avec une fibrose d'emblée plus intense, dite « collagène », à fibres parallèles morcelant le tissu hématoïpétique qui se trouve ainsi appauvri. C. De rares clients ont une moelle pauvre avec ossification des espaces médullaires (ostéomyélosclérose).
Tiré de *Santé catho.com.* Université catholique de Lille, 1999.

MOTS CLÉS

BIBLIOGRAPHIE

Version originale
1. Erickson JMM: *Anemia, Semin Oncol Nurs* 12:1, 1996.
2. George JN, Shattil SJ: *The clinical importance of acquired abnormalities of platelet function,* N Engl J Med 324:27, 1991.
3. Mann KG, Gaffney D, Bovill EG: *Molecular biology, biochemistry, and lifespan of plasma coagulation factors.* In Beutler E, editor: Williams hematology textbook, ed 5, New York, 1995, McGraw-Hill.
4. Lipschitz DA: *Aging of the hematopoietic system. In Principles of geriatric medicine and gerontology,* ed 3, New York, 1994, McGraw-Hill
5. Walsh JR: *Hematologic problems. In Cassel CK,* editor: Geriatric medicine, ed 3, New York, 1997, Springer.
6. Williams WJ: *Approach to the patient.* In Beutler E, editor: Williams hematology textbook, ed 5, New York, 1995, McGraw-Hill.
7. Fischbach F: *A manual of laboratory and diagnostic tests,* ed 5, Philadelphia, 1996, Lippincott.

Édition de langue française
1. MARIEB, Élaine N. *Anatomie et physiologie humaines,* Montréal, ERPI, 1993.
2. PAGANA, K.D., ET A.G. PERRY. *L'infirmière et les examens paracliniques,* 5ᵉ éd., Maloine, 2000, 530 p.
3. POTTER, P.A., ET A.G. PERRY. *Soins infirmiers,* tome 2, Laval, Éditions Études Vivantes, 2002, 1617 p.
4. ASSOCIATION EUROPÉENNE CONTRE LES LEUCODYSTROPHIES, M. Pr Stéphane Blanche. *Faire avancer la recherche,* [En ligne], (Page consultée le 2 mai 2003). [http://www.ela-asso.com/decouvrir/faireavancerrech/greffemoelle.htm]
5. UNIVERSITÉ CATHOLIQUE DE LILLE. *Santé catho.com,* [En ligne], novembre 1999 (Page consultée le 2 mai 2003). [http://www.santecatho.com/site/flm/fmc/spleno/spleno.htm]
6. BONEU, B., J.P. CAZENAVE. *Introduction à l'étude de l'hémostase et de la thrombose.* 2ᵉ éd., illustrations de Richard Lorion, France, 1997. [http://www.stago. fr/fr/asp/QuidHemostase.asp].

Hélène Boissonneault
B. Sc. inf. D.A.P.
Cégep de Limoilou

Marlène Fortin
B. Sc. inf.
Cégep de Limoilou

Chapitre **19**

TROUBLES HÉMATOLOGIQUES

OBJECTIFS D'APPRENTISSAGE

APRÈS AVOIR LU CE CHAPITRE, VOUS DEVRIEZ ÊTRE EN MESURE :

- DE DÉCRIRE LES MANIFESTATIONS CLINIQUES DE L'ANÉMIE FERRIPRIVE, MÉGALO-BLASTIQUE, APLASTIQUE, SECONDAIRE À UNE MALADIE CHRONIQUE, CAUSÉE PAR UNE AUGMENTATION DE LA DESTRUCTION DES ÉRYTHROCYTES ET CONSÉCUTIVE À UNE PERTE SANGUINE, LEURS COMPLICATIONS ET LES SOINS INFIRMIERS QUI S'Y RATTACHENT ;

- DE DÉCRIRE LA PHYSIOPATHOLOGIE DE LA POLYGLOBULIE ET DE LA THROMBOCY-TOPÉNIE, AINSI QUE LES SOINS INFIRMIERS QUI S'Y RATTACHENT ;

- DE DÉCRIRE LES DIFFÉRENTS TYPES D'HÉMOPHILIE ET LA MALADIE DE VON WILLEBRAND, LEURS MANIFESTATIONS CLINIQUES, AINSI QUE LES SOINS INFIR-MIERS QUI S'Y RATTACHENT ;

- D'EXPLIQUER LA PHYSIOPATHOLOGIE DE LA COAGULATION INTRAVASCULAIRE DISSÉMINÉE, AINSI QUE LES SOINS INFIRMIERS QUI S'Y RATTACHENT ;

- DE DÉCRIRE L'ÉTIOLOGIE DE LA NEUTROPÉNIE ET DES SYMPTÔMES MYÉLODYSPLA-SIQUES, SES MANIFESTATIONS CLINIQUES, AINSI QUE LES SOINS INFIRMIERS QUI S'Y RATTACHENT ;

- DE COMPARER LES PRINCIPAUX TYPES DE LEUCÉMIE ET DE DÉCRIRE LES SOINS INFIRMIERS DANS LES CAS DE LEUCÉMIE AIGUË ET CHRONIQUE ;

- DE DISTINGUER LA MALADIE DE HODGKIN ET LES LYMPHOMES NON HODGKINIENS ET DE DÉCRIRE LES SOINS INFIRMIERS QUI S'Y RATTACHENT ;

- DE DÉCRIRE LA PHYSIOPATHOLOGIE DU MYÉLOME MULTIPLE ET DES TROUBLES DE LA RATE, SES MANIFESTATIONS CLINIQUES AINSI QUE LES SOINS INFIRMIERS QUI S'Y RATTACHENT.

19.1 ANÉMIE

19.1.1 Définition et classification

L'anémie se manifeste par une diminution anormale du nombre d'érythrocytes et de la quantité d'hémoglobine, et par une baisse de l'hématocrite. Ce trouble hématologique peut être causé par une hémorragie, une insuffisance dans la production d'érythrocytes ou une plus grande destruction des érythrocytes. Étant donné que les globules rouges transportent l'oxygène (O_2), les troubles érythrocytaires peuvent provoquer l'hypoxie des tissus. L'hypoxie tissulaire est à l'origine des nombreuses manifestations cliniques de l'anémie. L'anémie n'est pas une maladie spécifique ; il s'agit plutôt de la manifestation d'un processus physiopathologique. Des épreuves de laboratoire permettent de déceler et de classer l'anémie. Une fois le type d'anémie établi, une investigation plus approfondie s'impose pour en déterminer la cause.

Il est possible que l'anémie soit le résultat de troubles sanguins primaires et qu'elle se développe à cause d'anomalies touchant d'autres systèmes de l'organisme. Les nombreuses formes d'anémie peuvent être regroupées en fonction d'une **classification morphologique ou étiologique**. La classification morphologique se base sur des données de laboratoire descriptives et objectives relatives à la taille et à la couleur des érythrocytes. (Les termes utilisés pour ce système de classification sont expliqués au chapitre 18.) La classification étiologique est liée aux conditions cliniques qui provoquent l'anémie telles que la diminution de la production d'érythrocytes, la perte sanguine ou l'augmentation de la destruction des érythrocytes (voir encadré 19.1). Bien que la classification morphologique soit le moyen le plus fiable de définir l'anémie, il est plus utile de traiter des soins à prodiguer au client en se concentrant sur le problème étiologique. Le tableau 19.1 associe les différentes morphologies de l'anémie à leur étiologie correspondante.

19.1.2 Mécanismes compensatoires en situation d'hypoxie

Quel que soit le type d'anémie, une baisse du nombre d'érythrocytes réduit la capacité du sang à transporter

| Classification étiologique de l'anémie | ENCADRÉ 19.1 |

Diminution de la production d'érythrocytes
- Diminution de la synthèse de l'hémoglobine
  - Anémie ferriprive
  - Thalassémies ($\downarrow$ de la synthèse de la globine)
  - Anémie sidéroblastique ($\downarrow$ de la porphyrine)
- Synthèse de l'ADN défectueuse
  - Carence en cobalamine (vitamine B_{12})
  - Carence en acide folique
- Diminution du nombre de précurseurs des érythrocytes
  - Anémie aplasique
  - Anémie secondaire à la leucémie et à la myélodysplasie
  - Maladies ou troubles chroniques

Perte de sang
- Aiguë
  - Traumatisme
  - Rupture des vaisseaux sanguins
- Chronique
  - Gastrite
  - Flux menstruel
  - Hémorroïdes

Destruction accrue des érythrocytes*
- Intrinsèque
  - Taux d'hémoglobine anormal (p. ex. drépanocytose)
  - Déficit enzymatique (G6PD)
  - Altérations de la membrane (hémoglobinurie paroxystique nocturne)
- Extrinsèque
  - Traumatisme physique (prothèses valvulaires cardiaques, circulation extracorporelle)
  - Anticorps (allo-immuns et auto-immuns)
  - Agents infectieux et toxines (malaria)

* Anémies hémolytiques
ADN : acide désoxyribonucléique ; G6PD : glucose-6-phosphate déshydrogénase ; HbS : hémoglobine de la drépanocytose.

l'O_2, ce qui entraîne l'hypoxie tissulaire. Les effets physiologiques de l'anémie sont causés par l'hypoxie des tissus et par l'activation de mécanismes compensatoires qui tentent de répondre aux besoins cellulaires en O_2. Les quatre réponses compensatoires principales de l'anémie sont les suivantes :
- un déplacement de la courbe de dissociation de l'oxyhémoglobine vers la droite, ce qui permet l'absorption d'une plus grande quantité d'oxygène par les tissus à la même pression partielle d'O_2 (voir figure 19.1) ;

Tableau 19.1 Rapport entre la classification morphologique et les étiologies de l'anémie	
Morphologie	**Étiologie**
Normocytaire, normochrome	Hémorragie, hémolyse, insuffisance rénale chronique, néoplasie, anémie sidéroblastique, anémie réfractaire, maladie liée au dysfonctionnement endocrinien, anémie aplasique, grossesse
Macrocytaire, normochrome	Carence en cobalamine (vitamine B_{12}), carence en acide folique, maladie hépatique (y compris les effets de l'abus d'alcool), post-splénectomie
Microcytaire, hypochrome	Anémie ferriprive, thalassémie, saturnisme

- une redistribution du sang des tissus dont le besoin en oxygène est peu élevé (p. ex. la peau) vers les tissus ou les organes dont les besoins en oxygène sont plus élevés (p. ex. le cerveau, les muscles, le myocarde) ;
- pour répondre aux besoins en oxygène des tissus, une augmentation du débit cardiaque (DC) causée par une fréquence cardiaque (FC) plus rapide ou par un volume systolique plus élevé ;
- une production de globules rouges plus élevée (en quatre ou cinq jours) après que la synthèse de l'érythropoïétine (majoritairement produite par les reins) a augmenté en réponse à l'hypoxie tissulaire.

19.1.3 Manifestations cliniques

Les manifestations cliniques de l'anémie découlent principalement de la réaction de l'organisme à l'hypoxie tissulaire. L'intensité des manifestations varie selon l'importance de l'anémie et la présence de maladies concomitantes. On peut déterminer la gravité de l'anémie selon la valeur du taux d'hémoglobine. La personne peut avoir une anémie légère sans toutefois présenter de symptômes (taux d'hémoglobine de 100 à 140 g/L). Le cas échéant, les symptômes sont en général causés par une maladie sous-jacente ou tiennent lieu de réponse compensatoire à des exercices physiques importants. Ils peuvent se manifester sous forme de palpitations, de dyspnée ou de diaphorèse. En cas d'anémie modérée (taux d'hémoglobine variant de 60 à 100 g/L), les symptômes cardiorespiratoires peuvent être plus importants et se manifester aussi bien au repos que pendant l'activité. Les manifestations cliniques chez le client atteint d'anémie grave (taux d'hémoglobine inférieur à 60 g/L) sont nombreuses et touchent plusieurs appareils ou systèmes (voir tableau 19.2).

Modifications tégumentaires. Les modifications tégumentaires qui se produisent lors d'anémie grave comprennent la pâleur, l'ictère et le prurit. La pâleur est due à la réduction de la quantité d'hémoglobine et à la diminution du flux sanguin vers la peau. L'ictère survient lorsqu'il y a hémolyse des globules rouges, ce qui fait augmenter la concentration de bilirubine sérique responsable de la coloration ictérique de la peau. L'augmentation de la concentration de sel biliaire dans le sang est à l'origine du prurit qui apparaît à la surface de la peau. Outre la peau, il convient d'évaluer aussi la sclérotique des yeux ainsi que les muqueuses pour diagnostiquer l'ictère. C'est le moyen le plus fiable pour déceler les changements tégumentaires, surtout chez les clients au teint foncé.

Manifestations cardiorespiratoires. Les manifestations cardiorespiratoires de l'anémie grave sont dues aux efforts supplémentaires que fournissent le cœur et les poumons pour procurer des quantités adéquates d'oxygène aux tissus et aux organes. Le taux d'oxygène est maintenu par une augmentation de la fréquence

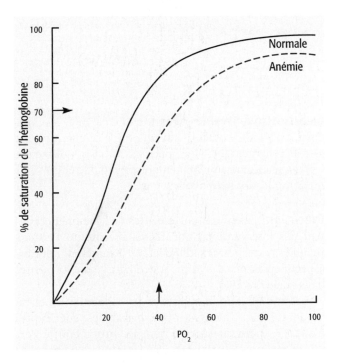

FIGURE 19.1 Courbe de dissociation de l'oxyhémoglobine. Comparaison de la courbe d'un sujet normal (ligne pleine) avec un taux d'hémoglobine de 150 g/L et de celle d'un sujet atteint d'anémie (ligne en pointillé) avec un taux d'hémoglobine de 60 g/L. Le déplacement de la courbe vers la droite pour le sujet atteint d'anémie indique la présence d'un mécanisme compensatoire. Alors que la capacité de transport d'oxygène par l'hémoglobine indiquée par le déplacement de la courbe vers la droite diminue, il y a oxygénation des tissus par l'hémoglobine; cela signifie que l'hémoglobine libère de l'oxygène plus facilement quand la courbe se déplace vers la droite.

DIVERSITÉ CULTURELLE
Troubles hématologiques   ENCADRÉ 19.2

- L'incidence de drépanocytose est importante chez les individus de race noire.
- L'incidence de thalassémie est élevée chez les individus de race noire et les peuples d'origine méditerranéenne.
- La maladie de Tay-Sachs a une plus forte incidence chez les familles d'origine juive de l'Europe de l'Est, surtout chez les juifs ashkénazes.
- L'anémie pernicieuse a une forte incidence chez les Scandinaves et les individus de race noire.

TABLEAU 19.2   Manifestations cliniques de l'anémie

Organe ou système	Anémie		
	Légère (100 à 140 g/L)	Modérée (60 à 100 g/L)	Grave (< 60g/L)
Phanère	Aucune	Aucune	Pâleur, ictère*, prurit*
Yeux	Aucune	Aucune	Conjonctive et sclérotique ictériques *, hémorragie rétinienne, vision brouillée
Bouche	Aucune	Aucune	Glossite, langue lisse
Cardiovasculaire	Palpitations	Palpitations accrues	Tachycardie, augmentation de la pression différentielle, souffles systoliques, claudication intermittente, angine, insuffisance cardiaque congestive, infarctus du myocarde
Pulmonaire	Dyspnée d'effort	Dyspnée	Tachypnée, orthopnée, dyspnée au repos
Neurologique	Aucune	Aucune	Céphalées, vertige, irritabilité, dépression, altération du processus de la pensée
Gastro-intestinal	Aucune	Aucune	Anorexie, hépatomégalie, splénomégalie, difficultés de déglutition, lésions de la bouche
Locomoteur	Aucune	Aucune	Douleurs osseuses
Général	Aucune	Fatigue	Sensibilité au froid, perte pondérale, léthargie (fatigue)

* Causés par l'hémolyse.

cardiaque. La faible viscosité du sang est à l'origine des souffles et des bruits systoliques. Dans les cas extrêmes ou en présence d'une cardiopathie concomitante, de l'angine ou un infarctus du myocarde peuvent se présenter si les besoins du myocarde en oxygène ne peuvent être comblés. Il y a risque d'insuffisance cardiaque congestive, de cardiomégalie, de congestion pulmonaire et systémique, d'ascites et d'œdème périphérique si le cœur est soumis à un effort intense pendant une période de temps prolongée.

19.1.4 Soins infirmiers : anémie

Cette section traitera de généralités entourant les soins infirmiers prodigués en cas d'anémie. Les soins spécifiques liés aux divers types d'anémie seront abordés plus loin dans ce chapitre.

Collecte de données. Les données subjectives et objectives qui doivent être recueillies auprès de l'individu atteint d'anémie sont présentées dans l'encadré 19.3.

Diagnostics infirmiers. Les diagnostics infirmiers relatifs à l'anémie comprennent ceux qui sont présentés dans l'encadré 19.5. Toutefois la liste n'est pas exhaustive.

Planification. Pour le client atteint d'anémie, les principaux objectifs sont les suivants : que le client puisse assumer les activités normales de la vie quotidienne (AVQ), maintenir une alimentation adéquate et prévenir les complications liées à l'anémie.

Exécution. Les nombreuses causes de l'anémie nécessitent des interventions infirmières spécifiques visant à répondre aux besoins du client. Néanmoins, certains aspects généraux des soins à prodiguer sont présentés dans l'encadré 19.5.

Les modifications apportées à l'alimentation et au mode de vie (décrites pour des types spécifiques d'anémie) permettent au client de lutter contre certaines anémies et de retrouver son état de santé. Les transfusions sanguines, la pharmacothérapie (p. ex. érythropoïétine, suppléments de vitamines) et l'oxygénothérapie sont également des mesures qui permettent d'y remédier. L'objectif final du traitement est de corriger l'étiologie de l'anémie. La collecte continue de données avec le client permet de vérifier les connaissances de ce dernier sur un apport nutritionnel adéquat et son observance du traitement prescrit.

Anémie

ENCADRÉ 19.3

Données subjectives

Information importante concernant la santé

- Antécédents de santé : perte de sang récente ou traumatisme ; maladie hépatique, endocrine ou rénale chronique (y compris la dialyse) ; maladie gastro-intestinale (syndrome de malabsorption, ulcères, gastrite ou hémorroïdes) ; affections inflammatoires ; exposition à des radiations ou à des toxines chimiques (arsenic, plomb, benzènes, cuivre)
- Médicaments : administration de vitamines et de suppléments de fer ; aspirine, anticoagulants, contraceptifs oraux, phénobarbital, pénicillines, AINS, quinine, quinidine, phénytoïne (Dilantin), méthyldopa (Aldomet), sulfamides
- Chirurgie et autres traitements : chirurgie récente, résection de l'intestin grêle, gastrectomie, prothèses valvulaires cardiaques

Modes fonctionnels de santé

- Mode perception et gestion de la santé : antécédents familiaux d'anémie ; malaise
- Mode nutrition et métabolisme : nausées, vomissements, anorexie, perte pondérale, dysphagie, dyspepsie, brûlures d'estomac, sueurs nocturnes, intolérance au froid
- Mode élimination : hématurie, diminution de la diurèse ; diarrhée, constipation, flatulences, selles goudronneuses, selles sanguinolentes
- Mode activité et exercice : fatigue, faiblesse musculaire et force diminuée ; dyspnée, orthopnée, toux, hémoptysie ; palpitations
- Mode cognition et perception : céphalées ; douleurs abdominales, douleurs thoraciques et osseuses ; douleur à la langue ; paresthésies des extrémités ; prurit ; troubles de la vision, du goût et de l'audition ; vertiges ; hypersensibilité au froid

- Mode sexualité et reproduction : ménorragie, métrorragie ; grossesse récente ou en cours ; impuissance

Données objectives

Généralités

- Léthargie, apathie, adénopathie généralisée, fièvre

Appareil tégumentaire

- Pâleur de la peau et des muqueuses ; sclérotique bleutée, blanche ou ictérique, chéilite ; turgescence de la peau ; cœlonychie ; ictère ; pétéchies, ecchymoses ; épistaxis ou saignements des gencives ; mauvaise cicatrisation ; cheveux secs, cassants

Appareil respiratoire

- Tachypnée

Appareil cardiovasculaire

- Tachycardie, souffle systolique, arythmies ; hypotension orthostatique, augmentation de la pression différentielle, souffles (surtout carotidiens) ; claudication intermittente, œdème des chevilles

Appareil gastro-intestinal

- Hépato-splénomégalie ; glossite ; langue rouge et épaisse ; stomatite ; distension abdominale ; anorexie

Appareil neurologique

- Confusion, altération du jugement, irritabilité, ataxie, démarche instable, paralysie

Résultats possibles

- ↓ globules rouges ; ↓ Hb ; ↓ Ht ; ↓ fer sérique, ferritine, folates ou cobalamine (vitamine B_{12}) ; test de sang occulte dans les selles (gaïac) positif ; ↓ taux d'érythropoïétine sérique

Hb : hémoglobine ; Ht : hématocrite ; GI : gastro-intestinal ; AINS : anti-inflammatoires non stéroïdiens.

Anémie

ENCADRÉ 19.4

- L'anémie est une affection commune chez les personnes âgées dont l'alimentation n'est pas suffisamment riche et chez qui l'absorption intestinale de fer est moindre. La prévalence de l'anémie chez la femme âgée de plus de 60 ans est aussi élevée que chez celle en âge de procréer. Des carences nutritionnelles sont à l'origine de la plupart des cas d'anémie chez les personnes âgées. L'affaiblissement physique et la dépression peuvent réduire leur capacité à maintenir une alimentation adéquate (voir tableau 19.3).

- Les signes et les symptômes de l'anémie peuvent passer inaperçus dans certains cas et peuvent être confondus avec les transformations normales liées au vieillissement. Les symptômes comprennent : confusion, ataxie, fatigue, exacerbation de l'angine et insuffisance cardiaque congestive.

- La présence de maladies concomitantes chez les adultes plus âgés augmente la probabilité d'apparition de nombreux types d'anémie. Ces mêmes maladies et le manque de connaissances des éléments d'un « vieillissement normal » compliquent le diagnostic des causes d'une anémie réversible. À titre d'exemple, une anémie ferriprive facilement réversible, qui se manifeste sous forme d'ataxie, peut passer inaperçue chez le client plus âgé.

- L'infirmière contribue grandement à la collecte adéquate de données sur les habitudes de maintien de la santé chez l'adulte plus âgé et à l'exécution des interventions connexes.

➜ Plan de soins infirmiers

ENCADRÉ 19.5

Client atteint d'anémie

DIAGNOSTIC INFIRMIER : intolérance à l'activité reliée à la faiblesse et aux malaises, se manifestant par une intolérance à l'activité (p. ex. tachycardie et tachypnée).

PLANIFICATION

Résultats escomptés
- Participation aux activités de la vie quotidienne (p. ex. se laver, se vêtir, prendre soin de soi, s'alimenter).
- Signes vitaux dans les limites acceptables.

INTERVENTIONS	Justifications
• Planifier les soins de façon à alterner les périodes de repos et d'activités.	• Éviter la fatigue chez le client.
• S'efforcer de respecter un rapport 1:3 de repos et d'activité ; aider le client à effectuer ses AVQ, au besoin.	
• Placer les objets à portée de main.	• Le client doit faire l'effort de les prendre.
• Limiter le nombre de visites, d'appels téléphoniques, le bruit et les interruptions par le personnel soignant.	• Éviter de trop solliciter le client.
• Surveiller les signes vitaux.	• Évaluer la tolérance à l'activité du client.
• Surveiller les taux d'Hb et d'Ht.	• S'y référer pour planifier les activités physiques du client.

DIAGNOSTIC INFIRMIER : déficit nutritionnel relié à l'anorexie et au traitement, se manifestant par une perte de poids, un taux d'albumine sérique bas, une diminution des concentrations en fer, des carences en vitamines et un indice de masse corporel (IMC) anormalement bas.

PLANIFICATION

Résultat escompté
- Maintenir un IMC, puis atteindre graduellement le poids santé.

INTERVENTIONS	Justifications
• Enseigner au client quels aliments à forte teneur en protéines et en calories il doit consommer.	• Augmenter l'apport en nutriments essentiels nécessaires à l'hématopoïèse.
• Avec la participation du client, établir l'IMC à atteindre, ainsi qu'un apport alimentaire qui réponde à ses besoins tout en se préoccupant de ses goûts alimentaires.	• Accroître son observance du traitement.
• Enseigner au client à tenir un journal alimentaire et à s'en servir.	• Mieux gérer son alimentation.
• Suggérer au client de prendre de petites portions, fréquemment, et de prendre des collations tout au long de la journée.	

DIAGNOSTIC INFIRMIER : non-observance du traitement reliée à un manque de connaissances des modifications à apporter au mode de vie, au régime alimentaire et au traitement pharmacologique, se manifestant par des questions relatives aux modifications du mode de vie, du régime alimentaire et des prescriptions médicales.

PLANIFICATION

Résultat escompté
- Connaissances des modifications à apporter au mode de vie relatives à l'alimentation et au traitement.

INTERVENTIONS	Justifications
• Revoir les modifications au mode de vie, à l'alimentation et l'information relative aux médicaments et les enseigner au client.	• Améliorer son observance du traitement.
• Informer le client sur l'administration de suppléments et de médicaments pouvant aider à la production de globules rouges et surveiller sa réponse au traitement.	• Il est difficile de corriger une grave anémie uniquement par l'alimentation.
• Suggérer des ressources pouvant aider le client à maintenir les bienfaits du traitement et des modifications pendant la période de guérison.	

Plan de soins infirmiers

ENCADRÉ 19.5

Client atteint d'anémie
Processus thérapeutique

COMPLICATION POSSIBLE : surveiller l'apparition de signes d'hypoxémie.

PLANIFICATION
Objectifs
- Signaler toute anomalie par rapport aux paramètres acceptables.
- Entreprendre les interventions infirmières et les interventions concertées appropriées.

INTERVENTIONS	Justifications
• Évaluer toute manifestation d'hypoxémie comme la dyspnée, la diminution de la saturation en oxygène, l'augmentation de la $PaCO_2$ ou de la cyanose.	• Intervenir le plus rapidement possible.
• Administrer de l'oxygène tel qu'il est prescrit.	• Saturer toute l'hémoglobine disponible.
• Transfuser le client avec des produits sanguins tel qu'il est prescrit.	• Augmenter le volume d'hémoglobine.
• Mobiliser doucement le client ; évaluer les étourdissements.	• L'étourdissement est un signe d'hypoxie cérébrale.
• Surveiller l'hémoglobine.	• Déterminer la sévérité de l'anémie et la réponse du client au traitement.
• Installer le client en position permettant une expansion thoracique maximale.	
• Enseigner au client des exercices de respiration et des techniques de relaxation.	• Soulager la dyspnée.

19.2 ANÉMIE CAUSÉE PAR UNE DIMINUTION DE LA PRODUCTION D'ÉRYTHROCYTES

L'érythropoïèse permet normalement de compenser la destruction et la perte de globules rouges. Grâce à cet équilibre, il existe en permanence un nombre adéquat d'érythrocytes. Les globules rouges doivent être produits de façon régulière, car ils ont une durée de vie d'environ 120 jours. Trois phénomènes influant sur l'érythropoïèse sont susceptibles de diminuer la production de globules rouges :
- une diminution de la synthèse de l'hémoglobine peut être à l'origine de l'anémie ferriprive, de la thalassémie et de l'anémie sidéroblastique ;
- une synthèse de l'ADN défectueuse (p. ex. carence en cobalamine, carence en acide folique) peut causer des anémies mégaloblastiques ;
- une diminution du nombre de précurseurs d'érythrocytes peut être à l'origine de l'anémie aplastique et de l'anémie associée à une maladie chronique (voir encadré 19.1).

19.2.1 Anémie ferriprive

Trente pour cent de la population mondiale souffre d'**anémie ferriprive**, et il s'agit d'un des troubles sanguins chroniques les plus répandus. Les clients les plus à risque sont les personnes très jeunes, celles qui présentent des carences alimentaires et les femmes en bonne santé en âge de procréer.

Le fer est présent dans tous les globules rouges et y est fixé à la molécule hème de l'hémoglobine ou est emmagasiné sous forme de réserves de fer. Les deux tiers du fer de l'organisme se trouvent dans la portion héminique de l'hémoglobine. Le dernier tiers est entreposé sous forme de ferritine et d'hémosidérine dans les macrophages de la moelle osseuse, de la rate et du foie. Normalement, 1 mg de fer est perdu quotidiennement par le tractus gastro-intestinal, la sueur et l'urine. Quand les réserves en fer ne sont pas remplacées, la production d'hémoglobine s'en trouve diminuée.

Étiologie. Tout apport inadéquat en fer par l'alimentation, la malabsorption, les pertes de sang ou l'hémolyse peut provoquer une carence en fer. Environ 1 mg sur les 10 à 20 mg de fer ingéré est absorbé par le duodénum. Cinq à dix pour cent de tout le fer ingéré est absorbé. La quantité obtenue par l'alimentation est suffisante pour répondre aux besoins en fer chez l'homme et la femme plus âgée, mais elle est insuffisante pour les individus dont les besoins en fer sont plus importants (p. ex. les enfants, les femmes enceintes). Le tableau 19.3 énumère la liste des nutriments nécessaires à l'érythropoïèse.

RECOMMANDATIONS NUTRITIONNELLES

TABLEAU 19.3 Nutriments nécessaires à l'érythropoïèse

Nutriment	Rôle dans l'érythropoïèse	Sources alimentaires
Cobalamine	Maturation des globules rouges	Viande rouge, foie, huîtres, œufs, fromage, lait, volaille, poisson
Acide folique	Maturation des globules rouges	Légumes verts feuillus, foie, viande, poisson, légumineuses, produits céréaliers à grains entiers
Fer	Synthèse de l'hémoglobine	Foie, œufs, fruits secs, légumineuses, légumes à feuilles vert foncé, produits céréaliers à grains entiers, viande rouge, volaille, crustacées
Vitamine B_6	Synthèse de l'hémoglobine	Viande (surtout porc et foie), germe de blé, légumineuses, banane, crustacées, céréales à grains entiers
Acides aminés	Synthèse des nucléoprotéines	Œufs, viande, lait et produits laitiers (fromage, yogourt), volaille, poisson, légumineuses, noix
Vitamine C	Conversion de l'acide folique en formes actives, favorise l'absorption de fer	Orange, pamplemousse, kiwi, tomate, pomme de terre, framboise, baie, légumes verts feuillus, fraises, cantaloup

La malabsorption de fer peut survenir après certaines chirurgies gastro-intestinales et dans les cas de syndromes de malabsorption. L'absorption de fer s'effectue principalement dans le duodénum. Il est parfois nécessaire de procéder à l'ablation ou à une dérivation de l'estomac et du duodénum pour soigner l'ulcère gastrique (voir chapitre 33). Les syndromes de malabsorption peuvent résulter de maladies duodénales, puique l'absorption du fer a normalement lieu dans le duodénum. L'absorption du fer est entravée, car la maladie altère ou détruit la surface d'absorption.

La perte sanguine est une cause importante de carence en fer chez l'adulte. Deux millilitres de sang entier contiennent en effet 1 mg de fer. Les pertes de sang chroniques empruntent généralement les voies gastro-intestinales et génito-urinaires. L'hémorragie gastro-intestinale passe souvent inaperçue et peut donc se prolonger avant que le problème ne soit décelé. Il faut une perte d'au moins 50 à 75 ml de sang par le tractus gastro-intestinal supérieur avant que les selles ne prennent une couleur noire ou qu'il y ait présence de **méléna**. La coloration noire des selles est due au fer des globules rouges. Les ulcères gastroduodénaux, la gastrite, l'œsophagite, la diverticulite, les hémorroïdes et la néoplasie provoquent souvent des pertes de sang gastro-intestinales. Les pertes sanguines génito-urinaires surviennent principalement lors des menstruations. La quantité moyenne de sang perdue tous les mois au cours des menstruations est d'environ 45 ml et entraîne une perte d'environ 22 mg de fer. Le saignement chez la femme postménopausée est rarement significatif, mais peut également contribuer à l'anémie chez la femme plus âgée à risque.

Les autres facteurs qui accentuent la carence en fer sont la grossesse (le fer est nécessaire au fœtus pour son érythropoïèse), la perte de sang lors de l'accouchement et l'allaitement. Outre l'anémie liée à l'insuffisance rénale chronique, l'anémie ferriprive peut être provoquée par la dialyse, étant donné la quantité de sang perdu dans l'équipement lors de la procédure et les multiples prélèvements sanguins.

Manifestations cliniques. À ses débuts d'anémie ferriprive, il arrive que le client soit asymptomatique. Au fur et à mesure que la maladie devient chronique, les manifestations générales de l'anémie peuvent se présenter (voir tableau 19.2). Il peut y avoir en outre des symptômes cliniques spécifiques liés à l'anémie ferriprive. Entre autres symptômes, la pâleur est le plus fréquent ainsi que la **glossite** et la **chéilite**. D'autre part, le client peut souffrir de céphalées, de paresthésies et de sensations de brûlures à la langue, symptômes causés par la carence en fer dans les tissus.

Épreuves diagnostiques. Le tableau 19.4 énumère les anomalies des épreuves de laboratoire caractéristiques de l'anémie ferriprive. Il existe d'autres épreuves diagnostiques qui permettent de déterminer la cause de la carence en fer, comme l'endoscopie et la colonoscopie, utilisées pour détecter les saignements gastro-intestinaux.

TABLEAU 19.4 Résultats de laboratoire lors d'anémie

	Hb/Ht	VGM	TCMH	CCMH	Réticulocytes	Fer sérique	CTFF	Bilirubine	Plaquettes	Autres
Carence en fer	↓	↓	↓	↓	↓	↓	↑	N à ↓	N ou ↑	-
Thalassémie	↓	N	N	N	↑	↑	↑	↑	-	-
Carence en cobalamine	↓	↑	N ou légère	≠	↓	N	N	N	↓	↓ cobalamine, test de Shilling positif, achlorhydrie
Carence en acide folique	↓	↑	N ou légère	↑	N	N	N	N	-	↓ folate
Anémie aplasique	↓	N	N	N	↓	±N	±N	N	↓	↓ globules blancs
Maladie chronique	↓	N	N	N	N	↓	↓	±N	↑	-
Hémorragie	↓	N	N	N	N	N	N	N	-	-
Perte de sang chronique	↓	↓	↓	↓	↑	↓	↓	N	↑	-
Drépanocytose	↓	N	N	N	↑	↑	↓	↑	↑	Voir tableau 19.6
Anémie hémolytique	↓	N	N	N	↑	↑	↓	↑	-	-

CCMH : concentration corpusculaire moyenne en hémoglobine ; CTFF : capacité totale de fixation du fer ; N : normal ; TCMH : teneur corpusculaire moyenne en hémoglobine ; VGM : volume globulaire moyen

Processus thérapeutique. Le principal objectif du processus thérapeutique, en cas d'anémie ferriprive, consiste à traiter la maladie sous-jacente à l'origine du faible apport en fer ou de sa mauvaise absorption (p. ex. malnutrition, alcoolisme). Il faut également faire en sorte de suppléer le fer dans l'organisme (voir encadré 19.6), ce qui peut être fait en augmentant l'apport en fer dans l'alimentation. Le client doit être renseigné sur les aliments riches en fer (voir tableau 19.3). Si l'apport en fer dans l'alimentation du client est adéquat, il n'est pas recommandé de l'accroître davantage, car il est difficile de dépasser 7 mg de fer pour 1000 kcal sans avoir recours à l'administration de suppléments alimentaires (p. ex. 250 g de steak fournissent 8 mg de fer). Aussi est-il recommandé d'administrer des suppléments de fer par voie orale ou parentérale. Si la carence en fer est due à une hémorragie significative, il peut être nécessaire d'effectuer une transfusion de globules rouges concentrés.

Pharmacothérapie. Le fer doit être administré si possible par voie orale, car ce mode d'administration est peu onéreux et pratique. Il existe de nombreuses préparations de fer. Quatre facteurs sont à considérer dans l'administration du fer :
- la posologie doit être de 150 à 200 mg de fer par jour. Cette quantité peut être administrée en trois ou quatre doses quotidiennes, chaque comprimé ou capsule de fer contenant entre 50 et 100 mg de fer (p. ex. un comprimé de 325 mg de sulfate ferreux contient 50 mg de fer) ;
- l'absorption de fer est meilleure dans un environnement acide. Pour cette raison, et afin d'éviter qu'il ne se lie aux aliments, le fer doit être administré une heure avant les repas, quand l'acidité de la muqueuse duodénale est optimale. La prise de fer avec de la vitamine C (acide ascorbique) ou du jus d'orange, qui contient de l'acide ascorbique, augmente l'absorption du fer. Les effets secondaires gastriques peuvent toutefois nécessiter la prise du médicament avec les repas. Les préparations de fer à libération entérique peuvent s'avérer inefficaces, car le fer n'est pas libéré dans une région de l'intestin où son absorption est facilitée ;

- le fer liquide non dilué peut tacher les dents ; aussi est-il recommandé de le diluer, puis de l'avaler à l'aide d'une paille ;
- l'administration de fer peut entraîner des effets secondaires gastro-intestinaux : pyrosis, constipation et diarrhée. Le cas échéant, la posologie et le type de suppléments doivent être ajustés. Par exemple, de nombreux individus qui ont besoin de suppléments de fer ont une intolérance au sulfate ferreux à cause des effets du sulfate. Le gluconate ferreux peut cependant s'avérer être un produit de substitution acceptable. Il faut aviser les clients que les préparations de fer rendent les selles noires à cause de l'excès de fer excrété par le tractus gastro-intestinal. La constipation étant un effet indésirable fréquent, il est préférable d'en avertir le client et de prendre des mesures pour corriger la constipation, car cela pourrait compromettre son observance au traitement.

Dans certains cas, il peut être nécessaire d'administrer le fer par voie parentérale. L'usage parentéral est indiqué dans les cas de malabsorption, d'intolérance au fer par voie orale et dans les cas de non-observance du traitement prescrit par voie orale. L'administration de fer par voie parentérale peut être effectuée par voie IM ou IV.

PROCESSUS DIAGNOSTIQUE ET THÉRAPEUTIQUE

| **Anémie ferriprive** | **ENCADRÉ 19.6** |

Diagnostic
- Antécédents de santé et examen physique
- Taux d'Hb/Ht
- Numération érythrocytaire, y compris étude morphologique
- Numération réticulocytaire
- Fer sérique
- Ferritine sérique
- CTFF
- Recherche de sang occulte dans les selles

Processus thérapeutique
- Détermination et traitement de la cause sous-jacente
- Administration de sulfate ou de gluconate ferreux
- Administration de dextran ferrique par voie IM ou IV
- Ingestion d'aliments à forte teneur en fer
- Enseignement sur l'alimentation
- Transfusion de concentrés de globules rouges (aux clients symptomatiques uniquement)

CTFF : capacité totale de fixation du fer ; IM : intramusculaire ; IV : intraveineuse.

Pour les solutions de fer pouvant tacher la peau, il convient d'utiliser des aiguilles différentes pour prélever la solution et pour injecter le médicament. Il faut laisser environ 0,5 ml d'air dans la seringue pour permettre l'administration complètement de la dose. L'injection IM doit être effectuée profondément dans le quadrant supéro-externe de la fesse, à l'aide d'une aiguille de 3,7 cm et de calibre 19-21G. Il est préférable de ne pas administrer plus de 2 ml de fer en une seule injection. Il convient d'utiliser une méthode d'injection intramusculaire en Z pour éviter que la solution de fer ne se répande dans les tissus sous-cutanés. Il faut éviter de masser le point d'injection après administration. Il est contre-indiqué de mélanger l'administration IV de fer dextran (Infufer) avec d'autres médicaments ou de l'ajouter à d'autres solutions de nutrition parentérale. Le fer doit être administré sous forme non diluée et à une fréquence qui ne dépasse pas 1 ml/min. La tubulure IV doit être rincée avec une solution saline normale.

Soins infirmiers : anémie ferriprive. Il est important de savoir que les groupes d'individus suivants courent un risque plus grand d'être atteints d'anémie ferriprive : nourrissons, adolescentes, femmes préménopausées et femmes enceintes, personnes ayant des difficultés socio-économiques, personnes âgées et personnes ayant subi une hémorragie. Il est alors important de renseigner ces gens sur les aliments riches en fer. La prise de suppléments de fer est spécialement importante pour la femme enceinte. Les interventions infirmières appropriées sont présentées dans l'encadré 19.5. En cas d'anémie, il est important, avec le consentement du client, d'effectuer des examens de laboratoire pour en déterminer la cause. Il convient de réexaminer le taux d'hémoglobine et la numération érythrocytaire pour évaluer la réponse au traitement. Il faut mettre l'accent sur la nécessité d'observer les conseils en matière d'alimentation et la pharmacothérapie. Afin de remplacer les réserves en fer de l'organisme, le client doit suivre le traitement pendant deux à trois mois après le retour du taux d'hémoglobine à la normale. Les personnes âgées peuvent avoir besoin de prendre des suppléments de fer à vie. Si le taux d'hémoglobine demeure bas, il convient d'évaluer à nouveau le client pour déceler la cause de l'anémie.

19.2.2 Thalassémie

La **thalassémie** est une autre affection qui provoque la diminution de la production d'érythrocytes. Tout comme dans les cas de carence en fer, la production d'hémoglobine normale est insuffisante, quoiqu'il puisse y avoir aussi hémolyse. Comparativement à l'anémie ferriprive pour laquelle le problème provient de la synthèse de l'hème, celui qui se pose en cas de thalassémie provient de la protéine de globine. Ainsi, en situation de thalassémie, l'anomalie résulte de la synthèse défectueuse de l'hémoglobine.

Étiologie. Les thalassémies sont des troubles génétiques à caractère autosomique récessif, que l'on trouve communément chez les membres de groupes ethniques d'origine méditerranéenne. L'individu qui souffre de thalassémie peut être porteur de la forme hétérozygote ou de la forme homozygote de la maladie. Une personne atteinte de la forme hétérozygote possède un gène thalassémique et un gène normal, et on parle alors de **thalassémie mineure** ou de **trait thalassémique**, ce qui est une forme atténuée de la maladie. Le porteur homozygote possède deux gènes thalassémiques à l'origine d'une forme grave de la maladie connue sous le terme de **thalassémie majeure**.

Manifestations cliniques. Le client atteint de thalassémie mineure est fréquemment asymptomatique, car son organisme s'adapte graduellement à l'état chronique de l'anémie. Il peut parfois souffrir de splénomégalie et avoir une légère forme d'ictère si les érythrocytes mal formés sont rapidement hémolysés. L'individu atteint de thalassémie majeure est en général pâle et présente d'autres symptômes généraux de l'anémie (voir tableau 19.2). Il présente en outre une splénomégalie et une hépatomégalie prononcée. L'ictère résultant de l'hémolyse des globules rouges est important. L'hyperplasie chronique de la moelle osseuse entraîne une expansion de l'espace médullaire, ce qui peut provoquer l'épaississement du crâne et du maxillaire. Ce phénomène confère à la personne une apparence semblable à celle atteinte du syndrome de Down. La thalassémie majeure est une maladie pouvant menacer le pronostic vital et se caractérise par le retard de développement à la fois physique et mental.

Processus thérapeutique. Le tableau 19.4 résume les anomalies décelées lors des épreuves de laboratoire effectuées en cas de thalassémie majeure. Aucun traitement n'est nécessaire dans les cas de thalassémie mineure, car l'organisme s'adapte à la réduction de l'hémoglobine normale. On traite en général la thalassémie majeure par transfusion sanguine et par chélation. Il n'existe aucun médicament ni aucune recommandation nutritionnelle spécifique susceptibles de traiter efficacement la thalassémie.

La transfusion permet de garder le taux d'hémoglobine à environ 100 g/L, un taux assez bas pour stimuler l'érythropoïèse sans pour autant porter atteinte à la rate. Étant donné que les globules rouges sont séquestrés dans la rate, qui subit alors une hypertrophie, on peut traiter la thalassémie par splénectomie. Toutefois, en dépit du traitement, le client atteint de thalassémie majeure peut avoir des retards de développement, des problèmes d'hémochromatose et souffrir d'insuffisance cardiaque souvent fatale.

19.2.3 Anémies mégaloblastiques

Les **anémies mégaloblastiques** sont des troubles provoqués par une synthèse défectueuse de l'ADN, qui se caractérisent par la présence de globules rouges de plus grande taille. La synthèse de l'ADN étant altérée, il en résulte une maturation défectueuse des globules rouges. Ces globules rouges sont appelés **mégaloblastes**, car ils sont plus gros (macrocytaires) et anormaux. Les globules rouges macrocytaires sont facilement détruits étant donné la fragilité de leurs membranes. Bien qu'elle soit causée par des carences en cobalamine et en folates, la très grande majorité des anémies mégaloblastiques peut également être le fait de l'inhibition de la synthèse de l'ADN par certains médicaments, d'anomalies génétiques liées au métabolisme de la cobalamine et de l'acide folique, et résulter de l'érythroleucémie (voir encadré 19.7). L'anémie mégaloblastique se manifeste fréquemment sous la forme de carence en cobalamine (p. ex. l'anémie pernicieuse) et en acide folique.

Carence en cobalamine (vitamine B$_{12}$). Normalement, la protéine appelée **facteur intrinsèque** est sécrétée par les cellules pariétales de la muqueuse gastrique. Le facteur intrinsèque est nécessaire à l'absorption de la cobalamine (facteur extrinsèque). Sans sécrétion de facteur intrinsèque, la cobalamine ne peut être absorbée par l'iléon distal. En situation d'anémie pernicieuse, la sécrétion gastrique du facteur intrinsèque est altérée. Autrefois mortelle, on peut aujourd'hui traiter l'anémie pernicieuse. Le terme **anémie pernicieuse** est utilisé de façon inappropriée pour décrire toute carence en cobalamine. Puisque l'anémie pernicieuse est une cause de la carence en cobalamine parmi d'autres, on devrait utiliser ce terme uniquement pour décrire les situations dans lesquelles la muqueuse gastrique ne sécrète pas de facteur intrinsèque ou quand il y a sécrétion déficiente de facteur intrinsèque due à la résection gastrique (voir encadré 19.7).

Étiologie. L'anémie pernicieuse est une maladie qui débute de façon insidieuse chez l'adulte d'âge moyen ou même plus tard. Il s'agit d'une affection où l'atrophie de la muqueuse gastrique empêche la sécrétion de facteur intrinsèque. L'anémie pernicieuse est une maladie auto-immune, l'atrophie gastrique étant probablement due à la destruction des cellules pariétales.

Classification des anémies mégaloblastiques   ENCADRÉ 19.7

Carence en cobalamine (vitamine B$_{12}$)
- Déficit alimentaire
- Déficit gastrique en facteur intrinsèque
  - Anémie pernicieuse
  - Gastrectomie
- Malabsorption intestinale
- Besoin accru

Carence en acide folique
- Carence alimentaire
- Absorption insuffisante
- Besoin accru

Inhibition de la synthèse de l'ADN secondaire à l'administration de médicaments
- Antagonistes des folates
- Inhibiteurs métaboliques
- Alkylants
- Oxyde nitreux

Erreurs génétiques
- Acidurie orotique héréditaire
- Métabolisme des folates défectueux
- Syndrome de Lesch-Nyhan
- Transport de cobalamine défectueux

Érythroleucémie

L'anémie pernicieuse touche surtout les personnes originaires de l'Europe du Nord, particulièrement les Scandinaves, et les personnes d'origine africaine. Chez ces dernières, la maladie est généralement précoce et plus fréquente. Elle est souvent plus grave chez la femme.

Les clients ayant subi une gastrectomie sont susceptibles de souffrir de carence en cobalamine, ainsi que ceux qui ont subi une résection de l'intestin grêle incluant l'iléon, ou encore ceux atteints de la maladie de Crohn. La carence en cobalamine est en effet liée à une diminution de la surface de la muqueuse gastrique, responsable de la sécrétion de facteur intrinsèque, ou à une mauvaise absorption de cobalamine dans l'iléon distal.

Manifestations cliniques. Les symptômes généraux de l'anémie liée à une carence en cobalamine se développent, car il y a hypoxie tissulaire. Parmi les manifestations gastro-intestinales, on trouve : douleur à la langue, anorexie, nausées, vomissements et douleurs abdominales. Les manifestations neuromusculaires typiques comprennent fatigue, paresthésies des extrémités, diminution de la perception des vibrations et des positions, ataxie, faiblesse musculaire et altération du processus de la pensée allant de la confusion à la démence. Étant donné que ce type d'anémie débute de façon insidieuse, il peut s'écouler plusieurs mois avant que ces symptômes ne se manifestent.

Épreuves diagnostiques. Le tableau 19.4 énumère les données de laboratoire qui permettent de dépister l'anémie liée à la carence en cobalamine. Les érythrocytes macrocytaires et de forme anormale sont facilement détruits, car leur membrane cellulaire est fragile. Il peut s'avérer nécessaire d'effectuer des examens approfondis. La concentration sérique de cobalamine peut être abaissée. Il convient alors d'effectuer une analyse gastrique pour confirmer la cause de la carence en cobalamine. Cette analyse se fait par insertion d'une sonde nasogastrique. On injecte alors de la pentagastrine pour stimuler la sécrétion des sucs gastriques, qui sont ensuite aspirés par la sonde pendant un certain laps de temps. Si l'analyse des sucs gastriques révèle une **achlorhydrie**, on peut alors déterminer qu'il y a en effet un mauvais fonctionnement des cellules pariétales. On peut aussi utiliser d'autres examens tels que la gastroscopie et la biopsie de la muqueuse gastrique.

Le test de Schilling permet également d'évaluer le fonctionnement des cellules pariétales. On l'effectue chez les individus susceptibles de mal absorber la vitamine B$_{12}$. Ce test se fait en administrant de la cobalamine radioactive au client, puis en mesurant la quantité de cobalamine excrétée dans les urines. Toute quantité de cobalamine radioactive non absorbée n'est que faiblement excrétée dans les urines. Cette même procédure peut être effectuée en ajoutant du facteur intrinsèque par administration parentérale. Une absorption de cobalamine observée après ajout de facteur intrinsèque permet de confirmer le diagnostic d'anémie pernicieuse.

Processus thérapeutique. Quelle que soit la quantité de cobalamine ingérée, il n'y a pas d'absorption sans facteur intrinsèque. Si l'absorption au niveau de l'iléon est insuffisante, le traitement du problème par l'alimentation ne peut être envisagé, car il ne remplace pas la cobalamine. Il convient toutefois de dire au client de veiller à maintenir des apports de cobalamine adéquats par son alimentation. L'administration parentérale de cobalamine (cyanocobalamine ou hydroxocobalamine) est le traitement de choix. Sans administration de cobalamine, le décès peut survenir au bout d'un à trois ans. On ne peut que trop souligner l'efficacité des injections de cobalamine afin d'inverser un processus autrement fatal. La posologie de cobalamine et sa fréquence d'administration peuvent varier. En général, le traitement consiste à administrer 1000 µg de cobalamine par voie IM quotidiennement pendant deux semaines, puis de façon hebdomadaire jusqu'à ce que le taux d'hématocrite redevienne normal, puis une fois par mois à vie.

Tant que l'on administre des suppléments de cobalamine, il est possible de contrôler l'anémie et, ainsi, de faire disparaître les manifestations hématologiques. La plupart des complications neuromusculaires présentes avant le traitement ne peuvent toutefois être inversées.

Soins infirmiers : anémie pernicieuse. Étant donné qu'il existe une prédisposition familiale à l'anémie pernicieuse, il faut surveiller l'apparition de symptômes chez les clients qui ont des antécédents familiaux de ce trouble. Bien qu'il soit impossible de prévenir le développement de la maladie, sa détection précoce et son traitement peuvent faire disparaître les symptômes.

Les interventions infirmières présentées dans l'encadré 19.5 s'appliquent également à l'anémie liée à une carence en cobalamine. Outre ces mesures, l'infirmière doit s'assurer que les lésions ne sont pas dues aux troubles neurologiques qui altèrent la sensation de chaleur et de douleur. Il faut veiller à ce que le client ne se brûle pas ni ne subisse de traumatisme. S'il faut avoir recours à la thermothérapie, il convient d'évaluer la peau du client à intervalles fréquents pour détecter toute rougeur. L'irritation causée par les sondes nasogastriques et le port de vêtements trop ajustés peut ne pas être perçue par le client qui ne ressent pas nécessairement la douleur.

Le suivi des soins consiste principalement à s'assurer que le client revienne régulièrement pour ses injections de cobalamine. Il convient également d'effectuer une évaluation neurologique régulière afin de détecter toute anomalie qui n'aurait pas été corrigée par un supplément adéquat de cobalamine. Étant donné que le risque de carcinome gastrique est accru en cas d'anémie pernicieuse, il convient également d'effectuer fréquemment les évaluations appropriées.

Carence en acide folique (vitamine B_9). L'anémie mégaloblastique peut également être la conséquence d'une carence en acide folique. L'acide folique est nécessaire à la synthèse de l'ADN prenant part à la formation et à la maturation des globules rouges. La carence en acide folique est provoquée entre autres par :
- une mauvaise alimentation, particulièrement une consommation insuffisante de légumes verts feuillus, de foie, d'agrumes, de levures, de haricots secs, de noix et de céréales ;
- les syndromes de malabsorption, particulièrement les troubles de l'intestin grêle ;
- l'utilisation de médicaments entravant l'absorption et le métabolisme de l'acide folique (p. ex. méthotrexate, contraceptifs oraux), ainsi que l'utilisation

d'anticonvulsivants (p. ex. phénobarbital, diphénylhydantoïne) ;
- l'abus d'alcool et l'anorexie ;
- l'hémodialyse, car l'acide folique peut être éliminé par la dialyse.

Les manifestations cliniques de la carence en acide folique sont semblables à celles de la carence en cobalamine. La maladie se développe de façon insidieuse et les symptômes peuvent être attribués à d'autres problèmes concomitants tels que la cirrhose et les varices œsophagiennes. Les troubles gastro-intestinaux se manifestent par de la dyspepsie et la langue devient lisse et épaisse. L'absence de problèmes neurologiques est une donnée diagnostique importante et fait toute la différence entre la carence en acide folique et la carence en cobalamine.

Le tableau 19.4 donne les résultats des épreuves diagnostiques pour la carence en acide folique. Ils révèlent des concentrations de folates sériques faibles (les concentrations normales : > 4,5 nmol/L), un taux de cobalamine sérique normal et la présence d'acide chlorhydrique.

Le traitement de la carence en acide folique consiste à tenter de le suppléer dans l'organisme. La dose usuelle est de 1 mg par jour par voie orale. En situation de malabsorption, la dose peut aller à 5 mg par jour. La durée du traitement dépend de la raison de la carence. On doit encourager le client à consommer des aliments riches en acide folique (voir tableau 19.3).

19.2.4 Anémie liée à une maladie chronique

L'anémie hypoproliférative peut apparaître en présence d'états chroniques et plus spécifiquement en cas d'insuffisance rénale en phase terminale. Il existe une relation étroite entre le degré d'anémie et la gravité de l'urémie. Bien que plusieurs mécanismes soient en cause dans le développement de l'anémie liée à l'insuffisance rénale, le facteur principal est la diminution de l'érythropoïétine, une hormone sécrétée par les reins et nécessaire à l'érythropoïèse. La fonction rénale étant insuffisante, l'érythropoïétine est donc produite en moindre quantité (voir chapitre 38).

D'autres maladies chroniques, inflammatoires ou malignes peuvent causer **l'anémie liée à une maladie chronique**. La maladie hépatique chronique peut également contribuer au développement de l'anémie. Elle peut aussi être le résultat de carences en acide folique dues à une alimentation inadéquate chez les alcooliques ou encore être provoquée par une perte de sang consécutive à une gastrite chronique. L'abus d'alcool peut nuire à l'érythropoïèse. L'anémie peut également être le résultat d'une splénomégalie, une affection courante dans les stades avancés de cirrhose (voir chapitre 35).

L'inflammation chronique et les tumeurs malignes sont d'autres affections qui peuvent provoquer l'anémie. Les mécanismes responsables de l'apparition de l'anémie comprennent l'augmentation de la destruction des globules rouges accompagnée par une incapacité à augmenter l'érythropoïèse afin de compenser leur destruction. La chimiothérapie à base de métaux lourds (p. ex. cisplatine, carboplatine) pour traiter les maladies malignes engendre fréquemment l'anémie. Elle peut également être déclenchée par le VIH et par le traitement du sida. Les problèmes endocriniens chroniques peuvent également être une cause d'anémie. L'hypopituitarisme et l'hypothyroïdie peuvent entraîner la réduction du métabolisme tissulaire. Étant donné que les besoins en oxygène des tissus sont moindres, la production d'érythropoïétine par les reins diminue également. Le dysfonctionnement surrénal provoqué par la surrénalectomie ou la maladie d'Addison peut également être une cause d'anémie.

L'anémie liée à la maladie chronique doit d'abord être constatée, puis différenciée des anémies causées par d'autres étiologies. Les examens révélant une concentration élevée de ferritine sérique et une augmentation des réserves en fer permettent de faire la distinction entre l'anémie liée à la maladie chronique de l'anémie ferriprive. Pour traiter efficacement l'anémie liée à la maladie chronique, il faut d'abord traiter l'étiologie sous-jacente. L'anémie liée à la maladie chronique n'est pas sensible au fer, à l'acide folique ou à la cobalamine. Cette forme d'anémie n'étant en général pas sévère, on a rarement recours à la transfusion. L'anémie liée à l'insuffisance rénale en phase terminale répond cependant bien au traitement à l'érythropoïétine (voir chapitre 38).

19.2.5 Anémie aplastique

L'**anémie aplastique**, **hypoplastique** ou **pancytopénique** est l'une des formes les plus graves d'anémie liée à la diminution de la production d'érythrocytes. Il s'agit de troubles de la cellule souche pouvant menacer le pronostic vital, qui se caractérisent par la présence de moelle osseuse grasse hypoplastique et qui provoquent la pancytopénie. Le terme anémie aplastique n'est pas approprié, car, dans la plupart des cas, tous les éléments médullaires – érythrocytes, leucocytes et plaquettes – sont en diminution quantitative, bien qu'il demeurent qualitativement normaux.

Étiologie. L'incidence de l'anémie aplastique est faible et touche approximativement quatre personnes par million d'habitants. Il existe plusieurs classes de ce type d'anémie ; elles sont réparties en deux groupes principaux : congénitales (idiopathiques) ou acquises (voir encadré 19.8).

- l'anémie est d'origine congénitale quand elle est causée par des altérations chromosomiques (approximativement 30 % des anémies aplastiques qui apparaissent lors de l'enfance sont transmises par voie héréditaire) ;
- l'anémie est acquise lorsqu'elle est occasionnée par l'exposition à des radiations ionisantes, à des agents chimiques (p. ex. benzène, insecticides, arsenic, alcool), à des infections virales et bactériennes (p. ex. hépatite, parvovirus, tuberculose miliaire) et à la prise de médicaments prescrits (alkoylants, anticonvulsivants, antimétabolites, antimicrobiens, or). Soixante-dix pour cent des cas sont causés par des facteurs idiopathiques.

Manifestations cliniques. L'anémie aplastique se développe en général de façon insidieuse. Le client peut présenter des symptômes cliniques engendrés par la suppression d'un ou de tous les éléments de la moelle osseuse. On peut constater la présence de manifestations générales de l'anémie, telles que la fatigue et la dyspnée, ainsi que des symptômes cardiovasculaires et cérébraux (voir tableau 19.2). Le client atteint de granulocytopénie peut avoir des infections et présente généralement de la fièvre. La thrombocytopénie se manifeste par une prédisposition aux saignements (p. ex. pétéchies, ecchymoses, épistaxis).

Épreuves diagnostiques. Le diagnostic de l'anémie aplastique est confirmé par des examens de laboratoire. Étant donné que tous les éléments médullaires sont touchés, il y a souvent baisse de l'hémoglobine, des globules blancs et de la numération plaquettaire (voir tableau 19.4). Toutefois, le taux de globules rouges demeure normal. On classifie cet état comme étant une

---

Causes de l'anémie aplastique　　ENCADRÉ 19.8

Congénitales
- Syndrome de Fanconi
- Dyskératose congénitale
- Syndrome de Schwachman-Diamond

Acquises
- Radiations
- Agents chimiques et toxines
- Médicaments
- Infections virales et bactériennes
- Grossesse
- Idiopathique

anémie normocytaire et normochrome. La numération de réticulocytes est diminuée. Le temps de saignement est prolongé. Les tests ferriques permettent d'évaluer l'anémie aplastique.

Le fer sérique et la capacité totale de fixation du fer sont élevés et annoncent une suppression des globules rouges. L'examen de la moelle osseuse permet de vérifier l'état d'anémie. Ces résultats sont particulièrement importants dans les cas d'anémie aplastique, car la moelle osseuse est hypocellulaire et contient une quantité accrue de moelle jaune (gras).

Soins infirmiers : anémie aplastique. Pour remédier à l'anémie aplastique, il est fondamental d'établir la cause lorsque c'est possible, afin de la supprimer et de prodiguer des soins jusqu'à ce que la pancytopénie disparaisse. Les interventions infirmières qui conviennent au client atteint d'une pancytopénie due à une anémie aplastique figurent dans le plan de soins infirmiers conçu pour le client atteint d'anémie (voir l'encadré 19.5 présenté au début de ce chapitre ainsi que les encadrés 19.14 et 19.18, qui figurent plus loin dans ce chapitre). Les interventions infirmières visent à prévenir les complications dues à l'infection et à l'hémorragie.

Le pronostic en cas d'anémie aplastique non traitée est sombre (mortel à 75 %). Toutefois, les avancées en matière de traitement médical, de greffe de moelle osseuse et de traitement immuno-suppressif par l'administration de globuline antithymocyte et de cyclosporine permettent de traiter l'anémie de façon significative. La globuline provient d'un sérum de cheval polyclonal et elle est dirigée contre les lymphocytes T humains. Ce traitement part du principe que l'anémie aplastique est une maladie immunitaire. (Le chapitre 38 traite de la globuline et de la cyclosporine.)

Le traitement de choix pour les adultes âgés de moins de 45 ans qui disposent d'un donneur compatible est la greffe de moelle osseuse allogénique. Les meilleurs résultats sont obtenus chez les clients jeunes n'ayant jamais reçu de transfusions sanguines. La transfusion accroît le risque de rejet de greffe. (La question de greffe de moelle osseuse est traitée au chapitre 9.)

Pour la personne âgée et le client qui n'a pas de parent donneur compatible, le traitement de choix reste l'immunosuppression à l'aide de la globuline antithymocyte et de la cyclosporine. Les résultats obtenus avec ce traitement ne sont que partiels, mais permettent d'éviter la transfusion.

19.3 ANÉMIE PAR PERTE DE SANG

L'anémie par perte de sang peut être causée par des problèmes aigus ou chroniques.

19.3.1 Perte de sang rapide ou hémorragie

La perte de sang rapide est le résultat d'une hémorragie soudaine et peut être attribuable à un traumatisme, à des complications secondaires à une intervention chirurgicale et à des maladies qui portent atteinte à l'intégrité vasculaire. Dans de telles situations, deux problèmes se posent. D'abord, la réduction soudaine du volume de sang total peut entraîner un choc hypovolémique. Ensuite, si la perte de sang rapide est plus graduelle, l'organisme maintient son volume sanguin en augmentant lentement son volume plasmatique. En conséquence, le volume de liquide en circulation est préservé, mais le nombre d'érythrocytes disponibles pour transporter l'oxygène est diminué de façon significative.

Manifestations cliniques. Les manifestations cliniques de l'anémie liée à l'hémorragie sont causées par les efforts déployés par l'organisme pour maintenir un volume de sang adéquat en vue de répondre aux besoins en oxygène. Le tableau 19.5 présente un résumé des manifestations cliniques selon les quantités de perte sanguine (exprimées en %). Cependant, il est essentiel de comprendre que les signes et les symptômes cliniques sont les seuls vrais indicateurs du degré de perte sanguine, car au cours des deux ou trois premiers jours, il est possible que les données de laboratoires ne reflètent pas de façon fiable la sévérité de l'hémorragie.

L'infirmière doit alors surveiller l'expression verbale ou non verbale du client à l'égard de sa douleur. L'hémorragie interne peut occasionner des douleurs causées par la distension des tissus, par le déplacement des organes et par la compression des nerfs. La douleur peut être localisée ou diffuse. En cas d'hémorragie rétropéritonéale, il arrive que le client ne ressente pas de douleurs abdominales. Il peut en revanche ressentir des douleurs lombaires et des engourdissements ou des douleurs dans les extrémités inférieurs, attribuables à la compression du nerf cutané latéral situé entre la première et la troisième vertèbre lombaires. L'état de choc hypovolémique est la principale complication que provoque une perte de sang rapide.

Épreuves diagnostiques. Quand la perte de volume sanguin est trop soudaine, l'organisme réagit par vasoconstriction afin de la compenser. Étant donné que le volume plasmatique est lui aussi diminué, la perte de globules rouges peut ne pas être décelée. C'est pourquoi les résultats de laboratoire et les valeurs semblent normales ou mêmes élevées pendant deux ou trois jours. Cependant, une fois que le plasma est remplacé par des moyens endogènes ou exogènes (p. ex. la perfusion de liquides de remplacement), la masse de globules rouges

Volume perdu (%)	Manifestations cliniques
10	Aucune
20	Aucun signe ou symptôme détectable au repos, tachycardie à l'effort et hypotension orthostatique légère
30	Valeurs normales de la pression artérielle en position debout et du pouls au repos, hypotension orthostatique et tachycardie à l'effort
40	Pression artérielle, pression veineuse centrale et débit cardiaque sous la normale au repos ; pouls rapide et filiforme et peau moite et froide
50	Choc et décès possible

TABLEAU 19.5 Manifestations cliniques de l'hémorragie

se trouve moins concentrée. Étant diminués, les taux d'érythrocytes, d'hémoglobine et d'hématocrite reflètent alors la perte sanguine réelle.

Processus thérapeutique. Le processus thérapeutique vise principalement à remplacer le volume sanguin pour éviter l'état de choc, à déterminer la source de l'hémorragie et à remédier à la perte sanguine par le remplacement parentéral en administrant des cristalloïdes (liquides et électrolytes) et des colloïdes s'il y a lieu (sang et ses dérivés). La quantité nécessaire à la perfusion varie en fonction de la nature de la solution utilisée. (Le chapitre 27 traite des soins en situation de choc hypovolémique.)

Une fois le remplacement effectué, il convient de veiller à corriger la perte en globules rouges. L'organisme a besoin de deux à cinq jours pour produire davantage de globules rouges en réponse à l'augmentation de l'érythropoïétine. En conséquence, il peut être nécessaire d'avoir recours à des transfusions sanguines (concentrés de globules rouges) si la perte sanguine est importante.

Le client peut également nécessiter des suppléments de fer, car la faible disponibilité en fer nuit à la production d'érythrocytes de la moelle osseuse. En cas d'anémie par hémorragie, l'apport de fer dans l'alimentation ne suffit pas à maintenir la réserve en fer. La perte en fer est de 1 mg pour 2 ml de sang perdu. Aussi administre-t-on des préparations de fer par voie orale ou parentérale.

Soins infirmiers : perte de sang rapide ou hémorragie. En cas de traumatisme, il est parfois impossible

d'éviter la perte sanguine. Pour le client qui a subi une intervention chirurgicale, l'estimation des quantités de sang perdues par les sacs de drainage et dans les pansements permet d'évaluer la perte sanguine et de décider du traitement approprié. Le plan de soins infirmiers conçu pour le client atteint d'anémie convient aussi en cas d'anémie attribuable à une hémorragie. Le cas échéant, il est presque toujours nécessaire d'avoir recours à des produits de remplacement sanguins (décrits à la fin de ce chapitre).

Une fois la source de l'hémorragie établie, on peut contrôler la perte sanguine et remplacer les volumes liquidiens et sanguins, et corriger l'anémie. Un traitement à long terme n'est pas nécessaire pour ce type d'anémie.

19.3.2 Perte de sang chronique

Les causes de la perte de sang chronique sont semblables à celle de l'anémie ferriprive (p. ex. ulcère hémorragique, hémorroïdes, pertes sanguines lors des menstruations et chez la femme postménopausée). Les effets de la perte de sang chronique sont en général liés à la déplétion des réserves en fer et sont considérés comme des cas d'anémie ferriprive. Pour remédier à l'anémie attribuable à la perte de sang chronique, il convient d'établir la source du saignement. Il peut être nécessaire d'administrer des suppléments de fer. Les interventions infirmières présentées dans le plan de soins infirmiers (encadré 19.5) conviennent pour le traitement de l'anémie attribuable à une perte de sang chronique.

19.4 ANÉMIE CAUSÉE PAR UNE AUGMENTATION DE LA DESTRUCTION DES ÉRYTHROCYTES

La destruction ou l'hémolyse des globules rouges à un rythme plus important que leur production est la troisième cause en importance de l'anémie. Il peut y avoir hémolyse à cause de problèmes intrinsèques ou extrinsèques liés aux globules rouges. Les anémies hémolytiques intrinsèques sont imputables aux défauts des globules rouges. Ces derniers sont causés par une hémoglobine anormale (p. ex. drépanocytose), par des déficits enzymatiques (p. ex. G6PD) qui nuisent à la glycolyse ou par des anomalies de la membrane. Ces anémies sont en général congénitales. Quant aux anémies hémolytiques extrinsèques, plus fréquentes, elles sont acquises. Les globules rouges du client sont normaux, mais le dommage est causé par des facteurs externes tels que la séquestration des cellules dans les sinus hépatiques ou spléniques, la destruction des cellules par des anticorps, les toxines ou les blessures d'origine mécanique (p. ex. prothèse valvulaire cardiaque).

L'hémolyse peut être intravasculaire ou extravasculaire. La destruction intravasculaire survient dans la circulation ; l'hémolyse extravasculaire est accomplie par les macrophages de la rate, du foie ou de la moelle osseuse. La rate est le premier site de destruction des globules rouges âgés, défectueux ou modérément endommagés. La figure 19.2 indique la séquence des réactions mises en jeu dans l'hémolyse extravasculaire.

Le client atteint d'anémie hémolytique présente les symptômes généraux de l'anémie (voir tableau 19.2) et les manifestations cliniques spécifiques à ce type d'anémie. L'ictère peut se déclarer, étant donné que la destruction accrue des globules rouges provoque une élévation du taux de bilirubine.

La rate et le foie peuvent augmenter de volume à cause de l'hyperactivité attribuable aux macrophages qui phagocytent les érythrocytes défectueux.

Quelle que soit la cause de l'hémolyse, le traitement vise à maintenir la fonction rénale. Quand un globule rouge est hémolysé, la molécule d'hémoglobine est libérée, puis filtrée par les reins. L'accumulation des molécules d'hémoglobine peut obstruer les tubules rénaux et entraîner une nécrose tubulaire aiguë (voir chapitre 38).

19.4.1 Drépanocytose

La **drépanocytose** est une forme d'anémie hémolytique chronique. D'origine génétique, elle se caractérise par des globules rouges falciformes. Elle touche presque exclusivement les personnes de race noire. Les personnes originaires des pays de la Méditerranée, des Caraïbes, de l'Amérique du Sud et de l'Amérique centrale, de la péninsule arabique ou des Indes orientales en souffrent parfois aussi. Il s'agit d'une maladie incurable souvent mortelle et les personnes qui en souffrent meurent vers la quarantaine.

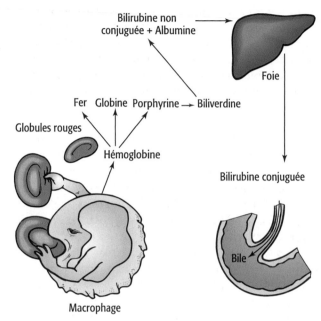

FIGURE 19.2 Séquence des événements lors d'une hémolyse extravasculaire

---

CONSIDÉRATIONS ÉTHIQUES

Test génétique : faut-il dire la vérité ?

ENCADRÉ 19.9

Situation

Un couple dont l'enfant est atteint de drépanocytose se présente pour lui faire subir un test génétique. Ils envisagent d'avoir un autre enfant et veulent connaître le risque de transmission génétique. Il faut communiquer les résultats obtenus au couple. Les examens de laboratoire révèlent que le mari n'est pas le père biologique de l'enfant atteint de drépanocytose. Que doit faire l'infirmière ?

Discussion

La paternité est une question dont il faut discuter au préalable avec le couple avant d'effectuer le test génétique. Il est possible que le couple sache que le mari n'est pas le père génétique de l'enfant, mais qu'il s'inquiète des risques pour un autre enfant. Il est possible que seule la mère sache que son mari n'est pas le père de l'enfant, et peut-être qu'aucun des deux ne sait la vérité. Il est alors recommandé de tenter de communiquer avec la mère directement pour l'informer. Si cela n'est pas possible, il faut user de tact pour expliquer les raisons pour

lesquelles un autre enfant ne serait pas à risque, car le mari n'est pas porteur du gène récessif de la drépanocytose. Le couple a fait la démarche pour subir le test et pour demander avis et conseils, aussi n'est-il pas acceptable de leur cacher la vérité. Les décisions relatives aux enfants qu'ils peuvent avoir ensemble ne relèvent pas de la responsabilité de l'infirmière.

Considérations d'ordre éthique et juridique

- Bien que la vérité soit intrinsèquement neutre, ses effets peuvent être dévastateurs.
- Quand un accord entre deux parties est conclu pour donner une information, il n'est pas d'ordre éthique que l'une des parties choisisse de ne pas révéler l'information.
- Il n'existe aucune obligation éthique d'informer le père biologique de l'enfant des risques génétiques, étant donné qu'il n'est pas partie prenante au contrat avec le personnel de santé en matière d'évaluation et de conseils. Cela pourrait lui être offert toutefois, si la mère est disposée à dire à l'infirmière comment entrer en communication avec lui.

Étiologie et physiopathologie. L'anémie drépanocytaire, une variante de la drépanocytose, est un trouble génétique autosomique récessif qui se caractérise par la présence d'hémoglobine S. Certaines personnes peuvent avoir un trait drépanocytaire, un état bénin qui peut être asymptomatique. Une personne porteuse du trait drépanocytaire est hétérozygote, avec environ un quart de son hémoglobine de forme S, anormale, et trois quarts de forme A, normale (voir figure 19.3). Si deux parents sont porteurs du trait drépanocytaire, à chaque grossesse le risque de transmettre l'anémie drépanocytaire à l'enfant est de 25 %. Un acide aminé, la valine, qui se substitue à l'acide glutamique, est à l'origine de la mutation que subit l'hémoglobine S. Cette substitution entraîne une réaction en chaîne anormale conduisant à la production de cellules en forme de croissant quand la tension d'oxygène diminue (voir figure 19.4).

En situation d'hypoxie tissulaire chez le client atteint d'anémie drépanocytaire, l'apparence des globules rouges qui contiennent l'hémoglobine S change. Leur forme, semblable à des disques biconcaves, devient allongée, prend l'aspect d'un croissant ou d'une faucille. Ces hématies falciformes peuvent obstruer les capillaires. L'hémostase qui en résulte provoque un cycle qui se perpétue, avec hypoxie locale, désoxygénation d'une quantité plus importante d'érythrocytes, et engendre encore plus de falciformation. Les vaisseaux sanguins s'obstruent et il y a thrombose. En bout de ligne, il en résulte une ischémie et la nécrose du tissu infarci à cause du manque d'oxygène. L'infarctus se répétant, tous les systèmes de l'organisme seront atteints, surtout la rate, les poumons, les reins et le cerveau. La forme anormale de l'hémoglobine est reconnue par l'organisme et la cellule est hémolysée. Les hématies falciformes sont également détruites au hasard. Au début, la falciformation est réversible par oxygénation, mais elle devient éventuellement irréversible lorsque les cellules sont hémolysées et que l'anémie hémolytique se développe.

Les causes déterminantes de la falciformation comprennent les états qui provoquent l'hypoxie ou la désoxygénation des globules rouges, comme les infections virales ou bactériennes, la haute altitude, le stress émotionnel ou physique, les interventions chirurgicales et la perte sanguine. L'infection est le facteur déclencheur le plus fréquent. La falciformation peut également être précipitée par une viscosité sanguine accrue pouvant résulter de la déshydratation causée par les vomissements, la diarrhée ou la diaphorèse.

Manifestations cliniques et complications. Les nourrissons atteints de drépanocytose sont asymptomatiques jusqu'à 10 ou 12 semaines de vie, moment où l'hémoglobine fœtale est remplacée par l'hémoglobine S. Les globules rouges ayant un taux élevé d'hémoglobine F sont résistants à la falciformation. Les enfants atteints de drépanocytose souffrent en général de problèmes de croissance et de développement.

Les conséquences de la drépanocytose varient énormément d'une personne à l'autre. De nombreuses personnes présentant la drépanocytose sont relativement en bonne santé la plupart du temps, et ne souffrent en général que d'anémie asymptomatique, sauf durant les épisodes douloureux. La plupart présentent les manifestations cliniques de l'anémie chronique : pâleur des muqueuses, fatigue et intolérance à l'exercice. Étant donné la prévalence de drépanocytose chez les gens de race noire, il est plus facile de détecter la pâleur par l'examen des muqueuses. La peau peut avoir un aspect grisâtre. À cause de l'hémolyse, l'ictère est fréquent et la lithiase biliaire a tendance à se développer.

Les organes dont le besoin en oxygène est élevé sont le plus touchés et sont à l'origine des nombreuses complications de la drépanocytose (voir figure 19.5). Il peut y avoir ischémie et hypertrophie cardiaque, ce qui entraîne l'insuffisance cardiaque congestive. Le **syndrome coronarien aigu** se caractérise par de la fièvre, des douleurs rétrosternales (DRS), de la toux, des infiltrats pulmonaires et de la dyspnée. Les infarctus pulmonaires peuvent provoquer de l'hypertension pulmonaire, des insuffisances cardiaques et, éventuellement, le cœur pulmonaire. L'obstruction des vaisseaux rétiniens peut entraîner l'hémorragie, des cicatrices, un décollement de

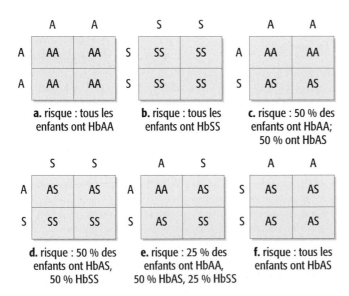

a. risque : tous les enfants ont HbAA

b. risque : tous les enfants ont HbSS

c. risque : 50 % des enfants ont HbAA; 50 % ont HbAS

d. risque : 50 % des enfants ont HbAS, 50 % HbSS

e. risque : 25 % des enfants ont HbAA, 50 % HbAS, 25 % HbSS

f. risque : tous les enfants ont HbAS

FIGURE 19.3 Transmission génétique de la drépanocytose. Les carrés représentent le profil génétique dont peuvent hériter des enfants issus de parents avec des génotypes différents.

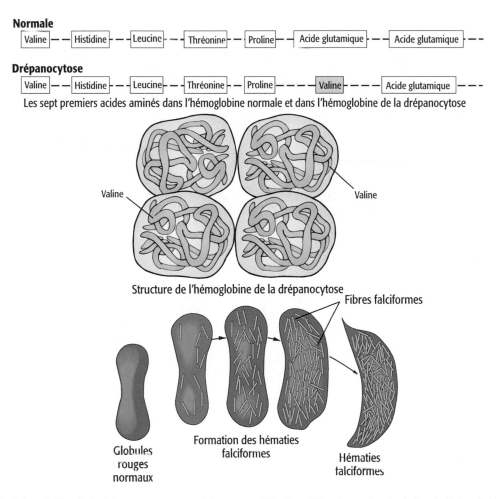

Normale

| Valine | — | Histidine | — | Leucine | — | Thréonine | — | Proline | — | Acide glutamique | — — | Acide glutamique | — — |

Drépanocytose

| Valine | — | Histidine | — | Leucine | — | Thréonine | — | Proline | — — | Valine | — — | Acide glutamique | — — |

Les sept premiers acides aminés dans l'hémoglobine normale et dans l'hémoglobine de la drépanocytose

Valine   Valine

Structure de l'hémoglobine de la drépanocytose

Fibres falciformes

Globules rouges normaux

Formation des hématies falciformes

Hématies falciformes

FIGURE 19.4 L'hémoglobine de la drépanocytose est produite par un allèle récessif du gène codant la chaîne de l'hémoglobine. Le remplacement d'un seul acide aminé, l'acide glutamique en sixième position, par la valine dans la chaîne déforme la protéine. Auparavant repliée, l'hémoglobine devient linéaire, ce qui provoque la falciformation. Dans la molécule de la chaîne repliée, la sixième position contacte la chaîne et le changement subi par l'acide aminé provoque l'agrégation de l'hémoglobine en longues chaînes, ce qui altère la forme de la cellule.

la rétine et la cécité. L'augmentation de la viscosité sanguine et le manque d'oxygène peuvent endommager les reins. La rate rétrécit à cause de cicatrices successives, un phénomène appelé **autosplénectomie**. L'hépatomégalie est fréquente. La thrombose et l'infarctus des vaisseaux sanguins cérébraux peuvent provoquer l'accident vasculaire cérébral. L'hypoxie peut causer des ulcérations chroniques des jambes, surtout aux chevilles.

Il peut y avoir priapisme, un problème potentiellement sérieux qui peut durer plusieurs heures, voire plusieurs jours. La douleur articulaire, surtout aux pieds et aux mains, est un symptôme fréquent. La douleur causée par la compression osseuse associée au **syndrome « main-pied »** (tuméfaction douloureuse des mains et des pieds) est souvent le premier symptôme de la drépanocytose. La douleur intense reliée à ces crises est décrite comme un tiraillement et une douleur pulsatile. Le client atteint de drépanocytose est particulièrement sujet aux infections. Cela est dû au fait que

la rate n'est pas en mesure de phagocyter les substances étrangères, la fonction splénique étant altérée. La pneumonie est l'infection la plus fréquente, souvent d'origine pneumococcique. Il convient de traiter vigoureusement les infections à l'aide d'antibiotiques.

Outre les manifestations chroniques de la drépanocytose, il peut y avoir des épisodes aigus de **crise drépanocytaire**, une exacerbation de la falciformation. Le type de crise le plus courant est causé par la vaso-occlusion, soit l'occlusion des vaisseaux sanguins par les hématies falciformes. Il y a alors hypoxie tissulaire, ce qui entraîne finalement la mort des tissus et provoque de vives douleurs. Ce type de crise peut apparaître soudainement et toucher plusieurs parties de l'organisme, spécialement la région thoracique, le dos, les extrémités et l'abdomen. Une crise peut durer plusieurs jours, voire plusieurs semaines. La douleur ressentie à l'occasion d'une crise aiguë et douloureuse est intense. Les accès peuvent débuter soudainement et parfois

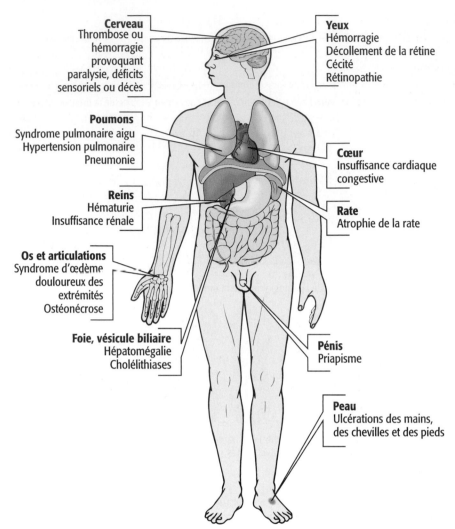

Cerveau
Thrombose ou hémorragie provoquant paralysie, déficits sensoriels ou décès

Yeux
Hémorragie
Décollement de la rétine
Cécité
Rétinopathie

Poumons
Syndrome pulmonaire aigu
Hypertension pulmonaire
Pneumonie

Cœur
Insuffisance cardiaque congestive

Reins
Hématurie
Insuffisance rénale

Rate
Atrophie de la rate

Os et articulations
Syndrome d'œdème douloureux des extrémités
Ostéonécrose

Foie, vésicule biliaire
Hépatomégalie
Cholélithiases

Pénis
Priapisme

Peau
Ulcérations des mains, des chevilles et des pieds

FIGURE 19.5 Manifestations cliniques de la drépanocytose

avoir une issue fatale. Les crises peuvent être fréquentes, puis disparaître pendant des mois ou des années. Certaines crises vaso-occlusives sont provoquées par le stress, l'exposition à l'eau froide, la déshydratation, l'hypoxie et l'infection, mais la plupart surgissent sans raison apparente.

La crise drépanocytaire peut également provoquer l'état de choc. L'hypoxie des capillaires peut modifier la perméabilité de la membrane, ce qui entraîne la perte plasmatique, l'hémoconcentration et une stagnation circulatoire plus importante, qui, à leur tour, provoquent une réduction du volume de liquide en circulation.

Les individus atteints de drépanocytose meurent généralement entre 40 et 50 ans. L'insuffisance rénale et pulmonaire est la cause majeure de mortalité.

Épreuves diagnostiques. Il existe des épreuves de dépistage permettant de déceler la drépanocytose ou le trait drépanocytaire (voir tableau 19.6). Le client atteint d'anémie drépanocytaire présente une forme grave d'anémie hémolytique. Le taux d'hémoglobine s'élève en général de 50 à 110 g/L. La durée de vie moyenne des globules rouges est de 15 jours. Étant donné la destruction accélérée des globules rouges, les résultats des examens de laboratoire sont anormaux (voir tableau 19.4) et révèlent les caractéristiques cliniques de l'hémolyse (ictère, taux de bilirubine sérique élevé). Les radiographies du squelette montrent des déformations et un affaissement des os et des articulations. L'imagerie par résonance magnétique permet de diagnostiquer l'accident vasculaire cérébral causé par les vaisseaux cérébraux obstrués par les hématies falciformes.

Soins infirmiers : drépanocytose. Le processus thérapeutique pour traiter un client atteint d'anémie drépanocytaire consiste essentiellement à lui prodiguer du soutien. Il n'existe pas de traitement spécifique pour cette maladie. Il convient de dire aux personnes atteintes d'anémie drépanocytaire d'éviter les hautes altitudes, de maintenir un apport liquidien adéquat et de traiter rapidement les infections. Il faut leur administrer des vaccins antipneumococciques et antigrippaux. Le traitement consiste en général à soulager les symptômes attribuables aux complications liées à la maladie.

Le repos, l'administration d'antibiotiques, des bains tièdes avec une solution saline, le traitement fibrinolytique aux enzymes, l'excision ou même la greffe cutanée permettent de traiter au besoin les ulcérations chroniques des jambes. L'administration d'analgésiques et de nifédipine (Adalat) permet de traiter le priapisme.

L'hospitalisation peut être nécessaire lors de crises drépanocytaires. On administre de l'oxygène au client pour traiter l'hypoxie tissulaire et contrôler la falciformation. Le repos permet de réduire les besoins métaboliques. On administre des liquides et des électrolytes au client afin de réduire la viscosité sanguine et de maintenir la fonction rénale. En cas de crise aplastique, la transfusion sanguine est indiquée.

C'est à cause des épisodes aigus douloureux provoqués par la falciformation que les personnes atteintes de drépanocytose cherchent à se faire soigner. Le soulagement de la douleur pose un certain nombre de défis au personnel soignant. L'administration de doses importantes d'analgésiques narcotiques de façon continue est le traitement de base pour maîtriser la douleur pendant la crise. Ces personnes métabolisent les narcotiques plus rapidement que la normale. On peut avoir recours à l'analgésie contrôlée par le client (ACP) pendant une crise aiguë. (Cette méthode d'analgésie est traitée au chapitre 5.) Après leur départ du centre hospitalier, les clients continuent souvent à prendre des analgésiques narcotiques par voie orale. Le personnel soignant ne doit pas craindre les risques d'accoutumance aux narcotiques utilisés, que ce soit pour traiter la douleur de façon optimale ou pour éviter de la prolonger.

Les clients atteints de syndrome pulmonaire aigu sont traités par l'oxygénothérapie, par l'administration d'antibiotiques à large spectre et par une bonne hydratation. Étant donné leur besoin accru en acide folique, il est important d'en augmenter l'apport quotidien. Les transfusions sanguines doivent être prescrites et utilisées de façon judicieuse pour traiter une crise, car elles ne sont pas recommandées pour le traitement du client entre les crises. En général, l'administration de suppléments de fer n'est pas non plus indiquée.

Bien que de nombreux agents pour traiter la falciformation n'aient pas encore été testés, l'hydroxyurée (Hydréa) est le seul agent dont l'effet bénéfique a été démontré sur le plan clinique. Ce médicament interfère avec l'érythropoïèse normale et permet d'augmenter les taux d'hémoglobine F, ce qui diminue la falciformation et atténue l'incidence des crises. Les effets de l'hydroxyurée sont accrus quand le médicament est utilisé en concomitance avec l'érythropoïétine (Eprex).

La greffe de moelle osseuse allogénique est le seul traitement qui permette de traiter la drépanocytose. Il s'agit toutefois d'une pratique peu fréquente. (La greffe de moelle osseuse est traitée au chapitre 9.) Les récents progrès technologiques en génétique restent prometteurs. (Le chapitre 7 traite de la question de la thérapie génique.)

Pour les soins à long terme, l'enseignement au client est important. Le client et sa famille doivent comprendre les fondements de la maladie et les raisons sousjacentes aux soins de soutien. Il faut aussi leur apprendre à contrôler la douleur, car celle-ci peut être intense lors des épisodes de crise et requiert souvent l'administration d'une quantité considérable d'analgésiques.

19.4.2 Carence en glucose-6-phosphate déshydrogénase

La G6PD est une enzyme des globules rouges qui agit comme un des premiers catalyseurs de la glycolyse. Le

TABLEAU 19.6 Dépistage du trait drépanocytaire et de la drépanocytose			
Examens de laboratoire	Description	Trait drépanocytaire	Drépanocytose
Frottis périphérique	Une petite quantité d'échantillon de sang est étalée sur une lame.	Normal	Hématies falciformes partielles ou complètes
Préparation drépanocytaire	L'échantillon de sang est soumis à un environnement hypoxique.	Hématies falciformes	Hématies falciformes
Recherche de cellules drépanocytaires	Le sang est mélangé à une solution qui permet la désoxygénation de l'hémoglobine S ; celle-ci précipite et engendre une turbidité. L'aspect trouble révèle la présence d'hémoglobine S.	Positif	Positif
Électrophorèse de l'hémoglobine	L'échantillon de sang est exposé à un champ électrique pour séparer les différents types d'hémoglobine.	Hémoglobine S et hémoglobine A	Hémoglobine S

déficit en G6PD est un problème lié au sexe et qui entrave directement la capacité des érythrocytes de résister aux dommages provoqués par l'oxydation. Ainsi quand le taux de G6PD baisse, les globules rouges métabolisent moins de glucose. Si le client est exposé à des aliments et à des médicaments oxydants, il y a activation du métabolisme des globules rouges. Or, le déficit en G6PD entrave le métabolisme du glucose, ce qui endommage les globules rouges plus âgés et les détruit par hémolyse.

Le déficit en G6PD est un problème courant, qui touche surtout les individus de race noire et les personnes originaires des pays méditerranéens ou de descendance juive. Les épisodes hémolytiques sont déclenchés par des infections virales et bactériennes. Certains médicaments et toxines provoquent également l'hémolyse chez les clients atteints de déficit en G6PD. Parmi les médicaments qui provoquent l'oxydation, on peut citer les antipaludéens, les sulfamidés, les nitrofurantoïnes, les analgésiques (p. ex. phénacétine) et le chloramphénicol.

Il est relativement facile de traiter l'hémolyse qui résulte d'un déficit en G6PD. Seuls les globules rouges les plus âgés sont détruits par l'agent oxydant, les cellules plus jeunes survivent. Il suffit donc de supprimer la cause de la réaction hémolytique. Pendant les épisodes d'hémolyse aigus, il faut que le client se repose, s'hydrate de façon adéquate, et il convient d'évaluer sa fonction rénale. Il faut veiller à éviter tout trouble hémolytique en traitant rapidement les infections. Le médecin traitant doit effectuer des examens de dépistage pour éviter d'administrer un médicament oxydant à un individu atteint d'un déficit en G6PD.

19.4.3 Anémie hémolytique acquise

Les causes extrinsèques de l'hémolyse peuvent être classées en trois catégories :
- les facteurs physiques ;
- les réactions immunitaires ;
- les agents infectieux et les toxines.

La destruction physique des globules rouges résulte de l'application d'une force extrême sur les cellules. Parmi les traumatismes qui provoquent la destruction de la membrane, on peut citer l'hémodialyse, la circulation extracorporelle nécessaire lors des pontages coronariens et pulmonaires et les prothèses valvulaires cardiaques. La pression que l'organisme doit exercer pour expulser le sang à travers des vaisseaux anormaux, par exemple ceux qui sont lésés par une angiopathie (p. ex. le diabète) ou ceux qui ont subi une brûlure, peut aussi contribuer à endommager physiquement les globules rouges.

Les anticorps peuvent également détruire les globules rouges par les mécanismes qui entrent en jeu lors des réactions antigène-anticorps. Ces réactions peuvent être allo-immunes ou auto-immunes. Les réactions allo-immunes surviennent quand des anticorps se développent au contact d'antigènes d'une autre personne. Les réactions transfusionnelles en sont un exemple, surtout quand les cellules du donneur sont hémolysées par les anticorps du receveur à la suite d'une détermination inexacte du groupe sanguin du client. La **maladie hémolytique du nouveau-né** est un autre exemple de réaction allo-immune. Il y a quelques années, on appelait ce trouble **érythroblastose fœtale**. Dans ce cas, les cellules B déjà stimulées par une grossesse antérieure ou par une transfusion sécrètent des anticorps qui détruisent les globules rouges du fœtus. Il en résulte une anémie hémolytique.

Les réactions auto-immunes surviennent quand un individu produit des anticorps contre ses propres érythrocytes. Les réactions hémolytiques auto-immunes peuvent être idiopathiques, c'est-à-dire qu'elles peuvent se développer sans qu'il y ait d'antécédents hémolytiques. Ces réactions se produisent quand l'immunoglobuline IgG se fixe sur les globules rouges ou elles peuvent être secondaires à une autre maladie auto-immune (p. ex. lupus érythémateux aigu disséminé), à une leucémie, à un lymphome ou à l'usage de certains médicaments (pénicilline, indométhacine, phénylbutazone, phénacétine, quinidine, quinine et méthyldopa).

La troisième catégorie de troubles hémolytiques acquis est causée par des agents infectieux et des toxines. Des agents infectieux peuvent en effet provoquer l'hémolyse de quatre façons :
- en envahissant les globules rouges et en les détruisant (p. ex. les parasites comme la malaria) ;
- en produisant des substances hémolytiques (p. ex. *Clostridium perfringens*) ;
- en déclenchant une réaction antigène-anticorps ;
- en contribuant à la splénomégalie dans le but d'éliminer un plus grand nombre d'érythrocytes endommagés dans la circulation sanguine.

Divers agents peuvent être toxiques, nuire aux globules et provoquer l'hémolyse. Ces toxines hémolytiques sont notamment des produits chimiques tels que les médicaments oxydants, l'arsenic, le plomb, le cuivre et le venin de serpent.

Le tableau 19.4 donne les résultats des examens de laboratoire en situation d'anémie hémolytique. Pour traiter le client atteint d'anémie hémolytique acquise, il faut traiter les symptômes jusqu'à ce que l'agent à l'origine de l'anémie soit éliminé ou, du moins, jusqu'à ce qu'il ne nuise plus aux érythrocytes. Les soins de soutien consistent habituellement à administrer des corticostéroïdes et des produits sanguins ou encore à procéder à une splénectomie.

19.5 HÉMOCHROMATOSE

L'hémochromatose est une maladie récessive autosomique qui se caractérise par une augmentation de l'absorption intestinale de fer, ce qui entraîne une surcharge en fer dans les tissus. Il s'agit du trouble génétique le plus fréquent chez les clients de race blanche, où le taux de prévalence est estimé à 1 personne sur 300. Les réserves en fer dans l'organisme chez l'individu sont normalement de 2 à 6 g. Chez la personne atteinte d'hémochromatose, le fer s'accumule dans l'organisme à raison de 0,5 g à 1,0 g par an jusqu'à atteindre des concentrations de 50 g. Les symptômes de cette maladie surgissent en général à l'âge de 40 à 60 ans. Outre la cause génétique, l'hémochromatose se déclare à la suite de maladies comme la thalassémie et la sidéroblastose. Elle peut également survenir à la suite de multiples administrations de transfusions sanguines.

Au début, l'excès de fer s'accumule dans le foie, ce qui provoque une hépatomégalie et, finalement, la cirrhose. D'autres organes sont aussi touchés. Parmi les manifestations cliniques, on retrouve : le diabète, la mélanodermie, les troubles cardiaques (p. ex. cardiomyopathie), l'arthrite et l'atrophie testiculaire. L'examen physique révèle une hépatomégalie et une splénomégalie, ainsi que des changements de la pigmentation de la peau. Les examens de laboratoire révèlent une augmentation du taux de fer sérique, de la capacité totale de fixation de fer et du taux de la ferritine sérique. Une biopsie du foie permet de mesurer la quantité de fer accumulé et de confirmer le diagnostic.

L'objectif du traitement est de réduire l'excès de fer dans l'organisme et de traiter les symptômes. On parvient à diminuer la concentration en fer de l'organisme en effectuant des prélèvements de 500 ml de sang chaque semaine pendant 2 à 3 ans, jusqu'à épuisement des réserves. Par la suite, des prélèvements sanguins moins fréquents sont nécessaires pour maintenir les concentrations en fer dans les limites normales. Pour soigner les troubles engendrés par la maladie (p. ex. diabète, insuffisance cardiaque), le traitement conventionnel suffit. La cirrhose, l'insuffisance hépatique, le cancer du foie et l'insuffisance cardiaque sont les causes les plus fréquentes de mortalité. Le diagnostic précoce permet aux clients de traiter leur maladie et de mener une vie normale. Toutefois, de nombreux cas restent non détectés et, par conséquent, non traités.

19.6 POLYGLOBULIE

La **polyglobulie** est un trouble qui se caractérise par l'augmentation du nombre de globules rouges. La recrudescence du nombre d'érythrocytes peut être importante au point d'entraver la circulation sanguine. En effet, la viscosité sanguine est accrue et le volume sanguin, augmenté (hyperviscosité et hypervolémie).

19.6.1 Étiologie et physiopathologie

On distingue deux types de polyglobulie : la polyglobulie primitive ou essentielle (maladie de Vaquez) et la polyglobulie secondaire (voir figure 19.6). L'étiologie et la pathogenèse de ces deux affections diffèrent, bien que leurs complications et leurs manifestations cliniques soient semblables. La polyglobulie essentielle est considérée comme un trouble myéloprolifératif causé par une

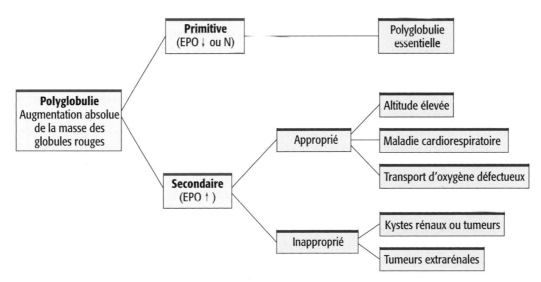

FIGURE 19.6 Comparaison entre la polyglobulie primitive et la polyglobulie secondaire
EPO : érythropoïétine; N : normal.

cellule souche ayant subi une mutation chromosomique. Aussi cette défectuosité ne touche pas uniquement les érythrocytes, mais également les granulocytes et les plaquettes. La production de chacune de ces cellules sanguines augmente. La maladie se développe de façon insidieuse et suit un parcours chronique en dents de scie. Elle se déclare en général chez les personnes de plus de 50 ans. Les organes et les tissus sont congestionnés, car la viscosité sanguine et le volume sanguin augmentent. La splénomégalie est fréquente.

La polyglobulie secondaire est causée par l'hypoxie et n'est pas attribuable à un problème prolifératif des globules rouges. L'hypoxie stimule la production d'érythropoïétine des reins, qui stimule à son tour la production d'érythrocytes. Le besoin en oxygène peut être dû à l'altitude, à une maladie pulmonaire, à une maladie cardiovasculaire, à l'hypoventilation alvéolaire, à un transport d'oxygène défectueux ou à l'hypoxie tissulaire. Par conséquent, la polyglobulie secondaire est une réponse physiologique au cours de laquelle l'organisme tente de réagir à un problème, plutôt qu'une maladie comme telle. (La polyglobulie secondaire est traitée au chapitre 17 dans la section consacrée à la bronchopneumopathie chronique obstructive.)

19.6.2 Manifestations cliniques et complications

Les manifestations de la polyglobulie essentielle liées à la circulation sanguine sont dues à l'hypertension causée par l'hypervolémie et l'hyperviscosité. Il s'agit souvent des premiers symptômes de la maladie, qui se traduisent par des céphalées, des vertiges, des étourdissements, de l'acouphène et des problèmes de vision. Le client peut également souffrir d'angine, d'insuffisance cardiaque congestive, de claudication intermittente et de thrombophlébite pouvant être exacerbée par l'embolisation. Ces manifestations sont causées par la distension des vaisseaux sanguins, un écoulement sanguin anormal, la stase circulatoire, la thrombose et l'hypoxie tissulaire causée par l'hypervolémie et l'hyperviscosité.

L'accident vasculaire cérébral secondaire à la thrombose est la complication la plus fréquente et la plus sérieuse de ce trouble. Le prurit généralisé peut être un symptôme frappant engendré par l'histamine libérée par le nombre accru de granulocytes basophiles et de mastocytes.

Le phénomène hémorragique causé par la rupture des vaisseaux trop distendus ou par le fonctionnement inadéquat des plaquettes peut se manifester sous forme de pétéchies, d'ecchymoses, d'épistaxis ou de saignements gastro-intestinaux. L'hémorragie peut être grave et même fatale.

L'hépatomégalie et la splénomégalie dues à l'engorgement des organes peuvent contribuer à la sensation de satiété que le client présente. La douleur peut également être attribuable aux ulcères gastroduodénaux causés par des sécrétions gastriques accrues ou par l'engorgement du foie et de la rate. Il peut également y avoir pléthore.

L'hyperuricémie est une conséquence de la destruction accrue des globules rouges puisque leur production est augmentée. L'acide urique étant l'un des produits de la destruction cellulaire, il en résulte une hyperuricémie. Parallèlement à la destruction des globules rouges, la production d'acide urique augmente, ce qui peut engendrer une forme secondaire de goutte.

19.6.3 Épreuves diagnostiques

Les épreuves de laboratoire effectuées auprès du client atteint de polyglobulie essentielle révèlent un taux d'hémoglobine et une numération globulaire élevés, une numération leucocytaire élevée avec basophilie ; une thrombocytose élevée ainsi qu'un dysfonctionnement plaquettaire ; des taux élevés de phosphatase alcaline leucocytaire, d'acide urique et de cobalamine et d'histamine.

L'examen de la moelle osseuse démontre qu'il y a hypercellularité des érythrocytes, des leucocytes et des plaquettes. Quatre-vingt-dix pour cent des individus atteints de polyglobulie essentielle ont une splénomégalie, trouble qui ne touche pas ceux qui souffrent de polyglobulie secondaire.

19.6.4 Processus thérapeutique

Une fois le diagnostic de polyglobulie essentielle confirmé, le traitement consiste à réduire non seulement la volémie, mais aussi la viscosité sanguine et l'activité de la moelle osseuse. L'objectif est de réduire le taux d'hématocrite et de le garder à un niveau inférieur à 45-48 %, ce que permet la phlébotomie. Généralement, au moment du diagnostic, on effectue une saignée de 300 à 500 ml tous les deux jours jusqu'à l'obtention d'un taux d'hématocrite normal ou d'un taux souhaité. Les phlébotomies à répétition peuvent cependant provoquer une carence en fer, un effet rarement symptomatique. Il faut toutefois éviter d'administrer des suppléments de fer. L'hydratation permet de réduire la viscosité sanguine. L'administration d'agents myélosuppresseurs tels que le busulfan (Myleran), l'hydroxyurée (Hydrea), le melphalan (Alkeran) et de phosphore radioactif permet d'inhiber l'activité médullaire. L'administration d'allopurinol (Zyloprim) peut contribuer à réduire le nombre d'attaques aiguës de goutte. L'usage d'agents antiplaquettaires, tels que l'AAS (Aspirin) et le dipyridamole (Persantine) administrés pour éviter les complications thrombotiques est controversé étant donné que les problèmes gastro-intestinaux entraînent une plus grande irritation de la muqueuse gastrique, ainsi que des problèmes de saignements.

19.6.5 Soins infirmiers : polyglobulie essentielle

Il est impossible de prévenir la polyglobulie primaire. Toutefois, comme il s'agit d'une maladie provoquée par l'hypoxie, on peut éviter certaines complications en maintenant une oxygénation adéquate. Il est important de prévenir les affections pulmonaires chroniques et d'éviter l'altitude.

En présence d'exacerbation de la polyglobulie essentielle, l'infirmière a plusieurs responsabilités. En fonction des règlements de l'établissement, l'infirmière peut effectuer elle-même la phlébotomie ou assister le médecin lors de la procédure. Il faut évaluer la diurèse lorsqu'il y a augmentation de l'hydratation pour éviter toute surcharge liquidienne qui compliquerait davantage la congestion circulatoire. Il faut aussi prévenir la sous-hydratation qui peut entraîner une plus grande viscosité sanguine. L'infirmière doit administrer les agents myélo-suppresseurs tels qu'ils ont été prescrits, observer le client et lui fournir un enseignement sur leurs effets secondaires.

Si des symptômes gastro-intestinaux se manifestent (sensations de satiété, douleur et dyspepsie), il peut être nécessaire d'évaluer l'état nutritionnel du client avec l'aide d'un nutritionniste pour corriger l'alimentation du client. Il convient d'instaurer un programme d'activité physique afin de contrer la formation de thrombi (caillots). Il existe un risque de formation de thrombi du fait de l'immobilité relative normalement imposée au client par l'hospitalisation. Il faut lui faire exécuter des exercices actifs ou passifs des jambes, et le faire marcher, lorsque cela est possible.

Étant donné la nature chronique de la maladie, l'évaluation du client souffrant de polyglobulie essentielle doit se faire de façon continue. Il peut être nécessaire d'effectuer une phlébotomie tous les 2 ou 3 mois, pour réduire le volume sanguin d'environ 500 ml chaque fois. L'infirmière doit surveiller l'apparition de complications.

Bien que cela soit rare, certains clients atteints de polyglobulie essentielle peuvent souffrir de leucémie et de lymphome. Ces maladies sont souvent causées par l'usage d'agents chimiothérapeutiques administrés pour traiter la maladie et sont parfois imputables à un problème des cellules souches responsable de l'érythroleucémie. La principale cause de morbidité et de mortalité de polyglobulie essentielle est liée à la thrombose (p. ex. AVC).

19.7 TROUBLES DE L'HÉMOSTASE

Le processus hémostatique concerne l'endothélium vasculaire, les plaquettes et les facteurs de coagulation, dont l'action concertée vise à mettre fin à l'hémorragie et à réparer la lésion vasculaire. (Ces mécanismes sont décrits au chapitre 18.) Toute altération de l'un de ces éléments peut provoquer des saignements et des troubles thrombotiques.

Les trois principaux troubles de l'hémostase qui seront traités dans cette section sont les suivants :
- la thrombocytopénie (faible numération plaquettaire) ;
- l'hémophilie et la maladie de von Willebrand (troubles héréditaires mettant en cause des facteurs de coagulation spécifiques) ;
- la coagulation intravasculaire disséminée.

19.7.1 Thrombocytopénie

Étiologie. La thrombocytopénie se caractérise par une réduction du nombre de plaquettes. La valeur normale varie de 160 à 400×10^9/L. Toute réduction importante ou prolongée en deçà de cette valeur peut causer une hémostase anormale qui se manifeste par des saignements prolongés à la suite d'un traumatisme mineur et par des saignements spontanés sans qu'il y ait de blessure.

Les troubles plaquettaires peuvent être congénitaux (p. ex. syndrome de Wiskott-Aldrich), mais la plupart sont acquis. Les troubles acquis peuvent se présenter à la suite d'une diminution de la production de plaquettes ou d'une plus grande destruction de ces derniers (voir encadré 19.10).

Un grand nombre de ces anomalies surviennent après ingestion de certains aliments et de certains médicaments (voir encadré 19.11). Une dose d'aspirine aussi faible que 60 mg (dose pour bébés) peut altérer la fonction des plaquettes en circulation. La fonction normale est restaurée par la production de nouvelles plaquettes. L'infirmière doit connaître les nombreux états pouvant influer sur la production des plaquettes et entraîner leur destruction.

Purpura thrombopénique immun. La thrombocytopénie acquise la plus fréquente est un syndrome appelé **purpura thrombopénique immun**. Ce syndrome est caractérisé par la destruction anormale des plaquettes en circulation. À l'origine, cette maladie s'appelait **purpura thrombopénique idiopathique**, car sa cause était inconnue ; on croit aujourd'hui qu'il s'agit d'une maladie auto-immune. En présence de purpura thrombopénique immun, les plaquettes sont recouvertes d'anticorps. Bien qu'elles puissent fonctionner normalement, l'organisme ne peut les reconnaître quand elles atteignent la rate et elles sont alors détruites par les macrophages.

La durée de vie des plaquettes est d'environ huit à dix jours, mais en présence de purpura thrombopénique immun, elles survivent seulement un à trois jours. La forme aiguë de la maladie se déclenche surtout chez l'enfant à la suite d'une maladie virale. La forme chronique se manifeste le plus souvent chez les

Causes de la thrombocytopénie — ENCADRÉ 19.10

Diminution de la production de plaquettes

Héréditaire
- Syndrome de Fanconi (pancytopénie)
- Thrombocytopénie héréditaire

Acquise
- Anémie aplastique
- Troubles malins hématologiques
- Médicaments myélosuppresseurs
- Alcoolisme chronique
- Exposition à des radiations ionisantes
- Infections virales
- Carences en cobalamine, en acide folique

Augmentation de la destruction des plaquettes

Non immunes
- Purpura thrombocytopénique thrombotique
- Grossesse
- Infection
- Liée à la prise de médicaments
- Brûlures sévères

Immunes
- Purpura thrombopénique immun
- Sida
- Liées à la prise de médicaments

Splénomégalie

Médicaments et nutriments pouvant causer des anomalies de la fonction plaquettaire — ENCADRÉ 19.11

Suppression de la production de plaquettes
- Diurétiques thiazidiques, alcool, œstrogènes, médicaments chimiothérapeutiques

Agrégation plaquettaire anormale
- Médicaments anti-inflammatoires non stéroïdiens : ibuprofène (Advil, Motrin), indométhacine (Indocid), naproxen (Naprosyn)
- Antibiotiques : pénicilline, céphalosporines
- Analgésiques : acide acétylsalicylique (AAS) et médicaments qui en contiennent (voir tableau 19.7)
- Nutriments : gingembre, cumin, curcuma, clous de girofle, ail
- Vitamines : vitamine C, vitamine E
- Heparine

femmes âgées de 20 à 40 ans. Le purpura thrombopénique immun chronique débute graduellement, avec des épisodes de rémission passagère.

Purpura thrombocytopénique thrombotique. Le purpura thrombocytopénique thrombotique est un syndrome peu commun qui se caractérise par une anémie hémolytique micro-angiopathique, une thrombocytopénie, des anomalies neurologiques, de la fièvre (non accompagnée d'infection) et des anomalies rénales. La maladie s'accompagne d'une augmentation de l'agglutination des plaquettes, laquelle forme des micro-thrombi qui se déposent dans les artérioles et les capillaires. On ne connaît pas la cause de l'agglutination des plaquettes. Cette affection touche surtout les adultes âgés de 20 à 50 ans, plus particulièrement les femmes. Le syndrome peut être occasionné et précipité par l'utilisation d'œstrogènes et par la grossesse. Cette maladie est un cas d'urgence médicale à cause des saignements et de la coagulation qui surviennent simultanément.

Thrombopénie induite par l'héparine et syndrome thrombotique. Le développement d'une affection mortelle appelée thrombopénie induite par l'héparine et syndrome thrombotique est l'un des risques associés à l'utilisation accrue et répandue de l'héparine. La destruction des plaquettes et les lésions endothéliales

vasculaires sont les deux principaux effets de ce que l'on croit être une réponse immune. La réponse immune entraîne l'agrégation plaquettaire, qui, à son tour, provoque une diminution du nombre de plaquettes en circulation et, par la suite, une thrombocytopénie. Il y a, en outre, formation de thrombi de fibrine plaquettaire. L'agrégation plaquettaire induit la neutralisation de l'héparine, ce qui nécessite par conséquent l'utilisation d'une plus grande quantité d'héparine pour maintenir le temps de céphaline activée dans les valeurs souhaitées. La thrombopénie induite par l'héparine peut être légère (type I) ou grave (type II). Selon les estimations, son incidence, qui varie de 5 à 25 %, est moindre chez les clients qui reçoivent des préparations d'héparine d'origine porcine.

Manifestations cliniques. En dépit d'étiologies différentes, les manifestations cliniques de la thrombocytopénie sont semblables. Celle-ci se manifeste le plus souvent par l'apparition de microhémorragies, petites, plates, rouges ou rougeâtres, connues sous le nom de **pétéchies**. Quand le nombre de plaquettes est faible, les globules rouges traversent les vaisseaux sanguins et se logent dans la peau où ils forment des pétéchies. Quand elles sont nombreuses, les pétéchies forment une tuméfaction rougeâtre sur la peau appelée **purpura**. Les lésions plus larges et de couleur mauve causées par l'hémorragie sont appelées **ecchymoses** (voir figure 19.7). Celles-ci peuvent être plates ou surélevées, et s'avérer douloureuses et sensibles au toucher.

Un saignement prolongé après des traitements de routine comme une ponction veineuse ou une injection intramusculaire peut également indiquer la présence d'une thrombocytopénie. L'infirmière doit également reconnaître les manifestations liées au saignement interne, dont la faiblesse, les pertes de conscience, les

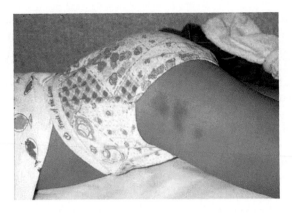

FIGURE 19.7 Ecchymoses
Tiré de « Comment identifier l'enfant battu », Jean Labbé, *Urgence pratique,* mai 2002.

étourdissements, la tachycardie, les douleurs abdominales et l'hypotension.

L'hémorragie est la complication la plus importante de la thrombocytopénie. Elle peut être insidieuse ou aiguë, et être interne ou externe. Elle peut se produire partout, y compris aux articulations, à la rétine et au cerveau. L'hémorragie cérébrale peut être mortelle chez le client atteint de purpura thrombopénique immun. On peut détecter l'hémorragie insidieuse en constatant l'anémie qui accompagne la perte sanguine.

Épreuves diagnostiques. En présence de thrombocytopénie, la numération plaquettaire diminue. On définit la **thrombocytopénie** comme étant toute valeur inférieure à 160×10^9/L. Toutefois, le saignement causé par un traumatisme ou une lésion ne persiste en général que lorsque le nombre de plaquettes est inférieur à 50×10^9/L. Quand celui-ci descend au-dessous de 20×10^9/L, des hémorragies spontanées et menaçant le pronostic vital peuvent se produire (p. ex. hémorragie intracrânienne). En général, il n'est pas recommandé d'administrer de transfusion de plaquettes tant que la numération plaquettaire demeure supérieure à 20×10^9/L, à moins qu'il y ait hémorragie.

Le temps de saignement est un test d'hémostase primaire et il s'avère plus long en présence d'un problème plaquettaire. Les examens de laboratoire qui permettent d'évaluer l'hémostase secondaire ou la coagulation, tels que le temps de prothrombine et le temps de céphaline activée, peuvent être normaux, même en cas de thrombocytopénie sévère. Quand l'étiologie repose sur la destruction des plaquettes en circulation, l'analyse de la moelle osseuse montre que les mégacaryocytes (précurseurs des plaquettes) sont normaux ou en plus grand nombre, même s'il y a réduction du nombre de plaquettes en circulation. De plus, des analyses sanguines spécifiques, notamment effectuées par cytométrie, permettent d'établir si les anticorps antiplaquettaires sont les agents responsables de la destruction. L'examen de la

moelle osseuse est réalisé pour exclure toute cause liée à la production (p. ex. leucémie, anémie aplastique et autres troubles myéloprolifératifs).

L'anémie est proportionnelle à la quantité de sang perdu. Aussi est-il important de surveiller les valeurs d'hémoglobine et d'hématocrite et de placer le client en observation pour détecter toute détresse cardiorespiratoire ou toute autre manifestation de l'anémie. En présence de thrombocytopénie accompagnée d'une anémie caractérisée par une morphologie altérée des hématies, y compris les cellules fragmentées (schistocytes) et la réticulocytose prononcée, il faut soupçonner un diagnostic de purpura thrombocytopénique thrombotique. Ces résultats sont dus en partie à des dépôts de fibrine intravasculaire qui provoquent la « déformation » des globules rouges. Dans les cas de purpura thrombocytopénique thrombotique, la thrombocytopénie peut être aiguë, mais les examens de coagulation restent normaux.

Processus thérapeutique. Le processus thérapeutique de la thrombocytopénie diffère en fonction de l'étiologie de la maladie.

Purpura thrombopénique immun. On utilise plusieurs traitements pour traiter le client atteint de purpura thrombopénique immun (voir encadré 19.12). On administre des corticostéroïdes, car ils peuvent supprimer la phagocytose des macrophages de la rate. Ils ont pour effet d'altérer la capacité de la rate de reconnaître les plaquettes et de permettre de prolonger leur durée de vie. En outre, les corticostéroïdes empêchent la formation d'anticorps auto-immuns. Le traitement initial consiste à administrer des corticostéroïdes (prednisone) qui ont pour but de diminuer la quantité d'anticorps liés à la surface des plaquettes. Les corticostéroïdes rendent également les capillaires moins fragiles et réduisent le temps de saignement. Le traitement peut également consister à administrer de fortes doses d'immunoglobuline par voie IV au client qui ne réagit pas aux corticostéroïdes, ou à procéder à la splénectomie. L'administration d'immunoglobuline par voie IV augmente effectivement le nombre de plaquettes, mais cet effet n'est que temporaire.

On obtient des résultats en administrant du danazol (Cyclomen), un androgène, à certains clients. Dans des cas réfractaires, on utilise un traitement immunosuppresseur à base de vincristine, de vinblastine, d'azathioprine (Imuran) et de cyclophosphamide (Cytoxan).

Si le client ne répond pas à l'administration de corticostéroïdes ou s'il nécessite de trop fortes doses afin de maintenir un nombre adéquat de plaquettes, la splénectomie est indiquée. À la suite à une splénectomie, on obtient une rémission complète ou partielle chez approximativement 80 % des clients. L'efficacité de la splénectomie se justifie pour quatre raisons.

PROCESSUS DIAGNOSTIQUE ET THÉRAPEUTIQUE

Thrombocytopénie — ENCADRÉ 19.12

Diagnostic
- Antécédents de santé et examen physique
- Numération plaquettaire
- Temps de saignement
- Aspiration de la moelle osseuse et biopsie
- Taux d'Hb et d'Ht

Processus thérapeutique

Purpura thrombopénique immun
- Corticostéroïdes
- Transfusions de plaquettes
- Immunoglobuline intraveineuse
- Danazol (Cyclomen)
- Immunosuppresseurs (cyclophosphamide, azathioprine)
- Splénectomie

Purpura thrombocytopénique thrombotique
- Perfusion de plasma
- Plasmaphérèse et échanges de plasma
- Fortes doses de prednisone
- Splénectomie

Problèmes engendrés par la diminution de la production plaquettaire
- Détermination de la cause et traitement
- Corticostéroïdes
- Transfusions de plaquettes
- Thrombopoïétine (recherche)

Premièrement, la rate contient un grand nombre de macrophages qui séquestrent et détruisent les plaquettes. Deuxièmement, la structure de la rate favorise l'interaction entre les plaquettes recouvertes d'anticorps et les macrophages. Troisièmement, une partie de la synthèse des anticorps se produit dans la rate ; aussi les anticorps antiplaquettaires diminuent après la splénectomie. Quatrièmement, comme la rate séquestre approximativement un tiers des plaquettes, son ablation permet l'augmentation du nombre de plaquettes en circulation.

On peut administrer des transfusions de plaquettes pour en augmenter le nombre dans des cas d'hémorragie grave. On ne doit pas administrer de plaquettes de façon prophylactique, car il existe une possibilité de formation d'anticorps. La compatibilité du groupe sanguin n'est pas une condition préalable nécessaire. Toutefois, après plusieurs transfusions de plaquettes, le client peut développer des anticorps dirigés contre certaines molécules des plaquettes transfusées. Aussi, en utilisant le typage lymphocytaire pour vérifier la compatibilité du donneur et du receveur, on peut administrer des transfusions de plaquettes plus sûres pour le client. En outre, on peut lui administrer une prémédication au moyen d'antihistaminiques (p. ex. diphenhydramine [Benadryl]) et d'hydrocortisone afin de diminuer les réactions indésirables possibles. On administre parfois de la mépéridine (Demerol) pour le traitement symptomatique des réactions transfusionnelles en concomitance avec un antihistaminique et un corticostéroïde. On ne comprend pas bien le mécanisme d'action de la mépéridine, mais on pense qu'elle permet de rajuster le centre de l'hypothalamus responsable du contrôle de la température. Il faut éviter d'administrer de l'acide acétylsalicylique (AAS : antiagrégant plaquettaire) et les composés qui en contiennent au client atteint de thrombocytopénie (voir tableau 19.7).

Purpura thrombocytopénique thrombotique. On traite rapidement cette affection par l'administration de plasma ou par plasmaphérèse. Il est difficile d'expliquer le mécanisme sous-jacent au processus thérapeutique, car il reste encore méconnu. On doit poursuivre le traitement tous les jours jusqu'à la rémission complète du client. On a également obtenu des résultats avec la splénectomie et l'administration de corticostéroïdes, de dextran (agent antiplaquettaire), de vincristine et de vinblastine.

Thrombopénie induite par l'héparine et syndrome thrombotique. En présence de thrombopénie induite par l'héparine, il faut interrompre l'administration d'hé-

Tableau 19.7 Produits contenant de l'acide acétylsalicylique et ses dérivés

En vente libre	Sur ordonnance
Anacin, comprimés	Aggrenox, capsules
Anacin extra-fort, comprimés	222, comprimés
Asaphen, comprimés, comprimés enrobés	282 Mep, comprimés
Aspirin, Aspirin extra-fort caplets/comprimés/comprimés à croquer pour enfants/comprimés enrobés	282, comprimés
	292, comprimés
	Endodan, comprimés
	Fiorinal, capsules/comprimés
Coricidin, caplets	Fiorinal-C avec de la codéine, capsules
Entrophen, comprimés enrobés	Methoxisal, caplets
Midol, caplets	Methoxisal-C (avec codéine), caplets
MSD, comprimés enrobés	Oxycodan, comprimés
Norgesic et Norgesic Forte, comprimés	Percodan et Percodan, demi-comprimés
Novasen, comprimés enrobés	Robaxisal, comprimés
	Tecnal, comprimés
	Tecnal C (avec codéine), capsules
	Trianal, capsules/comprimés
	Trianal C (avec codéine), capsules
	Trilisate, comprimés

parine. Les traitements le plus fréquemment utilisés sont les suivants : la plasmaphérèse pour extraire l'immunoglobuline responsable de l'agrégation plaquettaire, l'administration de sulfate de protamine (antidote de l'héparine) pour mettre fin aux effets de l'héparine, l'administration d'agents thrombolytiques pour traiter les réactions thromboemboliques et l'intervention chirurgicale pour retirer les caillots (embolectomie). Pour traiter la thrombopénie induite par l'héparine, on utilise de la lépirudine (Refludan), un inhibiteur de la thrombine. Les transfusions de plaquettes ne sont pas efficaces, car elles risquent d'augmenter les troubles thromboemboliques.

Thrombocytopénie acquise à la suite d'une diminution de la production de plaquettes. Le traitement de la thrombocytopénie acquise consiste surtout à déterminer la cause de la maladie, à la traiter ou à en éliminer la source. Si les facteurs déclencheurs sont inconnus et qu'ils font toujours l'objet de recherches, on peut administrer des corticostéroïdes pour renforcer l'intégrité des capillaires. On a recours aux transfusions de plaquettes en cas d'hémorragie menaçant la vie du client. On ne procède pas à une splénectomie, car la rate ne contribue pas à la thrombocytopénie.

La thrombocytopénie acquise est souvent causée par un autre état sous-jacent (p. ex. anémie aplastique, leucémie) ou par un traitement visant une autre affection. Dans les cas de leucémie aiguë, par exemple, il peut y avoir dépression de tous les types de cellules sanguines. En outre, les agents chimiothérapeutiques peuvent provoquer la myélosuppression. Si on prodigue un soutien thérapeutique adéquat au client tant que persiste la thrombocytopénie induite par la chimiothérapie, la maladie liée à la thrombocytopénie sera également traitée.

Soins infirmiers : thrombocytopénie

Collecte de données. Les données subjectives et objectives qu'il convient de recueillir auprès du client atteint de thrombocytopénie sont énumérées dans l'encadré 19.13.

Diagnostics infirmiers. Les diagnostics infirmiers à poser pour le client atteint de thrombocytopénie peuvent comprendre, de façon non exhaustive, ceux qui sont présentés dans l'encadré 19.14.

Planification. Les objectifs sont les suivants pour le client atteint de thrombocytopénie :
- éviter les saignements macroscopiques ou occultes ;
- maintenir l'intégrité vasculaire ;
- prodiguer les soins à domicile pour éviter toute complication liée à un risque accru de saignement.

Thrombocytopénie

ENCADRÉ 19.13

Données subjectives

Information importante concernant la santé
- Antécédents de santé : hémorragie récente, saignement excessif ou maladie virale ; infection au VIH ; cancer (spécialement leucémie ou lymphome) ; anémie aplastique ; lupus érythémateux disséminé ; cirrhose ; exposition à des radiations ou à des produits chimiques toxiques ; coagulation intravasculaire disséminée (CIVD)
- Médicaments : utilisation de diurétiques thiazidiques, furosémide (Lasix), aspirine, acétaminophène, œstrogènes, sels d'or, AINS, phénylbutazone, pénicilline, céphalosporine, streptomycine, sulfamidés, quinidine, quinine, phénobarbital, méthyldopa (Aldomet), phénytoïne (Dilantin), chlorpropamide, méprobamate, médicaments chimiothérapeutiques, médicaments énumérés dans l'encadré 19.11 et au tableau 19.7.

Modes fonctionnels de santé
- Mode perception et gestion de la santé : antécédents familiaux de problèmes hémorragiques ; malaise
- Mode nutrition et métabolisme : saignements des gencives ; vomissements ayant l'aspect du marc de café ou sanguinolents ; ecchymoses faciles

- Mode élimination : hématurie, selles foncées ou sanguinolentes
- Mode activité et exercice : fatigue, faiblesse, évanouissements ; épistaxis, hémoptysie ; dyspnée
- Mode cognition et perception : douleur ou sensibilité des zones de saignements (p. ex. abdomen, tête, extrémités) ; céphalées
- Mode sexualité et reproduction : ménorragie, métrorragie

Données objectives

Généralités
- Fièvre, léthargie

Appareil tégumentaire
- Pétéchies, ecchymoses, purpura

Appareil gastro-intestinal
- Splénomégalie, distension abdominale, méléna

Résultats possibles
- Numération plaquettaire <150 $\times$ 10^9/L, temps de saignement prolongé, $\downarrow$ de l'Hb et de l'Ht ; taux normal ou accru des mégacaryocytes révélé par examen de la moelle osseuse

Exécution

Promotion de la santé. L'infirmière doit enseigner au client l'importance d'éviter de consommer des médicaments en vente libre qui peuvent induire la thrombocytopénie. De nombreux médicaments contiennent de l'acide acétylsalicylique (voir tableau 19.7), un agent qui réduit l'adhésivité des plaquettes et qui contribue potentiellement à la thrombocytopénie.

L'infirmière doit aussi inciter le client à subir une évaluation médicale complète si une tendance aux hémorragies se développe (p. ex. prolongement de l'épistaxis, pétéchies). En outre, l'infirmière doit observer tout signe précoce de thrombocytopénie chez le client qui reçoit des médicaments chimiothérapeutiques antinéoplasiques.

Intervention en phase aiguë. L'objectif durant les épisodes aigus de thrombocytopénie est d'éviter l'hémorragie ou de la contrôler (voir encadré 19.14). Chez le client atteint de thrombocytopénie, le saignement provient habituellement de sites superficiels. En général, les saignements profonds (muscles, articulations, abdomen) surviennent uniquement quand les facteurs de coagulation sont diminués. Il est important de souligner qu'un épistaxis qui semble mineur peut entraîner une hémorragie chez le client atteint de thrombocytopénie sévère. Il peut être difficile de détecter un saignement du nasopharynx postérieur, car le sang peut être avalé. S'il est nécessaire d'effectuer une injection par voie IM ou SC, il est recommandé d'utiliser une aiguille de petit calibre et d'appliquer une pression directe d'au moins 5 à 10 minutes au site d'injection après l'administration.

Chez la femme atteinte de thrombocytopénie, la perte de sang menstruel peut dépasser la quantité et la durée habituelles. Pour évaluer l'excès de sang perdu, il est prudent de compter le nombre de serviettes hygiéniques utilisées. Cinquante millilitres de sang imbiberont complètement une serviette sanitaire. Il peut être indiqué d'enrayer les menstruations par l'administration d'hormones pendant les périodes de thrombocytopénie prévisibles afin de réduire les pertes sanguines (p. ex. pendant une chimiothérapie et une greffe de moelle osseuse).

Il incombe à l'infirmière d'administrer les transfusions de plaquettes de manière adéquate, sûre et sécuritaire. Les concentrés plaquettaires dérivés de sang entier frais peuvent augmenter le taux de plaquettes de façon efficace. Une unité de plaquettes, constituée d'un liquide jaune dont le volume atteint en général 30 à 50 ml, peut être obtenue par une centrifugation de 500 ml de sang entier. Les concentrés de plaquettes de plusieurs unités de sang (en général de six à huit donneurs) peuvent être regroupés pour une seule administration. Le taux d'augmentation des plaquettes obtenu avec un concentré plaquettaire provenant de plusieurs donneurs varie énormément. On le mesure générale-

ment en effectuant une numération plaquettaire dans l'heure qui suit la transfusion de plaquettes.

Les plaquettes peuvent également être transfusées par hémaphérèse. Cette technique est parfois indiquée lorsqu'il est nécessaire d'obtenir des plaquettes compatibles, surtout pour les individus nécessitant de nombreuses transfusions de plaquettes. Cette procédure consiste à prélever le sang du client, à séparer les plaquettes, puis à lui réinjecter le reste du sang. Par cette technique, on obtient 200 à 400 ml de plaquettes et de plasma.

On peut entreposer les plaquettes à température ambiante pendant un à cinq jours. Il est utile d'agiter doucement le sac de temps à autre pour éviter que les plaquettes n'adhèrent au plastique. La procédure de transfusion elle-même (décrite plus loin dans ce chapitre) peut varier selon les établissements et peut inclure une épuration des leucocytes au moyen de filtres spéciaux. Chez un client qui présente un déficit immunitaire sévère, ces produits sont également irradiés pour s'assurer d'une élimination complète de tous les globules blancs. On prévient ainsi toute réaction du greffon contre l'hôte (voir chapitre 7).

Soins ambulatoires et soins à domicile. Il faut surveiller fréquemment le client atteint de purpura thrombopénique immun qui reçoit des corticostéroïdes afin de vérifier les effets du traitement. Si la maladie est traitée par splénectomie, il n'y a en général pas de rechute. Il faut enseigner aux personnes atteintes de thrombocytopénie acquise d'éviter tout agent déclencheur de la maladie quand cela est possible (voir encadré 19.11). Si cela est impossible (p. ex. chimiothérapie), le client doit apprendre à éviter toute blessure ou traumatisme pendant ces périodes et à détecter les signes et les symptômes cliniques des hémorragies engendrées par la thrombocytopénie. L'état du client atteint de purpura thrombopénique immun ou de thrombocytopénie acquise doit être évalué de façon périodique afin de pouvoir intervenir en cas d'exacerbation de la maladie ou en cas d'hémorragie.

Évaluation. Les résultats escomptés chez le client atteint de thrombocytopénie sont présentés dans l'encadré 19.14.

19.7.2 Hémophilie et maladie de von Willebrand

L'hémophilie est un trouble hémorragique congénital causé par l'absence de certains facteurs de coagulation ou par leur défectuosité. Il existe deux types d'hémophilie, l'hémophilie A (hémophilie classique, déficit en facteur VIII) et l'hémophilie B (maladie de Christmas,

Plan de soins infirmiers

Client atteint de thrombocytopénie

DIAGNOSTIC INFIRMIER : risque d'atteinte à l'intégrité de la muqueuse buccale relié au traitement, à la maladie et à la présence de vésicules hémorragiques buccales.

PLANIFICATION
Résultat escompté
- Muqueuse buccale, langue et lèvres roses, humides, sans lésion

INTERVENTIONS	Justifications
• Évaluer quotidiennement la muqueuse buccale pour détecter toute vésicule hémorragique ; tout saignement ; gencives et lèvres sensibles.	• Fournir des données permettant de planifier les interventions.
• Enlever les prothèses dentaires tous les jours et inspecter la cavité buccale.	• Détecter toute vésicule hémorragique ou tout saignement.
• L'hygiène bucco-dentaire doit être effectuée avec une friction minimale : utiliser une brosse à dents à poils souples, des bâtonnets de coton, un rince-bouche léger ou une seringue permettant l'irrigation.	• Nettoyer la bouche sans provoquer un traumatisme.
• Évaluer l'intégrité des narines, spécialement en cas d'utilisation de tube nasogastrique, de tube endotrachéale ou en cas d'administration d'oxygène par lunettes nasales.	• Déterminer le besoin en matière de soins préventifs ou de traitement.

DIAGNOSTIC INFIRMIER : risque élevé d'accident relié aux interventions et à la sensibilité des tissus due au traumatisme.

PLANIFICATION
Résultats escomptés
- Maintien de l'intégrité des tissus
- Absence de pétéchies, d'ecchymoses, de purpura et d'hématomes

INTERVENTIONS	Justifications
• Commencer l'administration du traitement par voie IV et envisager l'utilisation d'autres dispositifs d'accès veineux.	• Réduire le nombre de ponctions veineuses.
• Éviter les injections IM ; le cas échéant, appliquer une pression locale à l'aide de compresses stériles pendant 5 à 10 minutes après le retrait du cathéter ou de l'aiguille.	• Éviter tout saignement au niveau des tissus entourant le site d'injection.
• Utiliser un rasoir électrique.	• Réduire le risque de coupures.
• Réduire la fréquence d'utilisation du sphygmomanomètre lors de prise de pression artérielle et alterner les membres utilisées pour la lecture de pression artérielle ; rembourrer les côtés de lit et autres surfaces dures, spécialement si le client est agité ou susceptible d'avoir des convulsions ; mobiliser le client délicatement lors des changements de position et lors de la réfection des pansements.	• Réduire le risque de traumatisme tissulaire et de saignement subséquent au niveau des tissus.

DIAGNOSTIC INFIRMIER : non-observance du traitement reliée au manque de connaissance entourant le processus morbide, la nutrition et les médicaments, et au manque d'activité, se manifestant par des questions fréquentes relatives au traitement de la maladie, de l'anxiété et de l'agitation.

PLANIFICATION
Résultat escompté
- Le client ou sa famille énoncent et démontrent les connaissances et les compétences requises pour les soins infirmiers à domicile.

INTERVENTIONS	Justifications
• Donner un enseignement sur le traitement de la maladie.	• Planifier les interventions appropriées.

Plan de soins infirmiers

Client atteint de thrombocytopénie (*suite*)

- Prodiguer au client un enseignement sur le processus de la maladie, les médicaments, les recommandations relatives à l'activité et à l'alimentation.
- Discuter des complications et des symptômes à signaler à l'infirmière ou au médecin pour éviter les complications ; mettre l'accent sur la nécessité d'avoir un apport liquidien adéquat, sur la gestion des médicaments et les besoins de repos et d'exercices.
- Permettre au client de parler de ses préoccupations.

- Réduire son anxiété et éviter les complications.

- Renseigner le client pour qu'il soit en mesure de gérer ses propres soins ou de guider les soins.

- Le fait de parler avec quelqu'un qui lui manifeste son soutien contribue à réduire l'anxiété.

Processus thérapeutique

COMPLICATION POSSIBLE : hémorragie reliée à une perte de sang rapide.

PLANIFICATION
Objectifs
- Surveiller les signes de l'hémorragie.
- Signaler tout écart par rapport aux paramètres acceptables.
- Prodiguer les interventions infirmières et les interventions concertées appropriées.

INTERVENTIONS
- Évaluer les muqueuses et la peau toutes les huit heures, ou plus souvent.
- Inspecter régulièrement les excrétions et vérifier s'il y a présence d'hématémèse, d'hémoptysie, de méléna, d'hématurie et examiner les exsudats de plaies.
- Évaluer l'hémogramme et la numération plaquettaire die ou prn.
- S'abstenir de prendre de l'acide acétylsalicylique ou des produits dérivés (voir tableau 19.7).
- Utiliser de la glace, un pansement compressif ou une pression directe pour contrôler le saignement actif.
- Apprendre au client à éviter la manœuvre de Valsalva (p. ex. forcer pour aller à la selle) ; administrer des laxatifs tel qu'il a été prescrit ; éviter de prendre la température rectale et d'administrer tout suppositoire ou lavement ; apprendre au client à tousser, à éternuer et à se moucher en douceur ; administrer des antiémétiques et des médicaments antitussifs.
- Administrer au client des plaquettes ou autres dérivés sanguins tel qu'il a été prescrit.

Justifications
- Détecter la présence d'épistaxis, de pétéchies, d'ecchymoses, d'hématomes.
- Déceler la présence de sang occulte.

- Détecter les saignements.

- Ils ont des effets sur l'adhésivité plaquettaire.

- Éviter toute activité pouvant provoquer une hémorragie.

- Traiter l'hémorragie ou remplacer le sang perdu lors de l'hémorragie.

die : une fois par jour ; prn : au besoin.

---

déficit en facteur IX). L'affection peut être légère ou grave. La **maladie de von Willebrand** est un trouble apparenté à l'hémophilie causé par un déficit congénital du facteur de coagulation von Willebrand. Le facteur VIII est synthétisé dans le foie et se lie au facteur von Willebrand (vWF).

L'hémophilie A est la forme d'hémophilie la plus fréquente ; elle affecte environ 80 % des hémophiles. L'incidence de l'hémophilie A est d'environ 1 individu

sur 10 000 ; celle de l'hémophilie B est de 1 individu sur 100 000. La maladie de von Willebrand est considérée comme le trouble sanguin congénital le plus courant chez l'homme, et on estime son incidence à 1 sur 100. Bien que le degré de gravité de la maladie puisse varier de léger à grave, l'hémorragie mortelle est rare (1 sur 1 million). Les déficits et les caractéristiques de transmission de ces trois formes de coagulopathies congénitales sont comparés au tableau 19.8.

Manifestations cliniques. Parmi les manifestations cliniques et les complications liées à l'hémophilie, on peut citer :

- les saignements prolongés et lents qui surviennent lors de traumatismes mineurs et de minimes lacérations (voir figure 19.8) ;
- des saignements différés consécutifs à des blessures mineures pouvant se produire après plusieurs heures ou plusieurs jours ;
- des hémorragies incontrôlables secondaires à une extraction dentaire ou à une irritation de la gencive causée par une brosse à dent à poils rigides ;
- l'épistaxis, surtout après un coup au visage ;
- les saignements gastro-intestinaux dus aux ulcères et aux gastrites ;
- l'hématurie causée par un traumatisme génito-urinaire et par une lésion de la rate consécutive à une chute ou à un traumatisme abdominal ;
- les ecchymoses et les hématomes sous-cutanés (courants) ;
- les signes neurologiques tels que la douleur, la paresthésie ou la paralysie pouvant se développer à la suite d'un nerf comprimé par la formation d'un hématome ;
- l'hémarthrose (voir figure 19.9), qui peut également entraîner une déformation grave des articulations au point de causer une invalidité définitive ; se présente le plus souvent aux genoux, aux coudes, aux épaules, aux hanches et aux chevilles.

Ces manifestations sont particulièrement importantes chez l'enfant quand le diagnostic de la maladie n'a pas encore été posé. Chez l'adulte, elles peuvent se traduire par les premiers symptômes d'une forme légère de la maladie. Celle-ci n'aurait pas été détectée lorsque le client était enfant, parce que ce dernier n'a jamais été gravement blessé et n'a jamais subi d'intervention dentaire ou chirurgicale. Toutefois, ces manifestations peuvent également signifier que l'hémophilie est mal contrôlée. Toutes les manifestations cliniques sont liées à l'hémorragie, et toute hémorragie chez la personne hémophile peut être mortelle.

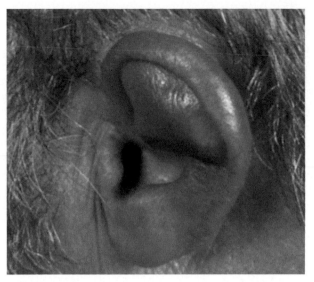

FIGURE 19.8 Hématome chez un sujet hémophile après un traumatisme à l'oreille

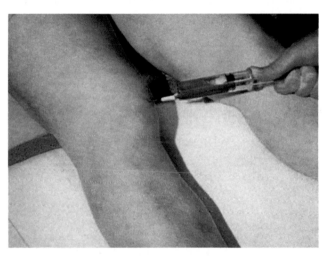

FIGURE 19.9 Hémarthrose aiguë au genou droit d'un client hémophile. Le sang de la cavité synoviale est aspiré à l'aide d'une aiguille et d'une seringue.

Tableau 19.8 Comparaison entre les divers types d'hémophilie		
Trouble	**Déficit**	**Mode de transmission**
Hémophilie A	Facteur VIII	Maladie récessive liée au sexe (transmise par la mère, se manifeste presque exclusivement chez l'homme)
Hémophilie B	Facteur IX	Maladie récessive liée au sexe (transmise par la mère, se manifeste presque exclusivement chez l'homme)
Maladie de von Willebrand	vWF et dysfonctionnement plaquettaire	Maladie à prédominance autosomique, se manifeste chez l'homme et chez la femme Maladie récessive (dans les formes graves de la maladie)

vWF : facteur von Willebrand.

Auparavant, on pensait que l'hémophilie était une maladie de l'enfance, car les enfants mouraient de ses complications. Au début du 20ᵉ siècle, l'espérance de vie moyenne des hémophiles était de 11 ans. Dès les années 1970, les avancées en matière de traitement de la maladie ont permis aux hémophiles d'avoir une espérance de vie moyenne de 68 ans. Malheureusement, l'épidémie de sida et la contamination des produits sanguins ont réduit ce chiffre à 49 ans vers la fin des années 1980. Aujourd'hui, environ 90 % des personnes âgées souffrant d'hémophilie sont séropositives, l'infection par le VIH leur ayant été transmise par l'administration de cryoprécipités et de concentrés de facteurs. Avant 1986, on ne dépistait pas de façon systématique les anticorps du VIH dans les dons de sang et les produits sanguins. On observe aujourd'hui que les individus atteints de la maladie vivent plus longtemps étant donné les préparations de concentrés de facteur VIII plus sûres, le perfectionnement des techniques de dépistage réalisées chez les donneurs et le traitement thermique du produit qui permet de réduire davantage les risques de transmission du VIH et des virus de l'hépatite B et C. Pendant de nombreuses années, l'hépatite C était une affection fréquente chez les hémophiles, parce qu'il n'existait pas de test de dépistage de la maladie et parce qu'on utilisait des produits sanguins dérivés de plusieurs donneurs. Tous les dons de sang et les produits sanguins subissent maintenant un test de dépistage de routine permettant de déceler la présence d'anticorps dirigés contre le virus de l'hépatite C.

Épreuves diagnostiques. Des examens de laboratoire permettent de déterminer le type d'hémophilie dont souffre un individu. Tout déficit de facteur (facteurs VIII, vWF, IX, XI ou XII) donnera les résultats de laboratoire présentés dans le tableau 19.9.

Processus thérapeutique. Le processus thérapeutique a pour but de prévenir et de traiter l'hémorragie. Les traitements pour les hémophiles et les clients atteints de la maladie de von Willebrand visent à maintenir un taux sérique adéquat des facteurs de coagulation déficients. Pour ce faire, il est nécessaire d'évaluer les manifestations cliniques, de déterminer les concentrations sériques des facteurs concernés et de les administrer au besoin.

On traite le client atteint d'hémophilie en suppléant les facteurs de coagulation déficients. Outre le fait de traiter les crises aiguës, on peut également utiliser le traitement par facteur de remplacement avant une intervention chirurgicale et avant des soins dentaires par mesure prophylactique. Le cryoprécipité, qui contient surtout du facteur VIII et du fibrinogène, est préparé à partir du plasma, puis il est congelé rapidement et est conservé ainsi jusqu'à utilisation. Avant l'administration, le cryoprécipité est décongelé lentement.

La plupart des personnes atteintes d'hémophilie A utilisent du concentré de facteur VIII préparé avec les dons de donneurs multiples. Ce concentré se présente sous forme de poudre lyophilisée. Un certain nombre de procédés ont permis d'améliorer l'innocuité du traitement de remplacement. D'abord, la solution de concentré est soumise à la chaleur ou est lyophilisée de façon à détruire le VIH susceptible de s'y trouver. Ensuite, le concentré est traité avec des produits chimiques, notamment les solvants-détergents, afin d'inactiver les virus. On peut produire du facteur VIII hautement purifié par adsorption et élution de la molécule au moyen de colonnes d'affinité où sont fixés des anticorps monoclonaux dirigés contre le facteur. La découverte du gène du facteur VIII en 1984 et les techniques de l'ADN recombinant ont permis de produire du facteur VIII par génie génétique (voir chapitre 7). Ce produit semble identique à son équivalent dérivé du plasma ; étant donné qu'il n'engage aucun donneur, il

TABLEAU 19.9 Résultats de laboratoire chez les personnes atteintes d'hémophilie	
Examen	**Commentaires**
Temps de prothrombine	Aucun rôle du système intrinsèque
Temps de thrombine	Pas d'atteinte à la réaction thrombine-fibrinogène
Numération plaquettaire	Production plaquettaire adéquate
Temps de céphaline activée	Prolongé étant donné la déficience de tous les facteurs du système de coagulation intrinsèque
Temps de saignement	Prolongé dans le cas de la maladie de von Willebrand étant donné que les plaquettes sont structurellement défectueuses ; normal pour l'hémophilie A et B, car les plaquettes ne sont pas touchées
Tests de facteur	Réduction du facteur VIII pour l'hémophilie A, du vWF pour la maladie de von Willebrand, réduction du facteur IX pour l'hémophilie B

permet d'éviter les complications d'origine infectieuse chez le receveur.

Le déficit en facteur IX est traité au moyen de concentré de facteur IX, disponible sous forme lyophilisée. Ce concentré contient aussi de la prothrombine, et les facteurs VII et X. Les préparations de facteur IX purifiées à l'aide d'anticorps monoclonaux ou celles recombinantes font aujourd'hui l'objet d'essais cliniques.

Pour certaines sous-catégories de la maladie de von Willebrand, on peut administrer de l'acétate de desmopressine (DDAVP), un analogue synthétique de la vasopressine, pour stimuler une augmentation de la production de facteur VIII et de facteur von Willebrand. Ce médicament agit sur les cellules endothéliales pour permettre la libération du facteur von Willebrand. Ce dernier se lie par la suite au facteur VIII, ce qui accroît leurs concentrations. L'acétate de desmopressine provoque notamment une diminution du temps de saignement quand il est administré par voie IV. Ces effets se manifestent dans les 30 minutes et peuvent durer pendant plus de 12 heures. Étant donné cette période relativement courte, il convient de surveiller le client et, au besoin, de lui en administrer des doses supplémentaires. C'est un traitement qui s'avère approprié pour les interventions dentaires. Une forme intranasale du médicament a été mise au point et serait indiquée pour les soins à domicile des individus souffrant d'une forme bénigne à modérée de la maladie.

Parmi les complications liées au traitement de l'hémophilie, on compte l'apparition d'inhibiteurs des facteurs VIII ou IX, les infections transmises par les transfusions, les réactions allergiques (plus fréquentes avec l'utilisation du cryoprécipité) et les complications thrombotiques liées à l'usage du facteur IX, puisque la solution contient aussi des facteurs de coagulation activés. Étant donné l'amélioration des méthodes d'inactivation virale et les pratiques qui consistent à tester les donneurs, le risque de transmission des virus du VIH et de l'hépatite a fortement diminué par rapport aux chiffres obtenus avant 1986.

Pour l'intervention d'urgence, le problème médical qui se pose est de savoir quand administrer le traitement par facteur de remplacement. Il ne faut pas l'administrer trop tard, ni l'arrêter trop tôt. Généralement, les saignements mineurs doivent être traités pendant au moins 72 heures. Pour toute intervention chirurgicale et toute blessure, un traitement de 10 à 14 jours est requis. Étant donné la courte demi-vie des facteurs, leur perfusion intermittente régulière ou continue permet de traiter les saignements ou ceux anticipés par une procédure pouvant engendrer un traumatisme. Certaines personnes développent des inhibiteurs des facteurs utilisés sous forme de concentré de façon chronique, ce qui nécessite une individualisation des soins au client et une bonne expertise clinique de la part de l'intervenant.

Soins infirmiers : hémophilie
Exécution
Promotion de la santé. Étant donné que l'hémophilie est une maladie congénitale, il est essentiel de diriger le client vers un service de conseil génétique quand on considère l'aspect préventif. Ceci est d'autant plus important que les hémophiles vivent plus longtemps et qu'ils peuvent atteindre un âge leur permettant d'être en mesure de procréer.

Intervention en phase aiguë. Les interventions infirmières s'appliquent essentiellement à contrôler les saignements et consistent à :
- arrêter les saignements cutanés aussi rapidement que possible par l'application d'une pression directe au site de saignement et l'application de glace, par l'application de Gelfoam ou de mousse de fibrine, ou par l'application topique d'agents hémostatiques comme la thrombine, par exemple ;
- administrer le concentré de facteur de coagulation prescrit en vue d'augmenter le taux du facteur de coagulation déficient ;
- en cas de saignement dans une articulation, il est important d'immobiliser l'articulation et d'administrer des facteurs antihémophiliques pour éviter les déformations dues à l'hémarthrose pouvant causer une invalidité permanente. On peut appliquer de la glace localement sur l'articulation et administrer des analgésiques afin de réduire la douleur intense. Il faut toutefois veiller à ne jamais administrer d'aspirine (acide acétylsalicylique), ni d'agents médicamenteux qui en contiennent. Dès que cesse le saignement, il est important d'encourager le client à faire des exercices permettant de maintenir la fonction des articulations et à faire de la physiothérapie. L'infirmière doit soutenir le client et lui expliquer de nouveau les exercices, au besoin. Il faut éviter le lever de charge tant que la tuméfaction n'est pas guérie et que la force musculaire n'est pas rétablie ;
- traiter toute complication possible de l'hémorragie pouvant menacer le pronostic vital. Cela comprend des interventions infirmières telles que celles qui permettent d'éviter l'obstruction des voies respiratoires par une hémorragie dans la région du cou et du pharynx, celles qui permettent de traiter cette obstruction, ainsi que celles qui permettent d'évaluer rapidement l'hémorragie intracrânienne.

Soins ambulatoires et soins à domicile. Il convient d'envisager de traiter le client hémophile à domicile, étant donné que la maladie a un parcours progressif et chronique. La qualité et la durée de vie peuvent être considérablement améliorées si le client a reçu un enseignement adéquat sur sa maladie. Il faut orienter le client et sa famille vers une section locale de la société d'hémophilie ou les diriger vers des individus également aux prises avec l'hémophilie afin qu'il puisse trouver du soutien chez des gens dans la même situation. L'infirmière doit recueillir de façon continue des données sur la façon dont le client s'adapte à sa maladie. Il convient de lui prodiguer le soutien et l'aide psychologique nécessaire.

La plupart des interventions à long terme sont liées à l'enseignement au client. Il convient d'enseigner au client hémophile à reconnaître les problèmes liés à sa maladie et de lui apprendre quels problèmes peuvent être résolus à domicile et lesquels nécessitent une hospitalisation. Une consultation immédiate est requise pour toute douleur intense, toute tuméfaction musculaire ou articulaire qui empêche le mouvement ou nuit au sommeil, toute blessure à la tête, toute tuméfaction du cou ou de la bouche et toute douleur abdominale, hématurie, méléna et blessure nécessitant des points de suture.

L'hygiène buccale quotidienne doit être douce. Comprendre comment éviter les blessures est un facteur important à considérer. Ceci n'est pas toujours facile, car il existe de nombreuses sources potentielles de traumatisme. Le client doit de préférence pratiquer des sports individuels et s'appliquer à porter des gants lors des activités domestiques pour éviter toute lacération ou blessure avec des couteaux, des marteaux et autres outils. Le client hémophile doit porter un bracelet MedicAlert pour prévenir de son état en cas d'accident.

Il faut l'informer des soins routiniers prodigués lors des visites de suivi et s'assurer qu'il se conforme au programme de visites. S'il en est capable et reconnaît l'importance de ses traitements, on peut lui apprendre à s'administrer le traitement par facteur de remplacement à domicile.

Évaluation. Les résultats escomptés sont identiques à ceux du client atteint de thrombocytopénie et sont présentés dans l'encadré 19.14.

19.7.3 Coagulation intravasculaire disséminée

La **coagulation intravasculaire disséminée (CIVD)** est un trouble hémorragique grave dû à un problème de coagulation anormale et accélérée. Il s'ensuit une diminution des facteurs de coagulation, puis des plaquettes, ce qui peut entraîner des hémorragies incontrôlables. Le terme CIVD peut être trompeur, car il laisse penser qu'il y a coagulation du sang. Toutefois, le paradoxe de cette affection est qu'elle s'accompagne de saignements abondants résultant de la déplétion des plaquettes et des facteurs de coagulation. La CIVD est toujours causée par une maladie sous-jacente, qui doit d'abord être traitée avant que la CIVD ne puisse être soignée.

Étiologie et physiopathologie. La CIVD n'est pas une maladie ; la cascade de la coagulation est activée dans des circonstances anormales, notamment par une maladie ou un autre trouble. Les maladies et les troubles pouvant prédisposer le client à être atteint de CIVD sont énumérés dans l'encadré 19.15. Les manifestations de la CIVD peuvent varier de la forme aiguë catastrophique à un degré de gravité moindre en passant par l'état chronique. Chacune de ses manifestations peut être le résultat d'un ou de plusieurs mécanismes déclenchant la cascade de coagulation. Par exemple, les tumeurs et les tissus nécrosés ou ayant subi un traumatisme libèrent du facteur tissulaire dans la circulation. Les endotoxines produites par les bactéries Gram-négatives activent plusieurs étapes de la cascade de coagulation.

Au début de la maladie, la coagulation est améliorée. De la thrombine intravasculaire, le coagulant le plus puissant, est produite en abondante quantité (voir figure 19.10). Elle catalyse la conversion de fibrinogène en fibrine et augmente l'agrégation des plaquettes. Il y a alors des dépôts de fibrine et de plaquettes en grande quantité dans les capillaires et les artérioles, ce qui provoque la thrombose. Cette coagulation excessive active le système fibrinolytique, qui, à son tour, lyse les caillots nouvellement formés à l'origine des produits de dégradation de la fibrine. Ces produits possèdent des propriétés anticoagulantes et inhibent le processus de coagulation sanguine normal. En fin de compte, étant donné que les produits de dégradation de la fibrine s'accumulent et que les facteurs de coagulation s'épuisent, le sang perd sa capacité à coaguler. Un caillot stable n'est alors pas en mesure de se former au site de la blessure. Cette situation prédispose donc le client à l'hémorragie.

La CIVD chronique est plus fréquente chez les clients atteints de maladies chroniques d'origine maligne ou auto-immunes. L'incidence de la CIVD associée à des tumeurs malignes varie de 10 à 75 % selon le type de tumeur. Chez ces clients, la maladie ne se manifeste parfois que par des résultats de laboratoire

Conditions prédisposant au développement de la CIVD   ENCADRÉ 19.15

CIVD aiguë
- État de choc
  - Hémorragique
  - Cardiogénique
  - Anaphylactique
- Septicémie
- Processus hémolytique
  - Transfusion de sang incompatible
  - Hémolyse aiguë due à une infection ou à un trouble immunologique
- Affections obstétricales
  - Décollement placentaire
  - Embolie du liquide amniotique
  - Avortement septique
- Dommages tissulaires
  - Brûlures graves et traumatisme
  - Coup de chaleur
  - Blessure grave à la tête
  - Rejet de greffe
  - Lésions postopératoires, surtout après oxygénation de la membrane extracorporelle
  - Embolie graisseuse et pulmonaire
  - Morsure de serpent
  - Glomérulonéphrite
  - Anoxie aiguë (p. ex. après arrêt cardiaque)
  - Prothèses chirurgicales

CIVD subaiguë
- Tumeur maligne
  - Leucémies aiguës
  - Cancer métastatique
- Obstétrique
  - Mort fœtale utérine

CIVD chronique
- Maladie hépatique
- Lupus érythémateux disséminé
- Tumeur maligne localisée

anormaux. Toutefois le spectre clinique va de la simple ecchymose à l'hémorragie et de l'hypercoagulabilité à la thrombose.

Manifestations cliniques. Il n'existe pas de séquence d'événements bien définie en cas de CIVD aiguë. Il faut questionner le saignement chez l'individu qui n'a aucun antécédent ou aucune cause évidente, car le saignement peut être la première manifestation d'une CIVD aiguë. La faiblesse, le malaise et la fièvre sont d'autres manifestations non spécifiques.

En présence de CIVD, il y a à la fois saignements et manifestations thrombotiques. L'hémorragie est multifactorielle (voir figure 19.10). Elle est liée à une utilisation des plaquettes et des facteurs de coagulation et à leur déplétion, ainsi qu'à la lyse des caillots et à la formation de produits de dégradation de la fibrine, lesquels possèdent des propriétés anticoagulantes. Les manifestations hémorragiques sont les suivantes : des problèmes tégumentaires, comme la pâleur, les pétéchies, les suintements sanguins, les saignements au site de ponction, les hématomes et les hémorragies occultes ; des problèmes respiratoires tels que la tachypnée, l'hémoptysie et l'orthopnée ; des problèmes cardiovasculaires comme la tachycardie et l'hypotension ; des changements gastro-intestinaux tels que les saignements gastro-intestinaux du tractus supérieur et inférieur, la distension abdominale et les selles sanguinolentes ; des problèmes urinaires comme l'hématurie ; les changements neurologiques, les problèmes de la vue, les étourdissements, les céphalées, l'altération de l'état de conscience et l'irritabilité ; et les altérations de l'appareil locomoteur se manifestant par des douleurs osseuses et articulaires.

Les manifestations thrombotiques causées par les dépôts de fibrine et de plaquettes dans les petits vaisseaux (voir figure 19.10) sont les suivantes : des modifications tégumentaires comme la cyanose des extrémités, la nécrose tissulaire ischémique (p. ex. la gangrène) et la nécrose hémorragique ; des troubles respiratoires tels que la tachypnée, la dyspnée, l'embolie pulmonaire et le syndrome de détresse respiratoire aigu ; des problèmes cardiovasculaires qui se manifestent notamment par un ECG modifié et une distension veineuse ; des troubles gastro-intestinaux qui se présentent, entre autres, avec des douleurs abdominales et un iléus paralytique ; et des problèmes urinaires tels que l'oligurie.

Épreuves diagnostiques. Les examens de laboratoire utilisés pour diagnostiquer la CIVD aiguë et leurs résultats sont indiqués au tableau 19.10. Au fur et à mesure que les caillots se forment dans l'organisme, davantage de produits de dégradation de fibrinogène et de fibrine sont également produits. On les appelle **produits de dégradation de fibrine** et ils interfèrent avec la coagulation sanguine de trois façons. D'abord, ils recouvrent les plaquettes et nuisent à la fonction plaquettaire. Puis, ils interagissent avec la thrombine et entravent la coagulation. Pour finir, les produits de dégradation de fibrine se lient au fibrinogène, ce qui empêche la polymérisation nécessaire à la formation d'un caillot stable. Le test D-dimère est un test très spécifique qui mesure les produits de dégradation de fibrine. Le D-dimère, un polymère spécifique provenant de la dégradation de la

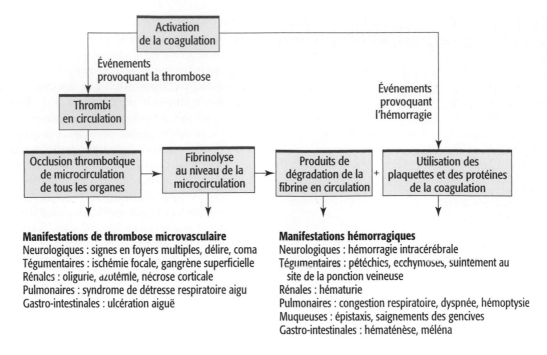

FIGURE 19.10 Séquence des événements lors de CIVD entraînant l'apparition clinique de phénomènes thrombotiques et hémorragiques

fibrine (et non du fibrinogène), est un marqueur beaucoup plus spécifique du degré de fibrinolyse. En général, dans le cas de la CIVD, les examens qui mesurent les **matières brutes** nécessaires à la coagulation (c'est-à-dire plaquettes et fibrinogène) donnent des valeurs à la baisse, et le **temps de coagulation** est allongé. On peut trouver des érythrocytes fragmentés sur les frottis de sang, une indication de l'occlusion partielle des petits vaisseaux par les thrombi de fibrine.

Processus thérapeutique. Il est important de diagnostiquer rapidement une CIVD, d'instituer un traitement qui permet de résoudre la maladie sous-jacente ou le trouble à l'origine du problème. Par la suite, il faut veiller à mettre en place un processus maladie pour les manifestations provoquées par la maladie elle-même. Le traitement de la CIVD demeure un sujet de controverse et fait toujours l'objet de recherches. Les chercheurs essayent de déterminer la façon dont on peut au mieux contrôler et traiter ce syndrome dangereux. En conséquence, il est impératif que l'infirmière soit au courant des moyens de traitement. Peu importe son étiologie, il est crucial de traiter la maladie primaire afin de pouvoir trouver une solution définitive à la CIVD.

En fonction de la gravité de la maladie, on utilise plusieurs méthodes pour le traitement des symptômes et les soins de soutien (voir figure 19.11). Premièrement, si on diagnostique une CIVD chez le client qui ne présente pas d'hémorragie, aucun traitement n'est nécessaire. Le

Tableau 19.10 Résultats de laboratoire chez les personnes atteintes de CIVD	
Test	**Résultats**
Tests de dépistage Temps de prothrombine	Prolongé (75 %) Normal ou diminué (25 %)
Temps de céphaline	Prolongé (50-60 %)
Temps de thrombine	Prolongé
Fibrinogène	Réduit
Plaquettes	Réduit à 100 000/µl (100 X 10⁹/L) jusqu'à 5000/µl (5 X 10⁹/L) chez certains sujets
Tests spéciaux Produits de dégradation de la fibrine	Élevé (75-100 %)
Dosages des facteurs V, VII, VIII, X, XIII	Réduit
D-dimères (fragments de fibrine réticulants)	Élevé (plus fiable que les tests de produits de dégradation de la fibrine)
Antithrombine III	Réduit (90 %)

traitement de la maladie sous-jacente peut suffire à inverser la CIVD (p. ex. traitement antinéoplasique quand la CIVD est causée par une tumeur maligne). Deuxièmement, lorsque le client atteint de CIVD présente une hémorragie, le traitement consiste à lui administrer les produits sanguins nécessaires tout en soignant la cause principale sous-jacente. Les produits sanguins sont administrés selon les déficiences. On administre des plaquettes pour corriger la thrombocytopénie, du cryoprécipité pour remplacer le facteur VIII et le fibrinogène, et du plasma frais congelé qui remplace tous les facteurs de coagulation à l'exception des plaquettes et qui fournit ainsi une source d'antithrombine à l'organisme.

En présence des manifestations cliniques de la thrombose, on traite le client par anticoagulothérapie au moyen d'héparine. Toutefois, ce traitement reste controversé. On administre de l'antithrombine III (AT III), un cofacteur de l'héparine qui s'appauvrit au cours de la CIVD, seul ou en concomitance avec l'héparine quand le taux de ce facteur est bas. On étudie actuellement l'usage de l'hirudine, un inhibiteur neutralisant la thrombine qui prévient la coagulation anormale. L'acide epsilon-aminocaproïque (Amicar) est un autre traitement possible ; il empêche la fibrinolyse. Son utilisation est controversée, car il augmente

la thrombose. Généralement, on l'utilise uniquement comme traitement d'appoint à l'héparine. Le traitement à base de produits sanguins – plaquettes, cryoprécipité et plasma frais congelé – est en général réservé aux clients qui ont une hémorragie pouvant menacer leur vie. Ce traitement, cependant, revient à précipiter une coagulation déjà activée, ce qui est préoccupant. Il demeure toutefois la seule façon d'éviter une hémorragie fatale pour certaines personnes. Le traitement stabilise l'état du client, évite l'exsanguination et la thrombose massive et permet de soigner définitivement la cause sous-jacente.

La CIVD chronique ne répond pas à l'administration d'anticoagulants oraux, mais peut être contrôlée à long terme par l'utilisation d'héparine. Certains individus atteints de tumeurs inactives ou se développant lentement, et de CIVD grave et chronique, peuvent avoir besoin de perfusions continues d'héparine au moyen de pompes portables.

Soins infirmiers : CIVD

Diagnostics infirmiers. Les diagnostics infirmiers pour le client atteint de CIVD peuvent comprendre, sans s'y limiter, les diagnostics suivants :
- altération de la fonction cérébrale, cardiorespiratoire, rénale, gastro-intestinale et atteinte à l'intégrité des

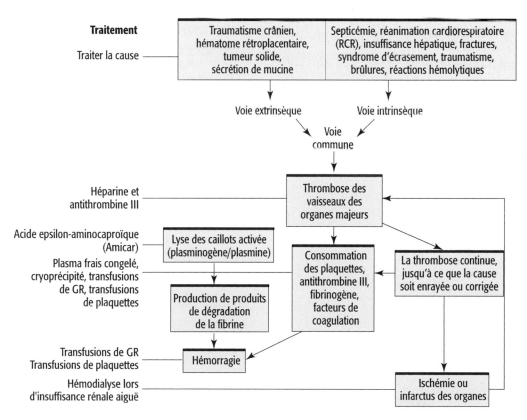

FIGURE 19.11 Sites d'action visés dans le traitement de la CIVD

tissus reliées à l'hémorragie et au ralentissement ou à la diminution du débit sanguin secondaire à la thrombose ;
- douleur reliée à une hémorragie dans les tissus et aux examens de diagnostic ;
- diminution du débit cardiaque reliée au déficit de volume liquidien et à l'hypotension ;
- anxiété reliée à la peur de l'inconnu, à la maladie, aux épreuves diagnostiques et au traitement.

Exécution. L'infirmière doit faire preuve de vigilance puisque la CIVD est plus susceptible de se déclarer en présence des facteurs déclencheurs. Cette tâche peut s'avérer difficile, car l'infirmière se concentre alors sur les soins complexes souvent requis par l'affection qui provoque la CIVD. Étant donné que la CIVD est secondaire à une maladie sous-jacente, l'infirmière doit également se rappeler qu'elle doit prodiguer les soins appropriés pour traiter la cause du problème tout en veillant à prodiguer ceux liés aux manifestations de la CIVD. Le traitement de la maladie initiale (lorsque c'est possible) fera disparaître la CIVD.

Des interventions infirmières judicieuses sont essentielles pour la survie du client atteint de CIVD aiguë. Une collecte de données continue et adéquate, une surveillance étroite des manifestations possibles du syndrome et la mise en place de mesures de traitement appropriées sont de véritables défis parfois paradoxaux en matière de responsabilités infirmières (comme le fait d'administrer de l'héparine à un client souffrant d'hémorragie). Les encadrés 19.13 et 19.14 dressent une liste complète des données à recueillir auprès du client atteint de CIVD et des interventions appropriées. La détection précoce des saignements occultes et apparents doit être un objectif primordial. Il convient d'évaluer méticuleusement le client pour déceler tout signe de saignement externe (p. ex. pétéchies, suintements aux sites d'injection IV) et interne (p. ex. augmentation de la fréquence cardiaque, altération de l'état de conscience, augmentation du volume de l'abdomen, douleur) et de surveiller de près tout site d'hémorragie pour évaluer l'évolution du saignement ou le résultat des traitements de soutien. Il convient de réduire les lésions tissulaires et de prévenir tous les autres foyers de saignement de façon à protéger le client.

Il incombe également à l'infirmière d'administrer de façon sécuritaire les produits sanguins prescrits. On administre le cryoprécipité ou le plasma frais congelé par perfusion comme tout autre produit sanguin (voir tableau 19.20). Le cryoprécité est présenté dans des sacs de 10 à 20 ml chacun. Il en faut parfois plusieurs pour le traitement de la CIVD. Il faut environ 20 minutes pour décongeler une unité de plasma frais congelé qui contient 200 à 280 ml.

19.8 NEUTROPÉNIE

On appelle **leucopénie** toute diminution du nombre total de globules blancs (granulocytes, monocytes et lymphocytes). La **granulocytopénie** est un déficit de granulocytes, les cellules qui comprennent les polynucléaires neutrophiles, les éosinophiles et les basophiles. En clinique, on surveille de près les granulocytes neutrophiles, qui jouent un rôle important en phagocytant les micro-organismes pathogènes, car ils indiquent le risque d'infection. On appelle **neutropénie** toute réduction du nombre des polynucléaires neutrophiles. Certains cliniciens utilisent les termes granulocytopénie et neutropénie de façon interchangeable, car les polynucléaires neutrophiles constituent la majorité des granulocytes. On détermine le taux absolu de polynucléaires neutrophiles en multipliant le nombre total de globules blancs par le pourcentage de polynucléaires neutrophiles. À titre d'exemple, un individu avec un nombre total de globules blancs de $9,8 \times 10^9$/L et un pourcentage de polynucléaires neutrophiles de 72 % aurait un nombre total de polynucléaires neutrophiles de $7,1 \times 10^9$/L. On entend par neutropénie tout nombre de polynucléaires neutrophiles inférieur à 1 à $1,5 \times 10^9$/L. Toutefois, quand on considère la portée clinique de la neutropénie, il est important de connaître la rapidité de la diminution du taux de polynucléaires neutrophiles (graduelle ou rapide), le degré de neutropénie et sa durée. Plus la baisse est rapide, plus la myélosuppression est importante et plus le client risque de développer une infection.

La neutropénie n'est pas une maladie ; il s'agit d'un syndrome qui apparaît en présence d'affections ou de maladies (voir encadré 19.16). Elle peut également être un effet secondaire escompté ou non, provoqué par l'administration de certains médicaments. La cause la plus fréquente de la neutropénie est iatrogénique, c'est-à-dire qu'elle est le résultat de l'utilisation d'agents cytotoxiques et immunosuppresseurs pour le traitement de tumeurs malignes et de maladies auto-immunes. L'exposé sommaire des implications cliniques, diagnostiques et thérapeutiques de la neutropénie permet de considérer les effets de la neutropénie sur d'autres maladies des leucocytes envisagées dans ce chapitre.

19.8.1 Manifestations cliniques

Le client atteint de neutropénie a une prédisposition pour les infections causées par des micro-organismes non pathogènes qui constituent la flore normale de l'organisme, ainsi que par des micro-organismes pathogènes opportunistes. Quand le nombre de leucocytes est bas ou en présence de globules blancs immatures, la phagocytose est perturbée. Étant donné la diminution de la réponse phagocytaire, les signes classiques

| Causes de neutropénie | ENCADRÉ 19.16 |

Causes d'origine médicamenteuse
- Antibiotiques antinéoplasiques (daunorubicine [Cérubidine], doxorubicine [Adriamycin])
- Alkylants (moutardes azotées [Mustargen], busulfan [Myleran], chlorambucil [Leukeran])
- Antimétabolites (méthotrexate, 6-mercaptopurine [Purinethol])
- Anti-inflammatoires (phénylbutazone)
- Antibactériens (chloramphénicol, triméthoprime-sulfaméthoxaxole [Septra], pénicillines)*
- Anticonvulsivants (phénytoïne)*
- Antithyroïdiens*
- Hypoglycémiants (tolbutamide)
- Phénothiazines (chlorpromazine [Largactil])*
- Psychotropes et antidépresseurs (clozapine [Clozaril], imipramine [Tofranil])
- Divers (or, pénicillamine, mépacrine, amodiaquine)
- Zidovudine (Retrovir, AZT)

Troubles hématologiques
- Neutropénie idiopathique
- Neutropénie cyclique
- Anémie aplastique
- Leucémie

Affections auto-immunes
- Lupus érythémateux aigu disséminé
- Syndrome de Felty
- Polyarthrite rhumatoïde

Infections
- Virales (p. ex. hépatite, grippe, VIH, rougeole)
- Infection bactérienne foudroyante (p. ex. fièvre typhoïde, tuberculose miliaire)

Divers
- Septicémie sévère
- Infiltration de la moelle osseuse (p. ex. carcinome, tuberculose, lymphome)
- Hypersplénisme (p. ex. hypertension portale, syndrome de Felty, maladies de surcharge [p. ex. maladie de Gaucher])
- Déficits nutritionnels (cobalamine, acide folique)

* Causes peu fréquentes de neutropénie

de l'inflammation – rougeur, chaleur et tuméfaction – peuvent être absents. Le pus est composé en grande partie de globules blancs ; chez le client neutropénique, la formation de pus (p. ex. sous la forme de lésion apparente sur la peau ou d'infiltrats pulmonaires visibles sur une radiographie) est inexistante. Aussi la fièvre permet-elle de reconnaître la présence d'une infection chez le client neutropénique.

Chez le client neutropénique, on pense d'emblée que la fièvre est causée par une infection, ce qui nécessite une attention immédiate, car leurs mécanismes protecteurs habituels font défaut. En présence de neutropénie, les infections mineures peuvent rapidement progresser et se transformer en septicémie. Les muqueuses de la gorge et de la bouche, la peau, la région périanale et le système respiratoire sont des points d'entrée pour les micro-organismes pathogènes chez les clients à risque. Les manifestations cliniques liées à l'infection de ces sites sont les suivantes : maux de gorge, dysphagie, ulcères de la muqueuse du pharynx et de la bouche, diarrhée, sensibilité rectale, prurit vaginal ou pertes vaginales, dyspnée et toux non productive. Ces symptômes apparemment mineurs peuvent évoluer et faire place à la fièvre, aux frissons et au choc septique s'ils ne sont pas reconnus et traités à temps.

Les infections systémiques provoquées par les bactéries, les champignons et les virus sont fréquentes chez le client neutropénique. Il a été démontré que la propre flore de l'individu (normalement non pathogène) contribue de façon significative aux infections pouvant menacer le pronostic vital, comme la pneumonie. Parmi les micro-organismes pouvant être des sources d'infection, on peut citer *Staphylococcus aureus* Gram positif et les germes Gram négatif aérobies. *Pneumocystis carinii* est une cause particulièrement grave de pneumonie. Parmi les champignons responsables d'infections, on peut citer *Candida* (en général *Candida albicans*) et *Aspergillus*. Les infections virales par la réactivation des herpès simplex et zoster sont fréquentes après de longues périodes de neutropénie.

19.8.2 Épreuves diagnostiques

Les principaux examens de laboratoire qui permettent d'évaluer la neutropénie sont les suivants : décompte du nombre de globules blancs, aspiration et biopsie de la moelle osseuse (voir encadré 19.17). Un nombre total de globules blancs inférieur à 5×10^9/L indique une leucopénie. Toutefois, seule une formule leucocytaire permet de confirmer la présence d'une neutropénie (taux des polynucléaires neutrophiles (<1 à $1,5 \times 10^9$/L). Si la formule leucocytaire reflète une neutropénie absolue de $0,5 \times 10^9$/L, le client court un risque modéré d'infection bactérienne ; quand la neutropénie absolue est inférieure à $0,5 \times 10^9$/L, le risque d'infection est grave.

On effectue un frottis sanguin périphérique pour chercher la présence de formes immatures des globules blancs. Le taux d'hématocrite et les numérations réticulocytaire et plaquettaire permettent d'évaluer la fonction de la moelle osseuse. On effectue des aspirations de moelle osseuse et des biopsies pour examiner les cellules et leur morphologie. On effectue des examens

PROCESSUS DIAGNOSTIQUE ET THÉRAPEUTIQUE

Neutropénie   ENCADRÉ 19.17

Diagnostic
- Antécédents de santé et examen physique
- Nombre de globules blancs et formule leucocytaire
- Morphologie des globules blancs
- Valeurs de l'Hb et de l'Ht
- Numérations réticulocytaire et plaquettaire
- Aspiration ou biopsie de la moelle osseuse
- Cultures du nez, de la gorge, de la salive, des urines, des selles, des lésions apparentes, du sang
- Radiographie thoracique

Processus thérapeutique
- Détermination et éradication de la cause de la neutropénie (si possible)
- Détermination du siège d'infection et des micro-organismes pathogènes
- Antibiothérapie
- Facteurs de croissance hématopoïétiques (G-CSF, GM-CSF)
- Isolement du client
- Filtre à très haute efficacité
- Chambre d'isolement à flux laminaire

G-CSF : facteur stimulant la formation de colonies de granulocytes ; GM-CSF : facteur stimulant la formation de colonies de macrophages.

supplémentaires au besoin dans le but d'évaluer la fonction de la rate et la fonction hépatique.

19.8.3 Soins infirmiers : neutropénie

Pour prodiguer des soins infirmiers et dans le but d'intervenir de manière concertée, il convient :
- de déterminer la cause de la neutropénie ;
- de désigner les micro-organismes en cause en cas d'infection ;
- d'instituer un traitement prophylactique, empirique ou à base d'antibiotiques ;
- d'administrer des facteurs de croissance hématopoïétiques (p. ex. facteur stimulant la formation de colonies de granulocytes [G-CSF] ou de macrophages [GM-CSF]) ;
- d'instituer des pratiques d'isolement protecteur – hygiène stricte des mains, restriction des visites, chambre privée, filtre à très haute efficacité, environnement avec flux laminaire – (voir encadré 19.17).

Parfois, on peut aisément enrayer la cause de la neutropénie (p. ex. en interrompant l'administration de phénothiazines). Toutefois, la neutropénie peut également être un effet secondaire à tolérer, car elle est considérée comme une étape nécessaire du traitement (p. ex. en cas de chimiothérapie ou de radiothérapie). Dans certaines situations, la neutropénie se résorbe alors que la maladie principale est traitée (p. ex. tuberculose).

Il faut faire preuve de vigilance et de constance dans l'évaluation des signes et des symptômes d'infection. La détection précoce d'un organisme potentiellement infectieux dépend des cultures effectuées à différents sites. Il est essentiel d'effectuer plusieurs hémocultures (au moins deux), ainsi que des cultures des expectorations, des prélèvements de la gorge, des lésions, des plaies, des urines et des fèces afin de bien surveiller le client. Il peut également être nécessaire d'effectuer une aspiration trachéale, une bronchoscopie avec brossage bronchique, ou une biopsie pulmonaire dans le but de diagnostiquer la cause des infiltrats pulmonaires. En dépit de ces nombreux examens, on ne réussit à déterminer les micro-organismes pathogènes que chez environ la moitié des clients.

En cas de fièvre chez le client neutropénique, il faut lui administrer immédiatement des antibiotiques. Étant donné que les infections sont de nature à menacer le pronostic vital chez le client neutropénique, il est nécessaire d'instituer un traitement à base d'antibiotiques à large spectre avant même de pouvoir déterminer par culture la nature de l'agent pathogène en cause. L'administration d'antibiotiques est en général effectuée par voie IV étant donné les effets rapidement mortels de l'infection. Toutefois, certains antibiotiques oraux sont très efficaces et on les administre systématiquement à des fins prophylactiques à certains clients neutropéniques. On utilise souvent des combinaisons d'antibiotiques à cause de leurs effets synergiques et parce qu'ils peuvent éliminer plusieurs micro-organismes à la fois. Généralement, on administre un aminoside avec de la pénicilline contre *Pseudomonas* ou avec de la céphalosporine. Quelle que soit la combinaison utilisée, l'infirmière doit observer les effets secondaires des agents antibactériens administrés. Les aminosides ont communément des effets néphrotoxiques et ototoxiques ; les céphalosporines engendrent des effets secondaires tels que l'exanthème, la fièvre et le prurit.

On peut administrer des facteurs stimulant la formation de colonies de granulocytes (G-CSF) (Filgrastim [Neupogen]) au client neutropénique. Ces facteurs sont particulièrement efficaces pour augmenter le nombre de granulocytes après une chimiothérapie et pour réduire l'incidence d'infections mortelles. Cet agent hématopoïétique, qui stimule la formation de granulocytes, peut également augmenter l'activité phagocytaire et cytotoxique des polynucléaires neutrophiles. Outre les facteurs de croissance, l'interféron gamma peut aussi s'avérer efficace. (On traite de ces facteurs au chapitre 7.)

Dans les soins à prodiguer au client neutropénique, il est important de le protéger à l'aide des meilleurs traitements possible étant donné que ses propres défenses contre l'infection sont altérées. Pour cela, il ne faut jamais oublier les principes suivants :

- la flore normale du client est la source la plus fréquente de colonisation microbienne et d'infection ;
- la transmission des micro-organismes pathogènes par les individus s'effectue par contact direct avec les mains ;
- l'air, la nourriture, l'eau et les objets sont des sources supplémentaires de transmission d'infection ;
- les professionnels de la santé ayant des maladies contagieuses et les autres clients atteints d'infections peuvent également les transmettre dans certaines conditions.

Toute personne en contact avec le client immunodéprimé doit veiller à se laver méticuleusement les mains, ce qui représente le meilleur moyen d'éviter la transmission de micro-organismes pathogènes dangereux. Les Centers for Disease Control and Prevention (CDC) préconisent de se laver les mains avant et après les soins. Cette technique de routine contribue de façon significative à réduire les risques d'infection. Il convient de la souligner et de la mettre en pratique en dépit de son apparente simplicité.

Les CDC recommandent également d'isoler les clients qui présentent un déficit immunitaire de ceux qui présentent une infection ou de ceux dont l'état peut accroître la probabilité de transmission d'infections nosocomiales (p. ex. mauvaise hygiène due à un manque de connaissances ou à un dysfonctionnement cognitif). Il convient de placer le client dans une chambre individuelle ou d'isolement dès que possible. La purification de l'air au moyen de filtres à très haute efficacité est une méthode pouvant réduire ou éliminer le nombre de micro-organismes pathogènes en suspension. Bien qu'onéreux à installer, ce système est souvent utilisé pour le client atteint de neutropénie aiguë et prolongée. Les soins dans une chambre dotée d'un filtre à très haute efficacité sont essentiellement les mêmes que dans n'importe quelle autre chambre d'isolement.

Pour les clients gravement immunodéprimés (p. ex. en cas de greffe de moelle osseuse ou de chimiothérapie à forte dose), l'utilisation de techniques d'isolement protecteur ou des mesures protectrices routinières peut se justifier : chambres d'isolement pour les maladies contagieuses et antibiotiques prophylactiques. Il faut également éviter de leur servir des fruits et légumes frais. Bien que les chambres d'isolement réduisent l'incidence d'infections nocosomiales chez les clients neutropéniques, la survie à long terme n'augmente pas pour autant. Les coûts, le fait que la maladie soit mortelle et les effets psychologiques de l'isolement ont contribué au déclin de l'utilisation de chambres d'isolement. Les interventions infirmières présentées dans l'encadré 19.18 sont importantes pour le traitement du client neutropénique.

On ne saurait trop insister sur l'importance des soins infirmiers pour réduire les risques d'infection et en limiter l'incidence.

Le rôle de l'infirmière consiste à évaluer régulièrement ses clients et à détecter de façon précoce toute source infectieuse afin de réduire la morbidité et la mortalité liée aux infections.

19.9 SYNDROME MYÉLODYSPLASIQUE

Le terme **syndrome myélodysplasique** s'applique à un ensemble de maladies hématologiques caractérisées par une modification de la quantité et de la qualité des éléments qui composent la moelle osseuse. Les autres termes utilisés pour décrire cette hémopathie sont les suivants : préleucémie, dysplasie hématopoïétique, anémie réfractaire avec excès de myéloblastes, leucémie myéloïde subaiguë, leucémie oligoplasique et leucémie myéloblastique.

19.9.1 Étiologie et physiopathologie

On ne connaît pas l'étiologie du syndrome myélodysplasique. Ses manifestations résultent d'une transformation des cellules souches hématopoïétiques pluripotentes dans la moelle osseuse. On dit que le syndrome myélodysplasique est un problème clonal, car certaines des cellules souches de la moelle osseuse continuent de fonctionner normalement, alors que ce n'est pas le cas pour d'autres (certains clones). Il arrive parfois qu'un type de syndrome myélodysplasique se transforme en un autre type. Dans environ 30 % des cas, le syndrome progresse et se transforme en leucémie myélogène aiguë. Habituellement, au cours du stade avancé du syndrome myélodysplasique, l'anémie, la thrombocytopénie et la neutropénie se déclarent et peuvent menacer le pronostic vital.

On trouve en général les clones anormaux de cellules souches dans la moelle osseuse, mais on peut également les trouver dans la circulation sanguine. Par contre, contrairement à la leucémie myélogène aiguë au cours de laquelle les cellules leucémiques sont souvent immatures, en situation de syndrome myélodysplasique, les clones atteignent un degré élevé de maturité. La progression de la maladie est plus lente qu'en présence de leucémie myélogène aiguë. Toutefois, les cellules anormales finissent par remplacer toutes les cellules de la moelle osseuse ou une partie d'entre elles.

19.9.2 Manifestations cliniques

Le syndrome myélodysplasique frappe surtout les personnes âgées, et on le découvre le plus souvent à l'occasion d'examens effectués pour des complications de l'anémie, de la thrombocytopénie ou de la neutropénie. Toutefois, dans d'autres situations, il n'y a pas de symptômes et le diagnostic est posé à l'occasion d'un hémogramme de routine.

Les infections et les hémorragies sont fréquentes et sont dues soit au nombre inadéquat de cellules ou de plaquettes en circulation, ou à leur dysfonctionnement.

⟶ **Plan de soins infirmiers**

Client atteint de neutropénie

DIAGNOSTIC INFIRMIER : risque d'infection relié à la diminution des polynucléaires neutrophiles et à la réponse immunitaire altérée à l'égard de l'invasion microbienne et de la présence de micro-organismes pathogènes dans l'environnement.

PLANIFICATION

Résultats escomptés
- Aucun signe ou symptôme de la maladie.
- Exposition minimale aux micro-organismes pathogènes.

INTERVENTIONS	Justifications
• Vérifier la présence de fièvre et le taux des polynucléaires neutrophiles.	• Déceler tout signe ou risque potentiel d'infection.
• Évaluer tout frisson ou malaise et déterminer la température q4h.	• La fièvre peut être la seule indication d'infection.
• Signaler immédiatement toute élévation de température >38 °C au médecin traitant.	• Initier le plus promptement possible une antibiothérapie étant donné les risques mortels de l'infection.
• Être attentive aux frissons, à toute sensation de froid que présente le client lorsqu'il fait chaud, aux maux de gorge, à la toux persistante, à la douleur thoracique, à la sensation de brûlure lors de la miction, à la douleur rectale et à la confusion.	• Il peut s'agir de signes d'infection locale et systémique.
• Utiliser des techniques d'asepsie pour désinfecter la peau lors d'installation de cathéters IV, lors des soins apportés aux dispositifs d'accès veineux ou lors des prélèvements sanguins.	• Réduire le risque d'infection.
• Respecter l'horaire d'administration des antibiotiques.	• Maximiser les effets pharmacologiques et minimiser les effets secondaires des médicaments.
• Évaluer toute surinfection pouvant se développer avec l'utilisation prolongée des antibiotiques.	
• Veiller à ce que toute personne en contact avec le client se lave les mains adéquatement avec une solution antiseptique ; placer le client dans une chambre d'isolement ; limiter les visites et interdire l'accès aux membres du personnel soignant ayant une maladie virale ou bactérienne potentiellement contagieuse.	• Éviter toute transmission de micro-organismes pathogènes nocifs pour le client.
• Enseigner au client les techniques d'hygiène personnelle nécessaires (p. ex. hygiène des mains et celle visant à éviter toute infection pulmonaire).	
• Effectuer des prélèvements de toutes les sources de contamination (p. ex. baignoire ou pommeaux de douche, matériel d'inhalothérapie).	• Détecter toute source potentielle de micro-organismes pathogènes nocifs dans l'environnement.
• Éviter toute procédure effractive (ponction veineuse, sondes vésicales, lavement). Prodiguer des soins minutieux à la région périanale.	• Éviter tout abcès périrectal.
• Administrer les facteurs de croissance hématopoïétiques tel qu'il a été prescrit (p. ex. G-CSF, GM-CSF).	• Augmenter le nombre de globules blancs du client et réduire le risque d'infection pendant les périodes de neutropénie.

G-CSF : facteur stimulant la formation de colonies de granulocytes ; GM-CSF : facteur stimulant la formation de colonies de macrophages.

Chez certains clients, le nombre de granulocytes en circulation est normal, mais une altération de leur fonction engendre des infections.

19.9.3 Épreuves diagnostiques

Il est essentiel d'effectuer des prélèvements et des biopsies de moelle osseuse pour poser un diagnostic et pour classifier la maladie. Dans le syndrome myélodysplasique, la moelle osseuse est normocellulaire, hypocellulaire ou hypercellulaire et s'accompagne de cytopénies périphériques. Les stades du syndrome myélodysplasique sont déterminés en fonction des résultats cliniques et des résultats de laboratoire. La relation entre le nombre de cellules blastiques en circulation et le nombre de cellules blastiques dans la moelle osseuse est le principal indicateur pour poser un pronostic.

19.9.4 Soins infirmiers : syndrome myélodysplasique

Le soutien thérapeutique est basé sur le principe que l'agressivité du traitement doit correspondre à l'agressivité de la maladie. Le soutien thérapeutique consiste à effectuer une surveillance hématologique (par de multiples examens de la moelle osseuse et du sang périphérique), à administrer des antibiotiques ou des transfusions de produits sanguins. Les effets secondaires et toxiques du traitement comprennent l'anémie, la thrombocytopénie et les réactions transfusionnelles.

L'administration d'agents inducteurs de la différenciation peut corriger la maturation défectueuse de la cellule souche hématopoïétique chez environ 25 à 35 % des personnes atteintes de cette maladie. Il a été démontré que certains agents transforment les blastes immatures et les promyélocytes dysfonctionnels en granulocytes matures fonctionnels. Parmi ces agents, on trouve l'acide transrétinoïque (trétinoïne) et la cytarabine. La réponse peut varier de l'absence de réponse à l'amélioration de la survie chez certains clients. Les effets secondaires et toxiques de l'acide rétinoïque comprennent la sécheresse de la peau et des lèvres, les myalgies, la léthargie et l'hypercalcémie. Pour tenter de traiter le dysfonctionnement de la moelle osseuse, on procède à des greffes de moelle osseuse, on a recours à la biothérapie et on administre des facteurs de stimulation de colonies. Toutefois, étant donné l'agressivité de ces traitements, les personnes âgées ont souvent du mal à les tolérer.

Les soins infirmiers sont semblables à ceux que l'on prodigue en cas d'anémie (voir l'encadré 19.5 pour le client anémique, l'encadré 19.14 en cas de thrombocytopénie et l'encadré 19.18 en cas de neutropénie). L'enseignement au client doit porter sur les risques d'infection, d'hémorragie et de fatigue.

19.10 LEUCÉMIE

On emploie le terme générique **leucémie** pour désigner un groupe de tumeurs malignes qui dérivent du sang, des tissus de la moelle osseuse qui produisent les composants sanguins, du système lymphatique et de la rate. La leucémie est une maladie présente chez tous les groupes d'âge. Elle est provoquée par un dérèglement de la division cellulaire qui engendre une accumulation de cellules anormales en cause. La leucémie suit un parcours progressif qui peut être fatal si elle n'est pas traitée. Le tableau 19.11 offre un résumé des incidences relatives des différentes formes de la maladie et de leurs caractéristiques principales. Bien qu'on pense qu'il s'agisse d'une maladie qui touche principalement les enfants, le nombre d'adultes atteints de leucémie est 10 fois plus élevé.

19.10.1 Étiologie et physiopathologie

Quel que soit le type de leucémie, il n'y a pas qu'un seul agent responsable du développement de la maladie. La plupart des leucémies sont causées par une combinaison de facteurs, dont ceux d'origine génétique et environnementale. Les modifications chromosomiques, d'abord mises en évidence dans les cas de leucémie myélogène chronique (qui concerne le chromosome Philadelphie), ont mené à la découverte du mécanisme de transformation des gènes normaux. Ces gènes peuvent devenir anormaux (oncogènes) et provoquer de nombreuses formes de cancers, y compris les leucémies (voir chapitre 9). Les agents chimiques (p. ex. le benzène), les agents chimiothérapeutiques (p. ex. les alkylants), les virus, la radiothérapie et les déficiences immunologiques ont tous été associés à l'apparition de la leucémie chez les personnes à risque. L'incidence de la leucémie est plus élevée chez les radiologistes, les personnes qui vivent près de sites nucléaires ou des régions touchées par des accidents nucléaires (p. ex. Tchernobyl), les personnes qui ont survécu aux bombardements de Nagasaki et d'Hiroshima, et celles qui sont traitées par radiothérapie ou chimiothérapie. Bien que les rétrovirus de l'ARN soient à l'origine d'un certain nombre de leucémies chez l'animal, la cause virale de la leucémie chez l'homme n'a pu être établie que pour certaines personnes atteintes de leucémie à cellules T. Dans ce cas particulier, la leucémie est causée par le virus du lymphome humain à cellules T de type 1 (HTLV-1). Cette forme de leucémie est endémique dans la région du Sud-Ouest japonais, dans certaines îles des Caraïbes et en Afrique centrale.

Les leucémies sont classées en deux catégories principales : aiguë et chronique. La leucémie aiguë se caractérise par la prolifération clonale de cellules hématopoïétiques immatures. La leucémie se déclare à la suite d'une transformation maligne d'une seule cellule souche hématopoïétique, suivie par la réplication cellulaire et la prolifération du clone transformé. Dans la leucémie aiguë, la cellule néoplasique se caractérise plus particulièrement par un défaut de maturation qui se manifeste après le stade de myéloblaste. Dans le cas de la leucémie myélogène aiguë, le défaut intervient après le stade du promyélocyte et, dans le cas de la leucémie lymphocytaire aiguë, après le stade du lymphoblaste.

La **leucémie lymphoïde chronique** est un néoplasme de lymphocytes B activés. Les cellules de la leucémie lymphoïde chronique, qui morphologiquement

TABLEAU 19.11 Types de leucémie

Type/Incidence*	Âge d'apparition	Manifestations cliniques	Résultats d'épreuves diagnostiques
Leucémie aiguë myéloblastique – 33 %	Incidence plus élevée avec l'âge avancé, incidence maximale entre 60 et 70 ans	Fatigue, faiblesse, céphalées, lésions buccales, hépatosplénomégalie, adénopathie, anémie, hémorragies, fièvre, infections, sensibilité sternale au toucher	Numération érythrocytaire, ↓ Hb, ↓ Ht ; ↓ numération plaquettaire ; ↓ ou ↑ de globules blancs avec myéloblastes ; moelle osseuse hypercellulaire avec myéloblastes
Leucémie aiguë lymphoblastique – 11 %	Avant 14 ans, incidence maximale entre 2 et 9 ans et chez la personne âgée	Fièvre ; pâleur ; hémorragies ; anorexie ; fatigue et faiblesse ; douleurs osseuses, articulaires et abdominales ; adénopathie généralisée ; infections ; perte pondérale ; hépatosplénomégalie ; céphalées ; lésions buccales ; manifestations neurologiques, y compris atteinte du SNC, ↑ pression intracrânienne secondaire à l'infiltration méningée	Numération érythrocytaire, ↓ Hb, ↓ Ht ; ↑ numération plaquettaire ; ↓ ou ↑ de globules blancs ; lignes transversales de raréfaction au bout des métaphyses des os longs révélées par radiographie ; moelle osseuse hypercellulaire avec lymphoblastes ; présence potentielle de lymphoblastes dans le liquide cérébrospinal
Leucémie myéloïde chronique – 15 %	Entre 25 et 60 ans, incidence maximale vers 45 ans	Aucun symptôme au début de la maladie, fatigue et faiblesse, fièvre, sensibilité sternale au toucher, perte pondérale, douleurs articulaires et osseuses, splénomégalie massive, diaphorèse	Numération érythrocytaire, ↓ Hb, ↓ Ht ; ↓ numération plaquettaire au début de la maladie, ↓ plus tard ; ↑ de polynucléaires neutrophiles, nombre normal de lymphocytes et nombre normal ou ↓ de monocytes dans la formule leucocytaire ; faibles phosphatases alcalines des leucocytes ; présence du chromosome Philadelphie chez 90 % des sujets
Leucémie lymphoïde chronique – 25 %	Entre 50 et 70 ans, rare chez les moins de 30 ans, prédominance chez l'homme	Généralement asymptomatique, détection de la maladie souvent au cours d'un examen physique, fatigue chronique, anorexie, splénomégalie et adénopathie, hépatomégalie	Anémie et thrombocytopénie modérées avec la progression de la maladie ; ↑ des lymphocytes périphériques ; ↑ du nombre de lymphocytes dans la moelle osseuse

* Il s'agit de l'incidence basée sur tous les types de leucémie ; les pourcentages ne s'élèvent pas à 100 %, car environ 16 % des leucémies ne peuvent être classées.

ressemblent aux petits lymphocytes matures du sang périphérique, s'accumulent en grand nombre dans la moelle osseuse, le sang, les ganglions lymphatiques et la rate.

Dans la **leucémie myéloïde chronique**, une cellule souche en prolifération est affligée d'une anomalie. Cette maladie se caractérise par une importante augmentation de la myélopoïèse et par la présence du chromosome Philadelphie. L'anomalie chromosomique que l'on décèle chez 90 % des individus atteints de leucémie myéloïde chronique est le résultat d'une translocation de gènes du chromosome 22 au chromosome 9. Le chromosome 22 qui en résulte est appelé **chromosome Philadelphie**. Bien qu'aucun agent étiologique spécifique n'ait été découvert, une augmentation de l'incidence de cette pathologie a été observée chez les survivants des bombes atomiques au Japon. L'incidence de leucémie myéloïde chronique chez ces individus était reliée à la dose de radiations.

19.10.2 Manifestations cliniques

Les manifestations cliniques de la leucémie sont variées (voir tableau 19.11). Elles sont essentiellement liées aux problèmes causés par l'insuffisance médullaire et la formation de masses composées d'infiltrats leucémiques. L'insuffisance médullaire est due à l'invasion de la moelle osseuse par des cellules anormales et à la production inadéquate d'éléments médullaires normaux. Le client devient alors prédisposé à l'anémie et à la thrombocytopénie. Le nombre de ses leucocytes diminue et leur fonction est altérée.

À mesure que la leucémie progresse, les cellules sanguines normales sont produites en moindre quantité. Les globules blancs anormaux continuent de s'accumuler, car leur cycle cellulaire est anormal. La quantité accrue de globules blancs peut entraîner une infiltration et endommager la moelle osseuse, les ganglions lymphatiques, la rate et d'autres organes, y compris le système nerveux central. L'infiltration leucémique est à l'origine des problèmes suivants : splénomégalie, hépatomégalie, adénopathie, douleurs osseuses, syndrome méningé et lésions buccales. Il peut également y avoir formation de masses solides résultant de l'accumulation de cellules leucémiques appelées **chloromatoses**.

19.10.3 Épreuves diagnostiques et classification

L'objectif des épreuves diagnostiques est de déterminer la catégorie à laquelle appartient la leucémie ou son type afin d'instaurer le bon traitement et d'établir un pronostic. L'évaluation du sang périphérique et l'examen de la moelle osseuse sont les principales méthodes qui permettent de diagnostiquer et de classer les leucémies selon leur type (voir tableaux 19.12 et 19.13 pour la classification). On utilise l'étude morphologique et les méthodes histochimiques, immunologiques et cytogénétiques pour désigner les types cellulaires ainsi que le stade de développement des populations de cellules leucémiques. Des examens plus poussés, comme la ponction lombaire et la tomodensitométrie, permettent de déterminer la présence de cellules leucémiques ailleurs que dans le sang et la moelle osseuse.

Autrefois, les termes « aiguë » et « chronique » avaient des implications de pronostic très spécifiques liées à la durée de la maladie. Toutefois les traitements actuels permettent d'augmenter la durée de vie des individus atteints de certaines formes de leucémie au-delà de celle des individus atteints d'une forme chronique de la maladie. Bien qu'encore employés, les termes « aiguë » et « chronique » renvoient principalement à la maturité cellulaire et à la façon dont débute la maladie. Dans les cas de leucémie aiguë, la moelle osseuse est infiltrée par des cellules immatures, jeunes, indifférenciées, souvent appelées **blastes**. La maladie débute rapidement et requiert une intervention immédiate et agressive. Chez le client atteint de leucémie chronique, la moelle osseuse est principalement composée de globules blancs matures différenciés, et la maladie s'installe de façon plus graduelle.

On classe également la leucémie en déterminant le type de leucocytes qui cause la maladie, qu'ils soient d'origine myéloïde (granulocyte, monocyte, érythrocyte, mégacaryocyte) ou d'origine lymphocytaire. En combinant les formes aiguë ou chronique avec le type cellulaire en cause, on peut établir le type de leucémie. Il existe quatre principaux types de leucémie : la leucémie aiguë lymphoblastique, la leucémie aiguë myéloblastique (également appelée leucémie aiguë non lymphoblastique), la leucémie myéloïde chronique et la leucémie lymphoïde chronique. Les autres caractéristiques définissant ces types de leucémie sont présentées dans le tableau 19.11.

Le système de classification morphologique établi par le FAB (French-American-British Classification System,

TABLEAU 19.12 Classification des leucémies aiguës myéloblastiques selon le FAB (French-American-British Classification System)		
Classification	**Catégorie**	**Nombre de cas**
LAM* M1	Leucémie myéloblastique	19 %
LAM M2	Leucémie myéloblastique avec maturation	29 %
LAM M3	Leucémie promyélocytaire	9 %
LAM M4	Leucémie myélomonocytaire	19 %
LAM M5	Leucémie monocytaire	15 %
LAM M6	Leucémie monomyélocytaire	4 %
LAM M7	Leucémie mégacaryoblastique	4 %
LAM M0	Leucémie indifférenciée	1 %

* LAM : leucémie aiguë myéloblastique.

TABLEAU 19.13 Classification des leucémies aiguës lymphoblastiques selon le FAB (French-American-British Classification System)	
L1	Leucémie de l'enfant
L2	Leucémie aiguë lymphoblastique de l'adulte
L3	Sous-catégorie rare, blastes semblables à ceux du lymphome de Burkitt

1976) permet également de classifier les leucémies. Selon le système FAB, il existe sept sous-classes de leucémie aiguë myéloblastique (voir tableau 19.12) classées selon qu'elles touchent une ou plusieurs lignées différenciées et selon leur degré de maturation cellulaire. On distingue trois types de leucémie aiguë lymphoblastique (voir tableau 19.13) sur la base de certaines caractéristiques cytologiques et du degré d'hétérogénéité de la population de cellules leucémiques. Des travaux faisant appel à des anticorps monoclonaux, des marqueurs cellulaires moléculaires et des sondes génétiques sont actuellement en cours afin de permettre de distinguer plus clairement les différents types leucocytaires leucémiques et leurs précurseurs. Ces recherches faciliteront le diagnostic, la classification et le traitement de la leucémie.

Leucémie aiguë myéloblastique. Comme indiqué précédemment, la leucémie aiguë myéloblastique est également appelée leucémie aiguë non lymphoblastique. Bien que seul un quart des leucémies fasse partie de cette sous-classe, environ 85 % des adultes en souffrent. La maladie débute souvent de façon abrupte et dramatique. Le client peut avoir des infections graves et des hémorragies anormales.

La leucémie aiguë myéloblastique se caractérise par la prolifération incontrôlée des myéloblastes, précurseurs de granulocytes. Il y a hyperplasie de la moelle osseuse et de la rate. Les manifestations cliniques sont généralement liées au remplacement des cellules normales hématopoïétiques de la moelle par des cellules leucémiques et, dans une moindre mesure, à l'infiltration d'autres organes (voir tableau 19.11).

Leucémie aiguë lymphoblastique. La leucémie aiguë lymphoblastique est plus fréquente chez l'enfant et représente 15 % des leucémies aiguës chez l'adulte. Dans ce type de leucémie, les lymphocytes immatures prolifèrent dans la moelle osseuse. Au moment du diagnostic, la grande majorité des clients atteints présentent de la fièvre. Les signes et les symptômes peuvent apparaître brutalement, accompagnés d'hémorragies ou de fièvre, ou peuvent être insidieux et être accompagnés de faiblesse, de fatigue et de tendance à l'hémorragie. Les manifestations touchant le SNC sont particulièrement fréquentes et représentent un problème sérieux. La méningite leucémique causée par une infiltration arachnoïdienne frappe de nombreux clients atteints de leucémie aiguë lymphoblastique.

Leucémie myéloïde chronique. La leucémie myéloïde chronique est également appelée leucémie chronique granuleuse. Elle est causée par un développement excessif de granulocytes néoplasiques dans la moelle osseuse. Les granulocytes néoplasiques en excès gagnent le sang périphérique, puis infiltrent le foie et la rate. On trouve des granulocytes immatures et matures dans la moelle osseuse et le sang périphérique, mais les cellules matures sont dominantes en périphérie.

Les complications sont liées à une crise blastique au cours de laquelle la leucémie chronique se transforme en maladie aiguë (infiltration plus importante de cellules immatures). Au cours d'une crise blastique, on trouve un plus grand nombre de myéloblastes à la fois dans la moelle osseuse et dans le sang. La phase chronique peut durer de deux à quatre ans et on la contrôle généralement assez bien avec le traitement. Sans traitement, la phase chronique évolue vers une phase plus symptomatique et accélérée, qui finit par une phase blastique brève au cours de laquelle la maladie ressemble à son homologue aigu. Une fois que la leucémie myéloïde chronique passe à la phase accélérée ou blastique, elle est souvent réfractaire au traitement, et le client peut n'avoir que quelques mois à vivre.

Leucémie lymphoïde chronique. La leucémie lymphoïde chronique se caractérise par la production et l'accumulation de lymphocytes inactifs qui semblent matures et dont la durée de vie est plus longue. La cellule B est le type lymphocytaire généralement en cause. Les lymphocytes infiltrent la moelle osseuse, la rate et le foie. Il y a souvent hypertrophie des ganglions lymphatiques dans tout l'organisme. L'incidence des infections est accrue. Au début, les complications de ce type de leucémie ne sont pas fréquentes, mais elles se développent souvent avec la maladie. La pression appliquée sur les nerfs par les ganglions lymphatiques hypertrophiés provoque de la douleur et peut conduire à la paralysie. L'hypertrophie des ganglions médiastinaux peut entraîner des symptômes respiratoires. La leucémie lymphoïde chronique étant une maladie qui touche les personnes âgées, les décisions en matière de traitement doivent être prises en considérant l'évolution de la maladie et les effets secondaires du traitement. En phase initiale, nombre d'individus atteints de cette maladie ne nécessitent pas de traitement.

Leucémie à tricholeucocytes. La leucémie à tricholeucocytes touche environ 2 % des adultes atteints de leucémie. Il s'agit d'une maladie chronique de type lymphoprolifératif au cours de laquelle les lymphocytes B infiltrent la moelle osseuse et la rate. Au microscope, les cellules ont une apparence « chevelue ». La rate séquestre un plus grand nombre de cellules hématopoïétiques normales, et il y a souvent splénomégalie. La leucémie à tricholeucocytes frappe souvent les hommes de plus de 40 ans. Le client atteint manifeste souvent des symptômes liés à la splénomégalie, à la pancytopénie (infection causée par une insuffisance immunitaire) ou à la vasculite. On détecte la maladie chez de nombreuses personnes asymptomatiques en effectuant un hémo-gramme de routine. L'interféron alfa et la cladribine (Leustatin) permettent de traiter efficacement ce type de leucémie.

Leucémies non classifiées. Il arrive que la sous-classe de leucémie ne puisse pas être établie. Les cellules leucémiques malignes peuvent en effet avoir des carac-téristiques lymphoïdes, myéloïdes ou mixtes. Souvent, les clients qui en souffrent ne réagissent pas aux traite-ments. Le pronostic du client atteint de ce type de leucémie est en général moins bon. La réponse au traite-ment permet de confirmer le diagnostic.

19.10.4 Processus thérapeutique

Une fois le diagnostic de leucémie posé, le processus thérapeutique est enclenché. On vise à induire une rémission à l'aide d'agents chimiothérapeutiques et par-fois de radiothérapie. L'évaluation régulière des clients pour noter leur évolution et, s'il y a lieu, mettre sur pied des interventions d'appoint afin d'éviter les complica-tions liées à la maladie et au traitement (p. ex. hémor-ragie, infection) sont d'autres interventions possibles. L'infirmière doit avoir des notions de chimiothérapie, de cinétique cellulaire et savoir ce qu'est le cycle cellulaire, et aussi connaître les effets des médicaments pris en association (voir la section sur la chimiothérapie fi-gurant au chapitre 9).

La rémission est le premier objectif du traitement de la leucémie. Bien que les formes de leucémie ne puissent pas toutes être guéries, la rémission et le contrôle de la maladie sont des options réalistes pour la majorité des personnes qui en sont atteintes. Dans les cas de rémis-sion complète, il n'existe aucune forme clinique de la maladie lors de l'examen physique, et la moelle osseuse et le sang périphérique sont normaux. Il existe un stade secondaire appelé rémission partielle, dans lequel il n'y a aucune forme clinique de la maladie, le frottis sanguin périphérique est normal, mais il persiste encore des traces de la maladie dans la moelle osseuse. La période de survie après le diagnostic augmente lorsque la rémis-sion est obtenue et qu'elle est maintenue. Chaque fois qu'il y a récidive, la rémission peut s'avérer plus difficile à obtenir, et durer moins longtemps (voir figures 19.12 et 19.13). Avec chaque traitement subséquent, le client doit considérer les conséquences qui sont la probabilité de rémission d'un côté et l'apparition d'effets secon-daires potentiellement mortels de l'autre.

Le **traitement chimiothérapeutique** de la leucémie aiguë est divisé en plusieurs phases ou étapes. La pre-mière, appelée **traitement d'induction**, consiste à essayer d'induire la rémission. L'induction est un traitement énergique qui cherche à détruire les cellules leucémiques dans les tissus, le sang périphérique et la moelle osseuse.

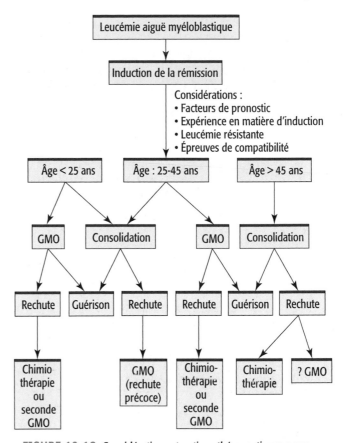

FIGURE 19.12 Considérations et options thérapeutiques pour les clients atteints de leucémie aiguë myéloblastique
GMO : greffe de moelle osseuse.

Au cours de ce traitement, le client peut devenir très malade et être prédisposé aux complications causées par la forte dépression médullaire induite par les médica-ments. Pendant l'induction, les interventions thérapeu-tiques et les soins infirmiers visant à traiter l'anémie, la thrombocytopénie et la neutropénie peuvent améliorer la survie du client de façon significative. Les agents chimiothérapeutiques utilisés pour l'induction en cas de leucémie aiguë myéloblastique sont les suivants : cytara-bine (Cytosar), un antimétabolite administré pendant sept jours, avec administration pendant trois jours d'antibio-tiques antitumoraux (anthracyclines) – daunorubicine (Cérubidine), doxorubicine (Adriamycin), idarubicine (Idamycin), amsacrine (AMSA P-D) ou mitoxantrone (Novantrone). Après une cure d'induction, approxima-tivement 70 % des clients nouvellement diagnostiqués obtiennent une rémission complète.

La chimiothérapie postrémission comprend l'intensi-fication, la consolidation et l'entretien. L'**intensification** consiste à administrer de fortes doses, immédiatement après le traitement d'induction, pendant plusieurs mois. Au cours de ce traitement, on peut utiliser les mêmes médicaments que ceux utilisés pour l'induction, mais à des doses plus élevées. On peut également administrer

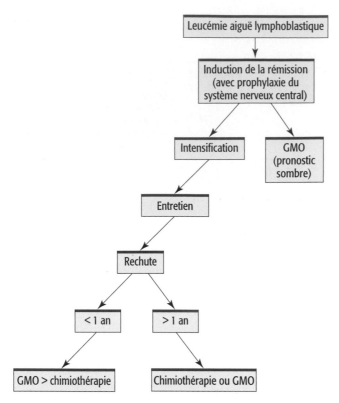

FIGURE 19.13 Considérations et options thérapeutiques pour les clients atteints de leucémie aiguë lymphoblastique
GMO : greffe de moelle osseuse.

d'autres médicaments qui attaquent la cellule de façon différente que ceux de l'induction. On commence le traitement de **consolidation** après avoir obtenu une rémission. La consolidation consiste en une administration d'une ou de deux séries de traitements supplémentaires avec les mêmes médicaments utilisés pour l'induction, ou il peut s'agir d'un traitement à forte dose (consolidation intensive). Le but du traitement de consolidation est d'éliminer toutes les cellules leucémiques restantes.

Le **traitement d'entretien** consiste à administrer de plus faibles doses du même médicament utilisé pour l'induction, ou d'autres médicaments, toutes les trois ou quatre semaines pendant une période prolongée, en général des années. Les complications sont habituellement limitées et ce traitement est bien toléré. L'objectif est de maintenir la rémission une fois qu'on l'a obtenue, et donc de faire en sorte que l'organisme soit exempt de cellules leucémiques. Chaque leucémie requiert des périodes différentes de traitement d'entretien. Dans le cas de la leucémie aiguë lymphoblastique, le traitement d'entretien est peu efficace, aussi est-il rarement administré.

Outre la chimiothérapie, l'administration de corticostéroïdes et la radiothérapie peuvent également faire partie des plans thérapeutiques complexes élaborés pour le client atteint de leucémie. On peut irradier tout l'organisme pour préparer le client à une greffe de moelle osseuse ou n'utiliser la radiothérapie que pour certaines parties de l'organisme (champs) comme le foie, la rate ou d'autres organes affectés par les infiltrats. En cas de leucémie aiguë lymphoblastique, on administre du méthotrexate par voie rachidienne de façon prophylactique pour réduire le risque d'atteinte au SNC, ce qui est courant pour ce type particulier de leucémie. En cas de leucémie du SNC, on irradie le crâne. Bien que l'incidence des complications infectieuses ait été réduite avec l'utilisation de traitements biologiques, le taux global de mortalité, lui, n'a pas été affecté. Outre les coûts élevés, cette stabilité du taux de mortalité limite l'utilisation de la thérapie biologique. (La thérapie biologique est traitée au chapitre 9.)

Traitements chimiothérapeutiques. Il existe divers agents chimiothérapeutiques employés pour le traitement de la leucémie. Le choix du médicament et la séquence du traitement dépendent des préférences de l'oncologiste et des résultats de recherche. Le tableau 19.14 énumère les agents chimiothérapeutiques utilisés pour le traitement de la leucémie. Le tableau 19.15 donne des exemples de régimes thérapeutiques visant à guérir plusieurs types de leucémie.

La chimiothérapie d'association est le traitement de base de la leucémie. L'utilisation de médicaments en association vise trois objectifs :

PHARMACOTHÉRAPIE

TABLEAU 19.14 Agents chimiothérapeutiques utilisés pour traiter la leucémie	
Classification du médicament	**Nom du médicament**
Alkylants	Busulfan (Myleran) Chlorambucil (Leukeran) Cyclophosphamide (Cytoxan)
Antibiotiques antinéoplasiques (Anthracycline)	Daunorubicine (Cerubidine) Doxorubicine (Adriamycin) Mitoxantrone (Novantrone) Idarubicine (Idamycin)
Antimétabolites	Cytarabine (Cytosar) 6-mercaptopurine (Purinethol) Méthotrexate 6-thioguanine (Lanvis) Fludarabine (Fludara)
Corticostéroïdes	Prednisone
Nitrosourées	Carmustine (BCNU)
Alcaloïdes de plantes	Vincristine Vinblastine
Divers	L-Asparaginase (Kidrolase) Hydroxyurée (Hydrea) Étoposide (Vepesid) Acide rétinoïque (Trétinoïne)

- diminuer la résistance au médicament;
- réduire la toxicité de fortes doses d'un seul agent en utilisant plusieurs médicaments dont la toxicité varie;
- interrompre la croissance cellulaire à des stades variés du cycle cellulaire.

Les sigles qui correspondent aux initiales des médicaments utilisés en association peuvent permettre de déterminer le traitement. Par exemple, le COAP est composé de cyclophosphamide, d'Oncovin, d'arabinoside et de prednisone. Cette association de médicaments permet de traiter la leucémie aiguë.

Greffe de moelle osseuse et de cellules souches. Les greffes de moelle osseuse et de cellules souches sont d'autres traitements possibles notamment utilisés pour traiter la leucémie aiguë lymphoblastique, la leucémie aiguë myéloblastique et la leucémie myéloïde chronique. La greffe avec chimiothérapie en association ou non avec l'irradiation totale vise à éliminer totalement les cellules leucémiques de l'organisme. Ce traitement permet également l'éradication des cellules souches hématopoïétiques qui sont ensuite remplacées par celles d'un donneur compatible. Il peut s'agir d'un parent du client, d'un volontaire (allogénique) ou d'un jumeau identique (isogénique). Les cellules peuvent aussi être les cellules souches du client lui-même (autologue) prélevées avant le traitement intensif. (La question de greffe de moelle osseuse et de cellules souches est traitée au chapitre 9.)

Les principales complications qui se développent chez le client qui reçoit une greffe médullaire allogé-

nique sont les suivantes: réaction du greffon contre l'hôte, récidive de la leucémie (surtout dans le cas de la leucémie aiguë lymphoblastique) et infection (surtout la pneumonie interstitielle). (La réaction du greffon contre l'hôte est traitée au chapitre 7.) La rechute de la maladie sous-jacente est également une complication difficile à résoudre étant donné que même le traitement intensif ne parvient pas à éliminer toutes les cellules leucémiques. Compte tenu des importants risques associés à la greffe, le client doit évaluer le risque de décès ou d'échec du traitement, c'est-à-dire la rechute par rapport aux chances de guérison.

19.10.5 Soins infirmiers: leucémie

Collecte de données. Les données subjectives et objectives que l'infirmière doit obtenir auprès du client atteint de leucémie sont présentées dans l'encadré 19.19.

Diagnostics infirmiers. Les diagnostics infirmiers à poser pour le client atteint de leucémie comprennent ceux qui s'appliquent à l'anémie, à la thrombocytopénie et à la neutropénie (voir les encadrés 19.5, 19.14 et 19.18).

Planification. Pour le client atteint de leucémie, les principaux objectifs sont les suivants:
- interpréter le plan de traitement et y coopérer;
- ressentir le moins possible les effets secondaires et les complications associés à la fois à la maladie et à son traitement;

PHARMACOTHÉRAPIE

TABLEAU 19.15 Traitements utilisés pour la leucémie

Pharmacothérapie	Autres traitements
Leucémie aiguë myéloblastique Daunorubicine, cytarabine, doxorubicine, idarubicine, 6-thioguanine, mitoxantrone, chimiothérapie d'association d'antibiotiques antinéoplasiques et de cytosine arabinoside ou d'antibiotiques antinéoplasiques et de cytosine arabinoside et de thioguanine	Greffe de moelle osseuse et de cellules souches (voir chapitre 9)
Leucémie aiguë lymphoblastique Daunorubicine, doxorubicine, vincristine, prednisone, L-asparaginase, cyclophosphamide, méthotrexate, 6-mercaptopurine, cytarabine, chimiothérapie d'association: cyclophosphamide, vincristine, prednisone, antibiotiques antinéoplasiques et L-asparaginase, chimiothérapie d'association de: daunorubicine, cytarabine, 6-mercaptopurine, vincristine et prednisone	Radiothérapie crânienne, méthotrexate administré par voie intrathécale
Leucémie myéloïde chronique Busulfan (Myleran); hydroxyurée (Hydrea); chimiothérapie d'association: cytarabine, thioguanine, daunorubicine, méthotrexate, prednisone, vincristine, L-asparaginase, carmustine, 6-mercaptopurine	Radiations (corps total ou rate), greffe de moelle osseuse et de cellules souches, interféron α, leucophérèse
Leucémie lymphoïde chronique Chlorambucil (Leukeran), cyclophosphamide (Cytoxan), prednisone (protocole CVP – cyclophosphamide, vincristine et prednisone), fludarabine	Radiation (corps total, ganglions lymphatiques ou rate), splénectomie, facteurs stimulant la formation de colonies, interféron α

COLLECTE DE DONNÉES

Leucémie

Données subjectives

Information importante concernant la santé

- Antécédents de santé : exposition à des toxines chimiques (p. ex. benzène, arsenic), à des radiations ou à des virus (Epstein-Barr, HTLV-1) ; anomalies chromosomiques (syndrome de Down, syndrome de Klinefelter, syndrome de Fanconi), déficits immunologiques ; greffe d'organe ; infections fréquentes ; tendance à l'hémorragie
- Médicaments : utilisation de phénylbutazone (Apo-Phénylbutazone), de chloramphénicol, de la chimiothérapie
- Chirurgie et autres traitements : exposition à des radiations ; antécédents de radiothérapie et de chimiothérapie

Modes fonctionnels de santé

- Mode perception et gestion de la santé : antécédents familiaux de leucémie ; malaise
- Mode nutrition et métabolisme : lésions buccales, perte pondérale ; frissons, diaphorèse nocturnes ; nausées, vomissements, anorexie, dysphagie, satiété précoce ; fragilité aux contusions
- Mode élimination : hématurie, diminution de la diurèse ; diarrhée, selles noires et sanguinolentes
- Mode activité et exercice : fatigue avec faiblesse progressive ; dyspnée, épistaxis, toux
- Mode cognition et perception : céphalées ; crampes musculaires, maux de gorge, sensibilité sternale, douleurs osseuses articulaires et abdominales, paresthésie, fourmillements, troubles de la vision

- Mode sexualité et reproduction : menstruations prolongées, ménorragie, impuissance

Données objectives

Généralités

- Fièvre, adénopathie systémique, léthargie

Appareil tégumentaire

- Pâleur ou ictère ; pétéchies, ecchymoses, purpura, infiltrats cutanés rougeâtres, bruns à mauve ; macules et papules

Appareil cardiovasculaire

- Tachycardie, souffle systolique

Appareil gastro-intestinal

- Saignements et hyperplasie des gencives ; ulcérations buccales, herpès et infections à candida ; irritation et infection ; hépato-splénomégalie

Système neurologique

- Convulsions, désorientation, confusion, diminution de la coordination, paralysie des nerfs crâniens, œdème papillaire

Appareil locomoteur

- Atrophie musculaire

Résultats possibles

- ↓ N ou ↑ de la leucocytose ; anémie, ↓ de l'Hb et de l'Ht, thrombocytopénie, chromosome Philadelphie ; aspiration médullaire hypercellulaire ou biopsie médullaire révélant la présence de myéloblastes, de lymphoblastes et ↓ notable des cellules normales

HTLV-1 : virus du lymphome humain à cellules T de type 1.

- être confiant et se sentir soutenu pendant les périodes de traitement, de rechute ou de rémission.

Exécution

Intervention en phase aiguë. Le rôle de l'infirmière pendant les phases aiguës de la leucémie est un véritable défi, car le client a des besoins physiques et psychosociologiques multiples. Comme dans les autres cas de cancer, le diagnostic de la leucémie effraie et on ne peut s'empêcher de penser à la mort. On peut considérer la leucémie comme une maladie terrible et sans espoir aux nombreuses conséquences douloureuses et indésirables. Il incombe à l'infirmière d'aider le client et sa famille à gérer ces émotions. L'infirmière doit aider le client à se rendre compte que, même si l'avenir semble incertain, on peut avoir une qualité de vie satisfaisante pendant les périodes de rémission ou en contrôlant la maladie. La famille doit également aider le client à s'adapter au stress engendré par les débuts fulgurants de cette maladie grave (p. ex. dépendance, retrait, modifications des responsabilités incombant au rôle et perturbations de l'image corporelle) et aux privations imposées par la maladie. Le diagnostic de la leucémie s'accompagne

souvent de décisions difficiles à prendre à un moment de détresse profonde pour le client et sa famille.

L'infirmière aide le client et sa famille à comprendre la complexité des décisions liées au traitement et les renseigne sur les effets secondaires et la toxicité potentielle du traitement. Le client qui a reçu un bon enseignement sur la maladie et le traitement ou qui possède des connaissances sur la maladie peut avoir une vision plus positive et une meilleure qualité de vie. L'isolement du client ou son hébergement temporaire dans un centre de traitement peut être nécessaire. Le client peut alors se sentir abandonné et isolé à un moment où il a le plus besoin de soutien. L'infirmière reste en contact avec le client 24 heures sur 24 et peut contribuer à amoindrir son sentiment d'abandon et de solitude en lui manifestant du respect chaleureux et de l'empathie. Dans les aspects techniques de ses soins, elle peut être bienveillante et efficace. C'est un véritable défi pour l'infirmière que d'apprendre à répondre aux nombreux besoins psychosociologiques du client atteint de leucémie, tout en continuant à prodiguer les soins physiques complexes requis. Le fait de consulter d'autres professionnels de la santé (p. ex. oncologues, psychologues, travailleurs sociaux) peut aider l'infirmière à développer les compétences requises.

Du point de vue des soins physiques, l'infirmière doit agir professionnellement lors de la collecte de données et lors de la planification des soins à prodiguer afin d'aider le client à surmonter les effets secondaires sévères de la chimiothérapie. La myélosuppression a des effets qui peuvent menacer le pronostic vital (anémie, thrombocytopénie, neutropénie) et qui requièrent des interventions infirmières complexes (voir encadrés 19.5, 19.14 et 19.18). D'autres complications de la chimiothérapie peuvent affecter le tractus gastro-intestinal, l'état nutritionnel, la peau et les muqueuses, la condition cardiorespiratoire, le foie, les reins et le système nerveux. (Le chapitre 9 traite des interventions infirmières liées à la chimiothérapie.)

L'infirmière doit avoir une bonne connaissance des médicaments administrés, notamment à propos de leur mécanisme d'action, des indications, des voies d'administration, de la posologie usuelle, des effets secondaires possibles, les détails relatifs aux précautions à prendre pour leur manipulation et de leurs effets toxiques. En outre, l'infirmière doit savoir comment interpréter les résultats de laboratoire reflétant les effets des médicaments. La qualité des soins infirmiers influe de façon significative sur la survie et le confort du client pendant la chimiothérapie.

Soins ambulatoires et soins à domicile. Pour le client atteint de leucémie, il faut effectuer un suivi des soins afin de surveiller les signes et les symptômes liés à la maladie, que ce soit en phase de rémission ou de rechute. Pour le client qui nécessite une chimiothérapie à long terme ou en traitement d'entretien, la fatigue engendrée par le traitement de cette maladie chronique souvent longue peut devenir ardue et décourageante. Ainsi, il convient d'aider le client et ses proches à comprendre l'importance des précautions à prendre en matière de traitement de la maladie et la nécessité du suivi des soins. Le client et ses proches doivent connaître les médicaments et savoir quand il est nécessaire de consulter le médecin.

La réadaptation pour les enfants et les adultes qui survivent à la leucémie a pour objectif de gérer les conséquences physiques, psychologiques, sociales et spirituelles de la maladie et de son traitement, ainsi que leurs effets différés. (La question des effets différés est abordée au chapitre 9.) Il peut être nécessaire d'aider à rétablir les relations diverses qui font partie de la vie du client. Le client et sa famille doivent apprendre à retrouver leurs habitudes de santé et continuer à mener une vie la plus normale possible tout en étant confrontés à la crainte d'une rechute potentielle. Le fait d'encourager le client à être en contact avec des groupes de soutien, des organismes comme la Société canadienne du cancer ou d'autres organismes communautaires peut aider le client à reprendre le cours d'une vie normale après avoir contracté une maladie possiblement mortelle. Le fait de faire appel à des ressources offertes dans la communauté peut réduire le fardeau financier et le sentiment de dépendance. De plus, le soutien spirituel peut donner au client une force et une paix intérieures.

Le client a besoin d'aide pour s'adapter à toute limite physique ou modification imposée par la maladie. Un suivi vigilant des soins assuré par un personnel soignant conscient des besoins individuels est d'une importance cruciale et permet de déterminer quels sont les effets physiques, psychologiques et sociaux de la maladie, qu'ils apparaissent de façon différée ou à long terme, et de les traiter. L'infirmière peut solliciter l'aide d'autres professionnels de la santé afin de mieux répondre aux besoins du client. Il arrive souvent que ces besoins dépassent les compétences de l'infirmière et nécessitent alors une orientation vers un autre professionnel. À titre d'exemple, il est possible de solliciter une consultation en physiothérapie pour élaborer un programme d'exercices permettant d'éviter les problèmes causés par la neuropathie périphérique d'origine médicamenteuse. Les besoins spécifiques du client peuvent également comprendre d'autres préoccupations telles que celles de la croissance et du développement des enfants atteints de leucémie, la réorientation professionnelle et les questions de reproduction pour le client en âge de procréer. La convalescence à long terme nuit à la qualité de vie du client.

Évaluation. Les résultats escomptés sont les suivants :
- être capable de surmonter le diagnostic, le traitement et le pronostic ;
- maintenir une alimentation adéquate ;
- ne pas présenter de complications liées à la maladie ou au traitement ;
- se sentir à l'aise et aidé pendant toute la durée du traitement.

19.11 LYMPHOMES

Les **lymphomes** sont des néoplasmes malins qui résultent d'une prolifération lymphocytaire et qui se forment dans la moelle osseuse et dans les structures lymphatiques. On ne comprend pas entièrement la cause de l'augmentation actuelle de l'incidence de ces affections, bien que le lymphome associé au sida soit un facteur à prendre en considération. Selon Statistique Canada, les lymphomes constituent la principale forme de cancer chez les hommes de moins de 45 ans et chez les femmes de moins de 25 ans. Deux grands types de lymphomes sont abordés dans ce chapitre : la maladie de Hodgkin et les lymphomes non hodgkiniens. Le tableau 19.16 offre une comparaison de ces deux types de lymphomes.

TABLEAU 19.16	Comparaison entre la maladie de Hodgkin et les lymphomes non hodgkiniens	
	Maladie de Hodgkin	Lymphomes non hodgkiniens
Origine cellulaire	Inconnue	Lymphocytes B (90 %) Lymphocytes T (10 %)
Étendue lors du diagnostic	Localisée à régionale	Disséminée
Symptômes B*	Non courants	Courants
Classification histopathologique	Singulière	Nombreuses classifications différentes (voir encadré 19.20)
Capacité de guérison	>75 %	30-40 %

* Symptômes B : fièvre, diaphorèse nocturne et perte pondérale.

19.11.1 Maladie de Hodgkin

La **maladie de Hodgkin**, qui représente 15 % de tous les lymphomes, est une affection maligne caractérisée par la prolifération de cellules multinucléées géantes et anormales, appelées **cellules de Reed-Sternberg**, que l'on trouve dans les ganglions. La maladie a une incidence bimodale en rapport avec l'âge : elle se déclare plus fréquemment à l'âge de 15 à 35 ans et après 50 ans. Chez l'adulte, la maladie est deux fois plus fréquente chez l'homme que chez la femme.

Étiologie et physiopathologie. La cause de la maladie de Hodgkin n'est pas connue, mais on croit qu'elle est attribuable à plusieurs facteurs parmi lesquels se trouvent l'infection par le virus d'Epstein-Barr, la prédisposition génétique et l'exposition professionnelle à des toxines.

Les ganglions lymphatiques sont normalement composés de tissus conjonctifs entourés d'un fin réseau de fibres et de cellules réticulaires. Dans la maladie de Hodgkin, la structure normale des ganglions lymphatiques est détruite par l'hyperplasie des monocytes et des macrophages. Le diagnostic de la maladie de Hodgkin est principalement posé lorsque des cellules de Reed-Sternberg sont présentes dans les échantillons de biopsie des ganglions lymphatiques. On croit que la maladie débute à un seul endroit (elle tire son origine des ganglions lymphatiques dans 90 % des cas), puis s'étend le long des vaisseaux lymphatiques adjacents. À la longue, elle infiltre d'autres organes, particulièrement les poumons, la rate et le foie. Chez approximativement deux tiers des clients, les ganglions cervicaux sont les premiers à être touchés. Quand elle commence au-dessus du diaphragme, la maladie reste confinée aux ganglions lymphatiques pendant un certain temps. La maladie qui débute au-dessous du diaphragme se répand fréquemment aux sites extralymphoïdes, par exemple le foie.

Manifestations cliniques. Les symptômes de la maladie de Hodgkin débutent souvent de façon insidieuse. La phase initiale se caractérise par l'hypertrophie des ganglions cervicaux, axillaires ou inguinaux. Cette adénopathie affecte les petits ganglions qui demeurent mobiles et insensibles. Habituellement, les ganglions hypertrophiés ne sont pas douloureux, à moins que l'on n'exerce une pression sur les nerfs adjacents.

Les manifestations sont variées : perte pondérale, fatigue, faiblesse, fièvre, tachycardie ou diaphorèse nocturne. La présence de fièvre, de diaphorèse nocturne et la perte pondérale (appelés symptômes B) sont associées à un pronostic des plus sombres. Après ingestion de petites quantités d'alcool, les individus atteints de la maladie de Hodgkin peuvent rapidement ressentir une douleur à la région du corps atteinte par la maladie. On ignore la cause de cette douleur. Il peut y avoir apparition d'un prurit généralisé sans lésions cutanées. La toux, la dyspnée, le stridor et la dysphagie peuvent tous indiquer une atteinte des ganglions médiastinaux.

La phase la plus avancée de la maladie s'accompagne d'hépatomégalie et de splénomégalie. Une diminution de la production d'érythrocytes ainsi qu'une plus grande destruction de ces cellules entraînent l'anémie. D'autres signes physiques se manifestent selon la partie de l'organisme atteinte. À titre d'exemple, l'atteinte intrathoracique peut provoquer le syndrome de compression de la veine cave supérieure, l'hypertrophie des ganglions rétropéritonéaux peut causer l'apparition de masses abdominales palpables ou entraver la fonction rénale, l'atteinte hépatique peut déclencher l'ictère, et la compression de la moelle épinière peut provoquer la paraplégie avec atteinte extradurale. L'atteinte osseuse peut, quant à elle, entraîner des douleurs osseuses.

Épreuves diagnostiques et détermination des stades de la maladie. L'analyse sanguine, la biopsie des ganglions lymphatiques, l'examen de la moelle osseuse et l'évaluation radiologique permettent d'évaluer la maladie de Hodgkin. L'analyse sanguine révèle souvent une anémie hypochrome microcytaire, une neutrophilie (15 à 28 $\times$ 10^9/L), qui peuvent être associées à une lymphopénie, et une augmentation de la numération plaquettaire. La leucopénie et la thrombocytopénie peuvent se déclarer, mais elles sont une conséquence habituelle du traitement, d'un stade avancé de la maladie ou d'un hypersplénisme surajouté. D'autres examens sanguins peuvent révéler les résultats suivants : une hyposidérémie causée par une absorption excessive de fer par le foie et la rate, l'augmentation des phosphatases alcalines des leucocytes due à l'atteinte hépatique et osseuse, une hypercalcémie causée par l'atteinte osseuse et une hypoalbuminémie secondaire à l'atteinte hépatique.

La biopsie ganglionnaire pratiquée par excision confirme le diagnostic. Le ganglion périphérique hypertrophié peut être prélevé, et l'examen histologique permet de détecter la présence de cellules de Reed-Sternberg.

La biopsie médullaire est un examen important qui aide à déterminer le stade de la maladie. Il peut également y avoir une hyperplasie granulocytaire et mégacaryocytaire, mais ces symptômes ne sont pas spécifiques à la maladie de Hodgkin. On peut aussi détecter la présence de cellules de Reed-Sternberg dans la moelle osseuse des clients à un stade avancé.

L'évaluation radiologique permet de localiser tous les sites de la maladie. Les radiographies thoraciques, les examens radio-isotopiques et la tomodensitométrie peuvent révéler une adénopathie médiastinale, le refoulement des reins causé par l'hypertrophie des ganglions rétropéritonéaux et l'infiltration du foie, de la rate, des os et du cerveau. Certains cliniciens utilisent également la lymphographie, un test de coloration radiographique effectué à l'aide d'un colorant injecté dans le système lymphatique, dans le but d'évaluer l'état des ganglions et des vaisseaux lymphatiques. Ce test permet également de mettre en évidence les structures rétropéritonéales parfois difficiles à visualiser.

Les épreuves diagnostiques sont effectuées pour évaluer le stade de la maladie de Hodgkin. Toutefois, il est également nécessaire de démontrer l'étendue de la maladie. Il y a quelques années, on effectuait une intervention chirurgicale (appelée laparotomie avec splénectomie, permettant de déterminer le stade de la maladie) pour évaluer l'ampleur de la maladie. Les avancées technologiques en tomodensitométrie et en imagerie par résonance magnétique ont donné naissance à de nombreuses techniques d'évaluation non effractives. Bien que la stadification par chirurgie fasse l'objet d'une controverse, certains établissements continuent de l'utiliser pour connaître de façon précise tous les sites atteints.

Soins infirmiers : maladie de Hodgkin. Au moyen des données obtenues avec les épreuves diagnostiques, on peut déterminer le stade de la maladie (voir figure 19.14) et prendre des décisions quant au traitement. On évalue le stade de la maladie selon l'étendue de la maladie. C'est une étape importante, car la maladie de Hodgkin peut être localisée ou diffuse. Le traitement dépend de la nature et de l'étendue de la maladie. La nomenclature utilisée pour désigner les stades de la maladie comprend la lettre A ou B, selon la présence ou l'absence de symptômes quand la maladie est détectée, et un chiffre romain (I à IV) qui représente l'emplacement et l'étendue de la maladie.

Une fois le stade de la maladie de Hodgkin établi, les interventions infirmières se concentrent sur l'établissement d'un plan de traitement (voir tableau 19.17). Des progrès considérables ont été faits dans le domaine du traitement de la maladie de Hodgkin. On utilise une quantité moindre de médicaments tout en minimisant les complications à court et à long terme. Les régions touchées sont traitées par radiothérapie pendant une période de quatre à six semaines et donnent un excellent pronostic chez 95 % des clients atteints du stade I ou II de la maladie. On utilise des agents de chimiothérapie administrés en association pour traiter la phase initiale de la maladie des personnes atteintes chez qui on soupçonne une résistance ou chez qui le risque de rechute est plus important. On traite le stade IIIA de la maladie avec la radiothérapie et la chimiothérapie. Le rôle des radiations administrées en association avec la chimiothérapie dans les cas de stades III et IV varie en fonction des sites de la maladie. Les progrès en matière de traitement permettent aujourd'hui de guérir les stades IIIB et IV de la maladie au moyen de fortes doses de chimiothérapie, et par greffe de moelle osseuse ou de cellules souches périphériques (voir chapitre 9).

La chimiothérapie intensive avec ou sans greffe médullaire, greffe de cellules souches périphériques et administration de facteurs de croissance hématopoïétiques est le traitement de choix pour les stades avancés de la maladie de Hodgkin (stades IIIB et IV). La greffe permet aux clients de recevoir des doses de chimiothérapie plus fortes et plus efficaces, tout en réduisant la leucopénie pouvant menacer le pronostic vital. La chimiothérapie d'association fonctionne bien, car, comme pour la leucémie, les médicaments utilisés ont un effet antitumoral accru sans augmentation des effets secondaires. Comme pour la leucémie, le traitement doit être agressif ; ainsi

TABLEAU 19.17	Lignes directrices pour le traitement de la maladie de Hodgkin
Stade	**Traitement recommandé**
I, II (A ou B)	Radiothérapie
I, II (A ou B, avec masse médiastinale > 1/3 diamètre du thorax)	Chimiothérapie d'association* suivie de radiothérapie des champs atteints
IIIA$_1$ (maladie abdominale minimale)	Radiothérapie
IIIA$_2$ (maladie abdominale extensive)	Chimiothérapie d'association* avec radiothérapie des sites atteints
IV (A ou B)	Chimiothérapie d'association* Chimiothérapie d'association*

* Chimiothérapie d'association pouvant être administrée conjointement avec une greffe de cellules souches (voir chapitre 9).

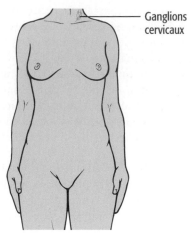

Stade I
Atteinte d'un seul ganglion lymphatique ou d'un seul site extranodal

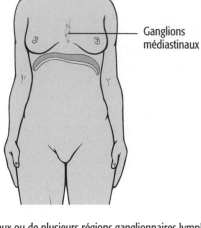

Stade II
Atteinte de deux ou de plusieurs régions ganglionnaires lymphatiques sur le même côté du diaphragme ou atteinte localisée d'un site extranodal et d'une ou de plusieurs régions de ganglions lymphatiques sur le même côté du diaphragme

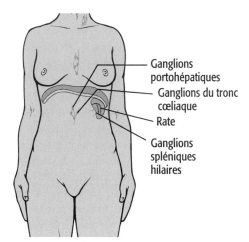

Stade III
Atteinte des régions ganglionnaires sur les deux côtés du diaphragme, pouvant comprendre un seul site intranodal, la rate ou les deux; subdivision en atteinte lymphatique de la partie de l'abdomen, de la rate (ganglions spléniques, du tronc cœliaque et portes) (stade III$_1$) et des ganglions de la région abdominale inférieure dans les régions péri-aortique, mésentérique et iliaque (stade III$_2$)

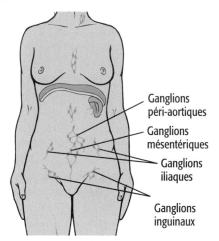

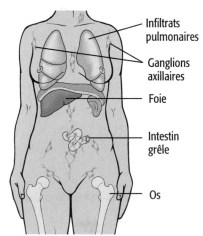

Stade IV
Atteinte diffuse ou disséminée d'un ou de plusieurs organes extralymphatiques ou tissus avec ou sans atteinte associée aux ganglions

FIGURE 19.14 Système de classification pour la maladie de Hodgkin et des lymphomes non hodgkiniens

les problèmes potentiellement mortels surviennent souvent dans le cadre de tentatives faites pour obtenir une rémission.

On utilise deux traitements de polychimiothérapie appelés MOPP et ABVD, administrés seuls ou en association, afin d'induire une rémission chez 80 % des clients. Le tableau 19.18 donne une description des acronymes utilisés. On obtient la guérison chez environ 60 à 70 % de ces clients.

La chimiothérapie d'entretien ne contribue pas à augmenter les chances de survie une fois que la rémission complète est obtenue. On peut parfois administrer des médicaments uniques comme traitement palliatif aux clients qui ne peuvent tolérer le traitement d'association intensif. Le traitement de la maladie de Hodgkin peut entraîner l'apparition ultérieure de tumeurs malignes secondaires (voir chapitre 9).

Les soins infirmiers pour la maladie de Hodgkin sont en grande partie basés sur le traitement de la pancytopénie et des autres effets secondaires. Étant donné que la survie des clients atteints de la maladie de Hodgkin dépend de leur réponse au traitement, les soins tout au long de la phase d'immunosuppression sont extrêmement importants.

Le client qui reçoit une radiothérapie a besoin de soins infirmiers spéciaux. Dans le champ de radiation, la peau nécessite des soins particuliers. L'infirmière doit également comprendre les concepts qui régissent l'administration de la radiothérapie (voir chapitre 9).

Les considérations psychosociales sont tout aussi importantes qu'en cas de leucémie. Bien que le pronostic pour la maladie de Hodgkin soit meilleur que pour de nombreuses autres formes de cancer, dont la leucémie, il convient tout de même d'aider le client à affronter les conséquences physiques, psychologiques, sociales et spirituelles de sa maladie. L'évaluation des effets à long terme du traitement est importante, car les conséquences différées de la maladie et de son traitement peuvent ne pas être apparentes pendant des années. (Se référer au chapitre 9, qui traite des tumeurs malignes et de leurs effets différés.)

19.11.2 Lymphomes non hodgkiniens

Les **lymphomes non hodgkiniens** représentent un groupe hétérogène de tumeurs malignes du système immunitaire qui touche tous les groupes d'âge. On les classe selon leurs caractéristiques cellulaires et lymphatiques (voir encadré 19.20). Au fur et à mesure que l'on amasse des données sur les types cellulaires, on est en mesure de définir de nouvelles sous-classes. Il existe plusieurs formes cliniques, qui varient de la maladie qui se développe lentement (indolente) à la maladie qui progresse rapidement. Les noms communément utilisés pour les différents types de lymphomes non hodgkiniens sont les suivants : lymphome de Burkitt, réticulosarcome et lymphosarcome. Les lymphomes non hodgkiniens ne présentent pas de particularités comme les cellules de Reed-Sternberg dans la maladie de Hodgkin. Toutefois, tous les lymphomes non hodgkiniens ont une caractéristique commune : les lymphocytes arrêtent de se développer à des stades variés.

Les lymphomes non hodgkiniens prennent naissance à l'extérieur des ganglions lymphatiques, et leur méthode de propagation étant imprévisible, la maladie est déjà largement disséminée chez la majorité des clients au moment du diagnostic. L'hypertrophie indolore des ganglions lymphatiques est une des principales

---

PHARMACOTHÉRAPIE

TABLEAU 19.18 Deux traitements de chimiothérapie possibles pour la maladie de Hodgkin

Médicament	Administration
MOPP	
Moutarde azotée (Mustargen)	Jours 1 et 8
Vincristine (ancien nom commercial Oncovin)	Jours 1 et 8
Procarbazine (Natulan)	Jours 1 à 14
Prednisone (cycles 1 et 4 seulement)	Jours 1 à 14
ABVD	
Doxorubicine (Adriamycin)	Jours 1 et 15
Bléomycine (Blenoxane)	Jours 1 et 15
Vinblastine	Jours 1 et 15
Dacarbazine (DTIC)	Jours 1 et 15

Répéter le cycle tous les 28 jours pour un minimum de 6 cycles. La rémission complète doit être documentée avant l'interruption du traitement. Le traitement peut être administré pendant deux autres cycles après obtention d'une rémission.

Classification des lymphomes non hodgkiniens   **ENCADRÉ 19.20**

Niveau faible
- Petit lymphocyte
- Folliculaire, à petites cellules segmentées
- Folliculaire, mélange de petites cellules segmentées et de larges cellules

Niveau intermédiaire
- Folliculaire, cellules larges
- Diffus, à petites cellules segmentées
- Diffus, mélange : cellules petites et larges
- Diffus, cellules larges

Niveau élevé
- Cellules larges, immunoblastique
- Lymphoblastique
- Cellules non segmentées

manifestations cliniques. Étant donné que la maladie est habituellement disséminée au moment du diagnostic, d'autres symptômes se manifestent en fonction des sites où elle s'est étendue (p. ex. hépatomégalie avec atteinte hépatique).

Les clients atteints de lymphomes très malins peuvent avoir une adénopathie et des symptômes systémiques tels que la fièvre, la diaphorèse nocturne et une perte pondérale. Les résultats sanguins sont généralement normaux, mais certains lymphomes se manifestent lors d'une phase « leucémique ».

Les épreuves diagnostiques utilisées pour étudier les lymphomes non hodgkiniens sont semblables à celles qui sont employées pour la maladie de Hodgkin. La biopsie des ganglions lymphatiques permet d'établir le type de cellule en cause et ses caractéristiques.

Le stade de la maladie de Hodgkin détermine le traitement à utiliser (voir figure 19.14). Le pronostic d'un lymphome non hodgkinien est en général plus sombre que celui de la maladie de Hodgkin.

Le traitement d'un lymphome non hodgkinien se compose de chimiothérapie et de radiothérapie (voir tableau 19.19). Ironiquement, les lymphomes les plus agressifs répondent mieux au traitement et sont plus susceptibles d'être guéris. Par contraste, les lymphomes qui se développent lentement ont une évolution plus longue, mais il s'avère par contre plus difficile de les traiter. La radiothérapie seule peut être efficace pour le traitement du stade I de la maladie, mais on utilise une association de radiothérapie et de chimiothérapie pour traiter les autres stades. Au début de la chimiothérapie, on utilise des alkylants tels que le cyclophosphamide (Cytoxan) et le chlorambucil (Leukeran). Toutefois, de nombreuses combinaisons de médicaments ont été employées pour tenter de vaincre la nature résistante de la maladie. Le traitement le plus courant est celui qui consiste à administrer du CAOP (cyclophosphamide, doxorubicine [Adriamycin], vincristine [Oncovin – ancien nom commercial], prednisone). D'autres traitements d'association incluent cyclophosphamide, vincristine et prednisone (CVP), et cyclophosphamide, vincristine [Oncovin – ancien nom commercial], procarbazine et prednisone (COPP). On a aussi recours à la greffe de cellules souches du sang périphérique et à la greffe médullaire, avec administration de fortes doses de médicaments.

On étudie actuellement la possibilité d'utiliser des traitements biologiques, à base d'interféron alfa, d'interleukine-2 et de facteur de nécrose tumorale pour le traitement des lymphomes non hodgkiniens. L'interféron alfa (Intron A) est utilisé en concomitance avec l'anthracycline pour le traitement initial du lymphome non hodgkinien agressif. Le rituximab (Rituxan), un anticorps monoclonal issu du génie génétique et dirigé contre l'antigène CD20 situé à la surface des lymphocytes B normaux et malins, est aussi employé. Une fois lié aux cellules, le rituximab provoque la lyse et la mort cellulaire. (Le chapitre 9 porte sur les traitements biologiques.)

19.12 TUMEURS MALIGNES DES CELLULES PLASMATIQUES

19.12.1 Myélome multiple

Le **myélome multiple** ou myélome plasmocytaire est une affection au cours de laquelle les cellules plasmatiques néoplasiques infiltrent la moelle osseuse et détruisent les os. Après le diagnostic, l'espérance de vie du client atteint de cette maladie est d'environ deux ans si celle-ci n'est pas traitée. Le myélome multiple touche environ 2 ou 3 personnes sur 100 000, une incidence semblable à celle de la maladie de Hodgkin ou de la leucémie lymphoïde chronique.

La maladie est deux fois plus fréquente chez l'homme que chez la femme et se développe après la quarantaine, avec une plus forte incidence à partir de 70 ans.

Étiologie et physiopathologie. Il existe de nombreuses hypothèses concernant l'étiologie du myélome multiple. On soupçonne l'inflammation chronique, les réactions d'hypersensibilité chroniques et les virus, mais, actuellement, aucune cause n'a été établie. La maladie est caractérisée par une production excessive de plasmocytes. Ces plasmocytes, qui sont des cellules (lymphocytes) B activées, produisent des immunoglobulines (anticorps) qui protègent habituellement l'organisme.

TABLEAU 19.19	Lignes directrices pour le traitement des lymphomes non hodgkiniens	
	Traitement recommandé	
Niveau	Stade I, II$_1$*	Stades II$_2$,† III, IV
Faible	Localisé Irradiation	Observation jusqu'à progression de la maladie puis irradiation palliative ou administration d'agents simples ou de chimiothérapie d'association
Intermédiaire	Chimiothérapie d'association avec radiations	Chimiothérapie d'association
Élevé	Chimiothérapie d'association (à fortes doses) avec radiations	Chimiothérapie d'association (à fortes doses)

* Stade II$_1$ = pas d'envahissement.
† Stade II$_2$ = masse importante >10 cm ou 1/3 diamètre du thorax.

Toutefois, en cas de myélome multiple, les plasmocytes malins infiltrent la moelle osseuse et produisent des quantités excessives d'immunoglobuline (généralement IgG, IgA, IgD ou IgE). Cette immunoglobuline anormale est appelée **protéine de myélome**. De plus, la production accrue de cytokines (IL-4, IL-5, IL-6) par les plasmocytes joue également un rôle important dans la destruction osseuse. Au fur et à mesure que la production de protéine de myélome augmente, le nombre de plasmocytes normaux diminue, ce qui compromet davantage la réponse immunitaire de l'organisme. Les plasmocytes finissent par détruire les os et envahissent les ganglions lymphatiques, le foie, la rate et les reins.

Manifestations cliniques.

Le myélome multiple se développe lentement et de façon insidieuse. Les symptômes de la maladie ne se déclarent qu'à un stade déjà avancé, au cours duquel les douleurs osseuses se manifestent. La douleur se ressent particulièrement au bassin, à la colonne vertébrale et aux côtes. L'ostéoporose diffuse se développe alors que la protéine du myélome détruit davantage le tissu osseux. Les lésions ostéolytiques sont constatées au crâne, dans les vertèbres et dans les côtes. La destruction des vertèbres peut entraîner un écrasement qui est possiblement à l'origine d'une compression de la colonne vertébrale, ce qui requiert des mesures d'urgence pour éviter la paraplégie (p. ex. radiations, chirurgie, chimiothérapie). La perte de l'intégrité osseuse peut engendrer des fractures pathologiques. La dégénérescence osseuse peut également causer une déplétion du calcium osseux et entraîner éventuellement l'hypercalcémie.

L'hypercalcémie peut, à son tour, causer des perturbations rénales, gastro-intestinales ou neurologiques, comme la polyurie, l'anorexie et la confusion. La destruction des cellules contribue aussi au développement de l'hyperuricémie. Outre l'augmentation du taux de protéines causée par la présence de la protéine du myélome, l'hyperuricémie peut entraîner une insuffisance rénale étant donné l'obstruction tubulaire rénale et la néphrite interstitielle provoquée par les précipités d'acide urique. Les symptômes de l'anémie, de la thrombocytopénie et de la granulocytopénie peuvent se déclarer, puisqu'ils sont tous liés au remplacement des éléments normaux de la moelle osseuse par les plasmocytes.

Épreuves diagnostiques.

Le diagnostic du myélome multiple s'effectue à l'aide d'examens de laboratoire, d'examens radiologiques et de ponctions médullaires. À l'électrophorèse des protéines du sang, la présence d'un pic à l'endroit des globulines révèle le taux élevé de protéines sériques. Il peut également y avoir pancytopénie, hyperuricémie, hypercalcémie et un taux de créatinine élevé. En outre, on trouve une globuline anormale appelée **protéine de Bence Jones** dans les urines du client atteint de myélome multiple.

Les examens radiologiques, y compris les scintigraphies osseuses, sont effectués pour établir le degré d'atteinte osseuse. Ces examens vérifient la présence de lésions osseuses diffuses et s'il y a déminéralisation et ostéoporose dans certaines régions du squelette.

L'analyse de la moelle osseuse révèle une augmentation significative du nombre de plasmocytes. Les autres éléments médullaires, particulièrement les mégacaryocytes, peuvent être normaux.

Processus thérapeutique.

L'approche thérapeutique consiste à gérer à la fois la maladie et ses symptômes, car la phase chronique du myélome multiple peut durer plus de 10 ans avec le traitement. La marche et une hydratation adéquate sont recommandées pour traiter l'hypercalcémie, l'hyperuricémie et la déshydratation. Les exercices qui font travailler les articulations portantes aident les os à réabsorber un peu de calcium, et l'apport liquidien permet de diluer le calcium et d'empêcher les précipités de protéines d'obstruer les tubules rénaux. Le contrôle de la douleur est un autre objectif visé par les soins. L'administration d'analgésiques, les supports orthopédiques et l'irradiation localisée aident à réduire la douleur osseuse. On utilise du disodium de pamidronate (Aredia) pour le traitement de la douleur et de l'instabilité osseuse. Ce médicament inhibe la résorption osseuse sans pour autant inhiber la formation osseuse et la minéralisation. On l'administre en même temps que la chimiothérapie pour réduire la destruction osseuse et les fractures.

On utilise la chimiothérapie pour réduire le nombre de plasmocytes. Les médicaments les plus fréquemment employés sont les alkylants, y compris le melphalan (Alkeran), le cyclophosphamide (Cytoxan), le chlorambucil (Leukeran) et la carmustine (BCNU).

On peut également administrer des corticostéroïdes, car ils exercent un effet antitumoral chez certains clients. Le traitement à base de VAD (vincristine, doxorubicine [Adriamycin] et dexaméthasone) peut être utilisé chez les clients qui ne réagissent pas aux alkylants. La radiothérapie est un autre élément important du traitement, surtout à cause de son effet palliatif sur les lésions localisées. Les greffes de moelle osseuse et de cellules souches du sang permettent d'obtenir la guérison chez certaines personnes. On étudie actuellement la possibilité d'associer la greffe à l'administration d'interféron.

On peut également utiliser des médicaments pour le traitement des complications du myélome multiple. À titre d'exemple, l'administration d'allopurinol (Zyloprim) peut réduire l'hyperuricémie, et le furosémide par voie IV (Lasix) améliore l'excrétion rénale de calcium. On peut administrer de la calcitonine (Calcimar, Caltine) et du pamidronate (Aredia) pour traiter l'hypercalcémie modérée ou grave.

Soins infirmiers : myélome multiple. Les soins prodigués au système neuromusculaire visent à traiter l'atteinte osseuse et les séquelles des dommages osseux. L'administration de pamidronate (Aredia) et le maintien d'une hydratation adéquate sont les principales interventions infirmières qui minimisent les problèmes engendrés par l'hypercalcémie. On administre des liquides pour atteindre une diurèse de 1,5 à 2 L par jour, ce qui peut nécessiter un apport liquidien de 3 à 4 L. En outre, les exercices qui font travailler les articulations portantes aident les tissus osseux à réabsorber un peu du calcium en circulation, car l'administration de corticostéroïdes peut en augmenter l'excrétion. Une fois la chimiothérapie amorcée, le taux d'acide urique s'élève à cause de l'augmentation de la destruction cellulaire. On doit alors rétablir l'hyperuricémie par une hydratation adéquate et par l'administration d'allopurinol.

Étant donné qu'il existe un risque de fractures pathologiques, l'infirmière doit être vigilante quand elle déplace le client et qu'elle l'aide à marcher. La moindre torsion ou le moindre effort au mauvais endroit (p. ex. sur une zone affaiblie de la structure osseuse) peut suffire à causer une fracture.

Le traitement de la douleur requiert une intervention infirmière expérimentée et novatrice. Si on utilise la radiothérapie pour diminuer la douleur provoquée par les lésions localisées du myélome, il faut recourir aux soins cutanés appropriés. Les analgésiques, tels que les AINS, l'acétaminophène ou une association d'acétaminophène et d'opioïde, peuvent s'avérer plus efficaces que les opioïdes seuls pour contrôler la douleur. Comme dans toute situation de traitement de la douleur, l'infirmière doit recueillir des données sur le client et mettre en place les interventions infirmières nécessaires pour soulager la douleur (voir chapitre 5).

Les besoins psychosociaux du client nécessitent des interventions infirmières adéquates et attentionnées. Comme dans le cas de la leucémie, il faut aider le client et sa famille à s'adapter aux changements imposés par une maladie chronique, à faire face à la réalité et à s'adapter aux pertes liées au processus morbide. Les symptômes du myélome multiple se calment et s'exacerbent. Aussi, l'évolution de la maladie exige des soins de courte durée à divers moments. La phase finale, aiguë, ne répond pas au traitement et est en général courte. La façon dont le client et sa famille ont appris à vivre avec la nature chronique de la maladie et à l'accepter détermine la façon dont ils feront face à la mort.

19.13 TROUBLES DE LA RATE

La rate accomplit de nombreuses fonctions et peut être le siège de nombreuses maladies. Les causes de la splénomégalie sont nombreuses (voir encadré 19.21). Le terme **hypersplénisme** désigne la splénomégalie et les cytopénies périphériques (anémie, leucopénie, thrombocytopénie). Le degré d'hypertrophie de la rate varie avec la maladie. À titre d'exemple, il peut y avoir une importante hypertrophie de la rate dans la leucémie myéloïde chronique, la leucémie à tricholeucocytes et la thalassémie majeure. Des hypertrophies modérées surviennent avec l'insuffisance cardiaque congestive et le lupus érythémateux aigu disséminé.

Quand la rate augmente de taille, sa capacité de filtration et de séquestration augmente. Par conséquent, il y a souvent une diminution du nombre de cellules sanguines en circulation. Une hypertrophie légère à modérée est en général asymptomatique et on la découvre à l'occasion d'examens de routine de l'abdomen. Même une splénomégalie massive peut être tolérée, mais le client peut toutefois présenter un inconfort abdominal et une sensation de satiété précoce. Parmi les autres techniques utilisées pour évaluer la taille de la rate, on peut citer la scintigraphie aux radiocolloïdes du foie et de la rate, la tomodensitométrie et l'échographie.

Il peut arriver qu'une laparotomie avec splénectomie soit indiquée pour l'évaluation ou le traitement de la splénomégalie. La splénectomie peut avoir un effet dramatique sur l'augmentation du nombre de globules rouges, de globules blancs et sur la numération plaquettaire. La rupture splénique est une autre indication de splénectomie. La rate peut se rompre à la suite d'un traumatisme et subir des lésions accidentelles lors

---

Causes de splénomégalie   ENCADRÉ 19.21

Anémies hémolytiques héréditaires
- Drépanocytose
- Thalassémie

Cytopénies auto-immunes
- Anémie hémolytique acquise
- Thrombocytopénie immune

Infections et inflammations
- Endocardite bactérienne
- Mononucléose infectieuse
- Lupus érythémateux aigu disséminé
- Sarcoïdose
- VIH
- Hépatite virale

Maladies infiltrantes
- Leucémies aiguë et chronique
- Lymphomes
- Polyglobulie essentielle

Congestion
- Cirrhose du foie
- Insuffisance cardiaque congestive

d'interventions chirurgicales. La rupture splénique peut être secondaire à des maladies comme la mononucléose.

Les responsabilités infirmières à l'égard du client atteint d'un trouble de la rate varient en fonction de la nature du problème. La splénomégalie peut être douloureuse, requérir l'administration d'analgésiques, nécessiter la prudence lors de déplacements et lors de mobilisations et exiger une évaluation de l'expansion pulmonaire, car l'hypertrophie de la rate peut diminuer les mouvements diaphragmatiques. En cas d'anémie, de thrombocytopénie ou de leucopénie dues à l'hypertrophie splénique, il convient d'instituer des interventions infirmières pour soutenir le client et éviter les complications pouvant menacer son pronostic vital. En cas de splénectomie, l'infirmière doit prodiguer les soins méticuleux exigés après toute intervention chirurgicale. En outre, il convient de surveiller l'apparition d'hémorragie qui peut provoquer choc, fièvre ou distension abdominale.

Après la splénectomie, des déficits immunitaires peuvent survenir. Le taux d'IgM est diminué, et les valeurs de l'IgG et de l'IgA restent dans les limites normales. Après ce type de chirurgie, les clients sont spécialement vulnérables et il y a un risque d'infection. Le risque est plus élevé chez le jeune client que chez la personne âgée, mais il existe pour tous. Il y a un risque d'infection provoqué par des micro-organismes encapsulés comme le pneumocoque. On évite cette complication par l'immunisation au moyen du vaccin pneumoccocique polyvalent (p. ex. pneumovax).

19.14 TRAITEMENT À BASE DE COMPOSANTS SANGUINS

Le traitement à base de composants sanguins est fréquemment utilisé dans le cas des maladies hématologiques. De nombreuses interventions thérapeutiques et chirurgicales dépendent de l'administration de produits sanguins. Toutefois, le traitement à base de composants sanguins n'aide que temporairement le client. Le problème sous-jacent doit être résolu. Les transfusions n'étant pas sans risque, il convient de n'y avoir recours qu'en cas de nécessité. Il y a quelques années, le terme **transfusion sanguine** signifiait l'administration de sang total. Aujourd'hui, ce terme a un sens plus large, car il est possible d'administrer certains composants sanguins, tels que les plaquettes, les globules rouges ou le plasma (voir tableau 19.20).

19.14.1 Protocole d'administration

Une fois le sang ou les composants sanguins obtenus auprès de la banque de sang, il est nécessaire de vérifier l'identité du donneur et du receveur. Les erreurs d'identification du produit sont à l'origine de 90 % des réactions transfusionnelles, d'où la nécessité pour le personnel infirmier de respecter la procédure d'identification. L'infirmière doit suivre le règlement et la procédure de l'établissement. La banque de sang est chargée de déterminer le groupe sanguin et d'établir la compatibilité entre le donneur et le receveur.

CONSIDÉRATIONS ÉTHIQUES
Questions d'ordre religieux

ENCADRÉ 19.22

Situation

Une femme âgée vient d'être admise pour des saignements gastro-intestinaux d'origine inconnue. Elle vit dans une maison de retraite. Certains membres de sa famille informent l'infirmière qu'elle est témoin de Jéhovah et qu'on ne doit pas lui administrer de produits sanguins. Cependant, selon les médecins, sans intervention chirurgicale exploratrice et sans administration de transfusions, elle risque de mourir.

Discussion

Les adultes ont le droit de prendre des décisions médicales basées sur leurs croyances religieuses. Si le client n'est pas en mesure de communiquer ses volontés et n'a pas pris soin de formuler des directives, on doit établir quelles sont ses croyances religieuses avant de prendre une décision relative au traitement. Pour exprimer sa volonté, plusieurs méthodes sont conseillées : consulter les représentants officiels de l'Église, demander une carte qui indique son affiliation religieuse et ses croyances et discuter de ses croyances religieuses avec sa famille. Les Témoins de Jéhovah pensent

que le fait de recevoir des produits sanguins entraîne des conséquences éternelles. En cas de doute concernant les liens du client avec cette Église ou son attachement aux principes de cette confession, toute intervention chirurgicale et toute transfusion ayant le potentiel de sauver la vie du sujet seraient acceptables.

Considérations d'ordre éthique et juridique
- Les adultes ont le droit de refuser tout traitement médical, que leur refus soit basé sur leurs croyances religieuses ou non.
- Si le client n'a émis aucun avis antérieur, l'équipe traitante a le devoir de le protéger en déterminant s'il s'agit bel et bien des croyances du client et non de celles de sa famille sur lesquelles est fondé le refus d'être traité.
- Dans deux cas impliquant des témoins de Jéhovah dans les années 1960, les décisions des juges reposaient sur la compétence du sujet. Le souhait d'un sujet compétent de refuser le traitement a été respecté ; les souhaits d'un sujet incompétent n'étaient pas clairement compris et la transfusion a été imposée.

TABLEAU 19.20 Guide de transfusion des produits sanguins : renseignements sur les produits sanguins frais ou labiles

Produit	Indications/Actions	Volume approximatif	Administration Débit/Tubulure	Précautions ABO-Rh	Délais et conservation	Surveillance
Culot globulaire AS-3 déleucocyté†	**Particularité** Anémie symptomatique Rétablissement de la capacité de transport de l'oxygène CMV négatif : pour les receveurs immunocompromis	300 à 500 ml	**Selon l'ordonnance médicale** Temps moyen : 1,5 à 2 h Temps maximal : 4 h Tubulure droite avec filtre de 170 microns	ABO-Rh compatible avec le receveur (voir Surveillance, A)	Ne doit pas séjourner >30 min à T° pièce.	Prise des signes vitaux : 15 min avant la transfusion 15 min après le début de la transfusion à la fin de la transfusion Observations toutes les 30 min et 1 h après la transfusion
Culot globulaire « autologue » traité à l'AS-3†	Anémie symptomatique Rétablissement de la capacité de transport de l'oxygène Irradié : pour prévenir la TA-GVH chez les receveurs immunocompromis	300 à 500 ml	Temps moyen : 1,5 à 2 h Temps maximal : 4 h Tubulure droite avec filtre de 170 microns	ABO-Rh *identique* au receveur	Ne doit pas séjourner >30 min à T° pièce.	
Culot globulaire CPD-A1 ou CP2D déleucocyté†	Anémie symptomatique Rétablissement de la capacité de transport de l'oxygène Aussi utilisé dans les transfusions	240 à 340 ml	Temps moyen : 1,5 à 2 h Temps maximal : 4 h Diluer avec 50 ml de soluté de NaCl à 0,9% avec tubulure Y, filtre de 170 microns	ABO-Rh compatible avec le receveur (voir Surveillance, A)	Ne doit pas séjourner >30 min à T° pièce.	
Plaquettes déleucocytées† (3 types) : donneurs allogéniques donneur unique (aphérèse) donneur unique HLA compatible	Amélioration de l'hémostase en présence de thrombopénie ou de dysfonction plaquettaire intra-utérines et pour les dons dirigés apparentés	60 ml/unité Pool de 5-6 unités préparé à la banque de sang ou environ 300ml par unité d'aphérèse	Temps moyen : 0,5 à 1 h Temps maximal : 4 h Tubulure pour composants sanguins avec filtre de 170 à 260 microns	ABO compatible avec le receveur de préférence (voir Surveillance, B)	Ne pas réfrigérer. Doit être utilisé dans les 4 h suivant la préparation du pool a été préparé.	
Plasma congelé ou frais congelé déleucocyté†	Rétablissement d'un taux adéquat des facteurs de la coagulation dans les cas de transfusions massives et de déficits en facteurs de la coagulation	Plasma congelé 250ml ou prélevé par aphérèse 500ml	Temps moyen : 1 à 2 h Temps maximal : 4 h Tubulure droite avec filtre de 170 microns	ABO compatible avec le receveur (voir Surveillance, B)	Ne doit pas séjourner >30 min à T° pièce.	
Cryoprécipité déleucocyté†	Surtout utilisé dans le traitement des saignements associés à un déficit en fibrinogène : hypofibrinogénémie et dysfibrinogénémie	5 à 15 ml par unité Administré en pool préparé à la banque de sang	Temps moyen : 20 à 30 min Temps maximal : 4 h Tubulure droite avec filtre de 170 microns	ABO compatible avec le receveur de préférence (voir Surveillance, B)	Ne pas réfrigérer. Doit être utilisé dans les 4 h suivant la préparation du pool a été préparé.	
Surnageant de cryoprécipité déleucocyté†	Traitement du PTT et du syndrome hémolytique urémique de l'adulte Remplacement de certains facteurs de la coagulation	150 à 230 ml	Temps : voir plasma congelé Tubulure droite avec filtre de 170 microns	ABO compatible avec le receveur (voir Surveillance, B)	Ne doit pas séjourner >30 min à T° pièce.	

A : Compatibilité ABO et Rh

Culot globulaire		
Receveur	Donneur	
O pos.	O	pos. ou nég.
O nég.	O	nég.
A pos.	A, O	pos. ou nég.
A nég.	A, O	nég.
B pos.	B, O	pos. ou nég.
B nég.	B, O	nég.
AB pos.	AB, A, B, O	pos. ou nég.
AB nég.	AB, A, B, O	nég.

B : Compatibilité ABO

Plasma	
Receveur	Donneur
O	O, A, B, AB
A	A, AB
B	B, AB
AB	AB

† À noter que ces solutions ne sont compatibles qu'avec le NaCl à 0,9%.

TABLEAU 19.20 Guide de transfusion des produits sanguins : renseignements sur les dérivés des produits sanguins ou produits stables

Produit	Indications/Actions	Volume approximatif	Administration Débit/Tubulure	Précautions ABO-Rh	Délais et conservation	Particularité	Surveillance
Albumine‡‡	Insuffisance hépatique aiguë, brûlures, échange plasmatique / Expanseur du volume plasmatique / Maintien de la pression oncotique	Solution à 5% : flacons de 50, 250 et 500 ml / Solution à 25% : flacons de 50 et 100 ml	**Selon l'ordonnance médicale** / Vitesse d'administration en fonction de la réponse du client / Temps maximal : 4 h après avoir introduit la tubulure dans le flacon / Tubulure ventilée avec filtre-disque de 15 microns	Ne s'applique pas	Ne pas réfrigérer / Utiliser sans délai après introduction de la tubulure dans le flacon	Ne doit pas être mélangée avec les hydrolysats de protéines ni les solutions d'acides aminés ou celles qui contiennent de l'alcool	Prise des signes vitaux avant et après l'administration du produit
Immunoglobulines intraveineuses (IG IV) Gamimune‡ 10% et Gammagard‡‡ 5%	Immunodéficience humorale primaire / Purpura thrombocytopénique idiopathique / Greffe de moelle osseuse / Certaines polyneuropathies	GAMIMUNE : 10% 10, 25, 50, 100 et 200 ml / GAMMAGARD : 5% 50, 100 et 200 ml	Le débit est calculé selon le poids du client / Il est important de se référer à la technique de soins pour connaître le débit initial et maximal d'administration. / Tubulure ventilée avec filtre-disque de 15 microns	Ne s'applique pas	Administrer le plus tôt possible après introduction de la tubulure dans le flacon (délai de 3 h) / Les IG IV GAMIMUNE ne doivent pas séjourner inutilement à la T° de la pièce.	L'administration d'IG IV peut entraîner des effets indésirables qui sont le plus souvent dus à un débit de perfusion trop élevé. / Contre-indiquées chez les clients ayant un déficit en IgA	Prise des signes vitaux avant et après l'administration du produit
Immunoglobulines anti-Rh Win Rho SD†	Prévention de l'allo-immunisation chez les sujets Rh nég. / Traitement pour le PTI chez les sujets Rh pos. non splénectomisés	Offerts en fioles de 120, 300 et 1000 µg devant être reconstitués avec le diluant fourni dans l'emballage (voir monographie du produit)	Fioles de 120 et 300 µg : / Intraveineuse : 2 à 3 min / Intramusculaire : deltoïde cuisse / Fiole de 1000 µg : / Intraveineuse : en 5 min / Voir monographie du produit	Client Rh nég. pour prévention de l'allo-immunisation / Client Rh pos. pour traitement du PTI	Doivent être utilisées dans les 4 h suivant la reconstitution	Contre-indiquées chez les clients ayant déjà présenté des réactions anaphylactiques ou d'autres réactions systémiques importantes aux immunoglobulines	Prise des signes vitaux avant et après l'administration du produit
Immunoglobulines intramusculaires (IG IM)	Immunisation passive précédant ou suivant une exposition à certains virus	IG : 5 ml / HBIG : 0,5, 1 et 5 ml / RIG : 2 ml / TIG : 250 U / VZIG : 125 et 625 U	Voir monographie du produit / Se référer au PIQ (Protocole d'immunisation du Québec)	Ne s'applique pas	Voir monographie du produit	Voir monographie du produit	Voir monographie du produit
Concentrés de facteurs de la coagulation†	Traitement préventif et curatif de troubles reliés à un déficit en facteurs de la coagulation	Variable selon la disponibilité	**Selon l'ordonnance de l'hématologue** / Par voie intraveineuse, en injection ou en perfusion continue / Voir monographie du produit	Ne s'applique pas	Reconstituer au moment de l'administration seulement	Voir la monographie du produit pour la reconstitution et l'administration	Voir monographie du produit
Pentaspan‡‡ (N'est ni un produit sanguin ni un dérivé.)	Traitement des chocs provoqués par l'hémorragie, la chirurgie, la septicémie, les brûlures et autres traumatismes / Expanseur du volume plasmatique / Colloïde	Sacs de 250 et 500 ml	**Selon l'ordonnance médicale** / S'administre par voie intraveineuse seulement / Posologie maximale par jour : 2000 ml ou 28 ml/kg de poids / Tubulure IV régulière	Ne s'applique pas	Conserver à la T° de la pièce (15-25 °C) / Ne retirer de son emballage qu'au moment de l'utilisation / Si retiré de son emballage, doit être utilisé dans un délai de 24 h	Contre-indiqué chez les clients atteints : de troubles de coagulation, d'hypersensibilité au pentastarch, d'insuffisance cardiaque congestive où des risques de surcharge volémique sont possibles	Voir monographie du produit

† À noter que ces solutions sont compatibles avec le NaCl à 0,9%.
‡ À noter que ces solutions sont compatibles avec le dextrose à 5%.
Préparé par Jacqueline Drolet et approuvé par Dr Claude Shields, Hôpital de l'Enfant-Jésus, 2002.
CMV : cytomégalovirus ; HBIG : immunoglobulines contre l'hépatite B ; HLA : complexe majeur d'histocompatibilité humain ; IG : immunoglobuline ; PTI : purpura thrombopénique idiopathique ; PTT : purpura thrombotique thrombocytopénique ; RIG : immunoglobuline antirabique ; TA-GVH : réaction du greffon contre l'hôte associée à la transfusion ; TIG : immunoglobuline antitétanique ; VZIG : immunoglobuline contre la varicelle et le zona.

Le sang doit être administré aussitôt qu'il est amené au client. Il ne doit pas être réfrigéré à l'unité de soins. S'il n'est pas utilisé dans l'immédiat, il faut le retourner à la banque de sang.

Pendant les 15 premières minutes ou pendant la perfusion des 50 premiers millilitres, l'infirmière doit demeurer avec le client. S'il y a réactions indésirables, elles se manifestent en général à ce moment-là. La fréquence de perfusion ne devrait alors pas dépasser 2 ml/min. Il ne faut pas perfuser le sang rapidement, sauf s'il y a urgence. La perfusion rapide de sang froid peut provoquer des frissons. S'il est nécessaire d'administrer d'importantes quantités de sang rapidement, utiliser un appareil pour réchauffer le produit sanguin à transfuser.

Après les 15 premières minutes, la vitesse de perfusion dépend de l'état clinique du client et du produit perfusé. La plupart des clients ne courant aucun risque de surcharge liquidienne peuvent tolérer la perfusion et l'administration d'une unité de globules rouges concentrés en deux heures. L'infirmière doit transfuser plus lentement le sang aux gens qui présentent des problèmes d'insuffisance cardiaque ou rénale. La transfusion ne doit pas durer plus de quatre heures. Après avoir séjourné quatre heures à température ambiante, le sang non utilisé ne doit pas être perfusé, étant donné qu'il peut être contaminé par une prolifération des bactéries.

19.14.2 Réactions provoquées par la transfusion sanguine

En cas de réaction, prendre les mesures suivantes :
- interrompre la transfusion ;
- maintenir la perméabilité de la voie IV à l'aide de solution saline ;
- avertir immédiatement la banque de sang et le médecin traitant ;
- vérifier de nouveau les étiquettes et les numéros d'identification ;
- surveiller les signes vitaux et la diurèse ;
- traiter les symptômes selon les ordonnances du médecin traitant ;
- conserver le sac de sang et la tubulure et les retourner à la banque de sang pour examen ;
- enregistrer la réaction transfusionnelle au dossier et sur la feuille de déclaration, s'il y a lieu ;
- recueillir les échantillons de sang et d'urine requis selon les politiques en vigueur dans l'établissement pour évaluer l'hémolyse.

Les complications provoquées par la transfusion peuvent être sérieuses et nécessitent une évaluation attentive du client. Les réactions qu'entraîne la transfusion sanguine peuvent être aiguës ou tardives (voir tableau 19.21).

Réactions aiguës

Réactions hémolytiques aiguës. La transfusion de sang incompatible est la cause la plus fréquente de réaction hémolytique (voir tableau 18.7). Elle peut provoquer une réaction d'hypersensibilité cytotoxique de type II (voir chapitre 7). Les réactions hémolytiques graves sont rares. La plupart des erreurs sont causées par des erreurs d'étiquetage et d'identification.

En cas de réaction hémolytique aiguë, les anticorps contenus dans le sérum du receveur réagissent avec les antigènes des globules rouges du donneur, ce qui entraîne une agglutination des cellules qui peut obstruer les capillaires et entraver la circulation sanguine. L'hémolyse des globules rouges libère de l'hémoglobine libre, dissoute dans le plasma. L'hémoglobine est, à son tour, filtrée par les reins et peut être décelée dans l'urine (hémoglobinurie). L'hémoglobine peut alors obstruer les tubules rénaux, ce qui provoque une insuffisance rénale aiguë (voir chapitre 38).

Les manifestations cliniques de la réaction hémolytique aiguë peuvent être modérées ou graves et apparaissent en général dans les 15 minutes qui suivent le début de la transfusion. L'hémoglobine libre trouvée dans les échantillons de sang et d'urine prélevés au début de la réaction permet de confirmer le diagnostic. Les réactions tardives causées par la transfusion peuvent se déclarer de 2 à 14 jours après l'administration de sang. (Les manifestations cliniques et les soins infirmiers à prodiguer au client qui présente une réaction hémolytique sont donnés au tableau 19.21.)

Réactions fébriles. Les réactions fébriles sont le plus souvent causées par l'incompatibilité des leucocytes. De nombreux individus qui reçoivent plus de cinq transfusions développent des anticorps. Il est possible d'éviter les réactions fébriles par l'utilisation de filtres qui séparent les leucocytes des globules rouges et des plaquettes. On peut également utiliser des produits sanguins pauvres en leucocytes (filtrés, lavés ou congelés) pour éviter les réactions fébriles.

Réactions allergiques modérées. Les réactions allergiques modérées sont causées par la sensibilité du receveur aux protéines plasmatiques du sang du donneur. Ces réactions sont plus fréquentes chez l'individu ayant des antécédents d'allergie. On peut administrer des antihistaminiques pour éviter ce type de réaction. On utilise de l'adrénaline et des corticostéroïdes pour traiter les réactions graves.

Surcharge circulatoire. Le client atteint d'insuffisance rénale ou cardiaque risque de développer une surcharge circulatoire. Cela s'avère particulièrement vrai si une grande quantité de sang est administrée par perfusion en un court laps de temps.

TABLEAU 19.21   Réactions aiguës transfusionnelles

Réaction	Cause	Manifestations cliniques	Traitement	Prévention
Hémolytique aiguë	Transfusion de sang entier avec incompatibilité ABO, globules rouges ou composants contenant 10 ml ou plus de globules rouges. Anticorps dans le plasma du donneur s'attachant aux antigènes des globules rouges transfusés et provoquant ainsi la destruction des globules rouges.	Frissons, fièvre, douleurs au bas du dos, bouffées vasomotrices, tachycardie, tachypnée, hypotension, collapsus vasculaire, hémoglobinurie, ictère aigu, urines sombres, hémorragie, insuffisance rénale aiguë, choc, arrêt cardiaque, décès.	Cesser immédiatement la transfusion. Traiter l'état de choc le cas échéant. Prélever lentement les échantillons sanguins pour les tests sérologiques afin d'éviter l'hémolyse pouvant être provoquée par la procédure. Prélever des échantillons d'urine pour analyse. Maintenir la pression artérielle par administration de solutions colloïdes par voie IV. Administrer des diurétiques tels qu'ils ont été prescrits pour maintenir la miction. Installer une sonde urinaire à demeure ou mesurer les mictions pour surveiller continuellement la diurèse. La dialyse peut être nécessaire en cas d'insuffisance rénale. Ne pas transfuser de composants contenant des globules rouges supplémentaires avant que la banque de sang n'ait fourni d'unités dont la compatibilité a été établie.	Vérifier méticuleusement l'identité du client et la noter, depuis le prélèvement d'échantillon jusqu'à la perfusion de composant.
Fébrile, non hémolytique (plus fréquente)	Sensibilité aux globules blancs, aux plaquettes ou aux protéines plasmatiques du donneur.	Frissons et fièvre soudains (augmentation de la température de > 1 °C), céphalées, bouffées vasomotrices, anxiété, douleurs musculaires.	Administrer des antipyrétiques tels qu'ils ont été prescrits – éviter l'administration d'aspirine aux sujets thrombocytopéniques. Ne reprendre la transfusion que sur indication du médecin.	Envisager l'administration de produits sanguins déleucocytés (filtrés, lavés ou congelés) aux clients ayant des antécédents de réactions.
Allergique modérée	Sensibilité aux protéines plasmatiques étrangères.	Bouffées vasomotrices, prurit, urticaire (éruptions).	Administrer des antihistaminiques selon la prescription. Si les symptômes sont légers et transitoires, la transfusion peut être reprise lentement selon la prescription. Ne pas recommencer la transfusion en cas de fièvre ou de symptômes pulmonaires.	Traiter de façon prophylactique par administration d'antihistaminiques. Envisager d'administrer des globules rouges et des plaquettes lavées.
Anaphylactique et allergique grave	Sensibilité aux protéines plasmatiques du donneur. Transfusion de protéines IgA à un receveur ayant un déficit en IgA qui a développé des anticorps anti-IgA.	Anxiété, urticaire, respiration sifflante, se transformant en cyanose, choc et arrêt cardiaque possible.	Commencer, s'il y a lieu, la RCR. Avoir de l'adrénaline à portée de main pour injection selon la prescription. Ne pas recommencer la transfusion.	Transfuser des produits de globules rouges lavés, desquels tout plasma a été éliminé. Utiliser le sang d'un donneur ayant un déficit en IgA. Utiliser des composants autologues.
Surcharge circulatoire	Volume administré plus rapidement que la circulation ne peut le supporter.	Toux, dyspnée, congestion pulmonaire (râles), céphalées, hypertension, tachycardie, distension des veines du cou.	Installer le client en position de semi-Fowler. Administrer les diurétiques, l'oxygène et la morphine selon la prescription. La phlébotomie peut être indiquée.	Ajuster le volume de transfusion et le débit en fonction de la taille du client et de son état clinique. Si possible, demander à la banque du sang de diviser l'unité en plus petites portions pour mieux espacer l'administration de liquides.
Septicémie	Transfusion de composants sanguins infectés par des bactéries.	Apparition rapide de frissons, fièvre élevée, vomissements, diarrhée, hypotension marquée ou choc.	Prélever des hémocultures du client et envoyer le sac contenant le reste de la transfusion avec la tubulure à la banque du sang pour examen approfondi. Traiter la septicémie selon la prescription médicale – administration d'antibiotiques, de liquides par voie IV, de vasopresseurs.	Collecter, traiter, entreposer et transfuser les produits sanguins en respectant les méthodes imposées par la banque de sang et perfuser dans les 4 heures après initiation de la transfusion.

Adapté de *Transfusion Therapy Guidelines for Nurses*, National Blood Resources Education Program, US Department Health and Human Services.

Lorsqu'il est nécessaire d'administrer du sang, il convient de le perfuser aussi lentement que possible et de surveiller le client en mesurant sa pression veineuse centrale. Toute valeur supérieure à 15 cm H_2O est en général indicatrice d'une surcharge circulatoire. En présence d'un cathéter artériel pulmonaire, toute valeur de la pression capillaire pulmonaire supérieure à 18 mm Hg indique une pression de l'oreillette gauche élevée et une insuffisance cardiaque imminente. Parfois le médecin prescrira un diurétique (Lasix) entre les transfusions afin de diminuer les risques de surcharge.

Septicémie. Les produits sanguins peuvent s'infecter si la manipulation et l'entreposage sont inadéquats. La contamination des produits sanguins par des bactéries peut provoquer une bactériémie, une septicémie ou un choc septique. Toutefois, en les manipulant convenablement, la contamination par les bactéries est rare.

Réaction massive à la transfusion sanguine. On appelle **réaction massive à la transfusion sanguine** toute complication qui découle de la transfusion de grandes quantités de produits sanguins. Ces réactions peuvent se produire lorsque le remplacement des globules rouges ou du sang excède le volume de sang total en moins de 24 heures. Dans cette situation, il peut y avoir un déséquilibre des éléments du sang normal, car il n'y a ni facteurs de coagulation, ni albumine, ni plaquettes dans les transfusions de globules rouges.

D'autres problèmes peuvent survenir, tels que l'hypothermie, la toxicité au citrate (agent de conservation sanguin), l'hypocalcémie et l'hyperkaliémie. La perfusion de grandes quantités de sang froid peut provoquer l'hypothermie accompagnée d'arythmie cardiaque. L'utilisation d'un appareil pour réchauffer le sang permet d'éviter ce problème. L'utilisation de quantités importantes de produits sanguins peut également causer une toxicité au citrate et l'hypocalcémie, car la solution utilisée pour leur entreposage contient du citrate. Or, le calcium se lie au citrate et induit l'hypocalcémie. La toxicité peut se développer quand le sang est transfusé en grande quantité ou trop rapidement. Des tremblements musculaires et des modifications du tracé ECG sont des signes et des symptômes que l'on peut observer avec l'hypocalcémie. On peut éviter ou inverser ces effets avec l'administration par perfusion de gluconate de calcium à 10 %. L'hyperkaliémie survient quand le potassium s'échappe des globules rouges du sang entreposé. Il peut y avoir des signes et des symptômes modérés à graves, tels que la nausée, une faiblesse musculaire, la diarrhée, la paresthésie, la paralysie flasque des muscles cardiaque ou respiratoire et l'arrêt cardiaque. Lorsqu'il y a nécessité d'administrer des quantités importantes de sang, les soins infirmiers doivent comprendre la surveillance des électrolytes.

Réactions différées aux transfusions. Les réactions différées aux transfusions comprennent les réactions hémolytiques différées (mentionnées précédemment), les infections, les surcharges ferriques et les réactions du greffon contre l'hôte.

Infection. Les agents infectieux transmis par transfusion sanguine sont les suivants : virus de l'hépatite B et C, VIH, herpès virus humain de type 6 (HSV-6 virus de la varicelle et du zona de type 6 (VZV-6), virus d'Epstein-Barr (EBV), virus des lymphocytes T humains (HTLV-1), cytomégalovirus (CMV) et malaria. L'hépatite est l'infection virale la plus fréquemment transmise, bien que son incidence ait diminué grâce à un meilleur contrôle effectué par la banque de sang. Le virus de l'hépatite B peut être détecté dans le sang par la présence d'anticorps dirigé contre une de ses protéines de surface (HBs). On utilise un test pour détecter la présence d'anticorps dirigés contre le virus de l'hépatite C dans le sang du donneur et pour exclure l'utilisation de tout sang dont le résultat est positif. Le risque de transmission de l'hépatite C a ainsi pu être réduit.

Il y a quelques années, le virus du VIH était transmis par le sang et les produits sanguins contaminés. Cela posait un problème majeur pour l'individu transfusé. Les hémophiles qui ont reçu des facteurs antihémophiliques préparés à partir de plasma provenant de plusieurs donneurs, parmi lesquels certains était infectés, courent un risque plus élevé d'infection par le VIH lors des transfusions. Aujourd'hui, l'utilisation de facteurs antihémophiliques recombinants (voir tableau 19.10), l'éducation du donneur et les examens de sélection, ainsi que les tests détectant les anticorps anti-VIH ont permis de réduire considérablement la transmission de la maladie par transfusion sanguine ou par traitement par facteurs de remplacement. Selon Héma-Québec, au Québec, « la transmission d'une maladie infectieuse peut se produire, malgré la sélection rigoureuse des donneurs et les épreuves de dépistage avant la distribution du sang par Héma-Québec. Des épreuves particulières pour le dépistage d'une infection par les virus de l'hépatite B et de l'hépatite C devraient éliminer la plupart, mais non pas la totalité, des cas d'hépatite post-transfusionnelle. L'hépatite peut être plus ou moins grave ; elle peut être fatale ou entraîner une maladie hépatique chronique. Pour le rétrovirus humains (VIH et autres), toutes les épreuves et les méthodes de dépistage n'éliminent pas tous les risques de transmission de rétrovirus » (Héma-Québec, 2000).

19.14.3 Autotransfusion

L'autotransfusion ou transfusion autologue est une intervention qui consiste à transfuser à un individu son propre sang, prélevé antérieurement. Les problèmes d'incompatibilité, de réactions allergiques et de transmission de maladie peuvent ainsi être évités. On peut procéder à l'autotransfusion par les moyens suivants :

- don de sang autologue ou phlébotomie élective (transfusion autologue programmée). Le don de sang autologue ou phlébotomie élective (transfusion autologue programmée) est une opération au cours de laquelle le client donne son propre sang avant une intervention chirurgicale planifiée. Le sang peut être congelé et conservé pendant une période allant jusqu'à trois ans. En général, il est entreposé sans être congelé et administré à la personne dans les semaines qui suivent le don. Cette technique est particulièrement utile pour les individus dont le groupe sanguin est rare ou pour tout client dont le besoin en sang sera moyen pendant une chirurgie importante (p. ex. chirurgie élective des articulations).

- autotransfusion. L'autotransfusion est une nouvelle méthode de remplacement du volume sanguin qui consiste à recueillir sans danger et de façon aseptique le propre sang du client pendant une chirurgie importante ou à l'issue d'un traumatisme, à le filtrer et à le transfuser. Cette technique a été mise au point afin de répondre aux préoccupations relatives à l'innocuité des produits sanguins provenant de donneurs. Cette technique permet aujourd'hui de remplacer sans danger le volume sanguin et de stabiliser les clients pendant l'hémorragie. Des dispositifs de collecte peuvent être fixés aux drains après toute intervention thoracique ou orthopédique. Parfois, le dispositif de collecte fait déjà partie du système de drainage. Certains dispositifs permettent au sang d'être automatiquement perfusé à nouveau, et ce, de façon continue. Pour certains clients ou certaines chirurgies, il est nécessaire de procéder à la récupération du sang pendant un certain temps (en général pas plus de deux ou quatre heures), puis de l'administrer à nouveau par perfusion. Le sang obtenu par drainage effectué après les 24 premières heures ou celui que l'on soupçonne de contenir des micro-organismes pathogènes ne doit pas être administré à nouveau par perfusion. Selon les protocoles, on peut décider d'ajouter des anticoagulants au sang ainsi recueilli avant de l'injecter de nouveau. La formation de caillots après filtration du sang par le système de prélèvement peut parfois empêcher la réinjection. Il arrive parfois également que le sang recueilli soit dépourvu de ses facteurs de coagulation normaux. C'est pourquoi il est important de surveiller la coagulation du client qui reçoit une autotransfusion.

MOTS CLÉS

BIBLIOGRAPHIE

Version originale

1. Thibodeau GA, Patton KT: *Anatomy and physiology,* ed 3, St. Louis, 1996, Mosby.
2. Van Fleet Wilens N: The geriatric patient. In Rice R, editor: *Home health nursing practice: concepts and application,* ed 2, St. Louis, 1996, Mosby.
3. Beard JL, Ashraf R, Smiciklas-Wright H: Iron nutrition in the elderly. In Watson RR, editor: *Handbook of nutrition in the aged,* ed 2, Boca Raton, Fla, 1994, CRC Press.
4. Lipschitz DA: Anemia. In Hazzard WR and others, editors: *Principles of geriatric medicine and gerontology,* ed 3, New York, 1994, McGraw-Hill.
5. Fairbanks VF, Beutler E: Iron deficiency. In Beutler E and others, editors: *Williams hematology,* ed 5, New York, 1995, McGraw-Hill.
6. Weatherall DJ: The thalassemias. In Beutler E and others, editors: *Williams hematology,* ed 5, New York, 1995, McGraw-Hill.
7. Nissenblatt MJ: *Managing cancer-related anemia,* New Jersey, 1994, Ortho Biotech (monograph).
8. Paquette RL and others: Long-term outcome of aplastic anemia in adults treated with antithymocyte globulin: comparison with bone marrow transplantation, *Blood* 85:283, 1995.
9. Bunn HF: Pathogenesis and treatment of sickle cell disease, *N Engl J Med* 337:762, 1997.
10. Davies SC, Oni L: Management of patients with sickle cell disease, *BMJ* 315:656, 1997.
11. Howard LW, Kennedy LD: Hydroxyurea in the treatment of sickle-cell anemia, *Ann Pharmacother* 31:1393, 1997.
12. Shuey KM: Platelet-associated bleeding disorders, *Semin Oncol Nurs* 12:15, 1996.
13. Broughton S: Heparin has its risks, *Can Nurse* 91:25, 1995.
14. Kajis-Wyllie M: Thrombotic thrombocytopenia purpura, *Crit Care Nurse* 15:44, 1995.
15. Rust DM: FDA approves first biologic drug to promote platelet production, *Oncology Nurs Forum* 251:608, 1998.
16. Kleinert D and others: von Willebrand's disease: a nursing perspective, *J Obstet Gynecol Neonatal Nurs* 26: 271, 1997.
17. Roberts H, Hoffman M: Hemophilia and related conditions—inherited deficiencies of prothrombin (factor II), factor V, and factors VII to XII. In Beutler E and others, editors: *Williams hematology,* ed 5, New York, 1995, McGraw-Hill.
18. Wheeler A, Rubenstein EB: Current management of disseminated intravascular coagulation, *Oncology* 8:69, 1994.
19. Van Der Meer JWM: Defects in host defense mechanisms. In Rubin RR, Young LS, editors: *Clinical approach to infection in the compromised host,* ed 3, New York, 1994, Plenum Medical.
20. Noskin GA, Phair JP, Murphy RL: Diagnosis and management of infections in the immunocompromised host. In Shulman ST and others, editors: *The biologic and clinical basis of infectious diseases,* ed 5, Philadelphia, 1997, Saunders.
21. Buchsel PC: Allogenic bone marrow transplantation. In Groenwald SL and others, editors: *Cancer nursing: principles and practice,* ed 4, Boston, 1997, Jones & Bartlett.
22. Utley SM: Myelodysplastic syndromes, *Semin Oncol Nurs* 12:51, 1996.
23. *Cancer facts and figures, 1998,* American Cancer Society.
24. Wujcik D: Leukemia. In Groenwald SL and others, editors: *Cancer nursing: principles and practice,* ed 4, Boston, 1997, Jones & Bartlett.
25. Wiernik PH: Diagnosis and treatment of adult acute myelogenous leukemia. In Wiernik PH and others, editors: *Neoplastic diseases of the blood,* ed 4, New York, 1996, Churchill Livingstone.
26. O'Connell SA, Schmit-Pokorny K: Blood and marrow stem cell transplantation: indications, procedure, process. In Whedon MB, Wvjcik D, editors: *Blood and marrow stem cell transplantation,* ed 2, Boston, 1997, Jones & Bartlett.
27. DeMeyer E, Whedon MB, Ferrell B: Quality of life after transplantation. In Whedon MB, Wvjcik D, editors: *Blood and marrow stem cell transplantation,* ed 2, Boston, 1997, Jones & Bartlett.
28. McFadden ME: Malignant lymphomas. In Groenwald SL and others, editors: *Cancer nursing: principles and practice,* ed 4, Boston, 1997, Jones & Bartlett.
29. Yellen SB, Cella DF, Bonomi A: Quality of life in people with Hodgkin's disease, *Oncology* 7:41, 1993.
30. Fitzpatrick L, Fitzpatrick T: Blood transfusion. Keeping your patient safe, *Nursing* 27:34, 1997.
31. Gloe D: Common reactions to transfusions, *Heart Lung* 20:506, 1991.
32. Gobel BH: Bleeding disorders. In Groenwald SL and others, editors: *Cancer nursing principles and practice,* ed 4, Boston, 1997, Jones & Bartlett.
33. Smith RN and others: Autotransfusion, *Nursing* 25:52, 1995.

Édition de langue française

1. Circulaire d'information portant sur l'utilisation de sang humain et de composants sanguins, Héma-Québec. Santé Canada, février 2000.
2. Marieb, Élaine N. *Anatomie et physiologie humaine,* 4ᵉ édition, Saint-Laurent, ERPI, 2000.
3. Garnier, Marcel, et Valery, Delamare. *Dictionnaire des termes techniques de médecine,* 26ᵉ édition, Paris, Maloine, 2000.
4. Skidmore-Roth, Linda. *Nursing Drug Reference,* Missouri, Mosby, 2002.
5. Pagana, K., et J. Pagana. *L'infirmière et les examens paracliniques,* Edisem-Maloine, 2000.

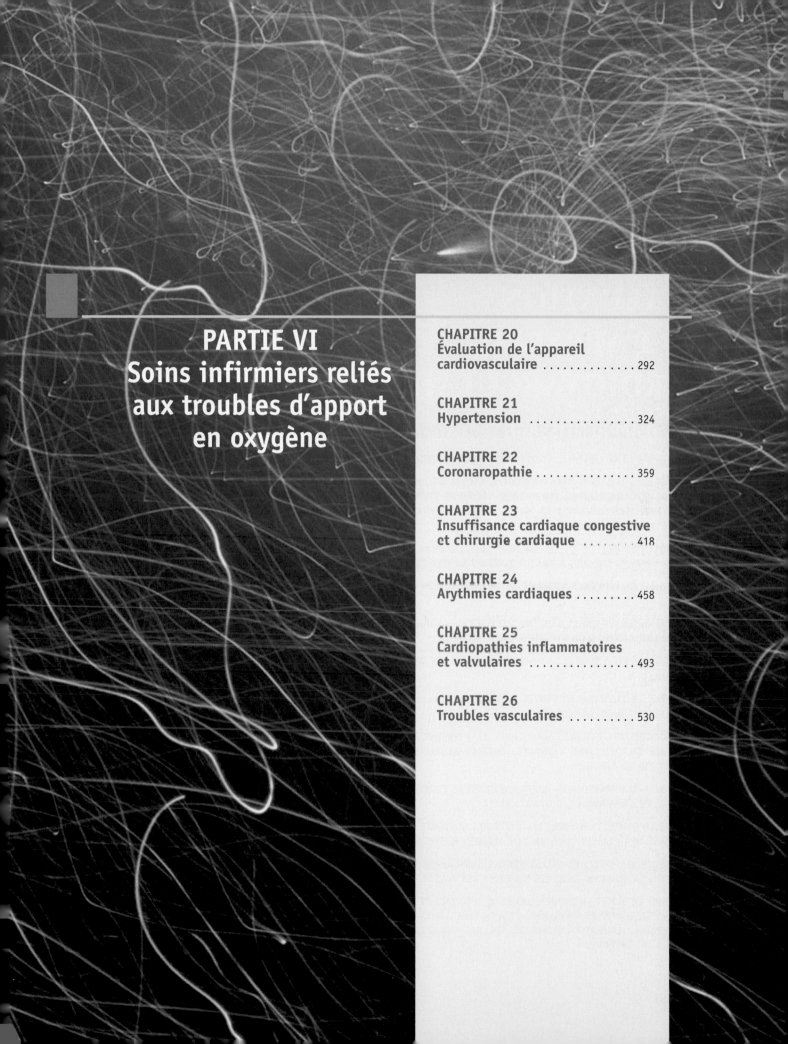

PARTIE VI
Soins infirmiers reliés aux troubles d'apport en oxygène

Chapitre **20**

Nicole Bizier
M.A.
Collège de Sherbrooke

Nathalie Gagnon
M.A. Éd.
Collège de Sherbrooke

Lorraine T. Sawyer
B. Sc. inf., D.E. (2e cycle) en enseignement
Collège de Sherbrooke

ÉVALUATION DE L'APPAREIL CARDIOVASCULAIRE

OBJECTIFS D'APPRENTISSAGE

APRÈS AVOIR LU CE CHAPITRE, VOUS DEVRIEZ ÊTRE EN MESURE :

- DE SITUER LES STRUCTURES ANATOMIQUES CARDIAQUES SUIVANTES : ENVELOPPES DU MYOCARDE, OREILLETTES, VENTRICULES, VALVES DE L'AORTE ET DU TRONC PULMONAIRE (SEMI-LUNAIRES) ET VALVES AURICULO-VENTRICULAIRES ET DE DÉCRIRE LEURS FONCTIONS ;

- D'EXPLIQUER LE BUT DE LA CIRCULATION CORONARIENNE ET L'APPORT DE CHAQUE VAISSEAU SANGUIN À CHAQUE ZONE DU MUSCLE CARDIAQUE ;

- D'EXPLIQUER LA SÉQUENCE NORMALE DE LA CONDUCTION ÉLECTRIQUE CARDIAQUE ;

- DE RECONNAÎTRE LES ONDES D'UN TRACÉ D'ÉLECTROCARDIOGRAMME NORMAL ET LES COMPOSANTES D'UN RYTHME SINUSAL NORMAL ;

- DE DÉCRIRE LA STRUCTURE ET LA FONCTION DES ARTÈRES, DES CAPILLAIRES ET DES VEINES ;

- DE DÉFINIR LA PRESSION ARTÉRIELLE ET D'EXPLIQUER LES MÉCANISMES QUI INTERVIENNENT DANS SA RÉGULATION ;

- DE CONNAÎTRE LES DONNÉES SUBJECTIVES ET OBJECTIVES IMPORTANTES À RECUEILLIR EN LIEN AVEC L'APPAREIL CARDIOVASCULAIRE ET SERVANT À L'ÉVALUATION DU CLIENT ;

- DE DÉCRIRE LES TECHNIQUES APPROPRIÉES POUR PROCÉDER À L'EXAMEN PHYSIQUE DE L'APPAREIL CARDIOVASCULAIRE ;

- DE FAIRE LA DISTINCTION ENTRE LES RÉSULTATS NORMAUX ET LES RÉSULTATS ANORMAUX DE L'EXAMEN PHYSIQUE DE L'APPAREIL CARDIOVASCULAIRE ;

- D'EXPLIQUER LES EFFETS DU VIEILLISSEMENT SUR L'APPAREIL CARDIOVASCULAIRE ET LES VARIATIONS DANS LES RÉSULTATS DES ÉVALUATIONS ;

- DE DÉCRIRE LE BUT ET LA SIGNIFICATION DES RÉSULTATS DES ÉPREUVES DIAGNOSTIQUES EFFRACTIVES (INVASIVES) ET NON EFFRACTIVES (NON INVASIVES) DE L'APPAREIL CARDIOVASCULAIRE ET LES RESPONSABILITÉS INFIRMIÈRES RELIÉES À CES ÉPREUVES.

PLAN DU CHAPITRE

20.1 STRUCTURES ET FONCTIONS DE L'APPAREIL CARDIOVASCULAIRE

20.1.1 Cœur

Structures. Le cœur est un organe musculaire de la taille d'un poing, formé de quatre cavités. Il est la pompe de l'appareil cardiovasculaire et se trouve dans le thorax, précisément dans le médiastin. Son battement est perceptible au cinquième espace intercostal, à plus ou moins 5 cm à gauche de la ligne médiane (voir figure 20.1). Cette pulsation, qui émane de l'apex du cœur, s'appelle le **choc de la pointe du cœur** ou choc apexien.

La paroi du cœur est composée de trois tuniques. L'endocarde, mince revêtement intérieur, le myocarde, couche médiane musculaire et le péricarde, membrane séreuse extérieure. Le péricarde est composé de deux feuillets : un feuillet pariétal et un feuillet viscéral appelé épicarde. Entre les feuillets viscéral et pariétal se trouve l'espace péricardique. Cet espace contient une petite quantité de liquide qui agit comme lubrifiant et réduit le frottement causé par le mouvement des différents feuillets à chaque contraction.

Les quatre cavités sont séparées par un septum, soit interauriculaire, soit interventriculaire selon les cavités qu'il sépare. Les cavités supérieures de chaque côté sont les oreillettes et les cavités inférieures sont les ventricules. La paroi des oreillettes est plus mince que celle des ventricules. La paroi ventriculaire gauche est beaucoup plus épaisse que la paroi ventriculaire droite. C'est grâce à son épaisseur que le ventricule gauche parvient à propulser le sang dans la circulation générale. La paroi mince du ventricule droit arrive à vaincre la pression à

l'intérieur de la circulation pulmonaire pour propulser le sang vers les poumons.

Circulation du sang dans le cœur

Valves cardiaques. L'oreillette droite reçoit du sang veineux des veines caves supérieure et inférieure et du sinus coronaire. Le sang traverse ensuite la valve tricuspide pour aller dans le ventricule droit. À chaque contraction, le ventricule droit propulse du sang dans le tronc pulmonaire, d'où partent les artères pulmonaires. À l'entrée des artères pulmonaires se trouve la valve pulmonaire.

Le sang provenant des poumons se déverse dans l'oreillette gauche par le biais des veines pulmonaires. Il traverse ensuite la valve mitrale pour atteindre le ventricule gauche. Pendant que le cœur se contracte, le sang est propulsé à travers la valve sigmoïde (aortique) puis dans l'aorte pour pénétrer, finalement, dans la circulation générale (voir figure 20.2).

Les quatre valves du cœur obligent le sang à circuler dans une direction. Les valves auriculo-ventriculaires (AV) droite (tricuspide) et gauche (mitrale ou bicuspide) empêchent le retour du sang dans les oreillettes pendant la contraction ventriculaire. Les valves sont deux fois plus grandes que l'orifice et elles sont attachées à de minces fils de tissus fibreux que l'on appelle **cordages ou piliers tendineux** (voir figure 20.3). Les cordages ou piliers sont ancrés dans les muscles papillaires des ventricules. Le support des valves par les cordages tendineux évite donc l'éversion des valves dans les oreillettes pendant la contraction ventriculaire. Les valves sigmoïde (ou aortique) et pulmonaire, quant à elles, empêchent la régurgitation du sang dans les ventricules à la fin des contractions ventriculaires.

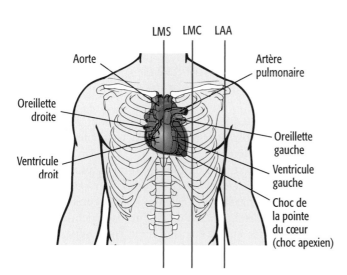

FIGURE 20.1 Orientation du cœur dans le thorax. Les traits rouges indiquent la ligne médiosternale (LMS), la ligne médioclaviculaire (LMC) et la ligne axillaire antérieure (LAA).

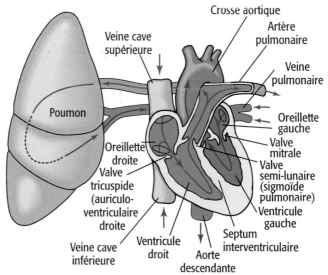

FIGURE 20.2 Représentation schématique de la circulation sanguine dans le cœur. Les flèches indiquent la direction de la circulation.

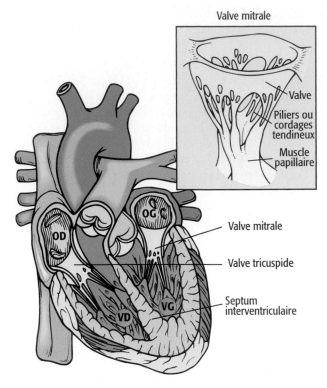

Valve mitrale

FIGURE 20.3 Structures anatomiques des valves auriculo-ventriculaires

OD : oreillette droite ; OG : oreillette gauche ; VD : ventricule droit ; VG : ventricule gauche.

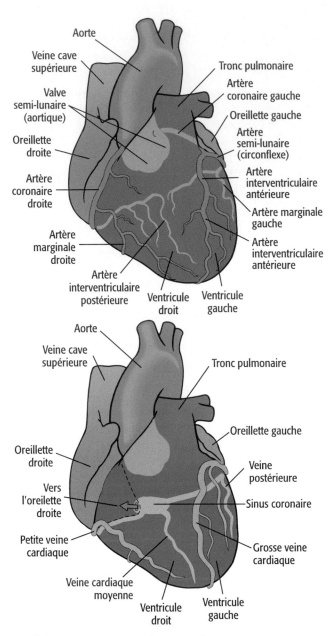

FIGURE 20.4 Artères et veines coronaires

Apport sanguin au myocarde. Le myocarde a sa propre circulation, qui s'appelle coronarienne. Juste au-dessus de la valve sigmoïde ou aortique se trouve le sinus coronaire, qui ouvre sur les artères coronaires droite et gauche. La circulation du sang dans les artères coronaires se fait surtout pendant la diastole alors que le cœur est au repos. Les artères coronaires sont gorgées de sang et alimentent ainsi le myocarde. Les ramifications des artères coronaires transportent le sang dans les différentes zones du myocarde (voir figure 20.4). L'artère coronaire droite et ses ramifications alimentent l'oreillette droite, le ventricule droit et une partie de la paroi postérieure du ventricule gauche. L'artère coronaire gauche et ses ramifications (artère interventriculaire antérieure et artère auriculo-ventriculaire gauche, dite aussi circonflexe) alimentent l'oreillette gauche et le ventricule gauche. Chez 90 % des gens, le nœud AV, qui fait partie du réseau de conduction électrique cardiaque, reçoit son apport sanguin de l'artère coronaire droite. C'est pour cette raison que l'obstruction de cette artère provoque souvent des défaillances importantes du point de vue du rythme cardiaque.

Une baisse du débit sanguin dans n'importe quelle partie du réseau artériel coronarien entraîne un déséquilibre entre la demande et l'apport en oxygène. L'**ischémie** entraîne une lésion cellulaire réversible et, en conséquence, l'hypoxie des tissus, une réduction de l'apport en énergie et une accumulation de déchets métaboliques toxiques, réduisant l'activité mécanique et électrique du cœur.

L'**infarctus** résulte d'un blocage total ou presque total de la circulation coronarienne dans le myocarde qui entraîne la mort des cellules. Les conséquences générales de l'ischémie ou de l'infarctus dépendent de la région touchée et de l'étendue de la zone ischémiée ou nécrosée. Si le débit sanguin est réduit pendant des mois ou des années, des voies de rechange se créent parfois en un temps suffisamment court pour nourrir le myocarde en danger. Ces voies de rechange constituent ce que l'on appelle la **circulation collatérale**.

Les divisions des veines coronaires suivent le modèle des divisions des artères coronaires. La plus grande partie du sang du réseau coronaire va dans le sinus coronaire qui, lui, se déverse dans l'oreillette droite, près de l'entrée de la veine cave inférieure (voir figure 20.4).

Réseau de conduction électrique du cœur. Dans la paroi du cœur, il existe un tissu nerveux spécialisé, responsable de la création et de la transmission de l'impulsion électrique. Le résultat final de ce processus est la contraction myocardique. Cette impulsion électrique est générée par le nœud sinusal (SA), par la diffusion rapide des ions sodium Na^+ entrant dans les cellules et par le flux sortant des ions potassium K^-. Le changement d'électrolytes réduit la polarisation qui existe lorsque les cellules des nœuds sont au repos (p. ex. intérieur électriquement négatif, extérieur positif) et les membranes cellulaires deviennent dépolarisées. Ce changement de polarité s'appelle le **potentiel d'action** (voir figure 20.6). Le potentiel d'action qui se crée à ce moment-là se déplace en ondes concentriques à travers les oreillettes. Le nœud SA est une excroissance de tissu dans la paroi de l'oreillette droite, près de l'entrée de la veine cave supérieure (voir figure 20.5). On appelle le nœud SA le stimulateur naturel du cœur (*pacemaker*). Chaque impulsion générée par le nœud SA traverse rapidement les fibres des muscles auriculaires des deux oreillettes par des voies internodales et par la conduction intercellulaire.

La contraction mécanique du muscle cardiaque se produit après la dépolarisation des cellules, lorsque les filaments d'actine et de myosine des organes contractiles du cœur bougent en même temps. Le calcium qui pénètre dans les cellules après la dépolarisation déclenche cette contraction. L'acheminement uniforme et rapide de l'impulsion électrique permet aux oreillettes de se contracter simultanément.

L'impulsion électrique se déplace de l'oreillette au nœud AV, qui se trouve à la base de l'oreillette droite, près du septum. L'impulsion électrique s'arrête brièvement dans le nœud AV, ce qui permet à l'oreillette de se contracter et de se vider avant que la contraction des ventricules ne commence. L'excitation se déplace ensuite dans le faisceau de His et le long du septum interventriculaire par le biais des branches gauche et droite du faisceau de His. La branche gauche du faisceau de His a un faisceau antérieur et un faisceau postérieur, tandis que le droit n'en possède qu'un. À partir de là, l'influx s'étend largement à travers les parois des deux ventricules par le biais des fibres du réseau de Purkinje. La conduction ventriculaire efficace achemine l'impulsion en 0,12 s, ce qui déclenche une contraction myocardique uniforme.

Le cycle cardiaque débute par la dépolarisation du nœud SA. Son paroxysme est caractérisé par le déversement du sang dans les circulations pulmonaire et générale. Le cycle se termine par la repolarisation, lorsque les cellules musculaires lisses et les cellules des voies de conduction recouvrent leur état de polarisation (début d'un nouveau cycle). Les cellules musculaires du cœur ont un mécanisme compensatoire qui les rend insensibles et réfractaires à une deuxième stimulation pendant le potentiel d'action. Pendant la systole, on assiste à une période réfractaire absolue au cours de laquelle le muscle cardiaque ne réagit à aucun stimulus. Après cette période, le muscle cardiaque recouvre graduellement son excitabilité, puis une période réfractaire relative survient au début de la diastole.

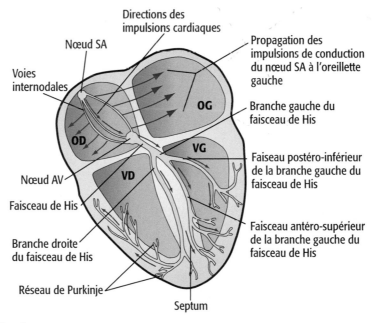

FIGURE 20.5 Réseau de conduction du cœur
AV : auriculo-ventriculaire ; OD : oreillette droite ; OG : oreillette gauche ; SA : sinusal ; VD : ventricule droit ; VG : ventricule gauche.

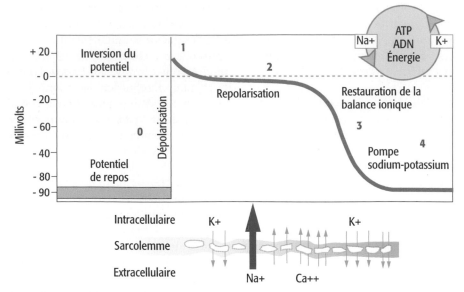

FIGURE 20.6 Phases du potentiel d'action et mouvements ioniques transmembranaires

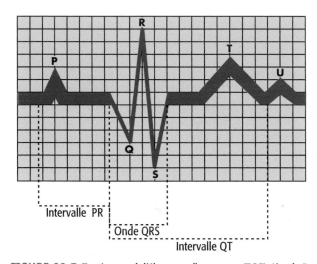

FIGURE 20.7 Tracé normal d'électrocardiogramme (ECG). L'onde P représente la dépolarisation de l'oreillette. L'onde QRS représente la dépolarisation des ventricules. L'onde T représente la repolarisation des ventricules. Il est possible que l'onde U, si elle est présente, révèle de l'hypokaliémie ou des anomalies en matière de repolarisation. L'intervalle PR est une mesure du temps nécessaire pour que l'impulsion s'étende du nœud sinusal aux ventricules.

Électrocardiogramme. Il est possible de détecter l'activité électrique du cœur sur la surface du corps et de l'enregistrer sous la forme d'un électrocardiogramme (ECG). On utilise les lettres P, QRS, T et U pour reconnaître les différentes formes d'ondes (voir figure 20.7). La première onde, P, commence par le déclenchement du nœud SA et représente la dépolarisation des fibres de l'oreillette. L'onde QRS représente la dépolarisation du nœud AV jusqu'aux ventricules. Il existe un délai dans la transmission de l'impulsion à travers le nœud AV qui influe sur la séquence temporelle séparant la fin de l'onde P et le début de l'onde QRS. L'onde T représente la repolarisation des ventricules. L'onde U, si elle est présente, correspond à la repolarisation ventriculaire retardée, et peut être associée à l'hypokaliémie.

L'intervalle entre ces ondes représente le temps nécessaire pour qu'une impulsion se déplace d'une zone du cœur à l'autre. Il est possible de mesurer ces intervalles (voir tableau 20.1) et un écart entre les valeurs obtenues et les temps de référence indique souvent la présence d'une maladie.

TABLEAU 20.1 Ondes de l'électrocardiogramme

Formes d'ondes et intervalles normaux	Temps normaux	Rythme sinusal normal*
Onde P	0,06 - 0,12 s	Précède les ondes QRS et T
Onde QRS	0,04 - 0,12 s	Suit l'onde P
Onde T	0,16 s	Suit l'onde QRS
Intervalle PR	0,12 - 0,20 s	Ne devrait pas varier d'un complexe à l'autre
Intervalle QT	Varie selon la fréquence du pouls (0,31 - 0,38 s pour une fréquence cardiaque de 72 pulsations/min)	Ne devrait pas varier d'un complexe à l'autre Ne devrait pas dépasser la moitié de l'intervalle RR
Intervalle RR	Varie selon la fréquence du pouls	Devrait être équidistant, petite variation pendant la respiration

* 60 à 100 pulsations/min.

TABLEAU 20.2 Définition de quelques paramètres de mécanique cardiaque

Paramètres	Définition
Débit cardiaque (DC)	Quantité de sang éjectée par un ventricule en une minute
Volume d'éjection systolique (VES)	Quantité de sang éjectée par un ventricule pendant un battement de coeur
Fréquence cardiaque (FC)	Nombre de contractions cardiaques en une minute

Système mécanique. Le système mécanique déclenche la contraction du myocarde provoquant l'éjection de sang de la cavité cardiaque et portant le nom de **systole** ; la relaxation du muscle s'appelle la **diastole**. Le débit cardiaque (DC) est la mesure de l'efficacité mécanique et représente la quantité de sang éjectée par chaque ventricule en une minute. On le calcule en multipliant la quantité de sang éjectée d'un ventricule à chaque battement cardiaque pendant une minute, ou volume d'éjection systolique (VES), par la fréquence cardiaque (FC) par minute :

$$DC = VES \times FC$$

Chez un adulte normal au repos, le DC se maintient entre 4 et 8 L par minute. L'index cardiaque (IC) s'obtient en divisant le DC par l'indice de masse corporelle (IMC). L'IC ajuste le DC à la taille du corps, et sa valeur normale se situe entre 2,8 et 4,2 L par minute par mètre carré $(L/min/m^2)$.

Facteurs influant sur le débit cardiaque. De nombreux facteurs peuvent avoir un effet sur la FC, sur le VES et, par conséquent, sur le DC. La FC est régulée d'abord par le système nerveux autonome. Les facteurs influant sur le VES sont la précharge, la contractilité et la postcharge.

La loi de Starling affirme que, jusqu'à un certain point, plus les fibres sont étirées, plus leur force de contraction est grande. Le volume de sang qui se trouve dans les ventricules à la fin de la diastole, avant la contraction suivante, se nomme la précharge. La précharge détermine l'élongation des fibres myocardiques.

Il est possible d'augmenter la contractilité grâce à la noradrénaline libérée par le système nerveux sympathique et à l'adrénaline produite de façon endogène par les médullosurrénales ou administrée comme médicament. L'augmentation de la contractilité augmente le VES en vidant davantage le ventricule.

La postcharge est la pression que le ventricule gauche devra exercer pour propulser le sang dans l'aorte. Elle dépend de la taille du ventricule, de la tension de la paroi et de la pression artérielle (PA). Si la PA est élevée,

les ventricules vont rencontrer une plus grande résistance à l'éjection de sang, ce qui augmente l'effort nécessaire. Ce phénomène peut entraîner une hypertrophie ventriculaire (augmentation de volume des tissus du muscle cardiaque sans augmentation de la taille des cavités). L'augmentation de la précharge, de la contractilité et de la postcharge accroît le travail du myocarde (chaque fois que le travail du cœur augmente, la dépense d'oxygène augmente également), ce qui entraîne une hausse de la demande en oxygène.

Réserve cardiaque. L'appareil cardiovasculaire doit réagir à de nombreuses situations, qu'une personne soit en bonne santé ou malade (p. ex. effort, stress et hypovolémie). La capacité de réagir à ces demandes en triplant ou en quadruplant le DC se nomme la **réserve cardiaque**. L'augmentation du DC résulte d'une augmentation de la FC ou du VES. La FC peut augmenter jusqu'à 180 battements par minute pour de courts laps de temps sans effets nocifs. Il est possible d'augmenter le VES en augmentant la précharge ou la contractilité.

20.1.2 Système vasculaire

Vaisseaux sanguins. Le système vasculaire compte plusieurs types de vaisseaux sanguins, dont les plus importants sont les artères, les veines et les capillaires. À l'exception des artères pulmonaires, les artères partent du cœur et assurent le transport du sang oxygéné. Les veines, quant à elles, se dirigent vers le cœur et y amènent le sang non oxygéné. Les veines pulmonaires font elles aussi exception à cette règle puisqu'elles amènent du sang oxygéné à l'oreillette gauche. Les petites artères s'appellent des artérioles, tandis que les petites veines portent le nom de veinules. À partir du cœur, le sang circule vers les artères puis les artérioles, empruntant ensuite les capillaires, les veinules et enfin les veines avant de retourner au cœur.

Artères et artérioles. Le système artériel se différencie du système veineux par la quantité et le type de tissus qui composent ses parois (voir figure 20.8). Les grosses artères ont des parois épaisses qui se composent principalement de tissus élastiques. Cette élasticité amortit la force de l'impact produit par la pression artérielle systémique et provoque un effet rebond qui propulse le sang dans la circulation. Les grosses artères contiennent également des muscles lisses. Parmi les grosses artères, on compte l'aorte et les artères pulmonaires.

Les artérioles comportent relativement peu de tissus élastiques, mais beaucoup de muscles lisses. Elles réagissent rapidement aux manifestations locales, comme une baisse de l'O_2 ou une augmentation du taux de CO_2 et d'autres déchets, en se dilatant ou en se contractant. La quantité de sang qui circule dans chaque

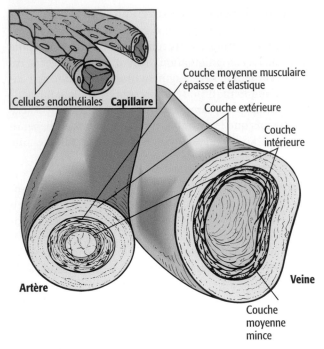

Couche moyenne musculaire
épaisse et élastique

Couche extérieure

Couche
intérieure

Cellules endothéliales   **Capillaire**

Artère

Veine

Couche
moyenne
mince

FIGURE 20.8 Comparaison de l'épaisseur des couches des artères, des veines et des capillaires

organe et dans les différents tissus est directement liée au degré de constriction de la lumière artérielle. Les artérioles sont le principal élément régulateur de la PA et de la distribution du sang.

Capillaires. La mince paroi capillaire est composée de cellules endothéliales et ne contient ni tissus musculaires ni tissus élastiques (voir figure 20.8). Il existe des kilomètres de capillaires chez un adulte. L'échange des nutriments cellulaires et des déchets issus du métabolisme se fait dans ces vaisseaux dont la paroi est très mince.

Veines et veinules. Les veines sont des vaisseaux à paroi mince et à large diamètre qui ramènent le sang à l'oreillette droite (voir figure 20.8). Le système veineux est un système à basse pression et à fort volume. Les plus grosses veines contiennent des valves semi-lunaires disposées à intervalles réguliers, qui maintiennent la circulation sanguine vers le cœur et l'empêchent de changer de direction. La quantité de sang dans le système veineux dépend de différents facteurs comme le débit artériel, la compression des veines par les muscles squelettiques, les variations des pressions thoracique et abdominale et la pression auriculaire droite.

Les plus grosses veines sont les veines caves supérieures, qui ramènent le sang de la tête, du cou et des bras au cœur, et les veines caves inférieures, qui transportent le sang des parties inférieures du corps vers le cœur. La pression du côté droit du cœur a un effet sur ces vaisseaux à large diamètre. En effet, une pression auriculaire droite élevée risque de provoquer une turgescence de la veine jugulaire ou l'engorgement du foie résultant de la résistance à la circulation sanguine.

Les veinules sont de petits vaisseaux sanguins composés de faibles quantités de tissus musculaires et conjonctifs. Elles recueillent le sang dans différents réseaux capillaires pour l'acheminer vers les veines plus grosses.

20.1.3 Régulation de l'appareil cardiovasculaire

Système nerveux autonome. Le système nerveux autonome est composé du système nerveux sympathique et du système nerveux parasympathique.

Effets sur le cœur. La stimulation du système nerveux autonome sympathique augmente la FC, la vitesse de conduction de l'impulsion dans le nœud AV et la force des contractions auriculaires et ventriculaires. Elle est assurée par des récepteurs β-adrénergiques, lesquels sont des récepteurs de noradrénaline et d'adrénaline.

Par contre, la stimulation du système nerveux parasympathique (assurée par le nerf vague) abaisse la FC par le biais de son action sur le nœud SA et ralentit la conduction dans le nœud AV.

Effets sur les vaisseaux sanguins. La contraction des vaisseaux sanguins est contrôlée par des mécanismes de régulation à court terme et à long terme. Dans les mécanismes à court terme, nous retrouvons des mécanismes nerveux et chimiques.

Mécanismes nerveux. La source de la commande motrice des vaisseaux sanguins est le système nerveux sympathique. Les récepteurs α-adrénergiques se trouvent dans le muscle lisse vasculaire. La stimulation des récepteurs α-adrénergiques entraîne la vasoconstriction. À l'inverse, leur inhibition provoque une vasodilatation. Le système nerveux parasympathique influe très peu sur les vaisseaux sanguins.

Barorécepteurs. Les barorécepteurs dans la crosse aortique et le sinus carotidien (au début de l'artère carotide interne) sont sensibles à l'extension ou à la pression dans le système artériel. La stimulation de ces récepteurs se traduit par l'envoi d'information au centre vasomoteur dans le tronc cérébral destinée à régulariser la PA. Cet envoi entraîne une inhibition du système nerveux autonome et une augmentation de l'influence parasympathique, ce qui cause une diminution de la FC et une vasodilatation périphérique.

Une diminution de la PA provoque l'effet contraire. Cependant, les barorécepteurs ont seulement un effet sur les variations temporaires de la PA et de la FC.

Chimiorécepteurs. Les chimiorécepteurs se trouvent dans la crosse aortique et dans le corpuscule carotidien. Ils peuvent provoquer des variations de la FC et de la PA en réaction à une stimulation chimique. Ils sont stimulés par une diminution de la pression partielle en O_2 (PO_2), une augmentation de la pression partielle du CO_2 (PCO_2) et une diminution du pH dans le plasma. Lorsque les chimiorécepteurs sont stimulés, ils stimulent à leur tour le centre vasomoteur, qui augmente l'activité cardiaque.

Mécanismes chimiques. Le sang transporte nombre de substances chimiques qui modifient la PA par leur action directe sur le muscle lisse vasculaire ou le centre vasomoteur. Parmi ces mécanismes chimiques de régulation à court terme de l'appareil cardiovasculaire, les hormones jouent un rôle majeur.

C'est le cas, par exemple, d'une hormone libérée par la glande surrénale en réaction au stress, l'adrénaline, qui, présente de façon générale un effet vasoconstricteur. En outre, l'adrénaline entraîne une élévation du débit cardiaque.

Le facteur natriurétique auriculaire, quant à lui, est un peptide produit par les oreillettes lorsque survient une élévation de la PA. Ce faisant, le facteur natriurétique auriculaire favorise l'excrétion de sodium et d'eau par les reins, ce qui se traduit par une baisse du volume sanguin et, donc, de la PA. Il a également un effet vasodilatateur généralisé.

L'hormone antidiurétique, qui participe très peu à la régulation à court terme de l'appareil cardiovasculaire en temps normal, voit sa concentration monter en flèche lorsqu'il y a une grave diminution de la PA. Par sa forte action vasoconstrictrice, elle contribue ainsi au retour de la PA à des valeurs normales.

Mécanismes rénaux. Il existe également des mécanismes de régulation à long terme de la PA soit les mécanismes rénaux.

Le volume sanguin a une action déterminante sur le débit cardiaque et, aussi, sur la PA. Ainsi, lorsque le volume sanguin augmente, la PA en fait de même, et le phénomène inverse se produit quand le volume sanguin diminue. C'est pourquoi les mécanismes rénaux concourent à la régulation durable de l'appareil cardiovasculaire, puisque les reins, en agissant sur le volume sanguin, assurent le maintien de la PA dans la plage des valeurs normales. Deux types de mécanismes entrent ici en jeu. Le premier modifie directement le volume sanguin en favorisant une rétention ou une excrétion plus ou moins grande de liquide par les reins, selon le cas. Le deuxième mécanisme agit indirectement par l'intermédiaire du système rénine-angiotensine. La rénine, libérée à la suite d'une baisse de la PA, provoque une série de réactions se traduisant en bout de ligne par la production d'angiotensine II. Exerçant des effets vasoconstricteurs puissants, cette dernière élève la PA systémique, en plus d'amener la libération d'aldostérone. La présence de cette hormone a pour conséquence une meilleure réabsorption du sodium par les reins et l'excrétion d'une autre hormone : l'hormone antidiurétique qui, elle, favorise la réabsorption d'eau. S'ensuit une hausse du volume sanguin et, donc, de la PA.

20.1.4 Pression artérielle (PA)

La pression artérielle (PA) est la mesure de la pression qu'exerce le sang contre les parois du réseau artériel. La PA systolique est la pression maximale exercée contre les artères lorsque les ventricules se contractent. La PA diastolique est la pression artérielle résiduelle du réseau artériel pendant la relaxation ventriculaire. On exprime généralement la PA sous forme de rapport entre les pressions systolique et diastolique.

Les deux facteurs les plus importants qui influent sur la PA sont la FC et la résistance vasculaire périphérique (RVP) :

$$PA = FC \times RVP$$

La RVP est la force qui s'oppose au mouvement du sang. Cette force est créée en grande partie dans les petites artères et dans les artérioles.

Pression artérielle différentielle et pression artérielle moyenne. La pression artérielle différentielle est la différence entre les pressions systolique et diastolique. Sa valeur représente généralement plus ou moins le tiers de la valeur systolique. Ainsi, si la PA est de 120/80, la pression artérielle différentielle est de 40. La pression artérielle différentielle illustre le déplacement d'un volume sanguin d'une zone de haute pression vers une zone de pression inférieure. Il est possible que la PA différentielle augmente à l'effort chez les personnes souffrant d'artériosclérose des grosses artères et qu'elle diminue dans les cas d'insuffisance cardiaque et d'hypovolémie.

Une autre mesure relative à la PA est la pression artérielle moyenne. Il ne s'agit pas de la moyenne des pressions diastolique et systolique parce que la durée de la diastole dépasse celle de la systole dans le cas d'une fréquence cardiaque normale.

On calcule la PA moyenne en ajoutant la pression diastolique au tiers de la pression artérielle différentielle :

$$PA\ moyenne = PA\ diastolique + \frac{1/3\ de\ la\ PA}{différentielle}$$

Ainsi, une personne ayant une PA de 120/60 a une PA moyenne de 80.

Appareil cardiovasculaire

ENCADRÉ 20.1

- La maladie cardiovasculaire est la cause la plus commune d'hospitalisation et de décès chez les personnes âgées en Amérique du Nord. L'affection cardiovasculaire la plus commune est l'artériosclérose coronarienne. Il est difficile de faire la distinction entre les changements dus au vieillissement et les changements physiologiques dus à l'athérosclérose. L'athérosclérose est un phénomène qui apparaît lorsque l'artériosclérose est associée à l'accumulation de plaques athéromateuses qui obstruent les grosses artères. Les recherches actuelles donnent à penser que certains changements normaux dus au vieillissement favorisent l'athérosclérose, l'hypertension et l'insuffisance cardiaque.

- Ainsi, l'artériosclérose est le résultat de l'épaississement, du durcissement et de la perte d'élasticité des artères consécutifs au vieillissement. Par ailleurs, on remarque aussi que les artères sont plus sensibles à l'hormone antidiurétique (ADH, vasopressine). Ces changements contribuent à l'augmentation de la PA. Entre autres phénomènes, la perte d'élasticité et la lésion des vaisseaux amènent une élévation chronique de la pression différentielle occasionnée par une élévation de la pression systolique, ainsi qu'une augmentation de la résistance vasculaire périphérique (RVP), donc de la PA (FC × RVP = PA). En présence d'hypertension, le cœur doit fournir un effort accru, effort qui, à long terme, entraîne la destruction des cellules musculaires cardiaques. Il en résulte une insuffisance cardiaque touchant le plus souvent le côté gauche du cœur. Malgré les changements associés au vieillissement, le cœur continue de fonctionner adéquatement dans des conditions normales et l'hypertension ne devrait pas être considérée comme une conséquence normale du vieillissement.

- Les changements inhérents au processus normal de vieillissement peuvent être regroupés en deux catégories distinctes : les défauts d'ordre structurel et les défauts liés à la conductibilité.

- Sur le plan structurel, quand il est question du cœur, on constate notamment qu'avec l'âge, la quantité de collagène augmente et celle de l'élastine diminue. Ces changements influent sur la contractilité cardiaque et la capacité de dilatation du myocarde, des caractéristiques qui, par conséquent, modifient la force avec laquelle le sang est propulsé dans la circulation. Un des principaux effets du vieillissement sur la réaction cardiovasculaire est une détérioration frappante de la réponse cardiaque à l'effort. Celle-ci est causée par une diminution de la contractilité et de la FC en cas de diminution du débit cardiaque. Cependant, la FC au repos n'est pas modifiée de façon notable par le vieillissement.

- Les valves cardiaques, quant à elles, s'épaississent et durcissent à cause de l'accumulation de lipides, de la dégénérescence du collagène et de la calcification. Les valves mitrale et sigmoïde sont les plus communément touchées. Cette affection risque d'entraîner le dysfonctionnement ou la sténose de la valve. En outre, la circulation sanguine turbulente dans la valve affectée produit un souffle.

- En matière de conductibilité, on remarque que le nombre de cellules qui assurent le rythme cardiaque dans le nœud SA diminue avec l'âge. En effet, chez une personne âgée, il est possible que seuls 10 % du nombre normal de cellules conductrices assurant la conduction électrique cardiaque subsistent. Cette diminution augmente la probabilité d'un dysfonctionnement du nœud SA accompagné d'une bradycardie sinusale chronique. La fibrose et l'augmentation de la microcalcification du réseau de conduction touchent la branche gauche du faisceau de His dans la conduction ventriculaire. Ces changements risquent d'accélérer l'apparition du bloc auriculo-ventriculaire (BAV) chronique. Un électrocardiogramme normal peut présenter des élargissements minimes du QRS ou des allongements des intervalles PR et QT.

- La régulation exercée par le système nerveux sympathique sur l'appareil cardiovasculaire est également affectée par le vieillissement. Ainsi, le nombre de récepteurs β-adrénergiques présents dans le cœur diminue et leur fonctionnement est moins efficace. Par conséquent, la personne âgée réagit moins bien aux stress physique et émotionnel et elle est moins sensible aux médicaments agonistes β-adrénergiques, le nombre de récepteurs β-adrénergiques étant devenu insuffisant pour assurer l'action thérapeutique de ces agents. Il en va de même des canaux calciques. Présents en moins grand nombre, ils empêchent le calcium de bien pénétrer dans les cellules cardiaques, un phénomène qui résulte en des troubles de contractilité.

- Les effets du vieillissement sur l'appareil cardiovasculaire et sur les résultats des évaluations sont présentés au tableau 20.3.

20.2 ÉVALUATION DE L'APPAREIL CARDIOVASCULAIRE

20.2.1 Données subjectives

Un examen physique détaillé et une étude approfondie des antécédents médicaux devraient aider l'infirmière à différencier les symptômes qui indiquent la présence d'un problème d'origine cardiaque de ceux qui révèlent des troubles touchant un autre appareil relié au cœur. Par exemple, il est important de déterminer si un gain de poids est le résultat d'un excès de nourriture ou la manifestation d'une rétention de liquide. L'essoufflement est-il causé par une insuffisance cardiaque congestive (ICC) ou par une bronchopneumopathie chronique obstructive (BPCO) ? Les indices qui révèlent le plus communément

EXAMEN CLINIQUE ET GÉRONTOLOGIQUE

TABLEAU 20.3   Aspects particuliers de l'évaluation de l'appareil cardiovasculaire chez la personne âgée

Changements liés au vieillissement	Variations dans les résultats des évaluations
Cage thoracique Cyphose	Modification des repères thoraciques utilisés pour la palpation, la percussion et l'auscultation ; bruits cardiaques moins audibles
Cœur Hypertrophie myocardique, augmentation du collagène et du tissu cicatriciel, perte de l'élasticité	Baisse de la réserve cardiaque (p. ex. capacité à réagir à l'effort et au stress), légère diminution de la FC
Déviation vers le bas et la gauche	Difficulté à situer le pouls apical
Baisse du DC, de la FC et du VES en réaction à l'effort et au stress	Ralentissement et réduction de la réaction au stress ; récupération plus lente après l'activité
Changements cellulaires liés au vieillissement et fibrose du réseau de conduction électrique	Diminution de l'amplitude de l'intervalle QRS et allongement des intervalles PR, QRS et QT ; déviation axiale gauche, rythmes cardiaques irréguliers
Rigidité valvulaire associée à la calcification, à la sclérose ou à la fibrose, qui empêche la fermeture totale des valves	Présence possible du souffle systolique (aortique et mitral) sans qu'il n'indique forcément une affection cardiovasculaire
Vaisseaux sanguins Durcissement artériel causé par la perte d'élastine dans les parois artérielles, épaississement de l'intima (endartère) et fibrose progressive de la média	Augmentation de la PA systolique et éventuellement diastolique (p. ex. 160/90) ; augmentation possible de la pression artérielle différentielle ; pouls artériel bondissant, fort ou bien frappé ; pouls pédieux moins perceptibles à la palpation

DC : débit cardiaque ; FC : fréquence cardiaque ; PA : pression artérielle ; VES : Volume d'éjection systolique.

des problèmes cardiovasculaires devraient être examinés et les résultats de cet examen consignés (voir tableau 20.4).

Information importante concernant la santé

Antécédents de santé. De nombreuses maladies affectent l'appareil cardiovasculaire directement ou indirectement. Il faut demander au client s'il a déjà souffert de douleurs thoraciques, d'essoufflement, d'alcoolisme ou de consommation excessive d'alcool, d'anémie, de fièvre rhumatismale, d'angine streptococcique, de cardiopathie congénitale, d'un accident vasculaire cérébral (AVC), de syncope, d'hypertension, de thrombophlébite, de claudication intermittente, de varicosités et d'œdème (voir tableau 20.5).

Médicaments. Il faut recueillir les données sur les médicaments que prend ou qu'a déjà pris le client. Cette évaluation comprend les médicaments en vente libre et ceux qui nécessitent une ordonnance. Par exemple, de nombreux médicaments administrés pour soulager les symptômes du rhume contiennent de l'acide acétylsalicylique (AAS, Aspirin), qui allonge le temps de saignement en modifiant l'agrégation plaquettaire.

La collecte des données sur les médicaments comprend le nom des médicaments consommés et la description de ce que connaît le client de leurs actions et de leurs effets secondaires attendus et indésirables. Il faut également évaluer les médicaments qui risquent d'avoir un effet sur l'appareil cardiovasculaire. Voici certains de ceux-ci et des exemples des effets qu'ils peuvent avoir sur l'appareil cardiovasculaire :

- antidépresseurs tricycliques (p. ex. imipramine [Tofranil]) : hypotension et arythmies ;
- phénothiazines (p. ex. Chlorpromazine [Largactil]) : arythmies et hypotension ;
- contraceptifs oraux : thrombophlébite ;
- doxorubicine (Adriamycin) : myotoxicité ;
- lithium : arythmies ;
- corticostéroïdes : rétention de sodium et de liquide
- préparations de théophylline : tachycardie et arythmies ;
- drogues à usage récréatif ou toxicomanogènes : tachycardie et arythmies.

Interventions chirurgicales et autres traitements. L'infirmière doit demander au client s'il a déjà subi des traitements ou des chirurgies, ou s'il a déjà été admis à l'hôpital pour des problèmes cardiovasculaires. Elle doit également se renseigner au sujet de toute hospitalisation destinée à la recherche ou à l'exploration de symptômes en lien avec l'appareil cardiovasculaire. L'infirmière doit savoir si un électrocardiogramme ou une radiographie du thorax ont déjà été effectués pour s'y référer en cas de besoin.

Modes fonctionnels de santé. La corrélation étroite entre le mode de vie d'un client et sa santé cardiovasculaire montre la nécessité de revoir tous les modes de santé. Les questions-clés à poser à une personne qui souffre de problèmes cardiovasculaires sont présentées à l'encadré 20.2.

TABLEAU 20.4 Manifestations relatives aux problèmes cardiovasculaires

Manifestations	Description
Fatigue	Manque d'énergie, besoin de plus de repos que d'habitude, l'activité normale entraîne la fatigue
Rétention liquidienne	Gain de poids, sensation de ballonnement, gonflement ; sensation de vêtements trop serrés ; chaussures qui ne sont plus confortables ; marques ou lésions laissées par des vêtements trop serrés
Pulsations cardiaques irrégulières	Sensation d'avoir le cœur dans la gorge ou de sauter des battements, cœur qui bat trop vite ; étourdissement
Dyspnée	Manque d'air, surtout après l'effort ; oreillers ou chaise droite nécessaires pour dormir
Douleur	Indigestion, brûlements d'estomac ou gastriques, engourdissement, serrement ou pression au milieu du thorax ; douleur épigastrique ou sous-sternale qui irradie à l'épaule, au cou et aux bras
Sensibilité à la pression du mollet	Incapacité à supporter le poids ; gonflement du membre touché ; rougeur et chaleur de la peau sur le trajet de la veine Turgescence, décoloration et sinuosité des veines aux mollets ; douleur dans la partie inférieure des membres après être resté debout pendant un court laps de temps
Étourdissement, vertige	Changements orthostatiques, étourdissements ; torpeur, instabilité et faiblesse

Mode perception et gestion de la santé. L'infirmière doit se renseigner auprès du client au sujet de la présence de facteurs de risque cardiovasculaire. On compte parmi les facteurs de risque les plus importants un taux élevé de lipides sériques, l'hyperlipidémie, l'hypertension, le tabagisme, la sédentarité et l'obésité. Il faut également tenter de savoir si le client mène une vie stressante ou s'il est atteint de diabète.

Si le client fume, il faut calculer le nombre d'années-paquets (le nombre de paquets fumés par jour multiplié par le nombre d'années pendant lesquelles le client a fumé). Il faut chercher à connaître le comportement du client relativement au tabagisme, à savoir s'il a déjà tenté de cesser de fumer. Il faut également consigner la consommation d'alcool du client. L'information à ce sujet doit comprendre le type de boissons, la quantité, la fréquence de consommation et tout changement dans la réaction du client à l'alcool. Il faut également noter toute consommation de substances toxiques (stupé-

fiants), y compris les drogues consommées dans un but récréatif. Finalement, en ce qui a trait à l'enseignement et à la planification des sorties, il est important de connaître la perception qu'a le client de sa maladie et la façon dont il pense que cette dernière va modifier son bien-être et son autonomie.

Il est bon de poser des questions au sujet des allergies. En effet, l'infirmière doit chercher à savoir si le client a déjà présenté une réaction à des médicaments ou des réactions allergiques. Si le client a été traité pour des allergies, il faut évaluer sa compréhension du traitement. Il faut également demander au client s'il a déjà souffert d'un choc anaphylactique. Les maladies présentes dans la famille permettent de dégager les tendances héréditaires ou familiales en ce qui a trait à la coronaropathie, aux troubles vasomoteurs des extrémités, à l'hypertension, à l'hémorragie, aux troubles cardiaques, au diabète, à l'athérosclérose et à l'AVC. De plus, il est possible que les troubles touchant le système vasculaire, comme la claudication intermittente et les varicosités, soient d'origine familiale. Finalement, il faut évaluer les antécédents familiaux concernant les affections non cardiaques comme l'asthme, la néphropathie et l'obésité, parce qu'ils peuvent avoir un effet sur l'appareil cardiovasculaire.

Mode nutrition et métabolisme. Le fait de présenter un surplus de poids ou une insuffisance pondérale peut révéler l'existence de problèmes cardiovasculaires. Il est donc important d'évaluer l'indice de masse corporelle (IMC) du client. Il faut étudier l'alimentation d'une journée normale du client et vérifier si elle est saine par rapport à son mode de vie. Il faut déterminer la quantité de sel, de gras saturés et de triglycérides présents dans son alimentation. En plus des habitudes alimentaires, qui sont grandement modelées par l'origine ethnique, il faut examiner les comportements et les plans du client relativement à l'alimentation. Finalement, il faut aussi évaluer l'apport alimentaire et les habitudes en matière d'activité physique.

Mode élimination. La couleur, la température et l'intégrité de la peau, ainsi que la turgescence fournissent des renseignements importants sur les troubles circulatoires. Il est possible que l'athérosclérose refroidisse les membres et les rende cyanosés et que l'œdème révèle une insuffisance cardiaque. Le client qui prend des diurétiques risque de voir son élimination urinaire augmenter. Il faut examiner et consigner les troubles de constipation du client et lui indiquer d'éviter l'effort à la défécation (manœuvre de Valsalva) s'il a des problèmes cardiovasculaires.

Les affections cardiovasculaires risquent d'empêcher le client d'arriver aux toilettes aussi vite qu'il le faudrait. Par conséquent, si le client souffre d'incontinence ou de constipation, il faut poser des questions à ce sujet.

TABLEAU 20.5	Maladies affectant l'appareil cardiovasculaire
Symptômes ou états pathologiques	**Significations possibles**
Douleurs thoraciques	Signes majeurs de troubles cardiaques tels que l'angine ou l'infarctus
Essoufflement	Signe d'une déficience de la pompe cardiaque ayant pour conséquence une surcharge liquidienne ou une congestion au niveau pulmonaire
Alcoolisme	Facteur de risque d'athérosclérose, donc de diminution de l'irrigation coronarienne
Anémie	Diminution de l'O_2 disponible amenant une aggravation de l'ischémie
Fièvre rhumatismale	Cause de sténose des valves cardiaques augmentant le travail du coeur et menant à l'insuffisance cardiaque
Anomalies congénitales	Perturbation du trajet normal du sang à l'intérieur du coeur et influence sur la quantité et la qualité d'O_2 disponible
AVC et thrombophlébite	Risque accru de formation de thrombus pouvant entraver la circulation coronarienne
Syncope	Perte de conscience provoquée par une pause cardiaque, une bradycardie ou une tachycardie excessives ou une hypotension artérielle soudaine
Angine streptococcique	Angine causée par le streptocoque, qui occasionne une inflammation de la paroi des artères coronaires, diminuant la lumière du vaisseau et menant à une diminution de l'apport en O_2 au myocarde
Hypertension	Augmentation du travail du coeur, donc des dépenses d'O_2 et automatiquement des besoins en O_2. Elle accroît les risques d'angine, d'AVC et d'insuffisance cardiaque et rénale
Claudication intermittente	Signe d'une obstruction artérielle aux membres inférieurs qui affecte la nutrition des tissus et peut mener à la mort tissulaire (gangrène)
Varicosités	Causes d'un engorgement par accumulation de sang dans les veines, surtout celles des membres inférieurs, ainsi que d'une stase veineuse augmentant les risques de formation de thrombus
Œdème	Signe qui peut démontrer un trouble de pompage du ventricule gauche (oedème pulmonaire) ou du ventricule droit (oedème périphérique)

Mode activité et exercice. Les bienfaits de l'exercice sur la santé cardiovasculaire sont indéniables, notamment ceux de l'aérobie pratiquée de façon continue, car il développe la capacité cardiovasculaire. L'infirmière doit poser des questions relatives aux activités physiques, à savoir le type d'exercices, leur durée, la fréquence à laquelle ils sont pratiqués et l'apparition d'effets néfastes à l'effort (douleur, dyspnée). Il faut noter la durée du programme d'exercices et la participation à un sport collectif ou individuel. Il faut également noter les symptômes qui indiquent la présence de problèmes cardiovasculaires et qui se manifestent à l'effort, par exemple les faiblesses, la douleur thoracique, l'essoufflement et la claudication.

Il faut demander au client si l'affection cardiovasculaire dont il est atteint le limite dans ses activités de la vie quotidienne (AVQ). Ces affections sont souvent accompagnées de fatigue et de dépression, qui sont des symptômes communs de maladie cardiaque. L'infirmière doit poser des questions au sujet des loisirs et des activités du client. Il faut noter toute réduction de ses capacités en lien avec la capacité cardiovasculaire.

Mode sommeil et repos. Bien qu'il y ait plusieurs facteurs à l'origine de l'interruption du sommeil, les affections cardiovasculaires en sont souvent la cause. La dyspnée paroxystique nocturne (essoufflement subit qui survient surtout pendant la nuit et réveille le client) est associée à l'insuffisance cardiaque de stade avancé. De nombreux clients atteints d'insuffisance cardiaque ont besoin de dormir la tête surélevée sur des oreillers. Dans ce cas, l'infirmière doit noter le nombre d'oreillers nécessaires pour que le client soit à l'aise. La nycturie, un effet commun chez les clients souffrant de problèmes cardiovasculaires, interrompt les modes de sommeil normaux.

Mode cognition et perception. Il est important que l'infirmière pose des questions au client et à ses proches au sujet des troubles de cognition et de perception. Il faut signaler toute douleur associée à l'appareil cardiovasculaire, comme la douleur thoracique et la claudication. Les affections cardiovasculaires comme les arythmies, l'hypertension et les AVC risquent de créer des vertiges, des troubles de langage et de mémoire.

ANTÉCÉDENTS DE SANTÉ

Appareil cardiovasculaire

ENCADRÉ 20.2

Mode perception et gestion de la santé

- Avez-vous remarqué une augmentation des symptômes cardiovasculaires comme la douleur thoracique ou la dyspnée ?*†
- Quelles mesures de prévention avez-vous adoptées pour réduire les facteurs de risque auxquels vous êtes exposé ?
- Quelles difficultés envisagez-vous relativement à votre autonomie à cause de vos problèmes cardiaques ?

Mode nutrition et métabolisme

- Décrivez votre apport alimentaire quotidien, y compris en gras, en sel et en liquides.
- Combien pesez-vous ? Combien pesiez-vous il y a un an ? Si le poids est différent, pouvez-vous en expliquer la cause ?
- Vous sentez-vous fatigué ou essoufflé lorsque vous mangez ?*

Mode élimination

- Avez-vous parfois les pieds ou les chevilles enflés ?
- Avez-vous déjà pris des médicaments pour éliminer un excès de liquides (enflure) ?*

Mode activité et exercice

- Vos problèmes cardiaques ou vasculaires limitent-ils vos activités ou la quantité d'exercice que vous faites ?*
- Vos problèmes cardiaques limitent-ils vos activités de la vie quotidienne ?*
- L'exercice et l'activité provoquent-ils chez vous un malaise ou des effets nocifs ?*

Mode sommeil et repos

- Combien d'oreillers utilisez-vous pour dormir la nuit ?
- Combien de fois vous levez-vous pour uriner pendant la nuit ?
- Vous arrive-t-il de vous réveiller soudainement en ayant l'impression que vous ne pouvez pas reprendre votre souffle ?*

Mode cognition et perception

- Avez-vous remarqué des changements en ce qui a trait à votre mémoire ou à votre niveau de conscience (confusion, difficulté de concentration, somnolence) ?*
- Vous arrive-t-il de vous sentir étourdi ?*
- Avez-vous de la difficulté à vous exprimer ?*
- Vos problèmes cardiaques entraînent-ils de la douleur (p. ex. douleur thoracique, douleur à la jambe lorsque vous êtes actif)*,†

Mode perception et concept de soi

- Le cas échéant, comment la maladie cardiaque a-t-elle modifié votre perception de vous-même ?*
- Comment la maladie cardiaque a-t-elle changé votre vie et votre estime de vous-même ?

Mode relation et rôle

- Dites-moi comment cette maladie a modifié les rôles que vous jouez dans votre vie quotidienne.
- Dites-moi comment votre maladie a modifié vos relations personnelles.
- Comment les personnes importantes pour vous ont-elles été touchées par votre maladie ?

Mode sexualité et reproduction

- Votre comportement sexuel a-t-il changé ?*
- Ressentez-vous des symptômes cardiaques pendant vos relations sexuelles ?*
- Les médicaments que vous prenez modifient-ils votre capacité à avoir des relations sexuelles ?*

Mode adaptation et tolérance au stress

- Employez-vous des techniques pour réduire le stress ?*
- Décrivez les mécanismes qui vous permettent de vous adapter au stress.
- Où allez-vous ou à qui demandez-vous de l'aide lorsque vous êtes stressé ?
- Ces personnes ou ces services vous aident-ils en ce moment ?*
- Vous sentez-vous capable de gérer votre état de santé actuel ? Expliquez.
- Lorsque vous être stressé, ressentez-vous des symptômes cardiaques comme la douleur thoracique ou les palpitations ?*,†

Mode valeurs et croyances

- Comment vos valeurs et croyances vous ont-elles influencées pendant votre maladie ?
- Pensez-vous qu'il existe un conflit entre vos valeurs et croyances et le traitement que vous devez suivre ?*
- Décrivez toutes les croyances culturelles et religieuses qui pourraient influencer le traitement de la maladie cardiaque dont vous êtes atteint.

* Dans l'affirmative, décrivez la situation.
† Dans l'affirmative, faire l'évaluation de la douleur P, Q, R, S, T (voir tableaux 5.5 et 5.6).

Mode perception et concept de soi. Si le trouble cardiovasculaire est provoqué par une cause grave, la perception que le client a de lui-même risque d'être modifiée. En effet, les épreuves diagnostiques effractives (invasives) et les interventions palliatives provoquent des inquiétudes chez le client au sujet de son image corporelle. Lorsque la maladie cardiovasculaire est de nature chronique, il est possible que le client soit incapable d'en établir la cause, mais il va souvent décrire son incapacité à maintenir son niveau d'activité ou d'accom-

plissement antérieur, ce qui risque également de nuire à son estime de lui-même. Ainsi, il est essentiel de chercher à savoir quels sont les effets de la maladie sur le client.

Mode relation et rôle. Le sexe, la race et l'âge du client sont des éléments reliés à la santé cardiovasculaire et sont donc des renseignements de base importants à connaître. De plus, des discussions sur son état civil, son rôle à la maison, le nombre d'enfants qu'il a et leur âge, son milieu de vie et ses proches aident l'infirmière à déterminer les forces du client et les réseaux de soutien dont il dispose. L'infirmière doit évaluer le degré de satisfaction et d'insatisfaction du client dans chacun de ses rôles, information qui aide le médecin à repérer les domaines où le client vit du stress ou des conflits.

Mode sexualité et reproduction. Il faut demander au client si le problème cardiovasculaire dont il est atteint a eu un effet sur sa satisfaction et ses habitudes sexuelles. Il est en effet très commun pour un client d'avoir peur de mourir soudainement pendant ses relations sexuelles, ce qui altère de façon importante son activité sexuelle. La fatigue et l'essoufflement sont d'autres raisons qui le poussent à interrompre celle-ci. L'impuissance est un symptôme de troubles vasomoteurs et est également un effet secondaire de certains médicaments prescrits pour traiter les affections cardiovasculaires (p. ex. les β-bloquants adrénergiques, les diurétiques).

De nombreux médicaments prescrits pour traiter les problèmes cardiovasculaires, notamment ceux qui sont prescrits contre l'hypertension, peuvent provoquer l'impuissance (voir tableau 21.9). Étant donné que cet effet secondaire risque d'entraîner la non-observance du traitement, il serait peut-être utile d'en discuter avec le client et son partenaire.

Mode adaptation et tolérance au stress. Il faut demander au client de nommer les sujets qui provoquent du stress ou de l'anxiété chez lui. Parmi les sujets qui risquent de causer du stress, on compte les relations conjugales, la famille, l'activité professionnelle, la pratique religieuse, les amis, les soucis financiers et domestiques. Même si une personne apprécie une activité, cette dernière peut lui apporter, en même temps que de la satisfaction, beaucoup de stress. Il faut demander au client quelles sont les méthodes qu'il utilise habituellement pour gérer son stress.

Des comportements comme un langage rapide et explosif et des émotions comme la colère ou l'hostilité sont souvent associés au risque de maladies cardiaques. En effet, des recherches poussées ont établi un lien étroit entre l'hostilité et les maladies du cœur. Il faut donc se renseigner auprès du client et de sa famille au sujet de ce type de comportements.

Des renseignements au sujet des réseaux de soutien, comme la famille, la famille élargie et les amis, les psychologues ou les groupes religieux, sont des données précieuses dans l'élaboration d'un plan de soins.

Mode valeurs et croyances. Les valeurs et les croyances individuelles, qui sont très influencées par la culture, jouent un rôle majeur dans l'importance des conflits auxquels le client doit faire face lorsqu'il reçoit un diagnostic de maladie cardiovasculaire. Certains clients perçoivent leur maladie comme une punition de Dieu et d'autres espèrent qu'une « force supérieure » va les aider. La connaissance des croyances et des valeurs du client donnera à l'infirmière et à ses collègues une information de premier ordre pour pouvoir intervenir adéquatement en période de crise. Par ailleurs, il est également important de déterminer si le plan de soins élaboré entre en conflit avec le système de valeurs du client.

20.2.2 Données objectives

Examen physique

Signes vitaux. Une fois qu'on a examiné l'apparence générale du client, on prend ses signes vitaux, y compris la PA, la fréquence cardiaque et respiratoire et la température. Il faut mesurer la PA en positions assise, couchée et debout. Pour obtenir de bons résultats, il faut que le brassard soit ajusté à la taille du bras. Normalement, en position debout, la réduction de la pression systolique va jusqu'à 15 mm Hg et celle de la pression diastolique est de 3 à 5 mm Hg. Il faut prendre la PA aux deux bras. Les mesures varient généralement de 5 à 15 mm Hg; si les variations sont plus importantes, cela indique la présence d'une affection. La PA dans les membres inférieurs devrait être plus élevée de 10 mm Hg que la pression dans les membres supérieurs.

Système vasculaire périphérique

Inspection. L'inspection de la couleur de la peau, de la répartition de la pilosité sur les membres inférieurs et de la circulation sanguine dans les veines fournit des renseignements sur la circulation du sang artériel et le retour veineux. On doit examiner les membres pour déceler des affections comme l'œdème, la thrombophlébite, les varices et les lésions telles que l'ulcère de stase. L'œdème aux membres est causé par la gravité, l'interruption du retour veineux et la hausse de la pression auriculaire droite.

Une des mesures utilisées pour évaluer le débit artériel dans les membres est le temps de remplissage capillaire. On écrase le lit des ongles pour le blanchir et on observe le retour de la couleur. Si l'irrigation artérielle capillaire est normale, la couleur reviendra en trois secondes.

Il faut examiner les grosses veines dans le cou (veines jugulaires interne et externe) pendant que le client se relève graduellement pour se mettre en position assise. La distension et de fortes pulsations dans ces veines sont causées par une hausse de la pression auriculaire droite.

Palpation. La palpation du pouls dans le cou et aux membres fournit des renseignements sur le débit du sang artériel. Il faut palper le pouls pour évaluer le volume et la pression dans chaque vaisseau. Il faut

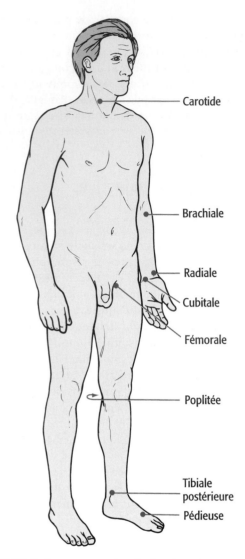

FIGURE 20.9 Sites communs de palpation des artères

Carotide

Brachiale

Radiale

Cubitale

Fémorale

Poplitée

Tibiale postérieure

Pédieuse

ou dilatée vibre. Un des termes utilisés pour désigner une vibration palpable est **frémissement vibratoire**.

Auscultation. Une artère dont la paroi s'est contractée ou dilatée crée un sifflement ou un murmure anormal qu'on appelle le **souffle** et qu'on peut entendre en posant un stéthoscope sur le vaisseau. L'auscultation des artères les plus importantes, comme les carotides, l'aorte abdominale et l'artère fémorale, fait partie de la première évaluation cardiovasculaire. Les anomalies de l'appareil cardiovasculaire sont décrites au tableau 20.6.

Thorax

Inspection et palpation. La première étape de l'inspection consiste en un examen général de la structure osseuse du thorax, soit les articulations sterno-claviculaires, le manubrium et la partie supérieure du sternum. Chez certaines personnes, il est possible d'examiner les pulsations de la crosse aortique ou des troncs artériels brachio-céphaliques dans ces régions. Il est également possible de déceler les frémissements causés par des anomalies des vaisseaux.

Ensuite, on doit examiner et palper les régions où les valves cardiaques émettent leurs bruits en repérant les espaces intercostaux. La saillie, appelée angle de Louis, qui est créée à l'endroit où le manubrium et le corps du sternum se rejoignent est facilement palpable sur la ligne médiane du sternum. L'angle de Louis est au niveau de la deuxième côte, ce qui permet à l'infirmière de compter les espaces intercostaux et de localiser les foyers auscultatoires spécifiques.

Voici comment repérer les différents foyers auscultatoires (voir figure 20.10) : le foyer aortique dans le deuxième espace intercostal à droite du sternum, le foyer pulmonaire dans le deuxième espace intercostal à gauche du sternum, le foyer tricuspidien dans le

comparer les caractéristiques des artères sur les côtés gauche et droit du corps. Il est important de palper chaque pouls carotidien séparément pour éviter la vagotonie et les arythmies.

Lorsqu'il palpe les artères indiquées à la figure 20.9, l'évaluateur doit noter l'onde de pression et l'ampleur de la distension de la paroi vasculaire quand le pouls se produit. Le résultat de l'évaluation du volume de la pression est exprimé par les termes normal, bondissant, filant ou absent. Il est possible d'utiliser une échelle pour consigner le volume ou l'amplitude du pouls :

0   : absent, non palpable ;
1+ : faible, filant ;
2+ : normal ;
3+ : fort, bondissant.

Il est également nécessaire de noter la rigidité (dureté) des vaisseaux. Le pouls normal est ressenti comme un petit coup et la paroi vasculaire contractée

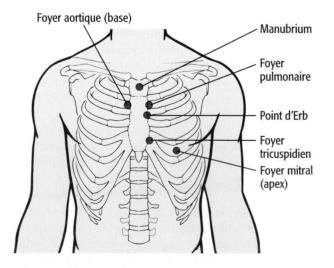

Foyer aortique (base)

Manubrium

Foyer pulmonaire

Point d'Erb

Foyer tricuspidien

Foyer mitral (apex)

FIGURE 20.10 Foyers d'auscultation cardiaque

ANOMALIES COURANTES DÉCELÉES AU COURS DE L'EXAMEN PHYSIQUE

TABLEAU 20.6   Appareil cardiovasculaire

Résultats	Description	Hypothèses étiologiques et signification
Pouls		
Volume du pouls		
Bondissant	Pouls net, vif et qui accélère rapidement	Bradycardie, anémie, dysfonction de la valve aortique
Filant	Pouls faible qui accélère lentement	Perte de sang, rétrécissement mitral
Absent	Absence de pouls	Athérosclérose, thrombus, trauma
Frémissement vibratoire	Vibration des vaisseaux ou de la paroi thoracique	Anévrisme, régurgitation aortique
Rigidité	Rigidité ou manque de souplesse de la paroi vasculaire	Durcissement ou épaississement de la paroi, athérosclérose
Souffle	Turbulence entendue dans le stéthoscope posé sur le vaisseau	Sténose du vaisseau, athérosclérose ou anévrisme
Tachycardie	Fréquence cardiaque supérieure à 100 pulsations/min	Exercice, anxiété, état de choc, besoin d'une augmentation du débit cardiaque
Bradycardie	Fréquence cardiaque inférieure à 60 pulsations/min	Repos, nœud sinusal (stimulateur naturel) défectueux, entraînement athlétique, effets secondaires de certains médicaments (p. ex. agents β-adrénergiques)
Arythmie	Fréquence cardiaque irrégulière, pause dans les pulsations cardiaques	Dommage au réseau électrique cardiaque, ischémie, effets secondaires de certains médicaments
Anomalies veineuses		
Distension de la veine jugulaire	Distance verticale supérieure à 3 cm entre l'intersection de l'angle de Louis et le niveau de la distension de la veine jugulaire lorsque le client est en position semi-Fowler	Pression auriculaire droite élevée
Œdème à godet dans les membres inférieurs ou dans la région sacro-iliaque	Marque des doigts visible après l'application d'une pression ferme	Interruption du retour veineux vers le cœur, présence de liquide dans les tissus (œdème) (ICC)
Thrombophlébite	Inflammation des veines associée à la rougeur, à la chaleur, à la sensibilité à la pression et à la dureté des veines; œdème, douleur, sensibilité des membres	Stase veineuse, lésion de la couche endothéliale des veines, hypercoagulabilité du sang
Signe de Homans positif	Douleur au mollet lors de la dorsiflexion du pied : signe d'Homans	Thrombophlébite
Peau		
Mains ou pieds anormalement chauds	Plus chauds que la normale	Thyréotoxicose possible et anémie grave
Mains ou pieds froids	Froids au toucher, couverture nécessaire pour être confortable	Claudication intermittente, obstruction des artères périphériques, diminution du débit cardiaque
Cyanose centrale (apport insuffisant en oxygène)	Teinte bleutée ou violacée des régions centrales comme la langue, les conjonctives et la muqueuse buccale	Saturation en O_2 du sang artériel incomplète à cause de troubles cardiaques ou pulmonaires (p. ex. anomalies congénitales)
Cyanose périphérique (extraction périphérique excessive de l'oxygène)	Teinte bleutée ou violacée des membres ou du nez et des oreilles	Débit sanguin diminué à cause d'une insuffisance cardiaque, d'une vasoconstriction, d'un environnement froid
Couleur des extrémités variant avec le changement de posture	Peau pâle, cyanosée ou marbrée lorsque le client élève le membre ; peau lustrée	Baisse chronique de perfusion artérielle

ANOMALIES COURANTES DÉCELÉES AU COURS DE L'EXAMEN PHYSIQUE

TABLEAU 20.6   Appareil cardiovasculaire (*suite*)

Résultats	Description	Hypothèses étiologiques et signification
Ulcère de stase	Zones de peau œdématiée à la pigmentation foncée; plaie ouverte et suintante	Diminution du retour veineux, varices, dysfonction des valves veineuses
Extrémités Hippocratisme digital	Disparition de l'angle normal entre la base de l'ongle et la peau	Endocardite, anomalies congénitales, déficit prolongé en O_2
Hémorragies linéaires sous-unguéales	Rayures rouges à noires sous les ongles	Endocardite infectieuse (infection de l'endocarde, généralement dans la région des valves cardiaques)
Temps de remplissage capillaire anormal	Lit de l'ongle qui reste blanc plus de trois secondes après le relâchement de la pression	Perfusion artérielle capillaire réduite, anémie
Varice	Vaisseaux visiblement dilatés et tortueux dans les membres inférieurs	Dysfonction des valves dans les veines
Asymétrie dans la circonférence des membres	Gonflement visible du membre touché	Thrombophlébite, varices
Souffle artériel	Son de la circulation sanguine turbulente dans les artères périphériques	Obstruction artérielle ou anévrisme
Anomalies auscultatoires cardiaques Troisième bruit cardiaque (B_3)	Bruit cardiaque anormal, grave, se terminant en une diastole prématurée, semblable au bruit du galop	Insuffisance ventriculaire gauche; régurgitation de la valve mitrale, surcharge de volume, hypertension possible
Quatrième bruit cardiaque (B_4)	Bruit cardiaque anormal, grave, se terminant par une diastole tardive, semblable au bruit du galop	Contraction auriculaire forcée à cause de la résistance au remplissage ventriculaire (p. ex. dans les cas d'hypertrophie ventriculaire, de sténose pulmonaire, d'hypertension, de maladie artérielle coronaire, de sténose aortique)
Souffles cardiaques	Bruits turbulents qui se produisent entre les bruits cardiaques normaux; caractérisés par leur force, leur tonalité, leur forme, leur nature, leur durée et le moment de leur apparition	Dysfonctionnement des valves cardiaques, anomalies de la circulation sanguine

cinquième espace intercostal gauche près du sternum et le foyer mitral à gauche de la ligne médioclaviculaire, au niveau du cinquième espace intercostal. Le point d'Erb est le cinquième foyer auscultatoire et il se trouve au troisième espace intercostal gauche près du sternum.

Normalement, on ne sent pas de pulsations dans ces endroits, sauf si la paroi thoracique du client est mince. Si on sent des pulsations ou des frémissements anormaux, on peut penser qu'il y a dysfonctionnement valvulaire. Ensuite, il faut inspecter et palper le foyer épigastrique, qui se trouve de chaque côté de la ligne médiane, juste en dessous de l'appendice xiphoïde. Il est possible de voir et de palper à cet endroit la pulsation de l'aorte abdominale. Puis, on examine la région précordiale, qui se trouve entre l'apex et le sternum, pour

déceler tout **apex élargi**. Il correspond aux soulèvements continus de la paroi thoracique dans la région précordiale que l'on peut voir ou palper et qui sont parfois causés par l'élargissement ventriculaire. Normalement, on ne peut voir ni sentir de pulsations à cet endroit.

On examine le foyer de la valve mitrale pour établir le choc de la pointe du cœur pendant que le client est couché. Cette pulsation ou cette poussée ventriculaire est normalement de courte durée et se trouve sur la ligne médioclaviculaire dans le cinquième espace intercostal (apex). Si le choc de la pointe du cœur n'est pas perceptible, il faut palper le foyer en posant la paume de la main droite sur le foyer mitral pour sentir la poussée. Si le choc est perceptible, il faut noter sa position par

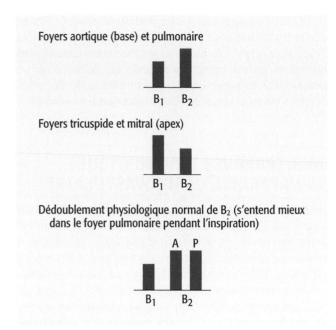

FIGURE 20.11 Bruits cardiaques
A : aortique ; P : pulmonaire.

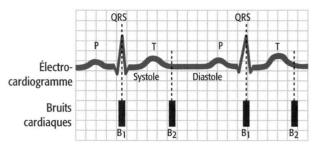

FIGURE 20.12 Relations entre l'électrocardiogramme, le cycle cardiaque et les bruits cardiaques

rapport à la ligne médioclaviculaire et aux espaces intercostaux. Lorsqu'on sent le choc de la pointe du cœur sur la ligne médioclaviculaire, il est possible que les ventricules soient hypertrophiés.

Percussion. Il est possible d'évaluer les bords droit et gauche du cœur grâce à la percussion. L'infirmière se place à la droite du client allongé et applique la percussion le long de la courbe de la côte, aux quatrième et cinquième espaces intercostaux, en commençant par la ligne axillaire. Le bruit de percussion au niveau du cœur est sourd (matité) si on le compare avec la sonorité au niveau du poumon, et il faut le relever par rapport à la ligne médioclaviculaire.

Auscultation. Le mouvement des valves cardiaques crée de la turbulence dans la circulation sanguine, et la vibration du sang provoque des bruits cardiaques normaux (voir figure 20.11). Il est possible d'entendre ces bruits à l'aide d'un stéthoscope posé sur la paroi thoracique. Le premier bruit cardiaque (B_1), qui correspond à la fermeture des valves tricuspide et mitrale (AV), fait un doux *toc* et signale le début de la systole. Le deuxième bruit cardiaque (B_2), qui correspond à la fermeture des valves sigmoïde (aortique) et pulmonaire (semi-lunaire) et indique le début de la diastole (voir figure 20.12), produit un *tac* très clair.

L'infirmière devrait écouter les foyers auscultatoires les uns après les autres à l'aide du diaphragme et de la cupule du stéthoscope. Les premier et deuxième bruits cardiaques s'entendent mieux à l'aide du diaphragme du stéthoscope parce qu'ils sont aigus. Les bruits car-

diaques anormaux (B_3 et B_4), s'il y en a, s'entendent mieux avec la cupule du stéthoscope, car ils sont graves. Le fait de se pencher tout en étant assis accentue les bruits émanant du deuxième espace intercostal (foyers aortique et pulmonaire). La position de décubitus latéral gauche accentue les bruits produits dans le foyer mitral.

L'infirmière ausculte la région apicale à l'aide du diaphragme du stéthoscope tout en palpant le pouls radial. Si elle compte moins de pulsations radiales que de chocs systoliques, cela révèle un pouls déficitaire. Dans ce dernier cas, il faut surveiller l'anomalie en prenant fréquemment le pouls radial et apical du client et en auscultant le choc systolique. Quand on ausculte l'apex, il faut également évaluer le rythme (régulier ou irrégulier).

Le fait de palper une artère carotide pendant l'auscultation est aussi important parce que cette mesure permet de faire la distinction entre B_1 et B_2 et entre la systole et la diastole. Comme B_1 (*toc*) se produit presque en même temps que l'éjection ventriculaire, on l'entend lorsqu'on palpe le pouls carotidien. Lorsqu'elle écoute les autres foyers valvulaires, l'infirmière doit toujours se concentrer sur les périodes de systole et de diastole et sur les premier et deuxième bruits cardiaques.

Normalement, on n'entend pas de bruits entre B_1 et B_2 pendant les périodes de systole et de diastole. Si l'infirmière entend des bruits pendant ces périodes, elle doit savoir qu'ils représentent probablement des anomalies et doivent donc être décrits. Il existe cependant une exception à cette règle : le fractionnement de B_2 en deux segments, que l'on entend mieux dans le foyer pulmonaire pendant l'inspiration. Le dédoublement de ce bruit risque d'être anormal si on l'entend pendant l'expiration ou s'il est constant (fixe) pendant le cycle respiratoire.

Le bruit cardiaque B_3 est une vibration de faible intensité des parois ventriculaires et il correspond généralement au remplissage ventriculaire. Un B_3 risque de se produire chez les clients qui souffrent d'insuffisance ventriculaire gauche ou de régurgitation de la valve mitrale. On l'entend peu après B_2, et il est désigné par l'expression « galop ventriculaire ». B_4 est une vibration de basse fréquence causée par l'extrasystole auriculaire ; il précède le B₁ du cycle suivant et est désigné par l'expression « galop auriculaire ». Le bruit cardiaque B₄ se produit chez les clients qui sont atteints de coronaropathie, d'hypertrophie ventriculaire gauche ou de rétrécissement aortique.

Les **souffles** sont des bruits produits par une circulation sanguine turbulente dans le cœur et les parois des grosses artères. La plupart des souffles sont le résultat d'anomalies cardiaques, mais certains sont produits par des structures cardiaques normales. Ils sont classés selon une échelle à six niveaux d'intensité et sont notés sous forme de rapport en chiffres romains ; le numérateur représente l'intensité du souffle et le dénominateur correspond toujours à VI, indiquant qu'on utilise une échelle à six niveaux. Le chiffre I représente un souffle doux et faible et le VI, un souffle qu'on peut entendre à l'aide d'un stéthoscope.

Si l'infirmière entend un bruit anormal, elle doit le noter. La description doit comprendre tous les renseignements relatifs au bruit : le moment où il se produit (pendant la systole ou la diastole), l'emplacement (région sur le thorax où on le perçoit le mieux), le ton (mieux perçu à l'aide du diaphragme ou de la cupule du stéthoscope), la position du client (mieux perçu lorsque le client est allongé, assis et penché ou en décubitus latéral gauche), les caractéristiques (fort, musical, doux, court, long) et tous les autres résultats anormaux (rythme cardiaque irrégulier ou gonflement palpable de la paroi thoracique).

TABLEAU 20.7	Examen physique normal de l'appareil cardiovasculaire
Inspection	Couleur de la peau normale avec remplissage capillaire <3 s ; thorax symétrique et choc de la pointe du cœur non visible ; pas de DVJ en position de semi-Fowler
Palpation	Choc de la pointe du cœur palpable au cinquième espace intercostal à la LMC ; pas de pulsations forcées, de frémissements ni de gonflement ; faibles pulsations palpables au niveau de l'aorte abdominale dans le foyer épigastrique ; pouls de la carotide et des membres 2⁺ et égal des deux côtés ; pas de signe d'altération de la circulation artérielle ou du retour veineux dans les membres inférieurs
Percussion	Impossibilité de distinguer le bord droit du cœur
Auscultation	B₁ et B₂ audibles ; FC 72 et régulière ; pas de souffles ni de bruits cardiaques anormaux (B₃, B₄)

DVJ : distension de la veine jugulaire ; EIC : espace intercostal ; FC : fréquence cardiaque ; LMC : ligne médioclaviculaire.

Les bruits anormaux qui se produisent pendant la systole et la diastole sont classés comme des souffles ou des bruits surajoutés. Les bruits et résultats anormaux d'évaluation les plus courants sont décrits au tableau 20.6. Le tableau 20.7 présente quant à lui une façon de noter les données obtenues pendant l'évaluation cardiovasculaire.

20.3 ÉPREUVES DIAGNOSTIQUES DE L'APPAREIL CARDIOVASCULAIRE

De nombreuses épreuves diagnostiques complètent l'information que l'on obtient grâce à l'étude des antécédents médicaux et à l'examen physique de l'appareil cardiovasculaire. Il existe deux catégories d'épreuves : effractives (invasives) et non effractives (non invasives). Les épreuves qui ne nécessitent que l'utilisation de seringues pour prélever du sang ou injecter des agents de contraste sont considérées comme non effractives. L'insertion d'un cathéter pour effectuer une angiographie est considérée comme une intervention effractive. Le tableau 20.8 présente les épreuves les plus courantes pour évaluer l'appareil cardiovasculaire.

Certaines responsabilités de l'infirmière demeurent les mêmes pour les interventions effractives et non effractives. D'abord, l'infirmière doit planifier l'examen et s'assurer que toutes les étapes préliminaires (p. ex. régimes alimentaires spéciaux ou changements de médicaments) sont réalisées. Il faut prendre toutes les mesures de sécurité qui s'appliquent au contexte, par exemple monter les ridelles du lit après l'administration de la prémédication ou dresser la liste des allergies du patient. Il est également important de prendre des mesures favorisant le confort, comme les soins buccaux avant l'examen. L'infirmière doit vérifier si le consentement écrit du client est nécessaire. Il est important que le client comprenne en quoi consiste l'examen, car les renseignements dont il dispose pourraient être inexacts et l'angoisser inutilement.

20.3.1 Épreuves non effractives (non invasives)

Radiographie du thorax. Une image radiographique montre les contours des structures cardiaques, la taille du cœur et sa configuration, et les changements anatomiques dans chaque cavité (voir figure 20.13). L'image radiographique enregistre tout déplacement ou toute augmentation de volume du cœur et elle est plus précise que la percussion en ce qui a trait à la détermination de sa taille. En plus des anomalies cardiaques, ces images permettent de détecter la présence de liquides excédentaire autour du cœur.

ÉPREUVES DIAGNOSTIQUES

TABLEAU 20.8   Appareil cardiovasculaire

Épreuves	Description et but	Responsabilités infirmières
Non effractives (non invasives)		
Radiographie du thorax	Le client est placé debout en position postérieure et antérieure (AP) et en latéral gauche. La taille et la circonférence normales du cœur sont notées en fonction de l'âge, du sexe et de la taille du client.	Se renseigner au sujet de la fréquence des radiographies récentes et, si c'est une cliente, de l'éventualité d'une grossesse. Enlever tout bijou ou tout objet de métal qui pourrait empêcher de bien voir le cœur ou les poumons.
ECG	Les électrodes sont posées sur le thorax et les membres, ce qui permet à l'appareil d'électrocardiographie d'enregistrer l'activité électrique du cœur de différents points de vue. Cette épreuve peut déceler le rythme cardiaque, l'emplacement du nœud sinusal, la taille des oreillettes et des ventricules et la présence d'une lésion.	Expliquer au client qu'il ne sentira aucun malaise. Expliquer au client d'éviter de bouger pour réduire l'artéfact causé par le mouvement musculaire.
Surveillance ambulatoire par ECG Méthode de Holter	Enregistrement du rythme cardiaque pendant 24 à 48 heures, puis corrélation des variations de rythme et des symptômes décrits dans un journal quotidien. Encourager une activité normale chez le client pour stimuler les conditions qui provoquent les symptômes. Des électrodes sont posées sur le thorax et l'information est enregistrée jusqu'à ce qu'on la récupère, qu'on l'exprime et qu'on l'analyse pour déceler tout trouble du rythme. Il est possible d'effectuer cette intervention auprès d'un client hospitalisé ou en consultation externe.	Préparer la peau et poser les électrodes et les dérivations selon le protocole en vigueur dans l'établissement. Expliquer au client l'importance de tenir un journal pertinent décrivant ses activités et ses symptômes. Expliquer au client de ne prendre ni bain ni douche pendant la surveillance. Les électrodes risquent de provoquer une irritation de la peau.
Enregistreurs d'événements par téléphone	Cette technique permet plus de liberté que la méthode de Holter. Elle consiste à enregistrer les troubles du rythme qui ne se produisent pas assez souvent pour être enregistrés sur une période de 24 heures. Certaines unités ont des électrodes que l'on fixe au thorax et qui possèdent une mémoire en boucle qui enregistre l'apparition et la fin d'un événement. D'autres types d'électrodes sont posées directement sur les poignets, le thorax et les doigts du client, n'ont pas de mémoire en boucle, mais enregistrent l'ECG du client en temps réel. Les enregistrements sont transmis par téléphone à un récepteur, puis ils sont imprimés pour être étudiés. Il est possible d'effacer les tracés et de réutiliser l'appareil.	Enseigner au client la façon d'utiliser le matériel servant à enregistrer et à transmettre les manifestations transitoires. Enseigner au client à préparer sa peau en vue de l'application des dérivations ou du contact continu avec des appareils qui ne nécessitent pas d'électrodes. Ces conseils permettront d'assurer la réception d'un tracé optimal d'ECG qu'on pourra analyser.
Épreuve d'effort sur tapis roulant	On utilise différents protocoles pour évaluer l'effet de la tolérance à l'effort sur la fonction myocardique. Un des protocoles les plus communs est composé d'étapes de trois minutes pendant lesquelles le tapis roulant fonctionne à une vitesse et à une hauteur prédéterminées. Le monitorage continu des signes vitaux et du tracé de l'ECG ou des variations ischémiques est important pour le diagnostic de l'état de la fonction ventriculaire gauche et des affections artérielles coronaires. Si le client ne peut pas marcher sur le tapis roulant, on peut utiliser un vélo stationnaire.	Expliquer au client de porter des vêtements confortables et des chaussures qui peuvent servir pour marcher et courir. Expliquer l'intervention au client et la façon dont on appliquera les dérivations. Surveiller les signes vitaux et obtenir un ECG à 12 dérivations avant l'effort, pendant toutes les étapes de l'effort et après l'effort, jusqu'à ce que tous les signes vitaux et les variations d'ECG soient revenus à la normale. Surveiller les symptômes du client tout au long de l'épreuve.

ÉPREUVES DIAGNOSTIQUES

TABLEAU 20.8   Appareil cardiovasculaire *(suite)*

Épreuves	Description et but	Responsabilités infirmières
Échographie cardiaque Mode TM Bidimensionnelle Doppler cardiaque Imagerie couleur	Un transducteur qui émet et reçoit des ultrasons est placé à quatre endroits différents sur le thorax du client, au-dessus du cœur. Le transducteur enregistre des ondes sonores qui sont réfléchies par le cœur. Il enregistre également la direction et le débit du sang dans le cœur et les transforme en données audio et graphiques qui donnent une mesure des anomalies valvulaires, des malformations cardiaques congénitales et de la fonction cardiaque. Dans l'échographie en mode TM, un seul faisceau ultrasonore est dirigé vers le coeur pour enregistrer les mouvements et les dimensions des structures cardiaques. Avec l'échographie bidimensionnelle, on fait glisser le faisceau à travers un arc afin de créer une coupe transversale qui illustre les relations anatomiques dans le coeur. L'échographie Doppler et l'imagerie couleur sont des techniques plus récentes. Dans le premier cas, il s'agit d'évaluer le son produit par la circulation ou le mouvement de l'organe ou de l'élément visualisé. Quant à la seconde technique, elle combine l'échographie bidimensionnelle et la technologie Doppler et utilise les changements de couleur pour illustrer la vitesse et la direction de la circulation sanguine.	Installer le client en décubitus dorsal du côté gauche, en face du matériel. Expliquer au client et à sa famille l'intervention et les sensations qu'il aura (pression et mouvement mécanique de la tête du transducteur). Il n'existe pas de contre-indication à cette intervention.
Échographie d'effort	Combinaison d'épreuve d'effort sur tapis roulant et d'échographie. Pendant que le client est au repos, on prend des images de son cœur, puis il commence l'épreuve. Des images sont ensuite prises après l'exercice (moins d'une minute après l'arrêt). Il faut évaluer les différences dans le mouvement et dans l'épaississement de la paroi ventriculaire gauche avant et après l'exercice.	Expliquer au client comment fonctionne l'épreuve sur tapis roulant et l'y préparer. Expliquer au client que les ultrasons ne sont pas nocifs et qu'il est important de revenir rapidement à la table d'examen pour procéder à la visualisation après l'effort. Parmi les contre-indications, on compte tous les clients qui sont incapables d'atteindre l'intensité maximale de l'effort.
Échographie à la dobutamine	Technique utilisée comme substitut d'épreuve à l'effort chez les personnes qui ne peuvent pas marcher sur le tapis roulant. On administre une injection IV de dobutamine (un agent inotrope positif) et on augmente le dosage toutes les cinq minutes pendant qu'on procède à l'échographie pour déceler les anomalies dans le mouvement du muscle cardiaque à chaque étape.	Commencer la perfusion IV. Administrer la dobutamine. Effectuer la surveillance des signes vitaux avant, pendant et après le test, jusqu'à ce qu'on retrouve la valeur de référence. Surveiller les clients pour déceler les signes et les symptômes de détresse pendant l'intervention.
Échographie transœsophagienne	Une sonde au bout de laquelle se trouve un transducteur d'ultrasons est introduite dans l'œsophage du client pendant qu'un médecin en vérifie l'angle et la profondeur. La sonde qui descend le long de l'œsophage envoie des images claires de la taille du coeur, du mouvement de la paroi, des anomalies valvulaires et de la source possible du thrombus sans obstruer les poumons ni les côtes. Si on soupçonne la présence d'une défaillance de la communication interventriculaire ou interauriculaire, on administre une injection IV d'agents de contraste pour déceler la direction de la circulation sanguine. On peut utiliser la méthode Doppler et l'imagerie couleur en même temps.	Expliquer au client de ne rien ingérer par voie orale six heures avant le test. On lui donnera un sédatif et on effectuera une anesthésie locale à la gorge. S'il s'agit d'un client en externe, il faut donc prévoir un accompagnateur pour la sortie de l'hôpital. Surveiller les signes vitaux et les taux de saturation en oxygène et aspirer continuellement pendant l'intervention. Expliquer au client comment procéder pour faciliter le passage du transducteur. Aider le client à se détendre. Le client ne peut ni manger ni boire jusqu'à ce que le réflexe pharyngé revienne.

ÉPREUVES DIAGNOSTIQUES

TABLEAU 20.8   Appareil cardiovasculaire *(suite)*

Épreuves	Description et but	Responsabilités infirmières
Cardiologie nucléaire	Cette technique consiste en une injection IV d'isotopes radioactifs. Une gamma caméra détecte et compte les impulsions émises par les isotopes radioactifs dans le cœur à différentes phases du cycle cardiaque. Elle fournit de l'information sur la contractilité du myocarde, la perfusion du myocarde et toute lésion cellulaire aiguë.	Expliquer l'intervention au client. Installer le cathéter IV qui servira à injecter les isotopes. Expliquer au client qu'on utilise une petite quantité de radio-isotopes, juste ce qu'il faut pour le diagnostic, et qu'ils perdront leur radioactivité en quelques heures. Expliquer au client qu'il sera étendu sur le dos, les bras tendus au-dessus de la tête pendant une certaine période. Plusieurs radiographies sont réalisées de quelques minutes à quelques heures après l'injection.
Scintigraphie au thallium 201	On injecte par voie IV du Thallium 201 pour évaluer le débit sanguin dans différentes parties du cœur. Les zones froides (non captation de l'isotope) sont liées à des régions touchées par l'infarctus. Pour les épreuves d'effort, on donne du thalium au client une minute avant qu'il n'atteigne la fréquence cardiaque maximale au vélo stationnaire ou sur le tapis roulant. Les images doivent être prises de 5 à 10 minutes après l'exercice. On procède ensuite à une scintigraphie au repos de 2 à 4 heures plus tard et on compare ces images à celles qui ont été prises après l'exercice.	Expliquer la technique au client. Lui expliquer de ne prendre que des repas légers entre les radiographies.
Scintigraphie au thallium avec dipyridamole	De la même façon que pour l'épreuve d'effort au thallium, on injecte cette fois du dipyridamole (Persantine). Le dipyridamole agit comme un fort vasodilatateur qui augmente le débit sanguin dans les artères coronaires bien perfusées. Le processus de scintigraphie est le même que celui qui fait appel au thallium.	Expliquer la technique au client. Lui expliquer de ne pas ingérer de caféine (chocolat, boisson gazeuse de type cola) pendant les 12 heures qui précèdent l'intervention, car ces substances influent sur la fréquence cardiaque.
Scintigraphie au technétium 99m Sestamibi	Du technétium 99m Sestamibi est injecté par voie IV et remonte dans la zone de l'IM en produisant des zones chaudes (forte captation de l'isotope). On obtient les meilleurs résultats lorsqu'on procède à ce test de 1 à 6 jours après l'IM présumé. Il faut attendre de 1 heure et demie à 2 heures après l'injection.	Expliquer l'intervention au client.
Imagerie de pool sanguin intracardiaque	On injecte par voie IV du pertechnétate de technétium 99m. Une seule injection permet l'évaluation du cœur pendant plusieurs heures. Cette épreuve est recommandée pour les clients qui ont récemment souffert d'un IM ou d'insuffisance cardiaque congestive, surtout s'ils ne se sont pas bien rétablis. On peut l'utiliser pour mesurer l'efficacité de différents médicaments destinés à traiter les affections cardiaques, et il est possible de la réaliser au chevet du client.	Expliquer l'intervention au client. Lui expliquer que l'intervention comporte peu ou pas de risques.
Tomographie par émission de positons (TEP ou PET)	Cette technique fait appel à deux radionucléides. De l'ammoniac marqué à l'azote-13 est d'abord injecté par voie IV, puis visualisé pour évaluer la perfusion du myocarde. Un deuxième isotope radioactif, le fluodésoxyglucose, est ensuite injecté et visualisé pour vérifier le fonctionnement métabolique du myocarde. Dans le cas d'un cœur normal, les deux images sont identiques, mais dans le cas d'un cœur ischémique ou altéré, elles seront différentes. Comme le client risque d'être stressé, on prend généralement une image au repos qui sert de référence et qu'on utilise pour la comparaison.	Renseigner le client au sujet de l'intervention. Lui expliquer qu'un appareil prendra des radiographies et qu'il devra rester immobile pour quelque temps. La glycémie du client doit être comprise entre 3,3 et 7,8 μmol/L pour que l'activité métabolique du glucose soit représentative. Si l'effort fait partie du test, le client devra être à jeun et s'abstenir de fumer et d'ingérer de la caféine (chocolat, boisson gazeuse de type cola) pendant 24 heures avant le test, car ces substances influent sur la fréquence cardiaque.

ÉPREUVES DIAGNOSTIQUES

TABLEAU 20.8   Appareil cardiovasculaire *(suite)*

Épreuves	Description et but	Responsabilités infirmières
Imagerie par résonance magnétique (IRM)	Les techniques d'imagerie non effractives permettent d'obtenir de l'information au sujet de l'intégrité des tissus cardiaques, des anévrismes, des fractions d'éjection, du débit cardiaque et de la perméabilité des artères coronaires proximales. Cette technique n'utilisant pas de rayonnements ionisants est une intervention très sécuritaire et produit des images en plans multiples dont la résolution est très bonne. Cependant, son usage est limité dans le cas des clients en phase critique à cause de l'inaccessibilité du matériel ; en outre, elle ne peut pas être effectuée chez des clients qui ont des appareils métalliques implantés.	Expliquer l'intervention au client. Prévenir le client que le petit diamètre du cylindre et le fort bruit de l'appareil peuvent créer de la panique ou de l'anxiété. Il est possible de recommander des médicaments et de la musique contre l'anxiété.
Analyses sanguines Créatine-kinase (CK)	Les enzymes CK sont présents dans le cœur, les muscles squelettiques et le cerveau. Dans les 4 à 6 heures qui suivent l'IM, les concentrations de CK augmentent et reviennent à leur valeur normale dans les 3 ou 4 jours suivants. *Valeur normale :* 15 à 105 U/L (hommes) 10 à 80 U/L (femmes)	Éviter la hausse de la CK provoquée par les injections intramusculaires qui abîment les cellules musculaires.
Fraction de CK-MB	Si le taux de CK-MB dépasse 6 % du taux de CK totale, il y a possibilité d'infarctus du myocarde.	On doit effectuer un échantillonnage en série en même temps que l'ECG.
AST	Le taux d'AST augmente 6 à 8 heures après l'IM. Il atteint sa valeur la plus élevée en 24 à 48 heures et retourne à la normale en 4 à 8 jours. Cette augmentation n'est pas spécifique de la défaillance du muscle cardiaque. *Valeur normale :* 7 à 40 U/L	Comme le taux d'AST risque d'être augmenté par d'autres problèmes comme des lésions hépatiques, il est important d'effectuer une étude minutieuse des antécédents médicaux.
Myoglobine	Protéine de faible poids moléculaire qui est sensible aux lésions du myocarde à raison de 99 à 100 %. Les concentrations sériques augmentent de 1 à 4 heures après l'IM et atteignent leur valeur maximale en 6 à 9 heures. *Valeur normale :* <92 µg/L (hommes) <76 µg/L (femmes)	La myoglobine est rapidement éliminée de la circulation ; il faut donc la mesurer dans les 18 heures suivant l'apparition de la douleur thoracique.
Troponine	Protéine contractile qui est libérée après un IM. Les troponines T et I sont spécifiques des tissus cardiaques. La troponine T est la plus couramment dosée. *Valeur normale :* Troponine T : <0,5 µg/L Troponine I : <1,5 µg/L	Il est nécessaire d'effectuer des dosages cliniques rapides.
Lacticodéshydrogénase (LDH)	La LDH a cinq isoenzymes différents. Les courbes d'augmentation sont semblables à celles de l'AST après l'IM, mais la LDH reste élevée pendant 5 à 7 jours. *Valeur normale :* <100 U/L	Lors du prélèvement sanguin, s'assurer qu'il n'est pas hémolysé, parce qu'on obtiendra une fausse augmentation du taux de LDH.
LDH_1 et LDH_2	Les sous-groupes d'isoenzymes LDH se trouvent dans le muscle cardiaque. Les izoenzymes LDH1 et LDH2 sont d'origine myocardique. Leur augmentation (LDH1 >0,35 et LDH2 >0,40) indique un infarctus du myocarde.	

ÉPREUVES DIAGNOSTIQUES

TABLEAU 20.8   Appareil cardiovasculaire *(suite)*

Épreuves	Description et but	Responsabilités infirmières
Lipides sériques Cholestérol	Le cholestérol est un lipide du sang. Le cholestérol élevé est considéré comme un facteur de risque d'affection cardiaque athéroscléreuse. Il est possible d'en mesurer le taux à n'importe quel moment et il est nécessaire d'être à jeun pendant 12 h. *Valeur normale :* 3,62 - 5,17 mmol/L (varie selon l'âge et le sexe)	Expliquer l'intervention au client. Il est nécessaire de jeûner pendant 12 heures et de ne pas boire d'alcool pendant 24 heures avant le test.
Triglycérides	Les triglycérides sont des mélanges d'acides gras. Leur hausse est associée aux affections cardio-vasculaires. *Valeur normale :* 0,45 - 2,15 mmol/L (varie selon l'âge)	
Lipoprotéines	L'électrophorèse est utilisée pour séparer les lipoprotéines en HDL, en LDL, en VLDL et en chylomicrons. On note les fluctuations quotidiennes des lipides sériques. Il est nécessaire d'obtenir plus d'une valeur pour poser un diagnostic et instaurer un traitement pertinent. *Valeur normale :* varie selon l'âge LDL souhaitable : <3,4 mmol/L HDL souhaitable : 0,97 - 1,83 mmol/L (hommes) 1,05 - 2,06 mmol/L (femmes)	On évalue les facteurs de risque cardiaques en divisant le taux de cholestérol total par le taux de HDL. Risque Hommes Femmes Faible 3,43 3,27 Moyen 4,97 4,44 Modéré 9,55 7,95 Élevé 25,99 11,04
Concentration plasmatique des médicaments Digoxine Quinidine Propranolol (Indéral)	Analyses sanguines que l'on effectue pour déterminer les concentrations plasmatiques thérapeutiques et toxiques des médicaments à marge ou à indice thérapeutique étroit. Concentration thérapeutique : 1,28 à 2,56 mmol/L ; concentration toxique : >3,84 mmol/L Concentration thérapeutique : 7,7 à 15,4 mmol/L ; concentration toxique : >15,4 mmol/L Concentration thérapeutique : 77 à 328 mmol/L ; concentration toxique : >579 mmol/L	Effectuer le test à un moment qui ne perturbe pas l'horaire d'administration des médicaments.
Effractives (invasives)		
Cathétérisme cardiaque	Cette épreuve consiste à insérer un cathéter dans les cavités du cœur. Elle permet d'obtenir des renseignements sur la saturation en O_2 et sur la pression dans les cavités cardiaques. Possibilité d'injecter un agent de contraste pour faciliter l'examen des structures et du mouvement du muscle cardiaque. Elle consiste à insérer un cathéter dans une veine (pour le côté droit du cœur) ou n'importe quelle artère (pour le côté gauche du cœur).	Obtenir un consentement écrit avant l'intervention. Ne pas ingérer d'aliments ni de liquides pendant 6 à 18 heures avant l'intervention. Administrer des sédatifs s'ils sont prescrits. Fournir des renseignements au client au sujet de l'anesthésie locale, de l'insertion d'un cathéter et de la sensation de chaleur et de palpitations lorsque le cathéter passe dans le cœur. On peut conseiller au client de tousser ou de respirer profondément lorsqu'on insère le cathéter. On le surveille tout au long de l'intervention. Après l'intervention, il faut évaluer la circulation dans le membre où on a inséré le cathéter. Vérifier les pouls périphériques, la couleur, la sensibilité et la mobilité des membres toutes les 15 minutes pendant une heure, puis régulièrement par la suite. Observer le site de l'injection et le pansement compressif pour déceler la présence d'hématome ou de saignement au niveau du pansement compressif. Surveiller les signes vitaux. Surveiller l'apparition d'une fréquence cardiaque anormale, d'arythmies et de signes d'une embolie pulmonaire (difficultés respiratoires).

ÉPREUVES DIAGNOSTIQUES

TABLEAU 20.8 Appareil cardiovasculaire *(suite)*

Épreuves	Description et but	Responsabilités infirmières
Coronarographie	Technique qui consiste à injecter un agent de contraste directement dans les artères coronaires de la même façon que pour le cathétérisme cardiaque. On l'utilise pour évaluer la perméabilité des artères coronaires et la circulation collatérale.	Les mêmes que pour le cathétérisme cardiaque.
Échographie ultrasonique intracoronarienne	Épreuve effractive qu'on utilise pour obtenir des données échographiques sur les artères coronaires. On introduit une très petite sonde dans l'artère coronaire, de la même façon que pour l'angiographie coronarienne. On utilise l'information obtenue pour évaluer la taille et la consistance de la plaque et des parois artérielles, ainsi que l'efficacité du traitement intracoronaire de l'artère.	Les mêmes que pour le cathétérisme cardiaque.
Surveillance hémodynamique	Le chapitre 29 donne des renseignements sur la surveillance hémodynamique des pressions artérielles, de la pression artérielle pulmonaire, de la pression capillaire bloquée et du débit cardiaque.	
Épreuve électrophysiologique (EEP)	Épreuve effractive qui permet d'enregistrer l'activité électrique intracardiaque au moyen de cathéters (à l'aide d'électrodes multiples) qu'on insère dans le côté droit du cœur par la veine fémorale. Les électrodes du cathéter enregistrent l'activité électrique dans les différentes parties du cœur. Il est possible de provoquer des arythmies.	Obtenir un consentement écrit. Il est possible d'arrêter la prise des médicaments antiarythmiques quelques jours avant l'épreuve. Le client ne peut rien ingérer par voie orale pendant 6 à 8 heures avant le test. Administrer la prémédication au client pour l'aider à se détendre et, si cela est prescrit, continuer tout au long de l'intervention. Installer un moniteur cardiaque pour surveiller l'état du client après le traitement.
Artériographie et phlébographie périphériques*	Épreuve qui consiste à injecter un agent de contraste dans les artères ou les veines. On effectue ensuite des radiographies pour déceler et visualiser les plaques d'athérosclérose, les occlusions, les anévrismes ou les lésions traumatiques.	Expliquer de façon détaillée l'intervention au client. Lui administrer des sédatifs doux s'ils ont été prescrits. Vérifier le membre ayant reçu la ponction en mesurant la pulsation et en évaluant sa chaleur, sa couleur et son mouvement après l'intervention. Examiner le site d'insertion pour déceler la présence d'hématome ou de saignement. Observer le client pour détecter toute allergie aux agents de contraste.
Angiographie numérique par soustraction	Type d'artériographie qui consiste à injecter par voie IV des substances de contraste, puis à insérer un cathéter dans la veine cave supérieure. Lorsque les substances de contraste circulent dans les artères, une technique de soustraction informatisée « soustrait » les structures qui empêchent une vue claire des artères. Il est possible d'examiner la plupart des parties de l'appareil cardiovasculaire (sauf les artères coronaires) à l'aide de cette technique. Elle peut être employée en consultation externe et elle entraîne moins de complications que l'artériographie. On utilise la radioscopie pour mettre le cathéter dans la bonne position.	Garder le client à jeun deux heures avant le test. Expliquer au client qu'il risque de sentir une légère chaleur au moment de l'injection de l'agent de contraste et qu'un monitorage par ECG sera effectué tout au long de l'examen. Expliquer au client que le test dure environ une heure.

*D'autres épreuves diagnostiques vasculaires périphériques figurent au tableau 26.5.
AST : aspartate aminotransférase; DC : débit cardiaque; ECG : électrocardiogramme; FC : fréquence cardiaque; HDL : lipoprotéine de haute densité; ICC : insuffisance cardiaque congestive; IM : infarctus du myocarde; IV : intraveineuse; LDL : lipoprotéine de basse densité; PA : pression artérielle; TM : temps-mouvement; VLDL : lipoprotéine de très basse densité.

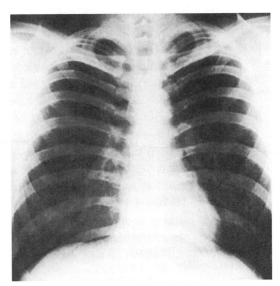

FIGURE 20.13 Radiographie du thorax permettant de visualiser les contours du cœur

Électrocardiogramme. On utilise les ondes de base P, QRS et T (voir tableau 20.1) pour évaluer la fonction cardiaque. Les déviations du rythme sinusal normal pourraient indiquer la présence d'anomalies dans la fonction cardiaque. Il existe plusieurs types de monitorage (surveillance ou monitoring) par électrocardiogramme (ECG), comme l'épreuve au repos, l'épreuve d'effort ou l'épreuve de résistance au stress, et le monitorage ambulatoire continu (télémétrie).

Un ECG au repos aide à déceler, à un moment donné, les anomalies de conduction primaires, les arythmies cardiaques, l'hypertrophie cardiaque, la péricardite, l'ischémie myocardique, l'emplacement et l'importance de l'infarctus du myocarde (IM), le fonctionnement du stimulateur naturel du cœur (*pacemaker*) et l'efficacité de la pharmacothérapie. On l'utilise pour surveiller la guérison d'un IM.

Pendant une épreuve d'effort ou un ECG de résistance au stress, le client pédale sur un vélo stationnaire ou marche sur un tapis roulant pendant qu'on prend des mesures d'ECG ou de PA pour évaluer la réaction du cœur au stress physique. Cet examen est très utile pour évaluer les affections cardiaques asymptomatiques et aider à établir les limites des programmes d'exercice.

Un ECG ambulatoire continu fournit plus d'information diagnostique qu'un ECG au repos conventionnel, qui enregistre moins d'une minute de l'activité cardiaque. Pendant cet examen, on fixe un enregistreur Holter portatif au thorax du client et on enregistre un ECG sur une période de 24 à 48 heures, pendant que le client s'adonne à ses activités quotidiennes. Le client les note ensuite dans un journal pour qu'on puisse analyser les réactions cardiaques selon l'activité (voir tableau 20.8).

Dérivations d'électrocardiogramme. L'enregistrement d'un ECG nécessite l'utilisation de plusieurs électrodes. On pose une électrode sur chacun des quatre membres. L'électrode qui est posée sur la jambe droite est une électrode de référence inactive. De plus, on pose six électrodes sur la région précordiale, électrodes qu'on qualifie de vecteurs de dérivation.

Les impulsions électriques générées par le cœur sont captées par les électrodes, amplifiées par un amplificateur et enregistrées. Un ECG enregistre seulement l'activité électrique du cœur qui se produit pendant les quelques secondes de l'enregistrement.

On appelle **dérivation** chaque combinaison d'électrodes utilisée pour l'ECG. À l'instar d'un appareil photo qui prend un cliché sous plusieurs angles, les dérivations d'ECG prennent des photos du myocarde. Par exemple, dans le cas d'un ECG à 12 dérivations standard, les électrodes fixées aux bras, aux jambes et au thorax prennent des mesures, ou photographies, selon 12 vues différentes. Les trois dérivations des membres sont les dérivations I, II et III. La dérivation I enregistre la direction du courant électrique et la tension entre l'électrode du bras gauche et celle du bras droit. La dérivation II est une combinaison de l'électrode du bras droit et de celle de la jambe gauche. La dérivation III enregistre l'activité électrique qui traverse les électrodes du bras gauche et de la jambe gauche. Les électrodes du thorax, quant à elles, sont fixées à différents endroits sur la paroi thoracique. Ces électrodes sont connues sous le

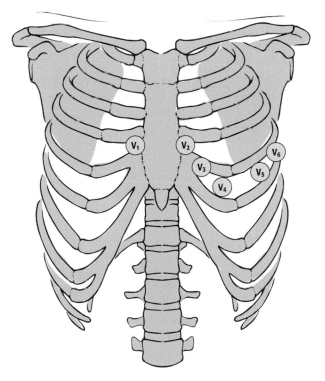

FIGURE 20.14 Emplacement des dérivations du thorax (dérivations V) pour un électrocardiogramme à 12 dérivations

nom de dérivations V. Comme le montre la figure 20.14, elles sont identifiées par les symboles V_1 à V_6.

Malheureusement, il existe des limites à l'ECG à 12 dérivations, comme les régions du myocarde gauche, qui sont totalement invisibles « à l'œil de la caméra ». Étant donné l'emplacement des dérivations, on compte parmi les régions invisibles du myocarde des parties du ventricule droit et la paroi postérieure du ventricule gauche. Si on a besoin d'établir un diagnostic définitif sur l'infarctus de la paroi postérieure du ventricule droit, il est possible d'obtenir six vecteurs de dérivation supplémentaires en posant des électrodes sur le côté droit du thorax de façon symétrique aux dérivations posées sur le côté gauche.

Surveillance ambulatoire par ECG

Méthode de Holter. Dans la méthode de Holter, le client porte un appareil d'enregistrement pendant 24 à 48 heures, et l'ECG qui en résulte est sauvegardé jusqu'à ce qu'on l'imprime pour évaluation. La méthode de Holter permet au client de s'adonner à ses activités habituelles, et on note toute variation de l'ECG associée à ces activités.

Enregistreurs d'événements par téléphone. Ce type d'enregistreurs est utile pour surveiller par ECG des événements peu fréquents. Le moniteur est un appareil portatif qui utilise des électrodes pour transmettre par téléphone un ECG limité à un récepteur. Cependant, ce type de monitorage a un désavantage : si l'événement se produit pendant un court laps de temps, les symptômes risquent de disparaître avant que le client n'allume l'appareil et appelle le numéro qu'on lui a donné.

Épreuve d'effort.
Cet examen permet d'étudier la capacité du cœur à répondre à un effort accru. Les symptômes cardiaques apparaissant souvent seulement pendant l'effort, l'épreuve d'effort permet d'évaluer l'ECG, la PA et les symptômes qui surviennent à l'effort. L'exercice doit être effectué selon un protocole précis. L'emplacement des électrodes est semblable à celui des 12 dérivations conventionnelles pour les dérivations du thorax V_1 à V_6. Les dérivations des membres sont posées sur les parois thoraciques supérieure et inférieure pour réduire l'interférence des muscles pendant l'effort. On enregistre la PA et l'ECG au repos en positions couchée et debout et après l'hyperventilation pour établir des valeurs de référence et déceler ainsi les variations pendant l'effort.

Pendant que le client marche sur un tapis roulant ou pédale sur un vélo stationnaire, on mesure et on surveille la PA, l'ECG et le degré de saturation en oxygène. Le client fait de l'exercice jusqu'à ce qu'il atteigne la FC maximale (on l'obtient en soustrayant 220 de l'âge du client) ou jusqu'à ce qu'il atteigne son seuil de tolérance à l'effort.

À ce moment-là, le client continue de marcher, mais on arrête l'examen et on ralentit le tapis roulant. On arrête également l'examen lorsque le client souffre d'un malaise au thorax d'intensité modérée à grave ou dans le cas d'un sus-décalage important du segment ST, qui indique des variations ischémiques associées à une coronaropathie. Une fois qu'on arrête le tapis roulant, le client s'allonge et se repose. On surveille l'ECG après l'exercice pour déceler des irrégularités dans le rythme ou, s'il y a des changements dans l'ECG pendant l'effort, pour le ramener à la valeur de référence.

Les épreuves d'effort conviennent aux personnes qui peuvent marcher ou faire du vélo sans contraintes et à celles qui ne présentent pas un ECG anormal limitant l'interprétation du diagnostic (p. ex. stimulateur cardiaque, bloc de branche gauche).

Échographie cardiaque.
L'échographie cardiaque, ou échocardiographie, utilise des ultrasons pour enregistrer le mouvement des structures cardiaques. Dans le cas d'un cœur normal, les ondes ultrasonores dirigées vers le cœur sont réfléchies sous forme de configurations typiques (voir figure 20.15). L'échographie cardiaque révèle les anomalies relatives à la structure et au mouvement valvulaires ; à la taille de la cavité cardiaque et à son contenu ; au muscle ventriculaire, ainsi qu'au mouvement et à l'épaisseur du septum ; au feuillet pariétal et à l'aorte descendante.

Les deux types d'échographies cardiaques les plus utilisés sont l'échographie en mode TM (mode temps-mouvement) et l'échographie bidimensionnelle (2D, temps réel, en coupe transversale). Lorsqu'on utilise l'échographie en mode TM, un seul faisceau ultrasonore est dirigé vers le cœur et enregistre les mouvements et les dimensions des structures cardiaques. L'échographie

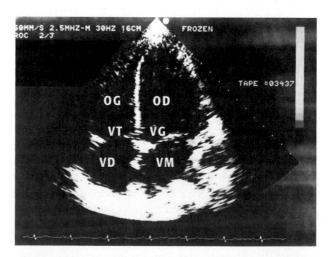

FIGURE 20.15 Vue électrocardiographique en deux dimensions des quatre cavités du cœur chez un client dont l'état est normal
OD : oreillette droite ; OG : oreillette gauche ; VD : ventricule droit ; VG : ventricule gauche ; VM : valve mitrale ; VT : valve tricuspide.

bidimensionnelle fait glisser le faisceau ultrasonore à travers un arc, ce qui crée une vue en coupe transversale et montre les relations anatomiques à l'intérieur du cœur.

Parmi les innovations technologiques dans le domaine de l'échocardiographie, on compte la technologie Doppler et l'imagerie couleur. L'échographie Doppler permet l'évaluation du son produit par la circulation ou le mouvement de l'organe ou de l'élément visualisé (valves cardiaques, parois ventriculaires et circulation sanguine). L'échographie Doppler couleur (duplex) est une combinaison de l'échocardiographie bidimensionnelle et de la technologie Doppler. Cette technique utilise les changements de couleur pour montrer la vitesse et la direction de la circulation sanguine. Il est ainsi possible de déceler beaucoup plus facilement des états pathologiques, comme les fuites valvulaires et les malformations congénitales.

Une échocardiographie d'effort, consistant en une combinaison de l'examen du tapis roulant et de l'échographie, évalue les anomalies segmentaires du mouvement des parois. L'utilisation d'un système informatique numérique pour comparer les images avant et après l'effort permet de voir clairement le mouvement de la paroi et la fonction segmentaire. Cette épreuve diagnostique permet d'obtenir à la fois les renseignements fournis par une épreuve d'effort et une échographie cardiaque.

Pour les personnes qui ne peuvent pas faire d'exercice, on installe une perfusion de dobutamine qui cause un stress pharmacologique au cœur pendant que le client est au repos. Puis, on utilise la même technique ultrasonore.

On emploie l'échocardiographie transœsophagienne (ETO) lorsque les structures postérieures du cœur nécessitent une évaluation plus précise que ce que fournit l'échocardiographie bidimensionnelle. L'ETO fait appel à une sonde endoscopique modifiée et flexible qui se termine par un transducteur ultrasonore produisant des images du cœur et des gros vaisseaux. Cette sonde est reliée à un appareil à ultrasons conventionnel permettant d'utiliser l'échographie en mode TM, l'échographie bidimensionnelle et le Doppler pulsé. L'ETO fournit des renseignements sur la fonction du ventricule gauche et sur le mouvement de la paroi. De plus, elle peut évaluer le dysfonctionnement des prothèses valvulaires, l'endocardite bactérienne, les affections cardiaques congénitales, l'anévrisme disséquant de l'aorte, le dysfonctionnement des valves mitrales, les anévrismes aortiques et le thrombus auriculaire.

Il est possible d'utiliser cette technique dans plus d'un contexte. Elle est d'abord très utile pendant les interventions chirurgicales parce qu'elle n'interfère pas avec le champ opératoire et permet une surveillance continue de la fonction cardiaque. Elle permet également d'évaluer les réparations et le remplacement valvulaires ou l'obturation septale avant l'interruption de la circulation extracorporelle.

On exécute les interventions d'ETO en externe après avoir procédé à une anesthésie locale et à une sédation par voie intraveineuse. Pour ce faire, le client ne doit pas avoir ingéré de nourriture ni de liquides pendant les six à huit heures précédant l'intervention. Cette dernière dure environ 15 minutes et consiste à introduire une sonde dans l'œsophage jusqu'à ce que l'extrémité du transducteur soit au niveau du cœur. Après l'examen, le client ne peut ni manger ni boire jusqu'à ce que le réflexe pharyngé revienne.

Les risques de l'ETO sont minimes, mais il existe tout de même des complications comme la perforation de l'œsophage, l'hémorragie, les arythmies, les réactions vagales, l'hypoxémie transitoire. L'ETO est contre-indiquée chez les clients qui ont déjà présenté des troubles œsophagiens, une dysphagie ou qui ont subi une radiothérapie de la paroi thoracique.

Cardiologie nucléaire. On utilise de plus en plus la gammatomographie (SPECT), ou tomographie d'émission monophotonique (TEM), pour évaluer le myocarde prédisposé à l'infarctus et pour déterminer l'importance de l'infarctus. La SPECT consiste à injecter par voie intraveineuse de petites quantités de radio-isotopes puis à enregistrer la radioactivité générée dans certaines parties du corps. La circulation de cette substance marquée permet de déceler le débit coronarien, les shunts intracardiaques, le mouvement des ventricules et la taille des cavités cardiaques. Il est à noter que la radio-exposition est minime dans le cas de cet examen.

Les examens d'imagerie nucléaire le plus souvent utilisés sont la scintigraphie au thallium, la scintigraphie au technétium 99m Sestamibi et la ventriculographie isotopique. Une technique faisant appel à de nouveaux isotopes est par ailleurs en train d'être mise au point. La scintigraphie au technétium 99m Sestamibi est la SPECT la plus utilisée actuellement, car la scintigraphie isotopique de réalisation courante a été améliorée et qu'elle revient moins cher que la tomographie par émission de positons (PET ou TEP). Les images de PET sont obtenues grâce à deux isotopes (voir tableau 20.8) et elles distinguent très bien les tissus myocardiques viables des tissus non viables. Cependant, le coût de ces images limite leur utilisation. On utilise également l'imagerie de perfusion pendant les épreuves d'effort pour déterminer si le débit coronarien varie avec l'augmentation de l'activité. Les images obtenues pendant l'effort peuvent révéler des anomalies même si les images au repos sont normales. Cette intervention est recommandée pour déceler les coronaropathies, déterminer le pronostic des maladies coronariennes déjà diagnostiquées, évaluer l'importance physiologique d'une lésion coronarienne connue et évaluer l'efficacité de différentes techniques thérapeutiques, comme le pontage aortocoronarien ou l'angioplastie.

Si le client ne tolère pas l'effort, on lui administre une perfusion IV de dipyridamole (Persantine) pour dilater les artères coronaires et simuler ainsi les effets de l'effort. Une fois que le dipyridamole fait effet, un isotope est injecté et l'intervention débute. Au cours des 40 minutes pendant lesquelles on prend les images, le client est complètement allongé et ne doit rien ingérer. Il ne doit pas prendre de produits contenant de la caféine ni de la théophylline pendant les 12 heures qui précèdent l'examen.

Imagerie par résonance magnétique.
L'imagerie par résonance magnétique (IRM) permet de déceler et de localiser les zones atteintes par un IM, mais elle n'est pas utilisée à grande échelle parce que les appareils sont énormes et très coûteux. L'IRM est comparable à d'autres techniques d'imagerie bien établies qui évaluent la taille et l'emplacement de l'infarctus. Il est nécessaire de procéder à des recherches plus approfondies pour déterminer si cette technique sera utilisée plus couramment pour diagnostiquer les problèmes cardiaques.

Analyses sanguines.
De nombreuses analyses sanguines fournissent des renseignements sur l'appareil cardio-vasculaire. Par exemple, l'examen du sang lui-même révèle sa capacité à transporter l'oxygène (nombre de globules rouges et quantité d'hémoglobine) et ses propriétés de coagulation (temps de coagulation) (voir chapitre 18 et annexe pour les analyses sanguines).

Examens diagnostiques de l'infarctus du myocarde.
Les examens décrits ci-dessous aident à préciser le moment de survenue de l'IM et sa gravité. En effet, lorsque les cellules sont atteintes, elles libèrent leur contenu cellulaire, dont les enzymes, dans la circulation sanguine. Les enzymes caractéristiques des lésions cardiaques sont la créatine-kinase (CK), la lacticodéshydrogénase (LDH) et l'aspartate amino-transférase (AST), autrefois appelée sérum glutamo-oxalo-acétique transaminase (SGOT). Étant donné qu'on trouve ces enzymes dans différents tissus du corps, on peut les considérer comme le résultat de lésions des muscles, du foie, du cerveau ou d'autres organes. C'est pour cette raison qu'il est possible de déceler les isoenzymes, soit les multiples formes des enzymes propres à chaque organe, à l'aide de l'électrophorèse. Leur identification est un meilleur indicateur de lésions cardiaques que la numération totale des enzymes. En plus des enzymes, on mesure dans le contenu cellulaire les troponines et la myoglobine.

La CK-MB est présente dans le muscle cardiaque, le muscle squelettique et le tissu cérébral. La CK-MM se trouve surtout dans le muscle squelettique et la CK-BB est présente dans le cerveau et dans les tissus nerveux. La hausse de la CK-MB est spécifique de la lésion du tissu myocardique, et il est possible de la détecter dans les 4 à 6 heures qui suivent l'IM. La CK-MB est l'outil par excellence pour mesurer l'importance des lésions myocardiques. Cependant, la méthodologie conventionnelle (électrophorèse) pour effectuer ce test prend quelques heures, ce qui prolonge le délai avant le traitement, délai crucial pour le client qui présente une douleur thoracique aiguë. On a récemment mis au point un test quantitatif évaluant la CK-MB de masse qui prend de 30 à 45 minutes. Ce test permet de diagnostiquer plus rapidement un IM aigu et est réalisé plus particulièrement lorsque le médecin soupçonne un deuxième infarctus.

Il existe cinq isoenzymes pour la LDH : la LDH_1 et la LDH_2, qui se trouvent surtout dans le cœur, les globules rouges et les reins ; la LDH_3, présente surtout dans les poumons ; enfin, la LDH_4 et la LDH_5, présentes dans le foie et le muscle squelettique. Généralement, le taux de LDH_1 et de LDH_2 s'élève de 8 à 12 heures après un IM aigu. Une hausse de LDH dans laquelle le taux de LDH_1 dépasse celui de LDH_2 (le contraire de la normale) est une indication fiable d'un IM aigu.

L'AST se trouve dans le cœur, le foie, les muscles squelettiques et, en moins forte concentration, dans les reins, le pancréas et les globules rouges. Bien qu'il y ait une corrélation étroite entre l'IM et la hausse du taux d'AST, il n'existe pas d'isoenzymes spécifiques du muscle cardiaque qui aident à déceler l'organe endommagé. Ainsi, on considère souvent qu'il est superflu de tester l'AST pour évaluer les lésions myocardiques.

La troponine est une protéine du muscle myocardique qui est libérée dans la circulation sanguine lorsqu'il y a lésion. Il existe trois isotypes de troponine, la troponine T, la troponine I et la troponine C. Normalement, il n'existe pas de troponine dans la circulation ; une augmentation de sa concentration est donc un signe diagnostique de lésions myocardiques. La troponine T atteint son taux maximal dans les 12 heures suivant la lésion et a une grande spécificité de trois à six heures après l'apparition des symptômes. Ce test sanguin devient de plus en plus répandu et précieux pour le diagnostic de l'IM parce qu'il est possible d'obtenir les résultats 20 minutes après avoir prélevé le spécimen.

La myoglobine est un autre marqueur protéinique de l'IM aigu qui fournit de nouvelles données utiles pour le diagnostic. Apparentée à l'hémoglobine, elle est présente dans le muscle squelettique et le muscle cardiaque, mais généralement absente, sinon à très faible concentration, du sang. C'est pourquoi l'élévation du taux sérique de myoglobine est un indicateur sensible des lésions myocardiques : la hausse se produit une ou deux heures après la lésion, proportionnellement à l'étendue de celle-ci, mais les concentrations baissent rapidement après sept heures. Il faut donc s'assurer de faire le prélèvement sanguin dans les quatre à huit heures qui suivent la manifestation. On obtient les résultats dans les 20 minutes.

Des évaluations rapides qui se font au chevet du client vont devenir rapidement accessibles pour de nombreux marqueurs sériques à valeur diagnostique. Elles permettront de réduire le délai nécessaire pour obtenir les résultats des épreuves de laboratoire. L'infirmière doit porter attention à la période pendant laquelle ces marqueurs apparaissent dans le sérum et aux données d'appoint (symptômes du client et variations d'ECG) qui complètent le tableau diagnostique de l'IM. Puisque la qualité des résultats dépend proportionnellement du nombre de cellules lysées et de l'intervalle entre la lyse et le prélèvement sanguin, il est primordial, afin de suivre l'évolution de l'IM et d'assurer l'efficacité du traitement, de ne pas tarder à faire ces examens et de refaire périodiquement les prélèvements sanguins.

Lipides du sang. Les lipides du sang sont composés de triglycérides, de cholestérol et de phospholipides. Ils circulent dans le sang fixés aux protéines, et on les appelle souvent des lipoprotéines.

Les triglycérides sont la principale forme d'entreposage de lipides et constituent à peu près 95 % du tissu adipeux. Le cholestérol, une composante structurale des membranes cellulaires et des lipoprotéines du plasma, est un précurseur des glucocorticoïdes, des hormones sexuelles et des sels biliaires. En plus d'être absorbé à partir des aliments dans le tractus gastro-intestinal, le cholestérol est synthétisé dans le foie. Les phospholipides contiennent du glycérol, des acides gras, des phosphates et des produits azotés. Bien qu'ils se forment dans la plupart des cellules, les phospholipides pénètrent dans la circulation sous forme de lipoprotéines synthétisées par le foie. Les apolipoprotéines sont des protéines hydrosolubles qui se combinent avec la plupart des lipides pour former des lipoprotéines.

Les différentes classes de lipoprotéines contiennent des quantités variables de lipides produits naturellement. On procède par électrophorèse pour séparer les lipoprotéines selon les groupes suivants :
- chylomicrons : il s'agit en grande partie de triglycérides exogènes provenant des graisses alimentaires ;
- lipoprotéines de très faible densité (VLDL) : ce sont principalement des triglycérides exogènes contenant des quantités modérées de phospholipides et de cholestérol ;
- lipoprotéines de faible densité (LDL) : elles consistent surtout en du cholestérol renfermant des quantités modérées de phospholipides ;
- lipoprotéines de haute densité (HDL) : elles sont approximativement composées à moitié de protéines et à moitié de phospholipides et de cholestérol.

Une élévation de LDL est fortement et directement associée aux coronaropathies. Une augmentation de HDL est plutôt inversement associée à un risque de cardiopathie. En effet, un taux élevé de HDL constitue une forme de protection par sa contribution au déplacement du cholestérol des tissus. Malgré le lien qui existe entre le taux élevé de cholestérol sérique et la cardiopathie, la détermination du taux de cholestérol total n'est pas suffisante pour évaluer le risque coronarien. Il est important d'établir si le taux élevé de cholestérol total est relié à l'augmentation des LDL ou à celle des HDL.

La hausse des triglycérides a toujours eu un rôle incertain dans l'étiologie des cardiopathies jusqu'à tout récemment. On a maintenant démontré qu'un taux élevé de triglycérides est relié à la progression de la cardiopathie.

L'analyse sanguine servant à dresser un profil des lipides consiste généralement à mesurer le cholestérol, les triglycérides, les LDL et les HDL. Fréquemment, on évalue le risque de cardiopathie en comparant le rapport entre le cholestérol total et les HDL ; une augmentation du rapport indique une augmentation du risque. Cette combinaison produit davantage d'information que chacune des valeurs prise isolément (voir tableau 20.9). Le client doit jeûner pendant 12 à 14 heures avant le prélèvement sanguin pour éliminer les effets d'un repas récent.

Des éléments probants indiquent que les taux plasmatiques d'apolipoprotéines a-1 (la HDL la plus importante) et d'apolipoprotéine B (la LDL la plus importante) annoncent mieux les cardiopathies que les HDL ou les LDL. Ainsi, il est possible que les mesures de ces lipoprotéines remplacent la détermination du rapport lipoprotéines-cholestérol pour évaluer les risques de cardiopathie.

La lipoprotéine A (Lp(B)) est une lipoprotéine récemment identifiée et dont on évalue le rôle dans les cardiopathies. Une augmentation du taux de Lp(B), surtout lorsqu'elle est accompagnée d'une élévation du taux de LDL, est étroitement associée à la progression de l'athérosclérose. De plus, la Lp(B) possède des propriétés thrombogènes qui augmentent le risque de formation de caillot là où il y a lésion intravasculaire.

20.3.2 Épreuves effractives (invasives)

On procède à des examens effractifs, comme le cathétérisme cardiaque, la coronarographie, l'épreuve d'électrophysiologie ou l'échographie ultrasonique intracoronarienne, si on a besoin d'information formelle.

Cathétérisme cardiaque. Le cathétérisme cardiaque est une intervention courante que l'on pratique en externe. Il permet d'obtenir de l'information au sujet des cardiopathies congénitales, des cardiopathies valvulaires et de la fonction ventriculaire. On utilise le cathétérisme cardiaque pour mesurer les pressions intracardiaques et le taux d'O_2 et de CO_2 dans différentes régions du cœur. Grâce à l'injection d'agents de contraste et à la visualisation radiographique, on peut mettre en évidence les cavités cardiaques et observer le mouvement de la paroi.

On procède au cathétérisme cardiaque en insérant un cathéter opaque aux rayons X dans le côté gauche ou droit du cœur. Pour le côté droit du cœur, on insère le cathéter dans une veine du bras (basilique ou céphalique) ou de la jambe (fémorale). On pousse le cathéter jusqu'à la veine cave, on l'introduit ensuite dans l'oreillette droite puis dans le ventricule droit. On continue d'insérer le cathéter jusqu'aux artères pulmonaires et on enregistre les pressions. À ce moment-là, on pousse le cathéter jusqu'à ce qu'il soit bloqué dans sa position. La position bloquée dans les artères pulmonaires (pression capillaire bloquée) obstrue la circulation et la pression du côté droit du cœur et permet d'observer, à travers le lit des capillaires pulmonaires, la pression du côté gauche du cœur. On utilise la pression capillaire bloquée pour vérifier la fonction du côté gauche du cœur.

L'intervention du côté gauche consiste à insérer un cathéter dans l'artère fémorale. Il est possible, au besoin, d'utiliser l'artère brachiale. On passe par voie rétrograde le cathéter dans l'aorte, puis à travers la valve sigmoïde (aortique) et finalement dans le ventricule gauche.

Que ce soit dans le cas d'un cathétérisme gauche ou droit, on prélève du sang de différentes cavités, on analyse son contenu en O_2 et on enregistre les pressions dans les diverses cavités. Grâce aux injections d'agents de contraste, on voit les cavités du cœur et on évalue leur taille et leur fonction. Il est important de noter que les clients éprouvent souvent des bouffées de chaleur et peuvent présenter un faciès rouge lorsqu'on injecte l'agent de contraste.

Parmi les complications du cathétérisme cardiaque, on compte la torsion ou le bris du cathéter, la perte de sang, les réactions allergiques aux agents de contraste, les infections, la formation d'un thrombus, l'embolie gazeuse ou l'embolie sanguine, les arythmies, l'IM, les AVC, la perforation des ventricules, de la cloison cardiaque, des tissus pulmonaires et aussi, mais rarement, le décès.

L'infirmière a des responsabilités pendant et après l'intervention lorsque le client subit un cathétérisme cardiaque. Elle doit dire au client combien de temps dure le cathétérisme (deux ou trois heures) et où il aura lieu. La plupart des centres hospitaliers ont des laboratoires d'hémodynamie cardiaque spécialement conçus pour cette intervention (voir tableau 20.8 pour connaître les responsabilités infirmières reliées au cathétérisme cardiaque).

Coronarographie. Lorsqu'on a besoin d'information de nature diagnostique ou anatomique liée aux artères coronaires, on procède à une coronarographie (artériographie) en même temps que le cathétérisme cardiaque. On modifie la méthode pour pouvoir insérer les cathéters dans l'aorte, puis dans l'ouverture des artères coronaires. On injecte des substances de contraste et on prend des radiographies, puis on répète la même intervention pour l'autre artère coronaire. Il faut prévenir le client de la possibilité qu'il sente un réchauffement au moment où on injecte la substance de contraste.

Les responsabilités infirmières pour cette intervention sont les mêmes que pour les clients qui subissent un cathétérisme cardiaque.

Épreuve électrophysiologique. L'épreuve électrophysiologique (EEP) est la manipulation et l'étude directes de l'activité électrique du cœur à l'aide d'électrodes posées dans les cavités cardiaques. Elle permet d'obtenir des renseignements sur la fonction du nœud SA, la conduction du nœud AV et la conduction ventriculaire. Elle est particulièrement utile pour reconnaître les tissus qui sont à l'origine des arythmies. Les clients qui ont des antécédents de tachycardie supraventriculaire ou ventriculaire symptomatique obtiendront un diagnostic exact grâce à cette technique.

On insère les cathéters de la même façon que pour le cathétérisme cardiaque gauche ou droit, puis on les positionne dans des structures anatomiques spécifiques du cœur pour qu'ils y enregistrent l'activité électrique. Les soins infirmiers après l'épreuve électrophysiologique consistent en une surveillance étroite de l'ECG, en une évaluation du site de ponction et des signes vitaux et en d'autres responsabilités liées aux soins nécessaires après un cathétérisme cardiaque.

Échographie ultrasonique intracoronarienne. L'échographie ultrasonique intracoronarienne, que l'on appelle aussi échographie ultrasonique intravasculaire, est une intervention effractive à laquelle on procède au laboratoire de cathétérisme. Les images ultrasoniques en deux ou trois dimensions fournissent une vue en coupe transversale des parois des artères coronaires.

On fixe un transducteur miniature à un petit cathéter que l'on introduit dans une artère périphérique et qu'on pousse jusqu'à l'artère à examiner. Une fois le cathéter inséré dans l'artère, on obtient des images ultrasoniques. On évalue ainsi l'état des couches artérielles, c'est-à-dire leur composition et l'épaisseur de la plaque.

On utilise actuellement l'échographie ultrasonique intracoronarienne en même temps que la coronarographie pour déterminer la gravité d'une coronaropathie, et de plus en plus pour évaluer la réaction des vaisseaux à des traitements comme la mise en place d'un extenseur ou une athérectomie.

Étant donné que le client subit le plus souvent une échographie ultrasonique intracoronarienne en plus de l'angiographie ou d'un traitement effractif, les soins infirmiers à la suite d'une telle intervention sont semblables à ceux qui suivent un cathétérisme cardiaque (voir tableau 20.8).

Mesures des pressions et du débit sanguins

Débit sanguin dans les vaisseaux périphériques. L'échographie Doppler est utile pour diagnostiquer les maladies provoquant l'occlusion des vaisseaux périphériques et la thrombophlébite. Il est possible d'évaluer le débit sanguin dans les vaisseaux périphériques en injectant une substance opaque aux rayons X dans les artères ou les veines appropriées (artériographie ou phlébographie). Il est possible, grâce à ces examens, de repérer les occlusions artérielles ou les anomalies dans les veines (une étude supplémentaire des vaisseaux périphériques est présentée au chapitre 26 et au tableau 26.5).

Surveillance hémodynamique. On utilise la surveillance hémodynamique des pressions de l'appareil cardiovasculaire au chevet du client pour évaluer son état cardiovasculaire. On peut effectuer une surveillance hémodynamique effractive à l'aide de cathéters intra-artériels ou artériels pulmonaires pour surveiller la PA, les pressions intracardiaques et le DC (voir chapitre 29). On conseille la surveillance de la pression veineuse centrale (PVC) lorsque le client présente une altération importante du volume liquidien. La PVC indique la pression existant dans l'oreillette droite et est une mesure de la précharge. Il est possible d'utiliser la PVC comme guide dans la gestion du volume liquidien en cas d'hyperhydratation ou de déshydratation.

On mesure la PVC à l'aide d'un cathéter artériel pulmonaire (voir chapitre 29) ou d'un cathéter veineux central que l'on insère dans la veine sous-clavière ou jugulaire, puis dans la veine cave. Il existe deux méthodes pour mesurer la PVC : la première fait appel au mercure (mm Hg) et la deuxième à un manomètre à eau (cm H_2O). On raccorde l'extrémité du cathéter à un robinet à trois voies, à un circuit de liquide et à un manomètre à eau ou à un transducteur de pression. La PVC normale est de 2 à 9 mm Hg (3 à 12 cm H_2O).

Pour que la mesure soit exacte, la base du manomètre doit être au niveau de l'oreillette droite (axe phlébostatique). Les valeurs manométriques reflètent le remplissage du ventricule droit et la pression diastolique. Les valeurs de la PVC varient selon la fonction du côté droit du cœur, la pression dans les vaisseaux pulmonaires, le retour veineux au cœur et la position du client au moment de la mesure. Il faut garder en tête ce dernier élément pour obtenir les meilleurs résultats possibles. On surveille de plus en plus la PVC lorsqu'on effectue une surveillance artérielle pulmonaire.

MOTS CLÉS

BIBLIOGRAPHIE

Version originale

1. Berne RM, Levy MN: *Cardiovascular physiology*, ed 7, St Louis, 1997, Mosby.
2. Woods SL and others: *Cardiac nursing*, ed 3, Philadelphia, 1995, Lippincott.
3. Kinney MR, Packa DR: *Andreoli's comprehensive cardiac care*, ed 8, St Louis, 1996, Mosby.
4. Frolkis VV, Bezrukov VV, Kulchitshy OK: *The aging cardiovascular system: physiology and pathology*, New York, 1996, Springer.
5. Matteson MA: *Gerontological nursing: concepts and practice*, ed 2, Philadelphia, 1997, Saunders.
6. Delonas LR: Beyond type A: hostility and coronary artery disease—implication for research, *Rehabil Nurs* 21:4, 1996.
7. Hartnell GC: Developments in echocardiography, *Radiol Clin North Am* 32:3, 1994.
8. Johns PJ, Abraham SA, Eagle KA: Dipyridamole-thallium versus dobutamine echocardiographic stress testing: a clinician's viewpoint, *Am Heart J* 130:5, 1995.
9. Ansari A: Transesophageal two dimensional echocardiography: current perspectives, *Prog Cardiovasc Dis* 35:5, 1993.
10. O'Keefe JH, Barnhart CS, Bateman TM: Comparison of stress echocardiography and stress myocardial perfusion scintigraphy for diagnosing coronary artery disease and assessing its severity, *Am J Cardiol* 75:25D, 1995.
11. Merz CNB, Berman DS: Imaging techniques for coronary artery disease: current status and future direction, *Clin Cardiol* 20:526, 1997.
12. Brown KA: Prognostic value of cardiac imaging in patients with known or suspected coronary artery disease: comparison of myocardial perfusion imaging, stress echocardiography, and positron emission tomography, *Am J Cardiol* 75:35D, 1995.
13. Cheesbro MJ: Using serum markers in the early diagnosis of myocardial infarction, *Am Fam Physician* 55:8, 1997.
14. Assmann G, Schulte H, von Eckardstein A: Hypertriglyceridemia and elevated lipoprotein (a) are risk factors for major coronary events in middle-aged men, *Am J Cardiol* 77:1179, 1996.
15. Fishbach FT: *A manual of laboratory and diagnostic tests*, Philadelphia, 1996, Lippincott.
16. Blackman MC, Busby-Whitehead MJ: Clinical implications of abnormal lipoprotein metabolism. In Barker LR and others, eds: *Principles of ambulatory medicine*, ed 3, Baltimore, 1995, Williams & Wilkins.
17. Foster GP and others: Variability in the measurement of intracoronary ultrasound images: implication for the identification of atherosclerotic plaque regression, *Clin Cardiol* 20:11, 1997.
18. Tenaglia A: Intravascular ultrasound and balloon percutaneous transluminal coronary angioplasty, *Cardiol Clin* 15:1, 1997.

Édition de langue française

1. DÉCARIE (éd.). *Examens et épreuves diagnostiques*, Montréal, Décarie éditeur, 2001, 353 p.
2. GARNIER, DELAMARRE. *Dictionnaire des termes de médecine*, 25ᵉ éd., Paris, Maloine, 1999.
3. PAGANA, K.D. et T.J. PAGANA. *L'infirmière et les examens paracliniques*, Edisem-Maloine, 2000, 530 p.

Chapitre 21

HYPERTENSION

Nicole Bizier
M.A.
Collège de Sherbrooke

Nathalie Gagnon
M.A. Éd.
Collège de Sherbrooke

Lorraine T. Sawyer
B. Sc. inf., D.E. (2ᵉ cycle) en
enseignement
Collège de Sherbrooke

OBJECTIFS D'APPRENTISSAGE

APRÈS AVOIR LU CE CHAPITRE, VOUS DEVRIEZ ÊTRE EN MESURE :

- DE DÉCRIRE ET D'EXPLIQUER LES MÉCANISMES DE RÉGULATION À COURT TERME ET À LONG TERME INTERVENANT DANS LA RÉGULATION DE LA PRESSION ARTÉRIELLE ;

- D'EXPLIQUER LES PROCESSUS PHYSIOPATHOLOGIQUES ASSOCIÉS À L'HYPERTENSION ESSENTIELLE ;

- D'EXPLIQUER LES MANIFESTATIONS CLINIQUES ET LES COMPLICATIONS DE L'HYPERTENSION ;

- D'EXPLIQUER LES MOYENS POUR PRÉVENIR L'HYPERTENSION ESSENTIELLE ;

- DE DÉCRIRE ET D'EXPLIQUER L'APPROCHE THÉRAPEUTIQUE DE L'HYPERTENSION, Y COMPRIS LA PHARMACOTHÉRAPIE ET LES RECOMMANDATIONS NUTRITIONNELLES ;

- DE DISTINGUER LES SOINS INFIRMIERS PARTICULIERS APPORTÉS AUX PERSONNES ÂGÉES QUI SOUFFRENT D'HYPERTENSION DES SOINS PRODIGUÉS AUX ADULTES ;

- D'EXPLIQUER LES SOINS INFIRMIERS OFFERTS AUX CLIENTS QUI SOUFFRENT D'HYPERTENSION ;

- DE SÉLECTIONNER LES RENSEIGNEMENTS DEVANT ÊTRE FOURNIS AUX CLIENTS EN INSISTANT SUR L'IMPORTANCE DE L'OBSERVANCE DU TRAITEMENT ;

- D'EXPLIQUER LES MANIFESTATIONS CLINIQUES ET LES SOINS DES CRISES HYPERTENSIVES.

PLAN DU CHAPITRE

21.1 RÉGULATION DE LA PRESSION ARTÉRIELLE

La **pression artérielle** (PA) est la pression que le sang exerce contre les parois artérielles et qui doit être suffisante pour assurer la perfusion tissulaire pendant une période d'activité ou au repos. Afin que la pression artérielle et la perfusion tissulaire soient normales, il est nécessaire de tenir compte des facteurs systémiques et des effets vasculaires périphériques locaux. La pression artérielle est principalement une résultante du débit cardiaque et de la résistance vasculaire périphérique. La relation est résumée dans l'équation suivante :

$$\text{Pression artérielle} =$$
$$\text{Débit cardiaque} \times \text{Résistance vasculaire périphérique}$$

Le **débit cardiaque** (DC) est le débit sanguin total par minute mesuré à l'intérieur de la circulation systémique et pulmonaire. Il peut être décrit comme le volume systolique (quantité de sang expulsé par la contraction du ventricule gauche [environ 70 ml]) multiplié par la fréquence cardiaque (FC) par minute. La **résistance vasculaire périphérique** (RVP) est la force qui s'oppose à l'écoulement du flux sanguin dans les vaisseaux. Le diamètre des petits vaisseaux sanguins et des artérioles influence directement la résistance vasculaire périphérique. Le moindre changement de diamètre des artérioles entraîne un changement majeur de la résistance vasculaire périphérique. Si cette dernière augmente et que le débit cardiaque reste constant ou qu'il augmente, la pression artérielle augmentera.

Les mécanismes qui régularisent la pression artérielle peuvent avoir un effet sur le débit cardiaque, sur la résistance vasculaire périphérique ou sur les deux. La régulation de la pression artérielle est un processus complexe qui touche les fonctions cardiovasculaires, rénales et endocriniennes, ainsi que l'activité nerveuse (voir figure 21.1). Les mécanismes qui régularisent la PA sont à la fois des mécanismes à court terme (quelques secondes à quelques heures) et des mécanismes à long terme (quelques jours à quelques semaines). Les mécanismes à court terme font intervenir le système nerveux autonome et des mécanismes chimiques (l'endothélium vasculaire), qui réagissent en quelques secondes. Les mécanismes à long terme comprennent les processus rénaux et hormonaux qui régularisent la résistance artériolaire et le volume sanguin.

21.1.1 Mécanismes à court terme de régulation de la pression artérielle

Système nerveux sympathique. Le système nerveux, qui réagit en quelques secondes à la suite d'une diminution de la pression artérielle, augmente celle-ci principalement par l'activation du système nerveux sympathique (SNS), et ce, par l'intermédiaire du centre vasomoteur situé dans le bulbe rachidien, qui régit le changement de calibre des vaisseaux. Une augmentation de l'activité du système nerveux sympathique produit une augmentation de la fréquence cardiaque et de la contractilité cardiaque, provoque une vasoconstriction généralisée des artérioles périphériques et favorise la sécrétion de rénine des reins. Le résultat net de l'activation du système nerveux sympathique est l'augmentation de la pression artérielle en augmentant le débit cardiaque et la résistance vasculaire périphérique.

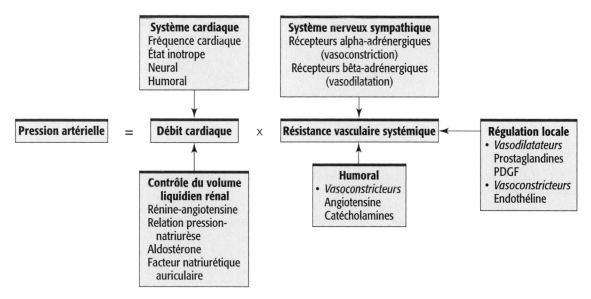

FIGURE 21.1 Facteurs influant sur la pression artérielle
PDGF : facteur de croissance dérivé des plaquettes.

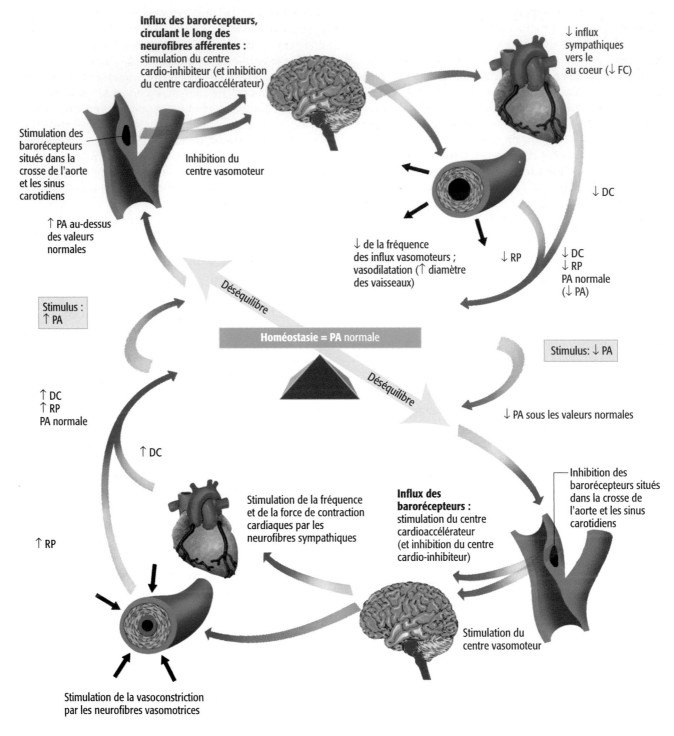

FIGURE 21.2 Les barorécepteurs provoquent une réaction en chaîne qui permet de maintenir la pression artérielle à des valeurs normales.
DC : débit cardiaque ; FC : fréquence cardiaque ; PA : pression artérielle ; RP : résistance périphérique.

Le changement de PA qui s'opère est repéré par des cellules nerveuses spécialisées (barorécepteurs), situées dans les sinus carotidiens et aortiques, et est transmis au centre vasomoteur du bulbe rachidien (voir figure 21.2). L'information que reçoit le centre vasomoteur est retransmise dans tout le cerveau par des réseaux complexes d'interneurones qui stimulent ou inhibent les nerfs moteurs, influençant ainsi la fonction cardiovasculaire. Les nerfs moteurs sympathiques innervent les cellules des muscles lisses cardiaques et vasculaires. Normalement, une faible activité sympathique continue est nécessaire pour assurer la vasoconstriction artériolaire par le muscle lisse du vaisseau. On peut abaisser la pression artérielle en interrompant l'activité tonique du système nerveux sympathique ou en stimulant le système nerveux parasympathique, ce qui a pour effet de diminuer la fréquence cardiaque (par l'intermédiaire du nerf vague) et, par conséquent, le débit cardiaque.

La noradrénaline, sécrétée par les neurofibres vasomotrices sympathiques, active les récepteurs qui sont situés dans le nœud sinusal, le myocarde et le muscle lisse vasculaire. La réaction à la noradrénaline dépend du type et de la densité des récepteurs qui sont présents. Il existe plusieurs récepteurs du système nerveux sympathique et ils sont classés de la manière suivante : α_1, α_2, β_1 et β_2. Les récepteurs β_1 sont cardiosélectifs, c'est-à-dire qu'ils sont principalement situés dans le muscle cardiaque. Les récepteurs β_2 sont principalement situés dans les poumons et les muscles lisses des artérioles périphériques. Les récepteurs β_1 cardiaques réagissent à la noradrénaline en augmentant la fréquence cardiaque (chronotrope), la contractilité (inotrope) et la conduction. L'impact le plus important du vieillissement cardiovasculaire est la diminution de la sensibilité des cellules cardiovasculaires à la stimulation sympathique. Les récepteurs α_1 du réseau vasculaire périphérique provoquent une vasoconstriction lorsqu'ils sont activés. Le muscle lisse des vaisseaux sanguins est à la fois un récepteur α_1 et un récepteur β_2.

Les récepteurs α_2 ont une action centrale (centre vasomoteur) et agissent sur la fréquence cardiaque et la résistance vasculaire périphérique (voir tableau 21.1). Les récepteurs β_2 sont principalement activés par l'adrénaline, qui est sécrétée par la médullosurrénale et qui provoque une vasoconstriction.

Le centre vasomoteur sympathique, situé dans le bulbe rachidien, interagit avec de nombreuses parties du cerveau pour maintenir une pression artérielle normale dans différentes situations. Pendant un exercice, la zone motrice du cortex est stimulée, ce qui active le centre vasomoteur et le système nerveux sympathique par le biais de connexions neuronales. Ceci entraîne une hausse de la PA afin de répondre à la demande accrue en oxygène engendrée par le travail des muscles. Le centre vasomoteur est stimulé et active le système nerveux sympathique, ce qui entraîne une vasoconstriction périphérique et une augmentation du retour veineux au cœur. Si cette réaction ne survenait pas, le cerveau serait mal irrigué, ce qui entraînerait des étourdissements. Par ailleurs, la douleur et le stress ressentis par le cortex cérébral lors de traumatismes cérébraux activent les centres vasomoteurs et influencent le niveau de pression artérielle.

Barorécepteurs. Les **barorécepteurs** sont des cellules nerveuses spécialisées qui sont situées dans les artères carotides et dans la crosse aortique. Ils sont sensibles à l'élongation et, lorsqu'ils sont stimulés par une augmentation de la pression artérielle, ils envoient des impulsions inhibitrices au centre vasomoteur sympathique, situé dans le tronc cérébral. L'inhibition de l'activité sympathique entraîne une diminution de la fréquence cardiaque et de la contractilité ainsi qu'une vasodilatation des artérioles périphériques. Une augmentation de l'activité parasympathique (nerf vague) a pour effet de diminuer la fréquence cardiaque.

Une chute de la PA, quant à elle, ressentie par les barorécepteurs, entraîne l'activation du SNS, ce qui a pour effet de provoquer une contraction des artérioles périphériques et une augmentation de la fréquence et de la contractilité cardiaques. Les barorécepteurs jouent un rôle important dans la stabilisation de la PA lors des activités de la vie quotidienne (AVQ). En présence d'antécédents de longue date d'hypertension, les barorécepteurs s'ajustent aux niveaux élevés de la pression artérielle et considèrent ce niveau comme

TABLEAU 21.1 Récepteurs du système nerveux sympathique influant sur la pression artérielle		
Récepteur	**Localisation**	**Réaction après l'activation**
α_1	Muscle lisse vasculaire Cœur	Vasoconstriction Augmentation de la contractilité
α_2	Membrane présynaptique Muscle lisse vasculaire	Inhibition de la sécrétion de noradrénaline Vasoconstriction
β_1	Cœur Cellules juxtaglomérulaires	Augmentation de la contractilité (effet inotrope positif) Augmentation de la fréquence cardiaque (effet chronotrope positif) Augmentation de la conduction (effet dromotrope positif) Augmentation de la sécrétion de rénine
β_2	Muscle lisse des vaisseaux sanguins périphériques du muscle du squelette et des artères coronaires	Vasodilatation
Récepteurs dopaminergiques	Surtout au niveau des vaisseaux du rein et de l'intestin	Vasodilatation

« normal ». Ceci peut expliquer l'augmentation de la PA en début d'un traitement aux antihypertenseurs (action réflexe). Par ailleurs, le réflexe des barorécepteurs est moins sensible chez certaines personnes âgées, ce qui entraîne une élévation de la PA.

21.1.2 Facteurs endothéliaux

L'endothélium vasculaire est constitué d'une couche unicellulaire qui tapisse les vaisseaux sanguins. Autrefois considéré comme inerte, l'endothélium vasculaire produit des substances vasoactives et des facteurs de croissance. Le monoxyde d'azote, un facteur de croissance provenant de l'endothélium (PDGF), aide à maintenir un faible tonus artériel au repos, inhibe la croissance de la musculeuse et l'agrégation plaquettaire. Les autres substances sécrétées par l'endothélium vasculaire artériel à action vasodilatatrice locale comprennent la prostacycline et le facteur hyperpolarisant.

L'endothéline est un vasoconstricteur extrêmement puissant qui, entre autres, maintient le tonus vasomoteur, entraînant également l'adhérence et l'agrégation des neutrophiles, et stimule la croissance du muscle lisse. Beaucoup de recherches sont effectuées dans le domaine du fonctionnement et du dysfonctionnement endothélial. Il semblerait que le dysfonctionnement de l'endothélium vasculaire pourrait entraîner l'athérosclérose et l'hypertension essentielle. La prévention ou le traitement du dysfonctionnement endothélial deviendront sans aucun doute des domaines thérapeutiques importants dans l'avenir.

21.1.3 Mécanismes à long terme de régulation de la pression artérielle

Système rénal. Les reins contribuent à la régulation à long terme de la pression artérielle en contrôlant l'excrétion de sodium et le volume de liquide extracellulaire (LEC), qui sera éliminé (voir chapitre 36). La rétention de sodium entraîne la rétention d'eau, ce qui cause une augmentation du volume du LEC. Celle-ci a pour effet d'augmenter le retour veineux au cœur et, conséquemment, le volume systolique. L'augmentation du volume systolique hausse la PA en raison de l'augmentation du débit cardiaque.

Le système rénine-angiotensine-aldostérone joue également un rôle important dans la régulation de la pression artérielle. La rénine est sécrétée par l'appareil juxtaglomérulaire en réaction à la stimulation sympathique, à la diminution du débit sanguin par les reins ou à la diminution de la concentration de sodium sérique. La rénine est un enzyme qui agit sur l'angiotensinogène pour le transformer en angiotensine I. Un enzyme de conversion de l'angiotensine (ECA)

transforme l'angiotensine I en angiotensine II, qui augmente la pression artérielle par deux mécanismes différents (voir figure 36.6). Premièrement, l'angiotensine II est un vasoconstricteur puissant et il augmente la résistance vasculaire périphérique, ce qui entraîne une hausse immédiate de la PA. Deuxièmement, sur une période de quelques heures ou de quelques jours, l'angiotensine II augmente indirectement la PA en stimulant le cortex surrénal pour qu'il sécrète de l'aldostérone. Celle-ci entraîne une rétention de sodium et d'eau par les reins, ce qui a pour effet d'augmenter le volume sanguin et le débit cardiaque (voir figure 21.3).

L'angiotensine II agit aussi localement au niveau du cœur et des vaisseaux sanguins. Des observations récentes semblent indiquer que les effets vasoactifs locaux de l'angiotensine II (vasoconstriction et stimulation de facteurs de croissance) pourraient contribuer à l'athérosclérose et à l'hypertension artérielle.

Les prostaglandines (PGE2) et prostacyclines (PGI2) sécrétées par la médullaire rénale ont une action vasodilatatrice sur la circulation systémique. Ceci entraîne une diminution de la résistance vasculaire périphérique et une diminution de la pression artérielle. (Le chapitre 6 traite des prostaglandines.)

Système endocrinien. La stimulation du SNS, lors d'un stress par exemple, entraîne la sécrétion d'adrénaline et d'une petite quantité de noradrénaline par la médullosurrénale. L'adrénaline fait augmenter le débit cardiaque en augmentant la fréquence cardiaque et la contractilité myocardique. L'adrénaline active les récepteurs β_1 des artérioles périphériques du muscle squelettique, causant une vasodilatation. Dans les artérioles périphériques qui ne contiennent que des récepteurs α_1 (peau et reins), l'adrénaline cause une vasoconstriction.

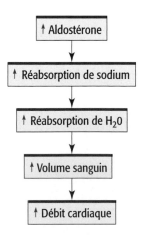

↑ Aldostérone

↓

↑ Réabsorption de sodium

↓

↑ Réabsorption de H_2O

↓

↑ Volume sanguin

↓

↑ Débit cardiaque

FIGURE 21.3 Mécanisme d'action de l'aldostérone

Sous l'action de l'angiotensine, le cortex surrénalien libère de l'aldostérone. Celle-ci est également régularisée par d'autres facteurs comme le faible taux de sodium sérique (voir chapitres 39 et 41). L'aldostérone stimule les reins afin qu'ils retiennent le sodium et, par conséquent, l'eau. Cela a pour effet d'élever la pression artérielle en augmentant le volume et, conséquemment, le débit cardiaque (voir figure 21.3).

Une augmentation de la concentration de sodium dans l'osmolarité plasmatique stimule la sécrétion de l'hormone antidiurétique (HAD) de l'hypophyse. L'HAD fait augmenter le volume du liquide extracellulaire en favorisant la réabsorption de l'eau dans les tubules contournés distaux et dans les tubules collecteurs des reins. L'augmentation du volume sanguin qui en résulte peut causer une hausse de la pression artérielle.

Chez une personne en santé, ces mécanismes de régulation réagissent à la demande de l'organisme. Si un ou plusieurs mécanismes de régulation ne fonctionnent pas bien, l'hypertension se manifeste. L'approche thérapeutique et les soins infirmiers visent à régulariser la pression artérielle et à prévenir l'atteinte d'organes cibles tels que le cœur, la rétine, les reins et le cerveau.

21.2 HYPERTENSION

21.2.1 Définition

L'**hypertension** est l'élévation constante de la pression artérielle. Chez l'adulte, on parle d'hypertension lorsque la pression artérielle systolique est égale ou supérieure à 140 mm Hg ou que la pression artérielle diastolique est égale ou supérieure à 90 mm Hg pendant une durée prolongée. Pour qu'un diagnostic d'hypertension soit posé, les lectures de PA doivent être élevées à au moins cinq visites médicales (voir figure 21.4).

21.2.2 Épidémiologie

Une PA élevée signifie que le cœur travaille plus que la normale, mettant à la fois le cœur et les vaisseaux sanguins sous pression. Une PA élevée peut provoquer un infarctus du myocarde, un accident vasculaire cérébral (AVC), l'insuffisance rénale et l'athérosclérose.

Le contrôle de l'hypertension s'est considérablement amélioré depuis les 20 dernières années. Des programmes d'éducation d'envergure dispensés par différents organismes ont sensibilisé davantage la population à l'hypertension. Le pourcentage de clients atteints d'hypertension qui contrôlent leur PA au moyen de médicaments a également augmenté considérablement.

Jusqu'en 1993, les cas de mortalité à la suite d'une maladie cardiovasculaire et d'un AVC avaient diminué pour l'ensemble de la population adulte au Canada. Étant donné que l'hypertension est l'un des principaux facteurs de risque des coronaropathies et le principal facteur de risque des AVC, on peut avancer que le progrès réalisé dans le dépistage, le traitement et le contrôle de l'hypertension a contribué à faire chuter le taux de mortalité pour ces maladies. Cependant, ces progrès spectaculaires ont ralenti. Depuis 1993, le taux de coronaropathies semble s'être stabilisé. Par contre, le taux d'AVC a légèrement augmenté ; le risque de néphropathies en phase terminale et la prévalence d'insuffisance cardiaque ont augmenté chez les personnes âgées de 85 ans et plus (Santé Canada, 2003).

Les personnes souffrant d'hypertension ne ressentent aucun symptôme qui pourrait les inciter à consulter un médecin. Lorsque les symptômes se manifestent, ceux-ci peuvent refléter des causes secondaires de l'hypertension ou des effets d'une élévation prolongée de la PA sur les organes cibles (coronaropathie, hypertrophie du ventricule gauche, maladie vasculaire cérébrale, maladie vasculaire périphérique ou insuffisance rénale).

Au Canada, 22 % des personnes âgées de 18 à 70 ans et 50 % des personnes de plus de 65 ans font de l'hypertension (voir figure 21.5). De plus, 43 % des personnes hypertendues ne sont pas conscientes de leur état ; 22 % le sont, mais ne sont pas traitées et leur pression artérielle n'est pas stabilisée. Enfin, l'hypertension n'est pas maîtrisée dans 21 % des cas, alors qu'elle l'est dans 13 % des cas, dont 9 % sont diabétiques (Société canadienne d'hypertension artérielle, 2003). Ces personnes souffrent de haute pression (PA systolique égale ou supérieure à 140 mm Hg, ou PA diastolique égale ou supérieure à 90 mm Hg) ou prennent des médicaments antihypertenseurs. La prévalence d'hypertension augmente avec l'âge et est plus élevée chez les individus de race noire que chez les individus de race blanche. Comparativement aux personnes de race blanche, les personnes de race noire développent une PA élevée plus

DIVERSITÉ CULTURELLE

Hypertension | ENCADRÉ 21.1

- Les personnes de race noire, d'origine portoricaine, cubaine et mexicaine courent un risque plus élevé de souffrir d'hypertension que les personnes de race blanche.
- Les personnes de race noire ont une incidence plus élevée d'hypertension.
- Le taux de mortalité lié à l'hypertension est plus élevé chez les personnes de race noire que chez les personnes de race blanche.
- Les personnes de race noire et les personnes de race blanche vivant dans le sud-est des États-Unis ont une incidence plus élevée d'hypertension que ceux de même race vivant ailleurs aux États-Unis.

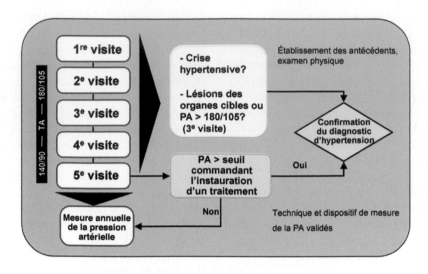

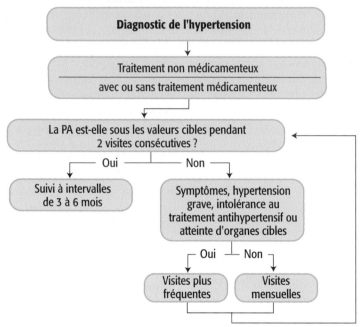

FIGURE 21.4 Algorithme de diagnostic et plan de suivi
Société canadienne d'hypertension artérielle. *Recommandations canadiennes pour l'évaluation et le traitement de l'hypertension,* juillet 2002.

jeune, et elle est plus grave, que ce soit dans n'importe quelle tranche d'âge, mais on ne connaît pas la cause de ce phénomène. C'est pourquoi la prévalence d'AVC, de cardiopathies et de néphropathies en phase terminale est plus grande chez les individus de race noire que chez les individus de race blanche. De plus, leur taux de mortalité est plus élevé que chez les personnes de race blanche, et ce, peu importe l'élévation des valeurs de PA. La prévalence est plus importante chez les adultes qui sont peu scolarisés, indépendamment de leur race. L'hypertension est plus fréquente chez les hommes que chez les femmes avant l'âge de 55 ans, parce que ces dernières seraient protégées par les

œstrogènes. La prévalence est à peu près identique chez les deux sexes, de 55 à 75 ans, et après l'âge de 75 ans, les cas d'hypertension sont plus fréquents chez les femmes que chez les hommes.

21.2.3 Classification de l'hypertension

L'Association canadienne de l'hypertension a classifié l'hypertension en fonction de ses grades (de 1 à 3) et a ajouté une classe normale limite. Le tableau 21.2 décrit la classification de la PA chez les adultes de 18 ans et plus. Les spécialistes considèrent qu'une personne qui est dans la classe normale limite (130-139/85-89) est

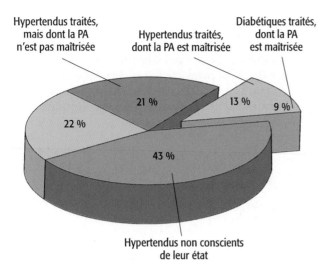

FIGURE 21.5 Situation au Canada : 22 % des Canadiens âgés de 18 à 70 ans font de l'hypertension ; 50 % des Canadiens de plus de 65 ans font de l'hypertension.

Tirée de Joffres et coll., *Am J Hyper* 2001; 14: 1099-1105.

TABLEAU 21.2 Classification de la pression artérielle selon l'OMS/SIH*		
Catégorie	**Systolique**	**Diastolique**
Optimale	<120	<80
Normale	<130	<85
Limite supérieure de la normale	130-139	85-89
Hypertension de grade 1 (légère)	140-159	90-99
Sous groupe : hypertension limite	140-149	90-94
Hypertension de grade 2 (modérée)	160-179	100-109
Hypertension de grade 3 (grave)	≥180	≥110
Hypertension systolique isolée	≥140	<90
Sous-groupe : hypertension systolique isolée limite	140-149	<90

SIH : Société internationale de l'hypertension.
Société canadienne d'hypertension artérielle. *Recommandations canadiennes pour l'évaluation et le traitement de l'hypertension,* juillet 2002 : Chalmers J. et autres. J. *Hypeertens,* 1999, 17: 151-85.

plus à risque de développer une hypertension définitive et recommandent une plus grande surveillance que celle accordée à une personne dont la PA est basse. Le risque de progression de la classe normale limite à l'hypertension définitive est controversé. Selon d'autres experts, l'usage de cette classe risque d'étiqueter comme étant à risque un très grand nombre de personnes. L'étiologie de l'hypertension peut être classifiée comme essentielle ou secondaire.

Hypertension essentielle. L'hypertension essentielle représente 95 % de tous les cas d'hypertension et fait généralement son apparition entre 30 et 50 ans. Bien que la cause exacte de l'hypertension essentielle soit inconnue, plusieurs facteurs contributifs ont été désignés, y compris l'augmentation de l'activité du SNS, la surproduction d'hormones provoquant une rétention sodique et de vasoconstricteurs, un plus grand apport sodique, une masse corporelle supérieure à la normale, le diabète et une consommation excessive d'alcool. Le présent chapitre traite principalement de l'hypertension essentielle en raison de sa prévalence en pratique clinique.

Hypertension secondaire. L'hypertension secondaire est définie comme une PA élevée, dont la cause spécifique peut souvent être décelée et corrigée. Ce type d'hypertension représente moins de 5 % des cas d'hypertension chez les adultes, mais plus de 80 % des cas d'hypertension chez les enfants. Si une personne de moins de 20 ans ou de plus de 50 ans développe soudainement de l'hypertension, en particulier s'il s'agit

d'hypertension grave, une cause secondaire doit être soupçonnée. Les observations cliniques qui indiquent une hypertension secondaire comprennent l'hypokaliémie, les bruits abdominaux (signe d'anévrisme de l'aorte), des pressions variables avec antécédents de tachycardie, de la diaphorèse, des tremblements ou des antécédents familiaux de néphropathie. Les causes de l'hypertension secondaire sont les suivantes : la coarctation ou le rétrécissement congénital de l'isthme de l'aorte ; une néphropathie telle la sténose artérielle rénale et une maladie parenchymateuse (voir chapitre 37) ; des problèmes endocriniens comme le phéochromocytome, le syndrome de Cushing et l'hyperaldostéronisme (voir chapitre 41) ; les problèmes neurologiques comme les tumeurs cérébrales, la quadriplégie et les traumatismes crâniens ; l'apnée du sommeil ; les médicaments tels que les stimulants sympathiques (y compris la cocaïne et les amphétamines), les inhibiteurs de la monoamine-oxydase (médicaments pour traiter la dépression) pris avec des aliments et des boissons contenant de la tyramine (tels que le fromage, le poisson fumé, le foie, la choucroute, la bière, le chianti et le vermouth, parce qu'ils font augmenter la PA), l'œstrogénothérapie de substitution, les contraceptifs oraux et les anti-inflammatoires non stéroïdiens (AINS) ; l'hypertension gravidique. Le traitement de l'hypertension secondaire vise à éliminer la cause sousjacente. L'hypertension secondaire provoque une crise hypertensive (voir la section à la fin du présent chapitre).

21.2.4 Physiopathologie de l'hypertension essentielle

Pour que la pression artérielle augmente, il doit y avoir une augmentation du débit cardiaque ou une augmentation de la résistance vasculaire périphérique. On note parfois une augmentation du DC chez les personnes qui souffrent d'hypertension précoce ou d'hypertension latente. À un stade ultérieur de l'hypertension, la RVP augmente et le DC revient à la normale. Le gradient de pression de l'hypertension est marqué par une pression élevée continue. L'élévation continue de la RVP peut se produire de différentes manières. Les facteurs connus qui sont liés à l'apparition de l'hypertension essentielle ou qui contribuent à ses conséquences sont présentés dans le tableau 21.3.

TABLEAU 21.3 Facteurs de risque de l'hypertension essentielle	
Âge	La PA augmente graduellement avec l'âge. On note une PA élevée chez environ la moitié des gens âgés de plus de 65 ans. La rigidité des artères en est la cause.
Sexe	L'hypertension est plus fréquente chez les jeunes hommes adultes et au début de l'âge moyen. Après 55 ans, l'hypertension est plus fréquente chez les femmes. Les œstrogènes semblent protéger les femmes avant la ménopause.
Race	L'incidence de l'hypertension est deux fois plus élevée chez les personnes de race noire que chez les personnes de race blanche. On ne connaît pas la cause de cet écart.
Hérédité	Le niveau de la PA est très héréditaire. Les proches parents d'un hypertendu courent plus de risques de souffrir d'hypertension.
Obésité (profil pomme)	La prise de poids est associée à l'augmentation de la fréquence de l'hypertension. Le risque est plus important en cas d'obésité tronculaire. Il y a augmentation du réseau vasculaire qui oblige l'augmentation du DC. La répartition des graisses dans l'abdomen est un bon indicateur de l'existence de concentrations dangereuses de cholestérol et de lipides dans le sang.
Tabagisme	Le tabagisme augmente considérablement les risques de maladie cardiovasculaire. Les fumeurs hypertendus courent un risque plus élevé de souffrir de maladies cardiovasculaires. La nicotine est un vasoconstricteur puissant. Elle produit des déchets chimiques qui irritent les parois vasculaires et qui les rendent plus propices à l'athérosclérose.
Excès de sodium dans l'alimentation	Un apport riche en sodium peut entraîner l'hypertension chez certains clients et réduire l'efficacité de certains antihypertenseurs, car il augmente le volume sanguin et, par conséquent, le DC.
Taux élevé de lipides sériques	Les taux élevés de cholestérol et de triglycérides sont les principaux facteurs de risque de l'augmentation de la FC. Les cas d'hyperlipidémies sont plus fréquents chez les sujets hypertendus. L'obstruction des vaisseaux augmente la RVP.
Alcoolisme	La consommation abusive d'alcool est fortement liée à l'hypertension, conséquence de l'athérosclérose. Les clients hypertendus doivent limiter leur consommation d'alcool à 30 ml par jour.
Sédentarité	L'activité physique régulière peut aider à contrôler le poids et à réduire les risques cardiovasculaires. L'activité physique peut faire diminuer la PA.
Diabète	L'hypertension est plus fréquente chez les diabétiques. Les complications sont plus graves lorsqu'il y a présence de diabète et d'hypertension. Le diabète favorise les dépôts de résidus dans les artères périphériques, augmentant ainsi la RVP.
Situation socioéconomique	L'hypertension est plus fréquente chez les groupes socio-économiques défavorisés et les gens moins scolarisés. On peut émettre l'hypothèse que l'alimentation pourrait être un facteur déterminant dans le développement de l'hypertension.
Stress	Les personnes exposées à un stress continu peuvent développer de l'hypertension plus souvent que les autres. Les hypertendus peuvent réagir différemment au stress comparativement aux normotendus. Le stress prolongé stimule la sécrétion d'hormones stéroïdes par les surrénales, favorisant la rétention de sel et, par le fait même, augmente le volume sanguin.

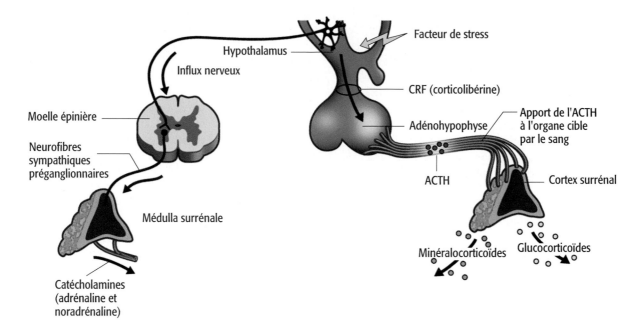

A

Brèves réactions au stress
• ↑ de la fréquence cardiaque
• ↑ de la pression artérielle
• Transformation par le foie du glycogène en glucose qui est libéré dans le sang
• Dilatation des bronchioles
• Changements de la circulation sanguine qui provoquent une augmentation de la vigilance, une diminution de l'activité gastro-intestinale et une diminution de la diurèse
• Accélération du métabolisme

B

Réactions au stress prolongé	
• Rétention de sodium et d'eau par les reins	• Transformation des protéines et des lipides en glucose ou dégradation de ceux-ci pour produire de l'énergie
• ↑ du volume sanguin et de la pression artérielle	• ↑ de la glycémie
	• Affaiblissement du système immunitaire

FIGURE 21.6 Effet du stress sur la glande surrénale. L'hypothalamus, stimulé par le stress, déclenche les influx nerveux sympathiques qui activent la médulla surrénale, ainsi que les signaux hormonaux qui activent le cortex surrénal. A. Durant ses brèves réactions, la médulla surrénale sécrète des catécholamines (adrénaline et noradrénaline). B. Au cours de ses réactions prolongées, le cortex surrénal sécrète des hormones stéroïdes.

Hérédité. Des études de corrélation de la PA au sein des familles révèlent que l'hérédité de la PA systolique et de la PA diastolique est d'environ 20 à 40 %. Des estimations de certains paramètres génétiques, basées sur des études réalisées sur des jumeaux, ont tendance à être plus élevées (60 %), mais il est possible que ces estimations reflètent davantage des similitudes liées à l'environnement. Les observations génétiques qui ont été faites jusqu'à présent suggèrent que l'hypertension essentielle est polygénique et qu'une altération de la fonction rénale entraînant une rétention sodique et hydrique serait le cheminement fréquent. Dans la plupart des cas, l'hypertension essentielle est causée par l'interaction de facteurs génétiques, environnementaux et démographiques.

Rétention hydrique et sodique. Un apport excessif de sodium est considéré comme responsable de l'apparition de l'hypertension chez certaines personnes. Des études réalisées auprès de populations ayant un faible apport sodique montrent peu ou aucune manifestation d'hypertension et aucune augmentation progressive de la PA avec l'âge, contrairement à ce qu'on retrouve parmi les sociétés industrialisées. Par contre, la prévalence de l'hypertension augmente lorsque les gens de ces sociétés décident d'adopter les modes de vie des pays industrialisés. Lorsque le sodium est restreint chez de nombreux sujets hypertendus, leur PA chute. Il est possible qu'un apport riche en sodium active de nombreux mécanismes hypertenseurs et entraîne une rétention hydrique. Bien que presque tous les Occidentaux aient une alimentation riche en sodium, seulement près de 20 % d'entre eux souffriront d'hypertension. Ceci indique qu'il doit y avoir un certain degré de sensibilité au sodium pour qu'une alimentation riche en sodium entraîne l'apparition de l'hypertension.

Altération du mécanisme rénine-angiotensine. Chez un sujet dont la pression artérielle est limite (139/89), une PA élevée (p. ex. associée à l'exercice) inhibe la sécrétion de rénine par les reins. Par conséquent, on peut soupçonner que l'hypertension essentielle est associée à une activité rénine plasmatique basse. En ce qui concerne cette activité rénine plasmatique, environ 31 % des personnes souffrant d'hypertension essentielle en ont une basse, 50 % en ont une normale et 20 % en ont une élevée. Une activité rénine plasmatique élevée entraîne l'augmentation de la conversion de l'angiotensinogène en angiotensine (voir figure 36.6). L'angiotensine II entraîne une constriction artériolaire directe et induit la sécrétion d'aldostérone. Par conséquent, une altération du mécanisme rénine-angiotensine peut entraîner l'apparition et le maintien de l'hypertension.

Stress et augmentation de l'activité du système nerveux sympathique. On sait depuis longtemps que des facteurs comme la colère, la peur et la douleur in-fluent sur la pression artérielle. Les réactions physiologiques au stress, qui sont normalement protectrices, peuvent atteindre un niveau pathologique, entraînant l'augmentation continue de l'activité du SNS. Une brève réaction au stress provoque une augmentation de la stimulation sympathique. Cela entraîne une augmentation de la vasoconstriction, de la FC et de la sécrétion de rénine. L'augmentation de la rénine active le mécanisme de l'angiotensine et stimule la sécrétion d'aldostérone, entraînant ainsi la hausse de la PA. Par ailleurs, en présence d'un stress prolongé, l'hypothalamus stimule la sécrétion d'hormones stéroïdes (minéralocorticoïdes et glucocorticoïdes) par le cortex surrénal, ce qui favorise la rétention de sodium et d'eau par les reins, et entraîne une augmentation du volume sanguin et de la pression artérielle. Des études montrent que les personnes exposées fréquemment à des taux élevés de stress psychologique développent de l'hypertension dans une plus grande proportion que celles qui ne vivent pas autant de stress. Puisque le stress fait partie de la vie quotidienne, il est possible que les personnes qui réagissent différemment au stress soient celles qui développent de l'hypertension. Même si nous sommes tous exposés à des situations stressantes, seulement certaines personnes développent des problèmes d'hypertension artérielle (HTA). Cela nous permet de croire que les individus qui réagissent moins bien au stress ont plus de chances de développer de l'HTA, et vice-versa (voir figure 21.6).

Insulinorésistance et hyperinsulinémie. Les anomalies du métabolisme du glucose, de l'insuline et des lipoprotéines sont fréquentes dans les cas d'hypertension essentielle. Elles sont toutefois absentes dans les cas d'hypertension secondaire et ne s'améliorent pas lorsque l'hypertension est traitée. Par conséquent, ces anomalies peuvent contribuer à l'apparition de l'hypertension essentielle et de ses complications. Des études montrent que la forte concentration d'insuline dans le sang stimule l'activité du SNS et nuit à la vasodilatation provoquée par le monoxyde d'azote. Les effets vasopresseurs additionnels de l'insuline comprennent l'hypertrophie vasculaire (épaississement de l'endothélium contribuant à la diminution de la lumière du vaisseau) et l'augmentation de la réabsorption rénale de sodium.

Dysfonctionnement endothélial. L'endothélium vasculaire est reconnu comme la source de multiples substances vasoactives dont l'endothéline est la plus puissante. Entre autres, certains sujets hypertendus ont une réaction vasodilatatrice réduite au monoxyde d'azote. Les produits de l'endothélium accentuent et prolongent la vasoconstriction. Une recherche est actuellement réalisée sur le rôle du dysfonctionnement endothélial dans la pathogenèse et le traitement de l'hypertension.

GÉRONTOLOGIE

Hypertension   ENCADRÉ 21.2

- Plus de 50 % des personnes âgées de 65 ans et plus ont une PA systolique ou une PA diastolique élevée qui augmente le risque de maladie cardiovasculaire et d'AVC. Les changements physiques liés à l'âge qui sont énumérés ci-dessous jouent un rôle dans la physiopathologie de l'hypertension chez les personnes âgées : perte d'élasticité des vaisseaux ; forte teneur en collagène et sclérose du myocarde ; résistance vasculaire périphérique élevée ; faible sensibilité des récepteurs β-adrénergiques ; baroréflexes aiguisés ; insuffisance rénale ; faible réaction de la rénine à la déplétion sodique.
- Chez les personnes âgées qui prennent des hypertenseurs, l'absorption de certains médicaments peut être altérée en raison d'une diminution du débit sanguin dans les vaisseaux de la membrane intestinale. Le métabolisme et l'excrétion des médicaments peuvent aussi être prolongés parce que les reins fonctionnent moins bien. Pour évaluer la PA chez les personnes âgées, il est important que la technique soit appliquée avec rigueur. Chez certaines personnes âgées, il existe un écart important entre le premier bruit de Korotkoff et les battements subséquents. Il s'agit du trou auscultatoire. Le fait de ne pas réussir à gonfler le brassard suffisamment peut entraîner une sous-estimation de la PA systolique. On peut éviter ce problème en palpant l'artère humérale ou radiale pendant le gonflement du brassard jusqu'à ce que le pouls disparaisse.

Hypertension systolique isolée. L'hypertension systolique isolée (HSI) est définie comme une élévation permanente de la PA systolique supérieure ou égale à 160 mm Hg, et comme une PA diastolique inférieure à 90 mm Hg. (Lorsqu'il n'y a qu'une seule lecture isolée d'élévation de la PA systolique, il ne s'agit pas d'HSI.) Une PA systolique située entre 140 et 159 mm Hg et une PA diastolique inférieure à 90 mm Hg constituent ce qu'on appelle une hypertension systolique isolée limite. Bien que l'HSI puisse se manifester chez les jeunes, elle est beaucoup plus courante chez les personnes âgées, et plus fréquente chez les femmes et les personnes de race noire. Les personnes âgées souffrent souvent d'HSI en raison d'une diminution du calibre des artères (athérosclérose) et d'une perte de leur élasticité (artériosclérose).

Dans le passé, l'hypertension systolique isolée n'était pas traitée, car on croyait que la PA diastolique pourrait chuter de manière importante et entraîner des problèmes plus graves. Les effets secondaires des médicaments étaient également une préoccupation. Cependant, de nombreuses études ont démontré qu'il est à la fois sans danger et bénéfique de traiter l'HSI chez les personnes âgées, et que toute tentative dans ce sens réduit l'incidence d'AVC, de morbidité et de mortalité cardiovasculaire.

Comme dans le cas de l'hypertension essentielle, le traitement de l'HSI consiste d'abord à apporter certaines modifications au mode de vie du client, surtout si la PA n'est pas très élevée. Si des mesures telles que la restriction de sodium ou d'alcool, la perte de poids chez les personnes ayant une masse supérieure à la moyenne et l'activité physique régulière ne suffisent pas à faire diminuer la PA systolique en dessous de 160 mm Hg, une pharmacothérapie est indiquée.

En raison des différents degrés de détérioration ou de faiblesse des barorécepteurs (sinus carotidien et aortique), l'hypotension orthostatique se manifeste souvent chez les personnes âgées, notamment chez celles qui souffrent d'HSI. Dans ce groupe d'âge, l'hypotension orthostatique est souvent associée à la diminution du volume plasmatique ou à une maladie chronique, comme un dysfonctionnement rénal ou hépatique ou comme un déséquilibre électrolytique. Afin de réduire les risques d'hypotension orthostatique, les médicaments antihypertenseurs doivent être administrés en petites quantités et les doses doivent être augmentées avec précaution. La PA et le pouls doivent être pris en position couchée et debout à chacune des visites médicales.

Pseudohypertension. La pseudohypertension ou fausse hypertension artérielle peut se produire en présence de sclérose des grosses artères. Les artères sclérosées sont incompressibles sous le brassard et affichent des chiffres excessifs par rapport au taux réel de pression dans les vaisseaux. On soupçonne une pseudohypertension lorsque les artères semblent rigides au toucher ou lorsqu'on note peu de signes dans les régions de la rétine et du cœur relativement à la pression obtenue par le brassard. La manœuvre d'Osler peut aider à déceler la pseudohypertension. Cette manœuvre consiste à gonfler le brassard au-dessus de la PA systolique et à palper ensuite l'artère radiale. Il y a des possibilités de pseudohypertension si la disparition du pouls radial est palpable. (Normalement, les artères s'affaissent et sont impalpables lorsqu'elles ne sont pas remplies de sang.) La seule manière de mesurer avec précision la PA, dans les cas de pseudohypertension, est d'utiliser un cathéter intra-artériel.

21.2.5 Manifestations cliniques

L'hypertension est souvent appelée le « tueur silencieux », car elle est souvent asymptomatique tant qu'elle n'a pas atteint un stade grave et que l'atteinte d'un organe cible n'est pas manifeste. Un client qui souffre d'hypertension grave peut ressentir divers symptômes secondaires de l'ischémie à long terme dans divers organes et tissus, conséquence de la vasoconstriction, ou de l'augmentation du travail du cœur. Ces symptômes secondaires comprennent la fatigue, une tolérance réduite aux

TABLEAU 21.4 Éléments de biophysiologie expliquant les symptômes à long terme de l'HTA

Manifestation de l'HTA à long terme	Explications
Fatigue	L'augmentation du travail du cœur entraîne une dépense d'énergie supplémentaire.
Tolérance réduite aux activités	Puisqu'il est davantage sollicité, le cœur est moins disponible pour les efforts supplémentaires. De plus, l'ischémie provoquée par la vasoconstriction engendre une diminution d'apport en oxygène et de l'élimination des déchets métaboliques.
Étourdissements	Les barorécepteurs réagissent moins aux variations de PA.
Palpitations	Le SNS étant très stimulé, il y aura augmentation de la FC.
Angine	L'hypertension augmente le travail du cœur et, donc, sa consommation d'oxygène. Si les coronaires ne suffisent pas à apporter l'oxygène nécessaire, il y aura angine.
Dyspnée	L'HTA accroît le travail du cœur. Conséquemment, ce dernier ne peut pas satisfaire adéquatement les demandes en oxygène. Une compensation respiratoire se manifestera également par une difficulté à respirer et une augmentation de la FC dans certains cas.

activités, des étourdissements, des palpitations, l'angine et une dyspnée.

Autrefois, on croyait que les symptômes d'hypertension comprenaient les céphalées, les saignements de nez et les étourdissements. Cependant, ces symptômes ne sont pas plus fréquents chez les hypertendus que dans l'ensemble de la population.

TABLEAU 21.5 Signes d'atteinte d'organe cible

Système organique	Signes
Cardiaque	Manifestation clinique ou électrocardio-gramme ou radiologique montrant une coronaropathie Hypertrophie ou « pression » du ventricule gauche par électrocardio-gramme ou hypertrophie ventriculaire gauche montrée par échographie Dysfonctionnement ventriculaire gauche ou insuffisance cardiaque
Vasculaire cérébral	Accident ischémique transitoire ou AVC
Vasculaire périphérique	Absence d'un pouls périphérique ou de plusieurs (sauf à l'artère pédieuse) avec ou sans claudication intermittente ; anévrisme
Rénal	Créatinine sérique ≥1,5 mg/dl (130 µmol/L) Protéinurie (1+ ou supérieure) Microalbuminurie
Rétinopathie	Hémorragies ou exsudats, avec ou sans œdème papillaire

Tiré du US Department of Health and Human Services : *The Sixth Report of the Joint National Committee on Detection, Evaluation, and Treatment of High Blood Pressure (JNC-VI)*, Washington, DC, 1997, National Institutes of Health.

21.2.6 Complications

Les principales complications de l'hypertension sont les atteintes des organes cibles (voir tableau 21.5) tels que le cœur (cardiopathie hypertensive), le cerveau (maladie vasculaire cérébrale), le système vasculaire périphérique (acrosyndrome), les reins (néphrosclérose) et les yeux (lésion rétinienne).

Cardiopathie hypertensive

Coronaropathie. L'hypertension est le principal facteur de risque de coronaropathie. Les mécanismes par lesquels l'hypertension contribue à l'apparition de l'athérosclérose ne sont pas totalement définis. L'hypothèse de « réaction à une lésion » de l'athérogénèse prétend que l'hypertension perturbe l'endothélium coronarien, exposant ensuite la couche de l'intima aux leucocytes et aux plaquettes activés. Les facteurs de croissance sécrétés par l'endothélium vasculaire et les plaquettes peuvent entraîner la prolifération du muscle lisse à l'intérieur de la lésion. Le grand nombre de cas de coronaropathie, ainsi que l'angine et l'infarctus du myocarde qui en résultent, peut être attribuable à ces changements qui s'effectuent au niveau des artérioles.

Hypertrophie ventriculaire gauche. L'hypertension permanente augmente le travail du cœur et entraîne une hypertrophie ventriculaire gauche (HVG) (voir figure 21.8). Au départ, ce mécanisme adaptatif ou compensatoire stabilise la contraction cardiaque et fait augmenter le DC. Cependant, l'augmentation de la contractilité accroît le travail du cœur et la consommation d'oxygène. Lorsque le cœur ne peut plus répondre à la demande d'oxygène myocardique, cela entraîne une insuffisance cardiaque. Une HVG progressive, notamment combinée à une coronaropathie, est liée à l'apparition de l'insuffisance cardiaque.

Autres facteurs de risque et affections concomitantes	Grade 1 TAS 140-159 ou TAD 90-99 (hypertension légère)	Grade 2 TAS 160-179 ou TAD 100-109 (hypertension modérée)	Grade 3 TAS ≥ 180 ou TAD ≥ 110 (hypertension grave)
• I. Aucun autre facteur de risque	Risque faible	Risque moyen	Risque élevé
• II. 1-2 facteurs de risque	Risque moyen	Risque moyen	Risque très élevé
• III. ≥ 3 facteurs de risque, atteinte d'organes cibles ou diabète	Risque élevé	Risque élevé	Risque très élevé
• IV. Pathologies associées	Risque très élevé	Risque très élevé	Risque très élevé

Stratification du risque (% de risque, sur 10 ans, d'accident vasculaire cérébral, d'infarctus du myocarde et de mortalité d'origine cardiovasculaire)

<15 %	15-20 %	20-30 %	30 %

FIGURE 21.7 OMS/SIH - Évaluation du risque, stratification du risque pour l'établissement du pronostic

Société canadienne d'hypertension artérielle. *Recommandations canadiennes pour l'évaluation et le traitement de l'hypertension*, juillet 2002 ; Chalmers J. et al. *J Hyper* 1999, 17:151-85

Insuffisance cardiaque. Une insuffisance cardiaque survient lorsque les mécanismes d'adaptation compensatoires du cœur deviennent inefficaces et que le cœur ne peut plus pomper suffisamment de sang pour répondre aux besoins métaboliques de l'organisme (voir chapitre 23). La contractilité est faible, le volume systolique et la fréquence cardiaque sont diminués. Le client peut présenter de l'essoufflement à l'effort, de la dyspnée paroxystique nocturne et de la fatigue. On peut noter des symptômes d'une hypertrophie du cœur à l'examen physique, et l'électrocardiogramme (ECG) peut révéler des changements électriques indiquant la présence d'une HVG.

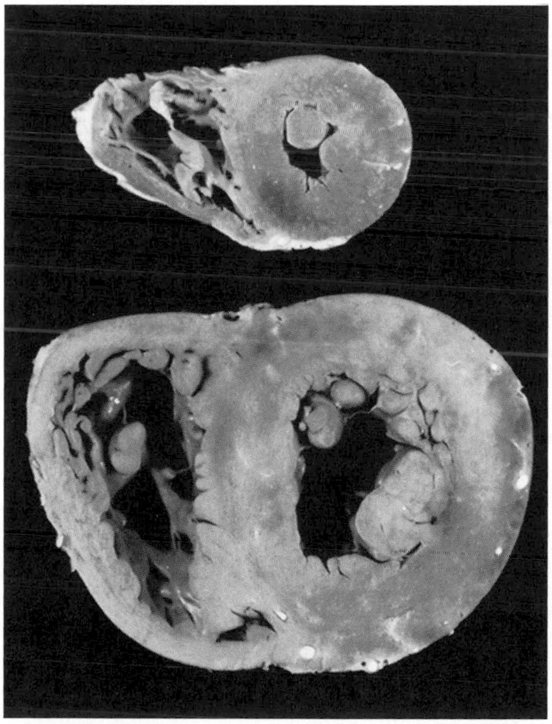

Maladie vasculaire cérébrale. L'athérosclérose est la principale cause de maladie vasculaire cérébrale. L'hypertension est un des principaux facteurs de risque d'athérosclérose et d'AVC. Le risque d'AVC est quatre fois plus élevé chez les individus souffrant d'hypertension légère que chez les personnes présentant une PA normale. Un contrôle adéquat de la PA réduit le risque d'AVC de façon efficace.

Les plaques d'athérome sont généralement réparties à la bifurcation de l'artère carotide, soit dans l'artère carotide interne et dans l'artère carotide externe. Certaines parties des plaques d'athérosclérose, ou le caillot sanguin qui forme la plaque, peuvent se rompre et se rendre jusqu'aux vaisseaux intracérébraux, provoquant une thromboembolie. Le client peut être victime d'un accident ischémique transitoire cérébral ou d'un AVC. (Le chapitre 54 traite de ces états.)

Une encéphalopathie hypertensive peut survenir à la suite d'une hausse importante de la PA si le débit sanguin cérébral ne parvient pas à être diminué par autorégulation. **L'autorégulation** est une action du cerveau qui maintient constant le débit sanguin malgré les variations de la pression artérielle. Normalement, au fur et à mesure que la pression augmente dans les vaisseaux sanguins du cerveau, les vaisseaux se contractent pour maintenir le débit constant. Lorsque la pression artérielle dépasse la capacité d'autorégulation de l'organisme, les vaisseaux cérébraux se dilatent soudai-

FIGURE 21.8 Hypertrophie du cœur causée par une hypertrophie des deux ventricules. Le poids normal du cœur est de 325 g. Un cœur qui a une hypertrophie biventriculaire pèse 1100 g. Le client a souffert d'hypertension systémique grave.

nement et un œdème cérébral se développe, entraînant ainsi une augmentation de la pression intracrânienne. Par conséquent, le client qui n'est pas soigné immédiatement meurt rapidement d'une lésion cérébrale. (Le chapitre 53 traite du débit sanguin cérébral et de l'autorégulation.)

Maladie vasculaire périphérique. Comme c'est le cas avec d'autres vaisseaux, l'hypertension accélère le processus d'athérosclérose dans les vaisseaux sanguins périphériques, entraînant par la suite l'apparition d'un anévrisme de l'aorte, d'un anévrisme disséquant et d'une maladie vasculaire périphérique (voir chapitre 26). La claudication intermittente (douleur musculaire ischémique précipitée par l'activité et soulagée par le repos) est un symptôme classique d'une maladie vasculaire périphérique. Un anévrisme de l'aorte abdominale peut être perçu à l'examen physique comme une masse pulsatile.

Néphrosclérose. L'hypertension est l'un des principaux facteurs de risque de maladie rénale terminale, notamment chez les individus de race noire. On note généralement un certain degré de dysfonction rénale chez les clients hypertendus, même chez ceux dont la PA est à peine élevée. La dysfonction rénale résulte directement de l'ischémie causée par la réduction de la lumière des vaisseaux sanguins intrarénaux. Le rétrécissement graduel des artères et des artérioles entraîne l'atrophie des tubules, la destruction des glomérules et la mort éventuelle des néphrons. Les néphrons initialement intacts peuvent compenser ces problèmes, mais ces changements peuvent éventuellement entraîner une insuffisance rénale. Les indicateurs d'une dysfonction rénale que l'on trouve le plus souvent en laboratoire sont : l'albuminurie, la protéinurie et des taux élevés d'azote uréique du sang (BUN ou AUS), des taux élevés de créatinine sérique ainsi que l'hématurie microscopique. En général, la nycturie représente le premier symptôme précoce de dysfonction rénale, car le retour veineux se fait plus facilement la nuit (position décubitus). Ceci augmente le débit cardiaque et, par le fait même, le débit sanguin juxtaglomérulaire, ce qui augmente donc la quantité d'urine.

Lésions rétiniennes. Un ophtalmoscope est utilisé pour examiner les vaisseaux sanguins des yeux. L'apparence de la rétine fournit des renseignements importants sur la gravité du processus hypertenseur. La rétine est le seul endroit du corps où il est possible de visualiser les vaisseaux sanguins directement. Par conséquent, les lésions aux vaisseaux rétiniens fournissent des indications sur les lésions à d'autres vaisseaux comme ceux du cœur, du cerveau, des reins. Les signes de lésions rétiniennes graves comprennent la vison trouble, l'hémorragie rétinienne et la perte de la vue.

TABLEAU 21.6	Classification de Keith et Wagener des lésions du fond d'œil
Stade I	Spasme vasculaire et rétrécissement artériolaire des terminaisons des vaisseaux.
Stade II	Signe du croisement (les artérioles croisent une veine et la compressent).
Stade III	Hémorragies en flammèches et exsudats cotonneux.
Stade IV	N'importe lequel des symptômes ci-dessus et œdème papillaire (inflammation de la papille optique).

Les changements rétiniens sont classés selon la gravité des lésions. La classification de Keith et Wagener des lésions du fond d'oeil est présentée dans le tableau 21.6. Des changements de stade I ou II peuvent se manifester dans les cas d'hypertension de grade un ou deux. Une rétinopathie hypertensive de stade III ou IV indique une hypertension de grade trois.

21.2.7 Épreuves diagnostiques

Mesure de la pression artérielle. La PA doit être prise aux deux bras lorsqu'elle est évaluée pour la première fois chez un client. S'il y a un écart entre les deux bras, les lectures subséquentes doivent être prises au bras dont la PA est la plus élevée, car un rétrécissement athérosclotique de l'artère sous-clavière peut entraîner une lecture basse erronée. Une moyenne d'au moins deux mesures de la PA (prises dans un intervalle de deux à cinq minutes lorsque le client est assis) doit être effectuée pour déterminer si le client doit consulter à nouveau pour un examen approfondi. S'il y a un écart de plus de 5 mm Hg entre les deux premières lectures, des lectures supplémentaires doivent être obtenues. La PA et le pouls doivent être pris dans différentes positions chez les personnes âgées, les sujets qui prennent des antihypertenseurs et lorsqu'une hypotension orthostatique est soupçonnée.

Il existe une controverse concernant l'ampleur que doit prendre le bilan diagnostique effectué lors du premier examen d'une personne souffrant d'hypertension artérielle. Étant donné que la plupart des hypertensions sont classifiées comme essentielles, on n'effectue pas systématiquement des tests pour en déterminer les causes secondaires. Les épreuves de laboratoire fondamentales sont effectuées pour évaluer l'atteinte des organes cibles, pour déterminer les risques cardiovasculaires globaux ou pour déterminer les données de base avant d'entreprendre le traitement.

PROCESSUS DIAGNOSTIQUE
ET THÉRAPEUTIQUE

Hypertension — ENCADRÉ 21.3

Diagnostic
- Antécédents de santé et examen physique
- Analyse d'urine de routine
- Électrolyte sérique et acide urique
- BUN (AUS) et créatinine sérique
- Glycémie (à jeun, si possible)
- Formule sanguine complète
- Lipide sérique, cholestérol (apolipoprotéine a et b, HDL et LDL) et triglycérides
- ECG

Processus thérapeutique
- Surveillance périodique de la PA
  - Tous les trois à six mois, une fois que la PA est stable
- Répartition du niveau de risque (voir tableau 21.7)
- Alimentation
  - Restreindre l'apport sodique
  - Perdre de la masse corporelle (s'il y a lieu)
  - Restreindre la consommation de cholestérol et de graisses saturées
  - Maintenir un apport adéquat de potassium
  - Maintenir un apport adéquat de calcium et de magnésium
- Augmenter l'activité physique
- Cesser de fumer
- Modifier la consommation d'alcool
- Antihypertenseurs (voir tableau 21.8)

L'encadré 21.3 énumère les épreuves fondamentales effectuées auprès d'une personne souffrant d'hypertension permanente. Les tests de routine tels que l'analyse d'urine, le taux de BUN ou d'AUS et de créatinine sérique sont effectués pour dépister toute atteinte rénale. Il est important de mesurer le taux d'électrolytes sériques, en particulier le potassium, pour déceler la présence d'hyperaldostéronisme. Le taux de glycémie doit également être vérifié, puisqu'il est un des facteurs de risque de l'hypertension. Le cholestérol sérique et les triglycérides peuvent aussi fournir des renseignements sur les facteurs de risques supplémentaires qui augmentent le risque d'athérosclérose. Le pourcentage d'acide urique est utilisé pour établir un point de référence, étant donné que ce dernier a tendance à augmenter avec un traitement diurétique. Un électrocardiogramme (ECG) fournit des données de base concernant l'état cardiaque. En raison de l'importance du pronostic d'HVG, on effectue souvent un ECG. Si l'âge du client, ses antécédents, les observations faites à son examen physique ou la gravité de son hypertension indiquent la présence de causes secondaires, il peut être recommandé d'effectuer des épreuves diagnostiques plus approfondies.

Surveillance ambulatoire de la pression artérielle.
Les lectures de la PA peuvent être élevées chez certains clients lorsqu'elles sont prises en milieu clinique et peuvent être normales lorsqu'elles sont prises dans leur environnement habituel. On appelle ce phénomène le « syndrome de la blouse blanche ». Lorsque ce type d'hypertension est soupçonné, il peut s'avérer utile de mesurer la PA à domicile ou en milieu extrahospitalier. Au Québec, un service de prise de PA est souvent offert dans les CLSC et les pharmacies. De plus, il existe des cliniques de dépistage annuel. On peut également avoir recours à un système entièrement automatisé qui mesure la PA à des intervalles prédéfinis sur une période de 24 heures. Cet équipement comporte un brassard et un petit microprocesseur qui est glissé dans une pochette et porté à la ceinture ou sur une bretelle. On demande aux clients de tenir un journal des activités qui peuvent avoir eu un effet sur leur PA. Cette méthode peut être utile pour les clients chez qui on soupçonne le syndrome de la blouse blanche, une résistance apparente aux médicaments, des symptômes d'hypotension liés aux antihypertenseurs, une hypertension paroxystique et une dystonie neurovégétative.

Comme dans la plupart des phénomènes physiologiques, la PA présente des variations diurnes qu'on appelle des différences veille-sommeil. Pour les personnes qui sont actives durant le jour, la PA est plus élevée tôt le matin, elle diminue pendant la journée et elle est plus faible en soirée. Cependant, il arrive que certains clients souffrant d'hypertension n'éprouvent pas cette baisse nocturne de la PA. L'absence de variations diurnes est associée à une atteinte des organes cibles. La présence ou l'absence de variations diurnes peut être déterminée par la surveillance ambulatoire continue de la PA.

21.2.8 Processus thérapeutique

Les lignes directrices cliniques du traitement de l'hypertension ont été publiées par plusieurs groupes tels que l'Association canadienne de l'hypertension. Il existe un consensus parmi les lignes directrices dans les domaines suivants : l'élévation de la PA doit habituellement être évaluée attentivement sur plusieurs mois avant d'entreprendre un traitement ; la décision de traiter l'hypertension doit être prise en fonction du risque cardiovasculaire global ; l'hypertension systolique isolée doit être traitée ; les modifications du mode de vie doivent être à la base du traitement ; l'hypertension essentielle et systolique doivent être traitées ; il existe six classes de médicaments de première ligne (voir figures 21.9 et 21.10).

21.2.9 Classification des risques

Le risque de maladies cardiovasculaires chez les hypertendus est déterminé par le niveau de la PA, la présence

TABLEAU 21.7 Stratification des risques et traitement de l'hypertension

Classification de la pression artérielle (mm Hg)	Groupe exposé A (sans facteur de risque ; sans AOC/MCVC)	Groupe exposé B (au moins un facteur de risque ; sauf le diabète ; sans AOC/MCVC)	Groupe exposé C (AOC/MCVC ou diabète ou les deux, avec ou sans autre facteur de risque)
Normale haute (130-135/85-89)	Modifications du mode de vie	Modifications du mode de vie	Pharmacothérapie
Stade 1 (140-159/90-99)	Modifications du mode de vie (jusqu'à 12 mois)	Modifications du mode de vie* (jusqu'à 6 mois)	Pharmacothérapie
Stade 2 (≥ 160/≥ 100)	Pharmacothérapie	Pharmacothérapie	Pharmacothérapie

AOC/MCVC indique une atteinte d'organe cible ou une maladie cardiovasculaire clinique.
Tiré du US Department of Health and Human Services : *The Sixth Report of the Joint National Committee on Detection, Evaluation, and Treatment of High Blood Pressure (JNC-VI)*, Washington, DC, 1997, National Institutes of Health.
* Pour les clients qui présentent plusieurs facteurs de risque, le médecin doit envisager la pharmacothérapie comme traitement initial en plus des modifications du mode de vie.
Note : Par exemple, un client qui est atteint de diabète sucré et ayant une PA de 142/94 mm Hg et une hypertrophie ventriculaire gauche (HVG) doit être classé comme ayant une hypertension de stade 1 avec une atteinte d'un organe cible (HVG) et un autre facteur de risque majeur (diabète). Ce client doit être classé dans la classe « stade 1, groupe exposé C », et une pharmacothérapie doit être entreprise immédiatement. Les modifications du mode de vie doivent être un traitement d'appoint pour tous les clients qui sont sous pharmacothérapie.
Pour les clients qui souffrent d'insuffisance cardiaque, d'insuffisance rénale ou de diabète, le médecin doit envisager la pharmacothérapie comme traitement initial en plus des modifications du mode de vie.

d'atteinte d'organe cible et les autres facteurs de risque. Ces facteurs modifient de façon indépendante le risque de maladies cardiovasculaires. Voici les lignes directrices de l'Association canadienne de l'hypertension (2002) relatives à la classification des risques dans le traitement de l'hypertension.

L'objectif du traitement de l'hypertension est de réduire le risque cardiovasculaire global et de contrôler la PA de la manière la moins radicale possible. Les recommandations pour le traitement en fonction des groupes exposés sont résumées au tableau 21.7.

Il est très important d'effectuer un suivi périodique de la PA. La fréquence des suivis varie principalement en fonction du niveau de la PA. Une fois que la PA est stabilisée, les visites de suivi doivent être prévues tous les trois à six mois en vue de s'assurer du maintien de la surveillance de la PA, de fournir du soutien à l'égard des modifications du mode de vie, de déceler les effets secondaires et les effets indésirables des médicaments et d'évaluer l'atteinte aux organes cibles.

21.2.10 Modifications du mode de vie

Tous les clients hypertendus doivent modifier leur mode de vie, que ce soit comme traitement définitif ou comme traitement adjuvant. Ces modifications visent à réduire la PA et les risques cardiovasculaires globaux. Les modifications suivantes sont nécessaires : les changements à l'alimentation ; diminution de la consommation modérée d'alcool ; l'activité physique régulière ; l'arrêt du tabagisme (fumer et chiquer). Selon la classification des groupes exposés (voir tableau 21.8), le client doit généralement maintenir ces modifications pendant un an avant qu'on ne lui prescrive des médicaments (figure 21.11). Les fac-

teurs qui peuvent inciter le recours prématuré à une pharmacothérapie comprennent l'hypertension de grade deux ou trois, la présence de facteurs de risque, l'atteinte d'un organe cible, une maladie cardiovasculaire ou vasculaire cérébrale et le diabète.

Recommandations nutritionnelles. Le traitement nutritionnel de l'hypertension consiste à restreindre la consommation de sodium et d'alcool, à maintenir l'apport de calcium et de magnésium selon les apports nutritionnels recommandés, à restreindre l'apport calorique si le client souffre d'embonpoint et à augmenter l'apport en potassium. Deux nouveaux essais nutritionnels ont révélé une diminution de la PA comparable à celle qui survient normalement lorsque le client a recours à une pharmacothérapie pour traiter l'hypertension légère. Des observations épidémiologiques et des essais cliniques ont établi un lien entre l'apport sodé et la PA. Des études ont montré une diminution moyenne de 6,3 mm Hg de la PA systolique (pas reconnue) et une diminution moyenne de 2,2 mm Hg de la PA diastolique, lors d'une diminution de l'apport sodé à 100 mmol/jour.

La consommation moyenne de sel d'un individu peut atteindre 300 mmol/jour (calculé lors du questionnaire nutritionnel ; elle est donc très variable d'un client à l'autre). Pour contrôler l'hypertension, on recommande de restreindre l'apport sodé de 90 à 130 mmol/jour en limitant les additifs salés et les aliments contenant une grande quantité de sel ajouté.

De plus, si le client limite son apport sodé, l'efficacité de la médication sera améliorée. De plus, une légère restriction sodique réduit le risque d'hypokaliémie relié

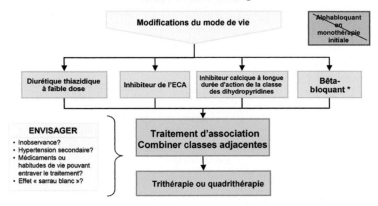

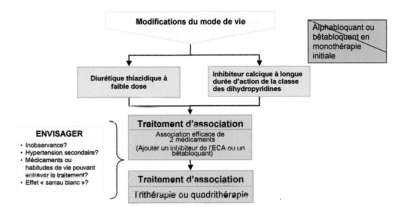

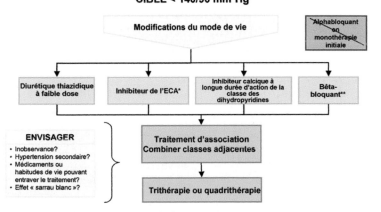

FIGURE 21.9 Algorithmes pour le traitement de l'hypertension

Société canadienne d'hypertension artérielle. *Recommandations canadiennes pour l'évaluation et le traitement de l'hypertension,* juillet 2002.

Traitement de l'hypertension s'accompagnant de diabète
CIBLE < 130/80 mm Hg

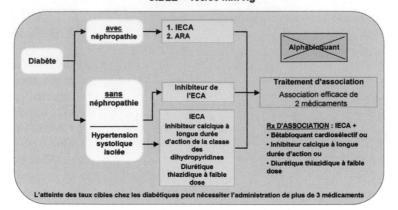

Traitement de l'hypertension s'accompagnant d'une cardiopathie ischémique

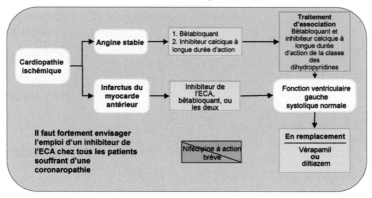

Traitement de l'hypertension s'accompagnant d'une maladie vasculaire périphérique

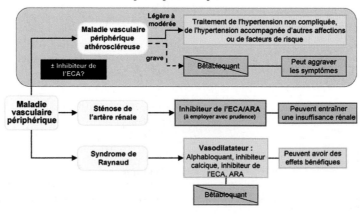

FIGURE 21.10 Traitement de l'hypertension avec complications

Société canadienne d'hypertension artérielle. *Recommandations canadiennes pour l'évaluation et le traitement de l'hypertension,* juillet 2002.

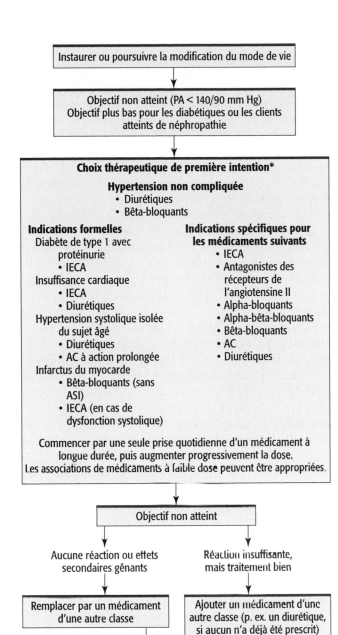

FIGURE 21.11 Algorithme de traitement de l'hypertension (arbre décisionnel)

* Sauf contre-indications.

AC : antagonistes calciques ; ASI : activité sympathomimétique intrinsèque ;
IECA : inhibiteurs de l'enzyme de conversion de l'angiotensine.

à un traitement diurétique. Cependant, les personnes hypertendues réagissent différemment à la restriction sodique. Devant l'hétérogénéité des réactions, on tente de définir des sous-groupes de personnes hypertendues, comme les « sensibles au sel » et les « résistants au sel ». Les clients qui ont une faible activité rénine, comme les personnes de race noire et les personnes âgées, sont plus susceptibles de réagir à une restriction sodique accompagnée d'une diminution de la PA.

Selon l'expérience clinique actuelle, il est recommandé que les hypertendus maintiennent un apport de potassium d'au moins 60 mmol par jour) et un apport en calcium selon les AVR (apports nutritionnels recommandés) à partir des sources alimentaires. Bien qu'il soit important pour la santé en général de maintenir un apport adéquat en calcium, les suppléments de calcium ne sont pas recommandés pour diminuer la PA. La caféine peut faire augmenter considérablement la PA, mais il n'existe pas de rapport à long terme entre la consommation de caféine et la PA élevée. Néanmoins, la consommation de quatre tasses de café par jour est la quantité maximale recommandée.

Les sujets qui font de l'embonpoint ont une plus grande incidence d'hypertension et courent des risques cardiovasculaires plus élevés que d'autres personnes. Une perte de poids a un effet important sur la diminution de la PA chez de nombreuses personnes, et même une légère perte de poids, soit 4,5 kg chez les personnes ayant un indice de masse corporelle (IMC) de plus de 25, est suffisante pour obtenir des effets. Lorsqu'une personne réduit son apport calorique, il est fort possible qu'elle réduise aussi son apport en sodium et en lipides. Bien que le fait de réduire la teneur en lipides n'ait pas démontré de bienfaits soutenus dans la régulation de la PA, cela peut toutefois ralentir l'évolution de l'athérosclérose et réduire le risque cardiovasculaire global (voir chapitre 22). On recommande donc aux hypertendus qui font de l'embonpoint de restreindre leur apport calorique et de faire de l'activité physique.

Modification de la consommation d'alcool. Une consommation excessive d'alcool est fortement liée à l'hypertension et des études montrent que la consommation de trois boissons alcoolisées ou plus par jour constitue un facteur de risque de cardiopathie et d'AVC. Il semble que l'alcool pris en grande quantité favorise la vasoconstriction périphérique. On doit aviser les clients hypertendus qui consomment de l'alcool de limiter leur consommation à 30 ml par jour (soit la quantité d'alcool contenue dans 30 ml de whisky, 250 ml de vin ou 700 ml de bière). Étant donné que, de par leur constitution, l'organisme des femmes absorbe plus l'alcool que celui des hommes, et que les personnes de poids moindre sont plus vulnérables aux effets de l'alcool, les femmes et les hommes ayant un poids peu élevé doivent limiter leur consommation d'alcool à 15 ml par jour. La consommation excessive d'alcool est la cause la plus fréquente d'hypertension secondaire.

Activité physique.
Afin de promouvoir la santé cardiovasculaire, il est recommandé que tous les adultes pratiquent de 50 à 60 minutes ou plus d'activité cardiovasculaire d'intensité modérée, de préférence 3 ou 4 fois par semaine (Association canadienne de l'hypertension). Une activité modérée comme la marche rapide, la bicyclette, le jogging ou la natation peut faire diminuer la PA, favoriser la détente et faire perdre du poids ou le maintenir. La pratique régulière d'une telle activité peut réduire la PA systolique d'environ 10 mm Hg chez les hypertendus. On doit conseiller aux personnes sédentaires d'augmenter leur activité graduellement. Les personnes atteintes de cardiopathie ou d'autres problèmes de santé graves doivent subir un examen approfondi, pouvant comprendre une épreuve d'effort, avant d'entreprendre un programme d'exercices.

Arrêt du tabagisme.
La nicotine que contient le tabac favorise la secrétion de catécholamines qui provoque la vasoconstriction et augmente la PA chez les hypertendus. De plus, le fait de fumer constitue un facteur de risque important de maladies cardiovasculaires. Quel que soit le groupe d'âge, on peut remarquer les bienfaits cardiovasculaires pendant la première année où une personne cesse de fumer. On doit donc vivement conseiller à toutes les personnes, notamment les hypertendus, d'éviter les produits du tabac. Les faibles quantités de nicotine que contiennent les produits d'aide au sevrage du tabac n'entraînent généralement pas de hausse de la PA et ceux-ci peuvent être utilisés tel qu'indiqué. On doit conseiller aux personnes qui continuent de fumer de surveiller leur PA lorsqu'elles consomment des produits du tabac.

Gestion du stress.
Bien que le stress puisse augmenter la PA à court terme, et qu'il contribue à l'apparition de l'hypertension, il existe une controverse quant aux bienfaits de la gestion du stress dans la prévention et le traitement de l'hypertension. Les résultats de certaines études portant sur les techniques de relaxation et la rétroaction biologique ont démontré une diminution de la PA à court et à long terme. Par conséquent, plusieurs cliniciens recommandent des techniques de gestion du stress comme moyen de soigner l'hypertension. D'autres études ont établi que la gestion du stress avait très peu d'effets sur le traitement de l'hypertension. L'Association canadienne de l'hypertension indique qu'une approche comportementale de type cognitive pour la réduction du stress peut s'avérer efficace pour certaines personnes.

Pharmacothérapie.
Les objectifs généraux de la pharmacothérapie sont de réussir à abaisser la PA sous 139/89 mm Hg chez les jeunes adultes et les personnes âgées qui souffrent d'hypertension légère. Selon la tolérance des personnes âgées atteintes d'hypertension systolique isolée, l'objectif du traitement doit viser à abaisser la PA systolique sous 140 mm Hg. Pour les clients atteints de diabète ou de néphropathie, l'Association canadienne de l'hypertension recommande d'abaisser la pression artérielle à moins de 130/80 mm Hg et chez les clients atteints de néphropathie avec protéinurie de plus de 1 g/jour à moins de 125/75 mm Hg.

Les médicaments qui sont actuellement offerts pour traiter l'hypertension ont deux principaux effets : réduire la résistance vasculaire périphérique et diminuer le volume sanguin (voir tableau 21.8). Les médicaments utilisés pour traiter l'hypertension comprennent les diurétiques, les inhibiteurs alpha-adrénergiques et bêta-adrénergiques (sympathiques), les vasodilatateurs à action directe, les ganglioplégiques, les inhibiteurs de l'angiotensine et les antagonistes des canaux calciques. La figure 21.10 illustre les divers sites et mécanismes d'action.

Bien que l'action précise des diurétiques dans la réduction de la PA soit obscure, il est bien connu qu'ils permettent de favoriser l'excrétion sodique et hydrique, de réduire le volume plasmatique, de diminuer le sodium dans les parois artérielles et de réduire la réaction vasculaire aux catécholamines, favorisant ainsi la vasodilatation. Les inhibiteurs adrénergiques entraînent la diminution des effets sympathiques qui font augmenter la PA. Ces agents comprennent les médicaments qui ont une action centrale sur le centre vasomoteur et une action périphérique à la jonction neuroeffectrice dans le but d'inhiber la secrétion de noradrénaline ou de bloquer les récepteurs adrénergiques des vaisseaux sanguins. Les vasodilatateurs directs diminuent la PA en relaxant le muscle lisse vasculaire et en réduisant la résistance vasculaire périphérique. Les inhibiteurs d'angiotensine réduisent la vasoconstriction provoquée par l'angiotensine II ainsi que la rétention sodique et hydrique. Les inhibiteurs de l'ECA réduisent la concentration de l'angiotensine et les antagonistes des récepteurs de l'angiotensine empêchent l'angiotensine de se lier aux récepteurs dans la paroi des vaisseaux sanguins. Les inhibiteurs calciques augmentent l'excrétion de sodium et entraînent une vasodilatation artériolaire en empêchant le calcium du LEC de se déplacer vers les cellules (voir chapitre 22).

La pharmacothérapie est recommandée pour tous les hypertendus de grade deux ou trois qui sont incapables de régulariser leur état en modifiant leurs habitudes de vie (voir tableau 21.2 et figure 21.9). En raison du risque élevé de complications hypertensives, la pharmacothérapie est également recommandée pour tous les hypertendus souffrant de diabète, de maladie cardiovasculaire, de maladies vasculaires cérébrales ou d'atteinte d'un organe cible (voir figure 21.11). En se basant sur des études qui ont établi un lien entre une diminution des taux de morbidité et de mortalité cardiovasculaire et l'usage de diurétiques et de bêta-bloquants, on recommande ces agents comme pharmacothérapie initiale dans les cas d'hypertension non compliquée. Les inhibiteurs d'angiotensine, les antagonistes des récepteurs de l'angiotensine et les inhibiteurs calciques sont également efficaces pour diminuer la PA et peuvent être utilisés comme médicaments de première ligne. Les vasodilatateurs à effets directs, les antagonistes α-adrénergiques et les antagonistes adrénergiques à action périphérique ne sont pas recommandés comme monothérapie en raison de leurs effets secondaires.

Le choix d'un médicament est fait en fonction de la présence d'autres affections pathologiques, des caractéristiques du client et des effets secondaires et

PHARMACOTHÉRAPIE

TABLEAU 21.8 Hypertension

Agent	Mécanismes d'action	Effets secondaires et effets indésirables	Soins infirmiers généraux
DIURÉTIQUES **Diurétiques thiazidiques** Hydrochlorothiazide (Hydrodiuril) Hydrofluméthiazide (Saluron) Indapamide (Lozide) Métolazone (Zaroxolyn) Chlorthalidone	Inhibent la réabsorption de NaCl dans le tubule contourné distal ; augmentent l'excrétion de Na^+ et de Cl^-. Diminution initiale du LEC ; diminution continue de la RVP. Diminuent la PA de manière modérée en deux à quatre semaines.	Déséquilibre hydroélectrolytique (déplétion plasmatique, hypokaliémie, hyponatrémie, hypochlorémie, hypomagnésémie, hypercalcémie, hyperuricémie, alcalose métabolique) ; problèmes du SNC (vertiges, céphalées, faiblesse) ; problèmes GI (anorexie, nausées, vomissements, diarrhée, constipation, pancréatite) ; troubles sexuels (impuissance et diminution de la libido) ; dyscrasie sanguine ; problèmes dermatologiques (photosensibilité, érythème). Diminution de la tolérance au glucose.	Surveiller les risques d'hypotension orthostatique, d'hypokaliémie et d'alcalose. Les diurétiques thiazidiques peuvent potentialiser la cardiotoxicité de la digoxine en produisant une hypokaliémie. La restriction de l'apport sodique réduit le risque d'hypokaliémie. Les AINS peuvent réduire l'effet diurétique et antihypertensif des diurétiques thiazidiques. Aviser le client de compenser avec des aliments riches en potassium. Les doses actuelles sont moins élevées que ce qui était recommandé auparavant.
Diurétiques de l'anse Bumétanide (Burinex) Acide éthacrynique (Edecrin) Furosémide (Lasix)	Inhibent la réabsorption de NaCl dans la branche large ascendante de l'anse de Henlé. Excrétion beaucoup plus abondante de Na^+ et de Cl^-. Effet diurétique plus puissant que les thiazides, mais la durée d'action est plus courte ; moins efficaces pour l'hypertension.	Déséquilibres hydroélectrolytiques comme dans le cas des diurétiques thiazidiques, sauf l'hypercalcémie. Ototoxicité (déficience auditive, surdité, vertiges) généralement réversible. Problèmes métaboliques comprenant l'hyperuricémie, l'hyperglycémie, l'augmentation du taux de cholestérol LDL et de triglycérides et la diminution du taux de cholestérol HDL.	Surveiller les risques d'hypotension orthostatique et les anomalies électrolytiques comme dans le cas des diurétiques thiazidiques. Les diurétiques de l'anse sont encore efficaces malgré l'insuffisance rénale qu'ils entraînent. L'effet diurétique des médicaments augmente en fonction de la dose.
Diurétiques d'épargne potassique Amiloride (Midamor)	Réduisent l'échange de K^+ et de Na^+ dans les tubules contournés distal et collecteur. Réduisent l'excrétion de K^+, de H^+, de Ca^{2+} et de Mg^{2+}.	Hyperkaliémie, nausées, vomissements, diarrhée, céphalées, crampes aux jambes et étourdissements.	Surveiller les risques d'hypertension orthostatique et d'hyperkaliémie. Les diurétiques d'épargne potassique sont contre-indiqués dans les cas d'insuffisance rénale et doivent être utilisés prudemment chez les clients qui prennent des inhibiteurs d'ECA ou des antagonistes angiotensine II. Les suppléments de potassium sont à éviter.
Spironolactone (Aldactone)	Inhibe les effets de rétention du Na^+ et d'excrétion de K^+ de l'aldostérone dans les tubules contournés distal et collecteur.	Mêmes que l'amiloride ; peut entraîner une gynécomastie, l'impuissance, une diminution de la libido et la dysménorrhée.	

Pour les mécanismes d'action, voir *Soins infirmiers. Pharmacologie de base*, Laval, Groupe Beauchemin éditeur, 2003.

PHARMACOTHÉRAPIE

TABLEAU 21.8 Hypertension *(suite)*

Agent	Mécanismes d'action	Effets secondaires et effets indésirables	Soins infirmiers généraux
INHIBITEURS ADRÉNERGIQUES **Agonistes adrénergiques à action centrale** Clonidine (Catapres)	Réduisent le flux sympathique du SNC. Réduisent le tonus sympathique périphérique, entraînent la vasodilatation ; diminuent la RVP et la PA.	Sécheresse de la bouche, sédation, impuissance, nausées, étourdissements, troubles du sommeil, cauchemars, instabilité psychomotrice et dépression. Bradycardie symptomatique chez les clients qui présentent des troubles de la conduction.	Un arrêt soudain peut entraîner le syndrome de sevrage, y compris un phénomène de rebond de l'hypertension, une tachycardie, des céphalées, des tremblements, de l'appréhension et de la transpiration. Le fait de mâcher de la gomme, du sucre ou des bonbons durs peut soulager la sécheresse de la bouche. L'alcool et les sédatifs augmentent la sédation. Peuvent être administrés par voie transdermique pour réduire les effets secondaires et pour une meilleure fidélité au traitement.
Méthyldopa (Aldomet)	Mêmes que la clonidine.	Sédation, fatigue, hypotension orthostatique, diminution de la libido, impuissance, sécheresse de la bouche, anémie hémolytique, hépatotoxicité, rétention sodique et hydrique, dépression.	Aviser le client à propos de la sédation diurne et des activités dangereuses à éviter. L'administration d'une dose quotidienne unique au coucher permet de minimiser cet effet.
Antagonistes alpha-adrénergiques Doxazosine (Cardura) Prazosine (Minipress) Térazosine (Hytrin)	Bloquent l'effet des α, entraînant une dilatation périphérique (diminution de la RVP et de la PA).	Hypotension orthostatique variant en fonction du volume plasmatique. Possibilité d'hypotension orthostatique grave accompagnée de syncope dans les 90 minutes suivant la dose d'attaque. Rétention sodique et hydrique.	La prazosine réduit la résistance à l'élimination urinaire et les symptômes de prostatisme. Le fait de prendre le médicament au coucher réduit les risques liés à l'hypotension orthostatique. Effets bénéfiques sur le profil lipidique.
Phentolamine (Rogitine)	Bloque les récepteurs α-adrénergiques, entraînant une dilatation vasculaire périphérique (diminution de la RVP et de la PA).	Hypotension aiguë et prolongée, arythmie cardiaque, tachycardie, faiblesse, bouffées congestives. Douleurs abdominales, nausées et exacerbation d'ulcère gastro-duodénal.	Utilisé pour traiter le phéochromocytome à court terme. Également utilisé localement pour prévenir la nécrose cutanée et des tissus sous-cutanés à la suite de l'épanchement d'un agent α-adrénergique.
Antagonistes β-adrénergiques Acébutolol (Sectral, Monitan) Aténolol (Tenormin) Bisoprolol (Monocor) Carvédilol (Coreg) Métoprolol (Lopresor, Betaloc) Nadolol (Corgard) Pindolol (Visken) Propranolol (Indéral LA) Sotalol (Sotacor) Timolol	Réduisent la PA en inhibant les effets β-adrénergiques. Diminuent le DC et réduisent le tonus sympathique vasoconstricteur. Diminuent la sécrétion rénale de rénine.	Bronchospasmes, bloc auriculoventriculaire (bloc AV), mauvaise circulation périphérique, cauchemars, dépression, faiblesse, capacité réduite à faire de l'exercice. Peut induire ou exacerber l'insuffisance cardiaque chez les clients vulnérables. Le sevrage soudain des β-bloquants peut entraîner un rebond de l'hypertension et exacerber les symptômes de cardiopathie ischémique.	La liposolubilité, la sélectivité et l'effet sympathomimétique des antagonistes β-adrénergiques varient, ce qui expliquerait les différents effets secondaires et thérapeutiques des agents spécifiques. Surveiller la FC régulièrement. Utiliser avec précaution chez les diabétiques (car ils peuvent cacher les signes d'hypoglycémie) et les asthmatiques.
Esmolol (Brevibloc)	Réduit la PA en antagonisant les effets β_1-adrénergiques.		Administration par voie IV ; délai d'action rapide et de très courte durée d'action.

PHARMACOTHÉRAPIE

TABLEAU 21.8 Hypertension *(suite)*

Agent	Mécanismes d'action	Effets secondaires et effets indésirables	Soins infirmiers généraux
Antagonistes combinés α et β-adrénergiques Labétalol (Trandate)	L'action des $α_1$, $β_1$- et $β_2$-bloquants entraîne une dilatation vasculaire périphérique et diminue la FC. Réduit le DC, la RVP et la PA.	Étourdissements, fatigue, nausées, vomissements, dyspepsie, paresthésie, congestion nasale, impuissance, œdème. Toxicité hépatique.	Mêmes que les β-bloquants. Possibilité d'administration par voie IV lors de crise hypertensive chez les clients hospitalisés. Les clients doivent demeurer en position de décubitus dorsal pendant l'administration IV. Vérifier la tolérance du client en position debout (hypotension orthostatique grave) avant d'autoriser les clients à faire des activités à la verticale (p. ex. utiliser la chaise d'aisance).
Vasodilatateurs directs Diazoxide (Hyperstat IV)	Une vasodilatation artérielle directe réduit la RVP et la PA.	Activation sympathique réflexe entraînant une augmentation de la FC, du DC ainsi que de la rétention sodique et hydrique. Hyperglycémie, notamment chez les diabétiques de type 2.	Administration par voie IV seulement en cas de crise hypertensive chez les clients hospitalisés. Administrer seulement dans une veine périphérique.
Hydralazine (Apresoline)	Une vasodilatation artérielle directe réduit la RVP et la PA.	Céphalées, nausées, bouffées congestives, palpitations, tachycardie, étourdissements et angine. Anémie hémolytique, angéite, glomérulonéphrite « rapidement progressive ».	Administration par voie IV en cas de crise hypertensive chez les clients hospitalisés. Dose orale deux fois par jour. Ne pas utiliser comme monothérapie en raison des effets secondaires. Contre-indiqué dans les cas de coronaropathie ; utiliser avec précaution chez les clients qui ont plus de 40 ans.
Minoxidil (Loniten)	Une vasodilatation artérielle directe réduit la RVP et la PA.	Tachycardie réflexe, rétention sodique et hydrique marquée (peut nécessiter des diurétiques de l'anse pour régulariser) et hirsutisme. Peut entraîner des changements liés à l'ECG (aplatissement ou inversion des ondes T) non liés à l'ischémie.	Uniquement pour le traitement d'hypertension grave accompagnée d'insuffisance rénale et résistant aux autres traitements. Dose quotidienne unique ou biquotidienne.
Nitroglycérine	Relaxe les muscles lisses artériels et veineux réduisant ainsi la précharge et la RVP. En petite quantité, la dilatation veineuse est prédominante ; en plus grande quantité, on note une dilatation artérielle.	Hypotension, céphalées, vomissements, bouffées congestives.	Administration par voie IV en cas de crise hypertensive chez les personnes atteintes d'ischémie myocardique. Administrer en perfusion IV continue à l'aide d'une pompe ou d'un dispositif de débit de régulation.
Nitroprusside de sodium (Nipride)	Une vasodilatation artérielle directe réduit la RVP et la PA.	Hypotension aiguë, nausées, vomissements, contractions musculaires. Signes liés à la toxicité du thiocyanate qui comprennent l'anorexie, les nausées, la fatigue et la désorientation.	Administration par voie IV en cas de crise hypertensive chez les personnes atteintes. Administrer en perfusion IV continue à l'aide d'une pompe ou d'un dispositif de régulation de débit. Surveillance intra-artérielle de la PA. Des sacs, des flacons et des dispositifs de perfusion réfractaire doivent être utilisés ; stable pendant 24 heures. Surveiller les taux de thiocyanate pendant une utilisation prolongée (≥ 24 à 48 heures).

PHARMACOTHÉRAPIE

TABLEAU 21.8 Hypertension *(suite)*

Agent	Mécanismes d'action	Effets secondaires et effets indésirables	Soins infirmiers généraux
INHIBITEURS D'ANGIOTENSINE **Inhibiteurs de l'enzyme de conversion de l'angiotensine (IECA)** Bénazépril (Lotensin) Captopril (Capoten) Cilazapril (Inhibace) Énalapril (Vasotec) Fosinopril sodique (Monopril) Lisonopril (Prinivil, Zestril) Périndopril (Coversyl) Ramipril (Altace) Quinapril (Accupril) Trandolapril (Mavik)	Inhibent l'ECA ; réduisent la conversion de l'angiotensine I en angiotensine II ; préviennent la vasoconstriction provoquée par l'angiotensine II.	Hypotension, agueusie, toux, hyperkaliémie, insuffisance rénale aiguë, érythème, œdème de Quincke.	L'AAS et les AINS peuvent réduire l'efficacité du médicament. L'ajout de diurétiques augmente l'effet du médicament. Ne devrait pas être combiné à des diurétiques d'épargne potassique. Peut entraîner la morbidité ou la mortalité fœtale. Le captopril peut être administré par voie orale pour traiter les crises hypertensives.
Enalaprilat (Vasotec)	Inhibe l'ECA lorsque les agents oraux ne sont pas appropriés.	Mêmes que les comprimés oraux.	Administré par voie IV pendant cinq minutes ; peut être administré toutes les six heures.
Antagonistes des récepteurs de l'angiotensine II Candésartan cilexétil (Atacand) Éprosartan (Teveten) Irbesartan (Avapro) Losartan potassique (Cozaar) Telmisartan (Micardis) Valsartan (Diovan HCT)	Préviennent l'action de l'angiosine II et provoquent la vasodilatation et une augmentation de l'excrétion sodique et hydrique.	Hyperkaliémie, diminution de la fonction rénale.	Il est possible que les effets maximaux apparaissent après trois à six semaines.
INHIBITEURS DES CANAUX CALCIQUES Amlodipine (Norvasc) Diltiazem (Cardizem, Tiazac) Félodipine (Plendil, Renedil) Nifédipine (Adalat) Vérapamil (Isoptin, Chronovera, Verelan)	Empêchent le calcium extracellulaire de passer dans les cellules, entraînant une vasodilatation périphérique et une diminution de la RVP.	Nausées, céphalées, étourdissements, œdème périphérique. Tachycardie réflexe. Bradycardie (avec diltiazem) ; constipation (avec vérapamil).	Utiliser avec précaution chez les personnes atteintes d'insuffisance cardiaque. Contre-indiqué chez celles qui sont atteintes de bloc cardiaque de deuxième ou de troisième degré. Il est possible d'administrer la nicardipine par voie IV en cas de crise hypertensive.

AAS : acide acétylsalicylique (Aspirin) ; AINS : anti-inflammatoires non stéroïdiens ; AV : auriculo-ventriculaire ; DC : débit cardiaque ; ECA : enzyme de conversion de l'angiotensine ; FC : fréquence cardiaque ; GI : gastro-intestinal ; HDL : lipoprotéines de haute densité ; LEC : liquide extracellulaire ; LDL : lipoprotéines de basse densité ; PA : pression artérielle ; RVP : résistance vasculaire systémique ; SNC : système nerveux central.

indésirables (voir figure 21.10). On amorce la pharmacothérapie par une faible dose pendant plusieurs semaines. Si la PA n'est pas régularisée après un à trois mois de traitement, il est possible d'augmenter la dose du médicament de première ligne, de le remplacer par un médicament d'une autre classe ou d'ajouter un médicament de classe différente. Si le fait d'ajouter un médicament permet de contrôler la PA, le médecin peut tenter le sevrage du premier médicament. Dans bien des cas, les clients souffrant d'hypertension légère à modérée parviennent à régulariser leur PA à l'aide d'un seul médicament. Avant d'ajouter ou de remplacer un médicament, on doit évaluer les causes possibles de l'absence de réponse au traitement (voir encadré 21.4).

Dans le cas d'hypertension de grade trois, le plan peut être le même, sauf que l'intervalle entre le changement des médicaments peut être plus court, et il peut s'avérer nécessaire de commencer le traitement avec deux médicaments. En outre, l'ajout d'un troisième ou d'un quatrième médicament, y compris les antagonistes adrénergiques à action centrale ou périphérique et les vasodilatateurs directs, peut être nécessaire.

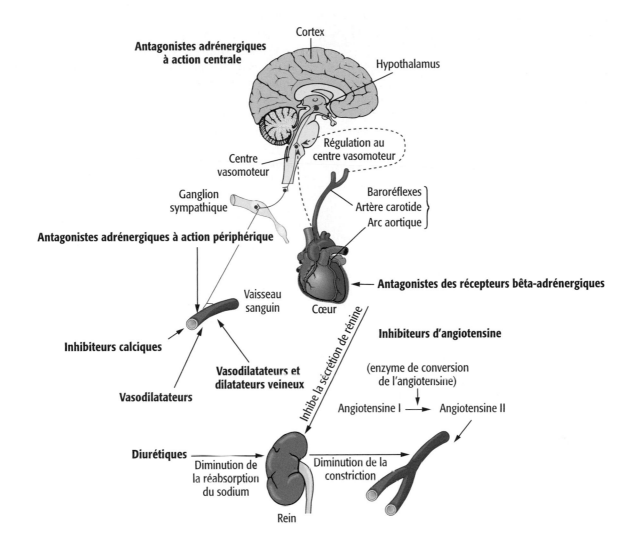

FIGURE 21.12 Foyer et mécanisme d'action de différents antihypertenseurs

Une fois que la PA est bien régularisée pendant un an, on peut tenter de diminuer graduellement le nombre de médicaments et la dose au plus bas niveau permettant de régulariser la PA. Un suivi régulier doit être effectué pour détecter toute élévation de la PA.

Il peut arriver qu'un client n'observe pas le traitement en raison des effets secondaires, indésirables et importants des hypertenseurs. Le tableau 21.8 décrit les principaux effets secondaires de tous les médicaments. L'hyperuricémie, l'hyperglycémie et l'hypokaliémie sont les effets secondaires communs des diurétiques thiazidiques et des diurétiques de l'anse. L'hyperkaliémie peut être un effet secondaire grave des diurétiques d'épargne potassique et des inhibiteurs de l'ECA. L'usage de nombreux diurétiques peut entraîner un dysfonctionnement érectile. L'hypotension orthostatique et le dysfonctionnement sexuel sont deux effets indésirables de l'usage

d'agents inhibiteurs adrénergiques. Les effets indésirables possibles des vasodilatateurs et des inhibiteurs d'angiotensine sont la tachycardie et l'hypotension orthostatique.

21.2.11 Soins infirmiers : hypertension essentielle

Collecte de données. Les données objectives et subjectives qui doivent être obtenues auprès du client atteint d'hypertension sont présentées dans l'encadré 21.5.

Diagnostics infirmiers. Les diagnostics infirmiers pour le client hypertendu sont présentés dans l'encadré 21.6.

Planification. Voici les objectifs généraux pour le client atteint d'hypertension : atteindre et maintenir la PA désirée ; comprendre, accepter et suivre le plan de

Causes d'absence de réponse au traitement
ENCADRÉ 21.4

Non-observance du traitement
- Coût des médicaments
- Instructions ambiguës ou non transmises par écrit au client
- Enseignement au client inadéquat ou aucun enseignement
- Manque de participation du client dans le plan de traitement
- Effets secondaires des médicaments
- Mauvaise posologie

Causes reliées au médicament
- Posologie insuffisante
- Mauvaise combinaison (p. ex. deux inhibiteurs adrénergiques à action centrale)
- Inactivation rapide (p. ex. chlorhydrate d'hydralazine)
- Interactions médicamenteuses
  - Anti-inflammatoires non stéroïdiens
  - Contraceptifs oraux
  - Sympathomimétique
  - Antidépresseurs
  - Corticostéroïdes
  - Décongestionnants nasaux
  - Substances contenant de la réglisse (p. ex. tabac à chiquer)
  - Cocaïne
  - Cyclosporine
  - Érythropoétine

Maladies associées
- Obésité de plus en plus importante
- Consommation d'alcool supérieure à 30 ml par jour

Hypertension secondaire
- Insuffisance rénale
- Hypertension rénovasculaire
- Phéochromocytome
- Aldostéronisme primaire

Surcharge de volume
- Traitement diurétique inadéquat
- Excès d'apport sodique
- Rétention hydrique due à la diminution de la PA
- Insuffisance rénale progressive

Pseudohypertension

Tiré du US Department of Health and Human Services : *The Sixth Report of the Joint National Committee on Detection, Evaluation, and Treatment of High Blood Pressure (JNC-VI)*, Washington, DC, 1997, National Institutes of Health.

soins ; éprouver le moins possible d'effets secondaires reliés au traitement, ou très peu ; avoir confiance en sa capacité de gérer la situation et en la possibilité de s'adapter à cet état.

Exécution
Promotion de la santé et prévention de la maladie. La prévention primaire de l'hypertension est une solution avantageuse comparativement aux coûts engendrés par le traitement de l'hypertension et de ses complications que doit assumer le système de santé. Les recommandations actuelles pour la prévention primaire de l'hypertension sont basées sur les modifications du mode de vie qui se sont avérées efficaces pour prévenir ou retarder l'augmentation anticipée de la PA chez les clients vulnérables. Une alimentation riche en fruits et en légumes et incluant des produits laitiers faibles en gras saturés réduit considérablement le processus d'athérosclérose et par conséquent la PA. Cette alimentation est recommandée à titre de prévention primaire au sein de l'ensemble de la population. Les modifications alimentaires qui ne requièrent pas la participation active du client, comme la réduction de la quantité de chlorure de sodium ajoutée aux aliments transformés, peuvent s'avérer encore plus efficaces.

Évaluation du client. La majorité des cas d'hypertension sont décelés lors d'examens de routine effectués par les compagnies d'assurances, les employeurs ou les campagnes de dépistage de l'hypertension. L'infirmière qui travaille dans ces milieux, ou dans tout autre milieu de santé, occupe un poste idéal pour évaluer la présence d'hypertension, déterminer les facteurs de risque de l'hypertension et de coronaropathie ainsi que pour éduquer la clientèle concernant ces affections. Outre la PA, le bilan de santé complet doit comprendre les facteurs tels que l'âge, le sexe, la race, l'anamnèse alimentaire (y compris l'apport sodique et hydrique), la masse corporelle et les antécédents familiaux de cardiopathie, d'AVC, de néphropathie et de diabète. La prise de médicaments avec ou sans ordonnance doit être notée. On doit aussi demander au client s'il a déjà fait de l'hypertension et quels étaient les résultats du traitement, s'il y a lieu (voir encadré 21.5).

Lors du premier examen, la PA est prise de deux à trois fois, à un intervalle de deux minutes, et la moyenne de la pression est notée comme étant la mesure de la PA pour cette visite. Le fait de patienter pendant deux minutes entre les lectures permet au sang veineux de s'écouler du bras et d'éviter une lecture inexacte. Il est important de choisir la bonne taille de brassard et de le placer au bon endroit pour obtenir une lecture précise.

Programmes de dépistage. L'infirmière qui s'occupe d'un programme de dépistage doit connaître les lignes directrices visant à déterminer et évaluer la PA (voir tableau 21.9). Après avoir pris la PA d'un client, on doit l'informer par écrit de la valeur numérique de celle-ci et, s'il y a lieu, de la raison pour laquelle des examens complémentaires sont nécessaires. Le travail et les ressources de dépistage doivent viser à régulariser la PA chez les clients ayant un diagnostic d'hypertension, à déceler et à régulariser la PA chez les groupes à risque élevé, comme

COLLECTE DE DONNÉES

Hypertension

Données subjectives

Information importante concernant la santé

- Antécédents de santé : antécédents d'hypertension et traitements reçus ; maladie cardiovasculaire, vasculaire cérébrale, thyroïdienne et néphropathie ; diabète ; troubles hypophysaires ; obésité ; hyperlipidémie ; ménopause ou hormonothérapie de remplacement.
- Médication : usage de tout médicament avec ou sans ordonnance, de médicaments illicites ou de plantes médicinales ; recours antérieur à un traitement antihypertensif.

Modes fonctionnels de santé

- Mode perception et gestion de la santé : antécédents familiaux d'hypertension ou de maladie cardiovasculaire ; tabagisme ou autre consommation de produits du tabac ; alcool ; sédentarité
- Mode nutrition et métabolisme : apport quotidien de sel et de lipides.
- Mode élimination : nycturie.
- Mode activité et exercice : fatigue ; dyspnée provoquée par l'effort, palpitations provoquées par l'effort, douleur thoracique angineuse ; claudication intermittente, crampes musculaires ; toux et expectorations fluides, saturation en O_2.
- Mode cognition et perception : étourdissements, vision trouble, paresthésie.
- Mode sexualité et reproduction : impuissance.
- Mode adaptation et tolérance au stress: événements stressants de la vie, depuis combien de temps.

Données objectives

Appareil cardiovasculaire

- PA systolique constamment supérieure à 140 mm Hg et PA diastolique constamment supérieure à 90 mm Hg, changement orthostatique de la PA et du pouls ; changements des vaisseaux rétiniens, bruits cardiaques anormaux ; pouls apical latéralement déplacé, continu et vigoureux ; pouls périphérique faible ou absent ; bruits carotidiens, rénaux, fémoraux ; présence d'œdème, localisation.

Appareil locomoteur

- Obésité tronculaire ; IMC.

Système neurologique

- Changements de l'état mental.

Résultats possibles

- Chimies sériques.
- Taux anormal d'électrolytes sériques (en particulier le potassium) ; taux élevé de BUN (AUS), de créatinine, de glucose, de cholestérol (apolipoprotéine B, HDL) et de triglycérides ; protéinurie, microalbuminurie ; manifestation de cardiopathie ischémique et d'hypertrophie ventriculaire gauche à l'EEG ; manifestation de cardiopathie structurelle et d'hypertrophie ventriculaire gauche à l'échocardiogramme.

Diagnostics infirmiers

- Difficulté à se maintenir en santé reliée à un manque de connaissances de l'hypertension, de ses complications et de son traitement.
- Anxiété reliée à la prise en charge du programme thérapeutique, aux complications éventuelles et aux modifications du mode de vie associées à l'hypertension.
- Dysfonctionnement sexuel relié aux effets des antihypertenseurs.
- Prise en charge inefficace du programme thérapeutique reliée (préciser) :
  - au manque de connaissances ;
  - aux effets secondaires désagréables des médicaments ;
  - aux horaires de la prise des médicaments ;
  - au manque de confiance à l'égard du personnel soignant.
- Perturbation de l'image corporelle reliée à la perte de sa santé.

Complications possibles

- Effets secondaires et indésirables reliés au traitement antihypertenseur.
- Crise hypertensive.
- Accident vasculaire cérébral.

les personnes de race noire, les personnes obèses et les parents des hypertendus, ainsi qu'à offrir des services pour les personnes ayant un accès limité au système de soins de santé.

Modification des facteurs de risque cardiovasculaires. L'enseignement relatif aux facteurs de risque cardiovasculaires est adapté aux individus et aux programmes spéciaux de dépistage. Les facteurs de risque cardiovasculaires modifiables comprennent l'hypertension, l'obésité, le diabète, l'hypercholestérolémie, le tabagisme et la sédentarité. Les facteurs de risque peuvent facilement être décelés et des modifications peuvent être envisagées avec les clients. (Le tableau 22.8 traite des comportements favorisant la santé pour les facteurs de risques cardiovasculaires.)

Soins ambulatoires et soins à domicile. Les principales responsabilités de l'infirmière pour le traitement à long terme de l'hypertension sont d'aider le client à diminuer sa PA et à observer le plan de soins. Les interventions infirmières comprennent l'enseignement au client et à

Technique appropriée pour mesurer la pression artérielle
ENCADRÉ 21.7

- Le client doit être assis ; il doit dénuder le bras et le positionner à la hauteur du cœur. Il ne doit pas fumer ni prendre de la caféine dans les 30 minutes qui précèdent la mesure.
- La PA doit être prise aux deux bras la première fois.
- La mesure doit être prise après un repos de cinq minutes.
- La taille appropriée du brassard doit être adaptée à la morphologie du client pour assurer une mesure précise. Le brassard en caoutchouc doit encercler tout le bras (ou au moins 80 % de celui-ci). La largeur du brassard doit couvrir au moins 40 % de la longueur du bras. Différentes tailles de brassard doivent être disponibles (taille enfant, taille adulte et taille obèse).
- Les mesures doivent être prises avec un sphygmomanomètre à mercure ou avec un instrument électronique calibré.
- La PA systolique et la PA diastolique doivent être notées. La mesure de la PA diastolique correspond au moment où le son change de tonalité ou disparaît.
- La moyenne d'au moins deux lectures (effectuées à un intervalle minimum de deux minutes) doit être faite. Des lectures supplémentaires doivent être prises si l'écart entre les deux premières lectures est supérieur à 5 mm Hg.
- Le client doit être informé de la lecture et de la nécessité d'effectuer des mesures périodiquement.

Tiré du US Department of Health and Human Services : *The Sixth Report of the Joint National Committee on Detection, Evaluation, and Treatment of High Blood Pressure (JNC-VI)*, Washington, DC, 1997, National Institutes of Health. Recommandations de l'Association canadienne de l'hypertension.

sa famille, le dépistage et le signalement des effets secondaires et indésirables du traitement, l'évaluation de l'observance du traitement et les améliorations à apporter, ainsi que l'évaluation de l'efficacité du traitement (voir encadré 21.8). L'enseignement à la clientèle comprend les éléments suivants : les recommandations nutritionnelles ; la pharmacothérapie ; l'activité physique ; la surveillance à domicile de la PA (s'il y a lieu) ; la désaccoutumance au tabac (au besoin).

Recommandations nutritionnelles. Le client et sa famille, en particulier les membres de la famille qui préparent les repas, doivent être renseignés sur les régimes hyposodés (p. ex. hypocaloriques). L'infirmière doit leur enseigner comment lire les étiquettes des médicaments en vente libre, des emballages alimentaires et des produits de santé afin de déceler les sources cachées de sodium. Il est utile de revoir l'alimentation normale du client et de repérer les aliments riches en sodium. Une analyse des aliments consommés par le client pendant trois jours peut s'avérer utile pour déterminer quels sont les aliments riches en sodium dans son alimentation habituelle. (Le chapitre 32 traite des régimes amaigrissants et le chapitre 22 des régimes faibles en cholestérol et en gras saturés.)

Pharmacothérapie. L'enseignement au client et à sa famille à propos de la pharmacothérapie est indispensable pour déceler et réduire les effets secondaires et indésirables, de même que pour les aider à s'adapter

TABLEAU 21.9	Recommandations pour le suivi basées sur la classification de la PA chez les adultes de plus de 18 ans	
PA initiale (mm Hg)*		**Suivi recommandé†**
Systolique	**Diastolique**	
< 130	< 85	Vérifier dans deux ans.
130-139	85-89	Vérifier dans un an‡.
140-159	90-99	Confirmer dans les deux mois‡.
160-179	100-109	Évaluer ou recommander à un spécialiste dans les 30 jours.
≥ 180	≥ 110	Évaluer ou orienter vers un spécialiste immédiatement ou dans la semaine, selon la situation clinique.

* Si les catégories systoliques et diastoliques sont différentes, recommander au client de se faire suivre plus souvent (p. ex. un client avec une PA de 160/86 mm Hg doit être évalué ou adressé à un spécialiste dans les 30 jours).
† À modifier en fonction des valeurs antérieures, des autres risques cardiovasculaires ou de l'atteinte des organes cibles.
‡ Fournir des conseils sur les modifications à apporter au mode de vie.

ENSEIGNEMENT AU CLIENT

Hypertension

ENCADRÉ 21.8

Lorsque l'infirmière donne des renseignements au client ou à sa famille, elle doit :

- Donner la valeur numérique de la PA du client et expliquer qu'elle est supérieure aux valeurs normales.
- Informer le client que l'hypertension est généralement asymptomatique et que les symptômes n'indiquent pas de manière fiable le niveau de la PA.
- Expliquer que l'hypertension signifie une PA élevée et qu'elle n'a rien à voir avec la personnalité.
- Expliquer qu'un suivi et un traitement à long terme sont nécessaires.
- Expliquer que le traitement ne guérit pas l'hypertension, mais qu'il sert à la régulariser.
- Informer le client que l'hypertension est généralement compatible avec un bon pronostic et un mode de vie normal lorsqu'elle est régularisée.
- Expliquer les dangers potentiels de l'hypertension qui n'est pas régularisée.
- Préciser le nom des médicaments prescrits, leurs actions, leurs doses et leurs effets secondaires.
- Aviser le client de planifier des moments propices à la prise régulière de ses médicaments.
- Aviser le client de ne pas cesser subitement de prendre les médicaments, car un sevrage peut entraîner une réaction hypertensive grave.

- Aviser le client de ne pas prendre la dose en double s'il oublie de prendre le médicament à l'heure prévue.
- Aviser le client de ne pas augmenter la dose du médicament avant d'avoir consulté le médecin s'il remarque une élévation de la PA.
- Aviser le client de ne pas prendre des médicaments qui appartiennent à quelqu'un d'autre.
- Aviser le client que les effets secondaires des médicaments diminuent généralement avec le temps.
- Aviser le client de discuter avec le médecin s'il veut changer de médicaments ou modifier la dose, si des troubles sexuels surviennent (p. ex. impuissance).
- Aviser le client d'augmenter l'apport potassique dans son alimentation (p. ex. manger des agrumes et des légumes verts) s'il prend des diurétiques hypokalémiants.
- Aviser le client d'éviter les bains chauds, la consommation abusive d'alcool et les exercices épuisants dans les trois heures suivant la prise de médicaments à effet vasodilatateur.
- Demander au client de suivre les consignes suivantes pour réduire l'hypertension orthostatique : se lever lentement du lit, s'asseoir sur le bord du lit pendant quelques minutes, se mettre debout lentement, ne pas rester immobile pendant de longues périodes, faire des exercices pour augmenter le retour veineux aux jambes, dormir en relevant la tête du lit ou se coucher en appuyant la tête sur plusieurs oreillers, et se coucher ou s'asseoir lorsqu'il éprouve des étourdissements.

aux effets thérapeutiques. Il est fréquent que des effets secondaires se manifestent avec la prise d'antihypertenseurs. Ces effets peuvent être éprouvés comme réaction initiale à un médicament et, ensuite, s'estomper avec le temps. Le fait de renseigner le client au sujet de ces effets secondaires peut l'inciter à continuer de prendre ces médicaments. Étant donné que le nombre d'effets secondaires et indésirables et leur gravité peuvent être liés à la posologie, il peut s'avérer nécessaire de remplacer le médicament ou de réduire la dose. Dans ce cas, on recommande au client de signaler les effets secondaires et indésirables au médecin qui lui a prescrit le médicament.

L'hypotension orthostatique est un effet secondaire commun à ces médicaments. Elle est causée par une perturbation des mécanismes du système nerveux autonome servant à réguler la pression, qui est nécessaire au changement de position. Par conséquent, le client peut se sentir étourdi et faible, et même s'évanouir, en se levant après avoir été assis ou couché. Les mesures précises pour régulariser ou réduire l'hypotension orthostatique sont présentées dans l'encadré 21.8.

De nombreux antihypertenseurs peuvent entraîner un dysfonctionnement sexuel (voir tableau 21.8) et cela est souvent la principale cause pour laquelle le client n'observe pas le plan de soins. Par conséquent, il arrive souvent que les clients cessent le traitement parce qu'ils n'osent pas parler d'un problème d'ordre sexuel avec un professionnel de la santé. L'infirmière doit donc aborder ce sujet avec le client et favoriser la discussion à propos des dysfonctionnements sexuels qui peuvent survenir. Ainsi, il sera plus facile pour le client de discuter de ce problème s'il sait que le médicament peut en être la source et que les effets secondaires peuvent diminuer ou disparaître en changeant d'antihypertenseurs. L'infirmière doit inciter le client à discuter des effets secondaires des médicaments avec le médecin qui a prescrit la médication. Étant donné qu'il existe maintenant de nombreuses possibilités pour traiter l'hypertension, on peut proposer au client un plan de soins qui lui convienne et, ainsi, en faciliter l'observance

Bien qu'ils soient causés par l'effet thérapeutique du médicament, il est possible de réduire certains effets indésirables. Par exemple, les diurétiques peuvent entraîner des symptômes désagréables de sécheresse de la bouche et de mictions fréquentes. L'infirmière peut recommander au client de mâcher de la gomme sans sucre ou de sucer un bonbon pour apaiser l'effet de sécheresse dans la bouche. Elle peut aider le client à établir un horaire pour la prise des médicaments afin de réduire les effets désagréables. Si la miction fréquente nuit au sommeil, elle peut recommander au client de prendre les diurétiques plus tôt dans la journée. Le client doit savoir que les effets secondaires des vasodi-

RECHERCHE

Exactitude de la pression artérielle à domicile

ENCADRÉ 21.9

Article : Merrick RD, Olive KE, Hamdy RC, et coll. : factors influencing the accuracy of home blood pressure measurement, *South Med J* 90:1110,1997.

Objectif : déterminer avec exactitude la PA prise par les clients en utilisant leur propre appareil de mesure de la pression artérielle et établir avec précision les facteurs qui influencent l'exactitude des mesures du client.

Méthodologie : l'étude a porté sur 91 sujets volontaires qui apportaient leur propre appareil à pression électronique. Un technicien vérifiait leur PA. Les sujets devaient également répondre à un questionnaire en 30 points concernant des variables démographiques, leur appareil à pression électronique et leurs connaissances relatives à l'hypertension. On établissait la mesure de la PA de chaque sujet comme étant exacte si l'écart entre ses lectures de PA systolique et de PA diastolique et celles du spécialiste était inférieur à 10 mm Hg.

Résultats et conclusion : parmi les 91 sujets, 31 (34 %) ont obtenu des mesures inexactes. L'inexactitude n'a pas pu être attribuée au type d'appareil, au coût, au niveau d'instruction des clients ni à l'âge de l'appareil. On avait omis d'expliquer comment utiliser l'appareil à 53 % des sujets. Cette étude montre qu'un nombre important de mesures inexactes est obtenu par les clients qui utilisent des appareils à pression électronique. La supervision de la prise de PA doit être intégrée à l'enseignement au client pour s'assurer qu'il existe une corrélation raisonnable entre les valeurs obtenues avec un sphygmomanomètre à mercure et un appareil à pression électronique.

Incidences sur la pratique : depuis quelques années, divers appareils à pression électronique sont offerts sur le marché afin que les clients puissent mesurer leur PA dans le confort de leur foyer. Le personnel soignant devrait demander aux clients d'apporter leur appareil à pression électronique à la clinique ou au cabinet lors de chaque consultation pour comparer les mesures. Les fabricants, les médecins et les infirmières devraient déployer plus d'efforts pour enseigner aux clients comment utiliser leur appareil à pression électronique avec exactitude.

latateurs et des inhibiteurs adrénergiques diminuent si les médicaments sont pris en soirée. Il doit aussi savoir que la PA est à son niveau le plus bas la nuit, et à son niveau le plus haut peu de temps après le réveil. Par conséquent, les médicaments qui ont une durée d'action de 24 heures doivent être pris tôt le matin pour éviter la nycturie.

Activité physique. On définit l'activité physique comme étant des mouvements corporels, produits par les muscles du squelette qui nécessitent une dépense énergétique. Les bienfaits de l'activité physique sur la santé peuvent être atteints par des activités d'intensité modérée. Pour les adultes, l'objectif est de faire de l'activité modérée, et ce, pendant 50 à 60 minutes, à raison de 3 ou 4 fois par semaine. En général, les personnes ont davantage de chances de maintenir un programme d'activité physique s'il est agréable, s'il ne cause aucun danger, s'il s'adapte bien à l'horaire quotidien et s'il n'engendre pas de coûts financiers et sociaux. Par exemple, de nombreux centres commerciaux sont ouverts tôt le matin (avant les heures d'ouverture des magasins) et constituent un environnement chaud, sécuritaire et plat qui favorise la marche. Certains centres de conditionnement physique offrent des tarifs réduits aux heures creuses pour encourager l'activité physique chez les personnes âgées. Les programmes de réadaptation cardiaque proposent des exercices supervisés et un enseignement sur la manière de réduire les facteurs de risque cardiovasculaires. Les infirmières peuvent aider les hypertendus à augmenter leur niveau d'activité physique : elles peuvent déceler chez eux le besoin en activité physique et insister sur l'importance d'en pratiquer un peu plus ; elles peuvent expliquer aux clients la différence entre l'activité physique et un programme d'exercices, les aider à commencer une activité et offrir un suivi approprié.

Surveillance de la pression artérielle à domicile. Certains clients bénéficient d'une surveillance régulière de leur PA à domicile. La mesure de la PA à domicile peut fournir des indications plus précises puisque le client est plus détendu. Il est essentiel de souligner au client qu'une série de lectures prises pendant une période donnée a plus d'importance qu'une seule lecture. Une fois que la PA est stable, l'infirmière doit demander au client de prendre sa PA chaque semaine (sauf avis contraire), de noter les lectures dans un carnet et d'apporter ces informations lors de ses visites de suivi.

Les prises de la PA à domicile peuvent motiver certains clients à observer le traitement, en mettant en lumière l'utilité de prendre les médicaments, alors que d'autres seront extrêmement préoccupés par les lectures. Cependant, cette intervention devrait normalement rassurer le client quant à l'efficacité du traitement.

Observance du traitement. Un des principaux problèmes du traitement à long terme de l'hypertension est la mauvaise observance du client à l'égard du plan de soins. Les raisons sont nombreuses et comprennent, entre autres, un enseignement non adéquat au client, les effets secondaires et indésirables des médicaments, le retour de la PA normale en cours de traitement, le manque de motivation et le manque de relation de confiance entre le client et le personnel soignant. En plus de prendre la PA pour vérifier si le client observe le traitement, l'infirmière doit également évaluer les facteurs tels que l'alimentation, le niveau d'activité et le mode de vie du client.

Il est indispensable d'évaluer les raisons pour lesquelles le client n'observe pas le plan de soins et d'élaborer un plan personnalisé avec l'aide du client. Le plan doit être compatible avec la personnalité, les habitudes et le mode de vie du client. La participation active du client augmente également les chances qu'il observe le traitement. Par exemple, des mesures favorisant l'observance du traitement pourraient être d'amener le client à établir l'horaire de prise de ses médicaments en fonction de ses activités quotidiennes, de l'aider à associer la prise de ses médicaments à une autre activité quotidienne ou de faire appel aux membres de sa famille (s'il y a lieu). Le fait de remplacer les associations de médicaments par un médicament combiné (deux médicaments en un) une fois que la PA est stable peut également faciliter l'observance puisque le client a moins de médicaments à prendre chaque jour. Il est important d'aider le client et sa famille à comprendre que l'hypertension est un état chronique impossible à guérir, mais qu'il est possible de la régulariser à l'aide de divers moyens comme la pharmacothérapie, les recommandations nutritionnelles, l'activité physique, les examens périodiques et les modifications pertinentes au mode de vie.

Évaluation. Les résultats escomptés chez le client souffrant d'hypertension sont les suivants :
- atteindre et maintenir le niveau désiré de la PA ;
- comprendre, accepter et suivre le plan de soins ;
- éprouver le moins possible d'effets secondaires reliés au traitement, ou très peu.

21.3 CRISE HYPERTENSIVE

Une **crise hypertensive** est une élévation brusque de la PA, arbitrairement définie comme une PA diastolique variant de 120 à 130 mm Hg. La vitesse d'élévation de la PA est plus importante pour déterminer la nécessité d'un traitement d'urgence que la valeur de la pression en soi. Les clients qui souffrent d'hypertension chronique peuvent tolérer une PA plus élevée que les personnes ayant une pression limite. Il est essentiel de dépister et de traiter rapidement une crise hypertensive afin de diminuer les risques de mettre en danger les fonctions organiques et la vie du client.

Une crise hypertensive survient généralement chez les clients qui ont des antécédents d'hypertension et qui n'ont pas observé leur traitement ou qui n'ont pas reçu suffisamment de médicaments. Dans une telle situation, on estime que la hausse de la PA peut entraîner des lésions endothéliales et la sécrétion de vasoconstricteurs tels que la noradrénaline, l'adrénaline, l'angiotensine et les catécholamines. Un cercle vicieux d'élévation de la PA s'ensuit et des lésions dangereuses pour les organes cibles peuvent survenir. Les crises hypertensives liées à la consommation de cocaïne ou de crack sont un problème de plus en plus fréquent. Les autres drogues comme les amphétamines, la phencyclidine (PCP) et le diéthylamide de l'acide lysergique (LSD) peuvent également entraîner une crise hypertensive avec des complications comme des convulsions induites par la consommation de drogue, un AVC, un infarctus du myocarde ou une encéphalopathie. L'encadré 21.10 énumère les causes des crises hypertensives.

Une crise hypertensive est classée selon l'importance des lésions organiques et la rapidité à laquelle la PA doit être diminuée. Une **urgence hypertensive**, qui peut se manifester sur quelques heures à plusieurs journées, est une situation où la PA du client est très élevée et où l'atteinte des organes cibles est aiguë, notamment en ce qui concerne le SNC. Les urgences hypertensives comprennent l'encéphalopathie hypertensive, une hémorragie intracrânienne ou sous-arachnoïdienne, une insuffisance aiguë du ventricule gauche accompagnée d'un œdème pulmonaire, un infarctus du myocarde, une insuffisance rénale et un anévrisme disséquant de l'aorte. Une **poussée hypertensive** se manifestant sur plusieurs journées à plusieurs semaines est un état dans

---

Causes des crises hypertensives **ENCADRÉ 21.10**

- Exacerbation de l'hypertension chronique
- Hypertension rénovasculaire
- Éclampsisme, éclampsie
- Phéochromocytome
- Médicaments (cocaïne, amphétamines, contraceptifs oraux)
- Inhibiteurs de la monoamine oxydase pris en association avec des aliments contenant de la tyramine
- Hypertension réactionnelle (causée par le sevrage brusque de la clonidine ou des antagonistes β-adrénergiques)
- Angéite nécrosante
- Traumatisme crânien
- Anévrisme disséquant aigu

lequel la PA du client est très élevée, sans toutefois que le client manifeste de signes cliniques d'atteinte d'un organe cible.

21.3.1 Manifestations cliniques

Une urgence hypertensive peut se manifester comme une encéphalopathie hypertensive, un syndrome accompagné d'une élévation soudaine de la PA et de symptômes, tels que les céphalées, les nausées, les vomissements, les convulsions, la confusion, la stupeur ou le coma. Les autres manifestations fréquentes de ce syndrome sont la vision trouble et la cécité transitoire. Il est possible que les manifestations de l'encéphalopathie soient causées par un œdème cérébral et des spasmes des vaisseaux cérébraux.

L'insuffisance rénale varie de la défaillance légère à l'arrêt complet de la fonction rénale. Des douleurs thoraciques et de la dyspnée peuvent être présents dans les cas de décompensation cardiaque rapide, dans l'angine instable et l'infarctus, et aussi dans les cas d'œdème pulmonaire. Un anévrisme disséquant peut entraîner des douleurs thoraciques et des maux de dos intenses, souvent accompagnés de diaphorèse et de disparition des pouls périphériques.

Il est très important de bien évaluer le client, en particulier de surveiller les signes de dysfonctionnement neurologique, de lésions rétiniennes, d'insuffisance cardiaque, d'œdème pulmonaire et d'insuffisance rénale. Les manifestations neurologiques sont souvent identiques à un AVC, bien qu'aucun signe focal ni latéral ne soit apparent au cours d'une crise hypertensive.

21.3.2 Soins infirmiers et processus thérapeutique : crise hypertensive

Le niveau de la PA à lui seul est un mauvais indicateur de la gravité de l'état du client et n'est pas le principal facteur qui détermine le traitement de la crise hypertensive. Une PA élevée, associée aux signes de nouvelles lésions de la plaque athéromateuse ou de son évolution (p. ex. atteinte vasculaire cérébrale, cardiaque, rétinienne ou rénale), détermine la gravité de la situation.

On utilise plus souvent la PA moyenne pour guider et évaluer le traitement des urgences hypertensives au lieu de prendre les lectures de la PA systolique et de la PA diastolique. La PA moyenne est calculée en additionnant la PA diastolique et la pression différentielle (PA systolique moins PA diastolique) :

$$\text{PA moyenne} = \text{PA diastolique} + \text{Pression différentielle}$$

Les urgences hypertensives nécessitent une hospitalisation, une administration d'antihypertenseurs par voie parentérale et une surveillance aux soins intensifs. L'objectif du traitement initial consiste habituellement à diminuer la PA moyenne de 10 à 20 % dans les deux premières heures, puis de façon graduelle dans les 24 heures qui suivent, car un abaissement trop rapide ou trop prononcé de la PA pourrait diminuer la perfusion cérébrale et provoquer un AVC. Dans le cas d'un client atteint d'un anévrisme disséquant de l'aorte ou d'angine instable, ou présentant des signes d'infarctus du myocarde, la PA systolique doit être abaissée le plus rapidement possible entre 100 et 120 mm Hg.

Les médicaments intraveineux utilisés pour traiter les urgences hypertensives comprennent les vasodilatateurs (comme le nitroprusside de sodium, la nitroglycérine, le diazoxide [Hyperstat IV] et le chlorhydrate d'hydralazine [Apresoline]), les inhibiteurs adrénergiques (comme le mézylate de phentolamine [Rogitine], le chlorhydrate de labétalol [Trandate], le chlorhydrate d'esmolol [Brevibloc]) et l'inhibiteur de l'ECA, l'énalaprilat (Vasotec IV). Le nitroprusside de sodium est le médicament parentéral le plus efficace pour traiter les urgences hypertensives. Le mésylate de fénoldopam (Corlopam), un nouveau médicament intraveineux utilisé pour traiter les urgences hypertensives, active de façon ponctuelle les récepteurs dopamines et entraîne une vasodilatation rénale et systémique. Des agents oraux peuvent être administrés en plus des médicaments parentéraux afin d'accélérer la transition vers un traitement à long terme. Les mécanismes d'action et les effets indésirables de ces médicaments sont présentés dans le tableau 21.8.

Les médicaments qui sont administrés par voie intraveineuse ont un délai d'action rapide (de quelques secondes à quelques minutes). La PA et le pouls du client doivent être pris toutes les deux minutes au cours de l'administration initiale de ces médicaments. L'utilisation d'un cathéter intra-artériel (voir chapitre 29) ou d'un appareil à pression électronique est la meilleure façon de surveiller la PA. La vitesse de perfusion du médicament est augmentée progressivement en fonction du niveau de la PA. Il est important de prévenir l'hypotension et ses effets chez une personne dont l'organisme s'est adapté à l'hypertension. Une diminution excessive de la PA peut entraîner un AVC, un infarctus du myocarde ou des changements dans la vision. La surveillance ECG continue permet de déceler les arythmies cardiaques. On doit faire preuve d'une extrême prudence dans le traitement d'un client atteint d'une coronaropathie ou d'une insuffisance vasculaire cérébrale. La diurèse doit être mesurée toutes les heures afin d'évaluer la perfusion rénale. Une surveillance étroite des signes vitaux et de la diurèse permet de fournir des renseignements concernant l'efficacité des médicaments et la réaction du client face au traitement. Le client qui reçoit des antihypertenseurs par voie intraveineuse peut être confiné au lit ; le fait de se lever (p. ex. pour utiliser la chaise bassine) peut entraîner une ischémie cérébrale grave et une perte de conscience.

Un examen régulier et continu est essentiel pour évaluer le client qui est atteint d'hypertension grave. Des examens neurologiques fréquents, comme vérifier l'état de conscience, la taille et la réaction des pupilles, le mouvement et la force des membres supérieurs et inférieurs et les réactions aux stimuli, aident à déceler les changements dans l'état du client. Les systèmes cardiorespiratoire et rénal doivent être surveillés pour déceler les décompensations causées par une élévation importante de la PA (p. ex. œdème pulmonaire, insuffisance cardiaque congestive, angine et insuffisance rénale).

En général, les crises hypertensives ne requièrent pas l'administration de médicaments intraveineux et peuvent être traitées avec des agents oraux. Bien que l'hospitalisation ne soit pas nécessaire pour un client victime d'une poussée hypertensive, des suivis doivent être fréquemment effectués. Le captopril (Capoten) et le chlorhydrate de clonidine (Catapres) sont les médicaments oraux les plus souvent utilisés pour traiter les poussées hypertensives (voir tableau 21.8). Les comprimés oraux ou sublinguaux de nifédipine (Adalat XL) étaient autrefois utilisés pour traiter les poussées hypertensives, mais ne sont plus recommandés. L'inconvénient que présentent les médicaments oraux est l'incapacité de maintenir une concentration plasmatique stable, inconvénient que l'on ne retrouve pas dans les médicaments administrés par voie intraveineuse.

Il est possible qu'un client présentant une élévation importante de la PA sans atteinte d'un organe cible (poussée hypertensive) ne reçoive aucune pharmacothérapie ni ne soit hospitalisé. Le simple fait de faire asseoir le client pendant une trentaine de minutes dans un milieu calme peut réduire considérablement la PA. Des médicaments oraux peuvent ensuite être prescrits ou adaptés. Les interventions supplémentaires de l'infirmière consistent à encourager le client à verbaliser ses peurs, à répondre aux questions concernant l'hypertension et à éliminer les bruits excessifs dans le milieu environnant. Un client qui éprouve une poussée hypertensive doit revenir à l'hôpital dans les 24 heures subséquentes s'il n'est pas hospitalisé.

Il est important de déterminer la cause de la crise hypertensive une fois qu'elle est atténuée. Le client aura besoin d'un traitement approprié et d'un enseignement détaillé pour éviter les crises ultérieures.

BIBLIOGRAPHIE
Version originale

1. Vaughan DE: The renin-angiotensin system and fibrinolysis, *Am J Cardiol* 79:12, 1997.
2. American Heart Association: *Heart stroke facts*, Dallas, 1996.
3. Sixth Report of the Joint National Committee on Detection, Evaluation, and Treatment of High Blood Pressure (JNC-VI), *Arch Intern Med* 157:2413, 1997.
4. 1993 guidelines for the management of mild hypertension: memorandum from a World Health Organization/International Society of Hypertension meeting, *J Hypertens* 11:905, 1993.
5. Oparil S, McCarron DA: High blood pressure. In Dale DC, Federman DD, editors: *Scientific American medicine,* New York, 1997, Scientific American.
6. Kaplan NM: Systemic hypertension: mechanisms and diagnosis. In Braunwald E, editor: *Heart disease: a textbook of cardiovascular medicine,* ed 5, Philadelphia, 1997, Saunders.
7. Jorde LB, Carey JC, White RL: *Medical genetics,* ed 2, St Louis, 1999, Mosby.
8. Cody RJ: The integrated effects of angiotensin II, *Am J Cardiol* 79:9, 1997.
9. Reaven GM, Lithell H, Lansberg L: Hypertension and associated metabolic abnormalities—the role of insulin resistance and the sympathoadrenal system, *N Engl J Med* 334:374, 1996.
10. Vanhoutte PM: Endothelial dysfunction in hypertension, *J Hypertens* 14(suppl):S83, 1996.
11. SHEP Cooperative Research Group: prevention of stroke by antihypertensive drug treatment in older persons with isolated systolic hypertension, *JAMA* 265:3255, 1991.
12. Dahlöf B and others: Morbidity and mortality in the Swedish Trial in old patients with hypertension (STOP-hypertension), *Lancet* 338:1281, 1991.
13. Kochar MS: Hypertension in elderly patients: the special concerns in this growing population, *Postgrad Med* 91: 393, 1992.
14. Ross R: Mechanisms of atherosclerosis: a perspective for the 1990s, *Nature* 362:801, 1993.
15. Ogilvie RI and others: Report of the Canadian Hypertension Society Consensus Conference: 3. Pharmacologic treatment of essential hypertension, *Can Med Assoc J* 149:875, 1993.
16. McCarron DA and others: Nutritional management of cardiovascular risk factors: a randomized clinical trial, *Arch Intern Med* 157:169, 1997.
17. Appel LJ and others: The effect of dietary patterns on blood pressure: results from the Dietary Approaches to Stop Hypertension (DASH) clinical trial, *N Engl J Med* 336:1117, 1997.
18. NIH Consensus Development Panel on Physical Activity and Cardiovascular Health: Physical activity and cardiovascular health, *JAMA* 276:241, 1996.
19. Johnston DW: Stress management in the treatment of mild primary hypertension, *Hypertension* 17:III-63, 1991.
20. Montfrans G and others: Relaxation therapy and continuous ambulatory blood pressure in mild hypertension: a controlled study, *BMJ* 310:1368, 1990.
21. The Trials of Hypertension Prevention Collaborative Research Group: The effects of nonpharmacologic interventions on blood pressure of persons

with high normal levels: results of the trials of hypertension prevention, phase 1, *JAMA* 267:1213, 1992.

22. National High Blood Pressure Education Program Working Group Report on Primary Prevention of Hypertension, *Arch Intern Med* 153:186, 1993.

23. Eaton LE, Buck EA, Catanzaro JE: The nurse's role in facilitating compliance in clients with hypertension, *Medsurg Nurs* 5:339, 1996.

Édition de langue française

1. CLAYTON Bruce D., et Yvonne N. STOCK, *Soins infirmiers. Pharmacologie de base,* Laval, Groupe Beauchemin éditeur, 2003, 580 p.

2. GROUPE DE TRAVAIL SUR LES RECOMMANDATIONS CANADIENNES SUR L'HYPERTENSION. *Les recommandations canadiennes de 2001 sur l'hypertension. Quoi de neuf et quels éléments antérieurs demeurent importants ?*, 2002, version française : février 2002.

3. JOFFRES et coll. *Am J Hyper* 2001 ; 14: 1099-1105.

4. MARIEB, Élaine N. *Anatomie et physiologie humaines,* Saint-Laurent, Québec, ERPI, 1999, 1199 p.

5. SANTÉ CANADA. (en ligne), 2003 [http://www.hc-sc.gc.ca].

6. SOCIÉTÉ CANADIENNE D'HYPERTENSION ARTÉRIELLE. *Recommandations canadiennes pour l'évaluation et le traitement de l'hypertension,* juillet 2002.

Chapitre 22

Nicole Bizier
M.A.
Collège de Sherbrooke

Nathalie Gagnon
M.A. Éd.
Collège de Sherbrooke

Lorraine T. Sawyer
B. Sc. inf., D.E. (2e cycle) en enseignement
Collège de Sherbrooke

CORONAROPATHIE

PLAN DU CHAPITRE

OBJECTIFS D'APPRENTISSAGE

APRÈS AVOIR LU CE CHAPITRE, VOUS DEVRIEZ ÊTRE EN MESURE :

D'EXPLIQUER L'ÉTIOLOGIE ET LA PHYSIOPATHOLOGIE DE LA CORONAROPATHIE (ATHÉROSCLÉROSE) ;

D'EXPLIQUER LE RÔLE DE L'INFIRMIÈRE DANS LA PROMOTION DE LA SANTÉ ET LA PRÉVENTION DE LA MALADIE RELATIVEMENT AUX FACTEURS DE RISQUE DE LA CORONAROPATHIE ;

D'EXPLIQUER LES TYPES D'ANGINE STABLE ET INSTABLE AINSI QUE LES FACTEURS DE RISQUE, LES MANIFESTATIONS CLINIQUES ET LES PROCESSUS THÉRAPEUTIQUES, NOTAMMENT LA PHARMACOTHÉRAPIE, DE CES AFFECTIONS ;

D'EXPLIQUER LES INTERVENTIONS EN MATIÈRE DE SOINS INFIRMIERS POUR LES CLIENTS ATTEINTS D'ANGINE STABLE ET INSTABLE ;

D'EXPLIQUER LA PHYSIOPATHOLOGIE DE L'INFARCTUS DU MYOCARDE, DES PREMIERS SIGNES DE LA LÉSION JUSQU'AU PROCESSUS DE GUÉRISON ;

D'INTERPRÉTER LES MANIFESTATIONS CLINIQUES, LES COMPLICATIONS, LES RÉSULTATS DES ÉPREUVES DIAGNOSTIQUES ET LE PROCESSUS THÉRAPEUTIQUE DE L'INFARCTUS DU MYOCARDE ;

D'EXPLIQUER LES INTERVENTIONS EN MATIÈRE DE SOINS INFIRMIERS À LA SUITE D'UN INFARCTUS DU MYOCARDE CHEZ LE CLIENT, INCLUANT LA RÉADAPTATION SELON LES DIFFÉRENTES PHASES ;

DE RECONNAÎTRE LES RÉACTIONS AFFECTIVES ET COMPORTEMENTALES FAISANT SUITE À UN INFARCTUS DU MYOCARDE ;

D'EXPLIQUER LES FACTEURS RE RISQUE, LES MANIFESTATIONS CLINIQUES ET LE PROCESSUS THÉRAPEUTIQUE CHEZ LES DIFFÉRENTS TYPES DE CLIENTS VICTIMES DE MORT SUBITE OU AYANT UNE PRÉDISPOSITION À CET ÉTAT.

22.1 CORONAROPATHIE

La coronaropathie, affection touchant les vaisseaux sanguins, fait partie de l'ensemble des maladies athéroscléreuses. Le terme **athérosclérose** vient de deux mots grecs : *athere*, qui signifie « bouillie graisseuse » et *skleros*, qui signifie « dur ». Cette combinaison de mots indique que l'athérosclérose est un dépôt de matières grasses qui durcit avec le temps. On parle souvent de l'athérosclérose comme du « durcissement des artères ». Bien que cette affection puisse survenir dans n'importe quelle artère de l'organisme, les athéromes (dépôts graisseux) se retrouvent principalement dans les artères coronaires en raison de leurs nombreuses bifurcations.

L'athérosclérose, la cardiopathie vasculaire, la cardiopathie ischémique, la cardiopathie coronarienne et la maladie coronarienne sont des synonymes utilisés pour décrire ce processus morbide. La formation de plaques, les dépôts athéromateux et l'occlusion coronarienne sont d'autres termes utilisés pour décrire les mécanismes faisant partie de la coronaropathie.

22.1.1 Épidémiologie de la coronaropathie

Au Canada, la maladie cardiovasculaire est responsable d'un plus grand nombre de décès que n'importe quelle autre maladie (voir figures 22.1 à 22.6 et figure 22.9).

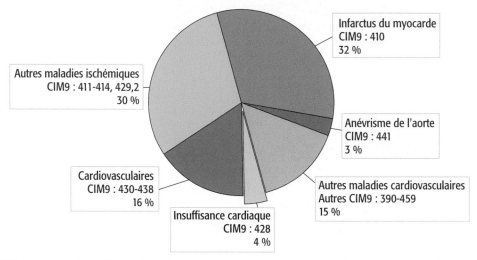

FIGURE 22.1 Décès par maladie cardiovasculaire. Pourcentage par sous-groupe : Canada, hommes, 1994. Nombre total de décès par maladie cardiovasculaire chez les hommes en 1994 : 39 884.

Tirée du Laboratoire de lutte contre la maladie, 1996 - données provenant de Statistique Canada. Reproduit avec la permission du Ministre des Travaux publics et Services gouvernementaux Canada, 2003.

CIM9 : Classification internationale des maladies, 9e révision.

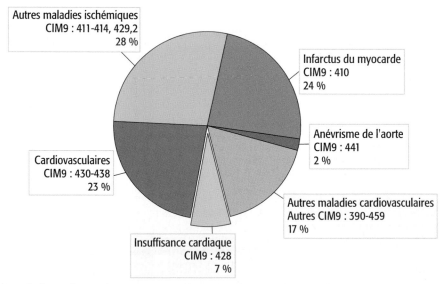

FIGURE 22.2 Décès par maladie cardiovasculaire. Pourcentage par sous-groupe : Canada, femmes, 1994. Nombre total de décès par maladie cardiovasculaire chez les femmes en 1994 : 38 687.

Tirée du Laboratoire de lutte contre la maladie, 1996 - données provenant de Statistique Canada. Reproduit avec la permission du Ministre des Travaux publics et Services gouvernementaux Canada, 2003.

CIM9 : Classification internationale des maladies, 9e révision.

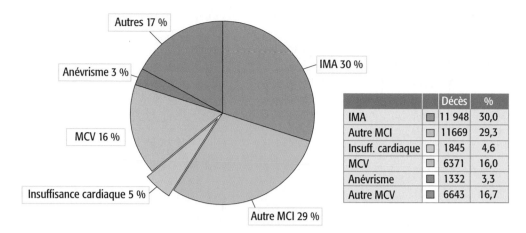

FIGURE 22.3 Décès par maladie cardiovasculaire. Hommes, tous les âges, 1999, Canada. Pourcentage de tous les décès.
Tirée de *Données sur la mortalité*. Laboratoire de lutte contre la maladie, Statistique Canada, 2002 et de *Données sur les congés des hôpitaux*. Institut canadien d'information sur la santé (ICIS), transformation des données par le LLCM, 2002. Reproduit avec la permission du Ministre des Travaux publics et Services gouvernementaux Canada, 2003.
IMA : infarctus du myocarde aigu ; MCI : maladie cardiaque ischémique ; MCV : maladie cardiovasculaire.

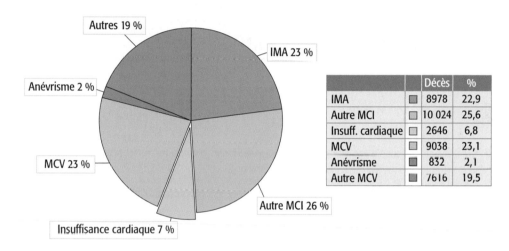

FIGURE 22.4 Décès par maladie cardiovasculaire. Femmes, tous les âges, 1999, Canada. Pourcentage de tous les décès.
Tirée de *Données sur la mortalité*. Laboratoire de lutte contre la maladie, Statistique Canada, 2002 et de *Données sur les congés des hôpitaux*. Institut canadien d'information sur la santé (ICIS), transformation des données par le LLCM, 2002. Reproduit avec la permission du Ministre des Travaux publics et Services gouvernementaux Canada, 2003.
IMA : infarctus du myocarde aigu ; MCI : maladie cardiaque ischémique ; MCV : maladie cardiovasculaire.

En 1998 (la dernière année pour laquelle Statistique Canada possède des données), la maladie cardiovasculaire a enlevé la vie à 79 389 personnes au pays.

Trente-cinq pour cent de tous les décès survenus chez les hommes canadiens en 1998 ont été causés par une maladie cardiaque, une maladie des vaisseaux sanguins ou un accident vasculaire cérébral. Chez les femmes, les pertes ont été encore plus élevées ; en effet, 38 % de tous les décès survenus chez les femmes au cours de cette même année étaient imputables à une maladie cardiovasculaire.

De tous les décès par maladie cardiovasculaire, 54 % sont dus à l'insuffisance coronarienne ; 20 % aux accidents vasculaires cérébraux ; 16 %, à d'autres formes de maladie cardiaque telles que les troubles du réseau élec-

trique du cœur, les infections cardiaques d'origine virale et les maladies du muscle cardiaque ; enfin, les derniers 10 % sont imputables à des troubles vasculaires tels que la pression artérielle élevée et le durcissement des artères (Fondation des maladies du cœur du Canada, 2003).

22.1.2 Étiologie et physiopathologie

L'athérosclérose constitue la cause principale de la coronaropathie. Elle est caractérisée par un dépôt local de cholestérol et de lipides (LDL), principalement dans la paroi de l'intima artérielle. La genèse de la formation des plaques est le résultat d'interactions complexes entre les composantes du sang et les éléments qui forment la

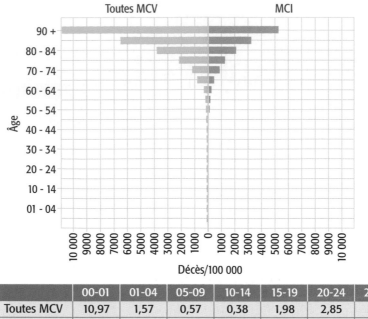

	00-01	01-04	05-09	10-14	15-19	20-24	25-29
Toutes MCV	10,97	1,57	0,57	0,38	1,98	2,85	5,23
MCI	0,00	0,00	0,00	0,00	0,00	0,38	1,31

	30-34	35-39	40-44	45-49	50-54	55-59	60-64
Toutes MCV	7,36	15,21	38,57	74,37	132,19	244,00	405,02
MCI	3,05	8,37	24,08	49,79	92,23	172,59	275,20

	65-69	70-74	75-79	80-84	85-89	90+
Toutes MCV	717,60	1245,52	2175,89	3800,09	6502,22	10976,59
MCI	465,83	769,11	1274	2146,603	477,04	5529,88

FIGURE 22.5 Mortalité par groupe d'âge. Hommes, 1999, Canada. Toutes les maladies cardiovasculaires (MCV) vs maladie cardiaque ischémique (MCI). Décès pour 100 000 hommes (non standardisé).

Tirée de *Données sur la mortalité*. Laboratoire de lutte contre la maladie, Statistique Canada, 2002 et de *Données sur les congés des hôpitaux*. Institut canadien d'information sur la santé (ICIS), transformation des données par le LLCM, 2002. Reproduit avec la permission du Ministre des Travaux publics et Services gouvernementaux Canada, 2003.

paroi vasculaire. Le concept de la lésion endothéliale est au centre des théories actuelles de l'athérogenèse.

L'endothélium normal demeure intact au contact des plaquettes et des leucocytes aussi bien qu'à celui des facteurs de coagulation, des substances fibrinolytiques et des compléments. Cependant, le revêtement intérieur de l'endothélium peut être altéré par des facteurs chimiques, tels que le tabagisme et l'hyperlipidémie ; des facteurs mécaniques, tels que l'hypertension artérielle (HTA) et le stress ; des facteurs infectieux, tels que les virus. L'hyperlipidémie altère l'endothélium sans causer d'érosion, contrairement à un stress de cisaillement élevé, tel que celui qui est associé à l'hypertension. Ces trois types d'altérations endothéliales provoquent une activation des plaquettes, qui libèrent un facteur de croissance stimulant la prolifération des cellules musculaires lisses. Cette prolifération a pour effet d'emprisonner les lipides, qui se calcifient avec le temps et forment un irritant pour l'endothélium, sur lequel les plaquettes adhèrent et s'agrègent. À la suite de la production de thrombine, il y a formation de fibrine et d'un thrombus.

Bien que le renouvellement de l'endothélium soit lent chez les adultes, l'augmentation de la régénération cellulaire mène à des érosions passagères répétées de l'endothélium en présence d'hypertension et d'hyperlipidémie.

Stades de développement. Il faut compter de nombreuses années pour que la coronaropathie se manifeste. Lorsqu'il devient symptomatique, le processus morbide est généralement bien avancé et irréversible.

On admet aujourd'hui que le processus inflammatoire joue un rôle important dans l'apparition de l'athérosclérose (voir encadré 22.1). Les **stades de développement de l'athérosclérose** sont (voir figure 22.7) :
- les stries lipidiques ;
- l'accumulation de plaque fibreuse résultant de la prolifération des cellules musculaires lisses ;
- la lésion athéroscléreuse.

Stries lipidiques. Les stries lipidiques, lésions précoces du processus de l'athérosclérose, sont caractérisées par

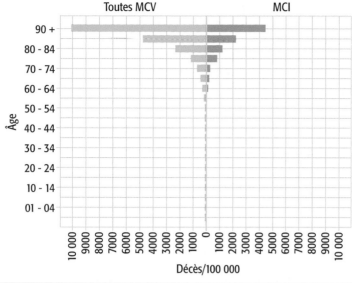

	00-01	01-04	05-09	10-14	15-19	20-24	25-29
Toutes MCV	10,88	20,06	0,70	0,71	1,29	1,78	3,15
MCI	0,60	0,00	0,00	0,,10	0,10	0,00	0,38

	30-34	35-39	40-44	45-49	50-54	55-59	60-64
Toutes MCV	3,97	7,52	16,68	23,40	47,74	86,28	162,38
MCI	0,95	2,09	6,16	8,90	27,13	41,82	83,18

	65-69	70-74	75-79	80-84	85-89	90+
Toutes MCV	316,47	598,28	1212,31	2472,54	4796,76	10073,09
MCI	175,86	309,63	634,90	1211,95	2286,57	4563,14

FIGURE 22.6 Mortalité par groupe d'âge. Femmes, 1999, Canada. Toutes les maladies cardiovasculaires (MCV) vs maladie cardiaque ischémique (MCI). Décès pour 100 000 femmes (non standardisé).

Tirée de *Données sur la mortalité*. Laboratoire de lutte contre la maladie, Statistique Canada, 2002 et de *Données sur les congés des hôpitaux*. Institut canadien d'information sur la santé (ICIS), transformation des données par le LLCM, 2002. Reproduit avec la permission du Ministre des Travaux publics et Services gouvernementaux Canada, 2003.

des cellules musculaires lisses remplies de lipides, conséquence d'un excès de lipoprotéines de faible densité (LDL). À mesure que les stries lipidiques se développent dans les cellules musculaires lisses, on constate l'apparition d'une teinte jaune. On peut généralement observer les stries lipidiques dans les artères coronaires dès l'âge de 15 ans, et elles s'étendent sur une plus grande surface à mesure que le client vieillit. On croit communément qu'elles sont réversibles, car le développement de la plaque n'est pas complété.

Accumulation de plaque fibreuse. Le stade de l'accumulation de plaque fibreuse représente le début de changements progressifs dans la paroi artérielle. Ces changements apparaissent dans les artères coronaires à partir de 30 ans et augmentent avec l'âge. Les changements de la paroi artérielle sont amorcés par des lésions endothéliales chroniques qui résultent de nombreux facteurs, notamment la pression artérielle (PA) élevée, l'**hypercholestérolémie**, l'hérédité, le monoxyde de carbone produit par la fumée du tabac, les infections bac-

tériennes ou virales qui provoquent des réactions immunitaires et peut-être par la présence de substances toxiques dans le sang.

Généralement, l'endothélium se régénère immédiatement, mais chez les individus atteints de coronaropathie, les cellules endothéliales sont remplacées lentement, ce qui permet aux LDL et aux facteurs de croissance produits par les plaquettes de stimuler la prolifération des cellules musculaires lisses et l'épaississement de la paroi artérielle. Une fois qu'une lésion endothéliale s'est produite, les lipoprotéines transportent du cholestérol et d'autres lipides dans l'intima artérielle (voir figure 22.7). Les lipides peuvent endommager les muscles lisses et contribuer à l'épaississement et à l'instabilité des plaques. En passant à travers les vaisseaux, ces lipides et d'autres substances adhèrent à la paroi lésée et devenue rugueuse, ce qui a pour effet de causer une accumulation de lésions ou des anomalies structurelles. Les tissus collagéniques, les fibres élastiques et les cellules musculaires lisses remplies de graisses couvrent la lésion. La plaque fibreuse est de

Les différentes facettes des mécanismes de l'inflammation associée à l'athérogenèse   ENCADRÉ 22.1

Aspects des mécanismes inflammatoires

De nos jours, l'intervention des mécanismes inflammatoires dans l'apparition de l'athérosclérose est une notion largement acceptée. L'envahissement d'un tissu par des globules blancs qui figurent, en temps normal, en premières lignes de défense de l'organisme contre l'infection, puis leur activation subséquente sont à l'origine du déclenchement du processus inflammatoire. On peut voir ici les étapes de la croissance d'une plaque athéromateuse dans une artère coronaire, ainsi que certains des mécanismes inflammatoires qui peuvent intervenir dans le cas d'une concentration excessive de LDL (lipoprotéines de basse densité) dans le sang.

Apparition de la plaque

1. En présence d'une trop forte concentration de LDL, les particules excédentaires s'entassent dans l'artère et subissent certaines modifications. C'est à ce moment qu'interviennent les cellules endothéliales. Une fois qu'elles ont repéré les particules altérées, elles produisent des molécules adhésives, lesquelles se lient à différentes cellules présentes dans le sang : les monocytes (protagonistes du processus inflammatoire) et les lymphocytes T (cellules du système immunitaire). Le rôle des cellules endothéliales ne s'arrête pas là, puisqu'elles produisent aussi des chimiokines. Ces substances ont pour fonction d'amener vers la tunique interne de l'artère (intima) les cellules prises au piège par les molécules adhésives.

2. Une fois dans l'intima, les monocytes et les lymphocytes T assurent la production de nombreux médiateurs de l'inflammation. Parmi eux, on compte les cytokines, sortes de messagers qui acheminent l'information d'une cellule à une autre dans le système immunitaire, et des facteurs facilitant la division cellulaire. Les monocytes, devenus des macrophages actifs, expriment à leur surface des récepteurs qu'on

qualifie parfois « d'éboueurs » parce qu'ils favorisent l'absorption des particules de LDL altérées.

3. Les macrophages absorbent des particules de LDL en abondance, de telle sorte qu'ils deviennent chargés de gouttelettes de graisse. Ainsi gorgés, ils ont l'apparence de la mousse, d'où l'appellation « macrophages spumeux ». Quant aux lymphocytes T, ils se transforment en une pellicule grasse annonciatrice de la plaque d'athérome.

Croissance de la plaque

4. Par la suite, sous l'action de substances responsables de l'inflammation, la plaque progresse et une enveloppe fibreuse apparaît à la surface du noyau graisseux. Les cellules musculaires lisses de la tunique moyenne (média) se multiplient sous l'action des substances, se déplacent vers la partie supérieure de l'intima, et produisent une matrice fibreuse robuste favorisant l'agglutination des cellules. L'enveloppe prend de l'expansion. Ce faisant, la plaque grossit, mais se trouve du même coup isolée du sang.

Rupture de la plaque

Enfin, la rupture de la plaque s'accomplit par l'intervention des cellules spumeuses. Ces dernières sécrètent des substances inflammatoires qui digèrent la matrice et endommagent les cellules musculaires lisses désormais incapables de réparer les lésions, fragilisant ainsi l'enveloppe fibreuse. En même temps, les macrophages spumeux sécrètent du facteur tissulaire qui contribue à la formation de thrombus (caillots). Lorsque la rupture de la plaque survient, un thrombus se forme sous l'action du facteur tissulaire interagissant avec les éléments du sang qui favorisent la coagulation. Quand les dimensions du thrombus sont suffisantes pour bloquer la circulation du sang vers le cœur, un infarctus (mort du tissu cardiaque) est susceptible de se produire.

Tiré de « Les différentes facettes des mécanismes de l'inflammation », *Pour la Science,* 2002.

---

couleur grisâtre ou blanchâtre. Ces plaques peuvent se former dans une portion de l'artère ou altérer toute la lumière artérielle. Les bords peuvent être lisses ou irréguliers, avec des côtés rugueux et dentelés.

Les plaquettes jouent aussi un rôle dans l'engorgement des cellules musculaires lisses. Une fois que la paroi interne de l'artère a subi des lésions, les plaquettes peuvent s'accumuler en grand nombre et causer un thrombus. Le thrombus peut adhérer à la paroi de l'artère et causer son rétrécissement (obstruction partielle ou totale).

Lésion athéroscléreuse. Le stade final du développement de l'athérosclérose est également le plus dangereux. La plaque contient un noyau de substances lipidiques (principalement du cholestérol : LDL) dans une région formée de tissus morts. La combinaison de lipides, de thrombi, de tissus lésés et l'accumulation de calcium font en sorte qu'elle grossit et devient complexe. À mesure que la lésion se développe, des tissus

nécrosés, durcis et de couleur foncée apparaissent dans les artères et causent la rigidité et le durcissement. Cette lésion athéroscléreuse peut obstruer l'artère partiellement ou totalement.

Circulation collatérale. En général, certaines ramifications artérielles, qu'on appelle **circulation collatérale**, existent dans la circulation coronarienne. La croissance de la circulation collatérale est attribuable à deux facteurs : la prédisposition héréditaire au développement de nouveaux vaisseaux sanguins et la présence d'ischémie chronique. Lorsqu'une plaque athéroscléreuse obstrue la circulation normale du sang dans une artère coronaire et que l'ischémie est chronique, il se produit une augmentation de la circulation collatérale (voir figure 22.9). Lorsque l'obstruction des artères coronaires s'opère lentement, pendant une longue période, il y a de plus fortes chances qu'une circulation collatérale se développe et que le myocarde puisse continuer de recevoir une quantité d'oxygène suffisante. Cependant,

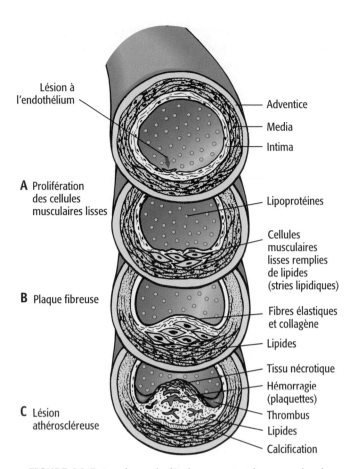

A Prolifération des cellules musculaires lisses

B Plaque fibreuse

C Lésion athéroscléreuse

Lésion à l'endothélium

Adventice
Media
Intima

Lipoprotéines

Cellules musculaires lisses remplies de lipides (stries lipidiques)

Fibres élastiques et collagène

Lipides

Tissu nécrotique

Hémorragie (plaquettes)

Thrombus

Lipides

Calcification

FIGURE 22.7 Les phases de développement et de progression de l'athérosclérose comprennent A. la prolifération des cellules musculaires lisses, qui entraîne B. une accumulation de plaque fibreuse et C. une lésion athéroscléreuse.

lorsque la coronaropathie débute rapidement ou lorsque des spasmes coronariens ne fournissent pas assez de temps pour permettre le développement de la circulation collatérale, il se produit une diminution de la circulation artérielle ayant comme conséquence une ischémie ou un infarctus du myocarde. Cliniquement, on observe fréquemment que les personnes plus jeunes subissent des infarctus du myocarde plus étendus ou décèdent des suites d'un infarctus, conséquence d'une absence de circulation collatérale ou d'une formation inadéquate de cette dernière.

22.1.3 Facteurs de risque de la coronaropathie

Les **facteurs de risque** sont des caractéristiques ou des états statistiquement associés à la forte incidence d'une maladie. De nombreux facteurs de risque ont été associés à la coronaropathie. Ces associations proviennent de recherches faites sur des populations importantes. Les facteurs de risque peuvent varier selon les différentes populations (voir encadré 22.2). Par exemple, les facteurs de risque majeurs de la coronaropathie, tels que l'hypercholestérolémie et l'hypertension, sont moins répandus chez les Japonais et les Portoricains.

On peut placer les facteurs de risque dans deux catégories : modifiables et non modifiables (voir tableau 22.1). L'âge, le sexe, la race et l'héritage génétique constituent les facteurs de risque non modifiables. Les facteurs de risque modifiables comprennent l'hyperlipidémie, l'hypertension, le tabagisme, l'obésité, la sédentarité et le stress

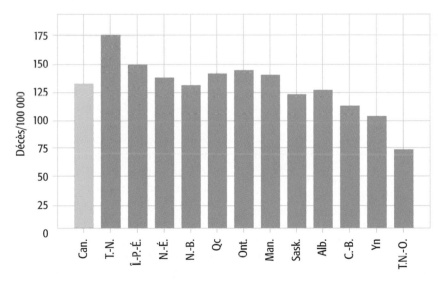

	Can	T.-N.	Î.-P.-É.	N.-É.	N.-B.	Qc	Ont.	Man.	Sask.	Alb.	C.-B.	Yn	T.N.-O.
Décès/100 000	138,05	176,79	152,34	141,02	133,26	143,63	145,41	142,69	123,01	128,70	113,34	103,33	73,34

FIGURE 22.8 Taux quinquennaux moyens de mortalité. Maladie cardiaque ischémique, deux sexes combinés, tous les âges, 1995-1999. Taux standardisé selon l'âge pour 100 000 personnes selon les deux sexes, Canada 1991.

Tirée de *Données sur la mortalité*. Laboratoire de lutte contre la maladie, Statistique Canada, 2002 et de *Données sur les congés des hôpitaux*. Institut canadien d'information sur la santé (ICIS), transformation des données par le LLCM, 2002. Reproduit avec la permission du Ministre des Travaux publics et Services gouvernementaux Canada, 2003.

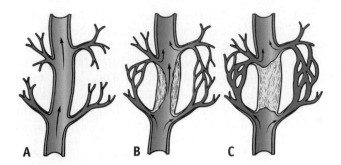

FIGURE 22.9 Obstruction du vaisseau et circulation collatérale.
A. Artère ouverte fonctionnant normalement. B. Fermeture partielle
de l'artère coronaire et début de la circulation collatérale.
C. Obstruction totale de l'artère coronaire et circulation collatérale
contournant l'obstruction pour atteindre le myocarde.

TABLEAU 22.1 Facteurs de risque de la coronaropathie

Non modifiables	Modifiables
Âge Sexe (homme > femme jusqu'à 60 ans) Race (noire < blanche) Prédispositions génétiques et antécédents familiaux de maladie cardiaque	**Facteurs principaux** Taux élevé de lipides sériques Hypertension Tabagisme Obésité Sédentarité **Facteurs contributifs** Diabète* Mode de vie stressant Alcool à forte dose

*Peut être héréditaire.

quotidien. Bien qu'il soit recommandé de surveiller le diabète, il n'a pas été prouvé que cette pratique réduit l'incidence de la coronaropathie, mais il semble que ce soit un facteur contributif.

L'hypertension crée un stress au niveau de l'endothélium qui résulte en une lésion sur laquelle les dépôts de LDL s'accrochent, favorisant ainsi la formation de la plaque d'athérome. Le tabagisme, quant à lui, crée une lésion qui donne le même résultat.

Le stress a aussi été corrélé avec l'apparition de la coronaropathie. La stimulation du système nerveux sympathique, et ses conséquences sur le cœur, est généralement considérée comme un mécanisme physiologique par lequel le stress prédispose l'organisme à l'apparition de la coronaropathie. La stimulation du système nerveux sympathique cause une augmentation de la libération d'adrénaline et de noradrénaline. Cette stimulation influe sur le cœur en faisant augmenter la fréquence cardiaque et en intensifiant la force de la con-

traction myocardique. La demande en oxygène augmente donc beaucoup. De plus, ces mécanismes peuvent causer une élévation des taux de lipides et une altération de la coagulation sanguine, ce qui peut entraîner une augmentation de l'athérogenèse.

Le diabète mal équilibré fait durcir les globules rouges et en modifie la forme, et ces derniers lèsent la paroi de l'artère. De plus, le diabète mobilise les graisses et transforme le glucose en lipides. L'endothélium des vaisseaux étant moins bien nourri, il se lèse plus facilement. La consommation d'alcool est un autre facteur à prendre en considération. En effet, le foie, par exemple, transforme le maltose de la bière en graisse. Le foie ayant plus d'affinité pour métaboliser l'alcool, il va diminuer l'élimination des LDL.

On a obtenu des données sur les facteurs de risque dans plusieurs études importantes. Dans l'étude réalisée par le groupe de Framingham (l'une des plus connues), on a observé 5209 hommes et femmes pendant 20 ans. Avec le temps, on a noté que des taux sériques élevés de cholestérol total (>5,2 mmol/L), une PA systolique élevée (>160 mm Hg) ainsi que le tabagisme (un paquet ou plus par jour) étaient des facteurs positivement corrélés avec une incidence élevée de coronaropathie. Plus le sujet était jeune au début de l'étude, plus les résultats étaient prévisibles. Parmi les autres facteurs de risque et indicateurs mis en cause, on retrouvait le diabète, la sédentarité, les anomalies de l'ECG et une capacité vitale pulmonaire réduite.

Facteurs de risque non modifiables

Âge et sexe. L'incidence de l'infarctus du myocarde est plus élevée chez les hommes de race blanche d'âge moyen. Après l'âge de 65 ans, l'incidence est la même tant chez l'homme que chez la femme. On pense que l'œstrogène aurait un effet préventif avant la ménopause. On remarque toutefois que le nombre de femmes présentant une coronaropathie à un plus jeune âge s'accroît, et ce, à cause d'une augmentation du

DIVERSITÉ CULTURELLE

Coronaropathie — ENCADRÉ 22.2

- L'incidence de la coronaropathie est plus élevée chez les hommes de race blanche d'âge moyen.
- La coronaropathie apparaît tôt chez les personnes de race noire.
- L'incidence de la coronaropathie est plus élevée chez les femmes de race noire que chez les femmes de race blanche.
- La coronaropathie affecte plus gravement les personnes de race noire que les personnes de race blanche.
- Chez les Amérindiens de moins de 35 ans, le taux de mortalité lié aux maladies cardiaques est deux fois plus élevé que chez les autres Canadiens.
- Dans le cas des Nord-Américains, les principaux facteurs de risque modifiables sont l'obésité et le diabète.

stress et du tabagisme, ainsi qu'en raison de la présence d'hypertension et de la prise d'anovulants.

Antécédents familiaux et hérédité. Les prédispositions génétiques constituent un facteur important dans l'apparition de la coronaropathie, bien que le facteur héréditaire ne soit pas encore entièrement compris. Certaines malformations congénitales dans les parois des artères coronaires prédisposent l'individu à la formation de plaques. L'hypercholestérolémie familiale, un caractère autosomique dominant, est fortement associée à la coronaropathie à un âge précoce. Dans la plupart des cas d'angine ou d'infarctus du myocarde, le client peut nommer un membre de sa famille qui est décédé subitement d'une cause inconnue ou des suites d'un infarctus du myocarde.

Facteurs de risque modifiables. Les facteurs de risque modifiables sont communément répartis en facteurs majeurs et en facteurs contributifs. Les facteurs de risque majeurs sont ceux qui ont été reconnus par les chercheurs comme étant associés à une hausse importante du risque d'apparition de la coronaropathie. Les facteurs de risque contributifs sont associés à un risque élevé de coronaropathie, mais leur valeur significative et leur prévalence n'ont pas encore été précisément déterminées.

Facteurs majeurs

Taux élevé de lipides sériques. Le taux élevé de lipides sériques constitue l'un des quatre facteurs de risque de coronaropathie les plus fermement établis. Les divers types de lipides sériques sont présentés à la figure 22.10. Plus spécifiquement, le risque de coronaropathie est associé à un taux de cholestérol sérique total >5,2 mmol/L ou à un taux de triglycéride à jeûn >1,7 mmol/L. Chez la femme en particulier, un taux élevé de triglycéride est associé à un risque accru de coronaropathie. Le foie est capable de produire du cholestérol avec les gras saturés, même lorsque l'apport alimentaire en gras est sévèrement limité. On a découvert une puissante corrélation entre les taux de cholestérol et de triglycéride. Ces taux sont corrélés avec l'obésité, la sédentarité ainsi qu'avec une forte consommation d'alcool.

Pour que les lipides soient utilisés et transportés par l'organisme, ils doivent devenir solubles dans le sang en

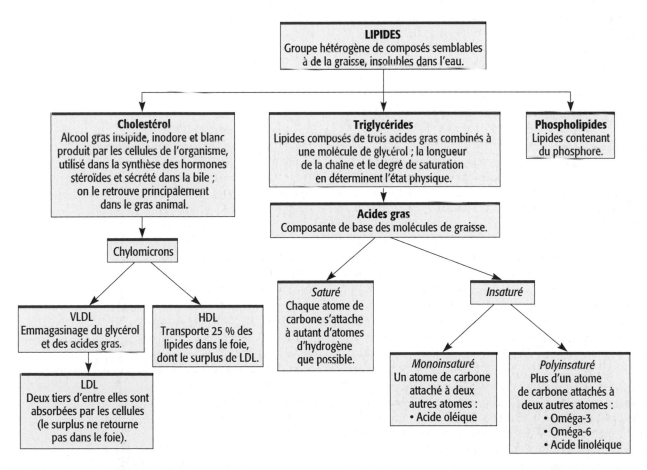

FIGURE 22.10 Types de lipides sériques

HDL : lipoprotéines de haute densité ; LDL : lipoprotéines de faible densité ; VLDL : lipoprotéines de très faible densité.

se combinant avec des protéines. Ce faisant, ils forment des macromolécules appelées lipoprotéines. Les lipoprotéines sont les véhicules servant à la mobilisation et au transport des graisses. Les divers types de lipoprotéines ont des compositions variées et sont classées en tant que lipoprotéines de haute densité (HDL), de faible densité (LDL) et de très faible densité (VLDL) (voir figure 22.10). Les lipoprotéines sont composées de plusieurs polypeptides, dont les apolipoprotéines A (HDL) et B (LDL). Elles sont responsables de la liaison des lipoprotéines aux récepteurs spécifiques présents à la surface des cellules, facilitant ainsi la captation des lipides. À ce titre, elles sont de bons indicateurs sériques du processus athéroscléreux. Ainsi, une augmentation du taux d'apolipoprotéines B est un meilleur indicateur de l'athérosclérose cardiaque.

Les HDL contiennent plus de protéines et moins de lipides que toute autre lipoprotéine. Ces dernières transportent les lipides loin des artères, jusque dans le foie, où le métabolisme a lieu (voir figure 22.11). Un taux élevé de HDL sérique est donc préférable. Ce processus de transport des HDL empêche l'accumulation de lipides dans les parois artérielles. Plus les taux de HDL dans le sang sont élevés, moins il y a de risques de coronaropathie. Le taux de HDL est généralement plus élevé chez la femme que chez l'homme, et l'activité physique et la prise d'œstrogène ont pour effet de l'augmenter. Une personne victime d'un infarctus du myocarde a une concentration moins élevée de HDL que les groupes témoins appariés. En général, le taux de HDL est élevé chez les enfants et les femmes, décroît avec l'âge et est faible chez les personnes atteintes de coronaropathie. Des recherches en cours sur la pharmacothérapie et les recommandations nutritionnelles ont pour but de trouver des moyens d'augmenter les taux de HDL.

Les LDL contiennent davantage de cholestérol que tout autre type de lipoprotéines et elles ont une affinité pour les parois artérielles. Un taux élevé de LDL est souvent en corrélation avec une augmentation de l'incidence de l'athérosclérose. Il est donc souhaitable d'avoir un taux faible de LDL sérique.

La plupart des triglycérides sont contenues dans les VLDL. On est encore incertain de la corrélation directe entre les VLDL et les maladies du cœur. Un taux élevé de VLDL peut accroître le risque d'athérosclérose précoce lorsqu'il est associé à d'autres facteurs, tels que le diabète, l'hypertension et le tabagisme.

Hypertension. L'hypertension, deuxième facteur de risque en importance de la coronaropathie, se définit par une pression artérielle supérieure ou égale à 140/90 mm Hg. Dans l'étude réalisée par le groupe de Framingham, on a rapporté que l'incidence de coronaropathie avait triplé chez les hommes d'âge moyen ayant une PA >160/95 mm Hg, en comparaison de ceux dont la PA était ≤140/90 mm Hg. Dans 90 % des cas, la cause de l'hypertension est inconnue, mais le régime alimentaire, l'exercice physique et les médicaments permettent généralement de la maîtriser.

Le stress provoqué par une PA constamment élevée augmente la vitesse de développement de l'athérosclérose. Ce phénomène est relié à la contrainte de cisaillement, qui cause l'érosion de la paroi interne de l'endothélium. L'athérosclérose provoque ensuite le rétrécissement et l'épaississement des parois artérielles et diminue la capacité de dilatation et l'élasticité des vaisseaux. Il faut davantage de force pour propulser le sang dans le réseau vasculaire malade, et cette force accrue est reflétée par une augmentation de la résistance vasculaire systémique et, conséquemment, de la pression artérielle. Cette augmentation de la charge cardiaque se manifeste aussi par une hypertrophie du ventricule gauche ainsi qu'une perte d'efficacité de la contraction et, par conséquent, une diminution du volume systolique à chaque contraction. L'apport en sodium est positivement corrélé avec une PA élevée parce

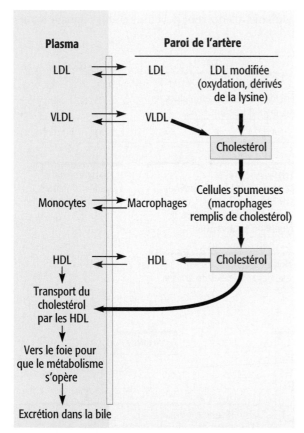

FIGURE 22.11 Des types spécifiques de lipoprotéines plasmatiques (LDL et VLDL) transportent du cholestérol vers les cellules des parois vasculaires, notamment des macrophages qui se transforment en cellules spumeuses de cholestérol. Ces dernières sont des caractéristiques initiales prédominantes des lésions athéroscléreuses. Les HDL constituent d'importants transporteurs de cholestérol ; elles le transportent jusqu'au foie pour qu'il soit excrété dans la bile.

qu'il cause une rétention hydrique, ce qui a pour effet d'ajouter du volume et d'augmenter ainsi la charge cardiaque et la résistance vasculaire périphérique (RVP).

Tabagisme. Le tabagisme constitue le troisième facteur de risque principal de la coronaropathie. Le risque de présenter une coronaropathie est de deux à six fois plus élevé pour les fumeurs que pour les non-fumeurs. Deux études importantes ont démontré que l'exposition chronique à la fumée secondaire augmente aussi les risques de coronaropathie.

Le risque est proportionnel au nombre de cigarettes fumées. Le fait d'opter pour des cigarettes à plus faible teneur en nicotine ou à filtre n'affecte en rien le risque. On a démontré que le fait de cesser de fumer abaisse le risque au taux associé aux non-fumeurs en trois ans. On a découvert que le risque de coronaropathie auquel sont exposés les fumeurs de pipe ou de cigares n'est pas plus élevé que celui des non-fumeurs.

La nicotine contenue dans la fumée de cigarette stimule la sécrétion de catécholamines (adrénaline, noradrénaline). Ces hormones provoquent l'augmentation de la fréquence cardiaque (FC), la vasoconstriction périphérique et l'élévation de la PA. Ces changements ont pour effet d'accroître la charge cardiaque, donc les besoins en oxygène du myocarde.

Le monoxyde de carbone, un sous-produit de la combustion, affecte le pouvoir oxyphorique (fixation et transport d'O_2) de l'hémoglobine en réduisant le nombre de sites disponibles pour transporter l'oxygène. C'est pourquoi les conséquences d'une charge cardiaque plus élevée, combinées à l'effet réducteur d'oxygène du tabagisme, entraînent une diminution importante de la quantité d'oxygène disponible pour le myocarde. Il semble également que le monoxyde de carbone pourrait être un irritant chimique et causer l'apparition de lésions sans érosion de l'endothélium.

Sédentarité. La sédentarité constitue le quatrième facteur de risque principal de coronaropathie. La sédentarité implique un manque d'activité physique adéquate sur une base régulière. Certains spécialistes définissent l'activité physique régulière comme un exercice qui a lieu au moins trois fois par semaine pendant au moins 30 minutes, qui provoque la transpiration et qui fait augmenter la fréquence cardiaque de 30 à 50 pulsations par minute.

Le mécanisme par lequel la sédentarité prédispose une personne à la coronaropathie demeure inconnu. Les gens physiquement actifs ont un taux élevé de HDL, et l'activité physique stimule l'activité fibrinolytique, ce qui réduit les risques de formation de caillots. On croit aussi que l'activité physique favorise le développement de la circulation collatérale.

Pour les gens sédentaires, le fait de s'entraîner réduit le risque de coronaropathie ; le métabolisme des lipides est plus efficace, la production de HDL augmente et la libération d'oxygène des groupes musculaires stimulés est plus efficace, ce qui a pour effet de réduire la charge cardiaque. On peut observer que les gens physiquement actifs sont rarement obèses, ce qui élimine deux facteurs de risque de coronaropathie.

Obésité. Du point de vue statistique, le taux de mortalité associé à la coronaropathie est plus élevé chez les gens obèses (l'obésité se définit comme un indice de masse corporelle >30 et un tour de taille >90 cm) que chez les personnes ayant une masse corporelle normale. L'augmentation du risque est proportionnelle au degré d'obésité de l'individu. Cependant, en l'absence d'autres facteurs de risque, l'obésité n'augmente pas beaucoup les risques de coronaropathie. On croit que les personnes obèses produisent des taux élevés de LDL, fortement impliquées dans l'athérosclérose. On associe souvent l'obésité à l'hypertension, qui a trois fois plus de chance d'atteindre une personne obèse qu'une personne de masse corporelle normale. Certaines preuves confirment également que les individus chez qui la graisse a tendance à s'emmagasiner dans l'abdomen (silhouette en forme de « pomme »), plutôt que dans les hanches et les fesses (silhouette en forme de « poire »), sont exposés à une plus forte incidence de coronaropathie. À mesure que l'embonpoint augmente, le volume du cœur en fait autant, ce qui provoque l'élévation de la consommation d'oxygène par le myocarde. De plus, les personnes obèses sont plus souvent atteintes de diabète de type 2, un état qui multiplie les facteurs de risque et augmente la probabilité de voir se développer l'athérosclérose.

Facteurs contributifs

Diabète. L'incidence de la coronaropathie est plus élevée chez les personnes atteintes de diabète que chez le reste de la population, même pour les individus dont le taux de glucose sérique est bien équilibré. Chez le client atteint de diabète, la coronaropathie ne se manifeste pas seulement plus souvent, mais aussi plus tôt dans la vie. Il n'y a pas de différence entre les hommes et les femmes atteints de diabète quant à l'âge où se manifestent les premiers signes de coronaropathie. Au moment de l'infarctus, on diagnostique souvent un diabète latent chez le client. Puisque les tissus conjonctifs de la personne atteinte de diabète ont une tendance élevée à la dégénérescence (les tissus sont moins bien nourris parce que le glucose n'entre pas dans les cellules), on croit que cette affection peut être la cause du développement de l'athérome observé chez les personnes diabétiques. On constate des altérations dans le métabolisme lipidique des clients diabétiques, et ceux-ci ont aussi tendance à avoir des taux de cholestérol et de triglycéride élevés.

Habitudes liées au stress et au comportement. Plusieurs habitudes liées au comportement ont été corrélées avec la coronaropathie. Cependant, l'étude de ces comportements demeure controversée et complexe. L'étude réalisée par le groupe de Framingham a fourni des preuves selon lesquelles certains comportements et modes de vie favorisent la survenue de la coronaropathie. Les comportements de type A et de type B ont été décrits par Friedman et Rosenman dans les années 1960 et ont été davantage élaborés dans les années 1970 par Jenkins et Zyzanski. Les comportements de type A comprennent le perfectionnisme ainsi qu'une personnalité de grand travailleur et de meneur. La personne qui adopte des comportements de type A refoule la colère et l'hostilité, éprouve un sentiment d'urgence, est impatiente, ce qui engendre chez ce type de personnalité un niveau de stress et de tension souvent non proportionnel à la situation (voir encadré 22.3). Cette personne est davantage prédisposée à l'infarctus du myocarde qu'une personne dont les comportements sont associés au type B, qui est plus permissive, ne se laisse pas démonter par les contraintes, connaît ses propres limites, prend le temps de relaxer, n'est pas superperformante et est capable de garder le sens des priorités. Bien que toutes les caractéristiques ne soient pas toujours présentes chez une même personne, les gens ont tendance à être associés soit au type A, soit au type B. Une méta-analyse des études sur la personnalité de type A, réalisée dans les années 1980, a démontré qu'il y avait un nombre égal d'études où il existait une corrélation positive entre la personnalité de type A et la coronaropathie que d'études qui démontraient qu'il n'en existait aucune.

Les études actuelles se concentrent sur des composantes spécifiques de la personnalité de type A. Plus particulièrement, l'hostilité et la colère ont toutes deux été reliées à la coronaropathie, surtout chez les hommes. Il est nécessaire de poursuivre les recherches dans les domaines de la personnalité, du comportement et des risques de coronaropathie.

Homocystéine. On a établi un lien entre les concentrations plasmatiques élevées d'homocystéine et une augmentation des risques de coronaropathie et d'autres maladies cardiovasculaires. L'homocystéine, un acide aminé contenant du soufre, est produite par la dégradation de la méthionine, un acide aminé essentiel qu'on retrouve dans les protéines alimentaires.

Les taux élevés d'homocystéine contribuent éventuellement à l'athérosclérose en causant des lésions dans le revêtement intérieur des vaisseaux sanguins, en favorisant l'accumulation de plaques et en altérant le mécanisme de coagulation de manière à favoriser la formation de caillots.

Les recherches se poursuivent afin de déterminer si un déclin de la production d'homocystéine peut réduire les risques de crise cardiaque. Cependant, aucune recommandation générale relativement à un test de dépistage n'a encore été formulée. Il a été démontré que les vitamines du complexe B (B_6, B_{12} et acide folique) contribuent à diminuer les taux d'homocystéine dans le sang.

Promotion de la santé et prévention de la maladie. La gestion appropriée des facteurs de risque de coronaropathie peut freiner, modifier ou retarder la progression de la maladie cardiaque. En Amérique du Nord, au cours des 20 à 30 dernières années, on a observé un déclin graduel et constant des décès liés aux maladies cardiovasculaires. Une des priorités nationales porte d'ailleurs sur la diminution de la mortalité par maladies cardiovasculaires. Ce déclin peut être attribué en partie à des interventions comme l'éducation en matière de santé, la sensibilisation à la prévention des maladies cardiovasculaires par la santé publique, aux efforts individuels pour se maintenir en santé et à des initiatives personnelles pour modifier les habitudes de vie dangereuses et nuisibles pour la santé. Il faut continuer de souligner l'importance de la prévention et du traitement précoce de la coronaropathie.

Identification des personnes exposées à un risque élevé. L'infirmière doit identifier les personnes ayant une prédisposition à la coronaropathie, tant au sein des établissements de soins de courte durée que dans la

---

Caractéristiques de la personnalité de type A	ENCADRÉ 22.3

- Perfectionniste
- Compétitive
- Agressive
- Se soucie constamment du temps
- Toujours pressée
- Ne dit jamais « non »
- Compulsive
- Impatiente
- Toujours tendue
- Indûment irritable
- Obsédée par le nombre de ventes conclues, d'articles écrits, de clients examinés, de formulaires remplis
- Retient ses émotions
- N'a jamais de temps pour les loisirs
- Prend rarement des vacances

Source : FRIEDMAN, M et RH ROSEMAN. *Type A behavior and your heart,* Greenwich, Conn., Fawcett, 1974.

collectivité. L'évaluation des risques nécessite d'obtenir les antécédents de santé personnels et familiaux du client. On doit l'interroger au sujet d'antécédents familiaux de cardiopathie chez ses parents, ses grands-parents ou ses frères et sœurs. La présence de tout symptôme de nature cardiovasculaire doit être notée. On doit examiner les facteurs environnementaux, tels que les habitudes alimentaires, le type de régime alimentaire et le degré d'activité physique, afin de découvrir le mode de vie du client. Il faut inclure les antécédents psychologiques afin de déceler les habitudes de vie liées au tabagisme et à la consommation d'alcool, les comportements de type A, les événements récents ayant causé un stress, les habitudes concernant le sommeil et la présence d'anxiété ou de dépression. Le lieu de travail ainsi que le type de travail peuvent fournir des renseignements importants quant au genre d'activités que le client accomplit ; tout comme une éventuelle exposition à des polluants, à des allergènes, à des produits chimiques nocifs, ainsi que le degré de stress émotionnel associé à l'emploi occupé.

L'infirmière doit cerner les attitudes et les croyances de la personne en ce qui concerne la santé et la maladie. Cette information peut fournir des indications sur la manière dont la maladie et les changements au mode de vie peuvent l'affecter et elle peut révéler les idées fausses qu'il pourrait entretenir au sujet de la coronaropathie. Afin de bien cibler l'enseignement et de l'adapter aux connaissances du client, il s'avère souvent utile d'en connaître davantage sur son éducation. Si le client prend des médicaments, il est important de savoir de quels médicaments il s'agit, l'heure à laquelle ils doivent être pris ainsi que l'attitude en ce qui a trait à la fidélité au traitement ou à l'observance thérapeutique.

Traitement des personnes exposées à un risque élevé. Une fois qu'on a identifié une personne exposée à un risque élevé de coronaropathie, on peut prendre des mesures préventives. Les facteurs de risque tels que l'âge, le sexe et l'héritage génétique ne peuvent pas être modifiés. Cependant, une personne présentant un ou plusieurs de ces facteurs de risque peut modifier les risques de coronaropathie en maîtrisant ou en changeant les effets accumulés des facteurs de risque modifiables. Par exemple, un jeune homme ayant des antécédents familiaux de cardiopathie peut réduire les risques d'infarctus du myocarde en maintenant un poids santé, en faisant suffisamment d'activités physiques, en réduisant sa consommation de gras saturés et en évitant de fumer.

Une personne présentant des facteurs de risque modifiables doit être encouragée et motivée à procéder à des changements dans son mode de vie afin de réduire les risques de cardiopathie. L'infirmière peut jouer un rôle très important dans l'enseignement de comportements favorisant la santé de la personne prédisposée à la coronaropathie (voir encadré 22.4). Pour les personnes très motivées, le fait de connaître la façon de réduire les risques peut constituer l'unique information dont elles ont besoin pour procéder à des changements.

Pour celles qui sont moins motivées à assumer la responsabilité de leur santé, l'idée de la réduction des facteurs de risque peut être si lointaine qu'elles sont incapables de percevoir le danger que représente la coronaropathie dans leur vie. Peu de gens sont disposés à modifier leur mode de vie, surtout en l'absence de symptômes. L'infirmière doit d'abord aider la personne à clarifier ses valeurs personnelles. Ensuite, en expliquant les facteurs de risque et en demandant à la personne de définir sa propre vulnérabilité aux divers risques, l'infirmière peut l'aider à reconnaître qu'elle est vulnérable à la coronaropathie. L'infirmière peut aussi l'aider à se fixer des buts réalistes et lui permettre de choisir le facteur de risque qu'elle veut d'abord changer. Certaines personnes hésitent à faire des changements jusqu'à ce que des symptômes apparents commencent à se manifester ou qu'elles subissent un infarctus. D'autres personnes, ayant été victimes d'une crise cardiaque, peuvent trouver tout à fait inacceptable le fait de changer des habitudes qu'elles ont eues toute leur vie. L'infirmière doit être capable de reconnaître de telles attitudes et de les respecter en tant que droits de la personne.

Condition physique. Au cours des deux dernières décennies, on a constaté une augmentation de l'intérêt pour l'atteinte et le maintien d'une bonne santé. La condition physique est devenue un domaine d'une importance majeure. Différents organismes, tels que les CLSC, les centres d'activités physiques, les YMCA/YWCA, les organismes communautaires et bien d'autres mettent en œuvre des programmes d'exercices s'adressant à des gens de tous âges ayant des besoins variés en matière de santé ; ces exercices vont des classes d'aérobie aux programmes de marche et de marche rapide. Les YMCA/YWCA parrainent souvent des classes d'exercices, des randonnées pédestres ou cyclistes et d'autres activités du même genre. De nombreux centres commerciaux ouvrent leurs portes très tôt le matin pour permettre aux gens de marcher à l'intérieur. La Fondation des maladies du cœur est fière de promouvoir le mois du cœur, qui a lieu chaque année en février. De plus en plus de grandes entreprises fournissent des gymnases où leurs employés peuvent faire de l'exercice. Pour de nombreuses personnes, il n'est pas conseillé de courir ; il faut les encourager à marcher, à nager ou à pratiquer tout exercice compatible avec leurs capacités physiques personnelles.

Éducation en matière de santé dans les écoles. On remarque aussi cette conscience récente du corps et de la santé physique dans les écoles. L'infirmière scolaire

ENSEIGNEMENT AU CLIENT

Comportements permettant de réduire les facteurs de risque de coronaropathies ENCADRÉ 22.4

Hypertension
- Subir régulièrement une évaluation de la PA.
- Prendre les médicaments prescrits permettant de stabiliser la PA.
- Réduire l'apport en sel.
- Cesser de fumer.
- Stabiliser ou réduire la masse corporelle.
- Faire régulièrement de l'activité physique.

Taux élevé de lipides sériques
- Réduire l'apport en gras animal (saturé).
- Réduire l'apport total en gras.
- Adapter l'apport calorique total afin d'atteindre et de maintenir un poids santé.
- Suivre un programme d'exercices régulier.
- Augmenter la quantité de glucides complexes et de légumes dans l'alimentation.

Tabagisme
- Suivre un programme structuré pour cesser de fumer si un mode de soutien est nécessaire.
- Modifier les habitudes quotidiennes associées au tabagisme afin de réduire l'envie de fumer.
- Remplacer le tabagisme par d'autres activités.
- Demander aux membres de la famille d'encourager le client dans ses efforts pour cesser de fumer.

Sédentarité
- Pratiquer une activité physique durant 30 minutes, au moins 3 fois par semaine et maintenir ce rythme.

- Augmenter la pratique d'activités afin d'atteindre une bonne forme physique.

Mode de vie stressant
- Prendre conscience des comportements qui nuisent à la santé.
- Modifier les habitudes qui favorisent le stress et la fébrilité (p. ex. se lever 30 minutes plus tôt afin de prendre le temps de bien déjeuner ; consacrer 20 minutes par jour à la méditation).
- Se fixer des buts réalistes.
- Réévaluer les priorités à la lumière des besoins pour être en santé.
- Apprendre à s'adapter au stress inévitable.
- Éviter le stress excessif et prolongé.
- Planifier des périodes adéquates de repos et de sommeil.

Obésité
- Modifier les habitudes alimentaires.
- Réduire l'apport calorique.
- Pratiquer régulièrement une activité physique afin d'augmenter les dépenses caloriques.
- Éviter les régimes miracles, qui ne sont pas efficaces à long terme.
- Éviter les repas lourds et abondants.

Diabète*
- Respecter l'apport alimentaire recommandé.
- Modifier les habitudes alimentaires afin de réduire la masse corporelle et de maintenir le nouveau poids.
- Surveiller régulièrement la glycémie capillaire.

*Voir chapitre 40 pour d'autres comportements favorisant la santé.

---

joue un rôle important dans l'enseignement de saines habitudes de vie. En plus de donner des conseils sur la condition physique, elle peut informer les étudiants du fonctionnement et des réactions de l'organisme dans la vie quotidienne. Les habitudes de vie peuvent être modifiées très tôt de manière positive afin de réduire le besoin de changements majeurs plus tard dans la vie, comme ceux auxquels les parents des élèves sont confrontés. L'infirmière scolaire doit se servir du climat social de promotion de la santé et de prévention de la maladie et trouver des moyens novateurs de présenter ces valeurs à un auditoire jeune et réceptif avant que leurs habitudes ne deviennent inflexibles. Dès le niveau préscolaire, on met en place des programmes de sensibilisation et d'éducation en matière de santé afin de tenter d'établir de saines habitudes de vie. Bien qu'il soit impossible d'obtenir des données sur l'efficacité de l'éducation en matière de santé chez les jeunes enfants avant plusieurs années, on doit continuer de consacrer l'énergie et les efforts nécessaires pour modifier les modes de vie avant l'âge adulte, période où les habitudes sont formées. Dans un grand nombre de régions,

les infirmières scolaires doivent superviser plusieurs écoles et disposent donc de moins de temps pour enseigner. Au Québec, la Fondation des maladies du cœur a créé le programme scolaire « Sautons en cœur » afin de favoriser l'exercice physique dès le jeune âge, puisque la sédentarité est l'un des facteurs de risque des maladies cardiaques.

Recommandations nutritionnelles. Le client ayant un taux élevé de cholestérol et de triglycéride sériques doit d'abord atteindre un poids santé s'il fait de l'embonpoint. Le client doit ensuite adopter une alimentation qui favorise une réduction de l'apport en gras saturés et en cholestérol, tel que l'apport alimentaire d'étape 1 recommandé par l'*American Heart Association*. Les viandes rouges, les œufs et les produits laitiers constituent des sources importantes de gras saturés et de cholestérol. Si le taux de triglycéride sérique du client est élevé, la consommation d'alcool et de sucres simples doit être réduite ou éliminée. Si, après six mois, il n'y a aucun signe de réduction de la cholestérolémie, le client doit adopter l'apport alimentaire d'étape 2 de l'*American Heart*

RECOMMANDATIONS NUTRITIONNELLES

TABLEAU 22.2   Dyslipidémies

COMPARAISONS ENTRE L'APPORT ALIMENTAIRE FAIBLE EN GRAS D'ÉTAPE 1 ET L'APPORT ALIMENTAIRE FAIBLE EN GRAS D'ÉTAPE 2

Principes de l'apport alimentaire d'étape 1

L'apport en gras visibles (beurre, crème, margarine, vinaigrette, huile à friture) est réduit à 5 ml par repas, soit 15 ml par jour. Des huiles végétales non monoinsaturées doivent être utilisées (p. ex. huile d'olive ou de canola ; favoriser la margarine non hydrogénée à la place du beurre).

Ne consommer que des viandes maigres (choisir plus de volaille [sans la peau] et de poissons ; se limiter à 180-240 g/jour), du lait écrémé ou à 1 %, du yogourt ≤2 % m.g., des fromages <20 % m.g. et ne pas prendre plus de trois jaunes d'œufs par semaine.

Limiter les aliments riches en gras (p. ex. le beurre, la viande rouge, les mets frits, les charcuteries et les noix).

Il est recommandé de cuire les aliments avec peu de gras, soit à la vapeur, au four, sur le gril ou sautés avec peu de matières grasses.

Manger plus de fruits, de légumes, de légumineuses, de féculents riches en fibres et en fibres solubles.

Principes de l'apport alimentaire d'étape 2

Seules les coupes de viande les plus maigres sont permises. Choisir plus de volaille (sans la peau) et de poissons (se limiter à 180 g/jour).

Bien qu'ils soient faibles en gras, les abats et les crevettes sont à éviter parce qu'ils contiennent beaucoup de cholestérol.

Ne consommer qu'un jaune d'œuf par semaine, car les jaunes d'œuf contiennent beaucoup de cholestérol. Les blancs d'œuf ou les succédanés d'œuf peuvent être consommés à volonté.

Utiliser des huiles végétales monoinsaturées (p. ex. olive ou canola) dans la cuisson et la préparation des aliments. Les huiles de coco et de palme sont proscrites, car elles contiennent beaucoup de gras saturés. Choisir une margarine non hydrogénée.

Boire du lait écrémé est fortement recommandé. Le yogourt à ≤1 % m.g., le fromage à ≤7 % m.g. et le lait glacé à ≤1 % m.g. faibles en gras peuvent être consommés, ainsi que le yogourt glacé à ≤1 % m.g.

Association, qui restreint davantage l'apport en gras saturés et en cholestérol (voir tableau 22.2).

Modifier les habitudes alimentaires permet en moyenne de réduire le taux de cholestérol sérique de 10 % à 15 %. Un individu très motivé qui adopte une alimentation stricte à faible teneur en gras peut réduire son hypercholestérolémie de façon plus marquée. Plusieurs études ont démontré que des modifications au mode de vie, notamment le fait d'adopter une alimentation faible en gras saturés, de cesser de fumer et de faire plus d'activité physique, amènent une régression de l'athérosclérose coronarienne et une réduction des malaises cardiaques. Le traitement évalué dans un grand nombre de ces études comprenait également une pharmacothérapie. Ces études démontrent l'importance de réduire le taux de cholestérol chez les personnes prédisposées à la coronaropathie.

Pharmacothérapie. Une personne ayant un taux de cholestérol sérique >5,2 mmol/L présente une forte prédisposition à la coronaropathie et doit être traitée. Le traitement commence généralement par une réduction de l'apport calorique, une diminution du gras alimentaire et du cholestérol, ainsi que des instructions pour faire de l'exercice. Après six mois de diétothérapie, on réévalue le taux de cholestérol sérique. S'il demeure élevé, on peut commencer la pharmacothérapie (voir tableau 22.3). Il existe divers médicaments qui peuvent traiter l'hyperlipidémie (voir tableau 22.4).

Médicaments favorisant l'élimination des lipoprotéines. L'élimination du cholestérol se fait principalement par la conversion des acides biliaires dans le foie. Deux agents chélateurs des acides biliaires sont actuellement offerts

---

TABLEAU 22.3   Décisions concernant le traitement de l'hypercholestérolémie basées sur le taux de lipoprotéines de faible densité (LDL)

Catégorie de client	Taux dictant l'instauration du traitement	Objectif
Recommandations nutritionnelles		
Sans coronaropathie et moins de deux facteurs de risque	≥4,1 mmol/L	≤4,1 mmol/L
Sans coronaropathie et plus de deux facteurs de risque	≥3,4 mmol/L	≤3,4 mmol/L
Avec coronaropathie	>2,6 mmol/L	≤2,6 mmol/L
Pharmacothérapie		
Sans coronaropathie et moins de deux facteurs de risque	≥4,9 mmol/L	≤4,1 mmol/L
Sans coronaropathie et plus de deux facteurs de risque	≥4,1 mmol/L	≤3,4 mmol/L
Avec coronaropathie	≥3,4 mmol/L	≤2,6 mmol/L

Source : «Summary of the Second Report of the National Education Program (NCEP, Expert Panel on Detection, Evaluation, and Treatment of High Cholesterol in Adults (Adult Treatment Panel II) », *Circulation*, vol. 89, n° 1330, 1996.

PHARMACOTHÉRAPIE

TABLEAU 22.4 Hypolipidémiants

Nom	Mécanisme d'action	Effets secondaires et réactions indésirables	Soins infirmiers généraux
Cholestyramine (Questran)	La résine fixatrice des acides biliaires cause une augmentation de la production des récepteurs des LDL dans le foie. Augmente la synthèse du cholestérol utilisé par le foie comme acide biliaire.	Texture granuleuse désagréable des aliments. Troubles gastro-intestinaux (p. ex. nausées, dyspepsie, constipation). Érythème.	Le médicament est efficace et sûr pour une utilisation prolongée ; les effets secondaires diminuent avec le temps. Le médicament perturbe l'absorption de la digoxine (Lanoxin), des diurétiques thiazidiques, des bêtabloquants, des vitamines liposolubles et de l'acide folique.
Colestipol (Colestid) Acide nicotinique (niacine)	Même que la cholestyramine. Déclenche la synthèse et la sécrétion des VLDL et des LDL dans le foie. Augmente les taux de HDL.	Même que la cholestyramine. Bouffées de chaleur accompagnées de prurit sur le haut du torse et le visage. Troubles gastro-intestinaux (p. ex. nausées et vomissements, dyspepsie, diarrhée).	Même que la cholestyramine. La plupart des effets secondaires disparaissent avec le temps. La fonction hépatique peut diminuer et l'arythmie peut survenir lorsqu'une dose élevée est ingérée. Donner de l'AAS 30 minutes avant la prise du médicament pour prévenir les bouffées congestives. Faire prendre le médicament à l'heure du repas.
Gemfibrozil (Lopid) Fénofibrate (Lipidil)	Réduit la synthèse des VLDL hépatiques et déclenche la sécrétion des VLDL. Réduit les taux de triglycéride.	Légers troubles gastro-intestinaux (p. ex. nausées et diarrhée).	Le médicament est généralement bien toléré.
Lovastatine (Mevacor) Pravastatine (Pravachol) Simvastatine (Zocor) Fluvastatine (Lescol) Atorvastatine (Lipitor)	Augmente la vitesse à laquelle le foie élimine les LDL dans le plasma. Réduit la synthèse des LDL par le foie.	Érythème, légers troubles gastro-intestinaux, insomnie, taux élevé d'enzymes hépatiques (opacité du cristallin, rhabdomyolyse).	Le médicament est généralement bien toléré et a peu d'effets secondaires. Surveiller l'état du client au moyen de tests de la fonction hépatique et d'examens oculaires.

AAS : acide acétylsalicylique ; HDL : lipoprotéines de haute densité ; LDL : lipoprotéines de faible densité ; VLDL : lipoprotéines de très faible densité.

sur le marché. Le rôle principal de ces résines est de réduire le taux de LDL, mais elles causent aussi une augmentation du taux de HDL. Ces résines sont des composés non absorbables qui font obstacle à la circulation entéro-hépatique des acides biliaires. Il y a donc une augmentation de la conversion du cholestérol en acides biliaires et une réduction de la concentration de cholestérol hépatique.

Les deux résines offertes sont la cholestyramine (Questran) et le colestipol (Colestid). L'administration de ces médicaments peut être associée à une altération du goût ainsi qu'à une variété de symptômes touchant les voies gastro-intestinales supérieures et inférieures, notamment la constipation, les douleurs abdominales, les vomissements, les brûlures gastriques et les nausées.

Ces résines peuvent faire obstacle à l'absorption d'autres médicaments, tels que la warfarine, les diuré-

tiques thiazidiques, les hormones thyroïdiennes et les antagonistes β-adrénergiques.

Médicaments diminuant la production des lipoprotéines. L'acide nicotinique (niacine) est une vitamine B utilisée en association avec les recommandations nutritionnelles. L'acide nicotinique est très efficace pour ce qui est de réduire les taux de cholestérol et de triglycéride en perturbant leur synthèse. Les effets indésirables de ce médicament peuvent comprendre de fortes bouffées congestives, le prurit et le dérangement gastro-intestinal.

Le gemfibrozil (Lopid) est principalement efficace dans la réduction des taux de VLDL et de triglycéride, et il permet aussi d'augmenter le taux d'HDL. Bien que la plupart des clients tolèrent bien le médicament, ils peuvent éprouver une irritabilité gastro-intestinale. Le fénofibrate (Lipidil μ, Lipidil Supra) est particulièrement efficace pour traiter les clients dont le taux de triglycéride sérique est très élevé. Ce médicament ne doit pas être pris avec des statines. La lovastatine (Mevacor), la pravastatine (Pravachol), la simvastatine (Zocor), la fluvastatine (Lescol) et l'atorvastatine (Lipitor) sont tous des inhibiteurs compétitifs de la biosynthèse du cholestérol. Les statines réduisent la synthèse du cholestérol dans le foie en bloquant l'HMG-CoA réductase, un enzyme qui joue un rôle essentiel dans la synthèse du cholestérol. Les effets indésirables de ces médicaments comprennent l'érythème, les flatulences, les coliques ou les douleurs stomacales, une concentration élevée d'enzymes hépatiques, les nausées, la constipation ou la diarrhée, les céphalées et l'opacité du cristallin. Un examen des yeux peut s'avérer nécessaire avant l'administration de ces médicaments. On doit surveiller les enzymes hépatiques pendant le traitement.

La pharmacothérapie visant à traiter l'hyperlipidémie est susceptible d'être prolongée, peut-être même de se poursuivre durant toute la vie. Il est essentiel de procéder à une modification du régime alimentaire afin de minimiser le besoin de pharmacothérapie. Le client doit bien comprendre la raison d'être et les objectifs du traitement, ainsi que l'innocuité et les effets secondaires des médicaments.

22.2 MANIFESTATIONS CLINIQUES DE LA CORONAROPATHIE

Il existe trois manifestations cliniques principales de la coronaropathie : l'angine, l'infarctus du myocarde et la mort subite.

22.2.1 Angine

Angine provient du terme «angor», qui signifie douleur. Du point de vue symptomatique, l'ischémie myocardique est appelée angine. Plus particulièrement, l'angine est une douleur thoracique de courte durée causée par l'ischémie myocardique. En général, la douleur ne dure que quelques minutes (de trois à cinq minutes) et s'atténue lorsque le facteur précipitant (habituellement l'effort) diminue. L'angine d'effort typique ne doit pas persister plus de 20 minutes une fois que le client est au repos et qu'il a pris de la nitroglycérine.

Physiopathologie. L'ischémie myocardique apparaît lorsque la demande du myocarde en oxygène excède la capacité des coronaires à lui en fournir (voir tableau 22.5). La raison principale de l'insuffisance du débit sanguin est le rétrécissement de ces artères provoqué par l'athérosclérose. Bien que les muscles squelettiques n'extraient que 20 % de l'oxygène disponible et qu'ils

| TABLEAU 22.5 Facteurs déterminant les besoins du myocarde en oxygène ||
Réduction de l'apport d'oxygène	Augmentation de la demande en oxygène ou de la consommation d'oxygène
↓ Hématocrite ↓ Capacité de liaison de l'hémoglobine ↓ Débit sanguin coronarien ↑ Pression diastolique ↑ Résistance vasculaire coronarienne Spasme coronarien ↓ Volume sanguin	↑ Fréquence cardiaque ↑ Contractilité ↑ Tension de la paroi du ventricule gauche ↑ Pression artérielle systolique ↑ Épaisseur de la paroi du myocarde

fassent des réserves, le myocarde (au repos) extrait entre 60 % et 85 % de l'oxygène disponible. Si les besoins du myocarde en oxygène ne sont pas satisfaits, le débit sanguin coronarien est alors accru par la vasodilatation des artères coronaires et l'augmentation de la vitesse du débit (action du système nerveux sympathique).

Chez la personne atteinte de coronaropathie, les artères coronaires sont incapables de se dilater pour satisfaire les besoins métaboliques élevés parce qu'elles sont déjà dilatées de manière chronique, au-delà de la région obstruée. Dans les cas où l'ischémie survient à la suite de l'athérosclérose, l'artère est généralement envahie par la sténose à 75 % ou davantage. De plus, le cœur malade a de la difficulté à augmenter la vitesse du débit sanguin. Cela crée un déficit en oxygène, cause par la sténose athéroscléreuse, le spasme coronarien ou la thrombose coronaire. Dans le cas du spasme coronarien, la constriction est passagère et réversible et entraîne un rétrécissement partiel ou total de l'artère coronaire. Le spasme de l'artère coronaire est généralement associé à des plaques athéroscléreuses sous-jacentes, bien que des spasmes puissent survenir dans les artères sans sténose. La durée du spasme détermine si le myocarde va subir une ischémie (n'entraînant pas la mort des cellules) ou un infarctus (entraînant la mort des cellules).

Parmi les autres facteurs responsables du déséquilibre entre les besoins du myocarde en oxygène et l'oxygène disponible, on retrouve une pression artérielle basse, un volume sanguin peu élevé, les médicaments qui causent la vasoconstriction, les problèmes valvulaires, la sténose des orifices des artères coronaires (congénitale ou causée par la syphilis) ainsi que la sténose de l'aorte. La stimulation excessive des catécholamines (p. ex. causée par une intoxication à la cocaïne ou une surdose de cette substance, ou par l'insuffisance cardiaque congestive chronique), l'anémie, les troubles affectant l'hémoglobine et le sang ainsi que les maladies pulmonaires chroniques peuvent également contribuer à l'ischémie myocardique.

Le ventricule gauche est davantage prédisposé à l'ischémie et aux lésions en raison d'une plus forte demande en oxygène myocardique, de sa masse plus importante ainsi que de sa pression vasculaire et de ses pressions systémiques plus élevées. L'ischémie provoque un dysfonctionnement passager du ventricule gauche qui entraîne une augmentation de la pression diastolique dans cette cavité. Par conséquent, l'ischémie amène une élévation de la pression capillaire pulmonaire bloquée et de la pression cardiaque du côté droit. L'arythmie peut survenir en présence d'ischémie myocardique à cause de l'irritabilité cellulaire. L'arythmie réduit l'efficacité de la pompe cardiaque, ce qui a pour effet d'augmenter le besoin du myocarde en oxygène et de réduire la quantité d'oxygène disponible.

Dans près de 80 % des cas où le client est atteint d'ischémie myocardique, celle-ci est asymptomatique. Ce type d'ischémie est appelé **ischémie silencieuse** et cache souvent des symptômes de nature cardiaque plus importants. Que l'ischémie soit accompagnée de douleur thoracique (douleur rétrosternale [DRS]) ou non, le pronostic reste le même. Le diabète ou l'hypertension sont associés à une prévalence élevée d'ischémie silencieuse. Ce phénomène survient chez les clients atteints ou non de diabète ou d'une neuropathie apparentée. Il est important de se rappeler que le myocarde est vulnérable dès qu'il y a présence d'ischémie, qu'elle soit asymptomatique ou qu'elle se manifeste sous forme d'angine.

Sur le plan cellulaire, le myocarde devient ischémique au cours des 10 premières secondes de l'obstruction coronarienne, et des changements surviennent à l'ECG. Une fois que l'occlusion des artères coronaires est totale, la contractilité cesse après plusieurs minutes, ce qui a pour effet de priver les cellules myocardiques du glucose nécessaire au métabolisme aérobie. Le métabolisme anaérobie commence alors, et l'acide lactique s'accumule. Les fibres nerveuses myocardiques sont irritées par l'augmentation du taux d'acide lactique et elles transmettent un message de douleur qui passe par les mêmes segments de la moelle épinière. C'est pourquoi il est question de douleurs cardiaques dans l'épaule et le bras gauches. Dans le cas de l'ischémie, les cellules cardiaques demeurent viables pendant environ 20 minutes. Si le débit sanguin est ramené à la normale, le métabolisme aérobie peut se poursuivre et la contractilité est rétablie. La réparation cellulaire débute au même moment.

Facteurs de risque. L'ischémie myocardique et les douleurs dues à l'angine peuvent être précipitées par des facteurs extracardiaques :
- L'effort physique fait augmenter la fréquence cardiaque. L'augmentation de la fréquence cardiaque a pour effet de diminuer la durée de la diastole, qui est la période où le débit sanguin coronarien est le plus important. L'effort isométrique des bras, qui se produit par exemple lorsqu'on racle des feuilles, qu'on peinture ou qu'on soulève des objets lourds, constitue également une cause d'angine d'effort.
- Les émotions fortes stimulent le système nerveux sympathique et font augmenter l'activité cardiaque. Il s'ensuit une augmentation de la fréquence cardiaque, de la pression artérielle et de la contractilité myocardique.
- L'ingestion d'un repas lourd (surtout si la personne fournit des efforts par la suite) peut faire augmenter l'activité du cœur. Lors de la digestion, le cœur doit envoyer plus de sang à l'estomac afin de fournir l'O_2 nécessaire à la contraction des muscles de ce dernier. Si les artères coronaires sont obstruées, elles ne peuvent pas répondre à la demande d'O_2 nécessaire à la digestion.
- Les températures extrêmes, qu'elles soient chaudes ou froides, causent une augmentation de l'activité myocardique. Les vaisseaux sanguins se resserrent en réponse au froid, lequel provoque aussi une augmentation du métabolisme destinée à maintenir et à régler la température interne de l'organisme. La chaleur, à l'inverse, entraîne une dilatation des vaisseaux et une accumulation de sang au niveau périphérique, d'où une vasodilatation périphérique.
- Le tabagisme provoque la vasoconstriction ainsi qu'une augmentation de la fréquence cardiaque suivant la libération de catécholamines provoquée par la nicotine. Puisqu'il fait augmenter le taux de monoxyde de carbone, le tabagisme réduit également la quantité d'oxygène disponible, l'hémoglobine (Hb) ayant 150 fois plus d'affinité avec le monoxyde de carbone qu'avec l'O_2.
- L'activité sexuelle provoque l'accélération de la fréquence cardiaque et la stimulation du système sympathique. Chez une personne atteinte d'une coronaropathie grave, l'accélération supplémentaire de la fréquence cardiaque qui en résulte peut précipiter l'angine.
- Les stimulants tels que la cocaïne peuvent causer une augmentation de la fréquence cardiaque et de la demande subséquente du myocarde en oxygène. La stimulation de la libération de catécholamines constitue le facteur précipitant.
- Des schémas du rythme circadien ont été reliés à l'angine stable, à l'angine de Prinzmetal, à l'infarctus du myocarde et à la mort subite. Ces manifestations de la coronaropathie ont tendance à se produire tôt le matin, après le réveil de l'individu.

Types d'angine

Angine stable. L'angine stable (classique) se rapporte à la douleur qui se produit de façon intermittente pendant une longue période et dont les premiers signes, la durée et l'intensité sont toujours les mêmes. L'angine stable est généralement provoquée par l'effort. Il est rare que la personne ressente une douleur au repos. L'ECG révèle généralement un sous-décalage du segment ST, ce qui indique la présence d'ischémie sous-endocardique. Le malaise peut être bénin ou intense et invalidant, mais il demeure généralement peu fréquent. Il est possible de maîtriser l'angine stable au moyen d'un traitement médicamenteux sans hospitalisation. Étant donné que l'angine stable est fréquemment prévisible, le client peut planifier la prise des médicaments afin que l'effet optimal survienne au moment de la journée où l'angine est susceptible de se produire. Par exemple, si l'angine se produit au lever du client, celui-ci peut prendre les médicaments aussitôt qu'il se réveille, puis attendre de 30 à 60 minutes avant de commencer ses activités.

Angine instable. L'angine instable (angine progressive, en crescendo ou préinfarctus) est différente de l'angine stable. Au contraire de cette dernière, elle est imprévisible. L'angine instable peut se manifester chez le client atteint d'angine stable ou constituer le premier signe clinique de la coronaropathie. Le client chez qui on avait d'abord diagnostiqué une angine stable décrira un changement important dans le cycle de l'angine. Celle-ci se produit de plus en plus fréquemment, elle est provoquée par un effort minimal voire aucun effort, elle survient pendant le sommeil ou même au repos. Le client chez qui on n'avait pas diagnostiqué l'angine décrira une **douleur angineuse** ayant progressé rapidement au cours des dernières semaines ou des derniers jours et culminant souvent au repos.

Des découvertes récentes associent l'angine instable à une détérioration de la plaque athéroscléreuse auparavant stable. Dans la plupart des cas, la plaque autrefois stable s'est rompue, lésant l'intima et stimulant l'agrégation de plaquettes, la vasoconstriction locale et la formation d'un thrombus. Cette lésion instable présente un risque élevé de thrombose complète de la lumière de l'artère pouvant mener à un infarctus du myocarde. C'est pourquoi les clients qui présentent ces caractéristiques doivent être immédiatement hospitalisés, placés sous surveillance par ECG et mis au repos. La lésion instable peut mener à un infarctus du myocarde ou retourner à l'état de lésion stable (voir figure 22.12). L'acide acétylsalicylique (AAS) et l'anticoagulation systémique sont les traitements recommandés pour l'angine instable. Les nitrates ou les β-bloquants constituent le traitement de première ligne si le client ne prend pas déjà des médicaments antiangineux. On peut ajouter des inhibiteurs calciques si le client reçoit déjà des doses adéquates de nitrates ou de β-bloquants, ou encore s'il ne peut pas tolérer les deux autres médicaments ou qu'il souffre d'angine de Prinzmetal atypique ou accélérée.

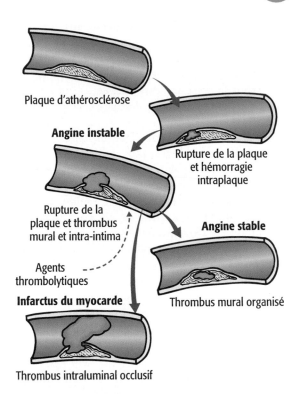

FIGURE 22.12 Thrombogenèse coronarienne causée par la progression de la plaque d'athérosclérose

Angine de Prinzmetal. L'angine de Prinzmetal (angine instable) se produit souvent au repos, généralement en réaction au spasme d'une artère coronaire principale. Il s'agit d'une forme d'angine rare qu'on observe fréquemment chez les clients ayant des antécédents de migraine et de syndrome de Raynaud. Le spasme peut survenir en l'absence d'une coronaropathie ou d'une maladie confirmée. L'angine de Prinzmetal n'est habituellement pas précipitée par une augmentation de l'effort physique. Le spasme coronarien peut être décrit comme une forte contraction des muscles lisses de l'artère coronaire causée par une augmentation de la concentration en ions calcium intracellulaires. Parmi les facteurs pouvant précipiter le spasme d'une artère coronaire, on retrouve une forte demande du myocarde en oxygène et des taux élevés de diverses substances (p. ex. l'histamine, l'angiotensine, l'adrénaline, la noradrénaline et les prostaglandines). Lorsque le spasme se produit, le client ressent une douleur, et on observe une élévation passagère et marquée du segment ST. La douleur peut survenir au cours de la phase du sommeil caractérisée par des mouvements oculaires rapides, lorsque la consommation d'oxygène par le myocarde augmente ; elle peut être soulagée par l'exercice ou disparaître spontanément. Ce type d'angine peut aussi provoquer de courtes décharges de douleur cycliques, qui surviennent au même moment chaque jour.

Angor nocturne et angine de décubitus. L'angor nocturne se produit seulement la nuit, mais pas nécessairement lorsque la personne est couchée ou dort. L'angine de décubitus est une douleur à la poitrine qui ne survient que lorsque la personne est couchée, et qui est généralement soulagée lorsque cette dernière se lève ou s'assoit.

Manifestations cliniques. Chez un client atteint d'angine, le symptôme initial le plus fréquent est une douleur à la poitrine ou un malaise (DRS) (voir tableau 22.6, ainsi que le chapitre 5 portant sur la douleur et le tableau 5.5 pour l'évaluation de la douleur selon la méthode PQRST). On ignore la cause exacte de la douleur, mais la douleur neurogénique ressentie dans la région ischémiée est la forme la plus fréquente. Lorsqu'on les interroge, certains clients peuvent dénier le fait qu'ils ressentent une douleur, mais parler d'une sensation vague et étrange, d'une pression ou de maux à la poitrine. Il s'agit d'une sensation déplaisante, souvent décrite comme étranglante, écrasante, lourde, étouffante ou suffocante. De nombreuses personnes signalent de fortes indigestions ou une vive sensation de brûlure gastriques. Bien que la plupart des malaises ressentis par les personnes atteintes d'angine se manifestent en bas du sternum, la sensation peut apparaître dans le cou ou s'étendre dans plusieurs endroits, notamment la mâchoire et les épaules, ou encore descendre le long des bras (voir figure 22.13). Les clients ressentent souvent de la douleur entre les omoplates et ils écartent la possibilité qu'il peut s'agir de douleurs au cœur. Selon la gravité de la crise d'angine, la personne peut demeurer immobile ou serrer le poing au-dessus du sternum (le signe de Levine). Le client atteint d'angine parle souvent d'une sensation d'anxiété et de mort imminente. Parmi les symptômes associés, on compte la dyspnée, les sueurs froides, la faiblesse ou la paresthésie d'un ou des deux bras. L'angine classique peut généralement être soulagée par le repos et la cessation des activités.

TABLEAU 22.6	Comparaison de la douleur provoquée par l'angine et par l'infarctus du myocarde	
Angine		**Infarctus du myocarde**
Facteurs de risque Stress, tant physiologique (effort) que psychologique. Digestion d'un repas lourd. Manœuvre de Valsalva survenant pendant la miction ou la défécation. Températures extrêmes. Bains chauds ou douches chaudes. Excitation sexuelle.		À l'effort ou au repos. Stress physique ou émotionnel. Absence fréquente de facteurs de risque ou de tout facteur associé à l'angine.
Localisation Partie mi-antérieure du thorax. Rétrosternale. Abdominale, irradiant dans le cou, le dos, les bras et les doigts. Diffuse, ne se localise pas facilement.		Partie mi-antérieure du thorax. Rétrosternale. Sous-scapulaire, mi-scapulaire. Diffuse. Irradie dans le cou et la mâchoire, ainsi que le long du bras gauche ou des deux bras jusque dans les doigts.
Description Sensation profonde d'oppression ou d'écrasement. Pression légère à modérée. Crises semblables à chaque fois. Élancements ou matité dans la région thoracique.		Forte pression, serrement ou lourdeur accompagnés d'une sensation d'écrasement et d'oppression. Le client affirme qu'il aimerait mieux mourir que de ressentir à nouveau une telle douleur. Douleur résiduelle pendant plusieurs jours après l'IM.
Apparition et durée Apparition graduelle ou soudaine. Dure généralement 15 minutes ou moins (ne dépasse généralement pas 30 minutes). Soulagement par la nitroglycérine.		Apparition soudaine. Durée allant de 30 minutes à 2 heures (ou pouvant aller de quelques heures à quelques jours). Le repos et la nitroglycérine n'apportent aucun soulagement.
Manifestations cliniques associées Appréhension Dyspnée Diaphorèse Nausées Envie d'aller à la selle Vomissements		Appréhension Nausées et vomissements Dyspnée Diaphorèse Fatigue extrême Étourdissements ou évanouissement (après la diminution de la douleur)

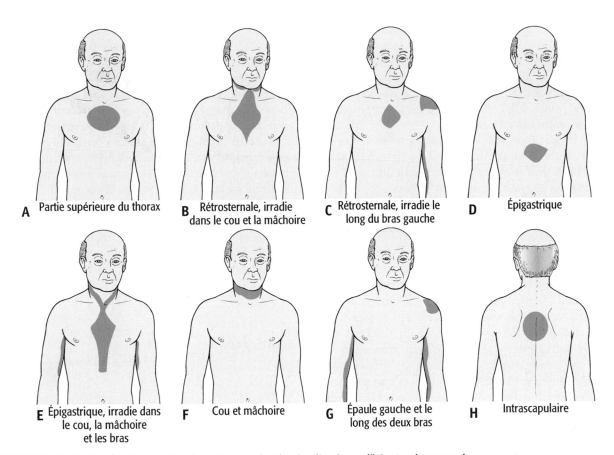

A Partie supérieure du thorax

B Rétrosternale, irradie dans le cou et la mâchoire

C Rétrosternale, irradie le long du bras gauche

D Épigastrique

E Épigastrique, irradie dans le cou, la mâchoire et les bras

F Cou et mâchoire

G Épaule gauche et le long des deux bras

H Intrascapulaire

FIGURE 22.13 Localisation de la douleur thoracique pendant la crise d'angine ou l'infarctus du myocarde

Complications. L'arythmie, telle que l'extrasystole ou la fibrillation, peut survenir chez une personne atteinte d'angine. Les cellules privées d'oxygène et de nutriments peuvent devenir irritables et se transformer en sites ectopiques régulateurs du rythme cardiaque. La réduction de la contractilité myocardique peut aussi survenir chez la personne atteinte d'angine.

Comme certains types de douleurs dues à l'angine peuvent être vagues, le client peut considérer que le malaise n'est pas important et ne pas en tenir compte. Lorsqu'une personne signale à un membre du personnel soignant qu'il ressent des douleurs thoraciques, il est possible que le diagnostic de l'angine ne soit pas la première considération puisqu'un grand nombre de troubles peuvent ressembler à un malaise thoracique. Tout malaise provoqué par l'effort survenant dans l'une des parties du corps montrées à la figure 22.14 doit être évalué afin d'écarter la possibilité qu'il s'agisse d'angine.

Épreuves diagnostiques. Lorsque le client a des antécédents de coronaropathie, le médecin peut demander que plusieurs épreuves diagnostiques soient pratiquées (voir encadré 22.5). En plus de recueillir des antécédents de santé détaillés et de procéder à l'examen physique, on réalise généralement une radiographie pulmonaire pour déceler des signes d'hypertrophie cardiaque, de calcification cardiaque et de congestion pulmonaire. Certaines analyses de laboratoire permettent d'établir avec précision les taux de lipides sériques et d'enzymes cardiaques. On évalue ces résultats afin de dépister les facteurs de risque positifs et on examine le taux d'enzymes (CK-MB et troponine) pour écarter la possibilité d'un infarctus. Un ECG est réalisé, puis comparé avec un tracé antérieur s'il y a lieu.

Pour les clients atteints d'angine stable, on a fréquemment recours à l'épreuve de marche sur tapis roulant (ECG d'effort) pour examiner les variations du segment ST survenant pendant l'effort et en tant que moyen indirect d'évaluer la perfusion aortocoronarienne. (Dans le cas de l'angine instable, il est contre-indiqué de se servir du tapis roulant.) Au cours de l'épreuve d'effort, un ECG qui présente des anomalies importantes et indique un processus morbide peut révéler le besoin de recourir à l'angiographie. Malheureusement, l'ECG d'effort ne révèle pas toujours la coronaropathie. Le résultat peut être faussement positif (surtout chez la femme), et une réaction faussement négative peut être observée si le client n'a pas atteint l'effort maximal au cours de l'épreuve ou si une seule des artères est atteinte. Une surveillance ambulatoire par ECG (Holter) d'une durée de 24 à 48 heures, accompagnée d'un enregistrement de l'activité du client peut être efficace pour identifier l'ischémie silencieuse. Cette méthode aide aussi à la différencier de l'angine de Prinzmetal, puisque les spasmes se produisent plus souvent tôt le matin (entre 5 h et 6 h).

On a couramment recours à l'imagerie nucléaire en tant que méthode non effractive (non invasive) pour mesurer la perfusion myocardique. Le thallium 201 et le technétium Sestamibi sont les isotopes les plus à même de détecter l'ischémie, et on utilise le pyrophosphate de technétium 99m pour détecter les « zones de chaleur » dans les tissus atteints par l'infarctus, s'il y a lieu. On a aussi fréquemment recours à des épreuves d'effort au thallium et au technétium Sestamibi. L'isotope est alors injecté, puis le client marche sur un tapis roulant. Une scintigraphie est effectuée au plus fort de l'exercice (intensité maximale de l'effort) et de deux à quatre heures après l'effort. Si le client est incapable de faire de l'exercice, on peut procéder à un examen au dipyridamole (Persantine) et à des radio-isotopes en injectant ces substances, puis en procédant à une scintigraphie. Le dipyridamole entraîne la vasodilatation des artères en bonne santé et les radio-isotopes ont pour effet de rendre plus visibles les parties du cœur où la perfusion est adéquate. Les sites de perfusion insuffisante apparaîtront sur la scintigraphie comme des « zones d'hypofixation ». Une autre scintigraphie est réalisée de deux à quatre heures plus tard pour voir si les zones d'hypofixation ont disparu après que les effets du dipyridamole se sont dissipés.

La tomographie par émission de positons (TEP ou PET), une technique non effractive, est aussi utile pour déceler et quantifier l'ischémie et l'infarctus (voir chapitre 20, tableau 20.8).

Le médecin peut proposer une angiographie coronarienne. Cette épreuve permet de voir si les artères coronaires sont obstruées et aide à déterminer le traitement et le pronostic adéquats. Le client souffrant d'angine instable doit subir une angiographie coronarienne afin qu'on puisse évaluer l'étendue de la maladie et déterminer le traitement approprié. L'angiographie coronarienne est la seule façon de confirmer le diagnostic de l'angine de Prinzmetal.

Parmi les autres nouvelles techniques utilisées pour diagnostiquer la sténose des artères coronaires, on retrouve l'échocardiographie d'effort. L'échocardiographie d'effort peut être utilisée lorsque l'ECG de référence d'un client présente des anomalies. Avant l'épreuve d'effort, on procède à une échocardiographie initiale, puis le client est soumis à l'épreuve de marche sur tapis roulant. Immédiatement après l'épreuve, on procède à une autre échocardiographie afin de détecter tout nouveau mouvement anormal des parois régionales. Cette façon de procéder a pour effet d'augmenter la sensibilité de l'épreuve de marche sur tapis roulant.

Dans le cas des clients incapables de faire de l'exercice, on peut opter pour une autre technique qui nécessite l'utilisation de l'échocardiographie à la dobutamine. Chez eux, on peut recourir à une échocardiographie d'effort à la dobutamine. Une échocardiographie est effectuée au cours d'une perfusion progressive de dobutamine, ce qui cause une augmentation graduelle de la fréquence cardiaque, tout comme lorsqu'une activité physique est pratiquée ; en fait, le cœur fait chimiquement de l'exercice.

Une fois de plus, on détermine s'il y a des anomalies dans le mouvement des parois régionales. On arrête l'épreuve si on décèle une anomalie dans le mouvement de la paroi, si l'angine apparaît ou encore si le client atteint la fréquence cardiaque visée ou la dose maximale

PROCESSUS DIAGNOSTIQUE ET THÉRAPEUTIQUE

Angine — ENCADRÉ 22.5

Diagnostic
- Antécédents de santé et examen physique
- Radiographie pulmonaire
- ECG
- Taux d'enzymes sériques (CK, CK-MB, LDH)
- Troponine cardiaque
- Taux de lipides sériques (LDL, HDL, apolipoprotéines A et B, triglycérides)
- Épreuves d'effort
- Imagerie nucléaire
- Tomographie par émission de positons (TEP ou PET)
- Angiographie coronarienne
- Échocardiographie

Processus thérapeutique
Soins de courte durée
- Nitroglycérine (sublinguale, IV)
- Angioplastie coronarienne transluminale percutanée
- Mise en place d'une endoprothèse
- Athérectomie
- Angioplastie au laser
- Pontage aortocoronarien (PAC)

Soins ambulatoires et soins à domicile
- Traitement antiplaquettaire
- Dérivés nitrés à libération contrôlée par voie transdermique
- Nitrates à action prolongée (p. ex. dinitrate d'isosorbide [Isordil], mononitrate d'isosorbide [Imdur])
- β-bloquants
- Inhibiteurs calciques
- Gestion des facteurs de risque de coronaropathie (voir encadré 22.4)

CK : créatine-kinase ; HDL : lipoprotéines de haute densité ; LDH : lacti-codéshydrogénase.

de dobutamine. On peut également administrer de l'atropine par voie intraveineuse pour atteindre la fréquence cardiaque visée.

Processus thérapeutique. En ce qui concerne l'angine, le traitement aux nitrates constitue l'intervention thérapeutique initiale la plus fréquente pour améliorer le débit sanguin coronarien (voir encadré 22.5). Les soins d'urgence à administrer au client souffrant de douleurs thoraciques figurent au tableau 22.7. Le traitement de la coronaropathie peut comprendre l'angioplastie coronarienne transluminale percutanée, la mise en place d'une endoprothèse vasculaire, l'athérectomie, l'angioplastie au laser et le pontage aortocoronarien.

Angioplastie coronarienne transluminale percutanée (ACTP). L'**angioplastie** coronarienne transluminale percutanée est une intervention fréquente visant à traiter l'angine. Dans un laboratoire d'hémodynamie, on insère un cathéter muni d'un ballonnet gonflable dans l'artère coronaire visée. Une fois la lésion localisée, le cathéter est introduit un peu plus loin que la lésion, le ballonnet est gonflé et la plaque d'athérosclérose est compressée, ce qui augmente la lumière des vaisseaux.

Les avantages de l'angioplastie coronarienne transluminale percutanée sont les suivants :
- elle constitue une solution de rechange à l'intervention chirurgicale ;
- elle ne nécessite qu'une anesthésie locale ;
- elle élimine le rétablissement de la sternotomie nécessaire après un **pontage aortocoronarien (PAC)** et les complications qui peuvent en résulter ;
- le client est sur pieds 24 heures après l'intervention ;
- la durée du séjour au CH est d'environ 1 à 3 jours, par rapport à 4 à 6 jours dans le cas d'une chirurgie cardiaque avec pontage aortocoronarien, ce qui réduit les frais hospitaliers ;
- finalement, le client peut retourner rapidement au travail (environ une semaine après l'angioplastie coronarienne transluminale percutanée) au lieu d'être en convalescence de 2 à 8 semaines comme dans le cas d'un pontage aortocoronarien.

Au cours de la dernière décennie, on a fait de nombreux progrès dans le domaine de l'angioplastie

SOINS D'URGENCE

TABLEAU 22.7 Douleur thoracique

Étiologie	Données recueillies	Interventions
Cardiovasculaire Angine Infarctus du myocarde Arythmie Péricardite Anévrisme de l'aorte **Pulmonaire** Pleurésie Pneumonie Pneumothorax spontané Œdème pulmonaire Embolie pulmonaire **Traumatisme thoracique** Fracture sternale ou thoracique Volet thoracique Tamponnade cardiaque Pneumothorax Hémothorax Contusion pulmonaire Lésion aortique Lésion d'un gros vaisseau sanguin **Autres** Costochondrite Stress Exercice vigoureux Médicaments Choc Hernie hiatale	• Douleur à la poitrine, dans le cou, les bras ou les épaules • Peau moite et froide • Diaphorèse • Nausées et vomissements • Douleur abdominale • Brûlures gastriques • Dyspnée • Faiblesse • Anxiété • Sentiment de mort imminente • Tachycardie • Fréquence cardiaque irrégulière • Palpitations • Arythmie • Diminution de la PA • Diminution de la pression différentielle • PA inégale dans les membres supérieurs • Syncope, perte de conscience • Diminution de la saturation en oxygène • Diminution ou absence des bruits respiratoires • Frottement péricardique	**Interventions initiales** • S'assurer que les voies respiratoires sont libres. • Administrer de l'oxygène par lunette nasale ou par masque. • Insérer deux cathéters intraveineux. • Obtenir un ECG à 12 dérivations. • Évaluer la douleur par la méthode PQRST. • Administrer les médicaments prescrits pour calmer la douleur (p. ex. morphine, nitroglycérine). • Déceler le rythme cardiaque sous-jacent. • Obtenir les taux d'enzymes cardiaques. • Évaluer la pertinence d'un traitement thrombolytique, s'il y a lieu. • Administrer de l'AAS et des bêta-bloquants pour soulager la douleur thoracique liée à la coronaropathie, à moins de contre-indications. **Surveillance continue** • Prendre les signes vitaux, surveiller le niveau de conscience, la fréquence cardiaque et la saturation en oxygène. • Surveiller l'évolution de la douleur et administrer des médicaments, au besoin. • Rassurer le client. • Anticiper le besoin d'intubation s'il y a des signes évidents de détresse respiratoire. • Se préparer à appliquer la RCR, la défibrillation, la stimulation cardiaque transcutanée ou la cardioversion.

AAS : acide acétylsalicylique ; RCR : réanimation cardiorespiratoire.

coronarienne transluminale percutanée. Des guides et des cathéters plus flexibles ont été mis au point pour permettre aux cardiologues de manœuvrer les cathéters de façon à atteindre des lésions distales aussi bien que proximales. Aujourd'hui, on a plus souvent recours à l'angioplastie coronarienne transluminale percutanée qu'au pontage aortocoronarien. Chez 90 % des clients, la taille de la lésion est réduite de plus de 50 %. De nouvelles techniques ont été mises au point pour fournir du sang au myocarde distal pendant le gonflement du ballonnet, ce qui rend l'opération plus sécuritaire. On peut aussi procéder à la dilatation de greffes sténosées réalisées au cours d'un pontage aortocoronarien antérieur, bien que ces vaisseaux nécessitent généralement des dilatations répétées.

La complication la plus grave de l'angioplastie coronarienne transluminale percutanée consiste en la dissection de l'artère dilatée à l'endroit où la lésion de l'intima est poussée plus haut ou plus bas le long de la paroi plutôt que d'être compressée. Si les lésions sont importantes, l'artère coronaire peut se rompre, ce qui pourrait causer une tamponnade cardiaque, l'ischémie, un infarctus, une chute du débit cardiaque et, éventuellement, la mort. Il y a aussi un danger d'infarctus si la lésion est calcifiée et qu'une partie de la plaque se déloge et bouche le vaisseau distal au cathéter. Un spasme coronarien résultant de l'irritation mécanique causée par le cathéter peut survenir, ainsi qu'une irritation chimique attribuable au cathéter ou au ballonnet et à l'injection d'une substance de contraste pour visualiser l'artère. La resténose, une autre complication, peut survenir au cours des 24 heures qui suivent l'angioplastie coronarienne transluminale percutanée. La présence d'une lésion athéroscléreuse diffuse, d'une sténose grave (plus de 90 %), d'un thrombus avant la dilatation ou de lésions dans les vaisseaux contribuant à la circulation collatérale constituent des facteurs liés à la resténose. Après l'angioplastie coronarienne transluminale percutanée, le risque de resténose est d'environ 30 % au cours des trois à six premiers mois. La resténose atteint le plus souvent les fumeurs, les personnes diabétiques et celles qui sont atteintes d'hypercholestérolémie.

Mise en place d'une endoprothèse vasculaire. On utilise une endoprothèse quand une resténose s'est produite ou risque de se produire consécutivement à l'angioplastie coronarienne transluminale percutanée. L'endoprothèse est une structure extensible, semblable à des mailles, conçue pour maintenir la perméabilité des vaisseaux en compressant la paroi artérielle et en résistant à la vasoconstriction (voir figure 22.14). L'endoprothèse est soigneusement introduite au-dessus du site de l'angioplastie afin de garder le vaisseau ouvert. Puisque l'endoprothèse est thrombogène, on administre

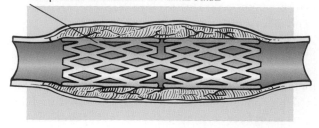

Endoprothèse coronarienne de Palmaz-Schatz

FIGURE 22.14 Endoprothèse coronarienne de Palmaz-Schatz : une maille articulée faite d'acier inoxydable qui se déploie lorsque le ballonnet est gonflé

généralement au client des agents antiplaquettaires, tels que l'AAS (Aspirin), la ticlopidine (Ticlid) ou le clopidogrel (Plavix). Il est possible d'administrer par voie intraveineuse de l'abciximab (Reopro), un inhibiteur de l'agrégation plaquettaire, si l'intervention chirurgicale a été difficile ou peu satisfaisante, ou si la mise en place de l'endoprothèse est détectée par échographie ultrasonique intracoronarienne. L'abciximab contribue à empêcher la resténose des artères coronaires traitées. Il prévient la formation de caillots en empêchant le fibrinogène ainsi que d'autres molécules adhésives de se fixer aux plaquettes. On administre parfois de la warfarine (Coumadin) pendant une période allant de un à trois mois. Les complications principales de la mise en place de l'endoprothèse sont l'hémorragie et les lésions vasculaires. La thrombose liée à l'endoprothèse, l'infarctus du myocarde et les spasmes coronariens sont des complications moins fréquentes. Il y a toujours un risque d'arythmie.

Athérectomie. L'athérectomie est une autre technique utilisée dans le traitement de la coronaropathie. L'intervention consiste à raser la plaque à l'aide d'une lame rotative (voir figure 22.15). L'athérectomie diminue davantage l'incidence de resténose soudaine que l'angioplastie coronarienne transluminale percutanée. Cependant, elle se limite aux segments proximaux et intermédiaires des vaisseaux dont le diamètre dépasse 3 mm, la longueur est inférieure à 15 mm et qui ne sont que peu calcifiés. Bien qu'elle soit plus efficace que l'angioplastie coronarienne transluminale percutanée pour traiter les lésions touchant les ramifications ou les sites de fixation d'un pontage par greffe, elle comporte les mêmes risques de thrombose et de resténose que l'angioplastie coronarienne transluminale percutanée conventionnelle.

Angioplastie au laser. L'angioplastie au laser consiste à introduire un cathéter dans une artère périphérique pour atteindre l'artère coronaire malade. Au bout du cathéter, un petit laser vaporise la région atteinte par la

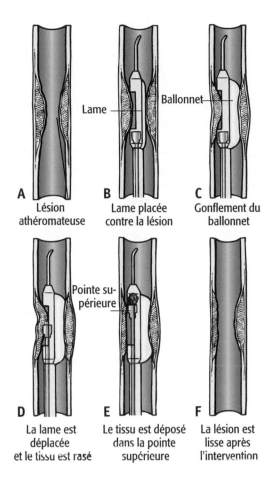

FIGURE 22.15 Athérectomie coronarienne directionnelle. A. Lésion athéromateuse. B. La lame est introduite dans l'artère coronaire à l'aide d'un guide, puis placée de manière à ce que la fenêtre soit contre la lésion. C. Le ballonnet est gonflé afin de maintenir la lame en place contre la lésion. D. À mesure que la lame rotative est déplacée le long de la lésion, le tissu athéromateux est rasé. E. Le tissu est déposé dans la pointe supérieure. F. La lésion est lisse après l'intervention.

plaque afin de faciliter le débit sanguin. Cette intervention a cependant un désavantage, à savoir que la technique a besoin d'être raffinée afin qu'on puisse déterminer la force du laser appropriée pour traiter une plaque d'athérosclérose d'une épaisseur donnée. L'angioplastie au laser s'est révélée utile pour traiter la sténose qui se développe dans l'endoprothèse, pour extraire les électrodes du stimulateur cardiaque et pour désobstruer les greffes veineuses.

Pontage aortocoronarien. On recommande généralement le pontage aortocoronarien dans les cas suivants : si le client présente une obstruction importante de l'artère coronaire principale gauche ; s'il est atteint de vasculopathie triple ; s'il est atteint de vasculopathie double et que le traitement médical n'a aucun effet. On

recommande généralement le pontage pour un client atteint d'angine instable qui réagit très peu au traitement et nécessite des angioplasties répétées. La réussite de ce traitement peut varier. (Le chapitre 23 traite du pontage aortocoronarien.)

Pharmacothérapie

Traitement aux antiagrégants plaquettaires. Le traitement aux antiagrégants plaquettaires constitue la pharmacothérapie de première intention pour traiter l'angine. L'AAS est le médicament le plus fréquemment utilisé. Des études récentes indiquent que l'AAS entraîne une réduction pouvant atteindre 50 % de l'angine instable conduisant à l'infarctus du myocarde. Prise une fois par jour, une dose aussi faible que celle d'un comprimé Aspirin pour enfant (80 mg) pourrait empêcher l'agrégation plaquettaire. On peut administrer de la ticlopidine (Ticlid) ou du clopidogrel (Plavix) aux clients incapables de tolérer l'AAS ou ayant récemment présenté des saignements gastro-intestinaux.

Nitrates. Les nitrates, qu'on qualifie fréquemment de vasodilatateurs, constituent l'étape suivante dans le traitement de l'angine. Les nitrates produisent leurs principaux effets comme suit :
- En dilatant les vaisseaux sanguins périphériques. Cet effet cause une diminution de la résistance vasculaire systémique (diminution de la postcharge), du volume veineux et du retour du sang veineux (diminution de la précharge) jusqu'au cœur. Les besoins du myocarde en oxygène sont donc réduits en même temps que la charge cardiaque.
- En dilatant les artères coronaires et les vaisseaux collatéraux. Cet effet peut faire augmenter le débit sanguin dans les zones ischémiées du cœur. Cependant, lorsque les artères coronaires sont gravement atteintes par l'athérosclérose, la dilatation coronarienne est difficile à accomplir.

- Nitroglycérine. En prise sublinguale, la nitroglycérine soulage généralement la douleur en l'espace d'environ trois minutes, et ses effets durent de 20 à 45 minutes. La majorité des clients préfèrent la nitroglycérine en vaporisation (Nitrolingual), puisque la pompe n'a pas à être changée aux 3 mois comme on doit le faire pour les comprimés sublinguaux. La posologie généralement recommandée est d'une à deux vaporisations sur ou sous la langue, qui peuvent être répétées 2 fois à des intervalles de 5 à 10 minutes. La posologie recommandée pour les comprimés en prise sublinguale est la même. On doit aviser le client de consulter un médecin immédiatement si ses malaises ne sont pas complètement soulagés après la prise de 3 comprimés ou de 3 vaporisations et après un délai de 15 minutes.

La nitroglycérine peut être administrée de façon prophylactique avant la pratique d'une activité qui peut précipiter une attaque d'angine chez le client. Dans ce cas, le client peut prendre un comprimé de 5 à 10 minutes avant le début de l'activité. Le client doit signaler au médecin tout changement dans le schéma habituel de la douleur, en particulier l'augmentation de la fréquence de l'angine ou l'apparition d'angor nocturne.

Les comprimés de nitroglycérine sont vendus dans une bouteille résistant à la lumière. Puisque les comprimés ont tendance à perdre de leur efficacité, il faut conseiller au client d'en acheter des nouveaux tous les trois à six mois.

• Dérivés nitrés à libération contrôlée par voie transdermique. Deux systèmes sont actuellement offerts pour l'administration de médicaments transdermiques : le réservoir et la matrice. Transderm-Nitro est le système de réservoir dans lequel le médicament se déplace vers le site d'absorption à travers une membrane perméable qui règle le débit du médicament. Nitro-Dur et Minitran constituent les systèmes de matrice dans lesquels le médicament se disperse lentement à travers une matrice en polymère vers le site d'absorption. Le réservoir et la matrice offrent tous deux l'avantage de maintenir un taux plasmatique constant à l'intérieur de la marge thérapeutique pendant 24 heures, ne nécessitant donc qu'une application par jour. Le système faisant appel au réservoir a pour inconvénient une libération massive de la dose si le sceau du réservoir est percé ou brisé, tandis que la matrice n'a pas cet inconvénient. Les deux systèmes permettent d'atteindre un taux plasmatique stable en deux heures.

• Nitrates à action prolongée. Les nitrates à action prolongée, tels que la nitroglycérine (Nitrong SR), le dinitrate d'isosorbide (Isorbide) et le mononitrate d'isosorbide (Imdur) agissent plus longtemps que la nitroglycérine en prise sublinguale et, lorsqu'ils sont administrés en doses suffisantes, réduisent efficacement l'incidence des crises d'angine. Leurs mécanismes d'action et leurs effets secondaires sont semblables à ceux de la nitroglycérine.

En raison des propriétés vasodilatatrices des nitrates, l'effet secondaire prédominant de tous les médicaments contenant des nitrates est la céphalée causée par la dilatation des vaisseaux sanguins cérébraux. L'organisme peut parfois développer une tolérance au médicament, ce qui met fin aux céphalées, mais l'effet antiangoreux principal est toujours présent. On peut conseiller au client de prendre de l'acétaminophène avec les nitrates afin de soulager les céphalées. Un autre trouble lié aux nitrates est que l'organisme a tendance à développer une tolérance à leurs effets. Une stratégie s'est révélée efficace pour combattre cette tolérance ; il s'agit de ne pas administrer de nitrates pendant une période de 12 heures à l'intérieur de chaque période de 24 heures. Cette période sans nitrates devrait avoir lieu la nuit, à moins que le client ne souffre d'angor nocturne. L'hypotension orthostatique (syncope causée par les nitrates) et l'aggravation de l'insuffisance vasculaire cérébrale constituent d'autres complications liées aux médicaments vasodilatateurs.

• Nitroglycérine par voie intraveineuse. La nitroglycérine par voie intraveineuse est utilisée pour traiter les clients hospitalisés atteints d'angine instable. Son action est immédiate, et elle peut être administrée pour prévenir, traiter et faire cesser les crises d'angine aiguës. Le but du traitement est de faire cesser la douleur liée à l'angine et de réduire la PA systolique de 15 % ou la PA moyenne de 10 %. On a également employé la nitroglycérine par voie intraveineuse pour traiter l'infarctus du myocarde. Le motif de son utilisation dans le traitement de l'infarctus du myocarde est de causer l'augmentation de la circulation collatérale vers la région ischémiée et de diminuer la demande du myocarde en oxygène. De plus, elle amène une réduction du retour veineux – donc de la précharge – et, par conséquent, du travail du cœur et de son besoin en O_2. La tolérance constitue aussi un effet secondaire du traitement aux nitrates par voie intraveineuse. Une stratégie efficace pour contrer ce phénomène consiste à diminuer la posologie la nuit pendant le sommeil et à l'augmenter pendant la journée.

β-*bloquants.* Les β-bloquants, ou antagonistes β-adrénergiques, constituent la seule classe de médicaments dont la capacité à réduire les taux de morbidité et de mortalité chez les clients atteints de coronaropathie, en particulier après un infarctus du myocarde, a été démontrée. Cependant, les β-bloquants sont associés à plusieurs effets secondaires et sont parfois mal tolérés par l'organisme. Les β-bloquants offerts sur le marché pour traiter l'angine sont le propranolol (Indéral), l'acébutolol (Sectral, Monitan), le métoprolol (Lopresor), le nadolol (Corgard), l'aténolol (Tenormin), l'oxprénolol (Slow-Trasicor), le pindolol (Visken), le bisoprolol (Monocor) et le timolol (Apo-Timol) (voir tableau 21.9). Ces médicaments provoquent une réduction directe de la contractilité myocardique, de la fréquence cardiaque, de la résistance vasculaire systémique et de la pression artérielle, ce qui a pour effet de diminuer la demande du myocarde en oxygène. Les effets secondaires des β-bloquants peuvent comprendre la bradycardie, l'hypotension, la respiration sifflante ainsi que des symptômes touchant l'appareil gastro-intestinal. De nombreux clients présentent aussi un gain de masse corporelle, une dépression et un dysfonctionnement sexuel. La prise de β-bloquants ne doit pas cesser subitement sans qu'il y ait surveillance médicale.

Inhibiteurs calciques. Les inhibiteurs calciques tels que la nifédipine (Adalat), le vérapamil (Isoptin), le diltiazem (Cardizem, Tiazac) et l'amlodipine (Norvasc) constituent l'étape suivante dans le traitement de l'angine. La plupart de ces agents ont des formes à libération prolongée procurant un effet de plus longue durée dans l'espoir d'augmenter l'observance thérapeutique chez le client. Les trois principaux effets des inhibiteurs calciques sont :
- la vasodilatation systémique accompagnée d'une diminution de la résistance vasculaire systémique (diminution de la postcharge) ;
- la diminution de la contractilité myocardique ; et
- la vasodilatation coronarienne.

Chacun des médicaments manifeste ces effets à des degrés différents. Les inhibiteurs calciques ont un effet dépresseur sur la vitesse de dépolarisation du nœud sinusal, et la vitesse de conduction dans le nœud auriculo-ventriculaire diminue, ce qui a pour effet de ralentir la fréquence cardiaque (voir tableau 21.9 pour la liste des inhibiteurs calciques).

Le muscle cardiaque et les cellules vasculaires des muscles lisses dépendent davantage du calcium extra-cellulaire que les muscles squelettiques et sont, par con séquent, plus sensibles aux inhibiteurs calciques. Ceux-ci ont sur les muscles lisses des artères coronaires et systémiques un effet relaxant et vasodilatateur relatif, ce qui cause une augmentation du débit sanguin. Le vérapamil (Isoptin) et le diltiazem (Cardizem) ont des propriétés antiarythmiques (voir chapitre 24). La perfusion myocardique se trouve améliorée par les inhibiteurs calciques en raison de l'augmentation du débit sanguin consécutive à la vasodilatation et à la réduction de la demande du myocarde en oxygène amenée par une réduction de la fréquence cardiaque et de la postcharge. Les inhibiteurs calciques permettent aussi de circonscrire efficacement l'angine, qu'elle soit attribuable à des lésions d'athérosclérose « fixes » ou au spasme vasculaire. Le vérapamil, la nifédipine et le diltiazem permettent aussi de diminuer la PA systémique chez le client atteint d'hypertension.

Les inhibiteurs calciques potentialisent l'efficacité de la digoxine en faisant augmenter son taux sérique pendant la première semaine de traitement. Le taux de digoxine sérique doit donc être surveillé de près au début de ce traitement, et le client doit être informé des signes et symptômes de l'intoxication à la digoxine.

Soins infirmiers : angine

Collecte de données. Les données subjectives et objectives qui doivent être recueillies auprès du client atteint d'angine figurent à l'encadré 22.6.

Diagnostics infirmiers. Les diagnostics infirmiers pour le client atteint d'angine comprennent, entre autres, les états suivants :

COLLECTE DE DONNÉES

Évaluation chez le client angineux   ENCADRÉ 22.6

Données subjectives

Information importante concernant la santé
- Antécédents de santé : antécédents d'infarctus du myocarde, d'angine, de sténose aortique ou de cardiomyopathie ; hypertension, diabète, anémie, maladie pulmonaire ; hyperlipidémie.
- Médication : dérivés nitrés, inhibiteurs calciques, β-bloquants, antihypertenseurs, hypolipidémiants.

Modes fonctionnels de santé
- Mode perception et gestion de la santé : antécédents familiaux de maladie cardiaque ; mode de vie sédentaire ; tabagisme.
- Mode nutrition et métabolisme : apport habituel en matières grasses et en sodium ; indigestion, brûlures gastriques, nausées, vomissements.
- Mode élimination : présence de constipation, de diarrhée.
- Mode activité et exercice : palpitations ; dyspnée ; étourdissements, faiblesse.
- Mode cognition et perception : douleur ou pression thoracique rétrosternale diffuse (sensation d'écrasement ou d'étouffement, douleur continue ou aiguë, picotements) d'une durée de moins de 20 minutes ; située dans les bras (surtout le bras gauche), la mâchoire, le cou, les épaules, le dos et normalement associée à un facteur de risque ; le repos ou la nitroglycérine permettent de la soulager ; paresthésie des bras.
- Mode adaptation et tolérance au stress : mode de vie stressant ; appréhension, anxiété ; sentiment de mort imminente.

Données objectives

Généralité
- Anxiété

Appareil tégumentaire
- Peau moite, froide et pâle

Appareil cardiovasculaire
- Tachycardie, pouls alternant, arythmie (surtout ventriculaire), galop ventriculaire, galop auriculaire.

Résultats possibles
- Enzymes cardiaques négatifs, taux élevés de lipides sériques (LDL, HDL, triglycérides, apolipoprotéines A et B ; épreuve d'effort et scintigraphie au thallium positives ; anomalies dans les ondes ST et T à l'ECG (sous-décalage horizontal ou descendant d'au moins 1 mm) (DAVIDSON. *Médecine interne : Principes et pratique*, Paris, Maloine, p. 249) ; hypertrophie cardiaque ou calcifications, présence de congestion pulmonaire sur les radiographies pulmonaires ; mouvement anormal de la paroi à l'échocardiographie d'effort ; angiographie coronarienne positive.

- douleur (douleur thoracique ou malaise) reliée au déséquilibre entre la demande et l'apport en oxygène ;
- anxiété reliée au diagnostic de la maladie cardiaque et au fait que le client est conscient d'en être atteint,

qu'il ressent de la douleur, qu'il a une tolérance restreinte à l'activité, qu'il éprouve de l'incertitude en ce qui concerne l'avenir, les épreuves diagnostiques et la chirurgie à venir ;
- diminution du débit cardiaque reliée à l'ischémie myocardique et affectant la contractilité ;
- intolérance à l'activité reliée à l'ischémie myocardique.

Planification. Les objectifs généraux pour le client atteint d'angine sont les suivants : ressentir un soulagement de la douleur ; diminuer l'anxiété ; acquérir une connaissance adéquate du trouble et du traitement prescrit ; et modifier les facteurs de risque.

Exécution

Promotion de la santé et prévention de la maladie. Les comportements visant à réduire les facteurs de risque de coronaropathie sont présentés dans l'encadré 22.4 et abordés dans la section antérieure portant sur la promotion de la santé et la prévention de la maladie.

Intervention en phase aiguë. Parmi les objectifs principaux des soins infirmiers à l'égard du client atteint d'angine, on retrouve la collecte de données sur la douleur (voir tableau 5.5), l'évaluation du traitement et le renforcement du traitement approprié. Puisque la douleur thoracique peut être causée par de nombreux facteurs autres que l'ischémie (p. ex. une péricardite, une maladie valvulaire, une sténose de l'aorte pulmonaire, un infarctus du myocarde, une myocardiopathie congestive), il est important de bien comprendre la douleur ressentie par le client. Les questions posées par l'infirmière peuvent lui permettre de déceler des antécédents de douleur angineuse. L'infirmière doit déterminer si le fait d'inspirer ou d'expirer, ou encore de changer de position, réduit ou augmente la douleur thoracique du client. La douleur angineuse ne varie pas en fonction de la respiration ni du changement de position. Par contre, c'est le cas pour la douleur causée par la péricardite. L'infirmière doit vérifier si la douleur est profonde ou superficielle, légère ou intense. On décrit généralement la douleur cardiaque comme profonde et intense, mais on la caractérise parfois comme une douleur continue et sourde. Peu de gens réussissent à ignorer la douleur cardiaque.

Il faut demander au client si la douleur est diffuse ou bien localisée. La douleur cardiaque est généralement diffuse. Le client peut frotter toute sa poitrine pour indiquer l'endroit où la douleur survient. L'infirmière doit apprendre au client à chiffrer chaque situation où il ressent de la douleur en l'évaluant sur une échelle de 0 à 10, où 10 représente une douleur insoutenable et 0, une douleur qui passe presque inaperçue. Cette façon de faire permet à l'infirmière de recueillir des données sur l'efficacité du traitement au cours d'un épisode de douleur et d'être en mesure de la différencier des manifestations douloureuses subséquentes.

Si l'infirmière est présente au cours d'une crise d'angine, elle doit appliquer les mesures suivantes :
- administrer de l'oxygène ;
- prendre les signes vitaux ;
- réaliser un ECG à 12 dérivations ;
- soulager rapidement la douleur, d'abord à l'aide d'un dérivé nitré, puis d'un analgésique narcotique s'il y a lieu ;
- ausculter le thorax ;
- installer le client dans une position confortable.

Il est fort possible que le client soit en situation de détresse et que sa peau soit pâle, moite et froide. Sa pression artérielle et sa fréquence cardiaque seront probablement élevées, et un bruit de galop auriculaire (B_4) pourrait être audible. Cependant, si un bruit de galop ventriculaire (B_3) est audible, cela pourrait indiquer une décompensation du ventricule gauche. Un souffle peut également être entendu pendant une crise d'angine causée par l'ischémie d'un muscle papillaire. Il est possible que le souffle soit fugace et qu'il cesse en même temps que les symptômes. Le fait de rassurer le client de manière réaliste et de le soutenir de façon calme et apaisante permet d'atténuer son anxiété.

Le client doit apprendre à utiliser adéquatement la nitroglycérine en administration sublinguale et il doit y avoir accès facilement en tout temps. Cependant, il faut spécifier au client qu'il ne doit pas transporter de nitroglycérine dans ses poches, parce que la chaleur dégagée par son corps peut causer une perte de l'efficacité des comprimés. Afin de les protéger de la dégradation, il faut les garder dans une bouteille de verre foncé fermée hermétiquement. Le client doit apprendre à placer le comprimé de nitroglycérine sous sa langue et à le laisser se dissoudre. La dissolution devrait causer une effervescence ou une sensation locale de faible chaleur. Il faut avertir le client que sa fréquence cardiaque peut augmenter et que des étourdissements, des rougeurs ou une céphalée provoquant une sensation de martèlement peuvent survenir. On doit aussi l'informer de ne pas se lever rapidement, car une hypotension orthostatique peut se manifester après l'ingestion de nitroglycérine. Il faut mentionner au client de prendre un autre comprimé de nitroglycérine si la douleur n'est pas soulagée après cinq minutes. Cette procédure peut être répétée toutes les cinq minutes pour soulager la douleur, mais le client ne doit pas ingérer plus de trois comprimés. Si la douleur persiste après trois doses, le client doit immédiatement consulter un médecin.

Soins ambulatoires et soins à domicile. L'infirmière doit rassurer le client et lui dire que l'angine n'empêche pas de vivre une vie longue et bien remplie. La prévention de l'angine est préférable à son traitement, et c'est là que l'enseignement est important. L'infirmière doit informer le client en ce qui a trait à la coronaropathie, à l'angine, aux facteurs précipitants, aux facteurs de risque et aux médicaments.

L'enseignement au client peut être fait de diverses façons. L'enseignement individualisé est souvent la méthode la plus efficace. Le temps que l'infirmière passe à fournir des soins quotidiens constitue généralement une période d'enseignement idéale. Les outils aidant à l'enseignement, tels que des brochures, des vidéos, une maquette représentant le cœur et, surtout, de l'information écrite sont nécessaires à l'éducation du client et de sa famille.

On doit aider le client à reconnaître les facteurs de risque de l'angine (voir tableau 22.6), puis lui montrer comment les prévenir ou les maîtriser. Par exemple, il faut l'avertir d'éviter l'exposition à des températures extrêmes et les repas lourds et abondants. S'il consomme un repas lourd, il doit se reposer adéquatement pendant une à deux heures après le repas, parce que le sang subit une dérivation vers la voie gastro-intestinale pour favoriser la digestion.

On doit aider le client à déterminer ses facteurs de risque personnels de coronaropathie. Une fois ces facteurs de risque bien établis, on doit discuter des diverses méthodes qui permettent de les réduire (voir encadré 22.4).

Il peut être utile d'enseigner au client et à sa famille comment adopter un apport alimentaire faible en sodium et en gras saturés. Il est important que le client maintienne un poids santé afin de maîtriser l'angine, car un surplus de poids cause une augmentation de la charge cardiaque et peut entraîner de la douleur. Le fait de consommer des repas lourds contribue aussi à l'angine, et le client peut avoir besoin de consommer plusieurs petits repas par jour plutôt que trois gros repas.

Il est important de suivre un programme d'exercices individualisé et régulier qui met le cœur en forme plutôt que de soumettre le myocarde à un effort excessif. On peut conseiller à la plupart des clients de marcher rapidement sur une surface plane pendant trente minutes par jour, et ce, au moins trois fois par semaine. Dans le but de personnaliser l'enseignement, l'infirmière peut consulter un médecin ou un physiothérapeute afin d'obtenir un programme d'exercices qui conviendra au client.

Il est primordial d'enseigner au client et à sa famille comment prendre la nitroglycérine. Les comprimés peuvent être utilisés en prophylaxie avant une situation causant un stress émotionnel, une relation sexuelle ou un effort physique (p. ex. monter un long escalier).

Un service d'aide psychologique doit être fourni afin d'évaluer l'adaptation du client et de sa famille au diagnostic de coronaropathie et d'angine qui en résulte. De nombreux clients ont l'impression que leur identité et leur estime de soi sont menacées et se sentent inca

pables de jouer leur rôle dans la société. Ces émotions sont normales et réelles.

Évaluation. Les résultats escomptés chez le client atteint d'angine sont les suivants :
- ressentir un soulagement de la douleur et ne plus éprouver de douleur angineuse ;
- prendre des mesures pour modifier les facteurs de risque de coronaropathie ;
- observer la pharmacothérapie et les recommandations nutritionnelles ;
- connaître le processus morbide ;
- n'éprouver aucune complication.

22.2.2 Infarctus du myocarde

Un infarctus du myocarde survient lorsque les changements intracellulaires ischémiques deviennent irréversibles et que la nécrose en résulte. L'angine due à l'ischémie cause des lésions cellulaires réversibles, et l'infarctus est le résultat d'une ischémie soutenue qui entraîne une mort cellulaire irréversible (voir figure 22.16).

Le taux de mortalité avant l'hospitalisation chez les clients ayant subi un infarctus du myocarde est d'environ 30 % à 50 %. Le taux de mortalité chez les clients qui se rendent à l'hôpital est d'environ 5 %. La plupart de ces décès ont lieu au cours des trois à quatre premiers jours.

Physiopathologie. Les cellules cardiaques peuvent résister à l'ischémie pendant environ 20 minutes avant que la mort cellulaire (nécrose) ne débute. La fonction contractile du cœur cesse dans les parties du myocarde

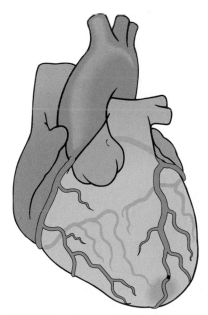

FIGURE 22.16 Obstruction totale de l'artère coronaire provoquant un infarctus du myocarde

atteintes par la nécrose. Le degré d'altération de la fonction dépend de la partie du cœur atteinte et de la taille de l'infarctus. La plupart des infarctus atteignent le ventricule gauche. L'**infarctus transmural** survient lorsque la totalité de l'épaisseur du myocarde dans une partie donnée est atteinte (voir figure 22.17). L'**infarctus sous-endocardique** (non transmural) a lieu lorsque les lésions n'ont pas pénétré à travers toute l'épaisseur de la paroi myocardique.

On décrit les infarctus selon l'endroit où ils surviennent : infarctus de la paroi antérieure, inférieure, latérale ou postérieure (voir figure 22.18). Les infarctus antéro-latéral et antéro-septal sont des combinaisons fréquentes. L'infarctus inférieur est aussi appelé infarctus diaphragmatique.

La localisation de l'infarctus est en corrélation avec la partie de la circulation coronarienne atteinte. Par exemple, l'infarctus de la paroi inférieure est généralement causé par la présence de lésions dans l'artère coronaire droite. L'infarctus de la paroi antérieure est généralement causé par la présence de lésions dans l'artère interventriculaire antérieure. La présence de lésions dans l'artère circonflexe gauche est généralement la cause de l'infarctus postérieur ou inférieur.

Le degré de circulation collatérale préétablie détermine aussi la gravité de l'infarctus. Chez une personne ayant des antécédents de maladie cardiaque, des voies collatérales adéquates ont pu être établies pour fournir du sang et de l'oxygène à la région qui entoure le foyer de l'infarctus. Il s'agit de l'une des raisons qui expliquent pourquoi une jeune personne victime d'un infarctus du myocarde grave court plus de risques d'avoir un handicap important qu'un individu plus âgé ayant le même degré d'occlusion.

Processus de guérison. Le processus inflammatoire est la réaction de l'organisme à la mort cellulaire (voir chapitre 6). En 24 heures, les leucocytes infiltrent la région atteinte. Les cellules cardiaques mortes libèrent des enzymes qui constituent d'importants indicateurs diagnostiques de l'infarctus du myocarde (CK-MB et tropine) (voir la section sur les marqueurs cardiaques sériques, plus loin dans ce chapitre). Les enzymes protéolytiques des neutrophiles et des macrophages éliminent les tissus nécrotiques avant le deuxième ou le troisième jour, ce qui explique l'augmentation de la leucocytose et de la température corporelle. Pendant cette période, la paroi musculaire nécrotique est mince. Le développement de la circulation collatérale améliore la perfusion dans les endroits où elle est faible et peut limiter les zones de lésions et d'infarctus. Lorsque l'infarctus débute, la lipolyse stimulée par les catécholamines et la glycogénolyse surviennent. Ces processus permettent au glucose plasmatique et aux acides gras libres, présents en grande quantité, d'être utilisés par le myocarde, dans un contexte où l'oxygène

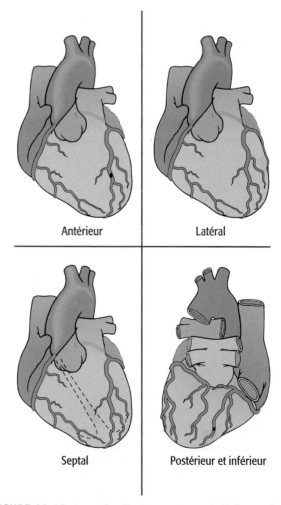

Antérieur   Latéral

Septal   Postérieur et inférieur

FIGURE 22.18 Quatre localisations courantes de l'infarctus du myocarde

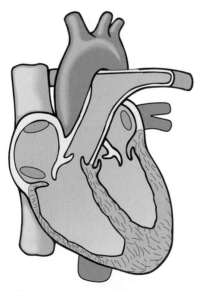

FIGURE 22.17 Infarctus transmural du myocarde dans toute l'épaisseur de la paroi

est raréfié, au cours du métabolisme anaérobie. C'est pourquoi les taux de glucose sérique sont fréquemment élevés après un infarctus du myocarde, et cela peut être la cause de l'état « pseudodiabétique ».

La zone nécrotique peut être repérée par des changements à l'ECG et par une scintigraphie au technétium après l'apparition des symptômes. À ce stade, les phagocytes (neutrophiles et monocytes) ont délogé les débris nécrotiques de l'endroit où les lésions sont présentes, et la matrice collagénique qui va plus tard former le tissu cicatriciel y est déposée.

Le tissu cicatriciel naissant est toujours faible de 10 à 14 jours après l'infarctus du myocarde. On considère alors le myocarde comme particulièrement vulnérable à l'augmentation du stress, puisque la paroi cardiaque en guérison se trouve dans un état instable. (Une grande prudence et une évaluation sont nécessaires, car c'est aussi pendant cette période que le degré d'activité du client peut augmenter.) Six semaines après l'infarctus du myocarde, le tissu cicatriciel a remplacé le tissu nécrotique. C'est à ce moment qu'on considère la région lésée comme guérie. La région cicatrisée est souvent moins souple que les fibres qui l'entourent. Cet état peut se manifester par un mouvement non coordonné de la paroi, un dysfonctionnement ventriculaire ou des difficultés à pomper le sang.

Ces changements dans le muscle atteint par l'infarctus provoquent aussi des modifications dans les parties non atteintes du myocarde. En tentant de compenser pour le muscle atteint par l'infarctus, le myocarde normal s'hypertrophie et se dilate. On nomme ce processus « remodelage ventriculaire ». Le remodelage du myocarde normal peut mener à une défaillance cardiaque tardive, particulièrement chez les personnes dont les autres artères coronaires sont atteintes d'athérosclérose.

Manifestations cliniques

Douleur. La douleur thoracique grave et immobilisante qui n'est pas soulagée par le repos ni par l'administration de dérivés nitrés est la caractéristique de l'infarctus du myocarde (voir tableau 22.6). La douleur est causée par un apport d'oxygène insuffisant vers le myocarde. Cette douleur, persistante et ne ressemblant à aucune autre douleur, est souvent décrite comme une lourdeur, une oppression ou un serrement. Elle est souvent sous-sternale ou rétrosternale et elle s'étend dans le cou, la mâchoire et les bras ou encore dans le dos. Elle peut survenir pendant que le client est actif ou au repos, endormi ou éveillé, et elle a généralement lieu tôt le matin. Elle dure habituellement 20 minutes ou davantage, et on la décrit souvent comme plus forte que la douleur angineuse. La douleur peut être localisée de manière atypique dans la région épigastrique. Le client peut avoir pris des antiacides sans qu'ils ne lui aient procuré de soulagement. Certains clients peuvent ne pas éprouver de douleur, mais ressentent un « malaise », une faiblesse ou un essoufflement. On retrouve ce phénomène chez les personnes âgées et les clients diabétiques, dont le seuil de douleur est plus élevé. (Voir tableaux 5.5 et 5.6.)

Nausées et vomissements. Le client peut avoir des nausées et des vomissements. Ces manifestations peuvent être attribuables à la stimulation réflexe du centre du vomissement par la forte douleur (zone gachette). Ces symptômes peuvent aussi être le résultat de réflexes provenant des vaisseaux et du nerf vague de la partie du myocarde touchée par l'infarctus.

Stimulation du système nerveux sympathique. Au cours de la phase initiale de l'infarctus du myocarde, un grand nombre de catécholamines (noradrénaline et adrénaline) sont libérées. L'augmentation de la stimulation du système nerveux sympathique cause la diaphorèse et la vasoconstriction des vaisseaux sanguins périphériques. À l'examen physique, la peau du client a une teinte grisâtre, est moite et froide. Cet état est souvent appelé « sueurs froides ».

Fièvre. Au cours des premières 24 heures, la température corporelle peut augmenter pour atteindre 38 °C et parfois même 39 °C. L'élévation de la température peut durer jusqu'à une semaine. Cette augmentation est une manifestation systémique du processus inflammatoire causé par la mort cellulaire dans la partie du myocarde ayant subi un infarctus.

Manifestations cardiovasculaires. La pression artérielle et la fréquence cardiaque sont augmentées. Plus tard, la pression artérielle et la production d'urine peuvent chuter par suite de la diminution du débit cardiaque. Des crépitements sont entendus dans les poumons et persistent pendant plusieurs heures ou plusieurs jours. L'engorgement hépatique et l'œdème périphérique indiquent une défaillance cardiaque apparente. Les veines jugulaires sont distendues et produisent des pulsations évidentes, indiquant le dysfonctionnement précoce du ventricule droit et la congestion pulmonaire.

L'examen cardiaque peut révéler un bruit précordial anormal évocateur d'un anévrisme ventriculaire. Les bruits du cœur peuvent paraître sourds, mais une auscultation attentive est susceptible de révéler une discordance indiquant un dysfonctionnement du ventricule gauche. Le B_3 et le B_4 sont d'autres bruits adventices qui peuvent révéler un dysfonctionnement ventriculaire. De plus, la présence de souffles peut signaler une insuffisance valvulaire. Un souffle holosystolique (souffle qui se prolonge durant toute la systole) de pointe intense peut indiquer une insuffisance valvulaire ou une malformation septale et être consécutif à la rupture du muscle papillaire.

Complications

Arythmie. Après un infarctus du myocarde, la complication la plus fréquente est l'arythmie, qui est présente dans 80 % des cas. L'arythmie est causée par tout état qui affecte la sensibilité des cellules du myocarde aux influx nerveux, tels que l'ischémie, le déséquilibre électrolytique et la stimulation du système nerveux sympathique. Le rythme intrinsèque des battements cardiaques est alors perturbé, ce qui provoque de la tachycardie, de la bradycardie ou d'autres arythmies, qui ont toutes pour effet d'affecter le myocarde ischémique.

La forme la plus dangereuse d'arythmie se produit lors d'un infarctus de la paroi antérieure, d'une défaillance de la pompe cardiaque ou d'un choc cardiogénique. Dans le cas d'un infarctus massif, on observe un bloc cardiaque auriculoventriculaire (BAV) complet. La fibrillation ventriculaire, une cause fréquente de mort subite, est une forme mortelle d'arythmie qui survient souvent au cours des quatre heures suivant l'apparition de la douleur. L'extrasystole ventriculaire peut précéder la tachycardie et la fibrillation ventriculaires. L'arythmie ventriculaire est une urgence vitale et doit être traitée immédiatement. (Voir chapitre 24 pour obtenir la description détaillée des types d'arythmies et de leur traitement.)

Insuffisance cardiaque congestive. L'insuffisance cardiaque congestive est une complication qui survient lorsque la puissance de la pompe cardiaque est réduite. Chez le client victime d'un infarctus du myocarde, on peut souvent observer un dysfonctionnement du ventricule gauche au cours des premières 24 heures. Selon la gravité et l'étendue de la lésion, l'insuffisance cardiaque congestive apparaît d'abord sous forme de signes subtils, tels qu'une faible dyspnée, une nervosité, une agitation ou une faible tachycardie. La distension des veines jugulaires causée par l'insuffisance du côté droit du cœur, des râles crépitants entendus à l'auscultation pulmonaire, la distension des veines du lobe supérieur observée sur des radiographies pulmonaires antérieures ainsi que la présence d'un B_3 ou d'un B_4 peuvent indiquer l'apparition de l'insuffisance cardiaque. (Le chapitre 23 porte sur le traitement de l'insuffisance cardiaque congestive.)

Choc cardiogénique. Le choc cardiogénique survient lorsqu'une quantité inadéquate d'oxygène et de nutriments est fournie aux tissus en raison d'une insuffisance grave du ventricule gauche. Le choc a lieu lorsqu'un infarctus cause une perte de la fonction ventriculaire ≥40 %. Le choc cardiogénique est moins fréquent depuis l'avènement du traitement thrombolytique et de l'intervention coronarienne aiguë, mais lorsqu'il survient, son taux de mortalité est élevé. Il nécessite souvent un traitement énergique, notamment la régularisation de l'arythmie, le traitement de contre-pulsion par ballonnet intra-aortique et l'administration de médicaments vasoactifs (p. ex. Dobutamine [Dobutrex]) qui soutiennent la contractilité. Le but du traitement est de maximiser le transport de l'oxygène et de prévenir l'apparition de complications, telles que l'insuffisance rénale aiguë.

Dysfonctionnement du muscle papillaire. Le dysfonctionnement du muscle papillaire peut survenir si la région infarcie comprend ces structures ou si elle y est adjacente. Le dysfonctionnement du muscle papillaire entraîne la régurgitation de la valve mitrale, qui provoque une augmentation du volume sanguin dans l'oreillette gauche. Cela a pour effet d'aggraver l'état déjà affaibli du ventricule gauche. On peut le détecter par un souffle systolique de pointe qui irradie vers l'aisselle. La rupture du muscle papillaire constitue une complication grave responsable d'une régurgitation massive de la valve mitrale, qui a pour résultat la dyspnée, un œdème pulmonaire macroscopique et une diminution du débit cardiaque. Le traitement consiste à réduire rapidement la postcharge à l'aide de nitroprusside (Nipride) ou d'une contre-pulsion par ballonnet intra-aortique et à pratiquer immédiatement une chirurgie cardiaque comportant le remplacement de la valve mitrale.

Anévrisme ventriculaire. L'anévrisme ventriculaire survient lorsque la paroi myocardique atteinte par l'infarctus s'amincit et se bombe vers l'extérieur pendant la contraction (voir figure 22.19). Au cours de la phase aiguë qui suit l'infarctus du myocarde, on nomme ce phénomène **nécrose ischémique**. Si l'anévrisme est toujours présent après l'apparition du tissu cicatriciel, on l'appelle **anévrisme ventriculaire**. On peut déceler l'anévrisme ventriculaire en auscultant les impulsions ectopiques, en observant les zones nécrosées sur une radiographie, une échocardiographie ou une radioscopie, ou encore en constatant des changements persistants et à long terme dans le segment ST de l'ECG. L'angiographie ventriculaire peut diagnostiquer l'anévrisme ventriculaire de manière définitive.

Le client atteint d'un anévrisme ventriculaire peut présenter une insuffisance cardiaque congestive réfractaire, une arythmie et une angine. En plus de la rupture ventriculaire, qui est mortelle, l'anévrisme ventriculaire peut renfermer des thrombi, causer l'arythmie et favoriser le dysfonctionnement du ventricule gauche. L'excision chirurgicale est le traitement adopté dans le cas des anévrismes ventriculaires assez graves pour causer un dysfonctionnement.

Péricardite. La péricardite aiguë, une inflammation du péricarde viscéral ou pariétal, ou des deux, peut causer une compression cardiaque, une diminution du

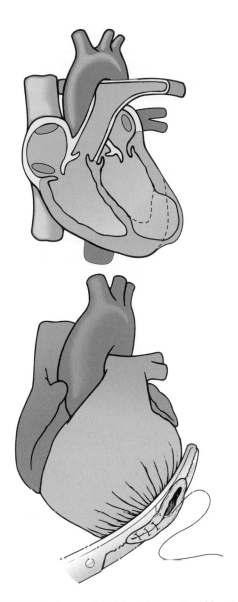

FIGURE 22.19 Anévrisme ventriculaire et intervention chirurgicale

sternal moyen ou inférieur. Il peut être persistant ou intermittent. Le client peut aussi avoir une fièvre légère.

Le diagnostic de la péricardite peut être posé au moyen d'un ECG. Les changements dans l'ECG illustrent les variations électriques occasionnées par l'inflammation et peuvent produire des sus-décalages du segment ST et de l'onde T persistants et caractéristiques. Le traitement peut comprendre le soulagement de la douleur avec de l'AAS, des corticostéroïdes ou des anti-inflammatoires non stéroïdiens.

Syndrome de Dressler. Le syndrome de Dressler, ou syndrome postinfarctus du myocarde, est caractérisé par une péricardite accompagnée d'épanchement et de fièvre, qui apparaissent dans les quatre semaines suivant l'infarctus du myocarde. Il peut aussi survenir après une chirurgie cardiaque. On croit qu'il est causé par une réaction antigène-anticorps dans le myocarde nécrotique. Le client éprouve une douleur péricardique, de la fièvre, un frottement, un épanchement pleural du côté gauche et de l'arthralgie. Les résultats des épreuves de laboratoire comprennent une numération leucocytaire et une vitesse de sédimentation élevées. Des corticostéroïdes sont administrés pendant une courte période pour traiter cette maladie.

Infarctus du ventricule droit. Les lésions au ventricule droit sont principalement causées par les infarctus inférieur, inféro-latéral et inféro-postérieur. Ces infarctus du ventricule droit peuvent gravement compromettre la perfusion dans le système pulmonaire, ce qui cause une diminution du remplissage du ventricule gauche. Des symptômes de congestion veineuse, tels que la distension des veines jugulaires souvent accompagnée de dyspnée de type Kussmaul, la congestion hépatique et l'œdème périphérique, vont se manifester chez le client. Comme le ventricule droit est incapable de pomper adéquatement le sang dans le système pulmonaire et de remplir le ventricule gauche, la diminution du remplissage du ventricule gauche cause une réduction de sa contractilité, l'hypotension, la diminution du débit cardiaque et la tachycardie. Un sus-décalage du segment ST présent sur les dérivations précordiales du côté droit (V_3R et V_4R) peut être observé au cours des premières heures suivant un infarctus touchant le ventricule droit. Le traitement vise à augmenter la pression de remplissage du ventricule droit à l'aide d'un cathéter artériel pulmonaire ainsi que d'agents inotropes (Lanoxin) pour augmenter la contractilité du ventricule droit.

Embolie pulmonaire. L'embolie pulmonaire peut être observée chez le client victime d'un infarctus du myocarde ainsi que d'épisodes d'insuffisance cardiaque congestive ou d'arythmie, ou chez un client qui est

remplissage ventriculaire, la vidange des ventricules et l'insuffisance cardiaque. Il s'agit d'une complication fréquente pouvant se manifester de deux à trois jours après un infarctus du myocarde. La douleur thoracique qui accompagne généralement la péricardite aiguë, dont l'intensité peut varier de faible à intense, est aggravée par l'inspiration, la toux et les mouvements du haut du corps. La douleur peut s'étendre vers le dos et le long du bras gauche, ce qui la rend difficile à différencier de la **douleur de l'infarctus** du myocarde. La douleur peut être soulagée si le client s'assoit et se penche vers l'avant.

L'examen effectué auprès d'un client atteint de péricardite peut révéler un frottement au-dessus du péricarde. Le bruit est souvent mieux entendu quand on place le diaphragme du stéthoscope sur le rebord

demeuré totalement alité au cours d'une période de repos prolongée. La provenance du thrombus peut être l'endocarde rugueux ou les veines des membres inférieurs. On peut rapidement détecter l'embolie en notant chez le client la présence de pâleur ou de cyanose, une insuffisance cardiaque ne réagissant pas au traitement ainsi qu'un épanchement pleural inexpliqué. L'embolie pulmonaire massive provoque une dyspnée grave et subite et elle est généralement mortelle avant même que le diagnostic soit posé. (Le chapitre 26 traite de l'embolie pulmonaire.)

Épreuves diagnostiques. Les paramètres diagnostiques fréquemment utilisés pour déterminer si une personne a subi un infarctus du myocarde comprennent : les antécédents de douleur, les facteurs de risque et les antécédents de santé ; un ECG correspondant à un infarctus du myocarde (sus-décalage du segment ST et de l'onde T supérieur à un millimètre et présent dans deux dérivations contiguës) ; des mesures successives des enzymes cardiaques sériques et de la troponine présentes dans le myocarde.

Profil clinique. Le profil clinique du client est important. Cependant, de nombreux clients ne ressentent pas la douleur tenace classique qui est caractéristique de l'infarctus du myocarde. Le client peut présenter une sensation de faiblesse, une forte indigestion, un essoufflement ou un malaise pulmonaire. L'analyse des facteurs de risque peut indiquer que le client est prédisposé à une crise aiguë. Tout signe évocateur d'un infarctus du myocarde chez le client doit être traité aussi rapidement que possible afin d'écarter la possibilité d'un infarctus.

Résultats de l'ECG. Les ECG en série ont environ 80 % de chances de diagnostiquer un infarctus du myocarde et représentent un critère diagnostique prépondérant. Les régions atteintes par l'ischémie ou l'infarctus peuvent être indiquées sur l'ECG. Les changements dans la fréquence et le rythme cardiaques peuvent aussi avoir une valeur diagnostique quand il s'agit de déceler des anomalies. Comme l'infarctus du myocarde est un processus dynamique qui a lieu avec le temps, l'ECG peut révéler l'ordre chronologique de l'ischémie, de la lésion, de l'infarctus et de la réparation tissulaire du myocarde (voir tableau 22.8).

L'ECG peut être normal lorsque le client arrive au service d'urgence en raison de douleurs thoraciques typiques de l'ischémie, mais il peut changer en quelques heures pour révéler le processus d'infarcissement. Ces changements se produisent à la suite de lésions cellulaires et interrompent la dépolarisation électrique normale. Comme l'ECG d'un grand nombre de clients subissant un infarctus du myocarde ne permet pas de diagnostiquer le problème à leur arrivée au service d'urgence, il est important d'effectuer un ECG régulièrement, toutes les trente minutes à deux heures pendant que le client se trouve au service d'urgence.

La figure 22.20 établit la corrélation entre les structures anatomiques atteintes par l'infarctus et les changements

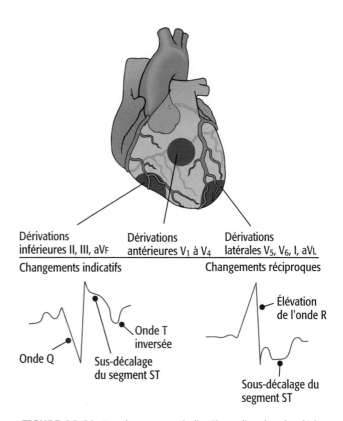

FIGURE 22.20 Des changements indicatifs ont lieu dans les dérivations représentant la région atteinte par l'infarctus. Des changements réciproques ont lieu dans les dérivations opposées à la région atteinte par l'infarctus.

TABLEAU 22.8	Changements à l'ECG lors d'un infarctus du myocarde*		
Phase I	**Phase II**	**Phase III**	**Phase IV**
Ondes Q anormales Sus-décalage du segment ST Ondes T inversées	Retour graduel à la normale du segment ST	Retour à la normale ou presque des ondes T	Onde Q résiduelle

* L'infarctus de la paroi inférieure se manifeste sous la forme d'un sus-décalage du segment ST, d'une inversion des ondes T ainsi que d'ondes Q physiopathologiques dans les dérivations II, III et aVF ; l'infarctus inféro-latéral ou postéro-latéral provoque une réduction de l'inversion des ondes R et T, avec ou sans sus-décalage du segment ST dans les dérivations V_5, V_6 et aVL ; l'infarctus de la paroi postérieure laisse croire à un ECG tout à fait normal ; l'infarctus de la paroi antérieure indique le schéma typique de l'infarctus dans les dérivations I, aVL ainsi que V_2 à V_6.

qui apparaissent à l'ECG. Les changements observés sur les dérivations qui représentent les parties du cœur touchées par l'infarctus sont appelés **changements indicatifs**. Les changements sur les dérivations opposées aux parties atteintes par l'infarctus sont appelés **changements réciproques**.

En général, la zone infarcie est en lien plus étroit avec les effets secondaires et les complications qu'avec le taux de mortalité. Dans les cas de lésions à la paroi inférieure, on constate souvent l'apparition d'un BAV parce que l'artère coronaire droite est responsable de la perfusion tissulaire des nœuds sinusal et auriculo-ventriculaire chez 80 % à 90 % des gens. L'insuffisance cardiaque congestive, l'anévrisme du ventricule gauche, le choc cardiogénique et le bloc cardiaque complet se manifestent souvent au cours d'un infarctus antérieur du myocarde parce que la surface frontale du ventricule gauche ainsi qu'une partie du septum subissent des lésions. L'infarctus inférieur peut aussi causer l'insuffisance cardiaque congestive, l'arythmie et le choc cardiogénique.

Marqueurs cardiaques sériques. Certaines protéines, appelées marqueurs cardiaques sériques, sont libérées en grande quantité dans le sang par le muscle cardiaque nécrotique après un infarctus du myocarde. Ces marqueurs, surtout des enzymes cardiaques sériques et la troponine, constituent d'importants critères de diagnostic de l'infarctus du myocarde. Les enzymes cardiaques sont la créatine-kinase (CK-MB), la lacticodéshydrogénase (LDH) et l'aspartate aminotransférase (AST). Lorsque les cellules cardiaques meurent, leurs enzymes cellulaires sont libérés dans le sang. L'augmentation de la quantité d'enzymes cellulaires qui a lieu après la mort cellulaire peut indiquer la présence de lésions cardiaques ainsi que l'étendue approximative de ces

lésions. Comme l'AST ne se trouve pas spécifiquement dans le muscle cardiaque, son utilisation dans le diagnostic de l'infarctus du myocarde a diminué. La figure 22.21 indique la durée et la concentration maximales de ces marqueurs en présence d'un infarctus du myocarde. L'augmentation de la quantité d'enzymes sériques peut avoir d'autres causes, compliquant ainsi le diagnostic différentiel. Ces causes comprennent l'embolie pulmonaire, les lésions intramusculaires, les convulsions, la réanimation cardiopulmonaire ainsi que d'autres événements causant des lésions musculaires.

Les taux de CK et de CK-MB commencent à augmenter de quatre à six heures après l'infarctus du myocarde et retournent à la normale en trois ou quatre jours. Les enzymes de CK se divisent en différents types, notamment la CK-MB. L'isoenzyme MB est spécifique des cellules myocardiques et permet d'évaluer de manière précise les dommages subis par le myocarde. Selon le laboratoire, un taux d'isoenzymes MB >3 % indique un infarctus du myocarde.

La troponine est une protéine libérée dans le sang par le myocarde à la suite d'une lésion. Il existe deux types de troponine présents dans le cœur : la troponine T et la troponine I. La troponine T cardiaque (troponine Tc) et la troponine I cardiaque (troponine Ic) ont des séquences d'acides aminés distinctes des formes de troponine présentes dans les muscles squelettiques. C'est pourquoi ces marqueurs sont des indicateurs très spécifiques de l'infarctus du myocarde.

Le taux de troponine augmente aussi rapidement que celui de la CK, mais il demeure élevé pendant deux semaines. Généralement, on l'utilise conjointement à la CK et à la CK-MB, et elle a remplacé la LDH dans de nombreux établissements.

Bien que les enzymes cardiaques traditionnels constituent d'excellents indicateurs diagnostics de l'infarctus du myocarde, les données ne sont pas immédiatement accessibles au médecin ou à l'infirmière car le personnel du laboratoire a besoin de temps pour analyser les résultats. Aujourd'hui, des analyses sanguines complètes peuvent être rapidement réalisées au chevet du client pour déceler la présence de marqueurs cardiaques sériques. Ces analyses facilitent les décisions quant au traitement, en particulier dans les cas où l'ECG du client ne permet pas de poser un diagnostic d'infarctus du myocarde. Ces marqueurs favorisent le diagnostic rapide de l'infarctus du myocarde. Les tests ne sont pas encore tous accessibles dans l'ensemble des établissements de soins de santé. (Le chapitre 20 traite des épreuves diagnostiques faisant appel aux enzymes cardiaques et à la troponine.)

La myoglobine est libérée dans la circulation quelques heures seulement après l'infarctus du myocarde. Bien qu'elle soit un des premiers marqueurs cardiaques sériques dont la quantité augmente après un infarctus

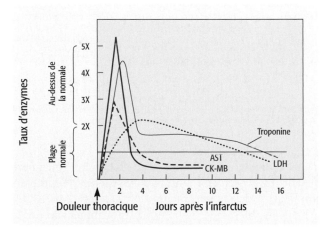

FIGURE 22.21 Marqueurs cardiaques sériques contenus dans le sang après l'infarctus du myocarde
AST : aspartate aminotransférase ; CK-MB : créatine-kinase spécifique des cellules myocardiques ; LDH : lacticodéshydrogénase.

du myocarde, elle n'est pas spécifique du cœur. De plus, elle est rapidement excrétée dans l'urine, ce qui fait que la concentration sanguine revient à la normale dans les 24 heures suivant l'infarctus du myocarde.

Autres mesures. Bien qu'une première radiographie pulmonaire soit utile pour évaluer la taille du cœur et la congestion pulmonaire, elle ne permet pas de diagnostiquer un infarctus du myocarde. L'apparence distendue des veines du lobe supérieur peut indiquer un dysfonctionnement précoce du ventricule gauche. La numération des leucocytes peut s'élever et atteindre 12 000 à 14 000/µL ou davantage. L'élévation du taux de glycémie à jeun à 16,7 mmol/L peut aussi survenir lorsque l'organisme réagit au stress provoqué par la lésion.

L'imagerie nucléaire a pris une importance considérable dans le diagnostic de l'infarctus du myocarde. On la considère comme un indicateur extrêmement sensible des lésions subies par le myocarde. La scintigraphie nucléaire du myocarde, qu'on réalise en administrant des isotopes radioactifs par voie intraveineuse, peut aider à diagnostiquer l'infarctus lorsque les autres données ne sont pas concluantes. Après avoir administré du thallium par voie intraveineuse, la quantité présente dans chacune des parties du myocarde est déterminée par deux facteurs : le volume du débit sanguin coronarien et la portion du myocarde toujours viable. Les portions ischémiées ou infarcies du myocarde ne reçoivent que peu ou pas de sang et n'accumulent donc que peu ou pas de thallium. Ces portions sont représentées par des zones d'hypofixation à la scintigraphie, ce qui indique qu'elles sont touchées par l'ischémie ou l'infarctus. Cependant, cette technique ne fait pas la différence entre les infarctus antérieurs et ceux qui sont plus récents.

La scintigraphie au pyrophosphate de technétium peut être utilisée afin de localiser les parties atteintes de nécrose aiguë. Le technétium se lie au calcium dans les tissus nécrotiques du myocarde lorsqu'il est administré par voie intraveineuse. À la scintigraphie, on peut visualiser la portion touchée par l'infarctus comme une zone d'intense fixation des radionucléides, d'où son nom de **zone d'hyperfixation**. Après un infarctus du myocarde, la meilleure période pour procéder à la scintigraphie se situe entre 24 et 48 heures, mais celle-ci peut demeurer positive pendant 10 jours. (Le chapitre 20 traite de la scintigraphie nucléaire, de même que le tableau 20.8).

Processus thérapeutique. L'unité coronarienne est le meilleur endroit pour procéder au traitement initial du client victime d'un infarctus du myocarde, parce qu'une surveillance constante y est possible. L'arythmie peut être détectée par une infirmière connaissant les techniques de surveillance continue de l'ECG et le traite-

PROCESSUS DIAGNOSTIQUE ET THÉRAPEUTIQUE

Infarctus du myocarde ENCADRÉ 22.7

Diagnostic
- Antécédents de santé et examen physique
- Taux d'enzymes sériques (CK, CK-MB, LDH)
- Troponine cardiaque
- ECG
- Radiographie thoracique
- FSC, profil thyroïdien
- Imagerie nucléaire
- Échocardiographie
- Cathétérisme cardiaque

Processus thérapeutique
Soins de courte durée
- Traitement IV
- Surveillance continue par ECG
- Sulfate de morphine IV, 2 à 4 mg q5min ou prn (mépéridine (Demerol) si le client est allergique à la morphine)
- Nitroglycérine IV
- Oxygénothérapie
- Prise des signes vitaux selon la médication
- Lidocaïne (Xylocaine) IV (si prescrit)
- Traitement thrombolytique (p. ex. tPA [Activase], ténecteplase [TNKase])
- Anticoagulothérapie (p. ex. héparine IV)
- Agents inotropes (digoxine [Lanoxin])
- Bêta-bloquants
- IECA
- Traitement antiplaquettaire (p. ex. AAS)
- Antiarythmiques
- Repos au lit et reprise progressive des activités
- Consignation des ingesta et des excreta
- Angioplastie coronarienne transluminale percutanée
- Pontage aortocoronarien (PAC)

Soins ambulatoires et soins à domicile
- AAS, 80 à 325 mg die
- Enseignement à la clientèle (voir encadré 22.14)
- Programme de réadaptation progressive (voir tableaux 22.11 et 22.12)
- Restrictions alimentaires, s'il y a lieu (voir tableau 22.2)
- Gestion des facteurs de risque de coronaropathie (voir encadré 22.4)

AAS : acide acétylsalicylique ; CK : créatine-kinase ; ECG : électrocardiogramme ; FSC : formule sanguine complète ; IECA : inhibiteurs de l'enzyme de conversion de l'angiotensine ; LDH : lacticodéshydrogénase.

ment approprié peut alors être instauré. L'infirmière installe une perfusion intraveineuse afin de pouvoir administrer des médicaments dans le cas d'un traitement d'urgence. Du sulfate de morphine ou de la mépéridine (Demerol) peuvent être administrés par voie intraveineuse pour soulager la douleur. L'oxygène est généralement administré par lunette nasale à un débit de deux à quatre litres par minute. Le processus thérapeutique visant à prendre en charge le client victime d'un infarctus du myocarde est présenté dans l'encadré 22.7, et le protocole d'ordonnances, lié au diagnostic et au traitement, figure à l'encadré 22.8.

Une perfusion IV continue de lidocaïne peut être administrée de manière prophylactique afin d'empêcher la fibrillation ventriculaire, qui constitue le danger de mort le plus important après l'infarctus du myocarde. Chez de nombreuses personnes, les épisodes de fibrillation sont précédés par l'extrasystole ventriculaire. L'utilisation prophylactique de la lidocaïne pour traiter l'infarctus du myocarde n'est actuellement pas recommandée par l'*American College of Cardiology (ACC)/AHA*

dans son document intitulé *Practice Guidelines for the treatment of acute MI*, sauf si le client présente une tachycardie ventriculaire soutenue ou une fibrillation ventriculaire.

Les signes vitaux du client sont pris fréquemment au cours des premières heures suivant son admission et ils sont surveillés de près par la suite. Le client doit d'abord rester au lit et ses activités doivent être limitées afin de diminuer le travail du coeur ; elles pourront ensuite augmenter graduellement.

Un cathéter artériel pulmonaire (p. ex. Swan-Ganz) et un cathéter intra-artériel peuvent être utilisés pour surveiller de façon précise les pressions artérielles

---

Ordonnances d'admission à l'unité de cardiologie   ENCADRÉ 22.8

Admission
- Surveillance continue, évaluation de la fréquence cardiaque et analyse de l'arythmie.
- Examen des signes vitaux q2h pendant les huit premières heures, puis q4h de six heures du matin à minuit ou prn, vérification des ingesta et des excreta qh.
- Perfusion IV de 500 ml de solution composée d'eau et de D_5 % pour maintenir les veines ouvertes.
- Alimentation : déterminée par l'état du client : *liquides clairs, augmenter autant que le client peut tolérer*
- Masse corporelle quotidienne : ____√____
  (Doit être vérifiée si le client le désire.)
- Administration d'oxygène, 3 L/min par lunette ou 5 à 8 L/min par masque.
- Repos absolu au lit pendant 24 h avec permission d'aller à la salle de bain.

RCR*
- Défibrillation à 200 J pour traiter la fibrillation ventriculaire
- Type de réanimation :
- NPR ___ EEP (traitement de l'arythmie et défibrillation seulement ; pas de RCR) ____ technique spécialisée de RCR ___√___

Arythmie
- Atropine IV, 0,5 à 0,10 mg si la fréquence ventriculaire est <50 et la PA est <90 ou s'il y a des symptômes de faible perfusion cérébrale.

Médication
Douleur
- Forte : *Sulfate de morphine, 2 à 4 mg IV q5min jusqu'à soulagement*
- Légère : *Acétaminophène, 600 mg PO q3-4h*
- Hypnotique : *Restoril, 15 mg PO Répétable hs x 1*
- Laxatif : *lait de magnésie 30 ml qhs, prn*
- Émollient fécal : *Colace 100 mg PO bid*
- Antiémétique : *—*
- Antithrombotique : *AAS 80 mg q am*
- Anticoagulant : *(D₅ dans de l'eau) Héparine 25 000 U/500 ml pour maintenir 1000 U/h, ajuster pour maintenir le PTT de 1,5 à 2 fois la valeur de référence du protocole témoin*

Laboratoire
- Profil cardiaque à l'admission et q8h × 3
- Dates des ECG : *5/4, 6/4, 7/4*
- K⁺ sérique tous les deux jours à l'unité de soins intensifs, PTT q am pendant l'administration de l'héparine
- Analyses régulières : urine, FSC, électrolytes sériques, PTT
- Autres : *Radiographie pulmonaire à l'admission (si elle n'a pas été faite au service d'urgence)*

*Effectué par le personnel qualifié seulement.
AAS : acide acétylsalicylique ; ECG : électrocardiogramme ; EEP : étude électrophysiologique ; ESV : extrasystole ventriculaire ; FSC : formule sanguine complète ; NPR : ne pas réanimer ; prn : au besoin ; PA : pression artérielle ; phénomène R/T : ESV tombant sur l'onde T du complexe précédent ; PO : par la bouche ; PTT : temps de prothrombine ; RCR : réanimation cardiorespiratoire.

intracardiaque, pulmonaire et systolique au cours d'un infarctus compliqué afin de déterminer le type de traitement indiqué pour la phase aiguë. Dans le cas d'un dysfonctionnement grave du ventricule gauche, la contre-pulsion par ballonnet intra-aortique peut être utilisée pour favoriser l'éjection ventriculaire et la perfusion des artères coronaires. (Le chapitre 29 traite des cathéters artériels pulmonaires et de la contre-pulsion par ballonnet intra-aortique.)

Traitement thrombolytique ou fibrinolytique. Le traitement thrombolytique constitue la pratique standard dans la prise en charge de l'infarctus du myocarde. Son but est de sauver la plus grande partie du muscle myocardique. Autrefois, le traitement de l'infarctus du myocarde n'était axé que sur les signes et symptômes du client (p. ex. l'arythmie et l'insuffisance cardiaque congestive) et rien n'était fait pour traiter le processus aigu de l'infarctus. Ce traitement était parvenu à réduire le taux de mortalité de 30 % à environ 15 % dans les années 1970. L'avènement des agents thrombolytiques a permis de faire progresser le traitement, qui consiste aujourd'hui à freiner le processus d'infarcissement plutôt que de s'attaquer seulement aux symptômes. Au cours des années 1990, le traitement thrombolytique (streptokinase) a entraîné une diminution de 2,5 % à 5 % du taux de mortalité.

On sait qu'entre 80 % et 90 % des infarctus du myocarde sont causés par la formation d'un thrombus. La perfusion vers le myocarde distal à l'obstruction est freinée, ce qui entraîne l'ischémie progressive, la mort cellulaire, la nécrose et l'infarctus du myocarde. Il faut du temps pour que le processus se complète. Le premier tissu à être touché par l'ischémie est le sous-endocarde (la couche tissulaire profonde du muscle cardiaque). La nécrose s'étend progressivement de l'endocarde vers l'épicarde, ce qui entraîne un phénomène appelé **progression de la nécrose myocardique** (onde de progression). Les cellules du myocarde ne meurent pas instantanément. Chez la majorité des clients, il faut entre quatre et six heures pour que la totalité de l'épaisseur du muscle ne devienne nécrosée ; ce phénomène se nomme infarctus transmural.

Le traitement de l'infarctus du myocarde est conçu pour lyser rapidement le thrombus dans l'artère coronaire et pour rétablir la perfusion dans le myocarde avant que la mort cellulaire ne survienne. Afin qu'ils soient pleinement efficaces, les agents thrombolytiques doivent être administrés aussitôt que possible, de préférence à l'intérieur des six heures qui suivent l'apparition de la douleur, parce qu'au-delà de ce délai, il y a calcification du thrombus ; le traitement sera donc inefficace. Lorsqu'une reperfusion a lieu au cours de cette période, on a démontré qu'elle entraîne une diminution de 25 % du taux de mortalité.

PHARMACOTHÉRAPIE

TABLEAU 22.9 Thrombolytiques utilisés dans le traitement de l'infarctus du myocarde

Activateur du plasminogène recombiné (rPA, retéplase [Retavase])
Activateur tissulaire du plasminogène (tPA, altéplase [Activase])
Streptokinase (Streptase)
Urokinase (Abbokinase)
Ténecteplase (TNKase)

Indications et contre-indications. Les agents thrombolytiques fréquemment utilisés (voir tableau 22.9) peuvent être administrés par voie intracoronarienne ou intraveineuse. Toutefois, le traitement thrombolytique par voie intraveineuse est privilégié parce qu'il peut être administré rapidement et qu'il est très efficace pour désobstruer les artères. Bien que ces médicaments aient des mécanismes d'action et des pharmacocinétiques différents, ils produisent une revascularisation de l'artère en provoquant la lyse du thrombus présent dans l'artère coronaire.

Comme tous les agents thrombolytiques causent la lyse du caillot pathologique, ils peuvent aussi causer la lyse des caillots homéostatiques (tels que ceux qu'on peut retrouver dans l'estomac ou sur le site d'une intervention chirurgicale). Il est donc important de vérifier si le client peut recevoir le traitement thrombolytique, puisque des saignements bénins ou importants peuvent survenir. Tous les clients présentant un infarctus du myocarde ne sont pas nécessairement des candidats au traitement thrombolytique (voir tableau 22.10). Les critères d'inclusion indiquant l'administration d'un agent thrombolytique par voie intraveineuse sont les suivants :
- une douleur thoracique typique de l'infarctus du myocarde d'une durée de six heures ou moins (la limite de temps peut être différente dans certains établissements) ;
- une douleur rétrosternale (DRS) d'une durée de plus de six heures si elle est entrecoupée d'une ischémie permanente ;
- des résultats d'ECG correspondant à l'infarctus du myocarde, indépendamment de la localisation ;
- l'absence de maladie pouvant causer une prédisposition à l'hémorragie.

Intervention. La thrombolyse par voie intraveineuse peut être amorcée une fois que le client a été évalué au service d'urgence relativement aux facteurs de risque liés aux effets secondaires possibles, et qu'on l'estime admissible au traitement. L'agent est choisi en fonction du profil du client et de la préférence du médecin. Bien que chaque centre hospitalier détienne son propre protocole quant à l'administration des agents thrombolytiques,

PHARMACOTHÉRAPIE

TABLEAU 22.10   Contre-indications au traitement thrombolytique

Contre-indications absolues
Antécédents d'AVC hémorragique
Hypertension non maîtrisée
PA systolique >180 mm Hg
PA diastolique >120 mm Hg
Chirurgie ou traumatisme récents (<3 mois)
Saignement interne actif
Trouble hémorragique connu
Dissection aortique soupçonnée
Grossesse

Contre-indications relatives
Antécédents d'AVC ischémique
Hypertension mal maîtrisée (PA >165/95)
RCR récente, prolongée et traumatisante
Péricardite aiguë
Ulcère gastro-duodénal actif
Rétinopathie diabétique hémorragique
Fibrillation auriculaire
Saignements gastro-intestinaux récents
Choc cardiogénique

AVC : accident vasculaire cérébral ; PA : pression artérielle ; RCR : réanimation cardiorespiratoire.

certains paramètres sont les mêmes dans tous les établissements. Des examens de laboratoire sont effectués, trois sites d'administrations intraveineuse sont installés et toutes les autres interventions effractives (invasives) sont pratiquées avant l'administration des agents thrombolytiques. Cette façon de procéder a pour effet de réduire les risques d'hémorragie chez le client.

L'heure à laquelle le traitement est amorcé doit être notée, et l'état du client doit être surveillé étroitement (le médecin et l'infirmière doivent être près du client) pendant le protocole de dosage et d'entretien. On doit vérifier l'ECG, prendre les signes vitaux et examiner le cœur et les poumons au moins toutes les cinq minutes afin d'évaluer la réaction du client au traitement. Plusieurs marqueurs cliniques peuvent se manifester lorsque la reperfusion se produit, indiquant que l'artère coronaire qui était obstruée est perméable et que le débit sanguin vers le myocarde est rétabli. Ces marqueurs comprennent la réduction de la douleur, le retour du segment ST à un tracé correspondant à l'ECG de référence, la présence d'arythmie lors de la reperfusion, ainsi que l'élévation marquée et rapide du taux d'enzyme CK-MB au cours des trois premières heures du traitement et l'atteinte du taux maximal de CK-MB en 12 heures. Ce taux augmente à mesure que les cellules mortes du myocarde libèrent des enzymes CK-MB dans le sang après le rétablissement de la perfusion à cet endroit.

L'infirmière doit surveiller le client attentivement afin de pouvoir déceler des signes d'arythmies de reperfusion, notamment l'augmentation de l'extrasystole ventriculaire, la tachycardie ventriculaire, la fibrillation ventriculaire ainsi que l'accélération du rythme idioventriculaire (rythme lent et régulier). Selon la localisation de l'infarctus, une bradycardie, un bloc auriculoventriculaire (BAV) et une asystolie peuvent parfois survenir. Malheureusement, ces marqueurs cliniques ne sont pas toujours présents lorsque l'artère est ouverte. S'ils se manifestent, l'infirmière doit les noter et procéder à un autre ECG.

La réobstruction de l'artère représente une autre préoccupation importante liée au traitement. Dans cette situation, l'état du client est stable et il semble y avoir eu reperfusion de l'artère. Cependant, comme la région qui entoure le thrombus est instable, un autre caillot peut se former ou un spasme de l'artère peut survenir. C'est en raison de cette possibilité que la plupart des médecins ont recours à l'héparinothérapie. Ce traitement consiste à administrer un bolus par voie intraveineuse, suivi d'un goutte-à-goutte d'héparine afin de maintenir le temps de céphaline activé (RIN) du client jusqu'à deux fois sa normale. On peut ainsi prévenir la formation d'un autre caillot dans l'artère coronaire. Si un autre caillot apparaît, le client présentera des DRS similaires, il y aura des changements à l'ECG et des troubles hémodynamiques surviendront. Dans une telle situation, l'infirmière doit aviser le médecin afin que d'autres mesures soient prises pour déterminer la cause de la réobstruction. Le client peut être amené au laboratoire de cathétérisme cardiaque pour subir d'autres interventions diagnostiques effractives ou une angioplastie coronarienne transluminale percutanée. Il peut arriver qu'un client reçoive un autre traitement thrombolytique.

Le saignement constitue la complication la plus grave du traitement thrombolytique. Étant donné qu'on administre au client un agent qui cause la dissolution des caillots, un saignement peut s'ensuivre. Il est essentiel de prévenir les saignements et de bien vérifier si le client est admissible à recevoir ce traitement. Une évaluation infirmière continue est également indispensable tout au long du traitement. Il faut s'attendre à des saignements mineurs (p. ex. un saignement de surface provenant des points de ponction ou un saignement gingival), qui peuvent être freinés à l'aide d'un pansement compressif ou d'un sac de glace, et poursuivre le traitement thrombolytique. Cependant, l'infirmière doit avertir le médecin et interrompre le traitement thrombolytique si le saignement est abondant. Elle doit prêter une attention particulière aux signes et symptômes de saignement, tels qu'une chute de la pression artérielle, une augmentation de la fréquence cardiaque, la présence de sang dans les sécrétions ou dans les selles, l'hématurie, une diminution soudaine de l'état de conscience du client, ainsi qu'un saignement provenant des points de ponction ou d'insertion du cathéter. Si un de ces symptômes se manifeste, le médecin doit en être avisé et le traitement thrombolytique doit être interrompu.

Cathétérisme cardiaque. Bien que le traitement de l'infarctus du myocarde vise à provoquer la lyse du thrombus et à entraîner la reperfusion du myocarde, certains clients peuvent être inadmissibles au traitement thrombolytique ou présenter un tableau clinique compliqué nécessitant un cathétérisme cardiaque d'urgence. Chez le client victime d'un infarctus du myocarde, on peut procéder à un cathétérisme au début du traitement afin de localiser exactement la lésion (ou les lésions), d'en apprécier la gravité et d'évaluer la présence d'une circulation collatérale et les fonctions du ventricule gauche.

En visualisant les artères coronaires et les fonctions du ventricule gauche, le médecin peut prescrire le type de traitement qui sera le plus bénéfique pour le client. Parmi les traitements possibles, on compte le traitement thrombolytique intra-coronarien direct, l'angioplastie coronarienne transluminale percutanée, l'insertion intra-aortique d'un ballonnet de contre-pulsion ou le pontage aortocoronarien.

Angioplastie coronarienne transluminale percutanée. L'angioplastie coronarienne transluminale percutanée peut remplacer les agents thrombolytiques en tant que traitement de première ligne, en particulier pour les clients qui démontrent des signes de choc cardiogénique ou chez qui le traitement thrombolytique a échoué. L'angioplastie coronarienne transluminale percutanée constitue une solution de remplacement à la chirurgie pour le client atteint d'un rétrécissement de l'artère coronaire. La dilatation transluminale crée une augmentation du diamètre de l'artère à l'aide d'un cathéter percutané guidé par voie radioscopique qui permet d'augmenter la lumière du vaisseau sténosé ou obstrué.

La technique est semblable au cathétérisme cardiaque. On insère un cathéter à ballonnet de polyvinyle à double lumière dans l'artère coronaire jusqu'au site d'obstruction. Le ballon est gonflé une fois qu'il a atteint le site de la sténose, ce qui provoque une augmentation directe du diamètre de l'artère. L'angioplastie coronarienne transluminale percutanée amène l'augmentation du débit sanguin dans le cœur et une restauration du métabolisme du myocarde. L'angioplastie coronarienne transluminale percutanée est donc tout indiquée pour le soulagement de l'ischémie myocardique chez le client ayant des lésions de l'artère coronaire non calcifiées, obstruées et compressibles. L'angioplastie coronarienne transluminale percutanée d'urgence pratiquée à la suite d'un infarctus du myocarde comporte des risques un peu plus élevés d'obstruction soudaine que l'angioplastie coronarienne transluminale percutanée non urgente. C'est pourquoi l'utilisation d'endoprothèses dans le traitement de l'infarctus du myocarde a augmenté. (L'angioplastie coronarienne transluminale percutanée non urgente est décrite plus tôt dans ce chapitre.)

Pontage aortocoronarien. Le pontage aortocoronarien peut constituer le traitement de choix pour certains clients victimes d'un infarctus du myocarde.

Pharmacothérapie

Nitroglycérine par voie intraveineuse. La nitroglycérine IV peut être utilisée comme approche thérapeutique initiale chez le client victime d'un infarctus du myocarde. La nitroglycérine administrée par voie intraveineuse peut contribuer à réduire la douleur et à diminuer la précharge et la postcharge (par dilatation des vaisseaux périphériques), tout en augmentant l'apport en oxygène vers le myocarde. Elle permet l'augmentation de la circulation collatérale vers les zones ischémiées du myocarde. La dose de nitroglycérine est prescrite en fonction du soulagement de la douleur du client et du maintien d'une pression artérielle adéquate (pas moins de 90 à 100 mm Hg de pression systolique ou selon la prescription médicale). L'effet secondaire le plus important de la nitroglycérine IV est la céphalée ou l'hypotension pouvant être accompagnée de diaphorèse, de nausées, de vomissements et, parfois, d'arythmie (p. ex. la tachycardie).

Antiarythmiques. L'arythmie constitue la complication la plus fréquente après un infarctus du myocarde. (Les médicaments utilisés dans le traitement de l'arythmie sont décrits au chapitre 24.)

Morphine. Le sulfate de morphine est administré au client pour soulager la douleur thoracique aiguë. Il a pour effet également de réduire l'anxiété et la peur, ainsi que de diminuer la charge de travail cardiaque en réduisant la consommation d'oxygène par le myocarde, la contractilité, la pression artérielle et en ralentissant la fréquence cardiaque. Il concourt aussi à diminuer la précharge et la postcharge (vasodilatation artérielle et veineuse). La morphine est administrée par voie intraveineuse pour les raisons suivantes :

- La perfusion périphérique étant faible après un infarctus, la distribution des médicaments sera diminuée. Leur action sera retardée jusqu'à ce que la circulation soit rétablie, ce qui augmente les risques de surdosage et d'effets indésirables ;
- Les enzymes sériques sont affectés par l'injection intramusculaire.
- Il peut y avoir un saignement au point d'injection si le client a reçu un traitement thrombolytique ou s'il prend de l'héparine.

Il est possible d'administrer de la mépéridine (Demerol) au client, mais son utilisation est moins fréquente que la morphine. Les deux médicaments peuvent entraîner un ralentissement de la respiration, ce qui peut causer l'hypoxie. Cet état est à éviter en présence d'ischémie myocardique et d'infarctus.

Agents inotropes positifs. Les agents inotropes positifs qui entraînent l'augmentation de la contractilité cardiaque peuvent être administrés au client victime d'un infarctus du myocarde. Cependant, ils doivent être administrés avec prudence, car ce type de médicaments augmente la demande du cœur en oxygène (augmentation de la consommation d'oxygène par le myocarde, MVO_2), alors que le but du traitement est de réduire cette demande et d'augmenter l'apport en oxygène vers le cœur (augmentation du débit). La digoxine (Lanoxin), la milrinone (Primacor) et la dobutamine (Dobutrex) sont des exemples de médicaments qui augmentent l'activité de pompage du cœur (contractilité). On conseille de les utiliser en présence de défaillance du ventricule gauche. Au cours du traitement inotrope, les interventions infirmières doivent comprendre la prise fréquente des signes vitaux ainsi que l'évaluation cardiaque et pulmonaire afin de déceler tout signe de défaillance cardiaque ou d'ischémie.

β-bloquants. L'utilisation de β-bloquants au début de la phase aiguë de l'infarctus du myocarde et pendant un traitement de un an peut réduire la morbidité. Le client qui suit un tel régime thérapeutique peut réduire les risques d'un autre infarctus et augmenter ses chances de survie. L'objectif consiste à diminuer le travail du cœur et à prévenir l'apparition d'un autre infarctus. Leur action diminue la fréquence, la contractilité et la pression artérielle.

Le choix du médicament et la dose dépendent du médecin. Au cours de l'utilisation des β-bloquants pour traiter un infarctus du myocarde, les interventions infirmières doivent comprendre la prise fréquente des signes vitaux et l'évaluation cardiaque et pulmonaire. La bradycardie, le BAV et l'hypotension peuvent survenir.

Inhibiteurs calciques. Il est également possible d'utiliser des inhibiteurs calciques (p. ex. le vérapamil [Isoptin]) pour traiter l'infarctus du myocarde ; cependant, il n'y a aucune preuve qu'ils soient bénéfiques pour réduire les taux de morbidité et de mortalité. Ils peuvent être employés dans le traitement de l'infarctus du myocarde lorsque le client a subi une angioplastie coronarienne transluminale percutanée afin de rétablir la perfusion. Dans ce cas, les inhibiteurs calciques peuvent servir à prévenir le spasme coronarien. Ils peuvent également être administrés lorsque les β-bloquants sont contre-indiqués chez un client. Ils ont comme effet de diminuer la contractilité et, en même temps, occasionnent une vasodilatation périphérique. Ils interviennent donc sur la précharge et la postcharge.

Inhibiteurs de l'enzyme de conversion de l'angiotensine (IECA). Les inhibiteurs de l'enzyme de conversion de l'angiotensine (p. ex. le captopril [Capoten], l'énalapril [Vasotec] et le ramipril [Altace]) peuvent être utilisés après un infarctus du myocarde parce qu'ils diminuent la postcharge et, donc, le travail du cœur. Leur utilisation peut permettre de prévenir le remodelage ventriculaire et ralentir ou prévenir la progression de l'insuffisance cardiaque. (Le chapitre 21 et le tableau 21.9 traitent des IECA.)

COLLECTE DE DONNÉES

Infarctus du myocarde   ENCADRÉ 22.9

Données subjectives
Information importante concernant la santé
- Antécédents de santé : angine ou infarctus du myocarde, hypertension, diabète.
- Médication : dérivés nitrés, inhibiteurs calciques, antihypertenseurs, hypolipidémiants.

Modes fonctionnels de santé
- Mode perception et gestion de la santé : antécédents familiaux de maladie cardiaque ; mode de vie sédentaire ; tabagisme.
- Mode nutrition et métabolisme : nausées, vomissements, indigestion, brûlures gastriques.
- Mode activité et exercice : faiblesse profonde, dyspnée, palpitations, syncope.
- Mode élimination : débit urinaire, effort à la défécation.
- Mode cognition et perception : forte douleur rétrosternale ou précordiale, décrite comme lourde et écrasante, d'une durée de plus de 30 minutes, non soulagée par le repos ni les dérivés nitrés, irradiant vers la mâchoire, le cou, le dos et les bras.
- Mode adaptation et tolérance au stress : stress persistant ou récurrent ; appréhension, sensation de mort imminente.

Données objectives
Généralités
- Fièvre, anxiété, agitation

Appareil tégumentaire
- Peau moite, froide et pâle

Appareil respiratoire
- Tachypnée, râles crépitants

Appareil cardiovasculaire
- Tachycardie ou bradycardie ; arythmie (notamment ventriculaire) ; PA élevée (au début) ; B_4, B_3 probablement audibles ; souffle, frottement et diminution des bruits cardiaques.

Appareil urinaire
- Réduction du débit urinaire (oligurie)

Résultats possibles
- Marqueurs cardiaques sériques positifs, leucocytes augmentés ; radiographie pulmonaire normale ou signes de congestion pulmonaire, cardiomégalie, ondes Q anormales, sus-décalage du segment ST et de l'onde T, ondes T inversées à l'ECG ; scintigramme positif, artériographie coronarienne positive.

Émollients fécaux. Après un infarctus du myocarde, le client est prédisposé à la constipation reliée à l'immobilité et à la prise de narcotiques. Les émollients fécaux, tels que le docusate de sodium (Colace), sont administrés au client afin de faciliter l'évacuation intestinale. Cette approche a pour effet de prévenir l'effort à la défécation ainsi que la stimulation vagale entraînée par la manœuvre de Valsalva. La stimulation vagale cause la bradycardie et peut provoquer l'arythmie. L'effort à la défécation comporte un autre danger réel : lorsque l'action cesse, il se produit une augmentation brusque du retour veineux vers le cœur susceptible d'entraîner une surcharge pour le cœur déjà affaibli.

Recommandations nutritionnelles. Le client doit adopter une alimentation à faible teneur en gras saturés, en cholestérol (voir tableau 22.2) et parfois en sodium afin de prévenir la rétention hydrique. Il est possible qu'un apport alimentaire à base de liquides clairs soit prescrit le premier jour si le client a encore des nausées, mais aussi pour ne pas accroître le travail du cœur par la digestion.

Soins infirmiers : infarctus du myocarde

Collecte de données. Les données subjectives et objectives qui doivent être obtenues auprès du client ayant subi un infarctus du myocarde sont présentées dans l'encadré 22.9.

Diagnostics infirmiers. Les diagnostics infirmiers du client ayant subi un infarctus du myocarde comprennent, entre autres, ceux qui sont présentés dans l'encadré 22.10.

Planification. Les objectifs généraux à l'égard du client ayant subi un infarctus du myocarde sont les suivants : soulager la douleur ; freiner la progression de l'infarctus du myocarde ; dispenser des soins immédiats et fournir un traitement approprié ; faire en sorte que le client gère efficacement son anxiété ; faire participer le client dans le plan de réadaptation ; sensibiliser le client aux changements dans ses comportements face aux facteurs de risque.

Exécution
Intervention en phase aiguë. Les unités de soins spécialisés, tels que les unités de soins intensifs, constituent le meilleur endroit pour prodiguer des soins infirmiers au client victime d'un infarctus du myocarde. Depuis l'avènement des unités de soins intensifs au début des années 1960, les soins médicaux et infirmiers se sont énormément améliorés, et d'innombrables vies ont pu être sauvées.

Les interventions infirmières en phase aiguë comprennent le séjour initial dans l'unité de soins intensifs

(1 à 2 jours) ainsi que le reste de l'hospitalisation (4 à 6 jours). Parmi les interventions infirmières prioritaires dans la phase initiale de repos après un infarctus du myocarde, on retrouve soulagement et l'**évaluation de la douleur**, la surveillance de l'état clinique, l'encouragement au repos et le maintien du confort, la diminution des facteurs de stress et de l'anxiété ainsi que la compréhension des réactions émotionnelles et comportementales du client et de la famille. La gestion adéquate de ces priorités a pour effet de réduire les besoins en oxygène du myocarde affaibli et de procurer le soutien psychologique nécessaire durant cette expérience de vie. De plus, l'infirmière doit prendre des mesures permettant d'éviter les dangers qui accompagnent l'immobilité, tout en encourageant le repos.

• Douleur. On doit administrer de la morphine au besoin afin d'éliminer ou d'atténuer la douleur rétrosternale. L'infirmière doit demander au client de faire une appréciation de la douleur sur une échelle allant de 0 à 10 afin de faciliter son évaluation ainsi que son traitement. Étant donné que les clients ne verbalisent pas toujours leur douleur, l'infirmière doit être en mesure de reconnaître les autres signes tels que l'agitation, une élévation de la PA ou de la FC, un visage tendu, les poings serrés ou tout autre indice non verbal. Si on administre de la nitroglycérine par voie intraveineuse, celle-ci doit être prescrite selon le protocole en usage dans le centre hospitalier. Une fois la douleur soulagée, l'infirmière peut devoir faire face au déni du client qui interprète l'absence de douleur comme une absence de lésions cardiaques. Après avoir administré un analgésique, l'infirmière doit évaluer l'efficacité du médicament et la réaction du client, puis noter cette information au dossier (voir tableau 5.5 pour les points de repère de l'évaluation de la douleur).

• Surveillance. Le client est continuellement sous surveillance par ECG au cours de son séjour dans l'unité de soins coronariens, et habituellement après avoir été transféré dans une unité de soins courants ou généraux. L'infirmière doit être formée pour interpréter l'ECG afin de repérer et de traiter l'arythmie favorisant la détérioration de l'état cardiovasculaire. La fibrillation ventriculaire est la forme d'arythmie mortelle la plus fréquente au cours de la période initiale suivant l'infarctus du myocarde. Ce type d'arythmie est souvent précédé de l'extrasystole ventriculaire ou de la tachycardie ventriculaire.

En plus de prendre fréquemment les signes vitaux, les ingesta et excreta doivent être mesurés au moins une fois par quart de travail, et on doit procéder à un examen physique afin de déceler toute déviation des paramètres de base du client. Cet examen comprend une évaluation des bruits pulmonaires et cardiaques, ainsi qu'une inspection visant à trouver des indices de

Plan de soins infirmiers

Client présentant un infarctus du myocarde

DIAGNOSTIC INFIRMIER : douleur reliée au déséquilibre entre l'apport et la demande en oxygène, se manifestant par une forte douleur thoracique, une oppression ou une constriction et une douleur irradiant dans le cou, les bras ou le dos.

PLANIFICATION

Résultat escompté
- Le client dit que la douleur rétrosternale ou la douleur en question est soulagée.

INTERVENTIONS	Justifications
• Évaluer la douleur selon la méthode PQRST.	• Vérifier l'efficacité du traitement.
• Administrer de l'oxygène par lunette nasale.	• Augmenter l'oxygénation du tissu myocardique et prévenir la progression de l'ischémie dans le tissu.
• Obtenir un ECG pendant l'épisode de douleur.	• Différencier l'angine d'une progression de l'étendue de l'infarctus du myocarde ou de la péricardite.
• Administrer des antiangineux selon l'ordonnance.	• Augmenter le débit sanguin vers le myocarde et réduire la charge de travail ainsi que la douleur.
• Vérifier les signes vitaux toutes les heures ou toutes les deux heures.	• Fournir une évaluation continue de la réaction du client face au traitement.
• Administrer, au besoin, du sulfate de morphine par voie intraveineuse.	• Prévenir l'anxiété et diminuer la charge cardiaque en réduisant la consommation d'oxygène par le myocarde et la contractilité, en abaissant la PA et en ralentissant la fréquence cardiaque (FC).
• Expliquer l'importance de signaler la douleur le plus tôt possible.	• Fournir un traitement et prévenir la progression de l'ischémie.

DIAGNOSTIC INFIRMIER : diminution de l'irrigation tissulaire cardiopulmonaire reliée à une lésion myocardique, au débit cardiaque insuffisant et à une éventuelle congestion pulmonaire, se manifestant par la diminution de la PA, l'oligurie, les râles crépitants, la distension du foie, l'œdème périphérique, le dédoublement des bruits cardiaques ainsi que la présence de B_3 et B_4.

PLANIFICATION

Résultats escomptés
- La pression artérielle et le pouls sont dans les limites normales pour le client.
- La fréquence respiratoire est entre 12 et 18/min.
- Le débit urinaire est >30 ml/h.

INTERVENTIONS	Justifications
• Vérifier la PA, le pouls, les bruits cardiaques et respiratoires ainsi que la fréquence respiratoire, la SaO_2 toutes les heures d'abord, puis au besoin selon la saturation visée par l'équipe médicale.	• Fournir une évaluation continue de la réaction du client au traitement.
• Surveiller les ingesta et les excreta toutes les heures.	• Évaluer l'efficacité de la perfusion rénale.
• Minimiser la charge cardiaque pendant le rétablissement.	• Diminuer les besoins du myocarde en oxygène.
• Expliquer la nécessité du repos au lit et de la diminution de l'activité.	• Favoriser la collaboration du client. Regrouper les soins pour réduire la fatigue et le besoin du myocarde en oxygène.
• Surveiller la SaO_2 et l'administration d'oxygène.	• Assurer un apport en oxygène suffisant au myocarde.
• Assurer le confort du client.	• La douleur indique l'ischémie myocardique et peut causer de l'anxiété, provoquant ainsi l'augmentation des besoins en oxygène.

DIAGNOSTIC INFIRMIER : anxiété reliée à la perception d'un danger menaçant la vie, à la douleur et aux changements éventuels dans le mode de vie, se manifestant par l'agitation ainsi que l'expression d'une inquiétude sur de nombreux aspects liés à la santé, comme les changements dans le mode de vie et le pronostic.

PLANIFICATION

Résultats escomptés
- Bien-être physique et émotionnel.
- Expression d'un sentiment de bien-être.

→ Plan de soins infirmiers

Client présentant un infarctus du myocarde (*suite*)

INTERVENTIONS	Justifications
• Surveiller et évaluer le degré d'anxiété.	• Intervenir efficacement selon le niveau d'anxiété. L'anxiété entraîne l'augmentation de la demande en oxygène.
• Déterminer les mécanismes d'adaptation antérieurs du client et leur efficacité.	• Encourager leur utilisation ou contribuer à les modifier, au besoin.
• Encourager l'utilisation de techniques de relaxation.	• Promouvoir la maîtrise de soi chez le client.
• Si le client a besoin de renseignements, les lui communiquer de façon simple et claire.	• Faire en sorte qu'ils soient bien compris.
• Évaluer les structures de soutien et les inclure dans le plan de soins si elles sont efficaces.	• La famille peut être le moyen le plus efficace de réduire le stress du client.

DIAGNOSTIC INFIRMIER : intolérance à l'activité reliée au déséquilibre entre l'apport et la demande en oxygène, se manifestant par la fatigue suivant une activité minimale, l'incapacité d'effectuer ses soins personnels en l'absence de dyspnée, ainsi que l'augmentation de la fréquence cardiaque.

PLANIFICATION
Résultats escomptés
- Absence de dyspnée et de fatigue à l'effort.
- Signes vitaux stables et augmentation progressive de l'activité.

INTERVENTIONS	Justifications
• Évaluer le degré de fatigue ou de tolérance à l'activité (échelle de Borg), la faiblesse et le potentiel de progression de l'activité.	• Obtenir les données de base nécessaires pour établir le plan de soins.
• Encourager le client à demeurer au lit jusqu'à ce qu'on lui dise qu'il peut se lever.	• Diminuer la charge cardiaque et, en même temps, la consommation d'O_2.
• Faire en sorte que les objets que le client peut désirer ou dont il peut avoir besoin soient à proximité.	• Minimiser l'activité du client, conserver son énergie et favoriser son autonomie.
• Surveiller la PA, la FC, la couleur de la peau et la SaO_2.	• Vérifier la réaction du client à l'activité et faire les ajustements nécessaires, le cas échéant.
• Administrer de l'oxygène au besoin au cours de l'activité.	• Augmenter la disponibilité de l'oxygène pour le cœur et les autres organes.
• Planifier une progression graduelle de l'activité.	• Accroître la tolérance du client sans causer une augmentation rapide de la charge cardiaque.

DIAGNOSTIC INFIRMIER : perturbation de l'estime de soi reliée à la difficulté de rester maître de ce qui lui arrive, à la maladie ainsi qu'à des changements de rôles perçus ou réels, se manifestant par l'expression d'un sentiment d'impuissance et d'une faible estime de soi, ainsi que par une participation minimale à l'autogestion des soins.

PLANIFICATION
Résultat escompté
- Comprendre l'importance de limiter ses activités pendant cette période.

INTERVENTIONS	Justifications
• Permettre au client d'être le plus autonome possible en lui donnant l'information nécessaire pour réduire l'anxiété.	• Encourager l'autonomie.
• Permettre au client de participer à la planification des soins.	• Renforcer son estime de soi et maintenir son autonomie (et lui donner le sentiment d'être maître de la situation).

DIAGNOSTIC INFIRMIER : perturbation des habitudes de sommeil reliée à un plan de soins complexe, à la douleur, à l'anxiété, à l'environnement stressant ainsi qu'aux interruptions fréquentes, se manifestant par l'expression d'une sensation de fatigue au réveil, des siestes fréquentes et un sommeil agité fréquemment interrompu.

PLANIFICATION
Résultat escompté
- Sentiment d'être reposé.
- Interruptions minimales du sommeil.

Plan de soins infirmiers   ENCADRÉ 22.10

Client présentant un infarctus du myocarde (*suite*)

INTERVENTIONS	Justifications
• Évaluer les habitudes de sommeil du client, ainsi que sa perception de la qualité de son sommeil.	• Avoir des données de base.
• Surveiller la circulation des gens dans la chambre du client.	• Réduire le bruit et la confusion et prévenir l'excès de stimuli sensoriels.
• Planifier des soins infirmiers permettant de fournir un repos optimal.	• Favoriser la guérison du myocarde.
• Faire en sorte que l'environnement soit calme et reposant.	• Réduire les stimuli et favoriser le sommeil.
• Tenter de maintenir le cycle sommeil-éveil du client.	• Un manque de sommeil nuit à la guérison et peut entraîner de la fatigue.
• Si l'état du client est stable, ne pas le réveiller pour prendre ses signes vitaux.	• Lui permettre de profiter d'un sommeil ininterrompu.

DIAGNOSTIC INFIRMIER : prise en charge inefficace du plan de soins reliée à un manque de connaissances concernant le problème de santé, la réadaptation, les activités à domicile, l'alimentation et les médicaments, se manifestant par des questions fréquentes à propos de la maladie, de la prise en charge et du suivi.

PLANIFICATION

Résultat escompté

• Le client peut décrire les réactions appropriées aux symptômes futurs, les changements recommandés dans le mode de vie, le plan d'intervention immédiat, les attentes réalistes après sa sortie de l'hôpital, ainsi que les recommandations quant à l'alimentation et à l'activité.

INTERVENTIONS	Justifications
• Évaluer la compréhension du client à l'égard du régime thérapeutique.	• Obtenir de l'information sur ses besoins en matière d'enseignement.
• Enseigner en fonction du niveau de compréhension du client.	• Faire en sorte que l'information soit bien comprise et augmenter les chances qu'il y ait des changements dans le comportement du client.
• Fournir des recommandations et des justifications quant aux mesures à prendre.	• Faire en sorte que le client comprenne bien le motif des changements comportementaux spécifiques qu'on lui demande d'apporter.
• Faire des recommandations réalistes au client.	• Faire en sorte que le client se sente en mesure de les réaliser.
• Informer également la famille du client, surtout en ce qui concerne sa sortie de l'hôpital.	• Obtenir la collaboration de la plus importante structure de soutien du client.
• Donner des instructions spécifiques lors de la sortie de l'hôpital ; remettre la documentation au client.	• Faire en sorte que le client puisse les consulter à domicile.

DIAGNOSTIC INFIRMIER : deuil par anticipation relié à des pertes réelles ou perçues consécutives à la maladie cardiaque, se manifestant par des pertes possibles associées à l'emploi, au rôle familial, au statut ou au mode de vie antérieur.

PLANIFICATION

Résultat escompté

• Résolution du deuil à l'égard des pertes et des changements.

INTERVENTIONS	Justifications
• Prendre en considération les pertes possibles et les changements que le client devra effectuer.	• Évaluer la perception du client quant aux pertes et aux changements et la modifier si elle est irréaliste.
• Encourager la discussion sur des façons de changer le mode de vie qui puissent satisfaire le client.	• Minimiser les conséquences de ces changements.
• Souligner les efforts du client.	• Renforcer l'image positive qu'il a de lui-même.
• Aider le client à planifier des modifications réalistes à son mode de vie.	• Augmenter la probabilité qu'il les applique et éviter les changements inutiles.

rétention hydrique (p. ex. distension des veines du cou ou du foie, œdème au niveau de la crête sacrée ou des chevilles). Étant donné que le client est tenu de rester au lit au début, la dorsiflexion du pied (signe de Homans) provoque une douleur profonde dans le mollet et révèle la présence d'une thrombose veineuse profonde.

L'évaluation de l'état d'oxygénation du client peut se révéler utile, surtout si on lui administre de l'oxygène. Les narines doivent également être examinées pour déceler tout signe d'irritation ou de sécheresse, des états pouvant être très inconfortable pour le client si l'oxygène est administré par voie nasale.

- Repos et confort. Il est important que l'infirmière encourage le repos et le confort lorsque le myocarde subit un traumatisme grave, comme dans le cas d'un infarctus. Le client doit habituellement garder le lit pendant deux à trois jours après un infarctus du myocarde important. Dans le cas d'un infarctus non compliqué, le client peut se reposer dans un fauteuil.

L'organisme requiert moins de travail de la part du cœur en période de sommeil ou de repos qu'en période d'action. Il est important de planifier les interventions infirmières et thérapeutiques afin d'assurer au client des périodes de repos adéquates et sans interruption. Un lit confortable, des soins buccaux fréquents, une chaleur adéquate, un éclairage faible, une atmosphère reposante et l'assurance que les membres du personnel demeurent à proximité et sont attentifs aux besoins du client sont autant de mesures qui encouragent le repos.

Le client doit comprendre les raisons pour lesquelles son niveau d'activité est limitée. Cependant, malgré ces limitations, l'activité du client n'est pas complètement restreinte. La charge cardiaque augmente graduellement en même temps que la difficulté des activités physiques afin que le client puisse atteindre le niveau nécessaire pour obtenir son congé et se voir dispenser des soins à domicile. Les phases de la réadaptation sont décrites dans l'encadré 22.11.

- Anxiété. L'anxiété est présente chez tous les clients, et ce, à divers degrés. Le rôle de l'infirmière est d'en cerner la source et l'intensité et d'aider le client à la diminuer. Si le client a peur d'être seul, l'infirmière doit permettre à un membre de la famille de demeurer au chevet du client ou de le visiter fréquemment. Si la source d'anxiété est la peur de l'inconnu, l'infirmière doit discuter de ses inquiétudes avec le client et l'aider à faire face à la réalité (phases de deuil).

Si l'anxiété est causée par un manque d'information, l'infirmière doit fournir un enseignement approprié en fonction des besoins du client et de son niveau de compréhension. L'infirmière doit répondre aux questions du client par des explications claires et simples suffisantes pour réduire son anxiété.

Phases de réadaptation — ENCADRÉ 22.11

- Phase I - Période passée à l'unité de soins intensifs. Le degré d'activité dépend de la gravité de l'infarctus du myocarde ; le client peut se reposer dans un lit ou une chaise ; l'attention est centrée sur le traitement de la douleur, de l'anxiété, de l'arythmie et du choc cardiogénique.
- Phase II - Période s'échelonnant du transfert de l'unité de soins intensifs à la sortie de l'hôpital. La reprise des activités commence par l'étape d'autogestion des soins au moment de la sortie de l'hôpital ; l'enseignement et la transmission d'information sont appropriés pendant cette période.
- Phase III - Période de convalescence à domicile. Le client et sa famille examinent les modes de vie et les rôles et y apportent des changements éventuels ; c'est le début du programme d'exercices (généralement un programme de marche), qui prévoit une progression quotidienne pendant la première semaine, puis hebdomadaire ; le client subit une épreuve d'effort sur tapis roulant environ huit semaines après l'infarctus afin de déterminer la charge de travail du myocarde qui se rétablit.
- Phase IV - Période de rétablissement et de maintien. La participation du client au programme extrahospitalier en matière de réadaptation et de pratique d'activité physique se poursuit.

Il est important de commencer l'enseignement selon les besoins du client plutôt que de présenter un protocole déjà établi. Il est fréquent que le client ne soit pas prêt à écouter un discours sur les maladies cardiaques. Les premières questions posées par le client ont souvent un lien avec la façon dont la maladie affecte le sentiment de maîtriser sa destinée et l'autonomie. Par exemple :

- Quand vais-je pouvoir quitter l'unité de soins intensifs ?
- Quand vais-je pouvoir quitter le lit ?
- Quand vais-je pouvoir obtenir mon congé de l'hôpital ?
- Vais-je pouvoir retourner au travail ?
- Y aura-t-il beaucoup de changements dans ma vie ?
- Est-ce que ça va encore m'arriver ?

L'infirmière doit informer le client qu'un programme d'enseignement plus complet débutera une fois qu'il aura repris des forces. Il arrive souvent que le client soit incapable d'examiner consciemment la question la plus profonde reliée à l'infarctus du myocarde : Est-ce que je vais mourir ? Même si un client nie cette préoccupation, il est utile pour l'infirmière d'amorcer la conversation en faisant la remarque que la peur de mourir constitue une préoccupation fréquente vécue par la majorité des clients victimes d'un infarctus du myocarde. Cette intervention donne au client la « permission » de parler d'un sujet difficile et angoissant.

- Réactions émotionnelles et comportementales. Les réactions émotionnelles et comportementales d'un client sont variées et suivent fréquemment un schéma réactionnel prévisible (voir encadré 22.12). Le rôle de l'infirmière est donc de comprendre ce que le client vit présentement, de l'aider à faire face à la réalité et de soutenir l'utilisation de modes d'adaptation constructifs. Le déni peut constituer un mode d'adaptation positif au cours de la première phase de rétablissement après un infarctus du myocarde.

| Réactions émotionnelles et comportementales face à l'infarctus du myocarde | ENCADRÉ 22.12 |

Déni
- Peut avoir des antécédents de négation ou d'ignorance des symptômes liés à la maladie cardiaque.
- Minimise la gravité de son état.
- Ignore les restrictions quant à l'activité.
- Évite les discussions sur l'infarctus du myocarde ou son importance.

Colère
- Souvent exprimée comme suit : « Pourquoi est-ce que ça m'arrive à moi ? »
- Peut être dirigée vers la famille, le personnel médical ou le plan de soins.

Anxiété et peur
- Peur de la mort et d'une invalidité de longue durée.
- Signes apparents d'appréhension, d'agitation, d'insomnie ou de tachycardie.
- Diminution de l'expression verbale chez un client extraverti, d'une projection des sentiments vers les autres et d'hypochondrie.
- Craint l'activité, la récurrence des crises cardiaques et la mort subite.

Dépendance
- Dépend totalement du personnel.
- Ne veut accomplir aucune tâche ou activité à moins qu'elle ne soit approuvée par le médecin.
- Désire être surveillé par ECG en tout temps.
- Hésite à quitter l'unité de soins intensifs ou l'hôpital.

Dépression
- Ressent de la tristesse à propos de la perte de la santé, du fonctionnement altéré de l'organisme ainsi que des changements dans le mode de vie.
- Commence à s'en faire à propos des conséquences futures de la maladie cardiaque.
- Démontre des signes de repli sur lui-même, de pleurs, d'anorexie et d'apathie.
- Les signes peuvent être plus apparents après la sortie de l'hôpital.
- Réalise la gravité de la situation.

Acceptation réaliste
- Se concentre sur la réadaptation optimale.
- Planifie des changements compatibles avec l'altération de la fonction cardiaque.

L'infirmière a le devoir de maximiser et d'améliorer les structures de soutien social du client. Cette intervention nécessite d'évaluer la structure de soutien du client et de sa famille et de lui permettre de fonctionner. Pendant son hospitalisation, le client est souvent séparé de la structure de soutien la plus importante. Le rôle de l'infirmière peut être de discuter avec la famille et de l'informer des progrès du client, et de permettre au client et à sa famille de discuter et de soutenir les membres de la famille qui seront en mesure d'apporter le soutien nécessaire au client. Les visites libres permettent de réduire l'anxiété et d'augmenter le soutien apporté au client victime d'un infarctus du myocarde. L'isolement social après un infarctus du myocarde a été associé à des résultats négatifs tant chez les hommes que chez les femmes. Il est important que l'infirmière aide le client à identifier les ressources qui pourront l'aider après sa sortie de l'hôpital.

Soins ambulatoires et soins à domicile. La **réadaptation** consiste à aider le client à s'adapter à une invalidité en lui enseignant à intégrer toutes ses ressources et à se concentrer davantage sur les habiletés qu'il possède déjà, plutôt que sur des invalidités permanentes. La réadaptation cardiaque représente le rétablissement d'un individu à un état de fonctionnement optimal, et ce, dans six domaines : physiologique, psychologique, mental, spirituel, économique et professionnel. De nombreuses personnes se rétablissent bien d'un infarctus du myocarde sur le plan physique, mais des idées fausses à propos de la maladie ou encore le besoin de se comporter comme une personne malade peut faire qu'elles ne connaîtront jamais le bien-être psychologique. Le retour au travail et la reprise des activités servent depuis longtemps à indiquer les résultats de la réadaptation cardiaque et jouent un rôle important dans la rentabilité des soins et de la réadaptation cardiaque. Un exemple de programme de réadaptation est présenté au tableau 22.11.

En considérant la réadaptation, l'infirmière et le client doivent se rendre compte que la coronaropathie est une maladie chronique. Elle ne guérira pas et elle ne disparaîtra pas d'elle-même. Le client doit donc faire des changements fondamentaux dans son mode de vie afin de favoriser la réadaptation et la santé. Ces changements doivent souvent être faits au moment où la personne est d'âge moyen et où elle doit déjà faire face au vieillissement et à tous les facteurs stressants qui y sont associés. Le client doit également être conscient qu'il faut beaucoup de temps pour se rétablir. La reprise de l'activité physique après un infarctus du myocarde se fait lentement et graduellement. Cependant, les soins de soutien appropriés et adéquats augmentent les chances de rétablissement (voir l'encadré 22.13).

TABLEAU 22.11   Réadaptation du client hospitalisé : programme en cinq étapes après un infarctus du myocarde (révisé en 1996 : *Grady Memorial Hospital/Emory University School of Medicine*)

Étape	Date	Initiales du médecin	Notes de l'infirmière ou du physiothérapeute	Exercices supervisés	Activités dans l'USI/USC	Activités éducatives
Unité de soins intensifs (USI)						
1	____			Exercices d'amplitude des mouvements actifs et passifs de tous les membres, au lit. Enseigner au client l'exercice de dorsiflexion du pied, répéter qh lorsque le client est éveillé.	Autogestion partielle des soins. Manger de façon autonome. Laisser pendre ses jambes sur le bord du lit. Utiliser la chaise d'aisance à côté du lit.	Orientation dans l'unité de soins intensifs. Urgences personnelles, aide du service social prn. Enseignement au chevet (personnel de l'USI).
2	____			Exercices d'amplitude des mouvements actifs de tous les membres, en position assise sur le côté du lit ou sur une chaise.	S'asseoir dans une chaise pendant 15 à 30 min, bid-tid. Autogestion complète des soins.	Orientation vers l'équipe et le programme de réadaptation. Désaccoutumance au tabac. Documentation éducative au besoin. Planification du transfert de l'USI.
Unité de soins courants (USC)						
3	____			Exercices de réchauffement, 2 à 2,5 MET : Exercices d'étirement Exercices de gymnastique suédoise (*stretching*) Marche dans le corridor sur une distance de 25 à 35 m et retour lentement.	S'asseoir dans une chaise à volonté. Marcher dans la chambre. Marcher jusqu'à la salle d'enseignement sous la surveillance de quelqu'un. Demeurer hors du lit autant que possible.	Anatomie et fonction cardiaques normales. Manifestation de l'athérosclérose. Étapes de l'infarctus du myocarde. Facteurs de risque de coronaropathie et prévention. Alimentation.
4	____			Enseigner la prise du pouls, échelle catégorielle de Borg. (voir figure 22.22). Exercices d'amplitude des mouvements et de gymnastique suédoise (*stretching*), 3 METs. Ascension de quelques marches d'escalier. Marche sur une distance de 145 à 240 m bid. Instructions sur les exercices à domicile.	Douche ou bain tiède, sous la surveillance de quelqu'un. Marcher dans le corridor à volonté.	Prise en charge de l'infarctus du myocarde : Médicaments Exercice Chirurgie Réaction aux symptômes Adaptation familiale et communautaire au retour à la maison Techniques de simplification du travail (prn).
5	____			Poursuivre les exercices mentionnés ci-dessus. Prendre son pouls. Monter un escalier. Marcher sur une distance de 240 m bid. Continuer de donner des instructions sur les exercices à domicile ; donner de l'information sur le programme d'exercices extrahospitaliers.	Poursuivre tous les exercices précédents. Épreuve d'effort en fin d'hospitalisation (prn).	Planification de la sortie de l'hôpital. Médicaments, alimentation, activité. Suivi. Tests à effectuer. Retour au travail. Ressources communautaires. Documentation éducative. Cartes de médicaments.

Réimprimé avec la permission du *Grady Memorial Hospital, Emory University School of Medicine*. Modifié de WEGNER, N. : « Rehabilitation of the patient with coronary heart disease », ALEXANDER, RW et autres. *Hurst's the heart*, 9ᵉ éd, New York, McGraw-Hill, 1998.
MET : équivalent métabolique.

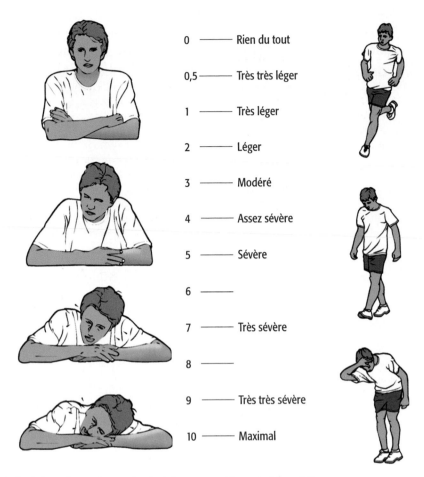

0	——	Rien du tout
0,5	——	Très très léger
1	——	Très léger
2	——	Léger
3	——	Modéré
4	——	Assez sévère
5	——	Sévère
6	——	
7	——	Très sévère
8	——	
9	——	Très très sévère
10	——	Maximal

FIGURE 22.22 Échelle de Borg. Perception par le client de son essoufflement et de sa fatigue.

• **Enseignement au client.** Une fois la phase aiguë de l'infarctus du myocarde passée, le client est transféré dans une unité de soins intermédiaires ou réguliers. Les buts des soins infirmiers sont continus. De plus, l'enseignement au client et à la famille constitue un but important des soins infirmiers. Cet enseignement commence avec l'infirmière de l'unité de soins coronariens et il est ensuite dispensé par l'infirmière d'une unité de soins courants, puis par l'infirmière en santé communautaire. Le but de l'enseignement est de fournir au client et à sa famille les outils dont ils ont besoin pour prendre des décisions éclairées sur les questions qui touchent la santé. Pour que l'enseignement soit pertinent, le client doit être conscient de son besoin d'apprendre. L'évaluation attentive des besoins du client en matière d'apprentissage aide l'infirmière à fixer des buts et des objectifs réalistes.

Il est important de bien choisir les périodes d'enseignement. Lorsque le client et sa famille vivent des crises (physiologiques ou psychologiques), il est possible qu'ils ne soient pas très intéressés par l'enseignement. Il est essentiel de se souvenir qu'il faut répondre aux premières questions en termes simples et brefs,

sans entrer dans les détails, et que les réponses à ces questions doivent être fréquemment répétées et par la suite élaborées (suivi). Une fois que le choc et l'incrédulité qui accompagnent une crise ont disparu, le client et sa famille sont davantage capables de se concentrer sur de nouveaux renseignements.

En plus d'informer le client et la famille sur les sujets qui les touchent, il faut savoir qu'il existe plusieurs types de renseignements jugés nécessaires à l'atteinte d'un état de santé optimal. Un guide d'enseignement au client victime d'un infarctus du myocarde figure dans l'encadré 22.14.

Certaines infirmières sont d'avis qu'un algorithme sur lequel figurent ces catégories d'enseignement au client et le nom des infirmières qui ont dispensé l'enseignement aide à consigner l'information donnée au client et à sa famille.

Lorsque l'infirmière emploie des termes médicaux, elle doit en expliquer le sens en langage familier. Par exemple, elle peut expliquer que le cœur, une pompe à quatre compartiments, est un muscle qui, comme tous les autres muscles, a besoin d'oxygène. Lorsque les vaisseaux sont rétrécis par l'athérosclérose, il s'agit d'un

RECHERCHE
Stratégies de traitement — ENCADRÉ 22.13

Article : RIEGEL, B., T. THOMASON et B. CARLSON. « Nursing care of patients with acute myocardial infarction », *Crit Care Nurse*, vol. 17, n° 23, 1997.

Objectif : une enquête nationale a été réalisée afin de déterminer quelles sont les stratégies de traitement et les connaissances des infirmières qui s'occupent des clients victimes d'un infarctus du myocarde. Plus particulièrement, l'objectif de cette enquête était de déterminer si les soins infirmiers étaient en accord avec les résultats des recherches publiées.

Méthodologie : un questionnaire appelé *Assessment and Treatment of Patients with Acute Myocardial Infarction Tool* a été rempli par 882 infirmières, choisies au hasard aux États-Unis, qui s'occupaient de clients victimes d'un infarctus du myocarde. Le questionnaire avait pour but de recueillir de l'information sur les sujets suivants : l'évaluation et le soulagement de la douleur, la gestion des activités, les stratégies thérapeutiques ainsi que les pratiques associées à l'enseignement au client.

Résultats et conclusion : les clients victimes d'un infarctus du myocarde sont traités par des infirmières dont les antécédents en matière de formation sont variés. Bien qu'une grande partie des soins prodigués soient en accord avec les connaissances actuelles, certaines pratiques signalées (p. ex. utilisation d'un bassin hygiénique plutôt que d'une chaise d'aisance et certains facteurs à considérer lorsqu'on permet à un client de se déplacer) sont non conformes aux résultats de recherche. Certaines infirmières étaient d'avis que le manque de temps et de soutien de la part de l'administration constituaient les facteurs contribuant le plus à décourager l'utilisation des résultats de recherche. Le fait que les infirmières ne soient pas encore convaincues des résultats de recherche constitue une autre raison expliquant la faible utilisation de ces derniers dans la pratique.

Incidences sur la pratique : il faut créer et utiliser des normes en matière de soins et de suivi systématique, ainsi que d'autres outils fournissant aux infirmières des conseils basés sur les recherches en soins infirmiers. La pratique des soins infirmiers doit être fondée sur les résultats de recherche plutôt que sur la tradition, qui peut être erronée ou dépassée. Lorsque des recherches pertinentes sont publiées, les politiques et les procédures relatives aux soins infirmiers doivent être en accord avec les résultats de ces recherches. Cependant, la poursuite de recherches approfondies s'avère nécessaire lorsque les études sont insuffisantes.

ENSEIGNEMENT AU CLIENT
Infarctus du myocarde — ENCADRÉ 22.14

- Anatomie et physiologie du cœur et des vaisseaux.
- Causes et effets de l'athérosclérose.
- Définition des termes (p. ex. coronaropathie, angine, infarctus du myocarde, mort subite, ICC [insuffisance cardiaque congestive]).
- Signes et symptômes de l'angine et de l'infarctus du myocarde et raisons de leur apparition.
- Guérison après un infarctus.
- Connaissance des facteurs de risque (voir encadré 22.4).
- Justification des tests et des traitements, notamment l'ECG, les analyses sanguines et l'angiographie, ainsi que la surveillance, le repos, l'alimentation et les médicaments.
- Attentes réalistes quant au rétablissement et à la réadaptation (conseils d'ordre préventif).
- Mesures visant à favoriser le rétablissement et la santé.
- Importance de la reprise graduelle et progressive de l'activité.

la population générale. Les présentations vidéos constituent aussi des outils très utiles dans l'enseignement au client.

Les conseils d'ordre préventif visent à préparer le client et sa famille aux éléments auxquels ils doivent s'attendre au cours du processus de rétablissement et de réadaptation. Le client acquiert ainsi un sentiment de maîtrise sur sa vie. Ce sentiment lui permet de considérer consciemment les facteurs stressants et favorise son rétablissement.

L'idée de maîtrise de sa destinée entre en jeu à mesure que le client fait des choix et prend des décisions en optant pour un retour à l'essentiel. Ce retour est une façon de minimiser les pertes psychologiques et physiologiques après un infarctus du myocarde (ou tout autre événement accompagné de changements importants dans la vie). Le client pense à ce qui doit être changé, puis à ce qui devrait être changé et décide finalement ce qui sera changé. Par exemple, un homme d'âge moyen qui fume deux paquets de cigarettes par jour, qui a 10 kilos en trop et qui ne pratique aucune activité physique a apparemment une tâche très difficile à accomplir. Il est possible qu'il décide être en mesure de suivre un régime amaigrissant et de faire davantage d'activité physique (quoique peut-être pas tous les jours), mais qu'il lui soit impossible de cesser de fumer. Idéalement, les facteurs de risque liés au tabagisme devraient constituer une priorité pour lui, mais si ce dernier n'accepte pas l'information concernant les risques et les conséquences du tabagisme, l'infirmière doit respecter le besoin du client de maîtriser les aspects de sa vie.

processus semblable à l'accumulation de dépôts de minéraux à l'intérieur des tuyaux, ce qui fait que le débit d'eau est moins important et que sa pression est plus élevée. L'infirmière peu se servir d'une maquette du cœur ou utiliser du papier et un crayon afin d'illustrer ce qu'elle explique. La Fondation des maladies du cœur possède un site Internet bien documenté et accessible à

• **Activité physique.** L'activité physique fait partie intégrante du programme de réadaptation. Elle est nécessaire au fonctionnement physiologique optimal et au bien-être psychologique du client. L'activité physique a un effet direct et positif sur la consommation maximale d'oxygène, l'augmentation du débit cardiaque, la diminution du taux de lipides dans le sang, la diminution de la pression artérielle, l'augmentation du débit sanguin dans les artères coronaires, l'augmentation de la masse et de la flexibilité musculaires, l'amélioration de l'état psychologique ainsi que la perte de masse corporelle et sa régulation. Le fait de pratiquer régulièrement une activité physique de façon modérée, même après de nombreuses années de sédentarité, a un effet bénéfique.

Les équivalents métaboliques (MET) constituent une méthode utilisée pour connaître les niveaux d'activité physique : un MET représente la quantité d'oxygène dont l'organisme a besoin au repos, soit 3,5 mL d'oxygène par kilogramme par minute ou 1,4 cal/kg de masse corporelle par minute. On utilise les équivalents métaboliques afin de déterminer le coût en énergie de divers exercices (voir tableau 22.12).

Au centre hospitalier, le degré d'activité augmente graduellement pour qu'au moment d'obtenir son congé, le client soit en mesure de tolérer des activités modérées allant de trois à cinq MET. Un grand nombre de clients victimes d'un infarctus du myocarde non compliqué demeurent au centre hospitalier pendant environ cinq jours. Au quatrième ou au cinquième jour, le client peut marcher dans le corridor. De nombreux médecins demandent que le client subisse des épreuves d'effort de faible intensité sur un tapis roulant avant qu'il n'obtienne son congé, afin de s'assurer qu'il est prêt à rentrer chez lui, d'examiner sa fréquence cardiaque pour lui prescrire un programme d'exercices, ainsi que d'évaluer le potentiel d'un autre infarctus. Si les épreuves sont positives (p. ex. on constate la présence d'ischémie lorsque le client dépense de l'énergie à une faible intensité), il faut évaluer le client en vue de lui faire subir un cathétérisme cardiaque et, éventuellement, un pontage aortocoronarien avant qu'il n'obtienne son congé. Si l'épreuve est négative, on peut suggérer un cathétérisme un mois après l'obtention du congé. Comme la période d'hospitalisation est courte, il est impératif de donner au client des consignes spécifiques quant aux activités et aux exercices afin qu'il ne fasse pas de surplus d'effort. Il faut souligner au client que le rétablissement devrait se faire sans complications s'il « écoute son corps », la facette la plus importante du rétablissement.

L'infirmière a la responsabilité d'enseigner au client à prendre son pouls et de lui indiquer les paramètres à l'intérieur desquels il peut faire de l'exercice. Elle doit l'informer de la fréquence cardiaque maximale à atteindre et lui mentionner d'arrêter l'activité si la FC dépasse

TABLEAU 22.12	Dépense énergétique en équivalents métaboliques (MET)	
ACTIVITÉS EXIGEANT UNE FAIBLE DÉPENSE ÉNERGÉTIQUE (<3 MET OU 3 CAL/MIN)		**CALORIES DÉPENSÉES**
Activités à l'hôpital		
Repos en position couchée		1,0
Position assise		1,2
Manger		1,4
Parler		1,4
Se laver les mains et le visage		2,5
Activités extrahospitalières		
Coudre à la main		1,4
Balayer le plancher		1,7
Peindre en position assise		2,5
Assembler une radio		2,7
Conduire une automobile		2,8
Coudre à la machine		2,9
ACTIVITÉS EXIGEANT UNE DÉPENSE ÉNERGÉTIQUE MOYENNE (3 À 6 MET OU 3 À 5 CAL/MIN)		
Activités à l'hôpital		
S'asseoir sur la chaise d'aisance		3,6
Marcher à 4 km/h		3,6
Prendre une douche		4,2
Utiliser le bassin hygiénique		4,7
Marcher à 6 km/h		5,6
Activités extrahospitalières		
Poser des briques		4,0
Labourer en conduisant un tracteur		4,2
Repasser des vêtements, debout		4,2
Passer la vadrouille		4,2
Jouer aux quilles		4,4
Faire de la bicyclette à 9 km/h sur un terrain plat		4,5
Jouer au golf		5,0
Danser		5,5
ACTIVITÉS EXIGEANT UNE DÉPENSE ÉNERGÉTIQUE ÉLEVÉE (6 À 8 MET OU 6 À 8 CAL/MIN)		
Marcher à 8 km/h		6,5
Faire de la menuiserie		6,8
Monter des escaliers		7,0
Jouer au tennis en simple		7,1
Tondre le gazon avec une tondeuse		7,7
Faire de l'équitation au trot		8,0
Se déplacer avec des béquilles		8,0
ACTIVITÉS EXIGEANT UNE DÉPENSE ÉNERGÉTIQUE TRÈS ÉLEVÉE (8 À 10 MET OU 8 À 10 CAL/MIN)		
Jogger à 8 km/h		8,0
Pelleter de la neige		8,5
Monter des escaliers avec un poids de 8 kg		9,0
Skier		9,9
ACTIVITÉS EXIGEANT UNE DÉPENSE ÉNERGÉTIQUE EXTRÊME (>10 MET OU 11 CAL/MIN)		
Jouer au handball		
Faire de la bicyclette à 20 km/h		
Monter des escaliers avec un poids de 10 kg		

cette valeur ou qu'elle ne revient pas à la normale après quelques minutes. Elle doit avertir le client de s'arrêter s'il ressent de la douleur ou si la dyspnée se manifeste.

Chez une personne normale et en bonne santé, le seuil minimal pour améliorer la capacité aérobie correspond à 60 % de la fréquence cardiaque maximale calculée selon l'âge (celle-ci se calcule en soustrayant l'âge de la personne du nombre 220). La fréquence cardiaque idéale pour s'entraîner se situe à 80 % de la fréquence cardiaque maximale. Un client sédentaire qui débute un programme d'activité physique devrait autant que possible le faire sous la surveillance de quelqu'un d'autre. La réaction du client à l'activité physique sur le plan des symptômes représente un facteur plus important que la fréquence cardiaque exacte. C'est un point sur lequel l'infirmière ne peut jamais trop insister dans son enseignement. De plus, un client atteint de maladie cardiaque qui prend des médicaments (notamment des β-bloquants) peut ne pas être capable d'augmenter sa fréquence cardiaque et doit subir une épreuve d'effort sur tapis roulant afin qu'on puisse déterminer sa fréquence cardiaque individuelle cible. Les lignes directrices de base en matière d'exercice sont présentées dans l'encadré 22.15.

ENSEIGNEMENT AU CLIENT

Lignes directrices en matière d'exercice après un infarctus du myocarde

ENCADRÉ 22.15

Type d'exercices
L'exercice doit être régulier, rythmique, répétitif, et il doit solliciter les gros muscles afin d'augmenter l'endurance (p. ex. la marche, le cyclisme, la natation, l'aviron).

Intensité
L'intensité de l'exercice doit être déterminée par la fréquence cardiaque du client. Si le client n'a pas subi d'épreuve de marche sur tapis roulant, il ne doit pas dépasser 20 pulsations par minute au-dessus de la fréquence du pouls au repos.

Durée
L'exercice peut durer de 20 à 30 minutes. Il est important que le client commence lentement selon son degré de tolérance (5 à 10 minutes) et progresse jusqu'à 30 minutes.

Fréquence
Le client doit s'exercer trois fois par semaine. Si l'exercice est de courte durée (5 à 10 minutes), il peut être pratiqué quotidiennement, mais il est préférable de prévoir des journées de repos.

Échauffement/Retour au calme
Il est important de s'étirer doucement pendant trois à cinq minutes avant le début de l'activité, et pendant cinq minutes après l'activité. L'activité ne doit pas commencer ni s'arrêter de manière abrupte.

Les principes de base de ces exercices sont les activités statiques (isométriques) et dynamiques (isotoniques). La plupart des activités quotidiennes constituent un mélange des deux. Les activités statiques comprennent le développement de la tension pendant la contraction musculaire, mais elles ne produisent aucun changement, ou très peu, dans la longueur des muscles ou les mouvements articulaires. Les activités isométriques peuvent être, par exemple, soulever, transporter et pousser des objets lourds. Étant donné que la fréquence cardiaque et la pression artérielle augmentent rapidement pendant l'activité isométrique, les programmes d'exercices comprenant des activités de ce type doivent être restreints.

Les exercices isotoniques entraînent des changements dans la longueur des muscles et les mouvements articulaires, ainsi que des contractions rythmiques accompagnées d'une tension musculaire relativement faible. La marche, le jogging (course à pied), la natation, le cyclisme et la corde à danser sont des exemples d'activités principalement isotoniques. Les exercices isotoniques font travailler le cœur et les poumons de façon sûre et régulière et peuvent aussi améliorer la circulation dans de nombreux organes.

- Reprise de l'activité sexuelle. Il est important d'inclure dans l'enseignement des conseils d'ordre sexuel à l'intention des clients et de leurs partenaires. Ce sujet de discussion, souvent négligé, peut être difficile d'approche tant pour les clients que pour les membres du personnel soignant. Cependant, l'inquiétude du client atteint de maladie cardiaque quant à la reprise de l'activité sexuelle après un infarctus du myocarde produit plus de stress que l'action physiologique en tant que telle. Après un infarctus du myocarde, l'activité sexuelle cesse complètement ou subit une diminution chez environ un tiers des hommes et des femmes. La majorité de ces clients n'ont pas changé leurs comportements sexuels à cause de problèmes physiques, mais parce qu'ils étaient préoccupés par leur capacité à avoir une relation sexuelle, le décès possible pendant le coït et l'impuissance. Les fausses idées entretenues par ces personnes auraient pu être clarifiées par des conseils spécifiques donnés par un membre du personnel soignant bien informé et soucieux du bien-être des clients.

Avant que l'infirmière ne fasse des recommandations quant à la reprise de l'activité sexuelle, il est important de connaître l'état physiologique du client, les effets physiologiques de l'activité sexuelle et les effets psychologiques de la crise cardiaque. Pour les hommes d'âge moyen et leur partenaire habituelle, l'activité sexuelle n'est pas plus éprouvante que de monter un escalier de deux étages.

De nombreuses infirmières ne sont pas sûres de la période à laquelle il est pertinent de commencer à donner des conseils sur la reprise de l'activité sexuelle et sur la façon de l'aborder. Il est utile de considérer les relations sexuelles comme une activité physique et de discuter des émotions qui s'y rapportent lorsqu'on parle déjà d'autres activités physiques. Par exemple, voici une façon d'amorcer ce sujet : « De nombreuses personnes qui ont subi un infarctus du myocarde se demandent à quel moment elles pourront reprendre l'activité sexuelle. Y avez-vous pensé ? » ou « Si l'activité sexuelle vous préoccupe, les renseignements suivants devraient vous être utiles. » Ce genre d'énoncé non menaçant permet donc d'en venir au sujet voulu, il permet au client d'explorer ses émotions personnelles et lui fournit une occasion de poser des questions à l'infirmière ou à un autre membre du personnel soignant. Les lignes directrices courantes sont présentées dans l'encadré 22.16.

Le client a besoin de savoir que l'incapacité d'avoir des relations sexuelles se produit fréquemment après

ENSEIGNEMENT AU CLIENT

Activité sexuelle après un infarctus du myocarde   ENCADRÉ 22.16

- La planification de la reprise de l'activité sexuelle doit correspondre à l'activité sexuelle du client avant la crise cardiaque.
- L'activité physique semble améliorer la réaction physiologique au coït ; les exercices quotidiens doivent donc être encouragés pendant la période de rétablissement.
- La consommation de nourriture et d'alcool doit être réduite lorsqu'une relation sexuelle est prévue (p. ex. attendre de trois à quatre heures après un repas lourd avant d'avoir une relation sexuelle).
- Un environnement et un partenaire familiers permettent de réduire l'anxiété.
- La masturbation peut constituer un exutoire sexuel utile et rassurer le client en lui prouvant que l'activité sexuelle est encore possible.
- La température doit être confortable, non extrême. Les douches froides ou chaudes doivent être évitées tout de suite avant ou après la relation sexuelle.
- Les préliminaires sont recommandés parce qu'ils amènent une augmentation graduelle de la fréquence cardiaque avant l'orgasme.
- Pendant la relation sexuelle, les positions sont une question de choix personnel.
- Les relations buccogénitales n'exigent pas d'effort excessif de la part du cœur. Cette forme d'expression sexuelle dépend entièrement de la personne.
- Une atmosphère relaxante et non propice à la fatigue est optimale.
- L'utilisation prophylactique de nitroglycérine permet de réduire efficacement l'angine pendant la relation sexuelle.
- La pénétration anale est susceptible de causer un effort cardiaque excessif parce qu'elle peut entraîner une réaction vaso-vagale.

un infarctus du myocarde et que l'impuissance disparaît généralement après plusieurs tentatives. L'infirmière doit renforcer l'idée que la patience et la compréhension viennent généralement à bout du problème.

Il n'est pas rare qu'un client qui ressent des douleurs thoraciques quand il fait des efforts physiques souffre d'angine pendant la stimulation ou la relation sexuelle. Il faut indiquer au client de prendre de la nitroglycérine à titre de mesure préventive. Il est aussi utile que le client évite les relations sexuelles tout de suite après un repas lourd ou une consommation excessive d'alcool, lorsqu'il est extrêmement fatigué ou stressé, ou avec de nouveaux partenaires. Il faut éviter la pénétration anale puisqu'elle peut vraisemblablement provoquer une réaction vaso-vagale. Le client doit être informé de l'interaction médicamenteuse possible entre la nitroglycérine et les comprimés Viagra. Ces derniers augmentent le retour veineux, donc le travail du cœur.

Le client doit savoir que la reprise de l'activité sexuelle dépend de sa réceptivité émotionnelle et de celle du partenaire, ainsi que de l'évaluation du médecin en ce qui a trait à la durée du rétablissement. On recommande généralement au client d'éviter les relations sexuelles jusqu'à quatre à huit semaines après l'infarctus du myocarde. Certains médecins jugent que le client devrait décider du moment où il peut reprendre l'activité sexuelle. D'autres estiment qu'un client doit être capable de monter rapidement un escalier de deux étages, sans que la dyspnée ou l'angine ne se manifeste, avant de pouvoir reprendre l'activité sexuelle.

On peut présenter au client des documents à lire sur la reprise de l'activité sexuelle afin de faciliter la discussion. L'infirmière peut ensuite clarifier et expliquer certains renseignements s'il y a lieu. Le fait d'aborder le sujet de la reprise de l'activité sexuelle d'une manière calme et d'un ton neutre pendant l'enseignement sur l'activité physique permet de répondre aux questions et de soulager les inquiétudes qui n'auraient autrement peut-être jamais été exprimées. Par exemple, l'infirmière peut dire : « L'activité sexuelle est semblable à toute autre forme d'activité et devrait être reprise de façon graduelle après un infarctus du myocarde. Si vous êtes préoccupé par votre capacité à avoir une relation sexuelle, sachez que la dépense énergétique provoquée par cette activité ne dépasse pas celle qu'entraîne le fait de marcher rapidement ou de monter un escalier de deux étages. » Cette approche permet au client d'obtenir des faits à partir desquels il pourra commencer à chercher de l'information et à explorer ses émotions personnelles quant à la reprise de l'activité sexuelle.

Évaluation. Les résultats escomptés chez le client ayant subi un infarctus du myocarde sont présentés dans l'encadré 22.10.

22.2.3 Mort subite

La **mort subite** est un décès inattendu ayant une cause cardiaque. Elle est imputable à une perturbation de la fonction cardiaque qui provoque une perte subite du débit sanguin cérébral. Le décès survient dans l'heure qui suit l'apparition des symptômes aigus. La mort subite survient par suite de causes naturelles (et non accidentelles ou traumatiques). La personne affectée peut avoir des antécédents de maladies cardiovasculaires ou non. Chez 25 % des clients décédés des suites d'une coronaropathie, la mort subite peut avoir constitué le premier signe de trouble.

Au Canada, la mort subite cause entre 35 000 et 40 000 décès chaque année. Seulement 20 % des clients qui survivent à la mort subite sortent de l'hôpital sans aucune détérioration neurologique. La coronaropathie est la cause la plus fréquente de la mort subite ; elle est responsable de 80 % de tous les cas de mort subite. Dans 56 % des cas, la mort subite survient à l'extérieur du CH ou au service d'urgence. Il est difficile de prévoir quelles sont les personnes susceptibles d'être victimes de mort subite. Cependant, on a découvert qu'une faible fraction d'éjection du ventricule gauche (<40 %) constitue le signe avant-coureur le plus important. Bien que l'augmentation de l'activité du système nerveux sympathique soit liée à l'apparition de l'arythmie cardiaque, il faut poursuivre les recherches dans ce domaine.

Facteurs étiologiques. Les victimes de mort subite présentent généralement de l'athérosclérose coronarienne affectant plusieurs vaisseaux. Cependant, parmi ces individus, un grand nombre n'a aucun antécédent de maladie cardiovasculaire. Il arrive plus rarement que la mort subite soit provoquée par l'obstruction primaire du débit du ventricule gauche. Ce type d'obstruction peut être causé par des maladies telles que la sténose aortique, la myocardiopathie hypertrophique ainsi que la coarctation aortique.

Les personnes touchées par la mort subite attribuable à une coronaropathie peuvent être classées en deux groupes : celles qui ont été victimes d'un infarctus du myocarde ; celles qui n'ont pas été victimes d'un infarctus du myocarde. Le second groupe constitue la majorité des cas de mort subite. Dans ce cas, il n'y a généralement aucun signe avant-coureur ni symptôme connu chez le client. Dans la plupart des cas, le décès est causé par l'arythmie, généralement la tachycardie ventriculaire, la fibrillation ventriculaire ou les deux. Le client court un risque de mort subite récidivante. Cela est probablement dû à l'instabilité électrique continue du myocarde qui a provoqué la manifestation initiale.

L'autre groupe, plus petit, comprend les clients victimes d'un infarctus du myocarde et de mort subite. Dans ce cas, les clients présentent généralement des symptômes avant-coureurs, tels que les douleurs thoraciques et la dyspnée. De plus, il est moins probable que ces clients souffrent de mort subite récidivante que ceux qui n'ont pas subi d'infarctus du myocarde.

Facteurs de risque. Les personnes fortement exposées à la mort subite présentent les facteurs de risque suivants :
- sexe masculin (notamment les hommes de race noire) ;
- antécédents familiaux d'athérosclérose précoce ;
- tabagisme ;
- diabète ;
- hypercholestérolémie ;
- hypertension ;
- cardiomégalie ;
- fraction d'éjection <40 % ;
- antécédents d'arythmie ventriculaire.

Soins infirmiers et processus thérapeutique : mort subite. Il est généralement nécessaire de faire un bilan diagnostique du client ayant survécu à la mort subite afin de déterminer s'il a été victime d'un infarctus du myocarde. Des examens en série comportant des ECG et l'analyse des enzymes cardiaques doivent être réalisés, puis le client doit être traité selon les résultats obtenus. (Voir la section portant sur le processus thérapeutique de l'infarctus du myocarde et l'encadré 22.7.) De plus, comme la plupart des personnes touchées par la mort subite sont atteintes d'une coronaropathie causée par l'athérosclérose coronarienne affectant plusieurs vaisseaux, le cathétérisme cardiaque peut se révéler utile pour déterminer la localisation et l'étendue de l'obstruction de l'artère coronaire. Le pontage aortocoronarien peut être recommandé (voir chapitre 23).

La plupart des clients touchés par la mort subite présentent une arythmie mortelle (généralement l'arythmie ventriculaire) associée à une incidence élevée de récidive. Il est donc utile de connaître le moment où ces personnes sont prédisposées à une récidive, ainsi que la pharmacothérapie qui constitue le meilleur traitement dans chaque cas. Chez ces clients, l'évaluation de l'arythmie comprend une surveillance de 24 heures par la méthode de Holter, une épreuve d'effort ainsi qu'une étude électrophysiologique. Celle-ci est pratiquée au moyen d'un appareil de radioscopie ; des électrodes de stimulation cardiaque sont fixées sur des sites intracardiaques précis et des stimuli sont employés de manière sélective afin d'imiter l'arythmie. (Le chapitre 20 traite de l'EEP.)

On traite plus fréquemment les clients ayant survécu à la mort subite avec des antiarythmiques, tels que la procaïnamide (Pronestyl), la quinidine et l'amiodarone (Cordarone). Cependant, certains clients sont réfractaires à la pharmacothérapie, et leur traitement peut nécessiter l'utilisation d'un défibrillateur (voir chapitre 24).

Coronaropathie

ENCADRÉ 22.17

- L'incidence élevée de maladies cardiaques chez les personnes âgées constitue la cause principale de décès au sein de cette population. L'angine peut être invalidante pour les personnes âgées, et celles qui en sont atteintes se fient de plus en plus aux services de santé pour demeurer autonomes.

- L'infirmière qui s'occupe d'une personne âgée atteinte de coronaropathie doit être attentive aux changements physiologiques qui surviennent dans l'appareil cardiovasculaire. Les changements structuraux qui s'opèrent dans le myocarde comprennent l'augmentation du dépôt de collagène et de gras, la dégénérescence myofibrillaire, ainsi que l'épaississement endocardique, qui provoque des anomalies dans le remplissage diastolique des ventricules. La calcification des valves cardiaques et la dégénérescence du réseau de conduction peuvent également avoir lieu. La plupart des stimulateurs cardiaques sont mis en place chez les personnes de plus de 65 ans. De plus, la fréquence cardiaque au repos diminue avec l'âge, tout comme la fréquence cardiaque maximale à l'effort.

- Chez les personnes âgées, la perte des fibres élastiques et l'augmentation de la quantité de collagène dans la média ont pour effet de réduire l'élasticité et la capacité de dilatation des artères. Ces changements causent l'élévation de la PA systolique et de la résistance vasculaire systémique, ce qui peut provoquer l'accélération de l'athérosclérose. Ces changements combinés causent une diminution du débit cardiaque de l'ordre de 1 % par année. La diminution du débit cardiaque est probablement provoquée par une détérioration de la contractilité myocardique et l'augmentation de la postcharge causées par une plus grande résistance vasculaire systémique. De plus, la diminution de l'élasticité de la paroi artérielle nuit à la réceptivité des barorécepteurs dans la crosse aortique et les artères carotides. Les taux de noradrénaline circulante augmentent aussi avec l'âge. Cependant, les récepteurs β-adrénergiques peuvent être moins sensibles aux catécholamines.

- L'infirmière doit être attentive aux changements qui surviennent chez les personnes âgées et garder à l'esprit les effets que les soins infirmiers peuvent avoir sur ces clients. Comme les personnes âgées ont une faible réceptivité aux catécholamines, leur réaction au stress peut être perturbée ; l'élévation de la PA en réaction à la douleur ou à la diminution du débit cardiaque peut être lente chez ces clients. Lorsqu'ils sont victimes d'un infarctus du myocarde, les symptômes qui apparaissent sont souvent atypiques. Chez les personnes âgées, un essoufflement soudain peut être plus courant qu'une douleur thoracique rétrosternale classique. La diaphorèse peut ne pas constituer un signe prédominant de l'infarctus du myocarde. L'apparition soudaine de symptômes tels que la faiblesse extrême ou la dyspnée doit faire l'objet de recherches plus approfondies.

- De nombreux agents antiangineux causant l'hypotension posturale et la diminution de la précharge peuvent ne pas être bien tolérés par les clients âgés en raison d'une baisse de la réactivité des barorécepteurs et la perturbation du remplissage diastolique des ventricules. Le client qui était alité doit s'asseoir pendant trois à cinq minutes avant de se déplacer. De plus, les antiangineux qui ralentissent la fréquence cardiaque doivent être utilisés avec précaution si le client est susceptible de présenter une dégénérescence du réseau de conduction. Le client peut être très vulnérable à l'intoxication aux médicaments par suite du déclin des fonctions hépatique et rénale.

- Le client âgé devrait faire partie d'un programme de réadaptation cardiaque. Son aptitude à pratiquer des activités, son endurance et sa capacité à tolérer le stress peuvent être améliorées par l'activité physique. Un programme d'exercices planifié peut avoir des effets psychologiques positifs, augmenter l'estime de soi et le bien-être émotionnel du client ainsi qu'améliorer son image corporelle.

- Lorsqu'elle planifie un programme d'exercices pour la personne âgée, l'infirmière doit tenir compte des éléments suivants : des périodes d'échauffement plus longues sont nécessaires ; il est conseillé d'inclure des périodes plus longues de faible activité et de repos entre les séances ; l'intolérance à la chaleur peut être causée par la diminution de la capacité à suer de façon efficace. Le client doit maintenir un rythme modéré et éviter de s'entraîner à des températures extrêmes. Pour une personne âgée, la fréquence cardiaque cible se situe entre 60 % et 75 % de la fréquence cardiaque maximale. Les personnes âgées doivent pratiquer une activité physique trois à quatre fois par semaine, et ce, pendant trente à quarante minutes.

- Des études ont démontré que le traitement énergique de l'hypertension et de l'hyperlipidémie a pour effet de stabiliser les plaques présentes dans les artères coronaires des personnes âgées et que le fait de cesser de fumer entraîne la diminution des risques d'infarctus du myocarde à tout âge. Le fait d'encourager la personne âgée à adopter un mode de vie sain peut permettre d'améliorer sa qualité de vie et de réduire les risques de coronaropathie.

- Chez les personnes âgées, l'incidence d'angine instable est plus élevée et les complications sont plus nombreuses après un infarctus du myocarde que chez les clients plus jeunes. Parmi les complications qui apparaissent couramment chez les clients âgés victimes d'un infarctus du myocarde, on retrouve l'augmentation de l'incidence de la fibrillation auriculaire, le flutter auriculaire, le bloc cardiaque complet, l'insuffisance cardiaque congestive, la rupture du myocarde et le choc cardiogénique. Compte tenu de ce risque élevé, il est recommandé d'instaurer un traitement énergique par thrombolytiques ou angioplastie coronarienne transluminale percutanée directe chez le client âgé.

GÉRONTOLOGIE

Coronaropathie (suite)

- Le traitement aux β-bloquants a également des effets positifs sur les personnes âgées, mais les effets secondaires tels que l'insuffisance cardiaque congestive et le bloc cardiaque surviennent fréquemment. L'angioplastie coronarienne transluminale percutanée constitue un autre traitement énergique qui permet de maîtriser la coronaropathie au sein de cette population. Cependant, l'incidence des complications liées à cette intervention est très élevée chez les clients âgés de plus de 70 ans.
- Le pontage aortocoronarien électif est généralement bien toléré par les personnes âgées. Cependant, l'incidence des complications postopératoires, notamment l'arythmie,

l'apoplexie et l'infection, est très élevée. L'infirmière qui s'occupe des personnes âgées doit savoir que même si les effets bénéfiques du traitement sont plus nombreux que les risques, les complications sont plus importantes chez les clients âgés que chez les clients plus jeunes. L'infirmière doit demeurer attentive aux signes et aux symptômes précoces de complications et tenter de les prévenir et de les traiter de façon énergique. Les recherches en soins infirmiers ont démontré qu'en dépit du nombre élevé de complications postopératoires précoces, une fois que ces clients sont à domicile, le temps nécessaire à leur rétablissement est semblable à celui des clients âgés de moins de 70 ans.

L'infirmière qui s'occupe d'un client ayant survécu à la mort subite doit être à l'écoute de l'adaptation psychologique du client à la suite de cet épisode où il a soudainement « frôlé la mort ». Un grand nombre de ces clients présentent ce qu'on appelle une mentalité de « bombe à retardement ». Comme ils craignent la récurrence de l'arrêt cardiopulmonaire, ils peuvent devenir anxieux, colériques ou déprimés. Il est probable que les membres de la famille ressentent les mêmes émotions. Les conjoints des clients ayant survécu à la mort subite ressentent souvent une grande anxiété ainsi qu'une crainte de la récurrence. Ils se sentent souvent responsables de la prévention d'un second événement. Le deuil varie selon les personnes et les familles. L'infirmière doit être attentive aux besoins spécifiques du client et de sa famille et leur fournir un enseignement pertinent ainsi qu'un soutien émotionnel approprié.

22.2.4 Les femmes et la coronaropathie

On voit traditionnellement la coronaropathie comme une maladie affectant les hommes d'âge moyen, mais cette affection a occasionné 38 % de tous les décès survenus chez les femmes au Canada en 1998 (Fondation des maladies du cœur du Canada). Ce n'est que tout récemment que des recherches ont été faites sur les manifestations et l'évolution de la coronaropathie chez les femmes (voir encadré 22.18). La coronaropathie a tendance à se manifester 10 ans plus tard chez les femmes que chez les hommes, et les femmes sont plus souvent victimes d'angine que d'infarctus du myocarde. L'épreuve d'effort sur tapis roulant a une faible sensibilité et précision chez les femmes, et les résultats sont faussement positifs dans 30 % à 40 % des cas. Cela peut être dû au fait que, chez les femmes, l'hématocrite est plus faible, la réaction de la pression artérielle pulmonaire et systolique à l'exercice est plus importante et le segment ST présente des sus-décalages dus à la

présence d'œstrogène circulant. L'échocardiographie d'effort constitue l'épreuve la plus précise pour la détection de la coronaropathie chez les femmes.

Le taux de mortalité est également beaucoup plus élevé dans l'année qui suit l'infarctus du myocarde chez la femme que chez l'homme. Les femmes sont également plus susceptibles de subir un second infarctus pendant cette période. On a cru que ce taux de mortalité élevé était dû au fait que la coronaropathie apparaît plus tard dans la vie de la femme, à une période où elle est plus susceptible de présenter d'autres maladies, telles que le diabète, l'hypertension et l'insuffisance cardiaque. Cependant, même après avoir pris en compte ces autres facteurs de morbidité, le taux de mortalité consécutif à un infarctus du myocarde est toujours plus élevé chez la femme que chez l'homme.

Pour ce qui est du pontage aortocoronarien, le taux de mortalité et les risques de complications sont plus élevés chez la femme que chez l'homme. Cela est dû au fait que les artères des femmes sont plus petites, qu'elles subissent souvent cette intervention à un âge plus avancé, et qu'on pratique souvent l'intervention sur une cliente atteinte d'angine grave ou instable nécessitant une chirurgie très urgente. Après un pontage aortocoronarien, les taux de survie à long terme de l'homme et de la femme sont semblables, mais les femmes signalent un moins bon soulagement de l'angine, leur santé est plus précaire et elles ont plus de symptômes que les hommes. Après une angioplastie coronarienne transluminale percutanée, les taux de rupture coronarienne et de mortalité hospitalière sont plus élevés chez la femme que chez l'homme, mais l'incidence de resténose est plus élevée chez l'homme. Cependant, l'incidence de la mort subite est plus faible chez la femme que chez l'homme.

Bien que les facteurs de risque de coronaropathie soient similaires chez l'homme et la femme, la signification de ces facteurs peut être différente. On a découvert que le diabète est le signe avant-coureur principal de la

Les femmes et la coronaropathie   ENCADRÉ 22.18

Article : « Women and coronary disease : relationship between descriptors of signs and symptoms and diagnostic and treatment course », *Am J Crit Care*, vol. 7, n° 175, 1998.

Objectif : explorer la relation entre les descripteurs des signes et des symptômes de la coronaropathie et le suivi, et examiner toute différence existant entre les hommes et les femmes hospitalisés.

Méthodologie : des entrevues structurées ont été réalisées auprès de clients et des analyses de graphiques statistiques ont été utilisées pour évaluer les signes et les symptômes initiaux, les signes et les symptômes associés de nature cardiaque, ainsi que les épreuves diagnostiques et les interventions employées dans le traitement. L'échantillon était composé de 98 sujets (51 femmes et 47 hommes) admis à l'hôpital en raison d'un diagnostic médical d'infarctus du myocarde.

Résultats et conclusion : la douleur thoracique constituait le signe ou le symptôme le plus couramment signalé, et ce, tant par les hommes que par les femmes. Les quatre signes et symptômes associés les plus courants étaient identiques chez les deux sexes : fatigue, douleur au repos, essoufflement et faiblesse. Cependant, beaucoup plus de femmes que d'hommes ont signalé une perte d'appétit, une dyspnée nocturne paroxystique ainsi que des maux de dos. De plus, il était plus rare que les femmes subissent une angiographie ou se voient administrer de la nitroglycérine IV, de l'héparine ou des agents thrombolytiques que les hommes pendant le traitement en phase aiguë de l'infarctus du myocarde.

Incidences sur la pratique : les infirmières doivent apprendre à anticiper les signes et les symptômes non spécifiques, tels que les maux de dos, l'anorexie et les étourdissements, qui touchent les femmes victimes d'un infarctus du myocarde. L'infirmière doit aussi tenir compte du fait que la douleur thoracique peut ne pas être le symptôme initial chez la femme, et que la description de la douleur donnée par les femmes peut être plus vague que celle des hommes, ce qui justifie souvent un examen plus approfondi. Les infirmières jouent un rôle essentiel dans la défense des intérêts des femmes afin de s'assurer qu'elles reçoivent les diagnostics et les traitements qui s'imposent. De plus, les infirmières et les autres membres du personnel soignant peuvent informer le public sur le fait que la coronaropathie touche une femme sur trois, et sur les façons de modifier les facteurs de risque de maladies cardiovasculaires afin de réduire les risques individuels.

coronaropathie chez les femmes. Chez elles, le risque de voir apparaître une coronaropathie est de cinq à sept fois plus élevé que chez celles qui n'ont pas de diabète. Le recours à l'œstrogénothérapie substitutive est aujourd'hui controversé relativement à son effet sur la prévention des risques de coronaropathies chez la femme. Le tabagisme constitue le facteur contributif principal de coronaropathie chez les femmes de moins de 50 ans. L'hypertension est un facteur de risque de

coronaropathie chez les femmes. En postménopause, les femmes hypertendues ont une incidence de coronaropathie plus élevée que les hommes, et durant la préménopause, elles courent un risque 10 fois plus grand de décéder des suites d'une coronaropathie.

Incidences sur la pratique. Étant donné que la coronaropathie se manifeste souvent sous forme d'angine chez les femmes et que leur pronostic est sombre après un infarctus du myocarde, il importe d'avoir recours à un enseignement accrocheur sur les facteurs de risque et de donner des conseils sur les modifications du mode de vie aussitôt qu'on a diagnostiqué la maladie afin de prévenir l'infarctus du myocarde. L'infirmière doit tenir compte du fait que les taux de morbidité et de mortalité des femmes sont très élevés après un infarctus du myocarde et un pontage aortocoronarien. L'infirmière doit évaluer la cliente afin de déceler la présence d'autres maladies, telles que le diabète et l'hypertension, qui peuvent affecter le rétablissement après un infarctus du myocarde. Elle doit soigneusement vérifier s'il y a présence de complications précoces consécutives à l'infarctus du myocarde, à l'angioplastie coronarienne transluminale percutanée et au pontage aortocoronarien.

Comme la coronaropathie se manifeste habituellement plus tard chez les femmes que chez les hommes, ces dernières sont souvent veuves à ce moment-là. L'infirmière doit évaluer la structure de soutien social de la cliente et s'adresser à des organismes qui peuvent favoriser son rétablissement, s'il y a lieu. Les programmes de réadaptation cardiaque sont aussi efficaces pour les femmes que pour les hommes. Des instructions spécifiques doivent être données à la cliente quant aux activités qu'elle peut pratiquer après s'être rétablie d'un infarctus du myocarde ou d'un pontage aortocoronarien. Les résultats d'études portant sur l'évolution psychosociale à la suite d'un pontage aortocoronarien sont contradictoires. Certaines d'entre elles rapportent que les femmes souffrent de nombreux troubles psychosociaux après l'intervention cardiaque ; d'autres indiquent que la dépression et l'anxiété ressenties par les femmes sont en fait moins grandes. Une évaluation préopératoire portant sur l'anxiété, la dépression et le soutien social doit être effectuée afin de faciliter le rétablissement optimal de la cliente après le pontage aortocoronarien.

MOTS CLÉS

BIBLIOGRAPHIE

Version originale

1. American Heart Association: *1998 heart and stroke facts statistics,* Dallas, 1997, American Heart Association.
2. Berliner JA and others: Atherosclerosis: basic mechanisms oxidation, inflammation, and genetics, *Circulation* 91:2488, 1995.
3. American Heart Association: *Heart and stroke facts,* Dallas, 1997, American Heart Association.
4. Kannel WB: CHD risk factors: a Framingham study update, *Hosp Pract* 25:119, 1990.
5. Froelicher ES and others: Risk factor screening, *J Cardiovasc Nurs* 10:30, 1995.
6. National Cholesterol Education Program: Second report of the expert panel on detection, evaluation and treatment of high blood cholesterol in adults (Adult Treatment Panel II), *Circulation* 89:1330, 1994.
7. Steenland K, Than M, Lally C, Heath C: Environmental tobacco smoke and coronary heart disease in the American Cancer Society CPS II Cohort, *Circulation* 94:622, 1996.
8. Kawachi I and others: A prospective study of passive smoking and coronary heart disease, *Circulation* 95:2374, 1997.
9. Delunas LR: Beyond type A: hostility and coronary heart disease—implications for research and practice, *Rehabil Nurs* 21:196, 1996.
10. Kawachi I and others: A prospective study of anger and coronary heart disease, *Circulation* 94:2090, 1996.
11. Frankish CJ, Linden W: Spouse-pair risk factors and cardiovascular reactivity, *J Psychosom Res* 40:37, 1996.
12. Engler MB, Engler MM: Assessment of the cardiovascular effects of stress, *J Cardiovasc Nurs* 10:51, 1995.
13. Nygard O and others: The role of homocysteine in arteriosclerosis, *N Engl J Med* 337:230, 1997.
14. Haskell WL and others: Effects of intensive atherosclerosis and clinical cardiac events in men and women with coronary artery disease, *Circulation* 89:975, 1994.
15. Talbert RL: Hyperlipidemia. In Dipiro JT and others, editors: *Pharmacotherapy: a pathophysiologic approach,* ed 3, Stamford, Conn, 1997, Appleton & Lange.
16. Weiner DA and others: Significance of silent myocardial ischemia during exercise testing in women: report from the coronary artery surgery study, *Am Heart J* 129:465, 1995.
17. Thelan LA and others: *Critical care nursing,* ed 3, St Louis, 1998, Mosby.
18. Braunwald E and others: *Diagnosing and managing unstable angina,* PHS, AHCPR, NHLBI 94-0603, Rockville, Md, 1994, US Department of Health and Human Services.
19. Shah PK: New insights into the pathogenesis and prevention of acute coronary syndromes, *Am J Cardiol* 79:17, 1997.
20. Servi S and others: Correlation between clinical and morphologic findings in unstable angina, *Am J Cardiol* 77:128, 1996.
21. Berman D and others: Risk stratification in coronary artery disease: implications for stabilization and prevention, *Am J Cardiol* 79:10, 1997.

22. Bachinsky WB, Barnathan ES: Angioplasty in multivessel coronary artery disease, *Hosp Pract* 29:27, 1994.
23. Strimike CL: Caring for a patient with an intracoronary stent, *AJN* 95:40, 1995.
24. Juran NB and others: Survey of current practice patterns for percutaneous transluminal coronary angioplasty, *Am J Crit Care* 5:442, 1996.
25. Gardner E and others: Intracoronary stent update: focus on patient education, *Crit Care Nurse* 16:65, 1996.
26. Moussa I and others: Subacute stent thrombosis and the anticoagulation controversy: changes in drug therapy, operator technique, and the impact of intravascular ultrasound, *Am J Cardiol* 78:13, 1996.
27. Brezina K, Murphy M, Stonner T: Care of the patient receiving ReoPro following angioplasty, *J Invasive Cardiol* 6(A):38A, 1994.
28. Coodley EL: CHD: when medical therapy fails, *Hosp Pract* 31:13, 1996.
29. Perra BM: Managing coronary atherectomy patients in a special procedure unit, *Crit Care Nurse* 15:57, 1995.
30. Talbert RL: Ischemic heart disease. In Dipiro JT and others, editors: *Pharmacotherapy: a pathophysiologic approach,* ed 3, Stamford, Conn, 1997, Appleton & Lange.
31. Abrams J: Beneficial actions of nitrates in cardiovascular disease, *Am J Cardiol* 77:31-C, 1997.
32. Pasternak RC, Braunwald E: Acute myocardial infarction. In Isselbacher KJ and others, editors: *Harrison's principles of internal medicine,* ed 14, New York, 1997, McGraw-Hill.
33. Connors KF, Gervasio AL: Postmyocardial infarction patients: experience from the SAVE trial, *Am J Crit Care* 4:23, 1995.
34. O'Donnell L: Complications of MI: beyond the acute stage, *AJN* 96:25, 1996.
35. Sewart S, Kucia A, Poropat S: Early detection and management of right ventricular infarction: the role of the critical care nurse, *DCCN* 14:282, 1995.
36. Futterman LG, Lemberg L: SGPT, LDH, HBCK, CPK, CPK-MB, MB^1, MB^2, CTCT, CTNC, CTNI, *Am J Crit Care* 6:333, 1997.
37. Ryan RJ and others: ACC/AHA guidelines for the management of patients with acute myocardial infarction: executive summary, *Circulation* 94:2341, 1996.
38. Ryan TJ: Angioplasty in acute myocardial infarction, *Hosp Pract* 30: 33, 1995.
39. Flapah AD: Management after a first myocardial infarction, *Hosp Pract* 31:133, 1996.
40. McCauley KM: Assessing social support in patients with cardiac disease, *J Cardiovasc Nurs* 10:73, 1995.
41. Brezinka V, Kittel F: Psychosocial factors of coronary heart disease in women: a review, *Soc Sci Med* 42:1351, 1995.
42. Chang D, Goldstein S: Sudden cardiac death in ischemic heart disease, *Compr Ther* 23:95, 1997.
43. Barron HV, Lesh MD: Autonomic nervous system and sudden cardiac death, *J Am Coll Cardiol* 27:1053, 1996.
44. Doolittle ND, Sauve MJ: Impact of aborted sudden cardiac death on survivors and their spouses: the phenomenon of different reference points, *Am J Crit Care* 4:389, 1995.
45. Rossi MS: The octogenarian cardiac surgery patient, *J Cardiovasc Nurs* 9:75, 1995.
46. Kannel WB: Cardiovascular risk factors in the older adult, *Hosp Pract* 31:135, 1996.
47. Lavie CJ, Milani RV: Effects of cardiac rehabilitation programs on exercise capacity, coronary risk factors, behavioral characteristics, and quality of life in a large elderly cohort, *Am J Cardiol* 76:177, 1995.
48. Laster SB and others: Results of direct percutaneous transluminal coronary angioplasty in octogenarians, *Am J Cardiol* 76:10, 1996.
49. Jensen L, King KM: Women and heart disease: the issues, *Crit Care Nurs* 17:45, 1997.
50. Moser DK: Correcting misconceptions about women and heart disease, *AJN* 97:26, 1997.
51. Cronin SN, Logsdon C, Miracle V: Psychosocial and functional outcomes in women after coronary artery bypass surgery, *Crit Care Nurs* 17:19, 1997.
52. Sauve J, Frotin F: Factors related to recovery of women following coronary artery surgery, *Cardiovasc Nurs* 32:1, 1996.

Édition de langue française

1. FONDATION DES MALADIES DU CŒUR DU CANADA. *Statistiques et documentation - Le taux des maladies cardiovasculaires : les décès* (en ligne), 2 avril 2002, (page consultée en avril 2003). [http://ww1.fmcoeur.ca/Page.asp?PageID=1613&ContentID=1108&ContentTypeID=1]
2. LIBBY, P. « Les maladies cardiovasculaires », *Pour la science,* n° 296, (juin 2002), p. 64-65.
3. « Les différentes facettes des mécanismes de l'inflammation ». *Pour la Science,* n° 296, juin 2002, p.64-65.
4. SANTÉ CANADA. *Décès par maladie cardiovasculaire Hommes, Tous les âges, 1999, Canada. Pourcentage de tous les décès* (en ligne), 2002.

[http://dsol-smed.hc-sc.gc.ca/dsol-smed/cgi-bin/cvdchart2 ?AREA=00&YEAR=99&SEX=1&LOCALE=F&CCAUSECORE2=Afficher+ le+graphique&AGE=0&DATA_TYPE=A_PIE&PIE_CAUSE=124%3B777% 3B425%3B118%3B127&PIE_ALL=008-]

5. SANTÉ CANADA. *Décès par maladie cardiovasculaire Femmes, Tous les âges, 1999, Canada. Pourcentage de tous les décès* (en ligne), 2002. [http://dsol-smed.hc-sc.gc.ca/dsol-smed/cgi-bin/cvdchart2 ?AREA= 00&YEAR=99&SEX=2&LOCALE=F&CCAUSECORE2=Afficher+le+gra-phique&AGE=0&DATA_TYPE=A_PIE&PIE_CAUSE=124%3B777%3B425 %3B118%3B127&PIE_ALL=008-]

6. SANTÉ CANADA. *Taux quinquennaux moyens de mortalité Maladie cardiaque ischémique, deux sexes combinés, Tous les âges, 1995-1999. Taux standardisé selon l'âge pour 100 000 selon les deux sexes, Canada 1991* (en ligne), 2002. [http://dsol-smed.hc-sc.gc.ca/dsol-smed/cgibin/cvdchart2 ?CAUSE=422&YEARS_AVG=95%3B96%3B97%3B98%3B99&LOCALE=F& CPROVCORE=Afficher+le+graphique]

7. SOCIÉTÉ CANADIENNE D'HYPERTENSION ARTÉRIELLE. *Programme d'éducation sur les recommandations canadiennes de 2001 en matière d'hypertension,* (en ligne), 25 avril 2003. [http://www.chs.md/index2F.html]

8. SANTÉ CANADA. *Décès par maladies cardiovasculaires. Pourcentage par sous-groupe : hommes, 1994, Canada* (en ligne), 2002. [http://dsol-smed.hc-sc.gc.ca/dsol-smed/cgi- bin/cvdchart2?AREA=00&YEAR=94&SEX=1 &LOCALE=F&CCAUSECORE2=Afficher+le+graphique&AGE=0&DATA_ TYPE=A_PIE&PIE_CAUSE=124%3B777%3B425%3B118%3B127&PIE_A LL=008-] .

9. SANTÉ CANADA. *Décès par maladies cardiovasculaires. Pourcentage par sous-groupe : femmes, 1994, Canada* (en ligne), 2002. [http://dsol-smed.hc-sc.gc.ca/dsol-smed/cgi-bin/cvdchart2?AREA=00&YEAR=94& SEX=2&LOCALE=F&CCAUSECORE2=Afficher+le+graphique&AGE=0& DATA_TYPE=A_PIE&PIE_CAUSE=124%3B777%3B425%3B118%3B127& PIE_ALL=008-].

10. SANTÉ CANADA. *Mortalité par groupe d'âge. Hommes, 1999, Canada. Toutes les maladies cardio-vasculaires vs Maladie cardiaque ischémique. Décès pour 100 000 (non standardisé)* (en ligne), 2002. [http://dsol-smed.hc-sc.gc.ca/dsol-smed/cgi-bin/cvdchart2?DATA_SET=MORT&AGE_ GROUPS=A%3BB%3BC%3BD%3BE%3BF%3BG%3BH%3BI%3BJ%3BK%3B L%3BM%3BN%3BO%3BP%3BQ%3BR%3BS%3BT&DATA_TYPE=R&CAU SE3A=008&YEAR3A=99&AREA3A=00&SEX3A=1&LOCALE=F&CAGE3 =Afficher+le+graphique&CAUSE3B=422&YEAR3B=99&AREA3B=00&SE X3B=1&SCALE3=LINEAR].

11. SANTÉ CANADA. *Mortalité par groupe d'âge. Femmes, 1999, Canada. Toutes les maladies cardio-vasculaires vs Maladie cardiaque ischémique. Décès pour 100 000 (non standardisé)* (en ligne), 2002. [http://dsol-smed.hc-sc.gc.ca/dsol-smed/cgi-bin/cvdchart2?DATA_SET=MORT&AGE_ GROUPS=A%3BB%3BC%3BD%3BE%3BF%3BG%3BH%3BI%3BJ%3BK%3B L%3BM%3BN%3BO%3BP%3BQ%3BR%3BS%3BT&DATA_TYPE=R&CAU SE3A=008&YEAR3A=99&AREA3A=00&SEX3A=2&LOCALE=F&CAGE3 =Afficher+le+graphique&CAUSE3B=422&YEAR3B=99&AREA3B=00&SE X3B=2&SCALE3=LINEAR].

Nicole Bizier
M.A.
Collège de Sherbrooke

Nathalie Gagnon
M.A. Éd.
Collège de Sherbrooke

Lorraine T. Sawyer
B. Sc. inf., D.E. (2e cycle) en enseignement
Collège de Sherbrooke

Chapitre 23

INSUFFISANCE CARDIAQUE CONGESTIVE ET CHIRURGIE CARDIAQUE

OBJECTIFS D'APPRENTISSAGE

APRÈS AVOIR LU CE CHAPITRE, VOUS DEVRIEZ ÊTRE EN MESURE :

- DE DISTINGUER LES PHYSIOPATHOLOGIES DE L'INSUFFISANCE VENTRICULAIRE SYSTOLIQUE ET DE L'INSUFFISANCE VENTRICULAIRE DIASTOLIQUE ;

- D'EXPLIQUER LES MÉCANISMES COMPENSATOIRES INTERVENANT DANS L'INSUFFISANCE CARDIAQUE CONGESTIVE ;

- D'EXPLIQUER LES PROCESSUS THÉRAPEUTIQUES, NOTAMMENT LES RECOMMANDATIONS NUTRITIONNELLES, PROPRES AU CLIENT ATTEINT D'INSUFFISANCE CARDIAQUE CONGESTIVE CHRONIQUE ;

- D'EXPLIQUER LES PROCESSUS THÉRAPEUTIQUES PROPRES AU CLIENT ATTEINT D'INSUFFISANCE CARDIAQUE CONGESTIVE AIGUË ET D'ŒDÈME PULMONAIRE ;

- DE COMPARER LES DIFFÉRENTS TYPES DE MYOCARDIOPATHIES EN TENANT COMPTE DE LA PHYSIOPATHOLOGIE, DES MANIFESTATIONS CLINIQUES ET DES PROCESSUS THÉRAPEUTIQUES ;

- D'EXPLIQUER LES INDICATIONS DE LA TRANSPLANTATION CARDIAQUE ET LES SOINS INFIRMIERS À L'ÉGARD DES RECEVEURS D'UNE TRANSPLANTATION CARDIAQUE ;

- D'EXPLIQUER LES SOINS PRÉOPÉRATOIRES ET POSTOPÉRATOIRES DISPENSÉS AU CLIENT QUI SUBIT UNE CHIRURGIE CARDIAQUE.

Catégorie app

23.1 INSUFFISANCE CARDIAQUE CONGESTIVE

L'insuffisance cardiaque congestive (ICC) est une affection cardiovasculaire qui se caractérise par l'incapacité du cœur à pomper une quantité suffisante de sang pour répondre aux besoins métaboliques des tissus anatomiques. L'ICC n'est pas une maladie, mais plutôt un syndrome causé par divers processus physiopathologiques (voir tableau 23.1). Ce syndrome est marqué par un dysfonctionnement du ventricule gauche, une diminution de la tolérance à l'effort, une détérioration de la qualité de vie et une diminution de l'espérance de vie.

23.1.1 Épidémiologie de l'insuffisance cardiaque congestive

L'ICC est associée à de nombreux types de cardiopathies, surtout à celles qui comportent des antécé-

TABLEAU 23.1 Causes fréquentes de l'insuffisance cardiaque congestive

Chronique	Aiguë
Coronaropathie	Infarctus du myocarde aigu
Cardiopathie hypertensive	Arythmies
Rhumatisme cardiaque	Embolie pulmonaire
Cardiopathie congénitale	Thyrotoxicose
Cœur pulmonaire	Crise d'hypertension
Myocardiopathie	Rupture du muscle papillaire
Anémie	Communication interventriculaire
Endocardite bactérienne	

dents d'hypertension de longue date et la coronaropathie. Au Canada, l'ICC représente un important problème de santé publique qui est associé à un taux non négligeable de morbidité, de mortalité et à des coûts pour le système de soins de santé. Cette maladie affecte actuellement plus de 350 000 personnes au Canada, et les taux de mortalité varient de 25 % à 40 % dans l'année qui suit le diagnostic. Malgré les gains obtenus au chapitre du traitement et de la prévention des maladies cardiovasculaires, l'ICC augmente constamment depuis quelques années. En fait, c'est le seul trouble cardiovasculaire majeur à être en hausse, tant sur le plan de son incidence que sur celui de sa prévalence.

En effet, de 1990 à 1999, l'insuffisance cardiaque a régressé dans tous les groupes d'âge, autant chez les hommes que chez les femmes, sauf chez les personnes de 85 ans et plus, où elle est encore en progression (voir figures 23.1 et 23.2). Par ailleurs, 65 % des femmes et 42 % des hommes de cette catégorie présentent ce problème de santé. Plus on vieillit, plus on risque d'être atteint d'insuffisance cardiaque et d'en mourir, surtout si on est une femme. D'ailleurs, on pense que les femmes devraient probablement consulter plus tôt qu'elles ne le font actuellement.

Le client atteint d'ICC a une qualité de vie perturbée, connaît des restrictions quant à sa capacité fonctionnelle et présente aussi de nombreux symptômes. L'ICC constitue la principale cause d'hospitalisation des personnes âgées de plus de 65 ans. Actuellement, le

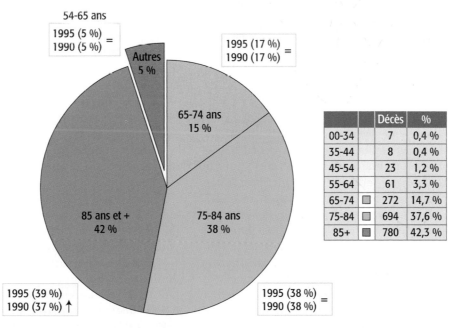

FIGURE 23.1 Mortalité par groupe d'âge pour l'insuffisance cardiaque congestive chez les hommes en 1999 au Canada.
Tirée de *Données sur la mortalité, Laboratoire de lutte contre la maladie (LLCM)*, Statistique Canada, 2002, et de *Données sur les congés des hôpitaux*, Institut canadien d'information sur la santé (ICIS), transformation des données par le LLCM, 2002.

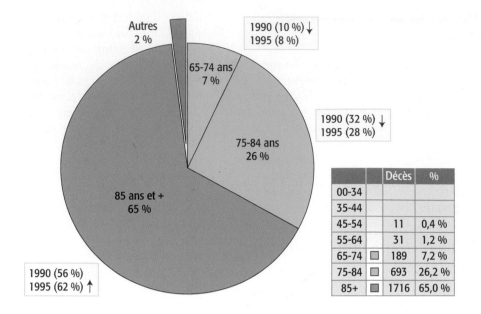

FIGURE 23.2 Mortalité par groupe d'âge pour l'insuffisance cardiaque congestive chez les femmes, en 1999, au Canada.

Tirée de *Données sur la mortalité, Laboratoire de lutte contre la maladie (LLCM)*, Statistique Canada, 2002, et de *Données sur les congés des hôpitaux*, Institut canadien d'information sur la santé (ICIS), transformation des données par le LLCM, 2002.

pronostic continue d'être mauvais dans le cas de l'ICC, qui demeure un trouble clinique et un problème de santé très important.

23.1.2 Étiologie et physiopathologie

Facteurs de risque. Même si la coronaropathie et le vieillissement sont les principaux facteurs de risque de l'ICC, il existe aussi d'autres facteurs, notamment l'hypertension, le diabète, le tabagisme, l'obésité, l'hypercholestérolémie et la protéinurie. Ces facteurs contribuant à l'athérosclérose entravent l'apport de sang et d'O_2 aux cellules cardiaques. Le cœur devient de plus en plus hypoxique et ses contractions perdent leur efficacité. L'hypertension est un facteur contributif important parce qu'elle augmente la résistance vasculaire systémique et occasionne une surcharge de travail pour le ventricule gauche qui doit contrer une postcharge importante pour propulser le volume sanguin adéquat à la périphérie. À la longue, le volume télésystolique augmente et le myocarde s'hypertrophie et s'affaiblit. Le risque d'ICC augmente progressivement selon la gravité de l'hypertension et l'hypertension systolique ainsi que l'hypertension diastolique augmentent proportionnellement le risque d'en être atteint. Le diabète prédispose le client à l'ICC, peu importe qu'il y ait présence ou non de coronaropathie ou d'hypertension concomitante. Les femmes diabétiques sont plus susceptibles d'être victimes d'ICC que les hommes diabétiques. Le personnel soignant doit être sensibilisé au fait que la présence de ces facteurs de risque peut entraîner une ICC.

Étiologie. L'insuffisance cardiaque congestive peut être provoquée par toute perturbation des mécanismes normaux de régularisation du débit cardiaque (DC). Celui-ci dépend des facteurs suivants : la précharge ; la postcharge ; la contractilité myocardique ; la fréquence cardiaque (FC) ; l'état métabolique de la personne.

La **précharge** est la capacité que possèdent les fibres myocardiques de s'étirer suivant l'entrée du sang dans le ventricule en fin de diastole.

La **postcharge** est la pression que le ventricule gauche doit vaincre durant la systole afin de propulser le sang dans l'aorte.

La **contractilité** dépend des éléments chimiques intervenant dans la contraction cardiaque, soit le calcium et le potassium.

Quant à la FC, plus elle est élevée, plus elle augmente le travail du cœur et plus la phase diastolique est diminuée. Ces deux derniers facteurs influent sur l'apport et les besoins en O_2.

Toute altération de ces facteurs peut engendrer une diminution de la fonction ventriculaire et les manifestations résultantes de l'ICC. Les principales causes d'ICC peuvent être divisées en deux sous-groupes : les maladies cardiaques sous-jacentes (voir tableau 23.1) et les facteurs déclencheurs (voir tableau 23.2). Les maladies cardiaques sous-jacentes qui entraînent l'ICC

TABLEAU 23.2	Facteurs déclencheurs de l'insuffisance cardiaque congestive
Facteur	**Mécanisme**
Anémie	Diminue le pouvoir de saturation de l'Hb et stimule l'augmentation du DC pour satisfaire aux demandes tissulaires.
Infection	Augmente les demandes métaboliques et les besoins en O_2.
Thyrotoxicose	Augmente le métabolisme tissulaire, accélère la FC et accroît la charge cardiaque.
Hypothyroïdie	Prédispose indirectement à une augmentation de l'athérosclérose ; une hypothyroïdie grave diminue la contractilité myocardique.
Arythmies	Peuvent diminuer le DC et augmenter le travail et les besoins en O_2 du tissu myocardique.
Endocardite bactérienne	Dysfonctionnement valvulaire : cause la sténose et une fuite de sang dans la région auriculo-ventriculaire.
Embolie pulmonaire Bronchopneumopathie	Augmentent la pression pulmonaire et exerce une charge de compression sur le ventricule droit, entraînant une hypertrophie et une insuffisance du ventricule droit.
Maladie osseuse de Paget	Accroît la charge cardiaque en augmentant le lit vasculaire dans le muscle squelettique.
Carence nutritionnelle	Peut diminuer la fonction cardiaque en réduisant la contractilité et la masse musculaire myocardiques.
Hypervolémie	Accroît la précharge et cause une augmentation du volume dans le ventricule droit.

DC : débit cardiaque ; FC : fréquence cardiaque.

peuvent être de nature congénitale ou acquise. Les facteurs précipitants font souvent augmenter la charge de travail des ventricules, ce qui a pour effet de provoquer une décompensation cardiaque entraînant une diminution de la fonction myocardique. Ces facteurs sont généralement plus faciles à traiter que les cardiopathies.

Pathologie de l'insuffisance ventriculaire. L'insuffisance ventriculaire peut être décrite comme une anomalie de la fonction systolique qui cause une diminution de la vidange ventriculaire ou une anomalie de la fonction diastolique qui cause une perturbation dans le remplissage ventriculaire. On reconnaît maintenant trois groupes distincts de clients atteint d'insuffisance cardiaque : ceux qui présentent une fraction d'éjection systolique insuffisante ; ceux qui présentent une résistance anormale au remplissage ventriculaire diastolique ; ceux qui sont atteints d'un dysfonctionnement systolique et diastolique de type mixte.

Insuffisance systolique. L'insuffisance systolique est la principale cause d'ICC. Il s'agit de l'incapacité des myofibres cardiaques de se raccourcir convenablement, ce qui a pour effet de diminuer la capacité du muscle de se contracter (pomper). Ainsi, le ventricule gauche n'est plus en mesure de s'étirer et de se contracter de manière à générer suffisamment de pression pour éjecter le sang contre la pression existant dans l'aorte. L'incapacité de propulser le sang vers l'aorte entraîne une diminution de la fraction d'éjection du ventricule

gauche ; une hausse de la pression ventriculaire gauche en fin de diastole ; une élévation de la pression capillaire pulmonaire (PCP) et une augmentation de l'épanchement hydrique dans le lit vasculaire pulmonaire (congestion pulmonaire). L'insuffisance systolique est causée par une diminution de la fonction contractile (p. ex. un infarctus du myocarde), une augmentation de la postcharge (p. ex. l'hypertension) ou des anomalies mécaniques (p. ex. la cardiopathie valvulaire). Par conséquent, l'insuffisance systolique se caractérise par un faible débit sanguin.

Insuffisance diastolique. Contrairement à l'insuffisance systolique, l'insuffisance diastolique n'est pas un trouble de contractilité, mais un trouble de repos et de remplissage ventriculaire. En fait, le client a une fonction systolique normale ou hyperdynamique. L'insuffisance diastolique se caractérise par des pressions de remplissage élevées et l'engorgement veineux qui en résulte dans la circulation pulmonaire et systémique. L'insuffisance diastolique est diagnostiquée en présence d'une congestion et d'une hypertension pulmonaires dans le contexte d'une fraction d'éjection normale.

L'insuffisance diastolique est souvent attribuable à une hypertrophie ventriculaire gauche due à une hypertension systémique chronique, à une sténose aortique ou à une myocardiopathie constrictive et infiltrante. L'insuffisance diastolique est très fréquente chez les personnes âgées en raison de la fibrose myocardique et de l'hypertension, deux affections couramment diagnostiquées dans cette population.

Insuffisance systolique et diastolique mixte. L'insuffisance systolique et diastolique d'origine mixte se manifeste chez le client atteint d'une maladie comme la myocardiopathie dilatée, dans laquelle une mauvaise fonction systolique (affaiblissement de la fonction vasculaire) est accentuée par le fait qu'il demeure toujours une certaine tension dans le ventricule. Le client atteint de cette affection présente souvent de faibles fractions d'éjection, des pressions pulmonaires élevées et une insuffisance cardiaque globale (les deux ventricules peuvent être dilatés et avoir une mauvaise capacité de remplissage et de vidange).

À long terme, le client atteint d'insuffisance ventriculaire, quelle qu'elle soit, présente une faible pression artérielle systémique, un faible DC et une mauvaise perfusion rénale. De plus, il est fréquent que le client ait une piètre tolérance à l'effort et présente une arythmie ventriculaire. L'ICC peut être diagnostiquée en présence de congestion et d'œdème pulmonaires. Peu importe si le client est atteint d'ICC aiguë consécutive à un infarctus du myocarde ou d'ICC chronique résultant de l'aggravation d'une myocardiopathie ou de l'hypertension, la réaction de l'organisme face à ce faible DC consiste à mobiliser ses mécanismes compensatoires afin de maintenir le DC et la pression artérielle (PA).

Mécanismes compensatoires. L'insuffisance cardiaque congestive peut survenir brusquement, comme c'est le cas lors d'un infarctus du myocarde, ou lentement et progressivement s'il s'agit d'un processus insidieux. La surcharge du cœur fait entrer en jeu des mécanismes compensatoires destinés à essayer de maintenir un DC adéquat. Les principaux mécanismes compensatoires comptent notamment la dilatation ventriculaire, l'hypertrophie ventriculaire, une augmentation de la stimulation du système nerveux sympathique et une réaction hormonale.

Dilatation ventriculaire. La dilatation est la conséquence d'une augmentation du volume des cavités cardiaques (augmentation de la précharge) qui se manifeste lorsque la pression à l'intérieur de celles-ci (souvent le ventricule gauche) est élevée pendant un certain temps. Les fibres musculaires du cœur s'étirent et augmentent ainsi leur force de contraction. Au départ, cette contraction accrue entraîne une augmentation du DC et maintient la pression et la perfusion artérielles dans les limites de la normale. Par conséquent, la dilatation est un mécanisme d'adaptation visant à gérer l'augmentation du volume sanguin. Ce mécanisme devient tôt ou tard insuffisant puisque les fibres musculaires sont soumises à une tension et à un effort excessifs.

Hypertrophie ventriculaire. Dans les cas d'ICC chronique, l'hypertrophie est une augmentation de la masse musculaire et de l'épaisseur de la paroi cardiaque à la suite d'un excès de travail et de tension musculaire. Elle est une conséquence de l'augmentation de la postcharge. Elle survient lentement, car le tissu musculaire met du temps à augmenter de volume. L'hypertrophie est généralement consécutive à une dilatation chronique, qui augmente la force de contraction des fibres musculaires. Cet état accroît le DC et maintient l'irrigation tissulaire. Cependant, le myocarde hypertrophié a une faible contractilité.

Activation du système nerveux sympathique. La stimulation du système nerveux sympathique est souvent le premier mécanisme à entrer en jeu dans les états de faible DC. Cependant, il s'agit du mécanisme compensatoire le moins efficace. Étant donné que le client a un volume systolique et un débit cardiaque inadéquats, l'activation du système nerveux sympathique augmente, ce qui a pour effet de libérer davantage d'adrénaline et de noradrénaline et, par conséquent, d'accroître la FC, la contractilité myocardique et la constriction vasculaire périphérique. Au début, l'augmentation de ces deux paramètres améliore le DC. Cependant, avec le temps, elle a des effets adverses, car elle accroît les besoins du myocarde en oxygène et la charge de travail du cœur, qui ne suffit déjà plus à la demande. La vasoconstriction augmente immédiatement la postcharge, qui peut initialement hausser le DC. Cependant, une augmentation du retour veineux vers le cœur, dont le volume est déjà surchargé, a pour effet de détériorer la performance ventriculaire.

Réaction hormonale. Lorsque le DC chute, le sang qui circule vers les reins diminue, ce qui a pour effet de réduire le débit sanguin glomérulaire. L'appareil juxtaglomérulaire des reins interprète cette réaction comme une diminution du volume, et les reins réagissent en libérant de la rénine pour convertir l'angiotensinogène en angiotensine (voir chapitre 36 et figure 36.16). L'angiotensine a pour effet d'entraîner le cortex surrénal à sécréter de l'aldostérone, une substance qui provoque la rétention sodique, et d'augmenter la vasoconstriction périphérique, ce qui entraîne une élévation de la PA.

La neurohypophyse réagit à l'élévation de la pression osmotique en sécrétant l'hormone antidiurétique (ADH). Cette hormone augmente la réabsorption de l'eau dans les tubules rénaux, ce qui a pour effet de provoquer la rétention hydrique et, par le fait même, d'augmenter le volume sanguin. Par conséquent, celui-ci s'accroît chez une personne présentant déjà un excès de volume.

La compensation cardiaque a lieu lorsque les mécanismes compensatoires réussissent à maintenir un DC adéquat en fonction de l'irrigation tissulaire. La décompensation cardiaque apparaît lorsque ces mécanismes ne réussissent plus à maintenir un débit cardiaque suffisant. Des signes et symptômes cliniques apparaissent alors en raison d'une irrigation tissulaire inadéquate. Cet état est mortel s'il n'est pas traité et le pronostic n'est pas très encourageant, même avec un traitement.

23.1.3 Types d'insuffisance cardiaque congestive

L'insuffisance cardiaque congestive se manifeste souvent par une insuffisance cardiaque globale, bien que le dysfonctionnement puisse apparaître dans l'un des deux ventricules seulement au début. Normalement, en ce qui a trait au pompage, les ventricules droit et gauche se complètent, produisant un débit sanguin équivalent et constant. Cependant, en raison d'états pathologiques, l'un des ventricules peut être défaillant alors que l'autre continue de fonctionner normalement pendant un certain temps. Le ventricule qui fonctionne normalement sera éventuellement défaillant à son tour en raison du traumatisme prolongé qu'il subit, ce qui aura pour effet de provoquer une insuffisance cardiaque globale.

Dans la plupart des cas, la forme initiale d'insuffisance cardiaque est l'insuffisance cardiaque gauche (voir figure 23.3). Cette dernière est la principale cause d'insuffisance cardiaque droite. Celle-ci peut apparaître sans que le client ne soit atteint au préalable d'insuffisance cardiaque gauche, par exemple en raison d'un infarctus du myocarde touchant le ventricule droit ou d'un cœur pulmonaire (voir figure 16.12).

Insuffisance cardiaque gauche. L'insuffisance cardiaque gauche est attribuable à un dysfonctionnement du ventricule gauche qui entraîne un excès de sang dans l'oreillette gauche et les veines pulmonaires. L'augmentation de la pression pulmonaire provoque une transudation liquidienne provenant du lit capillaire pulmonaire dans l'espace interstitiel pulmonaire et, par la suite, dans les alvéoles. Cet état se traduit par une congestion pulmonaire et de l'œdème. Les principales causes d'insuffisance cardiaque gauche sont la coronaropathie, l'hypertension, la myocardiopathie et le rhumatisme articulaire aigu.

Le tissu myocardique est lésé lors d'un infarctus du myocarde, puis est éventuellement remplacé par un tissu cicatriciel. Les tissus ischémique et cicatriciel sont moins élastiques et ont une moins grande capacité de contraction que le myocarde non lésé. La perte de masse contractile myocardique augmente la charge de travail des tissus qui sont restés fonctionnels. Si le myocarde est incapable de compenser cette perte, le volume de sang éjecté du ventricule est diminué, provoquant ainsi une insuffisance cardiaque. Cette insuffisance peut débuter subitement (ICC aiguë) ou de façon plus insidieuse (ICC chronique).

Lorsqu'une personne présente de l'hypertension, le cœur doit pomper le sang contre une PA élevée, ce qui peut éventuellement entraîner une hypertrophie ventriculaire gauche. Le muscle hypertrophié a une faible contractilité et, à la longue, il ne suffit plus à la demande. La myocardiopathie (dont il est question plus loin dans le présent chapitre) est la troisième cause d'ICC. Bien qu'il existe différents types de myocardiopathie, le résultat final est une perte de la capacité du ventricule gauche à maintenir un débit cardiaque adéquat et, à terme, une ICC.

Insuffisance cardiaque droite. L'insuffisance cardiaque droite attribuable à l'atteinte du ventricule droit cause un engorgement de l'oreillette droite et de la circulation veineuse. La congestion veineuse dans la circulation systémique entraîne un œdème périphérique, une hépatomégalie, une splénomégalie, une congestion vasculaire du tractus gastro-intestinal et une distension veineuse jugulaire. L'insuffisance cardiaque gauche représente la principale cause d'insuffisance cardiaque droite. Dans un tel cas, elle entraîne une congestion pulmonaire et augmente la pression dans les vaisseaux sanguins pulmonaires (hypertension pulmonaire). L'hypertension pulmonaire chronique amène ultérieurement une hypertrophie et une insuffisance cardiaque droite. Un cœur pulmonaire (dilatation ventriculaire droite et hypertrophie causées par une affection pulmonaire) peut aussi entraîner une insuffisance cardiaque droite. Les causes du cœur pulmonaire comprennent la bronchopneumopathie chronique obstructive (BPCO) et l'embolie pulmonaire. Un infarctus ventriculaire droit peut également occasionner une insuffisance ventriculaire droite. (Le chapitre 16 traite du cœur pulmonaire.)

23.1.4 Manifestations cliniques de l'insuffisance cardiaque congestive aiguë

Sans tenir compte de son origine, l'insuffisance cardiaque gauche aiguë se manifeste typiquement par de **l'œdème aigu du poumon** (OAP). Ce terme est utilisé pour décrire une situation aiguë mettant en danger la vie de la personne atteinte et se caractérisant par un épanchement de liquide séreux ou sérosanguinolent dans l'alvéole pulmonaire (voir figure 23.4). L'insuffisance cardiaque gauche causée par la coronaropathie est le principal facteur intervenant dans l'œdème pulmonaire. (Le tableau 16.16 énumère d'autres facteurs étiologiques de l'œdème pulmonaire.)

Dans la plupart des cas d'insuffisance cardiaque aiguë, il y a une augmentation de la pression veineuse pulmonaire consécutive à une diminution de l'efficacité du ventricule gauche, ce qui a pour effet d'engorger le système vasculaire pulmonaire. Les poumons fonctionnent

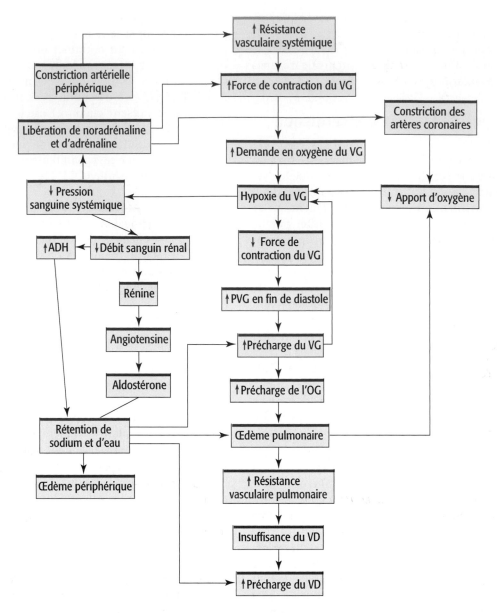

FIGURE 23.3 L'insuffisance du ventricule gauche (VG) entraîne une ICC due à une élévation de la résistance vasculaire systémique. L'insuffisance du VG entraîne une insuffisance du ventricule droit. La résistance vasculaire systémique et la précharge sont exacerbées par les mécanismes rénaux et surrénaux.

ADH : hormone antidiurétique ; OG : oreillette gauche ; PVG : pression ventriculaire gauche ; VD : ventricule droit ; VG : ventricule gauche.

donc moins bien et la résistance augmente dans les petites voies respiratoires. En outre, le système lymphatique accroît son débit pour aider à maintenir un volume constant de liquide extravasculaire dans les poumons. Cette phase précoce est cliniquement associée à une légère hausse de la fréquence respiratoire et à une diminution de la PaO_2.

L'œdème interstitiel se manifeste lorsque la pression veineuse pulmonaire ne cesse d'augmenter et que l'élévation de la pression intravasculaire entraîne dans l'espace interstitiel une quantité de liquide plus grande que ce que les vaisseaux lymphatiques sont en mesure de

drainer. On peut noter des changements à la radiographie et une tachypnée plus importante. Lorsque la pression veineuse pulmonaire augmente davantage, les cellules des parois alvéolaires sont perturbées et un liquide contenant des érythrocytes s'introduit dans les alvéoles (œdème alvéolaire). À mesure que cette perturbation s'aggrave à cause de l'élévation de la pression veineuse pulmonaire, les alvéoles et les voies respiratoires se remplissent de liquide (voir figure 23.4). Cet état s'accompagne d'un déséquilibre des gaz sanguins (c.-à-d. une faible PaO_2 et une augmentation possible de la $PaCO_2$ et, par conséquent, de l'acidose respiratoire).

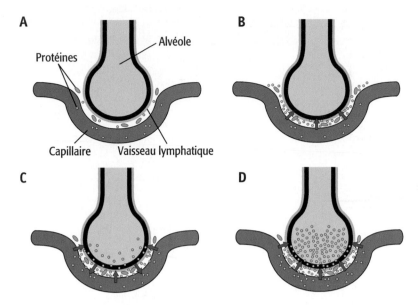

FIGURE 23.4 La progression de l'œdème pulmonaire nuit à l'échange d'O$_2$ et de CO$_2$ dans la membrane alvéolo-capillaire. A. Relation normale. B. L'augmentation de la pression hydrostatique capillaire pulmonaire entraîne un déplacement du liquide de l'espace vasculaire à l'espace interstiel pulmonaire. C. Le débit lymphatique augmente pour tenter de retourner le liquide dans l'espace vasculaire ou lymphatique. D. L'insuffisance du débit lymphatique et la détérioration de l'insuffisance du ventricule gauche entraînent une augmentation du mouvement hydrique dans l'espace interstitiel et dans les alvéoles.

Les manifestations cliniques de l'œdème pulmonaire sont claires. Le client peut être agité, pâle et éventuellement présenter une cyanose. La peau est moite et froide en raison d'une vasoconstriction causée par la stimulation du système nerveux sympathique. Le client est atteint de dyspnée grave, comme en témoigne l'utilisation évidente des muscles accessoires pour respirer, une fréquence respiratoire >30/min et l'orthopnée. L'expectoration spumeuse et sanguinolente peut être accompagnée d'une respiration sifflante (*wheezing*) ou de toux. L'auscultation peut révéler des râles crépitants, sibilants et continus aux deux plages pulmonaires. La fréquence cardiaque du client est rapide et sa PA peut être élevée ou basse selon la gravité de l'œdème.

23.1.5 Manifestations cliniques de l'insuffisance cardiaque congestive chronique

Les manifestations cliniques de l'ICC chronique dépendent de l'âge du client, du type et de l'étendue de la cardiopathie sous-jacente, ainsi que du ventricule affecté. Le tableau 23.3 énumère les manifestations de l'insuffisance cardiaque gauche et de l'insuffisance cardiaque droite. Le client atteint d'ICC chronique présente généralement les mêmes manifestations que celles de l'insuffisance cardiaque globale.

Fatigue. La fatigue est l'un des premiers symptômes de l'ICC chronique. Le client ressent de la fatigue après avoir pratiqué des activités qui normalement n'en entraînent pas. La fatigue est attribuable à une diminution du DC, à une mauvaise circulation, ainsi qu'à une diminution de l'oxygénation des tissus et de l'élimination des déchets métaboliques ; elle est parfois décrite comme une « fatigue musculaire » en raison de la diminution de la quantité de sang qui atteint l'appareil locomoteur.

Dyspnée. La dyspnée est un signe fréquent d'ICC chronique et elle est causée par une élévation des pressions pulmonaires consécutive à un œdème interstitiel et alvéolaire. Cet état entraîne des échanges gazeux inadéquats en raison de la présence de liquide dans les alvéoles. L'essoufflement occasionne une dyspnée de type Kussmaul, qui est caractérisée par une tachypnée (respiration rapide et profonde). La dyspnée peut survenir à l'occasion d'un faible effort ou au repos. L'orthopnée est une dyspnée présente lorsque le client est en décubitus dorsal.

La **dyspnée paroxystique nocturne** apparaît lorsque le client est endormi. Elle est causée par la réabsorption du liquide provenant de zones anatomiques en position déclive et provoquant une augmentation du retour veineux au cœur. Le client, qui se réveille en état de panique, éprouve une sensation de suffocation et doit s'asseoir afin d'atténuer la dyspnée. Les données recueillies auprès du client révèlent souvent un comportement d'adaptation tel que le fait de dormir avec deux oreillers ou plus pour faciliter la respiration. Une

TABLEAU 23.3	Manifestations cliniques de l'insuffisance cardiaque
Insuffisance cardiaque droite	**Insuffisance cardiaque gauche**
Signes	**Signes**
Apex élargi (côté droit)	Apex élargi (côté gauche)
Souffle	Respiration de Cheyne-Stokes
Œdème périphérique	Pouls alternant (succession de pulsations fortes et de pulsations faibles)
Gain de poids	Augmentation de la fréquence cardiaque
Œdème des parties anatomiques déclives (sacrum, tibia antérieur, œdème pédieux)	Débit expiratoire de pointe déplacé inférieurement et postérieurement (hypertrophie du ventricule gauche)
Ascite	$\downarrow$ de la PaO$_2$, légère $\uparrow$ de la PaCO$_2$ (mauvais échanges d'oxygène)
Anasarque (œdème généralisé massif)	Râles crépitants (œdème pulmonaire)
Distension veineuse jugulaire	Bruits cardiaques B$_3$ et B$_4$
Hépatomégalie (engorgement du foie)	
Épanchement pleural du côté droit	
Symptômes	**Symptômes**
Fatigue	Fatigue
Œdème en position déclive	Dyspnée (respirations superficielles pouvant atteindre une fréquence de 32 à 40 minutes)
Douleur au quadrant supérieur droit	Orthopnée (essoufflement en position allongée)
Anorexie et ballonnement gastro-intestinal	Quinte de toux sèche
Nausées	Œdème pulmonaire
	Nycturie
	Dyspnée paroxystique nocturne

toux quinteuse et sèche peut être le premier symptôme clinique du client atteint d'ICC. Puisque les pressions pulmonaires et l'épanchement hydrique dans les tissus pulmonaires augmentent, le client peut présenter une toux sèche et persistante, qui n'est pas soulagée par le changement de position ni par des antitussifs en vente libre.

Tachycardie. La diminution du DC accroît la stimulation du système nerveux sympathique pour compenser le faible débit. Si le volume systolique diminue, la FC augmente pour maintenir le débit cardiaque. Par ailleurs, la tachycardie peut être le premier signe clinique d'ICC.

Œdème. L'œdème est un signe fréquent d'ICC pouvant se manifester dans les membres inférieurs (œdème périphérique), le foie (hépatomégalie), la cavité abdominale (ascite), les poumons (œdème pulmonaire et épanchement pleural) et d'autres structures anatomiques. Lorsque le client est alité, l'œdème peut se manifester dans la région sacrée. Le fait d'exercer une pression sur la peau œdémateuse avec le doigt peut laisser une empreinte passagère (**œdème prenant le godet**). L'apparition de l'œdème déclive ou une prise de poids soudaine de 1 kg ou plus indiquent souvent une exacerbation de l'ICC.

Nycturie. Une diminution du débit cardiaque entraîne une déficience de l'irrigation rénale et, conséquemment,

une baisse du débit urinaire pendant la journée. Ces éléments constituent des signes caractéristiques chez la personne atteinte d'ICC chronique. Cependant, lorsque la personne s'allonge le soir, le mouvement hydrique provenant des espaces dorsaux interstitiels vers l'appareil circulatoire est accru. Ce phénomène provoque une hausse du débit sanguin rénal et de la diurèse. Le client peut signaler le besoin d'uriner six ou sept fois au cours de la nuit.

Modifications cutanées. Étant donné qu'il y a une augmentation de la libération d'oxygène des tissus capillaires chez la personne atteinte d'ICC chronique, la peau peut sembler brunâtre et être froide. Elle peut également être froide au toucher en raison de la vasoconstriction périphérique. Les membres inférieurs sont souvent luisants et gonflés, et on remarque une diminution de la pilosité ou l'absence de poils. L'inflammation chronique peut se traduire par des modifications de la pigmentation qui peuvent donner à la peau une couleur brune aux chevilles et aux membres inférieurs. La vasoconstriction périphérique qui fait dériver le sang vers les organes vitaux est un mécanisme compensatoire mineur de l'ICC chronique.

Modifications comportementales. L'ICC peut diminuer la circulation cérébrale, donc l'oxygénation des cellules cérébrales, surtout en présence d'athérosclérose étendue. Le client ou la famille peuvent rapporter un comportement inhabituel, comme de l'instabilité psychomotrice, de la confusion, une diminution de la durée de l'attention et des pertes de mémoire.

Douleur thoracique. En présence d'athérosclérose, l'ICC peut précipiter la douleur thoracique en raison d'une diminution de l'irrigation coronarienne. Cet état est attribuable à une baisse du DC et à une augmentation de la charge de travail du myocarde, donc à une demande accrue en O_2 dans un contexte où il n'est pas disponible. Une douleur angineuse peut accompagner l'ICC aiguë ou chronique.

Modifications pondérales. De nombreux facteurs jouent un rôle dans les modifications pondérales. Au début, il peut y avoir un gain de poids progressif en raison d'une rétention hydrique ; la vitesse de métabolisme est augmentée et une moins grande quantité d'oxygène et de nutriments sont transportés vers les tissus. Souvent, le client est trop malade pour manger. La plénitude abdominale due à l'ascite et à l'hépatomégalie entraîne souvent de l'anorexie et des nausées. Dans de nombreux cas, la perte de muscles et de graisses est masquée par l'état œdémateux. Il est possible que la perte de poids réelle ne soit pas apparente tant que l'œdème n'est pas résorbé.

23.1.6 Complications de l'insuffisance cardiaque congestive

Épanchement pleural. L'épanchement pleural est attribuable à une augmentation de la pression dans les capillaires pleuraux. Une transsudation liquidienne a lieu depuis ces capillaires jusque dans l'espace pleural. L'épanchement pleural apparaît normalement dans le lobe inférieur droit. (Le chapitre 16 traite de l'épanchement pleural.)

Arythmie. Les clients atteints d'ICC courent un risque élevé d'être victime d'arythmie mortelle. Près de la moitié d'entre eux sont victimes de mort subite, laquelle est souvent occasionnée par une tachyarythmie ventriculaire. (Le chapitre 22 traite de la mort subite.)

Thrombus ventriculaire gauche. Chez une personne atteinte d'ICC aiguë ou chronique, l'hypertrophie du ventricule gauche combinée à un faible DC augmente les risques de formation d'un thrombus dans le ventricule gauche. Les lignes directrices actuelles de l'*American College of Cardiology* et de l'*American Heart Association* recommandent une anticoagulothérapie pour les clients atteints d'ICC et de fibrillation auriculaire ou ayant une très faible fonction ventriculaire gauche (p. ex. une fraction d'éjection <20 %). Une fois qu'un thrombus s'est formé, ce dernier peut aussi diminuer la contractilité du ventricule gauche, réduire le DC

et amoindrir davantage l'irrigation tissulaire. Le thrombus peut aussi provoquer une embolie et un accident vasculaire cérébral (AVC).

Hépatomégalie. L'ICC peut aussi être à l'origine d'une hépatomégalie. Les lobules du foie deviennent alors congestionnés par le sang veineux. La congestion du foie entraîne une altération de la fonction hépatique ; les cellules hépatiques finissent par mourir, la fibrose se produit et une cirrhose peut se manifester (voir chapitre 35).

23.1.7 Classification de l'insuffisance cardiaque congestive

La *New York Heart Association* a élaboré des lignes directrices fonctionnelles visant à classifier les personnes atteintes d'ICC. La classification est fondée sur la tolérance à l'activité physique (voir encadré 23.1).

23.1.8 Épreuves diagnostiques

Le principal objectif du diagnostic est de déterminer la cause sous-jacente de l'insuffisance cardiaque. Les mesures diagnostiques visant à déterminer cette cause et à en évaluer le degré d'intensité sont l'examen physique, la radiographie pulmonaire, l'électrocardiogramme (ECG), l'examen hémodynamique, l'échocardiogramme et le cathétérisme cardiaque. L'encadré 23.2 présente les épreuves diagnostiques requises pour le client atteint d'ICC aiguë et l'encadré 23.3 énumère celles qui s'appliquent au client atteint d'ICC chronique.

Classification fonctionnelle de l'insuffisance cardiaque congestive de la *New York Heart Association*   **ENCADRÉ 23.1**

Classe I
Aucune limitation : un niveau d'exercice ordinaire ne cause pas de fatigue indue, de dyspnée ni de palpitations.

Classe II
Limitation physique légère : généralement, la personne est à l'aise, mais un niveau d'exercice ordinaire entraîne de la fatigue, des palpitations, de la dyspnée ou de l'angine.

Classe III
Limitation physique modérée : de nombreuses activités quotidiennes entraînent de la fatigue, des palpitations, de la dyspnée ou de l'angine.

Classe IV
Limitation physique importante : les symptômes (fatigue, palpitations, dyspnée et angine) sont présents en permanence et augmentent en intensité avec l'activité physique.

Tiré de Projet SIPA / Protocole - Insuffisance cardiaque. Groupe de recherche UdeM / UMcGill et Régie régionale de Montréal-Centre, 2001. Reproduit avec la permission de la Régie régionale et Montréal.

Insuffisance cardiaque congestive aiguë et œdème pulmonaire — ENCADRÉ 23.2

Diagnostic
- Antécédents de santé et examen physique
- GSA, dosage des électrolytes sériques, bilan hépatique
- Radiographie pulmonaire
- Surveillance hémodynamique
- ECG et surveillance
- Échocardiogramme
- Épreuves d'imagerie nucléaire
- Cathétérisme cardiaque

Processus thérapeutique
- Maintien du client dans la position de Fowler haute
- Oxygène par masque ou sonde nasale, de 2 à 4 L
- Morphine IV
- Diurétiques IV
  - Furosémide (Lasix)
  - Bumétanide (Burinex)
- Nitroglycérine IV
- Nitroprusside IV
- Traitement inotrope (voir tableau 23.4)
- PA, FC, fréquence respiratoire, PCP, débit urinaire au moins q1h
- Masse corporelle quotidienne, limite liquidienne (dosage ingérés-excrétés)
- Cardioversion possible
- Intubation endotrachéale et ventilation assistée
- Traitement de la cause sous-jacente
- Alimentation restreinte en sodium

ECG : électrocardiogramme ; FC : fréquence cardiaque ; GSA : gaz du sang artériel ; PA : pression artérielle ; PCP : pression capillaire pulmonaire.

23.1.9 Soins infirmiers et processus thérapeutique : insuffisance cardiaque congestive aiguë et œdème pulmonaire

L'objectif du traitement consiste à améliorer la fonction ventriculaire gauche par les moyens suivants : diminuer le volume intravasculaire, diminuer le retour veineux (précharge), diminuer la postcharge, améliorer les échanges gazeux et l'oxygénation, augmenter le débit cardiaque et réduire l'anxiété. L'encadré 23.2 énumère les principales composantes du processus thérapeutique. De nombreuses mesures peuvent être employées simultanément.

Diminution du volume intravasculaire. La diminution du volume intravasculaire grâce à la prise de diurétiques améliore la fonction du ventricule gauche en réduisant le retour veineux (précharge) vers celui-ci. Un diurétique de l'anse (p. ex. furosémide [Lasix], bumétanide [Burinex]) constitue le médicament de choix pour diminuer le volume parce qu'il peut être administré rapidement par voie intraveineuse et que son action diurétique se manifeste

Insuffisance cardiaque congestive chronique — ENCADRÉ 23.3

Diagnostic
- Antécédents de santé et examen physique
- Détermination de la cause sous-jacente
- Dosage des électrolytes sériques, bilans hépatique et rénal
- Radiographie pulmonaire
- ECG
- Épreuve d'effort
- Épreuves d'imagerie nucléaire
- Échocardiographie
- Surveillance hémodynamique
- Cathétérisme cardiaque

Processus thérapeutique
- Traitement de la cause sous-jacente
- Oxygénothérapie de 2 à 4 L/min
- Repos
- Digoxine (Lanoxin)
- Diurétiques (voir tableau 23.6)
- Vasodilatateurs
  - IECA
  - Nitrates
- Agents inotropes
  - Amrinone (Inocor)
  - Milrinone (Primacor)
  - Dopamine (Intropin)
  - Dobutamine (Dobutrex)
- Antiarythmiques
- β-bloquants
  - Carvédilol (Coreg)
  - Métoprolol (Lopresor)
  - Bisoprolol (Monocor)
- Masse corporelle quotidienne, limite liquidienne (dosage des ingesta et des excreta)
- Alimentation restreinte en sodium
- Contre-pulsion par ballon intra-aortique
- Dispositif d'assistance ventriculaire
- Transplantation cardiaque

ECG : électrocardiogramme ; IECA : inhibiteurs de l'enzyme de conversion de l'angiotensine.

rapidement. De plus, il est possible qu'une vasodilatation périphérique se produise, donc une diminution du retour veineux et de la congestion pulmonaire.

La diminution du retour veineux vers le ventricule droit permet aussi de réduire la précharge, d'obtenir une contraction plus efficace du ventricule gauche surchargé et d'accroître le DC. Cette mesure améliore la fonction du ventricule gauche, diminue les pressions vasculaires pulmonaires et augmente les échanges gazeux.

La nitroglycérine sous forme intraveineuse est un vasodilatateur (périphérique et coronarien) utilisé pour traiter l'ICC aiguë et chronique. La nitroglycérine permet de réduire le volume circulant en diminuant la précharge et en augmentant la circulation aortocoronarienne au moyen de la dilatation des artères coronaires. Par conséquent, cet agent réduit la précharge, diminue légèrement la postcharge (à des doses élevées) et augmente l'apport d'oxygène au myocarde.

Diminution du retour veineux.

important

La diminution du retour veineux (précharge) réduit le volume de sang qui retourne au ventricule gauche pendant la diastole. On peut y arriver en installant le client dans la position de Fowler haute et en maintenant ses pieds à l'horizontale dans le lit ou en les laissant pendre sur le côté du lit. Cette position permet de diminuer le retour veineux par l'accumulation de sang dans les extrémités et d'augmenter la capacité d'expansion pulmonaire en vue d'améliorer la ventilation.

Diminution de la postcharge.

La postcharge est la pression nécessaire pour éjecter le sang dans l'aorte pendant la systole, soit la pression que doit exercer le ventricule gauche pour éjecter le sang dans la circulation systémique. La résistance vasculaire systémique (RVS) détermine la postcharge lorsque le ventricule gauche se remplit. Lorsqu'il y a une réduction de la postcharge, le DC du ventricule gauche s'améliore et, par conséquent, entraîne une diminution de la congestion pulmonaire.

Le nitroprusside de sodium sous forme intraveineuse (Nipride) est un vasodilatateur puissant qui réduit la précharge et la postcharge. C'est le médicament indiqué pour le client atteint d'œdème pulmonaire en raison de ses effets puissants sur le système vasculaire. En réduisant la précharge et la postcharge (par une dilatation artérielle et veineuse), il améliore la contraction myocardique, augmente le DC et diminue la congestion pulmonaire. Les complications liées à l'administration du nitroprusside de sodium par voie IV comprennent, entre autres : l'hypotension, qui peut nécessiter l'administration de dobutamine (Dobutrex) sous forme IV pour maintenir la PA moyenne ≥ 60 mm Hg ; l'intoxication au thiocyanate, qui peut apparaître 48 heures après l'administration du médicament. La morphine permet aussi de réduire la précharge et la postcharge puisqu'elle dilate les vaisseaux sanguins systémiques et pulmonaires dans le but de diminuer les pressions pulmonaires et d'améliorer les échanges gazeux. Ce médicament contribue également à réduire l'anxiété.

i.v

Narcan = Antidote

Amélioration des échanges gazeux et de l'oxygénation.

Il est possible d'améliorer les échanges gazeux grâce à plusieurs mesures. La morphine sous forme IV réduit la demande en oxygène (par son effet sur le système nerveux central), laquelle peut être accrue en raison de l'anxiété et de l'augmentation ultérieure de l'activité musculosquelettique et respiratoire. L'administration d'oxygène permet d'augmenter le pourcentage d'O_2 contenu dans l'air inspiré. (Le chapitre 17 traite de l'oxygénothérapie.) Un client atteint d'œdème pulmonaire grave peut devoir être intubé et ventilé mécaniquement.

Ralenti
Régulier
Renforce ⟩ Prendre le

60.
⟨50 btts
d'donné

Amélioration de la fonction cardiaque.

La digoxine (Lanoxin) permet d'améliorer la fonction ventriculaire gauche grâce à son action **inotrope** positive (augmentation de la force de contraction) et **chronotrope** négative (ralentissement de la FC). La digoxine augmente la **contractilité** ainsi que la consommation d'oxygène du myocarde. Les nouveaux médicaments inotropes (p. ex. la dobutamine [Dobutrex], la milrinone [Primacor]), qui augmentent la contractilité myocardique sans accroître la consommation d'oxygène, sont plus efficaces. La dobutamine et la milrinone améliorent aussi la vasodilatation périphérique. Cependant, il s'agit d'agents vasodilatateurs puissants qui exigent l'observation et la surveillance étroites du client.

Une surveillance hémodynamique peut s'avérer nécessaire si les diurétiques, la morphine et la nitroglycérine ne réussissent pas à estomper rapidement les symptômes ou si le client devient hypotendu. (Le chapitre 29 traite de la surveillance hémodynamique.) Une fois qu'un cathéter artériel pulmonaire est en place, il est possible de mesurer avec précision la pression capillaire pulmonaire et de dispenser un traitement efficace pour maximiser le DC. Une PCP de 14 à 18 mm Hg réussira généralement à augmenter le DC. La PA peut également être régularisée par l'administration d'autres médicaments au besoin (voir chapitre 21).

Réduction de l'anxiété.

L'anxiété peut être réduite grâce à l'action sédative de la morphine administrée par voie intraveineuse. On doit observer attentivement le client qui prend de la morphine pour détecter la présence d'une dépression respiratoire. Il est bon d'avoir un antagoniste opiacé (Narcan) au chevet du client, surtout si la morphine est administrée par voie IV. Des soins infirmiers administrés efficacement, avec calme et douceur, favorisent aussi la réduction de l'anxiété.

Une fois que l'état du client est plus stable, il est important de cerner la cause de l'œdème pulmonaire. Le diagnostic de l'insuffisance systolique ou diastolique déterminera alors d'autres protocoles de soins. Il est possible de poursuivre une pharmacothérapie énergique par l'administration par voie intraveineuse d'inotropes, de vasodilatateurs et d'inhibiteurs de l'enzyme de conversion de l'angiotensine (IECA). Les soins infirmiers sont axés sur l'examen physique continu, la surveillance hémodynamique et la surveillance de la réaction du client face au traitement.

23.1.10 Processus thérapeutique : insuffisance cardiaque congestive chronique

L'un des principaux objectifs du traitement de l'ICC est de soigner la cause sous-jacente (voir encadré 23.3). Lorsque l'insuffisance est précipitée par l'arythmie, le client doit être traité en conséquence (voir chapitre 24). Si la cause sous-jacente est l'hypertension, des antihypertenseurs doivent être prescrits (voir chapitre 21). Les anomalies valvulaires peuvent être traitées par une chirurgie. Lorsque le dysfonctionnement myocardique est attribuable à une cardiopathie ischémique, des interventions spécifiques, comme le traitement thrombolytique, l'angioplastie coronarienne transluminale percutanée (ACTP) ou le pontage aortocoronarien (PAC), peuvent s'avérer nécessaires. L'utilisation d'un défibrillateur à synchronisation automatique implantable est devenue fréquente chez les clients qui survivent à la tachyarythmie ventriculaire. (Le chapitre 24 traite des défibrillateurs à synchronisation automatique implantables.)

Le personnel soignant dispose de plusieurs options mécaniques pour soutenir les clients dont l'ICC se détériore, surtout ceux qui attendent de subir une transplantation cardiaque. La contre-pulsion par ballon intra-aortique est grandement utilisée chez les clients qui doivent attendre peu de temps avant de subir une chirurgie cardiaque, y compris la transplantation. Cependant, les restrictions relatives au repos au lit, l'infection et les complications vasculaires empêchent d'en faire un usage prolongé. (Le chapitre 29 traite de la contre-pulsion par ballon intra-aortique.) Les dispositifs d'assistance ventriculaire peuvent procurer un soutien très efficace à long terme, jusqu'à deux ans, et sont devenus des soins fréquents dans la plupart des centres de transplantation cardiaque. (Le chapitre 29 traite des dispositifs d'assistance ventriculaire.)

Même si les progrès thérapeutiques ont permis d'améliorer le pronostic à long terme de nombreux clients atteints d'ICC, le cheminement clinique se traduit pour la plupart des gens par des hospitalisations répétées, une détérioration progressive et un risque de mort subite. Devant le pronostic habituellement peu encourageant, la transplantation cardiaque représente souvent un traitement de choix. Cependant, le manque de donneurs et le défi des soins postopératoires rendent la transplantation envisageable seulement pour un petit nombre de clients atteints d'ICC. Des critères rigoureux sont nécessaires pour sélectionner les quelques clients présentant une ICC de stade avancé qui peuvent espérer subir une transplantation cardiaque. (Les transplantations cardiaques sont décrites plus loin dans ce chapitre.)

Chez la personne atteinte d'ICC, la saturation du sang en oxygène est réduite parce que le sang n'est pas oxygéné adéquatement dans les poumons. L'admi-

nistration d'oxygène améliore la saturation et aide grandement à satisfaire les besoins des tissus en oxygène. Ainsi, l'oxygénothérapie permet de soulager la dyspnée et la fatigue. Les gaz artériels ou l'oxymétrie pulsée (SaO_2) peuvent être utilisés pour surveiller l'efficacité de l'oxygénothérapie (voir chapitre 17).

Le repos physique et émotionnel permet au client de conserver son énergie et de diminuer le besoin d'oxygène supplémentaire. Le repos recommandé dépend de la gravité de l'insuffisance cardiaque. Un client atteint d'ICC grave doit rester au lit et faire peu d'activités, alors qu'un client présentant une atteinte légère à modérée peut circuler sans toutefois s'adonner à des activités épuisantes. L'infirmière doit l'informer de restreindre ses activités et de prendre le temps de récupérer adéquatement entre chaque activité.

Pharmacothérapie : insuffisance cardiaque congestive chronique. Les objectifs thérapeutiques généraux quant à la pharmacothérapie de l'ICC sont les suivants : déterminer le type d'ICC et les causes sous-jacentes ; corriger la rétention hydrique et sodique, ainsi que la surcharge volémique ; réduire la charge cardiaque ; améliorer la contractilité myocardique ; maîtriser les facteurs précipitants et les complications. Étant donné que l'ICC est un syndrome complexe, il est peu probable qu'un seul agent pharmacologique soit suffisant. Une association de médicaments qui satisfait aux objectifs énumérés ci-dessus a de meilleures chances de succès dans le traitement des clients atteints d'ICC.

Médicaments inotropes positifs. L'utilisation de médicaments inotropes positifs chez le client atteint d'ICC vise à améliorer la contractilité cardiaque en vue d'augmenter le DC, de réduire la pression diastolique du ventricule gauche et de diminuer la résistance vasculaire systémique. Le tableau 23.4 présente les divers agents inotropes utilisés.

PHARMACOTHÉRAPIE

TABLEAU 23.4   Agents inotropes positifs utilisés pour traiter l'insuffisance cardiaque congestive
Inhibiteurs de l'ATPase   Digoxine (Lanoxin)

Agonistes bêta-adrénergiques
  Dopamine
  Dobutamine (Dobutrex)

Inhibiteurs de la phosphodiestérase   Milrinone (Primacor)

Préparations digitaliques. Les préparations digitaliques (glucosides cardiotoniques) constituent les principaux médicaments pour traiter l'ICC et elles sont utilisées depuis plus de 200 ans. À l'heure actuelle, la digoxine (Lanoxin) est le seul agent inotrope approuvé pour traiter l'ICC. Cependant, l'utilisation de ces préparations est controversée depuis quelque temps parce qu'elles n'ont jamais démontré leur capacité à diminuer le taux de mortalité, bien qu'elles semblent avoir des bienfaits pour les clients atteints d'ICC modérée à grave en réduisant le nombre d'hospitalisations. Elles sont particulièrement utiles pour traiter l'insuffisance cardiaque accompagnée de flutter auriculaire, de fibrillation et d'une fréquence ventriculaire rapide. Les préparations digitaliques augmentent la force de la contraction cardiaque (action inotrope positive). Elles diminuent aussi la vitesse de conduction dans le myocarde et ralentissent la FC (action chronotrope négative). On utilise souvent l'expression « 3 R » pour décrire l'action de la digoxine : renforcer, ralentir et régulariser. Cette action permet une vidange plus complète des ventricules, diminuant ainsi le volume restant dans ces cavités pendant la diastole (augmentation de la phase diastolique favorisant un plus grand apport d'O_2 au myocarde). Le DC augmente en raison de la hausse du volume systolique attribuable à l'amélioration de la contractilité.

Le client qui reçoit des préparations digitaliques est vulnérable à l'intoxication (voir tableau 23.5). Les premiers symptômes d'intoxication sont l'anorexie, les nausées et les vomissements. Des troubles de la vision, comme le fait de « voir jaune », peuvent également survenir. La bradycardie est un signe fréquent d'intoxication digitalique. Bien que pratiquement n'importe quels types d'arythmies puissent survenir, ce sont les extrasystoles, la fibrillation auriculaire et le bloc cardiaque du premier degré qui sont le plus souvent éprouvées par les clients.

L'hypokaliémie est l'une des principales causes d'intoxication digitalique qui engendre l'arythmie parce qu'un faible taux de potassium sérique favorise l'activité de foyers ectopiques. Il est indispensable de surveiller le taux de potassium sérique chez les clients qui reçoivent à la fois des préparations digitaliques et des diurétiques éliminant le potassium (p. ex. les diurétiques thiazidiques, les diurétiques de l'anse). D'autres déséquilibres électrolytiques, comme l'hypercalcémie et l'hypomagnésémie, peuvent aussi entraîner une intoxication.

La susceptibilité à l'intoxication digitalique augmente en présence de maladies du rein et du foie parce que la plupart des préparations sont métabolisées et éliminées par ces organes. Par ailleurs, le processus de vieillissement rend la personne âgée particulièrement vulnérable à l'intoxication digitalique parce que l'accumulation se produit plus tôt en raison d'une diminution des fonctions hépatique et rénale et d'un ralentissement du métabolisme.

Le traitement habituel de l'intoxication digitalique consiste à cesser de prendre le médicament jusqu'à la disparition des symptômes. Dans le cas d'une intoxication potentiellement mortelle, il est possible d'administrer des fragments d'anticorps (Fab) spécifiques de la digoxine (Digibind) comme antidote. Le traitement contre les arythmies potentiellement mortelles est utilisé au besoin (voir chapitre 24).

Agonistes β-adrénergiques. La dopamine (Intropin), la dobutamine (Dobutrex), l'épinéphrine (Adrenalin) et la norépinéphrine (Levophed) sont des agonistes β-adrénergiques. La stimulation des récepteurs β-adrénergiques entraîne une élévation du taux d'adénosine monophosphate cyclique dans les cellules myocardiques et une augmentation de la contractilité. Les agents β-adrénergiques sont généralement utilisés à l'unité de soins intensifs dans le cas du traitement de courte durée des poussées évolutives d'ICC. Leur rôle dans le traitement de longue durée est controversé. Les problèmes potentiels liés à l'utilisation des agonistes β-adrénergiques dans le traitement de longue durée comprennent la tolérance, l'augmentation de l'irritabilité ventriculaire et l'accroissement du besoin du myocarde en oxygène.

La dopamine (Intropin) est un agoniste adrénergique utilisé pour traiter l'insuffisance cardiaque grave et le choc cardiogénique. En plus d'améliorer la contractilité myocardique, tel qu'il a été mentionné ci-dessus, elle a aussi la propriété importante d'augmenter spécifiquement le débit sanguin vers les lits rénal, mésentérique, coronarien et vasculaire cérébral dans les cas d'ICC grave ou de choc. La dopamine est très efficace chez les clients atteints d'ICC puisqu'elle augmente le débit cardiaque (contractilité) ainsi que la diurèse (diminution de la précharge).

PHARMACOTHÉRAPIE

TABLEAU 23.5	Manifestations de l'intoxication digitalique

Appareil cardiovasculaire
Bradycardie ; tachycardie ; altérations du pouls ; arythmies, y compris les extrasystoles ventriculaires, les blocs auriculo-ventriculaires de premier degré, la fibrillation auriculaire.

Appareil gastro-intestinal
Anorexie, nausées, vomissements, diarrhée, douleur abdominale.

Système neurologique
Céphalées, somnolence, confusion, insomnie, faiblesse musculaire.

Appareil visuel
Vision double, vision trouble, vision colorée (habituellement verte ou jaune), halos.

Inhibiteurs de la phosphodiestérase. L'inhibition de la phosphodiestérase (milrinone [Primacor]) augmente le taux d'adénosine monophosphate cyclique, favorisant ainsi l'assimilation cellulaire du calcium et améliorant la contractilité myocardique. Les inhibiteurs de la phosphodiestérase sont aussi des vasodilatateurs puissants. Ils accroissent le DC et réduisent la pression artérielle (diminution de la postcharge). Ces médicaments ne sont pas offerts actuellement sous forme orale et, par conséquent, sont uniquement utilisés pour le traitement de courte durée dans les unités de soins intensifs coronariens.

La milrinone (Primacor) permet d'augmenter la contraction myocardique et le DC et de favoriser la vasodilatation périphérique (diminuer la postcharge) dans le but d'accroître le rendement du ventricule gauche. L'arythmie, la thrombopénie et les manifestations gastro-intestinales sont au nombre de ses effets indésirables. Le client peut être hypotendu en raison des effets vasodilatateurs puissants de la milrinone. Elle est bien tolérée et entaîne peu d'effets secondaires. Même si la milrinone a un effet inotrope positif direct, l'amélioration de la fonction cardiaque est probablement attribuable à une combinaison de changements bénéfiques dans la précharge et la postcharge, ainsi qu'aux effets inotropes.

En résumé, la milrinone est clairement avantageuse lorsqu'elle est administrée pendant une courte période. Cependant, son utilisation est controversée dans le traitement de longue durée de l'ICC. Même si ces agents améliorent la fonction hémodynamique et la tolérance à l'effort, d'autres effets peuvent être néfastes. L'élément à prendre en considération pendant le traitement des clients atteints d'ICC est le risque d'augmentation de la consommation d'O_2 par le myocarde, pouvant ensuite induire une ischémie myocardique, aggraver ou stimuler l'arythmie et causer une détérioration plus rapide de la fonction musculaire.

Diurétiques. Les diurétiques sont utilisés pour traiter l'insuffisance cardiaque afin de mobiliser le liquide œdémateux et de diminuer la pression veineuse pulmonaire et, par le fait même, la précharge (voir tableau 23.6). Le volume sanguin qui retourne au cœur peut être réduit et la fonction cardiaque peut être améliorée lorsqu'un excès de liquide extracellulaire est excrété.

Les diurétiques peuvent agir sur les reins en favorisant l'excrétion du sodium et de l'eau. De nombreuses variétés de diurétiques sont offerts sur le marché et certains sont utilisés à des fins spécifiques. Les diurétiques thiazidiques sont souvent le premier choix dans les cas d'ICC chronique puisqu'ils sont

---

PHARMACOTHÉRAPIE

TABLEAU 23.6 Traitement diurétique utilisé pour l'insuffisance cardiaque congestive*

Médicaments	Mécanismes d'action	Effets secondaires et effets indésirables
Diurétiques thiazidiques Hydrochlorothiazide (HydroDiuril) Chlorthalidone Indapamide (Lozide) Métolazone (Zaroxolyn)	Augmentation de l'excrétion de sodium, de chlorure et d'eau par l'inhibition de la réabsorption de sodium et de chlorure dans le tube contourné distal ; excrétion du potassium en même temps que du sodium.	Hypokaliémie, hyperuricémie, hypercalcémie, hyperglycémie, réactions dermatologiques.
Diurétiques de l'anse Furosémide (Lasix) Acide éthacrynique (Edecrin) Bumétanide (Burimex)	Diurétiques puissants qui augmentent la diurèse en prévenant la réabsorption de sodium, de chlorure et d'eau dans l'anse de Henle et le tube contourné distal.	Hypokaliémie, hyperglycémie, hyperuricémie.
Diurétiques d'épargne potassique Spironolactone (Aldactone)	Inhibition de l'action de l'aldostérone dans le tube contourné distal ; augmentation de l'excrétion de sodium et de la rétention de potassium. Mécanisme d'action inconnu ; action sur le tube contourné distal causant l'excrétion de sodium et la rétention de potassium.	Hyperkaliémie, gynécomastie, aménorrhée, troubles gastro-intestinaux. Hyperkaliémie, nausées et vomissements, crampes dans les jambes.
Agents combinés Aldactazide (spironolactone et hydrochlorothiazide) Dyazide (triamtérène et hydrochlorothiazide)	Effet diurétique plus puissant qu'un seul agent. Effets diurétiques d'épargne potassique	Troubles gastro-intestinaux, étourdissements, bouche sèche, possibilité d'éviter l'hypokaliémie. Idem

* Voir tableau 31.7 pour des renseignements supplémentaires à propos du traitement diurétique.

faciles à prendre et sûrs, peu coûteux et efficaces. Ils s'avèrent particulièrement efficaces pour traiter l'œdème consécutif à l'ICC et régulariser l'hypertension. Les thiazidiques empêchent la réabsorption du sodium dans le tube contourné distal et favorisent l'excrétion de sodium et d'eau.

Le furosémide (Lasix), l'acide éthacrynique (Edecrin) et le bumétanide (Burinex) sont trois agents puissants, classifiés comme des diurétiques de l'anse. Ces médicaments agissent dans l'anse ascendante de Henle pour favoriser l'excrétion de sodium, de chlorure et d'eau. Le furosémide est couramment utilisé en présence d'ICC aiguë et d'œdème pulmonaire parce que sa réaction est légèrement plus prévisible. Le bumétanide est un diurétique ayant un délai d'action rapide et une demi-vie de 1 à 1,5 heure. Il est prescrit lorsque le furosémide n'a pas produit de diurèse ou qu'un client est allergique à ce dernier agent. Les problèmes éprouvés au cours de la prise de bumétanide sont la réduction du taux de potassium sérique, l'ototoxicité et des réactions allergiques possibles chez le client qui est sensible aux sulfamidés.

La spironolactone (Aldactone) et le triamtérène sont des diurétiques d'épargne potassique qui favorisent l'excrétion de sodium et d'eau, mais bloquent l'excrétion de potassium. Une association de diurétiques peut être administrée pour obtenir un rendement maximal (voir tableau 23.6).

Étant donné qu'il existe de nombreux agents diurétiques efficaces, le choix dépend souvent du type d'ICC (chronique ou aiguë), du degré d'intensité ou de la gravité des symptômes ou des besoins particuliers attribuables à l'insuffisance rénale ou aux déséquilibres électrolytiques.

Vasodilatateurs. Les vasodilatateurs sont une classe de médicaments ayant clairement démontré qu'ils augmentaient le taux de survie dans les cas d'insuffisance cardiaque manifeste. Les objectifs du traitement vasodilatateur dans les cas d'ICC sont les suivants : diminuer le volume de précharge et augmenter la capacité veineuse ; augmenter la fraction d'éjection en améliorant la contraction ventriculaire ; ralentir le processus de la dysfonction ventriculaire ; diminuer l'hypertrophie cardiaque et éviter la stimulation des réactions neuro-hormonales provoquées par les **mécanismes compensatoires** de l'ICC.

Nitroprusside de sodium. Le nitroprusside (Nipride) est le vasodilatateur sous forme intraveineuse le plus couramment utilisé pour traiter l'ICC aiguë et l'œdème pulmonaire (voir l'information à ce sujet plus tôt dans le présent chapitre).

Nitrates. Les nitrates entraînent une vasodilatation en agissant directement sur le muscle lisse de la paroi des vaisseaux. Leurs effets portent avant tout sur l'augmentation de la capacité veineuse, la dilatation du système vasculaire pulmonaire et l'amélioration de la compliance artérielle. Cependant, l'effet hémodynamique principal des nitrates est de diminuer la précharge. Les nitrates sont souvent bénéfiques pour traiter l'ischémie myocardique liée à l'ICC parce qu'ils favorisent la vasodilatation des artères coronaires. Un effet indésirable de ces médicaments dans le traitement de l'ICC est le phénomène de tolérance. Cependant, un ajustement posologique fréquent associé à des périodes sans prise de médicaments peuvent aider à réduire cet effet.

Inhibiteurs de l'enzyme de conversion de l'angiotensine. Les IECA sont devenus les vasodilatateurs de choix pour les clients atteints d'ICC légère à grave. La conversion de l'angiotensine I en angiotensine II, un vasodilatateur puissant, exige la présence de l'enzyme de conversion de l'angiotensine. Les IECA comme le captopril (Capoten), l'énalapril (Vasotec), le ramipril (Altace) et le lisinopril (Prinivil, Zestril) peuvent agir en bloquant l'ECA, ce qui entraîne une diminution du taux d'angiotensine II (voir tableau 21.9). On observe aussi une baisse du taux d'aldostérone plasmatique.

Étant donné que le débit cardiaque dépend de la postcharge en présence d'ICC chronique, la réduction de la résistance vasculaire systémique constatée lors de la prise d'IECA augmente considérablement le DC. De plus, la prise de ces inhibiteurs permet de maintenir ou d'augmenter l'irrigation tissulaire en raison de l'amélioration du DC et de la redistribution du débit sanguin régional, bien qu'il soit possible que la PA diminue. Les autres changements hémodynamiques observés comprennent une diminution de la PA pulmonaire, de la pression à l'intérieur du ventricule droit et de la pression de remplissage du ventricule gauche.

L'activation du système nerveux sympathique augmente la stimulation du système rénine-angiotensine, de sorte que le traitement de l'ICC à l'aide d'un IECA réduit le taux de noradrénaline et les effets de cette puissante catécholamine. Les conséquences bénéfiques de cette diminution de l'activité sympathique comprennent :
- une réduction de la tension de la paroi ventriculaire (diminution de la postcharge et de la charge de travail du ventricule gauche) ;
- une atténuation de l'arythmie ventriculaire ;
- une augmentation du tonus vagal (chute de la fréquence cardiaque).

Les différences entre les principaux IECA reposent sur le délai, la durée de leur action et la confirmation de leur efficacité dans les études cliniques. Parmi les effets secondaires des IECA, on note l'hypotension orthostatique, la toux chronique et l'insuffisance rénale (lorsque les doses sont élevées). Le vieillissement et l'insuffisance rénale ralentissent le métabolisme des IECA et peuvent ainsi entraîner une augmentation des taux sériques. Il est recommandé de commencer à administrer ces médicaments à la dose la plus faible et de surveiller la PA et la fonction rénale à intervalles réguliers. Dans l'ensemble, les clients tolèrent bien les IECA. Chez les clients qui sont incapables de les tolérer (p. ex. les personnes atteintes de toux chronique), un antagoniste de l'angiotensine II comme le losartan (Cozaar) ou le valsartan (Diovan) peut être administré (voir tableau 21.9).

β-bloquants. Le carvédilol (Coreg) est un nouvel agent récemment approuvé pour traiter l'ICC. Il s'agit du seul β-bloquant à être spécifiquement approuvé pour traiter cette affection. Cependant, son utilisation se limite au traitement de l'ICC légère à modérée. Le carvédilol bloque directement les effets néfastes du système nerveux sympathique sur le cœur défaillant. On l'utilise en association avec les IECA, la digoxine (Lanoxin) et les diurétiques. Le carvédilol doit être administré graduellement au début, la dose étant augmentée progressivement toutes les deux semaines selon la tolérance du client. Le métropolol (Lopresor) à très faible dose et le bisoprolol (Monocor) sont souvent utilisés pour le traitement de l'ICC.

Recommandations nutritionnelles : insuffisance cardiaque congestive chronique. Il est indispensable que le client reçoive un enseignement sur l'alimentation et qu'il apprenne à surveiller son poids quotidiennement afin de maîtriser l'ICC chronique. L'infirmière ou la diététiste doit recueillir les antécédents diététiques du client, décrivant l'alimentation, les habitudes ainsi que les valeurs associées aux aliments. L'infirmière peut utiliser ces données pour aider le client à résoudre ses problèmes et favoriser une alimentation adéquate. Elle doit enseigner au client quels aliments ont une teneur faible ou élevée en sodium et les façons de rehausser la saveur des aliments sans ajouter de sel (p. ex. en utilisant du jus de citron et diverses épices).

L'œdème dû à l'ICC est souvent traité par une réduction de l'apport sodique dans l'alimentation. Le degré de restriction sodique dépend de la gravité de l'insuffisance cardiaque et de l'efficacité du traitement diurétique. Les régimes très pauvres en sodium sont rarement prescrits parce qu'ils ont mauvais goût et que les clients s'y conforment peu.

L'apport alimentaire quotidien en sodium se situe entre 3 et 7 g (N.B. 7 g = 300 mmoL). Un régime alimentaire couramment prescrit pour un client atteint d'ICC légère comporte un apport sodique de 3 g/jour (voir tableau 23.7). Le client doit éliminer tous les aliments riches en sodium à l'aide de conseils d'une nutritionniste (voir tableau 23.8). Dans les cas d'ICC grave, l'apport sodique est restreint à 2 ou 3 g/jour. La nutritionniste doit enseigner au client et à sa famille comment lire les étiquettes des aliments quant à la présence de sodium.

On prescrit rarement une restriction hydrique aux clients atteints d'ICC légère à modérée, car les diurétiques et les préparations digitaliques sont efficaces pour favoriser l'excrétion hydrique. Il existe cependant des exceptions : la nutritionniste évalue les apports liquidiens du patient et, selon son état général, lui recommande d'abaisser ou non sa consommation de liquides.

Les restrictions hydriques (variant de 1000 à 1500 ml par jour) sont souvent établies dans les cas d'ICC modérée à grave. Il est important de mentionner au client qu'il doit se peser quotidiennement afin de surveiller la rétention hydrique et de vérifier s'il a perdu ou pris de la masse corporelle. Le client doit se peser tous les jours à la même heure, de préférence avant le déjeuner, et porter le même type de vêtements pour assurer des comparaisons valides chaque jour et déceler rapidement tout signe de rétention hydrique. Le client doit appeler son médecin s'il prend 1 kg en l'espace de deux à cinq jours.

23.1.11 Soins infirmiers : insuffisance cardiaque congestive chronique

Collecte de données. Les données subjectives et objectives devant être recueillies auprès d'un client atteint d'ICC comprennent, entre autres, les données présentées dans l'encadré 23.4.

Diagnostics infirmiers. Certains des diagnostics infirmiers applicables au client atteint d'ICC figurent dans l'encadré 23.5.

Planification. Les objectifs généraux à l'égard du client atteint d'ICC sont les suivants : diminuer l'œdème périphérique ; réduire l'essoufflement ; augmenter la tolérance à l'effort ; observer la pharmacothérapie ; n'éprouver aucune complication liée à l'ICC.

Exécution
Promotion de la santé et prévention de la maladie. Une mesure importante visant à prévenir l'insuffisance cardiaque consiste à traiter ou à maîtriser la cardiopathie sous-jacente. Par exemple, dans le cas d'une maladie valvulaire rhumatismale, le remplacement de la valve doit être planifié avant l'apparition de la congestion pulmonaire. Une autre mesure préventive essentielle est le traitement rapide et continu de l'hypertension. Les états hyperlipidémiques des personnes atteintes de coronaropathie doivent être traités au moyen d'un régime alimentaire spécial, d'exercices et de médicaments. La prise d'antiarythmiques ou l'implantation d'un stimulateur cardiaque sont indiquées pour les gens

TABLEAU 23.7   Régimes alimentaires hyposodés

PRINCIPES GÉNÉRAUX
Ne pas ajouter de sel ni d'assaisonnements contenant du sodium en préparant les aliments.
Ne pas utiliser de sel à la table.
Éviter les aliments hypersodés*.
Limiter les produits laitiers à 500 ml par jour.

EXEMPLE DE MENUS POUR UN RÉGIME ALIMENTAIRE CONTENANT 2 g DE SODIUM* (BEURRE ET MARGARINE SANS SEL PRÉFÉRABLEMENT)

Déjeuner

250 ml de lait 1 % ou écrémé	125 ml de lait 1 % ou écrémé	125 ml de lait 1 % ou écrémé
190 ml de céréales de blé soufflé	125 ml de crème de blé	125 ml de blé soufflé
Sucre	Sucre	1 œuf bouilli
1 rôtie	1/2 bagel nature	5 ml de beurre sans sel
5 ml de margarine sans sel	5 ml de margarine sans sel	1/2 muffin anglais nature
1 œuf brouillé	Café	Café
Café		

Dîner

1 sandwich à la salade de poulet (125 g) avec 5 ml de mayonnaise	125 ml de haricots pintos	60 g de poisson cuit au four
1 fruit frais	125 ml de chili avec de la viande hachée	Carottes
250 ml de lait 1 % ou écrémé	Salade assaisonnée avec de l'huile ou du vinaigre	Petit pain avec 5 ml de beurre sans sel
Thé	1 pain pita	Fruits en conserve
	Compote de pommes	Café
	Café	

Souper

90 g de rosbif	90 g de poisson grillé	90 g de poulet cuit au four
1 pomme de terre au four	125 ml de pommes de terre bouillies	125 ml de riz blanc
5 ml de margarine sans sel	125 ml de courgettes ou de maïs	125 ml de légumes verts
125 ml de haricots verts	250 ml de yogourt	250 ml de crème glacée
1 petit pain rond	Pain avec 5 ml de margarine sans sel	Biscuits secs
125 ml de sorbet	Café	Café
Café		

MODIFICATIONS POUR D'AUTRES RÉGIMES ALIMENTAIRES HYPOSODÉS
Régime alimentaire contenant 500 mg de sodium
Restreindre les produits laitiers à 250 ml par jour.
Limiter la viande à 120 g par jour.
Utiliser du beurre, du pain, des légumes et des produits céréaliers sans sel.

Régime alimentaire contenant 1000 mg de sodium
Restreindre les produits laitiers à 250 ml par jour.
Utiliser du beurre et des légumes sans sel.

Régime alimentaire contenant 4 g de sodium
Permettre la cuisson des aliments avec un peu de sel.
Permettre 750 ml de produits laitiers par jour.
Le beurre ou la margarine ordinaires peuvent être utilisés en quantité restreinte.

* Voir tableau 23.8.
Note : les régimes restreints à 500 et 100 mg de sodium sont peu utilisés en pratique.

atteints d'arythmies graves ou de troubles de conduction. Lorsqu'un client reçoit un diagnostic d'ICC, les soins de prévention doivent être axés sur le ralentissement de l'évolution de la maladie. Il est essentiel que le client connaisse l'importance de prendre les médicaments, de suivre le régime alimentaire prescrit et de faire de l'exercice. L'infirmière en milieu hospitalier peut planifier des soins infirmiers à domicile pour le client et sa famille dans le but d'assurer le suivi des soins et de surveiller la réaction du client au traitement. Le dépistage rapide des signes et symptômes d'une détérioration de l'insuffisance peut aider à modifier les

RECOMMANDATIONS NUTRITIONNELLES

TABLEAU 23.8   Aliments à haute teneur en sodium

Boissons et jus	Eau minérale à haute teneur en sodium, soit plus de 20 p.p.m. de Na/litre. Jus de tomate, jus V8, jus de palourdes.
Produits céréaliers	Biscottes salées, levure chimique, biscuits à la poudre à pâte, muffins, bretzels, craquelins et croustilles à grignoter salés ; préparations rapides pour pains et gâteaux ou muffins ; crêpes, gaufres (y compris les préparations). Céréales cuites ou instantanées, céréales contenant du sel (sodium).
Produits laitiers	Babeurre commercial, fromage régulier, lait concentré (sucré), lait malté.
Desserts	Produits cuits au four commerciaux (p. ex. pâtisseries) et desserts faits à partir de préparations (p. ex. muffins, biscuits).
Matières grasses	Gras de bacon, lard salé, trempettes commerciales, vinaigrettes, mayonnaise, sauce à salades, beurre et margarines salés.
Viandes (et substituts), noix et graines salées	Produits fumés ou salés : bacon, jambon, saucisse, lard salé, viandes froides, filets de poulet ou de poisson, abats, fruits de mer, thon, saumon, sardines, hareng, anchois, caviar, viandes kascher, poisson ou viande en conserve. Légumineuses en conserve, beurre d'arachide salé.
Pommes de terre ou substituts	Croustilles salées, frites, pommes de terre instantanées, riz en enveloppe, mélanges de pâtes en enveloppe.
Assaisonnements	Sel, quantités excessives de levure chimique, bicarbonate de sodium ; sel de céleri, d'oignon et d'ail et autres sels ; Accent, glutamate monosodique, sauce Worcestershire, sauce soya, moutarde, ketchup, raifort, sauce chili, sauce tomate, sauce barbecue, sauce brune, sauce teriyaki, sauces HP et VP, relish, marinades..
Soupes	Soupes commerciales, cubes de bouillon, soupes déshydratées, concentré liquide.
Légumes	Choucroute, jus de tomate, jus V8, légumes congelés contenant du sel ou du sodium, sauce tomate commerciale, légumes préparés avec du sel.
Aliments divers	Olives ; cornichons ; maïs soufflé salé ; repas congelés ; mets mexicains, italiens, orientaux selon les préparations habituelles.

Note : Tout ce qui contient du bicarbonate de sodium, du sel ou du glutamate monosodique convient aux régimes alimentaires hypersodés.

soins et prévenir un épisode aigu qui nécessiterait une période d'hospitalisation plus longue.

Intervention en phase aiguë. Il peut arriver que de nombreuses personnes atteintes d'ICC n'éprouvent aucun épisode aigu. Par contre, lorsqu'un tel épisode se manifeste, le client est habituellement traité aux soins intensifs coronariens pour commencer, puis transféré dans une unité de soins généraux une fois que son état est stable. Le plan de soins infirmiers pour le client atteint d'ICC (voir encadré 23.5) s'applique aux cas où l'ICC chronique ou aiguë est stable.

Soins ambulatoires et soins à domicile. L'ICC est une maladie chronique chez la plupart des personnes. Les principales responsabilités infirmières consistent à éduquer le client en ce qui concerne les changements physiologiques qu'il éprouve et à l'aider à s'adapter aux changements tant physiologiques que psychologiques qui se produisent. L'infirmière doit insister sur le fait qu'il peut mener une vie productive malgré ce trouble

cardiaque. Les soins infirmiers à domicile dispensés par le personnel du CLSC sont indispensables pour prévenir l'hospitalisation ultérieure du client. Ces soins servent à faire le suivi de l'examen clinique, à surveiller les signes vitaux et à vérifier la réaction aux traitements. Le suivi de ces clients en milieu extrahospitalier est une priorité en matière de soins. L'encadré 23.6 présente un guide d'enseignement au client et à sa famille.

Les clients atteints d'ICC doivent souvent prendre des médicaments pour le reste de leur vie. Cette situation peut s'avérer difficile, car le client est souvent asymptomatique lorsque l'ICC est maîtrisée. L'infirmière doit donc insister sur le fait que la maladie est chronique et que les médicaments doivent être pris pour que l'insuffisance cardiaque soit maîtrisée.

Le client doit évaluer l'action des médicaments prescrits. Il doit également être en mesure de reconnaître les manifestations de l'intoxication digitalique (voir tableau 23.5), de prendre sa fréquence cardiaque, de savoir dans quelles circonstances il doit cesser de

COLLECTE DE DONNÉES

Insuffisance cardiaque congestive

ENCADRÉ 23.4

Données subjectives

Information importante concernant la santé

- Antécédents de santé : coronaropathie (y compris un infarctus du myocarde récent), hypertension, myocardiopathie, cardiopathie valvulaire ou congénitale, diabète, maladie thyroïdienne ou pulmonaire, pouls rapide ou irrégulier.
- Médicaments : utilisation et observance du traitement médicamenteux ; utilisation de diurétiques, d'œstrogènes, de corticostéroïdes, de phénylbutazone, d'anti-inflammatoires non stéroïdiens.

Modes fonctionnels de santé

- Mode perception et gestion de la santé : fatigue.
- Mode nutrition et métabolisme : consommation habituelle de sodium, nausées et vomissements, anorexie, sensation de plénitude ; augmentation de la masse.
- Mode élimination : nycturie, diminution du débit urinaire pendant le jour, constipation.
- Mode activité et exercice : dyspnée, orthopnée, toux, palpitations ; étourdissements, évanouissements.
- Mode sommeil et repos : nombre d'oreillers utilisés pour dormir ; dyspnée paroxystique nocturne.
- Mode cognition et perception : douleur thoracique ou lourdeur ; douleur au quadrant supérieur droit, malaise abdominal ; changements comportementaux.

Données objectives

Appareil tégumentaire

- Peau moite et froide ; cyanose ou pâleur, coloration brunâtre (insuffisance chronique), œdème périphérique (insuffisance cardiaque droite).

Appareil respiratoire

- Tachypnée, râles crépitants, râles humides ou ronchi, respiration sifflante (*wheezing*) ; expectorations spumeuses et teintées de sang.

Appareil cardiovasculaire

- Tachycardie, B_3, B_4, souffles ; poul alternant, choc de la pointe du cœur déplacé inférieurement et postérieurement, distension des veines jugulaires.

Appareil gastro-intestinal

- Distension abdominale, hépatosplénomégalie, ascite.

Système neurologique

- Agitation, confusion, diminution de l'attention ou de la mémoire.

Résultats possibles

- Altération des électrolytes sériques (surtout Na^+ et K^+), élévation de l'azote uréique du sang, de la créatinine ou des résultats aux tests de la fonction hépatique ; radiographie pulmonaire démontrant une cardiomégalie, congestion pulmonaire et œdème pulmonaire interstitiel ; échocardiogramme montrant une augmentation de la taille des cavités et une diminution du mouvement de la paroi ; élargissement auriculaire (onde P) et ventriculaire (complexe QRS) à l'ECG ; ↑ PAP, ↑ PCP, ↓ DC, ↓ IC, ↓ saturation en O_2, ↑ RVS lors de la surveillance hémodynamique.

DC : débit cardiaque ; ECG : électrocardiogramme ; IC : index cardiaque ; PAP : pression artérielle pulmonaire ; PCP : pression capillaire pulmonaire ; RVS : résistance vasculaire systémique.

---

prendre les médicaments, notamment la digoxine (Lanoxin), et de consulter son médecin. La FC doit toujours être prise pendant une minute complète. Une FC inférieure à 50 à 60 battements par minute (bpm) peut refléter une contre-indication à la prise de digoxine, à moins d'avis contraire du médecin. Une FC lente peut indiquer le besoin de modifier le traitement digitalique. Cependant, en l'absence d'un bloc cardiaque du premier degré ou de l'apparition d'une ectopie ventriculaire, une fréquence cardiaque <60 bpm n'est pas une contre-indication à la prise de digoxine. Une fréquence cardiaque de 50 bpm peut être acceptable, notamment chez un client qui prend également des β-bloquants.

L'infirmière doit aussi renseigner le client au sujet des symptômes d'hypokaliémie s'il prend des diurétiques qui entraînent l'excrétion de potassium. (Le chapitre 10 présente les manifestations de l'hypokaliémie.) L'hypokaliémie sensibilise le myocarde à l'intoxication à la digoxine. Par conséquent, l'intoxication peut se manifester après la prise d'une dose habituelle de digoxine. Il est également fréquent de prescrire des suppléments de potassium au client prenant un diurétique thiazidique ou un diurétique de l'anse.

L'infirmière, le physiothérapeute ou l'ergothérapeute peut enseigner au client les comportements qui permettent d'économiser l'énergie après avoir évalué les activités quotidiennes. Par exemple, une fois que l'infirmière connaît les activités quotidiennes du client, elle peut lui suggérer des façons de simplifier le travail ou de modifier une activité. Il arrive souvent qu'on doive prescrire au client une période de repos après une activité, car de nombreuses personnes actives ont besoin de cette « permission » pour ne pas avoir l'impression d'être « paresseux ». Parfois, le client doit cesser de pratiquer une activité qu'il aime. Dans une telle situation, l'infirmière doit l'aider à envisager d'autres activités qui entraînent moins de stress physique et cardiaque. Il est possible que le milieu physique doive être modifié lorsqu'une situation donnée fait augmenter la charge cardiaque (p. ex. monter fréquemment l'escalier). L'infirmière peut aider le client à déterminer les domaines dans lesquels il peut obtenir de l'aide extérieure.

⟶ Plan de soins infirmiers

ENCADRÉ 23.5

Client atteint d'insuffisance cardiaque congestive

DIAGNOSTIC INFIRMIER : intolérance à l'activité reliée à la fatigue consécutive à l'insuffisance cardiaque, à une congestion pulmonaire et à une alimentation inadéquate, se manifestant par une dyspnée, de l'essoufflement, une augmentation ou une diminution du pouls à l'effort.

PLANIFICATION

Résultats escomptés
- Capacité de tolérer l'activité.
- Besoins atteints de façon satisfaisante.

INTERVENTIONS	Justifications
• Évaluer quotidiennement le client afin de déceler la présence de dyspnée, de fatigue, et vérifier la fréquence du pouls.	• Déterminer le niveau d'activité pouvant être pratiqué.
• Fournir un repos émotionnel et physique.	• Réduire la consommation d'oxygène et soulager la dyspnée et la fatigue.
• Prendre plusieurs petits repas au lieu de trois repas copieux par jour.	• Réduire le débit cardiaque est nécessaire à la digestion.
• Enseigner au client comment maintenir un bon équilibre énergétique tout en pratiquant des activités variées.	• Favoriser la prise en charge des activités appropriées*.

DIAGNOSTIC INFIRMIER : perturbation des habitudes de sommeil reliée à la dyspnée nocturne, à l'incapacité d'adopter une position favorable au sommeil et à la nycturie, se manifestant par une incapacité de dormir toute la nuit.

PLANIFICATION

Résultat escompté
- Sentiment de repos au réveil.

INTERVENTIONS	Justifications
• Expliquer la cause de la dyspnée nocturne.	• Réduire les craintes causées par le réveil dans un état dyspnéique aigu.
• Explorer avec le client les positions favorisant le confort qu'il pourrait adopter, comme dormir avec deux oreillers ou plus.	• Soulager la dyspnée.
• Faire prendre au client des diurétiques assez tôt dans la journée.	• Réduire la nycturie.

DIAGNOSTIC INFIRMIER : excès de volume liquidien relié à une insuffisance de la pompe cardiaque et à une rétention hydrique, se manifestant par de l'œdème et une dyspnée à l'effort.

PLANIFICATION

Résultats escomptés
- Réduction de l'œdème ou absence de cette manifestation.
- Réduction de la dyspnée à l'effort.

INTERVENTIONS	Justifications
• Évaluer le degré d'œdème périphérique et mesurer quotidiennement l'abdomen.	• Obtenir des données sur la réaction du client au traitement.
• Administrer des agents digitaliques et des diurétiques.	• Augmenter le débit cardiaque en améliorant la contractilité et éliminer l'œdème.
• Évaluer les ingesta et les excreta à chaque quart de travail.	• Surveiller l'équilibre hydrique.
• Peser le client quotidiennement.	• Surveiller la rétention hydrique et la perte de masse.
• Observer les manifestations d'hypokaliémie.	• L'hypokaliémie sensibilise le myocarde à la digoxine.
• Fournir un régime alimentaire restreint en sodium selon l'ordonnance.	• Minimiser toute possibilité de rétention hydrique.
• Évaluer la respiration (fréquence, rythme, amplitude).	• Obtenir des données sur la réaction du client au traitement.

* Voir encadré 23.6.

Plan de soins infirmiers

Client atteint d'insuffisance cardiaque congestive (*suite*)

DIAGNOSTIC INFIRMIER : risque d'atteinte à l'intégrité de la peau relié à l'œdème ou à l'immobilité.

PLANIFICATION
Résultat escompté
- Aucune détérioration des tissus cutanés dans les zones œdémateuses.

INTERVENTIONS	Justifications
• Évaluer les zones œdémateuses pour vérifier s'il y a détérioration des tissus cutanés.	• Ces zones sont plus vulnérables à la détérioration (risque de plaie).
• Surveiller les signes d'œdème comme de la pression, une peau brillante, de l'œdème sacro-iliaque, de l'œdème prenant le godet ou de l'œdème déclive.	• Établir la localisation et la gravité de l'œdème.
• Aider le client à faire des exercices d'amplitude du mouvement passifs des extrémités q4h.	• Faciliter le retour veineux.
• Manipuler délicatement la peau œdémateuse.	• Le tissu est douloureux et fragile.
• Tourner et repositionner le client q2h.	• Prévenir la pression sur les tissus cutanés et, conséquemment, le risque de lésion par pression.

DIAGNOSTIC INFIRMIER : perturbation des échanges gazeux reliée à une augmentation de la précharge, à une insuffisance mécanique ou à l'immobilité, se manifestant par une augmentation de la fréquence respiratoire, des essoufflements et une dyspnée à l'effort.

PLANIFICATION
Résultat escompté
- Fréquence respiratoire de 12 à 18/min.

INTERVENTIONS	Justifications
• Relever la tête du lit en position de Fowler haute.	• Améliorer la ventilation en diminuant le retour veineux vers le cœur et en augmentant la capacité respiratoire.
• Appuyer les bras du client sur des oreillers.	• Favoriser l'expansion pulmonaire afin de faciliter la respiration.
• Encourager le client à faire des exercices actifs d'amplitude articulaire des pieds et des jambes.	• Améliorer la circulation grâce à la contraction musculaire et prévenir la complication de thrombophlébite.
• Administrer de l'oxygène humidifié par lunettes nasales.	• Améliorer la saturation en oxygène, aider à combler les besoins tissulaires en oxygène et soulager la dyspnée et la fatigue.
• Ausculter les poumons et les bruits cardiaques q4h.	• Évaluer la réaction du client au traitement.
• Utiliser l'oxymétrie pulsée (SaO$_2$).	• Surveiller l'état d'oxygénation.

DIAGNOSTIC INFIRMIER : anxiété reliée à la dyspnée ou au danger (réel ou perçu) menaçant l'intégrité physique, se manifestant par de l'instabilité psychomotrice, de l'irritabilité et des sentiments d'appréhension par anticipation du danger.

PLANIFICATION
Résultat escompté
- Expression de la diminution des sentiments d'appréhension face à la maladie et au pronostic.

INTERVENTIONS	Justifications
• Évaluer le niveau d'anxiété.	• Planifier des interventions selon le niveau d'anxiété.
• Observer l'expression faciale et le comportement pour déceler la présence de sentiments d'appréhension.	• Favoriser la détermination du degré d'anxiété et les interventions infirmières à entreprendre dans l'immédiat.
• Permettre au client de poser des questions.	• Atténuer son anxiété en l'informant exactement de ce à quoi il doit s'attendre.
• Répondre rapidement au client lorsqu'il sonne la cloche d'appel et lui expliquer la procédure.	• Favoriser un sentiment de sécurité.
• Être calme avec le client.	• Accroître sa confiance à l'égard du personnel soignant et atténuer l'anxiété.
• Utiliser des mesures pour diminuer la dyspnée (p. ex. repos, élévation de la tête du lit).	• Réduire l'anxiété et améliorer la respiration.

➡ **Plan de soins infirmiers**

Client atteint d'insuffisance cardiaque congestive (*suite*)

DIAGNOSTIC INFIRMIER : prise en charge inefficace du régime thérapeutique reliée au manque de connaissances en ce qui concerne les signes et symptômes d'ICC, le régime alimentaire approprié et les médicaments, se manifestant par la non-observance du régime hyposodé et les questions posées sur la maladie, le régime et les médicaments.

PLANIFICATION

Résultats escomptés

- Expression de ses connaissances du processus morbide, du régime alimentaire et du traitement médicamenteux.
- Observance du régime thérapeutique.

INTERVENTIONS	Justifications
• Renseigner le client sur les manifestations devant être signalées, notamment l'essoufflement au repos, l'œdème des chevilles, des pieds ou de l'abdomen, la perte d'appétit, les nausées et les vomissements, l'augmentation de la masse de 0,9 à 1,4 kg en 2 jours, la polyurie, la toux persistante, les changements de la fréquence cardiaque à une valeur se situant à plus ou moins 20 battements de la fréquence habituelle.	• Le client doit connaître les signes et symptômes d'une ICC qui se détériore.
• Informer le client en ce qui concerne les restrictions alimentaires (p. ex. régime hyposodé, réduction de la masse) et les traitements, incluant les médicaments.	• S'assurer que le client a un apport nutritionnel adéquat et que les médicaments sont appropriés.

L'infirmière à domicile est essentielle pour dispenser des soins au client atteint d'ICC et pour aider la famille. Il est extrêmement important de procéder à des examens physiques fréquents, notamment de prendre les signes vitaux et de vérifier la masse corporelle. L'infirmière à domicile dispense habituellement les soins en fonction des protocoles établis par le médecin du client ou de l'équipe soignante. Ces protocoles peuvent permettre à l'infirmière et au client de cerner les problèmes, comme une augmentation de la masse corporelle et de la FC et des manifestations qui témoignent de la détérioration de l'insuffisance, ainsi que de planifier des interventions pour prévenir l'hospitalisation. Les changements de médicaments et les restrictions hydriques peuvent également être compris dans ces protocoles. Les soins infirmiers à domicile pour les clients atteints d'ICC sont importants afin de réduire le nombre d'hospitalisations, d'augmenter la capacité fonctionnelle et de hausser la qualité de vie.

Évaluation. Les résultats escomptés à l'égard du client atteint d'ICC sont présentés dans l'encadré 23.5.

23.2 MYOCARDIOPATHIE

La **myocardiopathie** est un terme utilisé pour décrire un ensemble de maladies touchant le muscle cardiaque, dont l'origine est inconnue et qui affecte principalement la capacité structurelle ou fonctionnelle du myo-

carde. Le diagnostic de myocardiopathie est posé en fonction des manifestations cliniques observées chez le client et des interventions cardiaques effractives (invasives) et non effractives (non invasives) dans le but d'écarter toute autre cause de dysfonctionnement. Le client atteint de myocardiopathie requiert des soins infirmiers complexes et a souvent besoin d'une prise en charge et de traitements particuliers.

La myocardiopathie peut être classifiée comme primaire ou secondaire. La myocardiopathie primaire englobe les affections dont l'origine est inconnue. Le myocarde est la seule partie du cœur atteinte, alors que les autres structures cardiaques sont intactes. Dans le cas d'une myocardiopathie secondaire, la cause de la

TABLEAU 23.9	Causes de la myocardiopathie secondaire	
Dilatée	**Hypertrophique**	**Restrictive**
Ischémie	Prédisposition	Amyloïdose
Dysfonction valvulaire	génétique	Endomyocardite
Infection	Hypertension	Fibrose
Grossesse	Cardiopathie valvulaire	Syndrome de Löffler
Trouble métabolique	obstructive	Sarcoïdose
Hypertension	Maladie thyroïdienne	Tumeur néoplasique
Cardiotoxicité	Glycogénose	Thrombus
Alcool	Maladie de Friedreich	ventriculaire
Adriamycine	Nourrissons de mères	
Cobalt	diabétiques	
Cocaïne		

Insuffisance cardiaque congestive

ENCADRÉ 23.6

Repos
- Prévoir une période de repos et un programme d'activités quotidien.
- Prévoir une période de repos après l'effort, lors d'exercices et de l'exécution des AVQ.
- Diminuer les heures de travail ou prévoir une période de repos pendant les heures de travail.
- Éviter les perturbations émotionnelles.

Pharmacothérapie
- Prendre quotidiennement chaque médicament selon la prescription.
- Établir un système de vérification (p. ex. un tableau quotidien ou une dosette) pour s'assurer que les médicaments ont été pris.
- Mesurer sa fréquence cardiaque chaque jour avant de prendre les médicaments. Connaître les paramètres acceptables de la fréquence cardiaque donnés par le médecin.
- Apprendre à mesurer sa pression artérielle à des intervalles déterminés. Connaître les limites acceptables de sa PA.
- Nommer les signes et symptômes de l'hypotension orthostatique et les façons de la prévenir.
- Nommer les signes et symptômes de la déplétion potassique.
- Connaître les signes et symptômes d'une hémorragie interne : douleurs abdominales, hématurie, méléna. Savoir quoi faire dans ces cas.
- Connaître son propre rapport international normalisé (RIN) lors de la prise de Coumadin et la fréquence des analyses sanguines.

Recommandations nutritionnelles
- Consulter le régime alimentaire écrit et énumérer les aliments permis et restreints.

- Lire l'étiquette d'information sur les contenants pour connaître la teneur en sodium. Éviter la prise de médicaments en vente libre comme les laxatifs, les produits contre la toux et les antiacides ou consulter le pharmacien.
- Éviter de saler les aliments.
- Se peser à la même heure chaque jour, de préférence avant de déjeuner.
- Rapporter tout gain de poids >0,9 à 1,4 kg en quelques jours.
- Prendre de petits repas mais plus fréquemment.

Programme d'activités
- Augmenter la marche et les autres activités graduellement, dans la mesure où elles ne provoquent pas de fatigue ni de dyspnée.
- Éviter les chaleurs et les froids extrêmes.
- Consulter régulièrement le médecin.

Surveillance continue
- Connaître les signes et symptômes d'une insuffisance cardiaque récurrente ou progressive.
- Se souvenir des symptômes ressentis lorsque la maladie est apparue, car la réapparition des symptômes peut indiquer le retour de la maladie.
- Rapporter immédiatement au médecin l'apparition des troubles suivants :
  - augmentation de la masse corporelle ;
  - perte d'appétit ;
  - essoufflement pendant les activités ;
  - essoufflement au repos ;
  - œdème des chevilles, des pieds ou de l'abdomen ;
  - toux persistante ;
  - nycturie ;
  - dyspnée nocturne paroxystique.

---

maladie myocardique est connue et attribuable à un autre processus morbide. Les causes fréquentes de myocardiopathie secondaire sont l'ischémie, les infections virales, la consommation d'alcool, la toxicomanie et la grossesse (voir tableau 23.9).

L'Organisation mondiale de la santé (OMS) a classifié les affections myocardiopathiques en trois types généraux : dilatée (congestive), hypertrophique et restrictive (voir tableau 23.10). Chaque type a une pathogenèse, une présentation clinique et des protocoles de traitement qui lui sont propres. Tous ces types de myocardiopathie peuvent entraîner une cardiomégalie et une ICC.

23.2.1 Myocardiopathie dilatée

Étiologie et physiopathologie. La **myocardiopathie dilatée (congestive)** est le principal type de myocar-

diopathie, comptant pour plus de 90 % de tous les cas et se caractérisant par une cardiomégalie associée à une dilatation ventriculaire, à une atteinte de la fonction systolique, à une hypertrophie de l'oreillette et à la stase du sang dans le ventricule gauche. La cardiomégalie est attribuable à une dilatation ventriculaire primaire (voir figure 23.5). La séquence clinique de cette atteinte de la fonction systolique ressemble beaucoup à celle de l'ICC. Étant donné que la fraction d'éjection chute et que le DC est plus faible, il se produit une stase du sang. Le fait que les parois du ventricule ne deviennent pas hypertrophiées est ce qui distingue ce trouble de l'ICC chronique (voir figure 23.6). On estime que ce phénomène serait dû à la destruction rapide des cellules, qui laisserait peu de temps aux ventricules de s'hypertrophier. La détérioration est rapide après l'apparition des symptômes, et on estime qu'entre 20 et 50 % des clients décéderont au cours de la première année.

Soutien social pour les femmes âgées atteintes d'insuffisance cardiaque

ENCADRÉ 23.7

Article : FRIEDMAN, MM. « Social support sources among older women with heart failure: continuity versus loss over time », *Res Nurs Health*, vol. 20, no 319, 1997.

Objectif : l'étude visait à déterminer si les femmes âgées atteintes d'insuffisance cardiaque continuaient ou non à recevoir un soutien tangible et émotionnel au cours d'une période de 18 mois pendant leur maladie.

Méthodologie : des entrevues à domicile ont été menées auprès de 57 femmes âgées de 55 ans après leur hospitalisation pour une insuffisance cardiaque. Deux entrevues ont été menées à un intervalle de 18 mois. Les questionnaires ont permis d'obtenir des données de nature démographique, des renseignements sur le soutien social offert, les sources de soutien social, le bien-être psychologique et la satisfaction quant à la vie en général.

Résultats et conclusion : au cours des 18 mois de l'étude, le soutien émotionnel et tangible était relativement stable. Ces résultats laissent supposer que la plupart des femmes prenant part à cette étude disposaient d'un réseau informel composé de la famille et des amies qui fournissaient un soutien émotionnel et tangible continu. Les femmes qui avaient perdu leurs sources de soutien primaire avaient tendance à les remplacer par d'autres sources provenant de leur réseau de soutien informel. Les femmes qui avaient connu une plus grande perte quant à leurs services de soutien tangible étaient plus susceptibles de signaler des sentiments de dépression.

Incidences sur la pratique : l'insuffisance cardiaque est une cause importante d'invalidité chez les femmes plus âgées de cette étude ; elle est marquée par l'intolérance à l'effort et l'incapacité d'accomplir des activités de la vie quotidienne. Il est indispensable pour les clientes atteintes d'insuffisance cardiaque vivant en collectivité de bénéficier d'une aide continue provenant de diverses sources de soutien. Les services de soins infirmiers peuvent être utiles pour évaluer les services de soutien (génogramme) et le bien-être psychologique des clientes atteintes d'insuffisance cardiaque. Ces évaluations pourraient servir à déceler les personnes vulnérables qui ont besoin d'une intervention.

Aucune cause spécifique n'a été identifiée, même si une myocardiopathie dilatée survient souvent après une myocardite infectieuse. La thyrotoxicose, le diabète, les toxines (surtout l'alcool et la cocaïne), les agents chimiothérapeutiques, les carences nutritionnelles, la grossesse et les médicaments qui provoquent une réaction d'hypersensibilité ont tous été associés à l'apparition d'une myocardiopathie dilatée. Peu importe la cause initiale, cette affection entraîne une inflammation diffuse et une dégénérescence rapide des fibres myocardiques qui diminuent la fonction contractile.

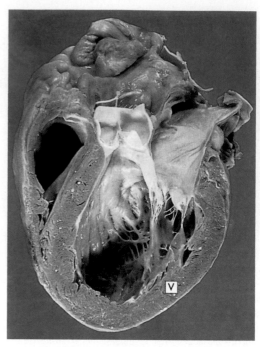

FIGURE 23.5 Manifestations cliniques de l'insuffisance cardiaque

Manifestations cliniques. Les signes et symptômes de la myocardiopathie dilatée apparaissent insidieusement. Les clients qui en sont atteints peuvent présenter des signes et symptômes d'ICC. Ces symptômes peuvent comprendre un changement dans la tolérance à l'effort, de la fatigue, une toux sèche, une dyspnée, une dyspnée paroxystique nocturne, une orthopnée, des palpitations et de l'anorexie. Parmi les signes, on peut compter les bruits cardiaques B_3 et B_4, de la tachycardie, des râles pulmonaires crépitants, de l'œdème, un faible pouls périphérique, de la pâleur, une hépatomégalie et une distension veineuse jugulaire. Le client peut aussi faire de l'arythmie ou être exposé à un risque d'embolie systémique.

Épreuves diagnostiques. Le diagnostic de myocardiopathie dilatée est fondé sur les antécédents du client et d'autres affections qui causent l'ICC. La radiographie pulmonaire révèle une cardiomégalie. Il peut y avoir des signes d'hypertension veineuse pulmonaire et d'épanchement pleural. L'ECG peut révéler de la tachycardie et de l'arythmie. On peut aussi observer des troubles de conduction en raison de l'élongation du septum interventriculaire. L'échocardiographie est utile pour distinguer la myocardiopathie dilatée d'autres anomalies structurelles. Elle permet d'examiner la taille de la cavité ventriculaire, de mesurer l'épaisseur du myocarde et d'évaluer l'état des valves.

Le cathétérisme cardiaque et l'angiographie coronarienne servent à évaluer les manifestations de la myocardiopathie dilatée. Les artères coronaires sont souvent normales. Le ventriculogramme gauche peut

TABLEAU 23.10   Caractéristiques des myocardiopathies

	Dilatée	Hypertrophique	Restrictive
Étiologie	Affection idiopathique, alcoolisme, grossesse, myocardite, carence nutritionnelle (vitamine B₁), exposition aux toxines et aux médicaments et maladie génétique	Trouble héréditaire (dominant auto-somique), hypertension chronique possible	Amyloïdose, exposition à des radiations, chirurgie cardiaque, diabète
Principales manifestations	Fatigue, faiblesse, palpitations, dyspnée, toux sèche	Dyspnée à l'effort, fatigue, angine, syncope, palpitations	Dyspnée, fatigue, palpitations
Cardiomégalie	Modérée à marquée	Bénigne	Bénigne à modérée
Contractilité	Diminution	Augmentation ou diminution	Normale ou diminution
Insuffisance valvulaire	Valves auriculo-ventriculaires, particulièrement mitrale	Valve mitrale	Valve mitrale
Arythmies	Tachycardie sinusale, arythmies auriculaires et ventriculaires	Tachyarythmies	Arythmies auriculaires et ventriculaires
Débit cardiaque	Diminution	Diminution	Normal ou diminution
Volume systolique	Diminution	Normal ou augmentation	Diminution
Fraction d'éjection	Diminution	Augmentation	Normale ou diminution
Obstruction de la voie d'éjection	Aucune	Augmentation	Aucune

PROCESSUS DIAGNOSTIQUE ET THÉRAPEUTIQUE

Myocardiopathies   ENCADRÉ 23.8

Diagnostic
- Antécédents de santé et examen physique
- ECG
- Radiographie pulmonaire
- Échocardiogramme
- Épreuves d'imagerie nucléaire
- Cathétérisme cardiaque
- Biopsie endocardique

Processus thérapeutique
- Traitement de la cause sous-jacente
- Digitale (sauf en présence de myocardiopathie hypertrophique et d'un rythme sinusal normal)
- Diurétiques
- IECA
- Repos au lit (si indiqué)
- Anticoagulants (si indiqués)
- Antiarythmiques (si indiqués)
- β-bloquants (pour la myocardiopathie hypertrophique)
- Perfusions intermittentes de dobutamine (Dobutrex) ou de milrinone (Primacor)
- Transplantation cardiaque
- Correction chirurgicale

déceler un mouvement anormal de la paroi causé par la dilatation, la minceur de la paroi et la dilatation des ventricules. La biopsie endomyocardique peut être effectuée en même temps que le cathétérisme cardiaque droit. Bien que les données recueillies soient rarement importantes pour le traitement, elles peuvent toutefois servir à écarter d'autres diagnostics.

Soins infirmiers et processus thérapeutique : myocardiopathie dilatée. Les interventions sont axées sur la maîtrise de l'ICC par l'amélioration de la contractilité myocardique et la diminution de la postcharge. Ces interventions sont semblables à celles qui s'appliquent au traitement de l'ICC chronique (voir encadré 23.8). Le traitement est donc davantage palliatif que curatif. La digoxine est utilisée en présence de fibrillation auriculaire, les diurétiques sont administrés pour diminuer la précharge et les vasodilatateurs, tels que les IECA, sont employés pour réduire la postcharge. La pharmacothérapie, les recommandations nutritionnelles et la réadaptation cardiaque peuvent aider à soulager les symptômes d'ICC et à améliorer le débit cardiaque. Le processus morbide sous-jacent chez le client atteint d'une myocardiopathie secondaire dilatée doit être

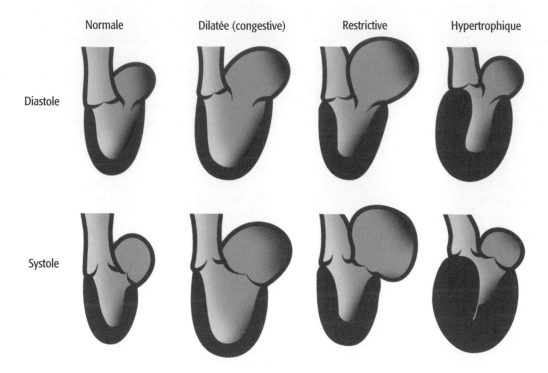

FIGURE 23.6 Types de myocardiopathie et différences dans le diamètre du ventricule pendant la systole et la diastole comparativement à un cœur normal

traité. Par exemple, le client présentant une myocardiopathie dilatée causée par l'alcool doit s'abstenir de boire de l'alcool.

Malheureusement, la myocardiopathie dilatée ne répond pas bien au traitement. Une des approches thérapeutiques de cette affection consiste à administrer des perfusions intermittentes de dobutamine (Dobutrex) ou de milrinone (Primacor), pour lesquelles on procède à l'hospitalisation du client pendant 72 heures. Il arrive que ces perfusions soient administrées sur une période de huit heures en consultation externe ou à domicile. Après le traitement, de nombreux clients bénéficient d'une atténuation des symptômes qui peut durer plusieurs semaines.

Le client atteint d'une myocardiopathie en phase terminale peut devoir subir une transplantation cardiaque. À l'heure actuelle, environ 50 % des transplantations cardiaques servent à traiter des affections myocardiopathiques. Du point de vue de la survie, les receveurs de transplantation cardiaque ont un bon pronostic. Cependant, les donneurs de cœur se font rares. De nombreux clients atteints d'une myocardiopathie dilatée meurent en attendant une transplantation cardiaque.

Les clients présentant une myocardiopathie dilatée sont très malades et ont un pronostic sombre qui nécessite des soins infirmiers spécialisés. La famille du client doit apprendre la technique de réanimation cardiorespiratoire (RCR) et savoir comment joindre les soins d'ur-

gence. L'infirmière doit inclure les membres de la famille et recommander des programmes de soutien dans la planification des soins au client.

L'infirmière en soins à domicile peut fournir au client et à sa famille un suivi continu, ainsi que les interventions thérapeutiques nécessaires à l'optimisation et au maintien de l'état fonctionnel. L'observation des signes et symptômes de détérioration de l'insuffisance,

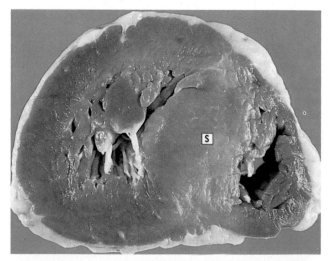

FIGURE 23.7 Myocardiopathie hypertrophique. On peut observer une hypertrophie marquée du ventricule gauche, un état qui touche souvent le septum (S).

d'arythmie et de formation d'une embolie est extrêmement importante pour ce client, tout comme la surveillance de la réaction aux médicaments. Les infirmières en soins à domicile jouent un rôle essentiel dans l'atteinte des objectifs du traitement, qui consistent à maintenir le client dans un état fonctionnel et à éviter l'hospitalisation.

23.2.2 Myocardiopathie hypertrophique

Physiopathologie. La myocardiopathie hypertrophique engendre une hypertrophie obstructive du cœur sans dilatation ventriculaire (voir figure 23.7) et semble avoir une cause génétique autosomique dominante. Le nombre de myocardiopathies hypertrophiques est inférieur au nombre de myocardiopathies dilatées, et les hommes sont plus touchés que les femmes. La myocardiopathie hypertrophique est habituellement diagnostiquée chez les jeunes adultes et est souvent observée chez les athlètes et les personnes actives. Cette affection est aussi appelée myocardiopathie obstructive hypertrophique.

Les quatre principales caractéristiques de la myocardiopathie hypertrophique sont : l'hypertrophie ventriculaire massive ; la contraction rapide et sous forte pression du ventricule gauche ; une perturbation de la détente ; l'obstruction du débit aortique (non manifeste chez tous les clients). L'hypertrophie ventriculaire est associée à un épaississement du septum interventriculaire et de la paroi ventriculaire (voir figure 23.6). Le résultat est une perturbation du remplissage ventriculaire lorsque le ventricule n'assure plus sa fonction et qu'il est incapable de se détendre. La principale anomalie de la myocardiopathie est le dysfonctionnement diastolique. La diminution du remplissage ventriculaire et l'obstruction du DC peuvent entraîner une chute du débit cardiaque, surtout pendant l'effort, lorsqu'une augmentation de ce dernier est nécessaire.

Manifestations cliniques. Les manifestations cliniques comprennent la dyspnée à l'effort, la fatigue, l'angine et la syncope. Le symptôme le plus fréquent est la dyspnée, qui est provoquée par une pression diastolique ventriculaire gauche élevée. La fatigue est attribuable à la diminution du DC et à l'obstruction du débit provoquée par l'effort. L'angine, souvent attribuable à l'augmentation de la masse musculaire du ventricule gauche ou à la compression des petites artères coronaires par le myocarde ventriculaire hypercontractile, peut ainsi apparaître. Le client peut aussi faire une syncope, notamment pendant l'effort. La syncope est habituellement causée, chez ces clients, par une augmentation de l'obstruction du débit aortique pendant l'intensification de l'activité, ce qui entraîne une diminution du débit cardiaque et de la circulation cérébrale. De plus, l'arythmie peut être à l'origine de la

syncope. Souvent, le client éprouvera des palpitations causées, dans bien des cas, par l'arythmie. On retrouve au nombre des arythmies fréquentes la tachycardie supraventriculaire (TSV), la fibrillation auriculaire (FA), la tachycardie ventriculaire (TV) et la fibrillation ventriculaire (FV). L'arythmie peut engendrer une perte de conscience ou une mort subite. Cette dernière constitue la principale cause de décès chez ces clients.

Épreuves diagnostiques. La radiographie pulmonaire est souvent normale, sauf chez le client atteint d'une maladie grave qui provoque un élargissement du volume cardiaque. Une augmentation de la pression et de la durée du complexe QRS constituent les principales anomalies décelées à l'ECG. Ces résultats indiquent souvent une hypertrophie ventriculaire. On observe fréquemment des arythmies ventriculaires, dont la tachycardie ventriculaire, qui est la forme la plus fréquente.

L'échocardiogramme est le principal outil diagnostique à pouvoir révéler la caractéristique classique de la myocardiopathie hypertrophique, c'est-à-dire l'hypertrophie ventriculaire gauche. L'échocardiogramme peut aussi illustrer des anomalies dans le mouvement de la paroi et un dysfonctionnement diastolique. Le cathétérisme cardiaque peut aussi être utile pour diagnostiquer une myocardiopathie hypertrophique.

Soins infirmiers et processus thérapeutique : myocardiopathie hypertrophique. L'intervention vise à améliorer le remplissage ventriculaire en réduisant la contractilité ventriculaire et en soulageant l'obstruction du débit dans le ventricule gauche. Cet objectif peut être atteint par l'administration de β-bloquants ou d'inhibiteurs calciques. La digoxine (Lanoxin) est contre-indiquée, sauf si elle est utilisée pour traiter une fibrillation auriculaire. L'ICC peut aussi être présente à des degrés divers, mais elle ne l'est normalement pas avant les stades avancés. Des antiarythmiques sont aussi utilisés pour maîtriser les arythmies ; cependant, il n'a pas été prouvé que leur administration prévient la mort subite chez ces clients. Le défibrillateur implantable peut également servir à traiter les arythmies ventriculaires, mais son efficacité n'est pas encore démontrée et il est coûteux (voir chapitre 24). On a découvert que la stimulation ventriculaire ou auriculo-ventriculaire peut être bénéfique pour les clients atteints de myocardiopathie hypertrophique et présentant une obstruction du débit. En stimulant les ventricules depuis l'apex du ventricule droit, ce dispositif entraîne une dépolarisation septale qui permet au septum de s'éloigner de la paroi du ventricule gauche et réduit le degré d'obstruction de la voie d'éjection.

Certains clients peuvent être admissibles à l'intervention chirurgicale qui permet de traiter le septum hypertrophié. Les indications pour la chirurgie sont, entre autres, les symptômes graves réfractaires au traitement, accompagnés d'une obstruction marquée du débit aortique. La chirurgie est appelée ventriculotomie et myectomie et requiert une incision du muscle septal hypertrophié et une résection d'une partie du muscle hypertrophié. La plupart des clients qui subissent l'intervention connaissent une bonne amélioration de leur état sur le plan des symptômes après la chirurgie et une meilleure tolérance à l'effort.

Les interventions infirmières visent à soulager les symptômes, à observer et à prévenir les complications ainsi qu'à offrir un soutien émotionnel et psychologique. L'enseignement au client doit être axé sur les modifications du mode de vie afin d'éviter l'activité vigoureuse et la déshydratation. Toute activité ou intervention qui entraîne une augmentation de la résistance vasculaire systémique (augmentant ainsi l'obstruction du débit) est dangereuse pour ces clients et doit être évitée. Il faut enseigner au client à espacer ses activités pour lui permettre de se reposer.

23.2.3 Myocardiopathie restrictive

Étiologie et physiopathologie. La myocardiopathie **restrictive** est l'affection myocardiopathique la moins fréquente. Il s'agit d'une maladie du muscle cardiaque qui perturbe le volume diastolique et la capacité d'étirement du ventricule (voir figure 23.6). La fonction systolique n'est pas touchée par cette affection.

Même si l'origine spécifique de la myocardiopathie restrictive est inconnue, divers processus pathologiques peuvent intervenir dans son apparition. La fibrose, l'hypertrophie et l'infiltration myocardiques sont à l'origine de la raideur de la paroi ventriculaire. Les causes secondaires de la myocardiopathie restrictive sont l'amyloïdose, la fibrose endomyocardique, le dépôt de glycogène, l'hémochromatose, la sarcoïdose, la fibrose d'origine différente et la radiation touchant le thorax.

La principale caractéristique de la myocardiopathie restrictive est la rigidité myocardique, qui se caractérise par la perte de la compliance ventriculaire. Les ventricules sont résistants au remplissage et exigent donc des pressions de remplissage diastolique élevées pour maintenir le DC.

Manifestations cliniques. L'angine, la syncope, la fatigue et la dyspnée à l'effort sont des signes fréquents de myocardiopathie restrictive. Le principal symptôme est l'intolérance à l'effort, puisque le myocarde est incapable d'augmenter le débit cardiaque en produisant une tachycardie sans compromettre davantage le remplissage ventriculaire.

Les signes et les symptômes sont semblables à ceux de l'ICC. Le client peut présenter des signes d'insuffisance cardiaque gauche et droite, notamment une dyspnée, de l'œdème périphérique, de l'ascite et un dysfonctionnement hépatique. L'angle de Louis (saillie de la veine jugulaire interne du cou à l'inspiration) peut aussi être présent.

Épreuves diagnostiques. La radiographie pulmonaire peut être normale ou révéler une cardiomégalie. L'épanchement pleural et la congestion pulmonaire peuvent être apparents chez le client dont l'état évolue vers une ICC. L'ECG peut révéler une tachycardie au repos. Les principales arythmies sont la fibrillation auriculaire et les arythmies ventriculaires complexes. L'échocardiogramme peut révéler l'épaississement de la paroi ventriculaire caractéristique d'une myocardiopathie restrictive, de petites cavités ventriculaires et une oreillette dilatée. La biopsie endomyocardique, la tomodensitométrie et l'imagerie nucléaire peuvent être utiles pour poser un diagnostic définitif.

Soins infirmiers et processus thérapeutique : myocardiopathie restrictive. Aucun traitement spécifique n'existe actuellement pour traiter la myocardiopathie restrictive. Les interventions visent à améliorer le remplissage diastolique et à maîtriser le processus morbide sous-jacent. Le traitement fait appel aux approches employées pour l'ICC et les arythmies. La transplantation cardiaque peut aussi être envisagée. Les soins infirmiers sont semblables aux soins dispensés aux clients atteints de myocardiopathie hypertrophique et l'enseignement doit être axé sur la prévention des situations qui perturbent le remplissage ventriculaire, comme l'activité vigoureuse, la déshydratation et l'augmentation de la résistance vasculaire systémique.

23.2.4 Myocardiopathie due à la consommation de cocaïne

La myocardiopathie causée par l'abus de cocaïne est de plus en plus fréquente. La cocaïne provoque une vasoconstriction intense des artères coronaires et une vasoconstriction périphérique qui engendre de l'hypertension. Il peut en résulter une augmentation des besoins en oxygène du myocarde et une diminution de l'apport en oxygène au myocarde, de même qu'une ischémie et un infarctus. De plus, cette drogue peut occasionner un infarctus du myocarde aigu ou une myocardiopathie ischémique aiguë. Le taux de catécholamines circulantes est élevé à la suite de la consommation de cocaïne, ce qui peut aggraver les lésions aux cellules myocardiques et les endommager et, par conséquent, entraîner une myocardiopathie ischémique ou dilatée. Ce type de myocardiopathie est difficile à traiter. Par ailleurs, les interventions portent essentiellement sur l'ICC qui en découle. Le pronostic est faible et le client n'est généralement pas admissible à une transplantation cardiaque.

23.3 CHIRURGIE CARDIAQUE

Depuis l'avènement de la circulation extracorporelle en 1953 et de la chirurgie à cœur ouvert, réalisée par Favaloro en 1967, de nombreuses modifications et améliorations techniques ont été apportées en milieu opératoire et aux soins périopératoires dispensés au client. Le pontage aortocoronarien, la réparation et le remplacement d'une valve cardiaque et la transplantation cardiaque sont devenus des chirurgies fréquentes (voir encadré 23.9). Aujourd'hui, la chirurgie cardiaque soulage la douleur, améliore le mode de vie et augmente la survie du client qui subit une intervention à cœur ouvert.

L'infirmière qui dispense des soins à ces clients doit être au courant des nouvelles techniques de soins, qui évoluent rapidement, ainsi que des soins à dispenser au client qui n'aurait pas pu être admissible à une intervention chirurgicale il y a 10 à 20 ans. De nos jours, les clients qui présentent les caractéristiques suivantes sont admissibles aux chirurgies cardiaques : âge plus avancé ; fonction ventriculaire gauche moins bonne (fraction d'éjection <35 %) ; présence de maladies évolutives ; sternotomies antérieures ; présence d'autres maladies systémiques qui augmentent les risques de la chirurgie (p. ex. diabète, hypertension grave, néphropathie) ; et nécessité de subir des chirurgies d'urgence consécutives à une angioplastie qui n'a pas réussi ou à un infarctus du myocarde aigu. L'état de ces clients exige des soins infirmiers spécialisés.

23.3.1 Revascularisation myocardique

La revascularisation myocardique, ou PAC, constitue le principal traitement chirurgical de la coronaropathie. Les indications de la chirurgie ont changé au cours des 10 dernières années, surtout avec l'apparition de l'angioplastie coronarienne transluminale percutanée. Le client atteint de coronaropathie, pour lequel le traitement médical ne s'est pas révélé efficace ou dont la maladie a évolué vers un stade avancé, peut être admissible à une revascularisation chirurgicale. De plus en plus de recherches indiquent que le traitement chirurgical, par comparai-

Indications pour la chirurgie cardiaque	ENCADRÉ 23.9

- Anévrisme du sinus de Valsalva
- Péricardite constrictive
- Cardiopathies congénitales
- Coronaropathie
- Anévrisme disséquant de l'aorte
- Insuffisance ou sténose valvulaire
- Anévrisme ventriculaire
- Communication interventriculaire
- Arythmies ventriculaires

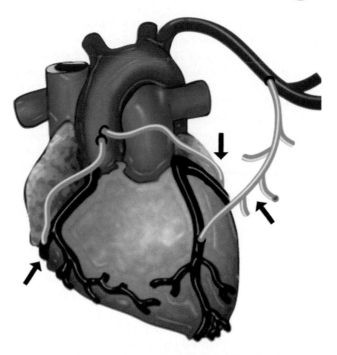

FIGURE 23.8 Pontage coronarien triple. Le greffon de veine saphène est anastomosé à l'artère circonflexe et à l'artère coronaire droite (petites flèches), et l'artère mammaire interne gauche sert à ponter l'artère coronaire interventriculaire antérieure.

son avec le traitement médical, réduit l'angine, diminue l'ensemble des coûts et améliore la survie du client.

Interventions chirurgicales

Pontage aortocoronarien. Le PAC consiste à construire de nouveaux conduits (vaisseaux pour transporter le sang) qui partent de l'aorte, ou d'autres artères importantes, et vont au-delà de l'artère coronaire obstruée (voir figure 23.8). Cette intervention permet de maintenir un débit sanguin par-delà la sténose, de sorte que le myocarde situé en aval de l'obstruction continue à recevoir du sang. Dans le cas d'un PAC, l'intervention nécessite souvent une greffe de la veine saphène ou de l'artère mammaire interne. Une greffe de la veine saphène consiste à prélever et à inverser ladite veine de l'une des jambes du client de manière à empêcher les valves d'obstruer le débit sanguin. Les veines saphènes sont utilisées comme greffes libres et sont anastomosées en amont de l'aorte ascendante et en aval d'une ou de plusieurs artères coronaires. Environ 10 % des occlusions vasculaires ont lieu dans les premières semaines suivant la chirurgie et sont causées par des problèmes techniques ou une thrombose à l'anastomose distale de la greffe. Une hyperplasie diffuse de l'intima, qui contribue ultimement à la sténose et à l'occlusion de la greffe, se manifeste dans les veines saphènes utilisées pour la greffe. Le taux de perméabilité de ces greffons est plus faible lorsque les anastomoses sont pratiquées sur une petite artère coronaire et sur des artères qui se dirigent vers des tissus cicatriciels (foyers de l'infarctus). La prise d'acide acétylsalicylique (AAS) (de 80 à 325 mg PO die) après l'intervention améliore la perméabilité du greffon veineux. On estime la durée de la perméabilité de ce dernier entre 5 et 10 ans.

C'est depuis 1968 que l'artère mammaire interne est utilisée comme conduit. Le taux de perméabilité des greffons de l'artère mammaire interne pour une période de 10 ans se situe entre 85 et 95 %. Étant donné que le taux de perméabilité de ces greffons est supérieur à celui des veines saphènes, les premiers peuvent s'avérer un meilleur conduit pour améliorer le pronostic à long terme. L'artère mammaire interne gauche, qui demeure fixée à son point d'origine (artère sous-clavière gauche), est déplacée de la cage thoracique et anastomosée à l'artère coronaire en aval de la sténose. L'artère mammaire interne droite peut aussi être utilisée de façon semblable. Il est fréquent d'utiliser à la fois l'artère mammaire interne gauche et la veine saphène pour les clients qui subissent plusieurs pontages veineux.

Si un client a déjà subi plusieurs PAC, constitués de greffons de veine saphène ou d'artère mammaire interne, et qu'aucun conduit ne peut être prélevé lors de la nouvelle chirurgie, il sera possible de prélever l'artère gastroépiploïque, l'artère épigastrique inférieure ou l'artère radiale. Bien que ces artères soient d'excellents conduits, leur utilisation nécessite une laparotomie et augmente la durée de la chirurgie. De plus, les complications touchant la plaie au site de prélèvement ne sont pas rares, surtout chez les clients obèses et diabétiques. D'autres greffons artériels, comme les artères spléniques et radiales, ont été utilisés, mais le taux de perméabilité de ces greffons est légèrement inférieur à celui de l'artère mammaire interne. Les veines du bras sont plus difficiles à disséquer et à prélever, elles sont petites et délicates et peuvent avoir été traumatisées par des injections intraveineuses antérieures. L'utilisation d'autres artères et veines sera de plus en plus fréquente en raison du nombre de clients devant être réopérés.

Le taux de mortalité global associé au PAC est de l'ordre de 1 à 2 %, et le taux d'amélioration fonctionnelle est de 85 % (la douleur angineuse est complètement soulagée chez 85 % des clients). Dans les cas de coronaropathie, le PAC n'est pas un traitement curatif mais plutôt un traitement palliatif symptomatique. Il permet d'améliorer l'état de santé du client, ainsi que sa qualité de vie et son taux de survie.

Chez les personnes de plus de 65 ans, la maladie cardiovasculaire représente la principale cause de morbidité et de mortalité. Le nombre de personnes âgées qui peuvent subir un PAC a augmenté, et ces dernières font partie d'une sous-population de clients qui ont des besoins particuliers avant et après la chirurgie.

Les résultats de la revascularisation coronarienne sont moins favorables pour les femmes que pour les hommes. La coronaropathie constitue la principale cause de mortalité chez les femmes. La gravité des variables cliniques chez celles-ci, notamment une angine ou une ICC plus importantes (malgré une meilleure fraction d'éjection) et le diamètre plus petit des vaisseaux coronaires, est au nombre des causes possibles de l'augmentation des risques lors d'un PAC. En fait, le taux de mortalité des femmes qui subissent un PAC est souvent le double de celui des hommes du même âge.

Les soins infirmiers dispensés au client ayant subi un PAC portent sur deux sites chirurgicaux : le thorax et la jambe. Les soins de la plaie de la jambe ressemblent aux soins postopératoires après une excision des veines variqueuses (voir chapitre 26). Le traitement de la plaie thoracique, qui comprend une sternotomie, est semblable aux soins exigés par d'autres chirurgies thoraciques (voir chapitre 16).

23.3.2 Chirurgies valvulaires

Il y a plus de 30 ans, le remplacement des valves cardiaques malades par des prothèses valvulaires s'est révélé une réussite grâce aux prothèses à bille de Hacher et Starr. Depuis ce temps, les progrès technologiques ont été rapides et il existe maintenant une variété de prothèses offertes aux clients.

Les prothèses cardiaques peuvent être regroupées en deux grandes catégories : les valves mécaniques et les valves biologiques (tissulaires) (voir tableau 25.5). Les deux types de prothèses sont associés à des complications différentes selon le modèle de valves employées et la supériorité clinique de l'une par rapport à l'autre n'a pas été établie. Avant de décider quelle valve utiliser, les facteurs suivants doivent être pris en considération : le modèle de la valve, les éléments techniques et l'anticoagulothérapie prolongée.

Valves mécaniques. Les valves mécaniques actuellement offertes ont une durée de vie plus longue et une excellente durabilité, qui excède souvent l'espérance de vie du client requérant un remplacement valvulaire. Les valves mécaniques couramment utilisées sont les valves à monodisque basculant et les valves bicuspides, comme la St. Jude, la Oni-X et l'Advantage ou bioprothèses.

Valves biologiques. Les valves biologiques se caractérisent par une faible incidence de thromboembolie et de thrombose valvulaire et ne requièrent pas d'anticoagulothérapie prolongée. La principale préoccupation liée aux valves biologiques est leur courte durabilité et les risques potentiels, notamment la réopération, associés à la dégénérescence et à l'insuffisance tissulaires. Les valves cardiaques biologiques de remplacement qui sont offertes en ce moment sont la valve aortique porcine et la valve péricardique bovine (également appelées xénogreffes), ainsi que la valve aortique humaine (aussi connue sous le nom d'allogreffe ou homogreffe). On pratique en outre l'autogreffe (chirurgie de Ross). Le type de valve utilisée dépend des caractéristiques du client, telles que la structure anatomique cardiaque, l'âge, les antécédents de santé, les contre-indications à l'anticoagulothérapie et le mode de vie.

Les maladies des valves mitrale et aortique peuvent nécessiter un remplacement valvulaire lorsque le traitement médical est inefficace en présence d'une augmentation de l'insuffisance cardiaque. Pratiquement toutes les chirurgies valvulaires cardiaques requièrent une circulation extracorporelle. La commissurotomie (valvulotomie) mitrale est la seule exception possible, car l'intervention requiert l'incision des lames valvulaires fusionnées des valves mitrales s'il n'y a aucune calcification importante de la valve. (Le chapitre 25 décrit les causes des maladies valvulaires, le processus thérapeutique inhérent et leur traitement par voie chirurgicale.)

23.3.3 Chirurgies ventriculaires

Communication interventriculaire. Il arrive parfois qu'on diagnostique une communication interventriculaire de nature congénitale chez un adulte. Il est possible que celle-ci n'ait pas pu être décelée plus tôt dans la vie du client ou que sa taille soit restée stable et n'ait donc entraîné aucun trouble d'oxygénation ni d'intolérance à l'effort. La réparation de la communication interventriculaire requiert une fermeture (suture) primaire ou la pose d'une pièce de matériau prosthétique (pièce péricardique ou greffe à l'aide d'une pièce de Gore-Tex ou de Dacron).

Une complication de l'infarctus du myocarde peut être à l'origine de la communication interventriculaire. Étant donné que le taux de mortalité est élevé lorsqu'on utilise seulement un traitement médical, la réparation chirurgicale est recommandée et peut être pratiquée en cas d'urgence. La communication interventriculaire peut être suturée ou recouverte d'une pièce selon la taille de la rupture.

Résection d'anévrisme ventriculaire. Les anévrismes ventriculaires situés sur la partie antérolatérale ou apicale du ventricule gauche peuvent aussi être excisés. Ces zones non contractiles perturbent grandement la contraction et le débit cardiaques. Elles favorisent souvent la formation d'un thrombus mural dans le ventricule. Ce dernier est ouvert afin d'en favoriser l'affaissement, puis le tissu cicatriciel mince est coupé et toute substance thrombotique est enlevée avant que le ventricule soit refermé (voir figure 22.20).

Myotomie-myectomie septale. L'intervention chirurgicale pratiquée chez le client atteint de myocardiopathie hypertrophique est indiquée lorsque ce dernier présente toujours des symptômes malgré un traitement médical optimal et que la voie d'éjection du ventricule gauche est obstruée. Les objectifs du traitement chirurgical sont de réduire l'obstruction de la voie d'éjection du ventricule gauche et d'améliorer la qualité de vie du client. La principale intervention est la myotomie-myectomie septale du ventricule gauche. Lors de cette intervention, une partie du septum hypertrophié est enlevée, et le remplacement de la valve mitrale peut être nécessaire pour éliminer l'insuffisance mitrale et réduire l'obstruction de la voie d'éjection du ventricule gauche. Les résultats de l'intervention sont favorables. Les arythmies, comme le bloc auriculo-ventriculaire ou la tachyarythmie, constituent des complications postopératoires. Une autre complication est la communication interventriculaire issue d'une perforation septale. Le chirurgien procède à une échocardiographie transœsophagienne pendant la chirurgie afin de déceler une éventuelle communication interventriculaire avant l'anastomose de l'incision chirurgicale.

23.3.4 Transplantation cardiaque

La première transplantation cardiaque a eu lieu en 1967. Depuis ce temps, elle est devenue le traitement de choix pour les clients atteints de cardiopathie en phase terminale qui ne sont pas susceptibles de survivre plus de 6 à 12 mois. Les clients atteints de myocardiopathie comptent pour plus de 50 % des receveurs d'une transplantation cardiaque. La myocardiopathie dilatée est le type de myocardiopathie qui risque le plus de requérir une transplantation. Les clients atteints de coronaropathie inopérable viennent au deuxième rang des personnes pour qui une transplantation s'impose, comptant pour 40 % des candidats à cette intervention (voir encadré 23.10).

Une fois que la personne satisfait aux critères de transplantation cardiaque, l'objectif du processus d'évaluation consiste à établir pour quels clients la transplantation d'un nouveau cœur sera le plus bénéfique. En plus de subir un examen physique, les candidats doivent se soumettre à un examen psychologique, qui fournit des renseignements très utiles. Il est indispensable de noter tous les antécédents liés aux capacités d'adaptation, les mécanismes de soutien familial et la motivation du client à subir la transplantation et à observer le programme thérapeutique rigoureux inhérent à cette intervention. Le client qui dispose de peu de soutien et qui ne comprend pas bien les changements qui s'imposent dans son mode de vie après une transplantation peut être bouleversé par la complexité du processus.

Une fois que les receveurs potentiels sont placés sur la liste des candidats à la transplantation, ils peuvent attendre à leur domicile et recevoir des soins médicaux continus si leur état est stable. Par contre, si leur état est instable, une hospitalisation peut être nécessaire pour qu'ils puissent recevoir un traitement plus intensif. Malheureusement, toute la période d'attente en vue d'une transplantation est longue et de nombreux clients décèdent au cours de cette période.

La compatibilité du donneur et du receveur est fondée sur la taille du corps et du cœur et le groupe sanguin. On ne procède habituellement jamais à une épreuve de compatibilité croisée sur les tissus du donneur et du receveur en raison de la difficulté à obtenir une bonne compatibilité et du manque de corrélation entre la compatibilité et le résultat. Deux facteurs importants sont une compatibilité croisée lymphocytaires négative (expliquée au chapitre 38) et les mesures prises pour éviter la transplantation d'un organe provenant d'un donneur porteur du cytomégalovirus à un receveur non infecté.

La plupart des cœurs proviennent d'endroits éloignés de l'établissement où la transplantation doit être pratiquée. La durée maximale acceptable de l'ischémie pour une transplantation cardiaque est de quatre à six heures.

Indications et contre-indications de la transplantation cardiaque   ENCADRÉ 23.10

Indications
- Cardiopathie en phase terminale réfractaire au traitement médical
- Classe fonctionnelle III ou IV selon la NYHA (voir encadré 23.1)
- Personne dont l'état général est bon (sauf dans le cas d'une cardiopathie en phase terminale) et qui bénéficierait de l'intervention
- Observance du traitement médical
- Démonstration de la stabilité émotionnelle et du réseau de soutien social

Contre-indications*
- Maladie systémique avec un piètre pronostic
- Infection active
- Malignité récente ou active
- Diabète, type 1, accompagné de lésions des organes cibles
- Infarctus pulmonaire récent ou non résolu
- Hypertension pulmonaire grave non soulagée par les médicaments
- Maladie vasculaire cérébrale ou vasculaire périphérique grave
- Dysfonctionnement hépatique ou rénal irréversible
- Ulcère gastroduodénal actif
- Ostéoporose grave
- Obésité grave
- Antécédents de toxicomanie ou d'alcoolisme, ou de maladie mentale

* Les contre-indications peuvent varier selon les divers centres de transplantation cardiaque.
NYHA : *New York Heart Association.*

Le receveur est préparé pour la chirurgie et le chirurgien assure la circulation extracorporelle. L'intervention chirurgicale comporte habituellement l'extraction du cœur du receveur, à l'exception des parois postérieures des oreillettes droite et gauche et de leurs connexions veineuses. Le cœur du receveur est ensuite remplacé par le cœur du donneur, lequel a été adapté pour être compatible. Des soins sont apportés pour préserver l'intégrité du nœud sinusal du donneur, de sorte que le rythme sinusal puisse être rétabli après l'opération.

Le traitement immunosuppresseur débute normalement lorsque le receveur se trouve dans la salle d'opération. Bien que les programmes thérapeutiques puissent varier, ils comprennent souvent l'azathioprine (Imuran) ou le mycophénolate mofétil (Cellcep), les corticostéroïdes et la cyclosporine (Néoral) ou le tacrolimus (Prograf). (Le chapitre 38 et le tableau 38.8 traitent des mécanismes d'action et des effets secondaires de ces immunosuppresseurs et de plusieurs autres.) C'est en 1980 que la cyclosporine a été utilisée pour la première fois dans le cas d'une transplantation cardiaque. Elle est actuellement administrée en association avec des corticostéroïdes et les antimétabolites (azathioprine ou mycophénolate mofétil) pour maintenir l'immunosuppression. En plus de réduire le nombre de rejets, son utilisation permet aussi de ralentir ce processus, de sorte qu'il est possible d'instaurer un traitement rapide.

Les soins postopératoires ressemblent à ceux qui sont administrés lors d'autres chirurgies cardiaques (voir la section suivante). Une biopsie endomyocardique, qui passe par la veine jugulaire interne droite, est effectuée à des intervalles réguliers afin de détecter un rejet. De plus, la surveillance du taux de lymphocytes T du sang sert à évaluer l'état immunitaire du receveur.

Étant donné que le client est immunodéprimé, les soins infirmiers doivent être axés sur la prévention de l'infection, qui constitue la principale cause de décès. De nombreux décès attribuables à une infection ont lieu au cours de l'intensification du traitement immunosuppresseur lors d'épisodes aigus de rejet. Les soins infirmiers comportent une part importante de soutien émotionnel et d'enseignement au client et à sa famille, puisque la transplantation constitue un traitement de dernier recours. Ce rôle est d'autant plus important que le client se trouve souvent loin de son domicile et de ses proches.

Les progrès de la technique chirurgicale et des soins postopératoires ont permis d'améliorer le taux de survie immédiate après une transplantation cardiaque. L'attention est maintenant dirigée vers l'amélioration de l'immunosuppression et la prise en charge des complications à long terme. Les soins infirmiers visent continuellement à favoriser l'adaptation du client au processus de transplantation, à surveiller son état, à gérer les changements à son mode de vie et à fournir l'enseignement destiné à ce dernier et à sa famille. Les recherches se poursuivent et les données sont toujours recueillies auprès des clients en ce qui a trait à la qualité de vie, à l'état fonctionnel et à la réadaptation du receveur après la transplantation cardiaque.

23.3.5 Complications postopératoires d'une chirurgie cardiaque

L'encadré 23.11 résume les complications possibles d'une chirurgie cardiaque.

Syndrome de bas débit cardiaque. Le syndrome de bas débit cardiaque constitue la principale complication au début de la phase postopératoire. Peu importe le type d'intervention, la plupart des clients ayant subi une chirurgie cardiaque sont dans un état de choc contrôlé qui est causé par les échanges liquidiens et le tonus vasculaire variable. Le faible débit cardiaque peut être attribuable à une hypovolémie relative résultant d'une perte de sang et d'une dilatation vasculaire ou être causé par une mauvaise fonction ventriculaire gauche. De

plus, il se manifeste par de l'hypotension, de l'oligurie et la froideur des extrémités. Lorsque le bas débit cardiaque est causé par l'hypovolémie, la pression veineuse centrale (PVC), la pression de l'oreillette gauche ainsi que la pression capillaire pulmonaire seront basses.

Le traitement de l'hypovolémie comprend l'augmentation du volume intravasculaire, l'administration de calcium et la surveillance étroite de toute perte de sang. Le volume peut être remplacé par une solution de Lactate Ringer, des colloïdes ou du sang sous forme de culots globulaires (voir chapitre 19). Une consignation rigoureuse des ingesta et des excreta (p. ex. les liquides intraveineux, l'écoulement thoracique, l'écoulement gastro-intestinal, le sang, l'urine et les médicaments dilués administrés par voie IV) est indispensable pour surveiller l'équilibre hydrique.

Lorsque le faible débit cardiaque est consécutif à un mauvais fonctionnement du ventricule gauche, les manifestions suivantes sont possibles : pression de l'oreillette gauche élevée, PA basse, diminution du débit urinaire, PVC et PCP élevées. La pharmacothérapie est nécessaire et peut comprendre des diurétiques, des agents inotropes ou des vasopresseurs.

Tamponnade cardiaque. La tamponnade médiastinale ou cardiaque peut être une cause du syndrome de faible débit cardiaque. La tamponnade cardiaque est une pression exercée sur le cœur en raison d'un épanchement de liquide, comme le sang, dans le péricarde. Les manifestations cliniques comprennent une diminution de l'écoulement dans le drain thoracique, une diminution de la pulsation précordiale et l'absence de bruits cardiaques. Une radiographie pulmonaire montre un cœur hypertrophié et un médiastin plus gros. L'ECG peut révéler une diminution de l'amplitude du complexe QRS. Il y a une augmentation de la PCP, de la pression de l'oreillette gauche et de la PVC. Le client peut présenter un pouls paradoxal, c'est-à-dire une chute anormale (>10 mm Hg) de la PA systolique au moment de l'inspiration. Ce phénomène peut être relevé par la prise de la pression artérielle avec un ballonnet. Lorsque ce dernier dégonfle, l'infirmière l'arrête au premier bruit de Korotkoff, alors que le client respire normalement. Si le bruit de Korotkoff est audible pendant l'inspiration et l'expiration, il n'y a pas de pouls paradoxal. Cependant, s'il l'est seulement au moment de l'expiration, elle dégonfle le ballonnet lentement jusqu'à ce qu'elle entende le premier bruit de Korotkoff à la fois pendant l'inspiration et l'expiration. Si la différence de pression entre l'inspiration et l'expiration est >10 mm Hg, le client a un pouls paradoxal important.

Étant donné qu'un drain médiastinal est déjà en place après une chirurgie cardiaque, le traitement médical de la tamponnade cardiaque consiste en l'une des approches suivantes :

Complications de la chirurgie cardiaque   ENCADRÉ 23.11

Phase postopératoire immédiate
- Syndrome de bas débit cardiaque causé par une hypovolémie, une acidose, un infarctus du myocarde, une ICC, des médicaments comme le propranolol, une tamponade médiastinale, une embolie pulmonaire ou une réparation chirurgicale incomplète ou incorrecte
- Infarctus du myocarde, surtout lors d'un pontage aorto-coronarien
- Arythmies cardiaques
- Hémorragie
- Embolie pulmonaire, surtout lors d'un pontage aorto-coronarien de la veine saphène
- Fièvre
- Dépression
- Infection de la plaie
- Déséquilibres électrolytiques
- Hypertension artérielle systémique
- Infarctus cérébral causé par une embolie gazeuse ou thrombotique
- Confusion, agitation et désorientation
- Coagulation intravasculaire disséminée
- Syndrome de détresse respiratoire aiguë
- Insuffisance rénale

Phase postopératoire tardive
- Infection de la plaie
- Hépatite
- Pancréatite (immédiate ou tardive)
- Syndrome postpéricardiotomie
- Embolie artérielle systémique et endocardite infectieuse, lors de chirurgies valvulaires
- Occlusion du greffon

- débrancher les autres drains thoraciques et nettoyer le drain médiastinal en utilisant un cathéter stérile ;
- enlever le drain, briser le caillot en insérant un doigt ganté dans la stomie et réinsérer alors un nouveau drain thoracique ;
- retourner le client à la salle d'opération afin de bien évaluer et de traiter le saignement.

La péricardiocentèse est un autre traitement utilisé lorsque le client n'a aucun drain médiastinal. Cette intervention comprend l'insertion d'une aiguille dans le péricarde afin d'extraire le liquide (voir figure 25.6).

Arythmies. Les arythmies sont fréquentes après l'opération. Le déséquilibre du taux de potassium sérique (c.-à-d. l'hyperkaliémie ou l'hypokaliémie) est souvent à l'origine des arythmies. L'infirmière doit donc évaluer fréquemment ce taux chez le client. Une tachycardie ventriculaire et des extrasystoles ventriculaires fréquentes peuvent être observées au début de la phase postopératoire. Le remplacement du potassium sera donc essentiel pour les soins de ce client. L'infirmière doit également vérifier les autres causes possibles des arythmies ventriculaires (p. ex. l'emplacement du cathéter central, le pH sanguin, l'ischémie et l'hypothermie), puis les évaluer et les traiter s'il y a lieu. Le flutter ou la fibrillation auriculaires peuvent survenir quelques heures seulement après l'opération, soit dans les 36 premières heures après un PAC, ou environ 6 ou 7 jours après l'opération. Les arythmies auriculaires sont traitées de façon prophylactique grâce à des médicaments comme le métoprolol (Lopresor) ou l'amiodarone (Cordarone). (Voir chapitre 24 pour le traitement des arythmies.) Le traitement initial de la fibrillation ou du flutter auriculaires rapides peut aussi comprendre du diltiazem (Cardizem) par voie intraveineuse, afin de ralentir la réaction ventriculaire, ou de l'ibutilide (Corvert), pour rétablir le rythme sinusal. Les arythmies auriculaires sont fréquentes dans les cas de remplacement des valves aortique et mitrale. Le client chez qui on remplace une valve aortique en raison d'une sténose de l'aorte court un risque élevé d'arythmies. Lorsque des extrasystoles ventriculaires sont notées après l'opération, celles-ci peuvent être traitées rapidement avec de la lidocaïne (Xylocaine). Les fils du stimulateur cardiaque sont insérés pendant la chirurgie afin de stimuler la fréquence cardiaque par entraînement systolique rapide ou bradyarythmies à une fréquence qui optimisera le débit cardiaque.

Embolie. L'embolie pulmonaire est une complication qui se présente souvent trois jours après l'opération. Par ailleurs, l'embolie pulmonaire est fréquente chez le client qui a subi un PAC par une veine saphène. Puisque les manifestations cliniques de l'embolie pulmonaire ne sont pas toujours patentes, l'infirmière doit rapporter au médecin tout signe de faiblesse, de dyspnée ou de lipothymie observés chez le client. La scintigraphie pulmonaire est souvent utilisée pour poser le diagnostic. Les anticoagulants constituent la méthode de traitement habituelle. (Le chapitre 26 traite de la prévention et du traitement de l'embolie pulmonaire.)

L'embolie artérielle peut se manifester après la chirurgie de la valve mitrale ou aortique. Le client doit souvent subir une anticoagulothérapie prolongée et être gardé en observation pour déceler la présence d'une embolie cérébrale, se manifestant, entre autres, par un changement soudain dans l'état de conscience, de la difficulté à articuler ou une faiblesse d'un côté. Les extrémités doivent être examinées pour détecter les signes d'embolie comme la douleur, l'absence de pouls, la pâleur, la paresthésie et la paralysie.

Fièvre. La fièvre est une complication fréquente de la chirurgie cardiaque. La fièvre peut être causée par de l'atélectasie, une infection des voies urinaires, une pneumonie, une thrombophlébite, une réaction aux médicaments, une réaction à la transfusion et une infection de la plaie. Une température élevée augmente le métabolisme (augmentation de 6 à 7 bpm par degré de température) et, par le fait même, la charge cardiaque. L'infirmière doit veiller à prévenir les troubles potentiels à l'origine de la fièvre et recueillir des données servant à en évaluer la cause. La température corporelle du client doit être prise au moins toutes les quatre heures. Le traitement vise à supprimer la cause et à réduire la fièvre.

La fièvre peut aussi être provoquée par l'endocardite. Celle-ci se manifeste rarement dans les premières semaines de la phase postopératoire, probablement en raison de la grande utilisation de l'antibiothérapie prophylactique. Cependant, elle peut apparaître tôt après un remplacement valvulaire. (Le chapitre 25 traite de l'endocardite.)

Infarctus du myocarde peropératoire. La préservation des tissus myocardiques constitue la principale préoccupation au cours de toute chirurgie cardiovasculaire, surtout lorsqu'il s'agit de pontages. L'incidence d'infarctus du myocarde peropératoire et périopératoire peut atteindre 25 %. Plusieurs méthodes ont été mises au point afin de préserver les tissus myocardiques pendant la chirurgie. La principale méthode utilisée est l'hypothermie (cardioplégie froide).

Pendant la phase postopératoire immédiate, le client est soumis à une série d'ECG et de mesures des taux d'enzymes cardiaques dans le but de déceler un infarctus peropératoire. Il est parfois difficile d'évaluer la présence d'un infarctus du myocarde peropératoire, car les taux d'enzymes cardiaques peuvent être élevés en raison de l'intervention chirurgicale et l'ECG peut être difficile à analyser (comme dans le cas d'un bloc de branche gauche). Les interventions infirmières et médicales visent à préserver la fonction myocardique en tout temps après l'opération. La surveillance de la saturation en O_2 donne à l'infirmière de nombreux renseignements sur le débit cardiaque et l'utilisation de l'oxygène chez ce groupe de clients. Lorsque le client est victime d'un infarctus, le pronostic s'aggrave et le séjour en centre hospitalier (CH) est prolongé.

23.3.6 Soins infirmiers et processus thérapeutique : chirurgie cardiaque

Soins préopératoires. Selon l'état physique du client, la phase préopératoire peut durer de quelques heures à un mois. Certaines situations, comme une blessure subite au cœur, nécessitent une intervention chirurgicale immédiate, alors que d'autres, comme une insuffisance cardiaque associée à une sténose mitrale ou à de la régurgitation, requièrent la stabilisation de l'état du client et une préparation pour la chirurgie. Il est souhaitable de stabiliser l'état cardiaque et physique avant la chirurgie. Par exemple, l'arythmie doit être maîtrisée, l'ICC doit être traitée, la PA et le débit cardiaque doivent être optimisés et la douleur angineuse doit être soulagée.

La plupart des clients subissent un cathétérisme cardiaque pour mesurer les changements de pression et les gaz sanguins dans les cavités cardiaques et les valves. Les objectifs sont de détecter les anomalies structurelles ou de confirmer le diagnostic et d'examiner la fonction du ventricule gauche. L'artériographie coronarienne sert aussi à observer la perfusion coronarienne du myocarde. Les autres épreuves diagnostiques comprennent l'échocardiogramme, l'épreuve d'effort, l'imagerie nucléaire, l'analyse des GSA (gaz du sang artériel) et les examens par la méthode de Doppler pour évaluer la perfusion périphérique.

Des données de base sont également recueillies juste avant la chirurgie, notamment au moyen de la radiographie pulmonaire, de l'ECG, des épreuves de coagulation (p. ex. le temps de coagulation, le temps de prothrombine [TP], le fibrinogène et les plaquettes), de la formule sanguine complète (FSC), de l'analyse d'urine, des électrolytes sériques, des taux d'azote uréique et de créatinine sérique, ainsi que des enzymes cardiaques. Certains clients sont aussi soumis à des examens des fonctions thyroïdienne et hépatique. Les clients atteints de maladie pulmonaire ou ayant des antécédents de tabagisme peuvent passer des examens de la fonction pulmonaire. L'analyse des GAS peut être effectuée avant l'opération pour obtenir des données de base en vue des soins postopératoires. On détermine aussi le groupe sanguin du client et on procède à une épreuve de compatibilité croisée.

Pour de nombreux clients et leur famille, les transfusions sanguines sont devenues une importante source de préoccupation. L'enseignement préopératoire doit inclure de l'information sur l'autotransfusion (don autologue). Si la chirurgie est planifiée, un client peut donner son propre sang qui sera mis en réserve à la banque de sang et ainsi avoir du sang frais au moment de la chirurgie (aucune congélation n'est nécessaire). L'encadré 23.12 donne les grandes lignes du protocole d'Héma-Québec dans les cas de don autologue. Un client peut aussi recevoir du sang d'un membre de sa famille (« don dirigé » : processus par lequel on prélève du sang chez un donneur particulier à l'intention d'un receveur désigné). Les interventions chirurgicales se sont améliorées grâce à l'utilisation des systèmes d'autotransfusion peropératoire et de l'autotransfusion subséquente de sang au site opératoire, et ce, à un point tel que de nombreux clients n'ont pas besoin de sang après la chirurgie. Bien que le client puisse retourner à son domicile alors que ses taux d'hémoglobine et d'hématocrite sont bas, un traitement de remplacement du fer et un soutien nutritionnel peuvent s'avérer fort efficaces.

Les autres données recueillies peu de temps avant la chirurgie comprennent la masse corporelle exacte, afin de faciliter le traitement hydrique, et la prise des signes vitaux, notamment de la température ; si celle-ci est élevée, la chirurgie doit être reportée.

Pour améliorer l'état respiratoire, le client fumeur doit cesser de fumer au moins une semaine, et de préférence un mois ou plus, avant la chirurgie. Cette mesure favorise la diminution de la quantité de sécrétions bronchiques et réduit ainsi le risque postopératoire d'atélectasie et de pneumonie. Cependant, pour de nombreux clients, il peut être difficile de cesser de fumer en raison de l'anxiété qu'ils éprouvent face à la chirurgie.

Protocole d'Héma-Québec concernant les dons autologues **ENCADRÉ 23.12**

- Avant le don, le médecin traitant doit évaluer l'état de santé du patient afin de s'assurer qu'il peut donner du sang.
- Le donneur doit également répondre aux exigences générales d'admissibilité d'Héma-Québec.
- On peut effectuer quatre dons autologues en quatre semaines, et ce, jusqu'à trois jours avant la date prévue de l'intervention chirurgicale.
- On n'effectue pas de dons autologues si le besoin d'une transfusion sanguine est peu probable.
- Enfin, le sang prélevé doit subir la panoplie prévue de tests de dépistage pour être déclaré conforme.
- Si le sang autologue n'est pas utilisé par le patient-donneur, il sera détruit puisqu'il ne peut pas être utilisé par une autre personne.

Tiré de Héma-Québec. *Donneur : les types de dons* (en ligne).

Il peut être nécessaire de modifier la pharmacothérapie du client pour prévenir les réactions indésirables. Les doses de propranolol (Indéral) peuvent être réduites 24 heures à deux semaines avant la chirurgie si le client tolère le sevrage (c.-à-d. aucun épisode d'angine ni d'hypertension). Cependant, un client qui a besoin de propranolol peut prendre des agents inotropes positifs au début de la phase postopératoire pour en neutraliser les effets. Dans la mesure du possible, le client doit cesser de prendre de l'AAS ou de la warfarine (Coumadin) sept jours avant la chirurgie. À ce moment, la warfarine est remplacée par une héparine de faible poids moléculaire (p. ex. daltéparine [Fragmin]) qui sera administrée par voie SC par le client ou par une infirmière du CLSC.

On remplace habituellement l'insuline à action prolongée par de l'insuline ordinaire, dont la dose est fixée selon les glycémies du client. La prise d'insuline régulière se poursuit jusqu'à la phase postopératoire. Les autres médicaments dont le régime posologique peut nécessiter des modifications comprennent les corticostéroïdes, les antihypertenseurs et les phénothiazines. L'infirmière doit vérifier auprès du médecin les changements se rapportant à certains médicaments.

Dans le but de prévenir les infections incisionnelles, l'infirmière doit informer le client de prendre sa douche une fois par jour en utilisant un savon bactériostatique (p. ex. chlorhexidine). De plus, il n'est pas rare que le client doive prendre des antibiotiques par voie parentérale dans les 12 heures suivant la chirurgie pour prévenir les infections. Le médecin doit bien expliquer au client et à ses proches la nature de la chirurgie, notamment les interventions, les résultats escomptés, les complications possibles et les soins postchirurgicaux.

Les soins infirmiers en phase préopératoire sont principalement axés sur l'enseignement. L'une des premières responsabilités de l'infirmière est de dispenser un enseignement préopératoire exhaustif qui aborde les préoccupations postopératoires générales (voir chapitre 13) et les préoccupations particulières liées à la chirurgie cardiovasculaire. Le but de l'enseignement est de réduire l'anxiété. L'encadré 23.13 dresse la liste des sujets qui devraient y être inclus. L'infirmière doit aussi encourager le client à poser des questions et à parler de ses préoccupations. Il est indispensable que l'infirmière signale au médecin les préoccupations importantes du client afin de pouvoir coordonner une approche qui tient compte de l'anxiété de ce dernier.

Les membres de la famille doivent aussi participer à l'enseignement préopératoire, ce qui leur permet de calmer leur anxiété et de mieux soutenir le client pendant cette phase. Étant donné que des clients ne se rendent au CH que le matin de la chirurgie, l'enseignement préopératoire doit avoir lieu avant cette journée, en consultation externe, en clinique préopératoire (CPC) ou au cabinet du médecin.

Soins peropératoires. De nombreuses chirurgies cardiovasculaires sont pratiquées au moyen de la circulation extracorporelle (cœur-poumon artificiel). Cette procédure permet ainsi au chirurgien d'opérer un cœur qui est en asystolie ou en bradycardie. Le cœur-poumon artificiel sert de pompe pour faire circuler le sang et l'oxygéner. L'appareil reçoit le sang provenant des cathéters introduits dans la veine cave ou l'oreillette droite, puis l'oxygène avant de le retourner au client par un cathéter placé dans l'aorte. Cette technique se pratique normalement de concert avec un état d'hypothermie (environ 25 à 28 °C pour les pontages et les chirurgies valvulaires). La durée de branchement à l'appareil est surveillée de près et minimisée autant que possible, car plus le branchement se prolonge, plus les risques de complications augmentent. Les autres composantes de l'intervention comprennent la surveillance de l'anesthésie, du rythme cardiaque, des signes vitaux, des gaz sanguins, des électrolytes et de l'état de coagulation.

Selon l'état du client (fonction ventriculaire) ayant subi un pontage, il est possible que le chirurgien installe des sondes artérielles ou des cathéters centraux pour effectuer la surveillance hémodynamique après la chirurgie et dispenser les soins postopératoires. Un ballon de contre-pulsion intra-aortique peut également être posé en salle d'opération si la fonction ventriculaire gauche est insuffisante. (Le chapitre 29 traite de la surveillance hémodynamique et de la contre-pulsion par ballon intra-aortique.)

Soins postopératoires. L'encadré 23.11 souligne les complications qui peuvent survenir à la suite d'une chirurgie cardiaque. La plupart des soins postopératoires visent la prévention ou le dépistage rapide de ces complications. L'encadré 23.14 traite de l'évaluation postopératoire. Les membres du personnel soignant (médecin et infirmières inhalothérapeutes) doivent travailler en étroite collaboration. Plusieurs tâches peuvent même se chevaucher selon les politiques de l'établissement.

Lorsque la chirurgie cardiaque est terminée, le client est transféré immédiatement à une unité de soins coronariens ou une unité de soins intensifs. Le personnel infirmier doit avoir été avisé de l'heure approximative à laquelle le client est censé arriver, ainsi que de son état, afin que tout l'équipement soit prêt pour l'administration des soins.

Le client est habituellement transféré à l'unité de soins coronariens dans le lit qui servira aux soins postopératoires. Deux infirmières sont généralement présentes à son arrivée. Cette phase est cruciale pour le client puisque des complications peuvent survenir très tôt et pendant le transport. Lorsque le client arrive, les

ENSEIGNEMENT AU CLIENT

Liste d'éléments à inclure au plan d'enseignement avant une chirurgie cardiaque   ENCADRÉ 23.13

Salle d'opération
- Faire visiter la salle d'opération et rencontrer le personnel (si le client le désire).
- Faire visiter la salle d'attente pour la famille.
- Informer le client qu'il est possible qu'il se souvienne des conversations et des événements qui ont lieu dans la salle d'opération.

Unité coronarienne ou unité de soins intensifs
- Faire visiter l'unité et rencontrer le personnel (si le client le désire).

Phase postopératoire immédiate dans l'unité de soins coronariens et l'unité de soins intensifs
- Expliquer au client qu'il pourrait perdre la notion du temps et ne pas se souvenir de l'endroit et qu'il peut avoir des hallucinations (visuelles, auditives, gustatives).
- Expliquer le fonctionnement du moniteur cardiaque.
- Discuter de la localisation des sondes, de leur but et du moment où elles seront retirées.
- Discuter de la sonde endotrachéale et expliquer au client comment il pourra appeler l'infirmière puisqu'il sera incapable de parler.
- Expliquer le fonctionnement de la sonde nasogastrique.
- Expliquer l'utilité des cathéters artériels et des moniteurs pour mesurer la pression.
- Expliquer le fonctionnement des cathéters veineux et des moniteurs pour l'administration des liquides ou des médicaments.
- Expliquer qu'un liquide de drainage sanguinolent s'écoulera des drains thoraciques et que le client ressentira un tirement au moment où les drains seront enlevés.

- Expliquer qu'une sonde vésicale est utilisée pour les ingesta et les excreta et pour faciliter l'élimination urinaire.
- Informer le client qu'il pourrait avoir soif.
- Discuter des bruits, des sons et des alarmes que le client entendra.

Routine postopératoire
- Expliquer en quoi consiste la ventilation assistée.
- Expliquer en quoi consiste l'aspiration.
- Expliquer l'importance de tousser, de respirer profondément et de se tourner.
- Discuter de la surveillance fréquente des signes vitaux et de la surveillance cardiaque continue.

Analgésiques
- Expliquer que le client pourra demander des analgésiques pour soulager la douleur.
- Informer le client que son corps sera sensible et endolori la semaine suivant la chirurgie.

Traitement par nébuliseur
- Enseigner au client comment utiliser un spiromètre.

Routines après le départ de l'unité de soins coronariens et de l'unité de soins intensifs
- Dresser un aperçu général du programme thérapeutique au moment du congé.

Unité de soins généraux
- Discuter de la réaction émotionnelle.
- Expliquer qu'une dépression peut apparaître et qu'elle devrait être de courte durée.
- Expliquer les plans de congé et les soins à domicile.

---

infirmières installent les appareils de surveillance (p. ex. ECG, sondes artérielles, moniteur de saturation en oxygène) et l'équipement d'aspiration (p. ex. drains thoraciques, sonde nasogastrique) afin que les paramètres hémodynamiques du client puissent être évalués immédiatement. La sonde endotrachéale est vérifiée, et un appareil de ventilation assisté préréglé est mis en place. Dès que l'équipement est bien branché et calibré, l'une des infirmières évalue l'état neurologique, respiratoire et cardiaque du client afin de déterminer le degré d'anesthésie ainsi que l'état de la ventilation et de la perfusion. Les comptes rendus de l'anesthésiste et du chirurgien sont souvent donnés pendant cette phase d'évaluation initiale. Les résultats des épreuves de laboratoire sont recueillis, notamment les GSA, les électrolytes sériques, l'hémogramme, le profil de coagulation, le taux de lactate et d'enzymes cardiaques. Une radiographie pulmonaire est également prise dès que le client arrive à l'unité de soins intensifs.

L'infirmière recueille aussi les données portant sur l'état cardiovasculaire en vérifiant la PA, la pression artérielle pulmonaire, la PCP, la pression de l'oreillette gauche (si un cathéter central a été inséré pendant la chirurgie), les bruits cardiaques, le rythme cardiaque, les pouls périphériques et la saturation en oxygène. Si le client a un cathéter artériel pulmonaire oxymétrique, la SaO_2 peut être surveillée en permanence. Les appareils de surveillance de l'état du client (p. ex. le cathéter artériel pulmonaire, la sonde artérielle gauche, le cathéter de surveillance oxymétrique de la SaO_2) dépendent de l'état préopératoire du client, des interventions peropératoires, des résultats de l'intervention, de la préférence du chirurgien et du protocole de l'unité. De nombreux clients n'ont qu'un cathéter de pression veineuse centrale après la chirurgie, alors que d'autres peuvent avoir besoin d'un cathéter artériel pulmonaire et d'une électrode de stimulation auriculaire et ventriculaire, ainsi que d'un ballon de contre-pulsion

Évaluation postopératoire après une chirurgie cardiaque — ENCADRÉ 23.14

Système nerveux
- Dimension et réaction des pupilles
- Orientation et état de conscience
- Fonction motrice

Appareil respiratoire
- Insertion d'une sonde endotrachéale
- Réglage de l'appareil de ventilation assistée
- Caractéristiques des respirations
- Bruits respiratoires et sécrétions
- Gaz artériels

Appareil cardiovasculaire et système hématologique
- Rythme cardiaque
- Pouls périphériques
- Pression artérielle
- Pression artérielle pulmonaire ou veineuse
- Température
- État hydrique
- Drains thoraciques
- État de la coagulation
- Débit cardiaque

Système rénal
- Débit urinaire
- Caractéristiques couleur et densité de l'urine
- Électrolytes

Appareil gastro-intestinal
- Sécrétions nasogastriques
- Bruits intestinaux

Appareil tégumentaire
- Détérioration des tissus cutanés
- Écoulement et cicatrisation de l'incision

Douleur
- Type et intensité
- Localisation

intra-aortique. Ces données sont d'une importance capitale pour la préparation du client et la planification des soins.

Une fois que l'évaluation initiale est terminée, les signes vitaux du client sont vérifiés fréquemment (p. ex. la PA et la FC de façon continue, ensuite toutes les 15 minutes pendant les 4 premières heures, puis toutes les 30 minutes pendant 4 heures et, finalement, toutes les heures). Après l'évaluation initiale, il est possible de mesurer le débit cardiaque, l'index cardiaque et les paramètres de la résistance vasculaire systémique afin d'évaluer la fonction ventriculaire gauche. D'autres indicateurs peuvent être mesurés au moins toutes les heures, comme la diurèse, la PCP ou la pression artérielle pulmonaire, la température, les bruits respiratoires et d'autres paramètres respiratoires. De plus, les ondes de la pression artérielle, le cathéter artériel pulmonaire, la saturation en O_2, la SaO_2 et l'ECG sont constamment sur-

veillés pour détecter les changements importants. Les pouls périphériques et la température des extrémités sont aussi vérifiés toutes les heures ou toutes les deux heures.

Le chirurgien et le protocole de l'unité déterminent les soins à apporter aux drains thoraciques du client. Ces derniers doivent rester ouverts pour que le sang provenant du médiastin et du péricarde puisse s'écouler adéquatement. Un caillot à l'intérieur du drain thoracique peut obstruer l'écoulement et mettre sérieusement en danger la vie du client. L'écoulement dans les drains thoraciques (quantité et apparence) est aussi fréquemment examiné et consigné (toutes les 15 minutes pendant les premières heures après l'opération). (Le chapitre 16 présente les soins infirmiers dispensés au client ayant des drains thoraciques.)

L'infirmière doit également prodiguer des soins visant à prévenir les problèmes liés à l'immobilité, comme alterner les positions. La tête du lit peut être relevée de 30° lorsque les signes vitaux sont stables. L'infirmière peut enfiler des bas antiemboliques sur les jambes du client. Les sécrétions doivent être aspirées si le client est branché à un ventilateur (voir chapitre 29). Lorsque la sonde endotrachéale est enlevée, le client doit tousser et prendre de grandes respirations. Il est possible qu'il soit en mesure de s'asseoir sur une chaise à la fin de la première journée postopératoire. La mobilisation progressive est ensuite encouragée.

La plupart des drains et des cathéters sont enlevés dans les trois jours suivant la chirurgie. Étant donné que les périodes de repos sont importantes, l'infirmière doit planifier les soins pour permettre un sommeil ininterrompu, surtout pendant la phase des soins intensifs. Les analgésiques sont aussi essentiels, car ils permettent au client d'être actif et de participer aux exercices de toux et de respiration profonde. Le client et sa famille ont besoin de nombreuses explications et d'un soutien considérable. Ils doivent être autorisés à passer beaucoup de temps ensemble, tant que l'état du client le permet.

Après une courte période à l'unité de soins intensifs, le client est transféré à l'unité de cardiologie s'il doit être surveillé par ECG ou requiert davantage de soins. Si son état est stable, il peut être transféré à une unité de soins généraux. Après le transfert, le client reprend graduellement ses activités, ses habitudes alimentaires et les médicaments prescrits. Les soins des plaies sont administrés selon l'ordonnance du médecin ou le protocole de l'unité. L'infirmière prépare le client en vue de son congé et le renseigne sur les ressources communautaires appropriées. Elle discute avec ce dernier et sa famille des traitements à domicile, notamment les soins des plaies, l'intensité des activités et les médicaments à prendre, et donne au client des instructions écrites. Elle évalue leur niveau de connaissances et leur besoin d'approfondir le sujet avant la sortie de l'hôpital. Des rendez-vous sont pris avec le chirurgien et le médecin traitant avant l'obtention du congé, afin que le client et la famille soient au courant de la procédure de suivi.

Les soins infirmiers à domicile sont très importants au moment de planifier le congé du client. Étant donné que les clients obtiennent parfois leur congé trois jours après la chirurgie, ils peuvent avoir besoin de soins infirmiers à domicile quotidiennement. L'équipe de soins à domicile du CLSC doit avoir des protocoles et une structure de suivi médical afin d'évaluer l'intensité des activités, l'apport nutritionnel, la fonction intestinale, les signes vitaux, le poids quotidien et la prise des médicaments. L'infirmière en soins à domicile doit répondre aux questions et obtenir l'aide de la famille concernant les soins et les activités de la vie quotidienne (AVQ). Les soins à dispenser au client doivent être coordonnés avec le chirurgien et l'organisme de soins à domicile afin de prévenir la réhospitalisation due à des complications pouvant être décelées et traitées rapidement au domicile du client.

MOTS CLÉS

BIBLIOGRAPHIE

Version originale

1. American Heart Association website: www.americanheart.org.
2. Kannel WB, Belanger AJ: Epidemiology of heart failure, *Am Heart J* 121:951, 1991.
3. Funk M, Krumholz HM: Epidemiologic and economic impact of advanced heart failure, *J Cardiovasc Nurs* 10:1, 1996.
4. Guerra-Garcia H, Taffet G, Protas EJ: Considerations related to disability and exercise in elderly women with congestive heart failure, *J Cardiovasc Nurs* 11:60, 1997.
5. Ahrens SG: Managing heart failure: a blue print of success, *Nursing* 25:26, 1995.
6. Dracup K, Dunbar SB, Baker DW: Rethinking heart failure, *AJN* 95:23, 1995.
7. Oka RK: Physiologic changes in heart failure: what's new, *J Cardiovasc Nurs* 10:11, 1996.
8. Singh SN: Congestive heart failure and arrhythmias: therapeutic modalities, *J Cardiovasc Electrophysiol* 8:89, 1997.
9. Fisher ML, Balke CW, Freudenberger R: Therapeutic options in advanced heart failure, *Hosp Pract* 32:97, 1997.
10. Wright JM: Pharmacological management of congestive heart failure, *Crit Care Nurs Q* 18:22, 1995.
11. Moser DK: Maximizing therapy in the advanced heart failure patient, *J Cardiovasc Nurs* 10:29, 1996.
12. Pratt NG: Pathophysiology of heart failure: neuroendocrine response, *Crit Care Nurs Q* 18:22, 1995.
13. Meyer MS: Congestive heart failure: meet the challenge, *Medsurg Nurs* 4:341, 1995.
14. Jaarsma T, and others: Maintaining the balance: nursing care of patients with chronic heart failure, *Int J Nurs Stud* 34:213, 1997.
15. Sherman A: Critical care management of the heart failure patient in the home, *Crit Care Nurs Q* 18:77, 1995.
16. Bashore TM, Harrison JK, Davidson CT: Special diagnostic and therapeutic procedures in cardiac surgery. In Sabiston DC, Spencer FC, editors: *Surgery of the chest*, vol II, Philadelphia, 1995, Saunders.
17. Spencer FC, Galloway AC, Colvin SB: Surgical management of coronary artery disease. In Sabiston DC, Spencer FC, editors: *Surgery of the chest*, vol II, Philadelphia, 1995, Saunders.
18. Coodley EL: CHD: when medical therapy fails, *Hosp Pract* 31:13, 1996.
19. Vac KJ, Daake CJ, Lambrechts DS: Nursing care of patients undergoing thoracoscopic minimally invasive bypass grafting, *Am J Crit Care* 6:281, 1997.
20. Mizell JL, Maglish BL, Matheny RG: Minimally invasive direct coronary artery bypass graft surgery: introduction for critical care nurses, *Crit Care Nurse* 17:46, 1997.
21. Cohen AJ, and others: Effect of internal mammary harvest on postoperative pain and pulmonary function, *Ann Thorac Surg* 56:1107, 1993.
22. Shawgo T: Thoracoscopic surgery: a new approach to pulmonary disease, *Crit Care Nurse* 16:76, 1996.
23. Starr A, Edwards MC: Mitral replacement: clinical experience with a ball-valve prosthesis, *Ann Surg* 154:726, 1961.
24. Grady KL: When to transplant: recipient selection for heart transplantation, *J Cardiovasc Nurs* 10:58, 1996.
25. Hicks GL: Cardiac surgery, *J Am Coll Surg* 186:129, 1998.

Édition de langue française

1. FONDATION DES MALADIES DU CŒUR DU CANADA. *Insuffisance cardiaque congestive : une priorité nationale* [En ligne], site du Canadian Journal of Cardiology, vol. 18, no 5, mai 2002 [http://www.pulsus.com/CARDIOL/17_12/hstf_ed.htm (Page consultée en avril 2003].
2. GROUPE DE RECHERCHE Université de Montréal/Université McGill en service intégrés aux personnes âgées et RÉGIE RÉGIONALE DE MONTRÉAL-CENTRE. *Projet SIPA/Protocole · Protocole interdisciplinaire d'identification, de diagnostic et de prise en charge de l'insuffisance cardiaque*, mai 2001, p.12.
3. HASLETT, Christopher, Edwin R. CHILVERS, John A. A. HUNTER et Nicholas A. BOON. Davidson, *Médecine Interne, Principes et pratique*, traduction de la 18e éd., Paris, Maloine, 2000, 11 186 p.
4. HÉMA-QUÉBEC. *Donneur. Les types de dons* [En ligne]. (Page consultée le 22 mai 2003.) [http://www.hema-quebec.qc.ca/F/français.htm]
5. MARIEB, Élaine. *Anatomie et physiologie humaines*, Saint-Laurent, Québec, ERPI, 1999, 1199 p.
6. SANTÉ CANADA. *Surveillance des maladies cardiovasculaires en direct - Graphiques Mortalité par groupe d'âge : insuffisance cardiaque congestive, hommes et femmes*, 1999, Canada [En ligne], 2002 (Page consultée en avril 2003). [http://cythera.ic.gc.ca/dsol/cgi-bin/cvdchart2 ?DATA_SET=MOR]

Yvon Brassard
Inf., B. Sc., M. Éd., D.E.
Cégep André-Laurendeau

Chapitre **24**

ARYTHMIES CARDIAQUES

OBJECTIFS D'APPRENTISSAGE

APRÈS AVOIR LU CE CHAPITRE, VOUS DEVRIEZ ÊTRE EN MESURE :

- DE RECONNAÎTRE LES CARACTÉRISTIQUES CLINIQUES ET LES REPRÉSENTATIONS GRAPHIQUES DES ARYTHMIES CARDIAQUES COMMUNES SUR UN ÉLECTROCARDIOGRAMME (ECG) ;

- DE DÉCRIRE LES SOINS INFIRMIERS PROPRES AUX ARYTHMIES COURANTES ;

- DE DIFFÉRENCIER LA DÉFIBRILLATION DE LA CARDIOVERSION ET D'EN DÉTERMINER LES INDICATIONS ET LES EFFETS PHYSIOLOGIQUES ;

- DE DÉCRIRE LES SOINS INFIRMIERS À PRODIGUER AUX CLIENTS PORTEURS D'UN STIMULATEUR CARDIAQUE TEMPORAIRE OU PERMANENT ;

- DE DÉCRIRE LE TRAITEMENT D'UN CLIENT PORTEUR D'UN DÉFIBRILLATEUR À SYNCHRONISATION AUTOMATIQUE (DSA) IMPLANTABLE ;

- D'EXPLIQUER LE TRAITEMENT D'UN CLIENT QUI SUBIT UNE ÉPREUVE ÉLECTROPHYSIOLOGIQUE ET UNE THERMOABLATION ;

- D'EXPLIQUER LES ÉLÉMENTS ESSENTIELS DES SOINS IMMÉDIATS EN RÉANIMATION CARDIORESPIRATOIRE (RCR) ;

- D'EXPLIQUER LES ÉLÉMENTS ESSENTIELS DE LA RÉANIMATION CARDIORESPIRATOIRE AVANCÉE.

PLAN DU CHAPITRE

24.1 RECONNAISSANCE ET TRAITEMENT DE L'ARYTHMIE CARDIAQUE

La capacité de reconnaître les **arythmies**, des états qui se caractérisent par des irrégularités du rythme cardiaque, est une compétence essentielle que l'infirmière doit acquérir. L'évaluation rapide du client présentant un rythme cardiaque anormal est cruciale. Le présent chapitre traite des principes de base des arythmies cardiaques.

24.1.1 Système de conduction : brève révision

Le tissu cardiaque a quatre propriétés qui permettent au système de conduction d'induire une impulsion électrique. Cette impulsion, transmise par le tissu cardiaque, stimule la contraction musculaire (voir tableau 24.1). Le système de conduction électrique du cœur est constitué de tissus neuromusculaires spécialisés qui sont situés dans tout le muscle cardiaque (voir figure 20.5). Une impulsion cardiaque normale est générée dans le nœud sinusal (ou nœud de Keith et Flack) situé dans la partie supérieure de l'oreillette droite. Les voies internodales et le faisceau de Bachmann assurent la jonction entre le myocarde auriculaire et le nœud auriculo-ventriculaire (NAV) (ou nœud d'Aschoff-Tawara). L'impulsion se propage ensuite dans le faisceau de His, puis dans ses branches droite et gauche jusqu'aux fibres de Purkinje, qui transmettent les impulsions aux ventricules.

La conduction se produit juste avant que l'impulsion ne quitte les fibres de Purkinje, ce qui correspond à l'intervalle PR sur l'ECG. Lorsque l'impulsion quitte les fibres de Purkinje, une dépolarisation ventriculaire survient, entraînant la contraction mécanique des ventricules ; cette dépolarisation correspond au complexe QRS sur l'ECG. L'activité électrique du cœur est illustrée à la figure 20.7.

24.1.2 Contrôle nerveux du cœur

Le système nerveux autonome joue un rôle important dans le rythme de formation des impulsions, la vitesse

de conduction et la force de contraction cardiaque. Les composants du système nerveux autonome qui agissent sur le cœur sont les fibres des nerfs vagues gauche et droit du système nerveux sympathique et du système nerveux parasympathique.

La stimulation du nerf vague entraîne une diminution de la vitesse de dépolarisation du nœud sinusal, un ralentissement de la conduction des impulsions du nœud auriculo-ventriculaire et une réduction de la force de contraction du muscle cardiaque. La stimulation des nerfs sympathiques qui alimentent le cœur a essentiellement l'effet inverse sur le myocarde.

24.1.3 Surveillance de l'électrocardiogramme

L'ECG est un enregistrement graphique des impulsions électriques produites dans le cœur. La forme des ondes sur l'ECG est due au passage des ions chargés à travers la membrane des cellules myocardiques, représentant la dépolarisation et la repolarisation.

La membrane de la cellule cardiaque est semi-perméable, ce qui assure une forte concentration de potassium et une faible concentration de sodium dans la cellule. L'inverse se produit à l'extérieur de la cellule. Au repos ou à l'état polarisé, l'intérieur de la cellule est chargé négativement comparativement à l'extérieur. Lorsqu'une cellule ou un groupe de cellules sont stimulées, la perméabilité de toutes les membranes change, ce qui permet au sodium de passer rapidement à l'intérieur de la cellule, rendant la charge positive comparativement à l'extérieur (**dépolarisation**). Un déplacement plus lent d'ions à travers la membrane redonne à la cellule un état polarisé, ce qu'on appelle la **repolarisation**. La figure 24.1 illustre les phases suivantes : la phase 4 est un état polarisé ; la phase 0 est le mouvement ascendant correspondant à la dépolarisation rapide ; les phases 1, 2 et 3 représentent la repolarisation. Lorsque les antiarythmiques sont utilisés en milieu clinique, il est important que l'infirmière comprennent les mouvements ioniques dans la cellule cardiaque et le mécanisme du potentiel d'action.

En général, l'ECG se compose de 12 dérivations. Six de ces dérivations mesurent les forces électriques sur le plan frontal (dérivations I, II, III, aVR, aVL, aVF) (voir figure 24.2). Les six autres (V_1 à V_6) mesurent les forces électriques sur le plan horizontal (dérivations précordiales). L'ECG à 12 dérivations peut présenter des changements qui révèlent la présence de modifications ou de lésions structurelles comme l'ischémie, un infarctus, une hypertrophie des cavités cardiaques, un déséquilibre électrolytique ou une intoxication médicamenteuse. Il est également utile d'obtenir 12 vues du cœur pour évaluer les arythmies. La figure 24.3 présente un exemple d'ECG à 12 dérivations normal.

TABLEAU 24.1	Propriétés des tissus cardiaques
Automaticité	Capacité de produire une impulsion de manière spontanée et continue
Contractilité	Capacité de réagir mécaniquement à une impulsion
Conductivité	Capacité de transmettre méthodiquement une impulsion le long d'une membrane
Excitabilité	Capacité de répondre à une stimulation électrique

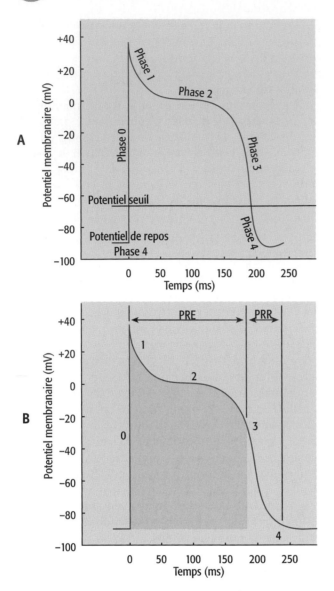

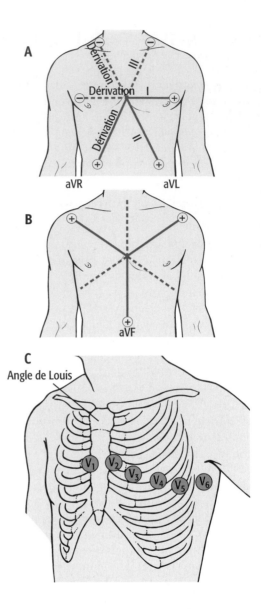

FIGURE 24.1 A. Phases du potentiel d'action cardiaque. Le potentiel électrique, mesuré en millivolts (mV), est indiqué sur l'axe vertical du graphique. Le temps, mesuré en millisecondes (ms), est indiqué sur l'axe horizontal du graphique. Le potentiel d'action comporte de trois à cinq phases, symbolisées par les phases 0 à 4. Chaque phase représente un événement électrique particulier ou une combinaison d'événements électriques. Les événements, leur durée, le potentiel d'action et le potentiel transmembranaire varient en fonction du type de cellule cardiaque sur laquelle porte la mesure. B. Deux parties de la période réfractaire. La période réfractaire effective (PRE) ou fonctionnelle s'étend de la phase 0 à environ -60 mV à la phase 3. Le reste du potentiel d'action est la période réfractaire relative (PRR).

FIGURE 24.2 A. Dérivations périphériques I, II, III. Les dérivations sont situées aux extrémités. Le schéma ci-dessus illustre l'orientation (l'angle) des dérivations par rapport au cœur. B. Emplacement des dérivations périphériques amplifiées aVR, aVL, aVF. Ces dérivations unipolaires utilisent le centre calculé du cœur comme leur électrode négative. C. Emplacement des dérivations précordiales : V_1, quatrième espace intercostal droit près du sternum ; V_2, quatrième espace intercostal gauche près du sternum ; V_3, à mi-chemin entre V_2 et V_4 ; V_4, à l'intersection de la ligne médioclaviculaire et du cinquième espace intercostal gauche ; V_5, à l'intersection de la ligne axillaire antérieure et d'une horizontale passant par V_4 ; V_6, à l'intersection de la ligne axillaire moyenne et d'une horizontale passant par V_4.

Lorsqu'un client est sous surveillance électrocardiographique continue, on utilise de 1 à 12 dérivations ; les plus courantes sont la dérivation II et la dérivation thoracique modifiée (MCL$_1$), qui correspond à la dérivation V_1 de l'ECG standard (voir figure 24.4). Ces dérivations démontrent clairement l'onde P et le complexe QRS.

L'ECG peut être visualisé en continu sur un oscilloscope de contrôle. L'enregistrement des tracés électrocardiographiques est fait sur du papier à ECG relié au moniteur (voir figure 24.4). Ces tracés fournissent des renseignements sur le rythme cardiaque du client. Il s'agit d'un moyen pour bien évaluer une arythmie et mesurer les complexes et les intervalles.

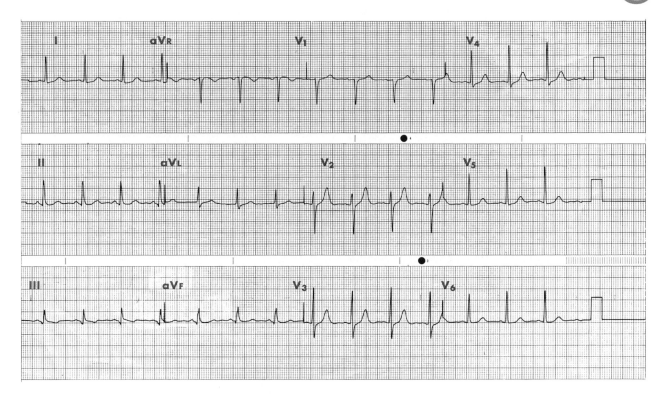

FIGURE 24.3 Électrocardiogramme à 12 dérivations présentant un rythme sinusal normal

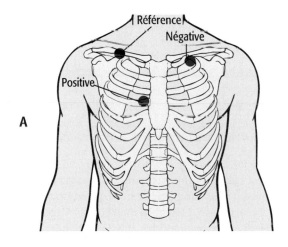

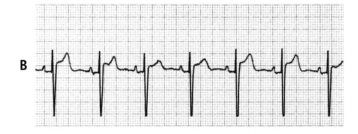

FIGURE 24.4 A. Emplacement de la dérivation thoracique modifiée (MCL₁). B. Tracé électrocardiographique caractéristique de la MCL₁.

Il est essentiel de savoir comment mesurer le temps et le voltage sur le papier à ECG pour l'interpréter correctement. Ce papier est composé de grands (traits épais) et de petits (traits fins) carrés (voir figure 24.5). Chaque grand carré est composé de 25 petits carrés (cinq horizontalement et cinq verticalement). L'intervalle entre deux traits fins horizontaux équivaut à 0,04 seconde et l'intervalle entre deux traits fins verticaux équivaut à 0,1 mV. Ce qui signifie qu'un grand carré équivaut à 0,20 seconde et que 300 grands carrés équivalent a une minute. À la verticale, un grand carré équivaut à 0,5 mV. Ces carrés sont utilisés pour calculer la fréquence cardiaque (FC) et les intervalles entre les différents complexes.

Diverses méthodes peuvent être utilisées pour calculer la FC sur un ECG. La méthode la plus précise est probablement de compter le nombre de complexes QRS en une minute. On peut recourir à une méthode plus simple si le rythme est régulier. Un marqueur apparaît sur le papier à ECG toutes les trois secondes. L'infirmière peut compter le nombre de complexes QRS en six secondes et multiplier ce nombre par dix, ce qui déterminera le nombre de complexes ou de battements par minute.

Il existe une autre méthode rapide de calculer la FC lorsque le rythme est régulier : elle consiste à compter le nombre de petits carrés entre deux complexes QRS (intervalle RR). L'onde R est la première onde positive

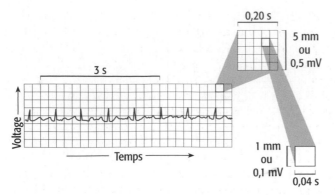

FIGURE 24.5 Temps et voltage sur l'électrocardiogramme

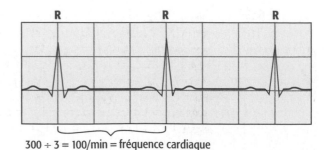

$300 \div 3 = 100/\text{min} = $ fréquence cardiaque

FIGURE 24.6 Lorsque le rythme est régulier, la fréquence cardiaque peut être déterminée d'un coup d'œil.

du complexe QRS. L'infirmière divise 1500 par le nombre de petits carrés pour obtenir la FC exacte. Cette méthode est uniquement précise lorsque le rythme est régulier.

On peut également diviser 300 par le nombre de grands carrés entre deux ondes R (voir figure 24.6). Encore une fois, cette méthode n'est précise que si le rythme est régulier.

On peut se servir d'un compas à pointes sèches pour mesurer les distances sur un tracé. Cet instrument est utilisé pour des mesures fines, notamment pour les pointes d'une onde précise. Il est rare qu'une onde P ou R coïncide avec un trait fin ou un trait gras. La pointe fine du compas peut être placée sur les éléments qui doivent être mesurés et ensuite déplacée sur le tracé pour mesurer le temps, qui est précis à 0,04 seconde.

Les dérivations de l'ECG sont reliées à la cage thoracique du client par des électrodes fixées avec une gelée conductrice. Afin d'assurer la meilleure adhérence possible, il est préférable de raser les poils et de nettoyer la peau avec de l'acétone pour enlever l'excès d'huile et les débris. Dans les cas où le client présente de la diaphorèse, on peut appliquer une solution de benzoïne sur la peau avant de mettre l'électrode en place. Si les dérivations et les électrodes ne sont pas fixées solidement ou s'il y a une activité musculaire ou une interférence électrique provenant d'une source extérieure, on peut apercevoir un artéfact sur le moniteur. Un **artéfact** est une modification du rythme de base et de l'oscillogramme sur l'ECG (voir figure 24.7). Il est difficile de faire une bonne interprétation du rythme cardiaque lorsqu'il y a présence d'un artéfact.

24.1.4 Surveillance par télémétrie

La surveillance par télémétrie est un moyen utilisé pour observer la fréquence et le rythme cardiaques du client afin de diagnostiquer les arythmies. Deux types de systèmes sont employés pour détecter les arythmies par télémétrie. Le premier type est un système centralisé qui requiert une surveillance constante de la part d'une

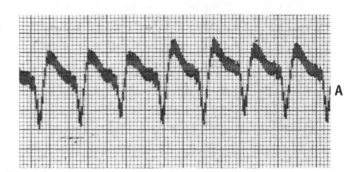

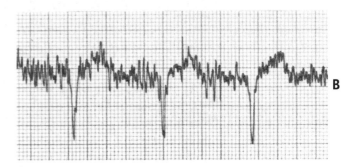

FIGURE 24.7 A. Artéfact électrique. B. Artéfact musculaire.

infirmière à partir d'un poste central. Le deuxième type de système est plus moderne et ne requiert aucune surveillance constante. Ces systèmes ont la capacité de déceler et d'emmagasiner des données concernant le type d'arythmies et leur fréquence. Des avertisseurs très perfectionnés assurent différents niveaux de détection des arythmies, en fonction de leur gravité. Cependant, les systèmes de surveillance informatisés ne sont pas sans défaillance. Il est donc important que l'infirmière effectue quand même des évaluations fréquentes.

24.1.5 Évaluation du rythme cardiaque

Lorsque l'infirmière évalue le rythme cardiaque d'un client, elle doit être en mesure de bien interpréter l'arythmie et d'en déterminer les conséquences. L'évaluation de la réaction hémodynamique du client à une arythmie permet de déterminer les interventions thérapeutiques.

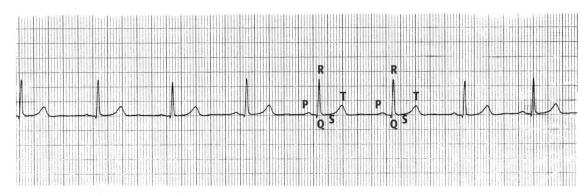

FIGURE 24.8 Rythme sinusal normal de la dérivation II

Si cela est possible, elle doit également établir la cause de l'arythmie. Les tachycardies peuvent entraîner une diminution du débit cardiaque (DC) et, possiblement, de l'hypotension. Certaines arythmies peuvent en provoquer des plus graves qui mettent en danger la vie du client. L'infirmière doit s'attarder à soigner à la fois le client et l'arythmie.

Le rythme sinusal correspond au rythme normal de conduction du cycle cardiaque, qui prend naissance dans le nœud sinusal (voir figure 24.8). La figure 24.9 illustre le rythme électrique normal du cycle cardiaque. Le tableau 24.2 présente une description des intervalles de l'ECG et la signification des troubles qui peuvent s'y rattacher. L'onde P indique la dépolarisation de l'oreillette (passage d'une impulsion électrique dans le muscle auriculaire), ce qui entraîne la contraction auriculaire. Le complexe QRS représente le temps d'activation totale des ventricules, ou dépolarisation, provoquant la contraction ventriculaire. L'onde T correspond à la repolarisation ventriculaire. L'intervalle PR illustre le temps que met l'influx à franchir le nœud AV, le faisceau de His et les fibres de Purkinje. L'intervalle QRS indique le temps nécessaire pour la dépolarisation et la repolarisation ventriculaire complète.

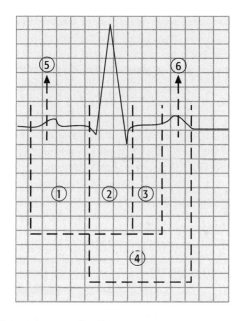

FIGURE 24.9 L'ECG tel qu'il apparaît en présence d'un rythme sinusal normal. 1) Intervalle PR (durée normale de 0,12 à 0,20 seconde) ; 2) Complexe QRS (durée normale de 0,04 à 0,12 seconde) ; 3) Segment ST (durée normale de 0,12 seconde) ; 4) Intervalle QT (durée normale de 0,34 à 0,43 seconde) ; 5) Onde P (durée normale de 0,06 à 0,12 seconde) ; 6) Onde T (durée normale de 0,16 seconde).

24.1.6 Mécanismes électrophysiologiques des arythmies

Les troubles de formation des impulsions peuvent entraîner des arythmies. Le cœur possède des cellules spécialisées que l'on retrouve dans le nœud sinusal, dans certaines partie des oreillettes, dans le nœud AV et dans le faisceau de His et le réseau de Purkinje. Ces cellules ont la propriété de se décharger spontanément ; c'est ce qu'on appelle l'**automaticité**. Normalement, le stimulateur naturel dominant du cœur est le nœud sinusal, qui se décharge spontanément de 60 à 100 fois par minute (voir tableau 24.3). Le stimulateur naturel d'un autre site peut se décharger de deux manières différentes. Si le nœud sinusal se décharge plus lentement qu'un stimulateur cardiaque naturel secondaire, les décharges électriques peuvent « s'échapper » passivement. Par la suite, le stimulateur naturel secondaire se déchargera automatiquement à sa vitesse spécifique. Ces stimulateurs naturels secondaires peuvent provenir du nœud AV ou du faisceau de His et du réseau de Purkinje à une fréquence de 40 à 60 fois par minute et de 30 à 40 fois par minute respectivement. Ils peuvent également intervenir lorsqu'ils se déchargent plus rapidement que le stimulateur naturel dominant du cœur (le nœud sinusal). Les battements déclenchés (précoces ou tardifs) peuvent provenir du foyer ectopique des oreillettes, des ventricules ou de la région du nœud AV, et entraîner un « épisode » d'arythmie, qui remplace le rythme sinusal normal.

TABLEAU 24.2 Définition et signification des intervalles électrocardiographiques*

Description	Durée (s)	Signification du trouble
Intervalle PR : se calcule à partir du début de l'onde P jusqu'au début de la première onde du complexe QRS ; représente le temps que met l'influx à franchir l'oreillette, le nœud AV et le faisceau de His, les branches du faisceau et le réseau de Purkinje jusqu'au point qui précède immédiatement l'activation ventriculaire.	0,12 - 0,20	Trouble de conduction touchant généralement le nœud AV, le faisceau de His ou ses branches, mais pouvant également se situer dans les oreillettes.
Intervalle QRS : se calcule du début à la fin du complexe QRS ; représente le temps requis pour dépolariser les deux ventricules.	0,04 - 0,12	Trouble de conduction dans les branches du faisceau de His ou dans les ventricules.
Intervalle QT : se calcule à partir du début du complexe QRS jusqu'à la fin de l'onde T ; représente le temps requis pour effectuer la dépolarisation électrique complète et la repolarisation des ventricules.	0,34 - 0,43	Troubles qui affectent généralement la repolarisation plutôt que la dépolarisation, comme les effets des médicaments, les déséquilibres électrolytiques et les changements de rythme.

* La FC influe sur la durée de ces intervalles, notamment la durée des intervalles PR et QT.
AV : auriculo-ventriculaire.

TABLEAU 24.3 Fréquences du système de conduction

Nœud sinusal	60 - 100 fois/min
Jonction AV	40 - 60 fois/min
Réseau de Purkinje	20 - 40 fois/min

AV : auriculo-ventriculaire.

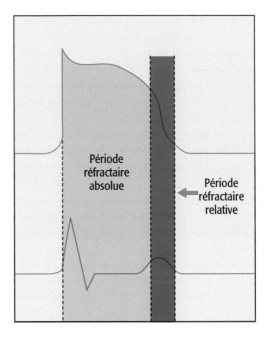

FIGURE 24.10 La période réfractaire absolue et la période réfractaire relative ont un rapport avec le potentiel d'action du muscle cardiaque et un tracé électrocardiographique.

L'impulsion induite par le stimulateur cardiaque naturel doit être transmise dans toute la cavité cardiaque. La propriété du tissu myocardique qui lui permet d'être dépolarisé par un stimulus se nomme l'**excitabilité**. Il s'agit d'une partie importante de la transmission de l'impulsion d'une fibre à l'autre. Le degré d'excitabilité est déterminé par la période pendant laquelle les tissus peuvent être stimulés à nouveau après la dépolarisation. La période de récupération qui suit la stimulation est appelée **période ou phase réfractaire**. La **période ou phase réfractaire absolue** survient lorsque l'excitabilité est nulle et que le tissu cardiaque ne peut pas être stimulé. La **période réfractaire relative** survient légèrement plus tard dans le cycle, et l'excitabilité est plus probable. À l'état d'excitabilité totale, le cœur a complètement récupéré. La figure 24.10 illustre la relation entre la période réfractaire et l'ECG.

Lorsque la conduction est faible et que certaines régions du cœur sont bloquées, les régions non bloquées sont activées plus tôt que les premières. Dans les situations où le blocage est unidirectionnel, cette conduction inégale peut permettre la réentrée de l'impulsion initiale dans les régions qui n'étaient pas excitables au préalable, mais qui ont récupéré. L'impulsion qui entre de nouveau peut être en mesure de dépolariser les oreillettes et les ventricules, entraînant ainsi une extra-

systole. Si la **stimulation par réentrée** se poursuit, une tachycardie survient.

Les arythmies se manifestent à la suite de différentes anomalies et maladies. La cause d'une arythmie influe sur le traitement du client. Les causes courantes d'arythmies sont présentées dans l'encadré 24.1.

Les arythmies qui surviennent en milieux extrahospitaliers présentent des problèmes de prise en charge. Il est hautement prioritaire d'effectuer une surveillance électrocardiographique afin de déterminer le rythme cardiaque. Les soins d'urgence pour le client atteint d'arythmies sont résumés dans le tableau 24.4.

- Effets des médicaments ou intoxication médicamenteuse
- Dégénérescence de la cellule myocardique
- Hypertrophie du muscle cardiaque
- Crise émotive
- Affection du tissu conjonctif
- Alcool
- Maladies métaboliques (p. ex. affection thyroïdienne)
- Café, thé, tabac
- Déséquilibres électrolytiques
- Hypoxie cellulaire
- Œdème
- Déséquilibres acidobasiques
- Ischémie myocardique
- Dégénérescence du système de conduction

24.1.7 Évaluation des arythmies

En plus de la surveillance continue par ECG au cours de l'hospitalisation, plusieurs méthodes peuvent être utilisées pour évaluer les arythmies cardiaques et l'efficacité des antiarythmiques. Par exemple, l'épreuve électrophysiologique (une méthode effractive ou invasive) et la surveillance Holter, la surveillance par enregistreur d'événements, l'épreuve de marche sur tapis roulant ou l'enregistrement des potentiels tardifs de l'ECG moyenné (méthodes non effractives ou non invasives) peuvent être réalisés en consultation externe ou en centre hospitalier (CH).

Les épreuves électrophysiologiques sont réalisées pour déceler les différents mécanismes de tachyarythmies, ainsi que les blocs auriculo-ventriculaires (BAV), les bradyarythmies et les arythmies comme causes de syncope. On peut également y avoir recours pour repérer l'emplacement des voies accessoires et pour déterminer l'efficacité des antiarythmiques. Pour ce faire, il faut introduire plusieurs cathéters-électrodes dans les veines du côté droit du cœur par guidage radioscopique. Les diverses régions des oreillettes et des ventricules sont stimulées électriquement, et l'inductibilité des arythmies est déterminée. Bien que l'examen soit réalisé sous sédation, le client doit rester conscient puisque des arythmies graves peuvent survenir et requérir une cardioversion ou une défibrillation immédiate. Étant donné qu'il est fréquent pour le client devant subir ce type d'examen d'être anxieux face à l'intervention, il est important que l'infirmière lui procure un soutien affectif. Les soins infirmiers à prodiguer avant et après l'examen sont semblables à ceux auxquels on a recours dans les cas de cathétérisme cardiaque. (Le chapitre 20 traite également de l'examen électrophysiologique.)

Le moniteur Holter est un dispositif qui sert à effectuer l'enregistrement électrocardiographique chez un client ambulatoire. Cet appareil peut enregistrer le rythme cardiaque sur une période de 24 à 48 heures pendant que le client vaque à ses occupations. Ce dernier doit tenir un journal dans lequel il note toutes ses activités et tous les symptômes qu'il ressent. Les données peuvent ensuite être mises en corrélation avec les arythmies qui ont été observées sur l'enregistrement. Le moniteur est habituellement utile pour déceler les arythmies importantes et évaluer les effets des médicaments pendant que le client s'adonne à ses activités habituelles. Il peut également être utilisé pour déceler les ischémies par l'analyse des segments ST. Les clients qui ont de fréquentes arythmies ventriculaires, dont certaines sont susceptibles d'être mortelles, peuvent toutefois ne pas être sous surveillance lorsqu'ils présentent de telles arythmies.

SOINS D'URGENCE

TABLEAU 24.4 Arythmies

Étiologie	Constatations	Interventions
Hypoxie, choc Empoisonnement, consommation de médicaments Infarctus du myocarde, insuffisance cardiaque congestive, troubles de conduction Troubles pulmonaires, quasi-noyade Déséquilibres électrolytiques, déséquilibres métaboliques Choc électrique	Fréquence anormale et rythme irrégulier, palpitations Douleur thoracique, cervicalgie, douleur en bretelle ou au bras Étourdissements, syncope Dyspnée Très grande agitation Diminution de l'état de conscience Sentiment de danger imminent Engourdissements, fourmillements aux bras Faiblesse et fatigue Peau moite et froide Diaphorèse Pâleur Nausées et vomissements Diminution de la pression artérielle Diminution de la saturation en oxygène	**Intervention initiales** S'assurer que les voies respiratoires sont libres. Administrer de l'oxygène par une canule nasale ou un masque à circuit ouvert. Établir un accès intraveineux. Appliquer des électrodes cardiaques. Déceler les rythmes sous-jacents. Détecter les automatismes ectopiques. **Surveillance continue** Surveiller les signes vitaux, le niveau de conscience, la saturation en O_2 et le rythme cardiaque. Prévoir une intubation en cas de détresse respiratoire évidente. Se préparer à entreprendre les manœuvres de RCR ou de défibrillation, ou les deux.

L'usage récent d'enregistreurs d'événements a permis d'améliorer considérablement l'évaluation des arythmies en consultation externe. Plus rarement utilisés que les stimulateurs cardiaques, ils sont installés sous la peau près de la clavicule gauche. Ce sont des enregistrements qui sont activés par le client et qui ne peuvent être utilisés que lorsque celui-ci ressent les symptômes liés à une arythmie. Il place alors l'enregistreur sur son thorax et transmet ensuite l'enregistrement par téléphone à un poste central de contrôle. Cette méthode s'avère plus facile que la surveillance continue pour documenter les arythmies lorsque les symptômes ne se produisent pas quotidiennement. L'appareil est fonctionnel pendant environ deux ans. (Le chapitre 20 traite de la surveillance ECG ambulatoire.)

Les potentiels tardifs (ECG moyenné de haute résolution) sont utilisés pour cibler les clients prédisposés aux arythmies ventriculaires complexes. Un programme informatisé et un électrocardiographe sont nécessaires pour réaliser le test. L'apparition de l'activité électrique appelée **potentiels tardifs** sur l'ECG moyenné de haute résolution laisse vivement supposer que le client court un risque de manifester des arythmies ventriculaires graves.

L'épreuve de marche sur tapis roulant (ECG à l'effort) permet d'évaluer la réaction du rythme cardiaque lors d'une activité physique. Les arythmies qui sont induites par l'effort peuvent être reproduites et analysées, et la pharmacothérapie peut être évaluée. Il existe divers protocoles d'épreuve de marche sur tapis roulant.

24.1.8 Types d'arythmies

Une approche systématique doit être employée afin d'évaluer un rythme cardiaque. La méthode recommandée consiste à noter la fréquence, le rythme, l'onde P, le complexe QRS, la relation entre l'onde P et le complexe QRS, l'intervalle PR, l'intervalle QRS et l'intervalle QT. Les paramètres suivants doivent être considérés : y a-t-il présence d'extrasystoles ventriculaires ? Y a-t-il des échappements ? Quel est le rythme dominant ? Quelle est la signification clinique de l'arythmie ? Quel est le traitement de l'arythmie en cause ? Les figures 24.11 à 24.20 montrent des exemples de tracés électrocardiographiques. Les caractéristiques descriptives des arythmies courantes sont présentées dans le tableau 24.5.

Bradycardie sinusale. En présence d'une bradycardie sinusale, la voie de conduction est identique à celle du rythme sinusal. Toutefois, la fréquence du nœud sinusal est inférieure à 60 battements par minute (voir figure 24.11, A).

Liens cliniques. La bradycardie sinusale correspond à un rythme sinusal normal chez les athlètes d'endurance

et chez d'autres individus pendant leur sommeil. Elle survient en réaction au massage du sinus carotidien, à la manœuvre de Valsalva, à l'hypothermie, à l'augmentation de la pression intraoculaire, à l'augmentation du tonus vagal et à l'administration de médicaments vagomimétiques. Les maladies qui sont associées à la bradycardie sinusale sont l'hypothyroïdie, l'augmentation de la pression intracrânienne, l'ictère obstructif et un infarctus à la cloison inférieure du myocarde.

Caractéristiques de l'ECG. Dans les cas de bradycardie sinusale, la FC est inférieure à 60 battements par minute et le rythme est régulier. Une onde P précède chaque complexe QRS, la morphologie est normale et l'intervalle est fixe. L'intervalle PR, la morphologie du complexe QRS et sa durée sont normaux.

Signification. La signification clinique de la bradycardie sinusale dépend de la manière dont le client la tolère sur le plan hémodynamique. L'hypotension et une diminution du débit cardiaque peuvent se produire dans certains cas. Un infarctus aigu du myocarde peut prédisposer le cœur aux arythmies par échappement et aux extrasystoles.

Traitement. Il consiste à administrer de l'atropine (un anticholinergique) chez le client qui présente des symptômes. La mise en place d'un stimulateur cardiaque peut s'avérer nécessaire.

Tachycardie sinusale. En présence d'une tachycardie sinusale, la voie de conduction est identique à celle du rythme sinusal. Le débit du nœud sinusal est plus rapide en raison de l'inhibition vagale ou de la stimulation sympathique. La fréquence sinusale est supérieure à 100 battements par minute (voir figure 24.11, B).

Liens cliniques. Une tachycardie sinusale est associée à des agents stressants de nature physiologique comme l'exercice, la fièvre, la douleur, l'hypotension, l'hypovolémie, l'anxiété, l'anémie, l'hypoxie, l'hypoglycémie, l'ischémie myocardique, l'insuffisance cardiaque congestive (ICC) et l'hyperthyroïdie. Elle peut également être associée aux effets de certains médicaments ou d'autres substances comme l'épinéphrine (Adrenalin), la norépinéphrine (Levophed), la caféine, l'atropine, la théophylline, la nifédipine (Adalat) ou l'hydralazine (Apresoline).

Caractéristiques de l'ECG. En présence d'une tachycardie sinusale, la FC est supérieure à 100 battements par minute et le rythme est régulier. L'onde P est normale et précède chaque complexe QRS ; sa morphologie et son intervalle sont normaux. L'intervalle PR et la morphologie du complexe QRS sont normaux.

TABLEAU 24.5   Caractéristiques des arythmies courantes

Tracé	Fréquence et rythme	Onde P	Intervalle PR	Complexe QRS
Rythme sinusal normal	60 à 100 bpm et régulier	Normale	Normal	Normal
Bradycardie sinusale	<60 bpm et régulier	Normale	Normal	Normal
Tachycardie sinusale	>100 bpm et régulier	Normale	Normal	Normal
Extrasystole auriculaire	Généralement 60 à 100 bpm et irrégulier	Forme anormale	Normal ou variable	Normal (généralement)
Tachycardie supraventriculaire paroxystique	100 à 300 bpm et régulier	Forme anormale, peut être cachée	Variable	Normal (généralement)
Flutter	Auriculaire : 250 à 350 bpm et régulier Ventriculaire : >100 bpm et irrégulier	En dents de scie	Variable	Normal (généralement)
Fibrillation	Auriculaire : 250 à 600 bpm et irrégulier Ventriculaire : >100 bpm et irrégulier ou peut être de n'importe quelle fréquence	Chaotique	Non mesurable	Normal (généralement)
Rythmes jonctionnels	40 à 140 bpm et régulier	Anormale (peut être cachée)	Variable	Normal (généralement)
BAV du 1er degré	Normale et régulier	Normale	>0,20 s	Normal
BAV du 2e degré Type I (Mobitz I, Wenckebach)	Auriculaire : normale et régulier Ventriculaire : lente et irrégulier	Normale	Progressivement allongé	Complexe QRS normal avec absence complète d'un cycle QRS
Type II (Mobitz II)	Auriculaire : généralement normale et régulier ou non Ventriculaire : lente et régulier ou non	Multiples de l'onde P	Normal ou prolongé	Complexe QRS élargi, précédé de deux ou de plusieurs ondes P
BAV du 3e degré	Ventriculaire : 20 à 40 bpm et régulier	Normale, mais aucun lien avec le complexe QRS	Variable	Normal ou élargi, blocage complet de la conduction des ondes P
Extrasystole ventriculaire	60 à 100 bpm et irrégulier	Généralement absente	Non mesurable	Large et déformé
Tachycardie ventriculaire	100 à 250 bpm et régulier ou non	Généralement absente	Non mesurable	Large et déformé
Fibrillation ventriculaire	Non mesurable et irrégulier	Absente	Non mesurable	Non mesurable

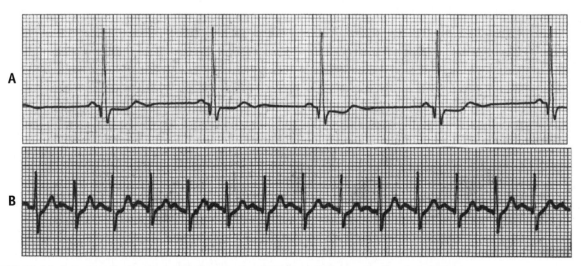

FIGURE 24.11   A. Bradycardie sinusale de 50 battements par minute (bpm). B. Tachycardie sinusale de 140 bpm.

Plan de soins infirmiers

Client atteint d'arythmies

DIAGNOSTIC INFIRMIER : diminution du débit cardiaque reliée à l'arythmie, se manifestant par une chute soudaine de la pression artérielle, une fréquence auriculaire ou ventriculaire >100/min ou <40/min, de la confusion mentale, une douleur thoracique, de la dyspnée ou de l'oligurie.

PLANIFICATION
Résultats escomptés
• Le client aura une pression artérielle >70 mm Hg, un index cardiaque >2 L/min, une diurèse >30 ml/h.
• Il aura une fréquence et un rythme cardiaques normaux.
• Il sera alerte.

INTERVENTIONS	Justifications
• Évaluer de manière continue les points suivants sur l'ECG : le rythme, la fréquence, les intervalles PR, QRS et QT.	• Surveiller l'état cardiaque.
• Surveiller les signes vitaux.	
• Évaluer et noter les signes de fatigue excessive, d'intolérance à l'activité, la dyspnée, l'orthopnée, les palpitations, la douleur thoracique, la faiblesse, les étourdissements et les nausées.	• Obtenir des données subjectives de l'état hémodynamique.
• Évaluer et noter la fréquence du pouls et la régularité du rythme, l'état de la PA, l'état respiratoire (craquements, râles ronflants, sibilances), les bruits cardiaques (souffles cardiaques, bruits de galop), l'œdème aux extrémités et au sacrum et l'état de la peau (diaphorèse, froideur).	• Obtenir des données objectives de l'état hémodynamique.
• Administrer des médicaments par voie intraveineuse, la RCR, etc., selon le protocole du milieu.	• Traiter les arythmies et maintenir un débit cardiaque adéquat.
• Maintenir au moins un point de ponction libre.	• Assurer un accès vasculaire pour administrer les médicaments par voie intraveineuse.
• Fournir de l'oxygène d'appoint au besoin.	• Maintenir une saturation adéquate en oxygène.
• Surveiller la concentration d'électrolytes sériques, y compris les concentrations de potassium et de magnésium.	• Les concentrations élevées ou faibles peuvent aggraver les arythmies.

DIAGNOSTIC INFIRMIER : intolérance à l'activité reliée à un débit cardiaque inadéquat, se manifestant par des vertiges ou des syncopes lors des changements de position, de la dyspnée à l'effort, une diminution de la pression artérielle debout >20 mm Hg et une augmentation de la fréquence cardiaque >20/min, lorsqu'il y a un changement de position.

PLANIFICATION
Résultats escomptés
• Le client maintiendra un niveau d'activité optimal.
• Il ne signalera pas de douleur ischémique à l'effort.

INTERVENTIONS	Justifications
• Évaluer l'état respiratoire et cardiaque avant une activité.	• Déterminer si les activités planifiées sont recommandées et assurer des données de base en vue de comparer l'état du client après l'effort.
• Observer et noter la réaction à l'effort.	• Évaluer le progrès que fait le client et planifier les activités à venir.
• Évaluer les effets secondaires des médicaments qui nuisent à l'effort, comme la fatigue, les étourdissements, la diminution de la contractilité du myocarde et l'exacerbation des arythmies.	• Ajuster la dose des médicaments et l'activité en conséquence.

→ Plan de soins infirmiers

Client atteint d'arythmies (*suite*)

DIAGNOSTIC INFIRMIER : peur reliée à l'apparition d'arythmies cardiaques mettant en danger la vie du client, se manifestant par un refus de bouger ou de participer aux soins, le besoin d'une attention constante, le fait de poser de nombreuses questions ou aucune et par une observation attentive du moniteur cardiaque.

PLANIFICATION
Résultats escomptés
- Le client participera à l'élaboration de son plan de soins.
- Il dira qu'il ne se sent pas anxieux et qu'il est à l'aise.

INTERVENTIONS	Justifications
• Évaluer les stratégies et la capacité d'adaptation du client. • L'encourager à verbaliser ses sentiments. • Clarifier l'information et répondre aux questions concernant la maladie cardiovasculaire, la symptomatologie, l'activité et les restrictions alimentaires, les médicaments et les interventions.	• Reconnaître ses ressources ou ses problèmes. • Le client peut discuter des raisons qui motivent sa peur. • Des connaissances adéquates aident souvent à réduire la peur.

Processus thérapeutique

COMPLICATION POSSIBLE : arrêt cardiaque relié à un débit cardiaque insuffisant.

PLANIFICATION
Objectifs
- Surveiller le client pour détecter tout signe important d'arythmies cardiaques.
- Signaler les déviations quant aux paramètres acceptables.
- Effectuer les interventions infirmières appropriées.

INTERVENTIONS
- Évaluer et reconnaître immédiatement les arythmies qui peuvent causer un arrêt cardiaque.
- Entreprendre les interventions propres à la RCR avancée en fonction du protocole établi dans le milieu.

Signification. La signification clinique de la tachycardie sinusale dépend de la tolérance du client à l'augmentation de la FC. Il peut présenter des étourdissements et de l'hypotension. L'augmentation de la consommation d'oxygène par le myocarde est associée à la hausse de la FC. La tachycardie sinusale chronique peut être accompagnée d'angine ou d'une extension de la zone ischémiée chez le client victime d'un infarctus aigu du myocarde.

Traitement. Il est déterminé en fonction des causes sous-jacentes. Dans certains milieux, un traitement par des β-bloquants (p. ex. propranolol [Indéral]) est utilisé pour réduire la FC et diminuer la consommation d'oxygène par le myocarde.

Extrasystole auriculaire. Une extrasystole auriculaire (ESA) est une contraction qui a son point de départ dans l'oreillette, à un endroit autre que le nœud sinusal. Elle prend naissance dans l'oreillette gauche ou droite et emprunte une voie anormale pour la traverser, ce qui entraîne une déformation de l'onde P (voir figure 24.12). La contraction est bloquée au NAV (ESA bloquée), retardée (allongement de l'intervalle PR) ou acheminée normalement. Elle passe par le NAV et, dans la plupart des cas, elle est acheminée normalement dans les ventricules.

Liens cliniques. Dans un cœur normal, une ESA peut être causée par un stress émotionnel ou la consommation de caféine, de tabac ou d'alcool. Elle peut également se

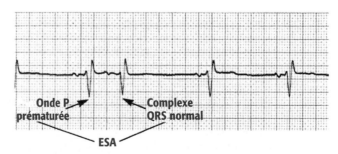

FIGURE 24.12 Extrasystole auriculaire (ESA) avec conduction normale. L'onde P prématurée est désignée par des flèches, et le complexe QRS qui suit a une forme et une durée normales.

produire à la suite d'une maladie comme une infection, une inflammation, une hyperthyroïdie, une broncho-pneumopathie chronique obstructive (BPCO), une cardiopathie (y compris l'athérosclérose coronarienne), une maladie valvulaire et d'autres maladies. Elle peut aussi être causée par une hypertrophie de l'oreillette.

Caractéristiques de l'ECG. La FC varie en fonction de la durée et de la fréquence sous-jacentes de l'ESA, et le rythme est régulier. L'onde P présente une morphologie différente de celle des ondes P normales. Elle peut être dentelée ou présenter une déflexion négative, ou encore être cachée dans l'onde T du complexe précédent. L'intervalle PR peut être plus court ou plus long que l'intervalle PR d'origine sinusale, mais il se situe dans les limites normales. Le complexe QRS est généralement identique aux autres complexes QRS du rythme de base. On dit qu'il y a présence d'une conduction anormale dans les ventricules lorsque l'intervalle QRS est supérieur ou égal à 0,12 seconde.

Signification. Une ESA peut être un signe avant-coureur d'une tachycardie supraventriculaire.

Traitement. Il dépend des symptômes du client. Le sevrage des sources de stimulation comme la caféine peut être justifié. Les médicaments comme la digoxine (Lanoxin), la quinidine, la procaïnamide (Pronestyl), la flécaïnide (Tambocor) et les β-bloquants peuvent être utilisés.

Tachycardie supraventriculaire paroxystique. Une tachycardie supraventriculaire paroxystique (TSVP) est une arythmie qui prend naissance dans un foyer ectopique au-dessus de la bifurcation du faisceau de His (voir figure 24.13). Il est parfois difficile de repérer le foyer ectopique au moyen d'un ECG à 12 dérivations. La TSVP est accompagnée du phénomène de réentrée (réexcitation de l'oreillette en présence d'un bloc unidirectionnel). Une série d'extrasystoles fait son apparition et est généralement annoncée par une ESA. Le terme « paroxystique » fait référence à une apparition et à une terminaison brusques. La terminaison est parfois suivie d'une courte période d'asystolie. On peut noter la présence d'un certain degré de BAV. Une TSVP qui provient d'un faisceau accessoire est appelée tachycardie orthodromique ou antidromique. Le terme « orthodromique »

fait référence à une conduction directe, ou antérograde, par le NAV et à une conduction inverse, ou rétrograde, par un faisceau accessoire. Le terme « antidromique » est l'antonyme du premier : une conduction antérograde par un faisceau accessoire et une conduction rétrograde par le NAV.

Liens cliniques. En présence d'un cœur normal, la TSVP est associée au surmenage, au stress émotionnel, aux changements de position, aux respirations profondes et aux stimulants comme la caféine et le tabac. On associe la TSVP au rhumatisme cardiaque, au syndrome de Wolff-Parkinson-White (WPW) (conduction par des faisceaux accessoires), à une intoxication digitalique, à une coronaropathie ou à un cœur pulmonaire.

Caractéristiques de l'ECG. Dans les cas de TSVP, la FC se situe entre 100 et 300 battements par minute et le rythme est régulier. L'onde P est souvent cachée dans l'onde T du complexe précédent et le tracé est anormal. L'intervalle PR peut être prolongé, raccourci ou normal et le complexe QRS peut être normal ou anormal.

Signification. La signification clinique de la TSVP dépend des symptômes et de la FC. Un épisode prolongé et une FC supérieure à 180 battements par minute peuvent entraîner une diminution du DC accompagnée d'hypotension et d'une ischémie myocardique.

Traitement. Il comprend la vagotonie et la pharmacothérapie. Pour traiter la TSVP, on peut avoir recours à la vagotonie induite par le massage du sinus carotidien ou par la manœuvre de Valsalva. L'adénosine (Adenocard) administrée par voie intraveineuse est le médicament le plus utilisé pour la conversion d'une TSVP en un rythme sinusal normal. Ce médicament a une courte demi-vie (10 secondes) et est bien toléré par la plupart des clients. Le vérapamil (Isoptin), le diltiazem (Cardizem), la digitaline et le propranolol (Indéral) peuvent également être utilisés par voie intraveineuse. Cependant, la digitaline et les inhibiteurs calciques peuvent causer un collapsus hémodynamique en présence du syndrome de WPW. Une TSVP persistante et récurrente en présence du syndrome de WPW peut, en dernier recours, être traitée par thermoablation du faisceau accessoire.

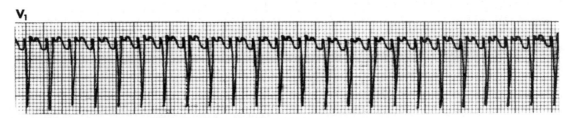

FIGURE 24.13 Tachycardie supraventriculaire paroxystique par réentrée nodale avec une onde P à la fin du complexe QRS

Flutter auriculaire. Le flutter auriculaire est une tachyarythmie auriculaire qu'on décèle grâce aux ondes de flutter, qui sont récurrentes, régulières et en dents de scie (voir figure 24.14, A) et qui sont plus évidentes dans les dérivations II, III, aVF et V$_1$ sur un ECG à 12 dérivations. Il est généralement associé à une réponse ventriculaire plus lente. En raison des caractéristiques réfractaires du NAV, on note généralement la présence de certains blocs AV dans un rapport fixe ondes de flutter : complexes QRS (p. ex. 2:1, 3:1).

Liens cliniques. Le flutter auriculaire survient rarement chez les sujets ayant un cœur en santé. En présence d'une maladie, il est associé à une coronaropathie, à l'hypertension, aux troubles de la valve mitrale, à une embolie pulmonaire, à un cœur pulmonaire, à une myocardiopathie, à l'hyperthyroïdie et à la prise de médicaments comme la digoxine (Lanoxin), la quinidine et l'épinéphrine (Adrenalin).

Caractéristiques de l'ECG. La fréquence auriculaire est de 250 à 350 battements par minute. La fréquence ventriculaire varie en fonction du mode de conduction. Dans les cas de conduction 2:1, la fréquence ventriculaire est d'environ 150 battements par minute. Le rythme auriculaire est régulier et le rythme ventriculaire l'est habituellement. L'onde P est représentée en dents de scie, l'intervalle PR est variable et le complexe QRS est normal.

Signification. La fréquence ventriculaire élevée associée à un flutter auriculaire peut entraîner une diminution du DC et provoquer de graves conséquences comme une insuffisance cardiaque, notamment chez les clients qui présentent une cardiopathie sous-jacente.

Traitement. Le principal but du traitement du flutter auriculaire est de ralentir la réponse ventriculaire en augmentant le BAV. On peut avoir recours à la cardioversion électrique pour traiter le flutter auriculaire et redonner au cœur un rythme sinusal normal en situation d'urgence. Les médicaments utilisés sont le vérapamil (Isoptin), le diltiazem (Cardizem), la digoxine (Lanoxin), le sotalol (Sotacor), la propafénone (Rythmol), la quinidine, la procaïnamide (Pronestyl) et les β-bloquants.

Fibrillation auriculaire. La fibrillation auriculaire est caractérisée par une activité électrique auriculaire désynchronisée et anarchique sans contraction auriculaire efficace (voir figure 24.14, B). Sur l'ECG, la ligne isoélectrique est ondulée ou hachurée, car la fréquence des ondes de fibrillation varie de 300 à 600 battements par minute. La réponse ventriculaire est donc irrégulière, et la fréquence ventriculaire peut varier de 100 à 160 battements par minute si le client n'est pas traité. L'arythmie peut être chronique ou intermittente.

Liens cliniques. La fibrillation auriculaire survient généralement chez les clients qui ont une cardiopathie sous-jacente, comme un rhumatisme cardiaque, une myocardiopathie, une cardiopathie hypertensive, une ICC, une péricardite et une coronaropathie. Elle est également associée à une thyrotoxicose, à l'alcoolisme, à une infection, à une gastro-entérite et au stress. Le terme fibrillation auriculaire idiopathique est utilisé lorsqu'on ne peut déceler aucune cause à cet état.

Caractéristiques de l'ECG. Pendant une fibrillation auriculaire, la fréquence auriculaire est aussi élevée que 350 à 600 battements par minute. La fréquence ventriculaire

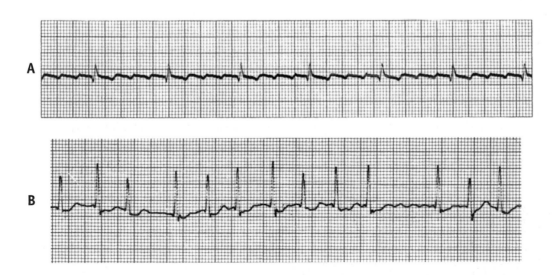

FIGURE 24.14 A. Flutter auriculaire avec conduction 4:1. B. Fibrillation auriculaire. Notez que le trait de base est irrégulier et dentelé entre les complexes QRS.

peut être aussi faible que 50 battements par minute et aussi élevée que 180 battements par minute. Le rythme auriculaire est chaotique et le rythme ventriculaire est généralement irrégulier. Ce dernier peut cependant être régulier en présence d'un BAV complet (rythme d'échappement ventriculaire). Il est impossible d'observer clairement une onde P. L'intervalle PR n'est pas mesurable et le complexe QRS est normal.

Signification. La fibrillation auriculaire peut souvent causer une diminution du DC en raison des contractions auriculaires inefficaces et de la réponse ventriculaire rapide. Des thrombi peuvent se former dans l'oreillette et un caillot peut atteindre le cerveau, entraînant un accident vasculaire cérébral (AVC). Ce risque est cinq fois plus élevé en présence d'une fibrillation auriculaire et il est encore plus important chez les clients âgés de plus de 65 ans atteints de cardiopathie structurelle et d'hypertension. On utilise un agent anticoagulant appelé warfarine (Coumadin) pour prévenir les AVC en présence de fibrillation auriculaire.

Traitement. L'objectif du traitement est de réduire la réponse ventriculaire. En situation d'urgence, la cardioversion peut être utilisée pour faire la conversion d'une fibrillation auriculaire en un rythme sinusal normal. Les médicaments employés dans les cas de cardioversion pharmaceutique ou de diminution de la réponse ventriculaire comprennent la digoxine (Lanoxin), le vérapamil (Isoptin), le diltiazem (Cardizem), la quinidine, les β-bloquants, la flécaïnide (Tambocor), la propafénone (Rythmol) et le sotalol (Sotacor). L'administration d'une faible dose d'amiodarone (Cordarone) est de plus en plus fréquente comme traitement antiarythmique de la fibrillation auriculaire. On administre également de l'ibutilide (Corvert) par voie intraveineuse dans les milieux de soins de courte durée pour la conversion de la fibrillation auriculaire. Lorsque le client présente une fibrillation auriculaire depuis plus de 48 heures, on recommande une anticoagulothérapie par la warfarine (Coumadin) pendant 3 ou 4 semaines avant d'entreprendre la conversion en rythme sinusal.

Arythmie jonctionnelle.
Une arythmie jonctionnelle correspond à une arythmie qui survient dans la région du NAV. L'impulsion peut être rétrograde, ce qui déforme l'onde P immédiatement avant ou après le complexe QRS. En général, l'impulsion se déplace normalement vers les ventricules. Des extrasystoles jonctionnelles peuvent survenir ; elles sont traitées de la même manière que dans les cas d'ESA. Les autres types d'arythmies jonctionnelles comprennent le rythme d'échappement jonctionnel (voir figure 24.15), le rythme nodal accéléré et la tachycardie jonctionnelle. Ces arythmies sont traitées selon la tolérance du client et son état clinique.

Liens cliniques. Chez les athlètes d'endurance, le rythme d'échappement jonctionnel est souvent associé à la bradycardie sinusale. Il peut survenir à la suite d'un infarctus aigu du myocarde, notamment à la cloison inférieure, et d'un dysfonctionnement du nœud sinusal. On peut observer le rythme nodal accéléré et la tachycardie jonctionnelle en présence d'un infarctus aigu à la cloison inférieure du myocarde, d'une intoxication digitalique, d'un rhumatisme articulaire aigu et pendant les chirurgies cardiaques.

Caractéristiques de l'ECG. Dans les cas de rythme d'échappement jonctionnel, la FC varie de 40 à 60 battements par minute ; dans les cas de rythme nodal accéléré, elle varie de 60 à 100 battements par minute, alors que, dans les cas de tachycardie jonctionnelle, elle varie de 100 à 140 battements par minute. Le rythme est régulier. L'onde P est anormale et inversée, ou elle peut être cachée dans le complexe QRS précédent (voir figure 24.15). L'intervalle PR est inférieur à 0,12 seconde lorsque l'onde P précède le complexe QRS qui, lui, est généralement normal.

Signification. Le rythme d'échappement jonctionnel sert de mécanisme de sécurité lorsque le principal stimulateur cardiaque naturel n'a pas été activé. De tels rythmes d'échappement ne doivent pas être supprimés. Un rythme nodal accéléré et une tachycardie jonctionnelle indiquent que le nœud sinusal éprouve un trouble. Lorsque ces rythmes sont rapides, ils peuvent entraîner une diminution du DC et une insuffisance cardiaque.

Traitement. Il varie en fonction du type d'arythmie jonctionnelle. Par exemple, on peut administrer de l'atropine

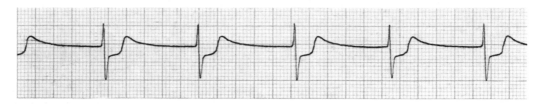

FIGURE 24.15 Rythme jonctionnel à 57 battements par minute

si le client éprouve des symptômes associés au rythme d'échappement jonctionnel. Dans les cas de rythme nodal accéléré et de tachycardie jonctionnelle causés par une intoxication à la digoxine (Lanoxin), on interrompt la prise de ce médicament. En l'absence d'intoxication à la digoxine, on peut avoir recours au propranolol (Indéral), à la phénytoïne (Dilantin) ou au vérapamil (Isoptin).

Bloc AV du 1er degré. Le BAV du 1er degré est un type de BAV dont toutes les impulsions se rendent aux ventricules, mais en présence duquel la durée de la conduction auriculoventriculaire est prolongée (voir figure 24.16). Ce phénomène est caractérisé par un intervalle PR supérieur à 0,20 seconde. Une fois que l'impulsion se déplace dans le NAV, la conduction se fait habituellement de façon normale dans les ventricules.

Liens cliniques. Le BAV du 1er degré est associé à un infarctus aigu du myocarde, à une cardiopathie ischémique chronique, à un rhumatisme articulaire aigu (RAA), à l'hyperthyroïdie, à la vagotonie et aux médicaments comme la digoxine (Lanoxin), les β-bloquants, la flécaïnide (Tambocor) et le vérapamil (Isoptin) administrés par voie intraveineuse.

Caractéristiques de l'ECG. Dans les cas de bloc AV du 1er degré, la FC est normale et le rythme est régulier. L'onde P est normale, l'intervalle PR est prolongé de plus de 0,20 seconde et le complexe QRS est généralement normal.

Signification. Le BAV du 1er degré peut être un signe avant-coureur d'un BAV de degré supérieur.

Traitement. Il n'existe aucun traitement pour le BAV de 1er degré.

Bloc AV du 2e degré de type I. Le BAV de type I (Mobitz I, phénomène de Wenckebach) comprend un allongement progressif de l'intervalle PR, qui survient en raison du temps de conduction auriculo-ventriculaire prolongé jusqu'à la survenue d'une impulsion auriculaire non conduite et d'une onde P bloquée (non suivie d'un complexe QRS) (voir figure 24.16). Après la pause ventriculaire, le cycle se répète et on note un allongement progressif de l'intervalle PR jusqu'à la survenue d'une nouvelle onde P bloquée. Sur l'ECG, le rythme a l'apparence de battements regroupés. La durée du complexe QRS est normale ou prolongée. Le BAV de type I survient généralement dans le NAV, mais il peut également apparaître dans le faisceau de His et le réseau de Purkinje.

Liens cliniques. Un BAV de type I peut être causé par la prise de médicaments comme la digoxine ou les β-bloquants. Il peut également être associé à une cardiopathie ischémique et à d'autres maladies susceptibles de ralentir la conduction auriculoventriculaire.

Même si la fréquence auriculaire est normale, il est possible que la fréquence ventriculaire soit plus lente en raison d'un blocage de l'onde P. Le rythme ventriculaire est irrégulier. On note un allongement progressif de l'intervalle PR jusqu'à l'apparition d'une onde P bloquée et la pause du complexe QRS. La morphologie de l'onde P et de l'intervalle PR est normale.

Signification. Le BAV de type I est généralement attribuable à une ischémie myocardique lors d'un infarctus inférieur. Il est presque toujours transitoire et est normalement bien toléré. Cependant, il peut aussi représenter un signal d'avertissement à l'égard d'un trouble de conduction auriculo-ventriculaire imminent.

Traitement. Lorsque le client est symptomatique, il est possible d'administrer de l'atropine pour augmenter la FC ou de poser un stimulateur cardiaque temporaire, surtout si le client est victime d'un infarctus aigu du myocarde.

Bloc AV du 2e degré de type II. Dans les cas de BAV du 2e degré (Mobitz II), une onde P est bloquée sur un intervalle PR constant, qui survient presque toujours au niveau du bloc de branche (voir figure 24.16). Le BAV du 2e degré est une forme plus grave qui bloque un certain nombre d'influx sinusaux et les empêche de parvenir aux ventricules. Les modes de conduction sont alors dans des rapports de 2:1, 3:1, et ainsi de suite, ce qui signifie que, d'une pause à l'autre, on compte deux ondes P pour un complexe QRS, trois ondes P pour un complexe QRS. Le BAV de type II peut survenir dans différents rapports de conduction et apparaît presque toujours dans le faisceau de His et le réseau de Purkinje.

Liens cliniques. Le BAV de type II est associé à un rhumatisme cardiaque, à une athérosclérose coronarienne, à un infarctus aigu du myocarde antérieur et à une intoxication digitalique.

Caractéristiques de l'ECG. En général, la fréquence auriculaire est normale. La fréquence ventriculaire dépend de la fréquence intrinsèque et du degré du BAV. Le rythme sinusal est régulier, mais le rythme ventriculaire peut être irrégulier. L'onde P est normale. L'intervalle PR peut être normal ou allongé, mais il reste constant. Le complexe QRS s'élargit à plus de 0,12 seconde en raison du bloc de branche.

Signification. Le BAV de type II se transforme souvent en BAV du 3e degré et est associé à un pronostic défavorable. La faible FC peut entraîner une diminution du DC suivie d'une hypotension et d'une ischémie

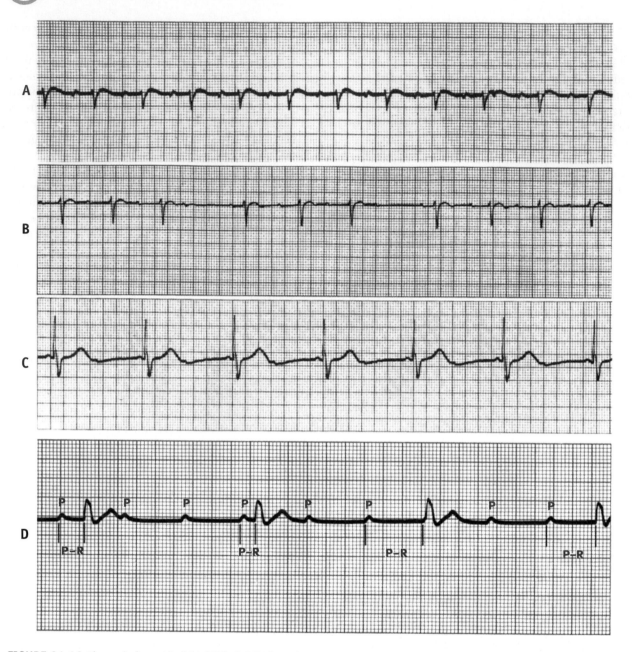

FIGURE 24.16 Bloc auriculo-ventriculaire (BAV). A. BAV du 1ᵉʳ degré. On peut noter que l'intervalle PR est retardé. B. BAV du 2ᵉ degré, type I (Mobitz I, Wenckebach). C. BAV du 2ᵉ degré, type II (Mobitz II). D. BAV complet (du 3ᵉ degré). L'intervalle PR irrégulier indique la présence d'un BAV complet.

myocardique. Le BAV de type II nécessite la pose d'un stimulateur cardiaque permanent.

Traitement. À titre de traitement temporaire, un stimulateur peut être installé. Des médicaments comme l'atropine, l'épinéphrine (Adrenalin) ou la dopamine (Intropin) peuvent être administrés à titre de mesures temporaires pour tenter d'augmenter la FC jusqu'à ce qu'on puisse procéder à la pose d'un stimulateur cardiaque permanent.

Bloc AV du 3ᵉ degré. Le BAV du 3ᵉ degré, qui est en fait un BAV complet, se caractérise par l'absence totale de conduction entre les oreillettes et les ventricules (voir figure 24.16). Les oreillettes sont stimulées et se contractent indépendamment des ventricules. Le rythme ventriculaire est un rythme d'échappement et le foyer peut être au-dessus ou au-dessous de la bifurcation du faisceau de His.

Liens cliniques. Le BAV du 3ᵉ degré est associé à une fibrose ou à une calcification du système de conduction cardiaque, à une coronaropathie, à une myocardite, à une myocardiopathie, à une chirurgie cardiaque et à certaines maladies systémiques comme l'amylose et la sclérodermie.

Caractéristiques de l'ECG. La fréquence auriculaire est généralement sinusale et varie de 60 à 100 battements par minute. La fréquence ventriculaire varie en fonction du siège du bloc. S'il se situe dans le NAV, elle oscille entre 40 et 60 battements par minute et, s'il est dans le réseau de Purkinje, elle varie de 20 à 40 battements par minute. Même si les rythmes auriculaire et ventriculaire sont réguliers, ils sont asynchrones. L'onde P est normale. L'intervalle PR est variable et il n'y a aucune relation entre l'onde P et le complexe QRS. Ce dernier est normal si le rythme d'échappement est amorcé dans le faisceau de His ou au-dessus. Il est élargi si le rythme d'échappement est amorcé sous le faisceau de His.

Signification. Le BAV du 3e degré entraîne presque toujours une diminution du DC, suivie d'une ischémie et d'une insuffisance cardiaque. La syncope liée au BAV du 3e degré peut être causée par une bradycardie ou même par des périodes d'asystolie.

Traitement. Dans les cas urgents, un stimulateur temporaire ou un stimulateur externe peut être posé chez un client victime d'un infarctus aigu du myocarde. Des médicaments comme l'atropine, l'épinéphrine (Adrenalin) et la dopamine (Intropin) sont des traitements temporaires visant à augmenter la FC et à soutenir la pression artérielle (PA) avant la pose du stimulateur.

Extrasystole ventriculaire. Une extrasystole ventriculaire (ESV) est une contraction qui prend naissance prématurément dans un foyer ventriculaire ectopique. Le complexe QRS est donc large et déformé comparativement à un complexe QRS qui prend naissance dans le tissu supraventriculaire (voir figure 24.17). Le complexe QRS est généralement plus large que 0,12 seconde, et l'onde T est habituellement géante et souvent à l'inverse du complexe QRS. Une conduction rétrograde peut survenir et l'onde P peut suivre un battement ectopique. Les ESV qui prennent naissance dans d'autres foyers et qui ont des morphologies différentes sont appelées **ESV polymorphes**. Lorsque qu'il y a alternance entre un complexe sinusal et une ESV, elles sont appelées **ESV bigéminées**. Lorsqu'on remarque deux complexes sinusaux suivis d'une ESV, il s'agit d'une **ESV trigéminée**. On appelle **couplet** une succession de deux extrasystoles ventriculaires consécutives, et **triplet** une succession de trois extrasystoles ventriculaires consécutives. Une **tachycardie ventriculaire** survient en présence de trois extrasystoles ventriculaires consécutives ou plus. Le **phénomène R/T** se produit lorsqu'une ESV tombe

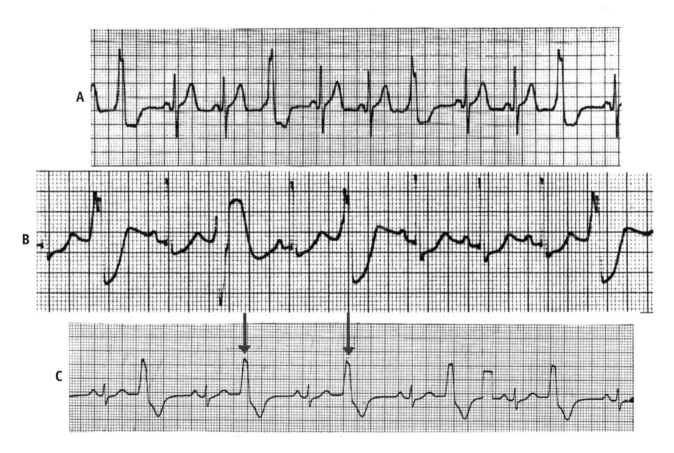

FIGURE 24.17 Extrasystole ventriculaire (ESV). A. ESV trigéminée. B. ESV polymorphe. C. ESV bigéminée.

sous l'onde T d'un complexe précédent. Ce phénomène est considéré comme dangereux parce qu'il peut entraîner une tachycardie ou une fibrillation ventriculaires.

Liens cliniques. Les ESV sont causées par des stimulants comme la caféine, l'alcool, l'aminophylline, l'épinéphrine (Adrenalin), l'isoprotérénol (Isuprel) et la digoxine (Lanoxin). Elles sont aussi liées à l'hypokaliémie, à l'hypoxie, à la fièvre, à l'exercice et au stress émotionnel. Les maladies associées aux ESV comprennent l'infarctus aigu du myocarde, le prolapsus valvulaire mitral, l'ICC et la coronaropathie.

Caractéristiques de l'ECG. La FC varie en fonction de la fréquence intrinsèque et du nombre d'ESV. Le rythme est irrégulier en raison des extrasystoles. Une onde P rétrograde est possible ; cette onde est rarement visible et est généralement absente dans le complexe QRS de l'ESV. L'intervalle PR n'est pas mesurable. Le complexe QRS est large et déformé et il est supérieur à 0,12 seconde.

Signification. Les ESV sont généralement des manifestations de type bénin chez les clients ayant un cœur en santé. Dans les cas de cardiopathie, selon la fréquence, elles peuvent entraîner une diminution du DC et de l'angine, ainsi qu'une insuffisance cardiaque. Celles qui se manifestent en présence d'une cardiopathie ischémique ou d'un infarctus aigu du myocarde représentent l'irritabilité ventriculaire. Elles peuvent également survenir en tant qu'**arythmie de reperfusion** après la lyse d'un caillot dans une artère coronaire par traitement thrombolytique en présence d'un infarctus aigu du myocarde, ou après la réduction de la plaque entraînée par une angioplastie coronarienne transluminale percutanée (ACTP ou PTCA – *percutaneous transluminal coronary angioplasty*).

Traitement. Les indications pour le traitement des ESV dans un milieu clinique comprennent : la survenue de six ESV ou plus par minute ; la présence de couplets ou de triplets ; la présence d'ESV polymorphes ; l'existence d'un phénomène R/T. Il est possible qu'une tachycardie ou une fibrillation ventriculaires surviennent si un traitement n'est pas amorcé. La lidocaïne est le médicament de choix pour traiter les ESV, à raison d'un bolus IV initial de 1 à 1,5 mg/kg suivi d'un deuxième bolus de 0,5 à 1,5 mg/kg et d'une perfusion continue de 2 à 4 mg/min. La procaïnamide (Pronestyl) est le deuxième médicament de choix lorsque la lidocaïne est inefficace. L'évaluation de l'état hémodynamique du client est importante afin de déterminer si la pharmacothérapie est indiquée.

Tachycardie ventriculaire. Un diagnostic de tachycardie ventriculaire est posé lorsqu'une salve de trois ESV ou plus surviennent. Le tracé du complexe QRS est déformé et correspond à une durée de plus de 0,12 seconde. Le segment ST-T est à l'inverse du complexe QRS (voir figure 24.18). Cet état survient lorsqu'un ou plusieurs foyers ectopiques délivrent des décharges de manière répétitive et que le ventricule prend le relais à titre de stimulateur cardiaque. La fréquence ventriculaire est de 110 à 250 battements par minute, et l'intervalle R-R peut être régulier ou non. La présence d'une dissociation AV est possible, et une onde P peut apparaître séparément du complexe QRS. L'oreillette peut également être dépolarisée par les ventricules par voie rétrograde.

La tachycardie ventriculaire peut être soutenue (durée supérieure à 30 secondes) ou non soutenue (durée inférieure à 30 secondes). La torsade de pointes (voir figure 24.19) ou tachycardie ventriculaire polymorphe est un type de tachycardie ventriculaire caractérisé par une morphologie QRS qui change graduellement sa polarité au cours d'une série de battements. Ce phénomène survient généralement en présence d'un allongement du segment QT.

L'apparence d'une tachycardie ventriculaire est un mauvais présage, car elle indique habituellement la présence d'une cardiopathie. Il s'agit d'une arythmie qui

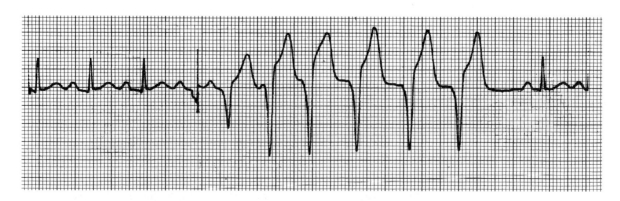

FIGURE 24.18 Tachycardie ventriculaire

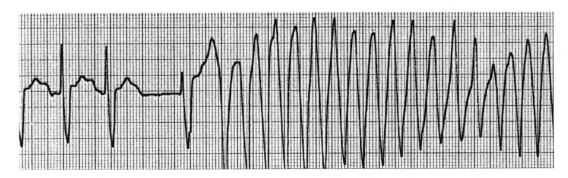

FIGURE 24.19 Torsade de pointes

met en danger la vie du client parce qu'elle diminue le DC et risque de se transformer en fibrillation ventriculaire qui, elle, est mortelle.

Liens cliniques. La tachycardie ventriculaire est associée à un infarctus aigu du myocarde, à une coronaropathie, à un trouble électrolytique important (p. ex. potassium), à une myocardiopathie, à un prolapsus valvulaire mitral, au syndrome du QT long et à une reperfusion coronaire après un traitement thrombolytique. On a également noté la présence d'une arythmie chez les clients qui n'avaient aucune manifestation clinique de cardiopathie.

Caractéristiques de l'ECG. La fréquence ventriculaire varie de 110 à 250 battements par minute. Le rythme peut être régulier ou non. On peut parfois observer que l'onde P « passe à travers » le rythme ventriculaire en dissociation AV ou qu'elle survient après un complexe QRS dans un cycle régulier de la conduction rétrograde. Il est impossible de mesurer l'intervalle PR. L'intervalle QRS se prolonge au-delà de 0,12 seconde et la morphologie du complexe QRS est déformée.

Signification. Une tachycardie ventriculaire peut causer une diminution importante du DC en raison d'une réduction du temps de remplissage diastolique et de la perte de contraction auriculaire. Ceci peut entraîner un œdème pulmonaire, un état de choc et une baisse du débit sanguin au cerveau. L'arythmie doit être traitée rapidement, même si elle est brève ou qu'elle cesse subitement. D'autres épisodes peuvent se produire si un traitement prophylactique n'est pas entrepris. Une fibrillation ventriculaire peut également faire son apparition.

Traitement. Lorsque l'état hémodynamique du client est stable, le traitement consiste à administrer un bolus de lidocaïne, suivi d'autres bolus. Si ce traitement parvient à enrayer la tachycardie, une perfusion continue de lidocaïne de 2 à 4 mg/min doit être administrée. Par contre, si la lidocaïne est inefficace, on peut tenter d'ad-

ministrer de la procaïnamide (Pronestyl) par voie intraveineuse. Celle-ci peut être administrée par perfusion de 20 mg/min jusqu'à ce que l'arythmie disparaisse, que l'hypotension se manifeste, que le complexe QRS s'élargisse de 50 % ou jusqu'à ce qu'un total de 17 mg/kg de médicament soit injecté. Si ce traitement est efficace, on peut ensuite administrer une perfusion continue de procaïnamide de 2 à 4 mg/min.

Le traitement d'urgence des torsades de pointes peut être très différent du traitement d'une tachycardie ventriculaire commune. La perfusion de sulfate de magnésium est le traitement de choix. Les autres traitements qui sont indiqués pour traiter les torsades de pointes sont les perfusions d'isoprotérénol (Isuprel) ou de lidocaïne. L'entraînement extrasystolique rapide est également un moyen utilisé pour enrayer cette arythmie.

Lorsqu'un client est inconscient ou que son état est instable sur le plan hémodynamique, on recommande une cardioversion, en commençant par 50 joules. Un défibrillateur en mode synchronisé est utilisé pour effectuer la cardioversion. L'appareil est programmé pour décharger une onde R de manière à convertir efficacement la tachycardie ventriculaire en rythme sinusal. Il est possible d'administrer un sédatif au client avant qu'il ne reçoive la décharge électrique, s'il est éveillé.

Fibrillation ventriculaire. Une fibrillation ventriculaire est une désorganisation complète du rythme cardiaque représentée sur l'ECG par des ondulations irrégulières et diverses amplitudes (voir figure 24.20). Ce phénomène représente la dépolarisation de nombreux foyers ectopiques dans le ventricule. Mécaniquement, le ventricule ne fait que « palpiter » et il n'y a aucune contraction efficace ni aucun DC.

Liens cliniques. La fibrillation ventriculaire se manifeste dans les cas d'infarctus aigu du myocarde, d'ischémie cardiaque et de maladies chroniques comme la coronaropathie et la myocardiopathie. Elle peut survenir pendant une stimulation ou un cathétérisme cardiaques. Elle peut également se produire lors d'une reperfusion

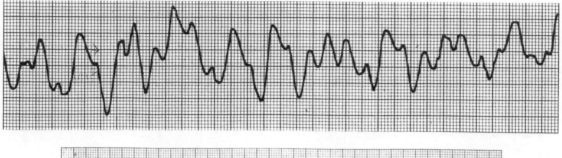

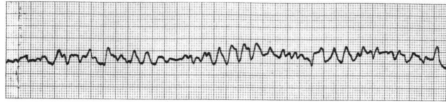

FIGURE 24.20 Fibrillation ventriculaire

coronaire consécutive à un traitement thrombolytique. Les chocs électriques accidentels, l'hyperkaliémie et l'hypoxémie constituent d'autres types de liens cliniques.

Caractéristiques de l'ECG. Il est impossible de mesurer la FC. Le rythme est irrégulier et chaotique. L'onde P est invisible, et ni l'intervalle PR ni l'intervalle QRS ne peuvent être mesurés.

Signification. La fibrillation ventriculaire entraîne une perte de conscience, l'absence de pouls, de l'apnée et des convulsions. Le client peut en mourir si elle n'est pas traitée.

Traitement. Il consiste à entreprendre immédiatement la réanimation cardiorespiratoire (RCR) et la réanimation cardiorespiratoire avancée en ayant recours à la défibrillation et à une pharmacothérapie. Si un défibrillateur est disponible, il doit être utilisé immédiatement.

Asystolie. L'asystolie est caractérisée par l'absence totale d'activité électrique dans les ventricules. À l'occasion, on peut remarquer des ondes P. Étant donné que la dépolarisation ne se produit pas, il y a absence de contractions ventriculaires. Il s'agit d'une arythmie mortelle qui doit être traitée immédiatement. On peut confondre l'asystolie et la fibrillation ventriculaire. Par conséquent, on doit évaluer le rythme dans plus d'une dérivation. Le pronostic d'un client atteint d'asystolie est mauvais.

Liens cliniques. L'asystolie est généralement causée par une cardiopathie aiguë, un trouble grave du système de conduction cardiaque ou une ICC en phase terminale.

Signification. Le client présentant de l'asystolie a habituellement une fonction cardiaque en phase terminale ou un arrêt prolongé, et il est impossible de le réanimer.

Traitement. Il consiste à procéder à la RCR et à entreprendre la RCR avancée, qui comprend l'intubation et l'administration d'épinéphrine (Adrenalin) et d'atropine par voie intraveineuse.

Activité électrique sans pulsation. L'activité électrique sans pulsation, néologisme qui remplace le terme **dissociation électromécanique**, décrit une situation selon laquelle l'activité électrique peut être observée à l'ECG, sans toutefois qu'il y ait présence d'activité mécanique ni de pouls. Le pronostic est mauvais, à moins que la cause sous-jacente puisse être reconnue et corrigée. Les causes modifiables les plus fréquentes d'activité électrique sans pulsation sont l'hypovolémie, la tamponnade cardiaque, le pneumothorax sous tension, l'hypoxémie, l'hypothermie et l'acidose. Les autres causes, plus difficiles à corriger, comprennent la lésion massive du myocarde liée à l'infarctus, une ischémie prolongée pendant la réanimation et une embolie pulmonaire. Le traitement débute par la RCR, suivie par une intubation et l'administration d'épinéphrine (Adrenalin) par voie intraveineuse. Le traitement vise à corriger la cause sous-jacente.

Mort subite. L'expression **mort subite** fait référence à la mort cardiaque causée par une arythmie comme la fibrillation ventriculaire. Cependant, certains électrophysiologistes estiment que ces termes peuvent s'appliquer à la mort subite entraînée par n'importe quelle cause. Parmi ces causes, on note les arythmies ventriculaires, l'activité électrique sans pulsation et la rupture aortique. (Le chapitre 22 traite de la mort subite.)

Proarythmie. Les antiarythmiques peuvent causer des arythmies dangereuses qui sont semblables aux arythmies pour lesquelles le médicament est administré. Ce concept porte le nom de **proarythmie**. Le client qui présente un grave dysfonctionnement ventriculaire gauche y est davantage prédisposé. Les médicaments de classe IA et IC (voir tableau 24.6), la digoxine et les médicaments de classe III peuvent causer une réaction proarythmique qui risque de se manifester dans les premiers jours de la pharmacothérapie, puisque cette période y est propice. Par conséquent, on recommande d'administrer la plupart des agents de ces classes d'antiarythmiques oraux en milieu hospitalier, car les clients y sont surveillés.

24.1.9 Antiarythmiques

Un nombre croissant d'antiarythmiques ont fait leur apparition sur le marché. Le tableau 24.6 présente leur classification dans différentes catégories en fonction de leurs principaux effets sur le potentiel d'action intracellulaire du cœur. Un autre système de classification, qui provient d'Europe, est de plus en plus utilisé. Il permet de classer les médicaments en fonction de leur effet sur les canaux et les pompes ioniques, ainsi que sur les récepteurs cardiaques.

24.1.10 Défibrillation

La défibrillation est la méthode la plus efficace pour enrayer une fibrillation ventriculaire. Elle est encore plus efficace lorsque les cellules myocardiques ne sont ni anoxiques ni acidosiques. C'est pour cette raison que la défibrillation doit idéalement être effectuée de 15 à 20 secondes après l'apparition d'une arythmie. Elle consiste à faire passer à travers le cœur une décharge électrique de courant continu (CC) qui est suffisante pour dépolariser les cellules myocardiques. Le but est de repolariser par la suite ces cellules afin de permettre au nœud sinusal de reprendre son rôle de stimulateur. Les décharges d'un défibrillateur se calculent en joules par seconde. La quantité d'énergie suggérée pour une première défibrillation est de 200 joules, suivie d'une deuxième décharge qui varie de 200 à 300 joules, au besoin, et d'une troisième décharge de 360 joules si la défibrillation n'a pas fonctionné. Comme on a constaté que la surcharge de courant électrique entraînait des lésions myocardiques, il est recommandé d'amorcer la défibrillation avec le courant le plus faible.

Le défibrillateur est un appareil d'urgence courant (voir figure 24.21); il en existe de nombreux modèles sur le marché. L'infirmière doit connaître le fonctionnement du défibrillateur utilisé en milieu clinique. On recommande d'effectuer chaque année une vérification des compétences des infirmières qui utilisent cet appareil.

Les étapes suivantes doivent être exécutées lors d'une défibrillation : les manœuvres de RCR doivent être entreprises si aucun défibrillateur n'est disponible

PHARMACOTHÉRAPIE

TABLEAU 24.6 Classification des principaux antiarythmiques

CLASSE I : MÉDICAMENTS QUI RALENTISSENT LE POTENTIEL D'ACTION
A. Prolongeant la repolarisation
Quinidine
Procaïnamide (Pronestyl)
Disopyramide (Rythmodan)
Moricizine* (Ethmozine)

B. Accélérant la repolarisation
Lidocaïne
Tocaïnide (Tonocard)
Mexilétine (Mexitil)

C. Ayant peu ou pas d'effets sur la repolarisation
Flécaïnide (Tambocor)
Propafénone (Rythmol)
Moricizine* (Ethmozine)

CLASSE II : AGONISTES β-ADRÉNERGIQUES (β-BLOQUANTS)
Propranolol (Inderal)
Nadolol (Corgard)
Timolol (Blocadren)
Aténolol (Tenormin)
Acébutolol (Sectral)
Esmolol (Brevibloc)
Métoprolol (Lopresor)
Sotalol† (Sotacor)
Labétalol (Normodyne)

CLASSE III : MÉDICAMENTS PROLONGEANT LA REPOLARISATION
Amiodarone (Cordarone)
Sotalol† (Sotacor)
Ibutilide (Corvert)

CLASSE IV : INHIBITEURS CALCIQUES
Diltiazem (Cardizem)
Vérapamil (Isoptin)

OUVREURS DES CANAUX POTASSIQUES
Adénosine (Adenocard)

PRÉPARATIONS DIGITALIQUES

* La moricizine possède à la fois les propriétés de la classe IA et celles de la classe IC.
† Le sotalol possède à la fois les propriétés de la classe II et celles de la classe III.

immédiatement ; le défibrillateur doit être mis en marche et la bonne quantité d'énergie doit être choisie ; une personne doit s'assurer que l'interrupteur de synchronisation est éteint. On applique de la gelée conductrice sur le thorax à l'endroit où les palettes de défibrillation seront placées. Ceci a pour effet de diminuer l'impédance électrique et de protéger la peau contre les brûlures. Les palettes sont chargées au moyen d'un bouton qui se trouve sur le défibrillateur ou directement sur les palettes. Celles-ci sont placées sur la cage thoracique (voir figure 24.22) : une palette est appliquée sur la région

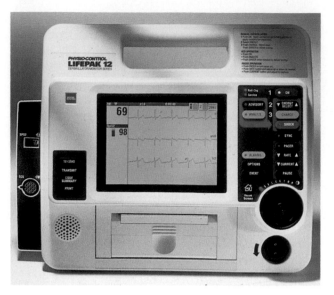

FIGURE 24.21 L'appareil LifePak comprend un moniteur, un défibrillateur et un stimulateur cardiaque transcutané.

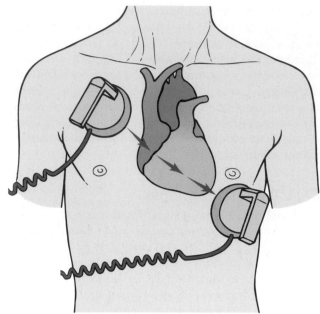

FIGURE 24.22 Emplacement des palettes et direction du courant lors de la défibrillation

sous-claviculaire droite et l'autre à gauche de la région précordiale. La personne qui administre les décharges doit appliquer une pression de 10 à 12 kg sur chacune des palettes. La personne qui délivre les chocs prévient l'entourage en criant « on dégage », afin de s'assurer que le personnel ne touche pas au client ni au lit lors de la décharge. On transmet ensuite une décharge en appuyant simultanément sur les boutons des deux palettes.

La cardioversion électrique est le traitement de choix pour les tachyarythmies ventriculaires ou supraventriculaires instables sur le plan hémodynamique. On utilise un circuit synchronisé sur le défibrillateur pour délivrer un choc électrique externe qui est programmé pour survenir pendant le complexe QRS sur l'ECG.

La procédure pour la cardioversion est la même que pour la défibrillation, sauf dans le cas où la cardioversion synchronisée n'est pas effectuée en situation d'urgence et que le client est éveillé ou que son état est stable sur le plan hémodynamique. Il est alors possible d'administrer un sédatif – du diazépam (Valium) ou du midazolam (Versed) – au client avant l'intervention. Il est important de s'assurer que les voies respiratoires sont dégagées dans ce cas-ci. La cardioversion doit être effectuée le plus rapidement possible lorsqu'un client atteint de tachycardie supraventriculaire ou ventriculaire est dans un état instable sur le plan hémodynamique.

Défibrillateur à synchronisation automatique implantable. Depuis 10 ans, le défibrillateur à synchronisation automatique (DSA) implantable est considéré comme un traitement acceptable pour les clients atteints d'arythmies ventriculaires mettant leur vie en danger. On recommande l'implantation d'un DSA chez les clients qui ont survécu à un arrêt cardiaque ou qui présentent de la tachycardie ventriculaire récurrente, et à titre de mesure préventive chez ceux qui courent des risques de mort subite. Le DSA implantable semble diminuer considérablement le taux de mortalité cardiaque et constitue un nouveau moyen de traiter les arythmies menaçant la vie des clients et de prévenir la mort subite.

Le DSA implantable comporte un système de dérivation qui est installé sur une veine sous-clavière reliée à l'endocarde. Un générateur d'impulsions fonctionnant à piles est implanté sur le muscle pectoral, généralement par voie sous-cutanée. Le générateur d'impulsions est identique à un boîtier de stimulateur cardiaque, mais il est plus gros. Les nouveaux systèmes comportent une seule dérivation au lieu de plusieurs (voir figure 24.23). Le système de détection du DSA surveille la fréquence et le rythme cardiaques et détecte la tachycardie ventriculaire ou la fibrillation ventriculaire. Il transmet un choc de 25 joules ou moins au muscle cardiaque dans les 25 secondes suivant la phase initiale d'une arythmie mortelle. Si le premier choc n'est pas efficace, le générateur peut en envoyer d'autres.

Les risques chirurgicaux et la durée d'hospitalisation ont été considérablement réduits grâce à l'utilisation de la voie transveineuse pour l'implantation du DSA, car les méthodes antérieures nécessitaient une thoracotomie ou une sternotomie. L'approche transveineuse réduit les risques de morbidité et les coûts liés aux

cardie. Ces appareils perfectionnés font appel à des algorithmes pour détecter les arythmies et déterminer la réaction programmée adéquate. Ils produisent un entraînement extrasystolique rapide en présence de tachycardies ventriculaire et supraventriculaire, évitant ainsi au client les chocs douloureux des défibrillateurs. Ils assurent également une stimulation de secours en cas de bradyarythmies survenant après la défibrillation.

L'enseignement à donner au client qui doit se faire poser un DSA est extrêmement important. Celui-ci peut en effet éprouver diverses émotions, y compris la peur que son image corporelle soit modifiée, la peur des arythmies récurrentes, l'anticipation de douleurs liées aux décharges du DSA (décrites comme une sensation de coup à la poitrine) et l'anxiété de retourner à la maison. L'encadré 24.3 décrit les lignes directrices des soins à domicile pour le client porteur d'un DSA et sa famille.

24.1.11 Stimulateurs cardiaques

Le stimulateur cardiaque artificiel est un appareil électronique utilisé pour remplacer le nœud sinusal, qui constitue le stimulateur naturel du cœur. Les premiers stimulateurs implantables ont été mis au point dans les années 1950. Le stimulateur artificiel est un circuit électrique dans lequel la pile produit de l'électricité qui circule dans un fil conducteur jusqu'au myocarde. Le myocarde stimule ensuite le cœur et le fait battre.

Les récents progrès technologiques ont contribué à améliorer les stimulateurs cardiaques, ce qui a entraîné l'apparition de dispositifs programmables monochambre et double chambre, perfectionnés et non effractifs (non invasifs), qui comportent des circuits spécialisés et pèsent seulement de 40 à 50 g. Des stimulateurs physiologiquement plus précis ont été conçus pour stimuler à la fois l'oreillette et le ventricule et faire augmenter la FC, au besoin.

Le stimulateur cardiaque implantable (permanent) est entièrement inséré dans le corps du client (voir figure 24.24), alors que le stimulateur temporaire est pourvu d'une source d'énergie située à l'extérieur du corps (voir figure 24.25). La source d'énergie du stimulateur permanent est implantée par voie sous-cutanée dans la poitrine (voir figure 24.24, B) ou l'abdomen et est reliée aux électrodes de stimulation qui passent par les veines menant à l'oreillette et au ventricule droits. Les indications pour l'insertion d'un stimulateur permanent sont présentées dans l'encadré 24.4. Les plus récentes indications et celles qui sont à l'essai pour la pose d'un stimulateur comprennent la syncope vasovagale, la myocardiopathie hypertrophique, le syndrome du QT long et la prévention de la fibrillation auriculaire.

Les stimulateurs cardiaques temporaires sont généralement utilisés avec une sonde ou un fil reliés au ventricule droit par une veine et un autre fil relié à la

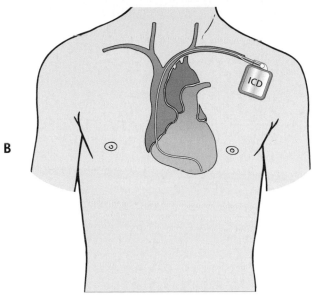

FIGURE 24.23 A. Défibrillateur à synchronisation automatique (DSA) implantable générateur d'impulsions de Medtronic inc. B. DSA placé dans la cavité sous-cutanée au-dessus du muscle pectoral. Un système transveineux à une seule dérivation relie le générateur d'impulsions à l'endocarde. La dérivation unique détecte les arythmies et administre un choc électrique au muscle cardiaque.

complications chirurgicales. Dans certains établissements, l'implantation d'un DSA s'effectue sans hospitalisation. De temps à autre, on implante un DSA lors de chirurgies cardiaques, ce qui a pour conséquence de modifier le profil de risques et de complications.

En plus de pouvoir provoquer la défibrillation, les nouveaux DSA (ou DSA de troisième génération) sont munis d'un stimulateur antitachycardie et antibrady-

SOINS DANS LA FAMILLE

Défibrillateur à synchronisation automatique (DSA) implantable   ENCADRÉ 24.3

- Assurer un suivi régulier avec le médecin pour faire vérifier le fonctionnement du DSA et examiner le site d'insertion.
- Surveiller les signes d'infection au site d'incision (p. ex. rougeur et autres signes d'inflammation, écoulement).
- Lorsque le DSA émet une impulsion :
  - le client doit se coucher ;
  - une personne doit rester avec le client pendant qu'une autre communique avec le médecin ;
  - quelqu'un doit appeler une ambulance si le client devient inconscient. On doit attendre, avant de pratiquer la RCR, que l'appareil n'ait émis aucune impulsion efficace après quatre à sept tentatives ou qu'il n'ait émis aucune impulsion après 30 secondes ;
  - si une personne touche le client à ce moment, celle-ci peut éprouver un léger choc inoffensif ;
  - si le client est seul, il doit immédiatement appeler une ambulance et se coucher après.
- La pile du DSA doit être vérifiée tous les deux mois.
- Un bracelet MedicAlert doit être porté en tout temps.
- Une carte de renseignements concernant le DSA doit être facilement accessible dans le portefeuille du client.
- Les clients doivent lire le manuel d'utilisation fourni par le fabricant du DSA.
- Les membres de la famille doivent apprendre les manœuvres de RCR.
- L'infirmière doit aider le client à élaborer des stratégies d'adaptation positives pour réduire le stress.
- Le client doit éviter les sources électromagnétiques et vibratoires qui pourraient provoquer l'arrêt du dispositif.
- En général, les clients doivent être avisés qu'ils ne peuvent pas conduire tant qu'ils n'ont pas passé six mois sans ressentir de décharge.

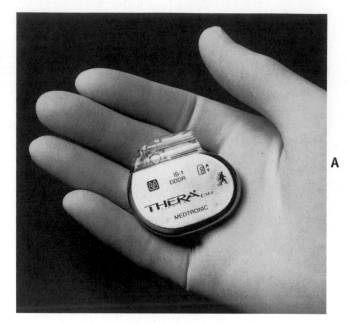

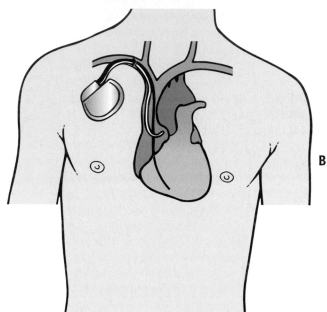

FIGURE 24.24 A. Stimulateur cardiaque asservi à double chambre de Medtronic inc. (illustration en taille réelle) ; il est conçu pour détecter les mouvements du corps et augmenter ou diminuer automatiquement le rythme cardiaque en se basant sur le niveau d'activité physique. B. Les dérivations cardiaques qui sont à la fois dans l'oreillette et dans le ventricule donnent au stimulateur cardiaque à double chambre une capacité de détection et de stimulation dans les deux cavités cardiaques.

source d'énergie extérieure (voir figure 24.26). On procède à l'insertion à l'unité de cardiologie en situations d'urgence. Les indications pour la pose des stimulateurs temporaires sont énumérées dans l'encadré 24.5.

Le mauvais fonctionnement d'un stimulateur est caractérisé par une incapacité de détection ou de stimulation. L'incapacité à détecter survient lorsque le stimulateur ne reconnaît pas l'activité auriculaire ou ventriculaire spontanée et que, par conséquent, il stimule incorrectement. Cette défaillance peut être causée par un fractionnement de la sonde du stimulateur cardiaque, un défaut de la pile ou le déplacement d'une électrode. L'incapacité à stimuler survient lorsque la décharge électrique transmise au myocarde n'est pas suffisante pour provoquer une contraction auriculaire ou ventriculaire. Elle peut être causée par un fractionnement de la sonde du stimulateur cardiaque, un défaut

de la pile, le déplacement d'une électrode ou une fibrose à la pointe de l'électrode.

Les complications liées à l'insertion d'un stimulateur cardiaque temporaire ou permanent comprennent l'infection et la formation d'hématomes au site d'insertion de la source d'énergie du stimulateur ; un

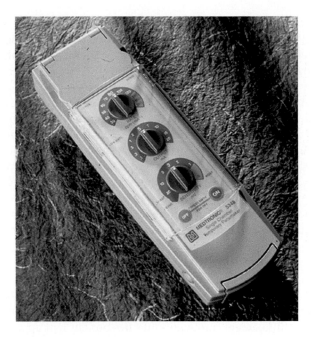

FIGURE 24.25 Stimulateur externe temporaire sentinelle

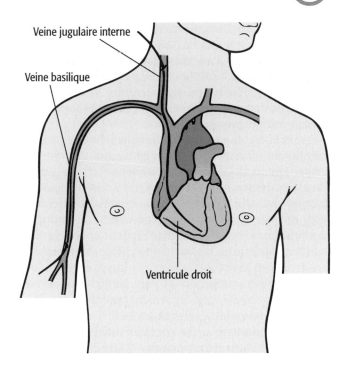

Veine jugulaire interne

Veine basilique

Ventricule droit

FIGURE 24.26 Insertion d'un stimulateur cardiaque temporaire et de sa sonde

Indications pour la pose d'un stimulateur permanent   ENCADRÉ 24.4

- Dysfonctionnement du nœud sinusal
- BAV du 3e degré
- Fibrose ou changements sclérotiques du système de conduction cardiaque
- Maladie du sinus
- BAV du 2e degré (Mobitz II)
- Syndrome d'hyperréflectivité du sinus carotidien
- Fibrillation auriculaire chronique accompagnée d'une réponse ventriculaire lente
- Tachyarythmies
- Bloc bifasciculaire

BAV : bloc auriculo-ventriculaire.

Indications pour la pose d'un stimulateur temporaire   ENCADRÉ 24.5

- Maintien du rythme et de la FC à un niveau adéquat dans des circonstances spéciales comme pendant une chirurgie et le réveil postopératoire, un cathétérisme cardiaque ou une angioplastie coronarienne, l'administration d'une pharmacothérapie qui peut entraîner une bradycardie et avant la mise en place d'un stimulateur cardiaque permanent
- Par mesure préventive à la suite d'une chirurgie cardiaque
- En présence d'antécédents d'infarctus aigu du myocarde et d'un BAV du 2e ou du 3e degré ou d'un bloc de branche
- En présence d'antécédents d'infarctus aigu du myocarde et de bradycardie symptomatique et de BAV
- En présence de tachycardie par réentrée nodale ou d'une tachycardie réciproque associée au syndrome de WPW, à un flutter auriculaire ou à une tachycardie ventriculaire
- Suppression du rythme auriculaire ou ventriculaire ectopique
- Épreuves électrophysiologiques pour évaluer le client atteint de bradyarythmies et de tachyarythmies

BAV : bloc auriculo-ventriculaire ; FC : fréquence cardiaque ; WPW : Wolff-Parkinson-White.

pneumothorax ; une défaillance à détecter ou à stimuler pouvant être accompagnée de bradycardie et de symptômes importants ; la perforation de la cloison interauriculaire ou interventriculaire causée par le fil du stimulateur ; une apparence de « fin de vie » des paramètres de la pile du stimulateur cardiaque. Une diminution du DC peut également survenir lorsqu'un stimulateur cardiaque inhibé par les complexes QRS est inséré en raison d'une perte de contractions auriculaires.

Les mesures qui sont prises pour prévenir et évaluer les complications comprennent l'antibiothérapie prophylactique par voie IV avant et après l'insertion, des radiographies pulmonaires après l'insertion pour vérifier la mise en place de la sonde et exclure la possibilité

d'un pneumothorax, l'observation minutieuse du site d'insertion et une surveillance continue par ECG. Après l'insertion du stimulateur cardiaque, le client doit rester au lit pendant 12 heures et tenter de restreindre toute activité avec les bras et les épaules afin de ne pas déplacer les sondes qui viennent d'être implantées. L'infirmière doit tenter de déceler les signes d'infection comme la rougeur, l'inflammation ou un écoulement en examinant l'incision. Elle doit noter toute hausse de la température. Elle doit aussi surveiller étroitement le rythme cardiaque pour déceler d'éventuelles incapacités de détection ou de stimulation.

L'infirmière doit assurer l'enseignement à la clientèle en plus de surveiller les signes de complications après l'insertion du stimulateur cardiaque. Le client chez qui on vient d'implanter cet appareil a souvent de nombreuses questions à propos des activités à restreindre, est préoccupé par son image corporelle et craint de devenir un « invalide cardiaque ». L'infirmière doit donc insister sur le fait que l'objectif de l'intervention est de favoriser le fonctionnement physiologique et la qualité de vie, et elle doit être précise par rapport aux activités limitées. L'enseignement au client et à sa famille est présenté dans l'encadré 24.6.

Le fonctionnement du stimulateur cardiaque peut être vérifié à l'aide d'un aimant au cours de l'évaluation par ECG réalisée en clinique de cardiologie ou encore à domicile, au moyen d'un appareil de transmission par téléphone. On fournit parfois au client un dispositif qu'il doit placer sur ses doigts ou directement sur le générateur à piles du stimulateur, lequel est relié au téléphone. De cette façon, le rythme cardiaque peut être transmis à la clinique de cardiologie.

Stimulateur cardiaque externe. Le stimulateur cardiaque externe, ou transcutané, a récemment été réintroduit comme moyen d'assurer une fréquence et un rythme cardiaques adéquats au client en situation d'urgence (voir figure 24.27). La mise en place d'un stimulateur cardiaque externe est une intervention non effractive qui ne doit être utilisée que temporairement jusqu'à ce qu'un stimulateur transveineux puisse être inséré ou qu'un traitement définitif soit disponible. L'utilisation d'un stimulateur cardiaque transcutané est devenue une pierre angulaire du traitement de l'asystolie et de la bradycardie dans les algorithmes de RCR avancée.

Le stimulateur cardiaque externe était utilisé dans les années 1950, mais il a été délaissé en 1959 lorsque les stimulateurs cardiaques internes ont fait leur apparition. L'utilisation des premiers stimulateurs cardiaques externes était douloureuse, et un haut voltage était nécessaire pour assurer un rythme et une fréquence cardiaques acceptables. Les stimulateurs cardiaques externes modernes ont été modifiés pour permettre une stimulation cardiaque de plus faible intensité. Ils se composent d'une source d'énergie et d'un dispositif de contrôle de la fréquence et du voltage qui est relié à deux grandes électrodes. Une électrode est placée sur la partie antérieure du thorax, généralement sur la dérivation V_2 ou V_5, et l'autre est placée sur le dos, entre la colonne vertébrale et l'omoplate gauche, vis-à-vis du cœur.

ENSEIGNEMENT AU CLIENT

Stimulateur cardiaque   ENCADRÉ 24.6

- Assurer un suivi avec un médecin pour vérifier l'emplacement du stimulateur cardiaque et entreprendre la vérification de son fonctionnement au moyen d'un aimant et d'un ECG.
- Surveiller les signes d'infection au site d'incision (rougeur et autres signes d'inflammation, écoulement).
- Ne pas mouiller l'incision pendant une semaine après la mise en place du stimulateur.
- Éviter de lever au-dessus des épaules le bras du côté où le stimulateur a été inséré pendant une semaine.
- Éviter les coups directs au site d'implantation du stimulateur.
- Éviter d'être à proximité de générateurs électriques puissants ou d'aimants géants comme un appareil d'IRM, car ils peuvent reprogrammer le stimulateur.
- L'usage des fours à micro-ondes est sécuritaire et ne nuit pas au fonctionnement du stimulateur cardiaque.
- Les voyages sont permis sans aucune restriction. Le petit boîtier de métal du stimulateur cardiaque permanent déclenche rarement une alarme de sécurité dans un aéroport.
- On doit enseigner au client comment prendre son pouls.
- Le client doit toujours avoir sur lui la fiche de renseignements du stimulateur cardiaque.

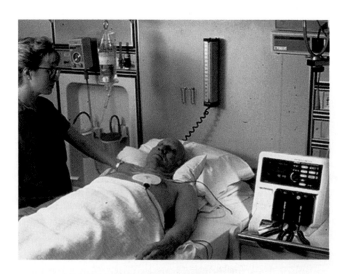

FIGURE 24.27 Stimulateur cardiaque transcutané

Avant d'entreprendre un traitement par stimulateur cardiaque externe, il est important d'informer le client des étapes à venir. L'infirmière doit expliquer les contractions musculaires désagréables que le stimulateur produira lorsque le courant passera dans la cage thoracique. Le client doit être avisé que le traitement ne sera que temporaire et que des efforts seront déployés en vue d'ajuster le voltage du stimulateur cardiaque pour améliorer son confort. Il pourra également recevoir un faible analgésique.

24.1.12 Thermoablation

La thermoablation est une percée dans le domaine du traitement des arythmies. En 1981, l'ablation par cathéter du NAV a été introduite comme traitement de l'arythmie supraventriculaire. L'énergie liée à la radiofréquence (produite par un courant alternatif de haute fréquence) est maintenant utilisée pour « brûler » ou détruire par ablation des régions du système de conduction comme traitement définitif des tachyarythmies.

L'intervention est pratiquée à la suite de l'épreuve électrophysiologique servant à localiser une source d'arythmie. Un cathéter est utilisé pour « brûler » ou détruire par ablation des faisceaux accessoires et des foyers ectopiques dans l'oreillette, le NAV et les ventricules. La thermoablation est considérée comme un traitement non pharmacologique de choix pour la tachycardie par réentrée nodale liée à des voies de dérivation accessoires et pour contrôler la réponse ventriculaire de certaines tachyarythmies. On utilise également cette technique pour traiter le flutter auriculaire. Dans certains cas de réponse ventriculaire non contrôlée en présence d'une fibrillation ou d'un flutter auriculaire qui ne répond pas au traitement médical, on procède à l'ablation complète du NAV ou du faisceau de His.

C'est un traitement très efficace associé à un faible taux de complications. Les soins prodigués aux clients ayant subi une thermoablation sont semblables à ceux auxquels on a recours pour le client ayant subi un cathétérisme cardiaque.

24.2 RÉANIMATION CARDIORESPIRATOIRE

Tous les travailleurs du domaine de la santé doivent savoir comment pratiquer la RCR puisqu'un **arrêt cardiaque**, état caractérisé par un arrêt brusque de la respiration et des contractions du cœur, peut survenir à tout moment et dans n'importe quel milieu. La RCR vise à rétablir la respiration et à assurer la reprise de la circulation chez un sujet qui est en arrêt cardiaque. Les techniques de réanimation comportent deux composantes : les soins immédiats en RCR et la RCR avancée. La Fondation des maladies du cœur du Canada a établi des normes en ce qui concerne la RCR et participe activement à l'enseignement des soins immédiats en RCR et en RCR avancée aux professionnels de la santé.

Dans la plupart des cas d'arrêt cardiaque, il est difficile de sauver une vie simplement en ayant recours à la RCR. Il s'agit toutefois d'un maillon essentiel de la chaîne de survie pour aider la victime à rester en vie jusqu'à ce qu'il soit possible de prodiguer des soins plus spécialisés. La chaîne de survie comporte les sept maillons suivants : faire des choix sains pour prévenir les risques, reconnaître promptement les signes précurseurs d'une crise cardiaque, assurer l'accès aux services médicaux d'urgence (9-1-1), appliquer les manœuvres de RCR, procéder à la défibrillation, administrer immédiatement les soins avancés et assurer une réadaptation rapide (voir figure 24.28).

24.2.1 Soins immédiats en RCR

Les soins immédiats en RCR consistent à rétablir la respiration et à assurer la reprise de la circulation chez un client en arrêt cardiaque ou respiratoire. La respiration artificielle (bouche-à-bouche, bouche-à-bouche-et-nez, bouche-à-nez, bouche-à-stomie) et les compressions thoraciques permettent de remplacer la respiration et la circulation spontanées. Le principal objectif est d'alimenter le cerveau, le cœur et les autres organes vitaux jusqu'à ce qu'un traitement et une réanimation comportant des techniques spécialisées de réanimation cardiorespiratoire puissent être appliqués ou jusqu'à ce qu'on demande de cesser les efforts de réanimation.

FIGURE 24.28 Chaîne de survie
Reproduit avec l'autorisation de la Fondation des maladies du cœur du Canada.

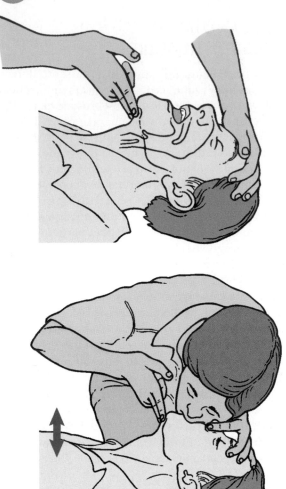

FIGURE 24.29 Le menton et la tête de la victime sont basculés vers l'arrière pour dégager les voies respiratoires et donner le bouche-à-bouche. On effectue cette manœuvre en plaçant une main sur le front de la victime et en soulevant son menton avec les doigts de l'autre main.

Une intervention rapide est la clé du succès et est indispensable pour prévenir la mort biologique ou la mort cérébrale. La RCR doit être amorcée dans les quatre à six minutes suivant un arrêt cardiaque ou respiratoire. Les cellules du cerveau commencent à mourir (mort cérébrale) dans les quatre à six minutes suivant une anoxie. Il est essentiel que du sang oxygéné circule lors des manœuvres de RCR. Malheureusement, même lorsqu'elles sont effectuées correctement, le DC n'atteint que 25 à 30 % de la valeur normale. Le personnel qui effectue la RCR doit répondre aux normes nationales qui ont été établies afin de pouvoir procéder à cette intervention. L'évaluation de l'état de la victime est extrêmement importante. Chaque composante de la RCR (ABC ou dégagement des voies respiratoires, respiration et circulation) doit être passée en revue.

Dégagement des voies respiratoires et respiration.
Les premières étapes des soins immédiats en RCR consistent à confirmer l'absence de respiration et à dégager les voies respiratoires. La figure 24.29 illustre la méthode utilisée pour ouvrir les voies respiratoires et administrer le bouche-à-bouche. Pour ouvrir les voies respiratoires d'un adulte, on renverse sa tête en appuyant sur son front avec la main qui est la plus proche de sa tête et en soulevant son menton avec l'autre main. Si la victime ne respire pas, le secouriste essaie de ventiler la victime par le bouche-à-bouche. Il doit pincer les narines de la victime et s'assurer que la bouche est bien scellée pour éviter les fuites d'air. Il donne ensuite deux insufflations lentes (1,5 à 2 secondes par insufflation). Le volume d'air de chaque insufflation doit être d'environ 800 ml, ce qui peut être mesuré par une élévation de la poitrine de 2,5 à 5 cm. Lorsque la victime a une trachéotomie, la ventilation doit être faite dans la stomie.

Lorsque l'air ne parvient pas à circuler, le secouriste doit repositionner la tête et retenter de ventiler la victime. Si cette intervention est toujours inefficace, il faut procéder aux manœuvres de dégagement des voies respiratoires pour enlever les corps étrangers qui pourraient obstruer celles-ci (voir tableau 24.7).

Dans les cas moins fréquents où les voies respiratoires restent obstruées malgré les méthodes décrites dans le tableau 24.7, d'autres interventions sont nécessaires, comme la ventilation transtrachéale percutanée et la cricothyréotomie. Toutefois, ces interventions ne peuvent être effectuées que par des professionnels de la santé formés en la matière.

Massage cardiaque externe. Un arrêt cardiaque se caractérise par l'absence de pouls dans les grandes artères d'une victime inconsciente qui ne respire pas. Le secouriste détermine l'absence de pouls sur la carotide. Une fois que les voies respiratoires ont été ouvertes et que deux insufflations ont été données, le secouriste vérifie le pouls. Il maintient la tête de la victime vers l'arrière en plaçant une main sur son front, et trouve la pomme d'Adam (bosse au milieu du cou) avec deux ou trois doigts de l'autre main. Le secouriste glisse ensuite ses doigts (mais pas le pouce) dans le sillon entre la trachée et les muscles sur le côté du cou, où on perçoit le pouls carotidien. Cette technique est plus facile à effectuer du côté le plus près du secouriste. Les compressions thoraciques doivent être entreprises s'il y a absence de pouls.

La figure 24.32 illustre la technique adéquate pour administrer les compressions thoraciques. Cette technique consiste à appliquer une série de pressions cadencées sur la moitié inférieure du sternum. La victime doit être couchée sur le dos pour qu'on puisse appliquer les compressions. Elle doit être allongée sur une surface plane et dure comme une planche spécialement

TABLEAU 24.7 Techniques de dégagement des voies respiratoires

Action	Conseils utiles
ADULTE CONSCIENT Déterminer si la victime est en mesure de parler ou de tousser.	Le secouriste peut demander à la victime : « Vous êtes-vous étouffée ? » La victime peut utiliser le signal universel d'une détresse respiratoire en portant les mains à sa gorge.
Poussées abdominales : effectuer la manœuvre de Heimlich jusqu'à ce que le corps étranger soit expulsé ou jusqu'à ce que la victime perde connaissance (figure 24.30).	Se tenir derrière la victime et placer les bras autour de sa taille. Faire un poing avec la main et appliquer des poussées rapides en forme de J sur l'abdomen vers le haut.
Poussées thoraciques : dans les situations où la victime est une femme enceinte de plus de six mois ou une personne obèse.	Poussées thoraciques : se placer derrière la victime et passer les bras sous ses aisselles afin d'entourer le thorax. Exercer des compressions vigoureuses en ligne droite vers l'intérieur.
VICTIME INCONSCIENTE OU EN TRAIN DE LE DEVENIR Appeler les services d'urgence.	Composer le 9-1-1.
Vérifier si le corps étranger est dans la bouche.	Former un crochet avec l'index et effectuer un balayage dans la bouche pour enlever le corps étranger.
Donner la respiration artificielle.	Ouvrir les voies respiratoires. Donner deux insufflations lentes. Au besoin, repositionner la tête et donner une autre insufflation lente (figures 24.29 et 24.31).
Effectuer la manœuvre de Heimlich si les voies respiratoires sont obstruées.	S'agenouiller à cheval par-dessus les deux jambes de la victime. Placer le talon de la paume de la main sur son abdomen, sur le point d'appui qui se trouve juste au-dessus de l'ombilic et deux ou trois doigts en bas de la pointe du sternum. Déposer l'autre main par-dessus la première. Donner des poussées rapides en forme de J.
Recommencer la manœuvre jusqu'à ce que le corps étranger soit expulsé.	Alterner ces manœuvres : balayage de la bouche avec un doigt, tentative de respiration artificielle et poussées abdominales.

Tiré de l'AMERICAN HEART ASSOCIATION, *Textbook of basic life support for healthcare providers*, Dallas, 1997.

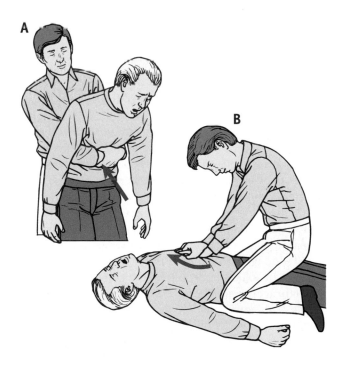

FIGURE 24.30 A. Manœuvre de Heimlich administrée à une victime consciente (debout) qui s'est étouffée avec un corps étranger. B. Manœuvre de Heimlich administrée à une victime inconsciente qui s'est étouffée ; position à cheval.

conçue pour la RCR, une tête de lit ou, au besoin, le sol. Le secouriste doit se placer près du thorax de la victime.

Les lignes directrices suivantes ont été établies pour assurer le bon positionnement des mains (voir figure 24.32, A).

- Avec le majeur et l'index de la main qui se trouve le plus près des jambes de la victime, le secouriste trouve la dernière côte de la cage thoracique.
- Il glisse ses doigts le long de la cage thoracique jusqu'au point où les côtes se rattachent au sternum.
- Le majeur est placé sur ce creux et l'index est placé sur le sternum, les deux doigts se touchant (ceci permet de placer correctement les mains pour éviter que l'appendice xiphoïde ne perfore le foie lors des compressions thoraciques).
- Le bas de la paume de la main qui est près de la tête de la victime est placé sur la moitié inférieure du sternum, à côté de l'index de l'autre main. La main du secouriste doit être placée dans l'alignement du sternum.
- La paume de la main de repère est déposée sur la main déjà en place de manière que les deux mains soient parallèles.
- Les doigts sont soulevés et croisés et ne doivent pas toucher le thorax.

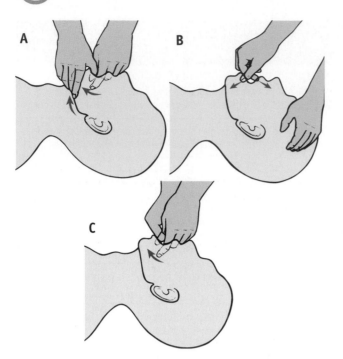

FIGURE 24.31 A. Manœuvre de balayage de la bouche avec un doigt, pratiquée chez une victime inconsciente qui s'est étouffée. Le secouriste glisse son pouce à l'intérieur de la bouche de la victime pour soutenir sa langue tout en saisissant son menton entre ses doigts afin de procéder au soulèvement de la mâchoire et de la langue. Ceci a pour effet de soulever la langue de l'arrière-gorge et de dégager le corps étranger. Cette technique permet de dégager partiellement l'obstruction. B. Technique des doigts croisés pour ouvrir les voies respiratoires. Si le secouriste est incapable d'ouvrir la bouche avec la manœuvre de soulèvement de la mâchoire, la technique des doigts croisés peut être utilisée. Le secouriste ouvre la bouche en croisant l'index et le pouce et en séparant les dents. C. Le secouriste glisse l'index de l'autre main le long de la paroi intérieure de la joue, profondément dans la bouche, jusqu'à la naissance de la langue. Le secouriste place son doigt en crochet pour déloger le corps étranger.

Les lignes directrices suivantes ont été établies pour la technique de compression adéquate (voir figure 24.32, C).
- Les coudes restent en extension, les bras sont droits et les épaules se trouvent juste au-dessus des mains de manière que les poussées soient exercées directement sur le sternum.
- Le sternum doit se comprimer de 4 ou 5 cm chez un adulte de poids moyen. Le cœur est comprimé entre le sternum et la colonne vertébrale.
- La pression est relâchée afin que le sang circule dans le thorax et le cœur et que le sternum reprenne sa position normale après chaque compression. La PA est à son maximum lorsque la durée des compressions représente 50 % du cycle de pression et de relâchement.
- Les mains ne doivent jamais quitter le thorax ni changer de position afin d'assurer le maintien de la bonne position.

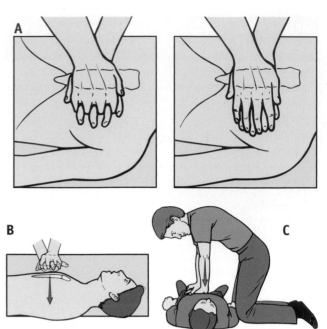

FIGURE 24.32 Réanimation cardiorespiratoire. A. Position des mains pendant le massage cardiaque externe. B. Lorsqu'une pression est exercée, le bas du sternum est déplacé avec la paume de la main. C. Pour exercer le maximum de pression, le secouriste se penche vers l'avant de manière que ses bras soient dans le bon angle au-dessus du sternum du client et que les épaules soient juste au-dessus des mains.

La respiration artificielle et les compressions thoraciques sont combinées afin d'assurer l'efficacité de la réanimation de la victime en arrêt cardiorespiratoire. Qu'il y ait un ou deux secouristes, le nombre de compressions doit être d'environ 100 par minute, avec un rapport compressions-insufflations de 15 pour 2 (voir tableaux 24.8 et 24.9).

Il est préférable que deux personnes effectuent la RCR (voir tableau 24.9). Une personne se place à côté de la victime et effectue les compressions thoraciques, tandis que l'autre se place à la tête de la victime pour maintenir les voies respiratoires ouvertes et donner les insufflations. Lorsque la personne qui applique les compressions thoraciques est fatiguée, elle doit changer de place rapidement avec l'autre personne.

L'état de la victime doit être évalué pendant les manœuvres de RCR afin de déterminer si les compressions sont efficaces et si la circulation et la respiration spontanées ont repris leur cours normal. Lorsque les manœuvres sont appliquées par deux secouristes, le pouls doit être vérifié par le secouriste qui donne les insufflations, pendant les compressions, afin d'en évaluer l'efficacité. Les compressions thoraciques doivent être interrompues pendant cinq secondes après la première minute et ensuite toutes les deux ou trois minutes, pour déterminer si la circulation et la respiration spontanées

TABLEAU 24.8 RCR à un secouriste		
Étapes	**Objectifs**	**Interventions critiques**
Voies respiratoires	Évaluation : déterminer l'état de conscience. Demander de l'aide (9-1-1). Positionner la victime. Ouvrir les voies respiratoires.	Taper ou secouer légèrement l'épaule de la victime. Crier : «Est-ce que ça va?» Lancer un appel à l'aide. Tourner la victime sur le dos, au besoin ; soutenir la tête et le cou (4 - 10 s). Relever le menton et basculer la tête vers l'arrière sans faire une hyperextension.
Respiration	Évaluation : vérifier la respiration. Donner deux insufflations lentes.	Maintenir les voies respiratoires ouvertes. Écouter en plaçant l'oreille tout près de la bouche de la victime, regarder si sa poitrine se soulève et s'affaisse, écouter, sentir l'air qui peut sortir de sa bouche et du nez (3 - 5 s). Maintenir les voies respiratoires ouvertes. Pincer le nez et s'assurer d'un contact étanche avec la bouche. Donner deux insufflations lentes (1,5 - 2 s/insufflation). Regarder si la poitrine se soulève (ventilation adéquate). Attendre que la poitrine s'affaisse avant de donner une autre insufflation.
Circulation	Évaluation : vérifier le pouls. Appeler les services d'urgence (9-1-1). Commencer les compressions abdominales.	Vérifier le pouls carotidien dans le cou de la victime (5 - 10 s). Tenir la tête de la victime vers l'arrière avec l'autre main. Si une personne répond à l'appel à l'aide, lui demander d'appeler les services d'urgence. Temps, étape 1 — appeler les services d'urgence : 15 - 35 s. S'agenouiller à côté de la victime à la hauteur de ses épaules. Prendre des points de repère avant de positionner les mains. Garder les mains dans la bonne position pendant toute la procédure. Garder les épaules à la hauteur du sternum de la victime. Effectuer des phases de pression et de relâchement de durée égale. Comprimer le thorax de 3,8 - 5 cm. Relâcher la pression après chaque compression en gardant les mains sur le thorax. Attendre que le thorax ait repris sa position normale. Compter à une cadence régulière en utilisant un moyen mnémonique (p. ex. UN et DEUX et TROIS etc.). Se rappeler que la fréquence des compressions est de 100 par minute (15/9 - 11 s).
Fréquence des compressions	Faire quatre cycles de 15 compressions et donner deux insufflations lentes.	Faire 15 compressions et 2 insufflations par cycle. Regarder la poitrine se soulever ; 1,5 - 2 s/insufflation ; 4 cycles/52 - 73 s.
Réévaluation	Vérifier le pouls.	Vérifier le pouls carotidien (5 s). S'il n'y a pas de pouls, passer à l'étape 6.
Reprise de la RCR	Donner deux insufflations lentes. Reprendre les cycles de compression et d'insufflation.	Donner deux insufflations lentes (1,5 - 2 s). Regarder la poitrine se soulever : 1,5 - 2 s/insufflation. Vérifier le pouls carotidien toutes les 2 ou 3 minutes.

Tiré de l'AMERICAN HEART ASSOCIATION ; *Textbook of basic life support for healthcare providers*, Dallas, 1997.
RCR : réanimation cardiorespiratoire.

sont rétablies. Bien que l'objectif de la RCR soit le retour de la respiration et de la circulation spontanées, celui-ci est rarement atteint sans un traitement plus définitif comme la RCR avancée.

24.2.2 Réanimation cardiorespiratoire avancée

La RCR avancée est une méthode systématique utilisée pour traiter les urgences cardiaques et elle requiert des connaissances et des aptitudes particulières pour assurer un traitement rapide. Elle comprend le maintien des

fonctions vitales de base ; l'utilisation d'équipements complémentaires et de techniques spécialisées pour établir et maintenir une ventilation et une circulation efficaces ; la surveillance par ECG et le dépistage d'une arythmie ; l'établissement et le maintien de l'accès intraveineux ; les interventions en vue du traitement d'urgence des clients victimes d'un arrêt cardiaque ou respiratoire (y compris la stabilisation en phase postarrêt) ; le traitement du client chez qui on soupçonne un infarctus aigu du myocarde.

Les organismes nationaux de soins médicaux d'urgence insistent de plus en plus sur le principe de la défibrillation rapide. Grâce à l'invention du défibrillateur

TABLEAU 24.9 RCR à deux secouristes

Étapes	Objectifs	Interventions critiques
Voies respiratoires	*Premier secouriste (secouriste ventilateur)* Évaluation : déterminer l'état de conscience. Positionner la victime. Ouvrir les voies respiratoires.	Taper ou secouer légèrement l'épaule de la victime. Crier : «Est-ce que ça va?» Tourner la victime sur le dos, au besoin ; soutenir la tête et le cou (4 - 10 s). Utiliser la bonne technique pour ouvrir les voies respiratoires. Regarder, écouter et sentir la respiration (3 - 5 s).
Respiration	Évaluation : vérifier la respiration. Donner deux insufflations lentes.	Regarder la poitrine se soulever : 1,5 - 2 s/insufflation. Vérifier le pouls carotidien (5 - 10 s).
Circulation	Évaluation : vérifier le pouls. Faire état de la situation. *Deuxième secouriste (secouriste masseur)* Se placer pour faire les compressions. Prendre des points de repère avant de positionner les mains.	Dire : «Pas de pouls!» Lorsqu'un autre secouriste arrive, le premier demande si les services d'urgence ont été appelés. Placer les mains et les épaules dans la bonne position. Vérifier les points de repère.
Fréquence des compressions	*Secouriste masseur :* commence les compressions abdominales. *Secouriste ventilateur :* donne une insufflation après la cinquième compression et vérifie l'efficacité des compressions (minimum 10 cycles).	La fréquence adéquate de compressions et d'insufflations est de 15:2. La fréquence des compressions est de 100 par minute (5 compressions/3 - 4 s). Compter à une cadence régulière en utilisant un moyen mnémonique. Cesser les compressions pour donner les insufflations. Donner une insufflation lente (1,5 - 2 s/insufflation). Vérifier le pouls occasionnellement pour évaluer l'efficacité des compressions. Temps pour 10 cycles : 40 - 53 s.
Demande de changement de fonction	*Secouriste masseur :* annonce le changement de fonction.	Annoncer clairement le changement de fonction. Le secouriste masseur complète la cinquième compression. Le secouriste ventilateur donne une insufflation après la cinquième compression.
Changement de fonction	Changement simultané : *Secouriste masseur :* se déplace à la tête de la victime. *Secouriste ventilateur :* se positionne pour continuer les massages.	Faire 15 compressions et d2 insufflations par cycle. Le secouriste ventilateur devient le masseur. Se placer pour continuer les compressions. Vérifier les points de repère. Le secouriste masseur devient le ventilateur. Vérifier le pouls carotidien (5 s). Dire : «Pas de pouls !» Donner une insufflation lente (1,5 - 2 s/insufflation).
Reprise de la RCR	Reprendre les cycles de compressions et d'insufflations.	Répéter l'étape 4.

Tiré de l'AMERICAN HEART ASSOCIATION, *Textbook of basic life support for healthcare providers*, Dallas, 1997.
RCR : réanimation cardiorespiratoire.

externe automatique, facile à utiliser et accessible dans toutes les communautés, davantage de secouristes sont formés pour effectuer une défibrillation rapide. On ne saurait trop insister sur l'importance des soins immédiats en RCR et de la défibrillation rapide efficaces avant d'entreprendre la RCR avancée. Les médicaments utilisés pour cette technique sont énumérés dans le tableau 24.10.

Les professionnels de la santé formés en RCR avancée ont appris les algorithmes qui constituent les lignes directrices du traitement des urgences cardiaques spécifiques. Il est possible d'adapter l'algorithme en fonction des besoins du client ou de la situation particulière. Les interventions sont axées sur le principe de l'ABC, et les professionnels doivent faire preuve de jugement pour prodiguer un traitement efficace basé sur l'évaluation générale de l'état du client.

24.2.3 Rôle de l'infirmière pendant un code

Tous les milieux hospitaliers comporte des risques de « code » ou d'arrêt cardiorespiratoire. L'infirmière doit donc être bien préparée pour participer à la réanimation d'un client. Elle doit connaître les soins immédiats en RCR et la RCR avancée, les protocoles de code, ainsi

PHARMACOTHÉRAPIE

TABLEAU 24.10   Médicaments utilisés pour la réanimation cardiorespiratoire avancée

MÉDICAMENTS DE PREMIÈRE LIGNE
Oxygène
Épinéphrine (Adrenalin)
Atropine

Antiarythmiques
Lidocaïne
Procaïnamide (Pronestyl)
Vérapamil (Isoptin)
Diltiazem (Cardizem)
Adénosine (Adenocard)

Divers
Magnésium
Bicarbonate de sodium
Morphine
Chlorure de calcium

MÉDICAMENTS DE DEUXIÈME LIGNE
Agents vasoactifs ou inotropes
Noradrénaline (Levophed)
Dopamine (Intropin)
Dobutamine (Dobutrex)
Isoprotérénol (Isuprel)
Amrinone (Inocor)
Digoxine (Lanoxin)

Vasodilatateurs/antihypertenseurs
Nitroprusside de sodium
Nitroglycérine

β-bloquants
Propranolol (Indéral)
Métoprolol (Lopresor)
Aténolol (Tenormin)
Esmolol (Brevibloc)

Diurétiques
Furosémide (Lasix)

Thrombolytiques
Streptokinase (Streptase)
Activateur tissulaire du plasminogène (rtPA, alteplase [Activase])
Activateur recombinant du plasminogène (rPA, retéplase [Retavase])

que le fonctionnement de l'équipement et le contenu du chariot d'urgence. La plupart de ces chariots contiennent tout l'équipement d'urgence nécessaire et se présentent de la même manière partout dans le centre hospitalier.

MOTS CLÉS

BIBLIOGRAPHIE
Version originale

1. Scrima DE: Foundations of arrhythmia interpretation, *Medsurg Nurs* 6:4, 1997.
2. Podrid PJ, Kowey PR: *Handbook of cardiac arrhythmia*, Baltimore, 1996, Williams & Wilkins.
3. Goldberger AL, Goldberger E: *Clinical electrocardiography: a simplified approach*, ed 5, St. Louis, 1994, Mosby.
4. Vlay SC: *A practical approach to cardiac arrhythmias*, ed 2, Boston, 1996, Little, Brown.
5. Marriott HJL: *Marriott's manual of electrocardiography*, Orlando, 1995, The Trinity Press.
6. Walraven G: *Basic arrhythmias*, New Jersey, 1995, Brady-Prentice-Hall.
7. Ehrat KS: *The art of EKG interpretation—a self instructional text*, ed 4, Dubuque, Ia, 1997, Kendall/Hunt.
8. Messerli FH: *Cardiovascular drug therapy*, ed 2, Philadelphia, 1996, Saunders.
9. Fogoros RN: *Antiarrhythmic drugs—a practical approach*, Malden, Mass, 1997, Blackwell Science.

10. Futterman LG, Lemberg L: Radiofrequency catheter ablation for supraventricular tachycardias: part II, *Am J Crit Care* 3:77, 1994.
11. Cummins RO, editor: *Advanced cardiac life support,* Dallas, 1997, American Heart Association.
12. Roden DM: Ibutilide and the treatment of atrial arrhythmias, *Circulation* 94:1499, 1996.
13. Pill MW: Ibutilide: a new antiarrhythmic agent for the critical care environment, *Crit Care Nurse* 17:19, 1997.
14. Futterman LG, Lemberg L: Atrial fibrillation; an increasingly common and provocative arrhythmia, *Am J Crit Care* 5:379, 1996.
15. Prystowsky EN and others: Management of patients with atrial fibrillation, *Circulation* 93:1262, 1996.
16. Atrial Fibrillation Investigators: Risk factors for stroke and efficacy of antithrombotic therapy in atrial fibrillation, *Arch Intern Med* 154:1449, 1994.
17. Riley RD, Pritchett ELC: Pharmacologic management of atrial fibrillation, *J Cardiovasc Electrophysiol* 8:818, 1997.
18. Futterman LG, Lemberg L: Amiodarone: a late comer, *Am J Crit Care* 6:233, 1997.
19. Roden DM: A practical approach to torsades de pointes, *Clin Cardiol* 20:285, 1997.
20. Futterman LG, Lemberg L: The long QT syndrome: when syncope is common in the young and the elderly, *Am J Crit Care* 4:405, 1995.
21. Califf RM, Mark DB, Wagner GS: *Acute coronary care,* ed 2, St. Louis, 1995, Mosby.
22. Myerburg RJ, Castellanos A: Cardiac arrest and sudden cardiac death. In Braunwald E, editor: *Heart disease,* ed 5, Philadelphia, 1997, Saunders.
23. Task Force of the Working Group on Arrhythmias of the European Society of Cardiology: The Sicilian Gambit. A new approach to the classification of antiarrhythmic drugs based on their actions on arrhythmogenic mechanisms, *Circulation* 84:1831, 1991.
24. Knight L and others: Caring for patients with third-generation implantable cardioverter-defibrillators, *Crit Care Nurse* 17:46, 1997.
25. Raviele A: Implantable cardioverter-defibrillator (ICD) indications in 1996: have they changed? *Am J Cardiol* 78(suppl 5A):21, 1996.
26. Fetter JG and others: Electromagnetic interference from welding and motors on implantable cardioverter defibrillators as tested in the electrically hostile work site, *J Am Coll Cardiol* 28:423, 1996.
27. Gallager RD: The impact of the implantable cardioverter defibrillator on quality of life, *Am J Crit Care* 6:16, 1997.
28. Horwood L and others: Antitachycardia pacing: an overview, *Am J Crit Care* 4:397, 1995.
29. Kusumoto FM, Goldschlager N: Cardiac pacing, *N Engl J Med* 334:89, 1996.
30. *Basic life support for health care providers,* Dallas, 1997, American Heart Association.

Édition de langue française

1. FONDATION DES MALADIES DU CŒUR DU CANADA. *Réanimation cardiorespiratoire, Soins immédiats. Lignes directrices pour la RCR et les soins d'urgence cardiaque.* 2001.
2. LABRECQUE, Alain. *Réanimation cardiorespiratoire avancée.* Centre hospitalier universitaire de Québec, 2001.

Yvon Brassard
Inf., B. Sc., M. Éd., D.E.
Cégep André-Laurendeau

Chapitre **25**

CARDIOPATHIES INFLAMMATOIRES ET VALVULAIRES

PLAN DU CHAPITRE

OBJECTIFS D'APPRENTISSAGE

APRÈS AVOIR LU CE CHAPITRE, VOUS DEVRIEZ ÊTRE EN MESURE :

- DE DÉCRIRE L'ÉTIOLOGIE, LA PHYSIOPATHOLOGIE ET LES MANIFESTATIONS CLINIQUES DE L'ENDOCARDITE ET DE LA PÉRICARDITE INFECTIEUSES ;

- DE DISCUTER DES SOINS INFIRMIERS PROPRES À L'ENDOCARDITE ET À LA PÉRICARDITE INFECTIEUSES ;

- D'EXPLIQUER L'IMPORTANCE DE L'ANTIBIOPROPHYLAXIE DE L'ENDOCARDITE INFECTIEUSE ;

- D'EXPLIQUER L'ÉTIOLOGIE, LES MANIFESTATIONS CLINIQUES ET LE PROCESSUS THÉRAPEUTIQUE DE LA MYOCARDITE ;

- DE DÉCRIRE L'ÉTIOLOGIE, LA PHYSIOPATHOLOGIE ET LES MANIFESTATIONS CLINIQUES DU RHUMATISME ARTICULAIRE AIGU ET DU RHUMATISME CARDIAQUE ;

- DE DISCUTER DES SOINS INFIRMIERS À PRODIGUER AU CLIENT ATTEINT DE RHUMATISME ARTICULAIRE AIGU ET DE RHUMATISME CARDIAQUE ;

- DE NOMMER LES CAUSES DES CARDIOPATHIES VALVULAIRES CONGÉNITALES ET ACQUISES ;

- DE DISCUTER DE LA PHYSIOPATHOLOGIE, DES MANIFESTATIONS CLINIQUES ET DES ÉPREUVES DIAGNOSTIQUES DES DIFFÉRENTS TYPES DE PROBLÈMES VALVULAIRES ;

- DE DÉCRIRE LES SOINS INFIRMIERS PROPRES À LA CARDIOPATHIE VALVULAIRE ;

- DE DÉCRIRE LES INTERVENTIONS CHIRURGICALES QUI PERMETTENT DE TRAITER LE CLIENT PRÉSENTANT DES PROBLÈMES VALVULAIRES.

25.1 CARDIOPATHIES INFLAMMATOIRES

25.1.1 Endocardite infectieuse

L'**endocardite infectieuse**, autrefois connue sous le nom d'endocardite bactérienne, est une infection de l'endocarde due à la présence de micro-organismes dans la lésion. L'endocarde, tunique interne du cœur (voir figure 25.1), est contigu aux valves cardiaques. Par conséquent, le fonctionnement de ces dernières est altéré lorsqu'il y a une inflammation de cette tunique. Avant l'avènement des antibiotiques, cette maladie était presque toujours mortelle. Le traitement à la pénicilline a révolutionné le pronostic, et le taux de mortalité lié à l'endocardite infectieuse causée par *Streptococcus viridans* est actuellement inférieur à 10 %.

Classification. Il existe deux formes d'endocardite infectieuse : subaiguë (ou lente) et aiguë. La forme subaiguë a une évolution clinique plus longue que la forme aiguë ; le début en est plus insidieux, la toxicité moindre et l'agent pathogène habituellement de faible virulence (la plupart du temps, *Streptococcus viridans*). Par contre, la forme aiguë a une évolution clinique plus courte et un début plus rapide ; la toxicité est plus élevée et l'agent pathogène plus virulent (habituellement, *Staphylococcus aureus*). Cependant, les cliniciens préfèrent classer l'endocardite infectieuse selon l'agent étiologique.

Étiologie et physiopathologie. Les agents étiologiques les plus fréquents sont les bactéries, notamment *Straphylococcus aureus*, *Streptococcus pyogenes* et *Streptococcus pneumoniae* (voir encadré 25.1). Parmi les autres micro-organismes pathogènes possiblement en cause, on note les champignons, *Chlamydia*, les rickettsies et les virus.

L'endocardite infectieuse se manifeste lorsque la turbulence du débit sanguin à l'intérieur du cœur permet à l'agent pathogène d'infecter des valves déjà lésées ou d'autres surfaces endothéliales. Les lésions peuvent se produire chez les personnes atteintes de troubles cardiaques sous-jacents (voir encadré 25.2). Différentes interventions effractives (invasives) (p. ex. les interventions chirurgicales, les injections intraveineuses et les examens diagnostiques) peuvent permettre à un grand nombre de germes de pénétrer dans la circulation sanguine et de déclencher le processus d'infection (voir encadrés 25.2 et 25.5).

Les états pathologiques prédisposant à l'endocardite infectieuse ont changé en raison de la baisse de l'incidence du rhumatisme cardiaque, de l'amélioration des méthodes de diagnostic et de traitement du prolapsus de la valve mitrale, du vieillissement de la population atteinte de cardiopathie dégénérative et de l'augmentation de l'usage abusif de drogues par voie intraveineuse. Étant donné qu'on pratique de plus en plus de remplacements valvulaires, l'incidence d'endocardite sur prothèse valvulaire continue d'augmenter. L'endocardite gauche est plus fréquente chez les clients atteints d'infections bactériennes et de cardiopathies sous-jacentes. La principale cause de lésions de la zone droite (tricuspidienne) est l'abus de drogues intraveineuses, particulièrement la cocaïne. Les infections staphylococciques se produisent souvent chez cette population, bien que les bacilles Gram négatif, les levures ou les champignons puissent être les micro-organismes infectieux en cause.

Micro-organismes responsables de l'endocardite infectieuse — ENCADRÉ 25.1

Streptocoques
- Streptocoques α-hémolytiques
- Entérocoques
- *Streptococcus bovis*
- *Streptococcus pneumoniae*

Staphylocoques
- *Staphylococcus aureus*
- *Staphylococcus epidermidis*

Bactéries Gram négatif
- *Escherichia coli*
- *Klebsiella*
- *Pseudomonas*

Endocardite polymicrobienne
- *Staphylococcus agalactiae* et *Staphylococcus aureus* résistant à la méthicilline (SARM)
- *Pseudomonas aeruginosa*, streptocoques α-hémolytiques et *Micrococcus*

Haemophilus, Actinobacillus, Cardiobacterium, Eikenella et *Kingella*

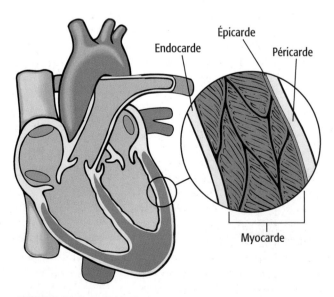

FIGURE 25.1 Tuniques du cœur

Épicarde
Endocarde
Péricarde
Myocarde

Facteurs prédisposant à l'apparition de l'endocardite infectieuse
ENCADRÉ 25.2

Cardiopathies
- Rhumatisme cardiaque
- Anomalies de la valve aortique
- Prolapsus valvulaire mitral accompagné d'un souffle cardiaque
- Cardiopathie congénitale cyanogène
- Prothèses valvulaires
- Lésions valvulaires dégénératives
- Endocardite antérieure
- Syndrome de Marfan
- Myocardiopathie obstructive
- Myocardiopathie obstructive hypertrophique

Problèmes non cardiaques
- Toxicomanie (usage de drogues par voie intraveineuse)
- Septicémie nosocomiale

Risques liés aux interventions
- Appareils intravasculaires (causant une septicémie nosocomiale)
- Interventions énumérées dans l'encadré 25.5

FIGURE 25.2 Endocardite bactérienne de la valve mitrale causée par des streptocoques

Les végétations, qui constituent les lésions primaires à l'origine de l'endocardite infectieuse, se composent de fibrine, de leucocytes, de plaquettes et de microbes qui adhèrent à la surface de la valve ou à l'endocarde (voir figure 25.2). La perte d'une partie de ces végétations friables dans la circulation entraîne l'embolie. L'embolie systémique découle des végétations localisées du côté gauche du cœur et progresse vers l'infarcissement des organes (notamment le cerveau, les reins et la rate) et des membres. Les lésions cardiaques du côté droit entraînent une embolie pulmonaire.

L'infection peut se disséminer localement et atteindre les valves ou les structures qui les soutiennent. L'insuffisance valvulaire qui s'ensuit et l'infiltration ultérieure du myocarde dans les cas de maladie infectieuse se traduisent par une insuffisance cardiaque congestive (ICC), une dysfonction myocardique généralisée et une infection (voir figure 25.3).

Manifestations cliniques. Les observations faites en présence d'une endocardite infectieuse sont non spécifiques et touchent divers systèmes et appareils anatomiques. La fièvre apparaît chez plus de 90 % des clients. Les frissons, la faiblesse, une sensation de malaise, la fatigue et l'anorexie constituent d'autres manifestations non spécifiques pouvant accompagner l'hyperthermie. L'arthralgie, la myalgie, la lombalgie, l'inconfort abdominal, la perte pondérale, les céphalées et l'hippocratisme digital peuvent se produire dans les formes subaiguës.

Les manifestations vasculaires comprennent les hémorragies sous-unguéales (stries noires longitudinales) observables sur les lits unguéaux. Des pétéchies sont fréquentes sur les conjonctives, les lèvres, la muqueuse buccale, le palais, les chevilles, les pieds et les zones antébrachiale et poplitée. Les nodules d'Osler (lésions douloureuses de la taille d'un pois, sensibles au toucher, rouges ou violettes) peuvent être décelés sur le bout des doigts ou sur les orteils. Le signe de Janeway (petites taches rouges plates et indolores) peut être observé sur la paume des mains et la plante des pieds. L'ophtalmoscopie peut révéler des lésions rétiniennes hémorragiques appelées taches de Roth.

Un nouveau souffle cardiaque est souvent noté, car les valves aortique et mitrale sont les plus fréquemment touchées. Le souffle mitral associé à l'endocardite se rapporte généralement à une régurgitation mésosystolique et télésystolique. Le souffle aortique peut être protodiastolique. Les souffles cardiaques sont souvent absents dans le cas de l'endocardite de la valve tricuspide, car les pressions artérielles droites sont trop basses pour être entendues. L'ICC peut se produire chez 80 % des clients atteints d'endocardite de la valve aortique et chez environ 50 % des clients atteints d'endocardite de la valve mitrale.

Les manifestations cliniques consécutives à l'embolie de divers organes peuvent également être présentes. L'embolie de la rate peut être à l'origine d'une douleur vive au quadrant supérieur gauche et d'une splénomégalie. Une douleur locale à la palpation et un abdomen dur peuvent être notés. L'embolie rénale peut causer une douleur lombaire, l'hématurie et l'urémie. Les emboles peuvent se loger dans de petits vaisseaux sanguins périphériques des bras et des jambes et causer la gangrène. Une embolie cérébrale est susceptible d'entraîner des troubles neurologiques tels que l'hémiplégie, l'ataxie et des changements touchant la vision ou l'état de conscience. Une embolie pulmonaire peut se produire en présence d'une endocardite droite.

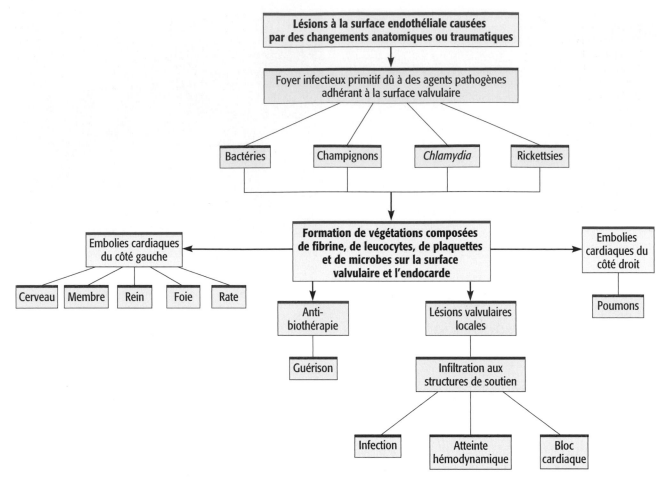

FIGURE 25.3 Séquence d'événements de l'endocardite infectieuse

Épreuves diagnostiques. Il est important de recueillir des données relativement aux antécédents récents du client afin de pouvoir vérifier si on est bien en présence d'une endocardite infectieuse. L'infirmière doit donc s'enquérir des interventions dentaires, urologiques, chirurgicales ou gynécologiques récentes (dans les trois à six derniers mois), y compris des antécédents d'accouchement normal ou anormal. Les antécédents de cardiopathie, de cathétérisme cardiaque récent et d'infections cutanées, respiratoires ou urinaires doivent être notés.

Les hémocultures constituent le principal moyen de diagnostiquer une endocardite infectieuse (voir encadré 25.3). Elles sont positives chez 90 % à 95 % des clients qui en sont atteints. Deux ou trois séries d'hémocultures (une série est composée d'une culture aérobie et d'une culture anaérobie prélevées sur un foyer donné) doivent être effectuées pendant une période de 24 heures. Les cultures négatives doivent être conservées pendant trois semaines si le diagnostic clinique est toujours l'endocardite, à cause de la présence possible d'un agent pathogène à croissance lente. Le sang peut être prélevé à des intervalles de 20 minutes si une antibiothérapie immédiate est jugée nécessaire. Si le client prend déjà des antibiotiques, on devra utiliser des flacons d'hémoculture contenant une résine afin de fixer l'antibiotique. Une endocardite à hémoculture négative peut se manifester chez les clients ayant déjà suivi une antibiothérapie, ceux qui sont infectés par des agents pathogènes ne pouvant pas croître dans le sang par des moyens courants (p. ex. bacille de la tuberculose) ou les clients atteints d'une infection touchant le côté droit du cœur.

Il est souvent possible de déceler une leucocytose bénigne lorsque la numération moyenne des leucocytes est de $10 - 11 \times 10^9$/L et que les vitesses de sédimentation (VS) sont supérieures à 30 mm par heure. La protéinurie et un facteur rhumatoïde positif peuvent également être manifestes chez certains clients atteints d'endocardite.

L'échocardiographie s'avère fort utile dans le bilan diagnostique d'un client atteint d'endocardite infectieuse dont les hémocultures sont négatives ou d'un client atteint d'une infection active qui est candidat à une chirurgie. L'échocardiographie transœsophagienne et l'imagerie numérique faisant appel à l'échocardiographie transthoracique bidimensionnelle peuvent déceler des végétations et des abcès sur les valves.

PROCESSUS DIAGNOSTIQUE ET THÉRAPEUTIQUE

Endocardite infectieuse — ENCADRÉ 25.3

Diagnostic
- Antécédents de santé et examen physique
- Hémoculture et antibiogramme
- Formule leucocytaire
- Facteur rhumatoïde
- Analyse d'urine
- Radiographie pulmonaire
- ECG
- Échocardiographie
- Cathétérisme cardiaque

Processus thérapeutique
- Antibiothérapie et antipyrétiques
- Repos
- Répétition des hémocultures et des antibiogrammes
- Valvuloplastie ou remplacement valvulaire (en cas de lésions valvulaires graves)

ECG : électrocardiogramme.

Antibioprophylaxie visant à prévenir l'endocardite en présence d'affections cardiaques* — ENCADRÉ 25.4

Affections à risque élevé
- Prothèse valvulaire (y compris les prothèses biosynthétiques)
- Antécédents d'endocardite
- Anastomoses pulmonaires chirurgicales

Affections à risque modéré
- Souffle organique
- Prolapsus valvulaire mitral accompagné de régurgitation valvulaire

Affections à faible risque (aucune prophylaxie)
- Souffle cardiaque « fonctionnel », « normal »
- Prolapsus valvulaire mitral sans régurgitation valvulaire
- Antécédents de rhumatisme articulaire aigu sans souffle cardiaque

Tiré de l'*American Heart Association*.
* Ce tableau énumère les affections fréquentes, mais il n'est pas exhaustif.

Une radiographie pulmonaire peut être réalisée pour déceler la présence d'ICC. Un électrocardiogramme (ECG) peut révéler des changements pendant l'endocardite, car les valves cardiaques se trouvent à proximité des tissus cardiaques conducteurs, notamment près du nœud auriculo ventriculaire (NAV). Il est possible de recourir au cathétérisme cardiaque lorsqu'on envisage une intervention chirurgicale.

Traitement prophylactique. Les lésions cardiaques, les prothèses valvulaires, les valvulopathies acquises, le prolapsus valvulaire mitral, une endocardite antérieure et les maladies non cardiaques constituent les principaux facteurs de risque de l'endocardite infectieuse. Il est également important de prendre en considération les situations comportant des risques, y compris l'usage de drogues par voie intraveineuse et les interventions dentaires, médicales ou chirurgicales. Une antibioprophylaxie est recommandée pour les clients atteints de troubles cardiaques particuliers avant qu'ils ne subissent certaines interventions dentaires ou chirurgicales (voir encadré 25.4). Les interventions qui nécessitent un traitement prophylactique contre l'endocardite sont résumées dans l'encadré 25.5. Des traitements antibiotiques particuliers sont recommandés dans le cas d'interventions bucco-dentaires et d'interventions touchant les appareils respiratoire, gastro-intestinal ou génito-urinaire. Une antibioprophylaxie doit également être amorcée lorsque le client est exposé à un risque élevé quant à l'une des situations suivantes : il doit subir l'ablation ou le drainage de tissus infectés ; il est porteur d'un stimulateur cardiaque interne ; il reçoit des traitements d'hémodialyse ; il a une dérivation ventriculocardiaque pour traiter une hydrocéphalie.

Processus thérapeutique. L'identification exacte du micro-organisme infectieux est la clé d'un traitement efficace. Le choix de l'antibiotique (habituellement administré par voie intraveineuse) repose sur les résultats de l'antibiogramme.

L'éradication totale du micro-organisme prend généralement des semaines et les rechutes sont fréquentes. Dans le passé, la plupart des clients atteints d'endocardite infectieuse devaient être hospitalisés longtemps pour cette raison. Cependant, le traitement se fait actuellement de plus en plus en consultation externe et dans les CLSC grâce à de nouveaux antibiotiques polyvalents (voir tableau 25.1). Certains clients peuvent toutefois avoir besoin de différents antibiotiques s'ils éprouvent des réactions allergiques ou d'autres effets secondaires liés aux médicaments.

Les taux sériques d'antibiotiques doivent être mesurés périodiquement. D'autres hémocultures permettent d'évaluer l'efficacité de l'antibiothérapie ; si elles sont encore positives, cela indique que les antibiotiques sont insuffisants ou inadéquats, qu'il y a présence d'un abcès à la racine de l'aorte ou au myocarde, ou que le diagnostic est erroné (p. ex. l'infection est ailleurs). Une fois le traitement commencé, la fièvre peut persister pendant plusieurs jours et être traitée par de l'acide acétylsalicylique (AAS, Aspirin), de l'acétaminophène (Tylenol), des liquides et du repos. Le repos complet au lit n'est habituellement pas indiqué, à moins que l'hyperthermie persiste ou qu'il y ait des signes d'insuffisance cardiaque.

En général, les résultats sont peu satisfaisants lorsque le client atteint d'endocardite fongique ou d'endocardite sur prothèse valvulaire prend uniquement des antibiotiques pour traiter l'infection. Un remplacement valvulaire rapide suivi d'une longue pharmacothérapie

Interventions nécessitant une antibioprophylaxie contre l'endocardite* ENCADRÉ 25.5

Interventions oropharyngées
- Toutes les interventions dentaires susceptibles de causer un saignement des gencives et des muqueuses (à l'exception d'ajustements simples des appareils orthodontiques ou de l'extraction de dents de lait), y compris un nettoyage fait par une hygiéniste dentaire
- Amygdalectomie ou adénoïdectomie

Interventions aux voies respiratoires
- Interventions ou biopsies chirurgicales atteignant la muqueuse respiratoire
- Bronchoscopie, notamment à l'aide d'un bronchoscope rigide

Interventions gastro-intestinales
- Chirurgie de la vésicule biliaire
- Chirurgie du côlon
- Dilatation œsophagienne
- Sclérothérapie des varices œsophagiennes
- Coloscopie

Interventions génito-urinaires
- Cystoscopie
- Chirurgie de la prostate
- Cathétérisme vésical (en présence d'infection)
- Chirurgie de l'appareil urinaire (en présence d'infection)
- Hystérectomie vaginale
- Accouchement par voie vaginale (en présence d'infection)

Interventions cardiaques
- Pose de prothèses valvulaires cardiaques
- Anastomoses pulmonaires chirurgicales

Autres interventions
- Incision et drainage de tissus infectés
- Chirurgie touchant à des tissus mous infectés

Adapté de Dajani As et coll. « Prevention of bacterial endocarditis : recommendations by the American Heart Association », *JAMA*, vol. 277, n° 1796, 1997.
* Ce tableau énumère seulement quelques interventions et n'est pas exhaustif.

PHARMACOTHÉRAPIE

TABLEAU 25.1 Traitement de l'endocardite infectieuse par antibiothérapie en consultation externe

Agent étiologique ou situation clinique	Options de traitements antibiotiques
Endocardite streptococcique	Ceftriaxone IV/IM* ; ceftriaxone IV/IM* et gentamicine IV/IM[†] ; ceftriaxone IV/IM* suivie d'amoxicilline PO
Endocardite entérococcique sans insuffisance rénale	Ampicilline IV et gentamicine IV/IM[†]
Endocardite entérococcique accompagnée d'insuffisance rénale	Vancomycine IV[‡]
Endocardite staphylococcique	Vancomycine IV[‡]
Endocardite staphylococcique du côté droit chez les toxicomanes (usage de drogues intraveineuses)	Tobramycine

Dajani As et coll. « Prevention of bacterial endocarditis : recommendations by the American Heart Association », *Circulation*, vol. 96, n° 358, 1997.
* Le traitement à la ceftriaxone n'est pas approuvé dans les cas d'endocardite.
† La concentration sérique doit être surveillée.
‡ Établir la dose selon la fonction rénale et la concentration sérique du médicament.

---

sont plutôt recommandés dans ces situations. Le remplacement valvulaire est devenu une intervention complémentaire importante, car il est employé dans plus de 25 % des cas.

Soins infirmiers : endocardite infectieuse

Collecte de données. Les données subjectives et objectives qui doivent être recueillies auprès du client atteint d'endocardite infectieuse sont présentées dans l'encadré 25.6. Les bruits cardiaques doivent être évalués lors de la prise des signes vitaux afin de déceler tout changement dans les caractéristiques du souffle cardiaque et la présence de bruits diastoliques surajoutés. L'arthralgie est fréquente et peut atteindre plusieurs articulations. Le

client peut également souffrir de myalgies. L'infirmière doit donc évaluer la sensibilité articulaire et musculaire, et vérifier s'il y a une diminution de l'amplitude articulaire. La muqueuse buccale, les conjonctives, la partie supérieure du thorax et les extrémités inférieures doivent être examinées pour déceler toute présence de pétéchies. Une évaluation générale des systèmes et appareils anatomiques doit être effectuée afin de déceler des signes de complications hémodynamiques et emboliques.

Diagnostics infirmiers. Les diagnostics infirmiers pour le client atteint d'endocardite infectieuse peuvent comprendre, entre autres, ceux qui sont présentés dans l'encadré 25.7.

COLLECTE DE DONNÉES

Endocardite infectieuse

Données subjectives

Information importante concernant la santé

- Antécédents de santé : cardiopathies valvulaires, congénitales ou dues à la syphilis (y compris la valvuloplastie ou le remplacement valvulaire) ; endocardite antérieure, accouchement, infections à staphylocoques ou à streptocoques, septicémie nosocomiale.
- Médicaments : traitement immunosuppresseur.
- Chirurgies et autres traitements : interventions obstétricales ou gynécologiques récentes ; interventions effractives telles que le cathétérisme, la cystoscopie, les interventions intravasculaires ; intervention dentaire ou chirurgicale récente.

Modes fonctionnels de santé

- Mode perception et gestion de la santé : usage abusif de drogues par voie intraveineuse, alcoolisme, malaise.
- Mode nutrition et métabolisme : gain ou perte de masse, anorexie ; frissons, diaphorèse.
- Mode élimination : hématurie.
- Mode activité et exercice : intolérance à l'activité, faiblesse généralisée, fatigue ; toux, dyspnée à l'effort, orthopnée ; palpitations.
- Mode sommeil et repos : sueurs nocturnes.
- Mode cognition et perception : douleurs thoraciques, rachidiennes ou abdominales ; céphalées ; douleurs articulaires, douleurs musculaires.

Données objectives

Généralité

- Fièvre

Appareil tégumentaire

- Nodules d'Osler aux extrémités ; hémorragies sous-unguéales ; signe de Janeway sur la paume des mains et la plante des pieds ; pétéchies sur la peau, les muqueuses ou les conjonctives ; purpura ; œdème périphérique, hippocratisme digital.

Appareil respiratoire

- Tachypnée, crépitants.

Appareil cardiovasculaire

- Arythmies, tachycardie, souffles cardiaques nouveaux ou accrus, B_3, B_4, hémorragies rétiniennes.

Résultats possibles

- Leucocytose, anémie, augmentation de la VS et des enzymes cardiaques ; hémocultures positives ; hématurie microscopique ; échocardiogramme révélant une augmentation de volume des cavités cardiaques, dysfonctionnement valvulaire et végétations ; radiographie montrant une cardiomégalie et des infiltrats pulmonaires ; ECG montrant une ischémie et des anomalies de conduction.

ECG : électrocardiogramme ; VS : vitesse de sédimentation.

Planification. Les objectifs généraux pour le client atteint d'endocardite infectieuse sont les suivants : il présentera une fonction cardiaque normale ; il ne présentera aucune lésion cardiaque résiduelle ; il s'adonnera aux activités de la vie quotidienne (AVQ) sans fatigue ; il expliquera dans ses mots le programme thérapeutique visant à prévenir toute récurrence de l'endocardite.

Exécution

Promotion de la santé. Il est possible de réduire l'incidence de l'endocardite infectieuse par le dépistage des personnes prédisposées à ce type d'inflammation (voir encadrés 25.2 et 25.4). L'évaluation des antécédents de santé du client et la compréhension du processus morbide sont essentielles afin de pouvoir planifier et exécuter des stratégies efficaces de promotion de la santé.

L'enseignement au client permet de réduire l'incidence et la récurrence de la maladie, et il est indispensable pour que celui-ci comprenne et observe le programme thérapeutique établi. Il doit saisir la nécessité d'éviter le contact avec les personnes qui ont des infections, notamment celles qui présentent des infections des voies respiratoires supérieures, et de signaler tout symptôme de rhume, de grippe et de toux. Il doit

éviter toute fatigue excessive et planifier des périodes de repos avant et après ses activités. Une bonne hygiène bucco-dentaire, y compris des soins quotidiens et des visites régulières chez le dentiste, est également essentielle. Le client doit informer son dentiste et son médecin de ses antécédents de cardiopathie. Il doit aussi comprendre l'importance de l'antibioprophylaxie avant toute intervention effractive.

Intervention en phase aiguë. Un client atteint d'endocardite infectieuse présente de nombreux troubles qui exigent une bonne planification des soins infirmiers (voir encadré 25.7). L'endocardite infectieuse requiert généralement une antibiothérapie d'une durée de quatre à six semaines. Le traitement commence d'abord en centre hospitalier (CH) et peut se poursuivre à domicile par l'intermédiaire des services du CLSC.

Bien que les résultats de l'examen physique soient non spécifiques (voir encadré 25.6), ils peuvent aider à confirmer le diagnostic et à instaurer le plan de traitement. La fièvre chronique ou intermittente sont des signes précoces courants. L'évaluation régulière de la température corporelle est importante puisqu'une hyperthermie prolongée peut signifier que la pharmacothérapie est inefficace.

➜ Plan de soins infirmiers

Client atteint d'endocardite infectieuse

DIAGNOSTIC INFIRMIER : hyperthermie reliée à l'infection du tissu cardiaque, se manifestant par l'augmentation de la température, de la diaphorèse, des frissons, des céphalées, une sensation de malaise général, de la tachycardie et de la tachypnée.

PLANIFICATION
Résultats escomptés
- Le client maintiendra une température corporelle normale.
- Il aura un pouls entre 60 et 100 bpm.
- Il aura une fréquence respiratoire entre 12 et 20 cycles/min.
- Il ne présentera ni frissons, ni diaphorèse, ni céphalées.

INTERVENTIONS	Justifications
• Surveiller la température.	• Déterminer l'efficacité du traitement.
• Administrer des antipyrétiques ou des sédatifs selon l'ordonnance.	• Diminuer la fièvre et favoriser le sommeil.
• Réduire l'activité physique.	• Diminuer la charge de travail du cœur.
• Administrer des antibiotiques.	• Enrayer l'agent étiologique.
• Surveiller les hémocultures et la numération des leucocytes.	• Évaluer la réaction du client au traitement.
• Envelopper le client de couvertures légères.	• Prévenir les frissons et la hausse de température causée par l'augmentation de l'activité musculaire.

DIAGNOSTIC INFIRMIER : diminution du débit cardiaque reliée à l'insuffisance valvulaire et à la surcharge liquidienne, se manifestant par un bruit cardiaque B_3, de la tachycardie, un temps de remplissage capillaire >3 s, une diminution des pouls périphériques et du débit urinaire, des bruits respiratoires adventices, de l'agitation et de la confusion.

PLANIFICATION
Résultat escompté
- Le client aura un débit cardiaque suffisant pour maintenir une PA moyenne ≥60 mm Hg et un débit urinaire >0,5 ml/kg/h.

INTERVENTIONS	Justifications
• Ausculter les bruits cardiaques et vérifier la fréquence et le rythme cardiaques.	• Déceler un changement dans la nature du souffle cardiaque et la présence de souffles diastoliques surajoutés.
• Évaluer l'œdème périphérique et sacré.	• Signes indicateurs de circulation inefficace ou de surcharge liquidienne.
• Évaluer les bruits respiratoires.	• Déceler une atteinte pulmonaire, de la congestion et une surcharge liquidienne.
• Administrer de l'oxygène.	• Augmenter l'apport en oxygène au myocarde et favoriser le confort en soulageant l'hypoxémie.
• Administrer des diurétiques, des agents inotropes et d'autres médicaments selon l'ordonnance.	• Favoriser la diurèse et renforcer la contractilité myocardique.
• Planifier des périodes de repos.	• Réduire la charge de travail du cœur.
• Évaluer le débit urinaire.	• Surveiller la fonction rénale et faire le bilan liquidien.
• Évaluer les changements dans l'état de conscience.	• Écarter la possibilité d'une embolie cérébrale.

DIAGNOSTIC INFIRMIER : intolérance à l'activité reliée à une faiblesse générale et à la perturbation du transport d'oxygène causée par un dysfonctionnement valvulaire, se manifestant par de la fatigue, une sensation de malaise, de la faiblesse, de la dyspnée, de l'essoufflement, de la pâleur, de la cyanose, de la confusion, des vertiges, l'accélération du pouls, l'augmentation ou la diminution de la fréquence respiratoire et de la PA systolique.

PLANIFICATION
Résultat escompté
- Le client s'adonnera à ses AVQ sans ressentir de fatigue ni de détresse physiologique.

Plan de soins infirmiers

Client atteint d'endocardite infectieuse (*suite*)

INTERVENTIONS	Justifications
• Prendre les signes vitaux pendant l'activité.	• Évaluer la réaction cardiaque.
• Surveiller les signes d'intolérance à l'activité (p. ex. tachycardie, hypertension, diaphorèse, essoufflement).	• Planifier ou modifier les activités.
• Réduire les activités si la pression artérielle systolique baisse de 10 mm Hg.	• Une telle chute peut indiquer une détérioration de la capacité du cœur à réagir adéquatement à une augmentation de l'activité.
• Enseigner au client comment prendre son pouls.	
• Lui mentionner de réduire ses activités si son pouls augmente de plus de 20 bpm et de ne pas les intensifier si la fréquence cardiaque au repos est supérieure à 100 bpm.	• Ces signes indiquent un effort cardiaque excessif.
• Planifier des périodes de repos entre les activités.	• Réduire la charge de travail du cœur.

DIAGNOSTIC INFIRMIER : anxiété reliée à une maladie grave et à une hospitalisation, se manifestant par de l'agitation, de l'appréhension et le repli sur soi.

PLANIFICATION
Résultats escomptés
- Le client dira qu'il se sent moins anxieux ou qu'il ne se sent pas anxieux.
- Il exprimera une sensation de bien-être physique et un sentiment de bien-être psychologique.

INTERVENTIONS	Justifications
• Observer les signes verbaux et physiques d'anxiété.	• Reconnaître l'anxiété et commencer le plan de soins infirmiers.
• Donner du temps au client pour lui permettre d'exprimer verbalement ses craintes liées à la maladie.	• Discuter ouvertement de ses peurs l'aide à calmer son anxiété.
• L'encourager à parler de ses sentiments et de ses inquiétudes à propos de sa maladie et de son hospitalisation.	• Évaluer l'importance de ses sentiments et l'exactitude de ses connaissances pour planifier des interventions.
• Expliquer toutes les interventions et les activités liées au plan de traitement.	• L'informer et atténuer son anxiété.
• Enseigner des techniques de relaxation telles que l'imagerie mentale et la détente musculaire.	• Calmer l'anxiété et induire la relaxation.

DIAGNOSTIC INFIRMIER : difficulté à se maintenir en santé reliée au manque de connaissances au sujet du processus morbide et du processus thérapeutique, se manifestant par l'échec des comportements propres au maintien de la santé désirés, l'expression d'idées fausses sur ces comportements et des questions.

PLANIFICATION
Résultat escompté
- Le client sera capable d'expliquer sa maladie et adoptera les comportements désirés, propres au maintien de la santé.

INTERVENTIONS	Justifications
• Évaluer les connaissances du client quant au processus morbide et au traitement.	• Déterminer ce qu'on doit lui enseigner.
• Discuter des symptômes de récurrence de l'infection (p. ex. fatigue, malaise, frissons, hyperthermie, anorexie) avec le client.	• Pouvoir informer le médecin si ces symptômes surviennent et faire en sorte qu'un traitement soit amorcé rapidement.
• Expliquer la nécessité d'éviter les contacts avec des personnes atteintes d'une infection.	
• Encourager le traitement rapide des infections banales, telles que le rhume et la grippe.	• Réduire le risque de récurrence de l'endocardite infectieuse.

Plan de soins infirmiers

Client atteint d'endocardite infectieuse (*suite*)

- Expliquer la nécessité de signaler les antécédents d'endocardite au médecin devant pratiquer une intervention effractive, comme un traitement dentaire ou gingival, des épreuves diagnostiques, des interventions médicales ou chirurgicales.
- Renseigner le client au sujet du nom des médicaments prescrits, des doses, des heures d'administration, de leur usage et des effets secondaires.

- Faire en sorte qu'une antibioprophylaxie puisse être prescrite pour prévenir le risque d'infection.

- Permettre une pharmacothérapie sûre.

Processus thérapeutique

COMPLICATION POSSIBLE : embolie reliée aux végétations qui se détachent et à la thrombophlébite causée par l'immobilité.

PLANIFICATION

Objectifs
- Surveiller les signes d'embolie.
- Signaler les écarts dans les paramètres fondamentaux évalués.
- Exécuter les interventions infirmières et les prescriptions médicales.

INTERVENTIONS	Justifications
• Procéder à l'auscultation pulmonaire.	• Une embolie pulmonaire peut causer une diminution des bruits respiratoires, une augmentation de la fréquence respiratoire, de la dyspnée et l'utilisation des muscles accessoires.
• Surveiller la coloration de l'urine et la quantité évacuée, de même que la densité urinaire.	• Évaluer la fonction rénale, déceler la présence d'hématurie et détecter une oligurie.
• Vérifier s'il y a présence de douleurs abdominales.	• Une embolie splénique se manifeste par de la douleur abdominale et une splénomégalie.
• Évaluer les signes neurologiques.	• Déceler les signes d'embolie cérébrale.
• Vérifier la température des extrémités et les pouls périphériques.	• Un embole peut se loger dans les petits vaisseaux sanguins périphériques et entraîner de la gangrène.
• Observer la peau, les yeux et les muqueuses pour détecter la présence de pétéchies.	• Elles apparaissent sous l'effet de la fragmentation et de la microembolisation des lésions végétatives.
• Examiner les orteils pour déceler toute hémorragie sous-unguéale ; les doigts, les orteils, la paume des mains et la plante des pieds pour déceler tout nodule d'Osler ; la surface de la peau pour découvrir s'il y a des lésions.	• Ces signes indiquent un embole dans ces régions respectives.
• Examiner le client pour détecter la présence d'un œdème, de rougeurs, de sensibilité aux mollets.	• Relever des signes possibles de thrombophlébite.
• Enfiler des bas antiemboliques (élastiques) au client.	• Fournir un soutien aux veines des jambes.
• Enseigner au client comment exécuter les exercices des jambes.	• Favoriser le retour veineux et diminuer l'occurrence de la thrombophlébite.

Le client a besoin de périodes de repos physique et émotionnel suffisantes. Le repos au lit peut s'avérer nécessaire lorsqu'il est fébrile ou en présence de complications (p. ex. une atteinte cardiaque). Autrement, il peut marcher et faire des activités exigeant un effort modéré.

Les données issues des épreuves de laboratoire déterminent l'efficacité de l'antibiothérapie de longue durée à dose élevée. L'état du client doit être évalué de façon continue de manière à déceler toute réaction indésirable aux médicaments. Afin de prévenir tout trouble lié à l'immobilité, l'infirmière doit lui enfiler des bas antiemboliques (élastiques) et l'aider à faire des exercices d'amplitude articulaire, à se tourner, à tousser et à respirer profondément toutes les deux heures.

L'infirmière doit être en mesure de reconnaître les signes d'anxiété et de crainte et d'établir des stratégies pour les atténuer.

Soins ambulatoires et soins à domicile. Les clients qui reçoivent des antibiotiques en milieu extrahospitalier ont besoin de soins infirmiers à domicile vigilants. Dans le cas d'une endocardite active, ils courent un risque de complications extrêmement graves comme une embolie cérébrale ou de l'œdème pulmonaire. Un milieu de vie adéquat, quant au soutien à domicile et à l'accessibilité au CH, doit être établi pour une prise en charge efficace du traitement. Une fois que le traitement est terminé, que ce soit à la maison ou en milieu hospitalier, la gestion est surtout axée sur l'enseignement se rapportant à la nature de la maladie et à la diminution du risque d'infection. Le client doit connaître les symptômes pouvant indiquer une récurrence de l'infection, comme la fièvre, la fatigue, les sensations de malaise et les frissons, et doit savoir qu'il est important d'aviser le médecin si l'un de ces symptômes se manifeste. L'infirmière doit le renseigner sur la nécessité de suivre une antibiothérapie prophylactique avant toute intervention effractive (voir encadré 25.5). Elle doit expliquer l'importance du suivi médical, d'une bonne alimentation et d'un traitement rapide des infections banales (p. ex. un rhume) pour rester en bonne santé.

Évaluation. Les résultats escomptés chez le client atteint d'endocardite infectieuse sont présentés dans l'encadré 25.7.

25.1.2 Péricardite aiguë

La péricardite est une affection causée par l'inflammation du sac fibreux péricardique (le péricarde), qui peut se produire à un degré aigu. Le péricarde est composé d'une séreuse interne (l'épicarde ou feuillet viscéral), qui adhère intimement à la surface épicardique du cœur, et d'une membrane externe fibreuse (feuillet pariétal) (voir figure 25.1). L'espace péricardique représente la cavité entre ces deux membranes et contient normalement moins de 50 ml de sérosité. Même s'il est possible que le péricarde soit congénitalement absent ou chirurgicalement excisé, il assure l'ancrage au diaphragme, au sternum et aux gros vaisseaux ; il permet de lubrifier les feuillets pour réduire la friction lors des battements cardiaques ; il aide à prévenir la dilatation excessive du cœur pendant la diastole.

Étiologie et physiopathologie. Les causes fréquentes de péricardite aiguë sont énumérées dans l'encadré 25.8. La péricardite aiguë est surtout idiopathique chez le client adulte et a différentes causes virales. Le virus Coxsackie B est le plus couramment mis en cause et a tendance à provoquer la pleuropéricardite (maladie de Bornholm) chez l'adulte et la myopéricardite chez l'enfant. L'urémie, les infections bactériennes, l'infarctus aigu du myocarde, la tuberculose, les tumeurs et les traumatismes en sont d'autres causes. La péricardite chez un client victime d'un infarctus aigu du myocarde peut être décrite comme deux syndromes distincts. D'abord, une péricar-

dite aiguë se manifeste immédiatement après l'atteinte myocardique initiale, dans les 48 à 72 premières heures ; le syndrome de Dressler (péricardite tardive), quant à lui, apparaît de deux à quatre semaines après l'infarctus.

Une réaction inflammatoire est la constatation pathologique qui caractérise la péricardite aiguë. Il y a d'abord un afflux de neutrophiles, puis la vascularité péricardique augmente et des dépôts de fibrine se forment sur l'épicarde (voir figure 25.4).

Manifestations cliniques. Les manifestations cliniques comprennent la douleur thoracique, la dyspnée et un frottement péricardique. Bien que la douleur thoracique intense de type pleurétique soit généralement très vive au-dessus de la région précordiale gauche ou dans la région rétrosternale, elle peut irradier jusqu'au muscle trapèze et au cou (fausse angine) ou parfois à l'épigastre ou à l'abdomen (fausse affection abdominale ou autre maladie non cardiaque). La douleur est habituellement exacerbée lorsque le client est couché sur le dos, qu'il bouge le tronc, qu'il avale ou qu'il tousse et

Causes de la péricardite aiguë   ENCADRÉ 25.8

Causes infectieuses
- Causes virales, dont le virus Coxsackie B, le virus Coxsackie A, les échovirus, les adénovirus, le virus des oreillons, le virus Epstein-Barr, le virus varicelle-zona et celui de l'hépatite B
- Causes bactériennes, dont les pneumocoques, les staphylocoques, les streptocoques, la septicémie due aux germes Gram négatif
- Tuberculose
- Causes fongiques, dont *Histoplasma* et les espèces *Candida*
- Les infections telles que la toxoplasmose, la maladie de Lyme

Causes non infectieuses
- Urémie
- Infarctus aigu du myocarde
- Tumeurs, telles que le cancer du poumon, le cancer du sein, la leucémie, la maladie de Hodgkin, les lymphomes
- Traumatismes après une chirurgie thoracique, l'insertion d'un stimulateur cardiaque, des examens complémentaires
- Radiation
- Anévrisme disséquant de l'aorte
- Myxœdème

Causes liées à l'hypersensibilité ou causes auto-immunes
- Lésions postmyocardiques ou postpéricardiques retardées
- Syndrome postinfarctus du myocarde (de Dressler)
- Syndrome postpéricardiotomie
- Rhumatisme articulaire aigu
- Réactions aux médicaments (p. ex. procaïnamide [Pronestyl], hydralazine [Apresoline])
- Affections rhumatologiques, dont la polyarthrite rhumatoïde, le lupus érythémateux disséminé, la sclérodermie, la spondylite ankylosante

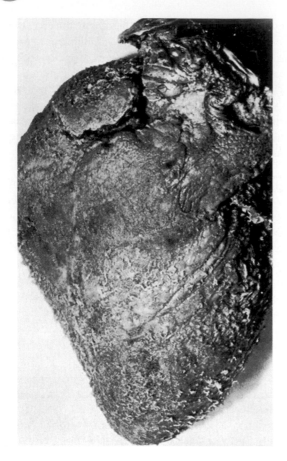

FIGURE 25.4 Péricardite fibrineuse aiguë. Une couche d'apparence hirsute couvre la surface du cœur.

lors d'inspirations profondes ; elle s'atténue lorsqu'il s'assoit ou se penche vers l'avant. La péricardite aiguë est souvent accompagnée de dyspnée pouvant être aggravée par de la fièvre et de l'anxiété. Pour éviter les douleurs thoraciques, le client respire superficiellement et rapidement.

Le frottement péricardique est le principal signe détecté lors de l'examen clinique. Il ressemble à un bruit d'égratignure, grinçant et aigu, que l'on croit être produit par la friction entre les surfaces péricardique et épicardique devenues rugueuses. Il s'entend mieux lorsqu'on place fermement la membrane du stéthoscope contre le rebord sternal inférieur gauche du thorax, près du troisième espace intercostal. Étant donné qu'il n'irradie pas sur une grande surface ni ne varie selon les pulsations, plusieurs auscultations peuvent s'avérer nécessaires pour le déceler, car il est fugace et transitoire. Il sera plus facile de différencier le frottement péricardique du frottement pleural par la synchronisation avec le pouls plutôt qu'avec les respirations.

Complications. Deux complications importantes de la péricardite aiguë sont l'épanchement péricardique et la tamponnade cardiaque. L'épanchement péricardique reflète

généralement une accumulation rapide de liquide péricardique excédentaire qui résulte d'un traumatisme thoracique. Cependant, il est possible qu'un épanchement se manifeste lentement, comme dans le cas de la péricardite tuberculeuse. Des épanchements importants peuvent compresser les structures adjacentes. Quand elle touche le tissu pulmonaire, la compression peut entraîner de la toux, de la dyspnée et de la tachypnée. La compression du nerf phrénique peut déclencher le hoquet, alors que celle du nerf laryngé inférieur peut être à l'origine de l'enrouement. Les bruits cardiaques sont généralement distants et assourdis, et la pression artérielle est habituellement maintenue par des mécanismes compensatoires.

La tamponnade cardiaque apparaît à mesure que l'épanchement péricardique prend du volume. Les mécanismes compensatoires ne parviennent plus à s'adapter à la diminution du débit cardiaque. Le client atteint de tamponnade péricardique présente souvent de la confusion, est agité et irritable ; en outre, de la tachycardie et de la tachypnée peuvent se manifester (voir encadré 25.9). Il y a habituellement une distension marquée des veines cervicales, en raison de la hausse de la pression veineuse jugulaire, et un pouls paradoxal élevé. Le pouls paradoxal, une baisse de la PA systolique de plus de 10 mm Hg pendant l'inspiration, est causé par une exagération de la baisse normale de la PA systolique (moins de 10 mm Hg) en présence d'une tamponnade cardiaque. L'encadré 25.10 présente les étapes à suivre pour prendre le pouls paradoxal.

Épreuves diagnostiques. En présence d'une péricardite aiguë, les changements observés à l'ECG constituent des indices diagnostiques importants qui peuvent évoluer sur une période de plusieurs heures et même de plusieurs jours ou semaines (voir encadré 25.11).

Manifestations cliniques de la tamponnade cardiaque | **ENCADRÉ 25.9**

- Baisse de la pression artérielle systolique
- Diminution de la pression différentielle
- Pouls paradoxal (>10 mm Hg)
- Augmentation de la pression veineuse, distension des jugulaires
- Tachycardie
- Tachypnée
- Frottement possible
- Bruits cardiaques sourds
- ECG de bas voltage
- Hypertrophie rapide de la silhouette cardiaque sur la radiographie pulmonaire
- Cyanose périphérique
- Anxiété
- Douleurs thoraciques

ECG : électrocardiogramme.

Quatre stades de changements ont été décrits : des élévations initiales diffuses du segment ST décrivant une courbe vers le haut et présentes dans l'ensemble des dérivations, sauf VR et V_1 ; le retour des segments ST à la ligne isoélectrique, accompagné de l'aplanissement de l'onde T après plusieurs jours ; l'inversion de l'onde T sans apparence d'ondes Q importantes en présence d'un infarctus aigu du myocarde ; le rétablissement de l'onde T, qui peut se produire des semaines ou des mois plus tard. Le sus-décalage de l'espace PR peut également être manifeste pendant les premiers stades des changements touchant le segment ST. On estime que ces changements sont causés par une inflammation myocardique superficielle ou une atteinte épicardique. Bien que des arythmies puissent être associées aux changements observés à l'ECG, elles sont plutôt rares. Lorsqu'une arythmie est décelée, elle est généralement auriculaire chez les clients qui présentent aussi des états pathologiques de nature myocardique ou valvulaire.

Les résultats des radiographies pulmonaires sont habituellement normaux ou non spécifiques dans les cas de péricardite aiguë, à moins que le client ne présente un épanchement péricardique important (voir figure 25.5). Les résultats de l'échocardiogramme sont beaucoup plus utiles pour déterminer la présence d'un épanchement péricardique ou d'une tamponnade cardiaque. Une scintigraphie au gallium peut également être réalisée.

Les épreuves de laboratoire sont axées sur la découverte de l'étiologie possible de la péricardite. Par exemple, une élévation du taux d'azote uréique sanguin (BUN) et du taux de créatinine sérique peut révéler une péricardite urémique, et une réaction de Mantoux peut indiquer une péricardite tuberculeuse. Le liquide recueil-

PROCESSUS DIAGNOSTIQUE ET THÉRAPEUTIQUE

Péricardite aiguë   ENCADRÉ 25.11

Diagnostic
- Antécédents de santé et examen physique
- Auscultation cardiaque
- ECG
- Radiographie pulmonaire
- Échocardiographie
- Péricardiocentèse
- Biopsie péricardique
- Scanographie
- Scintigraphie cardiaque

Processus thérapeutique
- Traitement de la maladie sous-jacente
- Repos au lit
- AAS
- Anti-inflammatoires non stéroïdiens (AINS)
- Corticostéroïdes
- Péricardiocentèse (en présence d'un épanchement péricardique important ou de tamponnade)

AAS : acide acétylsalicylique ; ECG : électrocardiogramme.

li lors de la péricardiocentèse (voir figure 25.6) ou le tissu prélevé par biopsie péricardique peuvent également être analysés pour déterminer la cause de la péricardite.

Processus thérapeutique. Il est axé sur la détermination et le traitement du trouble sous-jacent (voir encadré 25.11). Des antibiotiques doivent être administrés pour traiter les péricardites bactériennes. Les corticostéroïdes sont généralement réservés aux clients atteints de péricardite causée par un lupus érythémateux disséminé, à ceux qui prennent déjà des corticostéroïdes pour traiter une affection rhumatismale ou une maladie du système immunitaire ou à ceux qui ne réagissent pas aux anti-inflammatoires non stéroïdiens (AINS). La prednisone est habituellement administrée au besoin selon une posologie décroissante (voir chapitre 41). Il est conseillé d'administrer les corticostéroïdes de façon prudente et ciblée, car ils entraînent de nombreux effets secondaires, tels que la maladie ulcéreuse gastroduodénale, la rétention de sodium, l'hyperglycémie, l'hypokaliémie et le syndrome de Cushing (voir chapitre 41).

La douleur et l'inflammation associées à la péricardite aiguë sont habituellement traitées par des AINS, tels que l'indométhacine (Indocid). De fortes doses de salicylates (de 300 à 900 mg par voie orale, quatre fois par jour) sont souvent prescrites.

La péricardiocentèse (voir figure 25.6) est habituellement pratiquée lorsque la tamponnade cardiaque aiguë a abaissé la PA systolique de 30 mm Hg ou plus par rapport à la valeur initiale. Au cours de ce traitement, le soutien hémodynamique peut comprendre l'administration

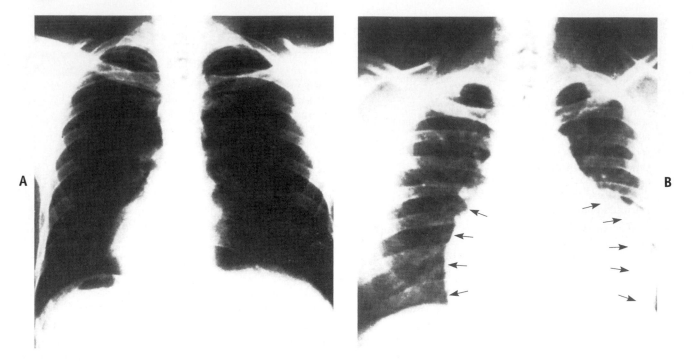

FIGURE 25.5 A. Radiographie pulmonaire normale. B. Un épanchement péricardique est présent et la silhouette cardiaque est hypertrophiée et a une forme globulaire (flèches).

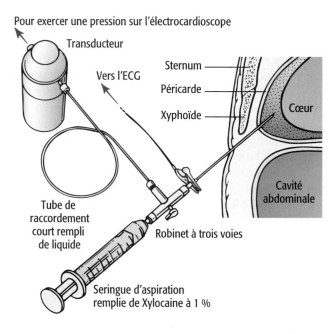

FIGURE 25.6 Péricardiocentèse pratiquée dans des conditions stériles conjointement avec un ECG et une mesure des paramètres hémodynamiques

de solutés de remplissage et d'agents inotropes. L'intervention est habituellement pratiquée à l'unité de cardiologie ou à la salle de cathétérisme cardiaque dans des conditions stériles et conjointement avec un ECG, une échocardiographie et des mesures des paramètres hémodynamiques. Une aiguille de calibre 16 à 18 est introduite dans l'espace péricardique pour prélever du liquide aux fins d'analyse et pour réduire la pression cardiaque. Les complications possibles comprennent les arythmies, le pneumomédiastin, le pneumothorax, la rupture du myocarde, la tamponnade cardiaque, la rupture d'une artère coronaire et la fistule gastrique.

Soins infirmiers : péricardite aiguë. Les premières interventions infirmières consistent à soulager la douleur et à apaiser l'anxiété éprouvées par le client. Il est important d'évaluer le degré, la nature et la localisation de la douleur afin de la distinguer de celle qui témoigne d'un infarctus aigu du myocarde (ou d'une récidive d'infarctus) ou de déterminer si elle est d'origine péricardique. L'infirmière doit vérifier si le client signale une douleur rétrosternale irradiant à l'épaule et au bras gauches, qui est ressentie comme une brûlure et une pression et n'est pas soulagée par un changement de posture. Par contre, la douleur d'origine péricardique est habituellement localisée à la région précordiale et au trapèze gauche, et a un caractère vif et pleurétique variant avec les respirations. Cette douleur est souvent apaisée lorsque le client se penche vers l'avant et elle augmente en position couchée. L'ECG permet également de différencier ces types de douleur puisque l'infarctus aigu du myocarde implique habituellement un changement localisé du segment ST, comparativement à des changements présents dans l'ensemble des dérivations, sauf VR et V_1, dans les cas de péricardite aiguë.

Les mesures analgésiques consistent à garder le client au lit en position de Fowler et à placer une table de lit devant lui pour qu'il s'y appuie. Des anti-inflammatoires peuvent être administrés pour atténuer la douleur. Toutefois, en raison des troubles gastro-intestinaux causés par des doses élevées de ces agents, il est important de mentionner au client de les prendre avec des aliments ou du lait et d'éviter toute boisson alcoolisée pendant la durée du traitement.

Le fait d'expliquer simplement les interventions pratiquées est une excellente façon de réduire l'anxiété, particulièrement pour le client qui vient d'apprendre son diagnostic et pour celui qui a déjà été victime d'un infarctus aigu du myocarde et qui est atteint de péricardite (syndrome de Dressler).

Il y a un risque réel de diminution du débit cardiaque (DC) pour le client atteint de péricardite aiguë, en raison de la possibilité d'une tamponnade cardiaque. Les responsabilités infirmières essentielles consistent à surveiller les signes et symptômes de tamponnade (voir encadré 25.9) et à effectuer les préparatifs en vue d'une éventuelle péricardiocentèse.

25.1.3 Péricardite constrictive chronique

Étiologie et physiopathologie. La péricardite constrictive commence habituellement par un premier épisode de péricardite aiguë (souvent consécutif à une néoplasie, à la radiothérapie, à une chirurgie antérieure ou à des causes idiopathiques) et se caractérise par un dépôt de fibrine et un épanchement péricardique qui passe inaperçu sur le plan clinique. On assiste ensuite à l'organisation et à la résorption lentes de l'épanchement, puis à l'évolution vers le stade chronique, se manifestant par une cicatrisation fibreuse, l'épaississement du péricarde causé par le dépôt de calcium et, enfin, l'oblitération de l'espace péricardique. Le péricarde, d'aspect fibreux, épais et adhérent, enrobe le cœur, ce qui a pour effet de perturber la capacité des oreillettes et des ventricules à s'étirer adéquatement pendant le remplissage diastolique.

Manifestations cliniques. Les manifestations de la péricardite constrictive chronique se produisent sur une longue période et sont semblables à celles de l'ICC et du cœur pulmonaire. Elles comprennent la dyspnée à l'effort, l'œdème aux extrémités inférieures, l'ascite, la fatigue, l'anorexie et la perte de masse corporelle. La constatation la plus importante lors de l'examen physique est l'élévation de la pression veineuse jugulaire. Contrairement à la tamponnade cardiaque, la présence d'un pouls paradoxal important est peu fréquente. Les résultats de l'aus-

cultation comprennent une vibrance péricardique, un souffle protodiastolique fort, souvent entendu le long du rebord sternal gauche.

Épreuves diagnostiques. Bien que les changements observés à l'ECG puissent être non spécifiques, ils comprennent généralement un faible voltage QRS, une inversion ou un aplatissement généralisé de l'onde T, et soit une onde P mitrale, soit une fibrillation auriculaire. La silhouette cardiaque sur la radiographie pulmonaire peut être normale ou hypertrophiée selon le degré d'épaississement péricardique et la coexistence d'un épanchement péricardique. Les résultats de l'échocardiographie peuvent révéler un épaississement du péricarde, sans que se manifeste un épanchement péricardique important. Il est difficile d'établir une distinction entre le myocarde et l'épicarde.

Les tracés de pression enregistrés lors du cathétérisme cardiaque sont des outils diagnostiques plus spécifiques de la péricardite constrictive. Les anomalies comprennent la hausse des pressions auriculaires gauche et droite et l'équilibration de ces pressions pendant la diastole. La tomodensitométrie (TDM) et l'imagerie par résonance magnétique (IRM) sont d'autres outils diagnostiques fort utiles servant à évaluer cet état pathologique.

Soins infirmiers et processus thérapeutique : péricardite constrictive chronique. Le traitement de choix de la péricardite constrictive chronique est la péricardectomie, à moins que le client ne manifeste aucun symptôme ou qu'il soit inopérable. Cette intervention chirurgicale nécessite habituellement la résection complète du péricarde par une sternotomie médiane à l'aide de la circulation extracorporelle. Le pronostic postopératoire est habituellement meilleur lorsque la chirurgie est pratiquée avant l'apparition d'une incapacité clinique grave. Les soins infirmiers dispensés après une péricardectomie sont semblables à ceux qui sont prodigués après les chirurgies cardiaques (voir chapitre 23).

25.1.4 Myocardite

Étiologie et physiopathologie. La myocardite se manifeste par une inflammation focale ou diffuse du myocarde associée à divers agents étiologiques, comme les virus, les bactéries, les rickettsies, les champignons, les parasites, la radiothérapie, de même qu'à des facteurs pharmacologiques et chimiques. Les virus constituent l'agent étiologique le plus fréquent aux États-Unis et au Canada, avec une prédominance des virus à ARN (les virus Coxsackie A et B, les échovirus, le virus de la grippe de types A et B et le virus des oreillons). La myocardite peut également être précipitée par certaines affections, telles que les troubles métaboliques et la collagénose avec manifestations vasculaires (p. ex. le lupus érythémateux disséminé), et peut aussi se manifester en l'absence d'agents ou de facteurs étiologiques. La myocardite est souvent liée à la péricardite aiguë, notamment lorsqu'elle est causée par des souches du virus Coxsackie B ou des échovirus.

Ses mécanismes physiopathologiques ne sont pas encore bien compris, car il s'écoule habituellement plusieurs semaines entre le moment où l'infection est contractée et l'apparition des signes de myocardite. Il est possible que les mécanismes immunologiques jouent un rôle dans l'apparition de la maladie. Bien que la plupart des infections soient bénignes, spontanément résolutives et inapparentes, la myocardite virale peut être virulente chez les nourrissons et les femmes enceintes.

Manifestations cliniques. Les caractéristiques cliniques peuvent varier d'une évolution bénigne sans manifestations apparentes à une atteinte cardiaque grave ou à la mort subite. Les manifestations systémiques immédiates de l'infection virale sont la fièvre, une sensation de malaise, la myalgie, la pharyngite, la dyspnée, l'adénopathie et les symptômes gastro-intestinaux.

Les premières manifestations cardiaques apparaissent de 7 à 10 jours après l'infection virale et comprennent une douleur thoracique d'origine péricardique et un frottement, puisque la péricardite accompagne souvent la myocardite. Les signes cardiaques (B$_3$, râles crépitants, distension des jugulaires et œdème périphérique) peuvent évoluer vers l'ICC, y compris l'épanchement péricardique, la syncope et éventuellement la douleur ischémique.

Épreuves diagnostiques. Les changements observés à l'ECG chez un client atteint de myocardite sont souvent non spécifiques et peuvent refléter une atteinte péricardique, dont des anomalies diffuses du segment ST. Il est possible que des arythmies et des troubles de conduction soient présents. Les résultats des épreuves de laboratoire sont souvent peu concluants et démontrent une augmentation faible à modérée des taux de leucocytes et de lymphocytes atypiques, une élévation des titres viraux (le virus est habituellement présent dans les échantillons de tissus et de liquides uniquement pendant les 8 à 10 premiers jours de la maladie), une hausse de la VS et des taux élevés d'enzymes cardiaques tels que l'aspartate aminotransférase (AST), la créatine kinase (CK) et la lacticodéshydrogénase (LDH).

La confirmation histologique de la myocardite est possible grâce à une biopsie endomyocardique qui consiste à prélever du tissu myocardique sur le ventricule droit par voie percutanée à l'aide d'un instrument spécial appelé bioptome et à l'examiner au moyen d'un microscope. Une biopsie pratiquée au cours des six premières semaines de la maladie en phase aiguë procure habituellement un meilleur diagnostic, car il s'agit de la période pendant laquelle l'infiltration lymphocytaire et l'atteinte des myocytes, des signes d'une myocardite, sont présentes. Des techniques spéciales d'imagerie myocardique peuvent aussi être employées lors de l'évaluation diagnostique.

Processus thérapeutique. Étant donné qu'un traitement spécifique de la myocardite n'a pas encore été établi, on traite habituellement la décompensation cardiaque. La digoxine est souvent utilisée lorsqu'il y a insuffisance ventriculaire parce qu'elle améliore la contractilité du myocarde et réduit la fréquence ventriculaire. Cependant, ce médicament doit être pris avec précaution par les clients atteints de myocardite, car il augmente la sensibilité du cœur aux réactions indésirables et peut être toxique, même à des doses minimales. L'oxygénothérapie, le repos au lit et la restriction des activités sont des mesures générales de soutien dans le traitement de cette affection.

L'immunosuppression à l'aide d'agents tels que la prednisone, l'azathioprine (Imuran) et la cyclosporine a été utilisée pour réduire l'inflammation et prévenir une atteinte irréversible. L'administration d'immunosuppresseurs n'est recommandée que pendant le stade postinfectieux de la maladie, soit environ 10 jours après le début des symptômes initiaux. Lorsque ces médicaments sont administrés trop tôt dans l'évolution de la myocardite virale, ils peuvent en réalité augmenter la nécrose tissulaire. L'emploi des corticostéroïdes reste controversé à cause des réactions indésirables graves qui leur sont associées et du manque de documentation claire sur leur efficacité.

Soins infirmiers : myocardite. La diminution du débit cardiaque est un diagnostic infirmier s'appliquant au client atteint de myocardite. Les interventions sont axées sur l'évaluation des signes et symptômes d'ICC et la mise en place de mesures pour diminuer la charge de travail du cœur, comme installer le client en position de semi-Fowler, alterner les périodes d'activités et de repos, et assurer un milieu calme. L'infirmière doit administrer les médicaments prescrits qui permettent d'augmenter la contractilité du cœur et de diminuer la précharge, la postcharge ou les deux.

Il est possible que le client soit anxieux. Les interventions infirmières comprennent l'évaluation du niveau d'anxiété, l'établissement de mesures visant à l'atténuer et les renseignements à propos des mesures thérapeutiques.

Le client qui reçoit des immunosuppresseurs présente aussi des perturbations quant à la réaction immunitaire et est prédisposé aux infections et aux complications liées au traitement. Le maintien d'un environnement propre et sécuritaire aide à les prévenir.

La plupart des personnes atteintes de myocardite se rétablissent spontanément. Parfois, la myocardite aiguë évolue en myocardiopathie dilatée (voir chapitre 23).

25.1.5 Rhumatisme articulaire aigu et rhumatisme cardiaque

Le rhumatisme articulaire aigu (RAA) est une maladie inflammatoire du cœur qui atteint potentiellement toutes ses tuniques (l'endocarde, le myocarde et le péricarde). L'atteinte qui en résulte est appelée **rhumatisme cardiaque**, une affection chronique caractérisée par la lésion et la déformation des valves cardiaques.

Le RAA complique jusqu'à 3 % des infections sporadiques des voies respiratoires supérieures causées par les streptocoques β-hémolytiques du groupe A. Les épisodes initiaux et récurrents de RAA sont surtout courants de l'âge de 6 à 15 ans. La plupart des récurrences se manifestent dans les deux ans suivant le premier épisode. Les crises récurrentes sont deux fois plus fréquentes de 11 à 22 ans qu'elles ne le sont par la suite. La fréquence des récurrences est plus élevée chez les clients atteints de rhumatisme cardiaque que chez ceux qui n'ont pas eu de lésions cardiaques pendant les crises antérieures. Bien que les crises puissent se manifester à l'âge adulte, les séquelles du rhumatisme cardiaque sont principalement décelées chez les jeunes adultes.

Un déclin spectaculaire de l'incidence du rhumatisme articulaire aigu a été observé dans les années 1960 et 1970. Dans les années 1980, le RAA avait presque disparu dans les pays développés comme le Canada. Cependant, l'affection est demeurée fréquente et grave dans la plupart des pays en voie de développement. Les antibiotiques, notamment la pénicilline, sont responsables du déclin du RAA et peuvent prévenir les complications rhumatismales s'ils sont administrés dans les neuf jours suivant l'apparition de l'angine streptococcique, soit avant que le système immunitaire ne réagisse complètement. Une diminution de la prévalence des souches bactériennes ayant une capacité naturelle à déclencher des complications rhumatismales a aussi contribué au déclin de la maladie.

Étiologie. Le rhumatisme articulaire aigu est pratiquement toujours attribuable à une séquelle tardive (normalement après deux à trois semaines) d'une infection des voies respiratoires supérieures due à un streptocoque β-hémolytique du groupe A. Cette bactérie se loge habituellement dans la gorge et provoque une pharyngite. Les infections cutanées à streptocoques ne sont pas associées au RAA et certaines souches de streptocoques β-hémolytiques du groupe A ne causent pas cette affection. Bien que toutes les crises de RAA soient consécutives à une infection à streptocoques, seules quelques infections sont suivies de RAA.

En plus des micro-organismes infectieux, les facteurs socioéconomiques et familiaux et la présence d'une réaction immunitaire modifiée jouent un rôle dans l'apparition du RAA. Son incidence est plus élevée chez les groupes dont les conditions socioéconomiques sont défavorables et il demeure un problème de santé important dans les pays en voie de développement. Le surpeuplement peut être le principal facteur favorisant de la maladie. Les personnes ayant un très faible revenu et celles qui vivent dans les pays en voie de développement sont plus fréquemment touchées. Cela s'explique par des traitements négligés et inadéquats, la malnutrition et un état de santé affaibli. Le rhumatisme articulaire aigu est plus susceptible de se manifester chez les personnes vivant en milieu urbain que dans les communautés rurales. Il semble aussi y avoir une tendance familiale au RAA, pouvant être génétiquement déterminée, qui pourrait entraîner une perturbation de la réaction immunitaire.

Les chercheurs ont concentré leurs efforts sur l'isolement de souches de streptocoques du groupe A. Ils ont isolé des souches mucoïdes très virulentes associées aux mêmes sérotypes de la protéine M qui étaient courants dans le RAA il y a plus de 30 ans. Une autre constatation à l'étude est le rôle de l'hyaluronate (constituant principal de la capsule des streptocoques du groupe A) dans la pathogenèse de la maladie. L'hyaluronate présent dans les streptocoques, que l'on croyait d'abord dépourvu d'antigénicité, déclenche la production d'anticorps chez les animaux. Il existe une théorie selon laquelle l'organisme pourrait éprouver une réaction allergique au streptocoque, ou l'hôte manifester une réaction auto-immune dans laquelle les anticorps produits en présence de streptocoques attaqueraient le tissu hôte. Chez la plupart des nouveaux clients, le mal de gorge n'a jamais été observé ni signalé. L'infection qui a fait réagir le système immunitaire était tellement faible que le client n'a pas consulté de médecin. Toutefois, ces souches de streptocoques qui connaissent une nouvelle émergence peuvent causer le RAA et entraîner des complications si le mal de gorge n'est pas traité.

Physiopathologie. La corrélation entre l'angine streptococcique et le RAA est concluante, mais les mécanismes pathogènes par lesquels l'infection à streptocoques cause l'inflammation du cœur et des autres tissus ne sont pas bien définis. Le micro-organisme est imperceptible dans les lésions lorsque le RAA apparaît plusieurs jours ou semaines après l'infection aiguë à streptocoques. Normalement, des anticorps sont produits en réaction aux infections causées par des streptocoques. Les épisodes primaires ou récurrents de RAA sont associés à une production d'anticorps supérieure à celle de l'angine streptococcique sans complications.

Chez les personnes prédisposées, les manifestations du RAA semblent être liées à des réactions immunitaires anormales lors d'une infection des voies respiratoires supérieures causée par les streptocoques β-hémolytiques du groupe A. Dans ce cas, le RAA peut atteindre le cœur, les articulations, le système nerveux central (SNC) et la peau en raison d'une réaction immunitaire à médiation cellulaire et humorale touchant les antigènes de la membrane cellulaire des streptocoques β-hémolytiques du groupe A. Il est possible que ces antigènes produisent une réaction croisée avec d'autres tissus et se fixent aux récepteurs situés sur les cellules cardiaques, musculaires, articulaires et cérébrales, déclenchant par la suite des réactions immunitaire et inflammatoire. Cependant, la relation directe de ce phénomène avec la maladie n'est pas prouvée et l'auto-immunité provoquée par les streptocoques en tant que mécanisme visant à expliquer le processus rhumatismal demeure un concept pathogénétique répandu, mais non confirmé.

Lésions cardiaques et déformations valvulaires. Environ 40 % des épisodes de RAA sont marqués par la cardite et il est possible que toutes les tuniques du cœur (l'endocarde, le myocarde et le péricarde) soient touchées. Cette atteinte générale donne naissance au terme **pancardite rhumatismale**.

L'endocardite rhumatismale touche principalement les valves et provoque une inflammation et une érosion des feuillets valvulaires. Les végétations se forment à partir des dépôts de fibrine et de globules sanguins dans les zones d'érosion (voir figure 25.7). Les lésions créent d'abord un épaississement fibreux des feuillets, la fusion des commissures et des cordons tendineux et la fibrose du muscle papillaire. Les feuillets valvulaires peuvent se souder et s'épaissir, ou même se calcifier et,

par conséquent, entraîner la sténose. Une diminution de la motilité des feuillets peut se produire lorsque ceux-ci sont incapables de se refermer, ce qui entraîne une régurgitation. Les valves mitrale et aortique sont les plus fréquemment atteintes, alors que la valve tricuspide est moins souvent touchée et que la valve pulmonaire l'est très rarement.

L'atteinte myocardique se caractérise par la présence de nodules d'Aschoff, qui se forment en réaction à l'inflammation et entraînent de l'œdème et une fragmentation des fibres de collagène. À mesure que les nodules d'Aschoff vieillissent, ils deviennent plus fibreux et un tissu cicatriciel se forme dans le myocarde. Un infiltrat cellulaire diffus est également présent dans les tissus interstitiels. Cette atteinte peut jouer un rôle important dans l'apparition d'une insuffisance cardiaque.

La péricardite rhumatismale touche les deux couches du péricarde, qui s'épaississent et se couvrent d'un exsudat fibrineux et sanguinolent. Au cours de la cicatrisation, une fibrose et des adhérences apparaissent pour oblitérer partiellement ou complètement le sac fibreux péricardique, sans toutefois entraîner de péricardite constrictive.

Ces changements physiopathologiques peuvent être consécutifs à une première crise de RAA. Cependant, des infections récurrentes sont susceptibles d'entraîner des lésions structurelles plus graves.

Lésions extracardiaques. Les lésions causées par le rhumatisme articulaire aigu sont systémiques et touchent essentiellement le tissu conjonctif. Les articulations (polyarthrite), la peau (nodules sous-cutanés), le SNC (chorée) et les poumons (pleurésie fibrineuse et pneumonie rhumatismale) peuvent être atteints.

Manifestations cliniques. Un regroupement de signes et symptômes et les résultats des épreuves de laboratoire permettent de poser un diagnostic de rhumatisme articulaire aigu. Lorsque la maladie n'est pas grave, elle peut être difficile à différencier des nombreuses autres affections ayant des manifestations cliniques semblables. Afin d'appuyer le diagnostic sur des fondements logiques, T.D. Jones a établi en 1944 des critères, révisés en 1965 et mis à jour en 1992 (voir encadré 25.12). La présence de deux critères principaux ou d'un critère principal et de deux critères secondaires indique une grande probabilité de RAA. Chaque combinaison doit prouver l'existence d'une infection à streptocoques.

Critères principaux. La cardite est la manifestation la plus importante du rhumatisme articulaire aigu (voir encadré 25.12) et comprend trois signes importants : un souffle organique ou des souffles causés par la régurgitation mitrale ou aortique ou le rétrécissement mitral ; l'hypertrophie du cœur et l'ICC consécutives à la

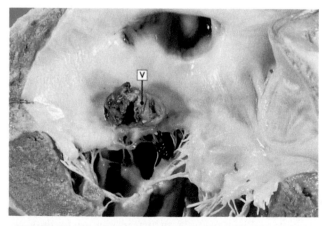

FIGURE 25.7 Rétrécissement mitral et amas de végétations (V) contenant des plaquettes et de la fibrine. Les feuillets mitraux sont épais et soudés et présentent des amas de végétations contenant des plaquettes et de la fibrine.

myocardite ; une péricardite produisant des bruits cardiaques distants, une douleur thoracique, un frottement péricardique ou des signes d'épanchement. Bien que les épanchements importants soient rares, ils peuvent être à l'origine de la tamponnade cardiaque.

La polyarthrite, qui ne constitue pas une cause d'incapacité permanente, est la constatation la plus courante dans les cas de RAA. Le processus inflammatoire atteint les membranes synoviales des articulations, ce qui cause de l'œdème, une sensation de chaleur, des rougeurs, de la sensibilité au toucher et une restriction des mouvements. L'arthrite est migratoire, c'est-à-dire qu'elle atteint une articulation puis se déplace vers une autre. Les plus grosses articulations sont habituellement touchées, notamment les genoux, les chevilles, les coudes et les poignets. La douleur peut empêcher le client de marcher.

La chorée (chorée de Sydenham) est la manifestation la plus grave touchant le SNC. Elle se caractérise par une faiblesse, de l'ataxie et un mouvement choréique spontané, rapide et inutile, intensifié par l'activité volontaire. Elle touche surtout les femmes âgées de moins de 18 ans.

Les lésions d'eczéma marginé sont une caractéristique moins courante de RAA. Les lésions maculaires géographiques de teinte rose vif apparaissent surtout sur le tronc et la face intérieure des bras et des cuisses, mais jamais sur le visage. L'éruption est non prurigineuse et indolore et ne présente aucune induration ni saillie. Elle est habituellement passagère (quelques heures) ; elle peut revenir de façon intermittente après plusieurs mois et est exacerbée par la chaleur (p. ex. un bain chaud).

Les nodules sous-cutanés se caractérisent par de petites tuméfactions fermes, dures et indolores et sont plutôt courants sur les proéminences osseuses (p. ex. les genoux, les coudes, la colonne vertébrale et les omoplates). Souvent, la personne ne les remarque pas, car la peau qui les recouvre bouge librement et n'est pas enflammée.

La présence de critères principaux de RAA varie parmi les enfants et les adultes. Contrairement à ce qu'on observe chez les enfants, la polyarthrite est la caractéristique clinique dominante chez les adultes, tandis que la cardite et les lésions valvulaires qui lui succèdent sont moins évidentes. Deux autres critères principaux, la chorée et les nodules sous-cutanés, ne sont habituellement pas observés chez l'adulte, et l'eczéma marginé est rare.

Critères secondaires. Les manifestations cliniques secondaires (voir encadré 25.12) sont fréquentes et utiles pour reconnaître la maladie. Toutefois, ces critères sont souvent non spécifiques et ne permettent pas de poser un diagnostic définitif, car ils peuvent être observés dans d'autres maladies. Ces critères sont utilisés comme données supplémentaires pour confirmer la présence de RAA. Les anomalies décelées dans les épreuves de laboratoire en présence de RAA sont présentées dans le tableau 25.2.

Complications. Bien que l'évolution du rhumatisme articulaire aigu ne puisse pas être prédite au début de la maladie, il est possible d'établir des généralisations. En moins de six semaines, 75 % des symptômes liés aux crises de RAA diminuent et 90 % s'atténuent en moins de trois mois. Moins de 5 % des symptômes durent plus de six mois. Une fois que tous les signes d'inflammation rhumatismale ont régressé, le RAA ne peut pas récidiver tant qu'une nouvelle infection à streptocoques n'est pas présente. Lorsqu'il y a récurrence des crises, il est peu probable de voir apparaître des lésions cardiaques si le premier épisode n'est pas associé à la cardite.

La cardite rhumatismale chronique est une complication résultant des changements dans la structure valvulaire qui peuvent se produire des mois ou des années après un épisode de RAA. L'endocardite rhumatismale peut être causée par la croissance de tissus

TABLEAU 25.2 Anomalies des épreuves de laboratoire dans le rhumatisme articulaire aigu

Dosage d'antistreptolysine O	>250 UI/ml
Vitesse de sédimentation globulaire	>15 mm/h chez l'homme >20 mm/h chez la femme
Protéine C réactive	Positive
Culture des sécrétions de la gorge	Positive dans le cas des streptocoques (habituellement négative)
Numération des leucocytes	Élevée
Paramètres des globules rouges (Ht, Hb, globules rouges)	Degré faible à modéré d'anémie isochrome (ou normochrome)

Hb : hémoglobine ; Ht : hématocrite.

fibreux dans les feuillets valvulaires et les cordons tendineux, ce qui entraîne des cicatrices et des contractures. La valve mitrale est très souvent atteinte. Les valves aortique et tricuspide peuvent également être touchées.

Épreuves diagnostiques. Il n'existe aucun test spécifique pouvant diagnostiquer le rhumatisme articulaire aigu, mais la combinaison de plusieurs épreuves de laboratoire peut indiquer la présence de la maladie (voir tableau 25.2). Les cultures des sécrétions de la gorge sont habituellement négatives au début de la maladie puisque la période de latence peut durer de 10 jours à plusieurs semaines après l'infection déclenchante. Le dosage de l'antistreptolysine O (ASLO) constitue l'épreuve diagnostique la plus précise pour confirmer une infection récente à streptocoques du groupe A. La VS et le dosage de la protéine C réactive (CRP) sont des tests non spécifiques indiquant une réaction inflammatoire générale.

Un échocardiogramme peut révéler une insuffisance valvulaire, la présence de liquide péricardique ou un épaississement. Une radiographie pulmonaire peut montrer une hypertrophie du cœur si l'ICC est présente. Le changement le plus constant observé à l'ECG est le retard de la conduction AV se manifestant par l'allongement de l'intervalle PR. D'autres changements à l'ECG sont fréquents, mais ils ne permettent pas de poser un diagnostic.

Processus thérapeutique. Aucun traitement particulier ne peut guérir le rhumatisme articulaire aigu. Cependant,

Rhumatisme articulaire aigu | ENCADRÉ 25.13

Diagnostic
- Antécédents de santé et examen physique
- Dosage d'antistreptolysine O
- Culture des sécrétions de la gorge
- Vitesse de sédimentation
- Protéine C réactive
- Numération des leucocytes
- Radiographie pulmonaire
- Échocardiographie
- ECG

Processus thérapeutique
- Repos au lit (modifié)
- PénicillineG benzathinique (1,2 million d'unités IM) ou pénicilline procaïnique (Pen-VeeK) (500 000 unités IM) qd pendant 10 jours
- AAS
- Corticostéroïdes

AAS : acide acétylsalicylique ; ECG : électrocardiogramme.

la pharmacothérapie et les mesures de soutien aident à soulager l'affection (voir encadré 25.13). L'antibiothérapie ne modifie pas l'évolution de la maladie aiguë ni l'apparition de la cardite. La pénicilline permet d'éliminer les streptocoques β-hémolytiques du groupe A qui sont restés dans les amygdales et le pharynx et elle empêche la prolifération des micro-organismes en cas de contact direct. Les salicylates et les corticostéroïdes sont les deux agents anti-inflammatoires les plus couramment utilisés et ils sont efficaces pour diminuer la fièvre et les symptômes articulaires. Les salicylates sont administrés lorsque l'arthrite constitue la principale manifestation, alors que les corticostéroïdes sont donnés en présence d'une cardite grave.

On recommandait autrefois de longues périodes de repos au lit. Toutefois, à moins que le client ne soit atteint de cardite, on lui conseille maintenant de marcher dès que les symptômes aigus sont disparus et de reprendre ses activités normales une fois que le traitement aux anti-inflammatoires est terminé. En présence d'une cardite, on lui demande de rester au lit jusqu'à ce que l'ICC ait été maîtrisée. Les activités ne doivent pas être reprises tant que le traitement aux anti-inflammatoires n'est pas terminé.

Soins infirmiers : rhumatisme articulaire aigu et rhumatisme cardiaque

Collecte de données. Les données subjectives et objectives qui doivent être recueillies sont présentées dans l'encadré 25.14. Le RAA est cinq fois plus susceptible de se manifester chez une personne ayant des antécédents de cette maladie que dans la population en général. L'incidence de RAA est plus élevée chez les groupes connaissant de mauvaises conditions socioéconomiques et vivant dans des endroits surpeuplés ; cet état est également lié au traitement inefficace des infections à streptocoques.

La peau du client doit être examinée pour déceler la présence de nodules sous-cutanés et d'eczéma marginé. Les nodules sont palpés sur toute la surface des proéminences osseuses et le long des tendons extenseurs des mains et des pieds. Leur taille varie de 1 à 4 cm ; ils sont durs, indolores et bougent facilement. L'eczéma marginé apparaît sur le tronc et la face intérieure des bras et des cuisses. Les macules érythémateuses ne causent pas de prurit. Elles doivent être évaluées sous un bon éclairage, car l'éruption est difficile à observer.

Diagnostics infirmiers. Les diagnostics infirmiers pour le client atteint de rhumatisme articulaire aigu et de cardiopathie peuvent comprendre, entre autres, ceux qui sont présentés dans l'encadré 25.15.

Planification. Les objectifs généraux pour le client atteint de rhumatisme articulaire aigu sont les suivants :

COLLECTE DE DONNÉES

Rhumatisme articulaire aigu

ENCADRÉ 25.14

Données subjectives

Information importante concernant la santé

- Antécédents de santé : infection à streptocoques β-hémolytiques récente, RAA ou rhumatisme cardiaque antérieurs.

Modes fonctionnels de santé

- Mode perception et gestion de la santé : antécédents familiaux de RAA, malaise.
- Mode nutrition et métabolisme : anorexie, perte de poids.
- Mode activité et exercice : palpitations, faiblesse générale, fatigue, ataxie.
- Mode cognition et perception : douleurs thoraciques, douleurs abdominales, douleurs articulaires migratoires et sensibilité au toucher (notamment aux grosses articulations).

Données objectives

Généralité

- Légère hyperthermie (37,1 °C à 37,8 °C).

Appareil tégumentaire

- Nodules sous-cutanés et érythème marginé.

Appareil cardiovasculaire

- Tachycardie, frottement péricardique, bruits cardiaques distants ; bruit de galop, souffles diastoliques et systoliques, œdème périphérique.

Système neurologique

- Chorée (involontaire, mouvements rapides ; tics faciaux).

Appareil locomoteur

- Signes de polyarthrite, dont l'œdème, la chaleur, la rougeur, la diminution de l'amplitude articulaire (notamment aux genoux, aux chevilles, aux coudes, aux épaules et aux poignets).

Résultats possibles

- Cardiomégalie à la radiographie pulmonaire ; conduction AV retardée à l'ECG ; anomalies valvulaires, dilatation des cavités cardiaques et épanchement péricardique à l'échocardiogramme ; élévation du dosage d'ASO, augmentation de la VS, protéine C réactive positive, leucocytose, diminution des érythrocytes, de l'hémoglobine et de l'hématocrite.

ASO : antistreptolysine O ; VS : vitesse de sédimentation.

---

il ne présentera pas de signes de cardiopathie résiduelle ; il reprendra ses activités de la vie quotidienne sans éprouver de douleur articulaire

Exécution

Promotion de la santé. On peut prévenir le rhumatisme articulaire aigu. La prévention primaire comprend le dépistage précoce et le traitement immédiat de l'angine causée par un streptocoque β-hémolytique du groupe A. Le traitement adéquat de l'angine streptococcique permet de prévenir les crises initiales de RAA. Il consiste à administrer une seule injection intramusculaire de 0,6 à 1,2 million d'unités de pénicilline G benzathinique ou de la prescrire (oralement) pour une période de 10 jours. Si le client est allergique à la pénicilline, il est possible de la remplacer par de la clindamycine (Dalacin), de la vancomycine (Vancocin) ou de la gentamicine (Garamycin).

La prévention secondaire est axée sur une antibioprophylaxie visant à empêcher une récurrence de RAA, car la personne est plus sensible à une seconde crise après une infection à streptocoques. La meilleure prévention est l'injection mensuelle de pénicilline G benzathinique. La prise de pénicilline, de sulfamides ou d'érythromycine par voie orale une ou deux fois par jour constitue une autre possibilité. Le traitement prophylactique doit se poursuivre toute la vie chez les personnes ayant présenté une cardite rhumatismale pendant l'enfance. Pour celles qui sont âgées de 18 ans et plus, l'antibioprophylaxie peut ne durer que 5 ans s'il y a eu RAA sans cardite. Cependant, le traitement est susceptible de se poursuivre indéfiniment chez les clients fréquemment exposés aux streptocoques du groupe A.

Intervention en phase aiguë. Les principaux objectifs du traitement sont les suivants : lutter contre le micro-organisme infectieux et l'éliminer ; prévenir les complications cardiaques ; soulager la douleur articulaire et les autres symptômes ; apporter un soutien psychologique et émotionnel au client. L'infirmière doit administrer les antibiotiques selon l'ordonnance pour traiter l'infection à streptocoques. Elle doit informer le client de la nécessité de suivre l'antibiothérapie par voie orale pendant les 10 jours requis. Les précautions concernant les sécrétions de la gorge doivent être maintenues pendant 24 heures après le début de l'antibiothérapie. Les antipyrétiques doivent également être administrés selon l'ordonnance. Le client doit être encouragé à boire beaucoup de liquide. Il est important d'inciter le client à bien se reposer pour diminuer la charge de travail du cœur et les besoins métaboliques de l'organisme. Une fois que les symptômes aigus se sont atténués, le client qui ne présente pas de cardite peut recommencer à marcher et reprendre ses activités normales lorsque le traitement anti-inflammatoire est terminé. Cependant, des restrictions imposant le repos au lit doivent être appliquées si le client présente à la fois une cardite et une ICC, et les activités doivent être restreintes jusqu'à ce que le traitement aux anti-inflammatoires soit terminé. L'infirmière doit l'encourager à faire des activités

➜ Plan de soins infirmiers

ENCADRÉ 25.15

Client atteint de rhumatisme articulaire aigu et de cardiopathie

DIAGNOSTIC INFIRMIER : intolérance à l'activité reliée à l'arthralgie consécutive à la douleur articulaire et à l'ICC, se manifestant par une sensation de malaise, de la fatigue, de la faiblesse, de la dyspnée, de l'essoufflement, de la confusion, des vertiges, de la tachycardie, de la tachypnée ou de la bradypnée et une augmentation de la PA.

PLANIFICATION

Résultat escompté

- Le client sera capable de s'adonner à ses AVQ sans ressentir de fatigue ni de détresse physiologique.

INTERVENTIONS	Justifications
• Évaluer la réaction du client à l'activité.	• Déterminer l'étendue du problème et planifier les interventions appropriées.
• Surveiller la fréquence et le rythme cardiaques, la PA et la fréquence respiratoire avant, pendant et après l'activité.	• Déterminer le degré de fonction cardiaque et pulmonaire.
• Informer le client de garder le lit pendant les périodes de fièvre.	• Favoriser la résolution du processus inflammatoire et réduire la charge de travail du cœur.
• Planifier des périodes de repos entre les activités.	• Équilibrer l'effort exigé du cœur au cours d'activités et favoriser le processus de guérison.
• Enseigner au client les exercices progressifs à faire une fois que le traitement aux anti-inflammatoires sera terminé et observer ses réactions aux exercices.	• Augmenter leur intensité en fonction de sa capacité.
• Traiter l'arthralgie par du repos et des analgésiques.	• Favoriser la guérison et permettre une activité limitée.

DIAGNOSTIC INFIRMIER : prise en charge inefficace du plan de soins reliée à un manque de connaissances sur le besoin d'une antibioprophylaxie prolongée et les séquelles possibles de la maladie, à la non-observance du traitement, au manque de ressources, se manifestant par des complications associées au rhumatisme cardiaque.

PLANIFICATION

Résultats escomptés

- Le client observera le plan de soins.
- Il exprimera de la confiance quant à la prise en charge de son problème de santé.
- Il sera capable de décrire les signes et symptômes de la cardiopathie valvulaire.

INTERVENTIONS	Justifications
• Évaluer les connaissances, la confiance et les ressources du client concernant la gestion de ses soins.	• Entreprendre les interventions appropriées.
• L'informer du processus de sa maladie, des séquelles possibles et du besoin continu d'antibioprophylaxie.	• Faire en sorte qu'il soit davantage en mesure de diminuer les risques de récurrence.
• Le renseigner sur les façons de réduire l'exposition aux infections à streptocoques.	• Réduire les risques de récurrence.
• Lui enseigner les signes de cardiopathie valvulaire, tels que la fatigue excessive, les étourdissements, les palpitations ou la dyspnée à l'effort.	• Ce problème représente la complication la plus grave du RAA.

qui n'exigent pas beaucoup d'efforts une fois que la période de rétablissement est amorcée.

Le soulagement de la douleur articulaire représente un objectif important. Les articulations douloureuses doivent être positionnées en fonction du confort et d'un alignement corporel adéquat. L'infirmière peut utiliser un cerceau de lit pour éliminer la pression des draps sur les articulations douloureuses. Elle peut appliquer de la chaleur et administrer des salicylates pour soulager la douleur articulaire.

Il peut arriver que les soins psychologiques et affectifs soient plus importants que les soins physiques, notamment parce que le cœur est perçu comme le centre vital de l'organisme. Toute altération de la fonction cardiaque peut être ressentie comme une menace d'atteinte à l'image corporelle.

Soins ambulatoires et soins à domicile. La prévention secondaire vise à empêcher la récurrence du rhumatisme articulaire aigu. Le client doit être informé du processus morbide, des séquelles possibles et du besoin continuel d'antibioprophylaxie. Il doit être conscient du risque élevé de récurrence lorsqu'une infection à streptocoques se manifeste et doit connaître les risques d'exposition à ces micro-organismes lorsqu'il est en contact avec des enfants d'âge scolaire ou des personnes travaillant dans le milieu de la santé. L'enseignement doit mettre l'accent sur l'importance d'une saine alimentation, l'adoption de bonnes mesures d'hygiène et de périodes de repos suffisantes.

L'infirmière doit aussi renseigner le client sur l'antibioprophylaxie. La posologie des antibiotiques n'est pas suffisante pour prévenir l'endocardite infectieuse lorsque des interventions effractives sont pratiquées. Une antibioprophylaxie supplémentaire est donc nécessaire s'il doit subir une intervention chirurgicale à la cavité buccale, aux voies respiratoires supérieures, au tube digestif ou aux voies urinaires. L'infirmière doit également mettre le client en garde contre le risque de présenter une cardiopathie valvulaire. Elle doit l'aviser de consulter son médecin si des symptômes de fatigue excessive, des étourdissements, des palpitations ou une dyspnée à l'effort apparaissent.

Évaluation. Les résultats escomptés chez le client atteint de rhumatisme articulaire aigu et de rhumatisme cardiaque sont présentés dans l'encadré 25.15.

25.2 CARDIOPATHIES VALVULAIRES

Le cœur comporte deux valves auriculo-ventriculaires (mitrale et tricuspide) et deux valves sigmoïdes (aortique et pulmonaire), situées à quatre endroits stratégiques et réglant le débit sanguin unidirectionnel (voir figure 25.8). Les cardiopathies valvulaires se définissent selon la ou les valves touchées, ainsi qu'en fonction des deux types d'altérations fonctionnelles observées, soit la sténose ou la régurgitation (voir figure 25.9).

La pression à laquelle est soumise une valve ouverte est normalement égale de chaque côté. Cependant, dans le cas d'une valve sténosée, l'orifice est rétréci, ce qui entrave le débit sanguin antérograde et crée un gradient de pression lorsqu'il traverse une valve ouverte. Le degré de sténose se reflète dans les différences de gradients de pression (p. ex. plus le gradient est élevé, plus la sténose est importante). Dans le cas de la régurgitation (aussi appelée insuffisance valvulaire), la fermeture incomplète des feuillets valvulaires entraîne un reflux sanguin.

Les troubles valvulaires se produisent chez les enfants et les adolescents principalement en raison d'affections

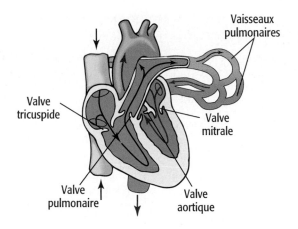

FIGURE 25.8 Coupe transversale des valves du cœur

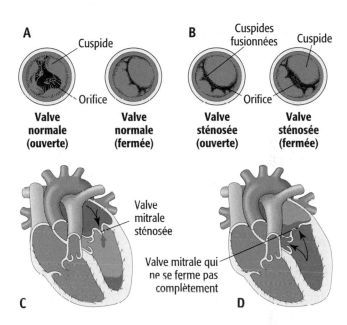

FIGURE 25.9 Rétrécissement et régurgitation valvulaires. A. Position normale des feuillets valvulaires, ou cuspides, lorsque la valve est ouverte et fermée. B. Position ouverte d'une valve sténosée (gauche) et position ouverte d'une valve régurgitante fermée droite. C. Effet hémodynamique du rétrécissement mitral. La valve sténosée ne peut pas s'ouvrir suffisamment pendant la systole auriculaire gauche, ce qui empêche le remplissage ventriculaire gauche. D. Effet hémodynamique de la régurgitation mitrale. La valve mitrale ne se ferme pas complètement pendant la systole ventriculaire gauche, ce qui permet au sang d'entrer de nouveau dans l'oreillette gauche.

congénitales telles que l'atrésie tricuspidienne, la sténose pulmonaire et le rétrécissement aortique (voir tableau 25.3). Le rhumatisme cardiaque constitue une cause fréquente de cardiopathie valvulaire.

La fenfluramine (Pondimin), qui était utilisée pour traiter l'obésité, a été liée à la cardiopathie valvulaire. La fenfluramine a été retirée du marché en 1997.

TABLEAU 25.3 Lésions cardiaques congénitales

Lésion	Description
Communication interventriculaire	Perforation de la cloison entre les deux ventricules
Communication interauriculaire	Perforation de la cloison entre les deux oreillettes
Persistance du canal artériel	Persistance de l'ouverture entre les artères aortique et pulmonaire, qui se referme en général rapidement après la naissance
Sténose pulmonaire	Rétrécissement de la valve pulmonaire
Coarctation de l'aorte	Constriction et rétrécissement de l'aorte causés par le repli vers l'intérieur de sa paroi
Rétrécissement aortique	Rétrécissement de la valve aortique
Tétralogie de Fallot	Communication interventriculaire, rétrécissement pulmonaire, aorte chevauchant les deux ventricules et hypertrophie ventriculaire droite
Transposition des gros vaisseaux	Inversion de la position de l'aorte et de l'artère pulmonaire ; naissance de l'aorte dans le ventricule droit, naissance de l'artère pulmonaire dans le ventricule gauche
Tronc artériel commun	Un seul vaisseau sort du cœur pour envoyer le sang dans la circulation pulmonaire et la circulation générale
Atrésie tricuspidienne	Absence de communication entre l'oreillette droite et le ventricule droit

25.2.1 Rétrécissement mitral

Étiologie et physiopathologie. La plupart des cas de rétrécissement mitral chez l'adulte sont causés par le rhumatisme cardiaque. Parmi les causes moins fréquentes, on note le rétrécissement mitral congénital, la polyarthrite rhumatoïde et le lupus érythémateux disséminé. L'endocardite rhumatismale entraîne des cicatrices sur les feuillets valvulaires et les cordons tendineux. Des contractures apparaissent en raison d'adhérences entre les commissures (les régions jonctionnelles) des deux feuillets (voir figure 25.10). La valve mitrale sténosée prend la forme d'un entonnoir à cause de l'épaississement et du raccourcissement des structures qui la composent. L'obstruction du débit dans la valve mitrale découle de ces anomalies structurelles et entraîne un écart de gradient de pression entre l'oreillette et le ventricule gauches pendant la diastole. L'obstruction du débit augmente la pression dans l'oreillette gauche et son volume, ce qui provoque une élévation de la pression dans le système vasculaire pulmonaire. L'hypertrophie des vaisseaux pulmonaires a lieu dans les cas d'élévation chronique de la pression dans l'oreillette gauche. Dans les cas de rétrécissement mitral chronique, la surcharge de pression se produit dans l'oreillette gauche, le système vasculaire pulmonaire et le ventricule droit.

Manifestations cliniques. La dyspnée, qui est parfois accompagnée d'hémoptysie, est le principal symptôme du rétrécissement mitral en raison de la diminution de la compliance pulmonaire (voir tableau 25.4). Les palpitations causées par la fibrillation auriculaire et la fatigue peuvent également être manifestes. L'auscultation cardiaque révèle généralement un premier bruit plus fort ou accentué, un claquement d'ouverture (mieux entendu à l'apex avec la membrane du stéthoscope) et un roulement diastolique grave (mieux entendu à l'apex avec la capsule du stéthoscope). Bien que cela soit peu fréquent, le client atteint de rétrécissement mitral peut éprouver un enrouement (attribuable à l'hypertrophie auriculaire), une douleur thoracique (provoquée par une diminution du DC), des convulsions (dues à un embole) ou présenter des signes d'AVC (occasionnés par un embole) (voir tableau 25.4).

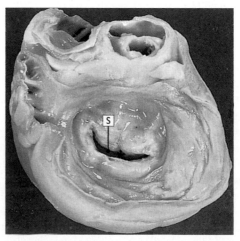

FIGURE 25.10 Rétrécissement mitral et orifice classique en « bouche de poisson »

S : sténose.

TABLEAU 25.4 Manifestations cliniques et résultats diagnostiques des cardiopathies valvulaires

	Manifestations cliniques	Électrocardiogramme	Échocardiogramme	Cathétérisme cardiaque
Rétrécissement mitral	Dyspnée, hémoptysie, fatigue, palpitations, B_1 fort et accentué ; claquement d'ouverture, roulement diastolique grave.	Déviation vers la droite de l'axe électrique moyen du complexe QRS, hypertrophie auriculaire gauche, hypertrophie ventriculaire droite, onde P « mitrale » (onde P ample en forme de M), flutter ou fibrillation auriculaire.	Mouvement restreint des feuillets mitraux ; rétrécissement de l'orifice ; turbulence diastolique.	Augmentation de la pression auriculaire gauche à la fin de la diastole, diminution du DC.
Régurgitation mitrale	*Aiguë* – généralement mal tolérée à cause de l'œdème pulmonaire fulminant et du choc qui apparaît rapidement ; souffle systolique.	Hypertrophie auriculaire gauche, fibrillation auriculaire.	Contraction ventriculaire gauche hyperdynamique combinée avec un choc ; permet la visualisation de jets régurgitants et de la rupture des cordages tendineux et des feuillets.	Injection de colorant dans le ventricule gauche révélant une régurgitation de sang dans l'oreillette gauche.
	Chronique – faiblesse, fatigue, dyspnée à l'effort, palpitations ; bruit de galop B_3, souffle holosystolique.	Onde P mitrale, hypertrophie ventriculaire gauche, flutter ou fibrillation auriculaire.	Hypertrophie auriculaire gauche ; hypertrophie ventriculaire gauche ; rupture des feuillets.	Injection de colorant dans le ventricule gauche révélant une régurgitation de sang dans l'oreillette gauche.
Prolapsus valvulaire mitral	Palpitations, dyspnée, douleurs thoraciques, intolérance à l'activité, syncope ; déclic mésosystolique et souffle tardif ou holosystolique.	Habituellement normal ; observation possible de l'inversion de l'onde T ou biplasticité dans les dérivations en D II, D III et aVf ; ESV prématurées et tachyarythmie.	Échocardiographie en mode M, mouvement systolique postérieur tardif ou ballonnement holosystolique des feuillets mitraux ; écho 2 D, ballonnement systolique des feuillets mitraux.	Angiographie du ventricule gauche révélant une érosion marquée des feuillets mitraux quand ils ballonnent dans l'oreillette gauche pendant la systole.
Rétrécissement aortique	Angine de poitrine, syncope, insuffisance cardiaque, B_1 normal ou faible, B_4 éminent, souffle croissant et décroissant.	Hypertrophie ventriculaire gauche, bloc de branche gauche, bloc cardiaque auriculo-ventriculaire complet.	Mouvement restreint de la valve aortique ; rétrécissement de l'orifice ; turbulence systolique.	Augmentation de la pression systolique dans le ventricule gauche, diminution du DC.
Régurgitation aortique	*Aiguë* – début soudain de dyspnée profonde, douleur thoracique passagère, évolution vers le choc.	Surcharge ventriculaire gauche.	Ventricule gauche de taille normale et contraction systolique hyperdynamique ; un anévrisme disséquant peut être observé, s'il est la cause de l'évolution aiguë.	Élévation importante de la pression diastolique dans le ventricule gauche.
	Chronique – fatigue, dyspnée à l'effort ; pouls de Corrigan ; battement de soulèvement précordial ; souffle diastolique aigu faible et décroissant, roulement de Flint caractéristique du roulement diastolique, déclic systolique éjectionnel.	Hypertrophie ventriculaire gauche.	Hypertrophie du ventricule gauche et dilatation de la racine de l'aorte.	Augmentation de la pression diastolique dans le ventricule gauche, injection de colorant à la racine de l'aorte démontrant une régurgitation de sang dans le ventricule gauche.
Régurgitation et rétrécissement tricuspidiens	Œdème périphérique, ascite, hépatomégalie ; souffle diastolique grave décroissant augmentant à l'inspiration (sténose), souffle holosystolique augmentant d'intensité à l'inspiration (régurgitation).	Ondes P hautes et pointues ; fibrillation auriculaire.	Dilatation du ventricule droit et mouvement septal paradoxal, la valve tricuspide est souvent difficile à visualiser.	Gradient de pression dans la valve tricuspide et élévation de la pression dans l'oreillette droite (sténose), reflux d'agent de contraste dans l'oreillette droite (régurgitation).

DC : débit cardiaque ; ESV : extrasystoles ventriculaires.

25.2.2 Régurgitation mitrale

Étiologie et physiopathologie. La perméabilité de la valve mitrale dépend de l'intégrité des feuillets mitraux, de l'anneau mitral, des cordons tendineux, des muscles papillaires, de l'oreillette et du ventricule gauches. La régurgitation peut résulter d'une anomalie anatomique ou fonctionnelle de l'une de ces structures. Les causes de régurgitation mitrale chronique ou aiguë sont nombreuses et peuvent être de nature inflammatoire, dégénérative, infectieuse, structurelle ou congénitale. La plupart des cas sont attribués au rhumatisme cardiaque chronique, à une rupture isolée des cordons tendineux, au prolapsus valvulaire mitral, au dysfonctionnement ischémique du muscle papillaire et à l'endocardite infectieuse.

Étant donné que l'orifice régurgitant de la valve mitrale est parallèle à la valve aortique, le travail imposé au ventricule et à l'oreillette gauches est déterminé par la cause, la gravité et la durée de la régurgitation mitrale. Dans les cas de régurgitation mitrale chronique, la surcharge volumique exercée sur le ventricule et l'oreillette gauches ainsi que sur le lit pulmonaire est créée par le reflux de sang provenant du ventricule gauche et circulant vers l'oreillette gauche pendant la systole ventriculaire. Il en résulte, à divers degrés, une hypertrophie auriculaire et une dilatation ventriculaire gauches. La régurgitation mitrale aiguë n'est pas à l'origine de la dilatation de l'oreillette et du ventricule gauches. Sans dilatation pour accommoder le volume de la régurgitation, les pressions vasculaires pulmonaires s'élèvent, entraînant par la suite un œdème pulmonaire.

Manifestations cliniques. L'évolution clinique de la régurgitation mitrale est déterminée par sa nature initiale (voir tableau 25.4). L'oreillette gauche étant peu élastique, elle peut se distendre brusquement lorsqu'il y a une rupture dans le muscle papillaire après un infarctus du myocarde et les augmentations soudaines de volume sont transmises directement au système vasculaire pulmonaire. Le tableau clinique de la régurgitation mitrale qui en résulte est celui de l'œdème pulmonaire et de l'état de choc. Le client présente normalement des pouls périphériques filiformes et des extrémités moites et froides. Il est possible que la constatation d'un nouveau souffle systolique à l'auscultation soit masquée par un faible débit cardiaque.

Le client atteint de régurgitation mitrale chronique peut être asymptomatique pendant de nombreuses années avant qu'un certain degré d'insuffisance ventriculaire gauche ne se manifeste. Les premiers symptômes comprennent la faiblesse, la fatigue, la dyspnée qui évolue vers l'orthopnée, la dyspnée paroxystique nocturne et l'œdème périphérique. Le pouls carotidien est vif. L'auscultation révèle une accentuation du remplissage du ventricule gauche menant à un troisième bruit

cardiaque (B_3) audible même en l'absence de dysfonctionnement ventriculaire gauche. Le souffle est fort et holosystolique à l'apex et irradie vers l'aisselle gauche.

25.2.3 Prolapsus valvulaire mitral

Étiologie et physiopathologie. Le prolapsus valvulaire mitral est une insuffisance d'un feuillet mitral ou une incapacité des deux feuillets à s'emboîter, ce qui a pour effet de déplacer le rebord d'un feuillet atteint vers l'oreillette pendant la systole (voir figure 25.11). Bien que la cause en soit inconnue, cette affection est associée à divers mécanismes pathogènes de l'appareil valvulaire mitral. Un tel prolapsus peut se manifester en présence d'un feuillet mitral superflu, d'un étirement des cordons tendineux, d'une hypertrophie de l'anneau mitral et de contractions anormales des parois du ventricule gauche. L'emploi du terme **prolapsus** est impropre, car on l'utilise même lorsque l'anomalie valvulaire est fonctionnellement normale.

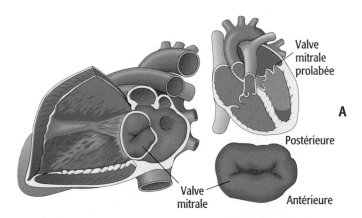

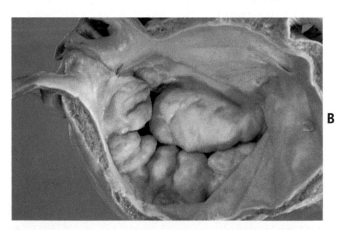

FIGURE 25.11 Prolapsus valvulaire mitral. A. Valve mitrale normale (en bas à droite) et valve mitrale prolabée (à droite). Le prolapsus permet aux feuillets valvulaires de ballonner dans l'oreillette pendant la systole du ventricule gauche. Le ballonnement permet aux feuillets de s'ouvrir légèrement, ce qui permet la régurgitation dans l'oreillette. B. On peut voir le ballonnement des feuillets en examinant la valve mitrale.

Le prolapsus valvulaire mitral est huit fois plus fréquent chez la femme que chez l'homme et est plus courant chez les jeunes femmes âgées de 14 à 30 ans. Bien qu'il soit habituellement bénin, des complications graves peuvent se produire, dont la régurgitation mitrale, l'endocardite infectieuse, la mort subite et l'ischémie cérébrale. Chez de nombreux clients, l'anomalie décelée au cours de l'échocardiographie ne s'accompagne pas d'autres manifestations cliniques de cardiopathie.

Manifestations cliniques. La plupart des clients sont asymptomatiques pendant toute leur vie. Un souffle, qui s'intensifie pendant la systole, est audible à l'auscultation. Ce souffle peut être télésystolique ou holosystolique. On peut habituellement entendre un ou plusieurs claquements au milieu ou à la fin de la systole, entre le premier bruit (B_1) et le deuxième bruit (B_2), et moins fréquemment au début de la systole. Ces claquements peuvent être constants ou varier d'une pulsation à l'autre. Les bruits B_1 et B_2 ne sont pas altérés. L'échocardiographie en mode M permet de confirmer le diagnostic en mettant en évidence un prolapsus télésystolique, et l'échocardiographie bidimensionnelle permet de révéler un ballonnement des feuillets dans l'oreillette gauche.

Les arythmies, notamment les extrasystoles ventriculaires, la tachycardie supraventriculaire paroxystique et la tachycardie ventriculaire, peuvent causer des palpitations, une sensation ébrieuse et des étourdissements. L'endocardite infectieuse peut se manifester chez les clients atteints de régurgitation mitrale liée au prolapsus valvulaire mitral.

Il est possible que les clients éprouvent des douleurs abdominales. Lorsque c'est le cas, les épisodes ont tendance à se manifester au cours de situations amenant un stress émotionnel. La douleur thoracique peut parfois être accompagnée de dyspnée, de palpitations ou de syncope. Cette douleur ne réagit pas au traitement anti-angineux (p. ex. les dérivés nitrés).

La maladie connaît généralement une évolution bénigne et elle est traitable, à moins que certains troubles graves liés à la régurgitation mitrale soient présents. Un guide d'enseignement pour les clients atteints de prolapsus valvulaire mitral est présenté dans l'encadré 25.16.

25.2.4 Rétrécissement aortique

Étiologie et physiopathologie. Les valves aortiques sténosées d'origine congénitale sont généralement découvertes à l'enfance, à l'adolescence ou au début de la vie adulte. Chez un client plus âgé, le rétrécissement aortique découle habituellement du rhumatisme articulaire aigu ou de la dégénérescence sénile des fibres calcifiées d'une valve normale. Dans les cas de valvulopathie rhumatismale, la fusion des commissures et la calcifica-

ENSEIGNEMENT AU CLIENT

Prolapsus valvulaire mitral   ENCADRÉ 25.16

- Recommander une antibioprophylaxie contre l'endocardite avant de subir certaines interventions dentaires ou chirurgicales si le client est atteint de prolapsus valvulaire mitral accompagné de régurgitation (voir encadré 25.4 et tableau 25.1).
- Surveiller l'état du client prenant des β-bloquants contre les palpitations.
- Conseiller au client d'adopter de saines habitudes alimentaires, comme éviter la caféine puisqu'il s'agit d'un stimulant pouvant exacerber les symptômes. Informer le client qui prend des médicaments pour maigrir qu'ils contiennent des stimulants pouvant exacerber les symptômes.
- Informer le client de se méfier des médicaments en vente libre et de vérifier les ingrédients courants, tels que la caféine, l'éphédrine et la pseudoéphédrine.
- Élaborer un programme d'exercices aérobiques avec le client et l'aider à le mettre à exécution.

tion secondaire entraînent une rigidité et une rétraction des feuillets valvulaires et, par la suite, la régurgitation. Si cet état est causé par le rhumatisme cardiaque, la maladie mitrale accompagne le rétrécissement aortique. Contrairement au rétrécissement mitral, le rétrécissement isolé des valves aortiques a pratiquement toujours une origine non rhumatismale. Bien que l'incidence de la valvulopathie aortique rhumatismale diminue, on s'attend à ce que la sténose sénile ou dégénérative augmente à mesure que la population vieillit.

Le rétrécissement aortique se traduit par l'obstruction du débit sanguin provenant du ventricule gauche vers l'aorte pendant la systole. La conséquence en est l'hypertrophie concentrique du ventricule gauche et une augmentation de la consommation d'oxygène par le myocarde en raison de l'accroissement de la masse myocardique. À mesure que la maladie évolue et que les mécanismes compensatoires deviennent déficients, une diminution du DC entraîne une hypertension artérielle pulmonaire.

Manifestations cliniques. Les symptômes du rétrécissement mitral (voir tableau 25.4) apparaissent généralement lorsque l'orifice de la valve est à environ un tiers de sa taille normale et comprennent habituellement l'angine de poitrine, la syncope et l'insuffisance cardiaque. Le pronostic est sombre lorsque le client éprouve ces symptômes et qu'on ne parvient pas à éliminer l'obstruction valvulaire. L'auscultation du rétrécissement aortique révèle généralement un premier bruit cardiaque (B_1) normal ou faible, un assourdissement ou l'absence du deuxième bruit (B_2), un souffle systolique croissant et décroissant qui se termine avant le deuxième bruit (B_2) et un quatrième bruit cardiaque (B_4) éminent.

25.2.5 Régurgitation aortique

Étiologie et physiopathologie. La régurgitation aortique peut être le résultat d'une maladie primaire touchant les feuillets valvulaires aortiques, la racine de l'aorte ou les deux structures. La régurgitation aiguë est causée par une endocardite bactérienne, un traumatisme ou un anévrisme disséquant et constitue une urgence extrêmement grave. La régurgitation chronique est généralement la conséquence d'un rhumatisme cardiaque, d'une affection congénitale de l'aorte bicuspide, de la syphilis ou de maladies rhumatismales chroniques telles que la spondylite ankylosante ou le syndrome de Reiter.

La conséquence physique fondamentale de la régurgitation aortique est un débit sanguin rétrograde de l'aorte ascendante vers le ventricule gauche causant une surcharge volumique. Initialement, le ventricule gauche compense cette régurgitation aortique chronique en s'hypertrophiant. La contractilité myocardique finit par décliner et les volumes sanguins augmentent dans l'oreillette gauche et le système vasculaire pulmonaire. Finalement, l'hypertension artérielle pulmonaire et l'insuffisance ventriculaire droite se manifestent.

Manifestations cliniques. Les clients atteints de régurgitation aortique aiguë présentent des manifestations cliniques soudaines de défaillance cardiovasculaire, puisque le ventricule gauche est exposé à la pression aortique pendant la diastole (voir tableau 25.4). Le client présente souvent des signes de faiblesse, de dyspnée grave et d'hypotension, qui constituent généralement une urgence médicale. Il a un pouls fort et bondissant ou un pouls défaillant accompagné d'une distension soudaine pendant la systole, rappelant la détente subite d'un ressort, suivie d'une défaillance rapide pendant la diastole (pouls de Corrigan). L'auscultation peut dévoiler un B_1 faible ou absent, la présence d'un B_3 ou d'un B_4 et un souffle diastolique aigu faible décroissant. Il est également possible d'entendre un souffle d'éjection et un roulement de Flint, bruit diastolique de basse fréquence semblable à celui du rétrécissement mitral.

Le client atteint de régurgitation aortique chronique est habituellement asymptomatique pendant plusieurs années jusqu'à ce qu'un dysfonctionnement myocardique important entraîne de la dyspnée à l'effort, de l'orthopnée et de la dyspnée paroxystique nocturne (voir tableau 25.4). L'angine de poitrine est moins fréquente dans les cas de régurgitation aortique que dans les cas de rétrécissement aortique. Cependant, il est possible que le client éprouve des douleurs rétrosternales (DRS) nocturnes, accompagnées de diaphorèse et d'inconfort abdominal.

25.2.6 Valvulopathie tricuspidienne

Étiologie et physiopathologie. Le rétrécissement tricuspidien est extrêmement rare et se manifeste presque exclusivement chez les clients atteints de rétrécissement mitral rhumatismal. On l'observe également chez les toxicomanes qui consomment des drogues par voie intraveineuse. Lorsque l'orifice tricuspide est rétréci, le sang ne parvient pas à passer en quantité suffisante de l'oreillette droite au ventricule droit, entraînant une hypertrophie de l'oreillette droite et une élévation de la pression veineuse systémique. La régurgitation tricuspidienne est habituellement due à l'hypertension artérielle pulmonaire ou à un dysfonctionnement du ventricule droit. La surcharge volumique de l'oreillette et du ventricule droits se manifeste pendant la régurgitation tricuspidienne.

Manifestations cliniques. Le rétrécissement tricuspidien et la régurgitation tricuspidienne sont à l'origine du reflux de sang dans la circulation systémique. Les manifestations fréquentes en sont l'œdème périphérique, l'ascite et l'hépatomégalie. Le souffle du rétrécissement est présystolique (rythme sinusal) ou mésosystolique (fibrillation auriculaire) et un souffle holosystolique peut être entendu pendant la régurgitation. Ces deux types de souffle augmentent beaucoup d'intensité au moment de l'inspiration.

25.2.7 Valvulopathie pulmonaire

La valvulopathie pulmonaire est une maladie rare et pratiquement toujours congénitale en présence d'un rétrécissement pulmonaire. Bien que la régurgitation pulmonaire en tant qu'anomalie isolée ait une évolution bénigne, elle est généralement liée à une maladie atteignant d'autres valves.

Épreuves diagnostiques. Le diagnostic de la cardiopathie valvulaire est généralement fondé sur les antécédents de santé, l'examen physique, l'échocardiogramme et le cathétérisme cardiaque (si une chirurgie est envisagée) (voir encadré 25.17). Les résultats de la radiographie pulmonaire et de l'ECG et les manifestations cliniques présentées par le client aident également à poser le bon diagnostic.

L'échocardiogramme permet de fournir des renseignements sur la structure et la fonction des valves, de même que sur l'augmentation de volume des cavités cardiaques. L'échographie transœsophagienne et l'échocardiographie Doppler sont particulièrement utiles pour diagnostiquer la cardiopathie valvulaire et suivre son évolution. Le cathétérisme cardiaque permet de déceler les changements de pression dans les cavités cardiaques et les gradients de pression dans les valves,

PROCESSUS DIAGNOSTIQUE ET THÉRAPEUTIQUE

Cardiopathie valvulaire   ENCADRÉ 25.17

Diagnostic
- Antécédents de santé et examen physique
- Radiographie pulmonaire
- ECG
- Échocardiographie
- Cathétérisme cardiaque

Processus thérapeutique
Traitements non chirurgicaux
- Antibioprophylaxie
  - Rhumatisme articulaire aigu
  - Endocardite infectieuse*
- Digoxine
- Diurétiques†
- Restriction sodique
- Anticoagulants
  - Warfarine (Coumadin)
  - Dipyridamole (Persantine)
  - AAS
- Antiarythmiques (voir tableau 24.6)
- Dérivés nitrés par voie orale
- β-bloquants (voir tableau 21.8)
- Valvuloplastie percutanée

Traitements chirurgicaux
- Valvuloplastie
- Commissurotomie fermée (valvulotomie)
- Commissurotomie ouverte (valvulotomie)
- Annuloplastie
- Remplacement valvulaire

* Voir encadrés 25.4 et 25.5.
† Voir tableaux 23.6 et 21.9.
AAS : acide acétylsalicylique ; ECG : électrocardiogramme.

et délimite également la taille de la région valvulaire. L'ECG illustre les variations dans la fréquence et le rythme cardiaques et fournit de l'information sur la possibilité d'une ischémie ou d'une hypertrophie des cavités cardiaques. La radiographie pulmonaire procure des données sur la taille du cœur, les altérations de la circulation pulmonaire et la calcification des valves.

Processus thérapeutique

Traitement conservateur. La prévention de la récurrence du RAA et de l'endocardite infectieuse est un aspect important du traitement conservateur de la cardiopathie valvulaire (voir encadré 25.17), lequel dépend de la valve atteinte et de la gravité de la maladie. Il est axé sur la prévention des exacerbations de l'insuffisance cardiaque, de l'œdème pulmonaire aigu, de la thromboembolie et des récurrences de l'endocardite. Lorsque des manifestations d'ICC apparaissent, on recommande la prise de digoxine (Lanoxin) et de diurétiques, de

même qu'une alimentation hyposodée (voir chapitre 23). Une anticoagulothérapie peut être prescrite pour prévenir ou traiter une embolie systémique ou pulmonaire, ou à des fins prophylactiques chez les clients atteints de fibrillation auriculaire. Les arythmies, notamment les arythmies auriculaires, sont courantes en présence de cardiopathie valvulaire et peuvent être traitées avec de la digoxine (Lanoxin), des antiarythmiques ou une cardioversion électrique. Des β-bloquants peuvent être prescrits pour ralentir la fréquence ventriculaire chez les clients atteints de fibrillation auriculaire. (Le chapitre 24 traite des arythmies.)

Des dérivés nitrés sous forme orale ou de timbres cutanés peuvent être prescrits aux clients atteints de valvulopathie aortique. Ces médicaments provoquent une vasodilatation périphérique, qui réduit la volémie retournant au cœur et diminue ensuite le gradient de pression entre l'aorte et le ventricule gauche pour permettre à ce dernier de pomper plus efficacement. De plus, les dérivés nitrés améliorent l'irrigation sanguine des artères coronaires et réduisent la consommation d'oxygène par le myocarde.

Valvuloplastie percutanée. La valvuloplastie percutanée est une autre technique utilisée dans le traitement de la cardiopathie valvulaire (voir figure 25.12). La valvuloplastie percutanée peut être employée contre le rétrécissement pulmonaire, aortique et mitral. L'intervention est pratiquée dans la salle d'hémodynamie et consiste à introduire un cathéter muni d'un ballonnet à partir de l'artère ou de la veine fémorale et à effectuer une ponction dans la région du septum par voie transauriculaire pour atteindre la valve sténosée, gonfler le ballonnet et tenter de séparer les feuillets valvulaires. Il est possible d'utiliser un ou deux ballonnets avec cette technique. La figure 25.13 montre un ballonnet simple typique introduit dans l'orifice de la valve aortique. (La plus grande taille de ballonnet offerte sur le marché a un diamètre gonflable maximal de 30 mm.) La technique à double ballonnet permet de placer deux ballonnets l'un à côté de l'autre dans l'orifice valvulaire. Il s'agit d'insérer un ballonnet dans chaque artère fémorale (la taille des ballonnets peut être de 10, 12 ou 15 mm), ce qui se traduit par une ponction et une lacération artérielles plus petites.

La valvuloplastie percutanée est généralement indiquée pour les personnes âgées ou les clients inopérables. Les complications liées à la valvuloplastie percutanée sont moindres que celles qui peuvent découler d'un remplacement valvulaire. Les résultats à long terme semblent prometteurs. Une étude récente menée auprès de clients ayant subi cette intervention a montré que la valve était perméable un an après l'intervention et que 60 % à 70 % des clients n'avaient besoin d'aucune autre chirurgie après 5 ans.

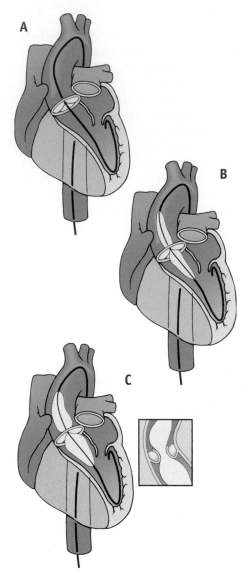

FIGURE 25.12 Valvuloplastie percutanée pratiquée dans une valve aortique sténosée calcifiée. A. On peut voir la boucle d'un fil guide qui est introduit par la partie droite de l'artère fémorale dans le sens rétrograde de la valve aortique et qui est niché à l'extrémité du ventricule gauche. Cette position aide à prévenir la perforation de la paroi ventriculaire et minimise l'ectopie ventriculaire. B. Un cathéter à ballonnet de 20 mm, ayant été passé par-dessus le fil guide, est partiellement gonflé ; la marque est causée par la valve sténosée. C. Le gonflement complet du ballon (schéma en cartouche) permet d'ouvrir l'orifice de la valve aortique.

Traitement chirurgical. La décision de pratiquer une intervention chirurgicale repose sur l'état clinique du client, qui est généralement évalué en fonction du système de classification fonctionnelle de la *New York Heart Association* (voir tableau 23.1). Le type de chirurgie à effectuer dépend des valves atteintes, de l'affection valvulaire, de la gravité de la maladie et de l'état clinique du client. Tous les types de chirurgic valvulaire sont pratiqués à des fins palliatives plutôt que curatives, et les clients auront besoin de soins pendant toute leur vie.

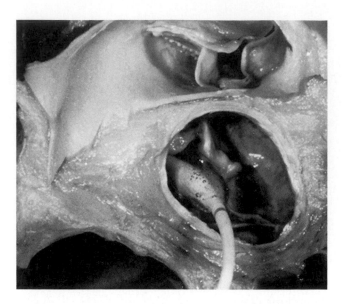

FIGURE 25.13 Un ballonnet simple est gonflé dans l'orifice de la valve aortique du cœur d'un homme de 73 ans présentant un rétrécissement aortique calcifié grave. On peut observer que le ballonnet n'occupe pas entièrement l'ouverture de la valve aortique, ce qui permet de maintenir la perfusion au cours du gonflement.

La valvuloplastie devient de plus en plus l'intervention chirurgicale de choix. Les chirurgies de réparation ou de reconstruction sont souvent pratiquées dans les cas de cardiopathie valvulaire mitrale ou tricuspidienne. Le taux de mortalité lié à la réparation de ces valves est inférieur à celui qui est associé au remplacement valvulaire. La commissurotomie (valvulotomie) mitrale est l'intervention de choix pour les clients atteints de rétrécissement mitral pur. La commissurotomie mitrale fermée (sans circulation extracorporelle), dont la technique est moins précise, est généralement remplacée par la méthode ouverte aux États-Unis, au Canada et en Europe occidentale. La commissurotomie mitrale fermée est habituellement pratiquée dans les pays en voie de développement, où il y a un plus grand nombre de jeunes clients atteints de rétrécissement mitral juvénile. Les coûts de cette intervention constituent un facteur important. La technique fermée est généralement pratiquée à l'aide d'un dilatateur transventriculaire introduit par l'extrémité du ventricule gauche dans l'orifice de la valve mitrale (par opposition à l'insertion antérieure d'un doigt par voie transauriculaire). Par contre, la vision directe ou technique ouverte consiste à établir une circulation extracorporelle, à éliminer les thrombus de l'oreillette et de son annexe épidermique, à inciser les commissures et, s'il y a lieu, à séparer les cordons soudés et les muscles papillaires sous-jacents et à débrider la valve de la calcification.

La valvuloplastie ouverte est une réparation de la valve qui a pour but de suturer les feuillets, les cordons tendineux ou les muscles papillaires déchirés. Elle est surtout pratiquée pour traiter la régurgitation mitrale ou tricuspidienne. Le principal avantage de cette intervention est d'éviter les risques liés au remplacement valvulaire. Toutefois, son inconvénient est que le chirurgien puisse ne pas être en mesure d'assurer une capacité valvulaire totale.

L'annuloplastie est une autre intervention chirurgicale utilisée pour réparer ou reconstruire une valve dans les cas de régurgitation mitrale ou tricuspidienne. L'intervention consiste à reconstruire l'anneau cardiaque ou à le remplacer par une prothèse (p. ex. un anneau de Carpentier).

Prothèses valvulaires. Le remplacement valvulaire peut être nécessaire dans les cas de cardiopathie valvulaire mitrale, aortique, tricuspidienne et parfois pulmonaire. Le remplacement valvulaire constitue le traitement chirurgical de choix du rétrécissement aortique combiné avec la régurgitation aortique (voir figure 25.14 et tableau 25.5).

Les prothèses valvulaires se sont améliorées depuis l'introduction de la première valve à bille en 1952. Les premières valves avaient tendance à se désintégrer, à coller, à défaillir, à modifier la structure des cavités cardiaques, à causer des embolies et à favoriser l'hémolyse. Cependant, les nouvelles valves et l'amélioration des techniques chirurgicales ont permis de rendre le remplacement valvulaire plus sûr et le fonctionnement des valves à long terme plus efficace. Une grande variété de valves ont dû être essayées afin d'en trouver une qui soit à la fois solide, durable et non thrombogène, et qui cause le moins de rétrécissement possible.

Les deux catégories de prothèses valvulaires sont les valves mécaniques et les valves biologiques (tissulaires).

Les valves mécaniques sont faites d'une combinaison d'alliages de métaux, de carbone pyrolitique et de Dacron, alors que les valves biologiques sont faites à partir de tissus cardiaques d'origine bovine, porcine et humaine. Au cours des dernières années, des innovations importantes dans le domaine des techniques de congélation et de décongélation ont permis de conserver les greffons humains pendant de longues périodes sans qu'ils perdent leur viabilité. Bien que les valves mécaniques soient plus durables que les valves biologiques, elles présentent un risque plus élevé de thromboembolie et requièrent donc une anticoagulothérapie prolongée. Étant donné que les valves biologiques sont peu thrombogènes, les clients n'ont pas besoin d'anticoagulothérapie. Cependant, leur durabilité est limitée en raison de la possibilité de voir apparaître une calcification précoce, une dégénération tissulaire et une rigidité des feuillets. D'autres troubles liés aux prothèses valvulaires comprennent les fuites paravalvulaires et l'endocardite.

L'anticoagulothérapie prolongée est recommandée pour tous les clients porteurs d'une valve mécanique et pour ceux qui sont porteurs d'une valve biologique et présentent de la fibrillation auriculaire. Certains peuvent avoir besoin d'anticoagulants pendant les premiers mois suivant la chirurgie.

Le choix d'une prothèse valvulaire dépend de plusieurs facteurs. Par exemple, si une cliente ne peut pas suivre une anticoagulothérapie (p. ex. les femmes en âge de procréer), une valve biologique sera envisagée. Dans le cas d'un jeune homme, on recommandera une valve mécanique, car elle est plus durable. Bien que la question de la durabilité soit moins importante pour les clients âgés de 65 ans et plus, les risques

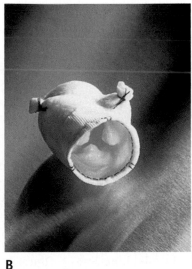
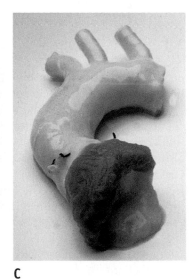

A **B** **C**

FIGURE 25.14 Types de prothèses valvulaires mécaniques et biologiques. A. Valve mécanique de St. Jude Medical, SJM Masters Series. B. Valve biologique de type hétérogreffe de Medtronic. C. Prothèse valvulaire aortique de type allogreffe de Baxter Healthcare.

TABLEAU 25.5 Types de prothèses cardiaques et de valves tissulaires

Type	Description	Avantages	Inconvénients
VALVES MÉCANIQUES **Valves à bille** Starr-Edwards Smeloff-Cutter Magovern-Cromie	Cage en métal avec plusieurs entre-toises montées sur un anneau circulaire ; métal creux ou bille de plastique *(armature)* à l'intérieur de la cage	Très grande durabilité (jusqu'à 20 ans)	Possibilité de coagulation sur une valve ou autour (thrombogène) et risque d'embolie Besoin d'anticoagulothérapie pro-longée Très grande taille
Valves à monodisque basculant Bjork-Shiley Lillehei-Kaster Medtronic Hall	Disque en forme de lentille fixé à un anneau circulaire à coudre au moyen de deux pièces transver-sales ; fait de carbone pyrolitique	Efficacité hémodynamique Très grande durabilité	Tendance à la thrombogénicité et à l'embolie Besoin d'anticoagulothérapie pro-longée
Valves bicuspides St. Jude Medical Duromedics	Deux disques semi-circulaires pivotants qui s'ouvrent au centre, montés directement sur un anneau à coudre	Taille compacte ; efficace chez les enfants et les clients ayant de petites racines aortiques	Possibilité de thrombogénicité et d'embolie Besoin d'anticoagulothérapie pro-longée
VALVES BIOLOGIQUES **Hétérogreffe porcine** Hancock Carpentier-Edwards Medtronic	Valve aortique prélevée sur un porc, conservée dans le glu-taraldéhyde et montée sur un anneau à coudre spécialement conçu à cet effet	Faible thrombogénicité Besoin d'anticoagulothérapie pen-dant seulement trois mois après la greffe	Durabilité limitée (le taux d'échec augmente soudainement après cinq à sept ans) Structure embarrassante
Hétérogreffe péricardique Ionescu-Shiley Carpentier-Edwards	Trois feuillets composés d'un péri-carde prélevé sur des veaux âgés de 16 à 18 mois, conservés dans le glutaraldéhyde et montés sur un cadre recouvert de Dacron	Faible thrombogénicité Besoin d'anticoagulothérapie de courte durée Moins de résistance au débit san-guin ; utile chez les clients ayant de petites racines aortiques	Durabilité limitée
Allogreffe de valves prélevées sur un cadavre	Valve aortique (prélevée sur un cadavre humain) qui est d'abord congelée jusqu'à ce qu'on en ait besoin pour un remplacement valvulaire ; elle est ensuite dégelée, taillée et cousue en place à l'aide d'un matériau spécial de montage	Excellentes propriétés hémody-namiques Aucune hémolyse et faible risque d'embolie Besoin rare d'anticoagulothérapie	Durabilité limitée Ne convient pas au remplacement mitral ni tricuspidien

de non-observance de l'antibiothérapie et d'hémorragie liés aux anticoagulants peuvent être plus grands dans ce groupe. (Le chapitre 23 traite des soins dispensés au client devant subir une chirurgie cardiaque.)

Soins infirmiers : cardiopathie valvulaire

Collecte de données. Les données objectives et sub-jectives devant être recueillies auprès du client atteint de cardiopathie valvulaire sont présentées dans l'en-cadré 25.18.

Diagnostics infirmiers. Les diagnostics infirmiers pour le client atteint de cardiopathie valvulaire com-prennent, entre autres, ceux qui sont présentés dans l'encadré 25.19.

Planification. Les objectifs généraux pour le client atteint de cardiopathie valvulaire sont les suivants : le client aura une fonction cardiaque normale ; il amélio-rera sa tolérance à l'activité ; il sera capable d'expliquer le processus morbide et les mesures de prévention.

Exécution

Promotion de la santé. La prévention d'une cardiopathie valvulaire rhumatismale acquise se fait par le diagnostic et le traitement des infections à streptocoques et la pres-cription d'une antibioprophylaxie aux clients ayant des antécédents de RAA. Ceux qui sont prédisposés à l'en-docardite et ceux qui sont atteints de cardiopathie valvulaire doivent également être traités au moyen d'une antibioprophylaxie (voir encadrés 25.4 et 25.5).

COLLECTE DE DONNÉES

Cardiopathie valvulaire

ENCADRÉ 25.18

Données subjectives

Information importante concernant la santé
- Antécédents de santé : rhumatisme articulaire aigu, endocardite, anomalies congénitales, infarctus du myocarde, traumatisme thoracique, myocardiopathie, syphilis, syndrome de Marfan, infections à staphylocoques ou à streptocoques

Modes fonctionnels de santé
- Mode perception et gestion de la santé : toxicomanie (usage de drogues par voie intraveineuse), fatigue
- Mode activité et exercice : palpitations, faiblesse généralisée, intolérance à l'activité, étourdissements, évanouissements, dyspnée à l'effort, hémoptysie, orthopnée
- Mode sommeil et repos : dyspnée paroxystique nocturne
- Mode cognition et perception : douleur thoracique angineuse ou atypique

Données objectives

Généralité
- Fièvre

Appareil tégumentaire
- Diaphorèse, rougeur, cyanose, hippocratisme digital, œdème périphérique

Appareil respiratoire
- Râles crépitants, respiration sifflante (*wheezing*), enrouement

Appareil cardiovasculaire
- Bruits du cœur anormaux, y compris des claquements d'ouverture, des déclics, des frémissements, des souffles systoliques et diastoliques, des B_3 et des B_4 ; arythmies, y compris des contractions auriculaires prématurées, de la fibrillation auriculaire ; tachycardie ; augmentation ou diminution de la pression différentielle ; hypotension, pouls fort et bondissant ou pouls périphériques filiformes, pouls carotidien vif

Appareil gastro-intestinal
- Ascite, hépatomégalie

Résultats possibles
- Cardiomégalie, calcification valvulaire, congestion pulmonaire observable à la radiographie pulmonaire ; diminution de l'amplitude pulmonaire, calcification ou végétations valvulaires ou prolapsus, augmentation de volume des cavités cardiaques, turbulence à l'échocardiogramme ; pressions anormales dans les cavités et profil cytométrique au cathétérisme cardiaque ; hypertrophie ventriculaire et auriculaire, arythmies, anomalies de conduction observables à l'ECG

ECG : électrocardiogramme.

Le client doit suivre les traitements recommandés. La personne ayant des antécédents de RAA, d'endocardite et de cardiopathie congénitale doit connaître les symptômes indiquant une cardiopathie valvulaire, de sorte qu'un traitement médical rapide puisse être prodigué.

Intervention en phase aiguë, soins ambulatoires et soins à domicile. Un client atteint de cardiopathie valvulaire évolutive peut avoir besoin d'une hospitalisation ou de soins en consultation externe pour traiter l'ICC, l'endocardite, l'embolie ou l'arythmie. Le rôle de l'infirmière consiste à établir un programme thérapeutique et à évaluer son efficacité. Elle doit planifier les activités après avoir évalué les limites du client. Un plan d'exercices appropriés peut augmenter la tolérance cardiaque. Cependant, les activités qui causent régulièrement de la fatigue et de la dyspnée doivent être restreintes. Elle doit expliquer au client l'importance d'arrêter de fumer et l'informer d'éviter les exercices physiques épuisants, car il est possible que les valves atteintes soient incapables de tolérer l'augmentation du débit cardiaque. Elle doit l'aider à planifier ses activités de la vie quotidienne, tout en insistant sur la conservation d'énergie, l'établissement de priorités et le repos. Il peut s'avérer nécessaire de diriger le client vers un travailleur social si son emploi est exigeant sur le plan physique ou moral.

L'auscultation cardiaque doit être effectuée pour surveiller l'efficacité de la digoxine, des β-bloquants et des antiarythmiques. L'infirmière doit informer le client de l'importance de porter un bracelet MedicAlert. Il est essentiel qu'il comprenne le rôle primordial de l'antibioprophylaxie pour prévenir l'endocardite (voir encadrés 25.4 et 25.5). Si la valvulopathie a été causée par le RAA, un traitement prophylactique sera nécessaire pour prévenir la récurrence.

Le débit urinaire et la masse corporelle doivent être surveillés lorsque des diurétiques sont prescrits. L'alimentation doit être bien équilibrée et le sodium restreint pour prévenir la rétention liquidienne.

L'infirmière doit aider le client aux prises avec des troubles valvulaires à atteindre un état de santé optimal et à le maintenir. Elle doit lui enseigner les mécanismes d'action et les effets secondaires des médicaments afin qu'il observe le traitement. Si les médicaments ne parviennent plus à traiter la cardiopathie valvulaire, une intervention chirurgicale sera nécessaire. L'infirmière doit vérifier régulièrement le rapport international normalisé (RIN) du client ayant subi un remplacement valvulaire et suivant une anticoagulothérapie (habituellement sur une base mensuelle) afin d'évaluer l'efficacité du traitement. Le RIN est un système normalisé pour signaler le temps de prothrombine.

Plan de soins infirmiers

Client atteint de cardiopathie valvulaire

DIAGNOSTIC INFIRMIER : intolérance à l'activité reliée à l'oxygénation insuffisante due à l'augmentation du débit cardiaque et à la congestion pulmonaire, se manifestant par de la faiblesse, de la fatigue, de l'essoufflement, de la tachycardie ou de la bradycardie et des variations de PA.

PLANIFICATION
Résultat escompté
- Le client démontrera des signes de tolérance cardiaque à l'effort (p. ex. fréquence cardiaque, respirations et PA stables).

INTERVENTIONS	Justifications
• Évaluer et surveiller les réactions du client à l'activité (p. ex. fréquences cardiaque et respiratoire, PA).	• Planifier les interventions appropriées.
• Planifier des périodes de repos entre les activités.	• Conserver l'énergie et diminuer la demande cardiaque.
• Regrouper les soins.	• Minimiser les dérangements inutiles.
• Aider le client pour les soins personnels au besoin.	• Minimiser la fatigue et la dyspnée et s'assurer que ses besoins sont satisfaits.
• Augmenter l'activité progressivement.	• Accroître la tolérance cardiaque.

DIAGNOSTIC INFIRMIER : prise en charge inefficace du programme thérapeutique reliée au manque de connaissances par rapport au processus morbide, à la prévention et aux stratégies de traitement, se manifestant par le manque d'observance du programme thérapeutique.

PLANIFICATION
Résultats escomptés
- Le client nommera les signes et symptômes qui indiquent un besoin de consulter le médecin.
- Il expliquera l'utilité de l'antibioprophylaxie et dira quand prendre ses médicaments.
- Il observera le programme thérapeutique.

INTERVENTIONS	Justifications
• Expliquer la nature et la cause du processus morbide.	• S'assurer que le client a des connaissances suffisantes en vue de prendre des décisions.
• Enseigner les signes et symptômes d'insuffisance cardiaque et d'endocardite infectieuse.	• S'assurer que le client les signalera rapidement et que les complications seront traitées tôt.
• Enseigner la nécessité d'éviter toute intervention chirurgicale ou diagnostique effractive qui pourrait prédisposer à la bactériémie tant qu'une antibioprophylaxie n'aura pas été administrée.	
• Expliquer l'importance d'aviser le dentiste, l'urologue et le gynécologue de la cardiopathie valvulaire.	• Faire en sorte qu'une antibioprophylaxie puisse être administrée (voir encadrés 25.4 et 25.5).
• Expliquer l'importance d'avoir une bonne hygiène buccodentaire et d'éviter la fatigue.	• Minimiser le risque d'infection.
• Déconseiller le tabagisme.	• Prévenir une augmentation de la charge de travail du cœur et un effet d'épuisement de l'oxygène par l'oxyde de carbone, causé par la diminution de l'oxygène présent dans tous les tissus.
• Discuter du nom des médicaments prescrits, de la posologie, de l'objectif visé et des effets secondaires.	• Favoriser une automédication sûre et exacte.
• Aviser le client de porter un bracelet MedicAlert.	

DIAGNOSTIC INFIRMIER : perturbation des habitudes de sommeil reliée à la congestion pulmonaire, se manifestant par la fatigue et la dyspnée paroxystique nocturne.

Plan de soins infirmiers

Client atteint de cardiopathie valvulaire (*suite*)

PLANIFICATION

Résultat escompté
• Le client dira qu'il se sent reposé au réveil.

INTERVENTIONS	Justifications
• Élever la tête du lit de 30 à 40°.	• Diminuer le retour veineux, réduire la demande en oxygène et maximiser l'amplitude respiratoire.
• Administrer l'oxygène comme il est prescrit.	• Augmenter la saturation en oxygène.
• Rassurer le client et rester avec lui jusqu'à ce que les respirations se stabilisent.	• Diminuer l'anxiété et la charge de travail du cœur.
• Éliminer le bruit dans le milieu environnant.	• Favoriser un environnement calme incitant au sommeil.

DIAGNOSTIC INFIRMIER : excès de volume liquidien relié à l'insuffisance cardiaque, se manifestant par de l'œdème, de la dyspnée à l'effort et de l'essoufflement.

PLANIFICATION

Résultat escompté
• Le client présentera une diminution de l'œdème ou une absence de celui-ci.

INTERVENTIONS	Justifications
• Surveiller les manifestations d'hypervolémie, telles que l'œdème périphérique, la peau tendue et brillante, les bruits adventices.	• Déceler l'hypervolémie.
• Prendre les signes vitaux, ausculter les murmures vésiculaires, évaluer la distension jugulaire, mesurer les ingesta et les excreta, palper pour déceler l'œdème et vérifier s'il y a eu un gain pondéral (>0,9 kg/jour ou >2,3 kg/semaine).	• Surveiller les indicateurs d'équilibre hydrique.
• Restreindre le sodium selon l'ordonnance.	• Prévenir la rétention liquidienne.
• Surveiller les résultats des épreuves de laboratoire, y compris les électrolytes sériques, l'hématocrite, l'azote uréique sanguin et l'analyse d'urine.	• Des changements particuliers peuvent être un signe d'hypervolémie.

Processus thérapeutique

COMPLICATION POSSIBLE : diminution du débit cardiaque reliée à un dysfonctionnement valvulaire.

PLANIFICATION

Objectifs
• Surveiller les signes de diminution du débit cardiaque.
• Signaler les écarts acceptables dans les paramètres.
• Appliquer les interventions infirmières.

INTERVENTIONS	Justifications
• Surveiller la PA, le pouls apical, les respirations, les murmures vésiculaires et les bruits cardiaques.	• Évaluer les signes de diminution du débit cardiaque, tels que la fatigue, les malaises, l'essoufflement, la dyspnée à l'effort, la dyspnée paroxystique nocturne, les palpitations, les douleurs rétrosternales, les vertiges, le souffle cardiaque, une augmentation de la pression différentielle.
• Évaluer les paramètres hémodynamiques (p. ex. la pression artérielle pulmonaire, la pression capillaire pulmonaire, le débit cardiaque, la pression veineuse centrale) selon l'ordonnance.	• Indicateurs de l'état du client.
• Garder le client au lit selon l'ordonnance.	• Diminuer la charge de travail du cœur et la demande en oxygène.

Plan de soins infirmiers

Client atteint de cardiopathie valvulaire (*suite*)

• Relever la tête du lit de 30 à 40°.	• Diminuer le retour veineux, réduire la demande en oxygène et maximiser l'amplitude pulmonaire.
• Administrer de l'oxygène selon l'ordonnance.	• Améliorer la saturation en oxygène.
• Vérifier le rythme cardiaque.	• Déceler des changements.
• Administrer un traitement par voie parentérale selon l'ordonnance et mesurer les ingesta et les excreta.	• Évaluer l'équilibre hydrique.
• Administrer des agents inotropes selon l'ordonnance.	• Augmenter la contractilité myocardique.

COMPLICATION POSSIBLE : embolie systémique et pulmonaire reliée aux végétations qui se détachent des valves cardiaques.

PLANIFICATION

Objectifs
- Surveiller les signes d'embolie systémique ou pulmonaire.
- Signaler les écarts acceptables dans les paramètres.
- Appliquer les interventions infirmières.

INTERVENTIONS	**Justifications**
• Surveiller les signes de confusion, de dyspnée, d'hémoptysie et de douleur, la diminution des pouls périphériques ou l'absence de ces derniers, le débit urinaire, les changements de coloration de la peau et de température des téguments.	• Déceler une embolie systémique.
• Ausculter les poumons.	• Déceler les signes d'embolie pulmonaire, tels que les râles crépitants.
• Administrer des anticoagulants et de l'oxygène selon l'ordonnance.	
• Prendre les pouls périphériques et examiner la couleur, la chaleur et l'œdème des membres inférieurs.	• Ces indices peuvent indiquer une embolie périphérique.
• Aider le client à faire des exercices d'amplitude articulaire (actifs ou passifs) aux extrémités et lui enfiler des bas anti-emboliques (de soutien).	• Favoriser le retour veineux et prévenir la stase veineuse.

Les directives liées aux anticoagulants sont énumérées dans l'encadré 26.11. Le client doit savoir que la chirurgie valvulaire ne guérira pas la maladie et qu'il devra se soumettre à des examens réguliers. L'infirmière doit également l'informer de consulter le médecin s'il présente des signes d'infection, d'insuffisance cardiaque congestive ou de saignement ou s'il doit subir une intervention effractive ou dentaire.

MOTS CLÉS

BIBLIOGRAPHIE
Version originale
1. Berbari EF, Cockerill FR, Steckelberg JM: Infective endocarditis due to unusual or fastidious microorganisms, *Mayo Clin Proc* 72:532, 1997.
2. Bansal RC: Infective endocarditis, *Med Clin North Am* 79:1205, 1995.
3. Aranki SF, Adams DH, Rizzo RJ: Determinants of early mortality and late survival in mitral valve endocarditis, *Circulation* 92(suppl II):143, 1995.
4. Wahl MJ: Myths of dental-induced endocarditis, *Arch Intern Med* 154:137, 1994.
5. Dajani AS and others: Prevention of bacterial endocarditis: recommendation by the American Heart Association, *JAMA* 277:1794, 1997.
6. Cetta F, Warnes C: Adults with congenital heart disease: patient knowledge of endocarditis prophylaxis, *Mayo Clin Proc* 70:50, 1995.
7. Oakley CM: The medical treatment of culture-negative infective endocarditis, *Eur Heart J* 16(suppl B):90, 1995.
8. Aragon T, Sande M: Infective endocarditis. In Stein JH, editor: *Internal medicine,* ed 5, St. Louis, 1998, Mosby.
9. Dugan KJ: Caring for patients with pericarditis, *Nursing* 28:50, 1998.
10. Pericarditis: another cause of chest pain, *Harvard Heart Letter* 5:4, 1995.
11. Zayas R, Anguita M, Torres FL: Incidence of specific etiology and role of methods for specific etiologic diagnosis of primary acute pericarditis, *Am J Cardiol* 75:378, 1995.
12. Feldman T: Rheumatic heart disease, *Curr Opin Cardiol* 11:126, 1996.
13. Burge DJ, DeHoratius RJ: Acute rheumatic fever, *Cardiovasc Clin* 23:3, 1993.

14. Fraser EF: A review of the epidemiology and prevention of rheumatic heart disease: part I, *Cardiovascular Reviews and Reports* 17:3, 1996.
15. Carlquist JF and others: Immune response factors in rheumatic heart disease: meta-analysis of HLA-DR association and evaluation of additional class II alleles, *J Am Coll Cardiol* 26:452, 1995.
16. Fraser EF: A review of the epidemiology and prevention of rheumatic heart disease: part II, *Cardiovascular Reviews and Reports* 17:4, 1996.
17. Kaplan EL: Acute rheumatic fever. In Schlant RE, Alexander RW, editors: *Hurst's the heart,* ed 9, New York, 1998, McGraw-Hill.
18. Soovsky B, Dehner S: Patient education after valve surgery, *Crit Care Nurse* 14:117, 1994.
19. Rose AG: Etiology of valvular heart disease, *Curr Opin Cardiol* 11:98, 1996.
20. Citrin BS, Mensah GA, Byrd BF: Functional mitral stenosis resulting from large mitral valve prosthesis vegetation, *South Med J* 90:231, 1997.
21. Devereux RB: Recent developments in the diagnosis and management of mitral valve prolapse, *Curr Opin Cardiol* 10:107, 1995.
22. Hayes DD: Mitral valve prolapse revisited, *Nursing* 27:35, 1997.
23. Holloway S, Feldman T: An alternative to valvular surgery in the treatment of mitral stenosis: balloon mitral valvotomy, *Crit Care Nurse* 17:27, 1997.

Gilles Bélanger
Inf., B. Sc. adm.
Cégep F.-X.-Garneau

Suzanne Bhérer
B. Sc. inf.
Cégep F.-X.-Garneau

Chapitre 26

TROUBLES VASCULAIRES

OBJECTIFS D'APPRENTISSAGE

APRÈS AVOIR LU CE CHAPITRE, VOUS DEVRIEZ ÊTRE EN MESURE :

- DE DÉCRIRE LA PHYSIOPATHOLOGIE, LES MANIFESTATIONS CLINIQUES ET LE TRAITEMENT CHIRURGICAL DES ANÉVRISMES AORTIQUES ;

- DE DÉCRIRE LES SOINS INFIRMIERS PÉRIOPÉRATOIRES AUPRÈS D'UN CLIENT SUBISSANT UNE RÉPARATION D'UN ANÉVRISME DE L'AORTE ;

- DE DÉCRIRE LA PHYSIOPATHOLOGIE, LES MANIFESTATIONS CLINIQUES ET LE PROCESSUS THÉRAPEUTIQUE D'UN ANÉVRISME DISSÉQUANT DE L'AORTE ;

- DE RECONNAÎTRE LES FACTEURS DE RISQUE ASSOCIÉS À L'ATHÉROSCLÉROSE ;

- DE DÉCRIRE LA PHYSIOPATHOLOGIE, LES MANIFESTATIONS CLINIQUES ET LE PROCESSUS THÉRAPEUTIQUE D'UNE ARTÉRIOPATHIE OBLITÉRANTE PÉRIPHÉRIQUE ;

- D'EXPLIQUER LES SOINS INFIRMIERS AUPRÈS D'UN CLIENT SOUFFRANT D'UNE INSUFFISANCE ARTÉRIELLE AIGUË TOUCHANT LES MEMBRES INFÉRIEURS ;

- DE RECONNAÎTRE TROIS FACTEURS DE RISQUE FAVORISANT LA FORMATION D'UNE THROMBOPHLÉBITE ;

- DE DIFFÉRENCIER LES MANIFESTATIONS CLINIQUES D'UNE THROMBOPHLÉBITE SUPERFICIELLE DE CELLES D'UNE THROMBOPHLÉBITE VEINEUSE PROFONDE ;

- D'EXPLIQUER LES SOINS INFIRMIERS AUPRÈS D'UN CLIENT SOUFFRANT D'UNE THROMBOPHLÉBITE VEINEUSE PROFONDE ;

- D'EXPLIQUER LE BUT, LES ACTIONS ET LES SOINS INFIRMIERS DES PRINCIPAUX ANTICOAGULANTS ;

- DE DÉCRIRE LA PHYSIOPATHOLOGIE, LES MANIFESTATIONS CLINIQUES, LE TRAITEMENT ET LES SOINS INFIRMIERS D'UNE EMBOLIE PULMONAIRE ;

- DE DÉCRIRE LA PHYSIOPATHOLOGIE ET LES SOINS INFIRMIERS DES ULCÈRES DE STASE VEINEUSE.

PLAN DU CHAPITRE

L *es problèmes du système vasculaire comprennent les troubles de l'aorte, des artères, des veines et des vaisseaux lymphatiques. La maladie vasculaire périphérique est un terme qui sert à décrire une grande diversité de maladies affectant les vaisseaux du cou, de l'abdomen et des membres.*

26.1 TROUBLES AORTIQUES

26.1.1 Anévrismes

Les **anévrismes** sont des dilatations de la paroi artérielle et constituent une affection courante qui atteint l'aorte. Les anévrismes peuvent également se produire au niveau des artères périphériques, mais cela est moins fréquent. Les anévrismes se produisent plus souvent chez l'homme que chez la femme et leur incidence croît avec l'âge. Selon Statistiques Canada, en 1999, 1332 hommes et 832 femmes sont décédés d'anévrisme de l'aorte au Canada, dont 325 hommes et 213 femmes au Québec. De plus, au Canada, 600 hommes et 285 femmes sont décédés d'un anévrisme abdominal rupturé dont 158 hommes et 80 femmes au Québec. Enfin, au Canada, 222 hommes et 165 femmes sont décédés d'anévrisme disséquant, dont 158 hommes et 80 femmes au Québec. La moitié de tous les anévrismes dont le diamètre dépasse 6 cm se rupturent en moins d'un an.

Étiologie et physiopathologie. La plupart des anévrismes se situent au niveau de l'aorte abdominale sous les artères rénales. La paroi aortique s'affaiblit et se dilate avec la turbulence du débit sanguin. Bien que le taux de croissance d'un anévrisme soit imprévisible, le risque de rupture est proportionnel à sa grosseur. Les thrombus se déposent sur la paroi aortique et peuvent causer une embolie.

Il y a 75 % des anévrismes aortiques qui se produisent dans l'abdomen (voir figure 26.1) et 25 % dans l'aorte thoracique. Les anévrismes de l'artère poplitée se situent au troisième rang.

Bien que la cause des anévrismes soit inconnue, certains facteurs de risque y sont associés : l'hypertension, le tabagisme et l'athérosclérose. Une cause fréquente de l'anévrisme de l'aorte est l'athérosclérose formée de plaques composées de lipides, de cholestérol, de fibrine et d'autres détritus déposés sous l'intima ou la paroi artérielle. La formation de cette plaque entraîne une dégénérescence dans la média (tunique moyenne de la paroi artérielle), ce qui cause une perte d'élasticité, un affaiblissement et une dilatation éventuelle de l'aorte.

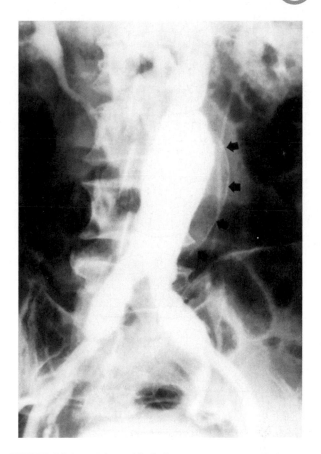

FIGURE 26.1 Artériographie de l'aorte montrant un anévrisme aortique abdominal fusiforme. On peut observer la calcification de la paroi aortique (flèches) et l'étendue de l'anévrisme dans les artères iliaques communes.

Plusieurs études ont montré qu'il y avait une composante génétique importante dans la formation d'anévrismes aortiques abdominaux. Des causes moins fréquentes d'anévrismes comprennent les traumatismes, les infections aiguës ou chroniques (p. ex. la tuberculose, la syphilis) et les ruptures anastomotiques.

Classification. Les anévrismes sont généralement divisés en deux catégories : les vrais et les faux anévrismes (voir figure 26.2). Un vrai anévrisme est formé dans la paroi de l'artère et présente au moins une couche intacte au niveau des vaisseaux.

Les vrais anévrismes peuvent ensuite être subdivisés soit par dilatation fusiforme ou dilatation sacculaire. Un anévrisme fusiforme est circonférentiel et relativement uniforme, alors qu'un anévrisme sacculaire a l'aspect d'un petit sac muni d'un collet étroit qui unit la protubérance à un côté de la paroi artérielle.

Un faux anévrisme, ou pseudoanévrisme, n'est pas un anévrisme, mais plutôt une rupture de toutes les couches de la paroi artérielle entraînant une accumulation de sang emprisonnée dans les structures avoisinantes.

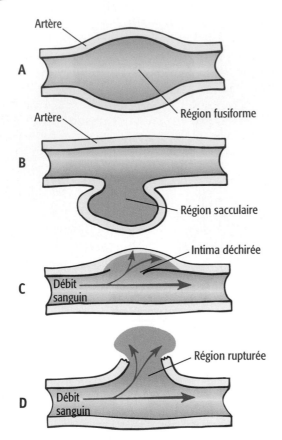

FIGURE 26.2 A. Vrai anévrisme aortique abdominal fusiforme. B. Vrai anévrisme aortique sacculaire. C. Anévrisme disséquant. D. Faux anévrisme ou pseudoanévrisme (hématome pulsatile).

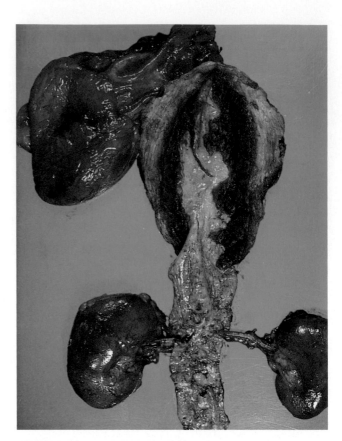

FIGURE 26.3 Anévrisme disséquant de l'aorte thoracique

Un faux anévrisme peut être provoqué par un traumatisme, une infection ou la rupture d'une suture artérielle après une intervention chirurgicale (voir figure 26.2). Il peut également provenir d'un écoulement artériel après le retrait d'une canule, comme des cathéters artériels insérés dans les membres supérieurs ou inférieurs, ou d'un ballon de contre-pulsion intra-aortique.

La dissection aortique est souvent appelée, d'une manière erronée, « anévrisme disséquant » et se produit lorsqu'il y a une déchirure de la couche interne de la paroi artérielle qui permet au sang de s'infiltrer entre l'intima et la média, créant ainsi une fausse lumière (voir figure 26.3).

Les pulsations artérielles peuvent faire en sorte que le sang continue à disséquer l'artère plus bas et atteigne les artères de ramification le long de la voie. Ce processus peut être aigu et dangereux ou il peut être résolutif et entraîner un processus chronique et stable pendant un certain temps. La dissection aortique est traitée plus loin dans ce chapitre.

Manifestations cliniques. Les anévrismes de l'aorte thoracique sont généralement asymptomatiques et quand leurs manifestations sont présentes, elles sont variées. La manifestation la plus fréquente est une douleur profonde et diffuse au thorax. Les anévrismes situés au niveau de l'aorte ascendante et de la crosse aortique peuvent causer un enrouement laryngé chez le client à la suite d'une pression sur le nerf récurrent (laryngé). Une pression sur l'œsophage peut causer une dysphagie. Lorsque l'anévrisme comprime la veine cave supérieure, il peut diminuer le retour veineux et provoquer une distension des veines cervicales et causer de l'œdème au niveau de la tête et des bras. La pression de l'anévrisme contre les structures pulmonaires peut causer de la toux, de la dyspnée et une obstruction des voies respiratoires.

Les anévrismes abdominaux sont fréquemment asymptomatiques. Ils sont souvent détectés lors d'examens de routine ou par hasard lorsque le client subit des examens pour un autre problème (p. ex. radiographie abdominale, échographie, tomodensitométrie (TDM), pyélographie intraveineuse ou intervention chirurgicale abdominale). Lors d'un examen physique, il est possible qu'une masse pulsatile soit décelée dans la région périombilicale, légèrement à gauche de la ligne médiane. Des bruits, ressemblant à un souffle et causés par un débit sanguin turbulent, peuvent être entendus lorsque le stéthoscope est placé au-dessus de l'anévrisme.

Les symptômes d'un anévrisme de l'aorte abdominale sont semblables à une douleur abdominale ou dorsale. Ils résultent d'une compression des structures avoisinantes et la douleur dorsale est provoquée par la compression des nerfs lombaires. Le malaise épigastrique avec ou sans altération de l'élimination intestinale résulte de la compression de l'anévrisme contre l'intestin. Il arrive parfois que des petits thrombus se détachent de la paroi et provoquent des embolies. Cela peut causer le « syndrome de l'orteil bleu », où une marbrure inégale au niveau des pieds et des orteils apparaît en présence du pouls pédieux.

Complications. Les complications liées aux anévrismes, dont la plus courante est la rupture, peuvent être catastrophiques. Lorsque la rupture se produit sur la face postérieure de l'espace rétropéritonéal, le saignement peut être tamponné par les structures avoisinantes, prévenant l'exsanguination. Dans ce cas, le client présente une douleur dorsale intense avec ou sans ecchymose au dos ou aux flancs (signe de Turner).

Si la rupture se produit sur la face antérieure de la cavité abdominale, elle peut causer une hémorragie massive mortelle. Dans les cas où le client parvient à se rendre en vie jusqu'à l'hôpital, il peut manifester des signes de choc, comme de la tachycardie, de l'hypotension, une peau pâle et moite, une diminution du débit urinaire, une altération de l'état de conscience et une sensibilité abdominale à la palpation. Le chapitre 27 traite du choc.

Épreuves diagnostiques. La plupart des anévrismes sont découverts lors d'examens physiques de routine ou de radiographies. Les radiographies pulmonaires sont utiles pour visualiser le médiastin et tout élargissement anormal de l'aorte thoracique. Une radiographie de l'abdomen peut montrer une calcification à l'intérieur de la paroi d'un anévrisme de l'aorte abdominale.

Un électrocardiogramme (ECG) peut être effectué pour écarter la présence d'un infarctus du myocarde. Certaines personnes peuvent présenter des symptômes semblables à ceux de l'angine. L'échocardiographie permet de diagnostiquer une insuffisance aortique liée à la dilatation aortique ascendante. L'échographie est utile pour dépister un anévrisme. La tomodensitométrie (TDM) est l'examen le plus précis pour déterminer le diamètre antéropostérieur et la coupe transversale de l'anévrisme ainsi que pour déceler la présence d'un thrombus dans l'anévrisme. L'imagerie par résonance magnétique (IRM) peut également être utilisée pour diagnostiquer et évaluer la gravité de l'anévrisme.

L'aortographie de contraste n'est pas une méthode fiable pour déterminer la taille d'un anévrisme. Elle peut toutefois s'avérer utile pour recueillir des données précises sur les vaisseaux viscéraux, rénaux ou distaux, et lorsqu'on soupçonne un anévrisme suprarénal ou thoraco-abdominal. L'aortographie est pratiquée sous anesthésie locale. Une grande aiguille munie d'un mandrin est insérée dans l'artère fémorale, ou encore au niveau des artères sous-clavières, axillaires, brachiales ou translombaires (par le dos, directement dans l'aorte). Un cathéter est ensuite placé dans l'aiguille et inséré dans l'artère. Un produit de contraste est injecté et des radiographies sont prises par fluoroscopie. Le cathéter est ensuite retiré une fois que les radiographies ont été prises. Une pression est exercée sur le point de ponction pendant plusieurs minutes ou jusqu'à ce que le saignement soit arrêté. Le tableau 26.1 énumère les complications de l'angiographie et les interventions qui y sont reliées.

Processus thérapeutique. Les objectifs du traitement visent à prévenir la rupture de l'anévrisme. Par conséquent, un dépistage précoce et un traitement rapide sont indispensables. Dès qu'un anévrisme est soupçonné, des examens sont effectués pour en déterminer la taille et la localisation exactes. Un examen approfondi de tous les systèmes anatomiques est nécessaire dans le but d'identifier tout problème coexistant, notamment au niveau des poumons, du cœur ou des reins, pouvant influencer les risques opératoires. Un examen de la carotide et des artères coronaires doit être effectué pour déceler tout signe de maladie athérosclérosante. Lorsqu'une obstruction des vaisseaux est présente avant

TABLEAU 26.1	Complications de l'angiographie
Complication	**Intervention**
Saignement	Repos au lit pendant plusieurs heures suivant l'angiographie Vérification fréquente du site de la ponction Vérification neurovasculaire fréquente des deux membres Intervention chirurgicale
Thrombose/Embolie	Vérification neurovasculaire des deux membres Héparinisation/thrombolyse Intervention chirurgicale
Insuffisance rénale	Ingesta et excreta précis Obtention des épreuves de laboratoire adéquates (c.-à-d. BUN [azotémie urique] et créatinine) Thérapie liquidienne Diurétiques Dialyse
Pseudoanévrisme	Vérification du site de ponction en vue d'une masse pulsatile Vérification neurovasculaire des membres atteints Compression guidée par échographie Intervention chirurgicale

de réparer un anévrisme, il faut la corriger. En général, lorsque les problèmes coexistants ne sont pas graves, la chirurgie constitue le traitement privilégié. Le type de chirurgie dépend de la localisation de l'anévrisme (voir tableau 26.2).

Traitement chirurgical. La chirurgie est le seul traitement efficace contre un anévrisme de l'aorte. Elle s'impose lorsqu'un anévrisme de toute taille croît rapidement chez un client symptomatique. Dans les cas d'anévrismes asymptomatiques, la chirurgie est indiquée si le diamètre est plus grand que 6,5 cm. Une chirurgie peut également être recommandée lorsque le client a un anévrisme de 4 à 5 cm de diamètre.

La technique chirurgicale comprend les étapes suivantes : inciser le segment malade de l'aorte ; enlever le thrombus intraluminal ou la plaque ; insérer un greffon artériel synthétique (Dacron ou polytétrafluoéthylène), lequel est suturé à l'aorte proximale et distale de l'anévrisme ; suturer la paroi aortique naturelle autour du greffon de façon à ce qu'il serve de couche protectrice (voir figure 26.4). Lorsque les artères iliaques

ont également un anévrisme, le segment atteint est remplacé par un greffon en Y (voir figure 26.5).

Pendant la phase préopératoire, tout doit être mis en oeuvre afin d'optimiser l'équilibre hydro-électrolytique du client. Toute anomalie sur le plan de la coagulation et de la numération globulaire doit être corrigée. Avant la chirurgie, il est possible qu'on administre des antibiotiques au client et que l'on désinfecte les régions du corps avec un savon antiseptique. Toutefois, si l'anévrisme est rompu, une intervention chirurgicale d'urgence est requise. Même avec des soins immédiats, le taux de mortalité est élevé (environ 50 %) après la rupture et augmente avec l'âge du client. Les réparations d'anévrismes par chirurgie élective ont un risque chirurgical entre 1 et 5 %.

La résection d'un anévrisme requiert la pose d'un clamp de la crosse aortique à la fois proximale et distale de l'anévrisme. Lorsqu'un anévrisme est réparé par chirurgie élective, on administre au client de l'héparine intraveineuse avant de clamper l'aorte afin d'empêcher la coagulation du sang accumulé au point distal de l'anévrisme. Cependant, si la chirurgie est effectuée

---

TABLEAU 26.2 Types d'intervention d'un anévrisme aortique

Localisation de l'anévrisme	Site de l'incision	Recours au pontage ou à l'hypothermie	Soins infirmiers généraux
Aorte ascendante avec insuffisance de la valve aortique	Sternotomie médiane	Le pontage cardiopulmonaire et l'hypothermie sont utilisés	Si l'insuffisance valvulaire aortique est grave, un remplacement de la valve prosthétique est effectué
Crosse aortique	Sternotomie médiane	Le pontage cardiopulmonaire et l'hypothermie sont utilisés. Si l'aorte transversale renfermant les vaisseaux brachiocéphaliques est atteinte, une perfusion extra-corporelle du cerveau est nécessaire	Le froid prédispose le client aux arythmies. Surveiller les signes neurologiques
Aorte thoracique descendante	Postérolatéral au quatrième espace intercostal	Recours à l'hypothermie. Recours possible au pontage cardiopulmonaire	La sonde de Carlens (sonde endotrachéale à deux ballonnets) réduit le volume des deux poumons et cause de la tension pulmonaire et de l'atélectasie. Des bons soins aux poumons sont de rigueur ; une ischémie médullaire est courante
Anévrisme aortique abdominal	Appendice xiphoïde au pubis	Le pontage et l'hypothermie ne sont pas utilisés. Il peut y avoir interruption du débit sanguin artériel aux membres inférieurs le temps de l'intervention chirurgicale	Le greffon est placé à l'intérieur des parois artérielles ; cette technique empêche le greffon de s'éroder à l'intérieur des structures avoisinantes telles les intestins
	Rétropéritonéal (flanc gauche, similaire à l'incision de la néphrectomie)	Le pontage et l'hypothermie ne sont pas utilisés	Puisque la cavité abdominale n'est pas incisée, le client présente souvent moins de troubles gastro-intestinaux et pulmonaires et éprouve moins de douleur

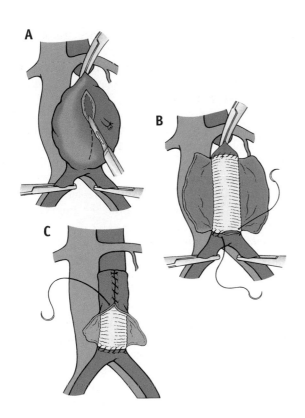

FIGURE 26.4 Réparation chirurgicale d'un anévrisme aortique. A. Incision du sac anévrismal. B. Insertion du greffon synthétique. C. Suture de la paroi aortique naturelle par-dessus le greffon synthétique.

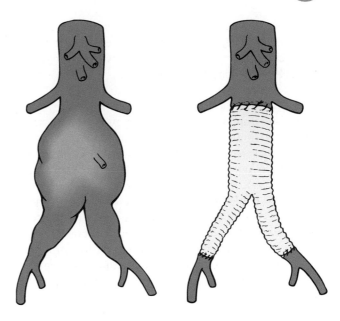

FIGURE 26.5 Remplacement d'un anévrisme aorto-iliaque par un greffon synthétique en Y

d'urgence (comme dans le cas d'une rupture), un anti-coagulant n'est pas nécessaire. La plupart des résections prennent de 30 à 45 minutes, après quoi les pinces sont retirées et le débit sanguin est rétabli dans les membres inférieurs. L'usage de l'autotransfusion, qui recycle le sang du client, a réduit de façon marquée le besoin de transfusion. Le chapitre 19 traite des autotransfusions.

Heureusement, la plupart des anévrismes aortiques prennent naissance au-dessous de l'origine des artères rénales. Toutefois, si l'anévrisme s'étend au-dessus de celles-ci ou si la pince doit être appliquée au-dessus des artères rénales, il faut s'assurer que la perfusion rénale soit adéquate après le retrait de la pince et avant de refermer l'incision abdominale. Le risque de complications rénales postopératoires augmente de façon significative si l'anévrisme est localisé au-dessus des artères rénales.

En présence d'un anévrisme sacculaire, il est possible de n'exciser que la lésion du bulbe et de réparer l'artère par suture primitive (les artères sont suturées ensemble) ou en appliquant un timbre greffon autogène ou synthétique sur la déficience artérielle.

Les clients ayant subi une anévrisectomie sont transférés à l'unité de soins intensifs disposant des services pour une surveillance spécialisée (un cathéter à pression veineuse centrale ou pulmonaire ; les perfusions intraveineuses périphériques). Si le thorax est incisé au cours de la chirurgie, un drain thoracique peut également être en place. Pour le soulagement de la douleur, un cathéter péridural peut être laissé en place.

Greffe endovasculaire. La greffe endovasculaire est une nouvelle procédure utilisée pour remplacer la chirurgie conventionnelle d'un anévrisme de l'aorte abdominale. Cette technique implique le placement transluminal d'une prothèse de greffe aortique sans suture à travers l'anévrisme à partir de l'artère fémorale. Le greffon est fabriqué à partir d'un cylindre de Dacron et la surface est soutenue par de nombreux anneaux de fil très souple. Une fois que le greffon compressé est inséré dans la gaine au point prédéterminé, il est déployé puis appuyé contre le vaisseau à l'aide d'un ballon de contre-pulsion.

Le client doit satisfaire à des critères rigoureux pour être admissible à cette technique. Certains instruments utilisés pour la greffe endovasculaire sont fabriqués sur mesure pour chaque client à l'aide de données provenant de la tomodensitométrie (TDM), de l'angiographie et de l'échographie. Il peut arriver que certains chirurgiens utilisent des greffons de Dacron tissés combinés avec des endoprothèses extensibles.

En comparaison avec une chirurgie conventionnelle, les bienfaits d'une réparation endovasculaire comprennent un séjour hospitalier plus court, de petites incisions fémorales contrairement à une grande incision abdominale, une diminution des taux de morbidité et de mortalité, un rétablissement plus rapide et une réduction des coûts en général. Les complications potentielles comprennent le saignement, la dissection aortique, l'embolie, les écoulements de la greffe et l'infection.

Des essais cliniques sont actuellement effectués avec plusieurs instruments. La technique de la greffe endo-vasculaire offre de nombreux avantages au client atteint d'un anévrisme de l'aorte abdominale.

Soins infirmiers : anévrismes

Collecte de données. Il est possible qu'un client atteint d'un anévrisme soit symptomatique ou asymptomatique. L'infirmière doit donc faire appel à ses aptitudes d'évaluation pour se concentrer sur le dépistage et le traitement précoces.

Elle doit recueillir les antécédents de santé du client et évaluer les données. Étant donné que la plupart des anévrismes sont athéroscléreux et que l'athérosclérose a un processus morbide systémique, il est fort probable que ce processus se manifeste dans tout l'organisme. Il est donc important que l'infirmière observe attentivement les signes de problèmes aux niveaux cardiaque, pulmonaire, cérébral et vasculaire périphérique. Le client doit être surveillé pour tout signe de rupture d'anévrisme, tel que la pâleur, la faiblesse, la tachycardie, l'hypotension, la douleur abdominale, dorsale ou inguinale, l'altération de l'état de conscience ou une masse abdominale pulsatile.

Des données de base du client doivent être recueillies afin d'assurer un suivi postopératoire. L'infirmière doit aussi observer toute anomalie subtile dans la condition du client. Une attention particulière doit être prêtée au caractère et à la qualité des pouls périphériques et de l'état neurologique. Les sites du pouls artériel et les lésions cutanées aux membres inférieurs doivent être délimités sur la peau et inscrits au dossier avant l'intervention chirurgicale.

Planification. Les objectifs généraux pour le client atteint d'un anévrisme sont les suivants : avoir une perfusion tissulaire normale ; présenter une fonction motrice et neurologique intacte ; éviter les complications liées à la réparation chirurgicale telles qu'une thrombose ou une infection.

Exécution

Promotion de la santé. L'infirmière doit connaître les facteurs de risque des maladies cardiovasculaires afin d'enseigner les mesures de prévention aux clients, soit à l'hôpital ou dans le milieu communautaire (voir chapitre 22). Une attention particulière doit être prêtée au client ayant des antécédents familiaux d'anévrisme ou tout signe d'une autre maladie cardiovasculaire. Une personne victime d'un traumatisme et éprouvant des douleurs abdominales ou dorsales doit être fortement incitée à consulter un médecin.

Le client doit être encouragé à réduire les facteurs de risque connus qui sont associés à l'athérosclérose (voir encadré 22.2). Ceux-ci doivent comprendre le contrôle de l'hypertension, la désaccoutumance au tabac et l'adoption d'une alimentation faible en gras et en cholestérol. Ces mesures sont également utiles pour assurer une perméabilité continue de la greffe après la réparation chirurgicale.

Intervention en phase aiguë. Le rôle de l'infirmière au cours de la phase préopératoire doit comprendre l'enseignement, le soutien au client et à la famille ainsi qu'un examen approfondi de tous les systèmes anatomiques. Il est indispensable que les problèmes soient décelés tôt en vue d'établir les interventions appropriées.

En phase postopératoire, l'infirmière doit surveiller la perméabilité de la greffe, s'assurer d'une fonction respiratoire adéquate, surveiller l'équilibre hydro-électrolytique (bilan ingesta-excreta) et le soulagement de la douleur. Elle doit également surveiller les signes d'arythmies, d'infections et les complications neurologiques. Les soins dispensés au client ayant subi la réparation d'un anévrisme sont décrits dans l'encadré 26.1.

- Perméabilité de la greffe. Il est important de maintenir une pression artérielle systémique adéquate pour favoriser la perméabilité de la greffe. Une hypotension prolongée peut entraîner une thrombose de la greffe à la suite d'une diminution du débit sanguin. L'administration de liquides intraveineux et de dérivés sanguins est essentielle pour maintenir un débit sanguin adéquat vers la greffe. Les lectures de la pression veineuse centrale ou de la pression artérielle pulmonaire doivent être vérifiées toutes les heures afin d'évaluer l'état d'hydratation du client.

L'hypertension grave peut provoquer une tension excessive aux points d'anastomose artérielle proximale et distale, ce qui peut entraîner un écoulement sanguin ou une rupture de la suture. Une pharmacothérapie comprenant des diurétiques ou des antihypertenseurs peut être indiquée si l'hypertension grave persiste.

- Arythmies ventriculaires. Les arythmies ventriculaires sont généralement causées par l'hypoxie, l'hypothermie ou les déséquilibres électrolytiques. Un client souffrant d'une coronaropathie coexistante est prédisposé aux arythmies. Les interventions infirmières comprennent la surveillance de l'électrocardiogramme (ECG), des tests fréquents pour vérifier les électrolytes et la gazométrie du sang artériel (GSA). Le client souffrant d'hypothermie après une chirurgie doit être réchauffé à l'aide de couvertures chaudes.

- Infection. L'apparition d'une infection au greffon vasculaire synthétique est une complication pouvant mettre la vie du client en danger. L'infirmière doit s'assurer de prévenir l'infection en administrant au client des

Plan de soins infirmiers

Client ayant subi la réparation d'un anévrisme de l'aorte

DIAGNOSTIC INFIRMIER : risque élevé d'infection relié à la présence d'une greffe vasculaire et de cathéters intraveineux.

PLANIFICATION
Résultats escomptés
- Température corporelle normale.
- Aucun signe d'infection.

INTERVENTIONS	Justifications
• Surveiller les signes d'infection tels qu'une température corporelle élevée, les fréquences cardiaque et respiratoire élevées, un écoulement purulent à partir des incisions et des lignes de perfusion.	• La présence d'un de ces signes peut être un indice du début d'un processus infectieux.
• Administrer des antibiotiques à large spectre selon l'ordonnance.	• Maintenir adéquatement les taux sanguins des médicaments.
• Surveiller la numération des globules blancs.	• Une numération à la hausse peut être le premier signe d'infection.
• Utiliser une technique aseptique pour les soins des incisions et des cathéters intraveineux, des sondes et des cathéters à demeure.	• Ces sites sont des portes d'entrée à l'infection.
• Assurer une bonne alimentation.	• Favoriser la guérison.

DIAGNOSTIC INFIRMIER : diminution de l'irrigation tissulaire périphérique reliée à une occlusion de la greffe (thrombose ou embolie).

PLANIFICATION
Résultat escompté
- Greffe artérielle perméable et irrigation distale adéquate.

INTERVENTIONS	Justifications
• Examiner le client pour vérifier si le pouls périphérique est faible ou absent au niveau des membres inférieurs, s'il y a des changements de couleur ou de température au niveau des jambes et s'il y a augmentation de la douleur.	• Il s'agit de signes de diminution d'irrigation tissulaire périphérique.
• Comparer la chaleur et la couleur des membres.	• Une différence peut indiquer une perturbation du débit sanguin.
• Administrer les liquides intraveineux selon les taux prescrits.	• Assurer une hydratation et une irrigation rénale adéquates.

Processus thérapeutique

COMPLICATION POSSIBLE : déficit de volume liquidien relié à une perte active des liquides (hémorragie, diurèse prolongée).

PLANIFICATION
Objectifs
- Surveiller les signes d'hypovolémie.
- Signaler tout écart quant aux paramètres acceptables.

INTERVENTIONS	Justifications
• Administrer le culot globulaire (selon l'ordonnance).	• Servir de remplacement si une hémorragie a lieu.
• Surveiller la pression artérielle (PA) et la fréquence cardiaque.	• Déceler des changements indiquant l'hypovolémie tels qu'une diminution de la PA et une augmentation de la fréquence cardiaque.

➡ **Plan de soins infirmiers**

Client ayant subi la réparation d'un anévrisme de l'aorte (*suite*)

- Vérifier les taux d'hémoglobine et d'hématocrite toutes les quatre à six heures, au besoin.
- Observer l'abdomen et noter la mesure de la circonférence.
- Surveiller les pressions artérielles pulmonaires et le débit cardiaque.

- Une diminution de l'hémoglobine peut être un signe de saignement.
- Évaluer l'hémorragie ou le déplacement liquidien extra-vasculaire.
- Évaluer l'hypovolémie.

COMPLICATION POSSIBLE : diminution de l'irrigation tissulaire rénale reliée à une embolie artérielle rénale, une hypotension prolongée ou un clampage aortique peropératoire prolongé.

PLANIFICATION
Résultats escomptés
- Surveiller les signes de diminution de l'irrigation tissulaire rénale.
- Signaler tout écart quant aux paramètres acceptables.

INTERVENTIONS
- Surveiller le débit urinaire, le poids quotidien, l'azotémie urique (BUN) et la créatinine sérique.
- Administrer les liquides et les médicaments intraveineux prescrits.
- Surveiller les ingesta et excreta quotidiens.
- Prendre la PA.

Justifications
- Déceler tout signe de diminution d'irrigation tissulaire rénale et d'insuffisance rénale.
- Maintenir une hydratation, une irrigation et une PA adéquates.
- Évaluer la déshydratation ou la surcharge de volume.
- S'assurer que la PA et l'irrigation systémique sont adéquates.

---

antibiotiques à large spectre, selon l'ordonnance. Elle doit prendre la température corporelle régulièrement et signaler toute élévation au médecin. Les données de laboratoire doivent être vérifiées pour tout signe de leucocytose pouvant être la première indication d'une infection. L'infirmière doit s'assurer que l'alimentation du client est adéquate. Elle doit aussi observer la plaie pour tout signe de mauvaise cicatrisation, d'infection ou d'écoulement inhabituel.

Étant donné que tout point d'insertion d'un cathéter intraveineux, artériel ou veineux central est souvent une voie d'entrée pour les bactéries, l'infirmière doit s'assurer de donner de bons soins au moyen d'une technique stérile. Les soins périnéaux donnés au client ayant une sonde urinaire sont également importants pour minimiser les risques d'infection. Les incisions chirurgicales doivent être maintenues propres et sèches.

- **État gastro-intestinal.** Après une résection conventionnelle d'un anévrisme abdominal, il est possible qu'un iléus paralytique se forme en raison de l'anesthésie ainsi que de la manipulation et du déplacement des intestins au cours d'une longue chirurgie. Les intestins peuvent devenir gonflés et le péristaltisme peut cesser à différents intervalles. Par conséquent, une technique rétropéritonéale peut être utilisée pour éviter les complications intestinales.

Une sonde nasogastrique est insérée pendant la chirurgie et raccordée à un système d'aspiration faible et intermittente. La décompression de l'estomac et du duodénum prévient l'aspiration du contenu stomacal et diminue la pression sur les sutures. La sonde nasogastrique doit être irriguée avec une solution saline normale au besoin ; la quantité et l'aspect du drainage doivent être notés au dossier. L'infirmière doit ausculter le client pour vérifier si les bruits intestinaux sont rétablis. L'expulsion des gaz intestinaux est un signe indicateur du retour de la fonction intestinale et celle-ci doit être notée au dossier.

Il est anormal qu'un iléus paralytique persiste après le quatrième jour postopératoire. Même si le client ne peut rien ingérer par voie orale, il est important que l'infirmière lui administre des soins bucco-dentaires plusieurs fois par jour. Dans certaines situations, des glaçons concassés ou des pastilles peuvent s'avérer efficaces pour soulager une irritation de la gorge.

Une ischémie ou la mort du tissu intestinal peut se manifester si l'apport sanguin artériel vers l'intestin est interrompu au moment de la chirurgie. L'absence de bruits intestinaux, la fièvre, la distension abdominale, la diarrhée et des selles sanguinolentes en témoignent. Heureusement, cette complication grave est peu fréquente.

- **État neurologique.** Des complications neurologiques peuvent se produire après une intervention chirurgicale au niveau de l'aorte, particulièrement lorsque l'aorte ascendante et la crosse aortique sont atteintes. L'intervention infirmière doit comprendre l'évaluation des signes neurologiques (toutes les heures après la chirurgie et moins fréquemment par la suite), incluant l'état de conscience, la taille de la pupille et sa réaction à la lumière, la sensibilité, la capacité de bouger tous les membres et la qualité de la préhension de la main (voir chapitre 52). Ces signes doivent être notés et la réaction du client doit être décrite explicitement. Tout changement par rapport aux données de base doit être signalé au médecin immédiatement.

- **État circulatoire.** La localisation anatomique de l'anévrisme indique les principales régions atteintes liées à l'état circulatoire. Les pouls périphériques doivent être pris régulièrement et notés, soit toutes les heures au début selon le protocole infirmier et à des intervalles réguliers par la suite. Les pouls à vérifier sont au niveau fémoral, poplité, tibial postérieur et pédieux (voir figure 20.9).

Lorsque l'infirmière prend les pouls du client pour la première fois, elle doit marquer l'emplacement avec un stylo à bille ou un stylo feutre de façon à ce que les autres infirmières puissent les localiser facilement. Il est également important de noter la température, la couleur et la mobilité des membres.

Il peut parfois y avoir absence de pouls aux membres inférieurs pendant un bref moment après la chirurgie, qui peut être due à un spasme vasculaire et à de l'hypothermie. Une diminution ou l'absence du pouls, combinée à un membre froid, pâle, marbré ou douloureux, peut indiquer une embolie causée par un thrombus de l'anévrisme, par de la plaque ou causée par une occlusion de la greffe. Ces observations doivent être signalées au chirurgien immédiatement. Il est possible qu'il y ait absence de pouls en phase préopératoire chez certains clients, en raison d'une artériopathie oblitérante coexistante. Il est donc indispensable de comparer les données préopératoires aux données actuelles, afin de déterminer l'étiologie d'un pouls faible ou absent, pour établir un traitement adéquat.

- **Perfusion rénale.** Une des causes de la diminution de la perfusion rénale est l'embolisation d'un fragment de thrombus ou de plaque athéromateuse venant de l'aorte qui se loge dans une artère rénale, pouvant entraîner l'obstruction et l'ischémie d'un rein ou des deux. L'hypotension, la déshydratation, le clampage aortique prolongé ou la perte sanguine peuvent également causer une diminution de la perfusion rénale.

Après la chirurgie, le client porte une sonde urinaire à demeure et les données précises concernant l'apport liquidien et l'élimination urinaire doivent être notées jusqu'à ce que le client reprenne une alimentation normale. Le poids doit être pris tous les jours. Les mesures de la pression veineuse centrale et des pressions artérielles pulmonaires procurent également des données importantes sur l'état d'hydratation. Des tests sanguins (p. ex. azote uréique (BUN) et créatinine sérique) sont effectués quotidiennement afin d'évaluer la fonction rénale.

Soins ambulatoires et soins à domicile. Il est possible que le client appréhende le retour à la maison après avoir subi une chirurgie majeure au niveau de l'aorte. L'infirmière doit donc l'encourager à exprimer ses inquiétudes et l'assurer qu'il peut reprendre ses activités normales de la vie quotidienne. L'infirmière doit lui enseigner comment reprendre progressivement ses activités et l'informer que la fatigue, le manque d'appétit et les problèmes d'élimination sont possibles. Le client doit éviter de soulever des charges lourdes pendant au moins quatre à six semaines après la chirurgie. L'infirmière doit inciter le client à vérifier les incisions pour tout signe et symptôme d'infection. Toute rougeur, augmentation de la douleur ou tout écoulement provenant de l'incision doivent être signalés au médecin, de même qu'une fièvre dépassant 37,8 °C.

Un dysfonctionnement sexuel est courant chez l'homme après la chirurgie d'un anévrisme. Ceci peut se produire lorsque l'artère hypogastrique interne est touchée, ce qui entraîne une diminution du débit sanguin au pénis. L'infirmière doit également enseigner au client comment observer les changements de couleur et de chaleur au niveau des membres. Elle peut aussi enseigner à certains clients comment palper les pouls périphériques et évaluer les changements quant à leur qualité. Le client ayant reçu un greffon synthétique doit savoir qu'il devra sans doute prendre une antibioprophylaxie avant toute procédure invasive ultérieure, y compris les interventions dentaires.

Dans certaines situations, il peut arriver que la chirurgie ne soit pas recommandée dans les cas où l'anévrisme est très petit; le client n'est pas admissible à une chirurgie (p. ex. s'il est atteint d'une maladie pulmonaire ou d'une cardiopathie grave); le client lui-même refuse la chirurgie. Par conséquent, le client qui ne subit pas une chirurgie doit être incité à subir un examen physique régulier et à consulter le médecin pour tout symptôme qui persiste, quelle que soit sa gravité.

Évaluation. Les résultats escomptés chez le client ayant subi une réparation d'un anévrisme de l'aorte sont présentés dans l'encadré 26.1.

26.1.2 Anévrisme disséquant

L'anévrisme disséquant, qui se produit surtout au niveau de l'aorte thoracique, est une ouverture longitudinale de la paroi médiane de l'artère qui est décollée par le sang (voir figure 26.3). L'anévrisme disséquant touche davantage les hommes que les femmes et se manifeste généralement de 40 à 70 ans. Le taux de mortalité de l'anévrisme disséquant est de 90 % s'il n'est pas traité.

Étiologie et physiopathologie. L'anévrisme disséquant provient d'une petite déchirure sur la paroi interne de l'artère, permettant au sang de voyager entre l'intima et la media et de créer une fausse lumière du débit sanguin. Au moment où le cœur se contracte, chaque pulsation systolique augmente la pression sur la région atteinte, qui, par la suite, accentue la dissection. Elle peut provoquer une occlusion des branches majeures de l'aorte en s'étendant de façon proximale ou distale, et interrompre le débit sanguin vers les régions comme le cerveau, les organes abdominaux, les reins, la moelle épinière et les membres. Une petite déchirure distale peut parfois apparaître et le débit sanguin se réintroduit dans la vraie lumière du vaisseau.

On distingue l'anévrisme disséquant de l'anévrisme de l'aorte par la fausse lumière qui se forme lors de la séparation de l'intima et de la media au moment de la dissection. Par contre, un vrai anévrisme implique la dilatation de la paroi aortique entière.

La cause exacte de la dissection est incertaine. De nombreux spécialistes en attribuent la raison à la destruction des fibres élastiques de la paroi médiane. La plupart des personnes éprouvant des troubles de dissection souffrent d'hypertension. Les personnes atteintes du syndrome de Marfan (une maladie héréditaire du tissu conjonctif) ont une incidence élevée de dissection. La grossesse favorise également un stress vasculaire puisque le volume sanguin est élevé. Les régions qui semblent subir le plus grand stress et qui sont donc prédisposées à la dissection sont l'aorte ascendante, la crosse aortique et l'aorte descendante au-delà du point d'origine de l'artère sous-clavière gauche.

Classification. On classifie habituellement les anévrismes disséquants comme étant de type 1, 2 ou 3. Le type 1 concerne l'aorte ascendante et l'aorte thoracique descendante. Le type 2 concerne seulement l'aorte ascendante et le type 3 concerne l'aorte distale de l'artère sous-clavière.

Manifestations cliniques. Le client souffrant d'un anévrisme disséquant aigu éprouve généralement une douleur soudaine et sévère au dos, au thorax ou à l'abdomen. La douleur se décrit comme « lancinante » ou « déchirante » et peut ressembler à celle ressentie lors d'un infarctus du myocarde. À mesure que la dissection évolue, la douleur peut se localiser à la fois au-dessus et au-dessous du diaphragme. Il peut également y avoir présence de dyspnée.

Lorsque la crosse aortique est atteinte, le client peut manifester des signes de déficience neurologique, incluant l'altération du niveau de conscience, des étourdissements et un affaiblissement, ou l'absence de pouls carotidiens et temporaux. Un anévrisme de l'aorte disséquant ascendant produit généralement un certain degré d'insuffisance valvulaire aortique et un souffle est perceptible à l'auscultation. Une insuffisance grave peut causer une défaillance ventriculaire gauche, ce qui entraîne de la dyspnée et de l'orthopnée causées par un œdème pulmonaire. Lorsque les deux artères sous-clavières sont atteintes, la qualité du pouls et les mesures de la pression artérielle (PA) peuvent être différentes dans le bras gauche et le bras droit. À mesure que la dissection progresse vers l'aorte, les organes abdominaux et les membres inférieurs peuvent commencer à montrer des signes de diminution d'irrigation tissulaire et d'ischémie.

Complications. La tamponnade cardiaque est une complication grave de dissection de la crosse aortique ascendante qui se produit lorsque le sang s'échappe de la dissection vers l'enveloppe péricardique. Les manifestations cliniques de la tamponnade cardiaque comprennent la diminution de la pression différentielle, la distension des veines du cou, les bruits cardiaques sourds et le pouls paradoxal (voir chapitre 25).

Il est possible que l'aorte se rupture puisqu'elle est affaiblie par la dissection médiane. Une hémorragie peut se produire dans les cavités médiastinales, pleurales ou abdominales.

La dissection peut entraîner une occlusion de l'afflux artériel à plusieurs organes vitaux, tels que la moelle épinière, les reins et les organes abdominaux. L'ischémie de la moelle épinière produit des symptômes pouvant varier d'une faiblesse à une paralysie au niveau des membres inférieurs et à une diminution de la perception de la douleur. L'ischémie rénale se manifeste généralement par un faible débit urinaire. Les signes d'une ischémie abdominale comprennent la douleur abdominale, une diminution des bruits intestinaux et une altération de l'élimination intestinale.

Épreuves diagnostiques. Les épreuves diagnostiques utilisées pour évaluer l'anévrisme disséquant de l'aorte sont similaires à celles effectuées pour les anévrismes (voir encadré 26.2). L'ECG est utilisé pour exclure la possibilité d'un infarctus du myocarde. Une hypertrophie ventriculaire gauche est une constatation courante sur l'échocardiogramme et est possiblement liée aux changements causés par l'hypertension systémique. La radiographie pulmonaire peut montrer un élargissement de la silhouette médiastinale et un épanchement pleural gauche est courant. Une tomodensitométrie (TDM) ou une imagerie par résonance magnétique (IRM) peuvent fournir des données importantes sur la présence et la gravité de la dissection.

Une fois que l'état du client est stable, une aortographie est nécessaire pour évaluer l'étendue de la dissection.

Processus thérapeutique. L'objectif du traitement de l'anévrisme disséquant sans complication est d'abaisser la pression artérielle (PA) et de réduire la contractilité myocardique afin de diminuer les pressions dans l'aorte (voir encadré 26.2). Le nitroprusside de sodium (Nipride) administré par voie intraveineuse permet de diminuer rapidement la PA. Les bêta-bloquants intraveineux peuvent également être utilisés, comme le propranolol (Indéral) ou le metoprolol (Lopresor).

Traitement conservateur. Le client souffrant d'une dissection sans complication peut recevoir un traitement conservateur pendant une longue période. Le traitement symptomatique est axé sur le soulagement de la douleur, la transfusion de sang (s'il y a lieu) et le traitement de l'insuffisance cardiaque, si cela est indiqué. Un traitement conservateur est généralement suffisant si le trouble se limite à une dissection au niveau de l'aorte descendante. La réussite du traitement est jugée par le soulagement de la douleur, qui constitue une indication de la stabilisation de la dissection. Par contre, une chirurgie est habituellement recommandée si la dissection atteint l'aorte ascendante.

Traitement chirurgical. Une chirurgie est indiquée lorsque la pharmacothérapie est inefficace ou lorsque les complications de l'anévrisme disséquant (p. ex. insuffisance cardiaque, écoulement de la dissection, occlusion d'une artère) sont présentes. Étant donné que l'aorte est fragile après la chirurgie, on préfère la retarder aussi longtemps que possible pour donner le temps à l'œdème de se résorber dans la région de la dissection, permettre la coagulation du sang dans la fausse lumière et permettre au processus de guérison de débuter.

La chirurgie d'un anévrisme disséquant implique la résection du segment aortique contenant la déchirure intimale et le remplacement par un greffon synthétique. L'ampleur du remplacement aortique dépend de l'étendue de la dissection.

Soins infirmiers : anévrisme disséquant. Les interventions infirmières liées à un anévrisme disséquant visent à maintenir le client en position semi-Fowler et à assurer un milieu environnant calme afin de maintenir la pression artérielle systolique (PAS) au plus faible niveau. Les narcotiques et anxiolytiques doivent être administrés selon l'ordonnance. La douleur et l'anxiété doivent être atténuées afin que le client soit confortable, et notamment parce que ces facteurs peuvent entraîner une hausse de la PAS.

L'administration continue d'antihypertenseurs intraveineux (IV) exige une surveillance attentive de la part de l'infirmière. Le client fait souvent l'objet d'une surveillance cardiaque par moniteur et de la PAS par canule intra-artérielle (voir chapitre 29). L'infirmière doit surveiller les changements dans la qualité des pouls périphériques et les signes d'accroissement de la douleur, de la nervosité et de l'anxiété. Les signes vitaux sont pris fréquemment, parfois aussi souvent qu'aux deux à trois minutes. Une pression différentielle croissante peut indiquer une augmentation de l'insuffisance valvulaire aortique. Lorsque les vaisseaux sanguins partant de la crosse aortique sont atteints, une diminution du débit sanguin cérébral peut altérer le système sensoriel et le niveau de conscience. Les soins postopératoires dispensés pour corriger la dissection sont semblables à ceux suivant une anévrismectomie (voir la section traitant des soins infirmiers des anévrismes).

L'infirmière doit également axer ses interventions sur l'enseignement au client et à sa famille en vue de la sortie d'hôpital. Le programme thérapeutique comprend la prise d'antihypertenseurs, habituellement par voie orale. Le client doit comprendre l'importance de prendre ces médicaments pour contrôler la PA. Le propranolol (Inderal) peut être pris oralement pour continuer de diminuer la contractilité myocardique. Il est indispensable que le client comprenne l'observance du programme thérapeutique. L'infirmière doit aviser le client qu'il doit se rendre immédiatement à l'établissement de soins le plus près de chez lui si la douleur récidive ou si d'autres symptômes se manifestent.

PROCESSUS DIAGNOSTIQUE
ET THÉRAPEUTIQUE

Anévrisme disséquant — ENCADRÉ 26.2

Diagnostic
- Antécédents de santé et examen physique
- ECG
- Radiographie pulmonaire
- TDM
- Échocardiographie transœsophagienne
- IRM
- Aortographie

Processus thérapeutique
- Repos au lit
- Soulagement de la douleur avec des narcotiques
- Contrôle de la PA
  - Nitroprusside de sodium (Nipride)
- Propranolol (Indéral)
- Labétalol (Trandate)
- Résection et réparation de l'aorte

26.2 ARTÉRIOPATHIE OBLITÉRANTE AIGUË

26.2.1 Étiologie et physiopathologie

L'artériopathie oblitérante aiguë apparaît soudainement, sans avertissement. Elle peut être causée par une embolie, une thrombose d'une artère déjà rétrécie ou un traumatisme. L'embolisation d'un thrombus cardiaque ou d'un anévrisme athéroscléreux sont les causes les plus fréquentes d'occlusion artérielle aiguë. Les affections cardiaques dans lesquelles les thrombus sont propices à se développer comprennent l'endocardite infectieuse, l'infarctus du myocarde, la valvulopathie mitrale, la fibrillation auriculaire chronique, les myocardiopathies et les valvules prothétiques. Les thrombus peuvent se déloger et se déplacer vers les poumons s'ils proviennent du côté droit du cœur ou n'importe où dans la circulation systémique s'ils proviennent du côté gauche du cœur.

Les emboles artériels tendent à se loger au niveau des bifurcations artérielles ou dans les régions de rétrécissement athérosclérotique. Une occlusion artérielle aiguë entraîne une diminution du débit sanguin en aval de l'embole. Le degré et l'étendue des symptômes dépendent de la taille et de l'emplacement de l'obstruction, de la fragmentation du caillot avec l'embolie des plus petits vaisseaux et du degré de maladie vasculaire périphérique déjà présente.

Une thrombose locale soudaine peut se produire au niveau de la plaque athéroscléreuse. Une lésion traumatique à un membre peut produire une occlusion partielle ou totale d'un vaisseau à la suite d'une compression, d'un cisaillement ou d'une lacération. Une occlusion artérielle aiguë peut également se manifester à la suite d'une dissection artérielle dans l'artère carotide ou l'aorte ou à la suite d'une lésion artérielle iatrogénique (c'est-à-dire causée par l'artériographie).

26.2.2 Manifestations cliniques

Les signes et symptômes d'une occlusion artérielle aiguë apparaissent généralement brusquement. Il peut toutefois y avoir une exception lorsqu'une occlusion soudaine est superposée à une insuffisance artérielle chronique préexistante. Dans ce cas, les symptômes peuvent être insidieux, parce que la circulation collatérale est bien développée.

Les manifestations cliniques de l'occlusion artérielle aiguë sont la douleur, la pâleur, l'absence de pouls, la paresthésie, la paralysie et la poïkilothermie (adaptation du membre ischémique à la température de son milieu, le plus souvent froid). Sans une intervention immédiate, l'ischémie peut évoluer en nécrose tissulaire, et même jusqu'à la gangrène, en quelques heures. Il est à noter que la paralysie est un signe très tardif d'une ischémie artérielle aiguë et indique la mort réelle des nerfs alimentant le membre. Étant donné que le tissu nerveux est très sensible au manque d'oxygène, la paralysie des membres ou la neuropathie ischémique peut persister après la revascularisation et peut demeurer permanente.

26.2.3 Processus thérapeutique

Un traitement précoce est essentiel afin de préserver la viabilité du membre atteint lorsqu'une occlusion artérielle aiguë se manifeste et que la circulation collatérale n'est pas suffisante. Une anticoagulothérapie doit être amorcée immédiatement pour éviter que le thrombus ne s'élargisse et pour empêcher l'embolie. Le traitement privilégié est l'administration continue d'héparine intraveineuse. Le thrombus doit être enlevé aussitôt que possible par embolectomie ou thrombectomie. Des cathéters à ballonnet peuvent être insérés de façon distale et proximale au site afin d'extraire le caillot. Il est possible qu'une artériotomie directe soit nécessaire pour effectuer une embolectomie pulmonaire ou une thromboendartériectomie.

Lorsque l'héparine parvient à stabiliser le thrombus dans le membre, l'embolie récemment formée peut être traitée efficacement avec une perfusion intra-artérielle d'un agent thrombolytique comme un activateur tissulaire du plasminogène recombinant (r-tPA), la streptokinase ou l'urokinase. Ces médicaments agissent en dissolvant directement le caillot sur une période de 24 à 48 heures. Un cathéter percutané est inséré dans l'artère fémorale pour atteindre le site du caillot. Le repos au lit est maintenu et des angiographies sont effectuées régulièrement pour contrôler le caillot. Bien que cette intervention puisse être efficace, elle peut toutefois présenter des complications d'hémorragie. Par conséquent, seuls certains clients sont admissibles à cette intervention et ils doivent être surveillés aux soins intensifs.

Chez certains clients à risque d'embolie ayant une source persistante comme la fibrillation auriculaire chronique, le traitement à long terme comprend une anticoagulothérapie orale pour prévenir d'autres épisodes aigus d'embolie.

26.3 ARTÉRIOPATHIE OBLITÉRANTE CHRONIQUE

26.3.1 Maladie des membres inférieurs

L'artériopathie oblitérante chronique touche au rétrécissement et à la dégénérescence progressive des artères, principalement au niveau des membres inférieurs. La maladie peut affecter les vaisseaux aorto-iliaques, fémoraux, poplités, tibiaux et de la région du péroné (voir figure 26.6). L'artériopathie oblitérante est une maladie qui progresse lentement, insidieusement, et principalement attribuable au processus athérosclérotique, d'où l'usage fréquent du terme **artériosclérose oblitérante**. Elle se produit généralement de l'âge de 60 à 80 ans, affecte principalement les hommes et a une tendance familiale. Elle peut se produire à un âge plus jeune chez le client souffrant de diabète. Bien que le processus puisse être ralenti ou interrompu en modifiant un facteur de risque, la maladie est incurable. Tous les traitements sont palliatifs.

Étiologie et physiopathologie.

La principale cause de l'artériopathie oblitérante est l'athérosclérose, un épaississement graduel de l'intima et de la media, qui conduit au rétrécissement de la lumière du vaisseau. L'athéro-sclérose affecte d'abord les plus grandes artères. L'atteinte est généralement par segments, pouvant à la fois en laisser certains intacts et en affecter d'autres. Le vaisseau est rétréci d'environ 75 % lorsque les symptômes se manifestent. La région fémoro-poplitée est le site le plus couramment affecté chez les non diabétiques, alors que la maladie tend à se développer dans les artères au-dessous des genoux (spécifiquement les artères tibiales antérieure et postérieure et celles du péroné) chez les diabétiques. Divers niveaux d'occlusion peuvent être constatés lorsque la maladie est avancée.

Les trois facteurs de risque les plus importants liés à l'artériopathie périphérique sont le tabagisme, l'hyperlipidémie et l'hypertension. Les autres facteurs de risque sont le diabète, les antécédents familiaux positifs, l'obésité et un mode de vie sédentaire.

L'obstruction artérielle chronique entraîne progressivement une oxygénation insuffisante des tissus alimentés par les artères obstruées. La douleur attribuable à l'ischémie est causée par les produits finaux du métabolisme cellulaire anaérobique tels que l'acide lactique. Ceci se produit généralement au niveau des grands groupes musculaires des membres inférieurs (fesses, cuisses, mollets) lors de l'exercice. Une fois que le client cesse l'exercice, les métabolites sont dégagés et la douleur diminue. À mesure que le processus morbide évolue, la douleur se manifeste au repos. La « douleur au repos » se manifeste souvent au niveau des pieds ou des orteils et indique une insuffisance du débit sanguin vers les nerfs qui alimentent le membre distal. Le client éprouve habituellement cette douleur la nuit et peut obtenir un soulagement partiel en abaissant le membre au-dessous du niveau du cœur (c'est-à-dire en laissant pendre les jambes sur le bord du lit).

Manifestations cliniques.

La gravité des manifestations cliniques dépend du site et de l'étendue de l'obstruction ainsi que du volume et du développement de la circulation collatérale (voir tableau 26.3). Le symptôme classique d'artériopathie périphérique est la claudication intermittente ou la douleur musculaire ischémique provoquée par une quantité d'exercices et pouvant être soulagée par le repos. La maladie qui atteint les artères fémorales ou poplitées peut causer une claudication au mollet, alors que la maladie occlusive des artères aorto-iliaques peut produire une claudication dans les fesses et la partie supérieure des cuisses. Si la maladie atteint les artères iliaques internes (hypogastriques), cela peut entraîner de l'impuissance. Un dysfonctionnement sexuel peut se manifester chez 30 à 50 % des clients victimes d'une occlusion aorto-iliaque.

La douleur au repos se manifeste davantage à mesure que la maladie s'aggrave et cela devient un symptôme menaçant. Sans revascularisation, l'état du membre peut progresser jusqu'à l'ulcération et un phénomène

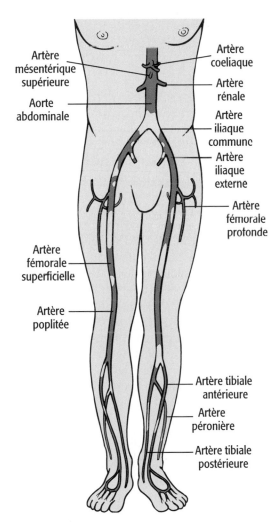

FIGURE 26.6 Localisations anatomiques courantes de lésions athérosclérotiques au niveau de l'aorte abdominale et des membres inférieurs

Artère mésentérique supérieure

Aorte abdominale

Artère fémorale superficielle

Artère poplitée

Artère coeliaque

Artère rénale

Artère iliaque commune

Artère iliaque externe

Artère fémorale profonde

Artère tibiale antérieure

Artère péronière

Artère tibiale postérieure

TABLEAU 26.3 Comparaison entre l'insuffisance artérielle chronique et l'insuffisance veineuse au niveau des membres inférieurs

Caractéristique	Insuffisance artérielle	Insuffisance veineuse
Pouls	Diminution ou absence de pouls périphérique.	Présence de pouls périphériques ; peuvent être difficiles à palper avec l'œdème.
Œdème	Pas d'œdème.	Œdème autour des chevilles et au niveau inférieur des jambes.
Poil	Perte de poils sur les jambes, les pieds et les orteils.	Présence de poils.
Ulcères	Ulcération ou gangrène sur les proéminences osseuses et points de pression sur les orteils et les pieds.	Ulcération autour de la cheville et au-dessus ou au-dessous de la malléole médiale ; gangrène peu fréquente.
Douleur	Claudication intermittente (douleur lors d'exercices au niveau des hanches, des fesses, des cuisses ou des mollets).	Douleur sourde ou lourdeur au niveau du mollet ou de la cuisse.
Ongles	Épais et cassants.	Normaux.
Couleur de la peau	Rougeur lorsque le membre est pendant et pâleur lorsqu'il est élevé.	Cyanosée si le membre est pendant ; pigmentation brune.
Texture de la peau	Mince, luisante, sèche.	Eczéma squameux ; dermatite de stase; les veines peuvent être visibles.
Température de la peau	Froide.	Chaude.

gangréneux peut se produire. Tout doit être mis en œuvre pour tenter de sauver le membre. La chirurgie est généralement indiquée, à moins que le client ne coure un risque opératoire très élevé ou qu'il ne souffre de plusieurs comorbidités.

La paresthésie, qui se manifeste par des engourdissements ou des picotements au niveau des orteils ou des pieds, peut provenir d'une ischémie du tissu nerveux. La vraie neuropathie périphérique se produit plus couramment chez le client atteint de diabète et chez celui souffrant d'une ischémie progressive de longue date. La neuropathie produit une douleur lancinante atroce ou une douleur ardente au niveau du membre. Elle ne suit aucune racine nerveuse en particulier, mais peut être présente près des régions ulcérées. Une diminution graduelle de l'irrigation vers les neurones entraîne à la fois une perte de sensation et de douleur profonde ; c'est pourquoi les blessures au membre passent souvent inaperçues.

L'apparence physique du membre à la suite de changements posturaux procure des données importantes sur la quantité suffisante du débit sanguin. La pâleur qui apparaît lorsque le membre est élevé indique une ischémie artérielle importante. L'hyperémie (rougeur) et un aspect bleuâtre ou un teint mat sont visibles lorsque le membre est dans une position pendante. La peau devient luisante et tendue et il y a perte de poils sur la partie inférieure de la jambe. Une diminution ou l'absence du pouls pédieux, poplité ou fémoral peut être notée.

Complications. L'artériopathie périphérique chronique progresse lentement. Une ischémie prolongée entraîne une atrophie de la peau et des structures sous-jacentes. Étant donné que leurs capacités de guérison sont réduites, une infection et une nécrose peuvent se manifester à la suite d'un léger traumatisme aux pieds, notamment chez le client diabétique. La plupart du temps, les ulcères ischémiques causés par l'insuffisance artérielle se produisent au niveau des proéminences osseuses des orteils et des pieds. (Ceci diffère des ulcères d'insuffisance veineuse, qui se manifestent autour de la malléole et des parties inférieures de la jambe [voir tableau 26.3]). Les ulcères ischémiques et la gangrène représentent les complications les plus graves de l'artériopathie chronique et peuvent conduire à l'amputation du membre inférieur si la circulation du sang n'est pas réactivée. En présence d'une athérosclérose de longue date, il est possible que la circulation collatérale puisse prévenir la gangrène du membre.

Épreuves diagnostiques. De nombreuses épreuves ont été développées dans le but d'évaluer le débit sanguin et d'examiner le système vasculaire (voir encadré 26.3). L'échographie Doppler comporte une sonde ultrasonore renfermant un cristal qui émet des ondes sonores vers les globules qui se déplacent. Elle mesure la vitesse du débit sanguin dans un vaisseau et émet un signal audible. Le flux directionnel peut être mesuré de façon antégrade et rétrograde. Ce type d'appareil est extrêmement sensible au mouvement du sang. Lorsque la palpation artérielle est difficile ou impossible en raison d'une maladie occlusive grave, le Doppler s'avère fort utile pour déterminer le débit sanguin. Cependant, un pouls palpable et un pouls Doppler ne sont pas équivalents et ne doivent pas être utilisés indifféremment. De plus, les pressions artérielles segmentées peuvent être recueillies (au moyen d'un Doppler et d'un sphygmomanomètre) au niveau de la cuisse, sous le genou et à la cheville. Les PA dans la jambe doivent être égales à celles dans le bras. Lorsque la maladie se manifeste dans les artères des jambes, la pression artérielle chute.

L'angiographie (aortographie et artériographie fémorale) est utilisée pour délimiter l'emplacement et l'étendue du processus morbide. De plus, elle procure des données sur le flux sanguin en vue de planifier la chirurgie. Elle est aussi utile lorsqu'une intervention chirurgicale ou une angioplastie est indiquée. L'angiographie à résonance magnétique a connu une grande amélioration et est parfois utilisée à la place de l'angiographie IV, particulièrement chez le client victime d'insuffisance rénale ou d'allergie à un produit de contraste.

PROCESSUS DIAGNOSTIQUE
ET THÉRAPEUTIQUE

Artériopathie oblitérante chronique ENCADRÉ 26.3

Diagnostic
- Antécédents de santé et examen physique, incluant la palpation des pouls périphériques
- Échographie Doppler
- Imagerie duplex
- Angiographie
- Angiographie à résonance magnétique

Processus thérapeutique
- Position de Trendelenburg inversée de 10° dans le lit
- Exercices de marche pendant 15 à 30 minutes deux fois par jour, selon la tolérance
- Soins des pieds*
- Éviter les traumatismes thermaux, chimiques et mécaniques
- Ne pas fumer
- Angioplastie transluminale percutanée avec ou sans endoprothèse
- Athérectomie
- Pontage artériel
- Angioplastie de greffe épicutanée, souvent effectuée avec un pontage
- Traitement thrombolytique et anticoagulation
- Endartériectomie (rarement effectuée avec une sténose localisée)
- Amputation

* Voir tableau 40.15.

Processus thérapeutique. Les objectifs du traitement conservateur de l'artériopathie périphérique chronique comprennent la protection des membres de tout traumatisme, le ralentissement de l'évolution de l'athérosclérose, la diminution des vasospasmes, la prévention et le contrôle de l'infection et l'amélioration de la circulation collatérale (voir encadré 26.3). Les facteurs de risque du client doivent être évalués et une intervention adéquate doit être amorcée en ce qui a trait à la désaccoutumance du tabac, à la perte de poids (s'il y a lieu) et au contrôle des problèmes lipidiques. L'hypertension doit également être traitée adéquatement (voir chapitre 21).

L'infirmière doit inciter le client à faire des activités physiques de faible intensité et à en augmenter graduellement la durée afin de favoriser la circulation collatérale. Par exemple, le client peut marcher de 15 à 30 minutes plusieurs fois par jour ou selon son seuil de tolérance. Le client doit toutefois cesser l'activité lorsque la douleur apparaît et la reprendre une fois que la douleur s'est atténuée après une période de repos.

Une inspection attentive des deux pieds, de même qu'une bonne hygiène et une bonne hydratation sont conseillées pour éviter que la peau se fissure et s'infecte. Bien que l'hygiène soit importante, on doit éviter de faire tremper le pied atteint pour prévenir la macération ou la détérioration cutanée. En présence d'un ulcère, le pied atteint doit toujours être propre et sec. Recouvrir l'ulcère d'un pansement sec et stérile peut aider à le maintenir propre et à protéger le membre. Même si divers produits peuvent être utilisés pour soigner les plaies en vue de traiter une ulcération profonde, il est peu probable que l'ulcère se cicatrise tant que le débit sanguin ne sera pas rétabli. Les chaussures portées par le client doivent être souples, amples et offrir une bonne protection. Le client doit également éviter les produits chimiques, la chaleur et le froid.

Les interventions radiologiques ou la chirurgie sont recommandées dans les cas suivants : les symptômes de la claudication intermittente deviennent invalidants ; le membre est tellement ischémique que le client éprouve de la douleur au repos ; l'ulcération ou la gangrène sont assez graves pour menacer la viabilité du membre. Ce dernier problème évoluera à moins que la circulation artérielle ne soit rétablie.

Interventions radiologiques. L'**angioplastie transluminale percutanée** a recours à un cathéter spécial muni d'un ballonnet cylindrique. Lorsque le ballonnet est gonflé, cela permet au vaisseau de se dilater en écrasant la couche athéroscléreuse sur l'intima et en étirant également la media sous-jacente (voir figure 26.7). Cette intervention est utilisée chez certains clients victimes de lésions localisées qui peuvent être accessibles (moins de 10 cm de long). L'angioplastie transluminale percutanée connaît le plus grand taux de réussite dans

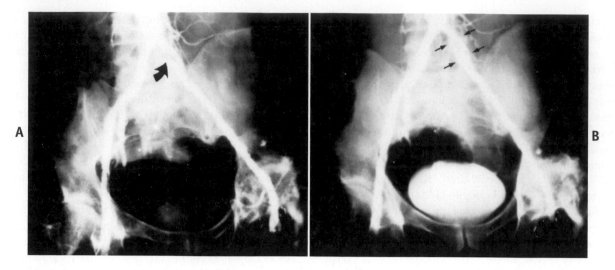

FIGURE 26.7 A. Sténose de l'artère iliaque commune gauche (flèche). B. Dilatation de la lumière de l'artère iliaque commune gauche suivant l'angioplastie transluminale percutanée (flèches).

les cas de lésions à l'artère iliaque. Les petits vaisseaux sous le genou (artères tibiales) ont les taux de perméabilité les moins favorables.

L'**athérectomie**, permettant de pulvériser la plaque recouvrant la paroi artérielle, est souvent exécutée conjointement avec l'angioplastie. Une fois que la plaque est « réduite de volume », la dilatation est exécutée en utilisant un cathéter à ballonnet.

Une **endoprothèse intravasculaire** peut permettre d'atténuer les problèmes de resténose et de dissection artérielle après une angioplastie transluminale percutanée. L'endoprothèse peut être rigide ou souple et est insérée de façon percutanée à l'intérieur de l'artère. Les endoprothèses sont surtout utilisées dans les artères iliaques et rénales.

Traitement chirurgical. De nombreuses méthodes chirurgicales peuvent être utilisées pour améliorer le débit sanguin artériel au-delà de l'artère rétrécie ou obstruée. La plus courante est le pontage artériel avec une veine autogène ou un matériau de greffe synthétique pour dévier ou transporter le sang autour de la lésion (voir figure 26.8).

D'autres options chirurgicales comprennent l'endartériectomie (ouverture de l'artère et ablation de la plaque obstructive) et l'angioplastie avec autogreffe (ouverture de l'artère, ablation de la plaque et suture d'un greffon au niveau de l'ouverture pour élargir la lumière).

L'amputation est la dernière option souhaitée, mais elle peut être requise si la gangrène s'étend, s'il y a présence d'infection osseuse (ostéomyélite) ou si toutes les principales artères du membre sont obstruées, empêchant la possibilité d'un pontage. Tout est mis en

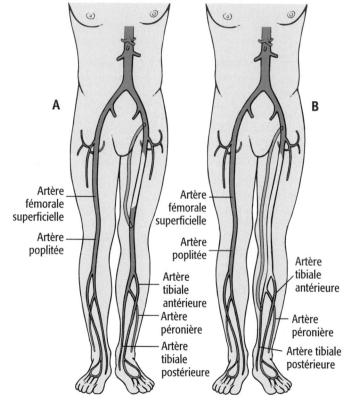

FIGURE 26.8 A. Pontage fémoro-poplité d'une artère fémorale superficielle bouchée. B. Pontage fémoro-tibial postérieur des artères fémorale, poplitée et tibiale obstruées.

œuvre afin de préserver la plus grande partie du membre possible de façon à optimiser le potentiel de réadaptation avec une chaussure orthopédique ou une prothèse (voir chapitre 59).

Pharmacothérapie. Bien que différents médicaments soient couramment prescrits pour traiter l'artériopathie oblitérante périphérique, il n'existe aucun agent spécifique qui soit considéré efficace à l'exception de la pentoxifylline (Trental), qui augmente la flexibilité des érythrocytes et réduit la viscosité sanguine, ce qui permet d'améliorer l'apport de sang oxygéné au muscle ischémique. Même s'il n'est pas concluant que des agents antiplaquettaires tels que l'aspirine, le ticlopidine (Ticlid) et le clopidogrel (Plavix) améliorent la circulation dans les artères atteintes ou empêchent l'hyperplasie intimale d'entraîner une sténose, ils sont parfois utilisés après un pontage artériel pour favoriser la perméabilité du greffon. Un anticoagulant comme la warfarine (Coumadin) est parfois prescrit aux clients chez qui la greffe a tendance à s'obstruer.

Le cilostazol (Pletal) est un nouveau médicament visant à traiter l'artériopathie périphérique. Il permet d'inhiber l'agrégation plaquettaire, d'accroître la vasodilatation et d'inhiber la prolifération des fibres musculaires lisses. Il soulage aussi les symptômes de claudication intermittente.

Recommandations nutritionnelles. La nutritionniste doit aviser le client souffrant d'athérosclérose de suivre les recommandations nutritionnelles suivantes :

- Adapter l'apport calorique de façon à ce que le poids optimal puisse être atteint et maintenu ;
- Diminuer l'apport en cholestérol à moins de 200 mg par jour ;
- Réduire l'apport en gras saturés (voir tableau 22.2) ;
- Restreindre le sodium à 3 g par jour s'il y a de l'œdème, de l'insuffisance cardiaque ou de l'hypertension artérielle (voir tableau 23.7).

Soins infirmiers : artériopathie oblitérante chronique

Collecte de données. Les données subjectives et objectives devant être recueillies auprès du client souffrant d'artériopathie oblitérante chronique sont présentées dans l'encadré 26.5.

Diagnostics infirmiers. Les diagnostics infirmiers pour le client souffrant d'artériopathie oblitérante chronique comprennent, entre autres, ceux présentés dans l'encadré 26.6.

Planification. Les objectifs généraux pour le client souffrant d'artériopathie oblitérante chronique sont les suivants : obtenir une irrigation tissulaire adéquate ; soulager la douleur ; augmenter la tolérance aux exercices ; conserver une peau des membres intacte et saine.

RECHERCHE
Programme d'exercices lors de claudication artérielle   ENCADRÉ 26.4

Article : Patterson RB et coll. : Value of a supervised exercise program for the therapy of arterial claudication, *J Vasc Surg* 25 :312, 1997.

Objectif : tester et comparer l'efficacité d'un programme d'exercices supervisé et celle d'un programme d'exercices à domicile visant à accroître la capacité de marcher et la qualité de vie des clients souffrant de claudication intermittente.

Méthodologie : les clients souffrant de claudication intermittente ont été placés aléatoirement dans un programme d'exercices supervisé de 12 semaines (SUPEX), incluant des cours hebdomadaires portant sur la maladie vasculaire périphérique, ou dans un groupe d'exercices à domicile (HOMEX), où les clients participaient à des cours identiques et recevaient des consignes sur les exercices à chaque semaine. L'échantillonnage de l'étude comprenait 29 hommes et 26 femmes, dont la moyenne d'âge était de 69 ans. Quarante-sept clients ont complété le programme de 12 semaines et 38 étaient disponibles pour effectuer un test de 6 mois. Le temps de douleur de claudication (TDC) et le temps maximum de marche (TMM) lors d'une épreuve quotidienne progressive sur tapis roulant ont été évalués au début de l'étude, au terme du programme de 12 semaines et après 6 mois. Le questionnaire abrégé portant sur l'étude des

résultats médicaux (SF-36) a été administré à ces intervalles pour évaluer les effets sur la qualité de vie.

Résultats et conclusion : chaque groupe s'est amélioré tant en ce qui concerne le TDC que le TMM à la fin du programme de 12 semaines, puis a été maintenu pendant le suivi de 6 mois. Bien que l'amélioration du TDC dans le groupe HOMEX, à partir des données de départ jusqu'au suivi de six mois, ait été inférieure à celle du groupe SUPEX, des résultats semblables ont été obtenus pour le TMM. Les mesures de perception de santé basées sur le SF-36 ont montré une amélioration sur le plan de la sous-échelle de la fonction physique, de la sous-échelle de la douleur physique et de l'indice de composante physique.

Incidences sur la pratique : dans les cas de claudication intermittente, les programmes d'exercices supervisés procurent une meilleure capacité à marcher, et les programmes d'exercices supervisés ainsi que les programmes à domicile entraînent une amélioration des mesures fonctionnelles (SF-36). Le manque de différences entre les groupes peut relever d'un haut degré d'interaction avec les personnes soignantes du groupe HOMEX. Bien qu'un programme supervisé procure des bienfaits optimaux relativement à la marche, un programme à domicile bien structuré procure une amélioration fonctionnelle semblable et peut constituer une solution acceptable pour le client.

COLLECTE DE DONNÉES

Artériopathie oblitérante chronique

ENCADRÉ 26.5

Données subjectives

Information importante concernant la santé

- Antécédents de santé : hypertension, obésité, diabète, hypercholestérolémie, sédentarité, tabagisme.
- Mode perception et gestion de la santé : antécédents familiaux de maladie vasculaire ; tabagisme.
- Mode nutrition et métabolisme : apport élevé de matières grasses.
- Mode activité et exercice : intolérance à l'exercice.
- Mode cognition et perception : douleur aux fesses, aux cuisses et aux mollets, précipitée par l'exercice et diminuant au repos (claudication intermittente) ou progressant au repos ; douleur ardente aux pieds et aux orteils qui augmente avec l'activité et diminue au repos ; picotement, démangeaison, sensation de froid dans les jambes ou les pieds ; perte progressive de la sensation et douleur profonde aux membres.
- Mode sexualité et reproduction : impuissance.

Données objectives

Appareil tégumentaire

- Perte de poils sur les jambes ; ongles d'orteils épais ; pâleur lorsque le membre est élevé ; rougeur lorsque le membre est pendant ; peau mince, fraîche, luisante avec atrophie musculaire ; détérioration de la peau et ulcération, notamment au-dessus des régions osseuses ; gangrène.

Appareil cardiovasculaire

- Diminution ou absence de pouls périphériques ; des bruits peuvent être entendus aux sites de pulsion.

Système neurologique

- Mobilité réduite.

Résultats possibles

- Le duplex artériel positif, les pressions Doppler ou l'angiographie peuvent montrer une maladie occlusive.

Exécution

Promotion de la santé. L'infirmière doit évaluer les facteurs de risque du client et lui enseigner comment les modifier (voir encadré 22.4). En milieu communautaire, le rôle de l'infirmière consiste à identifier les clients à risque. Elle doit aussi participer aux cliniques de dépistage de l'artériopathie périphérique, de l'hypertension et du diabète. Les jeunes et les adultes doivent être renseignés sur les dangers du tabagisme. L'infirmière doit également renseigner les gens concernant les modifications à apporter aux habitudes alimentaires afin de réduire l'apport en gras animal et les sucres raffinés, les soins adéquats des pieds et la façon d'éviter les blessures aux membres. Les personnes qui ont des antécédents familiaux de maladie cardiaque, vasculaire ou diabétique doivent être incitées à consulter leur médecin régulièrement.

Intervention en phase aiguë. Après une intervention chirurgicale, le client doit être surveillé étroitement dans la salle de réveil. La couleur et la température de la peau, le remplissage capillaire et la présence des pouls périphériques doivent être vérifiés au niveau du membre opéré toutes les 15 minutes au début, puis aux 30 minutes et aux heures par la suite. La perte de pouls palpables nécessite une intervention immédiate. Une fois que le client quitte la salle de réveil, les soins infirmiers doivent être axés sur l'évaluation continue du système circulatoire et la surveillance de toute complication potentielle comme le saignement, l'hématome, la thrombose, l'embolie et le syndrome du compartiment. Une douleur ischémique sévère, la perte d'un ou de plusieurs pouls palpables, la pâleur, des picotements, des démangeaisons ou une température froide peuvent

indiquer l'occlusion du pontage et doivent être signalés immédiatement au chirurgien.

Aucune pression ne doit être mise sur les talons. Les postures exigeant une flexion des genoux doivent être évitées, sauf lors de certains exercices. Le client doit être tourné aux deux heures et repositionné dans le lit, et des oreillers peuvent être placés contre l'incision pour amortir toute pression. Le client devrait être en mesure de marcher trois à quatre fois par jour après le troisième ou quatrième jour postopératoire. L'infirmière doit le dissuader de rester assis trop longtemps, car la position avec les jambes pendantes pourrait causer un œdème important et, par conséquent, provoquer un malaise, une tension sur les sutures et augmenter le risque de thrombose veineuse profonde. Dans le cas où il y aurait beaucoup d'œdème, on recommandera une position couchée en maintenant la jambe œdémateuse élevée au-dessus du niveau du cœur. Des bas antiemboliques peuvent s'avérer utiles pour contrôler l'œdème au niveau du membre. La marche est recommandée, même si le client ne peut faire que quelques pas. L'usage d'un déambulateur peut être utile au début, notamment si le client est âgé. En général, le client peut quitter l'hôpital après trois à cinq jours suivant la chirurgie si aucune complication ne s'est manifestée.

Soins ambulatoires et soins à domicile. L'athérosclérose est un processus morbide systémique et n'est pas uniquement restreint aux membres inférieurs. Par conséquent, son traitement général vise à instaurer un plan de soins afin de modifier les facteurs de risque (voir encadré 22.4). Le tabac sous toutes ses formes est totalement contre-indiqué, non seulement en raison des effets vasoconstricteurs de la nicotine, mais aussi parce

Plan de soins infirmiers   ENCADRÉ 26.6

Client souffrant d'artériopathie oblitérante chronique

DIAGNOSTIC INFIRMIER : diminution de l'irrigation tissulaire périphérique reliée à l'athérosclérose, se manifestant par une douleur dans la fesse, la cuisse ou le mollet, une diminution ou l'absence de pouls périphériques et une paresthésie dans les orteils ou le pied.

PLANIFICATION
Résultats escomptés
- Capacité d'identifier les interventions et les activités pour favoriser la vasodilation.
- Capacité d'identifier les facteurs qui diminuent la circulation périphérique.
- Diminution de la douleur.

INTERVENTIONS	Justifications
• Examiner les membres inférieurs pour détecter tout signe de diminution d'irrigation tissulaire périphérique.	• Fournir les interventions adéquates.
• Expliquer l'importance de cesser de fumer.	• Accroître la coopération du client et réduire les effets vaso-constricteurs de la nicotine.
• Encourager le client à marcher jusqu'au seuil de la douleur.	• Favoriser le développement de la circulation collatérale par cet exercice.
• Aviser le client d'arrêter et de se reposer si la douleur se produit en marchant.	• Augmenter la circulation dans les régions atteintes.
• Aviser le client d'éviter de s'asseoir les jambes pendantes.	• Cette position favorise la stase veineuse.
• Aviser le client d'éviter les ceintures, les jarretières ou les chaussettes serrées.	• Ils réduisent la circulation collatérale.

DIAGNOSTIC INFIRMIER : atteinte à l'intégrité de la peau reliée à une diminution de la circulation périphérique, se manifestant par des ulcérations, des plaies non cicatrisées ou l'apparition de gangrène aux membres inférieurs.

PLANIFICATION
Résultats escomptés
- Aucune plaie aux membres inférieurs.
- Aucun signe d'infection de plaie aux membres inférieurs.

INTERVENTIONS	Justifications
• Enseigner au client comment éviter les traumatismes aux membres inférieurs.	• Les tissus cutanés sont très fragiles et les plaies se cicatrisent mal lorsqu'il y a insuffisance circulatoire.
• Montrer au client comment vérifier la température de l'eau du bain avec les doigts plutôt qu'avec les orteils.	• Parce que la sensation peut être réduite.
• Montrer au client et à la famille comment inspecter et prendre soin des pieds adéquatement. Expliquer que les chaussures doivent être amples et souples et que les soins des cals et des ongles d'orteils doivent être effectués uniquement par un professionnel.	
• Examiner les ulcères pour tout signe d'infection et traiter l'ulcère en ayant recours aux soins des plaies.	• Favoriser la cicatrisation de la plaie.
• Aviser le client d'éviter les produits chimiques sur les pieds et de garder les pieds chauds.	

DIAGNOSTIC INFIRMIER : douleur reliée à l'ischémie tissulaire, se manifestant par des plaintes de douleur lors d'exercices.

PLANIFICATION
Résultat escompté
- Soulagement de la douleur.

INTERVENTIONS	Justifications
• Évaluer la localisation, le début, le degré et la durée de la douleur.	• Planifier des interventions adéquates.
• Encourager le repos lorsque la douleur se produit.	• Soulager ou diminuer l'ischémie tissulaire.
• Enseigner des techniques de relaxation.	• Le stress accentue la vasoconstriction et la douleur.
• Aviser le client de signaler la douleur au repos.	• Celle-ci indique une aggravation du blocage artériel.

→ **Plan de soins infirmiers**

ENCADRÉ 26.6

Client souffrant d'artériopathie oblitérante chronique (*suite*)

DIAGNOSTIC INFIRMIER : intolérance à l'activité reliée à la douleur (claudication).

PLANIFICATION
Résultat escompté
• Amélioration de la capacité à se déplacer sans douleur.

INTERVENTIONS	Justifications
• Surveiller la quantité d'exercices que le client peut tolérer avant d'atteindre le seuil de la douleur.	• Obtenir des données d'évaluation de base.
• Aider le client à élaborer un programme d'exercices graduel.	• Favoriser la circulation collatérale et augmenter le retour veineux.
• Expliquer au client qu'il doit marcher jusqu'au seuil de la douleur, se reposer jusqu'à ce que la douleur s'atténue et reprendre la marche.	• Améliorer l'endurance à mesure que la circulation collatérale se développe.

DIAGNOSTIC INFIRMIER : prise en charge inefficace du plan de soins reliée à un manque de connaissances à l'égard de la maladie, se manifestant par des questions à propos du processus morbide, des plaies et du traitement.

PLANIFICATION
Résultats escomptés
• Capacité de décrire la maladie et le plan de traitement.
• Capacité de démontrer comment soigner les ulcères de la jambe.

INTERVENTIONS	Justifications
• Identifier les facteurs qui influencent l'apprentissage tels que la perception de la gravité, les systèmes de soutien disponibles, la capacité cognitive et la capacité physique.	• Personnaliser le plan d'enseignement.
• Évaluer les connaissances du client quant à la maladie et au traitement.	• Déterminer l'étendue du problème et planifier des interventions appropriées.
• Renseigner le client sur la maladie, le traitement, les restrictions liées aux activités et les soins des ulcères.	• Le client est moins anxieux et il collabore mieux au plan de traitement.
• Expliquer l'importance de cesser de fumer.	• Faire comprendre au client les effets de la nicotine.
• Insister sur l'importance de bien prendre soin des pieds.	• Réduire le risque d'infection et de lésion aux pieds.

que la fumée du tabac nuit au transport et à l'utilisation cellulaire de l'oxygène et augmente la viscosité sanguine. La cigarette entraîne des effets indésirables sur la fonction à long terme du pontage et peut causer l'apparition de maladies symptomatiques dans d'autres artères (p. ex. maladie artérielle carotidienne, coronaropathie). L'équipe soignante doit constamment encourager le client à s'abstenir de fumer. L'infirmière doit informer le client au sujet des nombreux organismes communautaires et des groupes de soutien qui offrent des programmes de modification du comportement et d'antitabagisme.

Lorsque le client n'est pas tenu de subir une intervention chirurgicale, un plan de soins peut être établi afin d'optimiser la circulation artérielle. Un programme d'exercices planifié de façon progressive permet de favoriser le retour veineux et d'accroître la tolérance aux activités. Il est courant que les vaisseaux collatéraux (petites ramifications peu importantes des artères

majeures) s'agrandissent et transportent davantage de sang autour de la lésion occlusive en guise de mécanisme compensatoire. On suppose que la demande en sang et en oxygène au-delà du blocage artériel augmente le volume des vaisseaux collatéraux.

La marche est un très bon exercice. Au début, le client doit marcher jusqu'à ce qu'il ressente un malaise, s'arrêter pour se reposer puis reprendre l'activité jusqu'à ce que le malaise revienne. La marche doit être effectuée selon la durée prescrite, habituellement de 30 à 40 minutes par jour, en plus des activités normales.

Tous les clients doivent être informés de l'importance des soins méticuleux des pieds pour prévenir les blessures. Le client doit apprendre à s'examiner les jambes et les pieds quotidiennement pour déceler tout changement dans la couleur de la peau, la présence de taches, les altérations de la texture de la peau et du gras sous-cutané ou la réduction ou l'absence de pilosité.

Toute ulcération ou inflammation doit être signalée au personnel soignant. La température de la peau doit être notée et le remplissage capillaire des doigts et des orteils doit être évalué. De plus, l'infirmière peut montrer à certains clients à palper leurs pouls et leur demander de signaler tout changement. Les ongles d'orteils épais ou trop longs et les durillons représentent des lésions potentielles graves qui requièrent une attention régulière de la part du personnel infirmier.

Les soins des pieds sont très importants chez le client diabétique souffrant d'artériopathie oblitérante, car la neuropathie diabétique (c'est-à-dire une diminution de la sensation périphérique) augmente la possibilité de lésion traumatique et occasionne un délai dans le traitement (voir encadré 40.15).

Le client doit être informé de porter des chaussettes de coton ou de laine propres et de couleur pâle. Il doit aussi porter des chaussures confortables, à bouts arrondis et ayant une semelle intérieure souple. Les chaussures ne doivent pas être lacées trop serrées et les chaussures neuves doivent être portées graduellement. Un examen fréquent des pieds est primordial chez ces clients afin qu'on puisse facilement remédier au problème. Les clients souffrant de troubles de la vue, de maux de dos, d'obésité ou d'arthrite peuvent avoir besoin d'aide pour les soins des pieds.

Évaluation. Les résultats escomptés chez le client souffrant d'artériopathie oblitérante chronique sont présentés dans l'encadré 26.6.

26.3.2 Thromboangéite oblitérante

La thromboangéite oblitérante (maladie de Buerger) est un trouble inflammatoire et thrombotique des artères et des veines de taille moyenne des membres supérieurs et inférieurs. L'occlusion des vaisseaux se produit lorsque la circulation collatérale augmente autour des régions d'obstruction. Bien que la cause fondamentale soit inconnue, elle a toutefois un lien direct avec le tabagisme, car la maladie frappe seulement les fumeurs et s'atténue lorsqu'ils cessent de fumer. Contrairement à l'athérosclérose, l'accumulation des lipides ne se fait pas dans la media du vaisseau lorsqu'il y a présence d'une thromboangéite oblitérante. Le trouble est habituellement asymétrique et se produit surtout chez les hommes fumeurs âgés de 25 à 40 ans. Une tendance familiale a également été observée.

Le symptôme complexe de la maladie de Buerger est souvent confondu avec celui de la maladie athéroscléreuse occlusive. Le client peut souffrir de claudication intermittente. L'apparition de la douleur au repos est un signe avant-coureur de gangrène et peut se développer à des stades avancés du processus morbide. D'autres signes et symptômes peuvent comprendre les changements dans la coloration et la température de la peau au niveau du membre atteint, la paresthésie, la thrombophlébite et la sensibilité au froid. Une ulcération douloureuse et la gangrène peuvent nécessiter l'amputation des orteils.

Le traitement de la thromboangéite oblitérante comprend la désaccoutumance totale au tabac et l'absence de traumatisme au membre. Il faut rappeler aux clients qu'ils ont le choix entre la cigarette et leurs jambes, mais qu'ils ne peuvent avoir les deux. La psychothérapie et la pharmacothérapie sont parfois utiles pour traiter les problèmes d'anxiété sous-jacents et aider le client à cesser de fumer. Bien que ce problème soit difficile à traiter, des anticoagulants et des vasodilatateurs sont parfois administrés. Une amputation au-dessous du genou peut parfois s'avérer nécessaire dans les cas avancés.

26.3.3 Syndrome de Raynaud

Le **syndrome de Raynaud** est caractérisé par des désordres vasospastiques épisodiques des petites artères cutanées, atteignant surtout les doigts et les orteils. Bien que l'étiologie exacte soit inconnue, on tend à croire qu'il se produit consécutivement au réflexe exagéré de la vasoconstriction sympathique. Ce syndrome touche principalement les jeunes femmes. Il est souvent associé aux maladies du collagène telles que l'arthrite rhumatoïde, la sclérodermie et le lupus érythémateux disséminé. D'autres facteurs contributifs comprennent les traumatismes et pressions sur le bout des doigts attribuables au travail, qui se manifestent chez les dactylographes, les pianistes et les travailleurs qui manipulent des outils vibratoires. L'exposition aux métaux lourds peut également être un facteur étiologique contributif. Les symptômes sont généralement précipités lors d'une exposition au froid, de bouleversements émotionnels, de consommation de caféine et d'usage du tabac.

Le syndrome de Raynaud (voir figure 26.9) se caractérise par trois changements de couleur (blanc, rouge et bleu). Au départ, l'effet vasoconstricteur produit une pâleur (blanc), suivie de la cyanose (bleu violacé). Ces changements sont ensuite suivis de rougeurs ou d'hyperémie. Comme ce syndrome est un trouble vasomoteur des petits vaisseaux sanguins, les pouls radial et cubital sont toujours présents. Le client décrit généralement une sensation de froid et d'engourdissement lors de la phase de vasoconstriction, puis des élancements, une douleur permanente, des picotements et de l'œdème lors de la phase hyperémique. Bien que ce type d'épisode ne dure généralement que quelques minutes, il peut persister plusieurs heures dans les cas graves. Les complications comprennent des petites lésions ischémiques au bout des doigts et des ulcères gangréneux superficiels dans les stades avancés.

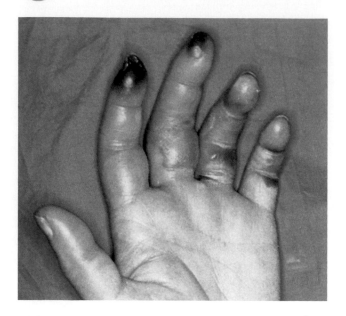

FIGURE 26.9 Syndrome de Raynaud

Un diagnostic de maladie de Raynaud peut être posé si les symptômes persistent plusieurs années sans apparence de trouble sous-jacent. Il est toutefois indispensable de chercher une maladie sous-jacente afin de pouvoir établir un traitement approprié. Autrement, un traitement n'est généralement pas requis puisque les symptômes se résorbent. Toutefois, l'utilisation de certains inhibiteurs calciques a été encourageante pour traiter les symptômes. Des bêta-bloquants ont été utili-

sés et ont obtenu différents taux de réussite. La sympathectomie est envisagée seulement lors de cas avancés.

L'enseignement au client doit être axé sur l'assurance qu'aucun problème sous-jacent grave n'est présent et que la prévention d'épisodes récurrents est possible. Des vêtements amples et chauds doivent être portés pour se protéger du froid, de même que des gants, pour prendre des aliments au congélateur ou manipuler des objets froids. Les températures extrêmes doivent être évitées. Déménager pour s'installer dans un climat plus chaud n'est pas forcément bénéfique parce que les symptômes peuvent toujours se produire lors d'un rafraîchissement ou dans un milieu climatisé. Le client doit cesser de fumer, éviter la caféine et élaborer des techniques pour s'adapter aux situations anxiogènes. L'immersion des mains dans l'eau chaude permet souvent de diminuer les spasmes.

26.4 AFFECTIONS DES VEINES

26.4.1 Thrombophlébite

La thrombophlébite est l'affection des veines la plus courante qui se caractérise par la formation d'un thrombus (caillot) associé à l'inflammation de la veine. La thrombophlébite peut être classée comme superficielle ou profonde (voir tableau 26.4).

La thrombophlébite superficielle se développe chez environ 65 % de tous les clients recevant un traitement

TABLEAU 26.4 Manifestations cliniques de la thrombophlébite			
	Thrombophlébite superficielle	**Trombophlébite profonde**	
		Petite veines	**Tronc veineux majeur**
Causes courantes	Veines variqueuses ; traumatisme direct ; cathéters intraveineux ; thrombo-angéite oblitérante ; médicaments intraveineux caustiques tels que la chimiothérapie, les produits de contraste radio-opaques ; l'usage de médicaments intraveineux.	En période postopératoire, avant et après l'accouchement, traumatisme direct ou distant, ICC, repos au lit prolongé, maladie fébrile aiguë, septicémie, maladie débilitante, affection maligne, dyscrasie sanguine.	Lupus érythémateux disséminé, pression des tumeurs sur les veines, œstrogénothérapie, affection maligne, dyscrasie sanguine, cause idiopathique.
Localisation courante	Veines saphènes et leurs tributaires, avant-bras.	Localisation au niveau soléaire, tibial postérieur, autres veines profondes du mollet, creux poplité ou bassin.	Localisation au niveau fémoral, iliaque, veines caves inférieures ou supérieures, axillaire, sous-clavière.
Résultats cliniques	Sensible, rouge, induration et inflammation le long de la veine sous-cutanée (visible et palpable).	Sensibilité possible à la pression profonde, induration du muscle superposé, distension veineuse minimale ou absente.	Enflure, cyanose, distension veineuse, douleur bénigne à modérée, sensibilité au niveau de la veine atteinte (aine ou aisselle).
Œdème des membres	Presque jamais	Occasionnelle	Fréquemment
Embolie	Presque jamais	Toujours une menace	Toujours une menace
Insuffisance chronique veineuse	Presque jamais	Peu fréquente	Fréquemment

intraveineux et la thrombophlébite veineuse profonde (TPP) se manifeste chez au moins 5 % de tous les clients lors d'interventions chirurgicales. La thrombophlébite superficielle est souvent d'une importance mineure et est traitée en élevant le membre, en administrant des anti-inflammatoires et en appliquant des compresses tièdes. La TPP est plus grave et peut entraîner une embolisation des thrombus des veines profondes vers les poumons. Cette affection peut être mortelle et donne lieu à une hospitalisation prolongée.

Étiologie. Il existe trois conditions importantes (triade de Virchow) dans l'étiologie de la thrombophlébite : la stase veineuse ; la lésion endothéliale (altération de la paroi veineuse) ; l'hypercoagulabilité du sang. Le client à risque de thrombophlébite présente généralement des facteurs prédisposant à ces trois conditions (voir encadré 26.7).

Stase veineuse. Le débit sanguin normal dans le système veineux dépend de l'action musculaire dans les membres et de l'efficacité des valves veineuses, qui permettent le débit unidirectionnel. La stase veineuse se produit lorsque les valves sont dysfonctionnelles ou que les muscles au niveau des extrémités sont inactifs. La stase veineuse se produit plus fréquemment chez les personnes obèses qui souffrent d'insuffisance cardiaque congestive (ICC), privées d'exercice régulier lors de longs voyages ou immobiles pendant une longue période (p. ex. lors d'une lésion médullaire ou d'une fracture à la hanche). Les femmes enceintes et en période postnatale sont également à risque.

Le client souffrant de fibrillation auriculaire court également un risque élevé en raison de la stagnation du sang et des tourbillonnements du débit sanguin causés par les contractions ventriculaires irrégulières en réaction à la fibrillation. Certains médicaments, comme les corticostéroïdes et la quinine, prédisposent le client à la stase veineuse et à la formation de caillot.

Lésion endothéliale. Une lésion à la surface endothéliale de la veine peut être causée par un traumatisme ou une pression extérieure et se produit chaque fois qu'une ponction veineuse est effectuée. Étant donné que l'endothélium est altéré, cela diminue les propriétés fibrinolytiques et prédispose le sujet à la formation d'un thrombus. La lésion endothéliale augmente davantage lorsque le client reçoit un traitement intraveineux à dose élevée d'antibiotiques, de potassium, d'agents chimiothérapeutiques ou de solutions hypertoniques telles que des produits de contraste.

D'autres facteurs prédisposant à l'inflammation et à la lésion endothéliales sont la présence prolongée d'un cathéter intraveineux (plus de 48 heures) au même point de ponction, l'usage d'équipement intraveineux contaminé, une fracture causant des lésions aux vaisseaux sanguins, le diabète, l'accumulation de sang, les brûlures ainsi que tout effort physique inhabituel conduisant à une fatigue musculaire.

Hypercoagulabilité du sang. L'hypercoagulabilité du sang se produit lors de nombreux troubles hématologiques, notamment en présence de polyglobulie, d'anémie grave, de diverses malignités et de déficience en antithrombine III. Un client souffrant d'infections systémiques dont les endotoxines sont libérées est également atteint d'hypercoagulabilité. L'hypercoagulabilité semble également être le facteur contributif à la thrombophlébite idiopathique.

La cliente qui prend des contraceptifs oraux à base d'œstrogène court un risque élevé de maladie thromboembolique. Les femmes qui prennent des contraceptifs et fument doublent leurs risques en raison de l'effet constrictif de la nicotine sur la paroi des vaisseaux sanguins. Le tabagisme peut également causer l'hypercoagulabilité.

Facteurs de risque d'une thrombophlébite veineuse profonde et d'une thromboembolie   ENCADRÉ 26.7

- Chirurgie abdominale et pelvienne
- Âge avancé
- Déficience de l'antithrombine III
- Fibrillation auriculaire
- Maladie cérébrovasculaire
- Tabagisme
- Insuffisance cardiaque congestive
- Toxicomanie
- Œstrogénothérapie, incluant les contraceptifs oraux
- Apport excessif de vitamine E
- Antécédents de thrombophlébite
- États d'hypercoagulabilité
  - Maladie de Vaquez
  - Anémie grave
  - Déshydratation ou malnutrition
- Traitement intraveineux
- Infarctus du myocarde
- Néoplasies, particulièrement hépatiques et pancréatiques
- Obésité
- Période postnatale
- Grossesse
- Immobilité prolongée
  - Repos au lit
  - Long voyage sans exercice adéquat
  - Blessure à la colonne
  - Hanche fracturée
- Septicémie
- Prostatectomie sus-pubienne
- Traumatisme
- Cathéter veineux

Physiopathologie. Les érythrocytes, les leucocytes, les plaquettes et la fibrine adhèrent ensemble pour former un thrombus. Un site fréquent de formation de thrombus est la cuspide valvulaire des veines, dans laquelle la stase veineuse permet l'accumulation de produits sanguins. À mesure que le thrombus s'agrandit, des quantités accrues de globules sanguins et de fibrine s'amassent derrière lui, produisant un plus grand caillot qui parvient finalement à obstruer la lumière de la veine.

Lorsqu'un thrombus ne bouche que partiellement la veine, des cellules endothéliales parviennent à le recouvrir et le processus thrombotique cesse. Si le thrombus ne se détache pas, il subit une lyse ou se structure de façon ferme et adhérente dans un délai de 5 à 7 jours. Les thrombus structurés peuvent ensuite se détacher et entraîner une embolie. La turbulence du débit sanguin est un facteur important qui contribue au détachement du thrombus de la paroi veineuse. Le thrombus peut se transformer en embole qui afflue par la circulation veineuse jusqu'au cœur et qui se déplace dans la circulation pulmonaire.

Manifestations cliniques. Les manifestations cliniques de la thrombophlébite varient selon la taille et la localisation du thrombus, de même qu'en fonction de la qualité de la circulation collatérale (voir tableau 26.4). Le client souffrant d'une thrombophlébite superficielle peut avoir une veine palpable, ferme et ayant l'apparence d'un cordon. La région entourant la veine peut être souple au toucher, rouge et chaude. Le client peut manifester une faible élévation de la température systémique et une leucocytose. De l'œdème peut se manifester au niveau du membre. Le traitement intraveineux est la cause la plus fréquente de thrombophlébite superficielle des membres supérieurs et les veines variqueuses représentent la principale cause de thrombophlébite superficielle des membres inférieurs.

La personne souffrant d'une thrombophlébite peut être asymptomatique ou éprouver de l'œdème dans une seule jambe (voir figure 26.10), ressentir de la douleur et avoir la peau chaude et une température supérieure à 38 °C. Lorsque le mollet est atteint, le client peut ressentir une sensibilité à la palpation. Bien que le signe d'Homans, douleur surale (au mollet) provoquée par la dorsiflexion du pied lorsque la jambe est élevée, soit un signe classique, il n'est pas fiable puisqu'il n'est pas spécifique à la thrombose veineuse profonde. Il est possible que les membres inférieurs soient oedémateux et cyanosés lorsque la veine cave inférieure est atteinte, et que les membres supérieurs, le cou, le dos et le visage soient oedémateux et cyanosés lorsque la veine cave supérieure est atteinte.

Complications. Les complications les plus graves de la thrombophlébite sont l'embolie pulmonaire, l'insuffisance

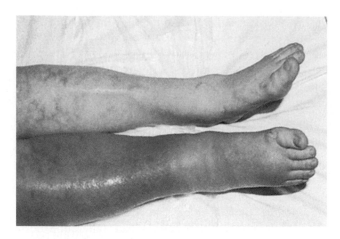

FIGURE 26.10 Thrombophlébite veineuse profonde

veineuse chronique et la phlébite bleue (ou *phlegmatia caerulea dolens*). L'embolie pulmonaire est une complication de thrombophlébite qui constitue un danger de mort (voir la section traitant de l'embolie pulmonaire).

L'insuffisance veineuse chronique, une complication courante causée par une thrombophlébite récurrente, entraîne une destruction valvulaire, et, par conséquent, provoque un débit sanguin rétrograde. Cette complication se manifeste par un œdème persistant, une augmentation de la pigmentation, des varices secondaires, une ulcération et une cyanose du membre lorsqu'il est placé dans une position pendante. Souvent, les signes et symptômes de l'insuffisance veineuse chronique ne se manifesteront que de nombreuses années après une TPP.

La phlébite bleue (œdème massif, bleu et douloureux de la jambe) peut se manifester chez une personne atteinte d'une thrombophlébite grave des membres inférieurs. Cette affection entraîne subitement un œdème massif et une coloration bleuâtre du membre. La gangrène peut se produire à la suite d'une occlusion artérielle secondaire à l'obstruction du débit veineux.

Épreuves diagnostiques. Diverses épreuves diagnostiques sont utilisées pour déterminer le site ou la localisation et l'étendue du thrombus ou de l'embolie (voir tableau 26.5 et encadré 26.8).

Processus thérapeutique. Le traitement de la thrombophlébite superficielle comprend l'élévation du membre atteint jusqu'à ce que la sensibilité s'atténue et l'application de chaleur modérée et humide. La chaleur est utilisée pour soulager la douleur et traiter l'inflammation.

Des bas antiemboliques sont recommandés si l'œdème persiste lorsque le client circule. L'usage de ces bas est habituellement recommandé pendant plusieurs mois (généralement de 3 à 6 mois) afin de soutenir les parois et les valves veineuses et ainsi diminuer l'œdème et la douleur à la marche.

ÉPREUVES DIAGNOSTIQUES

TABLEAU 26.5 Thrombophlébite veineuse profonde et embolie pulmonaire

Épreuve	Description et résultats anormaux
Épreuves de coagulation Numération des plaquettes, temps de saignement, INR, TCK, TCA	Augmentation si le client présente une dyscrasie sanguine sous-jacente ; diminution possible si le client souffre de polycythémie ; altération possible en raison de l'interaction des médicaments.
Épreuves veineuses non effractives Échographie Doppler veineuse	Détermination du débit veineux dans les veines fémorales, poplitées et postérieures tibiales profondes ; résultat normal de débit spontané avec variation transmis par le cycle respiratoire ; résultat anormal de l'absence d'augmentation du débit relativement à la compression distale et au relâchement proximal.
Scintigraphie (duplex)	Combinaison des techniques d'imagerie par ultrasons et par effet Doppler pour déterminer la localisation et l'étendue du thrombus à l'intérieur des veines (ce test est couramment utilisé pour diagnostiquer une thrombose veineuse profonde).
Phlébographie	Détermination de la localisation par radiographies et de l'étendue du caillot à l'aide d'un produit de contraste pour indiquer les défauts de remplissage. Développement de la circulation collatérale défini.
Scintigraphie pulmonaire (ventilation et perfusion)	Moyens de déterminer la présence d'une embolie pulmonaire et l'étendue de la lésion pulmonaire qui en découle, résultat anormal de la différence entre les composantes de la ventilation et de la perfusion ; ne donne souvent aucun résultat.
Artériographie pulmonaire	Détermination radiographique (à l'aide de produits de contraste) de la localisation et de la taille de l'embolie pulmonaire.

TCA : temps de céphaline activée; INR : rapport international normalisé.

Pharmacothérapie. Des analgésiques oraux de faible puissance tels que de l'aspirine et de la codéine sont prescrits pour soulager la douleur. Des anti-inflammatoires non stéroïdiens tels que l'ibuprofène (Motrin, Advil) sont prescrits pour traiter le processus inflammatoire et la douleur qui l'accompagne. Bien que l'anticoagulothérapie ne soit généralement pas recommandée pour la thrombophlébite superficielle, elle est régulièrement utilisée pour la TPP (voir encadré 26.8). Les objectifs de l'anticoagulothérapie dans le traitement de la TPP sont de prévenir l'extension du caillot, la formation d'un nouveau thrombus et l'embolie. L'anticoagulothérapie ne sert pas à dissoudre le caillot. La lyse du caillot s'amorce spontanément par le système fibrinolytique intrinsèque de l'organisme (voir chapitre 18).

Les anticoagulants les plus utilisés sont l'héparine et les dérivés coumariniques (voir tableau 26.6). L'héparine agit directement sur les voies intrinsèques et communes de la coagulation sanguine ; de plus, elle inhibe l'action de la thrombine qui joue un rôle dans la conversion du fibrinogène en fibrine. Elle potentialise également l'action de l'antithrombine III, inhibe l'activation du facteur IX et neutralise le facteur X activé en activant l'inhibiteur du facteur X.

L'héparine donnée pour le traitement de la TPP est administrée par perfusion intraveineuse. On administre

PROCESSUS DIAGNOSTIQUE ET THÉRAPEUTIQUE

Thrombophlébite veineuse profonde   ENCADRÉ 26.8

Diagnostic
- Antécédents de santé et examen physique
- Radiographie pulmonaire
- Formule sanguine complète et formule leucocytaire
- TP, INR, TCA, numération des plaquettes, temps de saignement
- Électrocardiogramme
- Épreuves veineuses (voir tableau 26.5)

Processus thérapeutique
- Traitement conservateur
  - Héparine intraveineuse continue
  - Repos au lit et possibilité d'aller à la salle de bains
  - Élévation des jambes au-dessus du niveau du cœur
  - Anticoagulothérapie
  - Bas antiemboliques
  - Mesurer et consigner au dossier chaque matin la taille des deux cuisses et des mollets
- Traitement chirurgical
  - Insertion de filtre intra-cave (Greenfield)
  - Thrombectomie veineuse (rarement exécutée)

TP : temps de prothrombine.

PHARMACOTHÉRAPIE

TABLEAU 26.6 Anticoagulothérapie

Médicaments	Voie d'administration	Commentaires
Héparine	Perfusion intraveineuse continue par pompe à perfusion ou injection sous-cutanée	Un bolus initial d'héparine est requis. Le sulfate de protamine doit être disponible comme antidote. Des épreuves de coagulation doivent être fréquemment effectuées. L'état de coagulation est surveillé par le temps de céphaline activée (PTT).
Dérivés coumariniques Warfarine (Coumadin), acénocoumarol (Sintrom)	Orale	La vitamine K par injection sous-cutanée doit être disponible comme antidote. Les taux plasmatiques peuvent être maintenus jusqu'à cinq jours. L'état de coagulation est surveillé par le INR (habituellement 2 à 3 ou 2,5 à 3,5) puisqu'il est considéré plus précis que le TP.

d'abord un bolus ; par la suite, le débit de la perfusion d'héparine est ajusté selon le résultat du temps de céphaline. La thérapie est habituellement d'une durée de sept jours. Des anticoagulants oraux sont ensuite prescrits pour une période de trois à six mois. On recommande le repos au lit en maintenant le membre atteint plus haut que le niveau du cœur jusqu'à ce que les niveaux thérapeutiques d'anticoagulants soient atteints et que l'œdème ait diminué.

L'héparine de faible poids moléculaire (HFPM) est efficace pour prévenir la thrombose veineuse, de même que son étendue et sa récurrence. L'énoxaparine (Lovenox) et la daltéparine (Fragmin) sont deux types d'HFPM. En comparaison avec l'héparine, l'HFPM dispose d'une meilleure biodisponibilité, sa réaction est plus prévisible et sa demi-vie est plus longue. L'avantage de l'HFPM est que la surveillance de l'activité anticoagulante et l'ajustement de dose ne sont pas requis. L'HFPM est administrée en doses fixes par voie sous-cutanée une ou deux fois par jour. Le danaparoïde (Orgaran), connu comme un héparinoïde, ne contient pas d'héparine ni de dérivés d'héparine. Il possède toutefois une action antithrombotique, tout comme l'héparine, et il est administré par injection sous-cutanée.

Les composés coumariniques, dont la warfarine (Coumadin) est la plus couramment utilisée, exercent leur action indirectement sur la séquence de coagulation. La warfarine inhibe la synthèse hépatique des facteurs II, VII, IX et X de la coagulation en faisant obstacle à la production de vitamine K. La vitamine K est nécessaire à la synthèse des facteurs II, VII, IX et X.

Les anticoagulants oraux sont administrés en même temps que l'héparine. Bien que la warfarine nécessite de 48 à 72 heures avant d'influencer le temps de prothrombine (TP), elle peut prendre de 3 à 5 jours pour atteindre l'effet maximal. C'est pourquoi un chevauchement d'héparine et de warfarine est nécessaire pendant trois à cinq jours. Le processus de coagulation doit être surveillé par le temps de céphaline activée (TCA) dans le cas d'héparinothérapie et le temps de prothrombine ou par le rapport international normalisé (INR), dans le cas des dérivés coumariniques. Le INR est un système de standardisation des temps de prothrombine basé sur un modèle de calibrage calculé en comparant le TP du client avec une valeur de contrôle. D'autres tests peuvent être utilisés pour surveiller la coagulation sanguine (voir tableau 26.7).

Les antécédents concernant les grossesses et la médication doivent être soigneusement recueillis avant de commencer une anticoagulothérapie. Étant donné que les composés coumariniques sont contre-indiqués en période de grossesse, il est fréquent qu'on administre de l'héparine sous-cutanée aux clientes ayant besoin d'anticoagulants. Les agents anti-plaquettaires (p. ex. l'aspirine) sont généralement contre-indiqués lorsque des anticoagulants sont administrés. D'autres médicaments qui interagissent avec les composés coumariniques sont l'ibuprofène (Advil, Motrin), le phénytoïne (Dilantin)

TABLEAU 26.7 Tests de coagulation sanguine

Test	Médicament utilisé	Valeur normale	Valeur thérapeutique
Temps complet de coagulation de Lee et White	Héparine	9-14 min	20-30 min
INR	Warfarine	0,75-1,25	2-3
TCA	Héparine	24-36 sec	48-60 sec
Temps de coagulation activée	Héparine	80-135 sec	3 min

et les barbituriques (voir tableau 26.8). Un changement dans le régime alimentaire peut également interagir avec les composés coumariniques. Par exemple, la marge thérapeutique peut être difficile à maintenir si le client a alimentation à haute teneur en vitamine K (p. ex. les légumes à feuilles vertes). Dans une telle situation, le client doit être informé de consommer en quantité modérée tout aliment qui contient de la vitamine K et aussi d'éviter les suppléments vitaminiques contenant de la vitamine K ainsi que les quantités excessives de vitamine E.

Traitement chirurgical. Bien que la plupart des clients soient traités de façon conservatrice, il peut arriver que certains aient besoin d'une intervention chirurgicale (voir encadré 26.8). La principale indication d'une chirurgie consiste à prévenir l'embolie pulmonaire. Les interventions chirurgicales comprennent la thrombectomie veineuse (rarement utilisée) et l'utilisation d'un filtre en ombrelle pour retenir les caillots pour ainsi prévenir l'embolie pulmonaire (voir figure 26.11). La thrombectomie veineuse implique l'ablation d'un caillot occlusif au moyen d'une incision dans la veine. Cette intervention est effectuée pour prévenir l'embolie pulmonaire ou pour diminuer le risque de développer une insuffisance veineuse chronique.

Les dispositifs d'interruption de la veine cave, incluant le filtre de Greenfield, peuvent être insérés dans les veines fémorales superficielles par voie percutanée. Le filtre est ensuite ouvert et les rayons pénètrent les parois du vaisseau (voir figure 26.11). Ces dispositifs entraînent une obstruction de « type criblé », permettant la filtration des caillots sans interruption du débit sanguin.

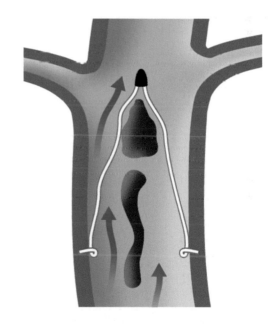

TABLEAU 26.8 Médicaments interagissant avec les anticoagulants oraux

Médicaments augmentant la réaction	Médicaments réduisant la réaction
Amiodarone (Cordarone)	Barbituriques (p. ex. sécobarbital,
Anti-inflammatoires non stéroïdiens	phénobarbital)
Cimétidine (Tagamet)	Cholestyramine (Questran)
Ciprofloxacine (Cipro)	Griséofulvine (Fulvicin)
Fluconazole (Diflucan)	Rifampine (Rifadine, Rimactane)
Métronidazole (Flagyl)	
Phénytoïne (Dilantin)	
Propafénone (Rythmol)	
Salicylates	
Sulfamidés (Septra)	

FIGURE 26.11 Dispositif d'interruption de la veine cave inférieure en utilisant un filtre en acier inoxydable de Greenfield pour prévenir l'embolie pulmonaire. Le filtre de Greenfield est implanté de façon permanente dans la veine cave, où il prévient l'embolie pulmonaire en capturant les caillots sanguins (thrombus), avant qu'ils puissent atteindre les poumons. Lorsqu'un embole pénètre dans le filtre de Greenfield, il est dirigé vers le centre et y est emprisonné. Le filtre de Greenfield est conçu de façon à assurer un débit sanguin adéquat autour du caillot capturé. Par la suite, le processus naturel de lyse du caillot vient dissoudre l'embole.

Bien que les complications après l'insertion du filtre intravasculaire soient rares, elles peuvent comprendre l'embolie gazeuse, une mauvaise mise en place du filtre ou un déplacement distal dans le système veineux. La congestion veineuse est courante et est causée par l'accumulation de caillots emprisonnés au niveau du filtre. Avec le temps, ces caillots peuvent boucher le filtre et complètement obstruer la veine cave. Étant donné que le processus est graduel, les vaisseaux collatéraux parviennent souvent à maintenir le débit veineux ; cependant, ces voies veineuses collatérales peuvent également fournir une autre voie pour l'embolie pulmonaire.

Soins infirmiers : thrombophlébite

Collecte de données. Les données subjectives et objectives devant être recueillies auprès du client souffrant de thrombophlébite sont présentées dans l'encadré 26.9.

Diagnostics infirmiers. Les diagnostics infirmiers pour le client souffrant de thrombophlébite comprennent, entre autres, ceux présentés dans l'encadré 26.10.

Planification. Les objectifs généraux pour le client souffrant de thrombophlébite sont les suivants : soulager la douleur ; diminuer l'œdème ; ne présenter aucune ulcération cutanée ; ne montrer aucun signe d'embolie pulmonaire.

Exécution
Promotion de la santé. La formation d'un thrombus peut être évitée dans bien des situations. Chez les clients ayant subi une chirurgie, les mesures prophylactiques comprennent la mobilisation précoce, des exercices postopératoires pour les jambes, l'usage de bas antiemboliques, une hydratation adéquate et une anticoagulothérapie à faible dose. On recommande souvent de l'héparine (5 000 unités par voie sous-cutanée toutes les 8 à 12 heures) ou des anticoagulants oraux pour le client prédisposé à la formation d'un thrombus. L'héparine de faible poids moléculaire (HFPM) est de plus en plus administrée pour prévenir la formation d'un thrombus chez le client à risque élevé.

Des méthodes mécaniques prophylactiques, comme des jambières de compression pneumatique intermittente, favorisent le retour veineux et stimulent l'activité fibrinolytique dans la veine. Bien que ces dispositifs soient généralement utilisés chez les clients hospitalisés courant un risque élevé, on ne doit pas y avoir recours lorsque le client démontre un processus de coagulation actif.

Une autre mesure préventive consiste à éviter de rester en position debout trop longtemps ou à rester assis en gardant les jambes pendantes et immobiles. Le client doit fréquemment fléchir les genoux, exécuter des rotations des chevilles et marcher activement s'il est tenu de rester debout ou assis pendant de longues périodes, notamment lors d'un long voyage.

COLLECTE DE DONNÉES
Thrombophlébite

Données subjectives
Information importante concernant la santé
- Antécédents de santé : traumatisme veineux, veines variqueuses, accouchement, bactériémie, obésité, repos au lit prolongé, rythme cardiaque irrégulier (p. ex. fibrillation auriculaire), MPOC, ICC, malignités, troubles hématologiques, lupus érythémateux disséminé, infarctus du myocarde, lésion médullaire, long voyage.
- Médication : usage d'œstrogènes (incluant les contraceptifs oraux), de corticostéroïdes, de quinine, de quantités excessives de vitamine E, de médicaments intraveineux (antibiotiques, chimiothérapie, potassium), de produits de contraste par voie intraveineuse.
- Chirurgie ou autres traitements : toute chirurgie récente, notamment orthopédique ; chirurgie antécédente touchant aux veines, traitement intraveineux.

Modes fonctionnels de santé
- Mode perception et gestion de la santé : abus de médicaments intraveineux, tabagisme.
- Mode activité et exercice : inactivité.

- Mode cognition et perception : douleur dans la région entourant la veine, douleur à la palpation ou à l'ambulation.

Données objectives
Généralités
- Fièvre, anxiété, douleur.

Appareil tégumentaire
- Stries rouges et linéaires au niveau de la veine atteinte ; le membre atteint est plus gros que le membre opposé ; peau tendue et luisante ; sensibilité à la palpation ; distension et chaleur des veines superficielles ; œdème et cyanose des membres, du cou, du dos et du visage (atteinte de la veine cave supérieure).

Appareil cardiovasculaire
- Cordon ferme et palpable dans la veine.

Résultats possibles
- Leucocytose, coagulation anormale, anémie ou hématocrite et numération des globules rouges élevés, échographie duplex veineuse ou épreuves Doppler positives, phlébographie positive.
- ICC : insuffisance cardiaque congestive ; MPOC : maladie pulmonaire obstructive chronique.

L'infirmière doit aider le client à cesser de fumer puisque cela augmente la viscosité du sang. Elle doit aussi lui montrer à effectuer des exercices de respiration profonde et des exercices passifs et actifs pour les membres inférieurs. De plus, elle doit être en mesure de reconnaître les clients courant un risque élevé de thrombophlébite veineuse profonde et de planifier des mesures préventives.

Intervention en phase aiguë. Les soins infirmiers pour le client atteint d'une thrombophlébite sont axés sur la prévention de la formation de l'embolie et la diminution de l'inflammation (voir encadré 26.10). Dans les cas de thrombophlébite superficielle, l'intervention en phase aiguë consiste à appliquer une compresse d'eau tiède sur le membre, à surélever le membre atteint, à enlever le cathéter intraveineux, s'il y en a un, et à administrer des analgésiques pour soulager la douleur et réduire l'inflammation. Certains médecins préconisent une intervention chirurgicale lorsque la veine saphène est atteinte. L'intervention consiste à ligaturer la veine saphène afin d'éviter que le thrombus atteigne le système veineux profond.

Dans les cas de TPP, l'intervention en phase aiguë consiste à administrer des anticoagulants intraveineux et oraux, à surélever la jambe atteinte et à utiliser des bas antiemboliques pour favoriser le retour veineux.

L'infirmière doit observer attentivement tout signe de saignement, y compris l'épistaxis et le saignement des gencives, lorsque le client reçoit une anticoagulothérapie. Une analyse d'urine doit être effectuée pour dépister une hématurie macroscopique ou microscopique. S'il y a présence de sang, une urine d'un brun fumée est parfois notée et par la suite, un échantillon doit être recueilli quotidiennement pour vérifier tout signe d'hématurie. L'infirmière doit observer attentivement toute région cutanée et doit examiner les incisions chirurgicales pour détecter tout signe de saignement. Les selles doivent être analysées pour dépister la présence d'hémorragie occulte dans le tractus gastro-intestinal. Tout changement au niveau de l'état mental, notamment chez les personnes âgées, doit être évalué comme signe possible d'hémorragie cérébrale.

L'infirmière doit revoir avec le client tous les médicaments qu'il prend afin de s'assurer qu'ils ne nuisent pas à l'anticoagulothérapie. Elle doit vérifier le temps de prothrombine, le INR, les taux d'hémoglobine et d'hématocrite ainsi que le taux plaquettaire lorsqu'un client prend des anticoagulants. Les doses de médicaments sont prescrites selon les résultats des épreuves de coagulation. L'infirmière doit s'assurer de vérifier les résultats avant d'administrer de l'héparine ou des dérivés coumariniques. Elle doit être prête à administrer immédiatement l'antidote de l'héparine, qui est le sulfate de protamine, ou l'antidote des dérivés coumariniques, qui est la vitamine K, si une hémorragie se produit.

Soins ambulatoires et soins à domicile. Les bas antiemboliques doivent être mesurés et ajustés adéquatement. Le client doit les porter lorsqu'il marche, car ils permettent de compresser les veines superficielles et de prévenir la stase veineuse. L'infirmière doit s'assurer qu'il n'y a aucune pression sous le genou et doit informer le client d'éviter de croiser les jambes, car cela applique une pression sur l'espace poplité et diminue le retour veineux au cœur.

L'infirmière doit évaluer la réaction psychologique des clients, car ils ont souvent peur que les caillots se déplacent vers le cœur ou les poumons et entraînent la mort subite. Chaque client doit être en mesure de verbaliser son inquiétude et l'infirmière doit tenter de clarifier les idées fausses.

L'enseignement au client en vue de sa sortie de l'hôpital doit être axé sur les dangers de la cigarette, l'importance des bas antiemboliques, la nécessité d'éviter les gaines ou les jarretières et l'abstention de contraceptifs pour les clientes souffrant de thrombophlébite récidivante. Des programmes d'exercices doivent être mis sur pied, notamment des exercices effectués dans l'eau puisque cela n'entraîne aucune pression. Un programme équilibré de repos et d'exercices, une bonne posture et l'évitement de longues périodes assises favorisent le remplissage artériel et le retour veineux. L'infirmière doit enseigner aux clients âgés les précautions de sécurité à prendre pour prévenir les blessures causées par une chute.

Dans les situations où l'anticoagulothérapie doit se poursuivre à domicile, l'infirmière doit expliquer au client et à sa famille les éléments liés à la dose, les mécanismes d'action et les effets secondaires des médicaments. Elle doit aussi insister sur l'importance des analyses sanguines de routine et la nécessité de signaler tout symptôme au personnel soignant (voir encadré 26.11). Des appareils de surveillance à domicile sont maintenant offerts sur le marché pour tester rapidement le temps de prothrombine.

Les recommandations alimentaires auprès des clients faisant de l'embonpoint doivent être axées sur la restriction de l'apport calorique afin d'atteindre et de maintenir le poids désiré. L'apport en gras doit être réduit si les taux de lipides ou de triglycérides sont au-dessus de la normale. Une restriction sodique peut parfois s'avérer nécessaire s'il y a présence d'œdème. Un bon équilibre hydrique est nécessaire pour prévenir une récidive de l'hypercoagulabilité sanguine, laquelle peut se produire si l'apport hydrique est insuffisant. Une alimentation bien équilibrée est indispensable puisque le calcium, la vitamine E et la vitamine K jouent un rôle actif dans le mécanisme de coagulation.

Plan de soins infirmiers

Client souffrant de thrombophlébite

DIAGNOSTIC INFIRMIER : douleur reliée à l'œdème résultant d'une mauvaise circulation dans les membres, se manifestant par la douleur et l'œdème au membre.

PLANIFICATION

Résultat escompté
- Soulagement de la douleur.

INTERVENTIONS	Justifications
• Maintenir la jambe atteinte élevée au-dessus du niveau du cœur.	• Favoriser le retour veineux et diminuer l'enflure.
• Garder le lit ou maintenir le niveau d'activité conformément à l'intensité de la maladie.	• Soulager la douleur et diminuer l'enflure.
• Appliquer une chaleur modérée continue et humide (p. ex. coussin thermique réglé à chaleur faible) si elle est prescrite.	• Soulager la douleur, réduire l'inflammation et améliorer la circulation par vasodilatation.
• Administrer des analgésiques comme prescrits.	• Soulager la douleur.
• Mesurer les cuisses et les mollets chaque jour à un endroit marqué.	• Obtenir des mesures quantitatives afin d'évaluer l'augmentation ou la diminution de l'œdème.
• Aviser le client de ne pas croiser les jambes aux genoux.	• Éviter de restreindre la circulation au niveau des jambes.

DIAGNOSTIC INFIRMIER : difficulté à se maintenir en santé reliée au manque de connaissances. se manifestant par de nombreuses questions ou l'absence de questions.

PLANIFICATION

Résultat escompté
- Comprendre le processus morbide et le traitement, incluant l'anticoagulothérapie, les vêtements à porter, l'activité et l'alimentation.

INTERVENTIONS	Justifications
• Renseigner le client à propos des signes et symptômes de la thrombophlébite et des saignements anormaux qu'il doit signaler au médecin.	• Établir un diagnostic et un traitement précoces.
• Encourager le client à prendre les anticoagulants selon l'horaire prescrit.	• Éviter les erreurs de dosage qui pourraient entraîner une augmentation du caillot ou du saignement.
• Informer le client de la nécessité de passer des examens sanguins réguliers (INR, numération plaquettaire).	• Surveiller la réaction au traitement et le risque de saignement.
• Aider le client à se procurer un bracelet MedicAlert.	• Informer le client qu'il est sous anticoagulothérapie.
• Aviser le client de ne pas porter de gaines, de jarretières ni de vêtements serrés.	• Éviter de réduire le débit sanguin et la stase veineuse.
• Aviser le client de ne pas frotter ou masser le membre.	• Éviter qu'un thrombus ne se déloge.
• Aviser le client d'éviter de s'asseoir les jambes croisées ou dans une position pendante.	• Ces positions augmentent la stase veineuse.
• Encourager le client à maintenir un programme d'activités quotidien.	• Favoriser le débit sanguin et prévenir la stase veineuse.
• Encourager le client à suivre un régime pour perdre du poids, s'il y a lieu.	• L'obésité augmente la compression des vaisseaux.

DIAGNOSTIC INFIRMIER : risque d'atteinte à l'intégrité de la peau relié à la diminution de l'irrigation tissulaire périphérique.

PLANIFICATION

Résultat escompté
- Aucun signe de formation d'ulcère dans les jambes.

INTERVENTIONS	Justifications
• Examiner le client pour tout signe d'altération de la pigmentation, de douleur, d'ulcère ouvert et d'œdème au niveau du membre inférieur.	• Déceler les signes de détérioration de l'intégrité de la peau.
• Aviser le client de porter des bas antiemboliques lorsqu'ils sont prescrits par le médecin, sauf en dormant.	• Compresser les veines superficielles et améliorer le débit veineux dans les veines profondes.

Plan de soins infirmiers

ENCADRÉ 26.10

Client souffrant de thrombophlébite (*suite*)

- Aviser le client de changer de position lorsqu'il est assis ou debout pendant de longues périodes et d'élever la jambe lorsqu'il est assis.
- Lubrifier la peau régulièrement.

- Réduire la stase veineuse.

- Aider à réduire la démangeaison qui entraîne un traumatisme.

Processus thérapeutique

COMPLICATION POSSIBLE : perturbation des échanges gazeux reliée à la déshydratation, à l'immobilité et à l'embolisation du thrombus.

PLANIFICATION
Objectifs
- Surveiller le client pour tout signe d'embolie pulmonaire.
- Signaler les écarts quant aux paramètres acceptables.
- Effectuer les interventions médicales et infirmières appropriées.

INTERVENTIONS	Justifications
• Surveiller les signes d'embolie pulmonaire tels que l'apparition soudaine de dyspnée, de tachypnée, de tachycardie, d'hémoptysie, de même que la douleur thoracique de type pleurale et l'anxiété.	• Déceler le problème et assurer un traitement immédiat.
• Prendre les signes vitaux selon l'ordonnance du médecin.	• Obtenir des données sur la réaction du client.
• Administrer les anticoagulants prescrits.	• Prévenir l'étendue du thrombus.
• Administrer un émollient fécal ou un laxatif pour réduire l'effort de défécation.	• La manœuvre de Valsalva peut déloger un thrombus veineux.
• Maintenir une hydratation suffisante.	• Éviter que la coagulabilité sanguine n'augmente.
• Repos au lit dans la phase aiguë.	• Minimiser le risque d'embolisation du thrombus en favorisant la stase veineuse.
• Utiliser des bas antiemboliques au moment de commencer la mobilisation.	• Procurer un soutien veineux et prévenir la stase veineuse.

ENSEIGNEMENT AU CLIENT

Anticoagulothérapie

ENCADRÉ 26.11

Le client et sa famille doivent être informés des éléments suivants :
- Les raisons et les mécanismes d'action de l'anticoagulothérapie, de même que la durée prévue du traitement.
- La nécessité de prendre les médicaments à la même heure tous les jours (de préférence l'après-midi ou le soir).
- Le suivi étroit de tests sanguins pour évaluer la coagulation sanguine et vérifier si des changements s'imposent quant à la dose des médicaments.
- Les effets secondaires et les effets indésirables de la pharmacothérapie exigent une attention médicale :
  - tout saignement qui n'arrête pas après une période de 10 à 15 minutes ;
  - sang dans l'urine ou dans les selles ou selles noires et goudronneuses ;
  - saignement inhabituel des gencives, de la gorge, de la peau ou du nez ou saignement vaginal ;
  - céphalée ou douleur sévère à l'estomac ;
  - faiblesse, étourdissements, changements dans l'état cognitif.

- Éviter tout traumatisme ou lésion pouvant causer un saignement (p. ex. brossage de dents vigoureux, sports de contact).
- Éviter les médicaments contenant de l'aspirine et les anti-inflammatoires non stéroïdiens.
- Limiter la consommation d'alcool à des quantités faibles à modérées.
- Porter un bracelet ou un collier MedicAlert faisant mention de l'anticoagulant qui est utilisé.
- Éviter les changements marqués dans les habitudes alimentaires tels que les régimes amaigrissants ; ne pas prendre de suppléments de vitamine K. Se renseigner au sujet des restrictions alimentaires concernant les aliments à forte teneur en vitamine K.
- Consulter son médecin avant de prendre ou d'abandonner tout médicament.
- Informer tous les professionnels de la santé que le client suit une anticoagulothérapie.
- Prendre la bonne dose est indispensable ; certains clients peuvent avoir besoin de supervision (p. ex. les personnes âgées, les personnes souffrant de troubles mentaux).
- Éviter les injections intramusculaires.

Évaluation. Les résultats escomptés à l'égard du client souffrant de thrombophlébite sont présentés dans l'encadré 26.10.

26.4.2 Veines variqueuses

Les veines variqueuses, ou varices, sont des veines sous-cutanées dilatées et tortueuses qui sont surtout fréquentes dans la veine saphène. Celles-ci peuvent être petites et inoffensives ou grosses et enflées. Les varices primaires sont celles dont les veines superficielles sont dilatées et dont les valves peuvent devenir incompétentes. Cette affection tend à être familiale ; elle est souvent observée bilatéralement et est probablement causée par une faiblesse congénitale des veines. Les varices secondaires sont causées par une thrombophlébite antérieure au niveau des veines fémorales profondes et sont accompagnées d'une incompétence valvulaire subséquente. Les veines variqueuses secondaires peuvent se produire dans l'œsophage (varices oesophagiennes), dans la région anorectale (hémorroïdes) et à la suite d'un raccordement artérioveineux anormal (fistules et malformations).

Étiologie et physiopathologie. L'étiologie des veines variqueuses est inconnue. Les veines superficielles dans les membres inférieurs se dilatent et deviennent tortueuses, et il y a une augmentation de la pression veineuse. Cette augmentation peut survenir à la suite d'une faiblesse congénitale de la structure veineuse, de l'obésité, de la grossesse, d'une obstruction veineuse causée par une thrombose ou par une pression extrinsèque résultant d'une tumeur ou d'un emploi qui requiert une position debout pendant une longue période. Lorsque les veines agrandissent, les vaisseaux s'étirent et les valves deviennent incompétentes, ce qui entraîne une inversion du débit sanguin. À mesure que la contre-pression augmente et que le reserrement musculaire au niveau du mollet (mouvement musculaire qui facilite le retour veineux vers le cœur) ne peut plus se faire, cela entraîne une plus grande distension veineuse. L'augmentation de cette pression veineuse est transmise au lit capillaire et de l'œdème se développe.

Manifestations cliniques. Le malaise causé par les varices varie beaucoup d'une personne à l'autre et tend à augmenter avec la thrombophlébite superficielle. De nombreux clients sont souvent préoccupés par l'aspect inesthétique (voir figure 26.12) entraîné par les varices. Le symptôme le plus courant est une douleur continue après une période prolongée en position debout, qui peut être soulagée en marchant ou en élevant le membre. Certains clients éprouvent une pression ou une sensation de crampe au niveau du membre. L'enflure peut accompagner le malaise. Des crampes nocturnes peuvent se produire, notamment au niveau du mollet.

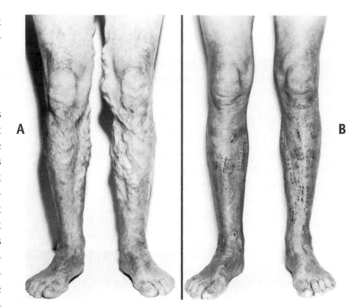

FIGURE 26.12 Varices sévères (incompétence de la grande veine saphène). A. Avant la chirurgie. B. Deux semaines après la chirurgie.

Complications. La thrombophlébite superficielle est une conséquence grave des veines variqueuses et peut se produire spontanément ou après un traumatisme, une intervention chirurgicale ou une grossesse. Bien qu'elle soit peu fréquente, une rupture de varice peut se produire en raison de l'affaiblissement de la paroi vasculaire. Une ulcération peut également apparaître après une infection cutanée ou un traumatisme.

Les régions d'ulcération de stase veineuse chronique (lésion dermique causée par une diminution de l'irrigation tissulaire) se situent généralement du côté interne de la cheville, au-dessus de la malléole médiale et derrière celle-ci (voir la section traitant des ulcères variqueux).

Épreuves diagnostiques. Une échographie Doppler peut être effectuée pour déceler avec une assez grande précision l'obstruction et le reflux dans le système veineux. Il s'agit de l'épreuve la plus fréquemment utilisée pour diagnostiquer les veines variqueuses profondes.

Processus thérapeutique. En général, on ne recommande aucun traitement lorsque les varices ne sont qu'un problème esthétique. Par contre, si une incompétence du système veineux se manifeste, le processus thérapeutique exige le repos en maintenant le membre atteint en position surélevée, le port de bas antiemboliques et la pratique d'exercices, comme la marche.

La sclérothérapie est une technique utilisée pour traiter les varices superficielles inesthétiques (voir figure 26.13). L'injection intraveineuse directe d'un agent sclérosant induit l'inflammation et entraîne par la suite

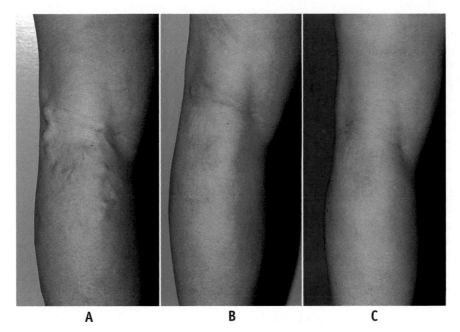

FIGURE 26.13 Veines variqueuses et traitement par sclérothérapie. A. Avant le traitement. B. Six semaines après le traitement. C. Apparence clinique deux ans et demi après le traitement.

une thrombose veineuse. Cette intervention peut être effectuée en toute sécurité dans le cabinet du médecin et entraîne très peu d'inconfort. Après l'injection, le médecin enroule un bandage élastique autour de la jambe du client ; il doit être pendant 24 à 72 heures pour maintenir une pression contre la veine. La sensibilité locale diminue après deux à trois semaines et la veine thrombosée disparaît. Le client doit être informé de porter des bas antiemboliques pour prévenir la formation de futures varices après une sclérothérapie.

L'intervention chirurgicale consiste à ligaturer toute la veine (habituellement la veine saphène), puis à disséquer et extraire les tributaires incompétents. Une telle intervention est indiquée lorsqu'une insuffisance veineuse chronique ne peut être contrôlée avec un traitement conservateur ou lorsqu'une thrombophlébite récurrente se produit.

Soins infirmiers : veines variqueuses. La prévention est un facteur essentiel en ce qui a trait aux veines variqueuses. L'infirmière doit informer le client d'éviter de s'asseoir ou de rester debout pendant de longues périodes, de maintenir un poids santé, de prendre des précautions contre les blessures aux membres et d'éviter de porter des vêtements trop serrés.

Une fois que le client a subi une ligature veineuse, l'infirmière doit lui enseigner comment effectuer des exercices de respiration profonde pour favoriser le retour veineux du côté droit du cœur. Elle doit régulièrement vérifier la coloration des membres, leur mouvement, leur sensation, leur température, la pré-

sence d'œdème et le pouls pédieux. Les ecchymoses et la décoloration sont des signes normaux.

En phase postopératoire, les membres sont élevés à un angle de 15 degrés pour empêcher la formation de la stase veineuse et de l'œdème. Des bas antiemboliques sont enfilés, puis enlevés toutes les huit heures pendant un bref moment, et remis.

Le traitement à long terme des veines variqueuses est axé sur l'amélioration de la circulation, le soulagement de la douleur, l'amélioration de l'apparence esthétique et la prévention des complications comme la thrombophlébite et l'ulcération. Des veines variqueuses peuvent réapparaître dans d'autres veines après la ligature d'une veine. Le client doit être informé des soins adéquats à dispenser aux membres inférieurs, y compris les soins d'hygiène et l'usage de bas antiemboliques bien ajustés. L'infirmière doit montrer au client comment enfiler les bas le matin avant de se lever du lit. L'importance d'élever régulièrement les jambes au-dessus du niveau du cœur doit être soulignée. Le client souffrant d'embonpoint peut avoir besoin d'aide pour perdre du poids, alors que le client dont l'emploi exige des périodes prolongées en position debout ou assise doit être encouragé à changer de position aussi souvent que possible.

26.4.3 Ulcères variqueux

L'insuffisance veineuse chronique peut entraîner une ulcération variqueuse, qui pourrait être consécutive à une thrombose veineuse profonde. Le dysfonctionnement fondamental est attribuable aux valves incompétentes des veines profondes. À mesure que les capillaires se rompent, les érythrocytes se décomposent et libèrent de l'hémosidérine, ce qui cause une décoloration brunâtre de la peau due au dépôt de mélanine et d'hémosidérine. Les ulcères variqueux se forment habituellement autour des chevilles, notamment au niveau de la malléole médiale (voir figure 26.14). Une perte d'épiderme se produit et une partie du derme peut également être atteinte, selon le degré de l'ulcère variqueux.

Manifestations cliniques et complications. La peau au niveau de la jambe inférieure est tannée et son aspect est brunâtre et dur. L'œdème est généralement présent depuis un long moment. L'ulcère est une lésion concave sous le bord de la surface cutanée. La douleur peut se produire lorsque le membre est dans une position pendante ou lors de la mobilisation, et elle est généralement soulagée en élevant le pied.

Un ulcère veineux qui n'est pas traité peut s'étendre et s'éroder en largeur et en profondeur, et peut aussi augmenter la probabilité d'infection. Un tissu cicatriciel se forme autour du bord de l'ulcère. Une mauvaise hygiène, un affaiblissement et un état nutritionnel insuffisant contribuent à la gravité de la lésion ulcéreuse.

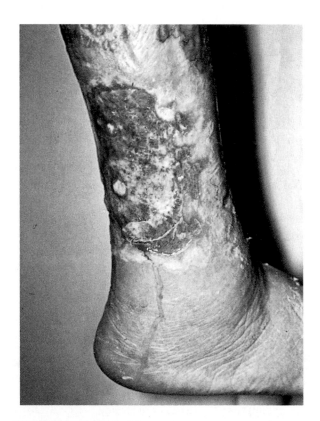

FIGURE 26.14 Ulcère variqueux

Processus thérapeutique. L'infirmière doit montrer au client comment surélever le membre autant que possible et comment maintenir la compression externe pour minimiser l'ulcère variqueux, l'hypertension veineuse et l'œdème. Les méthodes de compression externe pouvant être utilisées sont les bas antiemboliques, les bandages élastiques, les bandages Circaid (bandages de Velcro) et la botte d'Unna. L'infirmière doit connaître les principes de cicatrisation des plaies, l'état actuel de la plaie et les objectifs souhaités de la cicatrisation au moment de choisir le type de compression externe qui conviendra le mieux au client.

Des traitements plus récents favorisent la cicatrisation à l'aide de pansements humides et leurs résultats sont efficaces. Des pansements hydrocolloïdes adhésifs combinés avec une compression externe se sont montrés efficaces pour accélérer la cicatrisation des ulcères variqueux au niveau de la jambe. (Le chapitre 6 traite des pansements hydrocolloïdes.)

Un traitement antibioprophylactique n'est habituellement pas recommandé. Toutefois, s'il y a présence de signes d'infection (p. ex. augmentation de la douleur, élévation de la température, leucocytose, écoulement purulent au niveau du site), un prélèvement pour culture sera effectué afin d'établir un traitement d'antibiotique. Des pansements humides sont indiqués jusqu'à ce que l'infection disparaisse, puis des pansements hydrocolloïdes sont appliqués.

Une greffe de peau peut être indiquée lorsque l'ulcère ne parvient pas à réagir au traitement conservateur. L'ulcère est débridé, puis on greffe un tissu d'un site donneur (voir chapitre 51). On procède à l'ablation de toutes les varices dans la région atteinte et les veines sont ligaturées, s'il y a lieu.

Soins infirmiers : ulcères variqueux. Le client souffrant d'ulcères variqueux doit maintenir la jambe ulcérée surélevée autant que possible. L'infirmière doit changer les pansements selon l'ordonnance et exécuter les mesures de soins des plaies prescrites, incluant l'observation des signes d'infection. Une alimentation équilibrée est recommandée et la prise de suppléments vitaminiques et protéiniques est encouragée pour favoriser la cicatrisation de la plaie.

Étant donné que l'incidence de récurrence est élevée, le traitement à long terme des ulcères variqueux doit être axé sur l'enseignement au client concernant les mesures d'autosoins. L'enseignement en vue de la sortie d'hôpital doit viser la prévention des traumatismes aux membres, les mesures de soins cutanés adéquats et l'application de bas antiemboliques prescrits une fois que la cicatrisation est complète et que l'œdème a diminué. Le client doit également être incité à prendre des périodes de repos en surélevant le membre atteint. Un régime alimentaire équilibré, comprenant des suppléments protéiniques et vitaminiques, doit être instauré. L'infirmière peut également enseigner comment restreindre l'apport calorique auprès du client devant perdre du poids et l'alimentation à adopter pour le client diabétique. Une fois que la formation de tissu cicatriciel est amorcée, le client doit reprendre un programme d'exercices régulier, comme la marche, et surélever la jambe au-dessus du niveau du cœur pendant certaines périodes.

26.5 EMBOLIE PULMONAIRE

26.5.1 Étiologie et physiopathologie

L'embolie pulmonaire est la complication pulmonaire la plus courante chez les clients hospitalisés. Selon Statistiques Canada, en 1997, il y a eu 942 décès au Canada pour troubles de la circulation pulmonaire, dont 253 au Québec. Aussi, il y a eu 282 décès au Canada pour phlébites - TPP - embolie, dont 95 au Québec. Toujours selon Statistiques Canada, en 1999, il y a eu, au Canada, 333 hommes et 410 femmes qui sont décédés d'embolie pulmonaire, dont 85 hommes et 104 femmes au Québec. La plupart des embolies pulmonaires découlent d'un thrombus dans les veines profondes des jambes. D'autres sites d'origine sont le côté droit du cœur (la fibrillation auriculaire), les membres supérieurs (rare) et les veines pelviennes (surtout après une chirurgie ou un accouchement). L'embolie pulmonaire mortelle prend surtout naissance dans les veines fémorales ou iliaques. Les emboles sont des caillots mobiles qui se déplacent continuellement jusqu'à ce qu'ils se logent dans une partie plus étroite du système circulatoire. Les poumons constituent un endroit idéal où se logent les emboles à cause de leur réseau artériel et capillaire. Les lobes inférieurs sont les plus couramment affectés parce qu'ils possèdent un débit sanguin supérieur aux autres lobes. La présence d'une thrombose veineuse profonde est parfois insoupçonnée jusqu'à ce que se manifeste une embolie pulmonaire.

Il peut arriver qu'un thrombus se déloge spontanément dans les veines profondes. Toutefois, un mécanisme plus courant est la vibration du thrombus par une force mécanique, comme un lever brusque et des changements dans le taux de débit sanguin tels que ceux qui se produisent au cours de la manœuvre de Valsalva.

D'autres causes moins courantes d'embolie pulmonaire sont l'embolie graisseuse (des os longs fracturés), l'embolie gazeuse (d'un traitement intraveineux mal administré), le liquide amniotique et les tumeurs. Les embolies tumorales peuvent prendre naissance dans une tumeur primaire ou métastatique.

26.5.2 Manifestations cliniques

La gravité des manifestations cliniques de l'embolie pulmonaire dépend de la grosseur de l'embole et de la taille et du nombre de vaisseaux sanguins obstrués. Les manifestations les plus courantes de l'embolie pulmonaire sont l'apparition soudaine d'une dyspnée, d'une tachypnée ou d'une tachycardie inexpliquées. D'autres manifestations comprennent la toux, la douleur thoracique, l'hémoptysie, les râles crépitants, la fièvre, une accentuation des bruits cardiaques pulmonaires et un changement soudain de l'état neurologique consécutif à une hypoxémie.

Bien que l'embolie massive puisse causer l'effondrement soudain du client, accompagné de choc, de pâleur, de dyspnée grave et de douleur thoracique écrasante, certains clients victimes d'une telle affection peuvent n'éprouver aucune douleur. Le pouls est rapide et faible, la pression artérielle (PA) est basse et l'électrocardiogramme (ECG) indique une tension ventriculaire droite. Une obstruction rapide de plus de 50 % du réseau vasculaire pulmonaire peut entraîner un cœur pulmonaire aigu parce que le ventricule droit ne peut plus pomper le sang dans les poumons. La mort se produit chez plus de 60 % des clients victimes d'une embolie massive.

Une embolie modérée entraîne souvent une douleur thoracique de type pleurale accompagnée de dyspnée, de fièvre légère et de toux productive avec des expectorations sanguines. Un examen physique peut indiquer une tachycardie et une friction pleurale.

Les petites embolies sont souvent non décelées ou occasionnent des symptômes vagues et transitoires. La seule exception est le client atteint d'une maladie cardiopulmonaire sous-jacente, chez qui même une embolie modérée ou petite peut entraîner une perturbation cardiopulmonaire grave. Toutefois, les petites embolies répétées entraînent graduellement une réduction du lit capillaire et, par la suite, une hypertension pulmonaire. Un ECG et une radiographie pulmonaire peuvent indiquer une hypertrophie ventriculaire droite secondaire à l'hypertension pulmonaire.

26.5.3 Complications

Infarctus pulmonaire. L'infarctus pulmonaire (mort du tissu pulmonaire) se produit chez moins de 10 % des clients victimes d'embolie. L'infarctus est plus probable dans les situations suivantes : occlusion d'un grand ou d'un moyen vaisseau pulmonaire (plus de 2 mm de diamètre) ; débit sanguin collatéral insuffisant de la circulation bronchique ; présence d'une maladie pulmonaire préexistante. L'infarctus entraîne la nécrose alvéolaire et l'hémorragie. Il est possible que le tissu infarci s'infecte et qu'un abcès se forme. Un épanchement pleural est fréquent.

Hypertension pulmonaire. L'hypertension pulmonaire se produit lorsque plus de 50 % de la région du lit pulmonaire normal est atteinte. Cette affection résulte également de l'hypoxémie. Une embolie qui ne survient qu'une seule fois ne peut entraîner une hypertension pulmonaire, à moins qu'elle ne soit massive. Toutefois, les embolies modérées et petites récurrentes peuvent provoquer une hypertension pulmonaire chronique. L'hypertension pulmonaire entraîne tôt ou tard la dilatation et l'hypertrophie du ventricule droit. Selon le degré de l'hypertension pulmonaire et son taux de croissance, la mort peut en découler rapidement ou le client peut ne ressentir que des perturbations légères ou transitoires (voir chapitre 16).

26.5.4 Épreuves diagnostiques

L'ECG n'est pas une mesure suffisamment sensible ou spécifique pour diagnostiquer une embolie pulmonaire. Lorsqu'il s'agit d'une embolie pulmonaire petite ou modérée, l'ECG peut rester normal ou montrer une combinaison de changements transitoires. Ces changements comprennent la tachycardie sinusale et une nouvelle apparition de fibrillation auriculaire ou de flutter. Les petites embolies pulmonaires récurrentes peuvent finalement produire une hypertension pulmonaire chronique et des changements dans l'ECG démontrant un agrandissement de l'oreillette droite et du ventricule droit.

Une scintigraphie pulmonaire est utile pour dépister une embolie pulmonaire initiale (ou récurrente) et pour évaluer les antécédents naturels de la lésion et l'efficacité du traitement. La scintigraphie comporte deux composantes et elle est plus précise lorsque les deux sont effectuées :

La **scintigraphie de perfusion** requiert l'injection d'un radio-isotope par voie intraveineuse. Le dispositif de balayage permet ensuite de déceler la suffisance de la circulation pulmonaire.

La **scintigraphie de ventilation** exige l'inhalation de gaz radioactifs comme le xénon. Le balayage permet ensuite de refléter la répartition du gaz dans le poumon. Cette intervention requiert la collaboration du client et peut s'avérer difficile ou même impossible à exécuter si l'état du client est critique ou s'il est intubé.

Les épreuves diagnostiques liées au sang veineux (voir tableau 26.5) sont utiles pour poser un diagnostic de thrombose veineuse profonde comme source possible d'embolie pulmonaire.

L'analyse des gaz artériels est importante. La pression partielle en oxygène (PaO_2) est sous la normale en raison de l'oxygénation inadéquate secondaire à une occlusion du système vasculaire pulmonaire. La pression partielle en gaz carbonique dans le sang artériel ($PaCO_2$) est généralement sous la normale en raison de la tachypnée et de l'hyperventilation qui se manifestent lors d'une embolie pulmonaire. Le pH demeure normal à moins que ne se manifeste une alcalose respiratoire consécutive à une hyperventilation prolongée ou pour compenser une acidose lactique causée par un état de choc. L'analyse des gaz artériels peut être grandement influencée par la présence d'une maladie cardiaque ou pulmonaire sous-jacente.

L'angiographie pulmonaire est une intervention effractive (invasive) qui requiert l'insertion d'un cathéter dans la veine antécubitale ou fémorale pour atteindre l'artère pulmonaire. Un produit de contraste est ensuite injecté pour visualiser le système vasculaire pulmonaire.

En général, une radiographie pulmonaire ne peut établir de diagnostic à moins qu'il n'y ait présence d'un infarctus. Et même dans une telle situation, il est fréquent que la radiographie pulmonaire ne puisse établir de diagnostic. Les résultats positifs sont mieux visualisés de 12 à 24 heures après l'embolie parce que les régions de consolidation de formes différentes (rondes, linéaires ou triangulaires) se trouvent parfois dans la périphérie ou dans les lobes inférieurs. Un épanchement pleural est souvent noté.

26.5.5 Processus thérapeutique

Une fois que le diagnostic de maladie thromboembolique a été posé, un traitement doit être établi immédiatement (voir encadré 26.12). Les objectifs du traitement sont les suivants : prévenir la croissance future ou la prolifération des thrombus dans les membres inférieurs ; prévenir l'embolisation des membres supérieurs ou inférieurs vers le système vasculaire pulmonaire ; procurer des soins cardiopulmonaires, s'il y a lieu.

Traitement conservateur. Le traitement symptomatique à l'égard du client souffrant d'une affection cardiopulmonaire varie selon la gravité de l'embolie pulmonaire. L'administration d'oxygène par masque ou lunettes nasales peut s'avérer adéquate chez certains clients. L'oxygène est administré selon le taux de concentration déterminé par l'analyse des gaz artériels. Dans certaines situations, une intubation endotrachéale et une ventilation mécanique peuvent être requises pour maintenir une oxygénation adéquate. Des mesures respiratoires, telles que mobiliser le client, le faire tousser et lui faire prendre des respirations profondes sont nécessaires pour prévenir ou traiter l'atélectasie. Il est possible que des agents suppresseurs doivent être administrés pour soutenir la circulation systémique si un état de choc survient (voir chapitre 27). En présence d'insuffisance cardiaque, de la digitale et des diurétiques sont administrés (voir chapitre 23). La douleur résultant de l'irritation pleurale ou de la diminution du débit sanguin coronarien est traitée avec des narcotiques, généralement de la morphine.

PROCESSUS DIAGNOSTIQUE ET THÉRAPEUTIQUE

Embolie pulmonaire aiguë   ENCADRÉ 26.12

Diagnostic

- Antécédents de santé et examen physique
- Épreuves veineuses (voir tableau 26.5)
- Radiographie pulmonaire
- Surveillance par monitorage cardiaque
- Analyse des gaz artériels
- FSC et formule leucocytaire
- Scintigraphie (perfusion et ventilation)
- Angiographie pulmonaire

Processus thérapeutique

- Oxygénothérapie
- Installation d'une voie intraveineuse pour les médicaments et les liquides
- Héparine intraveineuse continue
- Repos au lit
- Narcotiques pour soulager la douleur
- Agents thrombolytiques pour certains clients
- Filtre de la veine cave (Greenfield)
- Embolectomie pulmonaire dans les situations où la vie du client est en danger.

Pharmacothérapie. Une anticoagulothérapie bien administrée peut s'avérer efficace pour traiter de nombreux clients souffrant d'embolie pulmonaire. L'héparine et la warfarine (Coumadin) sont les anticoagulants de choix. L'héparine doit être débutée immédiatement et par la suite, des anticoagulants oraux sont administrés. La dose de l'héparine est adaptée en fonction de son effet sur le temps de céphaline activée (TCA) et celle de la warfarine est régularisée par le INR.

Il est possible que l'anticoagulothérapie soit contre-indiquée dans les cas d'affections thromboemboliques si le client souffre de dyscrasie sanguine, de dysfonctionnement hépatique causant une perturbation du mécanisme de coagulation, de lésion intestinale, d'hémorragie, d'antécédents d'accident vasculaire cérébral (AVC) ou d'affections neurologiques.

Les agents thrombolytiques, comme l'altéplase (Activase rt-PA), ont pour effet de dissoudre l'embole et la source du thrombus au niveau du bassin ou des veines profondes des jambes, diminuant ainsi la probabilité d'embolies pulmonaires récurrentes. Les clients semblent réagir à la thrombolyse jusqu'à 14 jours après la manifestation d'une embolie pulmonaire. Les contre-indications de la thrombolyse comprennent une maladie intracrânienne, une chirurgie récente ou un traumatisme. Le chapitre 22 traite du traitement thrombolytique.

Traitement chirurgical. Lorsque le degré d'obstruction artérielle pulmonaire est grave (généralement supérieur à 50 %) et que le client ne réagit pas au traitement conservateur, une embolectomie peut s'avérer nécessaire rapidement. Une embolectomie pulmonaire peut être effectuée au moyen d'un pontage cardiopulmonaire temporaire. Son rôle est toutefois limité en raison du taux de mortalité élevé. Une angiographie pulmonaire préopératoire peut être requise afin d'identifier et de localiser le site de l'embolie. Heureusement, le besoin d'une embolectomie pulmonaire est rare.

Une intervention chirurgicale pertinente de la thrombophlébite peut être utilisée pour éviter toute embolie pulmonaire ultérieure (voir la section portant sur les interventions chirurgicales de la thrombophlébite abordées plus tôt dans ce chapitre). Ces dernières comprennent l'insertion de dispositifs à filtre intra-cave (Greenfield) (voir figure 26.11).

26.5.6 Soins infirmiers : embolie pulmonaire

Exécution

Promotion de la santé. Les mesures infirmières destinées à prévenir l'embolie pulmonaire correspondent à celles de la prophylaxie contre la thrombophlébite veineuse profonde (voir la section dans ce chapitre).

Intervention en phase aiguë. Le pronostic à l'égard d'un client victime d'une embolie pulmonaire peut être bon si le traitement est établi rapidement. Le client doit être maintenu au lit dans une position semi assise pour faciliter la respiration. Un cathéter intraveineux doit être inséré pour administrer les médicaments et la thérapie liquidienne. L'infirmière doit connaître les effets secondaires des médicaments et être en mesure de les déceler. L'oxygénothérapie doit être administrée telle que prescrite. Une surveillance attentive des signes vitaux, de l'ECG, des gaz artériels sanguins et des bruits pulmonaires est indispensable pour évaluer l'état du client.

Le client est généralement anxieux en raison de la douleur, du sentiment de mort imminente, de l'incapacité de respirer ou de la peur de la mort. L'infirmière doit soigneusement expliquer la situation au client, le rassurer et soulager son anxiété. En phase aiguë, un proche du client devrait être à ses côtés.

Soins ambulatoires et soins à domicile. Le client victime d'une embolie pulmonaire peut avoir besoin de soutien psychologique et émotionnel. En plus du trouble thromboembolique, il est possible que le client souffre d'une maladie chronique sous-jacente exigeant un traitement à long terme. Afin de pouvoir dispenser un traitement symptomatique, l'infirmière doit comprendre les nombreux troubles causés par la maladie sous-jacente et ceux liés à la maladie thromboembolique, et pouvoir faire la distinction entre ceux-ci.

Le traitement à long terme est semblable à celui prodigué au client souffrant de thrombophlébite (voir encadré 26.10). La planification de la sortie d'hôpital vise à limiter la progression de la maladie et à prévenir les complications. L'infirmière doit renforcer l'importance des examens de suivi pour le client.

Évaluation. Les résultats escomptés chez le client victime d'une embolie pulmonaire sont les suivants :
- retrouver une irrigation tissulaire et une fonction respiratoire adéquates ;
- retrouver un débit cardiaque adéquat ;
- améliorer le bien-être.

MOTS CLÉS

BIBLIOGRAPHIE
Version originale

1. Santilli JD, Santilli SM: Clinical criteria and management strategies for abdominal aortic aneurysms, *Am Fam Physician* 56:1081, 1997.
2. Hollier LH, Wisselink W: Abdominal aortic aneurysm. In Haimovic H, editor: *Vascular surgery*, ed 4, Cambridge, 1996, Blackwell Science.
3. O'Hara PJ: Arterial aneurysms. In Young JR, Olin JW, Bartholomew JR, editors: *Peripheral vascular diseases*, ed 2, St. Louis, 1996, Mosby.
4. Anderson LA: An update on the cause of abdominal aortic aneurysms, *J Vasc Nurs* 12:4, 1994.
5. Cohn LH: Aortic dissection: new aspects of diagnosis and treatment, *Hosp Pract* 29:47, 1994.
6. Coselli JS, Biiket S, Crawford ES: Thoracic aortic aneurysm. In Haimovic H, editor: *Vascular surgery*, ed 4, Cambridge, 1996, Blackwell Science.
7. Phillips JK: Abdominal aortic aneurysm, *Nursing* 28:35, 1998.
8. Graham LM, Ford MB: Arterial disease. In Fahey VA, editor: *Vascular nursing*, ed 2, Philadelphia, 1994, Saunders.
9. Inoue K and others: Clinical application of transluminal endovascular graft placement for aortic aneurysms, *Ann Thorac Surg* 63:522, 1997.
10. Lombardo KM: Endovascular grafting of abdominal aortic aneurysms, *J Vasc Nurs* 15:3, 1997.
11. Warbinek E, Wyness MA: Caring for patients with complications after elective abdominal aortic surgery, *J Vasc Nurs* 12:3, 1994.
12. Rice KL, Walsh ME: Peripheral arterial occlusive disease, part I: navigating a bottleneck, *Nursing* 28:33, 1998.
13. Brewster DC: Aortoiliac, aortofemoral, and iliofemoral arteriosclerotic occlusive diseases. In Haimovic H, editor: *Vascular surgery*, ed 4, Cambridge, 1996, Blackwell Science.
14. Foldes MS: Postoperative lower extremity bypass surveillance: beyond ankle arm blood pressure, *J Vasc Nurs* 13:3, 1995.
15. Nunnelee JD: Patient education: hospital to home. In Fahey VA, editor: *Vascular nursing*, ed 2, Philadelphia, 1994, Saunders.
16. Bacharach JM, Sullivan TM: Endovascular treatment of peripheral vascular disease. In Young JR, Olin JW, Bartholomew JR, editors: *Peripheral vascular disease*, ed 2, St. Louis, 1996, Mosby.
17. Ferguson JM, Stonebridge PA: Endovascular surgery, *J R Coll Surg Edinb* 41:223, 1996.
18. Capasso VC, Cote K: The management of patients undergoing arterial reconstructive surgery, *Medsurg Nurs* 2:11, 1993.
19. Childs MB: Foot care for the diabetic patient, *J Vasc Nurs* 12:3, 1994.
20. Falter HJ: Deep vein thrombosis in pregnancy and the puerperium, *J Vasc Nurs* 15:2, 1997.
21. Daly E and others: Risk of venous thromboembolism in users of hormone replacement therapy, *Eur Menopause J* 3:260, 1996.
22. Hirsh J: Deep vein thrombosis: recovery or recurrence? *Hosp Pract* 30:71, 1995.
23. Raskob GE: Low molecular weight heparin for the prevention and treatment of venous thromboembolism, *Current Opinion in Pulmonary Medicine* 2:305, 1996.
24. Raimer F, Thomas M: Clot stoppers: using anticoagulants safely and effectively, *Nursing* 25:34, 1995.
25. Green D: Sclerotherapy for the permanent eradication of varicose veins: theoretical and practical considerations, *J Am Acad Dermatol* 38:461, 1998.
26. Cahall E, Spence R: Nursing management of venous ulceration, *J Vasc Nurs* 12:2, 1994.
27. Launius BK, Graham BD: Understanding and preventing deep vein thrombosis and pulmonary embolism, *AACN Clin Issues* 9:91, 1998.

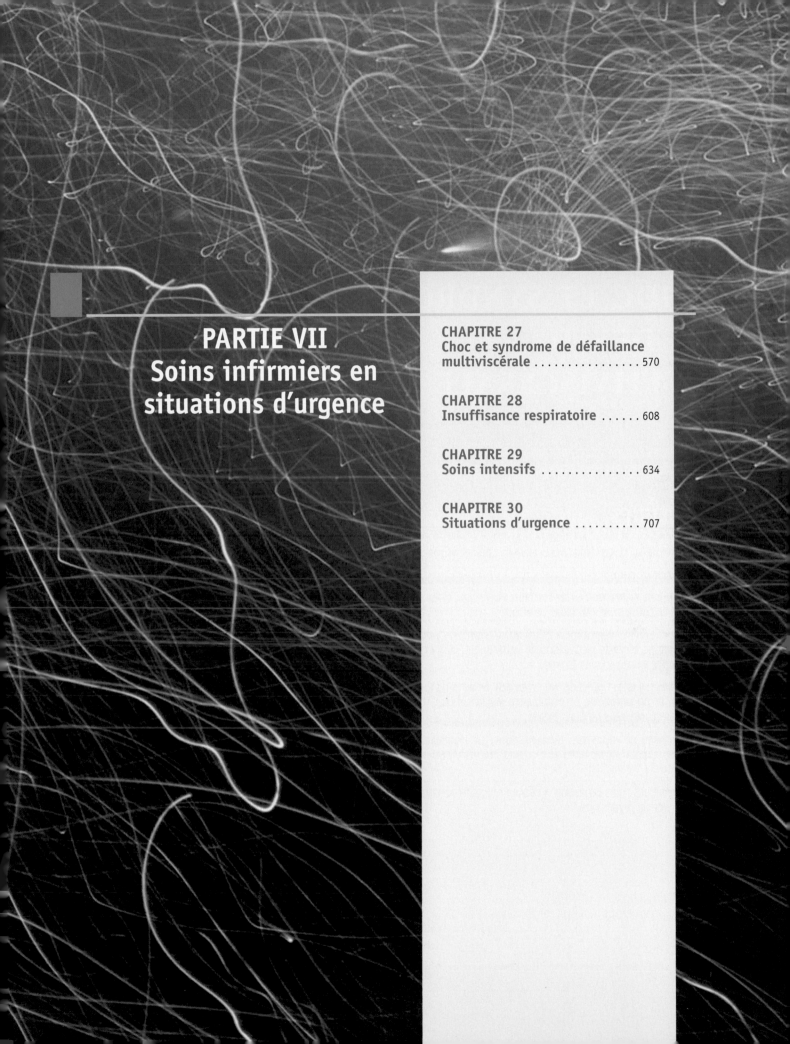

PARTIE VII
Soins infirmiers en situations d'urgence

Suzanne Aucoin
M.A., M.A.P.
Université du Québec à Chicoutimi

Marie-Claude Bouchard
B. Sc. inf., M. Éd.
Cégep de Chicoutimi

Chapitre 27

CHOC ET SYNDROME DE DÉFAILLANCE MULTIVISCÉRALE

PLAN DU CHAPITRE

OBJECTIFS D'APPRENTISSAGE

APRÈS AVOIR LU CE CHAPITRE, VOUS DEVRIEZ ÊTRE EN MESURE :

DE DÉFINIR LE CHOC ;

D'ÉTABLIR UNE DISTINCTION ENTRE LES TROIS PRINCIPAUX TYPES DE CHOC EN FONC-TION DE LA CAUSE ET DES FACTEURS DE RISQUE ;

DE DÉCRIRE LA PHYSIOPATHOLOGIE ET LES MANIFESTATIONS CLINIQUES DU CHOC, DU SYNDROME DE RÉPONSE INFLAMMATOIRE SYSTÉMIQUE (SRIS) ET DU SYNDROME DE DÉFAILLANCE MULTIVISCÉRALE (SDMV) ;

DE DÉCRIRE LES EFFETS DU CHOC, DU SYNDROME DE RÉPONSE INFLAMMATOIRE SYS-TÉMIQUE ET DU SYNDROME DE DÉFAILLANCE MULTIVISCÉRALE SUR LES PRINCIPAUX SYSTÈMES ET APPAREILS DE L'ORGANISME ;

DE COMPARER LE PROCESSUS THÉRAPEUTIQUE, LA PHARMACOTHÉRAPIE ET LES SOINS INFIRMIERS APPLICABLES AUX CLIENTS CLIENTS AYANT SUBI DIVERS TYPES DE CHOC ;

DE DISCUTER DES SOINS INFIRMIERS À L'ÉGARD DU CLIENT ATTEINT DU SYNDROME DE DÉFAILLANCE MULTIVISCÉRALE.

*L*e choc, le syndrome de réponse inflammatoire systémique et le syndrome de défaillance multiviscérale sont de graves complications qui sont interreliées. Le choc est un processus physiopathologique qui entraîne souvent l'apparition du syndrome de réponse inflammatoire systémique ou du syndrome de défaillance multiviscérale (voir figure 27.1). Le présent chapitre explique clairement l'état de choc et traite aussi du syndrome de réponse inflammatoire systémique et du syndrome de défaillance multiviscérale.

27.1 CHOC

Le **choc** est un syndrome clinique qui se caractérise par une nutrition et une oxygénation cellulaire insuffisantes consécutives à une diminution de l'irrigation tissulaire. Le choc comporte de nombreux signes et symptômes et peut être précipité par divers facteurs étiologiques. Bien que la cause et les manifestations initiales des divers types de choc varient, les réactions physiologiques à l'hypoxie cellulaire sont identiques et entraînent la même cascade d'événements si on ne parvient pas à déceler et à traiter le choc de façon rapide. Le défi consiste donc à reconnaître les manifestations initiales d'un choc imminent et à intervenir rapidement et adéquatement pour empêcher l'évolution vers le syndrome de défaillance multiviscérale ou même la mort.

Il est important de noter qu'il est impossible de définir le choc uniquement en fonction de l'hypotension, puisque le choc peut se manifester en l'absence de cet état, et vice versa.

Les taux de morbidité et de mortalité associés au choc sont extrêmement difficiles à déterminer. On estime qu'il en coûte entre 10 et 20 milliards de dollars annuellement pour traiter les clients atteints de choc, et le taux de mortalité des personnes âgées est supérieur à celui des jeunes adultes lorsqu'on tient compte de tous les états de choc. Le sepsis a augmenté de 137 % au cours des 10 dernières années et le taux de mortalité qui en découle demeure entre 40 et 60 %. Par ailleurs, le sepsis est la principale cause de décès dans les soins

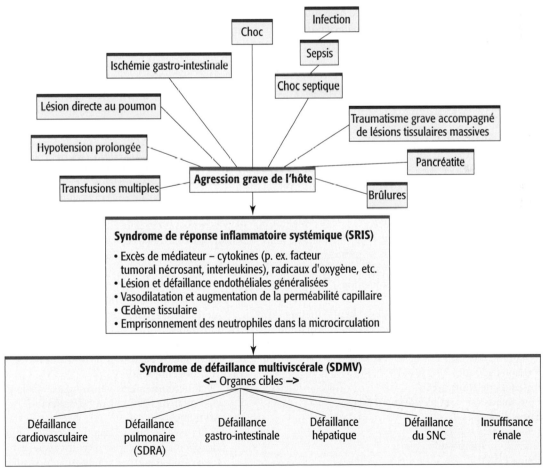

FIGURE 27.1 Rapport entre le choc, le syndrome de réponse inflammatoire systémique et le syndrome de défaillance multiviscérale
SDRA : syndrome de détresse respiratoire aiguë ; SNC : système nerveux central.

intensifs médicaux et chirurgicaux, excluant les unités coronariennes, et on devrait assister à son expansion dans les prochaines années, compte tenu du vieillissement de la clientèle des soins intensifs, de l'augmentation du nombre de clients immunosupprimés et de l'usage croissant de méthodes effractives de monitorage et de traitement.

Bien que la survie d'un client en phase critique ne puisse être assurée que dans une unité de soins intensifs, ce milieu comporte un risque élevé d'infection et une présence croissante de bactéries multirésistantes. Il est donc essentiel que l'infirmière respecte rigoureusement les principes d'asepsie lorsqu'elle prodigue des soins aux clients prédisposés aux infections, notamment les clients immunosupprimés.

27.1.1 Classification des chocs

De nombreuses tentatives ont été faites pour classifier les chocs, mais aucune n'est encore totalement satisfaisante. L'encadré 27.1 présente un système de classification qui regroupe les types courants de choc et de facteurs précipitants. Cette classification est fondée sur les trois principaux mécanismes responsables d'une circulation adéquate : le tonus vasculaire (choc distributif) ; la capacité de pompage du cœur (choc cardiogénique) ; le volume intravasculaire (choc hypovolémique). Les facteurs étiologiques doit être pris en compte dans tous les types de choc, puisque chaque état a des causes qui lui sont propres. Il est possible qu'un client éprouve plusieurs formes de choc en même temps. Par exemple, le choc hypovolémique et le choc septique peuvent coexister. Le tableau 27.1 compare les effets hémodynamiques des trois types de choc. (Le chapitre 29 traite de la surveillance hémodynamique.)

Choc distributif. Le choc distributif comprend trois types de choc : neurogénique, septique et anaphylactique. Dans le cas d'un choc distributif, l'hypovolémie est relative et se produit lorsque la vasodilatation augmente la taille de l'espace vasculaire et entraîne une perturbation de la répartition du volume sanguin plutôt que la perte réelle de volume. Ce type de choc cause une diminution du tonus vasculaire, mais aucun changement dans le volume sanguin. Il est souvent compliqué par la perte de liquide intravasculaire consécutive à une augmentation de la perméabilité capillaire, ce qui donne lieu à une réduction du débit sanguin vers les tissus.

Choc neurogénique. Le choc neurogénique est provoqué par une vasodilatation massive sans compensation à la suite d'une perturbation de la fonction du système nerveux autonome et par la perte du tonus vasoconstricteur sympathique dans le muscle lisse de la paroi

---

Classification et facteurs déclencheurs de l'état de choc — ENCADRÉ 27.1

Choc distributif
- Choc neurogénique
  - Lésion ou maladie de la moelle épinière à la hauteur ou au-dessus de la D_6
  - Anesthésie rachidienne, anesthésie générale profonde ou anesthésie épidurale
  - Dépression du centre vasomoteur (douleur intense, médicaments, hypoglycémie)
- Choc septique
  - Infection (voies urinaires, voies respiratoires, avortement septique, interventions effractives [invasives] [notamment les interventions urologiques], cathéters et sondes à demeure).
  - Clients à risque : personnes âgées, clients atteints de maladie chronique (diabète, cancer, VIH/SIDA), clients qui suivent un traitement immunosuppresseur, clients souffrant de malnutrition ou de faiblesse.
- Choc anaphylactique
  - Substances de contraste
  - Médicaments (surtout les antimicrobiens)
  - Piqûres d'insectes
  - Agents anesthésiques
  - Aliments ou additifs alimentaires
  - Vaccins
  - Agents environnementaux (poils et squames d'animaux de compagnie, moisissures, pollens)

Choc hypovolémique
- Hypovolémie absolue
  - Perte de sang total (hémorragie à la suite d'un traumatisme ou d'une chirurgie, saignement gastro-intestinal)
  - Perte de plasma (à la suite de brûlures)
  - Perte d'autres liquides organiques (vomissements, diarrhée, abus de diurétiques ou de laxatifs, diaphorèse, diabète insipide, acidocétose diabétique)
- Hypovolémie relative
  - Accumulation de sang (ascite, péritonite, occlusion intestinale)
  - Hémorragie interne (fracture d'os longs, rupture de la rate, hémothorax, pancréatite grave, ponction artérielle ou cathéters chez les clients suivant une anticoagulothérapie)
  - Vasodilatation massive (comme celle qui peut se produire dans les états qui provoquent un choc distributif)

Choc cardiogénique
  - Dysfonctionnement ventriculaire primaire (infarctus aigu du myocarde, chirurgie cardiaque)
  - Arythmies
  - Troubles structuraux (rupture septale, rupture des muscles papillaires, anévrisme ventriculaire, myocardiopathie)
  - Causes obstructives (tamponnade cardiaque, maladie cardiaque, pneumothorax sous tension, atteinte valvulaire aiguë, embolie pulmonaire)

Type	FC	Pression différentielle	PA	RVS	RVP	PVC	PAP	PCP	DC	SvO$_2$
Choc hypovolémique	↑	↓	↓	↑	↑	↓	↓	↓	↓	↓
Choc cardiogénique	↑	↓	↓	↑	↑	≈ ↑	↑	↑	↓	↓
Choc anaphylactique	↑	↓	↓	↓	≈ ↑	↓	↓	↓	↓	↓
Choc neurogénique	↓	↓	↓	↓	≈	↓	↓	↓	↓	↓
Choc septique	↑	↓	↓	↓	≈ ↑	↓	↑ ≈ ↓	↓	↑	↑ ≈ ↓
SRIS	↑	≈	≈	↓	≈ ↑	↓	↑ ≈ ↓	↓	↑	↑ ≈ ↓
SDMV	↑	≈	≈	↓	↑	↓	↑ ≈ ↓	↓ ≈ ↑	↓	↑

TABLEAU 27.1   Effets hémodynamiques du choc, du syndrome de réponse inflammatoire systémique et du syndrome de défaillance multiviscérale

↓ diminution ; ↑ augmentation ; ≈ aucun changement.

Note : les effets hémodynamiques dans certaines affections sont très variables. Les résultats hémodynamiques du SDMV dépendent du système défaillant.

DC : débit cardiaque ; FC : fréquence cardiaque ; PA : pression artérielle ; PAP : pression artérielle pulmonaire ; PCP : pression capillaire pulmonaire ; PVC : pression veineuse centrale ; RVP : résistance vasculaire pulmonaire ; RVS : résistance vasculaire systémique ; SDMV : syndrome de défaillance multiviscérale ; SRIS : syndrome de réponse inflammatoire systémique ; SvO$_2$: saturation du sang veineux en oxygène.

vasculaire. Cette vasodilatation massive amène une accumulation de sang dans le réseau veineux, une diminution du retour veineux vers le cœur, une baisse du débit cardiaque (DC) et, finalement, une réduction de l'irrigation tissulaire (voir figure 27.2). Le client atteint d'un choc neurogénique présente habituellement des signes d'hypotension et de bradycardie. L'hypotension est attribuable à la vasodilatation et la diminution de la fréquence cardiaque (FC) est provoquée par l'augmentation du tonus vagal, laquelle est causée par l'absence de compensation de l'effet du système nerveux parasympathique.

Plusieurs facteurs peuvent provoquer un choc neurogénique (voir encadré 27.1). La cause la plus courante est une maladie ou une lésion médullaire au-dessus ou à la hauteur de la D6, puisque la transmission d'impulsions nerveuses sympathiques vers les vaisseaux sanguins périphériques est alors interrompue. Le choc neurogénique peut durer de quelques heures à quelques semaines après une lésion médullaire.

L'anesthésie rachidienne peut également bloquer la transmission d'impulsions en provenance du système nerveux sympathique. La dépression du centre vasomoteur du bulbe rachidien provoquée par les médicaments peut également diminuer le tonus vasoconstricteur des vaisseaux sanguins périphériques.

Choc septique. L'encadré 27.2 présente les définitions et les signes cliniques liés au continuum du syndrome de réponse inflammatoire systémique et du sepsis. Les bactéries, les champignons, les parasites, les virus et d'autres causes peuvent provoquer une infection menant au sepsis. Le sepsis est un syndrome de réponse inflammatoire systémique causé par une infection. Le syndrome de réponse inflammatoire systémique est une réaction inflammatoire systémique consécutive à diverses causes, dont les brûlures, les traumatismes et la pancréatite (voir figure 27.1). Le sepsis grave est accompagné d'une défaillance d'au moins un organe. Le choc septique est un sepsis accompagné d'hypotension, malgré l'instauration d'une réanimation liquidienne adéquate nécessitant l'utilisation d'amines vasopressives.

Le sepsis est défini comme un syndrome de réponse inflammatoire systémique s'ajoutant à un processus infectieux présumé ou confirmé. Bien que l'on ait longtemps cru que le sepsis était majoritairement dû à

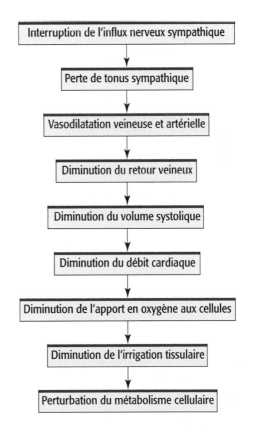

FIGURE 27.2 Physiopathologie du choc neurogénique

des bactéries Gram négatif, il est maintenant connu que cette proportion est d'environ 50 %. Le syndrome de choc toxique est un exemple de choc Gram positif résultant de l'infection à *Staphylococcus aureus*. (Le chapitre 45 traite du syndrome de choc toxique.) Les causes du choc septique sont énumérées dans l'encadré 27.1.

Les bactéries Gram négatif sont également responsables de plus de la moitié des cas de choc septique. Lorsqu'une bactériémie à germes Gram négatif se déclare, l'endotoxine, qui est une composante de la paroi cellulaire de la bactérie, déclenche une cascade de réactions inflammatoires chez l'hôte, qui produisent les principales réactions systémiques constatées lors du sepsis. (La paroi cellulaire des bactéries Gram positif ou des champignons peut également produire une substance comparable qui déclenche cette cascade.) Lorsque l'endotoxine se fusionne aux monocytes et aux macrophages, elle stimule la libération de médiateurs, dont le facteur tumoral nécrosant et l'interleukine 1 (IL-1). Ces médiateurs stimulent la libération ou l'activation d'autres médiateurs de la réaction inflammatoire, dont le facteur d'activation plaquettaire, les prostaglandines, les leucotriènes, la thromboxane A_2, les kinines et le complément (voir tableau 27.2). Ces facteurs sont responsables de la vasodilatation diffuse et de l'augmentation de la perméabilité capillaire, ce qui entraîne une réduction de la résistance vasculaire systémique (RVS) et un débit cardiaque normal ou élevé en réaction à la diminution de la résistance périphérique (voir figure 27.3). Les endotoxines provoquent la libération de l'histamine, entraînant une augmentation de la perméabilité capillaire et diminuant davantage le liquide dans l'espace intravasculaire.

Le facteur dépresseur myocardique fonctionne de pair avec le facteur tumoral nécrosant, le facteur d'activation plaquettaire et d'autres médiateurs dans le but de diminuer la contractilité myocardique. Cette dernière est pratiquement toujours présente, même s'il y a une augmentation initiale du débit cardiaque.

Les manifestations cliniques du choc septique sont souvent subtiles, notamment chez le client âgé qui est affaibli ou dénutri. La pression artérielle (PA) est habituellement basse, mais la peau est chaude et sèche en raison de la vasodilatation. Il est possible que le client ait un débit urinaire jusqu'à concurrence de 100 ml/h dans la phase initiale du choc septique.

En général, le débit cardiaque accru et la résistance vasculaire systémique réduite reviennent aux valeurs normales dans les 24 premières heures chez les clients qui survivent à un choc septique. Les paramètres cardiovasculaires associés à un taux de mortalité élevé comprennent une hausse persistante de la fréquence cardiaque et du débit cardiaque, ainsi qu'une faible résistance vasculaire systémique et une hypotension réfractaire pendant plus de 24 heures.

Définitions de termes liés au sepsis et à la défaillance d'un organe | ENCADRÉ 27.2

Infection
- Invasion d'agents pathogènes dans l'organisme.

Bactériémie
- Présence de bactéries viables dans le sang, démontrée par une hémoculture positive.

Syndrome de réponse inflammatoire systémique (SRIS)
- Réponse inflammatoire systémique à diverses affections se manifestant par plus de deux des symptômes suivants :
  - Température >38 °C ou <36 °C
  - Fréquence cardiaque >90 bpm
  - Fréquence respiratoire >20 respirations/min ou $PaCO_2$ <32 mm Hg
  - Numération des leucocytes >12 000 cellules/µl ou <4000 cellules/µl ou >10 % de polynucléaires neutrophiles immatures

Sepsis
- SRIS causé par une infection. Le sepsis est toujours associé au SRIS.

Sepsis grave
- Sepsis associé à la défaillance d'un organe, à l'hypoperfusion ou à l'hypotension.

Choc septique
- Sepsis accompagné d'hypotension (malgré une réanimation liquidienne suffisante) et présence d'anomalies de l'irrigation tissulaire.

Hypotension
- Pression artérielle systolique <90 mm Hg ou réduction >40 mm Hg par rapport aux données de base et dans laquelle la PA n'est pas suffisante pour permettre une irrigation normale.

Syndrome de défaillance multiviscérale (SDMV)
- Défaillance de plus d'un organe chez un client gravement malade, qui fait en sorte que l'homéostasie ne peut pas être maintenue sans intervention.
- SDMV primaire
  - Se produit rapidement et est attribuable à une affection ou à une lésion bien définie.
- SDMV secondaire
  - Est attribuable à une inflammation systémique incontrôlée et entraîne la défaillance d'un organe.
  - Se manifeste de manière latente après plusieurs affections.

$PaCO_2$: pression partielle du gaz carbonique dans le sang artériel.

Le choc septique est plus courant chez les personnes âgées, car elles sont davantage prédisposées aux maladies chroniques débilitantes et d'un affaiblissement du système immunitaire. La longévité accrue des clients atteints de maladies chroniques complexes a fait augmenter le nombre de clients exposés aux risques d'infections graves et de complications subséquentes.

TABLEAU 27.2	Médiateurs du sepsis, du syndrome de réponse inflammatoire systémique et du syndrome de défaillance multiviscérale	
Médiateur	**Action**
Endotoxine (composante de la paroi cellulaire des bactéries Gram négatif)	Stimulation des monocytes, des macrophages et des neutrophiles pour produire des cytokines.
Interleukine 1	Vasodilatation, augmentation de la perméabilité capillaire.
Facteur tumoral nécrosant	Lésion endothéliale, vasodilatation, augmentation de la perméabilité capillaire.
Facteur de Hageman	Activation du système intrinsèque de coagulation.
Prékallikréine	Production de bradykinine.
Bradykinine	Vasodilatation, augmentation de la perméabilité capillaire (déplacement d'une cellule mobile déclenché par la présence d'une substance chimique qui l'attire ou la repousse), chimiotaxie des leucocytes.
Protéines du complément C3a, C5a	Agrégation des neutrophiles, libération des radicaux d'oxygène toxiques, libération d'histamine, vasodilatation, augmentation de la perméabilité capillaire.
Prostaglandines	Vasodilatation, diminution de l'agrégation plaquettaire.
Facteur d'activation des plaquettes	Agrégation plaquettaire accompagnée de stase microvasculaire ; diminution de l'irrigation rénale, du débit sanguin coronarien et du débit cardiaque.
Histamine	Vasodilatation, augmentation de la perméabilité capillaire.
Catécholamines	Stimulation inotrope, altération du débit sanguin régional, augmentation de la glycémie.
Cortisol	Néoglucogenèse, hyperglycémie.
Facteur dépresseur myocardique	Diminution de la contractilité et du débit cardiaques.

L'augmentation de l'incidence du sepsis est en grande partie attribuable aux progrès réalisés en matière de soins de santé et de technologie et à la hausse du nombre de clients immunosupprimés.

Choc anaphylactique. Le choc anaphylactique est une réaction qui se manifeste en quelques minutes et qui peut mettre la vie du client en danger. Il s'agit d'une réaction d'hypersensibilité immédiate qui provoque une vasodilatation massive et une augmentation de la perméabilité capillaire, ce qui entraîne une fuite microvasculaire dans tout l'organisme. Le choc anaphylactique peut entraîner une insuffisance respiratoire causée par un œdème laryngé ou un bronchospasme grave et une insuffisance circulatoire provoquée par une vasodilatation massive. (Le chapitre 7 traite du choc anaphylactique.) En général, la gravité de la réaction anaphylactique est directement reliée à la rapidité d'apparition des symptômes.

Un client peut présenter une réaction allergique grave, pouvant mener à un choc anaphylactique, après avoir ingéré ou s'être fait injecter un antigène auquel il a déjà été sensibilisé. Bien que l'anaphylaxie soit surtout causée par l'administration d'un antigène par voie parentérale, les voies d'administration buccale, topique et pulmonaire peuvent aussi provoquer des réactions anaphylactiques. L'encadré 27.1 présente des exemples de substances susceptibles de provoquer un choc anaphylactique.

Choc hypovolémique. Le choc hypovolémique survient lorsqu'il y a une perte de volume liquidien intravasculaire. Lors d'un tel choc, le volume est insuffisant pour remplir l'espace vasculaire. La perte de volume intravasculaire peut être divisée en causes absolues et en causes relatives (voir encadré 27.1). On parle d'**hypovolémie absolue** lorsqu'il y a une perte externe de liquide organique, et d'**hypovolémie relative** lorsque le liquide interne passe de l'espace intravasculaire à l'espace extravasculaire.

Lors d'un choc hypovolémique, l'état du compartiment vasculaire ne change pas, mais le volume de sang

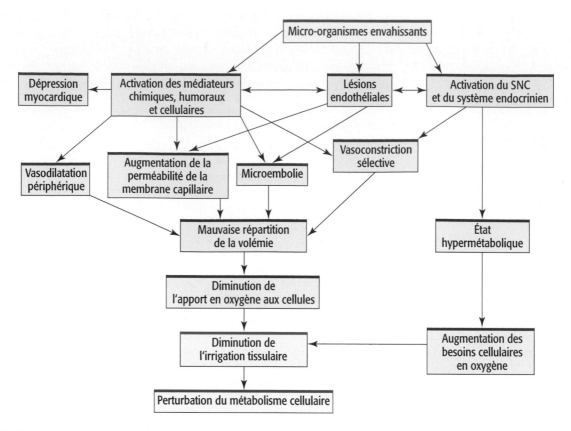

FIGURE 27.3 Physiopathologie du choc septique

ou de plasma diminue. La perte de liquide entraîne une diminution du retour veineux vers le cœur, une réduction du volume d'éjection, une baisse du débit cardiaque, une insuffisance circulatoire et, par la suite, une diminution de l'irrigation tissulaire (voir figure 27.4). Le choc hypovolémique n'entraîne aucune diminution de la capacité de pompage du cœur ni dilatation de l'espace vasculaire. Le liquide perdu peut être du sang, du plasma ou de l'eau et des électrolytes.

Dans le cas de l'hypovolémie relative, le liquide ne quitte pas l'organisme, mais il est exclu de l'espace intravasculaire et n'est pas disponible pour la circulation. L'augmentation de la perméabilité capillaire peut provoquer une accumulation de liquide dans les espaces interstitiels ou intracavitaires (troisième espace). La perte de liquide par l'espace intravasculaire provoque une augmentation de la viscosité sanguine et l'agrégation des plaquettes. Cette perte de liquide peut ensuite bloquer les capillaires et le retour veineux et contribuer à une augmentation de la résistance vasculaire systémique et à une diminution de l'irrigation tissulaire. De plus, la perte de volume intravasculaire diminue le retour veineux vers le cœur ainsi que le débit cardiaque.

La cause la plus courante d'hypovolémie absolue est l'hémorragie (perte excessive de sang total). La quantité de sang perdue qui entraîne un choc dépend de

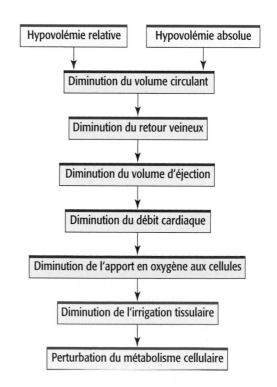

FIGURE 27.4 Physiopathologie du choc hypovolémique

l'efficacité des mécanismes compensatoires de chaque personne et de la rapidité de la perte de sang. Par exemple, un adulte en santé peut compenser une perte soudaine jusqu'à concurrence de 15 % (750 ml chez un homme de 70 kg, 500 ml chez une femme de 60 kg) du volume de sang total en utilisant principalement la vasoconstriction assistée par le système nerveux sympathique. Cependant, ces mécanismes compensatoires commenceront à faire défaut si on perd rapidement plus de 15 % du volume sanguin.

Parmi les autres causes courantes de choc hypovolémique, on compte les brûlures, les pertes de liquide gastro-intestinal et une diurèse très abondante. En cas de brûlures, il y a une perte directe de liquide par évaporation, et l'augmentation de la perméabilité capillaire entraîne une perte de liquide vers les espaces interstitiels. Les pertes de liquide gastro-intestinal surviennent habituellement à la suite de vomissements importants, de diarrhée et de drainage excessif provenant d'un tube nasogastrique ou d'une fistule, entraînant une perte d'eau et d'électrolytes. L'augmentation de la diurèse causée par la prise de diurétiques, le diabète insipide et le diabète sucré peut également entraîner d'importantes pertes de volume liquidien et d'électrolytes. La prédisposition au choc découlant de ces facteurs est habituellement liée à l'âge, et les nourrissons, tout comme les personnes âgées, courent les plus grands risques puisque leurs mécanismes compensatoires physiologiques sont moins efficaces.

Choc cardiogénique. Le choc cardiogénique, qui réfère à une défaillance de la pompe cardiaque, survient lorsque le cœur ne parvient plus à pomper le sang efficacement vers tous les organes et qu'il y a une diminution du débit cardiaque. Ce choc n'est associé à aucune diminution du volume sanguin intravasculaire. Les vaisseaux sanguins se contractent pour tenter de maintenir la pression artérielle et concourent à réduire davantage le débit cardiaque.

Le choc cardiogénique est habituellement attribuable à une défaillance ventriculaire gauche. Cependant, le ventricule droit peut également être en cause. L'atteinte des ventricules, notamment le ventricule gauche, provoque une défaillance des chambres de pompage et un refoulement du sang. Dans le cas d'une défaillance du ventricule droit, le sang est refoulé dans la circulation systémique. La défaillance du ventricule gauche entraîne une réduction du débit cardiaque vers la circulation systémique et un refoulement du sang dans la circulation pulmonaire, ce qui provoque une congestion pulmonaire en amont (voir figure 27.5). Un cercle vicieux s'installe à mesure que la résistance vasculaire systémique augmente en réaction à la réduction du débit cardiaque. Le cœur défaillant doit maintenant pomper plus fort pour faire face à une résistance systémique plus grande.

L'infarctus aigu du myocarde est la cause la plus courante de choc cardiogénique. Ce type de choc se produit lorsqu'au moins 40 % du ventricule gauche a été endommagé par un infarctus. Cette atteinte peut survenir après un infarctus massif du myocarde ou à la suite de plusieurs petits infarctus qui se produisent sur une certaine période. Lorsque le muscle myocardique est atteint, cela entraîne une diminution de sa compliance et, par conséquent, une réduction de sa contractilité. Le ventricule gauche fonctionne donc moins bien, comme le démontre la diminution du débit cardiaque et de la pression artérielle. Cette dernière n'est pas assez élevée pour irriguer les artères coronaires, et cette diminution continuelle de la perfusion coronarienne, provoque une plus grande ischémie myocardique, ce qui entraîne un infarctus plus important, une réduction de la contractilité, des arythmies et une acidose métabolique. Ces problèmes diminuent davantage l'efficacité du fonctionnement du ventricule gauche.

D'autres causes de choc cardiogénique sont énumérées dans l'encadré 27.1. Quelle que soit la cause, le degré de défaillance de la pompe dépend du degré de défaillance du muscle cardiaque et de l'adéquation des mécanismes compensatoires.

27.1.2 Stades des états de choc

Le choc est un événement dynamique au cours duquel plusieurs processus peuvent intervenir simultanément. En outre, le client peut cheminer vers la mort ou vers le rétablissement à l'intérieur d'une période de durée extrêmement variée. Quelle que soit la cause du choc, celui-ci peut être divisé en trois stades : le stade compensé ; le stade progressif ; le stade irréversible ou réfractaire. Bien qu'il n'y ait pas de divisions claires entre ces stades, celles-ci fournissent un cadre à la discussion.

Le choc peut se manifester rapidement ou graduellement, selon la gravité de l'affection initiale et l'adéquation des mécanismes compensatoires.

Stade compensé. On dit que le stade compensé est atteint lorsque les mécanismes compensatoires peuvent maintenir une pression artérielle et un débit cardiaque suffisants. Il constitue le stade réversible au cours duquel les mécanismes compensatoires sont en mesure d'assurer une irrigation suffisante vers les organes vitaux. La plupart des besoins métaboliques continuent d'être comblés à ce stade. On le compare souvent à la réaction de lutte ou de fuite dans laquelle l'organisme se rend compte qu'il est en danger. Le résultat final de ces réactions est un état de stress chronique. La chaîne physiopathologique des événements qui se déroulent à ce stade est décrite en détail à la figure 27.6. Le client qui est traité rapidement se rétablira avec peu ou pas de lésions aux organes vitaux.

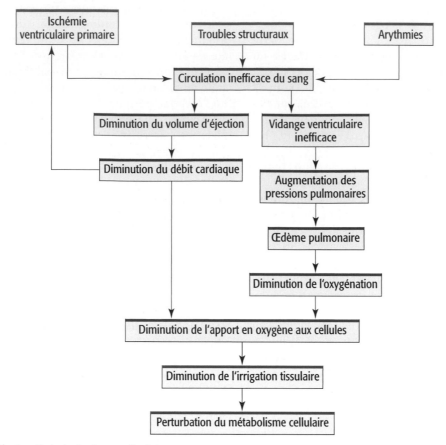

FIGURE 27.5 Physiopathologie du choc cardiogénique

Physiopathologie. Quelle que soit la cause du choc, l'organisme utilise divers moyens pour tenter de compenser la diminution de l'irrigation tissulaire. Au départ, une réduction de la pression artérielle moyenne inhibe l'activité des barorécepteurs, ce qui stimule le centre vasomoteur du bulbe rachidien, active le système nerveux sympathique amène la libération d'adrénaline de la médullosurrénale et de noradrénaline des terminaisons nerveuses. La stimulation des récepteurs alpha-adrénergiques provoque une vasoconstriction périphérique sélective. Le débit sanguin vers le cœur et le cerveau est maintenu, mais il se trouve réduit vers les reins, l'appareil digestif, les poumons, les muscles et la peau. La stimulation des récepteurs bêta-adrénergiques provoque une légère hausse de la fréquence cardiaque et de la contractilité myocardique, ce qui fait augmenter le débit cardiaque. Cette stimulation sympathique entraîne également la dilatation des artères coronaires et accroît l'apport au myocarde, car ce dernier a des besoins accrus en raison de l'augmentation de la fréquence cardiaque et de la contractilité myocardique.

La diminution du débit sanguin vers les reins stimule la libération de rénine dans le sang. La rénine active l'angiotensinogène pour produire l'angiotensine I,

qui est ensuite convertie en angiotensine II (voir figure 27.7). L'angiotensine est un puissant vasoconstricteur qui provoque la constriction artérielle et veineuse. Le résultat net se traduit par une augmentation du retour veineux vers le cœur et une élévation de la pression artérielle. L'angiotensine stimule également le cortex surrénal pour libérer de l'aldostérone, ce qui entraîne une réabsorption du sodium par les reins. Cette augmentation de sodium accroît l'osmolarité sérique et stimule la libération de l'hormone antidiurétique (ADH). Celle-ci est également libérée lorsqu'il y a une diminution du débit sanguin vers l'hypophyse postérieure. Son action entraîne une augmentation de la réabsorption d'eau par les reins, d'où une hausse du volume sanguin et un accroissement du retour veineux vers le cœur.

Une diminution de la pression artérielle provoque également une baisse comparable sur le plan de la pression hydrostatique capillaire. Lorsque la pression hydrostatique ne dépasse plus la pression osmotique colloïdale, le liquide se déplace de l'espace interstitiel à l'espace intravasculaire. Cet échange liquidien peut permettre de fournir suffisamment de volume à l'espace vasculaire pour maintenir la pression artérielle normale sans l'aide d'autres mécanismes compensatoires.

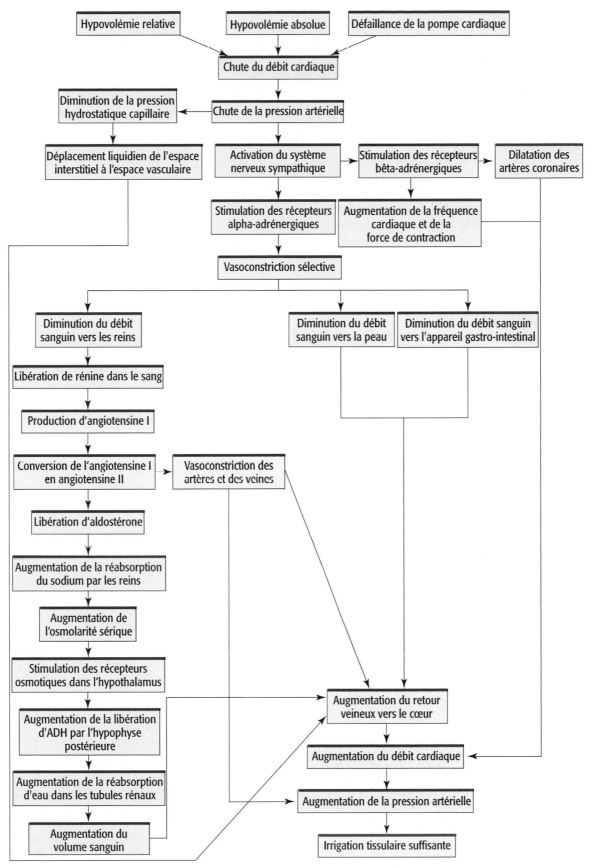

FIGURE 27.6 Stade compensé : stade réversible pendant lequel les mécanismes compensatoires sont efficaces et l'homéostasie est maintenue
ADH : hormone antidiurétique.

Le retour veineux augmente grâce à la vasoconstriction et aux changements hormonaux. L'amélioration du retour veineux, de la fréquence cardiaque et de la contractilité myocardique entraîne une augmentation du débit cardiaque et assure une pression artérielle stable et une irrigation tissulaire adéquate.

Manifestations cliniques. Les manifestations cliniques du stade compensé de l'état de choc peuvent être subtiles et passer facilement inaperçues (voir tableau 27.3). Cependant, l'une des manifestations les plus fiables est l'état de conscience du client. Des changements subtils de l'état sensoriel, habituellement sous forme d'instabilité psychomotrice, d'irritabilité ou d'appréhension, sont fréquemment observés et sont probablement causés par l'hypoxie qui se produit dans les cellules cérébrales. Il est possible que la sédation soit contre-indiquée à cette étape, puisqu'elle peut masquer des symptômes neurologiques importants.

À ce stade, la pression artérielle en position couchée peut être légèrement basse ou normale pour le client et peut, par conséquent, ne pas constituer un indicateur vraiment fiable. Cependant, une diminution de la pression différentielle (différence entre la pression artérielle systolique [PAS] et la pression artérielle diastolique [PAD]) est un signe classique d'un état de choc compensatoire. L'hypotension orthostatique (diminution de la pression artérielle systolique d'au moins 15 mm Hg lorsqu'un client est relevé de la position couchée à la position assise [90°]) est significative et indique une perte absolue ou relative de volume sanguin.

Au stade compensé, la fréquence cardiaque est légèrement élevée. Le pouls est susceptible d'être bondissant (lors du choc septique) ou filant en raison de la vasoconstriction périphérique. Le rythme et la profondeur des respirations augmentent pour tenter d'équilibrer la diminution du débit cardiaque, ce qui entraîne une alcalose respiratoire. Il est possible que le débit urinaire diminue en raison de la réduction de l'irrigation rénale et de l'action de l'hormone antidiurétique. La perte plasmatique extravasculaire et la diminution des sécrétions salivaires sont consécutives à la vasoconstriction périphérique et peuvent amener le client à se plaindre de la soif.

La peau est normalement froide et pâle (sauf dans les cas de sepsis, où la peau peut être chaude et sèche). Les bruits intestinaux sont souvent hypoactifs en raison de la diminution du péristaltisme et il peut y avoir une distension abdominale.

L'un des éléments associés à la réaction du système nerveux sympathique est la sécrétion de grandes quantités de catécholamines produites par la médullosurrénale. Les catécholamines permettent d'améliorer le métabolisme cellulaire cérébral et cardiaque en libérant le glucose stocké sous forme de glycogène dans le foie. De plus, la libération d'insuline par le pancréas est ralentie considérablement, laissant ainsi au cerveau une grande quantité de glucose disponible pour son métabolisme, puisque celui-ci n'a pas besoin d'insuline pour utiliser le glucose.

Stade progressif. Lorsque les mécanismes compensatoires sont insuffisants pour rétablir l'irrigation vers les organes vitaux, soit en raison de la gravité de l'affection initiale ou de sa durée prolongée, les manifestations cliniques d'une diminution de l'irrigation vers les organes se produisent et le stade progressif s'installe.

Pendant le stade progressif de l'état de choc, les mécanismes compensatoires deviennent inefficaces et peuvent même être dangereux pour le client. La figure 27.7 décrit la chaîne physiopathologique des événements au cours de ce stade. Un traitement énergique s'impose ici pour renverser l'état de choc. Ce stade est marqué par une perturbation de la fonction cellulaire, une altération de la dynamique capillaire et une altération de la circulation systémique.

Physiopathologie. Lorsque le choc n'est pas décelé ou que la cause précipitante n'est pas corrigée dans les phases initiales, il se produit une réponse massive du système nerveux sympathique. Une vasoconstriction profonde de la plupart des réseaux vasculaires survient et certains vaisseaux périphériques peuvent devenir totalement occlus. L'ischémie rénale entraîne une plus grande activation du mécanisme rénine-angiotensine, ce qui provoque une vasoconstriction encore plus prononcée. Malgré la tentative de l'organisme d'accroître le débit cardiaque en augmentant la fréquence cardiaque et la contractilité myocardique, on constate une nette diminution de ce dernier. Cette diminution, ainsi que la vasoconstriction périphérique profonde, provoque une hypoxie tissulaire qui force les cellules à recourir à un métabolisme anaérobie dont le sous-produit est l'acide lactique. L'acidose métabolique est causée par l'accumulation d'acide lactique et l'excrétion rénale insuffisante des substances acides. L'augmentation du taux d'acide lactique dans le sang est un bon indicateur de la gravité de la situation et confirme la progression de l'état de choc. Une acidose grave (pH inférieur à 7,20) a un effet dépresseur direct sur la fonction cardiaque en perturbant le métabolisme calcique à l'intérieur des cellules myocardiques.

Manifestations cliniques. Le tableau 27.3 présente les manifestations cliniques du stade progressif de l'état de choc. Le client montre des signes de manque d'intérêt, d'apathie et de confusion. On peut remarquer une diminution de la réaction aux stimuli douloureux.

Le client n'est plus en état de choc compensé lorsque la pression artérielle commence à chuter. Peu importe la pression artérielle normale du client, une pression

TABLEAU 27.3	Manifestations cliniques associées aux stades de l'état de choc		
Manifestations cliniques	**Stade compensé**	**Stade progressif**	**Stade irréversible ou réfractaire**
État neurologique État de conscience	Instabilité psychomotrice, irritabilité et crainte	Abattement ou agitation ; apathie, confusion, altération ou diminution de la réponse aux stimuli douloureux	Inconscience, possibilité d'absence de réflexes
Orientation	Orienté, peut parler	Orientation possible, parle lentement	Confusion et désorientation avec troubles d'élocution et discours incohérent
État cardiovasculaire Fréquence cardiaque	Augmentation (20 bpm au-dessus de la fréquence normale du client)	Tachycardie (fréquence >100 bpm), souvent irrégulière	Lente et irrégulière
Pouls périphérique	Bondissant (choc septique) ou filant	Faible, filant, peut être absent	Absent
Pression artérielle Systolique	Normale ou légère diminution	Hypotension <80 mm Hg avec diminution de la pression différentielle	Tombe jusqu'à un point où elle est impossible à obtenir
Diastolique	Normale ou légère augmentation	Décroissante	Approche zéro
État respiratoire Fréquence	> que la fréquence normale du client	Rapide (>20/min)	Lente
Profondeur	Plus profonde que la normale	Superficielle	Superficielle avec rythme irrégulier, comme la respiration de Cheyne-Stokes ou de Biot
État rénal Débit urinaire	Légère diminution, mais dans les limites normales	Oligurie (<0,5 ml/kg/h) avec augmentation de la densité relative	<18 ml/h, évoluant vers l'anurie avec protéinurie
État général Apparence de la peau	Pâle et fraîche (chaude et rouge lors d'un choc septique)	Moite et froide, cyanose possible	Moite, froide, cyanotique et marbrée
Température corporelle	Diminuée, normale ou accrue	Habituellement inférieure à la normale (inférieure à la normale ou élevée lors d'un sepsis)	Diminution importante
Degré de soif	Normal ou légère augmentation	Augmentation marquée	Augmentation considérable si le client est conscient
Bruits intestinaux	Normaux ou hypoactifs	Hypoactifs ou absents	Absents

bpm : battement par minute.

systolique inférieure à 80 mm Hg ou une réduction de plus de 25 % chez le client hypertendu, ainsi qu'une pression différentielle qui diminue sont considérées comme importantes. Cette diminution de la pression différentielle signifie qu'il y a une baisse du débit systolique causée par une réduction de la pression systolique. Compte tenu de la vasoconstriction périphérique grave, la pression artérielle qui est prise avec un brassard risque d'être fausse. Par conséquent, les lectures de pression seront plus fiables si on assure une surveillance continue à l'aide d'un cathéter artériel relié à un appareil de monitorage.

La tachycardie est plus manifeste pendant ce stade et le pouls est faible et filant. Cependant, les personnes âgées et les clients qui reçoivent des bêta-bloquants peuvent montrer peu de changements dans la fréquence cardiaque. Le tableau 27.3 présente les effets cardiovasculaires du choc pendant le stade progressif.

La fréquence respiratoire augmente pour tenter de compenser l'hypoxie tissulaire et l'acidose métabolique. Le débit urinaire diminue et peut chuter en deçà de 0,5 ml/kg/h, ce qui indique une irrigation rénale insuffisante et peut entraîner une insuffisance rénale aiguë. Les lèvres et la muqueuse buccale sont sèches et il est

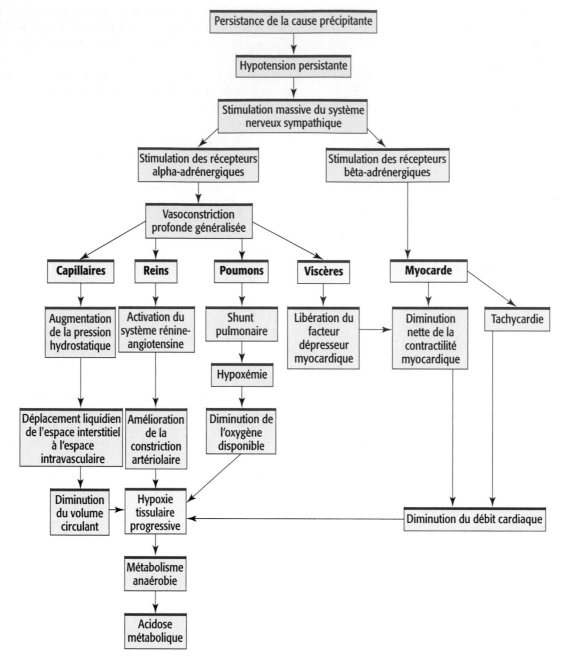

FIGURE 27.7 Stade progressif : les mécanismes compensatoires deviennent inefficaces et ne parviennent pas à maintenir l'irrigation des organes vitaux.

possible que le client continue à se plaindre de la soif. La peau est pâle, moite et froide et le remplissage capillaire se fait lentement. Une cyanose peut être causée par l'hypoxie tissulaire. La température corporelle est habituellement basse, sauf lors d'un choc septique.

Stade irréversible ou réfractaire. Le stade irréversible ou réfractaire du choc est la phase pendant laquelle les mécanismes compensatoires ne fonctionnent plus ou sont totalement inefficaces. Dans un tel état, une nécrose cellulaire ou un syndrome de défaillance

multiviscérale peuvent se produire. Les tentatives visant à rétablir la pression artérielle ont échoué et la mort devient imminente. Certains clients sont parfois réanimés au cours de ce stade, pour ne mourir que 7 à 14 jours plus tard à la suite de dommages cellulaires massifs liés au syndrome de défaillance multiviscérale.

Physiopathologie. À mesure que le choc évolue, l'activité du système nerveux sympathique ne peut plus compenser pour maintenir l'homéostasie. C'est la défaillance de l'un des principaux mécanismes compensatoires.

Le manque de tonus vasomoteur favorise l'accumulation et la stase du sang dans les petits vaisseaux, provoquant une thrombose, une augmentation de la perméabilité vasculaire et une oligurie.

L'hypoxie tissulaire, qui est attribuable à la vasoconstriction périphérique et à la diminution du débit cardiaque, oblige les cellules à continuer leur métabolisme anaérobie (voir figure 27.8). L'accumulation d'acide lactique et d'autres types de métabolites dans les tissus contribue à la mort des cellules. Le milieu acide contribue également à l'augmentation de la perméabilité capillaire et à la dilatation des sphincters précapillaires. L'augmentation de la perméabilité capillaire permet aux liquides et aux protéines plasmatiques de quitter l'espace vasculaire. Comme les veinules sont contractées et que les artérioles sont dilatées, le sang s'accumule dans le lit capillaire, ce qui attire le liquide hors de l'espace vasculaire. La perte de liquide dans l'espace vasculaire entraîne de l'hypotension et un cercle vicieux de décompensation s'installe.

À mesure que le choc évolue, l'hypotension et la tachycardie qui en résultent diminuent le débit sanguin coronarien, ce qui entraîne une dépression myocardique qui, à son tour, réduit davantage le débit cardiaque. Étant donné que le débit sanguin cérébral ne peut plus être maintenu, une ischémie cérébrale grave s'ensuit. L'organisme est incapable de maintenir la vasoconstriction très longtemps en raison du cercle vicieux qui se répète. Par conséquent, il y a défaillance du centre vasomoteur bulbaire qui entraîne une perte de tonus sympathique, provoquant un arrêt respiratoire ou cardiaque et la mort.

Manifestations cliniques. Pendant le stade irréversible ou réfractaire du choc, tous les systèmes et appareils de l'organisme, notamment l'appareil cardiovasculaire, montrent des signes de décompensation (voir tableau 27.3). Le client est habituellement inconscient et ne réagit pas aux stimuli. La pression artérielle systolique continue de chuter et ne répond pas aux interventions thérapeutiques mises en place pour la faire remonter. La pression artérielle diastolique atteint pratiquement zéro et la fréquence cardiaque ralentit progressivement. Des arythmies cardiaques peuvent se manifester à la suite de l'ischémie myocardique.

Des respirations lentes et superficielles, accompagnées d'un rythme irrégulier, peuvent être observées en raison de la dépression du centre respiratoire. L'atteinte des cellules endothéliales pulmonaires a pour effet d'augmenter la perméabilité capillaire, favorisant l'installation d'un œdème pulmonaire. L'hypoventilation associée à la fatigue des muscles respiratoires et à l'œdème pulmonaire perturbe les échanges gazeux, et l'hypoxémie et l'acidose respiratoire qui en résultent diminuent davantage l'apport d'oxygène vers les tissus.

L'ischémie de la muqueuse intestinale augmente également sa perméabilité, ce qui permet aux bactéries et à leurs toxines de pénétrer dans la circulation sanguine. L'ischémie rénale peut provoquer une nécrose tubulaire aiguë, accompagnée d'une altération de la régulation des liquides et des électrolytes et d'autres perturbations métaboliques. Le débit urinaire est minime. Les taux de créatinine sérique et d'azote uréique dans le sang (BUN) peuvent augmenter progressivement, ce qui indique un certain degré d'insuffisance rénale.

La peau est moite et froide et il y a une baisse importante de température. La cyanose peut être présente et est habituellement visible sur les lèvres, les muqueuses et les lits unguéaux. Cependant, il est possible qu'elle soit plus visible dans la paume des mains, à la plante des pieds et dans la conjonctive palpébrale (à l'intérieur de la paupière) chez les clients à la peau foncée.

27.1.3 Épreuves diagnostiques

Les antécédents de santé et l'examen physique fournissent les premiers indices permettant de diagnostiquer un état de choc ou de déceler les personnes à haut risque. Un événement récent pouvant être associé à un choc (p. ex. traumatisme, infection, douleur thoracique serrative, pancréatite) fournit un point de référence important. Les changements dans l'état sensoriel et une diminution de l'état de conscience signalés par les proches constituent également des éléments dont il faut tenir compte. Il est important de vérifier toute manifestation clinique de choc au cours de l'examen physique. L'un des éléments essentiels est l'évaluation générale immédiate de la fonction du système nerveux central (SNC), qui permet de déterminer l'irrigation cérébrale. L'état du réseau vasculaire cutané doit également être observé, car il peut démontrer une perturbation de l'irrigation tissulaire périphérique. Chez le client en phase postopératoire, il est important d'observer les pansements et les drains pour déceler tout signe de saignement. Les excreta provenant du tube nasogastrique et de la sonde urinaire peuvent également fournir des indices importants quant à la source de la perte liquidienne.

En plus de la collecte des données auprès du client et de l'examen physique, diverses épreuves diagnostiques (voir tableau 27.4 et encadré 27.3) peuvent être effectuées pour confirmer le diagnostic et aider à déterminer la cause du choc, de même qu'à en surveiller l'évolution et la gravité. Un cathéter artériel et un cathéter de l'artère pulmonaire (de type Swan Ganz) sont installés afin d'assurer une surveillance hémodynamique continue et précise. Les paramètres hémodynamiques et la saturation en oxygène du sang veineux et du sang artériel peuvent servir à déterminer les types de solutions de remplacement et les médicaments à administrer. La radiographie pulmonaire peut révéler

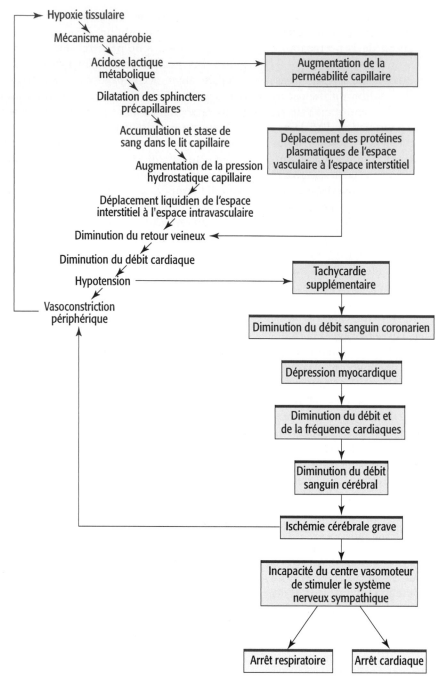

FIGURE 27.8 Stade irréversible ou réfractaire : les mécanismes compensatoires ne fonctionnent pas ou sont totalement inefficaces, ce qui conduit au syndrome de défaillance multiviscérale.

un traumatisme thoracique ou des changements pulmonaires compatibles avec un choc ou un syndrome de détresse respiratoire aiguë (SDRA). La surveillance continue de la fréquence et du rythme cardiaques est utile pour permettre un dépistage rapide des changements dans l'état cardiopulmonaire du client. Un électrocardiogramme (ECG) à 12 dérivations et un monitorage continu du rythme cardiaque peuvent révéler des modifications dans l'activité électrique du cœur. Une mesure

exacte de la pression artérielle du client en état de choc est indispensable, puisque le niveau de pression systémique influe grandement sur le débit sanguin vers les tissus et le myocarde, dont l'oxygénation doit être suffisante. Les mesures auscultatoires et les mesures non effractives de la pression artérielle avec un sphygmomanomètre peuvent être très imprécises chez un client en état de choc, surtout en présence de vasoconstriction. La gazométrie du sang artériel (gaz artériel) est

ÉPREUVES DIAGNOSTIQUES

TABLEAU 27.4	Anomalies lors d'un choc ou d'un syndrome de défaillance multiviscérale	
Épreuve diagnostique	**Résultat anormal**	**Signification de l'anomalie**
Sang Numération des érythrocytes, hématocrite, hémoglobine	Normale	Demeure dans les limites normales lors du choc en raison de l'hypovolémie relative et de la défaillance de la pompe et au tout début d'un choc hémorragique avant la restauration liquidienne.
	Diminution	Diminue lors d'un choc hypovolémique consécutif à une hémorragie après une réanimation liquidienne lorsque des liquides autres que du sang sont utilisés.
	Augmentation	Augmente lors d'un choc non hémorragique en raison de l'hypovolémie absolue, parce que la perte de liquides ne contient pas d'érythrocytes.
Dépistage de la CIVD Produits de dédoublement de la fibrine	Augmentation	Une CIVD aiguë peut se manifester dans les premières heures à quelques jours après une agression initiale de l'organisme.
Taux de fibrinogène	Diminution	
Numération des plaquettes	Diminution	
TCA et TP	Prolongés	
Temps de thrombine	Augmentation	
D-dimère	Augmentation	
Azote uréique du sang (BUN)	Augmentation	Indique une perturbation de la fonction rénale provoquée par une hypoperfusion à la suite d'une vasoconstriction grave ou consécutivement au catabolisme cellulaire (p. ex. un traumatisme).
Créatinine sérique	Augmentation	Indique une perturbation de la fonction rénale provoquée par une hypoperfusion à la suite d'une vasoconstriction grave ; est un indicateur plus sensible que le BUN pour déterminer fonction rénale.
Glycémie	Augmentation	Se produit au début du choc en raison de la transformation du glycogène hépatique en glucose en réaction à la stimulation du système nerveux sympathique.
	Diminution	Se produit en raison de la diminution des réserves de glycogène en présence d'un dysfonctionnement hépatocellulaire possible à mesure que le choc évolue.
Électrolytes sériques Sodium	Augmentation	Se produit au début d'un choc en raison de l'augmentation de la sécrétion d'aldostérone, qui provoque la rétention de sodium par les reins.
	Diminution	Peut se produire iatrogéniquement lorsqu'un excès de liquide hypotonique est administré après une perte liquidienne.
Potassium	Augmentation	Se produit lorsque la mort cellulaire libère le potassium intracellulaire, en cas d'insuffisance rénale aiguë et en présence d'acidose.
	Diminution	Se produit au début d'un choc en raison de l'augmentation de la sécrétion d'aldostérone, ce qui provoque une excrétion de potassium par les reins.
Calcium	Diminution	Se produit parfois après une perfusion rapide de grandes quantités de sang citraté et consécutivement à l'alcalose respiratoire au début du choc.
	Augmentation	Se produit consécutivement à une acidose lactique, ce qui permet d'accroître l'ionisation du calcium.
Gaz sanguin artériel	Alcalose respiratoire Acidose métabolique	Se produit au début du choc consécutivement à l'hyperventilation. Se produit plus tard dans l'état de choc lorsque les acides organiques, tels que l'acide lactique, s'accumulent dans le sang à même le métabolisme anaérobie.
Excès de base	> –6	Indique la production d'acide consécutive à l'hypoperfusion.
Hémocultures	Croissance de micro-organismes	Peut faire croître des micro-organismes chez les clients en état de choc septique.
Lactate	Augmentation	Augmente habituellement lorsqu'une hypoperfusion importante s'est produite au moment où il y a une perturbation de l'apport en oxygène aux cellules.

TABLEAU 27.4	Anomalies lors d'un choc ou d'un syndrome de défaillance multiviscérale *(suite)*	
Épreuve diagnostique	**Résultat anormal**	**Signification de l'anomalie**
Enzymes hépatiques (AST, ALT, LDH)	Augmentation	Les taux élevés confirment la destruction des cellules hépatiques pendant le stade progressif du choc.
Urine Densité relative	Augmentation Fixe à 1,010	Se produit consécutivement à l'action de l'ADH. Se produit dans le cas d'une insuffisance rénale.

ADH : hormone antidiurétique ; ALT : alanine aminotransférase ; AST : aspartate aminotransférase ; BUN : azote uréique du sang ; CIVD : coagulation intravasculaire disséminée ; LDH : lacticodéshydrogénase ; TCA : temps de céphaline activé ; TP : temps de prothrombine.

une épreuve importante pour déceler tout déséquilibre acidobasique. Les données obtenues au moyen du saturomètre de pouls (SpO_2) et la lecture des gaz sanguins servent à évaluer l'état d'oxygénation du client. Une sonde urinaire à demeure est introduite dans la vessie pour mesurer le débit urinaire horaire, indicateur de premier ordre de l'état de la perfusion rénale.

L'hypoperfusion prédispose le client à une perturbation du métabolisme oxydatif, et l'hypoxie tissulaire peut induire un métabolisme anaérobie associé à une accumulation d'acide lactique. Le lactate est donc un marqueur de métabolisme anaérobie. Un taux de lactate supérieur à 3 mmol/L indique une hypoperfusion importante. Des mesures séquentielles qui montrent un taux de lactate en baisse constante constituent habituellement un bon pronostic, alors qu'un taux élevé stable ou un taux croissant n'est habituellement pas de bon augure.

On a constaté que le déficit basique (la quantité de base nécessaire pour ramener le pH à la normale) constitue un bon indicateur de la gravité de l'hémorragie et du choc chez le client souffrant de traumatisme. Le suivi du déficit basique peut donc servir à évaluer l'efficacité du traitement.

27.1.4 Processus thérapeutique général : état de choc

Le processus thérapeutique général est décrit dans l'encadré 27.3. Les facteurs décisifs dans le traitement du choc sont le dépistage et le traitement rapides. Une intervention rapide peut modifier le processus de choc et empêcher l'apparition du stade réfractaire et la mort. L'efficacité du traitement de l'état de choc dépend de la capacité d'appliquer les mesures suivantes :
- déceler le client courant un risque élevé de choc ;
- diagnostiquer le choc rapidement et avec précision ;
- éliminer ou traiter la cause primaire ;
- amorcer le traitement pour corriger les changements pathologiques, modifier la réaction systémique et améliorer l'irrigation tissulaire ;

- protéger les organes cibles contre la défaillance ;
- assurer un traitement symptomatique.

Les soins d'urgence prodigués au client en état de choc sont importants et augmentent considérablement ses chances de survie. Ces soins sont présentés dans le tableau 27.5.

Le client doit être admis dans une unité de soins intensifs et être placé sous surveillance hémodynamique et électrocardiographique continues. L'un des objectifs généraux consiste à maintenir la pression artérielle moyenne (PAM) au-dessus de 60 mm Hg.

Oxygénothérapie et ventilation assistée. Le traitement du choc commence par l'application de mesures permettant d'assurer la perméabilité des voies respiratoires. Cette intervention est effectuée simplement par le positionnement du cou en hyperextension (sauf s'il y a possibilité de lésion médullaire). L'insertion d'un tube endotrachéal pourrait s'avérer nécessaire, car le client peut avoir besoin d'une ventilation assistée pour réduire l'effort respiratoire. De plus, il est essentiel que le client en état de choc reçoive une oxygénothérapie suffisante pour maintenir la saturation en oxygène au-dessus de 90 % ou la pression partielle en oxygène (PaO_2) à 60 mm Hg ou plus afin de prévenir l'hypoxémie.

Le transport de l'oxygène dépend du débit cardiaque, de l'hémoglobine, de la saturation en oxygène de l'hémoglobine, de la pression artérielle moyenne et de la volémie. Les méthodes utilisées pour optimiser le transport de l'oxygène sont l'augmentation du débit cardiaque (au moyen de médicaments et d'un remplacement liquidien), du taux d'hémoglobine (à l'aide de produits sanguins) et de la saturation en oxygène (oxygénothérapie et ventilation assistée, au besoin). Le remplacement liquidien et les médicaments permettent d'optimiser la pression artérielle moyenne et la volémie. La consommation d'oxygène peut être réduite par l'administration de sédatifs ou d'analgésiques, ou encore d'antipyrétiques chez le client présentant une hyperthermie importante. Les soins infirmiers doivent être

---

PROCESSUS DIAGNOSTIQUE ET THÉRAPEUTIQUE

Choc

La gestion de la restauration de la volémie, de la médication et des options de traitement dépend toujours de la situation et de l'ordonnance médicale.

Diagnostic
- Antécédents de santé et examen physique
- Épreuves diagnostiques (voir tableau 27.4)
- Mise en place d'un cathéter pour surveiller la PVC, d'un cathéter veineux central, d'un cathéter artériel pulmonaire et d'un cathéter artériel
- Radiographie pulmonaire
- ECG à 12 dérivations et surveillance cardiaque
- Détermination de la cause précipitante (si possible)

Processus thérapeutique

Mesures générales
- Dégager les voies respiratoires et administrer de l'oxygène ; surveiller attentivement l'oxygénation
- Procéder à l'intubation et à la ventilation assistée au besoin
- Mettre en place un cathéter intraveineux périphérique de gros calibre
- Stabiliser la PA et procéder au remplacement liquidien (sang, produits sanguins, colloïdes, cristalloïdes ou auto-transfusion) ou pharmacothérapie (voir tableau 27.7)
- Traiter les arythmies cardiaques
- Mettre en place une sonde urinaire à demeure
- Assurer le soutien nutritionnel (hyperalimentation entérale ou parentérale)
- Assurer le soutien affectif auprès du client et de sa famille

Mesures spécifiques
- Choc hypovolémique
  - Freiner l'hémorragie (chirurgie s'il y a lieu)
  - Réduire la perte de liquide causée par les vomissements, la diarrhée ou la diurèse
  - Remplacer le volume liquidien et le sang, ainsi que les produits sanguins
  - Interrompre l'administration des thrombolytiques et des anticoagulants

- Choc cardiogénique
  - Corriger les arythmies
  - Procéder à un cathétérisme cardiaque et à une angio-plastie coronarienne ou mettre en place une endoprothèse vasculaire
  - Administrer des agents inotropes (p. ex. dopamine [Intropin]) pour augmenter la contractilité cardiaque

- Administrer des liquides avec prudence si le client présente un déficit de volume liquidien (surveiller la PCP)
- Réduire la charge de travail du cœur en diminuant la postcharge à l'aide de vasodilatateurs (p. ex. nitrogly-cérine)
- Procéder à une contrepulsion par BIA pour accroître la perfusion coronarienne et diminuer la postcharge (au besoin)
- Utiliser un dispositif d'assistance ventriculaire
- Réaliser une chirurgie ou une transplantation cardiaque d'urgence

- Choc distributif

  Choc neurogénique
  - Traiter en fonction de la cause (p. ex. soulager la douleur, traiter l'hypoxémie)
  - Corriger la cause sous-jacente (si possible)
  - Administrer des liquides avec prudence
  - Administrer de la dopamine contre l'hypotension et la bradycardie
  - Administrer de la phényléphrine (Neo-Synephrine) ou de la norépinéphrine (Levophed) pour augmenter la RVS

  Choc anaphylactique
  - Maintenir les voies respiratoires dégagées
  - Administrer de l'épinéphrine, qui provoque une vaso-constriction périphérique et une bronchodilatation, afin de bloquer l'effet de l'histamine
  - Administrer des liquides
  - Administrer du salbutamol (Ventolin) en inhalation pour la bronchodilatation
  - Administrer de l'épinéphrine en aérosol contre l'œdème laryngé
  - Administrer de la diphenhydramine (Benadryl) pour contrer les effets de l'histamine
  - Administrer des vasopresseurs (p. ex. norépinéphrine)

  Choc septique
  - Administrer des liquides
  - Prélever des échantillons de culture pour identifier le micro-organisme en cause
  - Administrer des vasopresseurs (p. ex. norépinéphrine) pour soutenir la PA
  - Administrer les antibiotiques appropriés
  - Régulariser la température

BIA : ballon intra-aortique ; ECG : électrocardiogramme ; PA : pression artérielle ; PCP : pression capillaire pulmonaire ; PVC : pression veineuse centrale ; RVS : résistance vasculaire systémique.

---

prodigués en douceur et espacés afin de permettre au client de récupérer entre les interventions.

Position du client. Étant donné l'état cardiovasculaire du client, la position recommandée pour le traitement du choc (après avoir écarté tout signe de lésion cervicale ou médullaire) est le décubitus dorsal, avec les jambes relevées à un angle de 45 degrés. Le tronc doit être à l'horizontale, la tête à la même hauteur que le thorax et les genoux dépliés. La position de Trendelenburg (tête

MESURES D'URGENCE

TABLEAU 27.5   Choc

Causes*	Signes et symptômes	Interventions
Causes chirurgicales Saignement postopératoire Rupture de grossesse ectopique ou de kyste de l'ovaire Rupture d'un organe ou d'un vaisseau Saignement gastro-intestinal Varices œsophagiennes Saignement vaginal Dissection aortique **Causes médicales** Infarctus du myocarde Déshydratation Crise addisonienne Diabète insipide Diabète sucré Embolie pulmonaire Sepsis **Traumatismes** Rupture ou lacération d'un organe ou d'un vaisseau Fractures Lésion touchant plusieurs systèmes ou organes	Diminution de l'état de conscience Instabilité psychomotrice Anxiété Faiblesse Pouls rapide, faible et filant Arythmie Hypotension Diminution de la pression différentielle Peau moite et froide (peau chaude en cas de sepsis) Tachypnée, dyspnée ou respirations irrégulières superficielles Diminution de la saturation en oxygène Soif extrême Nausées et vomissements Frissons Sentiment de mort imminente Pâleur Cyanose Hémorragie ou lésion évidente Élévation de la température (en cas de sepsis)	**Interventions initiales** S'assurer que les voies respiratoires sont libres. Administrer de l'oxygène à grand débit (100 %) à l'aide d'un masque sans réinspiration. Prévoir le besoin d'intubation. Stabiliser la colonne cervicale, au besoin. Établir un accès intraveineux à l'aide de deux cathéters de gros calibre et entreprendre la réanimation liqui- dienne à l'aide de cristalloïdes (Lactate Ringer, soluté physiologique salin à 0,9 %). Maîtriser le saignement extérieur en appliquant une pression directe ou un pansement compressif. Évaluer les lésions qui mettent la vie du client en danger (p. ex. hémothorax, tamponnade car- diaque, lacération du foie, fracture pelvienne). Envisager un traitement vasopresseur seulement une fois l'hypovolémie corrigée. Insérer une sonde urinaire à demeure et une sonde nasogastrique. Traiter les arythmies. **Surveillance continue** Surveiller les signes vitaux, l'état de conscience, le rythme cardiaque, la saturation en oxygène et le débit urinaire.

* D'autres causes de choc sont présentées dans l'encadré 27.1.

vers le bas) est à proscrire dans les cas de choc pour les raisons suivantes : elle peut déclencher les réflexes des sinus aortique et carotidien, entraînant une perturbation du débit sanguin cérébral et une diminution du retour veineux jugulaire ; elle peut comprimer les organes abdominaux contre le diaphragme, limitant ainsi l'amplitude respiratoire et contribuant à la détresse respiratoire ; elle peut réduire le remplissage des artères coronaires, provoquant une ischémie myocardique ; elle peut faire augmenter la pression intracrânienne en présence de traumatisme crânien. On doit également éviter les vêtements antichocs pneumatiques parce que ceux-ci peuvent accroître la pression sur l'abdomen et diminuer les mouvements diaphragmatiques.

Remplacement liquidien. Comme le choc (à l'exception du choc cardiogénique) comporte pratiquement toujours une diminution du volume intravasculaire, la pierre angulaire du traitement consiste à rétablir le volume circulant par le biais de l'administration de liquides par voie intraveineuse, soit des cristalloïdes, des colloïdes, des produits sanguins, soit une combinaison de ces éléments (voir tableau 27.6). On doit installer immédiatement au moins deux cathéters intraveineux de gros calibre dans des veines du bras ayant un bon diamètre avant qu'une vasoconstriction importante ne se produise et que l'accès par voie intraveineuse ne devienne difficile. Les cristalloïdes sont des solutions d'électrolytes pouvant avoir des propriétés hypotoniques, hypertoniques ou isotoniques par rapport au plasma. Cependant, chez le client en phase critique, près des deux tiers du volume sont diffusés à l'extérieur de l'espace vasculaire en raison de l'augmentation de la perméabilité capillaire et de la diminution de la pression oncotique. Par conséquent, il est nécessaire de perfuser une grande quantité de cristalloïdes pour assurer un remplacement de volume suffisant. Compte tenu de l'expansion de l'espace interstitiel après l'administration d'une grande quantité de cristalloïdes, l'apparition d'un œdème systémique est courante.

Les colloïdes demeurent habituellement dans l'espace intravasculaire en raison de la taille des molécules. La pression osmotique exercée par ces solutions attire le liquide à l'intérieur de l'espace intravasculaire, ce qui augmente le volume intravasculaire. Les colloïdes sont des solutés de remplissage extrêmement efficaces. Ils sont utilisés dans le traitement de l'état de choc lorsqu'il y a une perte excessive de protéines plasmatiques, comme dans les cas de brûlures et de péritonite.

Il est important de remplacer les pertes sanguines par du sang ou des produits sanguins, et ce, dès qu'ils sont disponibles, afin de maintenir le taux d'hémoglobine, qui favorise le transport de l'oxygène vers les tissus. Cet indicateur doit servir de guide pour l'administration du sang, puisque une unité fera monter le taux d'hémoglobine d'environ 1 g/dl. (Le chapitre 19 traite des transfusions sanguines.)

Le choix du soluté de remplacement demeure une source de controverse, car les cristalloïdes et les colloïdes ne constituent pas le parfait mode de remplacement liquidien. Cependant, il est généralement reconnu que les cristalloïdes isotoniques, tels qu'un soluté physiologique salin (NaCl à 0,9 %), sont utilisés dans la phase initiale de réanimation lors d'un choc. Peu importe le type de choc, le soluté Lactate Ringer doit être utilisé avec prudence, car les taux de lactate augmenteront davantage et le foie sera incapable de convertir le lactate en bicarbonate. En outre, plusieurs médicaments et tous les produits sanguins sont incompatibles avec ce soluté. Il est possible d'utiliser uniquement les cristalloïdes comme liquide de remplacement lorsqu'il n'y a pas eu de perte de sang ni de protéines sériques, comme dans le cas d'un choc résultant d'une perte de liquide gastro-intestinal. Dans les cas de choc cardiogénique, le remplacement liquidien doit être effectué avec prudence et les colloïdes doivent être proscrits en raison de l'attraction osmotique du liquide dans l'espace vasculaire, ce qui diminue davantage la capacité de pompage du cœur. La quantité et la nature des liquides administrés sont basées sur la réaction du client au traitement. Celle-ci peut être évaluée par la mesure de la pression artérielle, du pouls, du débit urinaire, de la perfusion cutanée, l'évaluation des bruits pulmonaires, des paramètres hémodynamiques et de l'état neurologique.

Idéalement, le remplacement liquidien doit être surveillé à l'aide d'un cathéter de l'artère pulmonaire (de type Swan Ganz) afin de déterminer la pression capillaire pulmonaire (PCP) et le débit cardiaque. L'état physique du client constitue un indicateur important de l'état liquidien. Les complications liées à l'excès de volume liquidien, telles que l'œdème pulmonaire et l'hypertension postréanimation, peuvent être traitées à l'aide de diurétiques. Un débit urinaire de 1 ml/kg/h indique habituellement un remplacement liquidien suffisant lorsque le client n'a pas de cathéter de l'artère pulmonaire. Par contre, si le débit cardiaque est toujours faible après ce remplacement, on doit administrer un agent inotrope à action vasopressive tel que la dopamine (Intropin) ou la norépinéphrine (Levophed). La dobutamine (Dobutrex) est un agent inotrope sans effet vasopresseur qui peut être administré lorsque la vasoconstriction est suffisante.

Utilisation de la position de Trendelenburg

ENCADRÉ 27.4

Article : Ostrow CL : « Use of the Trendelenburg position by critical care nurses : Trendelenburg survey », *Am J Crit Care* 6:172, 1997.

Objectif : évaluer la fréquence d'utilisation de la position de Trendelenburg par les infirmières en soins intensifs, l'utilisation clinique de cette position, les sources de connaissances et de croyances des infirmières à l'égard de son efficacité.

Méthodologie : un sondage a été posté à 1000 infirmières dont les noms avaient été choisis au hasard parmi la liste d'adhésion de l'*American Association of Critical Care Nurses*. Le sondage comportait 17 questions sur la fréquence d'utilisation de la position de Trendelenburg et les raisons de cette utilisation.

Résultats et conclusion : le taux de retour a été de 49,4 %. Des personnes interrogées, 99 % avaient utilisé la position de Trendelenburg et 80 % avaient utilisé la position de Trendelenburg modifiée, surtout pour le traitement de l'hypotension. La plupart avaient utilisé cette modalité comme intervention infirmière indépendante et avaient appris ces positions au cours de leurs études en sciences infirmières, par leurs collègues infirmières, leurs superviseurs et les médecins. Quatre-vingts pour cent des personnes interrogées étaient d'avis que la position de Trendelenburg améliorait presque toujours ou parfois l'hypotension.

Incidences sur la pratique : d'après cette étude, l'utilisation de la position de Trendelenburg en matière de soins infirmiers en soins intensifs est répandue. Cependant, il n'existe aucune preuve scientifique qui indique que le fait de changer un client de position pour le mettre en position de Trendelenburg (la tête plus basse que les pieds) ou dans la position de Trendelenburg modifiée (en élevant seulement les jambes) améliore considérablement la pression artérielle ou le débit cardiaque faible. Les résultats de cette étude fournissent la preuve qu'un traitement traditionnel sous-tend toujours certaines interventions utilisées dans les soins des clients en phase critique et que des infirmières s'appuient sur des connaissances qui ne sont plus justifiées dans la documentation actuelle.

Le client qui a subi une hémorragie importante a rapidement besoin d'un remplacement massif de volume liquidien et de sang, qui peut dépasser son volume sanguin normal. Les complications liées à un remplacement massif comprennent l'hypothermie (causée par le sang et les solutés) et l'apparition d'une coagulopathie (causée, entre autres, par l'hémodilution des facteurs de coagulation). Par conséquent, les produits sanguins et les solutions intraveineuses peuvent être réchauffés au besoin avant d'être administrés afin de prévenir l'hypothermie. Il faut toutefois se

TABLEAU 27.6	Thérapie liquidienne à administrer lors d'un choc ou d'un syndrome de défaillance multiviscérale		
Type de liquide	**Mécanismes d'action**	**Type de choc**	**Soins infirmiers généraux**
CRISTALLOÏDES **Isotoniques** NaCl à 0,9 % Lactate Ringer (LR)	Le liquide reste principalement dans l'espace intravasculaire, ce qui augmente le volume intravasculaire.	Sert au remplacement de volume liquidien initial dans la plupart des types de choc.	Surveiller le client de près pour déceler tout signe de surcharge circulatoire. Le Lactate Ringer ne doit pas être utilisé chez les clients atteints d'insuffisance hépatique.
Hypertoniques Soluté salé hypertonique (3 %)	Attire le liquide intracellulaire et interstitiel dans l'espace intravasculaire, ce qui augmente le volume intravasculaire.	Un soluté salé hypertonique peut être indiqué dans les états de choc causés par une hémorragie ou des brûlures.	Surveiller attentivement le taux de sodium sérique et l'osmolarité sérique.
COLLOÏDES (EXPANSEURS DE VOLUME PLASMATIQUE) Albumine sérique humaine (5 et 25 %)	Peut accroître jusqu'à 5 fois le volume intravasculaire en l'espace de 30 à 60 min.	Tous les types de choc, à l'exception du choc cardiogénique.	Surveiller le client pour déceler tout signe de surcharge circulatoire. Certains effets secondaires peuvent se manifester, comme des frissons, de la fièvre et de l'urticaire. Plus chers que d'autres colloïdes.
Fraction de protéine plasmatique	Fait essentiellement d'albumine ; action semblable à celle de l'albumine.	Tous les types de choc.	Peut provoquer des réactions d'hypersensibilité plus grandes que l'albumine.
Pentastarch (Pentaspan)	Fait d'amidon, agit comme soluté de remplissage vasculaire et est au moins aussi efficace que l'albumine ; peut avoir un effet osmotique pendant 18 à 24 h.	Tous les types de choc.	Peut coûter 50 % moins cher que l'albumine. Utiliser avec prudence chez les clients atteints d'insuffisance cardiaque ou d'insuffisance rénale.
Dextran 　Dextran 40 　Dextran 70	Polymère de glucose hyperosmotique ; effets semblables au soluté de remplissage avec le dextran 40 et le dextran 70 ; durée d'action plus longue avec le dextran 70.	Utilisation limitée en raison des effets secondaires, y compris la réduction de l'adhérence des plaquettes et la dilution des facteurs de coagulation.	Augmente le risque de saignement. Il est important de surveiller le client pour déceler tout signe de réaction allergique ou d'insuffisance rénale aiguë.
SANG Sang total/produits dérivés	Remplace la perte sanguine, augmente la capacité de transporter de l'oxygène, améliore l'oxygénation tissulaire.	Tous les types de choc si l'hémoglobine est basse.	Précautions pour l'administration de sang (voir chapitre 19).

conformer à l'ordonnance médicale en cette matière. Il existe des appareils qui permettent de réchauffer les solutions tout en étant munis d'une pompe pour offrir une perfusion rapide au besoin. Les valeurs des facteurs de coagulation doivent être surveillées attentivement (voir tableau 27.4).

Déséquilibre acidobasique. La surveillance fréquente des gaz artériels permet au médecin de prescrire un traitement pour corriger les déséquilibres acidobasiques, qui peut se faire par l'administration de liquides et la ventila-tion assistée. L'acidose lactique disparaît rapidement dès que la volémie a été rétabli. Le bicarbonate de sodium est utilisé uniquement lorsque le pH est très acide, et les médicaments inotropes et vasopresseurs sont inefficaces à ce stade en raison de l'acidose importante.

Arythmies cardiaques. Les arythmies peuvent provoquer un choc rapide et profond. En règle générale, le choc disparaît lorsque l'arythmie est traitée rapidement. Le chapitre 24 traite des arythmies cardiaques et de leurs traitements.

27.1.5 Processus thérapeutique : types spécifiques de choc

En plus des mesures générales de traitement du choc, il existe des mesures spécifiques en fonction des divers types de choc qui sont abordées ci-dessous (voir encadré 27.3).

Choc hypovolémique. Le remplacement de volume liquidien constitue le traitement principal en cas de choc hypovolémique. Le client doit être surveillé de près pendant l'administration des liquides. Le remplacement liquidien est probablement suffisant lorsque les valeurs du débit cardiaque, de l'hémoglobine, des gaz artériels et de la pression artérielle redeviennent acceptables et que le débit urinaire est d'au moins 0,5 ml/kg/h. Le choc hémorragique doit être traité avec du sang et des produits sanguins. L'autotransfusion (collecte et administration du propre sang du client) peut être utilisée chez le client qui souffre d'hémorragie causée par un traumatisme, notamment un traumatisme thoracique, ou en période postopératoire d'une chirurgie cardiaque. Comme il est indispensable de freiner l'hémorragie, une intervention chirurgicale peut parfois s'avérer nécessaire.

Choc cardiogénique. Dans les cas de choc cardiogénique, le premier objectif du traitement consiste à rétablir le flot sanguin des artères coronaires qui irriguent le myocarde. Un cathétérisme cardiaque suivi d'une angioplastie coronarienne ou la mise en place d'une endoprothèse vasculaire doivent parfois être effectués rapidement. Le cathétérisme peut également révéler l'étendue de l'atteinte myocardique et mettre au jour des lésions mécaniques susceptibles d'être réparées chirurgicalement (p. ex. rupture septale et rupture d'un pilier). Un traitement thrombolytique peut être administré au besoin si le choc cardiogénique est consécutif à un infarctus du myocarde.

La contrepulsion par ballonnet intra-aortique (BIA) est une modalité d'assistance circulaire qui consiste en l'insertion d'un ballonnet par l'artère fémorale, axillaire ou sous-clavière pour atteindre l'aorte, tout juste à l'extrémité de la crosse aortique (voir chapitre 29). Cette intervention vise la réduction de la résistance vasculaire systémique et, par conséquent, de la charge de travail du ventricule gauche, ainsi que l'augmentation de la pression artérielle diastolique, ce qui permet d'accroître les débits sanguins coronarien et cérébral. Un autre type de modalité d'assistance circulatoire est le dispositif d'assistance ventriculaire, qui peut être utilisé de façon temporaire auprès du client souffrant d'un choc cardiogénique ou comme transition en attendant une transplantation cardiaque si la lésion traitable ne peut pas être réparée immédiatement. (Le chapitre 29 traite de la contrepulsion par ballonnet intra-aortique et des dispositifs d'assistance ventriculaire.) La transplantation cardiaque constitue une solution de rechange pour un groupe restreint de clients souffrant de choc cardiogénique.

Le choc cardiogénique exige une surveillance hémodynamique très étroite. Lorsque le client présente un déficit de volume liquidien, le remplacement doit être effectué avec prudence. L'objectif de la pharmacothérapie est d'augmenter la contractilité cardiaque tout en diminuant la postcharge, ce qui aura pour effet de réduire la charge de travail du cœur. Des agents inotropes et vasodilatateurs sont couramment utilisés (voir tableau 27.7). En outre, les diurétiques servant à réduire la précharge sont indiqués si le client a une surcharge de volume, et les arythmies doivent faire l'objet d'un traitement énergique.

Choc septique. Dans les cas de choc septique, la source d'infection doit d'abord être décelée, puis elle doit être traitée à l'aide d'une antibiothérapie adéquate, d'un drainage chirurgical, ou des deux. Il est fréquent que les micro-organismes spécifiques à l'origine du choc septique ne soient pas identifiés. Par conséquent, il est indispensable d'instaurer une antibiothérapie à large spectre jusqu'à ce que ces micro-organismes aient été identifiés à l'aide de cultures et d'épreuves de sensibilité. On administre habituellement deux antibiotiques à large spectre, dont un aminoside.

La perfusion rapide de grandes quantités de liquides, comprenant des cristalloïdes et des colloïdes, est effectuée pour traiter le choc septique. Par conséquent, les clients atteints de choc septique sont davantage prédisposés à une surcharge liquidienne et à une insuffisance cardiaque. La surveillance hémodynamique de la pression artérielle pulmonaire, de la pression capillaire pulmonaire et du débit cardiaque est souvent nécessaire en raison du risque accru d'atteinte multisystémique. Il est important d'évaluer l'état du client régulièrement, car des changements subtils peuvent survenir rapidement et son état peut se détériorer à très court terme. Lorsque l'irrigation tissulaire demeure insuffisante malgré un remplissage adéquat, on recommande l'administration de médicaments inotropes et vasopresseurs (principalement, la dopamine et la norépinéphrine) pour améliorer le débit sanguin et l'apport en oxygène.

Il est possible que les antibiotiques soient inefficaces une fois que le choc septique est apparu, puisque les effets nocifs des endotoxines et des médiateurs subsistent même après que les bactéries sont mortes. L'antibiothérapie actuelle contre le choc septique ne parvient à inverser les effets que chez certains clients. Cependant, des recherches sont en cours afin de pouvoir utiliser des anticorps monoclonaux humains contre divers médiateurs de choc septique. Ces anticorps comprennent les anticorps du facteur tumoral nécrosant, de l'endotoxine et de l'IL-1. À ce jour, les résultats ont été décevants. Des recherches sont également menées pour utiliser l'hémofiltration en vue d'éliminer mécaniquement

PHARMACOTHÉRAPIE

TABLEAU 27.7 Choc et syndrome de défaillance multiviscérale

Médicament	Mécanismes d'action	Type de choc	Soins infirmiers généraux
SYMPATHOMIMÉTIQUES* Dobutamine (Dobutrex)	Stimule principalement les récepteurs β_1-adrénergiques avec peu d'effets des β_2 et α-adrénergiques. Augmente la contractilité myocardique. Cause une légère vasodilatation, ce qui réduit la RVS.	Choc cardiogénique en l'absence d'hypotension profonde (PAS <80 mm Hg).	Ne pas administrer avec du bicarbonate de sodium. Surveiller les signes d'hypotension, d'arythmies et de tachycardie lorsque la dose est forte.
Dopamine (Intropin)	Est le précurseur de l'épinéphrine et de la norépinéphrine. A des effets proportionnels à la dose administrée. Stimule les récepteurs α-adrénergiques et β-adrénergiques, ce qui provoque une vasoconstriction périphérique et un effet inotrope positif. Une faible dose augmente l'irrigation rénale.	Tous les types de choc, notamment lors d'une diminution de la RVS ; souvent utilisée avec de la nitroglycérine dans les cas de choc cardiogénique.	Administrer le médicament par cathéter veineux central ou par une veine périphérique de gros calibre (l'infiltration peut endommager les tissus). Surveiller les signes d'hypotension, de tachycardie et d'arythmies. Être conscient que le volume intravasculaire doit être suffisant.
Épinéphrine (Adrenalin)	Stimule les récepteurs α-adrénergiques et β-adrénergiques. Contrebalance les effets de l'histamine. Provoque une bronchodilatation et une vasoconstriction périphérique, ce qui fait monter la PA. A un effet inotrope positif.	Tous les types de choc ; médicament de choix contre le choc anaphylactique.	Surveiller les signes d'arythmies cardiaques, de dyspnée et d'œdème pulmonaire.
Norépinéphrine (Levophed)	Stimule les récepteurs α-adrénergiques et β-adrénergiques, ce qui provoque une vasoconstriction marquée, ainsi que des effets inotropes et chronotropes.	Tous les types de choc, notamment ceux qui sont attribuables à une diminution de la RVS. Réservée aux clients hypotendus qui ne réagissent pas aux liquides ni à la dopamine.	Il est préférable qu'elle soit administrée par cathéter veineux central. Surveiller attentivement les fluctuations rapides de la PA et du débit urinaire (une diminution importante de l'irrigation rénale peut se produire). Être conscient que le médicament peut également provoquer une bradycardie réflexe.
Phényléphrine (Neo-Synephrine)	Stimule principalement les récepteurs α-adrénergiques, ce qui provoque une vasoconstriction.	Choc attribuable à une hypovolémie relative ou choc neurogénique.	Surveiller les signes de bradycardie réflexe et d'ectopie ventriculaire.
INHIBITEUR DE LA PHOSPHODIESTÉRASE Milrinone (Primacor)	Produit une action inotrope, ce qui augmente le DC. Détend directement les muscles lisses vasculaires, ce qui diminue la précharge et la postcharge.	Choc cardiogénique qui ne réagit pas à la pharmacothérapie initiale.	Un bolus initial est administré avant le début de la perfusion intraveineuse continue. Surveiller les signes d'arythmies et d'hypotension.
VASODILATATEURS Nitroglycérine	Agit principalement comme vasodilatateur veineux.	Choc cardiogénique, en association avec un agent inotrope.	Surveiller attentivement la PA. Surveiller les signes de tachycardie réflexe. La céphalée est courante. Utiliser le matériel propre à cette fin disponible dans l'établissement.

PHARMACOTHÉRAPIE

TABLEAU 27.7	Choc et syndrome de défaillance multiviscérale *(suite)*		
Médicament	**Mécanismes d'action**	**Type de choc**	**Soins infirmiers généraux**
Nitroprussiate (Nipride)	Agit comme vasodilatateur puissant sur les veines et les artères. Peut augmenter ou réduire le DC selon le degré de diminution de la précharge et de la postcharge.	Principalement lors d'un choc cardiogénique en présence d'une augmentation de la RVS, de la précharge et de la postcharge; diminution du DC lorsqu'il est associé à un médicament inotrope tel que la dopamine.	Surveiller attentivement pour déceler tout signe d'hypotension et de tachycardie réflexe. Administrer seulement à l'aide de D 5 % et protéger la solution contre la lumière. Être conscient qu'une intoxication au thiocyanate ou au cyanure peut se produire lorsque ces substances sont utilisées pendant plus de 72 heures.
Sulfate de morphine	Est un analgésique narcotique et a un puissant effet vasodilatateur veineux (diminue la précharge), procure aussi une certaine dilatation artérielle (diminution de la postcharge).	Principalement lors d'un choc cardiogénique (pour diminuer la précharge).	Surveiller attentivement pour déceler tout signe d'hypotension et de dépression respiratoire. Garder de la naloxone (Narcan) au chevet du client.
CORTICOSTÉROÏDES Dexaméthasone Hydrocortisone (Solu-Cortef) Méthylprednisolone (Solu-Medrol)	Inhibent le processus inflammatoire, stabilisent les membranes lysosomiales, diminuent la perméabilité capillaire, réduisent la libération de médiateurs chimiques dans le processus septique et favorisent la rétention sodique.	Cas graves de choc anaphylactique; insuffisance surrénalienne.	Surveiller pour déceler tout signe de saignement gastro-intestinal et d'hypotension. Être conscient que ces médicaments peuvent rendre l'équilibre du diabète difficile, qu'ils peuvent ralentir la cicatrisation des plaies et prédisposer le client à l'infection.

* Tous les médicaments sympathomimétiques sont incompatibles avec le bicarbonate de sodium.
DC : débit cardiaque ; PA : pression artérielle ; PAS : pression artérielle systolique ; RVS : résistance vasculaire systémique.

les endotoxines et les médiateurs de la circulation sanguine. (Le chapitre 38 traite de l'épuration extrarénale continue.)

Choc anaphylactique. L'apparition d'un choc anaphylactique est souvent impressionnante et requiert une intervention médicamenteuse immédiate. L'épinéphrine est le médicament de choix pour traiter ce type de choc, car elle provoque une vasoconstriction périphérique et une bronchodilatation et bloque l'effet de l'histamine. Il est important de vérifier la perméabilité des voies respiratoires, car le client peut rapidement manifester une insuffisance respiratoire causée par un œdème laryngé ou un bronchospasme. Les bronchodilatateurs en aérosol (p. ex. salbutamol [Ventolin]) sont très efficaces. On peut également administrer de l'épinéphrine en aérosol pour traiter l'œdème laryngé. Une intubation endotrachéale ou une trachéotomie peut s'avérer nécessaire pour maintenir les voies respiratoires ouvertes. L'hypotension est attribuable à la vasodilatation périphérique et à la fuite de liquides à l'extérieur de l'espace intravasculaire consécutive à l'augmentation de la perméabilité vasculaire, nécessitant un remplacement liquidien énergique (contenant habituellement des colloïdes). La diphenhydramine (Benadryl) est administrée

pour contrebalancer les effets de la libération massive d'histamine. Cependant, ce médicament n'est pas efficace contre la vasodilatation ou la bronchoconstriction qui mettent en danger la vie du client. Des corticostéroïdes peuvent être administrés lorsque l'hypotension persiste.

Choc neurogénique. Le choc neurogénique a plusieurs causes et son traitement peut varier. Il est toutefois extrêmement important de remplacer les liquides pour maintenir la pression artérielle et l'irrigation tissulaire. Le client doit être surveillé attentivement lors de l'administration de liquides, afin de prévenir l'apparition d'un œdème pulmonaire provoqué par la surcharge de volume. Les médicaments sympathomimétiques et vasopresseurs peuvent être recommandés pour augmenter la pression artérielle par la vasoconstriction et l'augmentation de la fréquence cardiaque.

Pharmacothérapie : choc. L'objectif principal de la pharmacothérapie servant à traiter l'état de choc est de corriger l'altération de l'irrigation tissulaire. Ces médicaments sont administrés par voie intraveineuse. Le tableau 27.7 présente les médicaments administrés pour traiter l'état de choc.

Médicaments sympathomimétiques. De nombreux médicaments utilisés pour traiter l'état de choc ont un effet sur le système nerveux sympathique. Les médicaments qui imitent l'action du système nerveux sympathique sont appelés sympathomimétiques. Les effets de ces médicaments sont transmis par l'action des récepteurs alpha-adrénergiques et bêta-adrénergiques, et les effets de ces récepteurs varient d'un médicament à l'autre.

Bon nombre de médicaments sympathomimétiques provoquent une vasoconstriction périphérique et sont qualifiés de médicaments vasopresseurs (p. ex. épinéphrine et norépinéphrine). À fortes doses, ces médicaments vasopresseurs peuvent provoquer une vasoconstriction périphérique grave et compromettre davantage l'irrigation tissulaire, soit de façon directe, soit de façon indirecte. L'augmentation de la résistance vasculaire systémique alourdit la charge de travail du cœur et peut entraîner un effet adverse pour le client en état de choc cardiogénique en provoquant d'autres lésions myocardiques. Les médicaments vasopresseurs sont généralement réservés aux clients qui n'ont pas réagi à d'autres traitements. Il est important d'administrer un remplacement liquidien suffisant avant de donner tout type de vasopresseur, car les effets vasoconstricteurs périphériques chez les clients ayant un faible volume sanguin réduisent davantage l'irrigation tissulaire.

Les objectifs du traitement vasopresseur sont d'atteindre et de maintenir une pression artérielle moyenne de 70 à 80 mm Hg, ce qui permet d'assurer l'irrigation des principaux organes. Le médicament sympathomimétique de choix dans les cas de choc cardiogénique est la norépinéphrine (Levophed) si la pression artérielle systolique est inférieure à 70 mm Hg ; on ajoute la dobutamine (Dobutrex) lorsque la pression artérielle est supérieure à 90 mm Hg. La norépinéphrine et la dopamine (Intropin) sont les médicaments de choix contre le choc hypovolémique et le choc distributif.

Médicaments vasodilatateurs. Certains clients en état de choc montrent des signes de vasoconstriction excessive et de mauvaise irrigation tissulaire malgré le remplacement liquidien et des pressions systémiques normales ou même élevées. Cela est particulièrement évident lorsque le client présente un choc cardiogénique. Bien que la vasoconstriction sympathique généralisée constitue un mécanisme compensatoire utile pour maintenir la pression systémique, une vasoconstriction excessive peut réduire le débit sanguin tissulaire et augmenter la charge de travail du cœur. Dans le cas d'un client en état de choc, le traitement vasodilatateur vise à freiner le cycle délétère dans lequel une vasoconstriction généralisée entraîne une diminution du débit cardiaque et de la pression artérielle, ce qui provoque une plus grande vasoconstriction induite par le système nerveux sympathique.

Tout comme dans le cas du traitement vasopresseur, l'objectif du traitement vasodilatateur est de maintenir une pression artérielle moyenne de 70 à 80 mm Hg. Il est également important de surveiller de près la pression artérielle pulmonaire et la pression artérielle moyenne de façon à augmenter les liquides ou à diminuer la dose du médicament vasodilatateur en cas de chute importante de la pression artérielle. L'agent vasodilatateur le plus souvent utilisé pour le client en état de choc cardiogénique est la nitroglycérine. Dans les cas de choc non cardiogénique, le nitroprussiate (Nipride) est utilisé pour accroître la vasodilatation.

Corticostéroïdes. Les corticostéroïdes intraveineux peuvent être utiles lors d'un choc anaphylactique si des symptômes importants persistent après une à deux heures de traitement. Même si les corticostéroïdes n'ont pas d'effet sur le choc neurogénique, on administre de la méthylprednisolone (Solu-Medrol) dans les cas de lésion médullaire pour prévenir une atteinte secondaire à la moelle épinière causée par la libération de médiateurs chimiques (voir chapitre 56). Les corticostéroïdes ne sont pas utilisés dans le traitement d'autres types de choc, sauf chez les clients soupçonnés d'insuffisance surrénalienne. Le recours à ces agents immunosuppresseurs peut en fait augmenter l'incidence d'infections secondaires chez les clients atteints de choc septique.

Antibiotiques. Les antibiotiques sont toujours utilisés pour traiter le choc septique, et la susceptibilité à l'infection est accrue chez tous les clients atteints d'un choc prolongé dont l'origine est non septique. Une antibioprophylaxie à large spectre peut être indiquée en raison de la prévalence élevée de micro-organismes nosocomiaux dans les unités de soins intensifs. Les méthodes employées pour prévenir les infections nosocomiales sont, entre autres, le lavage des mains, l'utilisation de techniques aseptiques pendant la manipulation des cathéters et des sondes, l'établissement d'une alimentation entérale le plus tôt possible, l'élévation de la tête du lit pour empêcher le reflux gastrique de l'alimentation entérale vers les poumons et des soins buccaux fréquents. Avant d'entreprendre l'antibiothérapie, on doit prélever des échantillons de sang, d'urine, d'exsudat de plaie et d'expectoration dans le but d'effectuer des cultures et des épreuves de sensibilité. L'antibiothérapie doit être administrée le plus rapidement possible, car le taux de mortalité est relativement élevé si les bons antibiotiques ne sont pas donnés dans les 24 heures suivant le début du choc.

Recommandations nutritionnelles : choc. La dénutrition, tant protéique que calorique, est l'une des principales manifestations d'hypermétabolisme lors d'un choc. Certains types d'alimentation doivent être administrés dans les 24 à 48 premières heures pour réduire la morbidité. En général, l'alimentation parentérale est administrée uniquement lorsque l'alimentation entérale a échoué, qu'elle est contre-indiquée ou qu'elle ne répond pas aux besoins caloriques du client. (Le chapitre 32 traite de l'alimentation parentérale totale et de l'alimentation entérale par sonde). On estime que l'alimentation entérale immédiate permet d'améliorer l'irrigation du tractus gastro-intestinal et prévient la migration des bactéries intestinales.

Le client en état de choc doit être pesé quotidiennement, idéalement sur la même balance et à la même heure. Lorsque le client perd beaucoup de poids, la déshydratation doit être exclue avant d'administrer d'autres calories par voie parentérale. Il est fréquent que le troisième espace de liquides entraîne une prise de poids importante. Par conséquent, le poids quotidien peut servir davantage à indiquer l'état de l'équilibre liquidien que l'équilibre entre l'apport calorique et les besoins du client. Certaines épreuves diagnostiques permettent d'évaluer l'état nutritionnel, dont le dosage des protéines sériques, de l'urée, du glucose, des électrolytes sériques et du bilan azoté.

Soins infirmiers : choc

Collecte de données. L'encadré 27.5 présente les données subjectives et objectives à recueillir auprès d'une personne atteinte d'un choc. L'examen initial en cas de choc ou de choc imminent n'a pas besoin d'être long.

COLLECTE DE DONNÉES

Choc et syndrome de défaillance multiviscérale

ENCADRÉ 27.5

Données subjectives

Information importante concernant la santé
- Antécédents de santé : infarctus du myocarde, embolie pulmonaire, infection, lésion médullaire, hémorragie, traumatisme, brûlures, diabète sucré, déshydratation, insuffisance cardiaque congestive, défaillance valvulaire, pancréatite, occlusion intestinale, utilisation de tampons vaginaux, grave réaction à des piqûres d'insectes ou aux produits sanguins.
- Médicaments : grave réaction aux médicaments, aux vaccins, aux produits de contraste, à l'anesthésie générale, à la surdose de médicaments (y compris l'insuline), aux agents immunosuppresseurs.
- Chirurgie ou autres traitements : toute intervention chirurgicale importante, surtout celles impliquant une perte considérable de sang ou de liquide.

Modes fonctionnels de santé
- Mode nutrition et métabolisme : soif, nausées, vomissements, crampes abdominales, frissons.
- Mode activité et exercice : faiblesse, étourdissements, syncope, palpitation, dyspnée, toux productive ou non productive.
- Mode élimination : diminution du débit urinaire, diaphorèse.
- Mode cognition et perception : prurit, douleur thoracique.
- Mode adaptation et tolérance au stress : crainte, anxiété, irritabilité.

Données objectives

Généralités
- Température corporelle normale, réduite ou accrue (en raison du choc septique) ; signe de saignement externe.

Appareil tégumentaire
- Peau pâle, froide, moite ou chaude, rouge (choc septique et anaphylactique) ; lèvres et muqueuse sèches ; urticaire, érythème et œdème de Quincke (anaphylaxie) ; cyanose.

Appareil respiratoire
- Des respirations rapides et profondes peuvent se transformer en respirations lentes, superficielles et irrégulières ; respiration sifflante (*wheezing*), râles crépitants, absence de bruits respiratoires, suffocation, toux (anaphylaxie).

Appareil cardiovasculaire
- La tachycardie accompagnée d'un pouls faible et filant peut se transformer en pouls lent et irrégulier avec absence des pouls périphériques ; hypotension orthostatique, diminution de la pression différentielle, hypotension évolutive ; remplissage capillaire lent ; jugulaires aplaties (sauf en présence de choc cardiogénique) ; bruits cardiaques anormaux ; arythmies.

Appareil gastro-intestinal
- Diminution ou absence des bruits intestinaux.

Appareil urinaire
- Diminution progressive du débit urinaire.

Système neurologique
- Irritabilité et instabilité psychomotrice qui se transforment en léthargie, en agitation, en stupeur ou en coma ; trouble de l'élocution qui se transforme en propos désorientés et incohérents ; diminution des réactions aux stimuli douloureux et absence de réflexes ; les pupilles de taille normale deviennent dilatées et la réaction à la lumière est minime ou absente.

Résultats possibles
- Altération des électrolytes sériques, diminution de l'hémoglobine et de l'hématocrite, leucocytose, hypoxémie et hypocapnie ou hypercapnie ; alcalose respiratoire et acidose métabolique ; augmentation de la créatinine et de l'azote uréique du sang ; augmentation des enzymes cardiaques (choc cardiogénique) ; augmentation des enzymes hépatiques ; augmentation des taux de lactate ; cultures de plaie, de sang et de liquides organiques positives ; électrocardiogramme et radiographies des poumons et de l'abdomen anormaux.

Cet examen doit porter sur l'évaluation des indicateurs d'irrigation tissulaire, y compris l'état de conscience, l'aspect de la peau, les signes vitaux et le débit urinaire. Bien qu'une détérioration continue de l'état de conscience du client indique une plus grande diminution du débit sanguin cérébral et une aggravation de l'état de choc, il est possible que certains clients en état de choc demeurent pleinement conscients. À mesure que le choc évolue, une vasoconstriction importante des artères continue de diminuer l'irrigation vers la peau et les reins. La peau devient plus froide et marbrée et le débit urinaire diminue jusqu'à atteindre l'anurie. Il est possible que la pression artérielle ne soit pas un indicateur fiable de la gravité du choc. Il est important d'évaluer et de consigner tout changement dans les signes vitaux de base.

Planification. Les objectifs généraux pour le client en état de choc sont les suivants : retrouver une irrigation tissulaire adéquate ; avoir une pression artérielle normale ; retrouver un fonctionnement normal des organes ; n'éprouver aucune complication liée au choc.

Diagnostics infirmiers. Les diagnostics infirmiers pour le client en état de choc comprennent, entre autres, ceux qui sont présentés dans l'encadré 27.6.

Exécution

Promotion de la santé. Il est important que l'infirmière participe à la prévention du choc. Pour ce faire, elle doit d'abord déterminer les personnes à risque. En général, celles qui courent un risque plus important sont les personnes âgées, les jeunes enfants, les personnes atteintes de maladie chronique ou débilitante et les clients immunosupprimés. Toute personne qui subit un traumatisme chirurgical ou accidentel est grandement prédisposée à un choc provoqué par une hémorragie, une lésion médullaire, une brûlure et par les affections répertoriées dans l'encadré 27.1.

Tout client exposé à une diminution de l'apport en oxygène ou à une hypoxie tissulaire risque de subir un choc. Une fois qu'un client a été ciblé comme étant prédisposé au choc, les interventions infirmières doivent être mises en œuvre afin de prévenir l'apparition d'un tel état. Les soins infirmiers initiaux visent à recueillir des données de base et à évaluer fréquemment le client pour surveiller son état et déceler toute modification. Ensuite, les diagnostics infirmiers pertinents doivent être posés et les interventions infirmières adéquates prodiguées, puis évaluées. L'éducation en matière de santé est importante pour prévenir l'apparition de maladies qui pourraient provoquer un choc. Par exemple, l'habitude de faire de l'exercice régulièrement et la décision de cesser de fumer peuvent aider à réduire les risques d'infarctus du myocarde.

Une personne atteinte d'un infarctus aigu du myocarde, notamment un infarctus de la paroi antérieure, est prédisposée au choc cardiogénique. Tous les clients qui présentent depuis peu des symptômes d'angine, des modifications des signes précurseurs d'un épisode angineux ou des symptômes faisant suspecter un infarctus du myocarde sont incités à consulter un médecin immédiatement. L'objectif principal pour le client atteint d'un infarctus aigu du myocarde est de limiter l'ampleur de l'infarctus en tentant d'augmenter l'irrigation des artères coronaires et de diminuer la charge de travail du cœur par le recours au repos, à la pharmacothérapie, au traitement thrombolytique et à l'angioplastie coronarienne.

Par ailleurs, une personne souffrant d'allergie grave à des substances telles que des médicaments, des mollusques et crustacés, des noix et des piqûres d'insectes peut subir un choc anaphylactique. Il est possible de réduire le risque de ce choc en évaluant soigneusement le client au sujet d'éventuelles allergies avant de lui administrer un nouveau médicament (même s'il l'a déjà reçu dans le passé) ou avant de lui faire subir une intervention diagnostique comportant l'utilisation d'une substance de contraste. Les clients atteints d'allergies graves doivent porter un bracelet MedicAlert et signaler leurs allergies aux divers professionnels qui leur prodiguent des soins de santé. Ils doivent également être informés qu'ils peuvent acheter en pharmacie des trousses d'urgence qui contiennent le matériel et la médication nécessaires pour traiter les réactions d'hypersensibilité aiguë.

Une surveillance attentive de l'équilibre hydrique peut aider à prévenir un choc hypovolémique. Les ingesta et les excreta, le poids corporel quotidien, ainsi que le liquide de drainage des plaies et des sondes doivent être rigoureusement mesurés et consignés. Il est également indispensable de freiner l'hémorragie le plus rapidement possible.

Il se peut qu'une personne immunosupprimée voit apparaître une infection opportuniste susceptible de se transformer rapidement en choc. Le client prédisposé à un sepsis doit être étroitement surveillé pour déceler tout signe d'infection. Il est important de respecter les principes d'asepsie et de restreindre au maximum les points d'entrée, tant pour les intraveineuses que pour toutes les autres mesures effractives. Il est essentiel de se laver les mains souvent. Tout le matériel et tous les instruments à usages multiples doivent être bien nettoyés.

Intervention en phase aiguë. Le rôle de l'infirmière lors de la phase aiguë du choc consiste à surveiller l'état physique et émotif du client de façon continue pour déceler tout changement ; à planifier et à exécuter les interventions infirmières et le traitement ; à évaluer la réaction du client face au traitement ; à procurer

Plan de soins infirmiers

ENCADRÉ 27.6

Client en état de choc

DIAGNOSTIC INFIRMIER : anxiété reliée à un état critique, à la peur de mourir et à l'environnement, se manifestant par une augmentation de la FC, une élévation de la PA, la verbalisation de l'anxiété, une instabilité psychomotrice, de l'insomnie et des tremblements.

PLANIFICATION
Résultats escomptés
- Verbalisation de l'anxiété.
- Verbalisation de la diminution de l'anxiété.
- Diminution des signes objectifs d'anxiété.

INTERVENTIONS	Justifications
• Évaluer le degré d'anxiété.	• Effectuer les interventions appropriées.
• Encourager le client à verbaliser ses peurs.	
• Rassurer et réconforter le client.	• Réduire l'anxiété.
• Réduire les stimulations sensorielles.	• Aider le client à se détendre.
• Expliquer la nature des interventions, les raisons qui les justifient et leurs buts.	• Réduire l'anxiété et assurer une perception plus réaliste de la situation.
• Permettre la présence des proches (dans la mesure du possible).	• Procurer une sensation de sécurité.

Processus thérapeutique

COMPLICATION POSSIBLE : ischémie ou défaillance d'un ou de plusieurs organes liée à une diminution de l'irrigation tissulaire.

Ischémie ou défaillance neurologique

PLANIFICATION
Objectifs
- Surveiller tout signe d'ischémie cérébrale.
- Signaler tout écart par rapport aux paramètres acceptables.
- Effectuer les interventions infirmières autonomes et en collaboration appropriées.

INTERVENTIONS	Justifications
• Procéder à un examen neurologique toutes les heures.	• Obtenir des renseignements sur l'état du débit sanguin cérébral.
• Consigner et signaler tout changement.	• Faciliter le choix des interventions pertinentes.
• Surveiller attentivement le client confus et le protéger contre les blessures.	• Prévenir les chutes et les accidents.
• Adopter les mesures nécessaires pour assurer le calme.	• Réduire le bruit afin de prévenir toute surcharge de données sensorielles et de permettre le repos.

Ischémie ou défaillance rénale

PLANIFICATION
Objectifs
- Surveiller les signes d'ischémie rénale.
- Signaler tout écart par rapport aux paramètres acceptables.
- Effectuer les interventions infirmières autonomes et en collaboration appropriées.

INTERVENTIONS	Justifications
• Surveiller le débit urinaire <0,5 ml/kg/h, l'augmentation de la densité relative de l'urine, l'augmentation du BUN et de la créatinine sérique, les électrolytes sériques anormaux, la baisse du sodium urinaire, les protéines et le sang dans l'urine et l'acidose métabolique.	• Évaluer la fonction rénale.
• Insérer une sonde à demeure.	• Mesurer avec précision le débit urinaire.
• Prendre le poids quotidiennement.	• Vérifier l'état hydrique et évaluer la fonction rénale.
• Administrer les liquides et les médicaments selon l'ordonnance et évaluer les résultats.	• Maintenir une irrigation rénale suffisante.
• Surveiller les signes et symptômes de surcharge de liquidienne	• Déceler toute complication possible liée à une administration excessive de liquide.

→ **Plan de soins infirmiers**

ENCADRÉ 27.6

Client en état de choc (*suite*)

Ischémie ou défaillance gastro-intestinale

PLANIFICATION

Objectifs
- Surveiller les signes d'ischémie gastro-intestinale.
- Signaler tout écart par rapport aux paramètres acceptables.
- Effectuer les interventions infirmières autonomes et en collaboration appropriées.

INTERVENTIONS	Justifications
• Surveiller la présence de douleur et de distension abdominales, de nausées, de vomissements, d'anorexie, de diarrhée, de soif, l'absence ou la diminution des bruits intestinaux.	• Évaluer l'état de l'appareil gastro-intestinal.
• Surveiller les bruits intestinaux toutes les quatre heures.	
• Mesurer les ingesta et les excreta.	• Déterminer l'équilibre hydrique.
• Entreprendre l'alimentation parentérale ou entérale dans les meilleurs délais.	

Ischémie ou défaillance vasculaire périphérique

PLANIFICATION

Objectifs
- Surveiller les signes d'ischémie vasculaire périphérique.
- Signaler tout écart par rapport aux paramètres acceptables.
- Effectuer les interventions infirmières autonomes et en collaboration appropriées.

INTERVENTIONS	Justifications
• Surveiller toute manifestation de froideur, de pâleur ou de cyanose aux extrémités, de diminution ou d'absence de pouls périphériques, de douleur, de picotement ou d'engourdissement dans les extrémités, d'extrémités nécrotiques ou gangreneuses et de mauvais remplissage capillaire (indicateurs d'ischémie vasculaire périphérique).	• Évaluer la circulation périphérique.
• Signaler tout changement dans l'irrigation périphérique.	• Amorcer un traitement rapidement.
• Prévenir les escarres de décubitus.	• Elles peuvent se manifester rapidement lorsque l'immobilité est combinée à l'ischémie tissulaire.
• Garder le client au chaud et au sec.	• Favoriser le confort et prévenir la vasoconstriction.

Ischémie ou défaillance respiratoire

PLANIFICATION

Objectifs
- Surveiller les signes de détresse respiratoire.
- Signaler tout écart par rapport aux paramètres acceptables.
- Effectuer les interventions infirmières autonomes et en collaboration appropriées.

INTERVENTIONS	Justifications
• Recherche la présence des signes suivants : altération de la fréquence respiratoire et de la profondeur de la respiration, dyspnée, utilisation des muscles accessoires, cyanose, bruits adventices, toux, radiographie pulmonaire anormale.	• Évaluer la détresse respiratoire.
• Entreprendre l'oxygénothérapie et maintenir une SaO_2 ≥90 %.	• Assurer une oxygénation suffisante.
• Surveiller la GSA.	• Évaluer les échanges gazeux dans les poumons et l'équilibre acidobasique.
• Ausculter et consigner les bruits respiratoires aux heures ou aux deux heures.	• Déterminer la présence de râles crépitants, de respiration sifflante (*wheezing*) et de bruits respiratoires réduits ou inégaux comme indicateurs d'altération de la respiration.

Plan de soins infirmiers

ENCADRÉ 27.6

Client en état de choc (*suite*)

- Encourager le client à respirer profondément.
- Aspirer les sécrétions au besoin.
- Maintenir les voies respiratoires libres et se préparer en vue d'une ventilation assistée.

- Ouvrir les alvéoles et améliorer les échanges gazeux.
- Enlever celles que le client ne parvient pas éliminer.

BUN : azote uréique du sang ; FC : fréquence cardiaque ; GSA : gazométrie du sang artériel ; PA : pression artérielle ; PCP : pression capillaire pulmonaire ; PVC : pression veineuse centrale.
Hendy, S., et coll. *Le monitoring hémodynamique : approche clinique et soins infirmiers*, 1992 (pour une partie du plan de soins).

---

un soutien affectif au client et à ses proches. Les responsabilités infirmières consistent, en outre, à juger à quel moment il est nécessaire de signaler aux autres membres de l'équipe soignante les changements dans l'état du client qui peuvent nécessiter un réajustement du traitement. Il est donc important de réévaluer l'état du client aussi souvent que cela est justifié.

Avant d'entreprendre les soins, il est essentiel que l'infirmière obtienne certains renseignements en questionnant le client ou un proche bien informé sur les points suivants :
- Description des événements qui ont conduit à l'état de choc.
- Heure d'apparition et durée des symptômes.
- Antécédents de santé, notamment la prise de médicaments et les allergies.
- Soins reçus avant l'admission à l'hôpital.
- Date du dernier vaccin antitétanique, si le choc est attribuable à un traumatisme.
- Croyances religieuses.
- Présence du bracelet MedicAlert.

- État neurologique. Une évaluation neurologique, incluant le degré d'orientation et l'état de conscience du client, doit être effectuée au moins toutes les heures. L'état neurologique du client constitue le meilleur indicateur de l'état du débit sanguin cérébral. L'infirmière doit prêter attention à toute manifestation clinique susceptible d'indiquer une atteinte neurologique, comme des changements dans le comportement, une instabilité psychomotrice, l'incapacité de se reposer, une vision trouble, de l'agitation, de la confusion et des paresthésies.

L'infirmière doit tenter d'orienter le client en fonction du temps, des lieux, des personnes et des situations. Si le client se trouve dans une unité de soins intensifs, il est particulièrement important de l'orienter par rapport à son environnement. L'infirmière doit tenter de minimiser les bruits et l'éclairage pour diminuer les facteurs d'hyperstimulation sensorielle. Dans la mesure du possible, elle doit tenter de maintenir un cycle qui comporte des activités le jour et du repos la nuit, car une surcharge sensorielle et une perturbation du rythme circadien peuvent contribuer à une altération de l'état neurologique du client, particulièrement s'il s'agit d'une personne âgée.

- État cardiovasculaire. Le traitement de l'état de choc est surtout fondé sur les renseignements relatifs à l'état cardiovasculaire du client. La fréquence cardiaque, la pression artérielle, la pression veineuse centrale et la pression artérielle pulmonaire (si elle est disponible) doivent être prises fréquemment jusqu'à ce que l'état du client soit stable. (Le chapitre 29 traite de la surveillance hémodynamique.) Une fois la stabilité atteinte, la pression capillaire pulmonaire doit être prise uniquement au besoin pour éviter les complications liées au gonflement du ballonnet. La pression capillaire pulmonaire est la mesure qui permet de mieux refléter la fonction ventriculaire gauche, notamment en présence de troubles pulmonaires (p. ex. embolie pulmonaire, maladie pulmonaire chronique). Les tendances en matière de pression artérielle pulmonaire et d'autres paramètres hémodynamiques sont plus importantes que les statistiques individuelles elles-mêmes. En outre, l'infirmière doit éviter de dépendre de ces statistiques et se rappeler que l'examen physique direct du client procure des renseignements extrêmement précieux.

L'infirmière doit continuellement surveiller l'ECG du client pour déceler des arythmies qui pourraient être attribuables au choc lui-même ou aux médicaments administrés en cours de traitement. Elle doit évaluer les bruits du cœur en fonction de leur qualité et pour déceler la présence d'un B_3, d'un B_4 ou d'un souffle. Chez un adulte, la présence d'un B_3 indique habituellement une insuffisance cardiaque. La fréquence de la surveillance diminue à mesure que l'état du client s'améliore.

En plus d'utiliser des méthodes de soins et d'évaluation, l'infirmière doit administrer les médicaments prescrits visant à corriger l'atteinte cardiovasculaire du client. L'évaluation constante de la réaction du client aux thérapies liquidienne et médicamenteuse permet d'apporter, au besoin, les modifications appropriées. Une fois que l'état du client est stable, les doses de médicaments sont progressivement diminuées.

• État respiratoire. L'état respiratoire du client qui subit un choc doit être évalué régulièrement afin d'assurer une oxygénation adéquate et la détection rapide de toute complication respiratoire. Il fournit également des données importantes concernant l'état de l'équilibre acidobasique. Au début, la fréquence, la profondeur et le rythme des respirations sont vérifiés toutes les 15 à 30 minutes. Une augmentation de la fréquence et de la profondeur des respirations indiquent que le client tente de corriger l'acidose métabolique. Les bruits respiratoires doivent être évalués toutes les heures pour déceler la présence de râles crépitants, qui peut indiquer une accumulation de liquides dans les poumons.

L'oxymétrie pulsée (SpO_2), qui est une méthode non effractive, est utilisée pour surveiller la saturation en oxygène de façon continue. Ce type de mesure comporte l'utilisation d'un capteur muni d'un microprocesseur qui est fixé à l'oreille, au doigt, à l'orteil ou au nez du client. Il est possible que la mesure de la saturation au doigt ou à l'orteil ne soit pas exacte en présence d'un état de choc avancé en raison de la mauvaise circulation périphérique. Dans ce cas, on doit avoir recours à la mesure de la saturation à l'oreille ou au nez pour obtenir des valeurs plus précises. Le gaz artériel fournit des renseignements exacts sur l'état d'oxygénation et l'équilibre acidobasique. L'interprétation initiale du gaz artériel incombe souvent à l'infirmière. Une PaO_2 inférieure à 60 mm Hg (en l'absence de maladie pulmonaire chronique) indique la présence d'hypoxémie et la nécessité d'administrer une plus grande concentration d'oxygène ou d'avoir recours à un mode différent d'oxygénothérapie. Une $PaCO_2$ abaissée, en présence d'un pH bas et d'un taux de bicarbonate également diminué, signifie que le client hyperventile pour tenter de compenser l'acidose métabolique. Une élévation de la $PaCO_2$, en présence d'un faible pH constant, signifie habituellement que le client doit être intubé et recevoir une ventilation assistée, alors il est important de maintenir les voies respiratoires libres et de surveiller toute complication liée à la ventilation. (Le chapitre 29 traite de la ventilation assistée.)

• Fonction rénale. Le débit urinaire doit être mesuré toutes les heures pour évaluer si la perfusion rénale est suffisante. Une sonde à demeure est installée pour faciliter le calcul de la diurèse. Un débit urinaire horaire inférieur à 0,5 ml/kg/h peut indiquer une irrigation rénale insuffisante. Bien que les taux d'azote uréique et de créatinine sérique servent de guide pour évaluer la fonction rénale, la créatinine sérique constitue un meilleur indicateur de cette fonction, puisque l'état

catabolique du client peut influer sur le taux d'azote uréique dans le sang.

• Température corporelle et modifications cutanées. En présence d'une température élevée ou sous la normale, la mesure de cette dernière doit être prise toutes les heures dans l'artère pulmonaire si un cathéter est en place ou à l'aide d'un thermomètre tympanique. Si elle est normale, l'infirmière doit la vérifier au moins toutes les quatre heures. Elle doit garder le client bien au chaud à l'aide de couvertures et en réglant la température ambiante. Si la température du client s'élève au-dessus de 38,6 °C, elle peut le traiter à l'aide de médicaments tels que des suppositoires d'acétaminophène, lui donner un bain tiède, enlever des couvertures ou l'envelopper d'une couverture hypothermique, dans certains cas. Divers anti-inflammatoires non stéroïdiens (p. ex. ibuprofène [Motrin]) permettent d'abaisser la température corporelle. Il est important de traiter la fièvre (supérieure à 38,6 °C), puisque l'élévation de la température et les frissons augmentent les besoins métaboliques en oxygène et accroissent la production de gaz carbonique.

Les téguments doivent être examinés afin de déceler la pâleur, la congestion ou la cyanose, et toute période de diaphorèse ou de frisson doit être notée. De plus, la vitesse du remplissage capillaire doit être évaluée à titre d'indicateur de l'irrigation périphérique.

• Fonction gastro-intestinale. L'infirmière doit ausculter les bruits intestinaux au moins toutes les quatre heures et évaluer la distension abdominale. Le degré de distension abdominale peut à l'occasion être évalué par la mesure de la circonférence de l'abdomen de manière sériée. Si le client porte un tube nasogastrique, le drainage doit être mesuré à titre d'excreta et être analysé pour vérifier la présence de sang occulte. Les selles doivent également être vérifiées pour évaluer toute présence de sang occulte.

• Hygiène personnelle. L'hygiène est particulièrement importante pour le client en état de choc puisque la diminution de l'irrigation tissulaire prédispose à l'infection et au bris de l'intégrité cutanée. Les soins d'hygiène et les autres interventions infirmières doivent être exécutés rapidement et de manière efficace, puisque le client en état de choc a beaucoup de difficulté à maintenir une oxygénation adéquate de ses tissus. Les soins doivent être espacés et exiger peu d'efforts pour permettre au client de récupérer.

Le fait d'utiliser un matelas à pressions alternatives ou un matelas de mousse, de tourner le client aux heures ou aux deux heures et de maintenir l'alignement corporel aide à prévenir la formation d'escarres de décubitus. Le client en état de choc est souvent instable sur le plan hémodynamique, et le repositionnement peut amener une détérioration des signes vitaux. L'infirmière doit faire preuve de jugement clinique pour déterminer les priorités en matière de soins. Elle doit aider le client à effectuer des exercices d'amplitude articulaire passifs trois à quatre fois par jour s'il peut tolérer ces mouvements, afin qu'il conserve une mobilité articulaire.

Il est essentiel que le client en état de choc reçoive des soins buccodentaires, puisqu'il tend à respirer par la bouche. Les muqueuses peuvent également être sèches chez le client souffrant de déficit de volume liquidien. De plus, le client intubé a habituellement du mal à avaler, ce qui entraîne une accumulation de sécrétions dans la bouche. Un lubrifiant hydrosoluble appliqué sur les lèvres prévient l'assèchement et les gerçures. Le fait de passer un écouvillon imprégné d'eau stérile ou d'une solution maison sur la langue et la muqueuse buccale peut être bénéfique. Il n'est pas recommandé d'utiliser un écouvillon imbibé de glycérine citronnée, puisque cela peut assécher la muqueuse.

• Soutien psychologique. Les effets de l'anxiété et de la peur du client devant cette situation critique qui met sa vie en danger sont souvent négligés ou sous-estimés. L'anxiété et la peur peuvent aggraver la détresse respiratoire et accroître la sécrétion de catécholamines. Il est important que l'infirmière se souvienne que la compréhension empathique est aussi essentielle que les connaissances scientifiques et techniques pour le client en état de choc.

L'infirmière doit évaluer l'anxiété du client en état de choc lors de la planification et de l'exécution du plan de soins. Les médicaments visant à réduire l'anxiété constituent un mode de traitement courant bien que, dans certains cas, la sédation soit contre-indiquée. Chez le client intubé, une perfusion continue de sédatif (p. ex. lorazépam [Ativan]) ou de narcotique (p. ex. morphine) est extrêmement efficace pour soulager la douleur et l'anxiété, de même que pour réduire la consommation d'oxygène. Un agent bloqueur neuromusculaire (p. ex. vécuronium [Norcuron]) peut être utilisé occasionnellement chez le client intubé pour diminuer au maximum la consommation d'oxygène. Cet agent n'étant pas doté de propriétés analgésiques et sédatives, il doit être utilisé en association avec des analgésiques narcotiques ou des benzodiazépines. Le client curarisé, totalement dépendant du personnel soignant, requiert une surveillance et des soins infirmiers propres à son état.

L'infirmière doit parler au client, même s'il est intubé et semble comateux. Si le client intubé est en mesure d'écrire, on doit lui fournir une ardoise magique ou un crayon de plomb et du papier. Les interventions infirmières, ainsi que toute autre information relative au plan de soins doivent être expliquées au client. L'équipe soignante doit fournir des réponses simples et honnêtes au client qui pose des questions sur l'évolution de son état et son pronostic.

L'infirmière doit tenter de respecter l'intimité du client dans la mesure du possible et lui signifier sa présence à proximité s'il a besoin d'aide. Le client doit avoir un système d'appel à portée de la main. Les plaisanteries au sein du personnel soignant doivent être évitées près de la chambre du client, car celui-ci et sa famille pourraient croire que les membres du personnel s'amusent et ne peuvent pas prodiguer les soins pertinents. En outre, les conversations au sujet du client ne doivent pas avoir lieu dans des endroits où celui-ci pourrait les entendre. Ces conversations peuvent constituer une atteinte à la confidentialité du client ou être mal interprétées et lui causer une angoisse inutile. L'ouïe est souvent le dernier sens qui se perd et il est possible que le client entende même s'il est incapable de réagir.

Bien des clients cherchent le réconfort d'un prêtre, d'un rabbin ou d'un ministre du culte. L'infirmière doit respecter les croyances du client et offrir d'appeler un membre du clergé au lieu d'attendre que le client ou sa famille exprime le souhait d'une consultation spirituelle.

La famille et les proches ont un effet thérapeutique sur le client. Ils permettent de relier le client au monde extérieur ; de faciliter les prises de décision et de prodiguer des conseils au client ; d'aider le client dans ses activités de la vie quotidienne ; de lui fournir du soutien, un sentiment de sécurité et la présence de relations familiales. Pour jouer ce rôle, ils ont besoin de soutien et de réconfort.

Le premier besoin de la famille est d'être informée de l'état du client et d'être assurée qu'un personnel compétent et compatissant s'occupe de leur proche. Dans la mesure du possible, il est préférable que ce soit la même infirmière qui s'occupe du client afin d'atténuer l'anxiété, d'éviter les contradictions déroutantes et d'augmenter la confiance. Dans les situations où le pronostic s'aggrave, l'infirmière doit apporter son soutien à la famille lors de la prise de décisions difficiles quant au maintien de moyens artificiels entretenant la vie. Le personnel infirmier doit soutenir la famille dans ses décisions et l'aider à saisir l'état de la situation. Le personnel doit indiquer à la famille et aux amis où ils peuvent attendre et trouver un téléphone.

L'infirmière doit tenter de faciliter la présence de la famille au chevet du client au lieu de l'entraver, à condition que ce soit perçu comme un réconfort par le client. Elle doit expliquer en termes simples à quoi servent les tubes et les appareils qui entourent le client et indiquer aux membres de la famille ce qu'ils peuvent faire ou non. Le personnel soignant doit les encourager à toucher leur proche, à poser de simples gestes de réconfort et leur procurer le plus d'intimité possible. Le client a beaucoup plus de chances de trouver du réconfort auprès d'un être cher que d'une infirmière.

Soins ambulatoires et soins à domicile. La réadaptation du client en état de choc nécessite la prévention ou le traitement rapide de toute complication, ainsi que la correction de la cause sous-jacente. L'infirmière doit continuer de rechercher la présence, chez le client, de signes de complications pendant toute la convalescence. Ces complications peuvent comprendre une insuffisance rénale chronique consécutive à une nécrose tubulaire aiguë ou une maladie pulmonaire fibreuse attribuable au syndrome de détresse respiratoire aiguë (voir chapitres 38 et 28).

Évaluation. Les résultats escomptés chez le client en état de choc sont présentés dans l'encadré 27.6.

27.2 SYNDROME DE RÉPONSE INFLAMMATOIRE SYSTÉMIQUE ET SYNDROME DE DÉFAILLANCE MULTIVISCÉRALE

Le syndrome de réponse inflammatoire systémique est une réaction anormale de l'hôte à diverses affections et se caractérise par une inflammation généralisée des organes non affectés initialement. Normalement, le processus inflammatoire est restreint à un milieu spécifique. (Le chapitre 6 traite de l'inflammation.) Cependant, si l'inflammation s'étend, il se produit une réponse inflammatoire systémique généralisée qui est néfaste pour la fonction des organes. La figure 27.1 présente les états cliniques qui prédisposent un client au syndrome de réponse inflammatoire systémique. On parle de **sepsis** lorsque le syndrome de réponse inflammatoire systémique est attribuable à une infection.

Le syndrome de défaillance multiviscérale (SDMV) est attribuable au syndrome de réponse inflammatoire systémique et se caractérise par une insuffisance progressive de plus d'un organe. La transition de l'état hypermétabolique du syndrome de réponse inflammatoire systémique au syndrome de défaillance multiviscérale cliniquement défini ne se produit pas de façon nette parce que ces deux entités représentent un continuum. De plus, il est difficile de mesurer la défaillance d'un organe à son stade initial. D'ailleurs, ce ne sont pas tous les clients atteints du syndrome de réponse inflammatoire systémique qui présentent un syndrome de défaillance multiviscérale.

Dans les cas de syndrome de défaillance multiviscérale, la défaillance des organes peut être le résultat direct de l'agression (syndrome de défaillance multiviscérale primaire) ou peut se manifester de manière latente à la suite d'une inflammation systémique généralisée et toucher des organes qui ne sont pas directement affectés lors de l'agression initiale (syndrome de défaillance multiviscérale secondaire). Par exemple, les conséquences immédiates d'un traumatisme (contusion pulmonaire, aspiration, lésion par inhalation) sont des types de syndrome de défaillance multiviscérale primaire. L'une des causes courantes du syndrome de défaillance multiviscérale secondaire est le sepsis. Les clients peuvent éprouver à la fois un syndrome de défaillance multiviscérale primaire et un syndrome de défaillance multiviscérale secondaire.

27.2.1 Étiologie et physiopathologie

Événements déclencheurs. Les bactéries sont des causes courantes du syndrome de défaillance multiviscérale et peuvent libérer des toxines qui déclenchent la réponse inflammatoire systémique. Ces substances ont souvent des effets toxiques directs et peuvent activer les réactions immunitaires cellulaires et humorales et finir par provoquer un syndrome de réponse inflammatoire systémique, un sepsis ou un syndrome de défaillance multiviscérale. La figure 27.1 présente d'autres états cliniques qui prédisposent un client au syndrome de réponse inflammatoire systémique et au syndrome de défaillance multiviscérale.

Quel que soit le stimulus mis en jeu, la cause du syndrome de réponse inflammatoire systémique et du syndrome de défaillance multiviscérale semble être une réponse inflammatoire systémique incontrôlable modulée par une variété de facteurs. L'activation d'un médiateur entraîne consécutivement celle d'un autre médiateur.

Lorsque le processus inflammatoire n'est pas maîtrisé, les conséquences peuvent entraîner un syndrome de réponse inflammatoire systémique et un syndrome de défaillance multiviscérale. Ces conséquences comprennent l'activation des cellules inflammatoires et la libération de médiateurs, une atteinte directe à l'endothélium vasculaire et l'hypermétabolisme. Dans les cas de syndrome de réponse inflammatoire systémique, les cellules endothéliales sont des cibles courantes des médiateurs dérivés de leucocytes, ce qui provoque la destruction de l'endothélium et une augmentation de la perméabilité vasculaire. Parmi les médiateurs inflammatoires qui provoquent des lésions endothéliales, on trouve l'endotoxine, le facteur tumoral nécrosant, l'IL-1, le facteur d'activation plaquettaire et bien d'autres (voir tableau 27.2). L'irrigation d'un organe peut être compromise par l'hypotension, des microembolies, la répartition ou la dérivation du flot sanguin, et le métabolisme cellulaire peut être perturbé même si l'apport en oxygène est suffisant.

Défaillance organique et métabolique. Les poumons sont très vulnérables à une atteinte induite par un médiateur et sont généralement la première cible du syndrome de réponse inflammatoire systémique et du syndrome de défaillance multiviscérale. Une lésion pulmonaire aiguë se manifeste comme un syndrome de détresse respiratoire aiguë et se produit habituellement dans les trois jours suivant la lésion initiale. (Le chapitre 28 traite du syndrome de détresse respiratoire aiguë.) Le syndrome de détresse respiratoire aiguë est accompagné d'un état hypermétabolique.

Parmi les changements cardiovasculaires, on note une dépression myocardique et une vasodilatation. La vasodilatation est attribuable à une diminution de la résistance vasculaire systémique (diminution de la postcharge) et de la pression artérielle. Le réflexe barorécepteur provoque la libération de facteurs inotropes (qui augmentent la force de contraction) et chronotropes (qui augmentent la fréquence cardiaque), lesquels améliorent le débit cardiaque. La pression artérielle peut être maintenue pendant un certain temps, mais avec une fréquence et un débit cardiaques élevés. L'augmentation de la perméabilité capillaire amène le passage d'albumine et de liquide de l'espace intravasculaire à l'espace extravasculaire, ce qui diminue davantage la précharge. Le client est chaud, se trouve en tachycardie, a un débit cardiaque élevé et une résistance vasculaire systémique basse. La saturation du sang veineux (SvO$_2$) peut être anormalement élevée parce que l'irrigation se fait dans des régions qui ne consomment pas beaucoup d'oxygène, comme la peau ou les muscles inactifs, alors que le sang n'atteint pas les autres régions. En définitive, ou bien l'irrigation des organes vitaux devient insuffisante ou bien les cellules sont incapables d'utiliser l'oxygène et leur fonction est compromise. L'insuffisance cardiaque apparaît à mesure que le syndrome de défaillance multiviscérale évolue.

Dans les cas de syndrome de réponse inflammatoire systémique et de syndrome de défaillance multiviscérale, l'altération neurologique se manifeste couramment sous forme de changements touchant l'état mental. Une modification importante de celui-ci peut être un signe précoce de syndrome de réponse inflammatoire systémique. Le client peut devenir confus et agité, agressif, désorienté, léthargique ou comateux. Ces changements peuvent être causés par l'hypoxémie ou la diminution de la perfusion cérébrale. Les médiateurs peuvent léser directement ou indirectement le tissu nerveux par le biais de la fuite capillaire et d'autres lésions tissulaires connexes. Ces lésions peuvent à leur tour entraîner un œdème cérébral qui amène une augmentation de la pression intracrânienne.

Une défaillance neurologique périphérique peut également se produire chez les clients atteints du syndrome de défaillance multiviscérale à la suite d'un œdème ou d'une hypoxie des nerfs périphériques. Les observations cliniques peuvent être évidentes (p. ex. faiblesse grave) ou subtiles (p. ex. difficulté de sevrage de la ventilation assistée).

L'insuffisance rénale peut être attribuable à des causes prérénales (diminution de l'irrigation) ou à une atteinte directe des cellules des tubules rénaux (nécrose tubulaire aiguë). Le recours fréquent à des médicaments néphrotoxiques pour les clients en phase critique accroît également le risque de nécrose tubulaire aiguë.

La défaillance de la cascade de coagulation peut se manifester sous forme de coagulation intravasculaire disséminée (CIVD). La CIVD provoque simultanément une coagulation microvasculaire et un saignement en raison de la diminution des facteurs de coagulation et des plaquettes et de l'excès de fibrinolyse.

Au départ, il se produit habituellement une leucocytose, et cela est particulièrement évident si le syndrome de défaillance multiviscérale est causé par un agent infectieux. Comme l'hématopoïèse est défaillante, cela entraîne de l'anémie, de la leucopénie et de la thrombopénie.

La perturbation de la circulation gastro-intestinale peut réduire la motilité, ce qui provoque un iléus paralytique. L'appareil gastro-intestinal est extrêmement vulnérable à l'ischémie et l'hypoperfusion endommage la muqueuse gastro-intestinale normale. La présence d'une lésion peut accroître le potentiel de migration de bactéries intracavitaires dans la circulation systémique, et ce mécanisme peut être une source d'activateurs supplémentaire (p. ex. bactéries et endotoxines). L'ischémie des muqueuses entraîne une augmentation de la fréquence de formation d'ulcères gastriques et duodénaux et expose le client aux saignements gastrointestinaux.

Une altération de la fonction hépatique peut se traduire par des manifestations cliniques de saignement, d'ictère, d'hypoglycémie et d'acidose lactique. L'hépatite ischémique amène une augmentation du taux sérique des enzymes hépatiques, l'hypoprotéinurie et l'allongement du temps de prothrombine.

Les changements métaboliques sont importants, car le syndrome de réponse inflammatoire systémique et le syndrome de défaillance multiviscérale déclenchent une réaction hypermétabolique. Le glycogène stocké est rapidement transformé en glucose, et les catécholamines ainsi que les glucocorticoïdes provoquent une hyperglycémie et une résistance à l'insuline. Une fois que le glycogène est éliminé, les acides aminés sont transformés en glucose, ce qui réduit les réserves de protéines, et les acides gras sont mobilisés pour fournir de l'énergie. Le résultat net est un état catabolique et une perte de masse musculaire. Une hypoglycémie se manifeste lorsque l'insuffisance hépatique est grave. Les taux de protéine et d'albumine sériques sont généralement faibles en raison de l'état catabolique, de la fuite de ces substances à travers les membranes capillaires et de l'altération de la production hépatique.

Les déséquilibres électrolytiques, qui sont courants, sont liés aux changements hormonaux et métaboliques et aux échanges liquidiens. Ces changements exacerbent les modifications de l'état mental et du fonctionnement neuromusculaire et induisent des arythmies cardiaques. L'hormone antidiurétique provoque une rétention d'eau et une hyponatrémie et l'aldostérone augmente la déperdition potassique, provoquant l'hypokaliémie. Les catécholamines permettent au potassium de pénétrer dans la cellule, contribuant ainsi à augmenter l'hypokaliémie qui est associée aux arythmies et à la faiblesse musculaire. L'acidose métabolique est attribuable à une diminution de l'irrigation tissulaire, à une hypoxie et au recours à un métabolisme anaérobie qui augmente la production d'ions d'hydrogène. L'altération progressive de la fonction rénale entraîne également une augmentation de l'acidose métabolique. L'hypocalcémie, l'hypomagnésiémie et l'hypophosphatémie sont courantes.

27.2.2 Manifestations cliniques du syndrome de réponse inflammatoire systémique et du syndrome de défaillance multiviscérale

Les manifestations cliniques et les résultats de laboratoire reliés au syndrome de réponse inflammatoire systémique comprennent les éléments suivants :

- température supérieure à 38 °C ou inférieure à 36 °C ;
- fréquence cardiaque supérieure à 90 battements par minute ;
- fréquence respiratoire supérieure à 20 respirations par minute ou $PaCO_2$ inférieure à 32 mm Hg ;
- numération des leucocytes supérieure à 12 000 cellules/µl ou inférieure à 4000 cellules/µl, ou supérieure à 10 % de polynucléaires neutrophiles.

Le syndrome de réponse inflammatoire systémique est diagnostiqué lorsque plus de deux de ces quatre manifestations cliniques sont présentes. Le client peut également montrer des signes d'hypotension, de confusion, d'hyperglycémie et de thrombopénie. Les manifestations peuvent varier de la présence de signes et symptômes légers au collapsus circulatoire.

Les signes et symptômes initiaux du syndrome de réponse inflammatoire systémique sont très diversifiés. Au départ, la plupart des clients éprouvent une instabilité psychomotrice ou une légère confusion, une hyperthermie, une tachycardie, une légère augmentation des besoins liquidiens, une tachypnée accompagnée de légère alcalose respiratoire, une oligurie associée à une réponse réduite aux diurétiques, une distension abdominale et une hyperglycémie ou une augmentation des besoins en glucose.

Dans les cas de sepsis ou de syndrome de réponse inflammatoire systémique pleinement constitués, l'état du client est instable et ce dernier est gravement malade. La confusion augmente et se transforme en léthargie ou en stupeur. La fréquence cardiaque est rapide, la peau est chaude et le débit cardiaque est élevé au début de la phase hyperdynamique. Bien que des volumes importants de liquides soient nécessaires pour maintenir la précharge, le débit cardiaque a tendance à diminuer pendant la phase suivante. Des solutés de remplissage et des médicaments vasoactifs et cardiotoniques sont nécessaires pour maintenir la pression artérielle. La SvO_2 peut être accrue en raison de l'incapacité du sang à circuler efficacement vers les organes fonctionnels. Le client est tachypnéique, hypocapnique et possiblement hypoxémique, en particulier si un syndrome de détresse respiratoire aiguë se manifeste. L'oligurie évolue vers une insuffisance rénale. Le tractus gastro-intestinal, en particulier l'estomac et le côlon, est atonique et le client tolère mal l'alimentation entérale. Un ulcère de stress peut se produire. Puisque que le rôle du foie est compromis, le taux de bilirubine augmente et le client peut sembler ictérique. Le temps de prothrombine est allongé et le client peut présenter une thrombopénie qui évolue vers une coagulation intravasculaire disséminée. Les taux d'hormones liées au stress sont élevés, ce qui augmente le catabolisme et l'hyperglycémie.

Dans les cas de syndrome de réponse inflammatoire systémique et de syndrome de défaillance multiviscérale avancés, le client est dans un état instable, il peut devenir inconscient et la mort semble imminente. L'administration de vasopresseurs et d'agents inotropes est nécessaire pour maintenir la pression artérielle. Le client est très œdémateux (anasarque). La SvO_2 peut augmenter consécutivement aux difficultés d'approvisionnement des tissus en oxygène ou chuter si le client est atteint d'une hypoxémie artérielle grave. Il peut être hypercapnique malgré une ventilation énergique et peut souffrir d'acidose métabolique et respiratoire. Le client est susceptible de devenir anurique et de nécessiter une hémofiltration. Les taux d'enzymes hépatiques et de bilirubine augmentent, l'acidose lactique s'accentue et la coagulopathie devient impossible à corriger.

Plusieurs organes peuvent être défaillants. L'encadré 27.7 présente les manifestations cliniques de défaillance d'un organe, et l'encadré 27.8 fournit un modèle d'évolution du syndrome de défaillance multiviscérale.

27.2.3 Soins infirmiers et processus thérapeutique : syndrome de réponse inflammatoire systémique et syndrome de défaillance multiviscérale

Le pronostic du syndrome de réponse inflammatoire systémique et du syndrome de défaillance multiviscérale

Manifestations cliniques de défaillance d'un organe
ENCADRÉ 27.7

Défaillance cardiovasculaire
- Fréquence cardiaque <55 bpm
- PAM <55 mm Hg ou PAS <60 mm Hg
- Tachycardie ou fibrillation ventriculaire
- Index cardiaque <2,0 L/min/m²
- pH sérique <7,25 avec $PaCO_2$ <50 mm Hg

Insuffisance respiratoire
- Dyspnée grave
- Fréquence respiratoire <6 respirations/min ou >50 respirations/min
- Radiographie pulmonaire montrant une diminution du volume pulmonaire et des infiltrats bilatéraux diffus
- $PaCO_2$ ≥50 mm Hg
- Râles crépitants, respiration sifflante (*wheezing*)
- PaO_2/FIO_2 <200
- Dépendance ventilatoire >72 h

Insuffisance rénale
- Débit urinaire <0,5 ml/kg/h
- BUN ≥35,7 mmol/L
- Créatine sérique ≥309 µmol/L

Défaillance du système nerveux central
- Échelle de Glasgow ≤6 (en l'absence de sédation)
- Hypothermie ou hyperthermie
- Défaillance cardiovasculaire
- Dépression respiratoire

Défaillance hématologique
- Numération des leucocytes ≤1000/µl (1 x 10⁹/L)
- Plaquettes ≤20 000/µl (20 x 10⁹/L)
- Hématocrite ≤20 % (0,20)
- Allongement des résultats des épreuves de coagulation

Insuffisance hépatique
- Présence des deux éléments suivants :
  - Bilirubine sérique ≥102,6 µmol/L
  - Temps de prothrombine >4 s en l'absence d'anticoagulothérapie systémique

Insuffisance pancréatique
- Taux élevé de lipase et d'amylase sériques
- Taux élevé de glucose sérique (souvent résistant à l'administration d'insuline)

Insuffisance gastro-intestinale
- Érosion des muqueuses lors de l'endoscopie
- Perforation
- Saignement des voies gastro-intestinales supérieures ou inférieures
- Diarrhée
- Iléus paralytique

BUN : azote uréique du sang ; FIO_2 : fraction inspirée en oxygène ; $PaCO_2$: pression partielle de gaz carbonique dans le sang ; PAM : pression artérielle moyenne ; PaO_2 : pression partielle d'oxygène dans le sang artériel ; PAS : pression artérielle systolique.

Évolution du syndrome de défaillace multiviscérale*
ENCADRÉ 27.8

Jours après l'agression ou l'événement précipitant
- Jours 1 à 4
  - Faible degré de fièvre
  - Tachycardie
  - Dyspnée
  - Altération de l'état mental
  - État hyperdynamique ou hypermétabolique
  - Les poumons sont les premiers à défaillir : syndrome de détresse respiratoire aiguë

- Jours 5 à 10
  - Augmentation de l'état hyperdynamique ou hypermétabolique
  - Bactériémie
  - Signes d'insuffisance hépatique et rénale

- Jours 10 à 14
  - Insuffisance hépatique et rénale plus grave
  - Défaillance de l'appareil gastro-intestinal
  - Collapsus cardiovasculaire

- Jours 15 à 21
  - Syndrome de défaillance multiviscérale

- Jours 21 à 28
  - Mort

*Cet encadré présente une séquence possible d'événements.

prévenir. L'un des rôles essentiels de l'infirmière consiste à examiner attentivement le client pour déceler tout signe précoce de détérioration ou de défaillance d'un organe.

Le processus thérapeutique à l'égard du client atteint du syndrome de réponse inflammatoire systémique ou du syndrome de défaillance multiviscérale est axé sur les éléments suivants : la prévention et le traitement de l'infection ; le maintien de l'oxygénation tissulaire ; le soutien nutritionnel et métabolique ; le soutien approprié des organes défaillants.

Prévention et traitement de l'infection. Des mesures de prévention rigoureuses, un dépistage précoce et un traitement rapide de l'infection sont importants pour éliminer la source d'inflammation. S'il y a une infection, il est essentiel de la diagnostiquer rapidement. Cependant, certaines peuvent parfois être difficiles à déceler et celles qui sont connues doivent être traitées à l'aide d'agents spécifiques. Si le micro-organisme est inconnu, une antibiothérapie à large spectre doit être administrée, puis remplacée par les antibiotiques indiqués une fois que le micro-organisme en cause a été identifié. Une chirurgie précoce et agressive peut être indiquée pour enlever le tissu nécrotique (p. ex. débridement rapide des tissus brûlés), qui peut fournir un milieu de culture pour les micro-organismes. Un traitement pulmonaire énergique, y compris l'ambulation

est mauvais et le taux de mortalité se situe entre 90 et 95 % lorsque plus de trois organes sont atteints. Par conséquent, l'objectif le plus important est de les

précoce postopératoire, peut réduire les risques d'infection. Une technique d'asepsie rigoureuse permet de réduire les infections liées aux cathéters intra-artériels, aux tubes endotrachéaux, aux sondes urinaires, à la thérapie intraveineuse et à d'autres interventions effractives.

Il est possible que certains clients contractent une infection même lorsque les mesures de prévention contre les infections sont rigoureuses. Les malades en phase critique peuvent s'infecter eux-mêmes. Par exemple, la contamination bactérienne des voies respiratoires et l'apparition d'une pneumonie peuvent être consécutives à la colonisation du tractus gastro-intestinal par des bactéries. Dans certains cas, l'infection serait causée par une invasion systémique par des bactéries gastro-intestinales, qui sont en mesure de pénétrer la barrière muqueuse à la suite de l'ischémie du tractus gastro-intestinal. Bien que la décontamination sélective de l'appareil gastro-intestinal et du pharynx puisse être utilisée pour diminuer l'infection, elle ne change pas le taux de morbidité ou de mortalité associé au syndrome de défaillance multiviscérale. Le fait d'instaurer une alimentation entérale précoce peut accroître l'irrigation du tractus gastro-intestinal et concourir à diminuer le risque d'infection sous-jacent. L'instauration et le maintien de l'alimentation entérale améliorent l'efficacité de la barrière de la muqueuse gastro-intestinale et réduisent l'incidence de migration des bactéries et des endotoxines.

Maintien de l'oxygénation tissulaire.

L'hypoperfusion et l'hypoxémie se produisent souvent chez les clients atteints du syndrome de réponse inflammatoire systémique ou du syndrome de défaillance multiviscérale. Ces clients ont des besoins en oxygène plus élevés, alors que l'apport en oxygène vers les tissus est diminué. Les interventions essentielles visent donc, d'une part, à diminuer les besoins en oxygène et, d'autre part, à augmenter l'apport en oxygène. La sédation, la ventilation assistée, l'analgésie et le repos sont les moyens utilisés pour diminuer les besoins en oxygène. L'apport en oxygène peut être augmenté par le maintien d'un taux d'hématocrite normal, d'une PaO_2 normale et d'une pression positive en fin d'expiration (PEEP) normale ; par l'augmentation de la précharge ou de la contractilité myocardique pour améliorer le débit cardiaque ; par la réduction de la postcharge pour augmenter le débit cardiaque. L'infirmière aux soins intensifs doit évaluer l'intensité des symptômes, la stabilité du client et le potentiel de guérison tout au long du traitement. Elle doit discuter de l'évolution du traitement avec le client et sa famille.

Besoins nutritionnels et métaboliques.

Dans les cas de syndrome de réponse inflammatoire systémique ou de syndrome de défaillance multiviscérale, l'hypermétabolisme peut entraîner une importante perte de poids, une cachexie ou la défaillance d'un organe. La dénutrition, tant au plan protéique que calorique, est l'une des principales manifestations de l'hypermétabolisme et du syndrome de défaillance multiviscérale. La dépense énergétique totale augmente entre une fois et demie et deux fois par rapport au taux métabolique normal. Les taux de transferrine plasmatique et de préalbumine sont évalués afin de déceler une protéosynthèse hépatique.

Le soutien nutritionnel vise à préserver la fonction des organes. Le fait de fournir une nutrition suffisante réduit les taux de morbidité et de mortalité chez les clients atteints du syndrome de réponse inflammatoire systémique et du syndrome de défaillance multiviscérale. L'alimentation entérale est préférable à l'alimentation parentérale, car elle peut limiter la migration des bactéries. Par contre, s'il est impossible d'emprunter la voie entérale, l'alimentation parentérale sera utilisée. (Le chapitre 32 traite de l'alimentation entérale et de l'alimentation parentérale.)

Soutien des organes défaillants.

L'un des principaux objectifs du traitement est de soutenir tout organe défaillant. Le client souffrant du syndrome de détresse respiratoire aiguë a besoin d'une oxygénothérapie et d'une ventilation assistée. La coagulation intravasculaire disséminée doit être traitée de façon appropriée. L'insuffisance rénale peut nécessiter le recours à l'hémofiltration. En général, les clients semblent mieux tolérer ce traitement que la dialyse, notamment les clients présentant une instabilité hémodynamique.

Recherche sur le syndrome de réponse inflammatoire systémique et le syndrome de défaillance multiviscérale.

Bien que des chercheurs aient mis au point des anticorps monoclonaux et des antagonistes contre un certain nombre de médiateurs différents, dont le facteur tumoral nécrosant, les endotoxines, l'IL-1, le facteur d'activation plaquettaire et la bradykinine, les résultats préliminaires en ce sens ne sont pas encourageants. Les recherches doivent donc se poursuivre jusqu'à ce qu'un traitement clinique efficace soit en mesure de prévenir le sepsis ou une réponse inflammatoire excessive. Cependant, de récentes études font ressortir le rôle crucial que joue un déséquilibre des mécanismes hémostatiques dans la cascade du sepsis. Une fois le processus amorcé, la détérioration serait reliée à l'interaction entre l'inflammation, la coagulation et la fibrinolyse. Ainsi, de nombreuses cytokines pro-inflammatoires sont libérées et activent les troubles de coagulation associés au sepsis. Ces recherches ont mené à l'utilisation de la protéine C activée humaine recombinante dans le traitement du sepsis. L'administration de cette substance agit sur les trois principaux processus à l'origine du sepsis et concourt à réduire la mortalité et la morbidité reliées à cet état (Guimond, 2003).

MOTS CLÉS

BIBLIOGRAPHIE

Version originale

1. Hill KA, Suter RE: Shock: recognition and care, *JEMS* 21:38, 1996.
2. Sundaresan R, Sheagren JN: Current understanding and treatment of sepsis, *Infect Med* 12:261, 1995.
3. Wadhwa J, Sood R: Multiple organ dysfunction syndrome, *Natl Med J India* 10:277, 1997.
4. Members of the American College of Chest Physicians/Society of Critical Care Medicine Consensus Conference Committee: Definitions for sepsis and organ failure and guidelines for the use of innovative therapies in sepsis, *Crit Care Med* 20:864, 1992.
5. Thelan LA and others: *Critical care nursing: diagnosis and management,* ed 3, St Louis, 1998, Mosby.
6. Koch T: Origin and mediators involved in sepsis and the systemic inflammatory response syndrome, *Kidney Int (Suppl)* 64:S66, 1998.
7. Bone RC, Grodzin CJ, Balk RA: Sepsis: a new hypothesis for pathogenesis of the disease process, *Chest* 112:235, 1997.
8. James JM: Anaphylaxis: multiple etiologies—focused therapy, *J Ark Med Soc* 93:281, 1996.
9. Fink M: Shock: an overview. In Rippe J and others: *Intensive care medicine,* ed 3, Boston, 1996, Little, Brown.
10. Pearl RG: Treatment of shock—1998, *Anesth Analg* (suppl):75, 1998.
11. Kreimeier U, Peter K: Strategies of volume therapy in sepsis and systemic inflammatory response syndrome, *Kidney Int (Suppl)* 64:S75, 1998.
12. Conte MA: Fluid resuscitation in the trauma patient, *CRNA* 8:31, 1997.
13. Sandrock J: Treating traumatic hypovolemia: which fluid to choose? *Nursing* 98:32cc1, 1998.
14. Marino PL: *The ICU book,* ed 2, Baltimore, 1998, Williams & Wilkins.
15. Lemaire LC and others: Bacterial translocation in multiple organ failure: cause or epiphenomenon still unproven, *Br J Surg* 84:1340, 1997.
16. Tasota FJ and others: Protecting ICU patients from nosocomial infections: practical measures for favorable outcomes, *Crit Care Nurse* 18:54, 1998.
17. Leske JS: Needs of relatives of critically ill patients: a follow-up, *Heart Lung* 15:189, 1990.
18. Nystrom PO: The systemic inflammatory response syndrome: definitions and aetiology, *J Antimicrob Chemother* 11(suppl A):1, 1998.
19. Baue AE: Multiple organ failure, multiple organ dysfunction syndrome, and systemic inflammatory response syndrome, *Arch Surg* 132:703, 1997.
20. Campbell IT: Can body composition in multiple organ failure be favorably influenced by feeding? *Nutrition* 13(suppl):79S, 1997.
21. Horn KD: Evolving strategies in the treatment of sepsis and systemic inflammatory response syndrome (SIRS), *Q J Med* 91:265, 1998.

Édition de langue française

1. GUIMOND, Jean-Gilles. *Le sepsis sévère aux soins intensifs : nouvelles modalités thérapeutiques,* conférence prononcée dans le cadre du 11e colloque annuel du Regroupement des infirmières et infirmiers en soins intensifs du Québec, Québec, 2003.
2. HENDY, Sandra, PROULX, Martine, et ROY, Francine. *Le monitoring hémodynamique : approche clinique et soins infirmiers,* Boucherville, Gaëtan Morin, 1992.

Suzanne Aucoin
M. A., M.A.P.
Université du Québec à Chicoutimi

Marie-Claude Bouchard
B. Sc. inf., M. Éd.
Cégep de Chicoutimi

Chapitre 28

INSUFFISANCE RESPIRATOIRE

OBJECTIFS D'APPRENTISSAGE

APRÈS AVOIR LU CE CHAPITRE, VOUS DEVRIEZ ÊTRE EN MESURE :

- D'EXPLIQUER LES MÉCANISMES PHYSIOLOGIQUES QUI ENTRAÎNENT UNE INSUFFISANCE RESPIRATOIRE HYPOXÉMIQUE OU HYPERCAPNIQUE, NOTAMMENT LE SYNDROME DE DÉTRESSE RESPIRATOIRE AIGUË (SDRA) ;

- D'ÉTABLIR LA DIFFÉRENCE ENTRE LES MANIFESTATIONS CLINIQUES PRÉCOCES ET TARDIVES D'UNE INSUFFISANCE RESPIRATOIRE ;

- DE DÉCRIRE LES SOINS INFIRMIERS ET LE PROCESSUS THÉRAPEUTIQUE CHEZ LE CLIENT ATTEINT D'INSUFFISANCE RESPIRATOIRE HYPOXÉMIQUE OU HYPERCAPNIQUE ;

- DE DÉCRIRE LES SOINS INFIRMIERS ET LE PROCESSUS THÉRAPEUTIQUE CHEZ LE CLIENT ATTEINT DU SDRA ;

- DE DÉTERMINER LES COMPLICATIONS QUI PEUVENT ÊTRE ATTRIBUABLES À UNE INSUFFISANCE RESPIRATOIRE AIGUË ET LES MESURES POUR PRÉVENIR ET INVERSER CES COMPLICATIONS.

28.1 INSUFFISANCE RESPIRATOIRE AIGUË

La principale fonction de l'appareil respiratoire est de permettre les échanges gazeux, c'est-à-dire les échanges d'oxygène (O_2) et de gaz carbonique (CO_2) entre l'atmosphère et le sang (voir figure 28.1). L'insuffisance respiratoire apparaît lorsqu'une ou les deux fonctions des échanges gazeux sont perturbées. Par exemple, elle peut survenir lorsqu'un apport insuffisant d'oxygène est acheminé au sang ou qu'une quantité insuffisante de gaz carbonique est évacuée des poumons. Une perturbation dans le transfert de l'oxygène entraîne de l'hypoxémie, qui se manifeste par une baisse de la pression partielle en oxygène du sang artériel (PaO_2) et par une baisse de la saturation en oxygène de ce dernier (SaO_2). Une évacuation insuffisante du gaz carbonique dans le sang est à l'origine de l'hypercapnie, qui se manifeste par une augmentation de la pression partielle en gaz carbonique dans le sang artériel ($PaCO_2$). Il est possible d'évaluer les changements de la PaO_2, de la $PaCO_2$ et de la SaO_2 en analysant les gaz artériels. L'oxymétrie pulsée peut être utilisée pour mesurer la saturation (voir chapitre 14).

L'insuffisance respiratoire n'est pas une maladie. Il s'agit plutôt d'une affection attribuable à une ou plusieurs maladies touchant les poumons ou d'autres systèmes ou appareils de l'organisme (voir tableaux 28.1 et 28.2).

L'insuffisance respiratoire peut être classifiée comme hypoxémique ou hypercapnique (voir figure 28.2). L'insuffisance respiratoire hypoxémique est aussi appelée insuffisance d'oxygénation, puisque le problème primaire consiste en un transfert inadéquat de l'oxygène. Même s'il n'existe aucune définition universelle, l'insuffisance respiratoire hypoxémique est normalement définie comme une PaO_2 égale ou inférieure à 60 mm Hg,

TABLEAU 28.1	Types d'insuffisance respiratoire et causes courantes
Insuffisance respiratoire hypoxémique*	**Insuffisance respiratoire hypercapnique***
Appareil respiratoire Syndrome de détresse respiratoire aiguë de l'adulte Syndrome de détresse respiratoire du nouveau-né Pneumonie	**Appareil respiratoire** Asthme BPCO Fibrose kystique
Appareil cardiovasculaire Œdème pulmonaire cardiogénique	**Système nerveux central** Infarctus du tronc cérébral Surdose de sédatifs ou de narcotiques Traumatisme crânien grave
Système vasculaire pulmonaire Embolie pulmonaire massive (p. ex. thromboembolie ou embolie graisseuse)	**Cage thoracique** Volet thoracique Cyphoscoliose Obésité massive
	Système neuromusculaire Sclérose latérale amyotrophique Lésion du nerf phrénique Lésion à la moelle épinière cervicale Syndrome de Guillain-Barré Poliomyélite Dystrophie musculaire Sclérose en plaques

*Cette liste n'est pas exhaustive.
BPCO : bronchopneumopathie chronique obstructive.

alors que le client reçoit une concentration d'oxygène inspiré égale ou supérieure à 60 %. Cette définition comporte deux concepts importants : la PaO_2 a atteint une valeur indiquant un risque de saturation inadéquate de l'hémoglobine en oxygène ; la valeur de la PaO_2 existe malgré une oxygénothérapie administrée à un

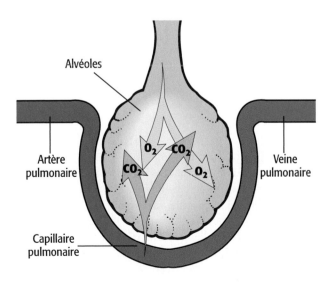

FIGURE 28.1 Unité fonctionnelle des échanges gazeux

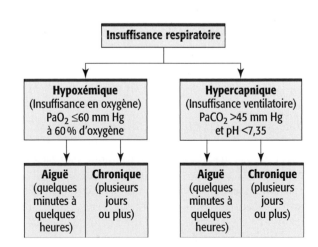

FIGURE 28.2 Classification de l'insuffisance respiratoire

TABLEAU 28.2 Facteurs prédisposant à l'insuffisance respiratoire aiguë

Facteurs	Mécanismes
Voies respiratoires et alvéoles Syndrome de détresse respiratoire aiguë de l'adulte	Lésion pulmonaire directe attribuable à l'aspiration du contenu gastrique, à une infection diffuse, à une quasi-noyade, à l'inhalation de gaz toxique ou à une contusion des voies respiratoires. Lésion pulmonaire indirecte attribuable au sepsis, à un traumatisme non thoracique grave ou à une circulation extracorporelle. Le liquide pénètre dans l'espace interstitiel et les alvéoles finissent par diminuer de façon marquée les échanges gazeux. Il s'ensuit une ↓ initiale de la PaO_2 et, par la suite, une ↑ de la $PaCO_2$.
Asthme	Le bronchospasme s'aggrave plutôt que de répondre au traitement. Le bronchospasme, l'œdème des muqueuses bronchiques et l'obstruction des petites voies respiratoires par des sécrétions réduisent grandement le débit aérien. Le travail respiratoire augmente, ce qui fatigue les muscles respiratoires. ↓ de la PaO_2 et ↑ de la $PaCO_2$.
Bronchopneumopathie chronique obstructive (BPCO)	Les alvéoles sont détruites par le déséquilibre protéase-antiprotéase ou une infection respiratoire, ou la BPCO se détériore au lieu de répondre au traitement. Les sécrétions réduisent le débit aérien. Le travail respiratoire augmente et fatigue les muscles respiratoires. ↓ de la PaO_2 et ↑ de la $PaCO_2$.
Fibrose kystique	Le transport anormal de Na^+ et de Cl^- produit des sécrétions visqueuses qui se délogent difficilement et, par conséquent, ces sécrétions deviennent un lieu propice à l'infection. Avec le temps, les voies respiratoires deviennent obstruées par des expectorations visqueuses, purulentes et souvent verdâtres. Les sécrétions obstruent le passage de l'air. Les infections répétées détruisent les alvéoles. Le travail respiratoire augmente, ce qui fatigue les muscles respiratoires. ↓ PaO_2 et ↑ $PaCO_2$.
Système nerveux central Surdose de narcotiques ou d'autres drogues	Les narcotiques et autres drogues peuvent ralentir le rythme respiratoire. Une quantité insuffisante de CO_2 est expirée, entraînant une augmentation de la $PaCO_2$.
Infarctus du tronc cérébral, traumatisme crânien	Les centres respiratoires du tronc cérébral sont incapables de modifier la fréquence respiratoire en réponse au changement de la $PaCO_2$.
Cage thoracique Volet thoracique	Les fractures empêchent l'expansion normale de la cage thoracique, ce qui entraîne des échanges gazeux inadéquats.
Cyphoscoliose	Des changements dans la configuration de la colonne vertébrale compriment les poumons et empêchent l'expansion normale de la cage thoracique.
Obésité massive	Le poids du thorax et du contenu abdominal empêchent le mouvement normal de la cage thoracique.
Affections neuromusculaires Lésion à la moelle épinière cervicale, lésion du nerf phrénique	Le contrôle neurologique est perdu, ce qui empêche l'utilisation du diaphragme, le principal muscle de la respiration. Par conséquent, le client inspire moins de volume courant, ce qui le prédispose à une ↑ de la $PaCO_2$.
Sclérose latérale amyotrophique (SLA), syndrome de Guillain-Barré, dystrophie musculaire, sclérose en plaques, poliomyélite	La faiblesse ou la paralysie des muscles respiratoires apparaît, ce qui empêche l'expiration normale du CO_2. Le dysfonctionnement peut être progressif (dystrophie musculaire, sclérose en plaques), progressif sans chance de rétablissement (SLA), rapide avec de bonnes chances de rétablissement (syndrome de Guillain-Barré) ou stable pour des périodes prolongées (poliomyélite).

pourcentage (60 %) qui est trois fois plus élevé que celui de l'air ambiant (21 %).

L'insuffisance respiratoire hypercapnique est également appelée insuffisance ventilatoire, puisque le problème initial consiste en une incapacité d'évacuer suffisamment de gaz carbonique. L'insuffisance respiratoire hypercapnique est couramment définie comme une $PaCO_2$ au-dessus de la normale (supérieure à 45 mm Hg) combinée à de l'acidose (pH inférieur à 7,35). Cette défi-

nition comporte trois concepts importants : la $PaCO_2$ est supérieure à la normale ; il est prouvé que l'organisme est incapable de compenser cette augmentation (acidose) ; le pH est à une valeur où une diminution plus importante peut entraîner un grave déséquilibre acidobasique. (Voir le chapitre 10, qui traite du déséquilibre acidobasique). De nombreux clients présentent à la fois une insuffisance respiratoire hypoxémique et hypercapnique.

28.1.1 Étiologie et physiopathologie

Insuffisance respiratoire hypoxémique. Le tableau 28.1 énumère les maladies et les affections courantes liées à l'insuffisance respiratoire hypoxémique. Les quatre mécanismes physiologiques qui peuvent induire une hypoxémie et une insuffisance respiratoire hypoxémique subséquente sont les suivants : les déséquilibres ventilation-perfusion, couramment appelés déséquilibres $\dot{V}/\dot{P}$; le shunt ; l'altération de la diffusion ; l'hypoventilation. Les principales causes sont les déséquilibres $\dot{V}/\dot{P}$ et le shunt.

Déséquilibres $\dot{V}/\dot{P}$. En temps normal, le volume de sang qui irrigue les poumons par minute (4 à 5 L) est sensiblement égal à la quantité d'air atteignant les alvéoles (4 à 5 L). Par exemple, dans un système parfaitement équilibré, chaque partie des poumons recevrait environ 1 ml d'air par ml de débit sanguin. Cet équilibre entre la ventilation et la perfusion se traduirait par un rapport $\dot{V}/\dot{P}$ de 1/1 (p. ex. 1 ml d'air par 1 ml de sang), indiqué comme suit : $\dot{V}/\dot{P} = 1$. Idéalement, la ventilation et la perfusion correspondent.

Bien que l'exemple ci-dessus laisse présumer que la ventilation et la perfusion sont parfaitement équilibrées dans chacune des régions pulmonaires, cette situation n'existe pas en temps normal et il y a toujours un certain déséquilibre. À l'apex des poumons, les rapports $\dot{V}/\dot{P}$ sont supérieurs à 1 (ventilation supérieure à la perfusion). À la base des poumons, les rapports $\dot{V}/\dot{P}$ sont inférieurs à 1 (ventilation inférieure à la perfusion). En fin de compte, il en résulte un équilibre global étroit puisque l'apex des poumons compense les changements à la base (voir figure 28.3).

Un déséquilibre $\dot{V}/\dot{P}$ se manifeste lorsque certaines maladies et affections altèrent l'équilibre $\dot{V}/\dot{P}$ global (voir figure 28.4). Les principales maladies et affections sont celles qui sont liées à une augmentation de sécrétions dans les voies respiratoires (p. ex. BPCO) ou dans les alvéoles (p. ex. pneumonie) ou celles qui causent un bronchospasme (p. ex. asthme). L'atélectasie (collapsus

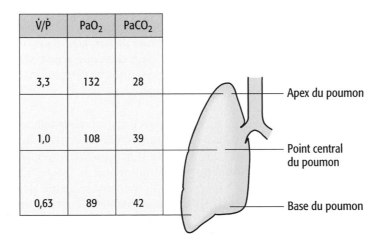

$\dot{V}/\dot{P}$	PaO_2	$PaCO_2$
3,3	132	28
1,0	108	39
0,63	89	42

- Apex du poumon
- Point central du poumon
- Base du poumon

FIGURE 28.3 Écarts régionaux du rapport $\dot{V}/\dot{P}$ dans les poumons normaux. À l'apex des poumons, le rapport $\dot{V}/\dot{P}$ est de 3,3 ; au point central, de 1,0 et à la base, de 0,63. Cette différence fait en sorte que la PaO_2 est plus élevée à l'apex des poumons et moins élevée à la base des poumons. Les valeurs de la $PaCO_2$ sont à l'opposé (c.-à-d. inférieures à l'apex et supérieures à la base). Le sang expulsé des poumons est un mélange de ces valeurs.

alvéolaire) peut aussi être à l'origine d'un déséquilibre $\dot{V}/\dot{P}$. Étant donné que les sécrétions ou le bronchospasme réduisent le débit d'air (ventilation) vers les alvéoles sans affecter le débit sanguin (perfusion) aux unités des échanges gazeux, cela a pour effet d'entraîner un déséquilibre $\dot{V}/\dot{P}$. Une embolie pulmonaire cause l'effet contraire en réduisant le débit sanguin sans affecter le débit d'air vers les alvéoles, ce qui a aussi pour effet de causer un déséquilibre $\dot{V}/\dot{P}$. L'oxygénothérapie est souvent efficace pour inverser l'hypoxémie causée par le déséquilibre $\dot{V}/\dot{P}$, puisque ce n'est pas tout le réseau alvéolocapillaire qui est touché. Étant donné que l'oxygénothérapie augmente la PaO_2 dans le sang qui quitte l'ensemble de ce réseau, cela a pour effet d'augmenter la PaO_2 totale au-dessus de la normale. Le sang bien oxygéné se mélange au sang mal oxygéné, augmentant ainsi la PaO_2 globale du sang qui quitte les poumons.

Shunt. Un **shunt** se produit lorsque le sang est expulsé du cœur sans avoir été exposé à l'oxygène. Le shunt peut être perçu comme un déséquilibre $\dot{V}/\dot{P}$ extrême (voir figure 28.4). Il existe deux types de shunt : le shunt anatomique et le shunt intrapulmonaire. Le shunt anatomique se produit lorsque le sang circule par le biais d'un canal anatomique dans le cœur (p. ex. une communication interventriculaire ou une persistance du canal artériel) sans passer dans les poumons. Un shunt intrapulmonaire se produit lorsque le sang passe dans les capillaires sans participer aux échanges gazeux. Les alvéoles peuvent alors être collabées, consolidées ou remplies de liquide selon l'affection sous-jacente. Il est possible que l'oxygénothérapie ne puisse pas augmenter la PaO_2 si un shunt est à l'origine de l'hypoxémie, puisque le sang passe du côté droit et du côté gauche du cœur sans passer dans les poumons (shunt anatomique) ou si les alvéoles non fonctionnelles empêchent les échanges gazeux (shunt intrapulmonaire). Les clients présentant un shunt sont plus souvent hypoxémiques que les clients victimes d'un déséquilibre $\dot{V}/\dot{P}$ et peuvent nécessiter une ventilation mécanique afin d'améliorer les échanges gazeux.

Altération de la diffusion. L'altération de la diffusion se produit lorsque les échanges gazeux dans la membrane alvéolocapillaire sont compromis par un processus qui épaissit ou détruit la membrane (voir figure 28.5). Le débit sanguin capillaire pulmonaire peut être réduit en raison de l'obstruction ou de la destruction des vaisseaux, comme dans l'emphysème grave ou en présence d'une embolie pulmonaire récidivante. Certaines maladies amènent un épaississement de la membrane alvéolocapillaire (fibrose), ce qui ralentit les échanges gazeux. Ces maladies comprennent la fibrose pulmonaire, les maladies affectant l'espace interstitiel de la membrane alvéolocapillaire et le syndrome de détresse

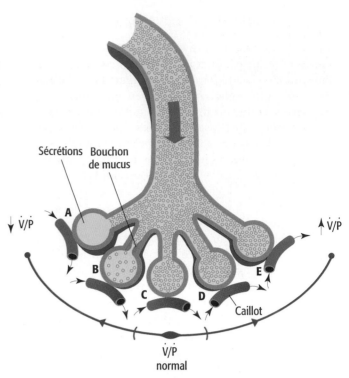

FIGURE 28.4 Rapports entre l'écart ventilation-perfusion ($\dot{V}/\dot{P}$). A. Shunt total, aucune ventilation, parce que le liquide remplit les alvéoles. B. Déséquilibres $\dot{V}/\dot{P}$, ventilation partiellement compromise par le mucus se trouvant dans les voies respiratoires. C. Unité pulmonaire normale. D. Déséquilibres $\dot{V}/\dot{P}$, perfusion partiellement compromise par l'embolie qui obstrue le débit sanguin. E. Espace mort, aucune perfusion en raison de l'obstruction du capillaire pulmonaire.

respiratoire aiguë. L'altération de la diffusion est plus susceptible de provoquer de l'hypoxémie pendant l'exercice qu'au repos. Étant donné que le sang se déplace plus rapidement dans les poumons au cours de l'exercice, le temps de transit augmente et les globules rouges restent moins longtemps dans les poumons, ce qui diminue la durée de diffusion de l'oxygène dans la membrane alvéolocapillaire. Le signe classique d'une altération de la diffusion est l'hypoxémie qui se manifeste pendant l'exercice, mais pas au repos.

Hypoventilation alvéolaire. L'hypoventilation alvéolaire est une diminution généralisée de la ventilation qui se traduit par une augmentation de la $PaCO_2$ et une diminution de la PaO_2. L'hypoventilation peut être causée par une maladie pulmonaire, une maladie du système nerveux central, un dysfonctionnement de la cage thoracique, une maladie neuromusculaire ou un surdosage de médicaments qui inhibent les centres respiratoires. Même si l'hypoventilation alvéolaire est essentiellement un mécanisme d'insuffisance respiratoire hypercapnique, elle est mentionnée dans le cas présent parce qu'elle peut provoquer de l'hypoxémie.

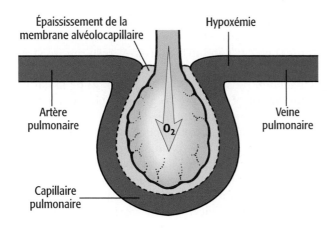

FIGURE 28.5 Altération de la diffusion. Les échanges de CO_2 et d'O_2 ne peuvent pas avoir lieu en raison de l'épaississement de la membrane alvéolocapillaire.

Lien entre les mécanismes. L'insuffisance respiratoire hypoxémique est souvent attribuable à une combinaison de deux ou de plusieurs problèmes parmi les suivants : déséquilibres $\dot{V}/\dot{P}$, shunt, altération de la diffusion et hypoventilation. Le client présentant une insuffisance respiratoire aiguë consécutive à une pneumonie peut avoir à la fois des problèmes de déséquilibres $\dot{V}/\dot{P}$ et de shunt parce que l'inflammation, l'œdème et l'hypersécrétion d'exsudat dans les bronchioles et les conduits alvéolaires obstruent les voies respiratoires (déséquilibres $\dot{V}/\dot{P}$) et remplissent les alvéoles d'exsudat (shunt). Le client atteint d'œdème pulmonaire cardiogénique ou du syndrome de détresse respiratoire aiguë peut avoir à la fois des problèmes de shunt et de déséquilibres $\dot{V}/\dot{P}$ parce que certaines alvéoles sont complètement remplies de liquide provenant de l'œdème (shunt), alors que d'autres alvéoles sont partiellement remplies de liquide (déséquilibres $\dot{V}/\dot{P}$).

Insuffisance respiratoire hypercapnique.

L'insuffisance respiratoire hypercapnique est attribuable à un déséquilibre entre l'apport et la demande ventilatoires. L'apport ventilatoire représente la ventilation maximale (débit gazeux à l'intérieur et à l'extérieur des poumons) que le client peut soutenir sans fatiguer ses muscles respiratoires. La demande ventilatoire est la quantité de ventilation nécessaire pour garder la $PaCO_2$ dans les limites normales. Habituellement, l'apport ventilatoire dépasse largement la demande ventilatoire. Par conséquent, les personnes dont la fonction pulmonaire est normale peuvent pratiquer un exercice intensif, ce qui augmente grandement la production de CO_2 sans élever la $PaCO_2$. Les clients atteints d'une maladie pulmonaire n'ont pas cet avantage. Cependant, il doit habituellement y avoir un dysfonctionnement important avant que la demande ventilatoire surpasse l'apport ventilatoire.

L'hypercapnie apparaît lorsque la demande ventilatoire surpasse l'apport ventilatoire et que la $PaCO_2$ ne peut plus être maintenue dans les limites normales. L'hypercapnie reflète un dysfonctionnement pulmonaire substantiel. L'insuffisance respiratoire hypercapnique est parfois appelée défaillance de la pompe respiratoire, parce que le problème initial est l'incapacité de l'appareil respiratoire d'expulser (pomper) suffisamment de CO_2 pour maintenir une $PaCO_2$ normale. L'insuffisance respiratoire hypercapnique peut aussi être décrite comme aiguë dans le cas d'une insuffisance respiratoire chronique, puisque l'épisode d'insuffisance respiratoire constitue une décompensation aiguë chez un client dont la fonction pulmonaire sous-jacente s'est détériorée à un point tel qu'un certain degré de décompensation est toujours présent (insuffisance respiratoire chronique).

De nombreuses maladies peuvent causer une altération de l'apport ventilatoire (voir tableaux 28.1 et 28.2). Elles peuvent être regroupées en quatre catégories : anomalies des voies respiratoires et des alvéoles ; anomalies du système nerveux central ; anomalies de la cage thoracique ; affections neuromusculaires.

Voies respiratoires et alvéoles. Les clients atteints d'asthme, d'emphysème, de bronchite chronique ou de fibrose kystique courent un risque élevé de présenter une insuffisance respiratoire hypercapnique, puisque les troubles fonctionnels engendrés par ces affections entraînent une réduction du débit d'air et un emprisonnement de l'air dans les alvéoles.

Système nerveux central (SNC). Diverses affections peuvent supprimer le réflexe respiratoire (p. ex. surdose de narcotiques ou d'autres dépresseurs des centres respiratoires). Un infarctus du tronc cérébral ou un traumatisme crânien grave peuvent également nuire à la fonction normale des centres respiratoires se trouvant dans le tronc cérébral. Les clients atteints de ces affections sont prédisposés à une insuffisance respiratoire, puisque les centres respiratoires du tronc cérébral ne modifient plus la fréquence respiratoire en réponse à un changement de la $PaCO_2$.

Cage thoracique. Il est possible que diverses affections empêchent le mouvement normal de la cage thoracique et limitent ainsi l'expansion pulmonaire. Chez le client atteint d'un volet thoracique, une fracture peut empêcher la cage thoracique de se gonfler normalement. Chez le client atteint d'une cyphoscoliose, la déformation de la colonne vertébrale peut comprimer les poumons et empêcher l'expansion normale de la cage thoracique. Chez le client présentant une obésité massive, le poids de la poitrine et du contenu abdominal peut restreindre l'expansion pulmonaire. Les clients atteints de ces affections sont prédisposés à une insuffisance respiratoire puisque ces dysfonctionnements réduisent l'expansion pulmonaire ou le mouvement diaphragmatique et, par conséquent, les échanges gazeux.

Affections neuromusculaires. Divers types de maladies neuromusculaires peuvent entraîner une faiblesse des muscles respiratoires ou une paralysie (voir tableau 28.1). Les clients atteints de ces affections sont prédisposés à une insuffisance respiratoire, puisque les muscles respiratoires sont affaiblis ou paralysés en raison de l'affection neuromusculaire sous-jacente. Par conséquent, ils sont incapables de maintenir des taux de $PaCO_2$ normaux .

Insuffisance ventilatoire accompagnée d'une fonction pulmonaire normale. Dans trois des catégories précédemment citées (système nerveux central, cage thoracique et affections neuromusculaires), l'insuffisance respiratoire survient en présence de poumons sains. L'insuffisance respiratoire est alors attribuable à une atteinte des structures nerveuses qui régissent le rythme et l'amplitude respiratoires, des muscles respiratoires ou de la cage thoracique. Même si le tissu pulmonaire n'est pas endommagé, il est possible que le client soit incapable d'inspirer un volume courant suffisant en vue d'expulser le CO_2 des poumons.

Besoins tissulaires en oxygène. Il est important de se souvenir que même si la définition de l'insuffisance respiratoire est déterminée par la PaO_2 et la $PaCO_2$, le principal danger associé à l'insuffisance respiratoire réside dans l'incapacité de combler les besoins des tissus en oxygène. Ce problème peut survenir en raison d'un mauvais apport d'oxygène aux tissus ou parce que ces derniers sont incapables d'utiliser l'oxygène qu'ils reçoivent. L'apport d'oxygène aux tissus est déterminé par la quantité d'oxygène transportée par l'hémoglobine et par le débit cardiaque. Par conséquent, le client atteint d'insuffisance respiratoire court un plus grand risque s'il présente déjà des troubles cardiaques ou de l'anémie. Un choc septique est souvent à l'origine de la mauvaise utilisation de l'oxygène. Dans ce cas, une quantité adéquate d'oxygène peut être acheminée aux tissus, mais une quantité anormalement élevée d'oxygène retourne dans le sang veineux, ce qui indique qu'il n'est pas capté par les tissus. (Le chapitre 27 traite du choc.)

28.1.2 Manifestations cliniques

L'insuffisance respiratoire peut se manifester soudainement (en quelques minutes ou heures) ou progressivement (après plusieurs jours ou mois). Une diminution soudaine de la PaO_2 ou une augmentation rapide de la $PaCO_2$ reflète un état sérieux pouvant rapidement se transformer en une urgence grave. C'est le cas, par exemple, du client atteint d'asthme qui présente un bronchospasme grave et une diminution marquée du débit d'air inspiré et expiré ; cette situation pourrait éventuellement conduire à un arrêt respiratoire si un traitement adéquat n'était pas instauré rapidement. Un changement plus progressif de la PaO_2 et de la $PaCO_2$ est mieux toléré, puisque l'organisme peut compenser les dysfonctionnements. C'est le cas, par exemple, du client atteint de bronchopneumopathie chronique obstructive dont la $PaCO_2$ augmente progressivement pendant les jours suivant le début d'une infection respiratoire. Puisque le changement s'échelonne sur plusieurs jours, la compensation rénale a le temps de se produire (p. ex. rétention de bicarbonate), minimisant ainsi la variation de pH. Le client a une acidose respiratoire compensée. (Le chapitre 10 traite de la compensation rénale en présence de déséquilibres acidobasiques).

Les manifestations de l'insuffisance respiratoire sont liées au degré de changement de la PaO_2 ou de la $PaCO_2$, à la rapidité du changement (aiguë ou chronique) et à la capacité de compensation de l'organisme à surmonter ce changement. L'insuffisance respiratoire apparaît lorsque les mécanismes compensatoires du client ne fonctionnent pas. Comme les manifestations cliniques varient, il est important de surveiller les valeurs de la gazométrie du sang artériel (GSA) ou d'utiliser l'oxymétrie pulsée pour évaluer le degré de changement. Cependant, ces éléments de surveillance ne doivent pas remplacer l'évaluation clinique.

L'infirmière peut déceler des manifestations d'insuffisance respiratoire qui sont spécifiques (proviennent de l'appareil respiratoire) ou non spécifiques (proviennent d'autres systèmes ou appareils de l'organisme) (voir tableau 28.3). Il est donc indispensable de comprendre l'importance de ces manifestations afin de mieux détecter le début d'une insuffisance respiratoire et d'évaluer l'efficacité du traitement.

Un apport insuffisant d'oxygène au cerveau peut notamment se manifester par de l'instabilité psychomotrice, de la confusion et un comportement agressif. Ces changements apparaissent rapidement, puisque le cerveau est très sensible à la diminution de l'apport en oxygène. La tachycardie et l'hypertension légère sont aussi des signes précoces et indiquent que le cœur essaie de compenser la diminution de l'apport en oxygène. Une céphalée matinale intense indique que le client peut avoir souffert d'hypercapnie durant la nuit, puisque la fréquence respiratoire est plus lente et que les poumons évacuent une moins grande quantité de CO_2 pendant cette période. Des respirations rapides et superficielles indiquent que le volume courant peut être insuffisant pour permettre l'expulsion du CO_2 des poumons. La cyanose n'est pas un indicateur fiable de l'hypoxémie et constitue un signe tardif de l'insuffisance respiratoire, parce qu'elle n'apparaît pas avant que l'hypoxémie soit grave (PaO_2 égale ou inférieure à 45 mm Hg).

TABLEAU 28.3	Manifestations cliniques de l'hypoxémie et de l'hypercapnie*	
Spécifiques	**Non spécifiques**

HYPOXÉMIE
Respiratoire
Dyspnée
Tachypnée
Expiration prolongée
  (I/E = 1/3, 1/4)
Tirage intercostal
Utilisation des muscles respira-
  toires accessoires
Respiration paradoxale (tardive)
Cyanose (tardive)
↓ de la SpO_2 (<80%)
	Cérébrale
	Agitation, comportement agressif
	Confusion
	Coma (tardif)
	
	Cardiaque
	Tachycardie
	Arythmies (tardives)
	Hypertension
	Hypotension (tardive)
	
	Autres
	Fatigue
	Incapacité de parler sans devoir
	  marquer des pauses pour
	  respirer

HYPERCAPNIE
Respiratoire
Dyspnée
↓ de la fréquence respiratoire ou
  fréquence rapide accompagnée
  de respirations superficielles
↓ du volume courant
↓ de la ventilation minute
	Cérébrale
	Céphalée matinale
	Désorientation
	Somnolence progressive
	Coma (tardif)
	
	Cardiaque
	Arythmies
	
	Neuromusculaire
	Faiblesse musculaire
	Tremblement, convulsions
	  (tardives)
	
	Autres
	Respiration avec lèvres pincées
	Utilisation de la position de
	  trépied

*La liste n'est pas exhaustive.
I/E : rapport inspiration/expiration.

Distinction entre l'hypoxémie et l'hypoxie.

L'hypoxémie se produit lorsque la quantité d'oxygène dans le sang artériel est inférieure à la valeur normale (PaO_2 entre 80 et 100 mm Hg). L'hypoxie apparaît lorsque la PaO_2 a suffisamment diminué pour causer des signes et symptômes d'une oxygénation insuffisante (voir tableau 28.3). L'hypoxémie peut entraîner une hypoxie si elle n'est pas corrigée. Lorsque l'hypoxie ou l'hypoxémie est grave, les cellules doivent passer d'un métabolisme aérobie à un métabolisme anaérobie. Le métabolisme anaérobie utilise plus de combustibles, produit moins d'énergie et est moins efficace que le métabolisme aérobie. Les déchets du métabolisme anaérobie, soit l'acide lactique, sont plus difficiles à expulser de l'organisme que le gaz carbonique, puisque l'acide lactique doit être tamponné par du bicarbonate de sodium. L'acidose métabolique et la mort cellulaire se produisent lorsque l'organisme ne contient pas suffisamment de bicarbonate de sodium pour tamponner l'acide lactique produit par le métabolisme anaérobie.

L'hypoxie et l'acidose métabolique ont des effets indésirables sur les organes vitaux, surtout le cœur et le système nerveux central. Le cœur essaie de compenser la diminution du taux d'oxygène dans le sang en augmentant la fréquence cardiaque et le débit cardiaque. À mesure que la PaO_2 diminue et que l'acidose augmente, il est possible que le muscle cardiaque subisse des dommages et que le client présente de l'arythmie, ce qui a pour effet de diminuer davantage la PaO_2. Le manque d'oxygène peut également être à l'origine de lésions cérébrales permanentes. Quant à la fonction rénale, elle peut également être perturbée. Le client peut présenter de la rétention sodique, de l'œdème, de la nécrose tubulaire aiguë et de l'urémie. Enfin, les altérations se produisant dans l'appareil gastro-intestinal comprennent l'ischémie tissulaire, l'augmentation de la perméabilité de la paroi intestinale et la migration possible de bactéries vers la circulation.

Manifestations cliniques spécifiques.

Le client peut avoir une respiration rapide et superficielle ou une fréquence respiratoire inférieure à la normale. Ces deux perturbations prédisposent le client à une rétention de gaz carbonique. Il est possible que le client augmente sa fréquence respiratoire pour tenter d'expulser le gaz carbonique accumulé. Cette respiration demande de grands efforts et prédispose à la fatigue des muscles respiratoires. Une respiration qui passe d'une fréquence rapide à une fréquence plus lente chez un client souffrant de détresse respiratoire aiguë indique de la fatigue et la possibilité d'un arrêt respiratoire.

La position du client témoigne de l'effort associé à la respiration. En présence d'une détresse légère, il est possible que le client soit capable de s'allonger, alors qu'en détresse modérée, il sera plus confortable en position assise qu'allongée. Le client en détresse grave sera incapable de respirer s'il n'est pas assis bien droit. Le fait de s'asseoir et de poser les bras sur la table de lit peut faciliter la respiration du client dyspnéique. Cette position, appelée la position de trépied, permet de réduire le travail respiratoire, puisque la position des bras appuyés augmente le diamètre antéropostérieur du thorax et modifie la pression thoracique. Le client peut aussi respirer avec les lèvres pincées, ce qui lui permet d'augmenter la SaO_2 parce qu'il ralentit son rythme respiratoire, augmente la durée de l'expiration et empêche les petites bronchioles de s'affaisser, facilitant ainsi les échanges gazeux. (Le chapitre 17 traite de la respiration avec les lèvres pincées.)

La capacité de communiquer verbalement peut également permettre d'évaluer la dyspnée. Le client qui déploie beaucoup d'effort pour respirer ne peut habituellement prononcer que quelques mots entre chaque respiration. En l'absence de détresse ou en détresse légère, le client peut formuler des phrases ; en détresse modérée, des syntagmes ; en détresse grave, des mots. Le nombre de mots constitue aussi un indice (p. ex. le nombre de mots que le client peut exprimer sans prendre de pause pour respirer). Le client peut avoir une dyspnée aux « deux mots » ou aux « trois mots », ce qui signifie qu'il peut dire seulement deux ou trois mots avant de devoir prendre une pause pour respirer.

Le rapport inspiration/expiration (I/E) peut changer. Chez un sujet sain, il est égal à 1/2, ce qui signifie que la phase expiratoire est deux fois plus longue que la phase inspiratoire. Chez les clients en détresse respiratoire, le rapport peut augmenter à 1/3 ou à 1/4. Ces changements indiquent que le débit d'air est réduit et que les poumons se vident moins rapidement.

L'infirmière peut observer un tirage (mouvement vers l'intérieur) intercostal ou supraclaviculaire et l'utilisation des muscles accessoires pendant l'inspiration ou l'expiration. L'utilisation des muscles accessoires dénote une détresse modérée, alors qu'une respiration paradoxale indique une détresse grave. En temps normal, le thorax et l'abdomen se soulèvent à l'inspiration et s'abaissent à l'expiration. Cependant, l'effet contraire se produit pendant la respiration paradoxale, c'est-à-dire que le thorax et l'abdomen se soulèvent à l'expiration et s'abaissent à l'inspiration. La respiration paradoxale est attribuable à l'utilisation maximale des muscles accessoires de la respiration. Le client peut également présenter de la diaphorèse en raison du travail associé à la respiration.

L'évaluation du client permet à l'infirmière de déceler rapidement des manifestations associées à l'insuffisance respiratoire et d'amorcer un traitement avant que le client ne souffre d'insuffisance respiratoire. Les clients atteints d'une maladie pulmonaire chronique en phase terminale peuvent avoir une PaO_2 basse ou une $PaCO_2$ élevée comme valeur de départ « normale ». Il est surtout important de surveiller les signes spécifiques et non spécifiques de l'insuffisance respiratoire chez les clients atteints de bronchopneumopathie chronique obstructive, puisqu'un léger changement peut causer une décompensation importante (voir tableau 28.3). Toute perturbation de l'état mental, comme un comportement agressif, de la confusion ou une altération de l'état de conscience, doit être signalée immédiatement, puisque ce changement peut indiquer le début d'une détérioration rapide de l'état clinique nécessitant une assistance ventilatoire mécanique.

28.1.3 Épreuves diagnostiques

La principale épreuve diagnostique pour déceler l'insuffisance respiratoire est la gazométrie du sang artériel (GSA). L'analyse de cette dernière sert à mesurer la $PaCO_2$, la PaO_2, le pH sanguin et d'autres valeurs

significatives. Il est possible qu'un cathéter soit déjà inséré dans une artère périphérique pour surveiller la pression artérielle. Ce cathéter peut également être utilisé pour mesurer la gazométrie du sang artériel. Bien que l'oxymétrie pulsée soit souvent utilisée pour surveiller l'état d'oxygénation, la gazométrie du sang artériel est nécessaire au cours d'une insuffisance respiratoire pour obtenir à la fois l'état de l'oxygénation (PaO_2) et de la ventilation ($PaCO_2$).

Les autres épreuves diagnostiques qui peuvent être effectuées comprennent la radiographie pulmonaire, la numération globulaire, les électrolytes sériques, l'analyse d'urine et l'électrocardiogramme (ECG). Des cultures d'expectorations et de sang sont prélevées au besoin pour déterminer les sources possibles d'infection. Une scintigraphie pulmonaire ventilation/perfusion ($\dot{V}/\dot{P}$) ou une angiopneumographie peuvent être effectuées lorsqu'une embolie pulmonaire est soupçonnée. Le client peut également subir des tests de la fonction respiratoire même s'ils sont rarement effectués dans les situations aiguës.

Dans les cas d'insuffisance respiratoire grave, il est important de mesurer le débit cardiaque et les gaz du sang veineux (voir chapitre 29) à l'aide d'un cathéter de l'artère pulmonaire, afin de déterminer le débit sanguin vers les tissus et la réaction au traitement. La pression artérielle pulmonaire (PAP), la pression capillaire pulmonaire (PCP) et la pression veineuse centrale (PVC) sont surveillées afin de vérifier si l'accumulation de liquide dans les poumons est attribuable à des troubles cardiaques ou pulmonaires. Ces paramètres sont aussi surveillés dans le but de déterminer la réaction des poumons et du cœur à l'hypoxémie, ainsi que la réaction du client au traitement. (Le chapitre 29 traite en détail de la surveillance hémodynamique.)

28.1.4 Soins infirmiers et processus thérapeutique : insuffisance respiratoire aiguë

Étant donné que de nombreux troubles sont à l'origine de l'insuffisance respiratoire, les soins spécifiques pour ces clients varient. La section suivante traite de l'examen général et des processus thérapeutiques qui s'appliquent aux clients atteints d'insuffisance respiratoire aiguë. Les tâches de l'infirmière et des autres membres de l'équipe soignante sont souvent connexes dans les milieux de soins de courte durée et doivent s'exécuter en collaboration.

Collecte de données. Les données subjectives et objectives à recueillir auprès du client atteint d'insuffisance respiratoire aiguë sont présentées dans l'encadré 28.2.

Diagnostics infirmiers. Les diagnostics infirmiers pour le client atteint d'insuffisance respiratoire aiguë

COLLECTE DE DONNÉES

Insuffisance respiratoire aiguë

Données subjectives

Information importante concernant la santé

- Antécédents de santé : bronchopneumopathie chronique ; hospitalisations antérieures liées à une bronchopneumopathie ; traumatisme médullaire ou thoracique ; obésité extrême, altération de la conscience.
- Médicaments : utilisation d'oxygène, d'inhalateurs, de pulvérisation à domicile, de médicaments en vente libre ; traitement immunosuppresseur, antidépresseurs.
- Chirurgie ou autres traitements : intubation et ventilation mécanique antérieures ; chirurgie thoracique ou abdominale récente.

Modes fonctionnels de santé

- Mode perception et gestion de la santé : tabagisme (paquets/années).
- Mode nutrition et métabolisme : anorexie, gonflement, brûlures d'estomac ; gain ou perte de poids ; diminution de l'appétit ; diaphorèse.
- Mode activité et exercice : fatigue, étourdissement ; dyspnée au repos ou pendant les activités, respiration sifflante (*wheezing*), toux (productive ou non productive) ; expectorations (volume, couleur, viscosité) ; palpitations, œdème pédieux.
- Mode sommeil et repos : changements des habitudes de sommeil.
- Mode cognition et perception : céphalée, douleur ou oppression thoraciques.
- Mode adaptation et tolérance au stress : anxiété, dépression.

Données objectives

Généralités

- Instabilité psychomotrice, agitation.

Appareil tégumentaire

- Peau pâle, froide, moite ou rouge ; cyanose périphérique et centrale ; œdème déclive périphérique.

Appareil respiratoire

- Respiration superficielle, allongement du temps respiratoire progressant vers une diminution de la fréquence ; utilisation des muscles accessoires avec signe de tirage, altération du rapport I/E ; augmentation du mouvement diaphragmatique ou de l'expansion thoracique asymétrique ; respirations asynchrones ; vibrations vocales, crépitements ou déviation de la trachée à la palpation ; note de percussion résonante, hypersonnante ou terne ; bruits respiratoires absents, faibles ou adventices ; bruits bronchiques ou bronchovésiculaires entendus dans des endroits inhabituels, stridor et friction pleurale.

Appareil cardiovasculaire

- Tachycardie progressant vers une bradycardie, des arythmies, des bruits cardiaques supplémentaires (B_3, B_4) ; pouls bondissant ; hypertension progressant vers de l'hypotension ; pouls paradoxal ; distension des veines jugulaires ; œdème pédieux.

Appareil gastro-intestinal

- Distension abdominale accompagnée de tympanisme ; ascite, sensibilité épigastrique, reflux hépatojugulaire.

Système neurologique

- Somnolence, confusion, troubles d'élocution, tremblements, convulsions, coma ; astérixis (brusques secousses musculaires sans rythme touchant les membres supérieurs), diminution des réflexes tendineux profonds ; œdème papillaire.

Résultats possibles

- $\uparrow\downarrow$pH, $\downarrow\uparrow$PaCO$_2$, $\downarrow$PaO$_2$, $\downarrow$SaO$_2$, $\downarrow$DEP, $\downarrow$volume courant, $\downarrow$capacité vitale forcée, $\downarrow$ventilation minute, $\downarrow$force inspiratoire négative ; altération des valeurs des électrolytes sériques, de l'hémoglobine et de l'hématocrite ; constatations d'anomalies sur les radiographies pulmonaires ; pressions de l'artère pulmonaire et des capillaires pulmonaires anormales.

comprennent, entre autres, ceux qui sont présentés dans l'encadré 28.3.

Planification. Les objectifs généraux pour le client atteint d'insuffisance respiratoire aiguë sont les suivants : maintenir la gazométrie du sang artériel selon les valeurs de base du client ; maintenir les bruits respiratoires de base ; n'éprouver aucune dyspnée ou éprouver une dyspnée correspondant aux valeurs normales du client ; effectuer efficacement les exercices de toux et être capable d'éliminer les sécrétions.

Thérapie respiratoire. Les principaux objectifs des soins respiratoires en cas d'insuffisance respiratoire aiguë comprennent le maintien d'une oxygénation et d'une ventilation adéquates. Ces objectifs sont atteints grâce à une collaboration entre les médecins, les infir-

mières et les inhalothérapeutes. Le traitement comporte l'oxygénothérapie, la mobilisation des sécrétions et une ventilation à pression positive (voir encadré 28.4).

Oxygénothérapie. Le principal objectif de l'oxygénothérapie est de corriger l'hypoxémie. Lorsque l'hypoxémie est consécutive à des déséquilibres $\dot{V}/\dot{P}$, un supplément d'oxygène administré à un débit de 1 à 3 L/min par canule nasale ou de 24 à 32 % par masque facial simple devrait améliorer la PaO$_2$ et la SaO$_2$.

Dans le cas d'une hypoxémie consécutive à un shunt intrapulmonaire, le client a normalement besoin d'une ventilation à pression positive (VPP), puisque cet état ne réagit pas à des concentrations élevées d'oxygène. La ventilation à pression positive permet d'administrer une oxygénothérapie, de diminuer le travail respiratoire et de réduire la fatigue des muscles respiratoires. De plus,

→ Plan de soins infirmiers

Client atteint d'insuffisance respiratoire aiguë*

DIAGNOSTIC INFIRMIER : dégagement inefficace des voies respiratoires relié à des sécrétions excessives, à une altération de l'état de conscience, à la présence d'une canule pharyngée, à une défaillance neuromusculaire et à de la douleur, se manifestant par la difficulté à expulser les expectorations, la présence de ronchi ou de râles crépitants, une toux inefficace ou absente.

PLANIFICATION

Résultats escomptés
- Aucun bruit respiratoire anormal (p. ex. ronchi ou râles crépitants).
- Bruits respiratoires de base normaux.
- Présence d'une toux efficace.
- Expulsion facile des expectorations.

INTERVENTIONS	Justifications
• Évaluer la capacité du client à tousser.	• Déterminer les mesures dont il a besoin pour évacuer les sécrétions.
• Mettre en place des stratégies pour aider le client à tousser.	• Favoriser l'évacuation des sécrétions.
• Positionner le client en élevant la tête du lit à 45 degrés ou en le plaçant en position de trépied.	• Favoriser une expansion thoracique maximale et les effets de la toux.
• Humidifier l'oxygène si le débit est supérieur à 3 L/min.	• Prévenir la sécheresse de la muqueuse buccale.
• Procéder à une aspiration trachéobronchique si la toux est inefficace ou si le client porte une canule pharyngée.	• Évacuer les sécrétions et améliorer l'oxygénation.
• Procéder à une physiothérapie respiratoire.	• Favoriser l'évacuation des sécrétions.
• Soutenir l'incision abdominale ou thoracique du client à l'aide d'un oreiller ou d'un coussinet.	• Réduire la douleur et améliorer les efforts inspiratoires.
• Tourner le client toutes les deux heures.	• Prévenir la stase des sécrétions et favoriser une ventilation optimale.
• Assurer un apport liquidien adéquat de 2 à 3 L/jour (en l'absence d'une restriction liquidienne).	• Liquéfier les sécrétions.
• Administrer les soins prescrits, de même que les médicaments bronchodilatateurs et mucolytiques au besoin.	• Favoriser un meilleur débit d'air et une meilleure évacuation des sécrétions.

DIAGNOSTIC INFIRMIER : mode de respiration inefficace relié à une atteinte neuromusculaire, à la douleur, à l'anxiété, à l'altération de l'état de conscience, à la fatigue des muscles respiratoires et au bronchospasme, se manifestant par une fréquence respiratoire <12 ou >24/minute, une altération du rapport I/E, une respiration irrégulière, une utilisation des muscles accessoires, un tirage, une respiration sifflante (*wheezing*) et une apnée.

PLANIFICATION

Résultats escomptés
- Fréquence, profondeur et rythme respiratoires dans les limites normales du client.
- Absence de tirage.
- Utilisation des muscles accessoires appropriée pour le niveau d'activité.

INTERVENTIONS	Justifications
• Surveiller l'augmentation et la diminution de la fréquence respiratoire, les périodes d'apnée, la diminution de la profondeur inspiratoire et l'altération du mouvement d'oscillation entre le thorax et l'abdomen (tirage).	• Évaluer la présence d'une incapacité à maintenir la ventilation.
• Positionner le client en élevant la tête du lit à au moins 45 degrés ou en le plaçant dans une position de trépied.	• Favoriser le mouvement diaphragmatique.
• Placer un ballon AMBU au chevet du client.	• Un soutien des voies respiratoires peut s'avérer nécessaire en cas d'atteinte ventilatoire grave ou d'apnée.
• Fournir des mesures de confort (p. ex. analgésiques, positionnement).	• Réduire l'anxiété et favoriser la coopération du client.
• Anticiper le besoin de procéder à une VNIPP à deux niveaux ou à l'intubation pour ventiler mécaniquement le client.	• Maintenir une oxygénation et une ventilation adéquates.

Plan de soins infirmiers

Client atteint d'insuffisance respiratoire aiguë* (*suite*)

DIAGNOSTIC INFIRMIER : risque d'excès de volume liquidien relié à l'augmentation du liquide périphérique et pulmonaire.

PLANIFICATION
Résultats escomptés
- Bruits respiratoires normaux.
- Diminution de l'œdème périphérique ou absence d'œdème.
- Pressions artérielle pulmonaire et capillaire pulmonaire normales.

INTERVENTIONS	Justifications
• Évaluer les signes d'excès de volume liquidien, comme des bruits respiratoires anormaux (râles crépitants), un gain de poids, une distension des veines jugulaires, de l'œdème périphérique ou sacré.	• Déceler la présence d'un problème.
• Surveiller l'état hydrique en mesurant les ingesta et les excreta, le poids quotidien et les pressions artérielle pulmonaire et capillaire pulmonaire.	• Déceler tout changement dans le volume liquidien systémique.
• Restreindre l'apport liquidien et administrer des diurétiques selon l'ordonnance.	• Prévenir ou réduire la surcharge liquidienne.

DIAGNOSTIC INFIRMIER : anxiété reliée à la dyspnée, à l'intubation, à la gravité de la maladie, à la perte de la maîtrise de son corps et à un résultat incertain, se manifestant par une augmentation de la fréquence cardiaque, de la fréquence respiratoire et de la pression artérielle ; de l'agitation, une instabilité psychomotrice et la verbalisation de l'anxiété.

PLANIFICATION
Résultats escomptés
- Diminution de l'anxiété.
- Absence d'agitation.
- Amélioration du sentiment de maîtrise.
- Verbalisation d'une attitude optimiste envers le résultat.

INTERVENTIONS	Justifications
• Effectuer les interventions de façon calme et assurée.	• Diminuer l'anxiété du client.
• Rassurer le client en ce qui concerne les compétences des personnes soignantes.	• Faire en sorte qu'il puisse se détendre.
• Répondre aux questions simplement et honnêtement pour fournir au client l'information essentielle.	• Prendre une décision.
• Expliquer et démontrer au client les techniques de relaxation telles que la respiration lente avec les lèvres pincées, la relaxation progressive et l'imagerie guidée.	• Favoriser la maîtrise de la respiration.
• Administrer les anxiolytiques prescrits et en évaluer l'efficacité.	

DIAGNOSTIC INFIRMIER : perturbation des échanges gazeux liée à l'hypoventilation alvéolaire, à un shunt intrapulmonaire, à des déséquilibres V/P et à une altération de la diffusion, se manifestant par de l'hypoxémie ou de l'hypercapnie.

PLANIFICATION
Résultats escomptés
- La PaO_2 et la $PaCO_2$ sont dans les limites normales pour le client.
- Bruits respiratoires normaux.

INTERVENTIONS	Justifications
• Surveiller les manifestations cliniques d'hypoxémie et d'hypercapnie.	• Déceler les signes systémiques de diminution de l'oxygène et d'augmentation du gaz carbonique.
• Administrer de l'oxygène selon l'ordonnance.	• Augmenter la PaO_2 et la SaO_2.

➜ **Plan de soins infirmiers**

Client atteint d'insuffisance respiratoire aiguë* (*suite*)

- Surveiller la GSA pour déceler une PaO_2 inférieure à 60 mm Hg, une SaO_2 inférieure à 90 % et une $PaCO_2$ supérieure à 50 mm Hg.
- Surveiller continuellement le client par oxymétrie pulsée.

- Surveiller la fréquence cardiaque pour déceler tout signe de rythme irrégulier, de tachycardie, de bradycardie et d'arythmies cardiaques sur le moniteur cardiaque.
- Montrer au client comment effectuer la respiration avec les lèvres pincées et l'inciter à la pratiquer.
- Anticiper le besoin d'un soutien ventilatoire.
- Ne pas administrer de sédatifs, à moins que le médecin ait donné son approbation.
- Administrer des antagonistes des narcotiques (p. ex. naxolone [Narcan]) conformément à l'ordonnance.

- Évaluer les échanges gazeux pulmonaires.

- Évaluer toute augmentation ou diminution du taux d'oxygène sanguin.
- L'hypoxémie peut provoquer des arythmies cardiaques.

- Améliorer les échanges gazeux.

- Améliorer l'oxygénation et l'état ventilatoire.
- Ils peuvent déprimer la respiration.

- Inverser la dépression respiratoire attribuable à l'administration de narcotiques.

DIAGNOSTIC INFIRMIER : déficit nutritionnel lié à un faible appétit, à de l'essoufflement, à la présence d'une canule pharyngée, à une diminution du niveau de l'énergie et à une augmentation des besoins caloriques, se manifestant par une perte de poids, de la faiblesse, une atrophie musculaire, une déshydratation, un faible tonus musculaire et un bris de l'intégrité de la peau.

PLANIFICATION
Résultats escomptés
- Maintien du poids ou gain de poids.
- Taux sériques d'albumine et de protéine dans les limites normales.

INTERVENTIONS	Justifications
• Fournir une source élevée de protéines et de calories et une alimentation entérale ou parentérale selon l'ordonnance.	• Combler les besoins alimentaires accrus.
• Si le client est capable d'ingérer des aliments par voie orale, servir six petits repas par jour.	• Diminuer la dépense énergétique associée à la consommation d'oxygène pendant la digestion.
• S'assurer que le client garde l'appareil d'oxygénation pendant les repas.	• Prévenir l'essoufflement et la désaturation de l'oxygène sanguin en mangeant.
• Surveiller les signes d'augmentation du CO_2 en cas d'alimentation parentérale.	• Les glucides peuvent augmenter les taux de CO_2 chez les clients atteints d'hypercapnie.

*Les soins infirmiers pour le client ventilé mécaniquement sont présentés dans l'encadré 29.7 et au chapitre 29.
GSA : gazométrie du sang artériel ; VNIPP : ventilation non invasive (non effractive) à pression positive.

---

la pression positive peut aider à ouvrir les voies respiratoires affaissées et à diminuer le shunt. (Le chapitre 29 traite de la ventilation mécanique.)

Le type d'appareil d'oxygénothérapie choisi pour le client atteint d'insuffisance respiratoire aiguë doit satisfaire deux critères : être toléré par le client, puisque l'anxiété causée par les sentiments de claustrophobie liés au masque facial ou à la dyspnée peut l'amener à enlever le dispositif d'oxygénation ; maintenir la PaO_2 entre 55 et 60 mm Hg ou plus et la SaO_2 à 90 % ou plus à la plus faible concentration en oxygène possible. Les concentrations élevées en oxygène éliminent l'azote qui est normalement présent dans les alvéoles, ce qui provoque de l'instabilité et de l'atélectasie. L'oxygène, lorsqu'il devient toxique, entraîne des changements dans les structures alvéolaires. Chez les clients intubés,

l'exposition à plus de 50 % d'oxygène pendant plus de 24 heures pose un risque important d'intoxication à l'oxygène (Urden, Stacy et Lough, 2002).

Chez les clients qui ne sont pas intubés, le risque est plus ambigu. (Le chapitre 17 traite des appareils d'oxygénothérapie.)

Des risques supplémentaires associés à l'oxygénothérapie sont spécifiques au client atteint d'hypercapnie chronique, comme le client présentant une bronchopneumopathie chronique obstructive. L'hypercapnie chronique peut émousser la réaction des chémorécepteurs centraux et provoquer une affection appelée narcose au CO_2. Chez le client atteint d'une bronchopneumopathie chronique obstructive, la respiration est stimulée par l'hypoxie. Ainsi, lorsque la PaO_2 augmente brusquement, le client n'est plus hypoxémique, il n'a

PROCESSUS DIAGNOSTIQUE ET THÉRAPEUTIQUE

Insuffisance respiratoire aiguë   ENCADRÉ 28.4

Diagnostic
- Antécédents de santé et examen physique
- Gazométrie du sang artériel
- Oxymétrie pulsée
- Radiographie pulmonaire
- Numération globulaire
- Électrolytes sériques et analyse d'urine
- ECG
- Cultures de sang et d'expectorations (si indiquées)
- PAP, PCP, PVC

Thérapie respiratoire
- Oxygénothérapie
- Mobilisation des sécrétions
  - Toux efficace
  - Hydratation/humidification
  - Physiothérapie respiratoire
  - Aspiration des voies respiratoires
- Ventilation à pression positive
  - Ventilation non invasive (non effractive) à pression positive
  - Intubation et ventilation mécanique

Pharmacothérapie
- Soulagement du bronchospasme (p. ex. orciprénaline [Alupent])
- Réduction de l'inflammation des voies respiratoires (corticostéroïdes)
- Réduction de la congestion pulmonaire (p. ex. furosémide [Lasix])
- Traitement des infections pulmonaires
- Réduction de l'anxiété grave et de l'instabilité psychomotrice (p. ex. lorazépam [Ativan]) (sous réserve)

Traitement médical d'appoint
- Traitement de la cause sous-jacente de l'insuffisance respiratoire
- Maintien d'un débit cardiaque adéquat
- Maintien d'une concentration en hémoglobine adéquate

Recommandations nutritionnelles
- Soutien nutritionnel parentéral
- Soutien nutritionnel entéral

ECG : électrocardiogramme ; PAP : pression artérielle pulmonaire ; PCP : pression capillaire pulmonaire ; PVC : pression veineuse centrale.

aucune stimulation respiratoire et peut faire un arrêt respiratoire. Les clients atteints d'hypercapnie chronique doivent recevoir de l'oxygène à faible débit par canule nasale, à raison de 1 à 2 L/min, ou par masque facial Venturi, à raison de 24 à 28 %. L'infirmière doit surveiller étroitement le client pour déceler tout signe de changements dans l'état mental et dans la fréquence respiratoire. De plus, elle doit vérifier les résultats de la gazométrie du sang artériel jusqu'à ce que la valeur de la PaO_2 soit redevenue relativement normale pour son état.

Mobilisation des sécrétions. La présence de sécrétions pulmonaires peut causer ou exacerber l'insuffisance respiratoire aiguë en obstruant le mouvement de l'oxygène dans les alvéoles et le sang capillaire pulmonaire. Il est possible de mobiliser les sécrétions grâce à une toux efficace, à une hydratation et à une humidification adéquates, à une physiothérapie respiratoire et à l'aspiration endobronchique.

Toux efficace et positionnement. L'infirmière doit inciter le client à tousser lorsque les sécrétions s'accumulent dans les voies respiratoires. Le client atteint d'une faiblesse neuromusculaire attribuable à la maladie ou à l'épuisement peut être incapable de produire suffisamment de pression expiratoire pour tousser efficacement. La toux assistée (aide à la toux) peut être bénéfique pour ce client. Il s'agit de placer la paume d'une main ou des deux mains sur l'abdomen sous l'appendice xiphoïde (voir figure 28.6). Au moment où le client termine son inspiration profonde et commence son expiration, l'infirmière doit appliquer une pression suffisante avec les mains pour faire augmenter la pression abdominale et faciliter la toux. Cette mesure permet d'augmenter le débit expiratoire et l'élimination des sécrétions.

Certains clients peuvent bénéficier de techniques de toux thérapeutiques. La technique d'expiration forcée ou prolongée consiste à expirer bruyamment et empêche la glotte de se fermer pendant la toux. Les clients atteints d'une bronchopneumopathie chronique obstructive ont des débits plus élevés en toussant à l'aide

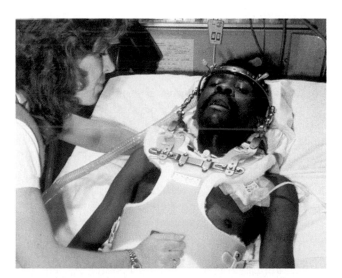

FIGURE 28.6 Toux assistée. La toux assistée est effectuée en plaçant la paume de la main sur l'abdomen sous l'appendice xiphoïde. Au moment où le client termine son inspiration profonde et commence l'expiration, l'infirmière applique une pression ferme pour augmenter la pression abdominale et faciliter la toux, ce qui entraîne une toux plus forte.

de la technique d'expiration forcée ou prolongée qu'en toussant normalement. Bien que cette technique soit efficace pour libérer seulement les voies respiratoires centrales, elle peut aussi aider à déplacer les sécrétions vers le haut.

Les deux étapes de l'expiration forcée ou prolongée sont les suivantes :
– Prendre une respiration diaphragmatique profonde et expirer avec force, la main appuyée sur la bouche. Expirer vigoureusement en haletant rapidement et distinctement.
– Haleter d'abord faiblement et de façon répétée, puis réduire la fréquence jusqu'à la production d'un unique halètement puissant.

La toux contrôlée aide aussi à mobiliser les sécrétions. Pour appliquer cette technique, le client s'assoit sur une chaise, inspire et expire deux à trois fois par la bouche et tousse en se penchant vers l'avant et en exerçant une pression contre un oreiller placé à la hauteur du diaphragme.

Le positionnement du client par l'élévation de la tête du lit à au moins 45° ou l'utilisation d'un fauteuil pour le repos ou d'un fauteuil-lit peut aider à maximiser l'expansion thoracique et, par conséquent, à diminuer la dyspnée et à améliorer la mobilisation des sécrétions. La position assise améliore la fonction pulmonaire et prévient la stase veineuse. La position latérale peut être utilisée pour les clients atteints d'une maladie touchant seulement un poumon. Cette position, appelée **position latérale de sécurité avec le poumon sain vers le bas**, permet d'atténuer les déséquilibres $\dot{V}/\dot{P}$ du poumon touché. Le client doit d'emblée être allongé sur le côté s'il y a un risque d'aspiration ou d'obstruction des voies respiratoires par la langue, et on doit garder au chevet du client une canule oropharyngée (canule de Guedel) ou nasopharyngée à utiliser au besoin.

Hydratation et humidification. Les sécrétions épaisses et visqueuses sont difficiles à déloger et doivent être liquéfiées. Un apport hydrique adéquat (2 à 3 L/jour) est nécessaire pour garder les sécrétions claires et faciles à évacuer. Lorsque le client est incapable d'ingérer suffisamment de liquide par voie orale, il devra être hydraté par intraveineuse. Un dispositif d'humidification peut être utilisé comme traitement complémentaire pour garder les muqueuses des voies respiratoires humides, facilitant ainsi la mobilisation des sécrétions. Un aérosol contenant une solution saline normale et stérile, administrée à l'aide d'un nébuliseur, peut être utilisé pour liquéfier les sécrétions. Une aérosolthérapie peut provoquer un bronchospasme et une toux grave qui font diminuer la PaO_2. Les agents mucolytiques, comme l'acétylcystéine nébulisée (Mucomyst), mélangés à un bronchodilatateur peuvent être utilisés pour liqué-

fier les sécrétions, mais leurs effets secondaires peuvent aussi entraîner de l'inflammation dans les voies respiratoires et un bronchospasme. Par conséquent, ils sont utilisés seulement sur ordonnance médicale.

Physiothérapie respiratoire. La physiothérapie respiratoire est indiquée pour les clients qui produisent plus de 30 ml d'expectorations par jour. Lorsque le client les tolère, le drainage postural, la percussion et la vibration des segments du poumon atteint peuvent aider à déplacer les sécrétions dans les voies respiratoires plus grandes, où elles peuvent être éliminées par la toux ou l'aspiration. Puisque le positionnement peut nuire à l'oxygénation, il est possible que le client ne tolère pas d'avoir la tête penchée ou d'être en position latérale en raison de la dyspnée extrême ou de l'hypoxémie causée par les déséquilibres $\dot{V}/\dot{P}$. (Le chapitre 17 traite de la physiothérapie respiratoire.)

Aspiration endotrachéale. Lorsque le client est incapable d'expectorer ses sécrétions, on recommande une aspiration nasopharyngée, oropharyngée ou nasotrachéale (aspiration à l'aveugle sans la mise en place d'une sonde trachéale). L'aspiration peut aussi être effectuée par le biais d'une canule pharyngée, d'un tube endotrachéal ou d'une trachéostomie (voir chapitres 15 et 29). Une mini-trachéostomie (mini-trach) ou encore une crico-thyrotomie peut être réalisée pour aspirer les sécrétions d'un client ayant de la difficulté à les mobiliser ou lorsque l'aspiration à l'aveugle est difficile ou inefficace.

La mini-trachéostomie consiste à insérer une canule à demeure en plastique et sans ballonnet de 4 mm en passant par la membrane cricothyroïdienne. Cette canule sert à instiller une solution saline normale et stérile pour provoquer une toux puis aspirer les sécrétions à l'aide d'un cathéter 10 French. Les contre-indications à la mini-trachéostomie sont l'absence du réflexe pharyngé, des antécédents d'aspiration et le besoin d'une ventilation mécanique prolongée.

Ventilation à pression positive. L'aide ventilatoire peut être amorcée lorsque les mesures intensives ne parviennent pas à améliorer la ventilation et l'oxygénation et que le client manifeste toujours une insuffisance respiratoire aiguë. Les clients qui nécessitent une ventilation à pression positive sont normalement admis à l'unité de soins intensifs. La ventilation à pression positive peut se faire de façon effractive (invasive) par le biais d'une intubation endotrachéale ou nasotrachéale ou de façon non effractive (non invasive). La ventilation mécanique non invasive se fait à l'aide d'un masque qui couvre le nez ou le nez et la bouche du client au lieu d'un tube endotrachéal pour administrer la ventilation à pression positive. Les avantages de ce type de dispositif incluent la diminution de la fréquence des pneumonies nosocomiales, l'augmentation du confort et la nature non invasive de l'acte, qui permet une installation et un retrait faciles. Elle est indiquée dans les deux types d'insuffisance respiratoire et lorsqu'on tente d'éviter une intubation endotrachéale (p. ex. œdème aigu du poumon [OAP]) ou que celle-ci n'est pas une option (bronchopneumopathie chronique obstructive en phase palliative). Les contre-indications de la ventilation mécanique non invasive incluent l'instabilité hémodynamique, l'arythmie, l'absence de respiration spontanée, l'incapacité du client de coopérer ou de tolérer le masque et l'impossibilité de maintenir les voies respiratoires perméables, libres de sécrétions ou d'ajuster adéquatement le masque (Urden, Stacy et Lough, 2002). (Le chapitre 29 traite de l'intubation endotrachéale et de la ventilation mécanique.)

Une ventilation spontanée en pression positive à deux niveaux (système d'assistance ventilatoire BiPAP®) est une forme de ventilation non invasive à pression positive (VNIPP) dans laquelle différents niveaux de pression positive sont établis pour l'inspiration et l'expiration (voir figure 28.7). La ventilation spontanée en pression positive continue est une autre forme de ventilation qui envoie une pression positive continue dans les voies respiratoires pendant l'inspiration et l'expiration.

Pharmacothérapie. Les objectifs de la pharmacothérapie pour les clients atteints d'insuffisance respiratoire aiguë comprennent le soulagement du bronchospasme, la réduction de l'inflammation des voies respiratoires et de la congestion pulmonaire, le traitement de l'infection pulmonaire et la réduction de l'anxiété grave et de l'instabilité psychomotrice.

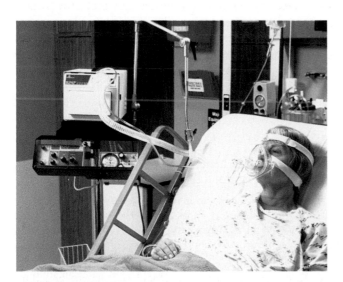

FIGURE 28.7 Ventilation non invasive à pression positive à deux niveaux. Un masque couvre le nez ou le nez et la bouche. Une pression positive provenant d'un ventilateur mécanique diminue le travail respiratoire du client.

Soulagement du bronchospasme. Le soulagement du bronchospasme est accompagné d'une augmentation de la ventilation alvéolaire. Les bronchodilatateurs à effet rapide, comme l'orciprénaline (Alupent) et le salbutamol (Ventolin), sont fréquemment administrés à l'aide d'un nébuliseur portatif ou d'un inhalateur doseur muni d'un dispositif d'espacement (aérochambre) dans le but d'inverser le bronchospasme. Dans les cas de bronchospasmes aigus, ces médicaments peuvent être administrés à des intervalles de 30 à 60 minutes jusqu'à ce que l'infirmière soit certaine que le client répond au traitement. Les effets bronchodilatateurs de ces médicaments peuvent parfois aggraver l'hypoxémie artérielle en redistribuant le gaz inspiré dans les zones où la perfusion est diminuée. L'administration du bronchodilatateur en association avec de l'oxygène atténue cet effet. (Voir le chapitre 17 pour les soins infirmiers liés aux bronchodilatateurs.)

Réduction de l'inflammation des voies respiratoires. Les corticostéroïdes peuvent être utilisés avec des agents bronchodilatateurs en présence d'un bronchospasme et d'inflammation. Les corticostéroïdes en inhalation ne sont pas administrés aux clients atteints d'insuffisance respiratoire aiguë, puisque les effets thérapeutiques optimaux n'apparaissent qu'au bout de quatre à cinq jours. Cependant, les corticostéroïdes administrés par voie intraveineuse (p. ex. méthylprednisolone [Solu-Médrol]) agissent immédiatement.

Réduction de la congestion pulmonaire. Une lésion directe ou indirecte de la membrane alvéolocapillaire ou une insuffisance ventriculaire gauche ou droite peut entraîner la présence de liquide interstitiel pulmonaire et peut être attribuable à un trouble d'origine cardiaque ou non. Il en résulte une diminution de la ventilation alvéolaire et de l'hypoxémie. Les diurétiques intraveineux, comme le furosémide (Lasix), servent à diminuer la congestion pulmonaire causée par l'insuffisance cardiaque. La digitale et d'autres médicaments contre les affections cardiaques peuvent également être administrés en présence d'une insuffisance ventriculaire gauche ou d'une fibrillation auriculaire.

Traitement des infections pulmonaires. Les infections pulmonaires (pneumonie, bronchite aiguë) entraînent une production excessive de mucus, et les alvéoles s'enflamment, se remplissent de liquide ou s'affaissent. Les alvéoles remplies de liquide ou affaissées sont incapables de participer aux échanges gazeux. Les infections pulmonaires peuvent causer ou exacerber une insuffisance respiratoire aiguë. Les radiographies pulmonaires sont réalisées afin de déterminer l'emplacement et l'étendue du processus infectieux. Les prélèvements d'expectorations servent à déterminer le type de micro-organismes qui causent l'infection et leur sensibilité aux médicaments antimicrobiens. Des antibiotiques intraveineux sont souvent administrés pour inhiber la prolifération des bactéries.

Réduction de l'anxiété grave et de l'instabilité psychomotrice. L'anxiété, l'instabilité psychomotrice et l'agitation sont attribuables à l'hypoxémie cérébrale. De plus, la peur associée à l'incapacité de respirer et un sentiment de perte de maîtrise peuvent exacerber l'anxiété. L'agitation et l'anxiété augmentent la consommation en oxygène, ce qui peut aggraver l'hypoxémie. Plusieurs interventions infirmières peuvent aider le client à réduire son anxiété (voir encadré 28.3).

Une sédation à faible dose (p. ex. lorazépam [Ativan]) peut être administrée pour diminuer l'anxiété, puisque l'agitation augmente le travail respiratoire du client et, par le fait même, la consommation d'oxygène. Les clients qui reçoivent un sédatif doivent être surveillés de près afin de déceler tout signe de dépression respiratoire. Dans l'unité de soins intensifs, la sédation et l'administration d'agents bloqueurs neuromusculaires sont couramment utilisées pour les clients très agités atteints d'insuffisance respiratoire aiguë qui luttent contre l'appareil de ventilation mécanique. Ces médicaments inhibent les efforts respiratoires du client et sa conscience du milieu immédiat, ce qui permet une ventilation optimale.

Traitement médical d'appoint.
Les objectifs thérapeutiques et les interventions visant à maximiser l'administration d'oxygène et à traiter la cause sous-jacente de l'insuffisance respiratoire sont essentiels pour améliorer l'oxygénation et l'état ventilatoire du client. Le principal objectif est de traiter la cause sous-jacente de l'insuffisance respiratoire. Les autres objectifs comprennent le maintien du débit cardiaque et de la concentration en hémoglobine dans des valeurs acceptables.

Traiter la cause sous-jacente.
Les interventions visent à inverser l'évolution de la maladie à l'origine de l'insuffisance respiratoire aiguë. Les clients souffrant d'hypoventilation peuvent recevoir un diagnostic et être traités rapidement. Les clients qui présentent des déséquilibres V̇/P̊, un shunt ou une altération de la diffusion sont traités différemment selon la cause sous-jacente. Peu importe l'état du client, la surveillance des effets du traitement et des résultats de la gazométrie du sang artériel est un processus continu.

Maintenir un débit cardiaque adéquat.
Le débit cardiaque correspond au débit sanguin qui atteint les tissus. La pression sanguine est un indicateur important pour déterminer si le débit cardiaque est adéquat. En temps normal, une pression artérielle systolique (PAS) d'au moins 90 mm Hg est adéquate pour maintenir la perfusion vers les organes vitaux. (Voir le chapitre 20, qui traite du débit cardiaque.) Lorsque la pression artérielle systolique est d'au moins 90 mm Hg, il est possible que les changements de l'état mental soient attribuables aux taux d'oxygène et de gaz carbonique plutôt qu'à la diminution de la perfusion cérébrale. Une diminution du débit cardiaque est traitée par l'administration de liquides ou de médicaments par voie intraveineuse, ou des deux. (Le chapitre 27 traite des médicaments administrés en présence d'une diminution du débit cardiaque ou d'un choc.)

Maintenir une concentration en hémoglobine adéquate.
L'hémoglobine est le principal transporteur d'oxygène dans les tissus. Si le client est anémique, le transport de l'oxygène sera compromis. Une concentration en hémoglobine de 90 à 100 g/L ou plus assure normalement une saturation en oxygène de l'hémoglobine adéquate. L'infirmière doit surveiller si le client perd du sang et transfuser des culots globulaires (selon l'ordonnance médicale) si une concentration adéquate d'hémoglobine ne peut pas être maintenue.

Recommandations nutritionnelles.
Le maintien des réserves de protéines et d'énergie est important pour les clients souffrant d'insuffisance respiratoire aiguë, parce que la déplétion alimentaire entraîne une perte de masse musculaire, dont les muscles respiratoires, qui peut retarder le rétablissement. Au cours des manifestations aiguës de l'insuffisance respiratoire, le risque d'aspiration du contenu gastrique empêche une alimentation normale par voie orale. Une alimentation entérale ou parentérale peut donc être administrée. Lorsque les manifestations aiguës s'estompent, le client peut recommencer à manger selon sa tolérance.

Évaluation.
Les résultats escomptés à l'égard du client atteint d'insuffisance respiratoire aiguë sont présentés dans l'encadré 28.3.

GÉRONTOLOGIE

Insuffisance respiratoire | ENCADRÉ 28.5

Les personnes âgées sont plus susceptibles de souffrir d'insuffisance respiratoire en raison de la réduction de la capacité ventilatoire associée au vieillissement, surtout en présence d'autres facteurs de risque. Chez les personnes âgées, la PaO_2 chute davantage, et la $PaCO_2$ augmente à un taux plus élevé avant que l'appareil respiratoire soit stimulé pour ajuster la fréquence et l'amplitude de la respiration. Cette réaction retardée prédispose à l'apparition d'une insuffisance respiratoire.

28.2 SYNDROME DE DÉTRESSE RESPIRATOIRE AIGUË (SDRA)

Le syndrome de détresse respiratoire aigu est une forme soudaine et progressive de l'insuffisance respiratoire aiguë. La membrane alvéolocapillaire devient alors endommagée et plus perméable au liquide intravasculaire (voir figure 28.8). Les alvéoles remplies de liquide entraînent de la dyspnée grave, de l'hypoxémie réfractaire à l'oxygénothérapie, une diminution de la compliance pulmonaire et des infiltrats pulmonaires diffus.

La mortalité liée au syndrome de détresse respiratoire aiguë se situe à environ 50 à 60 %. Elle est plus importante chez les clients âgés de plus de 60 ans et chez ceux qui présentent un syndrome septique (Passerini, 1999).

28.2.1 Étiologie et physiopathologie

L'encadré 28.6 énumère les affections prédisposant les clients au syndrome de détresse respiratoire aiguë. Les deux principaux facteurs de risque associés à ce syndrome sont le choc septique Gram négatif et l'aspiration du contenu gastrique.

Une lésion pulmonaire directe peut être à l'origine du syndrome de détresse respiratoire aiguë (voir figure 28.9), lequel peut aussi être consécutif au syndrome de réponse inflammatoire systémique (voir figure 27.1). Le syndrome de détresse respiratoire aiguë peut avoir une étiologie infectieuse ou non infectieuse et se caractérise par une inflammation étendue ou des réactions cliniques à l'inflammation suivant une variété d'affections physiologiques, notamment un traumatisme grave, de l'ischémie intestinale, une lésion pulmonaire ou un sepsis. Le syndrome de détresse respiratoire aiguë peut aussi être induit par le syndrome de défaillance multiviscérale, qui est causé par le dysfonctionnement des organes d'un système ou appareil dont la gravité augmente progressivement et finit par entraîner une défaillance multiviscérale. (Le chapitre 27 traite du syndrome de réponse inflammatoire systémique et du syndrome de défaillance multiviscérale.) Les clients présentant plusieurs facteurs de risque sont trois à quatre fois plus susceptibles d'être atteints du syndrome de détresse respiratoire aiguë.

La cause exacte de la lésion de la membrane alvéolocapillaire est inconnue. Cependant, les changements physiopathologiques observés dans le syndrome de détresse respiratoire aiguë seraient dus à la stimulation des systèmes inflammatoires et immunitaires, qui engendre une attraction des neutrophiles dans l'espace interstitiel. Les neutrophiles provoquent une libération des médiateurs biochimiques, humoraux

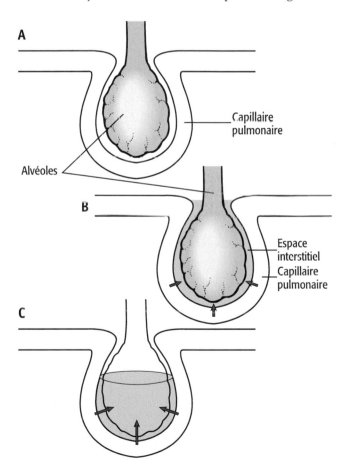

FIGURE 28.8 Phases de la formation d'œdème dans le syndrome de détresse respiratoire aiguë de l'adulte. A. Alvéole et capillaire pulmonaire normaux. B. L'œdème interstitiel apparaît lors de l'augmentation du débit de liquide dans l'espace interstitiel. C. L'œdème alvéolaire apparaît lorsque le liquide traverse la barrière alvéolocapillaire.

États prédisposant au syndrome de détresse respiratoire aiguë **ENCADRÉ 28.6**

Lésion pulmonaire directe
Aspiration du contenu gastrique ou d'autres substances
Quasi-noyade
Inhalation de substances toxiques
Pneumonie virale/bactérienne
Traumatisme thoracique
Embolie graisseuse, gazeuse ; embolie de liquide amniotique
Intoxication à l'oxygène
Poumon irradié

Lésion pulmonaire indirecte
Sepsis (surtout une infection Gram négatif)
Pancréatite grave
Transfusions sanguines multiples
Polytraumatismes/fractures multiples
Traumatisme crânien grave
Coagulation intravasculaire disséminée (CIVD)
États de choc
Maladies systémiques non pulmonaires
Circulation extracorporelle
Anaphylaxie
Abus de narcotiques

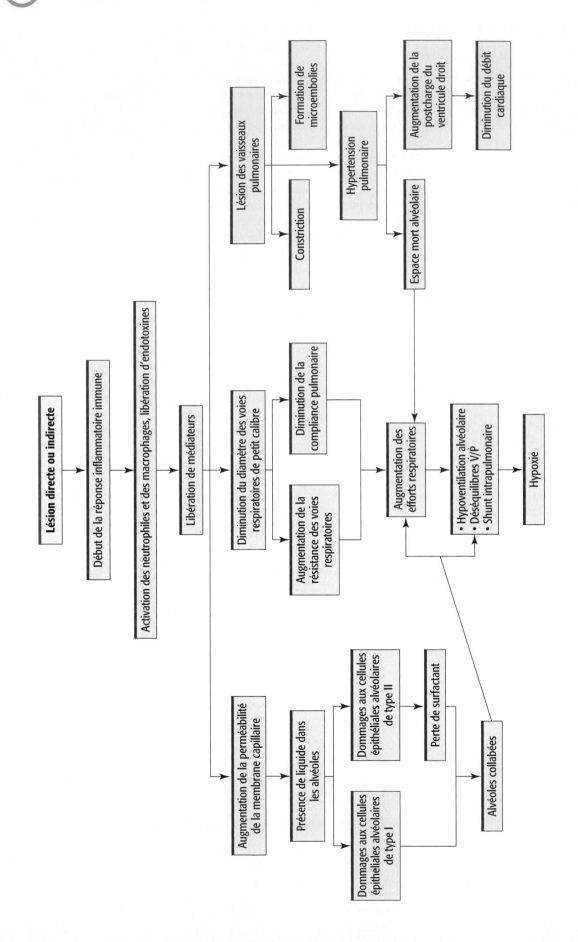

FIGURE 28.9 Physiopathologie du syndrome de détresse respiratoire de l'adulte

Adapté de URDEN, L.D., STACY, K.M. et LOUGH, M.E. *Thelan's critical care nursing diagnosis and management*, 4ᵉ éd., Philadelphie : Mosby, 2002, p.557.

et cellulaires (voir encadré 28.7), qui provoquent des changements pulmonaires, notamment l'augmentation de la perméabilité de la membrane capillaire pulmonaire, la destruction de l'élastine et du collagène, la formation d'une microembolie pulmonaire et une vasoconstriction artérielle pulmonaire (voir figure 28.9). (Les chapitres 6 et 7 traitent de ces médiateurs.)

Phase exsudative. La phase exsudative commence habituellement de un à sept jours (souvent de 24 à 48 heures) suivant la lésion pulmonaire directe initiale ou une agression de l'hôte. Les neutrophiles adhèrent à la microcirculation pulmonaire, ce qui a pour effet d'endommager l'endothélium vasculaire et d'augmenter la perméabilité capillaire. Dans la phase initiale de la lésion, un engorgement de l'espace interstitiel péribronchique et périvasculaire se produit et provoque de l'œdème interstitiel. Ensuite, le liquide provenant de l'espace interstitiel traverse l'épithélium alvéolaire et pénètre dans l'espace alvéolaire. Un shunt intrapulmonaire se manifeste puisque les alvéoles se remplissent de liquide et que le sang qui passe dans ces dernières ne peut pas être oxygéné (voir figures 28.4 et 28.8).

Les cellules alvéolaires de type I et II (qui produisent du surfactant) sont endommagées par les changements causés par le syndrome de détresse respiratoire aiguë. Cette situation entraîne un dysfonctionnement du surfactant, en plus de faire augmenter la quantité de liquide et de protéines. La fonction du surfactant est de maintenir la stabilité alvéolaire en diminuant la tension de la surface alvéolaire et en prévenant le collapsus. La diminution de la synthèse et l'inactivation du surfactant rendent les alvéoles instables et entraînent leur affaissement (atélectasie). Une atélectasie étendue détériore

davantage la compliance pulmonaire, compromet les échanges gazeux et favorise l'hypoxémie.

De plus, une membrane hyaline commence à tapisser la membrane alvéolaire pendant cette phase. On présume que ces membranes hyalines proviennent de l'exsudation des substances qui ont un poids moléculaire élevé (surtout le fibrinogène) contenues dans le liquide œdémateux. Les membranes hyalines contribuent à l'apparition de fibrose et d'atélectasie, ce qui diminue la capacité d'échanges gazeux et la compliance pulmonaire.

Les principaux changements physiopathologiques qui caractérisent la phase exsudative du syndrome de détresse respiratoire aiguë sont l'œdème interstitiel et alvéolaire (œdème pulmonaire non cardiogénique) et l'atélectasie. Des déséquilibres $\dot{V}/\dot{P}$ graves et un shunt intrapulmonaire entraînent de l'hypoxémie qui ne répond pas à l'augmentation des concentrations en oxygène (hypoxémie réfractaire). L'altération de la diffusion, causée par la formation de la membrane hyaline, favorise l'aggravation de l'hypoxémie. À mesure que la compliance pulmonaire décroît en raison de la diminution du surfactant, de l'œdème pulmonaire et de l'atélectasie, la pression des voies respiratoires du client doit augmenter pour gonfler les poumons « rigides ». La diminution de la compliance pulmonaire augmente grandement le travail respiratoire du client.

L'hypoxémie et la stimulation des récepteurs juxtacapillaires dans le parenchyme pulmonaire rigide (réflexe J) augmentent initialement la fréquence respiratoire et diminuent le volume courant. Ce mode de respiration augmente l'évacuation du gaz carbonique et produit ainsi une alcalose respiratoire. Le débit cardiaque augmente en réponse à l'hypoxémie, et un effet compensatoire visant à accroître le débit sanguin pulmonaire se produit. Cependant, tout comme l'atélectasie, l'œdème pulmonaire et le shunt pulmonaire augmentent, la compensation ne fonctionne plus et l'hypoventilation diminue le débit cardiaque, ce qui finit par entraîner une diminution de la perfusion tissulaire en oxygène.

Phase proliférative. La phase proliférative commence de une à deux semaines après la lésion pulmonaire initiale. Au cours de cette phase, la réaction inflammatoire est composée d'un afflux de granulocytes, de monocytes et de lymphocytes et d'une prolifération de fibroblastes. Le poumon abîmé a une immense capacité régénératrice après une lésion pulmonaire aiguë. La phase proliférative est complète lorsque le poumon malade devient tapissé de tissu fibreux dense. Une augmentation de la résistance vasculaire pulmonaire et une hypertension pulmonaire peuvent survenir pendant cette phase si la présence de fibroblastes et de cellules inflammatoires provoque une oblitération du système

---

Médiateurs de la lésion pulmonaire aiguë   **ENCADRÉ 28.7**

- Protéine du complément C5a
- Produits des neutrophiles, notamment les protéases et les radicaux de l'oxygène
- Produits des monocytes et des macrophages, notamment le facteur tumoral nécrosant, l'interleukine 1 et le facteur de croissance cellulaire
- Métabolites de l'acide arachidonique, notamment les prostaglandines et les leucotriènes
- Produits de coagulation, notamment les kallicréines, les kinines, les produits de la dégradation de la fibrine et le facteur d'activation du plasminogène
- Histamine
- Sérotonine
- Endotoxine
- Élastine
- Collagène

vasculaire pulmonaire. La compliance pulmonaire continue à diminuer en raison de la fibrose interstitielle. L'hypoxémie s'aggrave à cause de la membrane alvéolaire épaissie qui engendre une altération de la diffusion et un shunt. Une fibrose généralisée apparaît lorsque la phase proliférative persiste, mais les lésions disparaissent si cette phase est freinée.

Phase fibrotique. La phase fibrotique apparaît près de deux à trois semaines après la lésion pulmonaire initiale. Cette phase est aussi appelée phase chronique ou tardive du syndrome de détresse respiratoire aiguë. Pendant cette phase, les poumons sont complètement remodelés par des tissus clairsemés de collagène et de fibres. Une diminution de la compliance pulmonaire est causée par la cicatrisation et la fibrose diffuses. De plus, la surface des échanges gazeux est grandement diminuée, puisque l'espace interstitiel pulmonaire est fibrotique et, par conséquent, l'hypoxémie persiste. L'hypertension pulmonaire est attribuable à une oblitération vasculaire pulmonaire et à la fibrose.

28.2.2 Évolution clinique

L'évolution du syndrome de détresse respiratoire aiguë varie d'un client à l'autre. Certains clients survivent à la phase aiguë de la lésion pulmonaire ; l'œdème pulmonaire se résorbe et le client se rétablit complètement en quelques jours. Les chances de survie sont faibles lorsque le client atteint la phase fibrotique (chronique ou tardive), car il a alors besoin d'une ventilation mécanique prolongée. On ignore encore pourquoi les poumons lésés de certains clients se rétablissent, alors que chez d'autres le syndrome de détresse respiratoire aiguë évolue vers la phase fibrotique. Plusieurs facteurs semblent importants pour déterminer l'évolution du syndrome de détresse respiratoire aiguë, notamment la nature de la lésion initiale, l'étendue et la gravité des maladies coexistantes et les complications pulmonaires.

28.2.3 Manifestations cliniques

La manifestation initiale du syndrome de détresse respiratoire aiguë est souvent insidieuse. Il est possible que le client n'éprouve aucun symptôme respiratoire au moment de la lésion initiale, et pendant plusieurs heures à deux jours suivant celle-ci, ou présente des symptômes de dyspnée, de tachypnée, de toux et d'instabilité psychomotrice. L'auscultation pulmonaire peut être normale ou révéler de fins crépitements dispersés. La gazométrie du sang artériel indique souvent une hypoxémie légère et une alcalose respiratoire causées par l'hyperventilation. L'alcalose respiratoire est attribuable à de l'hypoxémie et à la stimulation des récepteurs juxtacapillaires. La radiographie pulmonaire peut être normale ou présenter de légers signes d'infiltrats interstitiels dispersés. L'œdème passe souvent inaperçu à la radiographie pulmonaire tant que le volume liquidien n'a pas augmenté de 30 % dans les poumons.

À mesure que le syndrome de détresse respiratoire aiguë évolue, les symptômes s'aggravent en raison de l'accumulation liquidienne qui augmente et de la compliance pulmonaire qui diminue. Le malaise respiratoire devient apparent à mesure que le travail respiratoire augmente. Il peut y avoir manifestation de tachypnée et de tirage intercostal et sus-sternal. Les épreuves de la fonction respiratoire dans le cas du syndrome de détresse respiratoire aiguë révèlent une diminution de la compliance et des volumes pulmonaires, notamment de la capacité résiduelle fonctionnelle (CRF). Il est possible que les symptômes suivants soient présents : tachycardie, diaphorèse, cyanose, pâleur et changements dans la perception sensorielle accompagnés d'une altération de l'état mental. L'auscultation pulmonaire révèle souvent des râles crépitants ou des ronchis pouvant être dispersés ou diffus. La radiographie pulmonaire montre des infiltrats alvéolaires et interstitiels bilatéraux étendus et diffus. Un cathéter de l'artère pulmonaire (de type Swan-Ganz) peut être inséré. La pression capillaire pulmonaire (PCP) n'augmente pas dans le syndrome de détresse respiratoire aiguë, puisque la cause est non cardiogénique (c.-à-d. qu'elle n'est pas liée à la fonction cardiaque). Par contre, un œdème pulmonaire causé par une défaillance cardiaque entraîne une augmentation de la pression capillaire pulmonaire.

L'hypoxémie réfractaire est un symptôme important du syndrome de détresse respiratoire aiguë, malgré l'augmentation de la concentration d'oxygène inspiré (FIO_2) à l'aide d'un masque, d'une canule ou d'un tube endotrachéal. La gazométrie du sang artériel peut démontrer au départ une $PaCO_2$ normale ou diminuée malgré une dyspnée et une hypoxémie graves. L'hypercapnie signifie que le client est en hypoventilation et qu'il est incapable de maintenir une ventilation suffisante pour établir des échanges gazeux optimaux.

À mesure que le syndrome de détresse respiratoire aiguë évolue, il est associé à une profonde détresse respiratoire nécessitant une intubation endotrachéale et une ventilation à pression positive. La radiographie pulmonaire montre souvent un « poumon blanc » puisque la consolidation et les infiltrats coalescents sont répandus à la grandeur des poumons, laissant peu d'espaces d'air observables. Des épanchements pleuraux peuvent aussi être présents. De l'hypoxémie, de l'hypercapnie et de l'acidose respiratoire grave accompagnées de symptômes d'hypoxie dans les organes cibles ou les tissus peuvent survenir si le client n'est pas traité dans les plus brefs délais.

Bien qu'aucun critère précis ne définisse le syndrome de détresse respiratoire aiguë, on considère qu'il est présent si le client souffre d'hypoxémie, présente de nouveaux infiltrats alvéolaires ou interstitiels bilatéraux à la radiographie pulmonaire, a une pression capillaire pulmonaire égale ou inférieure à 18 mm Hg, n'a aucun signe d'insuffisance cardiaque et possède un facteur de risque apparenté au syndrome de détresse respiratoire aiguë dans les 48 heures suivant les manifestations cliniques (voir encadré 28.8).

28.2.4 Complications

Le syndrome de détresse respiratoire aiguë lui-même ou son traitement peuvent être à l'origine de complications. (L'encadré 28.9 énumère les complications courantes liées au syndrome de détresse respiratoire aiguë.) La principale cause de décès associée au syndrome de détresse respiratoire aiguë est le syndrome de défaillance multiviscérale, qui est souvent accompagné de sepsis. Les organes les plus souvent atteints sont les reins, le foie et le cœur. Les principaux systèmes et appareils touchés sont le système nerveux central, le système hématologique et l'appareil gastro-intestinal.

Pneumonie nosocomiale. Une complication fréquente de l'insuffisance respiratoire aiguë est la pneumonie nosocomiale, qui survient chez 20 % des clients ventilés mécaniquement et chez jusqu'à 68 % des clients atteints du syndrome de détresse respiratoire aiguë. Les facteurs de risque comprennent le déficit immunitaire, l'équipement médical contaminé, les dispositifs de surveillance effractifs, l'aspiration du contenu gastrique et la colonisation bactérienne des voies respiratoires. Les stratégies de prévention de la pneumonie nosocomiale comprennent les mesures de prévention des infections (p. ex. bien se laver les mains, appliquer des règles d'asepsie strictes pendant l'aspiration endotrachéale) et l'élévation de la tête du lit de plus de 30 degrés afin de prévenir la bronchoaspiration, s'il n'y a pas de contre-indications. (Le chapitre 16 traite de la pneumonie.)

Barotraumatisme. Le barotraumatisme peut être attribuable à la rupture des alvéoles surdistendues par la ventilation mécanique. Les pressions élevées de ventilation qui peuvent être nécessaires pour le client atteint du syndrome de détresse respiratoire aiguë prédisposent à cette complication. Le barotraumatisme survient en présence d'air alvéolaire dans des régions inhabituelles, ce qui peut entraîner de l'emphysème pulmonaire interstitiel, un pneumothorax, de l'emphysème sous-cutané, un pneumopéritoine, un pneumomédiastin et un pneumothorax sous tension. (Le chapitre 16 traite du pneumothorax.) Afin de prévenir le barotraumatisme, le client atteint du syndrome de détresse respiratoire aiguë est parfois ventilé avec de plus petits volumes courants, engendrant une plus grande $PaCO_2$. Cette méthode de ventilation mécanique est appelée **hypercapnie permissive**, puisqu'on permet à la $PaCO_2$ de s'élever au-delà des limites normales.

ENCADRÉ 28.9
Complications associées au syndrome de détresse respiratoire aiguë de l'adulte

Infection
- Pneumonie nosocomiale
- Infection liée au cathéter
- Sepsis

Complications respiratoires
- Embolie pulmonaire
- Barotraumatisme pulmonaire (p. ex. pneumothorax, pneumomédiastin, emphysème sous-cutané)
- Intoxication à l'oxygène
- Fibrose pulmonaire

Complications gastro-intestinales
- Ulcère de stress et hémorragie digestive
- Iléus paralytique
- Pneumopéritoine

Complications rénales
- Insuffisance rénale aiguë

Complications cardiaques
- Arythmies
- Diminution du débit cardiaque

Complications hématologiques
- Anémie
- Thrombopénie
- Coagulation intravasculaire disséminée (CIVD)

Complications liées à l'intubation endotrachéale
- Ulcération du larynx
- Ulcération de la trachée
- Maladie de la trachée
- Sténose de la trachée

ENCADRÉ 28.8
Éléments de diagnostic du syndrome de détresse respiratoire aiguë de l'adulte

Hypoxémie
- Une PaO_2 <50 mm Hg sur une FIO_2 >40 % avec une PEEP >5 cm H_2O

Radiographie pulmonaire
- Nouveaux infiltrats interstitiels et alvéolaires bilatéraux

Pression capillaire pulmonaire
- ≤18 mm Hg et aucun signe d'insuffisance cardiaque

Facteur prédisposant
- Détermination d'un facteur prédisposant au SDRA dans les 48 heures suivant les manifestations cliniques

SDRA : syndrome de détresse respiratoire aiguë.

Ulcères de stress. Les clients gravement malades et souffrant d'insuffisance respiratoire aiguë ont un risque accru de voir apparaître des ulcères de stress. Le saignement associé aux ulcères de stress survient chez 30 % des clients atteints du syndrome de détresse respiratoire aiguë et nécessitant une ventilation à pression positive, ce qui représente un taux plus élevé que les autres causes associées à l'insuffisance respiratoire aiguë. Les stratégies thérapeutiques comprennent la correction des facteurs prédisposant comme l'hypotension, le choc et l'acidose. Le traitement prophylactique, non institué d'emblée, peut inclure des antiacides, des inhibiteurs des récepteurs de l'histamine (p. ex. ranitidine [Zantac]), du sucralfate (Sulcrate), des inhibiteurs de la pompe à protons (p. ex. pantoprazole [Pantoloc]) et l'instauration rapide de l'alimentation entérale sous forme de gavage.

Insuffisance rénale. L'insuffisance rénale peut être causée par une diminution de l'oxygénation des tissus rénaux en raison de l'hypotension, de l'hypoxémie ou de l'hypercapnie. L'insuffisance rénale peut aussi être provoquée par l'administration de médicaments néphrotoxiques (p. ex. aminosides) servant à traiter des infections liées au syndrome de détresse respiratoire aiguë.

28.2.5 Soins infirmiers et processus thérapeutique : syndrome de détresse respiratoire aiguë

Le processus thérapeutique pour l'insuffisance respiratoire aiguë (voir encadré 28.4) s'applique au syndrome de détresse respiratoire aiguë. La section suivante traite d'autres mesures à prodiguer au client atteint du syndrome de détresse respiratoire aiguë (voir encadré 28.10). Les clients atteints du syndrome de détresse respiratoire aiguë sont normalement admis dans les unités de soins intensifs. Le plan de soins infirmiers pour l'insuffisance respiratoire aiguë (voir encadré 28.3) s'applique également aux clients aux prises avec le syndrome de détresse respiratoire aiguë.

Collecte de données. Étant donné que le syndrome de détresse respiratoire aiguë entraîne une insuffisance respiratoire aiguë, les données subjectives et objectives à recueillir auprès du client atteint du syndrome de détresse respiratoire aiguë sont les mêmes que celles de l'insuffisance respiratoire aiguë (voir encadré 28.2). Des constatations anormales lors de l'examen physique indiquent que le syndrome de détresse respiratoire aiguë a progressé au-delà des phases initiales.

Diagnostics infirmiers. Les diagnostics infirmiers à l'égard du client atteint du syndrome de détresse respiratoire aiguë comprennent, entre autres, ceux qui sont présentés dans le cas de l'insuffisance respiratoire aiguë (voir encadré 28.3).

PROCESSUS DIAGNOSTIQUE
ET THÉRAPEUTIQUE

Syndrome de détresse respiratoire aiguë   ENCADRÉ 28.10

Diagnostic*
Thérapie respiratoire
Administration d'oxygène
- Décubitus ventral
- Ventilation mécanique et pression positive en fin d'expiration

Traitement d'appoint
- Détermination et traitement de la cause sous-jacente
- Surveillance hémodynamique
- Médicaments inotropes/vasopresseurs
  - Dopamine (Intropin)
  - Dobutamine (Dobutrex)
  - Diurétiques
- Administration de liquides par voie intraveineuse

*Voir encadré 28.8.

Planification. Les objectifs généraux à l'égard du client aux prises avec le syndrome de détresse respiratoire aiguë sont les suivants : retrouver une PaO$_2$ dans les limites normales selon l'âge ou les données de base ; avoir une SaO$_2$ supérieure à 90 % ; maintenir les voies respiratoires libres ; avoir des poumons clairs à l'auscultation.

Thérapie respiratoire

Administration d'oxygène. Le principal objectif de l'oxygénothérapie est de corriger l'hypoxémie. L'oxygène administré à l'aide d'un masque facial simple ou d'une canule nasale est souvent inefficace pour traiter l'hypoxémie réfractaire. Les masques munis de systèmes à haut débit (masque facial avec sac-réservoir et masque Venturi) qui administrent de plus fortes concentrations d'oxygène sont utilisés au départ pour maximiser l'apport en oxygène. La saturation du sang artériel en oxygène mesurée par l'oxymétrie pulsée (SpO$_2$) est surveillée continuellement pour évaluer l'efficacité de l'oxygénothérapie. La norme générale pour l'administration d'oxygène est de donner au client la plus faible concentration d'oxygène qui lui permet d'atteindre une PaO$_2$ égale ou supérieure à 50 mm Hg. Le risque d'intoxication à l'oxygène augmente lorsque la FIO$_2$ est supérieure à 50 % pendant plus de 24 heures. Les clients présentant le syndrome de détresse respiratoire aiguë ont normalement besoin d'être intubés et de recevoir une ventilation mécanique afin de maintenir la PaO$_2$ à un taux acceptable.

Ventilation mécanique. L'intubation endotrachéale et la ventilation mécanique fournissent un soutien respiratoire supplémentaire. Cependant, malgré ces interventions, il peut être nécessaire de maintenir la FIO$_2$ à 60 % ou plus pour garder la PaO$_2$ égale ou supérieure à

60 mm Hg. Au cours de la ventilation mécanique, il est courant d'appliquer une pression positive en fin d'expiration (PEEP) de 5 cm H_2O pour compenser la perte de la fonction glottique causée par la présence du tube endotrachéal. Une pression positive supplémentaire en fin d'expiration est souvent administrée aux clients atteints du syndrome de détresse respiratoire aiguë. Cette manœuvre ventilatoire consiste à appliquer une pression positive dans les voies respiratoires et les poumons à la fin de l'expiration. Sans une pression positive en fin d'expiration, la pression dans le thorax est la même que la pression atmosphérique (zéro) à la fin de l'expiration Lorsque la pression positive en fin d'expiration est appliquée, les poumons restent partiellement gonflés, ce qui prévient l'affaissement complet des alvéoles. Une pression positive en fin d'expiration entre 3 et 5 cm H_2O (PEEP physiologique) est recommandée jusqu'à ce que l'oxygénation soit adéquate, avec une FIO_2 égale ou inférieure à 60 %. Le mécanisme d'action de la pression positive en fin d'expiration est lié à sa faculté d'augmenter la capacité résiduelle fonctionnelle et d'ouvrir les alvéoles affaissés. Une pression positive en fin d'expiration peut améliorer la ventilation et la perfusion dans les alvéoles qui s'affaissent lorsque la pression des voies respiratoires est faible, ce qui permet de faire baisser la FIO_2.

D'autres modes ventilatoires et différents traitements peuvent être utilisés lorsque l'insuffisance hypoxémique persiste malgré une pression positive en fin d'expiration élevée. Ceux-ci comprennent la ventilation mécanique en pression assistée, la ventilation par relâchement de la pression d'air, la ventilation mécanique en pression contrôlée, la ventilation en rapport inversé, la ventilation à haute fréquence et l'hypercapnie permissive (faible volume courant qui permet à la $PaCO_2$ d'augmenter lentement et de maintenir un pH normal et une faible pression des voies respiratoires). (Le chapitre 29 traite de la ventilation mécanique.) L'oxygénation par circulation extracorporelle (ECMO) et l'épuration extracorporelle de CO_2 ($ECCO_2R$) permettent de faire passer le sang dans une membrane où s'effectuent les échanges gazeux à l'extérieur de l'organisme, puis d'y retourner le sang oxygéné. L'épuration extracorporelle de CO_2 accompagnée d'une ventilation à pression positive à basse fréquence permet aux poumons de se cicatriser pendant qu'ils ne sont pas fonctionnels.

Décubitus ventral. La PaO_2 de certains clients atteints du syndrome de détresse respiratoire aiguë est grandement améliorée lorsqu'ils passent de la position de décubitus dorsal à la position de décubitus ventral (p. ex. PaO_2 de 70 mm Hg en décubitus dorsal et de 90 mm Hg en décubitus ventral), sans aucun changement dans la concentration d'oxygène inspiré. La réaction peut être suffisante pour permettre une réduction de la concentration d'oxygène inspiré ou de la pression positive en fin d'expiration.

Dans les phases initiales du syndrome de détresse respiratoire aiguë, le liquide œdémateux se déplace librement dans les poumons. En raison de la gravité, ce liquide s'introduit dans les zones déclives des poumons. Par conséquent, certaines alvéoles sont remplies de liquide (zones déclives), alors que d'autres sont remplies d'air (zones non déclives). De plus, lorsque le client est en décubitus dorsal, le cœur et le contenu médiastinal exercent une plus grande pression sur les poumons qu'en décubitus ventral, ce qui a pour effet de modifier la pression pleurale et de favoriser l'atélectasie. Lorsque le client passe d'une position de décubitus dorsal à une position de décubitus ventral, les alvéoles remplies d'air non atélectasiques se trouvant dans la partie dorsale (supérieure) des poumons deviennent déclives. La perfusion peut ainsi être mieux adaptée à la ventilation, puisqu'il y a moins de déséquilibres V̇/P. La PaO_2 n'augmentera pas chez tous les clients en décubitus ventral, et il n'existe aucun moyen de prédire qui obtiendra des résultats favorables. Le décubitus ventral est normalement réservé aux clients atteints d'hypoxémie réfractaire qui ne répondent pas aux autres stratégies visant à augmenter la PaO_2. Lorsque le client est en décubitus ventral, un plan doit être mis en œuvre pour le positionner rapidement dans l'éventualité où une réanimation cardiopulmonaire s'imposerait à la suite d'un arrêt cardiaque.

Traitement médical d'appoint

Maintien du débit cardiaque et de la perfusion tissulaire. Il est fréquent que le débit cardiaque diminue chez les clients recevant une ventilation à pression positive (VPP) et une pression positive en fin d'expiration. L'une des causes en est la diminution du retour veineux, attribuable à l'augmentation de la pression intrathoracique induite par la pression positive en fin d'expiration. Le débit cardiaque peut aussi diminuer en raison d'une baisse de la contractilité et de la précharge. Une surveillance hémodynamique continue est essentielle pour détecter ces changements et adapter le traitement. Un cathéter artériel est inséré pour permettre une surveillance continue de la pression artérielle et des prélèvements sanguins en vue de gazométries du sang artériel. Un cathéter artériel pulmonaire est normalement inséré pour permettre la surveillance de la pression artérielle pulmonaire et de la pression capillaire pulmonaire (qui indiquent la volémie du côté gauche du cœur) et le débit cardiaque. Si le débit cardiaque chute, il peut s'avérer nécessaire d'administrer des cristalloïdes ou des colloïdes ou d'abaisser la pression positive en fin d'expiration. L'utilisation de médicaments inotropes (médicaments dont l'action générale est d'augmenter la contractilité des fibres myocardiques) comme la dobutamine (Dobutrex) ou la dopamine (Intropin) peut aussi s'avérer nécessaire. (Le chapitre 29 traite de la surveillance hémodynamique.)

L'hémoglobine est normalement maintenue à des taux supérieurs à 90 à 100 g/L et la saturation en oxygène à au moins 90 % (lorsque la PaO_2 est supérieure à 60 mm Hg). Des culots globulaires peuvent être administrés dans le but d'augmenter la quantité d'hémoglobine disponible pour le transport de l'oxygène.

Maintien de l'équilibre hydrique. Le maintien de l'équilibre hydrique chez le client aux prises avec le syndrome de détresse respiratoire aiguë est précaire. Des fuites capillaires font augmenter la quantité de liquide dans les poumons et causent de l'œdème pulmonaire. Au même moment, le client peut éprouver un déficit de volume liquidien et, par conséquent, être prédisposé à de l'hypotension et présenter une diminution du débit cardiaque en raison de la ventilation mécanique et de la pression positive en fin d'expiration. Habituellement, la pression capillaire pulmonaire est maintenue au plus bas niveau possible sans nuire au débit cardiaque. Il existe une controverse quant aux avantages du remplacement liquidien à l'aide de cristalloïdes ou de colloïdes. Les détracteurs du remplacement par des colloïdes croient que les protéines du liquide colloïde peuvent s'introduire dans l'espace interstitiel pulmonaire, ce qui accélère le mouvement du liquide protéique dans les alvéoles. Les partisans du remplacement par des colloïdes croient plutôt que ceux-ci peuvent aider à empêcher le liquide de s'infiltrer dans les alvéoles. Il peut arriver que le client soit en restriction liquidienne et reçoive des diurétiques au besoin. L'infirmière doit alors surveiller la pression capillaire pulmonaire, le bilan des ingesta et excreta et le poids quotidiennement dans le but d'évaluer l'état hydrique du client.

Évaluation. Les résultats escomptés chez le client atteint du syndrome de détresse respiratoire aiguë sont semblables aux résultats à l'égard du client présentant une insuffisance respiratoire aiguë, qui sont présentés dans l'encadré 28.3.

28.2.6 Tendances et recherches : traitement du syndrome de détresse respiratoire aiguë

Les agents pharmacologiques pour traiter le syndrome de détresse respiratoire aiguë ont fait l'objet de recherches approfondies. Les anticorps monoclonaux sont étudiés pour leur capacité à fixer l'endotoxine et les interleukines, limitant ou prévenant ainsi les lésions induites par les médiateurs à l'endothélium alvéolocapillaire. La prostaglandine E_1 (PGE_1), un type de

vasodilatateur, fait l'objet d'une étude dans le but de l'utiliser pour diminuer la résistance vasculaire pulmonaire et la résistance vasculaire systémique. L'oxyde nitrique (NO) en inhalation est un autre vasodilatateur présentement étudié pour ses effets sur la diminution de la pression artérielle pulmonaire et l'amélioration de l'oxygénation.

Le surfactant (un complexe lipoprotéique produit par des cellules alvéolaires de type II), qui diminue la tension superficielle et maintient la compliance pulmonaire, est aussi utilisé pour le traitement du syndrome de détresse respiratoire aiguë. Le traitement de remplacement du surfactant est également efficace pour le syndrome de détresse respiratoire chez les nourrissons. L'utilisation d'une ventilation liquidienne partielle chez certains clients atteints du syndrome de détresse respiratoire aiguë et ventilés mécaniquement est à l'étude. Cette méthode consiste à instiller du fluorocarbure liquide dans les poumons. Ce liquide garde les alvéoles ouvertes et a une grande capacité pour transporter l'oxygène. Ces deux actions permettent d'améliorer le mouvement de l'oxygène à travers les alvéoles dans le sang pulmonaire.

Bien que l'utilisation de corticostéroïdes ne se soit pas montrée bénéfique dans la phase aiguë du syndrome de détresse respiratoire aiguë, ces médicaments sont parfois indiqués dans les phases chroniques du syndrome, lorsque le client ne répond pas au traitement conventionnel.

MOTS CLÉS

BIBLIOGRAPHIE
Version originale
1. Grippi MA: Respiratory failure: an overview. In Fishman AP and others, editors: *Fishman's pulmonary diseases and disorders*, ed 3, New York, 1998, McGraw-Hill.
2. Pierson DJ: Normal and abnormal oxygenation: physiology and clinical syndromes, *Respir Care* 38:587, 1993.
3. Misasi R, Keyes JL: Matching and mismatching ventilation and perfusion in the lung, *Crit Care Nurse* 16:23, 1996.
4. Panettieri RA, Murray RK: *Chronic obstructive pulmonary disease.* In Fishman AP, editor: *Pulmonary diseases and disorders: companion handbook*, ed 3, New York, 1998, McGraw-Hill.
5. Syabbalo N: Measurement and interpretation of arterial blood gases, *Br J Clin Pract* 51:173, 1997.
6. Callaghan SP and others: Minitracheostomy: an alternative to "blind" endotracheal suctioning, *DCCN* 13.38, 1994.
7. Clark HE, Wilcox PG: Noninvasive positive pressure ventilation in acute respiratory failure or chronic obstructive pulmonary disease, *Lung* 175:143, 1997.

8. Abou-Shala N, Meduri U: Noninvasive mechanical ventilation in patients with acute respiratory failure, *Crit Care Med* 24:705, 1996.
9. Freichels T: Palliative ventilatory support: use of noninvasive positive pressure ventilation in terminal respiratory insufficiency, *Am J Crit Care* 3:6, 1994.
10. Karpel JP and others: Emergency treatment of acute asthma with albuterol metered-dose inhaler plus holding chamber, *Chest* 112:348, 1997.
11. Zuege DJ, Whitelaw WA: Management of acute respiratory failure in chronic obstructive pulmonary disease, *Curr Opin Pulmonary Med* 3:190, 1997.
12. *American Lung Association fact sheet,* New York, *ARDS,* 1997, American Lung Association.
13. Volman K: Adult respiratory distress syndrome mediators on the run, *Crit Care Nurs Clin North Am* 6:2, 1994.
14. Luce JM: Acute lung injury and the acute respiratory distress syndrome, *Crit Care Med* 26:369, 1998.
15. Shanley TP, Warner RL, Ward PA: The role of cytokines and adhesion molecules in the development of inflammatory injury, *Molecular Medicine Today* 1:40, 1995.
16. Thelan LA and others: *Critical care nursing: diagnosis and management,* ed 3, St. Louis, 1998, Mosby.
17. Cawley MJ and others: Mechanical ventilation and pharmacologic strategies for acute respiratory distress syndrome, *Pharmacotherapy* 18:140, 1998.
18. Moore FA, Haenel JB: Ventilatory strategies for acute respiratory failure, *Am J Surg* 173:53, 1997.
19. Volman K: Prone positioning for the ARDS patient, *DCCN* 16:4, 1997.
20. Shapiro R, Broccard A: Patient positioning in respiratory disease, *Clinical Pulmonary Medicine* 4:45, 1997.
21. Lackmann B, Heulitt M: New therapies in respiratory failure, *Controversies in Critical Care* 3:2, 1997.
22. Kalweit S: Inhaled nitric oxide in the ICU, *Crit Care Nurse* 17:26, 1997.
23. Kalweit S: Inhaled nitric oxide in the ICU, *Crit Care Nurse* 17:26, 1998.
24. Baudouin SV: Surfactant medication for acute respiratory distress syndrome, *Thorax* 52(suppl 3):S9, 1997.
25. Dirkes S: Liquid ventilation: new frontiers in the treatment of ARDS, *Crit Care Nurse* 16:53, 1996.
26. Honig EG, Ingram RH: Acute respiratory distress syndrome. In Fauci and others, editors: *Harrison's principles of internal medicine,* ed 14, New York, 1998, McGraw-Hill.

Édition de langue française

1. PASSERINI, Louise. « M. Tanguay souffre-t-il du syndrome de détresse respiratoire de l'adulte ? », *Le Clinicien,* vol. 14, n° 8, août 1999, p. 102.
2. URDEN, L.D., Stacy, K.M. et Lough, M.E. *Thelan's Critical Care Nursing : diagnosis and management,* 1e éd., Philadelphie, Mosby, 2002, p. 557 et 604.

Suzanne Aucoin
M.A., M.A.P.
Université du Québec à Chicoutimi

Marie-Claude Bouchard
B. Sc. inf., M. Éd.
Cégep de Chicoutimi

Chapitre 29

SOINS INTENSIFS

OBJECTIFS D'APPRENTISSAGE

APRÈS AVOIR LU CE CHAPITRE, VOUS DEVRIEZ ÊTRE EN MESURE :

- DE DÉCRIRE L'UNITÉ DE SOINS INTENSIFS ;

- DE DÉCRIRE LES TÂCHES DE L'INFIRMIÈRE EN SOINS INTENSIFS ;

- DE DÉTERMINER LES PROBLÈMES ET LES BESOINS COURANTS DES CLIENTS ADMIS À L'UNITÉ DE SOINS INTENSIFS ET LES SOINS INFIRMIERS CONNEXES ;

- DE DÉTERMINER LES PROBLÈMES ET LES BESOINS COURANTS DES MEMBRES DE LA FAMILLE ET DES PROCHES DU CLIENT ADMIS À L'UNITÉ DE SOINS INTENSIFS ET LES SOINS INFIRMIERS CONNEXES ;

- DE DÉCRIRE LES MÉTHODES DE SURVEILLANCE HÉMODYNAMIQUE ET LES SOINS INFIRMIERS CONNEXES ;

- DE DÉCRIRE LES TYPES DE DISPOSITIFS D'ASSISTANCE VENTRICULAIRE, LES INDICATIONS RELATIVES À CES DISPOSITIFS, LES COMPLICATIONS POSSIBLES ET LES SOINS INFIRMIERS QUI Y SONT RATTACHÉS ;

- DE DÉCRIRE LE BUT, LES INDICATIONS ET LA FONCTION DE LA CONTREPULSION PAR BALLON INTRA-AORTIQUE ET LES SOINS INFIRMIERS CONNEXES ;

- DE DÉCRIRE LES MODALITÉS D'INTUBATION ENDOTRACHÉALE ET LEURS COMPLICATIONS POSSIBLES ;

- DE DISCUTER DES SOINS INFIRMIERS À DONNER AU CLIENT AYANT BESOIN D'UNE INTUBATION ENDOTRACHÉALE ;

- DE DÉCRIRE LES INDICATIONS RELATIVES À LA VENTILATION MÉCANIQUE, LES MODES DE VENTILATION MÉCANIQUE ET LES SOINS INFIRMIERS CONNEXES ;

- DE DÉCRIRE LES PRINCIPES ET LES ÉLÉMENTS DE SURVEILLANCE DE LA PRESSION INTRACRÂNIENNE ;

- D'ÉTABLIR DES STRATÉGIES POUR TRAITER LES CLIENTS SUBISSANT UNE AUGMENTATION DE LA PRESSION INTRACRÂNIENNE.

29.1 INFIRMIÈRE EN SOINS INTENSIFS

29.1.1 Unités de soins intensifs

Les unités de soins intensifs sont conçues pour répondre aux besoins particuliers des malades en phase aiguë ou critique. L'idée de regrouper les clients les plus gravement malades n'est pas nouvelle et, déjà, Florence Nightingale avait recommandé cette idée. Au cours des pandémies de poliomyélite et de tuberculose du milieu du XXᵉ siècle, des services spéciaux ont été mis sur pied, équipés de matériel technique pour dégager les voies respiratoires et ventiler le client et dotés de prestateurs de soins spécialisés. Pendant la Seconde Guerre mondiale et la guerre du Vietnam, des unités de traumatologie ont vu le jour pour soigner les soldats blessés au combat.

Dans les années 1960, les progrès technologiques ont permis d'assurer une surveillance plus étroite grâce à l'électrocardiogramme (ECG), aux techniques de monitorage des pressions veineuses centrale et artérielle et à la gazométrie du sang artériel (GSA). Des unités coronariennes ont été mises sur pied pour les clients ayant subi un infarctus aigu du myocarde afin de pouvoir surveiller de façon continue tout signe d'arythmie cardiaque et toute modification de leur état général. Les infirmières devaient suivre des protocoles pour traiter les arythmies de façon énergique. Au début des années 1970, la plupart des hôpitaux généraux étaient dotés d'une unité de soins intensifs (USI). Depuis lors, les progrès techniques se sont poursuivis à un rythme rapide, ce qui a permis d'améliorer les capacités de surveillance et d'élaborer de nouvelles stratégies pour traiter les problèmes graves de santé.

Les expressions **infirmière en soins intensifs** et **infirmière en soins critiques** sont souvent utilisées de façon interchangeable. *L'exercice infirmier en soins critiques*, document publié en 1996 par l'Ordre des infirmières et infirmiers du Québec, est conçu pour soutenir les infirmières qui exercent en soins critiques et favoriser leur épanouissement personnel. L'acquisition de nombreuses connaissances scientifiques, un jugement clinique aiguisé, des habiletés techniques spécifiques et l'application de règles et procédures particulières sont nécessaires afin d'assurer la sécurité du client dont l'état de santé est précaire. Les interventions infirmières portent sur la sauvegarde et le maintien ou l'amélioration des fonctions vitales, de même que sur les soins liés au diagnostic, au traitement, à la prévention des complications, ainsi qu'à l'adaptation et à la réadaptation fonctionnelle précoce (OIIQ, 1996). La technologie et le matériel disponibles dans l'unité des soins intensifs sont en constante évolution, ce qui nécessite pour le personnel infirmier la mise à jour continue des connaissances.

La participation à des activités de formation, la lecture d'ouvrages scientifiques, ainsi que les échanges avec d'autres intervenants permettent à l'infirmière d'améliorer sa pratique. Plusieurs appareils disponibles à l'USI permettent de compléter l'évaluation du client et de dépister les situations d'urgence par des lectures (ou enregistrements) continues de l'ECG, de la pression artérielle, du débit cardiaque, de la pression intracrânienne et de la température. Certains appareils sont utilisés pour assurer la ventilation et l'oxygénation du client, alors que d'autres, encore plus perfectionnés, permettent de mesurer ou de calculer le volume d'éjection, la fraction d'éjection, la PCO_2 en fin d'expiration et la consommation d'oxygène. Les clients peuvent être reliés de façon continue à un appareil de ventilation mécanique, à un dispositif d'assistance ventriculaire ou, de façon intermittente, à un appareil à dialyse. La figure 29.1 montre une unité de soins intensifs typique. Le tableau 29.1 présente quelques abréviations courantes utilisées dans les unités de soins intensifs.

29.1.2 Infirmière en soins intensifs

L'infirmière en soins intensifs s'occupe de clients qui souffrent de troubles physiologiques aigus et instables dans un environnement doté de matériel perfectionné en vue d'évaluer et de traiter ces troubles. L'infirmière en soins intensifs doit connaître la physiologie, la physiopathologie et la pharmacologie et être capable d'utiliser la technologie de pointe pour mesurer avec précision les paramètres physiologiques. Elle doit fournir une évaluation continue, de même que dépister et traiter rapidement les complications, tout en favorisant la guérison et le rétablissement. Une évaluation judicieuse effectuée par une infirmière avisée peut prévenir les complications. L'infirmière doit également être en mesure de fournir un soutien psychologique au client, à sa famille et aux proches, car ces derniers sont directement impliqués dans la situation. Pour être efficace, l'infirmière en soins intensifs doit être en mesure de communiquer efficacement et de travailler en équipe.

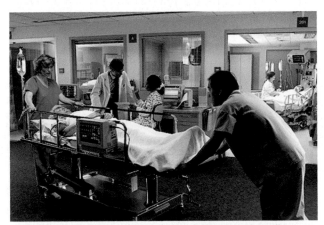

FIGURE 29.1 Unité de soins intensifs (USI) conventionnelle

TABLEAU 29.1	Abréviations courantes utilisées dans l'unité de soins intensifs
Abréviation	**Terme**
AP	Artère pulmonaire
BIA	Appareil de contrepulsion par ballon intra-aortique
DAV	Dispositif d'assistance ventriculaire
DC	Débit cardiaque
FIO$_2$	Fraction inspirée d'oxygène
IC	Index cardiaque
PA	Pression artérielle
PAM	Pression artérielle moyenne
PAS, PAD	Pression artérielle systolique, pression artérielle diastolique
PCP	Pression capillaire pulmonaire
PCPB	Pression capillaire pulmonaire bloquée (*wedge*)
PVC	Pression veineuse centrale
RVP	Résistance vasculaire pulmonaire
RVS	Résistance vasculaire systémique
SpO$_2$	Pourcentage d'oxygène présent dans l'hémoglobine mesuré par l'oxymétrie pulsée
SvO$_2$	Pourcentage d'oxygène présent dans le sang veineux
VE	Volume d'éjection

La pratique infirmière en soins intensifs suit souvent un modèle de soins de première ligne dans lequel le client est pris en charge par un groupe restreint d'infirmières qui connaissent très bien l'état du client, ainsi que ses besoins et ceux de sa famille. L'infirmière en soins intensifs passe la plus grande partie de ses heures de travail au chevet du client. La pratique infirmière en soins intensifs peut être gratifiante et satisfaisante, mais génère également beaucoup de stress. Les principaux facteurs de stress de l'infirmière en soins intensifs, leurs conséquences et les interventions proposées sont énumérés au tableau 29.2.

Ce champ d'études requiert habituellement une orientation structurée incluant une formation théorique spécifique et une formation pratique supervisée par un mentor. Au Québec, les universités offrant le baccalauréat en sciences infirmières donnent généralement des cours en soins critiques dans leur programme de formation.

29.1.3 Client aux soins intensifs

Un client est généralement admis à l'USI pour l'une des trois raisons suivantes : son état est physiologiquement instable et requiert un jugement clinique avisé et complexe de la part de l'infirmière et du médecin ; il est exposé à des complications graves et requiert des examens physiques fréquents qui sont souvent effractifs (invasifs) ; il a besoin de soins infirmiers intensifs et complexes, tels que le recours à un appareillage de soutien vital et à un équipement de surveillance effractive, comme les dispositifs d'assistance ventriculaire, la ventilation mécanique, la dialyse rénale et la surveillance hémodynamique. Il existe des systèmes de pointage qui visent à cerner l'évolution naturelle de la maladie à l'USI à partir de variables telles que les maladies initiales, l'âge, le sexe et divers autres paramètres qui influent sur les chances de survie du client (Guimond, dans Roy, Ropin et Morissette, 1994).

Les clients à l'USI peuvent être regroupés par état pathologique (p. ex. neurologie) ou par groupe d'âge (p. ex. pédiatrie). Ces clients sont parfois regroupés par acuité (p. ex. aigu et instable par opposition à dépendant de la technologie mais stable). Le client qui a subi une ischémie myocardique, un infarctus du myocarde ou une détresse respiratoire est généralement admis à l'USI, tout comme le client souffrant d'une atteinte neurologique aiguë, le client en phase postopératoire d'une chirurgie cardiaque ou d'une greffe d'organe. L'unité de soins intensifs de traumatologie reçoit les clients traumatisés en phase critique. Le client aux prises avec une urgence médicale (p. ex. une septicémie, une acidocétose diabétique, une surdose, une intoxication, une crise thyréotoxique, hématologique ou addisonienne) est souvent admis dans une USI médicale. Le client chez qui on n'envisage pas de rétablissement n'est généralement pas admis à l'USI, car ce service ne sert pas à soigner le client qui est dans un coma persistant, ni à prolonger le processus naturel de la mort.

Malgré les soins attentifs qui sont donnés aux clients, la mort est fréquente aux soins intensifs. Une étude britannique menée auprès d'adultes admis aux soins intensifs (à l'exception des clients ayant subi des brûlures ou une chirurgie cardiaque) a montré que 32,5 % étaient décédés à l'hôpital. Un taux de mortalité semblable a été signalé au Canada. Les personnes décédées étaient plus âgées et avaient séjourné plus longtemps à l'USI. Cependant, même les clients qui présentaient un risque relativement faible, tels que ceux qui sont atteints d'asthme et de surdose, avaient un

TABLEAU 29.2	Agents stressants, conséquences et interventions pour l'infirmière en soins critiques	
Agents stressants	**Conséquences**	**Interventions**
Physiques Rotation des quarts de travail Efforts physiques (p. ex. lever les clients et les appareils) Longues heures de travail (p. ex. quarts de travail de 12 heures) Pauses ou repas manqués	Anorexie Perte ou gain pondéral Troubles du sommeil	Favoriser le maintien de la santé (p. ex. bonnes habitudes en matière d'alimentation et de sommeil) Faire de l'exercice
Psychologiques Nécessité de penser et d'agir rapidement Ambiance stressante Clients atteints d'états chroniques ou en séjour prolongé Décès ou agonie Dilemmes éthiques Nécessité constante de se familiariser avec les nouvelles technologies Manque de valorisation Manque de maîtrise sur l'environnement professionnel Transfert aux autres unités Conciliation travail-vie personnelle Travail la fin de semaine et les jours fériés Conflits avec les médecins et les administrateurs Manque d'expérience des résidents	Anxiété Apathie Dépression Incapacité à affronter les situations : isolement Sentiment d'impuissance Abus de drogues ou dépendance Absentéisme Syndrome d'épuisement professionnel	Pratiquer des techniques de relaxation S'éloigner de l'unité pendant les pauses Prendre un congé, des vacances S'encourager en s'appuyant sur les commentaires positifs Développer des intérêts hors du travail Participer à des activités de formation continue S'inscrire à un atelier sur l'affirmation de soi Suivre des cours sur la gestion du temps Développer des habiletés en résolution de problèmes Établir des buts réalistes
Environnementaux Lumière permanente et bruit perpétuel Environnement encombré Risques professionnels (p. ex. exposition aux produits chimiques, aux radiations, aux agents infectieux) Bruits, odeurs, scènes désagréables		Maintenir l'environnement de travail dans un état ordonné Supprimer ou réduire le bruit Appliquer des mesures de précaution/protection (p. ex. précautions universelles, écran protecteur contre les radiations)

*Tiré de SOLE, M.L., LAMBORN, M.L. et HARTSHORN, J.C. *Introduction to critical care nursing*, 3e éd., Philadelphie, Saunders, 2001, p. 19.

taux de mortalité élevé (supérieur à 10 %). Bien souvent, le décès survenait après le transfert de l'USI vers le service de soins généraux. Ces données semblent indiquer qu'il est indispensable de faire preuve de prudence et de coordonner les soins lors du transfert des clients provenant de l'USI.

On a récemment mis sur pied des unités de soins intermédiaires dans les hôpitaux à titre de transition entre l'USI et l'unité de soins généraux. Règle générale, les clients de l'unité de soins intermédiaires sont exposés à des complications graves, mais leur risque est plus faible que celui des clients de l'USI. Il est possible que ces clients nécessitent une surveillance cardiaque par télémétrie ou un sevrage lent de la ventilation mécanique. Les unités de soins intermédiaires offrent la possibilité de réduire les coûts liés aux soins de santé et de procurer un milieu de soins plus calme.

Problèmes courants des clients aux soins intensifs.
Le client admis à l'USI est exposé à des complications et à des problèmes particuliers. Les dispositifs effractifs comportent un risque d'infection, notamment chez le client immunosupprimé, et peuvent provoquer un sepsis ou un syndrome de défaillance multiviscérale (voir chapitre 27). Les autres problèmes particuliers éprouvés par les clients aux soins intensifs comprennent l'anxiété, la dépendance, l'altération de la communication verbale, l'altération de la perception sensorielle et la perturbation du sommeil.

Anxiété. Les clients trouvent généralement l'USI angoissante. Bien souvent, ces clients sont exposés à la mort et en ont peur. De nombreux clients et leur famille se sentent d'ailleurs mal à l'aise dans ce milieu où les bruits et l'éclairage sont forts et le rythme d'activité, intense. La douleur et l'insomnie augmentent l'anxiété, tout comme l'immobilisation, le sentiment de perte de maîtrise de la situation et l'altération de la communication. L'USI provoque un stress aigu chez certains clients, alors que d'autres subissent un syndrome de stress post-traumatique (SSPT), caractérisé par des souvenirs dérangeants, de l'irritabilité et des difficultés de concentration.

Une étude a révélé que 25 % des clients soignés à l'USI pour un syndrome de détresse respiratoire aiguë avaient subi un syndrome de stress post-traumatique, et ce, même s'ils n'arrivaient pas à se rappeler les détails de ce qu'ils avaient vécu à l'USI.

L'infirmière peut aider le client et sa famille à faire part de leurs sentiments d'anxiété en les encourageant à exprimer leurs inquiétudes, à poser des questions et à formuler leurs besoins. Elle doit leur expliquer l'utilité du matériel en place et les interventions effectuées. Elle peut être en mesure d'aménager le milieu du client de façon à réduire son anxiété en incitant les membres de la famille à apporter des photos et des objets personnels par exemple. Des horaires de visite souples peuvent réduire l'anxiété du client. L'utilisation judicieuse de sédatifs peut atténuer certains états aigus ou chroniques liés au stress.

Dépendance. Il arrive souvent que les clients aux soins intensifs ne soient pas en mesure d'accomplir les activités d'autosoins, telles que manger, se laver et se brosser les dents. Il est possible que le client ne soit pas en mesure de maîtriser certaines fonctions physiologiques, telles que l'élimination et la respiration, ou qu'il soit alité et relié à des appareils de survie ou de surveillance. Il se sent souvent impuissant face à cette dépendance. Bien que la priorité soit axée sur la sécurité du client, l'infirmière doit respecter son autonomie dans la mesure du possible et peut montrer aux membres de la famille comment aider le client dans ses activités de tous les jours.

Altération de la communication verbale. L'incapacité de communiquer peut être un problème angoissant pour le client qui est incapable de parler à cause de l'administration d'agents bloqueurs neuromusculaires ou de la présence d'un tube endotrachéal. Il est donc important que l'infirmière explique toute intervention prodiguée de même que les résultats qui en découlent. Lorsque le client ne peut pas parler, l'infirmière doit envisager d'autres modes de communication comme un tableau de communication par images, un bloc-notes ou une ardoise magique. La communication non verbale est importante et, lorsque l'infirmière s'adresse au client, elle doit le regarder directement et faire des gestes avec les mains au besoin.

L'USI se caractérise par un grand nombre de contacts physiques liés à des interventions thérapeutiques comparativement à un nombre plutôt restreint de contacts empreints de tendresse et d'affection. L'infirmière doit être consciente que les clients ont différents degrés de tolérance au toucher, qui peuvent être liés au contexte culturel ou aux antécédents personnels. Il peut donc s'avérer utile de toucher le client pour le réconforter lors de l'évaluation continue de sa réaction au traite-

ment. L'infirmière aux soins intensifs encourage généralement la famille et les proches à toucher le client et à lui parler.

Altération de la perception sensorielle. Les changements transitoires de la perception sensorielle sont courants chez les clients aux soins intensifs. Environ 50 % de ces clients éprouvent une désorientation et une perturbation de l'état cognitif. La combinaison de changements dans l'état de conscience (p. ex. hallucinations, idées délirantes) et le comportement (p. ex. crier et frapper) a été étiquetée à tort comme psychose des soins intensifs. Le client n'est pas psychotique, mais souffre de délire et peut manifester de la confusion, de l'irritabilité et un comportement inadéquat. Parmi les facteurs qui prédisposent le client à des altérations de la perception sensorielle, on note le manque de sommeil, l'anxiété, l'hyperstimulation sensorielle et la prise de nombreux médicaments. Les affections physiques, telles que l'hypoxie et les déséquilibres électrolytiques, peuvent produire des symptômes semblables, y compris de la confusion et de l'irritabilité. De plus, les déséquilibres en potassium, en calcium et en magnésium sont courants chez le client en phase critique et chacun de ces déséquilibres peut entraîner une altération de la fonction cognitive.

La tâche de l'infirmière en soins intensifs consiste à déceler les facteurs de risque, qu'ils soient physiologiques, psychologiques ou environnementaux, et à tenter d'améliorer l'état de conscience du client et sa collaboration au traitement. Les stratégies utiles consistent à corriger les problèmes liés à l'oxygénation, à la perfusion et aux électrolytes. Même s'il est possible de soulager les symptômes à l'aide de médicaments comme des sédatifs, des hypnotiques ou des psychotropes (p. ex. halopéridol [Haldol]), ceux-ci peuvent réduire la capacité du client d'interagir avec les membres de sa famille et contribuent à les priver du temps précieux mis à leur disposition pour discuter de questions intimes et importantes.

La surcharge sensorielle peut également provoquer de la détresse et de l'anxiété chez le client. Les bruits sont particulièrement forts à l'USI. L'explication de la cause d'un bruit important peut rassurer le client (p. ex. alarme de moniteur ou de pompe à perfusion, etc.). Il incombe à l'infirmière de réduire les bruits. Elle peut le faire en diminuant le volume de la sonnerie des téléphones, en réglant les alarmes en fonction de l'état du client et en éliminant les alarmes inutiles. Par exemple, l'infirmière doit interrompre les alarmes de pression sanguine lorsqu'elle manipule les tubulures de perfusion, puis les réactiver à la fin des interventions. Elle doit aussi suspendre de façon transitoire l'alarme du ventilateur pendant l'aspiration endotrachéale. La radiomessagerie doit être restreinte dans les aires de soins aux malades. L'utilisation d'un baladeur peut être permise si cela réconforte le client, et la présence d'une horloge et d'un calendrier peut aider le client à garder le sens de l'orientation. La conversation est un bruit particulièrement stressant, en particulier lorsque la discussion concerne le client et est menée en sa présence, mais sans sa participation. L'infirmière peut éliminer cette source de stress en trouvant un endroit plus propice pour discuter du cas du client ou en l'incluant dans la discussion.

Perturbation du sommeil. Pratiquement tous les clients hospitalisés aux soins intensifs éprouvent de graves troubles de sommeil. Les clients peuvent avoir de la difficulté à s'endormir ou avoir un sommeil perturbé en raison des activités de surveillance ou des interventions thérapeutiques fréquentes. Les médicaments tels que les sédatifs ou les hypnotiques peuvent perturber les cycles du sommeil en réduisant le sommeil profond et le sommeil paradoxal. La perturbation du sommeil est un facteur de stress important aux soins intensifs qui peut contribuer à une altération de la fonction cognitive et à une prolongation du rétablissement. L'infirmière doit donc, dans la mesure du possible, planifier ses interventions en respectant le sommeil du client. Les stratégies consistent, entre autres, à regrouper les activités, à prévoir des périodes de repos, à évaluer les paramètres fondamentaux sans changer le client de position, à limiter le bruit et à favoriser le confort et la détente.

29.1.4 Problèmes reliés aux membres de la famille

Lorsqu'une personne devient gravement malade, les êtres chers et la famille ne doivent pas être oubliés. Les membres de la famille jouent un rôle précieux dans le rétablissement et doivent être considérés comme des membres de l'équipe soignante. La famille peut contribuer au bien-être du client :

- en lui fournissant un lien avec sa vie personnelle (p. ex. en lui donnant des nouvelles de la famille, des amis et du travail), à laquelle l'infirmière n'a pas accès ;
- en lui prodiguant des conseils en ce qui a trait aux décisions touchant les soins de santé, parce qu'ils connaissent le client mieux que le personnel infirmier ;
- en aidant aux activités de la vie quotidienne (p. ex. le bain et l'aspiration buccale) ;
- en fournissant une présence positive et aimante.

Afin de s'occuper efficacement de l'être cher, les membres de la famille ont besoin de conseils et de l'aide de l'infirmière. Le fait d'avoir un ami ou un membre de la famille aux soins intensifs est difficile sur les plans physique et affectif. Les membres de la famille sont habituellement anxieux lorsqu'ils ne possèdent pas suffisamment de renseignements au sujet de l'état de santé et du pronostic du client gravement malade. Ils s'inquiètent de la douleur et de tout autre malaise qu'il ressent et peuvent remettre en question la qualité des soins qu'il reçoit. En outre, il est fréquent que la famille éprouve de l'anxiété face aux questions financières liées à la planification et à la prestation des soins aux stades suivants de la maladie. Certains membres de la famille doivent habituellement interrompre leurs occupations journalières pour soutenir le client et peuvent être éloignés de leur domicile, de leurs activités quotidiennes, ainsi que d'amis et de membres de la famille qui les encouragent. De plus, ils sont souvent appelés à prendre des décisions critiques pendant cette période difficile.

L'infirmière doit évaluer la compréhension qu'a la famille de l'état du client, du plan de traitement et du pronostic et lui fournir au besoin les renseignements nécessaires selon les limites de son champ d'exercice. Il est important que l'infirmière prépare les membres de la famille lorsqu'ils visitent le client pour la première fois, en décrivant brièvement son apparence, son état, ses traitements, ainsi que les différents appareils de surveillance et de traitement présents (sons, bruits, odeurs). Lors de cette première visite, il est préférable qu'elle accompagne les membres de la famille au chevet du client afin d'observer aussi bien les réactions du client que celles de la famille et les encourager, dans la mesure du possible, à participer aux soins. Il peut arriver que les membres de la famille cessent d'avoir un effet thérapeutique et fatiguent le client, qui n'ose pas leur demander de se retirer. Il peut également arriver qu'un membre de la famille néglige ses besoins parce qu'il se sent obligé de demeurer auprès du client. L'infirmière doit veiller à ce que les besoins du client soient satisfaits et intervenir auprès de la famille, au besoin. Les membres de la famille qui sont épuisés, privés de sommeil, anxieux ou craintifs ne sont pas en mesure d'aider le client. Au lieu d'établir une politique rigide pour les visites, l'infirmière doit l'adapter aux besoins du client et à ceux de sa famille.

L'infirmière doit évaluer la pertinence de faire participer les membres de la famille aux rencontres multidisciplinaires. Cela leur permet d'accepter les problèmes et d'y faire face, s'ils constatent que le personnel soignant est aimant et compétent, que les décisions ont été délibérées et qu'ils ont eux-mêmes l'occasion d'aider à établir la prise en charge des soins. La famille, en plus d'être renseignée au sujet des soins prodigués au client, doit avoir l'occasion de participer aux prises de décisions et être invitée à rencontrer les membres de l'équipe soignante, y compris les médecins, la diététiste, l'inhalothérapeute, la travailleuse sociale ou la physiothérapeute.

En travaillant avec les membres de la famille, l'infirmière en soins intensifs doit évaluer leur réaction au stress. Elle doit reconnaître et accepter leurs sentiments et soutenir leurs décisions. Les autres professionnels de l'établissement, tel que l'aumônier, la travailleuse sociale et le psychologue, peuvent aider la famille et le client à s'adapter. La mesure dans laquelle la famille est impliquée et appuyée aura, à son tour, une influence sur l'évolution clinique du client aux soins intensifs.

29.2 SURVEILLANCE HÉMODYNAMIQUE

La surveillance hémodynamique désigne la mesure de la pression sanguine, du débit sanguin et de l'oxygénation du sang dans l'appareil cardiovasculaire. Des mesures effractives (invasives) (au moyen de dispositifs internes) et non effractives (non invasives) (au moyen de dispositifs externes) sont appliquées aux soins intensifs. Les valeurs couramment mesurées sont, entre autres, les pressions artérielles systémique et pulmonaire, la pression veineuse centrale (PVC), la pression capillaire pulmonaire (PCP), le débit cardiaque (DC), la saturation artérielle en oxygène (SaO_2) et la saturation du sang veineux en oxygène (SvO_2). À partir de ces mesures, l'infirmière est habilitée à évaluer les résistances vasculaires systémiques et pulmonaires, la teneur du sang en oxygène, la quantité d'oxygène à administrer et la consommation d'oxygène. Lorsque ces données sont intégrées aux données d'évaluation clinique, l'infirmière peut avoir un meilleur aperçu du profil hémodynamique du client et de l'effet du traitement. Il est important de prendre ces paramètres en portant une attention particulière aux aspects techniques, car des données fausses ou inexactes orientent vers un mauvais plan de traitement pouvant avoir des conséquences néfastes pour le client.

29.2.1 Terminologie hémodynamique

Débit cardiaque. Le **débit cardiaque** (DC) est le volume de sang pompé par le cœur en une minute. Bien qu'il puisse survenir des changements mineurs entre les battements, les ventricules gauche et droit pompent habituellement le même volume. Le volume éjecté par le ventricule lors d'une contraction est le volume systolique, couramment appelé le **volume d'éjection**. Le volume d'éjection multiplié par la fréquence cardiaque correspond au débit cardiaque. La pression artérielle (PA), qui est caractérisée par la force exercée par le sang contre la paroi des artères, est déterminée par le débit car-

diaque et les forces qui s'opposent au débit sanguin. La résistance qu'oppose la totalité du lit vasculaire périphérique au flot sanguin s'appelle **résistance vasculaire systémique (RVS)** et celle du lit vasculaire pulmonaire, **résistance vasculaire pulmonaire (RVP)** (Hendy, Proulx et Roy, 1992). Le volume d'éjection (et, par conséquent, le débit cardiaque et la pression artérielle) est déterminé par la précharge, la postcharge et la contractilité (voir chapitres 20 et 21). La compréhension de ces concepts et de ces rapports est essentielle pour l'infirmière en soins intensifs. Elle doit également comprendre les effets de la manipulation de chacune de ces variables. Le tableau 29.3 présente les valeurs normales des variables hémodynamiques.

Précharge. La **précharge** est le degré d'étirement des fibres myocardiques qui existe en fin de diastole. Elle dépend du volume ou de la pression dans le ventricule en fin de diastole, juste avant le début de la contraction. Malheureusement, les volumes de la cavité sont difficiles à obtenir et on doit souvent en estimer la valeur en se servant de diverses pressions. La précharge ventriculaire gauche s'appelle **pression télédiastolique**. La pression capillaire pulmonaire reflète la pression ventriculaire gauche en fin de diastole dans des conditions normales (c.-à-d. lorsqu'il n'y a aucune atteinte de la valve mitrale, ni d'anomalie intracardiaque, ni d'arythmie). La pression veineuse centrale, mesurée dans l'oreillette droite ou dans la veine cave, est la précharge ventriculaire droite ou la pression en fin de diastole du ventricule droit lorsqu'il n'y a aucune atteinte de la valve tricuspide.

Les effets de la précharge sont basés sur la longueur de la fibre musculaire. Plus le muscle cardiaque est étiré en fin de diastole, plus la contraction suivante est forte, moyennant toutefois certaines limites. À mesure que la précharge s'élève, la force générée dans la contraction suivante s'accroît, ce qui fait augmenter le volume d'éjection et le débit cardiaque. Plus la précharge est forte, plus le myocarde (muscle cardiaque) est étiré et plus il a besoin d'oxygène. Par conséquent, l'augmentation du débit cardiaque consécutive à l'accroissement de la précharge requiert un apport accru d'oxygène vers le myocarde. Il faut se rappeler que le changement dans le volume d'éjection associé à l'augmentation de la précharge est causé par l'étirement supplémentaire des fibres du muscle cardiaque. Cependant, la mesure clinique ne reflète pas une mesure directe de la longueur du muscle, mais plutôt la pression au moment de l'étirement maximal (en fin de diastole). La pression traduit indirectement le degré d'étirement et le volume. Ce paramètre est également important puisqu'il indique la pression dans les vaisseaux sanguins du poumon ou dans le sang qui retourne au cœur. La précharge peut être augmentée par l'administration de liquide ou diminuée par l'augmentation de la diurèse.

TABLEAU 29.3	Paramètres hémodynamiques au repos	
Indicateurs		**Écart normal**
Précharge		
Pression de l'oreillette droite (POD) ou pression veineuse centrale (PVC)		2 à 8 mm Hg
Pression capillaire pulmonaire bloquée (PCPB) ou pression de l'oreillette gauche (POG)		6 à 12 mm Hg
Pression artérielle pulmonaire diastolique (PAPD)		5 à 12 mm Hg
Postcharge		
Résistance vasculaire pulmonaire (RVP) = (pression artérielle pulmonaire moyenne) [PAPM] - pression capillaire pulmonaire moyenne [PCPM]) $\times$ 80/débit cardiaque		100-250 dyn/s/cm^{-5}
Résistance vasculaire pulmonaire indexée (RVPI) = résistance vasculaire pulmonaire (RVP) $\times$ surface corporelle		225-315 dyn/s/cm^{-5}
Résistance vasculaire systémique (RVS) = (pression artérielle moyenne - pression veineuse centrale) $\times$ 80/débit cardiaque		800-1200 dyn/s/cm^{-5}
Résistance vasculaire systémique indexée (RVSI) = (résistance vasculaire systémique) $\times$ surface corporelle		1970-2390 dyn/s/cm^{-5}/m^2
Pression artérielle moyenne (PAM) = pression artérielle diastolique + 1/3 de la pression différentielle*		70 à 105 mm Hg
Pression artérielle pulmonaire moyenne (PAPM) = pression diastolique pulmonaire + 1/3 de la pression différentielle pulmonaire*		10 à 20 mm Hg
Autre		
Volume d'éjection (VE) = (débit cardiaque $\times$ 1000)/fréquence cardiaque		60 à 150 ml/battement
Indice du volume d'éjection = (index cardiaque $\times$ 1000)/fréquence cardiaque		30 à 65 ml/battement/m^2
Fréquence cardiaque		60 à 100 bpm
Débit cardiaque = volume d'éjection $\times$ fréquence cardiaque		4 à 8 L/min
Index cardiaque = débit cardiaque/surface corporelle		2,2 à 4,0 L/min/m^2
Saturation de l'hémoglobine en oxygène (SaO$_2$)		92 à 99 %
Saturation du sang veineux en oxygène (SvO$_2$)		60 à 80 %

*Cette formule est une approximation puisqu'elle ne tient pas compte de la fréquence cardiaque. Le moniteur examine la région située sous la courbe, ainsi que la fréquence cardiaque pour calculer la PAM et la PAPM.

Postcharge. La **postcharge** désigne les forces qui s'opposent à l'éjection ventriculaire. Ces forces sont, entre autres, la pression artérielle systémique, la résistance offerte par la valve aortique, ainsi que la masse et la densité du sang à déplacer. Sur le plan clinique, la résistance vasculaire systémique et la pression artérielle constituent des indices de postcharge ventriculaire gauche même si les mesures ne comprennent pas toutes les composantes de la postcharge. Dans le même ordre d'idées, la résistance vasculaire pulmonaire et la pression artérielle pulmonaire sont des indices de postcharge ventriculaire droite. Une augmentation de la postcharge entraîne une diminution du débit cardiaque, alors qu'une réduction de la postcharge (c.-à-d. une réduction des forces qui s'opposent à l'écoulement du sang) peut accroître le débit cardiaque. Lorsque la postcharge est réduite, les besoins du myocarde en oxygène diminuent et le débit cardiaque augmente. Des traitements visant à réduire la postcharge sont utilisés dans les cas d'insuffisance cardiaque (voir chapitre 23).

Contractilité. La contractilité est la capacité intrinsèque de raccourcissement et de contraction de la fibre myocardique au moment de la systole (Hendy, Proulx et Roy, 1992). L'épinéphrine (Adrenalin), la norépinéphrine (Levophed), l'isoprotérénol (Isuprel), la dopamine (Intropin), la dobutamine (Dobutrex), la digoxine (Lanoxin), le calcium et la milrinone (Primacor) augmentent la contractilité. Ces agents sont qualifiés d'**inotropes positifs**, c'est-à-dire que leur effet augmente la force de contraction du myocarde et est souvent associé à une hausse du volume d'éjection (Hendy, Proulx et Roy, 1992). Les **inotropes négatifs**, tels que l'acidose et certains médicaments (p. ex. les barbituriques, l'alcool, la procaïnamide [Pronestyl], les inhibiteurs calciques : diltiazem [Cardizem], vérapamil [Isoptin] et les bêta-bloquants), réduisent la contractilité. L'augmentation de la contractilité est attribuable à une hausse du volume d'éjection et des besoins du myocarde en oxygène. Il n'existe pas d'interventions cliniques directes pour mesurer la contractilité du cœur. Afin de la déterminer indirectement, l'infirmière en soins intensifs mesure la précharge (PVC), calcule le débit cardiaque du client et imprime les résultats sous forme de graphiques. La contractilité est altérée lorsque la précharge, la fréquence cardiaque et la postcharge demeurent constantes, mais que le débit cardiaque change. Lorsque le cœur est défaillant, la contractilité est réduite.

Résistance vasculaire. La résistance vasculaire systémique (RVS) est la résistance qu'oppose la totalité du lit vasculaire périphérique au débit sanguin. La résistance vasculaire pulmonaire (RVP) est la résistance qu'oppose le lit vasculaire pulmonaire au flot sanguin. Le tableau 29.3 indique la façon de calculer la résistance vasculaire systémique et la résistance vasculaire pulmonaire.

29.2.2 Principes de monitorage effractif (invasif) de la pression

On utilise régulièrement les cathéters artériels (périphérique et pulmonaire) à l'USI pour mesurer les pressions artérielles systémique et pulmonaire. La figure 29.2 illustre les composantes typiques d'un système de monitorage effractif (invasif) de la pression artérielle. Le cathéter, le dispositif de perfusion relié à un soluté physiologique (avec ou sans héparine) sous pression et le système de chasse sont habituellement jetables, alors que le capteur de pression peut être à usage unique ou multiple.

Afin de mesurer la pression avec précision, la mise à niveau bénéficiaire-capteur doit être effectuée et le test de résonance optimisé. Faire la mise à niveau signifie positionner l'appareil de surveillance de façon que le point zéro de référence soit au niveau vertical de l'oreillette gauche du cœur. L'orifice du robinet situé le plus près du capteur de pression est habituellement la référence zéro sur le capteur. Afin de le placer à la hauteur de l'oreillette gauche, l'infirmière utilise un point de repère externe, soit l'axe phlébostatique. Pour repérer ce point, elle doit dessiner deux plans imaginaires lorsque le client est en décubitus dorsal (voir figure 29.3). Un plan se trouve à mi-thorax, à mi-chemin entre les

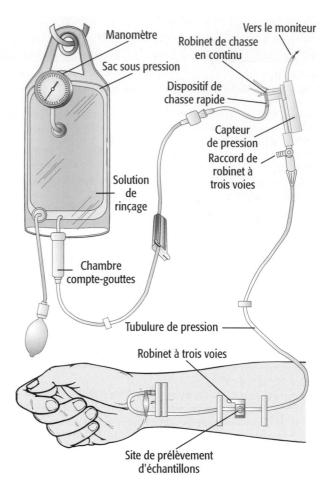

FIGURE 29.2 Composantes d'un appareil de surveillance de la pression. La canule insérée dans l'artère radiale est raccordée par une tubulure au capteur de pression. Ce capteur convertit l'onde de pression en signal électronique. Il est connecté au système de surveillance électronique, qui amplifie, conditionne, affiche et enregistre le signal. Les robinets sont insérés dans la ligne pour permettre le prélèvement d'échantillons, l'obtention du point de référence et la remise à zéro. Un système de chasse constitué d'un sac pressurisé de soluté physiologique, d'une tubulure et d'un dispositif de chasse est inséré dans la ligne. Le système d'irrigation fournit un rinçage lent et continu (à raison d'environ 3 ml à l'heure) et un mécanisme de rinçage rapide des lignes. Les accessoires, à l'exception du système de surveillance électronique, sont souvent jetables.

surfaces antérieure et postérieure externes du thorax, et l'autre se trouve au quatrième espace intercostal, soit à la hauteur du sternum. L'axe phlébostatique se trouve à l'intersection des deux plans. Une fois que ce point est repéré, l'infirmière le marque sur le thorax du client à l'aide d'un marqueur permanent. L'orifice du robinet situé le plus près du capteur de pression est placé à la hauteur de l'axe phlébostatique.

La mise à zéro confirme que, lorsque la pression à l'intérieur du système est de zéro, le matériel indique zéro. La plupart des capteurs de pression utilisés actuellement sont jetables et dévient peu du zéro ; par conséquent, une seule mise à zéro par quart de travail est habituellement suffisante. Le test de résonance, généralement effectué une fois par quart de travail, consiste à s'assurer que l'appareil reproduit sans distorsion un signal qui change rapidement. En plus d'effectuer ces interventions à chaque quart de travail, l'infirmière doit les répéter chaque fois qu'une composante importante du système de surveillance est changée, que la hauteur du lit est modifiée, que le système d'enregistrement est déplacé ou que les lectures obtenues sont inusitées.

L'encadré 29.1 présente les étapes à suivre pour mesurer la pression artérielle à l'aide de lignes de monitorage effractif. Bien qu'il soit possible d'obtenir des mesures de pression artérielle à partir de sorties numériques et de sorties analogiques imprimées, la meilleure façon d'obtenir des lectures précises est à partir d'un tracé de pression artérielle imprimé en fin d'expiration. Les lectures initiales sont faites lorsque le client est couché sur le dos. À moins que sa pression artérielle ne soit extrêmement sensible aux changements orthostatiques, les valeurs prises en position modérément élevée (jusqu'à 30 degrés) équivalent généralement aux mesures prises lorsque le client est couché. Une fois que les valeurs sont semblables dans les deux positions, l'infirmière peut prendre les mesures subséquentes en position élevée et n'a donc plus besoin de repositionner le client à chaque lecture de pression. Par contre, il est nécessaire de déplacer le robinet au point de référence zéro pour qu'il demeure positionné à l'axe phlébostatique. Étant donné qu'aucun point de repère constant n'a été établi pour l'oreillette lorsque le client est couché sur le côté, la pression ne doit pas être mesurée dans cette position.

29.2.3 Types de monitorage effractif de la pression

Pression artérielle. La surveillance continue de la pression artérielle est indiquée dans les cas d'hypotension, d'augmentation de la pression intracrânienne ou d'administration de médicaments vasoactifs (p. ex. du nitroprussiate de sodium [Nipride] ou de la dopamine [Intropin]). Un cathéter installé chez un client afin de procéder à des prélèvements sanguins fréquents (p. ex. la gazométrie du sang artériel) pourra également servir à mesurer sa pression artérielle. Un cathéter de calibre 20 mesurant 3,8 cm de long est habituellement utilisé pour canuler une artère périphérique telle que l'artère radiale. Il est habituellement inséré par voie percutanée, et le point d'injection peut être immobilisé à l'aide d'un dispositif adéquat afin de ne pas déloger le cathéter ni pincer la ligne de perfusion.

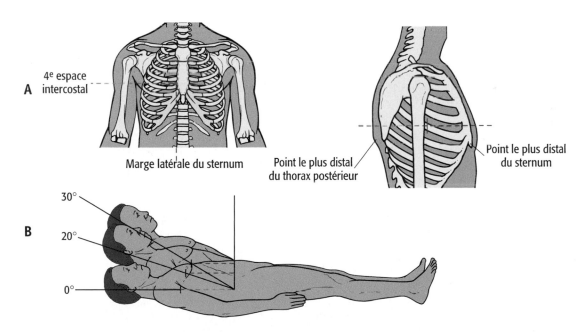

FIGURE 29.3 Repérage de l'axe phlébostatique. A. L'axe phlébostatique est un point de repère externe qui sert à déterminer la hauteur de l'oreillette chez le client couché sur le dos. L'axe phlébostatique est défini comme l'intersection d'un plan dessiné transversalement à travers le 4e espace intercostal au sternum et d'un plan frontal dessiné à travers le mi-thorax, à mi-chemin entre les points antérieur et postérieur les plus distaux du thorax. B. À mesure que la tête du lit est relevée, l'axe phlébostatique demeure au même site anatomique, mais s'éloigne progressivement du plancher. Le point de référence à zéro doit être réglé de nouveau en fonction de l'élévation de la tête de lit afin de le maintenir dans l'axe phlébostatique.

- Expliquer l'intervention au client.
- Suspendre les alarmes de haute et de basse pressions pendant la durée de l'intervention.
- Trouver et marquer l'axe phlébostatique sur le thorax du client (à mi-chemin entre les points antérieur et postérieur du thorax au 4e espace intercostal [voir figure 29.3]).
- Coucher le client à plat sur le dos, ou en position relevée jusqu'à 30° selon l'état clinique.
- Confirmer que la référence à zéro (orifice du robinet situé le plus près du capteur de pression) est placée dans l'axe phlébostatique.
- Observer le tracé du moniteur et en évaluer la qualité. Faire le test de résonance.
- Imprimer un tracé si possible et mesurer les pressions dignes d'intérêt en fin d'expiration. S'il n'y a pas d'imprimante, figer le tracé sur l'écran du moniteur et mesurer les pressions en fin d'expiration à l'aide du curseur.
- Remettre en fonction les alarmes de haute et de basse pressions.
- Consigner rapidement les mesures de pression, y compris le tracé (s'il est disponible), qui est marqué pour déterminer les points lus.

Mesures. L'infirmière peut utiliser un cathéter intra-artériel pour obtenir les pressions artérielles systolique, diastolique et moyenne (voir figure 29.4). L'onde artérielle fournit des renseignements utiles. Par exemple, en présence d'une insuffisance cardiaque, il est possible que le mouvement ascendant soit plus lent, alors qu'en présence d'une déplétion volémique, la pression systolique varie beaucoup en fonction de la ventilation mécanique, si elle est utilisée, et diminue pendant l'inspiration. Dans le cas d'une insuffisance cardiaque congestive grave, l'amplitude systémique ne varie pas avec la ventilation. Dans les cas d'arythmies, il est utile d'observer les tracés simultanés de l'ECG et de la pression, car les arythmies qui réduisent considérablement la pression artérielle sont plus urgentes que celles qui ne provoquent qu'une légère baisse d'amplitude systolique.

Complications. Les cathéters intra-artériels comportent des risques d'hémorragie, d'infection, de formation de thrombus et d'occlusion circulatoire distale. L'hémorragie est plus susceptible de se produire lorsque le cathéter se déloge ou que le dispositif de perfusion se désadapte accidentellement. Pour éviter cette complication grave, l'infirmière utilise des raccords Luer-Lock et active toujours l'alarme de basse pression (et consigne l'activation au dossier). Par conséquent, si la pression du cathéter chute (comme lorsque le cathéter est désadapté), une alarme se fait immédiatement entendre, ce qui permet de corriger rapidement le problème. La pression est toujours surveillée lorsqu'un cathéter intra-artériel est en place, même s'il a été placé pour effectuer la gazométrie du sang artériel.

Il existe des risques potentiels d'infection lorsqu'une ligne de monitorage effractif est en place. Par conséquent, l'infirmière doit inspecter régulièrement le point d'injection pour dépister tout signe d'inflammation et d'exsudat et surveiller le client en vue de déceler tout signe d'infection systémique. Lorsqu'une infection se

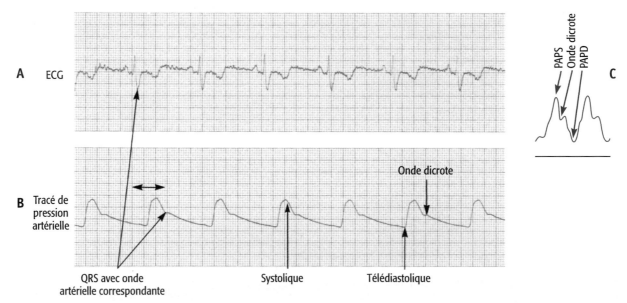

FIGURE 29.4 A. Tracé d'électrocardiogramme (ECG) consigné simultanément avec le tracé de pression artérielle systémique B. Tracé de pression artérielle systémique. C. Onde artérielle pulmonaire. La pression systolique est la pression maximale. L'onde dicrote indique la fermeture de la valve aortique. La pression diastolique est la valeur la plus basse avant la contraction. La pression moyenne est celle qui est calculée au fil du temps par le matériel de surveillance.
PAPD : pression de l'artère pulmonaire diastolique ; PAPS : pression de l'artère pulmonaire systolique.

produit, le cathéter, le dispositif de perfusion, le matériel de rinçage et les capteurs de pression doivent être changés.

D'autres complications importantes, d'origine circulatoire, peuvent également être reliées à l'utilisation d'un cathéter artériel. La formation d'un thrombus autour du cathéter, la libération d'un embole, un spasme ou une occlusion du vaisseau par le cathéter sont des complications redoutables. Un trouble circulatoire peut entraîner la perte d'un membre et constitue une urgence. Par conséquent, il est recommandé, avant d'insérer un cathéter dans l'artère radiale, d'effectuer le test d'Allen pour confirmer l'irrigation suffisante de la main par l'artère ulnaire. Pour réaliser ce test, l'infirmière applique simultanément une pression sur les artères radiale et ulnaire. Elle demande ensuite au client d'ouvrir et de fermer la main plusieurs fois. La main devrait blanchir. L'infirmière relâche ensuite la pression sur l'artère ulnaire et maintient la pression sur l'artère radiale. Lorsque la teinte rosée ne revient pas dans les six secondes, cela indique que l'artère ulnaire est insuffisante et que l'artère radiale ne doit pas être utilisée pour insérer le cathéter.

Une fois le cathéter inséré, l'infirmière doit évaluer toutes les heures la circulation distale au point d'injection artériel pour s'assurer que l'irrigation tissulaire est adéquate. Le membre dont le débit artériel est diminué deviendra froid et pâle, et le remplissage capillaire sera supérieur à trois secondes. Le client peut éprouver des symptômes d'origine neurologique tels que des picotements ou une paresthésie. De plus, l'infirmière doit s'assurer de maintenir la perfusion de façon continue en actionnant régulièrement le système de chasse.

Cathéter de l'artère pulmonaire. La surveillance de la pression de l'artère pulmonaire (PAP) sert à guider le traitement des clients en phase aiguë aux prises avec des problèmes de santé complexes, que ceux-ci touchent la fonction hémodynamique ou davantage l'aspect volémie (voir encadré 29.2). La pression de l'artère pulmonaire diastolique (PAPD) et la pression capillaire pulmonaire sont des indicateurs sensibles de l'état du volume liquidien et de la fonction cardiaque. La pression de l'artère pulmonaire diastolique et la pression capillaire pulmonaire sont accrues lorsqu'il y a un excès de volume liquidien ou une insuffisance cardiaque et sont réduites en présence d'un déficit de volume liquidien. La thérapie liquidienne basée sur la pression de l'artère pulmonaire permet de rétablir l'équilibre hydrique tout en évitant la correction excessive du problème. La surveillance de la pression de l'artère pulmonaire peut permettre une manipulation thérapeutique précise de la précharge, ce qui aide à maintenir le débit cardiaque sans prédisposer le client à un œdème pulmonaire.

Le cathéter de l'artère pulmonaire (p. ex. le cathéter de type SwanGanz) sert à mesurer les pressions de l'artère pulmonaire, y compris la pression capillaire pulmonaire. Le cathéter de type Swan Ganz n° 7 French, mesurant 110 cm et muni de quatre lumières, est un modèle couramment utilisé (voir figure 29.5). Lorsqu'il est bien placé, la lumière distale (le bout distal du cathéter), qui se trouve à l'intérieur de l'artère pulmonaire (voir figure 29.6), permet de mesurer les pressions et de prélever des échantillons de sang veineux (p. ex. pour évaluer la saturation veineuse en oxygène). La lumière distale est immédiatement précédée d'un ballonnet raccordé à une valve externe par une deuxième lumière. Le gonflement du ballonnet vise deux objectifs : permettre au sang circulant de faire avancer le cathéter ; mesurer la pression capillaire pulmonaire bloquée. La troisième et la quatrième lumière sont proximales et les orifices de sortie sont situés dans l'oreillette droite. Ces lumières servent à mesurer la pression veineuse centrale, à perfuser des liquides et des médicaments, à injecter des liquides pour déterminer le débit cardiaque et à prélever des échantillons sanguins par la plus grande des deux lumières. Il est possible que la plus petite lumière proximale soit réservée à l'administration de l'alimentation parentérale totale (APT), qui n'est pas interrompue lorsque d'autres substances intraveineuses doivent être administrées. Une thermistance située près de la lumière distale et fixée à un raccord externe permet de surveiller la température centrale et de mesurer le débit cardiaque par thermodilution.

Outre le cathéter de l'artère pulmonaire, qui a des caractéristiques standard et relativement courantes, il existe sur le marché d'autres types de cathéters ayant des caractéristiques plus spécifiques. L'un de ces

---

Indications cliniques d'installation d'un cathéter de l'artère pulmonaire   ENCADRÉ 29.2

- Syndrome de détresse respiratoire aiguë (SDRA)
- Insuffisance respiratoire aiguë chez les clients atteints d'une BPCO
- Tamponnade cardiaque
- Œdème pulmonaire cardiogénique ou non cardiogénique
- Déséquilibre hydrique complexe (brûlures, septicémie)
- Évaluation des syndromes circulatoires (régurgitation de la valve mitrale et communications intraventriculaires)
- Soutien à l'aide d'un appareil de contrepulsion par ballon intra-aortique
- Infarctus du myocarde accompagné d'une insuffisance ventriculaire gauche ou d'un choc cardiogénique
- Déséquilibre hydrique périopératoire chez les clients à risque élevé
- Choc septique ou hypovolémique
- Soutien pharmacologique avec des agents vasoactifs

BPCO : bronchopneumopathie chronique obstructive.

cathéters comporte une électrode auriculaire, qui sert à enregistrer l'ECG auriculaire ou à stimuler le cœur. Un autre cathéter est muni d'un capteur à fibres optiques à l'extrémité distale qui détecte la SvO₂. Un autre type fournit une mesure continue du volume et de la fraction d'éjection du ventricule droit, alors qu'un autre assure une surveillance continue du débit cardiaque.

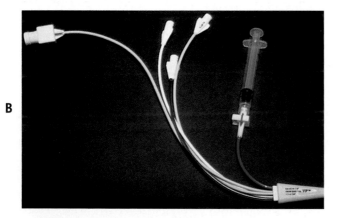

FIGURE 29.5 Orifices de perfusion veineuse sur un cathéter de l'artère pulmonaire. A. Le cathéter illustré comporte quatre lumières. Lorsqu'il est bien placé, l'orifice de sortie de la lumière distale se trouve dans l'artère pulmonaire et les orifices des lumières proximales sont dans l'oreillette droite. L'orifice distal et l'un des orifices proximaux servent respectivement à mesurer la pression pulmonaire et la pression veineuse centrale. Un ballonnet entoure le cathéter près de l'extrémité distale. La valve de gonflement du ballonnet sert à gonfler le ballonnet d'air pour permettre la lecture de la pression capillaire pulmonaire bloquée. Une thermistance située près de l'extrémité distale capte la température de l'artère pulmonaire et sert à mesurer le débit cardiaque par thermodilution lorsqu'une solution plus froide que la température corporelle est injectée dans un orifice proximal. B. Cathéter de l'artère pulmonaire.

L'introducteur (Cordis) du cathéter de l'artère pulmonaire est fixé à la peau par une suture et comporte habituellement un orifice latéral pouvant recevoir une autre perfusion. La plupart de ces cathéters sont également munis d'un « manchon en plastique » relié à la gaine, ce qui permet de manipuler le cathéter sans rompre la stérilité.

Insertion du cathéter de l'artère pulmonaire. Avant l'introduction d'un cathéter de l'artère pulmonaire, l'infirmière note l'état d'oxygénation et les résultats des épreuves sanguines suivantes : test de coagulation, bilans électrolytique et acidobasique du client. Les déséquilibres tels que l'hypokaliémie, l'hypomagnésémie, l'hypoxémie ou l'acidose peuvent rendre le cœur plus irritable et accroître le risque d'arythmie ventriculaire pendant l'introduction du cathéter, alors qu'une coagulopathie ou une anticoagulothérapie augmente le risque d'hémorragie. Avant de procéder à l'intervention, l'infirmière prépare le moniteur, les câbles et les solutions de rinçage et de perfusion. Elle prépare le client en lui expliquant l'intervention, puis elle obtient son consentement éclairé. Elle installe le client sur le dos et incline la tête du lit vers le bas si le client le tolère.

Le cathéter de l'artère pulmonaire est inséré dans une gaine par voie percutanée, au point d'insertion d'une veine périphérique profonde, au moyen d'une technique d'asepsie chirurgicale. Il est rarement nécessaire de procéder à une dissection veineuse. La veine jugulaire interne, la veine sous-clavière, la veine du pli du coude ou la veine fémorale sont les points d'insertion habituels. Le cathéter est ensuite introduit dans le système veineux pour atteindre le cœur.

L'insertion du cathéter est guidée par l'observation continuelle de la courbe de pression produite par la migration de l'orifice distal (le bout distal du cathéter) sur le moniteur. Lorsque le bout distal atteint l'oreillette droite, le ballonnet est gonflé selon le volume d'air recommandé. Le cathéter flotte à travers la valve tricuspide jusque dans le ventricule droit, puis à travers la valve pulmonaire et dans l'artère pulmonaire. Une fois qu'un tracé type de la pression capillaire pulmonaire bloquée est observé (voir figure 29.6), le ballonnet est dégonflé et une radiographie pulmonaire est prise le plus rapidement possible pour confirmer sa position. Un pansement occlusif stérile est ensuite appliqué pour maintenir le cathéter en place au point d'insertion et changé conformément au protocole de l'unité de soins. L'ECG doit être surveillé continuellement pendant l'introduction à cause du risque d'arythmies, notamment lorsque le cathéter atteint le ventricule droit. Enfin, le système est mis à zéro selon l'axe phlébostatique.

Mesures de la pression de l'artère pulmonaire. Les pressions systolique, diastolique et moyenne sont

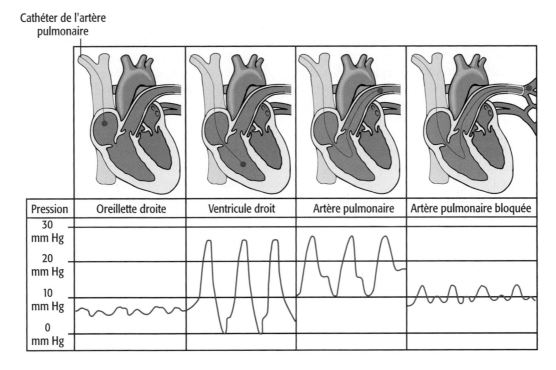

Cathéter de l'artère pulmonaire

Pression	Oreillette droite	Ventricule droit	Artère pulmonaire	Artère pulmonaire bloquée
30 mm Hg				
20 mm Hg				
10 mm Hg				
0 mm Hg				

FIGURE 29.6 Position du cathéter de l'artère pulmonaire pendant les phases progressives de l'insertion avec les ondes de pression correspondantes.

surveillées régulièrement. La pression de l'artère pulmonaire (PAP) systolique est la pression maximale et la PAP diastolique est le point de pression le plus bas. La pression moyenne est la valeur moyenne de la systole et de la diastole dans l'artère pulmonaire. Étant donné que les orifices du cathéter de l'artère pulmonaire se trouvent à la hauteur du thorax, les pressions intrathoraciques modifient les pressions de l'artère pulmonaire. Afin d'obtenir des données cohérentes, les mesures des pressions de l'artère pulmonaire doivent être prises en fin d'expiration.

On obtient la mesure de la pression capillaire pulmonaire bloquée en gonflant lentement le ballonnet avec 1,5 ml d'air et en observant le tracé de la pression de la lumière distale. Avant le gonflement, le tracé de la pression visualisée sur le moniteur ressemble à un tracé artériel, avec une pointe systolique et une onde dicrote, puis une pointe basse diastolique.

Lorsque le ballonnet gonflé atteint une branche distale de l'artère pulmonaire, on dit que le cathéter est bloqué et la pression capillaire pulmonaire bloquée est mesurée en fin d'expiration. Lorsque la pression capillaire bloquée est mesurée, le ballonnet doit être gonflé pendant moins de quatre cycles respiratoires, car l'artère pulmonaire risque de se rompre si le ballonnet est gonflé trop longtemps ou si le cathéter migre distalement dans un vaisseau plus petit. Un tel déplacement est soupçonné lorsqu'on a besoin de moins de 1,25 ml

pour bloquer le tracé ou lorsqu'on obtient un tracé dont la courbe semble trop aplatie. Les lectures doivent être obtenues par enregistrement analogue imprimé sur papier, puis les données sont jointes au dossier du client. S'il est impossible d'imprimer le tracé, les lectures doivent être effectuées à même le moniteur à l'aide du curseur.

Mesure de la pression veineuse centrale et de la pression de l'oreillette droite. La pression veineuse centrale est une mesure de la précharge du ventricule droit. Elle peut être mesurée avec un cathéter de l'artère pulmonaire à l'aide d'une des lumières proximales ou au moyen d'un cathéter veineux central à deux ou trois lumières. La pression veineuse centrale est mesurée à titre de pression moyenne en fin d'expiration et la courbe est semblable à celles de la pression capillaire pulmonaire. Bien que la pression artérielle pulmonaire diastolique et la pression capillaire pulmonaire soient des indicateurs plus sensibles de l'état du volume liquidien, la pression veineuse centrale peut également refléter ce type de problèmes. Une pression veineuse centrale élevée suggère une insuffisance cardiaque droite ou une surcharge de volume du ventricule droit. Une pression veineuse centrale basse indique une hypovolémie.

L'onde de pression veineuse centrale se caractérise par deux petites ondes, les ondes A et V. L'onde A indique une contraction auriculaire droite. Elle est suivie de la descente X, qui indique une relaxation auriculaire. L'onde C représente la fermeture de la valve tricuspide. Cette onde est invisible la plupart du temps sur le tracé. Ensuite, l'onde V est visible pendant l'intervalle entre les ondes T et P de l'ECG et correspond au remplissage de l'oreillette droite durant la systole ventriculaire droite. L'onde V est suivie de la descente Y, qui indique la vidange de l'oreillette au moment où la valve tricuspide s'ouvre et où le ventricule droit se remplit (Hendy, Proulx et Roy, 1992). La figure 29.7 illustre ces notions.

Mesure du débit cardiaque par thermodilution. Le débit cardiaque est surveillé régulièrement chez les clients présentant une instabilité hémodynamique. Le débit cardiaque normal au repos est de 4 à 8 L/min et varie en fonction de la surface corporelle. L'index cardiaque (IC) est le débit cardiaque divisé par la surface corporelle. L'index cardiaque peut être comparé entre des personnes de diverses tailles. Normalement, il est de 2,2 à 4,0 L/min/m². Le débit cardiaque diminue en présence d'hypovolémie, de choc cardiogénique ou d'insuffisance cardiaque. En temps normal, il augmente avec l'exercice. Une augmentation du débit cardiaque au repos indique un état hyperdynamique constaté au cours d'une fièvre ou d'un sepsis.

Un cathéter de l'artère pulmonaire est couramment utilisé pour mesurer le débit cardiaque par thermodilution. Cette méthode est effectuée par l'injection rapide dans la lumière proximale du cathéter située dans l'oreillette droite d'une quantité précise de solution (saline ou dextrose à 5 % dans l'eau) à une certaine température (ambiante ou froide). La chute de température sanguine est détectée par un capteur à thermistance encastré dans le bout distal du cathéter à l'intérieur de l'artère pulmonaire. Le moniteur du débit cardiaque est programmé pour calculer ce dernier à partir de l'onde de température. Plus la courbe est large, plus le débit cardiaque est bas (voir figure 29.8).

La résistance vasculaire systémique peut être calculée chaque fois que le débit cardiaque est mesuré. La formule utilisée pour calculer la résistance vasculaire systémique figure au tableau 29.3. La résistance vasculaire systémique normale est de 800 à 1200 dyn/s/cm⁻⁵. Une augmentation de la résistance vasculaire systémique indique une vasoconstriction causée par un choc, une libération ou une administration accrue d'épinéphrine ou de norépinéphrine ou une insuffisance du ventricule gauche. Une résistance vasculaire systémique basse (inférieure à 800 dyn/s/cm⁻⁵) indique une vasodilatation, qui peut se produire pendant un sepsis, un choc septique ou un choc neurogénique ou par l'administration de médicaments qui réduisent la postcharge.

Saturation du sang veineux en oxygène. Un cathéter de l'artère pulmonaire peut comprendre un capteur visant à mesurer la saturation de l'hémoglobine en oxygène dans le sang présent dans l'artère pulmonaire (appelé **sang veineux**). Cette valeur (SvO_2) est utile pour vérifier si l'oxygénation tissulaire est suffisante. La SvO_2 reflète l'équilibre dynamique qui existe entre l'oxygénation du sang artériel, l'irrigation tissulaire et la consommation d'oxygène. La SvO_2 sert à analyser l'état

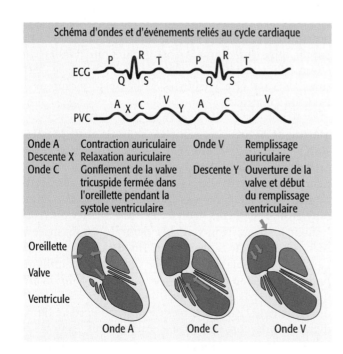

FIGURE 29.7 Événements cardiaques qui produisent l'onde PVC avec des ondes A, C et V. L'onde A représente la contraction auriculaire. La descente X correspond à la relaxation auriculaire. L'onde C représente le gonflement de la valve tricuspide fermée dans l'oreillette droite pendant une systole ventriculaire. L'onde V correspond au remplissage de l'oreillette. La descente Y représente l'ouverture de la valve tricuspide et le remplissage ventriculaire.

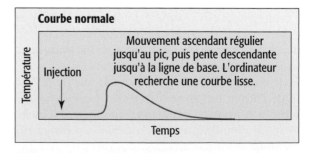

FIGURE 29.8 Courbe de débit cardiaque normal. Le débit cardiaque est calculé à partir du changement de température dans l'artère pulmonaire lorsqu'un volume fixe de solution froide est injecté dans l'orifice proximal de l'oreillette droite. L'infirmière doit visualiser la courbe et s'assurer qu'elle est lisse. Plus la courbe est large, plus le débit cardiaque est bas.

hémodynamique et la réaction aux traitements ou aux activités lorsqu'elle est prise en considération avec la saturation du sang artériel (voir tableau 29.4). La SvO_2 au repos est de 60 à 80 %.

Une diminution ou une augmentation soutenue de la SvO_2 doit être analysée avec soin. Une diminution peut indiquer une réduction de l'oxygénation artérielle, un débit cardiaque bas, un faible taux d'hémoglobine ou une augmentation de la consommation en oxygène. Lorsque la SvO_2 chute, l'infirmière doit déterminer lequel de ces quatre facteurs est modifié. Elle peut vérifier s'il y a eu un changement dans l'oxygénation artérielle en surveillant l'oxymétrie pulsée ou en effectuant une analyse de la gazométrie du sang artériel. Elle peut évaluer sommairement l'irrigation tissulaire en notant les indicateurs de débit cardiaque et de fonction des organes (l'état de conscience, le débit urinaire, la couleur de la peau). Lorsque l'oxygénation artérielle, le taux d'hémoglobine et l'irrigation tissulaire sont inchangés, chute de la SvO_2 indique une hausse de la consommation en oxygène, qui pourrait être attribuable à une augmentation de la vitesse du métabolisme, à la douleur, à l'activité ou à la fièvre. Si la consommation d'oxygène augmente sans accroissement comparable du débit cardiaque, une quantité supplémentaire d'oxygène est extraite du sang et la SvO_2 chute. Dans le même ordre d'idées, lorsque le débit cardiaque chute et que l'oxygénation artérielle et la consommation en oxygène restent inchangées, la SvO_2 connaît une baisse.

Une augmentation de la SvO_2 est également importante sur le plan clinique et peut indiquer une amélioration clinique (p. ex. une augmentation de la saturation du sang artériel en oxygène, une meilleure irrigation, une diminution de la vitesse du métabolisme) ou, au contraire, laisse supposer la présence d'une complication (p. ex. un sepsis, une communication interventriculaire). Dans le cas d'un sepsis ou d'un shunt pulmonaire, il est possible que l'oxygène ne soit pas utilisé de façon optimale, ce qui entraîne une augmentation de la saturation du sang veineux en oxygène.

Les interventions infirmières peuvent être guidées par les changements dans la SvO_2. Par exemple, l'infirmière peut noter que la fréquence cardiaque du client a augmenté modérément lorsqu'elle l'a changé de position dans le lit, mais que la SvO_2 est demeurée stable.

TABLEAU 29.4	Interprétation clinique des mesures de la SvO_2	
Mesure de la SvO_2	Fondement physiologique du changement de la SvO_2	Diagnostic clinique et justification
SvO_2 élevée (80-95 %)	Augmentation de l'apport en oxygène	Le client reçoit plus d'oxygène que son état clinique ne l'exige.
	Diminution de la demande en oxygène	L'anesthésie : elle provoque une sédation et une diminution du mouvement musculaire. L'hypothermie : elle abaisse les besoins métaboliques (p. ex. dans le cas d'un pontage coronarien). Le sepsis : il cause une incapacité des tissus à utiliser l'oxygène par les cellules. Résultat faux positif : le cathéter artériel pulmonaire est bloqué dans un capillaire pulmonaire.
SvO_2 normale (60-80 %)	Équilibre entre l'apport en oxygène et les besoins métaboliques	L'apport et les besoins en oxygène sont équilibrés.
SvO_2 basse (<60 %)	Diminution de l'apport en oxygène causée par : Hémoglobine basse	Anémie ou saignement avec altération thermodynamique.
	Saturation artérielle en oxygène (SaO_2) basse	Hypoxémie provoquée par une diminution de l'apport en oxygène ou une maladie pulmonaire.
	Débit cardiaque bas	Choc cardiogénique causé par une défaillance du ventricule gauche.
	Augmentation de la consommation en oxygène (VO_2)	Les besoins métaboliques dépassent l'apport en oxygène en présence d'affections qui augmentent le mouvement musculaire et la vitesse de métabolisme, dont les affections physiologiques comme les frissons, les convulsions et l'hyperthermie, et les interventions infirmières, comme la pesée au lit et les changements de position du client.

Tiré de Thelan LA et coll., éd. : *Critical care nursing: diagnosis and management*, 3e éd., St. Louis, Mosby, 1998.

Dans ce cas, l'infirmière peut conclure que le client a toléré le changement de position. Par contre, si la SvO$_2$ a chuté, cette situation indique qu'elle doit cesser l'activité jusqu'à ce que la SvO$_2$ revienne à son taux antérieur.

Dans bien des cas, la fréquence et le débit cardiaques s'élèvent et la SvO$_2$ demeure constante ou varie légèrement à mesure que l'activité ou le métabolisme augmente. Cependant, il n'est pas rare que les clients gravement malades souffrent d'affections qui empêchent une augmentation substantielle du débit cardiaque. Par exemple, cette situation pourrait se produire chez le client atteint d'insuffisance cardiaque, de choc, d'arythmies ou ayant subi une transplantation cardiaque. Dans un tel cas, la SvO$_2$ peut fournir une indication utile de l'équilibre entre la consommation d'oxygène et la perfusion.

Complications reliées à l'utilisation d'un cathéter de l'artère pulmonaire. Tout comme le cathéter artériel périphérique, l'utilisation d'un cathéter de l'artère pulmonaire est associée à un risque accru de formation de thrombus et d'embole. C'est pour cette raison que le cathéter doit être irrigué de façon continue au moyen d'une perfusion lente de solution saline (avec ou sans héparine) afin de prévenir la formation de thrombus. Lorsqu'un thrombus est en formation, on peut observer une onde émoussée sur le tracé.

L'infection et le sepsis sont également considérés comme des complications graves liées à l'utilisation d'un cathéter de l'artère pulmonaire. Il est primordial de respecter les conditions d'asepsie chirurgicale lors de l'introduction du cathéter et d'observer des mesures d'asepsie rigoureuses pendant la durée de l'utilisation du cathéter en vue de prévenir l'infection. La peau est nettoyée conformément à la procédure de l'unité de soins, habituellement avec une préparation à base d'iode ou de chlorexidine, et le point d'insertion est recouvert d'un pansement occlusif stérile. L'infirmière doit surveiller le client pour déceler tout signe d'infection locale ou systémique (p. ex. une rougeur et un exsudat au point d'insertion, de la fièvre, une leucocytose) et doit en aviser le médecin le plus tôt possible afin que le cathéter soit retiré s'il y a présence d'infection. Par ailleurs, le cathéter ne doit pas rester en place plus longtemps que nécessaire afin de réduire les risques d'infection.

L'embolie gazeuse est un autre risque associé à l'utilisation d'un cathéter de l'artère pulmonaire. Ce type d'embolie peut être causé par la rupture du ballonnet ou par l'injection d'air dans la lumière d'un ballonnet rompu. L'infirmière diminue le risque d'embolie en injectant seulement le volume d'air prescrit dans le ballonnet. Lorsqu'elle remarque que le cathéter ne peut pas être bloqué ou que l'air injecté ne reflue pas dans la seringue, l'infirmière doit apposer une étiquette à cet effet sur le cathéter et aviser le médecin. L'infirmière doit utiliser un dispositif Luer-Lock sur tous les raccords de lignes de pression et régler l'alarme de basse pression afin qu'elle s'active lorsque la pression dans la ligne diminue considérablement. Chaque fois qu'elle doit ouvrir le système pour changer la tubulure de perfusion, l'infirmière doit d'abord la fermer par clampage ou en tournant le robinet à trois voies.

Le client porteur d'un cathéter de l'artère pulmonaire est prédisposé à un infarctus pulmonaire ou à une rupture de l'artère pulmonaire parce que le ballonnet peut se rompre et libérer des fragments qui pourraient provoquer une embolie ; le gonflement du ballonnet peut obstruer le flux sanguin ; le cathéter peut s'avancer dans une position bloquée, obstruant le flux sanguin ; un thrombus peut se former et provoquer une embolie. Afin de réduire le risque d'infarctus pulmonaire et de rupture, l'infirmière ne doit jamais gonfler le ballonnet avec plus de 1,5 ml d'air (ne jamais utiliser de solution) ni le laisser gonflé pendant plus de quatre cycles respiratoires (sauf pendant l'introduction). L'infirmière doit surveiller continuellement les courbes de pression de l'artère pulmonaire pour déceler tout signe d'occlusion, de déplacement ou de blocage spontané du cathéter. Le tracé de la pression paraîtra émoussé si le cathéter est obstrué ou il prendra un aspect cunéiforme si le cathéter avance et est spontanément bloqué. Dans chacun de ces cas, l'infirmière doit informer immédiatement le médecin afin qu'il puisse venir repositionner le cathéter.

Des arythmies ventriculaires peuvent se produire pendant l'introduction ou le retrait du cathéter ou si le bout distal migre de nouveau de l'artère pulmonaire au ventricule droit. Dans ce cas, le cathéter doit habituellement être repositionné par le médecin.

Surveillance non effractive de l'oxygénation artérielle. L'oxymétrie pulsée est un moyen non effractif et continu de déterminer la quantité d'oxygène contenue dans le sang artériel. L'hémoglobine qui est oxygénée absorbe la lumière différemment de celle qui l'est moins. L'oxymétrie pulsée évalue la saturation artérielle en oxygène en détectant les différences dans l'absorption de la lumière par les deux formes d'hémoglobine. Une diode électroluminescente au bout de la sonde émet une lumière à deux longueurs d'onde spécifiques. La lumière est transmise à un photodétecteur à travers le lit capillaire d'un doigt ou d'un lobe d'oreille. L'hémoglobine du sang artériel est normalement saturée de 95 à 100 % d'oxygène.

L'oxymétrie pulsée est utilisée couramment pour déterminer l'efficacité de l'oxygénothérapie. Les prélèvements de sang artériel pour l'analyse des gaz peuvent être effectués moins fréquemment lorsqu'on assure une surveillance continue par oxymétrie pulsée. Une diminution de la saturation du sang artériel indique une oxygénation insuffisante du sang dans les capillaires pulmonaires. Ce problème peut habituellement être corrigé en augmentant la fraction inspirée en oxygène (FIO_2). L'infirmière peut également se servir de l'oxymétrie pulsée pour surveiller la façon dont le client tolère une diminution de la FIO_2. La surveillance continue de l'oxygénation est également utile pour évaluer la réaction du client aux changements de position et de traitements. Par exemple, l'infirmière peut noter que la saturation en sang artériel chute lorsque le client est placé en décubitus et, par conséquent, planifier des changements de position qui lui posent moins de problèmes.

Il est possible que l'oxymétrie pulsée soit inexacte dans les situations suivantes : en présence de vasoconstriction causée par une hypoperfusion ou une hypothermie ; lorsque le client se déplace ; lorsque la lumière ambiante est intense. Ces situations peuvent être résolues en plaçant le capteur sur le lobe d'oreille ou la voûte du nez dans le cas de l'hypoperfusion, en prenant les lectures uniquement pendant le repos si le client se déplace et en recouvrant le capteur d'une serviette s'il y a trop de lumière. Enfin, la présence de vernis à ongles peut compromettre l'absorption optimale de la lumière et transmettre des données erronées.

29.2.4 Soins infirmiers : surveillance hémodynamique

L'évaluation de l'état hémodynamique consiste à recueillir des données provenant de plusieurs sources et à en faire une analyse continue. Les observations doivent tenir compte de l'apparence générale du client, de la couleur de sa peau, de ses signes vitaux et de la fonction de ses organes. L'infirmière doit commencer par observer l'apparence générale. Le client semble-t-il faible, fatigué ou épuisé ? Il est possible que sa réserve cardiaque soit trop basse pour soutenir une activité minimale. Une modification de la couleur des téguments ou une augmentation de température peut indiquer une diminution du débit cardiaque. La pression artérielle risque d'être relativement stable au début lorsque le client souffre d'hémorragie et subit un choc ; cependant, il risque de devenir de plus en plus pâle et froid en raison de la vasoconstriction périphérique. L'infirmière peut confirmer le choc imminent qu'elle soupçonne en calculant la résistance vasculaire systémique, qui risque d'augmenter dans ces circonstances. Inversement, le client peut avoir la peau chaude et rose, tout en présentant une tachycardie et une instabilité de la pression artérielle. Ces particularités sont caractéristiques du choc septique, qui peut être confirmé par une augmentation du débit cardiaque et une diminution de la résistance vasculaire systémique.

La fréquence cardiaque est souvent un indicateur utile pour établir l'état hémodynamique. À mesure que l'irrigation tissulaire diminue, la fréquence cardiaque augmente. Même s'il est courant que les clients stressés, affaiblis et gravement malades aient une fréquence cardiaque de 100 bpm, une plus grande augmentation de cette dernière peut indiquer une diminution de l'irrigation tissulaire. La SvO_2 peut s'avérer un indicateur utile pour dépister toute complication imminente chez les clients dont la fréquence cardiaque ne peut pas augmenter, comme ceux qui présentent un bloc auriculo-ventriculaire ou à qui on administre des bêta-bloquants.

En plus des mesures de pointe qui sont mises à la disposition de l'infirmière en soins intensifs, de simples observations peuvent fournir des renseignements utiles pour mieux comprendre l'état hémodynamique du client. Par exemple, l'état de conscience peut refléter l'état de la perfusion cérébrale ; le débit urinaire peut traduire l'irrigation rénale ; le client subissant une diminution de l'irrigation gastro-intestinale peut présenter des bruits intestinaux hypoactifs ou absents et il peut avoir des nausées et des vomissements lorsqu'un manque d'irrigation perturbe la motilité gastro-intestinale. En surveillant attentivement le client et en utilisant son jugement clinique, l'infirmière avisée est en mesure de reconnaître les premiers indices de détérioration de l'état du client et de signaler les problèmes avant qu'ils s'aggravent.

29.3 DISPOSITIFS D'ASSISTANCE CIRCULATOIRE

Les dispositifs d'assistance circulatoire, tels que la contrepulsion par ballon intra-aortique (BIA) et le dispositif d'assistance ventriculaire, sont utilisés pour réduire le travail cardiaque et améliorer l'irrigation des organes chez les clients atteints d'insuffisance cardiaque, lorsque les médicaments conventionnels ne sont pas suffisants. Le type de dispositif utilisé dépend de la gravité et de la nature de l'affection myocardique, ainsi que de la disponibilité des appareils dans l'établissement. Les dispositifs d'assistance circulatoire apportent un soutien temporaire dans trois types de situations : lorsque le ventricule gauche a besoin de soutien pendant qu'il se rétablit d'une lésion aiguë ; lorsque le cœur a besoin d'une réparation chirurgicale (p. ex. pontage aortocoronarien), mais que l'état du client doit être stabilisé et préparé en vue de l'intervention ; lorsque le client atteint d'insuffisance cardiaque en phase terminale attend une transplantation cardiaque. Tous les dispositifs d'assistance circulatoire permettent de réduire la charge de travail du ventricule gauche et d'augmenter la perfusion myocardique et la circulation. Étant donné que la contrepulsion par ballon intra-aortique est le dispositif le plus couramment utilisé, l'infirmière en soins intensifs doit souvent soigner des clients recevant ce type de dispositif d'assistance. Plusieurs types de dispositifs d'assistance ventriculaire gauche existent actuellement et d'autres sont en voie d'être mis au point.

29.3.1 Contrepulsion par ballon intra-aortique

La contrepulsion par ballon intra-aortique fournit une assistance circulatoire temporaire au cœur affaibli en réduisant la postcharge (par diminution de la résistance vasculaire systémique) et en augmentant la pression diastolique aortique. L'encadré 29.3 répertorie les affections cliniques pour lesquelles on utilise la contrepulsion par ballon intra-aortique. Cet appareil est constitué d'un cathéter à ballon en forme de saucisse, d'une pompe qui gonfle et dégonfle le ballon, de mécanismes de commande pour synchroniser le gonflement du ballon en fonction du cycle cardiaque et de dispositifs de sécurité intégrés (voir figures 29.9 et 29.10). Le cathéter à ballon est inséré par voie percutanée ou chirurgicale dans l'artère fémorale ; il est ensuite poussé vers le cœur et positionné dans l'aorte thoracique descendante, juste au-dessous de l'artère sous-clavière gauche et au-dessus des artères rénales (Cantin, 2000). La position est confirmée par une radiographie après la mise en place. Un dispositif pneumatique remplit le ballon d'hélium pendant la diastole de façon cyclique et le dégonfle juste avant la systole. L'ECG sert à déclencher le dégonflement sur l'onde R et le gonflement sur l'onde T. Le tracé de la pression artérielle sert à améliorer la synchronisation. On dit que ce dispositif a un effet de **contrepulsion**, parce que la synchronisation du gonflement du ballon est opposée à la contraction ventriculaire.

Effets de la contrepulsion. Le ballonnet est rapidement gonflé au début de la diastole, immédiatement après la fermeture de la valve aortique, obstruant ainsi partiellement l'aorte (voir figure 29.10). Le sang déplacé est poussé vers l'avant dans les extrémités et à rebours dans les artères coronaires et les branches principales de la crosse aortique. La pression artérielle diastolique s'élève, ce qui accroît l'irrigation des artères coronaires et des organes vitaux, provoquant ainsi une augmentation du débit sanguin vers le myocarde. En fin de diastole (juste avant la systole), le ballon est rapidement dégonflé et fait chuter la pression aortique. La résistance aortique à la fraction d'éjection du ventricule gauche étant réduite (postcharge

---

Indications et contre-indications de la contrepulsion par ballon intra-aortique | ENCADRÉ 29.3

Indications
- Angine instable (lorsque les médicaments ont échoué)
- Cardiopathie grave en attendant une transplantation cardiaque
- Infarctus du myocarde aigu accompagné de l'un ou l'autre des symptômes suivants* :
  - Anévrisme ventriculaire accompagné d'arythmies ventriculaires
  - Communication interventriculaire aiguë
  - Régurgitation mitrale aiguë
  - Choc cardiogénique
  - Douleur thoracique continue
- Phases préopératoire, peropératoire et postopératoire d'une chirurgie à cœur ouvert (p. ex. anévrismectomie, revascularisation ou remplacement valvulaire); souvent utilisée lors du sevrage de la circulation extracorporelle

Contre-indications
- Lésion cérébrale irréversible
- Maladies terminales ou incurables de tout système ou organe majeur
- Anévrisme thoracique ou aortique rompu ou disséquant
- Maladie vasculaire périphérique généralisée (peut empêcher la mise en place du cathéter à ballon)
- Insuffisance valvulaire aortique (considérée comme une contre-indication absolue)

* Cette affection laisse un peu de temps pour procéder à une angiographie d'urgence et à une chirurgie correctice au besoin.

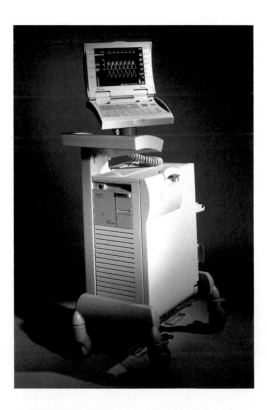

FIGURE 29.9 Appareil de contrepulsion par ballon intra-aortique

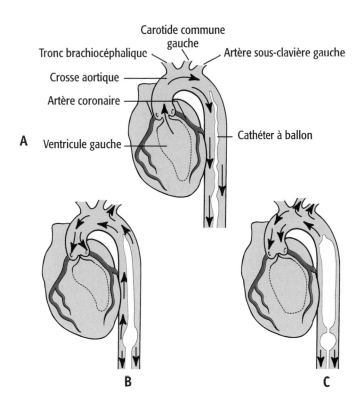

FIGURE 29.10 Contrepulsion par ballon intra-aortique. A. Pendant la systole, le cathéter à ballon est dégonflé, ce qui facilite l'éjection du sang dans la périphérie, où les artères systémiques sont irriguées. B. Au début de la diastole, le cathéter à ballon commence à se gonfler. C. À la fin de la diastole, le cathéter à ballon est complètement gonflé, ce qui augmente la pression aortique et la pression de perfusion des artères coronaires, avec une hausse du débit sanguin coronarien et cérébral comme résultat final.

réduite), le ventricule gauche se vide plus facilement et complètement. Comme c'est le cas avec les autres méthodes de réduction de la postcharge, le volume d'éjection augmente et la consommation d'oxygène du myocarde diminue. L'encadré 29.4 résume les effets hémodynamiques de la contrepulsion par ballon intra-aortique.

Complications reliées à la contrepulsion par ballon intra-aortique. Les complications sont courantes avec le ballon intra-aortique. Les risques de lésions vasculaires, telles que le décollement d'une plaque athéromateuse, la dissection artérielle et la diminution de l'irrigation tissulaire dans les extrémités distales, sont élevés. La formation de thrombus et d'embole prédispose davantage le client à un trouble circulatoire. Étant donné que le gonflement du ballon peut provoquer la destruction physique des plaquettes, une faible thrombopénie est courante et les indicateurs de l'état de coagulation doivent être surveillés. Pour réduire le risque de thrombus pendant le traitement, une perfusion continue de dextran (Gentran) peut être administrée au client sur ordonnance individuelle. Le dextran augmente la stabilité de la suspension du sang, induit une légère hémodilution et diminue la viscosité sanguine. Ces

Effets hémodynamiques de la contrepulsion par ballon intra-aortique | ENCADRÉ 29.4

Effets du gonflement pendant la diastole
- Augmenter la pression diastolique (peut dépasser la pression systolique)
- Augmenter la pression dans la crosse aortique pendant la diastole
- Augmenter la pression de perfusion coronarienne
- Améliorer l'apport en oxygène vers le myocarde
  - diminuer la douleur angineuse
  - diminuer les signes électrocardiographiques d'ischémie
  - diminuer l'ectopie ventriculaire

Effets du dégonflement pendant la systole
- Diminuer la postcharge
- Diminuer la pression systolique maximale
- Diminuer la consommation d'oxygène du myocarde
- Augmenter le volume d'éjection ; peut être associé à :
  - une amélioration de l'état sensoriel
  - une peau plus chaude
  - une augmentation de la diurèse
  - une diminution de la fréquence cardiaque
- Augmenter le débit sanguin et diminuer la précharge
  - diminuer les pressions artérielles pulmonaires, y compris la PCPB
  - diminuer les râles crépitants

PCPB : pression capillaire pulmonaire bloquée.

facteurs provoquent une augmentation de la vitesse d'écoulement, favorisant une réduction de la viscosité et une diminution de l'agrégation des globules rouges (BIAM, 2001). Il est possible qu'un nerf périphérique soit lésé, surtout lorsqu'on effectue une dissection veineuse en vue de l'insertion. Afin de réduire ces risques, il est important que l'infirmière procède à une évaluation neurovasculaire toutes les heures. De plus, le déplacement du cathéter à ballon peut obstruer l'artère sous-clavière gauche, les artères rénales ou mésentériques. Les clients sont prédisposés à l'infection, tout comme les clients soumis à un traitement par voie intraveineuse. Une infection au point d'insertion ou un sepsis causé par une source inconnue peut nécessiter le retrait du cathéter à ballon.

Bien qu'elle soient rares, les complications mécaniques peuvent toutefois survenir. Une mauvaise synchronisation du gonflement du cathéter à ballon peut provoquer une augmentation de la postcharge, une réduction du débit cardiaque, une ischémie myocardique, ainsi qu'une utilisation accrue d'oxygène par le myocarde et doit être corrigée sur-le-champ. Lorsqu'une fuite apparaît dans le ballon, l'infirmière doit aviser le médecin immédiatement, car le cathéter doit être changé afin d'éviter une embolie gazeuse. Les signes de fuite comprennent notamment une augmentation moins efficace de la pression artérielle et un reflux sanguin dans le cathéter. Une défaillance du ballon ou de la console déclenche une alarme de sécurité intégrée et l'arrêt automatique du dispositif.

Le client porteur d'un ballon intra-aortique est relativement immobile : il est limité au décubitus dorsal. L'élévation de la tête du lit ne doit pas dépasser 30° à 40°. La jambe par laquelle le cathéter à ballon est inséré ne doit pas être fléchie. Il est possible que le client reçoive un support ventilatoire et plusieurs perfusions intraveineuses, qui rendent difficile l'adoption d'une position confortable. Il peut souffrir d'insomnie et d'anxiété. Une sédation suffisante, le soulagement de la douleur, les soins de la peau et des mesures de confort s'imposent.

Le client est sevré du ballon intra-aortique à mesure que son état s'améliore, c'est-à-dire que le soutien circulatoire fourni par le ballon intra-aortique est graduellement réduit. Le sevrage consiste à réduire la fréquence à chaque deuxième (1:2) ou troisième (1:3) battement ou à diminuer la pression graduellement jusqu'à ce que le cathéter de contrepulsion soit retiré. Même si l'état du client est stable sans le ballon, le pompage doit se poursuivre à chaque troisième (1:3) battement jusqu'à ce que le cathéter à ballon soit retiré, afin de réduire le risque de formation de thrombus autour du cathéter. L'évaluation hémodynamique doit se poursuivre pendant la phase de sevrage.

29.3.2 Soins infirmiers : contrepulsion par ballon intra-aortique

Le client porteur d'un cathéter de contrepulsion par ballon intra-aortique requiert des soins infirmiers hautement spécialisés. L'infirmière doit effectuer une évaluation cardiovasculaire détaillée : prendre le pouls radial gauche (l'absence de pouls radial gauche signifie l'obstruction de la sous-clavière gauche par l'extrémité du ballonnet) ; prendre régulièrement les signes vitaux, les pressions hémodynamiques (si un cathéter de l'artère pulmonaire est en place) et le débit cardiaque ; faire l'auscultation cardiaque et évaluer la fréquence cardiaque. Elle doit également effectuer, à des intervalles réguliers une évaluation de l'ECG à la recherche d'un indice d'ischémie myocardique (inversion de l'onde T, changements du segment ST, douleur thoracique nouvellement apparue) ; une évaluation de la couleur et de la température de la peau, de l'état de conscience, du débit urinaire et des bruits intestinaux. Une diminution de la diurèse peut indiquer une obstruction des artères rénales par le ballon ou une détérioration de l'état clinique du client. En principe, ces paramètres devraient s'améliorer avec un traitement continu à l'aide du ballon intra-aortique. Les soins infirmiers liés à la gestion des complications provenant du ballon intra-aortique sont présentés au tableau 29.5.

29.3.3 Dispositifs d'assistance ventriculaire

Le dispositif d'assistance ventriculaire offre un soutien à plus long terme au cœur défaillant (habituellement de quelques jours à quelques mois) et permet une plus grande mobilité que le ballon intra-aortique. Il existe plusieurs types de dispositifs d'assistance ventriculaire, qui fonctionnent en étant insérés dans le circuit sanguin en vue d'augmenter ou de remplacer temporairement la fonction du ventricule gauche. Par exemple, une technique permet de dériver le sang de l'oreillette gauche au ventricule gauche dans le dispositif d'assistance ventriculaire, puis dans l'aorte, alors que d'autres techniques offrent une assistance ventriculaire globale. Les types de dispositifs d'assistance ventriculaire sont répertoriés au tableau 29.6 et un dispositif d'assistance ventriculaire est illustré à la figure 29.11.

L'impossibilité de sevrer la circulation extra-corporelle après une chirurgie cardiaque (sortie de pompe) peut être une indication à l'utilisation d'un dispositif d'assistance ventriculaire. Un tel dispositif est de plus en plus utilisé pour aider les clients atteints d'une insuffisance ventriculaire causée par un infarctus du myocarde et les clients en attente d'une transplantation cardiaque. Ce dispositif est capable de soutenir partiellement ou totalement la circulation jusqu'à ce que le

TABLEAU 29.5 Soins infirmiers : complications possibles reliées à la contrepulsion par ballon intra-aortique	
Complication possible	**Soins infirmiers**
Infection provenant des tubulures de perfusion	Utiliser une technique rigoureusement aseptique lors de l'insertion du cathéter et des changements de pansement. Couvrir tous les points d'insertion de pansements occlusifs. S'il y a lieu, administrer l'antibioprophylaxie prescrite pendant toute la durée du traitement.
Pneumonie associée à l'immobilisation	Repositionner le client toutes les deux heures, en veillant à ne pas déplacer le cathéter. Si le client a besoin d'une physiothérapie respiratoire, éviter d'introduire un artéfact à l'ECG.
Traumatisme artériel causé par l'insertion ou le déplacement du cathéter à ballon	Évaluer et noter les pouls périphériques avant l'insertion du cathéter à ballon afin de les utiliser comme données de base lors de la prise de pouls après l'insertion. Après avoir inséré le cathéter, évaluer la perfusion aux deux extrémités toutes les heures. Mesurer le débit urinaire toutes les heures (l'occlusion des artères rénales provoque une diminution importante du débit urinaire). Vérifier le pouls radial gauche, car l'extrémité du cathéter peut obstruer l'entrée de la sous-clavière gauche. Observer les courbes des tracés pour détecter tout changement soudain. Ne pas relever la tête du lit de plus de 30° si le cathéter est placé à travers une gaine et de 40° s'il n'a pas de gaine. Ne pas plier la jambe canulée à la hauteur de la hanche. Au besoin, immobiliser la jambe canulée pour empêcher la flexion.
Thromboembolie causée par un traumatisme, l'obstruction du cathéter à ballon ou une diminution du débit sanguin en aval du cathéter	Administrer de l'héparine à titre de prophylaxie si elle est prescrite. Évaluer les pouls périphériques et le débit urinaire toutes les heures. Vérifier la circulation, la sensibilité et la motricité dans les deux jambes toutes les heures.
Complications hématologiques causées par l'agrégation plaquettaire le long du cathéter à ballon (diminution possible des plaquettes)	Surveiller l'état de la coagulation, de l'hématocrite et la numération des plaquettes.
Hémorragie au site d'insertion	Vérifier le point d'insertion toutes les heures pour déceler tout saignement. Observer les signes d'hypovolémie à chaque vérification des signes vitaux.

ECG : électrocardiogramme.

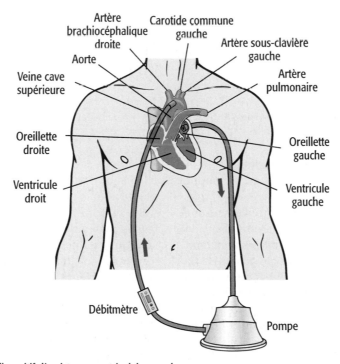

FIGURE 29.11 Schéma d'un dispositif d'assistance ventriculaire gauche

TABLEAU 29.6	Dispositifs d'assistance ventriculaire		
Type	**Exemple**	**Utilisation**	**Description**
Centrifuge	Biomedicus	Soutien univentriculaire ou biventriculaire	Le sang est détourné vers une tête de pompe conique où des lames tournent et propulsent de nouveau le sang à travers la canule de retour par un débit continu (non pulsatile).
Rotatif	Hemopump	Soutien du ventricule gauche	Une hélice logée dans la canule du VG prélève du sang du VG et l'expulse dans l'aorte.
Pneumatique	Thoratec	Soutien univentriculaire ou biventriculaire	Pompe pulsatile externe qui utilise un sac d'air pressurisé pour éjecter le sang par une canule d'évacuation.
	Abiomed BVS 5000	Soutien univentriculaire ou biventriculaire	Pompe externe à deux chambres dont les cavités se remplissent par gravité; les pompes sont placées à un niveau relatif au client.
	TCI Heartmate	DAVG	Pompe pneumatique totalement implantable munie d'une console à commande externe.
Électrique	Novacor	DAVG	Pompe pulsatile électrique implantée dans un quadrant abdominal supérieur.
	TCI Heartmate, Vented Electric	DAVG	Pompe totalement implantable, fonctionnant avec deux piles de 12 volts ou avec une source d'énergie directe.
Soutien cardiopulmonaire	Bard CPS	Réanimation d'urgence (p. ex. soutenir une angioplastie)	Pontage fémorofémoral; sang veineux détourné vers la pompe centrifuge. Il traverse l'échangeur de chaleur normothermique pour se rendre à l'oxygénateur de membrane et revient vers le client.

Adapté de Thelan LA et coll., éd. : *Critical care nursing: diagnosis and management*, 3e éd., St. Louis, 1998, Mosby.
DAVG : dispositif d'assistance ventriculaire gauche ; VG : ventricule gauche.

cœur se rétablisse ou que le client obtienne le cœur d'un donneur. Les points d'insertion de la canule dépendent du type de dispositif employé. Par exemple, les canules peuvent être insérées dans l'oreillette droite et l'artère pulmonaire pour soutenir le côté droit du cœur ou dans l'apex du ventricule gauche pour soutenir le côté gauche du cœur. Selon le dispositif utilisé, la canulation peut se faire au chevet du client si l'insertion est réalisée par voie percutanée dans l'artère fémorale ou par dissection fémorale. La canulation directe des oreillettes et des grands vaisseaux se fait à la salle d'opération par sternotomie.

Le choix des clients admissibles à un dispositif d'assistance ventriculaire est très important et ceux-ci sont regroupés en trois catégories : les clients ayant une défaillance ventriculaire postcardiotomie ; les clients en attente d'une transplantation cardiaque ; les clients ayant subi un choc cardiogénique lors d'un infarctus aigu du myocarde. Les critères d'exclusion comprennent, entre autres, une insuffisance aortique importante ; un accident vasculaire cérébral important ; une surface corporelle inférieure à 1,5 m^2 ; un sepsis ; des affections comorbides limitant l'espérance de vie (telles qu'une insuffisance rénale chronique, un cancer métastatique ou une maladie hépatique grave) ; des affections comorbides pouvant causer des difficultés techniques (coagulopathie, dyscrasie sanguine, certaines maladies infectieuses, affection pulmonaire grave).

Les soins infirmiers donnés au client porteur d'un dispositif d'assistance ventriculaire sont semblables à ceux qui sont dispensés au client porteur d'un ballon intra-aortique. L'infirmière doit observer le client pour déceler tout signe de saignement, de tamponnade cardiaque, d'insuffisance ventriculaire, d'infection, d'arythmies, d'insuffisance rénale, d'hémolyse ou de thromboembolie. Le client a également besoin d'un soutien nutritionnel adéquat. Théoriquement, les clients porteurs d'un dispositif d'assistance ventriculaire se rétablissent à la suite d'une amélioration de la fonction ventriculaire ou d'une transplantation ; cependant, bon nombre de clients décèdent, compte tenu de la gravité de l'état sous-jacent. Par conséquent, le client et sa famille ont besoin de soutien psychologique et l'infirmière doit tenter de faire participer les membres de la famille autant que possible. D'autres membres de l'équipe soignante, tels que la travailleuse sociale ou l'aumônier, doivent être informés pour aider la famille et les amis.

Le dispositif d'assistance ventriculaire est retiré en salle d'opération, lorsque la fonction ventriculaire s'est améliorée ou que la transplantation doit avoir lieu. Une mèche est insérée dans chaque point d'insertion de canule et les plaies sont refermées. Les soins des plaies habituels doivent être prodigués, une fois que le client retourne à l'USI. Les résultats obtenus à la suite de l'utilisation des dispositifs d'assistance circulatoire sont encourageants.

29.4 MAINTIEN DE LA PERMÉABILITÉ DES VOIES RESPIRATOIRES SUPÉRIEURES

Le client aux soins intensifs a souvent besoin d'une assistance mécanique pour maintenir la perméabilité de ses voies respiratoires. Une voie respiratoire artificielle est créée en insérant un tube dans la trachée et en modifiant l'utilisation des structures des voies respiratoires supérieures et du larynx. Le tube peut être placé dans la trachée en passant par la bouche ou le nez au-delà du larynx (intubation endotrachéale) ou par les structures du cou (trachéostomie). L'intubation endotrachéale est plus fréquente chez les clients des soins intensifs. Cette intervention peut être effectuée rapidement sans devoir emmener le client en chirurgie, alors qu'une trachéostomie, effectuée par voie chirurgicale, est indiquée lorsque la voie respiratoire artificielle devient nécessaire pour une longue période. Un tube endotrachéal est illustré à la figure 29.12. Le chapitre 15 et la figure 15.6 traitent des trachéostomies.

Les indications relatives à l'installation d'un tube visant le maintien de la perméabilité des voies respiratoires sont de prévenir ou de soulager l'obstruction des voies respiratoires supérieures ; de réduire les risques de bronchoaspiration lorsque le client n'a pas suffisamment de réflexes de protection des voies respiratoires ; de faciliter l'élimination des sécrétions lorsque le client ne parvient pas à dégager efficacement ses voies respiratoires ; de fournir un système en circuit fermé pour permettre la ventilation assistée à pression positive. Ces indications visent souvent le client en détresse respiratoire aiguë et dont l'état de conscience peut être altéré.

29.4.1 Tubes endotrachéaux

Une intubation endotrachéale peut être pratiquée par l'insertion du tube dans la trachée par la bouche (intubation orotrachéale) ou par le nez (intubation nasotrachéale). Lors d'une intubation orotrachéale, le tube est passé par la bouche et entre les cordes vocales pour atteindre la trachée à l'aide d'un laryngoscope ou d'un bronchoscope. Lors de l'intubation nasotrachéale, l'insertion se fait en passant le tube par le nez, le nasopharynx et entre les cordes vocales.

L'intubation orotrachéale est la modalité de choix pour la plupart des urgences, puisque la voie respiratoire peut être protégée rapidement. Comparativement à l'intubation par voie nasale, l'intubation par voie orale se fait avec un tube de plus gros calibre, qui permet de réduire le travail respiratoire puisqu'il y a moins de résistance attribuable au calibre du tube. Il est également plus facile d'évacuer les sécrétions et de procéder, au besoin, à une bronchoscopie.

L'intubation orotrachéale comporte toutefois certains inconvénients. Il est difficile de placer le tube orotrachéal si la mobilité de la tête et du cou est limitée. D'autres inconvénients, comme l'augmentation de la salivation et la difficulté à déglutir, sont également observables. De plus, il est recommandé d'utiliser une canule oropharyngée chez le client qui a tendance à mordre le tube. Enfin, les plus gros tubes utilisés lors de l'intubation orotrachéale sont associés à un traumatisme laryngé et à une sténose sous-glottique, notamment chez les personnes de petite taille (p. ex. les femmes). Les soins buccaux, difficiles à dispenser, doivent être faits régulièrement afin de maintenir l'intégrité de la muqueuse buccale.

Certains médecins préfèrent parfois utiliser une intubation nasotrachéale parce que le tube est plus stable que le tube orotrachéal, plus difficile à déloger et qu'elle peut être réalisée à l'aveugle, sans visualiser le larynx. Elle est particulièrement indiquée lorsque la manipulation de la tête et du cou est risquée. Le tube nasal peut être inconfortable pour certains clients parce qu'il appuie contre la cloison nasale, alors que d'autres peuvent la privilégier parce qu'elle ne nécessite pas de canule oropharyngée et facilite les soins buccaux. Cependant, le tube nasotrachéal est plus sujet à subir des torsions que

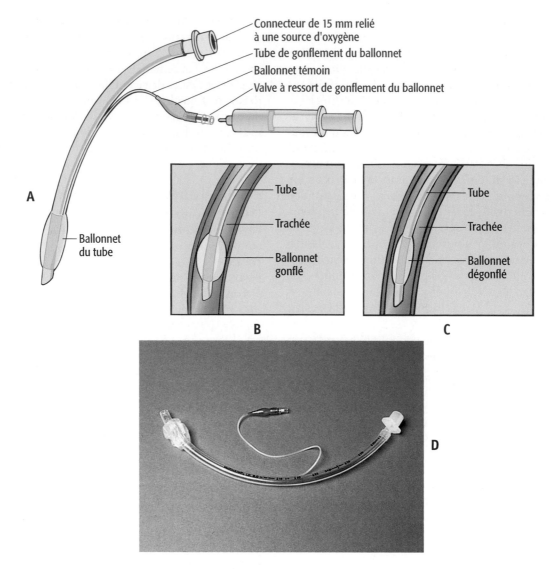

FIGURE 29.12 Tube endotrachéal. A. Composantes d'un tube endotrachéal. B. Tube en place avec le ballonnet gonflé. C. Tube en place avec le ballonnet dégonflé. D. Photographie du tube avant la mise en place.

le tube orotrachéal. De plus, le travail respiratoire est plus laborieux, puisque le tube est plus long et plus étroit et offre une plus grande résistance au débit d'air. L'aspiration et l'élimination des sécrétions sont également plus difficiles à effectuer. Les tubes nasotrachéaux sont liés à une augmentation de l'incidence des sinusites pouvant être à l'origine d'un sepsis et sont contre-indiqués chez les clients victimes d'un traumatisme crânien.

29.4.2 Canule de trachéostomie

Une canule de trachéostomie est utilisée lorsqu'une voie respiratoire artificielle s'avère nécessaire pendant une longue période. Une trachéostomie pratiquée relativement tôt dans le traitement permet de réduire les lésions aux voies respiratoires supérieures et de maximiser le bien-être du client. Il est possible que le client

puisse manger et parler avec certains types de canules de trachéostomie. De plus, les sécrétions sont plus faciles à évacuer et le travail respiratoire est moins ardu qu'avec l'intubation endotrachéale. À l'heure actuelle, les intervenants ne s'entendent pas sur le moment où l'on doit pratiquer une trachéostomie sur le client porteur d'un tube endotrachéal. La situation varie selon le client, le médecin et l'établissement. Certains établissements appliquent l'intubation endotrachéale au client jusqu'à concurrence de six semaines sans séquelle néfaste.

29.4.3 Procédures d'intubation endotrachéale

Avant l'intubation, l'infirmière doit s'assurer que le client est bien oxygéné et lui expliquer, dans la mesure du possible, la raison de l'intubation endotrachéale, la procédure qui sera effectuée et les sensations (haut-le-cœur, impression de suffocation) qu'il pourrait éprouver pendant l'intervention. Elle doit également lui expliquer qu'il ne pourra pas parler pendant que le tube sera en place en raison du ballonnet gonflé, mais qu'il pourra le faire une fois que le tube sera enlevé.

L'infirmière ou l'inhalothérapeute doit assembler et vérifier le matériel qui sera utilisé pendant l'intubation, enlever les prothèses dentaires ou les partiels du client et administrer les médicaments selon l'ordonnance. La prémédication varie selon l'état du client. Dans la salle d'opération, la prémédication peut comprendre des barbituriques sous forme intraveineuse (pour provoquer le sommeil) et un agent bloqueur neuromusculaire. Aux soins intensifs, la prémédication comprend souvent un aérosol anesthésique topique, tel que la lidocaïne (Xylocaine) à 4%. Un sédatif hypnotique et un amnésique (p. ex. le midazolam [Versed]) peuvent être administrés si le client est agité, désorienté ou agressif. Un narcotique à début d'action rapide, tel que le fentanyl, peut être administré pour atténuer la douleur de la laryngoscopie et de l'intubation. Un agent bloqueur neuromusculaire comme la succinylcholine (Quelicin) peut être utilisé pour empêcher le client de bouger, et l'atropine peut être employée pour diminuer les sécrétions. Il est toutefois fréquent que l'intubation se fasse sans prémédication dans les situations d'urgence puisque le client est souvent inconscient.

Lorsque l'intubation orotrachéale est choisie, l'infirmière ou l'inhalothérapeute doit placer le client de façon à ce que la bouche, le pharynx et la trachée soient bien alignés. Le client est couché sur le dos, la tête allongée et le cou fléchi (position de reniflement). La tête ne doit pas dépasser du bord du lit. La mâchoire inférieure est tenue vers l'avant. Le médecin qui pratique l'intubation utilise un laryngoscope pour visualiser les cordes vocales et passer le tube endotrachéal par la bouche au-delà des cordes vocales, jusque dans la trachée. L'intubation nasotrachéale peut se faire à l'aveugle sans que le client ne bouge la tête ni le cou. Il peut être utile de demander au client de sortir la langue lors de l'intubation nasotrachéale. Avant chaque tentative d'intubation, le client est préoxygéné avec de l'oxygène à 100% à l'aide d'un ballon de réanimation (Ambu), et chaque tentative d'insertion est limitée à 30 secondes. L'oxymétrie pulsée est utile pendant l'intubation pour évaluer l'hypoxémie.

Une fois le tube inséré, le ballonnet est gonflé et le tube est fixé. L'infirmière ou l'inhalothérapeute doit immédiatement ausculter les poumons pour confirmer les bruits respiratoires bilatéraux et observer le client pour constater l'expansion thoracique bilatérale. Le tube est fixé à l'aide d'un pansement adhésif et une canule oropharyngée est utilisée au besoin. Une radiographie pulmonaire est immédiatement prise pour confirmer l'emplacement du tube de 3 à 5 cm au-dessus de la carène (éperon trachéal) chez l'adulte, soit à peu près à mi-chemin entre les cordes vocales et la carène. Cette position permet au client de bouger le cou sans risquer de déloger le tube ou de le faire pénétrer accidentellement dans la bronche droite.

Une fois que la position adéquate du tube est confirmée par radiographie, ce dernier est marqué à l'endroit où il sort du nez ou de la bouche (« marque de sortie ») et est solidement fixé avec un pansement adhésif sur chaque joue. Un deuxième pansement plus long est placé par-dessus le premier ; les extrémités sont fendues et enroulées autour du tube. Le pansement adhésif du bas reste en place et seul le pansement du haut est changé, au besoin. Le tube nasal est fixé de la même façon avec un pansement de chaque côté des joues. Dans le cas de lésions faciales, il est possible d'utiliser des attaches de Velcro au lieu de pansements adhésifs pour fixer le tube nasal. Il existe plusieurs dispositifs sur le marché pour aider à fixer les tubes endotrachéaux.

Il est possible que le client ait besoin d'aspiration après l'intubation. L'aspiration buccale est pratiquement toujours nécessaire puisque le client ne peut pas avaler normalement. L'aspiration trachéale peut s'avérer nécessaire si le client est incapable de tousser vigoureusement. Après l'intubation, l'infirmière ou l'inhalothérapeute doit procéder à l'auscultation pulmonaire. Des ronchi laissent supposer la présence de sécrétions qui doivent être évacuées par l'aspiration ou la toux (voir encadré 29.5).

Le tube endotrachéal est raccordé à l'air humidifié, à l'oxygène ou à un ventilateur mécanique. Un prélèvement de sang artériel pour gazométrie doit être effectué de 10 à 20 minutes après l'intubation pour déterminer l'état d'oxygénation et de ventilation. Les valeurs de la gazométrie du sang artériel sont examinées et utilisées pour guider les changements à apporter à l'oxygénation et à la ventilation. L'oxymétrie pulsée fournit une surveillance continue utile de la capacité de saturation en oxygène de l'hémoglobine du sang artériel.

29.4.4 Soins infirmiers : maintien de la perméabilité des voies respiratoires supérieures

Les responsabilités conjointes de l'infirmière et de l'inhalothérapeute à l'égard du client ayant un tube endotrachéal ou une canule de trachéostomie sont de maintenir le bon positionnement du tube ou de la canule ; de maintenir le gonflement approprié du ballonnet ; de maintenir et de surveiller l'état de la ventilation (y compris l'oxygénation et l'état acidobasique) ; de maintenir la perméabilité du tube ou de la canule ; d'évaluer les voies respiratoires pour déceler toute complication ; de prodiguer les soins buccaux ; de favoriser le confort et la communication. L'encadré 29.6 présente

Procédures d'aspiration à l'égard du client ventilé mécaniquement

Mesures générales
- Se laver les mains.
- Mettre des lunettes ou un écran de protection s'il y a lieu.
- Expliquer l'intervention, l'objectif et les sensations au client.
- Préparer tout le matériel :
  - Vérifier la pression d'aspiration négative (qui varie habituellement entre -80 et -120 mm Hg).
  - Verser la solution stérile (eau ou soluté physiologique) dans un contenant stérile.
  - Ouvrir le débit d'oxygène vers le concentrateur du sac à 15 L.
  - Placer le ballon de réanimation Ambu sur le lit.
  - Suspendre les alarmes du ventilateur.
  - Mettre des gants propres non stériles*.

Méthode à une personne
- Débrancher le client du ventilateur.
- Préoxygéner le client avec de l'oxygène à 100 %** et l'hyperventiler avec le ballon de réanimation Ambu (ou trois à six respirations à l'aide du ventilateur)
- Brancher le client au ventilateur.
- Ouvrir l'emballage du cathéter. Sortir le cathéter de son emballage avec la main dominante et le maintenir plié dans la main.
- Brancher le cathéter au tube d'aspiration : mouiller l'extrémité du cathéter dans la solution stérile et en aspirer une petite quantité.
- Débrancher le client du ventilateur.
- À l'aide de la main non dominante, stabiliser le tube endotrachéal et l'orifice de contrôle du cathéter.
- Insérer le cathéter en douceur et rapidement avec la main dominante, sans aspirer.

- Lorsqu'une résistance est ressenti, retirer le cathéter de un à deux centimètres sans aspirer.
- Aspirer de manière intermittente tout en faisant tourner le cathéter entre le pouce et l'index.
- Retirer rapidement le cathéter. Chaque séance d'aspiration ne doit pas dépasser 15 secondes.
- Rincer, au besoin, le cathéter dans un solution stérile entre les séances d'aspiration.
- Rebrancher le client au ventilateur.
- Abaisser le bouton de respiration ou de soupir manuel (s'il est activé) sur le ventilateur pour hyperventiler ou ventiler le client***.
- Laisser un moment de répit au client pendant 30 à 60 secondes ou au besoin.
- Rincer le cathéter avec une solution stérile.
- Répéter l'intervention, au besoin.
- Rebrancher le client au ventilateur.
- Aspirer les sécrétions de l'oropharynx (idéalement avec un second cathéter).
- Jeter le cathéter au rebut.
- Hyperventiler et oxygéner le client à l'aide du ballon de réanimation ou du ventilateur pendant trois à six respirations.
- Évaluer la tolérance du client face à l'aspiration (l'observation continue du client pendant toute l'intervention d'aspiration s'impose).
- Confirmer la réactivation des alarmes du ventilateur.

Méthode à deux personnes
- La première personne assure l'hyperventilation et la préoxygénation.
- La deuxième personne s'occupe de l'aspiration comme dans la méthode à une personne.

* Infirmière ou inhalothérapeute. Certains établissement procèdent à l'aspiration des sécrétions avec une technique stérile. Adapter alors la procédure afin de maintenir l'asepsie.
** Utiliser une concentration d'oxygène de 60 % ou moins pour les clients atteints d'hypercapnie chronique qui respirent spontanément.
*** À mesure que l'infirmière devient plus experte en aspiration, elle peut effectuer la ventilation par ballonnet avec l'autre main entre les séances d'aspiration. Idéalement, il est préférable que deux personnes soient présentes pendant l'aspiration de façon à ce qu'une personne puisse ventiler le client à l'aide du ballonnet tandis que l'autre effectue l'aspiration. (Une infirmière ayant une main sur le ventilateur à ballonnet peut produire jusqu'à 800 mm, et jusqu'à 1000 mm avec les deux mains.)

les soins infirmiers à prodiguer au client ayant un tube endotrachéal ou une canule de trachéostomie.

Maintenir le bon positionnement du tube endotrachéal.
L'infirmière et l'inhalothérapeute doivent surveiller et maintenir le positionnement du tube endotrachéal car, lorsque ce dernier n'est pas inséré assez profondément, il peut se déloger de la trachée et dévier dans le pharynx ou pénétrer dans l'œsophage. Par contre, s'il est inséré trop profondément, il peut pénétrer dans la bronche droite, ce qui a pour effet de ventiler seulement le poumon droit. L'infirmière ou l'inhalothérapeute surveille la position du tube en confirmant que la marque de sortie indiquée demeure au bon endroit. Elle observe la symétrie des mouvements de la cage thoracique à l'inspiration et à l'expiration et ausculte le client afin de vérifier la présence de bruits respiratoires

bilatéraux pour confirmer le bon positionnement du tube endotrachéal. Le déplacement du tube constitue une situation d'urgence. Dans ce cas, l'infirmière ou l'inhalothérapeute doit rester auprès du client, maintenir la perméabilité des voies respiratoires, soutenir la ventilation et demander l'aide nécessaire pour remettre le tube en place immédiatement. Il peut s'avérer nécessaire de ventiler le client à l'aide d'un ballon de réanimation (Ambu). Lorsqu'un tube mal positionné n'est pas replacé, l'oxygène ne peut être acheminé correctement aux poumons ou, lorsque le volume courant total est administré à un seul poumon, le client est prédisposé à un pneumothorax.

Maintenir le gonflement approprié du ballonnet.
Le ballonnet est un manchon gonflable et souple qui entoure la paroi externe du tube endotrachéal. Le

Plan de soins infirmiers

Client ayant un tube endotrachéal ou une canule de trachéostomie*

DIAGNOSTIC INFIRMIER : dégagement inefficace des voies respiratoires relié à la présence d'un tube endotrachéal ou d'une canule de trachéostomie, à l'accumulation de sécrétions dans les voies respiratoires, à l'incapacité de mobiliser les sécrétions et à l'assèchement des muqueuses, se manifestant par la présence de bruits respiratoires anormaux et de toux fréquente ou absente, de sécrétions épaisses ou abondantes, de pressions inspiratoires maximales sur le ventilateur ou la manifestation d'alarmes de haute pression sur le ventilateur.

PLANIFICATION

Résultats escomptés
- Les bruits respiratoires deviendront normaux.
- Les sécrétions seront fluides et faciles à dégager.

INTERVENTIONS	Justifications
• Faire tousser le client et, si possible, le faire respirer profondément toutes les deux heures.	• Prévenir l'accumulation de sécrétions et l'hypoventilation.
• Pratiquer l'aspiration trachéobronchique au besoin seulement.	• Retirer les sécrétions et améliorer l'oxygénation.
• Utiliser une technique d'aspiration efficace (voir encadré 29.5).	• Prévenir toute lésion tissulaire.
• Utiliser un cathéter à bout rond et émoussé.	• Réduire le traumatisme à la trachée et aux bronches.
• Utiliser un cathéter de diamètre inférieur à la moitié du diamètre du tube endotrachéal.	• Permettre à l'air de circuler autour du cathéter et prévenir l'affaissement du poumon.
• Limiter la pression d'aspiration négative (-80 à -120 mm Hg).	• Empêcher l'accumulation d'excédent de pression négative.
• Utiliser des manœuvres de drainage postural, de vibration et de percussion lorsqu'elles sont indiquées.	• Aider à faire migrer les sécrétions dans les voies respiratoires plus larges.
• Encourager la mobilité ; changer le client de position au moins toutes les deux heures dans la mesure où il le tolère.	• Empêcher l'accumulation de sécrétions.
• Évaluer le besoin d'autres mesures	
• Maintenir le client bien hydraté ; chauffer (37 °C) et humidifier les gaz de ventilation.	• Faciliter la liquéfaction et la mobilisation des sécrétions.
• Administrer des antibiotiques selon l'ordonnance.	• Traiter l'infection.
• Administrer des bronchodilatateurs en aérosol (s'ils sont indiqués).	• Traiter un bronchospasme et réduire le rétrécissement des bronches.
• Ausculter les bruits respiratoires toutes les deux à quatre heures.	• Surveiller l'efficacité des interventions.

DIAGNOSTIC INFIRMIER : perturbation des échanges gazeux résultant d'une inadéquation du rapport ventilation/perfusion ou d'un shunt pulmonaire, se manifestant par des valeurs de GSA anormales (PaO$_2$ diminuée, SaO$_2$ diminuée), de la somnolence, des manifestations neurocomportementales (instabilité psychomotrice, irritabilité, confusion) et une cyanose centrale[1].

PLANIFICATION

Résultats escomptés
- Les valeurs de GSA seront à l'intérieur des limites escomptées pour le client.
- Il y aura absence de cyanose centrale.

INTERVENTIONS	Justifications
• Surveiller continuellement les résultats de l'oxymétrie pulsée.	
• Administrer de l'oxygène afin de maintenir une SpO$_2$ >90 % selon l'ordonnance médicale.	
- Fournir un apport d'oxygène supplémentaire à l'aide d'un dispositif approprié.	• Augmenter la pression de l'oxygène dans les alvéoles.
- Si l'administration d'un apport d'oxygène supplémentaire ne donne pas de résultats, appliquer une pression positive continue aux voies aériennes ou mettre le client sous ventilation mécanique avec une pression positive de fin d'expiration.	• Ouvrir les alvéoles affaissées et augmenter la surface d'échange gazeux.

→ **Plan de soins infirmiers**

Client ayant un tube endotrachéal ou une canule de trachéostomie* (*suite*)

- Placer le client dans une positon qui maximise l'adéquation du rapport ventilation/perfusion.
  - En cas de maladie pulmonaire unilatérale, en position latérale, placer le poumon sain en bas.
  - En cas de maladie pulmonaire bilatérale, placer le poumon droit en bas.

  - Changer la position toutes les deux heures.
  - Éviter toutes les positions qui compromettent gravement l'oxygénation.
- Intervenir uniquement en cas de besoin et laisser le client se reposer et se rétablir.
- En suivant l'ordonnance médicale, administrer :
  - des calmants ;

  - des agents bloquants neuromusculaires ;

  - des analgésiques pour réduire la douleur, au besoin, et exécuter un plan de soins relatif à la douleur aiguë reliée à la transmission et à la perception des signaux cutanés, viscéraux, musculaires ou ischémiques.
- En présence de sécrétions, appliquer un plan de soins infirmiers.

- La gravité aidera la perfusion et améliorera le rapport ventilation/perfusion.
- Ce poumon est plus volumineux que le gauche et offre une plus grande surface d'échange au cours de la ventilation et de la perfusion.
- Favoriser les positions qui améliorent l'oxygénation.

- Prévenir la désaturation.

- Réduire les risques de mauvaise synchronisation entre le client et le respirateur pour que le client ait le sentiment de maîtriser sa respiration ;
- Réduire les risques de mauvaise synchronisation entre le client et le respirateur et diminuer la demande en oxygène.

DIAGNOSTIC INFIRMIER : perturbation des échanges gazeux reliée à une hypovention alvéolaire, se manifestant par des valeurs de GSA anormales (PaO_2 diminuée, $PaCO_2$ augmentée, pH diminué, SaO_2 diminuée), de la somnolence, des manifestations neurocomportementales (instabilité psychomotrice, irritabilité, confusion), de la tachycardie ou de l'arythmie et une cyanose centrale[1].

PLANIFICATION
Résultats escomptés
- Les valeurs de GSA seront à l'intérieur des limites escomptées pour le client.
- Il y aura absence de cyanose centrale.

INTERVENTIONS
- Surveiller continuellement les résultats de l'oxymétrie pulsée.
- Administrer de l'oxygène afin de maintenir une SpO_2 >90 % selon l'ordonnance médicale.
  - Fournir un apport d'oxygène supplémentaire à l'aide d'un dispositif approprié.
  - Si l'administration d'un apport d'oxygène supplémentaire ne donne pas de résultats, appliquer une pression positive continue aux voies aériennes ou mettre le client sous ventilation mécanique avec une pression positive de fin d'expiration.
- Prévenir l'hypoventilation
  - Placer le client en position de Fowler ou de semi-Fowler.

  - Encourager le client à prendre des respirations profondes ou à faire des exercices de spirométrie en retenant l'inspiration maximale 5 à 10 fois par heure.
  - Traiter la douleur, au besoin, et exécuter le plan de soins infirmiers.
- Au besoin, assister le médecin lors de l'intubation et de l'instauration de la ventilation mécanique.

Justifications

- Augmenter la pression de l'oxygène dans les alvéoles.

- Ouvrir les alvéoles affaissées et augmenter la surface d'échange gazeux.

- Favoriser l'abaissement du diaphragme et une inspiration maximale.
- Améliorer l'expansion des régions pulmonaires affaissées.

- Éviter l'hypoventilation et l'atélectasie.

Plan de soins infirmiers

Client ayant un tube endotrachéal ou une canule de trachéostomie* (*suite*)

DIAGNOSTIC INFIRMIER : risque d'accident relié à la possibilité d'intubation sélective de la bronche droite, à l'intubation de l'œsophage, à l'extubation accidentelle, à l'obstruction mécanique ou à la compression du tube endotrachéal et à l'irritation consécutive à la présence du tube endotrachéal ou de la canule de trachéostomie.

PLANIFICATION
Résultats escomptés
- L'alignement du tube endotrachéal sera maintenu.
- Il n'y aura aucune extubation accidentelle.
- Il n'y aura aucun traumatisme trachéal.

INTERVENTIONS
- Évaluer l'état du client pour déceler tout signe d'hypoxémie, de tachycardie et de tachypnée progressives, d'augmentation de la PA, de cyanose, de bruits respiratoires absents ou unilatéraux ou de dyspnée.
- Surveiller tout signe d'incapacité à ventiler le client avec un ballon de réanimation (Ambu), d'incapacité à introduire le cathéter d'aspiration dans le tube endotrachéal, de mauvais positionnement du tube endotrachéal sur la radiographie pulmonaire, de pressions expiratoires maximales élevées et d'alarmes fréquentes de pression élevée dans les voies respiratoires.
- Utiliser une canule oropharyngée au besoin.

- Déplacer le client avec précaution s'il est relié au ventilateur.

- Marquer le tube avec un marqueur indélébile au point d'insertion des dents, des gencives ou du nez.
- Utiliser une technique d'asepsie rigoureuse lors de l'aspiration (voir encadré 29.5).
- Ausculter les bruits respiratoires immédiatement après l'intubation, puis toutes les deux à quatre heures et au besoin.
- S'assurer qu'une radiographie pulmonaire soit prise immédiatement après l'intubation et chaque fois qu'on soupçonne un mauvais positionnement du tube.
- Au besoin seulement, immobiliser le client à l'aide de courroies aux poignets. Suivre les politiques de l'établissement à cet égard.

Justifications
- Déceler les signes de ventilation inefficace.

- Ce sont des indicateurs de respiration inefficace.

- Empêcher le client de mordre le tube ou d'obstruer l'ouverture de celui-ci.
- Éviter toute tension sur le tube endotrachéal relié à la tubulure du ventilateur.
- Indiquer le bon emplacement.

- Réduire le risque d'infection.

- Assurer le bon positionnement du tube endotrachéal et une ventilation efficace.
- Confirmer le bon positionnement.

- Éviter qu'il s'extube par inadvertance.

DIAGNOSTIC INFIRMIER : risque d'aspiration (de fausse route) relié à la présence d'un tube endotrachéal ou d'une canule de trachéostomie.

PLANIFICATION
Résultat escompté
- Il n'y aura aucun épisode de bronchoaspiration.

INTERVENTIONS
- Élever la tête du lit et maintenir le ballonnet gonflé pendant le gavage ou pendant que le client mange (seulement pour le client porteur de trachéostomie).
- Vérifier la coloration des sécrétions lors de l'aspiration endotrachéale et l'augmentation soudaine du besoin d'aspiration.
- Utiliser une sonde d'alimentation de petit calibre pour l'alimentation entérale.

Justifications
- Empêcher l'aspiration.

- Vérifier la présence de liquide gastrique dans les sécrétions.

- Réduire la pression sur l'œsophage.

Plan de soins infirmiers

Client ayant un tube endotrachéal ou une canule de trachéostomie* (*suite*)

• Ajouter un colorant alimentaire au gavage.	• Repérer la bronchoaspiration plus facilement.
• Encourager le client porteur d'une trachéostomie à pencher la tête vers l'avant lorsqu'il mange.	• Permettre à l'œsophage de s'ouvrir davantage.
• Coucher le client sur le côté (jamais à plat sur le dos).	• Lorsque le risque d'aspiration est élevé.

DIAGNOSTIC INFIRMIER : risque d'atteinte de l'intégrité de la muqueuse buccale relié à un traumatisme tissulaire causé par la présence d'un tube endotrachéal, à la sécheresse de la bouche, à une augmentation des sécrétions buccales ou à la stimulation mécanique fréquente à l'aide d'un cathéter d'aspiration.

PLANIFICATION
Résultats escomptés
• Les muqueuses seront roses, humides, intactes.
• Il y aura absence de lésions, de croûtes et de débris séchés.

INTERVENTIONS	Justifications
• Changer régulièrement la canule oropharyngée. Nettoyer la bouche et brosser les dents en douceur avec une brosse à dents, une brosse-mousse ou un coton-tige imbibé d'une solution saline physiologique toutes les quatre heures lorsque le client est éveillé.	• Assurer le bien-être du client et maintenir l'intégrité de la muqueuse buccale.
• Appliquer un lubrifiant sur les lèvres.	• Humidifier les lèvres.
• Maintenir le thermostat du ventilateur à 37 °C.	• S'assurer que le ventilateur ou la source d'oxygène produit une humidité et une chaleur suffisantes.
• Vérifier le niveau d'eau du ventilateur.	• S'assurer que les gaz respiratoires sont continuellement humidifiés.

DIAGNOSTIC INFIRMIER : risque de mode de respiration inefficace après l'extubation relié à une lésion possible des voies respiratoires supérieures consécutive au gonflement du ballonnet du tube endotrachéal.

PLANIFICATION
Résultats escomptés
• L'intégrité normale des structures des voies respiratoires supérieures sera maintenue.
• Le client aura la capacité d'émettre des sons et d'avaler adéquatement quelques heures après l'extubation.

INTERVENTIONS	Justifications
• Surveiller le client pour déceler tout signe de tachypnée, de tachycardie, de diminution des bruits respiratoires, de stridor inspiratoire, d'utilisation de muscles accessoires, d'incapacité à émettre des sons, d'enrouement, de mal de gorge, de toux, de difficulté à avaler après l'extubation.	• Déceler tout signe de respiration inefficace.
• Utiliser un tube endotrachéal de plus petit diamètre possible pour maintenir une ventilation efficace.	• Réduire les risques de traumatisme de la trachée.
• Utiliser seulement des ballonnets à basse pression pour l'intubation.	• Réduire les risques de lésion de la trachée et du larynx.
• Utiliser une technique de fuite minimale ou de volume d'occlusion minimal et des pressions de ballonnet <20 mm Hg (ou 27 cm d'eau).	• Prévenir la dilatation de la trachée et ainsi éviter une compression de l'œsophage qui pourrait entraîner une aspiration et de la difficulté à avaler.
• Stabiliser le tube endotrachéal, la tubulure et la tête du client au moment de le changer de position.	• Éviter un traumatisme aux tissus de la trachée.
• Dégonfler régulièrement le ballonnet lorsque l'usage du ventilateur n'est pas requis.	• Soulager la pression exercée sur la trachée.
• Surveiller étroitement le client immédiatement après l'extubation.	• Déceler tout signe de détresse respiratoire consécutive à un œdème laryngé et tout autre signe de lésions aux voies respiratoires supérieures.

Plan de soins infirmiers

Client ayant un tube endotrachéal ou une canule de trachéostomie* (suite)

DIAGNOSTIC INFIRMIER : altération de la communication verbale reliée à une incapacité de parler consécutive à l'intubation, se manifestant par l'impossibilité de parler.

PLANIFICATION
Résultat escompté
- Le client aura la capacité de communiquer ses besoins en utilisant des solutions de remplacement.

INTERVENTIONS	Justifications
• Expliquer au client la nature temporaire du problème, lui dire qu'il ne pourra pas parler avec le tube endotrachéal et qu'il aura la voix enrouée après le retrait du tube.	• L'informer et soulager son anxiété.
• Donner au client du papier et un crayon, une ardoise magique, un tableau alphabétique, un tableau de symptômes.	• Lui fournir un autre moyen de communication.
• Apprendre à lire le langage corporel, l'expression faciale et les signaux du client.	• Faciliter les efforts qu'il déploie pour communiquer.
• Tenter de pressentir les besoins du client.	• Diminuer la frustration.
• Fournir un voyant ou une cloche d'appel facilement accessible.	• Permettre au client de demander de l'aide.
• Reconnaître que l'incapacité de parler peut être frustrante.	• Faire preuve d'empathie envers le client.
• Enseigner à la famille des stratégies efficaces pour communiquer avec le client.	

DIAGNOSTIC INFIRMIER : déficit nutritionnel relié à une incapacité d'ingérer la nourriture par voie orale, aux besoins caloriques accrus consécutifs à l'affection clinique et au besoin de ventilation assistée, se manifestant par une perte de plus de 10 % du poids corporel (voir les interventions infirmières reliées à ce diagnostic dans l'encadré 28.3).

Adapté de URDEN, L. D., et STACY, K.M. *Priorities in critical care nursing*, 3ᵉ éd., St. Louis, Mosby, 2000.
* Le plan de soins infirmiers pour le client ayant subi une trachéostomie est présente dans l'encadré 13.10.
GSA : gazometrie du sang artériel ; PA : pression artérielle.

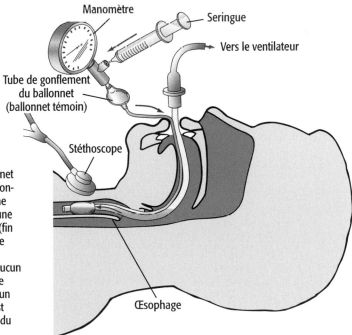

FIGURE 29.13 Technique utilisée pour gonfler le ballonnet et en vérifier la pression. Les étapes de gonflement du ballonnet sont les suivantes : gonfler le ballonnet jusqu'au volume d'occlusion minimal en ajoutant de l'air jusqu'à ce qu'aucune fuite ne soit entendue à la pression inspiratoire maximale (fin de l'inspiration du ventilateur) par le biais d'un stéthoscope placé au-dessus de la trachée ; dans le cas d'un client qui respire spontanément, gonfler le ballonnet jusqu'à ce qu'aucun son ne soit entendu après une profonde respiration ou une inspiration avec le ballon de réanimation (Ambu) ; utiliser un manomètre pour s'assurer que la pression du ballonnet est inférieure à 20 mm Hg ; consigner la valeur de la pression du ballonnet dans le dossier du client.

ballonnet gonflé permet de stabiliser et de sceller le tube endotrachéal à l'intérieur de la trachée. Il empêche les gaz ventilatoires de s'échapper. Cependant, il peut provoquer des lésions à la paroi de la trachée en raison de la pression. Pour éviter cette situation, une quantité minimale d'air est insufflée dans le ballonnet, puis la pression est mesurée et surveillée selon un horaire strict. L'irrigation normale des capillaires est évaluée à environ 30 mm Hg. Pour assurer une irrigation suffisante de la trachée, la pression du ballonnet est maintenue bien en dessous de cette valeur afin de ne pas dépasser 20 mm Hg (voir figure 29.13).

La plupart des ballonnets sont gonflés en injectant de l'air par la valve à ressort de gonflement dont ils sont munis. Lorsqu'elle entend une fuite d'air, l'infirmière ou l'inhalothérapeute ajoute de l'air au ballonnet en suivant la technique de volume d'occlusion minimal. Elle doit mesurer et consigner la pression du ballonnet après l'intubation et, une fois toutes les huit heures, pour confirmer le gonflement adéquat du ballonnet. (Voir le tableau 29.7 pour les soins infirmiers reliés aux tubes endotrachéaux et à la surveillance de la pression du ballonnet.)

Maintenir et surveiller l'état de la ventilation et de l'oxygénation.

Le client porteur d'un tube endotrachéal doit être évalué attentivement afin de s'assurer que son état d'oxygénation est suffisant. Pour ce faire, on surveille les gaz artériels, l'état clinique et la saturation au moyen de l'oxymétrie pulsée. Les gaz artériels sont analysés en vue d'obtenir des données objectives sur les échanges gazeux, alors qu'une peau grisâtre, de la confusion, de l'irritabilité et des arythmies cardiaques sont des signes cliniques d'hypoxie que l'infirmière doit surveiller. L'oxymétrie pulsée (SpO_2) permet de déceler l'hypoxémie et est particulièrement utile chez le client ayant un faible taux d'hémoglobine ou dont le teint est foncé, ou lorsque l'éclairage de la pièce est faible. On vise généralement une SpO_2 supérieure à 95 %, mais on s'attend cependant à des valeurs inférieures chez les clients atteint de bronchopneumopathie chronique obstructive (BPCO). Un cathéter de l'artère pulmonaire muni d'un dispositif qui permet de surveiller la saturation veineuse en oxygène (SvO_2) peut fournir une valeur indirecte de l'état d'oxygénation du client. Une baisse de la saturation veineuse en oxygène peut indiquer une chute de l'oxygénation artérielle, du débit cardiaque ou de la demande en oxygène. Les valeurs de SvO_2 doivent être observées afin de déceler toute chute importante.

Les indicateurs de ventilation comprennent, entre autres, la $PaCO_2$, la PCO_2 en fin d'expiration (capnographie) et les données d'évaluation clinique. La $PaCO_2$ constitue le meilleur indicateur d'hypoventilation alvéolaire ($PaCO_2$ élevée, acidose respiratoire) ou d'hyperventilation ($PaCO_2$ basse, alcalose respiratoire). Normalement, la PCO_2 en fin d'expiration est équivalente à la PCO_2 artérielle et peut indiquer l'état de ventilation. Cependant, la capnographie (PCO_2 en fin

TABLEAU 29.7	Caractéristiques des tubes endotrachéaux et soins infirmiers
Caractéristiques	**Soins infirmiers**
Lorsqu'il est bien gonflé, le ballonnet à basse pression et à volume élevé répartit la pression du ballonnet sur une large surface, ce qui réduit la pression exercée contre la paroi de la trachée.	Gonfler le ballonnet jusqu'au volume d'occlusion minimal en y injectant lentement de l'air jusqu'à ce qu'aucune fuite ne se fasse entendre à la pression inspiratoire maximale (fin d'inspiration du ventilateur) lorsqu'on place un stéthoscope au-dessus de la trachée (voir figure 29.13). Si le client respire spontanément, gonfler le ballonnet jusqu'à ce qu'aucun bruit ne se fasse entendre après une respiration profonde ou pendant l'inspiration avec un ballon de réanimation (Ambu). S'assurer que la pression se situe dans les limites acceptables à l'aide d'un manomètre. Consigner cette valeur dans le dossier du client.
	Surveiller et consigner la pression du ballonnet toutes les huit heures à l'aide de la technique mentionnée ci-dessus. La pression du ballonnet devrait être ≤20 mm Hg ou ≤27 cm d'eau pour permettre une irrigation suffisante des capillaires de la trachée. Au besoin, retirer de l'air de la tubulure-témoin ou en ajouter à l'aide d'une seringue et d'un robinet. Par la suite, s'assurer que la pression du ballonnet se situe dans les limites acceptables à l'aide du manomètre.
	Signaler toute incapacité de garder le ballonnet gonflé ou tout besoin d'utiliser des volumes d'air élevés pour maintenir le ballonnet gonflé. Les causes possibles sont, entre autres, la dilatation de la trachée à l'emplacement du ballonnet ou encore une fissure ou une fuite lente dans le boîtier de la valve de gonflage. Si la fuite est causée par une dilatation de la trachée, le médecin peut intuber le client à l'aide d'un tube de plus gros calibre. On peut soulager temporairement les fissures dans la valve de gonflage en clampant la tubulure de petit calibre à l'aide d'une pince hémostatique. Le tube doit être changé dans les 24 heures.
	Évaluer l'état du client pour déceler tout signe de détresse respiratoire lorsqu'une canule de trachéostomie fenêtrée est utilisée pour la première fois. Si cela se produit, on doit enlever le bouchon, remplacer la canule interne et regonfler le ballonnet.
	Surveiller la pression du ballonnet toutes les huit heures, tel qu'il a été mentionné ci-dessus.

d'expiration) peut être inexacte chez les clients ayant un espace mort très grand, une expiration exceptionnellement prolongée ou chez lesquels il existe un déséquilibre important entre la ventilation et la perfusion. Le client souffrant d'hyperventilation aura une respiration rapide et profonde et éprouvera des engourdissements et des picotements péribuccaux et périphériques. Le client en hypoventilation aura une respiration superficielle ou lente et sa peau paraîtra grisâtre.

Maintenir la perméabilité du tube endotrachéal par l'aspiration des sécrétions.

L'aspiration des sécrétions dans le tube endotrachéal ou dans la canule de trachéostomie permet d'en assurer la perméabilité. L'intervention n'est pas pratiquée de façon régulière, mais plutôt au besoin. La dyspnée, l'augmentation des pressions inspiratoires maximales du ventilateur, l'activation de l'alarme de pression du ventilateur, les respirations bruyantes et les gargouillements laissent supposer la présence de sécrétions. Le fait d'entendre des ronchi à l'auscultation confirme la présence de sécrétions, contrairement à des râles crépitants périphériques. Bien que l'aspiration ait été suggérée comme moyen de provoquer une toux, cette pratique n'est pas recommandée.

Lorsque la présence de sécrétions est confirmée, l'infirmière encourage le client à tousser pour les mobiliser. Le client peut être en mesure de les expulser ou de les faire remonter dans le tube endotrachéal en vue de les évacuer. L'aspiration est indiquée lorsque le client ne parvient pas à les mobiliser ni à les expulser. Lorsque le cathéter d'aspiration touche la carène, cela provoque la toux du client. Cependant, le cathéter ne devrait jamais buter sur la carène lors des séances d'aspiration. L'encadré 29.5 décrit la procédure recommandée pour l'aspiration des sécrétions.

Les complications liées à l'aspiration comprennent l'hypoxie, les arythmies, les lésions de la muqueuse buccale, le pneumothorax, la contamination et l'infection, la rétention de sécrétions, l'inconfort et l'anxiété. L'hypoxémie se produit lorsqu'une grande quantité d'oxygène est aspirée des poumons en même temps que les sécrétions. D'autres causes d'hypoxie sont, notamment, le bronchospasme induit par l'irritation et la microatélectasie provoquée par l'aspiration d'air intrapulmonaire. L'aspiration endotrachéale peut diminuer la pression partielle de l'oxygène (PaO_2) dans le sang artériel de 10 à 39 mm Hg.

Il est possible de prévenir l'hypoxémie au moyen d'une préoxygénation, d'une postoxygénation, d'une hyperinflation et en limitant chaque séance d'aspiration à une durée de 10 à 15 secondes. La SpO_2 peut être évaluée tout au long de l'aspiration lorsque l'oxymétrie pulsée est utilisée et doit idéalement viser une saturation supérieure à 95 %. Si la surveillance de la SvO_2 est possible, elle peut fournir une indication indirecte de l'état d'oxygénation du client. Pendant l'aspiration, l'infirmière observe le client en vue de déceler tout signe de tachycardie, d'arythmies, d'hypertension, de diaphorèse et de pâleur ou de grisonnement des muqueuses. Si ces problèmes surviennent, l'infirmière ou l'inhalothérapeute doit ventiler le client à l'aide d'un ballon de réanimation (Ambu) ou remettre la ventilation mécanique jusqu'à ce que sont état se stabilise avant de tenter une autre aspiration. Chez les clients qui respirent spontanément et souffrent d'hypercapnie chronique (p. ex. les clients atteints de BPCO), l'infirmière utilise un ballon de réanimation (Ambu) contenant de 35 à 60 % d'oxygène. L'infirmière doit évaluer le client pour confirmer la ventilation spontanée après l'aspiration. Il a été démontré que l'état du client était plus stable sur le plan hémodynamique lorsque la préoxygénation était administrée par ventilateur.

Les causes des arythmies cardiaques pendant l'aspiration comprennent l'hypoxémie qui provoque une hypoxie myocardique, la stimulation vagale produite par l'irritation de la trachée et la stimulation du système nerveux sympathique amenée par l'anxiété, le malaise ou la douleur. Parmi les arythmies, on retrouve notamment la tachycardie, la bradycardie, les extrasystoles d'origine auriculaire, jonctionnelle ou ventriculaire et l'asystolie. L'infirmière doit cesser l'aspiration si des arythmies graves apparaissent et ventiler le client lentement à l'aide d'un ballon de réanimation (Ambu) contenant de l'oxygène à 100 % jusqu'à ce que les arythmies diminuent. L'aspiration excessive doit toujours être évitée, particulièrement chez les clients atteints d'hypoxémie ou de bradycardie.

Des lésions de la muqueuse trachéale peuvent être causées par une pression d'aspiration trop grande, une insertion trop brusque du cathéter d'aspiration et par les propres caractéristiques de ce cathéter. La présence de stries de sang dans le mucus aspiré peut indiquer qu'il y a une lésion de la muqueuse, augmentant ainsi le risque d'infection. Les traumatismes peuvent être prévenus par la prise des mesures suivantes :

- Utiliser un cathéter d'aspiration ayant une extrémité émoussée ou en forme d'anneau et munie d'orifices latéraux.
- Lubrifier le bout distal du cathéter d'aspiration avec une solution stérile (eau ou soluté physiologique).
- Stabiliser le tube endotrachéal tout au long de l'intervention.
- Insérer le cathéter d'aspiration en douceur et rapidement sans aspirer.
- Limiter la pression d'aspiration négative de -80 à -120 mm Hg.
- Retirer le cathéter de 1 à 2 cm avant d'aspirer (pour éviter qu'il n'adhère à la muqueuse).

- Appliquer une aspiration intermittente pendant le retrait du cathéter d'aspiration et faire tourner doucement.

Bien que cela soit rare, il est possible qu'un pneumothorax se produise lorsqu'un cathéter d'aspiration de gros calibre est inséré dans un tube endotrachéal de petit diamètre. S'il n'y a pas assez d'espace pour permettre à l'air de circuler autour du cathéter, le poumon peut s'affaisser ou une microatélectasie peut se produire lorsque l'aspiration est effectuée. Afin de prévenir ce problème, le cathéter d'aspiration ne doit pas occuper plus de la moitié du diamètre interne du tube endotrachéal aspiré. Il est possible que les sécrétions soient épaisses et difficiles à aspirer en raison d'une hydratation ou d'une humidification insuffisante, d'une infection ou de l'inaccessibilité de la bronche gauche ou des voies respiratoires inférieures. La physiothérapie respiratoire et le fait de tourner le client et de l'inciter, si possible, à tousser avant d'aspirer peut faciliter le passage des sécrétions dans les voies respiratoires plus larges. Si le client n'est pas suffisamment hydraté, l'infirmière devra administrer des liquides par voie intraveineuse selon l'ordonnance médicale. Lorsque les muqueuses des voies respiratoires ne sont pas suffisamment humidifiées, l'infirmière ou l'inhalothérapeute doit chauffer et humidifier les gaz inspirés à la température corporelle chez le client ventilé artificiellement. Le client doit prendre les antibiotiques appropriés lorsqu'une infection entraîne l'épaississement des sécrétions.

Étant donné que l'aspiration peut générer de l'anxiété, de la suffocation et de la peur, il est important que l'infirmière explique l'intervention au client avant chaque aspiration. Elle doit aussi lui mentionner qu'il ne pourra pas respirer pendant un bref moment, mais qu'il sera bientôt relié à l'oxygène et ventilé et que l'aspiration stimule souvent la toux. Si le client présente un accès de toux important pendant l'aspiration, la ventilation doit être effectuée avec de petites respirations lentes à l'aide du ballon de réanimation (Ambu). Il doit éviter d'absorber de grands volumes d'air, car ceux-ci peuvent distendre davantage les poumons et stimuler d'autres épisodes de toux réflexe. Le client qui a une incision ou qui a subi un traumatisme peut ressentir de la douleur pendant l'aspiration lorsque la toux est induite. Par conséquent, l'infirmière devrait lui administrer des narcotiques au besoin avant d'entreprendre l'aspiration.

Bon nombre d'USI utilisent un système d'aspiration trachéale en circuit fermé, dans lequel un cathéter d'aspiration est protégé par une gaine de plastique reliée directement à la voie respiratoire artificielle et au ventilateur (p. ex. cathéter de type Hi-Care ou Trach Care, voir figure 29.14). Grâce à ce type de cathéter de succion en circuit fermé, l'aspiration peut se faire sans qu'il soit nécessaire de débrancher le ventilateur ni d'ouvrir

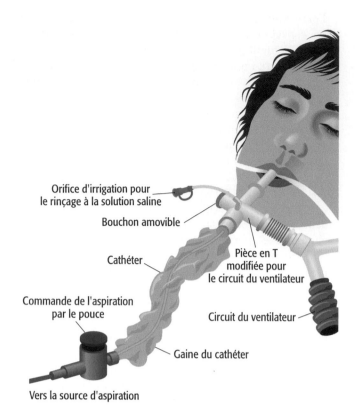

Orifice d'irrigation pour le rinçage à la solution saline

Bouchon amovible

Cathéter

Pièce en T modifiée pour le circuit du ventilateur

Commande de l'aspiration par le pouce

Circuit du ventilateur

Gaine du cathéter

Vers la source d'aspiration

FIGURE 29.14 Système d'aspiration trachéale en circuit fermé

le système. L'infirmière ou l'inhalothérapeute suit les procédures d'aspiration habituelles en préoxygénant le client, puis en procédant à l'aspiration des sécrétions. Ce système est conçu pour éviter la perte de pression positive en fin d'expiration (PEEP) et minimiser l'hypoxémie pendant l'aspiration. Il permet également aux membres du personnel d'être protégés contre les sécrétions du client et d'effectuer l'aspiration plus rapidement.

Soins buccaux et repositionnement du tube endotrachéal. Des soins méticuleux s'imposent pour prévenir une rupture de la couche cutanée superficielle ou l'apparition d'ulcères sur les lèvres et la langue en raison du pansement adhésif ou de la pression exercée par le tube endotrachéal ou la canule oropharyngée. Lorsqu'un client est intubé par voie orale, la couche externe du pansement est enlevée à chaque quart de travail et le tube est déplacé de l'autre côté de la bouche. Celui-ci doit être fixé de nouveau au moyen d'un pansement adhésif collé sur les joues et non sur la mâchoire, car le tube endotrachéal se déplacera si la mâchoire bouge, ce qui risque de provoquer une irritation de la trachée et des lésions. Si une attache de Velcro est utilisée, l'infirmière ou l'inhalothérapeute peut relâcher les courroies, masser la région située sous celles-ci et les rattacher. Les soins buccaux et le rasage peuvent se faire à ce moment-là.

Étant donné que le tube endotrachéal risque de se déplacer pendant les soins buccaux, il est important que deux infirmières ou inhalothérapeutes effectuent les interventions pour enlever le pansement, repositionner la sonde et ajuster les courroies. La présence de bruits respiratoires bilatéraux doit toujours être confirmée à la suite de chacune de ces interventions.

Comme le tube endotrachéal maintient la bouche du client toujours ouverte, ses lèvres et sa bouche doivent être humidifiées à l'aide d'une solution saline ou d'une brosse de mousse imbibée d'eau, afin de prévenir l'assèchement de la muqueuse buccale. Les soins buccaux, y compris le brossage des dents et des gencives, doivent être prodigués au moins toutes les quatre à huit heures comme mesure de confort et pour prévenir les lésions aux gencives et l'accumulation de plaque. Les rince-bouche à base d'alcool ne doivent pas être utilisés, car ces préparations assèchent la muqueuse buccale et prédisposent aux gerçures et à la formation de foyers infectieux.

Favoriser le bien-être et la communication. Il est possible que le client ait besoin de sédatifs ou d'analgésiques jusqu'au retrait du tube endotrachéal en raison de l'inconfort causé par l'intubation et la ventilation mécanique.

Puisque la communication avec le client intubé peut parfois être frustrante pour le client et l'infirmière, celle-ci doit utiliser diverses méthodes pour communiquer efficacement, comme une ardoise magique ou un bloc-notes et un crayon si le client peut se servir de ses mains. D'autres outils de communication comprennent un tableau alphabétique, des cartes, des tableaux d'images, la lecture sur les lèvres et les signes.

29.4.5 Extubation

L'extubation (retrait du tube endotrachéal) doit être effectuée le plus tôt possible. L'équipe soignante doit évaluer chaque jour l'état du client pour déterminer si l'affection sous-jacente s'est améliorée suffisamment pour cesser l'intubation, si la respiration spontanée peut être maintenue sans le ventilateur et si le client peut tousser, dégager ses sécrétions et maintenir ses voies respiratoires perméables.

L'extubation doit se faire uniquement par le personnel formé à cet effet. Une fois que le tube est retiré, l'infirmière incite le client à tousser pour dégager les sécrétions, procède à l'aspiration buccale et administre de l'oxygène humidifié par masque facial. L'infirmière doit fréquemment observer le client pour détecter tout signe de laryngospasme (p. ex. stridor, dyspnée) et de détresse respiratoire (p. ex. instabilité psychomotrice, irritabilité, tachycardie, tachypnée). L'oxymétrie pulsée doit être utilisée pour surveiller la saturation en oxygène.

Il est possible que le client doive être réintubé immédiatement s'il ne tolère pas l'extubation. Cependant, une évaluation adéquate et un sevrage progressif au besoin permettent d'éviter cette situation.

29.4.6 Complications reliées à l'intubation endotrachéale

Les principales complications liées à l'intubation endotrachéale sont des lésions de l'hypopharynx, du larynx et de la trachée attribuables à la pression exercée par le tube endotrachéal et le ballonnet contre les structures des voies respiratoires supérieures. Le mauvais positionnement du tube, la bronchoaspiration, les ulcères buccaux et nasaux et une extubation accidentelle sont également des complications qui peuvent survenir chez le client intubé. Afin d'éviter le retrait accidentel du tube par le client, l'infirmière peut utiliser du matériel de contention souple pour immobiliser les poignets et administrer des sédatifs au besoin. Le tableau 29.8 résume les complications potentielles chez les clients porteurs d'un tube endotrachéal.

Bronchoaspiration. La bronchoaspiration constitue un risque potentiel pour le client porteur d'un tube endotrachéal, car celui-ci doit traverser l'épiglotte en la séparant en deux. Par conséquent, le client intubé est incapable de se protéger contre la bronchoaspiration. Le ballonnet ne peut pas entièrement empêcher le filet de sécrétions buccales ou gastriques de s'infiltrer dans la trachée et de s'accumuler au-dessus du ballonnet, puis de descendre, ultérieurement, vers les poumons lorsque celui-ci sera dégonflé. Les sécrétions buccales doivent être aspirées souvent car l'intubation orotrachéale accroît la salivation et rend la déglutition difficile. Les sécrétions du pharynx postérieur doivent toujours être aspirées avant de dégonfler le ballonnet. Parmi les autres facteurs provoquant la bronchoaspiration, on compte notamment la perte d'étanchéité du ballonnet, la distension trachéale et la fistule trachéo-œsophagienne. Le client porteur d'un tube endotrachéal présente également un risque de bronchoaspiration du contenu gastrique. L'infirmière doit prendre des mesures pour éviter les vomissements, même lorsque le ballonnet est gonflé, car ceux-ci pourraient être aspirés. La tête du lit doit être élevée de 45° lorsque le client reçoit un gavage en l'absence de contre-indications (Potter et Perry, 2002).

29.5 VENTILATION MÉCANIQUE

La ventilation mécanique consiste à faire pénétrer un mélange d'air plus ou moins enrichi d'oxygène dans les poumons du client à l'aide d'un appareil, puis à le faire

TABLEAU 29.8   Complications reliées aux tubes endotrachéaux et soins infirmiers

Complications	Causes	Prévention/Traitement
Obstruction du tube endotrachéal	Client qui mord le tube Tube qui se pince pendant le repositionnement du client Hernie du ballonnet Sécrétions, sang ou amas de lubrifiant séchés Tissu provenant d'une tumeur Traumatisme Corps étranger	*Prévention :* Placer une canule oropharyngée. Administrer des sédatifs au besoin. Aspirer au besoin. Humidifier les gaz inspirés. *Traitement :* Replacer le tube endotrachéal.
Déplacement du tube endotrachéal	Déplacement de la tête du client Déplacement du tube par la langue du client Traction de la tubulure du ventilateur sur le tube Auto-extubation	*Prévention :* Fixer le tube solidement. Immobiliser les mains du client s'il ne peut pas coopérer. Administrer des sédatifs au besoin. S'assurer que seulement 5 cm de tube sont visibles au-delà de la lèvre. Soutenir la tubulure du ventilateur. *Traitement :* Replacer le tube.
Sinusite et lésion nasale	Obstruction du drainage des sinus paranasaux Nécrose de pression des narines	*Prévention :* Éviter l'intubation nasale. Protéger les narines contre le tube, le pansement adhésif et les attaches. S'assurer que le tube est bien placé et stable. *Traitement :* Retirer tous les tubes des voies nasales. Administrer des antibiotiques.
Fistule trachéo-œsophagienne	Nécrose de pression de la paroi trachéale postérieure provoquée par un ballonnet trop gonflé et une sonde nasogastrique rigide	*Prévention :* Stabiliser le tube endotrachéal ou la canule de trachéostomie. Gonfler le ballonnet avec la quantité minimale d'air nécessaire. Surveiller les pressions du ballonnet q8h. Utiliser une sonde d'alimentation de petit calibre pour l'alimentation entérale. *Traitement :* Placer le ballonnet de la sonde loin de la fistule. Placer une sonde de gastrostomie pour permettre l'alimentation entérale. Placer une sonde œsophagienne pour dégager les sécrétions situées à proximité de la fistule.
Lésions de la muqueuse de la trachée	Pression à la jonction du tube endotrachéal et de la muqueuse de la trachée	*Prévention :* Gonfler le ballonnet avec la quantité minimale d'air nécessaire. Surveiller les pressions du ballonnet q8h. Utiliser un tube de taille appropriée. *Traitement :* Peut se régler spontanément. Peut nécessiter une intervention chirurgicale.
Sténose laryngée ou trachéale	Lésion dans la région de l'extrémité du tube ou du ballonnet, entraînant la formation de tissus cicatriciels et le rétrécissement des voies respiratoires	*Prévention :* Gonfler le ballonnet avec la quantité minimale d'air nécessaire. Surveiller les pressions du ballonnet q8h. Aspirer fréquemment la région située au-dessus du ballonnet. *Traitement :* Trachéostomie Dilatateur laryngé Réparation chirurgicale

TABLEAU 29.8	Complications reliées aux tubes endotrachéaux et soins infirmiers (*suite*)	
Complications	**Causes**	**Prévention/Traitement**
Abcès cricoïdien	Lésion de la muqueuse accompagnée d'une invasion bactérienne	*Prévention :* Gonfler le ballonnet avec la quantité minimale d'air nécessaire. Surveiller les pressions du ballonnet q8h. Aspirer fréquemment la région située au-dessus du ballonnet. *Traitement :* Pratiquer une incision et effectuer le drainage de la région. Administrer des antibiotiques.

Tiré de Thelan LA et coll., éd. : *Critical care nursing: diagnosis and management*, 3ᵉ éd., St. Louis, 1998, Mosby.

sortir. Il ne s'agit pas d'une intervention curative, mais plutôt d'un moyen visant à aider le client à respirer jusqu'à ce qu'il soit en mesure de le faire lui-même (voir figure 29.15). Les indicateurs de la ventilation mécanique sont répertoriées au tableau 29.9.

Les clients atteints d'une maladie pulmonaire chronique qui sont suivis pendant longtemps par des spécialistes, ainsi que leur famille, doivent avoir la chance de régler la question de la ventilation mécanique avant que la phase terminale de la maladie respiratoire ne survienne, et les autres clients atteints de maladies chroniques doivent être encouragés à discuter du sujet. Il est beaucoup plus facile pour le médecin, le client et sa famille de décider de ne pas utiliser la ventilation mécanique que de décider de cesser le soutien ventilatoire une fois qu'il est amorcé. La décision de recourir à la ventilation mécanique doit être prise avec circonspection, en respectant le choix éclairé du client et de sa famille.

29.5.1 Types de ventilateurs mécaniques

Il existe deux types de ventilateurs mécaniques : le ventilateur à pression négative et le ventilateur à pression positive. Le réglage de la ventilation mécanique est présenté au tableau 29.10.

Ventilateur à pression négative. Le ventilateur à pression négative est composé de chambres qui enveloppent le thorax ou le corps et l'entourent de pression négative ou sous-atmosphérique intermittente. La pression négative intermittente autour de la paroi de la cage thoracique a pour effet de tirer le thorax vers l'extérieur, ce qui réduit la pression intrathoracique. L'air pénètre par les voies respiratoires supérieures, qui sont à l'extérieur de la chambre scellée. L'expiration est passive ; l'appareil interrompt le cycle pour permettre la rétraction du thorax. Ce type de ventilation est semblable à la ventilation normale, puisque l'inspiration est produite par une baisse de pression intrathoracique et que l'expi-

ration est passive. L'intubation n'est pas nécessaire avec ce type de support ventilatoire.

Ces ventilateurs sont constitués d'un vêtement de nylon souple qui passe par-dessus la tête, s'attache au cou avec un cordon et aux bras ou aux poignets, ainsi qu'aux cuisses avec des élastiques (voir figure 29.16).

De nouvelles technologies offrent des modes de ventilation contrôlée et assistée contrôlée. Un ventilateur à pression négative léger et portatif peut être utilisé à domicile par le client souffrant de maladie neuromusculaire, d'atteinte du système nerveux central, de maladie ou de lésion de la colonne vertébrale ou de BPCO. Ce type de ventilateur n'est pas utilisé chez le client en phase aiguë. Toutefois, la ventilation à pression négative a été utilisée avec succès chez les clients atteints de cardiopathie, puisque le débit cardiaque est augmenté et non diminué pendant l'inspiration.

Ventilateur à pression positive. La ventilation à pression positive est la principale méthode utilisée chez

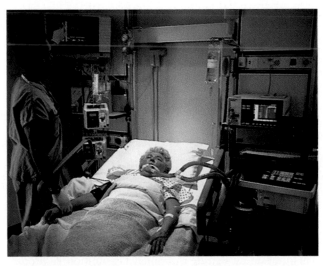

FIGURE 29.15 Client ventilé mécaniquement

TABLEAU 29.9	Indicateurs de ventilation mécanique et de sevrage			
	Mesure et signification	Valeurs normales	Ventilation mécanique indiquée	Sevrage possible*
Tests de réserve ventilatoire ou d'aptitude mécanique				
Volume courant (VC ou VT)	Quantité d'air échangé pendant la respiration normale au repos.	7-9 ml/kg	<5 ml/kg	>5 ml/kg
Fréquence respiratoire par minute		12-20	<10 ou >35	12-20
Capacité vitale forcée (CVF)	Inspiration maximale et mesure de l'air pendant l'expiration maximale forcée ; on détermine si le client peut respirer assez profondément pour éviter l'atélectasie ; meilleur indicateur de réserve ventilatoire ; la coopération du client est nécessaire.	65-75 ml/kg	<10-15 ml/kg	>10-15 ml/kg
Pression inspiratoire de pointe (PIP), force inspiratoire négative	Occlusion complète du manomètre anaéroïde relié aux voies respiratoires ou à la bouche pendant 10 à 20 secondes lors de la mesure des efforts inspiratoires négatifs du client ; bon indice de force neuromusculaire ; la coopération du client est moins nécessaire.	-75 à -100 cm d'eau	>-25 cm d'eau	<-20 cm d'eau
Volume expiratoire maximal en une seconde (VEMS)	Volume d'air mesuré lors de la première seconde d'expiration de la manœuvre de CVF ; utilisé pour les clients atteints d'une BPCO afin de déterminer le degré d'obstruction.	50-60 ml/kg	<10 ml/kg	>16 ml/kg
Ventilation minute au repos	Multiplication du VC par la fréquence respiratoire par minute ; indication générale de la ventilation totale.	5-10 L/min	>10 L/min	<10 L/min
Espace mort	Estimation du VC ; calculs précis nécessitant la $PaCO_2$ et la pression partielle de CO_2 dans les gaz mixtes expirés ; mesure de la portion de chaque respiration qui ne participe pas à l'échange gazeux ; indication de l'efficacité des poumons à évacuer le CO_2.	0,25-0,40	>0,6	<0,5-0,6
$PaCO_2$	Indication de l'efficacité des poumons à évacuer le CO_2 et reflet du degré d'équilibre acidobasique de l'organisme.	35-45 mm Hg	>55 mm Hg (aigu)	<45 mm Hg
Tests de capacité d'oxygénation PaO_2/FIO_2	Signes de la capacité des poumons à oxygéner le sang artériel ; jumelle la PO_2 à la quantité d'oxygène administré (rapport).	350-400	<200	>300

* Ces paramètres ne sont que des lignes directrices et doivent être en relation avec l'état du client (p. ex. un client souffrant d'une grave BPCO peut avoir une $PaCO_2$ normale de 60 mm Hg et des valeurs inférieures à la normale pour le VEMS, la capacité ventilatoire, la ventilation minute et la ventilation volontaire maximale).

les clients en phase critique. Lors de l'inspiration, la pression positive du ventilateur (voir figure 29.17) pousse l'air dans les poumons. Contrairement à la ventilation spontanée, la pression intrathoracique augmente pendant l'inspiration au lieu de diminuer. L'expiration se produit passivement comme l'expiration normale.

29.5.2 Modes de ventilation

Le terme **mode** s'applique à la façon dont la respiration est amorcée et le volume contrôlé, soit par le ventilateur mécanique, soit par le client. Le mode est choisi selon l'état ventilatoire du client, notamment la capacité de respirer seul et la gazométrie du sang artériel. Les trois

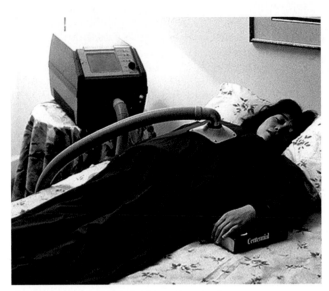

FIGURE 29.16 Ventilateur à pression négative

modes de base de la ventilation mécanique sont les suivants : la ventilation mécanique contrôlée (VMC) ; la ventilation assistée contrôlée (VAC) ; la ventilation obligatoire intermittente synchronisée (VOIS). Ces modes sont comparés au tableau 29.11.

Ventilation mécanique contrôlée. Les respirations administrées par la ventilation mécanique contrôlée sont régulières et indépendantes des efforts respiratoires du client. Bien que la ventilation mécanique contrôlée ne soit pas la plus utilisée, on y a recours lorsque le

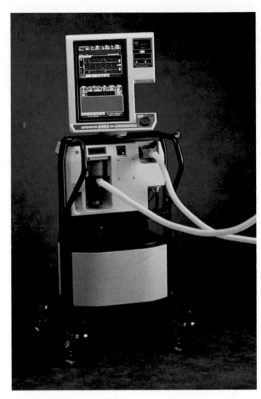

FIGURE 29.17 Ventilateur à pression positive

client n'a pas la capacité de respirer spontanément (p. ex. client anesthésié ou paralysé). La ventilation mécanique contrôlée ne permet pas l'utilisation des processus normaux de régulation de la ventilation.

TABLEAU 29.10	Réglage de la ventilation mécanique
Paramètre	**Description**
Fréquence respiratoire (F)	Nombre de respirations administrées par le ventilateur par minute ; réglage habituel de 4 à 20 respirations par minute.
Volume courant (VC ou VT)	Volume de gaz administré par le ventilateur au client à chaque respiration ; volume habituel de 5 à 15 ml/kg.
Concentration en oxygène (FIO_2)	Fraction inspirée en oxygène administrée au client ; peut être réglée entre 21 et 100 % ; habituellement ajustée pour maintenir un taux de PaO_2 supérieur à 60 mm Hg ou un taux de SaO_2 supérieur à 90 %.
Rapport I/E	Durée de l'inspiration par rapport à la durée de l'expiration ; habituellement réglé entre 1:2 et 1:1,5 à moins qu'une ventilation à rapport inversé ne soit indiquée.
Débit	Vitesse à laquelle le volume courant est administré ; habituellement réglé entre 40 et 100 L/min.
Sensibilité/déclenchement	Détermine la quantité d'effort que doit générer le client pour déclencher une respiration du ventilateur ; peut être réglé pour le déclenchement par pression ou par débit ; habituellement réglé pour un déclenchement par pression de 0,5 à 1,5 cm d'eau sous la pression de base ou pour un déclenchement par débit de 1 à 3 L/min sous le débit de base.
Limite de pression	Régularise la pression maximale pouvant être générée par le ventilateur pour administrer le volume courant ; lorsque la pression limite est atteinte, le ventilateur cesse la respiration et renvoie le volume non administré dans l'atmosphère ; habituellement réglée entre 10 et 20 cm d'eau au-dessus de la pression inspiratoire de pointe.

Tiré de Thelan LA et autres, éd. : *Critical care nursing: diagnosis and management*, 3e éd., St. Louis, 1998, Mosby.

TABLEAU 29.11　Modes de ventilation mécanique

Description	Avantages	Inconvénients	Utilisation
Ventilation mécanique contrôlée (VMC) Le ventilateur administre un nombre prédéterminé de respirations par minute à un volume prédéterminé. Le client ne peut pas déclencher la respiration.	La respiration est entièrement contrôlée par le ventilateur.	Le client n'est pas maître du déclenchement de la respiration ni de la fréquence respiratoire ; il ne peut pas les changer selon ses besoins. La pression des voies respiratoires est toujours positive pendant l'inspiration, ce qui compromet le retour veineux. L'utilisation des muscles respiratoires est limitée.	Apnée consécutive à une lésion cérébrale, paralysie des muscles respiratoires, intoxication médicamenteuse, sédation, anesthésie.
Ventilation assistée contrôlée (VAC) L'administration de la ventilation est déclenchée par les efforts d'inspiration du client après qu'un intervalle de temps prédéterminé se soit écoulé. Si le client ne réussit pas à déclencher une respiration, le ventilateur agit comme s'il s'agissait de ventilation contrôlée.	Le client peut déclencher lui-même la respiration, utiliser ses muscles respiratoires et modifier la fréquence respiratoire selon ses besoins.	Des problèmes d'hyperventilation et d'hypoventilation sont possibles et peuvent se produire chez les clients anxieux ou ceux qui ont une faible compliance pulmonaire.	Un grand nombre de situations dans lesquelles les clients respirent spontanément mais ont une insuffisance respiratoire ou une inefficacité d'échange gazeux.
Ventilation obligatoire intermittente synchronisée (VOIS) Le client respire spontanément à son propre rythme et selon son volume courant. Le ventilateur est synchronisé au rythme respiratoire du client. Le ventilateur est réglé pour administrer un certain nombre de respirations et est déclenché par l'inspiration du client.	Le ventilateur ne va pas à l'encontre de la respiration du client.	Il permet le maintien de respirations spontanées. Les muscles respiratoires demeurent actifs. Le ventilateur augmente les efforts du client.	Un grand nombre de situations dans lesquelles les clients ont besoin d'assistance ventilatoire. Méthode de sevrage.

Ainsi, le client perd toute capacité d'ajuster cette dernière en fonction des modifications de la demande.

Ventilation assistée contrôlée. La ventilation assistée contrôlée est réglée afin d'administrer un volume courant à une fréquence préréglée, tout en donnant la possibilité au client d'amorcer une respiration en essayant d'inspirer. Le ventilateur perçoit une baisse de la pression thoracique et administre le volume courant préréglé. Le client peut ventiler plus rapidement que le rythme préréglé, mais pas plus lentement. Ce mode a l'avantage de donner au client une certaine maîtrise de la ventilation et de lui assurer un soutien en cas de besoin. La ventilation assistée contrôlée est utilisée pour les clients souffrant de multiples affections, notamment d'affections neuromusculaires (p. ex. syndrome de Guillain-Barré), d'œdème pulmonaire ou de syndrome de détresse respiratoire aiguë. Le client ventilé selon le mode assisté contrôlé présente un risque d'hypoventilation ou d'hyperventilation. Par exemple, le client qui respire spontanément peut facilement hyperventiler,

alors qu'il peut hypoventiler s'il est apnéique ou affaibli et que le volume ou le rythme minimal est réglé trop bas. L'état ventilatoire et la gazométrie du sang artériel de ces clients doivent donc être évalués et surveillés étroitement. Il est important que la quantité de pression négative nécessaire pour amorcer la respiration soit adaptée à l'état du client. Le travail ventilatoire augmentera si le client a trop de difficulté à amorcer la respiration, alors qu'une hyperventilation ou une alcalose respiratoire risque de se manifester s'il a trop de facilité à amorcer la respiration.

Ventilation obligatoire intermittente synchronisée. Ce mode permet d'administrer un volume courant préréglé à une fréquence préréglée en synchronisation avec la respiration spontanée du client. Le client peut respirer spontanément dans le circuit de ventilation entre les respirations administrées par le ventilateur. Le client inspire donc la concentration d'oxygène préréglée pendant les respirations spontanées, mais gère lui-même le rythme et la profondeur des respirations. Ce mode de ventilation diffère de la ventilation assistée contrôlée, pour laquelle toutes les respirations ont le même volume préréglé. La ventilation obligatoire intermittente synchronisée est le mode de ventilation assistée le plus courant. Il est utilisé pendant la ventilation continue et pendant le sevrage du ventilateur. Les avantages de la ventilation obligatoire intermittente synchronisée comprennent la prévention de l'alcalose respiratoire, la souplesse empêchant le client d'avoir à lutter contre le ventilateur pour respirer, une faible pression moyenne dans les voies respiratoires, la répartition uniforme des gaz intrapulmonaires et la prévention de l'atrophie musculaire.

Comparativement à d'autres modes, la ventilation obligatoire intermittente synchronisée a des avantages en ce qui concerne les effets cardiovasculaires. La respiration spontanée diminue la pression intrathoracique, réduit la pression intrathoracique moyenne et améliore le retour du sang veineux vers le cœur. Ainsi, le client ayant un déficit de volume liquidien extracellulaire peut facilement maintenir son débit cardiaque. Il est possible que les taux de pression positive en fin d'expiration soient plus élevés avec la ventilation obligatoire intermittente synchronisée qu'avec les autres modes de ventilation à volume contrôlé en raison de la faible pression intrathoracique moyenne.

Le sevrage des clients ventilés mécaniquement peut se faire par la ventilation obligatoire intermittente synchronisée. Au lieu de cesser abruptement la ventilation mécanique et de laisser le client respirer totalement par lui-même, la ventilation obligatoire intermittente synchronisée permet une bonne transition vers la ventilation spontanée par la diminution graduelle du rythme du ventilateur au fur et à mesure que le client assume un plus grand pourcentage du travail respiratoire total.

La ventilation obligatoire intermittente synchronisée comporte néanmoins des désavantages. Il est possible que la ventilation soit mal supportée si la respiration spontanée diminue lorsque le rythme est lent. Une ventilation obligatoire intermittente synchronisée à faible rythme ne doit être utilisée que pour les clients ayant une respiration spontanée régulière. Le sevrage par la ventilation obligatoire intermittente synchronisée nécessite une surveillance continue et peut être plus long puisque le rythme est ralenti graduellement. Les clients peuvent se fatiguer, surtout la nuit : c'est pourquoi les périodes de sevrage sont habituellement effectuées le jour.

29.5.3 Autres manœuvres ventilatoires

Pression positive en fin d'expiration (PEEP). La pression positive en fin d'expiration est une manœuvre ventilatoire qui consiste à exercer une pression positive dans les voies respiratoires pendant l'expiration. En temps normal, la pression des voies respiratoires chute à zéro pendant l'expiration et celle-ci se produit passivement. Avec la pression positive en fin d'expiration, l'expiration demeure passive, mais la pression chute à un niveau préréglé qui est supérieur à zéro, souvent de 3 à 20 cm d'eau, et le volume pulmonaire pendant l'expiration et entre les respirations est supérieur à la normale. La pression positive en fin d'expiration permet donc d'augmenter la capacité résiduelle fonctionnelle, ce qui améliore souvent l'oxygénation. Les mécanismes par lesquels la pression positive en fin d'expiration augmente la capacité résiduelle fonctionnelle et l'oxygénation comprennent l'augmentation de la distension des alvéoles déjà fonctionnelles, la prévention de l'affaissement des alvéoles et la ventilation des alvéoles affaissées. Il est fréquent que la pression positive en fin d'expiration permette de réduire la FIO_2, ce qui diminue le risque d'intoxication à l'oxygène.

La pression positive en fin d'expiration est déterminée par la pression nécessaire pour améliorer l'oxygénation sans toutefois diminuer la pression artérielle et le débit cardiaque ; on vise la pression positive en fin d'expiration optimale. On utilise souvent une pression positive en fin d'expiration de 5 cm d'eau (appelée PEEP physiologique) à titre de prophylaxie pour remplacer le mécanisme glottique, aider à maintenir une capacité résiduelle fonctionnelle normale et prévenir l'affaissement alvéolaire. Une pression positive en fin d'expiration de 5 cm d'eau est aussi utilisée pour les clients qui ont des antécédents d'affaissement alvéolaire pendant le sevrage. La pression positive en fin d'expiration améliore les échanges gazeux, la capacité vitale et la force inspiratoire lorsqu'elle est utilisée pendant le sevrage.

La pression inspiratoire augmente lorsque la pression expiratoire est ajoutée. La pression positive en fin d'expiration est administrée couramment avec la ventilation obligatoire intermittente synchronisée. La diminution de la pression moyenne dans les voies respiratoires qui se produit pendant la respiration spontanée est suffisante pour prévenir certains des effets secondaires indésirables de l'augmentation des pressions.

En général, le but principal de la pression positive en fin d'expiration est de maintenir une oxygénation adéquate tout en limitant les risques d'intoxication à l'oxygène. Cette manœuvre ventilatoire est aussi utilisée pour prévenir l'atélectasie et semble être efficace contre l'œdème pulmonaire, puisqu'elle exerce une contrepression à l'extravasation du liquide. La pression positive en fin d'expiration est indiquée pour les clients atteints d'une maladie pulmonaire diffuse, d'hypoxémie grave réfractaire à une FIO_2 supérieure à 50 % d'oxygène et de rigidité ou de perte de compliance pulmonaire. L'indication classique en vue d'un traitement avec la pression positive en fin d'expiration est le syndrome de détresse respiratoire aiguë (SDRA), caractérisé par une baisse de la capacité résiduelle fonctionnelle et une hypoxémie réfractaire à l'oxygénothérapie. La pression positive en fin d'expiration est généralement contre-indiquée ou utilisée avec beaucoup de précaution chez les clients ayant des poumons très compliants (p. ex. en présence de BPCO), souffrant d'une maladie pulmonaire unilatérale ou non uniforme, atteints d'hypovolémie ou ayant un faible débit cardiaque. Dans ces cas, les résultats escomptés avec la pression positive en fin d'expiration ne valent pas les inconvénients de tous les effets secondaires indésirables qui en résultent.

Ventilation continue en pression positive (VCPP).

La ventilation continue en pression positive, couramment appelée CPAP (*Continous Positive Airway Pressure*) en milieu hospitalier, est l'utilisation de la pression positive en fin d'expiration chez un client qui respire spontanément. La ventilation continue en pression positive exerce un débit gazeux constant à un rythme supérieur à celui du débit inspiratoire spontané. Ainsi, la pression des voies respiratoires du client ne chute jamais à zéro. Par exemple, si la ventilation continue en pression positive est de 5 cm d'eau, la pression dans les voies respiratoires est de 5 cm d'eau pendant l'expiration; pendant l'inspiration, une pression négative de 1 à 2 cm d'eau est générée, ce qui réduit la pression dans les voies respiratoires à 3 ou 4 cm d'eau. Le client traité par la ventilation obligatoire intermittente synchronisée avec une pression positive en fin d'expiration reçoit une ventilation continue en pression positive lorsqu'il respire spontanément. Cette manœuvre est souvent utilisée auprès des jeunes enfants. Elle est aussi couramment employée pour traiter l'apnée obstructive du sommeil. La ventilation continue en pression positive peut être administrée par un masque facial ajusté ou par un tube endotrachéal ou une canule de trachéostomie. Ce mode ventilatoire augmente le travail respiratoire puisque le client doit forcer l'expiration contre la ventilation continue en pression positive.

Aide inspiratoire (AI).

L'emploi de l'aide inspiratoire, utilisée conjointement à la respiration spontanée du client, permet d'exercer une pression positive sur les voies respiratoires pendant l'inspiration. On règle alors un niveau de pression positive dans les voies respiratoires afin que le débit gazeux soit supérieur au débit inspiratoire du client. Lorsque le client commence à respirer, l'appareil détecte l'effort spontané et administre un débit gazeux rapide pour faciliter l'effort inspiratoire. L'aide inspiratoire permet au client de déterminer la longueur des inspirations, le débit et le rythme respiratoire. Le volume courant dépend du niveau de pression et de la compliance des voies respiratoires. L'aide inspi-

ratoire est employée avec la ventilation continue et est surtout utile en combinaison avec la ventilation obligatoire intermittente synchronisée pendant le sevrage. Cette manœuvre n'est jamais utilisée comme seule méthode de ventilation pendant une insuffisance respiratoire aiguë à cause du risque d'hypoventilation. Les avantages de l'aide inspiratoire comprennent un plus grand confort pour le client, une diminution du travail respiratoire (parce que les efforts inspiratoires sont soutenus), une diminution de la consommation d'oxygène (parce que le travail inspiratoire est réduit) et une amélioration de l'endurance (parce que le client fait travailler ses muscles respiratoires).

Ventilation à rapport inversé.

La ventilation à rapport inversé implique que l'inspiration est prolongée et l'expiration écourtée. Le rapport I/E est le rapport de la durée de l'inspiration (I) sur la durée de l'expiration (E). Cette valeur est normalement inférieure à 1. La ventilation à rapport inversé rapproche ce rapport de 1. Ce mode de ventilation exerce une pression positive prolongée, ce qui augmente la durée de l'inspiration. La ventilation à rapport inversé dilate graduellement les alvéoles affaissées. La courte durée de l'expiration a un effet semblable à la pression positive en fin d'expiration, ce qui prévient l'affaissement des alvéoles. Le client doit recevoir une sédation ou un agent bloqueur neuromusculaire, puisque la ventilation à rapport inversé impose un mode de respiration non physiologique. Ce mode de ventilation est indiqué pour les clients atteints du syndrome de détresse respiratoire aiguë et dont l'hypoxémie réfractaire persiste malgré une pression positive en fin d'expiration de 15 cm d'eau ou plus. Ce ne sont pas tous les clients ayant une faible oxygénation qui répondent à la ventilation à rapport inversé.

Ventilation à haute fréquence (VHF).

La ventilation à haute fréquence implique l'administration d'un petit volume courant (habituellement de 1 à 5 ml/kg du poids corporel) à un rythme respiratoire élevé (100 à 300 respirations par minute). La ventilation à haute fréquence peut minimiser certaines complications attribuées à la ventilation mécanique conventionnelle, parce que la pression moyenne dans les voies respiratoires est plus basse. L'utilisation de ce mode de ventilation se limite aux clients gravement malades. On l'emploie pour les clients ayant des fistules bronchopleurales, parce que la faible pression dans les voies respiratoires peut empêcher cette affection de s'aggraver. Certains clients souffrant du syndrome de détresse respiratoire aiguë et d'insuffisance respiratoire aiguë peuvent également bénéficier de la ventilation à haute fréquence. La ventilation à haute fréquence est utilisée plus couramment chez les nouveau-nés.

29.5.4 Complications reliées à la ventilation mécanique

Bien que la ventilation mécanique soit essentielle pour maintenir la ventilation et l'oxygénation, elle peut avoir des effets secondaires indésirables. Il est souvent difficile de faire la distinction entre les complications liées à la ventilation mécanique et la maladie sous-jacente.

Appareil cardiovasculaire. La ventilation mécanique à pression positive peut causer des troubles circulatoires par la transmission à la cavité thoracique de l'augmentation de la pression moyenne dans les voies respiratoires. Lorsque la pression intrathoracique est élevée, les vaisseaux thoraciques sont comprimés. Ce phénomène entraîne une baisse du retour veineux vers le cœur, une diminution du volume ventriculaire gauche en fin de diastole (précharge), une diminution du débit cardiaque et une baisse de la pression artérielle. La pression moyenne des voies respiratoires augmente davantage avec une pression positive en fin d'expiration.

Lorsque les poumons sont non compliants, comme en présence du syndrome de détresse respiratoire aiguë, la pression dans les voies respiratoires ne se transmet pas facilement vers le cœur et les vaisseaux sanguins. Les effets de la ventilation sur le débit cardiaque sont donc réduits. Réciproquement, lorsque les poumons sont compliants, comme dans l'emphysème, il y a davantage de risque d'élévation de la pression dans les voies respiratoires et le débit cardiaque peut diminuer.

L'obstacle au retour veineux causé par la ventilation à pression positive est aggravé par l'hypovolémie (p. ex. hémorragie, traumatismes multiples) et la baisse du tonus veineux (p. ex. sepsis, choc spinal). La restauration et le maintien de la volémie sont importants pour minimiser les complications cardiovasculaires.

Certaines études ont montré une amélioration de l'efficacité cardiaque dès le début de la ventilation mécanique chez des clients ayant une faible fonction ventriculaire gauche. La pression positive diminue la précharge du côté droit du cœur en raison de l'augmentation de la pression intrathoracique. L'augmentation de la pression dans les voies respiratoires peut restreindre le remplissage ventriculaire gauche par la compression mécanique. Ces effets peuvent améliorer la fonction d'un ventricule gauche défaillant en optimisant le volume ventriculaire en fin de diastole.

Équilibre hydrique et sodique. Une rétention progressive de liquide se produit souvent après une période de 48 à 72 heures de ventilation mécanique. La ventilation à pression positive, surtout la pression positive en fin d'expiration, est associée à une diminution du débit urinaire et à une augmentation de la rétention sodique. Les changements sur le plan de l'équilibre hydrique peuvent être causés par la diminution du débit sanguin qui, à son tour, diminue l'irrigation rénale. La sécrétion de rénine est stimulée, ce qui augmente la production d'aldostérone et provoque la rétention d'eau et de sodium. Il est aussi possible que les changements de pression intrathoracique soient associés à une diminution de la sécrétion de peptides natriurétiques auriculaires, causant également la rétention sodique, car l'action de ces peptides s'oppose à celle de l'angiotensine II (SFTG Paris-Nord, 2000).

Une légère rétention d'eau est associée à la ventilation mécanique, car il y a moins de perte d'eau insensible par les voies respiratoires puisque les gaz inspirés sont saturés avec de l'eau à la température du corps. De plus, comme c'est le cas pour tous les clients stressés, la sécrétion d'hormones antidiurétiques peut augmenter, causant ainsi la rétention d'eau.

Appareil respiratoire

Barotraumatisme. À mesure que les pressions d'insufflation pulmonaire augmentent, les risques de pneumothorax, de pneumomédiastin et d'emphysème sous-cutané s'accroissent. Les clients ayant des poumons compliants (p. ex. BPCO) courent un risque plus élevé puisque l'augmentation de la pression des voies respiratoires dilate davantage les alvéoles, ce qui peut ainsi provoquer leur rupture ou des bulles emphysémateuses. Les clients ayant des poumons non compliants (p. ex. syndrome de détresse respiratoire aiguë) et recevant une forte pression inspiratoire et des taux élevés de pression positive en fin d'expiration, ou les clients ayant des abcès pulmonaires purulents attribuables à des micro-organismes nécrotiques (p. ex. staphylocoques) sont également prédisposés au barotraumatisme.

L'air peut s'échapper des alvéoles et pénétrer dans la cavité pleurale ou interstitielle, s'accumuler et y rester emprisonné. La pression pleurale augmente et provoque l'affaissement du poumon, causant un pneumothorax (le chapitre 16 traite des manifestations cliniques du pneumothorax). Le poumon reçoit de l'air pendant l'inspiration, mais est incapable de l'expulser pendant l'expiration. Les bronchioles sont plus dilatées à la phase inspiratoire qu'à la phase expiratoire et peuvent, à l'occasion, se refermer lors de l'expiration en emprisonnant l'air qu'elles contiennent. Avec la ventilation à pression positive, le pneumothorax peut se compliquer en un pneumothorax sous tension et mettre la vie du client en danger. Lorsqu'un pneumothorax est sous tension, le médiastin et le poumon controlatéral sont comprimés, compromettant ainsi le débit cardiaque. Il s'agit d'une urgence absolue et le pneumothorax doit être drainé dans les plus brefs délais.

Le pneumomédiastin débute habituellement par la rupture des alvéoles dans le tissu interstitiel pulmonaire ; un déplacement d'air se produit ensuite graduellement vers le médiastin et les tissus sous-cutanés du cou et souvent un pneumothorax s'ensuit. L'apparition inexpliquée d'emphysème sous-cutané nécessite de procéder immédiatement à une radiographie pulmonaire. Il peut arriver que le pneumomédiastin et l'emphysème sous-cutané dans le cou ne soient pas suffisamment importants pour être décelés cliniquement ou radiologiquement avant la manifestation d'un pneumothorax.

L'emphysème sous-cutané peut se produire après une trachéostomie à la suite d'une fuite d'air autour du site opératoire ou il peut se manifester autour du site d'insertion du drain thoracique installé pour traiter un pneumothorax. Dans ce dernier cas, l'emphysème sous-cutané est habituellement causé par le passage de l'air de la cavité pleurale vers la plaie d'insertion du drain thoracique, ce qui indique que l'espace n'est pas bien drainé. La perméabilité du drain thoracique doit être maintenue afin de ne pas aggraver le pneumothorax.

Hypoventilation alvéolaire. Plusieurs problèmes d'ordre mécanique ou physiologique peuvent entraîner de l'hypoventilation. Ainsi, un mauvais réglage de la ventilation, une fuite d'air (dans la tubulure du ventilateur ou autour du tube endotrachéal ou du ballonnet de la canule de trachéostomie), une obstruction mécanique, la présence de sécrétions pulmonaires ou un faible rapport ventilation/perfusion peuvent causer de l'hypoventilation. Un faible volume courant ou une faible fréquence respiratoire diminue la ventilation/minute, ce qui entraîne également une hypoventilation. Lorsqu'un ballonnet et une tubulure ont une fuite d'air et qu'ils ne sont pas réparés, le volume courant administré est diminué. Si le rythme de la ventilation obligatoire intermittente synchronisée est trop lent et qu'il n'est pas en mesure de respirer spontanément, le client présente un risque d'hypoventilation, d'acidose respiratoire et de troubles consécutifs à l'acidose, comme les arythmies cardiaques. L'excès de sécrétions pulmonaires peut causer de l'hypoventilation. On peut atténuer cet état en alternant régulièrement les positions du client, en exerçant une physiothérapie respiratoire sur les régions pulmonaires où sont accumulées les sécrétions, en encourageant le client à respirer profondément et à tousser si possible et en utilisant l'aspiration au besoin. Par ailleurs, le fait d'augmenter le volume courant, d'accroître légèrement la pression positive en fin d'expiration et de changer régulièrement le client de position diminue les possibilités d'atélectasie.

Hyperventilation alvéolaire. Il peut se produire une alcalose respiratoire si le rythme ou le volume courant est trop élevé (surventilation mécanique) ou si le client recevant une ventilation mécanique est hyperventilé. L'hyperventilation signifie que la pression partielle artérielle en gaz carbonique ($PaCO_2$) est inférieure à

35 mm Hg. Le client ou le ventilateur expulse le gaz carbonique (CO_2) trop rapidement.

Il est facile de surventiler un client avec la ventilation mécanique. Le client souffrant d'hypoventilation alvéolaire chronique et de rétention de CO_2 (p. ex. le client atteint d'une BPCO) est particulièrement à risque. Ce client peut avoir une $PaCO_2$ artérielle élevée de manière chronique et une rétention rénale compensatoire en bicarbonate. Dans ce cas, l'objectif thérapeutique de la ventilation consistera à atteindre les valeurs « normales » pour le client au lieu des valeurs normales standard. Si le client atteint d'une BPCO revient à une $PaCO_2$ normale standard, il présentera une alcalose en raison du bicarbonate retenu. Un client dans cette situation pourrait facilement passer de l'acidose compensatoire à une grave alcalose métabolique. La présence d'alcalose rend le sevrage du ventilateur difficile. L'alcalose, surtout si l'apparition est brusque, peut entraîner des conséquences très graves, dont l'hypokaliémie et l'hypocalcémie, des états qui prédisposent le client à des arythmies cardiaques. L'irritabilité neuromusculaire, les convulsions, le coma et la mort peuvent s'ensuivre.

Afin de prévenir l'alcalose, la ventilation mécanique doit être amorcée et demeurer à un niveau qui ne fera pas baisser brusquement le taux de CO_2 artériel ($PaCO_2$). La gazométrie du sang artériel doit être évaluée de 15 à 30 minutes après le début de la ventilation mécanique, après des changements dans les paramètres de ventilation et lorsque des changements dans l'état clinique du client le justifient. La $PaCO_2$ doit être graduellement abaissée jusqu'à la valeur de base du client (avant la maladie aiguë). Habituellement, les clients atteints d'une BPCO qui bénéficient d'une ventilation mécanique ont de meilleurs résultats avec de courtes inspirations et de longues expirations.

Lorsque l'hyperventilation est spontanée, il est important d'en déterminer la cause et de la traiter. Les causes peuvent comprendre l'hypoxémie, la douleur, l'anxiété ou l'acidose métabolique de compensation. Les clients qui luttent contre le ventilateur ou qui ne respirent pas en synchronisation avec le ventilateur peuvent être anxieux ou éprouver de la douleur. Si le client est anxieux et craintif, l'infirmière ou l'inhalothérapeute peut lui apprendre comment se synchroniser avec le rythme du ventilateur. Si cette mesure est inefficace, une lente ventilation manuelle avec un ballon de réanimation (Ambu) relié à une source d'oxygène peut aider à ralentir suffisamment la fréquence respiratoire pour que le client soit synchronisé avec le ventilateur. Le client peut également avoir besoin de morphine, de lorazépam (Ativan) ou de sédatifs.

Pneumonie associée à la ventilation. La pneumonie associée à la ventilation est courante puisque le système de défense normal des voies respiratoires supérieures est affaibli par la présence du tube endotrachéal ou de la canule de trachéostomie, ce qui augmente les risques d'infection du client. De plus, la mauvaise alimentation, l'immobilité et le processus morbide sous-jacent (p. ex. immunosuppression, insuffisance d'un organe) sont également des facteurs prédisposant à l'infection.

Pour les clients recevant une ventilation mécanique prolongée, les cultures d'expectorations confirment souvent la présence de bactéries Gram négatif comme *Pseudomonas*, *Serratia* et *Klebsiella*. Ces bactéries sont abondantes dans le milieu hospitalier et dans le tractus gastro-intestinal des clients. Elles peuvent se propager de plusieurs façons, notamment par l'équipement respiratoire contaminé, le lavage des mains inadéquat ou absent, les facteurs environnementaux indésirables comme la mauvaise ventilation de la chambre, la circulation intense et la diminution de la capacité du client de tousser et d'expectorer ses sécrétions. La colonisation de l'oropharynx par des micro-organismes Gram négatif est un facteur prédisposant à l'apparition d'une pneumonie à Gram négatif.

Les risques d'infection peuvent être réduits par le recours à des techniques aseptiques pendant l'aspiration et la manipulation du matériel respiratoire. Il est impératif de se laver les mains régulièrement. L'infirmière doit porter des gants de latex ou d'un autre type de matériau imperméable lorsqu'elle est en contact avec des sécrétions ou de l'équipement contaminé et changer de gants et se laver les mains entre les interventions.

L'hygiène nasale et l'hygiène buccale sont très importantes, ainsi que les changements fréquents de position afin de mobiliser les sécrétions. L'inhalothérapeute ou l'infirmière draine la condensation qui se forme dans la tubulure du ventilateur à mesure qu'elle s'accumule. L'instillation de soluté physiologique salin dans le tube endotrachéal est une pratique courante censée faciliter l'élimination des sécrétions avec l'aspiration. Elle est effectuée par l'inhalothérapeute ou l'infirmière et est maintenant réservée à certains clients, car cette façon de faire n'est pas nécessaire chez tous et peut faire migrer les bactéries présentes dans le tube endotrachéal vers les poumons.

Le fait de maintenir la tête du lit élevée à au moins 45 degrés, en l'absence de contre-indications médicales, surtout pour les clients alimentés par sonde, peut permettre de diminuer les risques de bronchoaspiration. L'aspiration fréquente de l'oropharynx aide à y éliminer les sécrétions accumulées. Un nouveau type de tube endotrachéal est muni d'un port au-dessus des cordes vocales. L'aspiration par ce port semble évacuer les sécrétions accumulées et pourrait réduire les risques de bronchoaspiration. La physiothérapie respiratoire, l'humidification suffisante des gaz inspirés et des techniques d'aspiration adéquates peuvent aider à prévenir l'infection en éliminant l'accumulation de sécrétions.

Les manifestations cliniques laissant supposer une pneumonie associée à la ventilation sont la fièvre, une augmentation de la leucocytose, des expectorations purulentes ou malodorantes, des râles crépitants ou des ronchi à l'auscultation et l'apparition d'un infiltrat pulmonaire à la radiographie. Le client est traité avec des antibiotiques après que des cultures aient été prélevées par aspiration trachéale ou par bronchoscopie.

Système nerveux. La ventilation à pression positive, surtout avec la pression positive en fin d'expiration, instaurée chez un client ayant subi un traumatisme crânien peut nuire au débit sanguin cérébral. Ce phénomène est lié à l'augmentation de pression intrathoracique positive qui empêche le retour veineux du sang provenant de la tête, se manifestant par la distension des jugulaires. Le faible retour veineux et l'augmentation du volume cérébral peuvent provoquer une hausse de la pression intracrânienne. L'élévation de la tête du lit peut aider à diminuer les effets indésirables de la pression positive en fin d'expiration, en l'absence de contre-indications médicales.

Appareil digestif. Les clients qui reçoivent une ventilation assistée sont souvent stressés par la gravité de leur maladie, l'immobilité et l'inconfort associé au ventilateur et présentent donc un risque accru d'ulcères de stress et de saignements gastro-intestinaux. Les clients qui ont déjà eu des ulcères ou ceux qui sont traités aux corticostéroïdes y sont particulièrement prédisposés. La visualisation directe de l'estomac par endoscopie démontre que des changements de la muqueuse gastrique et duodénale se produisent chez un grand nombre de clients gravement malades. Tout trouble circulatoire, y compris la baisse du débit cardiaque amenée par la ventilation assistée, peut devenir une cause d'ischémie de la muqueuse de l'appareil digestif et peut augmenter le risque de migration de bactéries gastro-intestinales.

L'instauration rapide de l'alimentation entérale réduit les risques de saignements gastro-intestinaux supérieurs. Certaines méthodes d'évaluation du pH gastrique, telles que les sondes d'alimentation spécialement conçues pour réagir au pH, ainsi que l'examen du pH des sécrétions gastriques en laboratoire ou à l'aide d'un bâtonnet réactif, permettent de mesurer le taux d'acidité dans l'estomac. Les substances telles que les antiacides et les antagonistes des récepteurs H_2 de l'histamine (p. ex. ranitidine [Zantac]) utilisées pour prévenir l'apparition d'ulcères de stress chez les clients des soins intensifs augmentent le pH gastrique et peuvent stimuler la croissance de bactéries Gram négatif dans la cavité buccale et le tractus digestif et augmenter le risque de pneumonie nosocomiale chez ceux-ci. La prophylaxie des ulcères de stress est indiquée seulement chez les clients présentant un risque hémorragique élevé, comme ceux qui sont atteints de coagulopathie. Si elle est requise, cette prophylaxie devrait comprendre des médicaments qui n'altèrent pas le pH gastrique (p. ex. sucralfate [Sulcrate] (Kinney et coll., 1998). Le fait que le client avale de l'air à la suite de l'irritation causée par le tube endotrachéal concourt à la présence de dilatation gastrique et intestinale. Cette dilatation peut exercer une pression sur la veine cave, diminuer le débit cardiaque et entraver une mobilisation suffisante du diaphragme au cours de la respiration spontanée. L'élévation du diaphragme résultant d'un iléus paralytique ou d'une dilatation intestinale entraîne une compression des lobes pulmonaires inférieurs, ce qui peut provoquer une atélectasie et compromettre la fonction respiratoire. La décompression de l'estomac peut se faire par l'insertion d'un tube nasogastrique. Certains médecins introduisent automatiquement un tube nasogastrique en prévention, dès le début de la ventilation mécanique. Ce tube peut également être mis en place afin de diminuer les risques de bronchoaspiration si le client est susceptible de vomir.

L'immobilité, la sédation, l'altération de la circulation, la diminution de l'apport oral, l'utilisation d'analgésiques opiacés et le stress sont des facteurs qui contribuent à diminuer le péristaltisme. L'incapacité du client de procéder à la manœuvre de Valsalva peut également rendre la défécation difficile. Le client ventilé est donc prédisposé à la constipation. Cependant, elle n'est habituellement pas un problème lorsque l'alimentation entérale est administrée dès le début du traitement.

Appareil locomoteur. Le maintien de la force musculaire et la prévention des problèmes associés à l'immobilité sont importants. La tolérance à l'activité s'améliore grâce à une analgésie adéquate et à une saine alimentation. La mobilisation progressive du client recevant une ventilation mécanique de longue durée peut se faire sans interrompre la ventilation. Le ventilateur peut être déplacé dans la chambre ou le client peut être ventilé par un ballon de réanimation (Ambu) oxygéné lors de la mobilisation. Les exercices passifs et actifs, comprenant des mouvements pour maintenir le tonus musculaire des membres inférieurs et supérieurs, doivent être faits au lit. De simples manœuvres comme lever les jambes, plier les genoux, contracter les quadriceps ou faire des cercles avec les bras sont suffisantes. Il est important de prévenir les contractures, les escarres de décubitus, le pied tombant et la rotation externe de la hanche et des jambes en positionnant le client confortablement.

Effets psychologiques. Le client recevant une ventilation mécanique peut subir un stress physique et émo-

tionnel. En plus des problèmes liés aux soins intensifs dont nous avons discuté au début de ce chapitre, ce client n'est pas en mesure de parler, de manger, de bouger ou respirer normalement. Les tubes et les appareils peuvent engendrer de la douleur, de la peur, de l'anxiété et de l'inconfort. Les fonctions ordinaires comme l'alimentation, l'élimination et la toux sont compliquées.

Les clients ventilés mécaniquement nécessitent habituellement une sédation (p. ex. propofol [Diprivan]) ou des agents bloqueurs neuromusculaires (p. ex. pancuronium) pour faciliter la ventilation optimale. Avant d'administrer ces médicaments au client ventilé qui est agité, il est important d'évaluer la cause de cette agitation. Le mauvais positionnement du tube endotrachéal, la douleur, l'hypoxémie, l'embolie pulmonaire, la réaction aux médicaments ou la détresse émotionnelle sont des problèmes fréquents qui peuvent causer l'agitation des clients. Le traitement doit être expliqué au client et l'infirmière ne doit pas oublier que celui-ci peut toujours entendre, voir, penser et ressentir, même s'il est sous sédation ou paralysé. Les sédatifs et les analgésiques sont souvent administrés par perfusion continue et doivent obligatoirement être donnés s'il y a utilisation d'agents bloqueurs neuromusculaires. Un grand nombre de clients n'ont que peu de souvenirs de leur séjour aux soins intensifs, alors que d'autres s'en souviennent jusque dans les moindres détails. Bien qu'ils semblent endormis, sous sédation ou paralysés, les clients peuvent être conscients de leur environnement et c'est pourquoi il faut toujours s'adresser à eux comme s'ils étaient éveillés.

Sauf s'il est sous l'effet d'agents bloqueurs neuromusculaires, le client doit avoir un moyen quelconque de communication. Ce peut être un simple clignement des yeux ou des mouvements de la tête. L'infirmière peut encore fournir un crayon et du papier, un alphabet, un tableau avec des mots ou des icônes ou une ardoise magique si le client n'a pas les mains immobilisées par des contraintes aux poignets. Il importe de se souvenir que si le client reçoit des bloqueurs neuromusculaires, il est totalement incapable de communiquer. Bien que l'infirmière doive être attentive au langage corporel et aux expressions faciales du client, cela ne doit pas l'empêcher de parler s'il peut le faire d'une manière ou d'une autre, car l'expression verbale demeure le meilleur moyen de communication. Dans certains cas, une canule de trachéostomie peut être installée pour permettre au client de parler.

Les mesures à prendre pour rendre le milieu environnant du client ventilé plus apaisant sont une planification efficace des soins pour réduire l'interruption des périodes de repos et l'emploi d'une approche calme et rassurante. La présence du conjoint ou d'un membre de la famille est une aide particulièrement efficace afin d'assurer le confort psychologique du client, en plus d'avoir un effet calmant et rassurant. L'infirmière doit s'entretenir avec les membres de la famille et recruter ceux qui peuvent jouer un rôle thérapeutique.

Le client qui reçoit une ventilation prolongée doit être placé, si possible, dans un endroit avec une fenêtre pour apprécier la nuit et le jour et avoir un certain contact avec le monde extérieur. Même si le client n'est pas en mesure de converser, il est important de lui parler. L'infirmière doit parler au client de choses qui le concernent et lui expliquer en termes simples quels sont les rôles des divers tubes et de l'équipement et l'informer de ses progrès. Elle doit le rassurer en toute honnêteté et lui accorder autant d'autonomie que possible afin de l'aider à diminuer les frustrations liées à la dépendance. Décider du moment du bain ou du lavage de tête, de la direction à prendre ou du menu pour le repas est souvent la seule façon pour lui de maintenir une certaine autonomie.

Bris mécanique ou débranchement accidentel du ventilateur. Il est possible que le ventilateur mécanique fonctionne mal ou qu'il se débranche. Une fois en fonction, le ventilateur est opérationnel et les alarmes avertissent l'infirmière en cas de problème. La plupart des cas de décès causés par le débranchement accidentel d'un ventilateur se produisent lorsque l'alarme n'est pas en fonction, et la plupart des débranchements accidentels aux soins intensifs sont découverts grâce à l'activation des alarmes. Le site de débranchement le plus fréquent est entre le tube endotrachéal et l'adaptateur. L'infirmière et l'inhalothérapeute ont la responsabilité de s'assurer que les alarmes sont opérationnelles en tout temps et de consigner cette information au dossier. Les alarmes doivent être mises en mode « pause » (non pas désactivées) pendant l'aspiration ou le retrait du ventilateur. Si le client est conscient et coopératif, on peut lui fournir une cloche d'appel afin qu'il soit en mesure de demander assistance en cas de problème. Les connexions doivent être bien étanches et tournées pour être fixées solidement. Un ballon de réanimation (Ambu) fonctionnel et relié à une source d'oxygène doit être disponible en tout temps et situé assez près du client pour qu'il puisse l'atteindre sans problème. Avant d'asseoir le client dans une chaise, l'infirmière doit s'assurer que le ballon de réanimation (Ambu) est accessible et fonctionnel et que les tubulures sont assez longues pour atteindre le client en cas d'urgence. Bien que la plupart des établissements soient équipés de génératrices de secours en cas de panne de courant, l'infirmière et l'inhalothérapeute doivent toujours considérer la possibilité d'une telle panne et planifier la ventilation manuelle de tous les clients dépendant de la ventilation mécanique.

29.5.5 Recommandations nutritionnelles chez le client ventilé mécaniquement

La ventilation mécanique et l'hypermétabolisme associé à la maladie grave peuvent contribuer à la dénutrition. La présence d'un tube endotrachéal empêche le client de s'alimenter normalement. Même si les clients qui en sont porteurs peuvent occasionnellement s'alimenter avec des aliments liquides ou semi-liquides par voie orale, il est difficile de leur administrer ainsi suffisamment de calories, de lipides et de protéines. Un client porteur d'une canule de trachéostomie peut manger normalement si son état le permet. Pour ce faire, il doit pencher légèrement la tête vers l'avant afin de faciliter la déglutition et de prévenir l'aspiration. Souvent, les aliments mous (p. ex. pudding, crème glacée) sont plus faciles à avaler que les liquides.

Il est important de planifier un programme nutritionnel pour le client qui doit être privé d'aliments pendant trois à cinq jours. Le client qui reçoit une alimentation insuffisante et qui est ventilé mécaniquement de manière prolongée est plus à risque de faire de l'anémie et de présenter des problèmes relatifs à un faible transport d'oxygène, ainsi qu'une intolérance à un minimum d'exercice. Par ailleurs, l'inactivité des muscles respiratoires et la mauvaise alimentation entraînent également un affaiblissement de ces muscles. De plus, l'hypermétabolisme associé à la maladie grave, au traumatisme, à la chirurgie et à l'anxiété ou à la douleur, ainsi qu'une augmentation du travail respiratoire accentuent considérablement les dépenses caloriques. Les taux de protéines sériques (p. ex. transferrine, préalbumine) sont habituellement diminués lorsque les besoins nutritionnels ne sont pas comblés. Une mauvaise alimentation peut retarder le sevrage, ralentir le rétablissement et diminuer la résistance à l'infection, et l'alimentation entérale demeure, lorsqu'elle est possible, la meilleure méthode pour satisfaire les besoins caloriques.

L'apport en glucides dans l'alimentation est un problème courant en matière de soutien nutritionnel du client recevant une ventilation mécanique. En effet, le métabolisme des glucides contribue à augmenter la production de CO_2, entraînant un besoin supérieur de ventilation/minute. Ce phénomène peut provoquer à son tour un effort supplémentaire pour respirer. La diminution de l'apport en glucides dans l'alimentation est donc recommandée pour réduire la production de CO_2. Des préparations comme Pulmocare, qui est riche en protéines et en lipides mais faible en glucides, peuvent être bénéfiques pour les clients ventilés, et les conseils d'une diététiste sont habituellement requis chez ce type de clientèle.

En l'absence de contre-indications médicales, il est important d'élever de 30° à 45° la tête de lit du client ventilé recevant une alimentation entérale. On doit privilégier une sonde d'alimentation de petit calibre, lisse et flexible, pour éviter la bronchoaspiration accidentelle du contenu gastrique et, une fois introduite, sa position doit être confirmée radiologiquement (le chapitre 32 traite des procédures de gavage).

Le gavage doit être interrompu pendant au moins 30 minutes avant de placer le client à l'horizontale ou en déclive pour le drainage postural. La présence d'un résidu gastrique doit être vérifiée régulièrement, puisque une concentration élevée de résidu indique que le transit digestif est fortement ralenti ou absent. D'autres indices, tels que le ballonnement, les nausées, les vomissements et la distension abdominale, peuvent également signifier la présence d'un trouble d'alimentation. Dans ce cas, il faut cesser temporairement le gavage et avertir le médecin. Il faut également surveiller attentivement le client afin de déceler tout signe d'hypoglycémie si les périodes d'interruption du gavage sont prolongées. L'ajout de colorant alimentaire dans le gavage permet de repérer ce dernier dans les sécrétions trachéales, tout comme une réaction positive au glucose à l'ajout de sécrétions trachéales sur une bandelette réactive. S'il y a des signes de bronchoaspiration, le gavage doit être cessé immédiatement et le médecin avisé.

29.5.6 Ballon de réanimation (Ambu) et appareil d'aspiration

Tous les clients ventilés mécaniquement doivent avoir un ballon de réanimation (Ambu) à proximité avec un masque à oxygène et un appareil de succion trachéale fonctionnels à leur chevet. Le ballon de réanimation (Ambu) doit être muni d'un concentrateur afin de pouvoir administrer des concentrations d'oxygène de 90 à 95 %. Plus le ballon est gonflé et dégonflé lentement, plus la concentration d'oxygène administré est élevée. Le ballon de type Ambu (ballon d'hyperinsufflation manuelle), très populaire, est autogonflable et peut être fixé à un masque, à un tube endotrachéal ou à une canule de trachéostomie. Dans l'éventualité où le client s'extube accidentellement, la ventilation est maintenue par le ballon de réanimation (Ambu) et le masque.

29.5.7 Sevrage de la ventilation mécanique

Le processus de réduction de l'assistance ventilatoire afin de revenir à la respiration spontanée est appelé **sevrage**. La durée du sevrage est variable et peut être de quelques heures, pour les clients en période postopératoire, à plusieurs semaines, pour les clients atteints d'une maladie pulmonaire chronique. Les clients devant recevoir une ventilation mécanique prolongée sont habituellement ceux qui sont atteints d'une maladie pulmonaire sous-jacente et qui voient apparaître une insuffisance respiratoire causée par une intervention chirurgicale, un traumatisme ou une infection. Les préparatifs en vue du sevrage sont effectués à l'avance et consistent à maintenir l'alimentation, les équilibres hydroélectrolytique et acidobasique, le débit cardiaque, l'intégrité pulmonaire et l'état psychologique.

Plusieurs facteurs déterminent si un client est prêt pour le sevrage, et son état doit être aussi stable que possible si l'on veut que ce soit un succès. Les critères varient selon l'état pulmonaire et la réserve ventilatoire, et les paramètres respiratoires doivent indiquer des voies respiratoires dégagées, une force musculaire ventilatoire suffisante et une toux productive. L'oxygénation doit être suffisante et les poumons raisonnablement clairs à l'auscultation et sur la radiographie pulmonaire. Il est important que le client soit alerte, bien reposé, non souffrant et prêt à prendre de grandes respirations pour obtenir une ventilation alvéolaire optimale et prévenir l'atélectasie. Le sevrage n'implique pas nécessairement l'abandon immédiat des sédatifs ou des analgésiques. Au contraire, des médicaments doivent souvent être administrés pour soulager la douleur sans toutefois trop endormir le client.

Une multitude de méthodes de sevrage existent et aucune n'est réellement supérieure aux autres. Toutes les méthodes peuvent être pratiquées en laissant le client relié au ventilateur. Certains clients peuvent être sevrés par l'administration d'oxygène humidifié par branche en T.

Quelle que soit la méthode utilisée, il est important de permettre au client de reposer ses muscles respiratoires entre chaque tentative de sevrage, car il peut avoir besoin de 12 à 24 heures de récupération lorsque ces muscles sont fatigués.

Le client a généralement besoin d'une hausse de 10 % de la FIO_2 pour maintenir la pression partielle en oxygène, parce que le volume courant baisse habituellement avec la respiration spontanée et que la PCO_2 peut augmenter. Le sevrage se fait habituellement pendant la journée et le client est ventilé la nuit jusqu'à ce que la ventilation spontanée soit efficace et n'entraîne pas d'excès de fatigue.

Le client en sevrage nécessite un soutien psychologique continu. Il faut expliquer le processus de sevrage au client et l'informer de ses progrès. Il est également important d'installer le client confortablement en position assise (Fowler) ou semi-assise (semi-Fowler), et parfois même au fauteuil, pour permettre une meilleure expansion pulmonaire. Les paramètres respiratoires sont mesurés (volume courant, rythme respiratoire, force inspiratoire négative, capacité vitale) pour alimenter une base de données permettant une série d'analyses comparatives. La gazométrie du sang artériel est mesurée au début et au besoin pendant le sevrage, alors que la SpO$_2$ est surveillée de façon continue.

L'infirmière doit observer attentivement le client afin de déceler tout signe de détresse respiratoire, notamment la respiration superficielle, l'utilisation des muscles respiratoires accessoires, l'instabilité psychomotrice, la fatigue, la somnolence, la tachycardie, la hausse ou la baisse de la pression artérielle, la tachypnée ou la bradypnée, les changements à l'ECG, la chute de la SpO$_2$ et l'accumulation de sécrétions nécessitant de fréquentes aspirations. Les commentaires du client relativement à sa tolérance au sevrage sont très importants.

Lorsque le client est prêt pour l'extubation, les sécrétions de la bouche et de l'oropharynx doivent être bien aspirées et le ballonnet du tube endotrachéal dégonflé. Un masque à oxygène ou une canule doit être à proximité et prêt à être utilisé. Il faut informer le client qu'il toussera au moment du retrait du tube endotrachéal, et l'infirmière doit s'attendre à ce qu'il y ait une abondance de sécrétions. Une fois que le tube est retiré et que le client est stabilisé grâce à l'oxygène administré par un masque ou une canule nasale, la bouche et les narines du client doivent être nettoyés. La gazométrie du sang artériel est mesurée au besoin de 20 à 30 minutes après l'extubation, et le client doit être surveillé afin de détecter tout signe de détresse respiratoire causée par les troubles pulmonaires sous-jacents ou un œdème laryngé ou trachéal consécutif à la présence du tube endotrachéal, se manifestant par des symptômes d'obstruction aiguë des voies respiratoires supérieures. Les mesures pour assurer l'expulsion des sécrétions pulmonaires (p. ex. toux, respiration profonde, changement de position et aspiration, s'il y a lieu) doivent être poursuivies tant que le client n'est pas convenablement débarrassé de ses sécrétions.

29.5.8 Ventilation mécanique à domicile

L'utilisation des ventilateurs mécaniques ne se limite plus à l'USI, mais fait également partie des soins à domicile. Il est maintenant possible d'enseigner aux familles les soins nécessaires à l'égard du client ventilé mécaniquement comme une solution de rechange à l'hospitalisation prolongée. L'accent qui a été mis sur la diminution des coûts des soins de santé en milieu hospitalier a fait augmenter le nombre de sorties précoces accordées aux clients et le besoin de soins à domicile très techniques, comme la ventilation mécanique.

La ventilation mécanique à domicile comporte de nombreux avantages. Le fait que le client soit chez lui élimine les contraintes que le milieu hospitalier peut avoir sur la dynamique familiale. Le sentiment d'im-

puissance ressenti par les membres de la famille lorsqu'ils apprennent la nécessité d'une ventilation mécanique prolongée est habituellement remplacé par celui qu'ils ont de pouvoir participer pleinement aux soins du client à domicile. Ce dernier sera moins exposé aux infections nosocomiales et davantage en mesure de participer aux activités quotidiennes, de suivre un horaire beaucoup plus personnalisé et de se déplacer plus facilement grâce à la petite dimension des ventilateurs fournis. Les désavantages sont les problèmes reliés au remboursement, à l'équipement, aux soins à dispenser et aux besoins complexes de ces clients. Le client ventilé est habituellement dépendant et nécessite des soins infirmiers spécifiques. Les produits jetables peuvent être non remboursables et les ressources financières doivent être soigneusement évaluées lors de la planification de la ventilation mécanique à domicile. Par ailleurs, un autre désavantage de cette option est son effet sur la famille. Les membres de la famille peuvent sembler enthousiastes à l'idée de prendre soin du client à domicile, mais ils peuvent être motivés par la culpabilité. Ils peuvent méconnaître les sacrifices sur le plan financier qu'ils auront à faire, ainsi que sur le plan du temps et de l'engagement.

Les ventilateurs à pression positive et les ventilateurs à pression négative peuvent être utilisés à domicile. Il existe de petits ventilateurs portatifs qui peuvent être fixés à un fauteuil roulant ou placés sur une table de nuit. Certains ventilateurs à domicile sont munis du mode de ventilation obligatoire intermittente, et le réglage et les alarmes sont pratiquement les mêmes que sur les gros ventilateurs des USI.

29.5.9 Soins infirmiers : ventilation mécanique

Les soins infirmiers pour le client ventilé mécaniquement sont présentés dans l'encadré 29.7.

29.6 SURVEILLANCE DE LA PRESSION INTRACRÂNIENNE

La pression intracrânienne (PIC) est la force exercée dans le crâne par le cerveau, le sang et le liquide céphalorachidien (Brunner-Suddarth, 1994). La pression intracrânienne peut être élevée dans le cas d'un traumatisme crânien, d'un AVC, d'une hémorragie sous-arachnoïdienne, d'une tumeur au cerveau, d'une inflammation ou d'une lésion du tissu cérébral consécutive à d'autres facteurs (voir encadré 53.3). Les clients à haut risque ou ayant une pression intracrânienne élevée sont habituellement traités à l'USI et nécessitent un monitorage effractif de la pression intracrânienne. Comme les autres mesures effractives, la surveillance de la pression intracrânienne

Plan de soins infirmiers

Client ventilé mécaniquement

DIAGNOSTIC INFIRMIER : risque d'accident relié au mauvais fonctionnement de l'appareillage, au débranchement accidentel, à l'incapacité de respirer sans ventilation mécanique, à l'asynchronisme avec le ventilateur et au mauvais réglage des paramètres pour le maintien d'une ventilation adéquate.

PLANIFICATION
Résultats escomptés
- La GSA sera dans les limites normales du client.
- La respiration sera synchronisée avec le ventilateur.

INTERVENTIONS	Justifications
• Détecter rapidement les signes et symptômes de baisse de la PaO_2 et de hausse de la $PaCo_2$: hypoxémie, hypercapnie, tachycardie, tachypnée, hausse de la PA, agitation, confusion, céphalée, léthargie, cyanose, mode de respiration non synchronisé avec le mode de ventilation.	
• Prévenir, détecter rapidement et corriger les complications associées au débranchement ou au mauvais fonctionnement du ventilateur : bris mécanique ou débranchement.	• Déceler la présence de facteurs de risque et planifier l'intervention.
• Instaurer lentement la ventilation mécanique (notamment pour les clients atteints d'une BPCO), baisser la $PaCO_2$ uniquement selon les données de base du client.	• Prévenir l'alcalose métabolique, surtout chez les clients atteints d'acidose respiratoire compensée.
• Examiner le client pour déceler les causes possibles d'hyperventilation comme l'accumulation de sécrétions, l'hypoxémie, la douleur, la peur et l'anxiété.	
• Vérifier les réglages du ventilateur (FIO_2, fréquence respiratoire, volume courant, débit d'oxygène, PEEP, pression dans les voies respiratoires, température par thermistance et rapport inspiration/expiration).	• Déterminer s'ils sont adaptés à la situation clinique.
• Toujours garder un ballon de réanimation (Ambu) relié à une source d'oxygène au chevet du client.	• Pouvoir l'utiliser rapidement en cas d'urgence.
• Si le client lutte contre la ventilation, ventiler lentement le client manuellement pendant 3 à 6 respirations, puis le guider verbalement.	• L'aider à respirer en synchronisation avec le ventilateur.
• Déterminer et traiter la cause de l'asynchronisme.	
• Activer toutes les alarmes ; pendant l'aspiration et le débranchement, mettre les alarmes en mode « pause », mais ne jamais les désactiver complètement.	
• Réagir immédiatement à tout déclenchement d'alarme.	• Des situations à risque tels qu'un bris mécanique ou un asynchronisme entre le client et le ventilateur peuvent se produire.
• Vérifier le ballonnet.	• Déceler une fuite afin de prévenir la perte de gaz de ventilation et l'aspiration de sécrétions orales.
• Surveiller la tubulure du ventilateur toutes les heures ou toutes les deux heures dans le but de déceler la condensation d'eau et de la drainer, s'il y a lieu.	• Prévenir l'aspiration du liquide accumulé.

DIAGNOSTIC INFIRMIER : diminution du débit cardiaque reliée au retour veineux entravé par la ventilation à pression positive, se manifestant par une diminution de la PA, une hausse de la fréquence cardiaque, une diminution du débit urinaire, la présence d'arythmies et de confusion mentale.

PLANIFICATION
Résultats escomptés
- La tension artérielle et le débit sanguin seront dans les limites normales du client.
- Le débit urinaire sera suffisant.

Plan de soins infirmiers

Client ventilé mécaniquement (*suite*)

INTERVENTIONS	Justifications
• Surveiller les signes vitaux et l'état de conscience du client toutes les deux ou quatre heures et au besoin selon son état.	
• Observer et surveiller les manifestations cliniques d'une diminution du débit cardiaque.	• Déceler une diminution du retour veineux vers le cœur, du volume télédiastolique du ventricule gauche et de la PA.
• Surveiller les mesures directes de débit cardiaque par thermodilution, surtout lorsqu'on a recours à une PEEP supérieure à 10 cm d'eau.	• Anticiper le besoin d'administrer des succédanés de plasma, des vasopresseurs et des liquides par voie intraveineuse tel qu'indiqué, puisque l'hypovolémie amplifie les complications hémodynamiques d'une baisse de retour veineux causée par la ventilation à pression positive.

DIAGNOSTIC INFIRMIER : intolérance au sevrage de la ventilation assistée reliée aux facteurs suivants : processus de sevrage trop rapide, méconnaissance du processus de sevrage et anxiété, se manifestant par une instabilité psychomotrice, une tachypnée, de la fatigue, une hausse de la PA, une respiration superficielle, l'utilisation des muscles accessoires, la tachycardie, des changements de couleur de la peau (p. ex. pâleur ou cyanose) et de l'agitation.

PLANIFICATION
Résultats escomptés
• Le client atteindra progressivement les objectifs de sevrage.
• Le client respirera sans tube endotrachéal.
• Le client dira qu'il se sent plus à l'aise pendant le sevrage.
• Le client ressentira moins de fatigue liée au sevrage.

INTERVENTIONS	Justifications
• Évaluer les paramètres respiratoires (p. ex. effort inspiratoire, ventilation/minute, capacité vitale, toux productive).	• Déterminer la capacité du client au sevrage.
• Expliquer le processus de sevrage.	• Permettre au client de comprendre les attentes.
• Établir les objectifs du sevrage avec le client.	• Permettre au client de participer à l'élaboration du plan.
• Adopter un rythme de sevrage réaliste qui assurera des progrès et peu ou pas de recul.	• Maintenir la confiance du client.
• Évaluer la GSA à des périodes spécifiques du sevrage.	• Surveiller l'état ventilatoire du client.
• Surveiller les signes de détresse respiratoire et rebrancher le client sur le ventilateur le cas échéant.	• Assurer une ventilation suffisante.
• Si le processus de sevrage est interrompu, il est important d'en expliquer la raison au client et de discuter du plan révisé.	• Réduire la frustration et le découragement et augmenter sa coopération.

DIAGNOSTIC INFIRMIER : incapacité de maintenir une respiration spontanée reliée à une fatigue des muscles respiratoires ou à des facteurs métaboliques, se manifestant par une dyspnée et des inquiétudes, une accélération du métabolisme, une augmentation de l'instabilité psychomotrice, une plus grande utilisation des muscles accessoires, un volume courant augmenté, une accélération de la fréquence cardiaque, des valeurs anormales GSA (PaO_2 diminuée, $PaCO_2$ augmentée, pH diminué, SaO_2 diminuée) et une mauvaise coopération du client[1].

PLANIFICATION
Résultats escomptés
• La vitesse du métabolisme et la fréquence cardiaque seront à l'intérieur des limites normales pour le client.
• Le client sera eupnéique.
• Les valeurs de la GSA seront à l'intérieur des limites normales pour le client.

INTERVENTIONS	Justifications
• Collaborer avec le médecin et l'inhalothérapeute dans l'application de paramètres de ventilation.	• Aider le client à déployer l'effort accru exigé par la respiration sous respirateur mécanique et la présence du tube endotrachéal.
• Couper soigneusement la longueur excédentaire du tube endotrachéal à l'extrémité proximale.	• Réduire l'espace mort et amoindrir l'effort requis par la respiration.

→ **Plan de soins infirmiers**

Client ventilé mécaniquement (*suite*)

- Collaborer avec le médecin et la nutritionniste afin de s'assurer que plus de la moitié de la portion non protéique du régime alimentaire soit sous forme de lipides plutôt que de glucides.
- Collaborer avec le médecin et l'inhalothérapeute en ce qui concerne le sevrage du respirateur.
- Collaborer avec le médecin et le physiothérapeute pour amener graduellement le client à se déplacer et à suivre un programme de conditionnement physique.
- Déterminer les moyens de communication privilégiés par le client.
- Établir un programme journalier et l'afficher dans la chambre du client.
- Traiter la douleur au besoin.
- S'assurer que le client bénéficie d'au moins deux à quatre heures de sommeil ininterrompu dans une pièce calme et obscure. L'utilisation de la ventilation assistée la nuit est une option fréquente lors du sevrage.
- Placer le client en position de semi-Fowler ou dans un fauteuil.
- Expliquer au client la technique de sevrage du respirateur.
- Surveiller la fatigue des muscles respiratoires du client durant la tentative de sevrage.
- Distraire le client pendant la tentative de sevrage.
- Collaborer avec le médecin et l'inhalothérapeute lors du retrait du respirateur.

- Prévenir la production de dioxyde de carbone.

- Chaque situation est unique et plusieurs techniques de sevrage sont possibles.
- Favoriser le tonus musculaire et le fonctionnement du muscle respiratoire.

- Favoriser l'autonomie et réduire l'anxiété.

- Coordonner les soins et favoriser l'observance par le client.

- Prévenir le blocage de la respiration et l'hypoventilation.
- Reposer les muscles respiratoires.

- Utiliser de façon optimale les muscles respiratoires et favoriser l'abaissement du diaphragme.
- Permettre au client de savoir à quoi s'attendre et favoriser sa participation.
- Éviter le surmenage.

- Réduire son anxiété.

Processus thérapeutique

COMPLICATION POSSIBLE : distension gastrique reliée au mauvais positionnement du tube endotrachéal, aux saignements gastro-intestinaux ou à un iléus.

PLANIFICATION
Objectifs
- Absence de distension gastrique abdominale.
- Retour à des bruits intestinaux normaux.

INTERVENTIONS
- Examiner la distension abdominale, le tympanisme et les bruits intestinaux et mesurer le volume abdominal.
- Vérifier les selles et le drainage gastrique pour y déceler du sang occulte.
- Vérifier la présence d'air dans l'estomac sur la radiographie pulmonaire.
- Administrer les médicaments et l'alimentation par sonde selon l'ordonnance.
- Sauf contre-indication médicale, il est important d'élever la tête du lit à 45° pour permettre une amplitude diaphragmatique optimale.
- Obtenir une ordonnance pour introduire un tube nasogastrique (s'il est présent, confirmer sa position adéquate).
- Confirmer le positionnement adéquat du tube nasogastrique.

- Signaler tout écart par rapport aux résultats escomptés.

Justifications
- Déceler tout signe de dilatation intestinale.

- Le client est prédisposé aux ulcères de stress et aux saignements gastro-intestinaux.

- Réduire l'apparition de saignements gastro-intestinaux et diminuer le risque d'ulcères gastroduodénaux.
- Éviter la bronchoaspiration.

- Soulager la distension gastrique.

- Prévenir la bronchoaspiration et l'accumulation de liquides gastro-intestinaux.

Plan de soins infirmiers

Client ventilé mécaniquement (*suite*)

COMPLICATION POSSIBLE : pneumothorax ou pneumomédiastin relié à un barotraumatisme causé par la ventilation à pression positive.

PLANIFICATION
Objectif
• Absence de pneumothorax, de pneumomédiastin ou de barotraumatisme.

INTERVENTIONS	Justifications
• Observer les points suivants : augmentation soudaine de la pression inspiratoire de pointe (de 5 cm d'eau ou plus), agitation ou toux soudaine, activation fréquente de l'alarme de haute pression, baisse de la compliance productive et statique, emphysème sous-cutané palpable dans les régions du cou et du thorax, détérioration de la GSA et de la PA, baisse ou absence de bruits respiratoires, hyperrésonance à la percussion, pneumothorax à la radiographie pulmonaire.	• Déceler et signaler tout signe de pneumothorax.
• Ventiler manuellement le client à l'oxygène en respectant son volume courant.	• Réduire la pression des voies respiratoires jusqu'à ce qu'un drain thoracique puisse être inséré.
• Avertir le médecin et préparer l'insertion d'un drain thoracique immédiatement.	• Un pneumothorax peut devenir un pneumothorax sous tension susceptible de mettre la vie du client en danger.
• Vérifier et noter les réglages du ventilateur toutes les deux heures.	
• Noter les niveaux de pression inspiratoire de pointe afin d'établir une base de données.	• Évaluer les changements dans la compliance pulmonaire.*

[1] Adapté de URDEN, L,D,. et Stacy, K.M. *Priorities in critical care nursing*, 3e éd., St. Louis, Mosby, 2000, p. 475-477.
* Cette évaluation est particulièrement importante pour les clients ventilés avec une PEEP puisqu'ils sont davantage prédisposés à un barotraumatisme.
GSA : gazométrie du sang artériel ; PA : pression artérielle ; PEEP : pression positive en fin d'expiration.

est indiquée chez les clients qui peuvent bénéficier d'un traitement et dont le processus sous-jacent semble réversible. Les clients dont la maladie est irréversible ou ceux qui présentent une détérioration neurologique avancée causée par des lésions primaires ou métastatiques ne sont habituellement pas placés sous surveillance de la pression intracrânienne. Lorsque la pression intracrânienne est élevée, les soins infirmiers visent la préservation des fonctions neurologiques, le repérage rapide de tout changement et la prévention de complications. Les clients peuvent nécessiter des soins physiques intensifs, ainsi qu'un soutien affectif.

29.6.1 Augmentation de la pression intracrânienne

La pression intracrânienne est importante puisqu'elle influe sur la perfusion cérébrale. Lorsque la perfusion cérébrale augmente, il est important de considérer la pression artérielle systémique, la pression intracrânienne, le débit sanguin, la résistance vasculaire et la volémie. La pression artérielle moyenne (PAM) procure la pression nécessaire pour assurer le débit sanguin cérébral. La pression intracrânienne, indiquant la pression dans les tissus cérébraux et le compartiment du liquide céphalorachidien, s'oppose au débit sanguin. La pression de perfusion cérébrale (PPC), égale à la pression artérielle moyenne moins la pression intracrânienne, est donc une variable importante qui doit être considérée. Le débit sanguin cérébral, exprimé en millilitres de sang par minute, doit être maintenu à un taux relativement élevé en raison des besoins métaboliques importants et continus du tissu cérébral. La résistance cérébrale vasculaire, générée par les artérioles cérébrales, lie la pression de perfusion cérébrale au débit sanguin comme suit :

$$PPC = débit \times résistance$$

Le volume sanguin cérébral est important puisqu'il affecte la pression intracrânienne. Le chapitre 53 traite du débit sanguin cérébral et de l'augmentation de la pression intracrânienne.

Une telle augmentation est cliniquement importante puisqu'elle diminue la pression de perfusion cérébrale, ce qui cause une ischémie ou un infarctus cérébral. De plus, la structure du cerveau peut être comprimée et endommagée ou être détruite de façon irréversible, provoquant la mort. Le danger de l'hypertension intracrânienne est l'engagement, qui peut être de quatre types : cingulaire, temporal, central et cérébelleux. Dans les trois derniers cas, la compression du tronc cérébral engage immédiatement le pronostic vital. En cas d'engagement, la ponction lombaire déclenche ou aggrave ce phénomène et est donc strictement interdite (Med Infos, 2001).

Une augmentation lente de la pression intracrânienne, comme dans le cas d'une tumeur cérébrale qui grossit, est mieux tolérée qu'une augmentation rapide, comme c'est le cas lors d'un traumatisme crânien primaire. Une élévation de la pression est également mieux tolérée si elle est répartie uniformément dans le cerveau. La préservation du débit sanguin cérébral est cruciale à la préservation des tissus. Le débit sanguin semble mieux préservé lorsque l'augmentation de la pression intracrânienne est lente et également répartie.

La pression de perfusion cérébrale est utile pour évaluer le débit sanguin cérébral. Une pression de perfusion cérébrale normale est de 70 à 100 mm Hg, mais une pression minimale de 50 à 60 mm Hg est nécessaire pour que la perfusion cérébrale soit suffisante. Une pression de perfusion cérébrale inférieure à 50 mm Hg est associée à l'ischémie et à la mort des cellules nerveuses. Il est d'une importance capitale de maintenir la pression artérielle moyenne lorsque la pression intracrânienne est élevée. Il ne faut pas oublier que la pression de perfusion cérébrale ne reflète pas nécessairement la pression de perfusion dans toutes les régions du cerveau, car il peut y avoir des zones d'œdème et de compression. Une pression de perfusion cérébrale supérieure peut donc être nécessaire pour ces clients afin de prévenir les lésions tissulaires localisées.

29.6.2 Mesure de la pression intracrânienne et surveillance du monitorage

Appareils. La surveillance de la pression intracrânienne est utilisée régulièrement pour orienter le traitement des clients chez qui l'on soupçonne une élévation de celle-ci. Certains systèmes de monitorage de la pression intracrânienne sont semblables aux systèmes de surveillance effractifs de la pression artérielle, puisqu'une tubulure remplie de liquide et jumelée à un dispositif interne est raccordée à un capteur de pression externe. Les dipositifs comprennent des cathéters intraventriculaires, des vis insérées dans l'espace sousarachnoïdien et des cathéters sous-duraux (voir figure 29.18). Le tableau 29.12 souligne les avantages et les désavantages de ces appareils. Tout comme les systèmes de surveillance de la pression sanguine, les signaux peuvent

être déformés par la présence de bulles d'air ou par la longueur excessive de la tubulure. Ces systèmes comprennent un capteur de pression externe dont la position doit demeurer ajustée à la tête du client pour transmettre des pressions qui peuvent être comparées.

Un second type de technologie a recours à un capteur qui est placé dans le crâne. Par exemple, dans le cas du cathéter à fibre optique, le capteur de pression est situé à l'extrémité du cathéter. Enfin, le risque d'infection est un facteur important à considérer dans la surveillance de la pression intracrânienne.

Courbe de pression intracrânienne. La pression intracrânienne doit être mesurée en fin d'expiration comme pression moyenne. Les résultats indiqués par la bande du système doivent être notés au moins toutes les quatre heures. La courbe normale de la pression intracrânienne est semblable au tracé de la pression artérielle (voir figure 29.19), bien que les pressions soient beaucoup plus basses. Ce phénomène vient du fait que la pression artérielle est transmise par le plexus choroïdien et ensuite au liquide céphalorachidien dans les cavités ventriculaires et sous-arachnoïdiennes. Lorsqu'on observe la courbe, on remarque trois ondes qui sont synchrones avec le cycle cardiaque :
- P1 : onde de percussion, reflétant la transmission de la pression artérielle systolique du plexus choroïdien ;
- P2 : « onde courante », se terminant par l'incisure dicrote ;

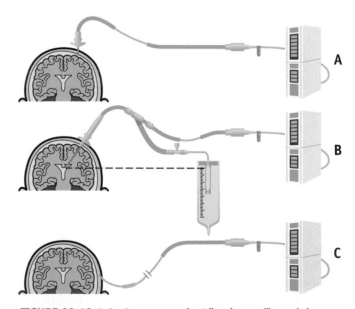

FIGURE 29.18 A. Système sous-arachnoïdien de surveillance de la pression intracrânienne. B. Système ventriculaire de surveillance de la pression intracrânienne. C. Capteur de pression intracrânienne sousdural.

- P3 : onde dicrotique, troisième onde suivant l'incisure dicrote et pouvant refléter la pression veineuse.

Trois types d'ondes pathologiques peuvent être notés lorsque la pression intracrânienne est élevée (voir figure 29.19). La visualisation de ces ondes nécessite la surveillance par un système dont la bande se déplace lentement.

- Ondes A : ondes en plateau visualisées avec des augmentations de pression intracrânienne de 50 à 100 mm Hg ; durent de 5 à 20 minutes ; associées à la chute de la pression de perfusion cérébrale à moins de 40 mm Hg ; associées à l'ischémie cérébrale aiguë. Elles signalent une urgence neurologique qui doit être traitée immédiatement pour éviter des lésions irréversibles au cerveau.
- Ondes B : hausses de pression rythmique pointues, de 20 à 40 mm Hg ; fréquence de 1 par 30 à 120 secondes ; associées à des changements du mode respiratoire ; peuvent être précurseurs d'ondes A.

- Ondes C : hausses de pression rythmique transitoires de moins de 20 mm Hg ; fréquence de 1 par 4 à 8 minutes ; signification non déterminée.

Il est important que l'infirmière surveille la courbe de la pression intracrânienne et la pression moyenne. Lorsque la hauteur de P2 est supérieure à celle de P1, l'espace intracrânien peut être non compliant et le client est prédisposé à une augmentation de la pression intracrânienne. Le client doit donc être surveillé étroitement afin de déceler l'apparition d'ondes pathologiques. En plus de noter les mesures de pression et la morphologie des ondes, il est important de considérer le rythme auquel les changements se font, ainsi que l'état clinique du client. Il est essentiel de noter que la détérioration neurologique ne se produit habituellement pas avant que l'augmentation de la pression intracrânienne ne soit prononcée et maintenue. Si des ondes A et B sont notées, le médecin doit en être informé immédiatement.

TABLEAU 29.12	Comparaison des systèmes de surveillance de la pression intracrânienne		
Système	**Description**	**Avantages**	**Inconvénients**
Cathéter ventriculaire	Système de transducteur externe ; un tube mou en Silastic, opaque sur les radiographies, est introduit à l'aide d'un stylet, par un trou de trépan dans la corne frontale d'un ventricule latéral de l'hémisphère non dominant.	Précis (peut s'ajuster et se remettre à zéro). Le liquide céphalorachidien peut être évacué pour réduire la pression intracrânienne ou prélever des échantillons. La compliance peut être vérifiée. Des substances de contraste peuvent être introduites pour des épreuves diagnostiques.	Risque d'infection. Risque d'hémorragie. Difficile à introduire chez les clients ayant de petits ventricules ou des déplacements de structures intracrâniennes. Un simple mouvement de tête peut obliger le repositionnement du transducteur.
Vis sous-arachnoïdienne	Système de transducteur externe ; cheville ou manchon métallique creux ; filetée à une des extrémités ; l'extrémité filetée est insérée par un trou percé dans l'os en passant par la dure-mère jusqu'à l'espace sous-arachnoïdien ; placée au-dessus de la région frontale de l'hémisphère non dominant de sorte que le même site puisse servir à introduire un cathéter ventriculaire par la suite au besoin.	Procédure simple pour la mise en place. Utile si le ventricule est petit ou dévié. Aucune rupture de neurone des tissus cérébraux. Moins de risque d'infection ou d'hémorragie.	Les fuites peuvent limiter la précision des résultats. L'obstruction par le sang ou les tissus cérébraux peut fausser les lectures. Certains risques d'infection (moins que la ventriculostomie). Le crâne doit être intact. Si le matériel est en métal, on ne peut pas utiliser l'imagerie par résonance magnétique. Un simple mouvement de tête peut obliger le repositionnement du transducteur.
Fibres optiques	Système de transducteur intracrânien ; le cathéter est constitué d'un diaphragme mobile à réflexion ; le fibroscope envoie un signal dans le diaphragme et ce signal est capté par un autre câble de fibroscope dans le même cathéter.	Multiples possibilités de points d'insertion. Possibilité d'introduction par la vis sous-arachnoïdienne. Irrigation non nécessaire. Affichage détaillé des ondes, sans artéfact. Aucune modification d'équipement nécessaire pour le mouvement de tête.	Le cathéter est fragile. Une fois mis en place, il n'est pas possible de le remettre à zéro. Un système de surveillance unique est nécessaire (mais peut être raccordé à la plupart des moniteurs).

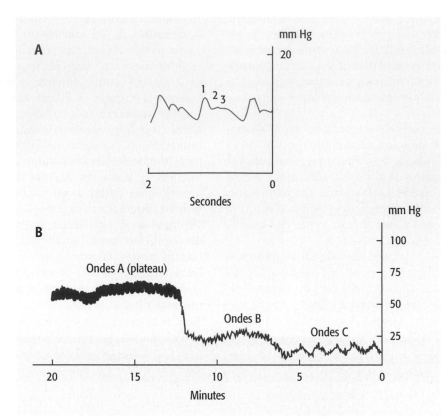

FIGURE 29.19 A. Ondes de pression intracrânienne (PIC) apparaissant sur un tracé à lecture rapide. 1, 2 et 3 correspondent à P1, P2 et P3 (voir texte). B. Ondes de PIC pathologiques apparaissant sur un tracé à lecture lente.

Lors de l'utilisation de systèmes comportant des tubulures remplies de liquide, l'aspect de la courbe au moniteur doit être vérifié afin de déceler un amortissement consécutif à la présence de bulles dans la ligne ou à son obstruction par des tissus ou des caillots sanguins. La lecture imprécise de la pression intracrânienne peut être causée par des fuites de liquide céphalorachidien autour de l'appareil de surveillance, une obstruction du cathéter ou de la vis, des tubulures coudées ou par la manœuvre de Valsalva.

Drainage du liquide céphalorachidien. Il est possible d'assurer la régulation de la pression intracrânienne en retirant du liquide céphalorachidien à l'aide d'un drain ventriculaire. Pour ce faire, un connecteur Y ou un robinet est inséré dans la tubulure (voir figure 29.20). Un système fermé doit être utilisé pour diminuer les risques d'infection. La pression intracrânienne et le volume de drainage sont réglés par la hauteur du sac de drainage ou de la chambre d'égouttement par rapport au point de référence du client. Celui-ci est déterminé par le neurochirurgien, sur ordonnance individuelle, en cm au-dessus ou au-dessous du tragus. Le volume de drainage

est diminué par l'élévation du système, alors qu'il est augmenté par sa baisse. Une surveillance minutieuse du volume de drainage de liquide céphalorachidien est essentielle, et l'infirmière doit garder à l'esprit que la production normale de liquide céphalorachidien pour un adulte est de 20 à 30 ml par heure, pour un volume total quotidien pouvant atteindre jusqu'à 900 à 1200 ml. Le volume total circulant entre les ventricules et la cavité sous-arachnoïdienne (90 à 150 ml) est donc remplacé toutes les trois ou quatre heures. La quantité de liquide à drainer, la fréquence de drainage et la hauteur du point de référence relèvent de l'ordonnance médicale.

Lorsque le liquide est retiré trop rapidement, il peut se produire des complications majeures telles qu'un collapsus ventriculaire ou l'apparition d'un hématome sous-dural.

Afin de parer à cette éventualité, l'infirmière doit avoir recours à un drainage intermittent tout en observant le client attentivement. Au cours de cette intervention, l'infirmière ouvre normalement la ligne uniquement pour le drainage lorsque la pression intracrânienne atteint une valeur prédéterminée, puis la referme dès que la pression intracrânienne diminue.

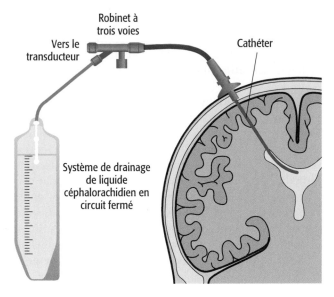

Robinet à
trois voies

Vers le
transducteur

Cathéter

Système de drainage
de liquide
céphalorachidien en
circuit fermé

Cathéter intraventriculaire

FIGURE 29.20 Système de drainage intermittent. Le drainage intermittent requiert le drainage du liquide céphalorachidien par ventriculostomie lorsque la PIC excède le paramètre de pression limite prédéterminé par le médecin. Le drainage intermittent requiert l'ouverture du robinet à trois voies pour permettre au liquide céphalorachidien de circuler dans un sac de drainage pendant un court laps de temps (30 à 120 secondes) jusqu'à ce que la pression soit sous les paramètres de pression limite.

29.6.3 Soins infirmiers et processus thérapeutique : augmentation de la pression intracrânienne

Les soins dispensés au client ayant une pression intracrânienne élevée ou potentiellement élevée sont semblables à ceux qui ont été décrits pour le client ayant subi un traumatisme crânien primaire ou inconscient (voir chapitre 53). Les traitements spécifiques ont pour but de maintenir la pression de perfusion cérébrale en manipulant la pression intracrânienne et la pression artérielle moyenne. Les traitements pour diminuer la pression intracrânienne comprennent le drainage du liquide céphalorachidien, l'augmentation de la diurèse, l'oxygénation, l'utilisation d'agents bloqueurs neuromusculaires et le positionnement. Les traitements pour maintenir la pression artérielle moyenne comprennent la réanimation liquidienne, le positionnement et les vasopresseurs. Une surveillance intensive des points suivants est nécessaire : signes vitaux, débit et fréquence cardiaques, ventilation, oxygénation, équilibre hydrique, état mental, état de conscience, pression intracrânienne, pression de perfusion cérébrale, fonctions des nerfs crâniens, mouvements périphériques et sensibilité.

Oxygénation et ventilation. Les clients qui ont une pression intracrânienne élevée ou une pression de per-

fusion cérébrale compromise risquent de présenter également une détérioration de l'état de conscience accompagnée d'une dépression respiratoire. Les mesures immédiates prises lors du traitement du client comprennent le maintien de la perméabilité des voies respiratoires par l'intubation endotrachéale et la ventilation mécanique pour assurer une oxygénation et une respiration suffisantes ; on vise habituellement une PaO_2 supérieure à 100 mm Hg.

Le tube endotrachéal doit être bien fixé, sans toutefois être attaché autour du cou, car cela risque d'empêcher le retour veineux par compression des veines jugulaires et de faire augmenter la pression intracrânienne. Pour les clients qui ont une pression intracrânienne normale, l'aspiration endotrachéale est habituellement bien tolérée, alors que, pour les clients qui ont une pression intracrânienne élevée, l'aspiration peut entraîner de dangereuses hausses de cette dernière. Trois facteurs associés à l'aspiration peuvent entraîner une augmentation de la pression intracrânienne : l'hypercapnie, l'hypoxémie et le stress. L'aspiration doit être pratiquée auprès des clients seulement lorsque l'auscultation confirme qu'elle est nécessaire, et le client doit être hyperventilé et oxygéné avant, pendant et après l'aspiration. L'administration d'agents bloqueurs neuromusculaires et d'une forte sédation peut être nécessaire afin d'éviter que le client ne lutte contre le ventilateur ou ne tousse pendant l'aspiration.

La pression positive en fin d'expiration peut être nécessaire pour maintenir l'oxygénation, quoique l'augmentation de la pression intrathoracique moyenne qu'elle induit puisse nuire au retour veineux et faire augmenter la pression intracrânienne. On estime que la suppression du retour veineux sera plus grande chez les clients hypovolémiques et chez les clients ayant un thorax très compliant. Dès que les pressions intrathoraciques changent, l'effet sur la pression intracrânienne doit être évalué. Le fait de relever la tête du lit à 30 degrés peut améliorer la ventilation et l'oxygénation, mais l'angle de positionnement est habituellement déterminé par le médecin. Il est possible qu'une moins grande pression positive en fin d'expiration soit nécessaire avec le changement de position du lit. Dans le même ordre d'idées, l'insertion d'un tube nasogastrique soulage la distension abdominale, permet une meilleure expansion pulmonaire et améliore l'oxygénation, ce qui pourrait nécessiter des taux moins élevés de pression positive en fin d'expiration.

L'hyperventilation a souvent été utilisée pour traiter la pression intracrânienne parce qu'elle la diminue immédiatement par la vasoconstriction des vaisseaux sanguins cérébraux. On déconseille toutefois l'usage régulier de l'hyperventilation, car il est possible d'en abuser et cela pourrait entraîner une ischémie cérébrale. Il est préférable de l'utiliser seulement pour les clients dont la pression intracrânienne est surveillée, pour le traitement immédiat d'une détérioration neurologique ou pour les clients qui ne réagissent pas à la sédation, aux agents bloqueurs neuromusculaires, au drainage du liquide céphalorachidien et à l'augmentation de la diurèse.

Drainage du liquide céphalorachidien.
Le drainage du liquide céphalorachidien est une intervention précoce qui peut être envisagée seulement si le dispositif de pression intracrânienne est muni d'un drain intraventriculaire. L'infirmière doit drainer de façon intermittente le liquide céphalorachidien du client présentant une augmentation aiguë de la pression intracrânienne lorsque cette pression atteint la limite fixée par le neurochirurgien (p. ex. 20 mm Hg). L'augmentation de la fréquence du drainage signifie souvent que l'état neurologique se détériore.

Réanimation liquidienne.
La réanimation liquidienne est importante pour les clients dont la pression intracrânienne est élevée. L'hypotension a été ciblée comme un des principaux facteurs de risque d'atteinte cérébrale chez le client atteint d'hypertention intracrânienne, puisqu'elle diminue la pression artérielle et, du même coup, la pression de perfusion cérébrale. Des solutions sont injectées par voie intraveineuse pour maintenir la pression de perfusion cérébrale supérieure à 70 mm Hg. Normalement, une pression artérielle moyenne de 90 mm Hg serait jugée adéquate. Toutefois, si la pression intracrânienne est supérieure à 20 mm Hg, la pression de perfusion cérébrale sera inférieure à 70 mm Hg. Si l'ajout de volume est inefficace, des agents vasoactifs comme la norépinéphrine (Levophed), la dopamine (Intropin) ou la phényléphrine (Neo-Synephrine) peuvent être administrés. La surveillance de la pression de l'artère pulmonaire, ou du moins la surveillance de la pression veineuse centrale, sert à guider la thérapie liquidienne. Le client atteint d'hypertension sous-jacente présente un problème particulier puisqu'une pression artérielle moyenne élevée peut être nécessaire. Dans ce cas, le but du traitement est d'atteindre une pression de perfusion cérébrale supérieure.

Diurèse.
La diurèse est la pierre angulaire du traitement de l'augmentation de la pression intracrânienne. La diurèse osmotique renvoie l'eau des tissus cérébraux dans la circulation systémique et les reins éliminent le liquide. Le mannitol (Osmitrol) est l'agent le plus souvent utilisé, et l'administration de bolus semble être plus efficace que les perfusions continues parce que ces dernières favoriseraient l'accumulation de mannitol dans le cerveau, ce qui peut causer un renversement osmotique et augmenter l'œdème et la pression intracrânienne. Lors de l'administration de diurétiques,

des précautions doivent être prises afin de prévenir une chute de pression de la perfusion cérébrale causée par une perte de volume. Le sodium et l'osmolalité sériques doivent aussi être surveillés.

Sédation.
La sédation, les analgésiques et les agents bloqueurs neuromusculaires sont utilisés pour régulariser l'augmentation de la pression intracrânienne associée à l'agitation, à l'asynchronisme avec le ventilateur et à la toux. Ce traitement permet aussi de prévenir toute blessure chez le client confus et agité qui pourrait tenter de s'extuber ou d'arracher les tubulures et les cathéters. Le traitement est habituellement maintenu par des perfusions continues des divers agents utilisés. La perte de repères cliniques indiquant les changements de l'état neurologique devient alors une problématique complexe consécutive à l'utilisation de ces médicaments. Certains médecins préfèrent le propofol (Diprivan) comme sédatif parce qu'il se dissipe rapidement lorsque la perfusion est cessée, permettant ainsi de procéder à une évaluation neurologique à court terme et de reprendre rapidement la sédation au besoin.

L'administration prolongée de ces agents peut causer des problèmes. L'utilisation prolongée d'agents bloqueurs neuromusculaires est associée à un risque de faiblesse musculaire résiduelle importante, et les effets de l'intoxication sont peu connus. Les clients recevant ce type d'agents doivent être surveillés attentivement afin d'évaluer le progrès des effets thérapeutiques avec les doses les plus faibles possible. Lorsque le client a besoin de sédatifs et de narcotiques, le sevrage doit ensuite se faire graduellement pour éviter les syndromes de sevrage.

La sédation ultime est le coma barbiturique, qui est utilisé uniquement lorsque le client est réfractaire aux autres traitements mentionnés. Les barbituriques peuvent réduire le métabolisme cérébral jusqu'à 50 %, ce qui cause une baisse considérable du débit sanguin cérébral. L'électroencéphalogramme du client doit être surveillé de façon continue. Les problèmes associés à ce traitement sont l'hypotension, l'hypothermie et le risque potentiel d'infection causée par la suppression immunitaire.

Régulation de la température.
La régulation de la température est importante. L'hypothermie est parfois provoquée chez certains clients afin de contrôler le taux métabolique cérébral et, ainsi, le débit sanguin cérébral. Une température élevée peut faire monter le taux métabolique cérébral de 7 % par degré centigrade. Des antipyrétiques doivent être administrés pour réduire les hausses de température des clients ayant une pression intracrânienne élevée. Les couvertures de refroidissement peuvent provoquer des tremblements, ce qui implique l'administration de médicaments supplémentaires pour les neutraliser.

Positionnement. Le positionnement peut affecter la pression intracrânienne. Les clients sont habituellement placés en position semi-assise (30 à 45 degrés) pour faciliter le retour veineux jugulaire. La tête doit également être maintenue droite pour éviter la compression des vaisseaux sanguins. Le tube endotrachéal ne doit pas être fixé avec un pansement adhésif qui entoure complètement le cou, car cela peut restreindre le retour veineux. Toutefois, l'élévation de la tête du lit peut diminuer la pression de perfusion cérébrale. La position de Trendelenburg doit être évitée puisqu'elle augmente la pression intracrânienne et empêche le retour veineux. Le médecin décide habituellement de la hauteur à laquelle il désire que la tête soit maintenue.

Contrôle du milieu environnant. Le contrôle du milieu environnant du client et les décisions prises lors des interventions infirmières ont démontré qu'ils avaient une incidence sur la pression intracrânienne. Chaque client doit être traité individuellement, et on doit observer les effets des interventions infirmières et adopter les soins en conséquence. L'aspiration, le changement de position et les interventions douloureuses sont tous des facteurs potentiels d'augmentation de la pression intracrânienne. L'infirmière doit espacer les soins qui ont un effet secondaire indésirable sur le client pour lui permettre de récupérer entre chacune des interventions. Elle doit surveiller les paramètres hémodynamiques et la pression intracrânienne du client pour évaluer les changements lorsque des membres de la famille interagissent avec celui-ci. Les personnes qui ont un effet apaisant doivent être appelées à participer aux soins et aux mesures de confort. Le bruit, la lumière et d'autres stimuli nuisibles (décrits au début de ce chapitre) doivent être neutralisés. Les conversations dans la chambre du client doivent se faire à voix basse. L'infirmière doit parler calmement et s'adresser au client comme s'il était éveillé et qu'il participait à ses propres soins.

29.7 AUTRES SUJETS CONCERNANT LES SOINS INTENSIFS

Le tableau 29.13 dresse une liste complémentaire des chapitres traitant d'autres sujets relatifs aux soins intensifs. L'encadré 29.8 présente un plan de soins infirmiers s'adressant à la majorité des clientèles des soins intensifs, tous diagnostics médicaux confondus.

TABLEAU 29.13 Renvois à d'autres notions de soins intensifs	
Sujet	**Chapitre de renvoi**
Insuffisance cardiaque congestive aiguë	23
Infarctus aigu du myocarde	22
Syndrome de détresse respiratoire aiguë	28
Insuffisance respiratoire aiguë	28
Technique spécialisée de réanimation cardio-respiratoire	24
Brûlures	51
Arythmies cardiaques	24
Stimulateurs cardiaques	24
Chirurgie cardiaque	23
Réanimation cardiorespiratoire	24
Urgences	30
Traumatismes crâniens	53
Syndrome de défaillance multiviscérale	27
Administration d'oxygène	17
Œdème pulmonaire	23
Dialyse rénale	38
Choc	27
Syndrome de réaction inflammatoire systémique	27
Alimentation parentérale totale	32
Trachéostomie	35
Traumatisme	30

→ **Plan de soins infirmiers**

Client hospitalisé à l'unité des soins intensifs

DIAGNOSTIC INFIRMIER : risque d'infection attribuable aux méthodes effractives employées relié à la présence d'une sonde vésicale, d'un cathéter artériel, d'un cathéter épidural, de drains, d'un tube endotrachéal, d'un cathéter de l'artère pulmonaire ou d'un cathéter veineux central, de perfusions intraveineuses, de plaies opératoires, à la phase postopératoire immédiate, à la fatigue et à la faiblesse[1].

PLANIFICATION

Résultat escompté
• Le client ne présentera aucun signe d'infection.

INTERVENTIONS	Justifications
• Surveiller la présence des signes et symptômes d'infection. • Prendre les signes vitaux toutes les quatre heures et au besoin. • Se laver les mains avant et après les contacts avec le client. • Observer les mesures rigoureuses d'asepsie au cours de l'application des techniques de soins. • Surveiller les points d'insertion des dispositifs intraveineux, du cathéter artériel et du cathéter de l'artère pulmonaire toutes les quatre heures. • Remplacer les dispositifs intraveineux, les tubulures, la sonde vésicale en respectant les politiques et procédures de l'établissement. • Examiner les expectorations pour détecter les changements touchant la couleur, la quantité, l'odeur et la viscosité des expectorations. • Surveiller les signes révélant une difficulté à aspirer les sécrétions, une augmentation de la toux, de la fièvre, des frissons, de la diaphorèse, des bruits respiratoires anormaux (p. ex. râles crépitants ou respiration sifflante [*wheezing*]), une tachycardie, une détérioration des gaz artériels, un rougissement de la peau, une leucocytose, des infiltrats ou de l'atélectasie à la radiographie pulmonaire, et la présence de cultures d'expectorations positives.	 • Déterminer la présence d'une infection ou son apparition.
• Prélever des échantillons d'expectorations et demander un test de Gram et une culture si les sécrétions sont purulentes ou tenaces, si leur couleur change ou si elles deviennent odorantes.	• Identifier l'agent infectieux.
• Maintenir la tête de lit élevée (en particulier si le client est soumis à aune alimentation entérale).	• Prévenir la bronchoaspiration.
• Vérifier que la tubulure du ventilateur est exempte de condensation.	• Neutraliser toute source d'infection.
• Observer une technique aseptique pour l'aspiration (voir encadré 29.5).	• Diminuer le risque d'infection.
• Aspirer l'oropharynx.	• Éliminer les sécrétions accumulées

DIAGNOSTIC INFIRMIER : diminution du débit cardiaque reliée à une altération de la précharge, se manifestant par un débit cardiaque <4,0 L/min; un index cardiaque <2,5 L/min/m^2; une fréquence cardiaque >100 bpm; une diurèse <30 ml/h ou 0,5 ml/kg/h; un état mental perturbé, une instabilité psychomotrice, de l'agitation, de la confusion; un pouls périphérique diminué; une langue et des régions sublinguales bleutées, grises ou violacées; un pression systolique >90 mm Hg; la verbalisation d'une sensation de fatigue par le client; une précharge réduite (pression auriculaire droite <2 mm Hg, pression artérielle pulmonaire bloquée <5 mm Hg), une précharge excessive (pression auriculaire droite >6 mm Hg, pression artérielle pulmonaire bloquée >12 mm Hg)[2].

Plan de soins infirmiers

Client hospitalisé à l'unité des soins intensifs *(suite)*

PLANIFICATION

Résultats escomptés

- Le débit cardiaque se situera entre 4,0 et 8,0 L/min.
- L'index cardiaque se situera entre 2,5 et 4,0 L/min/m².
- La pression auriculaire droite se situera entre 2 et 8 mm Hg.
- La pression artérielle pulmonaire bloquée se situera entre 5 et 12 mm Hg.

INTERVENTIONS	Justifications
• Administrer de l'oxygène afin de maintenir une SpO₂ >92 % selon l'ordonnance médicale.	• Prévenir l'hypoxie des tissus.
• Surveiller l'apparition de signes indiquant une mauvaise perfusion des tissus et une acidose.	• Faciliter la détection et le traitement rapides des complications.
• Surveiller l'équilibre hydrique et le poids du client.	• Faciliter la régulation de l'équilibre hydrique.
En cas de précharge réduite consécutive à un volume sanguin diminué :	
• Administrer des cristalloïdes, des colloïdes, du sang et des dérivés sanguins selon l'ordonnance médicale.	• Augmenter le volume de sang en circulation.
• Éviter les prélèvements sanguins, surveiller les dispositifs de perfusion intraveineuse pour éviter le débranchement accidentel, appliquer une pression sur les sites hémorragiques s'il y a lieu et maintenir la température corporelle dans les limites de la normale.	• Réduire les pertes hydriques.
• Élever les jambes du client, placer son tronc à plat et sa tête et ses épaules au-dessus de son thorax.	• Faciliter le retour veineux.
• Encourager l'ingestion de liquides par voie orale, si c'est approprié, et remplacer les liquides suintant des plaies ou ceux qui servent à l'irrigation des tubulures.	• Favoriser une ingestion suffisante de liquides.
• Surveiller l'apparition de signes indiquant une surcharge hydrique et les réactions transfusionnelles.	• Faciliter la détection et le traitement rapides des complications.
En cas de précharge réduite consécutive à une dilatation veineuse :	
• Administrer des agents vasopresseurs selon l'ordonnance médicale.	• Augmenter le retour veineux.
• Surveiller l'apparition des effets indésirables du traitement visant la vasoconstriction.	• Faciliter la détection et le traitement rapides des complications.
• Si le client est atteint d'hyperthermie, lui donner un bain tiède, l'envelopper dans une couverture hypothermique ou placer un ventilateur à son chevet.	• Diminuer sa température et favoriser la vasoconstriction.
• En cas de précharge excessive consécutive à un volume sanguin augmenté, administrer selon l'ordonnance médicale :	
- des diurétiques,	• Éliminer l'excédent hydrique.
- des vasodilatateurs,	• Ralentir le retour veineux.
- des inotropes positifs.	• Augmenter la contractilité cardiaque.
• Réduire l'ingestion de liquides et doubler les concentrations de médicaments dans les perfusions intraveineuses, si possible.	• Réduire l'ingestion de liquides.
• Placer le client en position de Fowler ou de semi-Fowler.	• Ralentir le retour veineux.
• Surveiller l'apparition des signes indiquant un déficit hydrique et des effets indésirables des traitements diurétique, vasodilatateur et inotrope.	• Faciliter la détection et le traitement rapides des complications.
En cas de précharge excessive consécutive à une constriction veineuse :	
• Administrer des vasodilatateurs selon l'ordonnance médicale.	• Favoriser le retour veineux.
• Surveiller l'apparition des effets indésirables du traitement vasodilatateur.	• Faciliter la détection et le traitement rapides des complications.
• Si le client est atteint d'hypothermie, l'envelopper dans une couverture ordinaire ou chauffante.	• Augmenter sa température et favoriser la vasodilatation.

→ Plan de soins infirmiers

Client hospitalisé à l'unité des soins intensifs *(suite)*

DIAGNOSTIC INFIRMIER : diminution du débit cardiaque reliée à une altération de la postcharge, se manifestant par un débit cardiaque <4,0 L/min ; un index cardiaque <2,5 L/min/m² ; une fréquence cardiaque >100 bpm ; une diurèse <30 ml/h ; un état mental perturbé, une instabilité psychomotrice, de l'agitation, de la confusion ; un pouls périphérique diminué ; une langue et des régions sublinguales bleutées, grises ou violacées ; une pression systolique <90 mm Hg ; la verbalisation d'une sensation de fatigue par le client ; une postcharge réduite (résistance vasculaire pulmonaire <100 dyn/s/cm⁻⁵, résistance vasculaire systémique <800 dyn/s/cm⁻⁵), une postcharge excessive (résistance vasculaire pulmonaire >250 dyn/s/cm⁻⁵, résistance vasculaire systémique >1200 dyn/s/cm⁻⁵)[2].

PLANIFICATION

Résultats escomptés
- Le débit cardiaque se situera entre 4,0 et 8,0 L/min.
- L'index cardiaque se situera entre 2,5 et 4,0 L/min/m².
- La résistance vasculaire pulmonaire se situera entre 80 et 250 dyn/s/cm⁻⁵.
- La résistance vasculaire systémique se situera entre 800 et 1200 dyn/s/cm⁻⁵.

INTERVENTIONS	Justifications
• Administrer de l'oxygène afin de maintenir une SpO₂ >92 % selon l'ordonnance médicale.	• Prévenir l'hypoxie des tissus.
• Surveiller l'apparition de signes indiquant une mauvaise perfusion des tissus et une acidose.	• Faciliter la détection et le traitement rapides des complications.
En cas de postcharge réduite :	
• Administrer des agents vasopresseurs selon l'ordonnance médicale.	• Favoriser la vasoconstriction artérielle et prévenir l'hypovolémie relative.
• Si la précharge est diminuée, exécuter le plan de soins relatif à une diminution du débit cardiaque reliée à une altération de la précharge.	
• Surveiller l'apparition des effets indésirables du traitement visant la vasoconstriction.	• Faciliter la détection et le traitement rapides des complications.
• Si le client est atteint d'hyperthermie, lui donner un bain tiède, l'envelopper dans une couverture hypothermique ou placer un ventilateur à son chevet.	• Diminuer sa température et favoriser la vasoconstriction.
En cas de postcharge excessive :	
• Administrer des vasodilatateurs selon l'ordonnance médicale.	• Favoriser la vasodilatation artérielle.
• Prodiguer les soins nécessaires s'il y a utilisation de la contrepulsion par ballon intra-aortique.	• Réduire la postcharge.
• Encourager le repos et la détente et diminuer les stimuli environnementaux.	• Réduire la stimulation sympathique.
• Surveiller l'apparition des effets indésirables du traitement vasodilatateur.	• Faciliter la détection et le traitement rapides des complications.
• Si le client est atteint d'hypothermie, l'envelopper dans une couverture ordinaire ou chauffante.	• Augmenter sa température et favoriser la vasodilatation.
• Si le client éprouve de la douleur, traiter la douleur.	• Réduire la stimulation sympathique.

DIAGNOSTIC INFIRMIER : diminution du débit cardiaque reliée à une altération de la contractilité, se manifestant par un débit cardiaque <4,0 L/min ; un index cardiaque <2,5 L/min/m² ; une fréquence cardiaque >100 bpm ; une diurèse <30 ml/h ; un état mental perturbé, une instabilité psychomotrice, de l'agitation, de la confusion ; des pouls périphériques diminués ; une langue et des régions sublinguales bleutées, grises ou violacées ; une pression systolique <90 mm Hg ; la verbalisation d'une sensation de fatigue par le client ; un index de travail d'éjection du ventricule droit < 7 g/m²/battement ; un index de travail d'éjection du ventricule gauche <35 g/m²/battement[2].

PLANIFICATION

Résultats escomptés
- Le débit cardiaque se situera entre 4,0 et 8,0 L/min.
- L'index cardiaque se situera entre 2,5 et 4,0 L/min/m².
- L'index de travail d'éjection du ventricule droit se situera entre 7 et 12 g/m²/batt.
- L'index de travail d'éjection du ventricule gauche se situera entre 35 et 85 g/m²/batt.

Plan de soins infirmiers

Client hospitalisé à l'unité des soins intensifs *(suite)*

INTERVENTIONS

- Administrer de l'oxygène afin de maintenir une SpO$_2$ >92 % selon l'ordonnance médicale.
- Surveiller l'apparition de signes indiquant une mauvaise perfusion des tissus et une acidose.
- S'assurer que la précharge est optimale. Si la précharge est réduite ou excessive, exécuter le plan de soins relatif à la diminution du débit cardiaque reliée à une altération de la précharge.
- S'assurer que la postcharge est optimale. Si la postcharge est réduite ou excessive, exécuter le plan de soins relatif à la diminution du débit cardiaque reliée à une altération de la postcharge.
- Vérifier l'équilibre électrolytique et administrer des électrolytes selon l'ordonnance médicale.
- Selon l'ordonnance médicale, administrer des inotropes positifs.
- Surveiller l'apparition des effets indésirables de l'administration d'inotropes positifs.

Justifications

- Prévenir l'hypoxie des tissus.
- Faciliter la détection et le traitement rapides des complications.

- Améliorer l'équilibre ionique de l'environnement cellulaire.
- Augmenter la contractilité cardiaque.
- Faciliter la détection et le traitement rapides des complications.

DIAGNOSTIC INFIRMIER : diminution du débit cardiaque reliée à une altération de la fréquence ou du rythme cardiaques, se manifestant par un débit cardiaque <4,0 L/min ; un index cardiaque >2,5 L/min/m^2 ; une fréquence cardiaque <60 bpm ou >100 bpm ; une diurèse <30 ml/h ou 0,5 ml/kg/h ; un état mental perturbé, une instabilité psychomotrice, de l'agitation, de la confusion ; des pouls périphériques diminués ; une langue et des régions sublinguales bleutées, grises ou violacées ; une pression systolique <90 mm Hg ; la verbalisation d'une sensation de fatigue par le client ; et de l'arythmie^2.

PLANIFICATION

Résultat escompté

- Le débit cardiaque se situera entre 4,0 et 8,0 L/min et la fréquence cardiaque, entre 60 et 100 bpm.
- L'index cardiaque se situera entre 2,5 et 4,0 L/min/m^2.
- Il y aura absence d'arythmie et un retour aux valeurs initiales normales pour les client.

INTERVENTIONS

- Administrer de l'oxygène afin de maintenir une SpO$_2$ >92 % selon l'ordonnance médicale.
- Vérifier l'équilibre électrolytique et administrer des électrolytes selon l'ordonnance médicale.
- De concert avec le médecin et le pharmacien, vérifier les médicaments du client et leurs effets sur la fréquence et le rythme cardiaques.
- Surveiller l'apparition de signes indiquant une mauvaise perfusion des tissus et une acidose.
- Surveiller continuellement le segment ST.

En cas d'arythmie mortelle ou d'asystole :

- Amorcer les manœuvres avancées de réanimation cardiaque et aviser immédiatement un médecin.

En cas d'arythmie non mortelle :

- Amorcer rapidement un traitement contre l'arythmie, une cardioversion ou un entraînement électrosystolique selon l'ordonnance médicale.
- Surveiller l'apparition des effets indésirables du traitement de l'arythmie.

Si la fréquence cardiaque est <60 bpm :

- Amorcer un entraînement électrosystolique ou un traitement pharmacologique selon l'ordonnance médicale.

Justifications

- Prévenir l'hypoxie des tissus.
- Améliorer l'équilibre ionique de l'environnement cellulaire et prévenir l'apparition précoce d'arythmies.
- Déceler les effets favorisant la bradycardie et l'arythmie.

- Faciliter la détection et le traitement rapides des complications.
- Déterminer s'il y a une modification de la perfusion du tissu cardiaque.

- Régulariser le rythme cardiaque.

- Faciliter la détection et le traitement rapides des complications.

- Augmenter la fréquence cardiaque.

→ **Plan de soins infirmiers**

Client hospitalisé à l'unité des soins intensifs *(suite)*

DIAGNOSTIC INFIRMIER : altération de la mobilité reliée à la douleur, à l'inconfort, à la diminution de la force physique et à la limitation des mouvements imposée par l'appareillage, se manifestant par de la fatigue, de l'épuisement, une diminution de la force musculaire ou de l'amplitude des mouvements et l'incapacité d'effectuer ses transferts seul[1].

PLANIFICATION
Résultat escompté
• Le client maintiendra et améliorera sa mobilité en fonction de ses capacités.

INTERVENTIONS	Justifications
• Encourager le client à verbaliser sa douleur et son malaise.	
• Examiner le comportement non verbal du client (p. ex. grimace ou protection d'une partie de son corps).	
• Administrer les analgésiques prescrits avant les périodes d'activités.	• Soulager la douleur et faciliter les manœuvres de déplacement.
• Installer le client confortablement avec des coussinets, des oreillers, des matelas.	• Diminuer la tension musculaire et soutenir les zones douloureuses.
• Calculer l'intervalle nécessaire entre les changements de position d'après l'état du client (entre 15 minutes et 2 heures).	
• Faire des exercices d'amplitude et de mouvement sur une base régulière :	
- Exercices passifs : mobilisation passive des muscles et des articulations du client ;	- Maintenir la souplesse des muscles et des articulations.
- Exercices actifs : mouvements des muscles et des articulations exécutés par le client ;	- Assouplir et renforcer les muscles et les articulations.
- Exercices fonctionnels : exécution par le client à l'occasion des activités nécessaires.	- Renforcer les muscles et les articulations.
• Favoriser l'augmentation progressive de la mobilisation du client soumis à une ventilation mécanique prolongée.	
• Informer le client de l'importance d'une augmentation progressive des exercices et des transferts.	
• Estimer le nombre de personnes nécessaires pour effectuer les transferts.	
• Permettre au client de verbaliser ses émotions et ses inquiétudes quant à l'altération de sa mobilité.	

DIAGNOSTIC INFIRMIER : anxiété reliée au diagnostic, à l'état clinique, à la douleur, à la possibilité de bris mécanique ou de débranchement, à l'incapacité de communiquer, au milieu de l'USI, à la possibilité de décès et à la peur de la suffocation, se manifestant par l'expression de sentiments d'anxiété, une apparence anxieuse et une posture corporelle rigide.

PLANIFICATION
Résultat escompté
• Le client communiquera ses sentiments d'anxiété.
• Le client éprouvera une anxiété raisonnable ou aucune anxiété.

INTERVENTIONS	Justifications
• Évaluer le comportement du client et déceler les indices de la présence de situations stressantes.	• Établir un plan d'intervention.
• Donner des explications simples au client relativement aux soins et aux progrès accomplis.	• Favoriser une compréhension réaliste et l'aider à prendre des décisions éclairées.
• Si possible, permettre au client de prendre des décisions concernant tous les aspects des soins.	• Accroître son sentiment de maîtrise de la situation.
• Pratiquer l'ergothérapie et procurer certains divertissements au besoin, selon les limites du client (p. ex. télévision pour les clients conscients, ventilés pendant de longues périodes).	• Diminuer l'anxiété.
• Demander la visite de l'infirmière en psychiatrie, du psychiatre ou de l'aumônier de l'hôpital aux moments opportuns.	• Fournir aux client des conseils et du soutien supplémentaires.
• Être disponible pour les membres de la famille ; offrir le soutien et l'aide nécessaires.	• Diminuer leur anxiété et augmenter leur coopération.

Plan de soins infirmiers

Client hospitalisé à l'unité des soins intensifs *(suite)*

DIAGNOSTIC INFIRMIER : perturbation des habitudes de sommeil reliée à un sommeil fragmenté, se manifestant par une durée totale de sommeil diminuée, l'envie de dormir le jour, la privation de sommeil, un sommeil équivalent à moins de la moitié du nombre d'heures habituel, une quantité de sommeil lent ou de sommeil paradoxal diminuée, de l'anxiété, de la fatigue, une instabilité psychomotrice, la désorientation et des hallucinations, de l'agressivité, des réveils fréquents et un seuil de vigilance diminué[2].

PLANIFICATION
Résultats escomptés
- Le client retrouvera une durée totale de sommeil normale.
- Le client réalisera des cycles de sommeil de 90 minutes sans aucune interruption.
- Le client n'aura ni délires ni hallucinations ni illusions.
- Le client aura des pensées centrées sur la réalité.
- Le client sera capable de s'orienter dans les quatre sphères.

INTERVENTIONS

- Continuer d'évaluer les troubles du sommeil selon les caractéristiques énumérées précédemment.
- Évaluer la capacité de sommeil à l'admission et déterminer les antécédents de troubles du sommeil et de maladie chronique ayant des répercussions sur le sommeil, ainsi que l'utilisation de calmants ou de somnifères. Promouvoir autant que possible un sommeil normal lorsque le client est dans l'unité des soins intensifs. Évaluer la qualité du sommeil en demandant au client de comparer son sommeil à l'hôpital et à la maison.
- Réduire le nombre de réveils. Toujours questionner la pertinence de réveiller le client, surtout la nuit. Faire la distinction entre les interventions essentielles et non essentielles. Planifier les interventions de façon à ne pas interrompre le sommeil, tout en surveillant l'état du client. Si possible, vérifier les paramètres physiologiques sans réveiller le client. Travailler de concert avec le personnel des autres départements, tels que l'inhalothérapie, le laboratoire et la radiologie.
- Réduire le bruit au minimum, surtout celui qui émane du personnel et de l'équipement. Diminuer les stimuli environnementaux.
- Planifier les siestes dans le cadre d'une bonne gestion du temps de sommeil. Décourager ou éviter les siestes qui durent plus de 90 minutes. Les siestes faites tôt le matin sont toutefois bénéfiques pour le sommeil paradoxal.
- Encourager le sommeil, promouvoir la détente et le bien-être du client. Traiter la douleur. Éliminer les situations stressantes avant l'heure du coucher. Les techniques de relaxation, l'imagerie, les massages au dos ou les couvertures peuvent favoriser le sommeil. Les autres interventions comprennent : augmenter l'intimité du client, le transférer dans une chambre privée, lui fournir ses propres vêtements de nuit et ses propres couvertures. Certains préféreront le silence, alors que d'autres choisiront le bruit de fond de la télévision.
- Connaître les effets des médicaments courants sur le sommeil. Les calmants et les analgésiques ne doivent pas être retirés, mais on devrait plutôt administrer des médicaments qui perturbent le moins possible le sommeil, tout en assurant le bien-être du client. Réduire graduellement la posologie lorsque le médicament n'est plus nécessaire.

Justifications

- Permettre le déroulement de cycles de sommeil de 90 minutes et diminuer les interruptions de sommeil.

- Les siestes reposent physiquement l'individu, mais diminuent le stimulus qui allonge le sommeil paradoxal. Toutefois, une plus grande proportion des siestes matinales est constituée de sommeil paradoxal.

- De nombreux calmants et somnifères diminuent la quantité de sommeil paradoxal.

➡️ **Plan de soins infirmiers**

Client hospitalisé à l'unité des soins intensifs *(suite)*

- Ne jamais arrêter brusquement d'administrer les médicaments ayant un effet sur le sommeil paradoxal.
- L'ingestion d'aliments contenant du tryptophane (p. ex. le lait) est indiquée.
- Prévenir demeure le meilleur traitement contre les troubles du sommeil.
- Attirer l'attention du personnel hospitalier sur le fait que le sommeil est essentiel et qu'il contribue à la santé. Repérer les stimuli présents dans l'unité des soins intensifs et les réduire au minimum.
- Noter les périodes de sommeil ininterrompu par quart de travail, surtout les périodes de plus de 2 heures. Ces renseignements pourraient faire partie d'une feuille de consignation étalée sur 24 heures que les infirmières remplissent après chaque quart de travail.

- Ils ont un effet rebond sur le client.

- Ils favorisent le sommeil.

- Les troubles du sommeil sont plus facilement diagnostiqués, traités et résolus lorsqu'ils ont été documentés de cette façon.

DIAGNOSTIC INFIRMIER : perturbation du sommeil reliée à une mauvaise synchronisation des rythmes circadiens, se manifestant par une mauvaise synchronisation du sommeil avec les rythmes biologiques résultant en des siestes le jour et de l'insomnie la nuit, de l'anxiété et de l'instabilité psychomotrice et un seuil de vigilance diminué[1].

PLANIFICATION
Résultat escompté
- La plus grande partie du sommeil du client coïncidera avec la période de faible activité du rythme circadien (normalement la nuit).

INTERVENTIONS
- Continuer d'évaluer les troubles du sommeil selon les caractéristiques énumérées précédemment.
- Aider le client à maintenir des cycles de jour et de nuit normaux en réduisant la lumière, le bruit et les stimuli sensoriels, la nuit, et en évaluant la pertinence de le réveiller pendant cette période. Programmer un horaire rythmé par des activités comme les repas et les émissions de télévision préférées.
- Augmenter les activités le jour afin de favoriser l'éveil. Arrêter les activités physiques au plus tard deux heures avant le coucher. Éviter les boissons contenant de la caféine après le début de l'après-midi afin de ne pas nuire au sommeil de la nuit.
- Ne pas planifier d'interventions la nuit dans la mesure du possible.
- La diminution du seuil de vigilance résultant d'une mauvaise synchronisation peut précipiter l'arythmie cardiaque.
- En présence d'une mauvaise synchronisation, planifier une resynchronisation en maintenant une alternance jour et nuit constante pendant au moins 3 jours (peut requérir 5 à 12 jours avant l'acclimatation). Planifier des activités durant le jour. Mettre en œuvre des mesures qui assurent le bienêtre du client (position confortable, couvertures, massage du dos, etc.). La resynchronisation est habituellement associée à la fatigue chronique, à un sentiment de malaise et à une capacité moindre de réaliser les activités de la vie quotidienne

Justifications

- Favoriser naturellement le sommeil.

- Stimuler l'état d'éveil et favoriser le sommeil la nuit.

Plan de soins infirmiers

Client hospitalisé à l'unité des soins intensifs *(suite)*

DIAGNOSTIC INFIRMIER : confusion aiguë reliée à un excès ou à un manque de stimuli sensoriels ou à une perturbation du sommeil, se manifestant par au moins deux des critères suivants :

- Manifestations précoces : apparition soudaine d'un dysfonctionnement global des fonctions cognitives (durée : quelques heures à quelques jours) ; instabilité psychomotrice, agitation et agressivité ; somnolence (peut conduire à une perte de conscience ; mauvaise élocution, discours incohérent, marmonnement ou gestes incohérents ; attention peu soutenue (fait répéter les questions), incapacité à apprendre ; cycle d'éveil et de sommeil perturbé ; désorientation relative aux personnes, au temps, à l'espace et à la situation ; difficulté à distinguer le rêve de la réalité (peut faire des rêves et des cauchemars bizarres) ; colère envers le personnel qui vérifie régulièrement l'orientation.
- Manifestations tardives : fluctuation des symptômes selon le moment de la journée ; augmentation de la fréquence et de la durée des symptômes précoces ; illusions, hallucinations ; agitation extrême (p. ex. tentative de grimper sur le lit, de retirer les cathéters, d'enlever les pansements) ; parler fort, jurer ou tenter de mordre ou de frapper les gens qui s'approchent.
- Facteurs favorables : déséquilibre hydroélectrolytique ; défaillance possible d'un organe (foie, rein, appareil digestif, cœur, poumons) causée par une mauvaise oxygénation ; métabolisme et excrétion ralentis des agents pharmacologiques, prolongeant leur demi-vie et augmentant les risques d'effets indésirables et d'interaction avec d'autres agents ; effet indésirable d'un agent sur le système immunitaire ; analgésiques narcotiques ; hypersensibilité aux médicaments ; durée de la chirurgie dépassant quatre heures (ou temps passé avec un dispositif de dérivation de la circulation sanguine) ; présence d'agents stressants dans l'unité des soins intensifs ; état mental et physique du client avant la chirurgie (affections préalables telles que le diabète, l'épilepsie et le cancer) ; symptômes de sevrage de certaines substances, telles que l'alcool, les drogues et les amphétamines ; absence de soutien social, spirituel et familial[2].

PLANIFICATION

Résultats escomptés
- Le client sera capable de s'orienter dans les quatres sphères.
- Le client ne présentera pas de symptômes de confusion.

INTERVENTIONS

- Continuer d'évaluer la confusion selon les caractéristiques énumérées précédemment. En outre, déterminer et noter la langue dans laquelle le client s'exprime le mieux, son niveau d'instruction et la langue dans laquelle il maîtrise la lecture et l'écriture. Déterminer et consigner son degré d'orientation préalable, ses capacités cognitives et tout défaut perceptif et sensoriel.

En cas d'excès de stimuli sensoriels :
- Commencer chaque entretien en nommant le nom du client et en s'identifiant.
- Évaluer comment le client perçoit son environnement immédiat, décrire l'équipement, le bruit qui émane des appareils et leur fonction. Faire la démonstration sonore et visuelle des alarmes et expliquer les motifs qui justifient leur utilisation.
- Pour chaque intervention prodiguée au client, fournir une information préparatoire d'ordre sensorielle (c'est-à-dire mettre les interventions en relation avec les sensations que le client éprouvera, y compris la durée des sensations).
- Réduire le bruit. L'unité des soins intensifs est le lieu où se déroulent nombre d'activités cruciales, souvent bruyantes. Il a été démontré que le bruit émis par le personnel hospitalier dépasse un niveau jugé acceptable et qu'il est souvent plus élevé que celui des appareils. Dans la mesure du possible, le client ne devrait pas entendre les conversations du personnel soignant. Le personnel en poste aux soins intensifs devrait toujours présumer que toute conversation faite dans l'environnement du client sera portée à son oreille et interprétée comme le concernant.
- Des règles strictes limitant le bruit doivent être appliquées la nuit.

Justifications

- Parfois, certaines personnes ne savent ni lire, ni écrire dans leur langue et, plus rarement, certaines ne lisent et n'écrivent que dans leur langue seconde. Ces situations peuvent conduire à de malencontreuses erreurs lors de l'évaluation de la capacité du client à communiquer par écrit et lors de l'estimation de son degré d'orientation. De la même manière, en présumant de l'orientation ou du manque d'orientation du client avant son admission aux soins intensifs, l'infirmière peut fonder son évaluation sur de fausses suppositions.

- Favoriser l'orientation dans la réalité et aider le client à filtrer les conversations non pertinentes ou ne s'adressant pas à lui.
- Permettre au client de se familiariser avec les dispositifs qui l'entourent et réduire la peur et l'urgence qui accompagnent les situations difficiles.

- Favoriser l'apprentissage et réduire l'anxiété.

- Diminuer la dépersonnalisation et le délire d'interprétation.

Plan de soins infirmiers

Client hospitalisé à l'unité des soins intensifs *(suite)*

- À mesure que l'état du client évolue (s'améliore ou se détériore), réajuster le seuil d'alarme des appareils de monitorage.
- Faire écouter au client, à l'aide d'un baladeur, des cassettes ou des disques de musique classique, subliminale ou des pièces musicales de son choix.
- Faire varier l'éclairage. Les cycles du jour et de la nuit doivent être accentués par l'éclairage ambiant. En aucun cas, les fluorescents situés au-dessus de la tête du client ne devraient être allumés, sans qu'il ait été préalablement averti ou aidé à se tourner.
- Dans la mesure du possible, mettre hors de la vue du client les situations d'urgence des soins intensifs. Lors de tels événements, l'infirmière doit évaluer la réaction émotive et cognitive du client. Ses pensées, ses impressions et ses émotions doivent être partagées et ses fausses croyances doivent être réfutées. L'infirmière pourrait mettre l'accent sur les différences entre le client qui vient d'être réanimé et le client inquiet (p. ex. il était beaucoup plus âgé, son état était beaucoup plus instable, il avait une très grave maladie).
- S'assurer que l'intimité, la pudeur et, à tout le moins, la dignité du client soient respectées. Le fait d'être exposé à la vue de tous et la nudité peuvent paraître secondaires lorsqu'il s'agit d'évaluer l'état du client et de le stabiliser, mais il s'agit néanmoins de sources d'humiliation. Le client doit être exposé à la vue de tous le moins possible. Dans le cadre d'une évaluation ou d'une intervention, s'il devient nécessaire de le faire, l'infirmière devrait être la première à s'excuser pour cet inconvénient.

En cas de privation sensorielle :

- Donner de l'information relative aux quatre sphères d'orientation (personnes, espace, temps et situation) plus fréquemment que lors de l'évaluation. Cette information peut être insérée dans une conversation : « M. Tremblay, nous sommes mardi matin et vous êtes à l'hôpital. Vous avez subi une chirurgie cardiaque, hier matin, et vous vous remettez bien. Je m'appelle Nancy et je suis votre infirmière aujourd'hui. » Étant donné les effets de l'anesthésie, des analgésiques narcotiques, des calmants et du sommeil, il est tout à fait normal que le client éprouve un certain degré de désorientation.
- S'assurer que le client peut voir un calendrier. Fait à noter : la conception de la plupart des unités de soins intensifs, souvent très perfectionnée, tient maintenant compte des principes de stimulation sensorielle.
- Informer le client des nouvelles du jour et de la température.
- Toucher le client pour exprimer votre sollicitude. Lui tenir la main, lui toucher le front, masser légèrement la peau en direction du bras. Le toucher peut servir à distraire le client qui ressent une douleur lors d'une intervention.
- Promouvoir les visites par la famille et les proches. Encourager ces derniers à toucher le client, s'ils sont à l'aise de le faire et si leur culture le leur permet.
- Trouver et planifier des occasions au cours desquelles le client prendra des décisions, si minimes soient-elles.

- Réduire le nombre de situations d'urgence non pertinentes.

- Il pourra ainsi jouir de sons et de rythmes familiers et apaisants et faire abstraction du bruit ambiant.

- Une lumière ambiante vive favorise l'anxiété et contribue à désynchroniser les rythmes circadiens.

- La vue de la mise en œuvre de techniques de réanimation, bien qu'elles soient difficiles à cacher, engendre la peur et un sentiment d'instabilité et de vulnérabilité (p. ex. je suis le prochain).

- La nudité engendre un sentiment de vulnérabilité, et la peur en découle. Celle-ci est souvent palpable aux soins intensifs, mais elle peut être écartée par des interventions infirmières.

- En répétant des questions comme « Savez-vous où vous êtes ? », le client a le sentiment d'être régenté.

- Le toucher est le langage universel de la sollicitude. Aux soins intensifs, là où la manipulation physique prend une importance considérable, il est utile et crucial d'alterner le toucher agressant avec un toucher qui réconforte.

- Parfois, les clients atteints d'altérations sensorielles ressentent également une privation d'ordre cognitif.

Plan de soins infirmiers

Client hospitalisé à l'unité des soins intensifs *(suite)*

- Aider le client à comprendre chaque intervention. Expliquer le but thérapeutique de toutes les prescriptions, des interventions prodiguées et de celles où l'on demande sa coopération. Éviter les phrases telles que : « Pouvez-vous vous tourner sur le côté pour moi ? » ou « Je voudrais que vous avaliez ce médicament. »

  - Ces phrases impliquent que l'action a une valeur pour l'infirmière et non pour le client.

- De la même manière, remercier le client judicieusement. Le client a besoin de trouver un sens à sa maladie et à son séjour aux soins intensifs et il a besoin de connaître le rôle qu'il y joue. Les émotions que constitue cette expérience et les autres émotions sont plus faciles à supporter et plus signifiantes si elles sont placées dans une perspective qui tient compte de la maladie, de son traitement et de son évolution.

  - Cette simple marque de politesse, lorsqu'elle est utilisée automatiquement, donne à penser que l'infirmière a bénéficié du geste et non le client.

En cas de perturbation du sommeil :

- Voir le plan de soins en cas de perturbation de sommeil pour obtenir des stratégies sur la gestion du sommeil.

En cas d'hallucinations :

- S'approcher du client avec une attitude calme et directe.

  - Démontrer que l'on détient une certaine maîtrise de la situation. L'anxiété et la peur qui accompagnent souvent les hallucinations sont alors diminuées et le client se sent sécurisé. L'anxiété peut se transférer.

- Appeler le client par son nom.

  - Ramener le client à la réalité. L'identité est le dernier élément d'orientation à disparaître.

- Lorsque le client décrit son hallucination, NE JAMAIS le contredire, argumenter ou tenter de nier l'existence de l'hallucination.

  - Les remarques telles que « Il n'y a pas de voix provenant de cette trappe d'aération » ou « Regardez, je passe ma main sur le mur et il n'y a pas d'insectes » rendent le client encore plus confus, parce qu'il perçoit réellement l'hallucination, qui lui semble effrayante.

- Expliquer au client que vos perceptions et les siennes sont différentes et reconnaître le caractère effrayant de ce qu'il vit. Par exemple : « Je n'entends pas (ne voit pas, etc.) ce que vous entendez (voyez), mais je sais à quel point cela doit être effrayant. Je suis Nancy, votre infirmière, et je vais rester avec vous jusqu'à ce que les voix (ou les visions) disparaissent. » Demeurer avec le client qui est victime d'une hallucination.

  - Les sentiments de peur et d'anxiété s'aggravent lorsque le client est seul. Le client a besoin d'une personne qui représente une réalité non menaçante. Par ailleurs, valider les émotions du client démontre qu'on les accepte et qu'on est sensible à ce qu'il vit. Un sentiment de confiance s'installe alors.

- NE JAMAIS explorer le contenu de l'hallucination en posant des questions sur sa nature ou son caractère. L'infirmière peut servir de pont entre la mauvaise perception de la réalité et la réalité elle-même en reconnaissant les émotions éprouvées par le client (p. ex. peur, anxiété) ou les menaces (p. ex. danger, mort) perçues. En déterminant comment la mauvaise perception affecte le client, en reconnaissant les émotions qui en découlent et en restant calme, directe et maître de la situation, l'infirmière procure le réconfort dont a besoin le client effrayé et établit un lien de confiance. En d'autres mots, il faut gérer le but de l'hallucination plutôt que son contenu.

  - L'infirmière représente un lien avec la réalité. En tentant d'obtenir une description détaillée de l'hallucination, elle signifie au client qu'elle accepte sa distorsion perceptive comme un fait. Cette attitude contribue à rendre le client encore plus confus et l'éloigne davantage de la réalité.* Cette intervention réduit l'anxiété et permet au client de mieux se concentrer sur son environnement immédiat.

- Parler de choses concrètes avec le client, par exemple, « Comment est votre plaie aujourd'hui, M. Tremblay? », « Votre sœur Jeanne est venue vous voir tout à l'heure, mais vous dormiez. Elle est partie à la cafétéria et sera de retour bientôt. » ou « Vous éliminez plus facilement vos sécrétions aujourd'hui. ».

  - Mettre l'accent sur l'interprétation de stimuli réels encourage le client à se concentrer sur des faits et non sur la distorsion perceptive.

Plan de soins infirmiers

Client hospitalisé à l'unité des soins intensifs *(suite)*

- Dans certaines circonstances, l'infirmière doit simplement changer de sujet pour détourner l'attention du client. Cette tactique est utile dans les situations où l'anxiété et la confusion grimpent ou lorsque toutes les autres stratégies ont échoué. Les sujets de conversation doivent porter sur des thèmes universels à toutes les cultures, tels que la musique, la nourriture, le temps. Certains sujets intéressent particulièrement le client (p. ex. les passe-temps, l'artisanat ou les sports). On devrait éviter les sujets à forte teneur émotive, tels que la politique, la religion ou la sexualité.

- Le toucher représente un geste non menaçant ancré dans la réalité. Il peut donc servir à prendre en charge les clients dont les stimuli sensoriels sont altérés. Toutefois, chez les clients aux prises avec des hallucinations (de même qu'avec le délire et les illusions), le toucher peut être mal interprété (p. ex. menace ou douleur) ou conduire à une illusion tactile. L'intervention par le toucher doit être évitée pour tout client dont l'anxiété, la paranoïa ou la méfiance s'intensifient.

- Les hallucinations peuvent être auditives (voix ou commentaires avec des messages d'autodestruction), visuelles (personnes ou images menaçantes), olfactives (odeurs interprétées comme étant des gaz mortels), gustatives (goûts bizarres ou dangereux) et tactiles (toucher inhabituel et anormal).

Stratégies spécifiques pour les clients ayant des hallucinations :

- Hallucinations auditives :
  - Comportement du client : tête braquée comme pour entendre une personne invisible ; mouvement des lèvres.
  - Réponse de l'infirmière : « M. Tremblay, vous avez l'air d'écouter quelque chose. » Si le client affirme qu'il entend quelque chose, lui dire : « Je n'entends pas de voix, mais je sais que vous êtes troublé. Les voix vont s'estomper. Vous êtes en sécurité. Je suis Nancy, votre infirmière, et je reste ici avec vous. »
  - Réponse à éviter : « Dites-moi ce que vous entendez. », « Qui vous parle, quelqu'un que vous connaissez? »

- Hallucinations visuelles :
  - Comportement du client : regard vers un objet invisible, gestes effrayés et expression faciale anxieuse.
  - Réponse de l'infirmière : « M. Tremblay, quelque chose semble vous troubler. Dites-moi ce que c'est. » Si le client affirme qu'il voit des gens, des objets ou le diable et qu'il se sent menacé, répondez : « Il n'y a que des infirmières et des médecins ici. Je sais que vous êtes bouleversé, mais ces images s'en iront. Vous êtes à l'hôpital avec nous. Rien ne peut vous arriver. »
  - Réponse à éviter : « Décrivez les gens que vous voyez. Quels vêtements portent-ils ? », « Qu'est-ce que le démon signifie pour vous? Dieu? »

- Cette consigne s'applique particulièrement aux clients dont la réalité est déformée. Parfois, les hallucinations et le délire sont des expressions de conflits refoulés liés à la religion, à la sexualité ou à des situations violentes. L'exploration de ces sujets peut accroître la confusion et l'anxiété.

Plan de soins infirmiers

ENCADRÉ 29.8

Client hospitalisé à l'unité des soins intensifs *(suite)*

En cas de délire :

- Expliquer la source des bruits, des voix et des activités simplement et clairement. Par exemple : « Voici Dʳ Pelletier. Il est venu vous voir à l'hôpital, vous et les autres clients. », « Les voix et l'activité que vous percevez proviennent du client situé à l'arrière de ce rideau. Une des infirmières s'occupe de lui. »
- Éviter de réfuter le délire du client (p. ex. « Personne ne viendra voler vos biens. » ou « Les médecins et les infirmières ne font de mal à personne. »). De la même façon, éviter de défendre l'objet du délire : « Les infirmières sont de bonnes personnes. » et « Les médecins ont de bonnes intentions. »
- Dans le cas du client aux prises avec un délire de persécution, qui refuse la nourriture, les liquides et les médicaments parce qu'il croit qu'ils ont été empoisonnés ou infectés, accepter le refus, à moins qu'il mette la vie en danger. Essayer de nouveau 20 minutes plus tard. Offrir un choix de menu au client ou lui permettre de lire l'étiquette de ses médicaments. La coercition, les démonstrations de force ou l'argumentation ne feront qu'accentuer ses soupçons et, possiblement, renforcer son délire.
- Le personnel hospitalier devrait faire attention de ne pas rire ni chuchoter dans le dos du client qui souffre de délire.

- Suivre les principes énoncés dans la troisième intervention du plan de soins relatif aux hallucinations.

En cas d'illusions :

- Comme dans les cas de délire, l'infirmière interprète simplement et brièvement les signaux du réel pour le client, avec une attitude calme et directe.
- Les stimuli présents dans l'environnement immédiat du client doivent être maintenus au minimum. Les interventions infirmières qui se trouvent dans la section sur les excès de stimuli sensoriels sont particulièrement pertinentes.
- L'approche adoptée par l'infirmière pour un client ayant des illusions est semblable à celle qui est suivie en cas d'hallucinations et de délire : reconnaître les émotions et la signification qui accompagnent les illusions et non leur contenu.
  - Comportement du client : regard effrayé, gestes nerveux, expression faciale anxieuse. « Je sais qui tu es. Tu es le démon et tu m'emmènes aux enfers. »
  - Réponse de l'infirmière : « Je suis Nancy, votre infirmière. Je sais que vous êtes troublé. Vous êtes à l'hôpital et personne ne vous veut du mal. »
  - Réponse à éviter : « Les anges ou les démons n'existent pas. », « Pensez-vous que le diable serait habillé de blanc? »
- Suivre les principes énoncés dans la troisième intervention du plan de soins relatif aux hallucinations.

- Ils peuvent alimenter le délire.

- Souvenez-vous que le délire est une croyance, même fausse, qui ne peut pas être appréhendée par la logique. Tenter de modifier les croyances du client revient à changer son système de croyances, ce qui contribue à accroître son anxiété et même à rendre floues les limites entre la réalité et la « logique » du client.
- Lorsqu'il se sentira davantage maître de la situation, le client n'aura plus besoin de s'appuyer sur la qualité de son délire pour avoir l'impression de maîtriser sa vie. Son sentiment de maîtrise lui servira à prendre des décisions basées dans la réalité.

- Le client délirant est en état d'hypervigilance : il analyse son environnement à la recherche de preuves qui pourraient confirmer ou infirmer la croyance selon laquelle le personnel de l'unité complote contre lui. Les rires et les chuchotements corroborent ses croyances, son délire d'interprétation. Cette recommandation s'applique aussi au client qui a des hallucinations ou des illusions.

- Les bruits, les voix, les activités et les personnes réels ou perçus peuvent servir de matériau de base à une distorsion perceptive ou à une illusion.

- La première réponse à éviter comporte une forme d'autorité parentale (c'est-à-dire « Tu sais très bien que ce n'est pas vrai... »), infantilise le client et accentue son sentiment d'impuissance. La deuxième réponse à éviter sollicite la logique du client, alors qu'il ne peut pas faire appel à sa capacité de raisonner. Cela ne fait que renforcer sa confusion.

---

* L'exception à cette règle s'applique aux clients qui sont victimes d'hallucinations auditives (p. ex. entendre des voix qui ordonnent une action donnée). Pour s'assurer que les voix ne commandent pas au client de se mutiler, l'infirmière doit demander : « Qu'est-ce que les voix vous disent? »

1. HENDY, S., PROULX, M. et ROY, F. *Le monitoring hémodynamique. Approche clinique et soins infirmiers*, Québec, Gaëtan Morin éditeur, 1992, p.120-121.
2. URDEN, L.D., et STACY, K.M. *Priorities in critical care nursing*, 3ᵉ éd., St. Louis, Mosby, 2000, p. 444-448, 458-459, 467-470.

BIBLIOGRAPHIE

Version originale

1. Nightingale F: *Notes on hospitals,* ed 3, Longman, 1863, Roberts-Green.
2. Goldhill DR, Summer A: Outcome of intensive care patients in a group of British intensive care units, *Crit Care Med* 26:1337, 1998.
3. Wong DT and others: Evaluation of predictive ability of APACHE II system and hospital outcome in Canadian intensive care unit patients, *Crit Care Med* 23: 1175, 1995.
4. Nasraway SA and others: American College of Critical Care Medicine of the Society of Critical Care Medicine. Guidelines on admission and discharge for adult intermediate care units, *Crit Care Med* 26: 607, 1998.
5. Clark S, Fontaine D, Simpson T: Recognition, assessment, and treatment of anxiety in the critical care setting, *Crit Care Nurse* 14(suppl):2, 1994.
6. Schelling G and others: Health-related quality of life and posttraumatic stress disorder in survivors of the acute respiratory distress syndrome, *Crit Care Med* 26:651,1998.
7. Tess MM: Acute confusional states in critically ill patients: a review, *J Neurosci Nurs* 23:398, 1991.
8. Geary S: Intensive care unit psychosis revisited: understanding and managing delirium in the critical care setting, *Crit Care Nurs Q* 17:51, 1994.
9. Kahn DM and others: Identification and modification of environmental noise in an ICU setting, *Chest* 114:535, 1998.
10. Fontaine DK: Measurement of nocturnal sleep patterns in trauma patients, *Heart Lung* 18:402, 1989.
11. Meyer TJ and others: Adverse environmental conditions in the respiratory and medical ICU settings, *Chest* 105:1211, 1994.
12. Richards KC, Bairnsfather L: A description of night sleep patterns in the critical care unit, *Heart Lung* 17:35, 1988.
13. Grozinger M, Kogel P, Roschke J: Effects of lorazepam on the automatic online evaluation of sleep EEG data in healthy volunteers, *Pharmacopsychiatry* 31:55, 1998.
14. Simpson T: The family as a source of support for the critically ill adult, *AACN Clin Issues Crit Care Nurs* 2:229, 1991.
15. Daly K and others: The effect of two nursing interventions on families of ICU patients, *Clin Nurs Res* 3:414, 1994.
16. Woods SL, Grose BL, Laurent-Bopp D: Effect of backrest position on pulmonary artery pressures in acutely ill patients, *Cardiovasc Nurs* 18:19, 1982.
17. Davidson J and others: Intra-aortic balloon pump: indications and complications, *J Natl Med Assoc* 90:137, 1998.
18. Busch T and others: Vascular complications related to intraaortic balloon counterpulsation: an analysis of ten years experience, *Thorac Cardiovasc Surg* 45:55, 1997.
19. Tatar H and others: Vascular complications of intraaortic balloon pumping: unsheathed versus sheathed insertion, *Ann Thorac Surg* 55:1518, 1993.
20. Oz MC and others: Screening scale predicts patients successfully receiving long-term implantable left ventricular assist devices, *Circulation* 92:II169, 1995.
21. Antonelli M and others: A comparison of noninvasive positive-pressure ventilation and conventional mechanical ventilation in patients with acute respiratory failure, *N Engl J Med* 339:429, 1998.
22. Luce JM, Pierson DJ, Tyler ML: *Intensive respiratory care,* Philadelphia, 1993, Saunders.
23. Stone KS: Ventilator versus manual resuscitation bag as the method for delivering hyperoxygenation before endotracheal suctioning, *AACN Clin Issues Crit Care Nurs* 1:289, 1990.
24. Shekerdemian LS and others: Cardiopulmonary interactions after Fontan operations: augmentation of cardiac output using negative pressure ventilation, *Circulation* 96:3934, 1997.
25. Sassoon CS: Positive pressure ventilation: alternate modes, *Chest* 100:1421, 1991.
26. Burns SM: Advances in ventilator therapy, *Focus Crit Care* 17:227, 1990.
27. Wright SE, Heffner JE: Positive pressure mechanical ventilation augments left ventricular function in acute mitral regurgitation, *Chest* 102:1625, 1992.
28. Schoeffel U and others: The influence of ischemic bowel wall damage on translocation, inflammatory response, and clinical course, *Am J Surg* 174:39, 1997.
29. Daly BJ, Thomas D, Dyer MA: Procedures used in withdrawal of mechanical ventilation, *Am J Crit Care* 5:331, 1996.
30. Sevick MA and others: Home-based ventilator-dependent patients: measurement of the emotional aspects of home caregiving, *Heart Lung* 23:269, 1994.
31. Smith CE and others: Caregiver learning needs and reactions to managing home mechanical ventilation, *Heart Lung* 23:157, 1994.
32. Czarnik B: Home care for the patient receiving mechanical ventilation, *Home Healthc Nurse* 15:777, 1997.
33. Doyle DJ, Mark PWS: Analysis of intracranial pressure, *J Clin Monit* 8:81, 1992.
34. Hickey JV: Intracranial pressure: theory and management of increased intracranial pressure. In Hickey JV, editor: *The clinical practice of neurological and neurosurgical nursing,* ed 4, Philadelphia, 1997, Lippincott.
35. McNair ND: Intracranial pressure monitoring. In Clochesy J and others, editors: *Critical care nursing,* ed 2, Philadelphia, 1996, Saunders.
36. Kerr ME and others: Head-injured adults: recommendations for endotracheal suctioning, *J Neurosci Nurs* 25:86, 1993.
37. Kerr ME, Brucia J: Hyperventilation in the head injured patient: an effective treatment modality? *Heart Lung* 22:516, 1993.
38. Bullock R and others: Guidelines for the management of severe head injury, Brain Trauma Foundation, *Eur J Emerg Med* 3:109, 1996.
39. Bullock R: Mannitol and other diuretics in severe neurotrauma, *New Horizons* 3:448, 1995.
40. Prielapp RC, Coursin DB: Sedative and neuromuscular blocking drug use in critically ill patients with head injuries, *New Horizons* 3:456, 1995.

Édition de langue française

1. ORDRE DES INFIRMIÈRES ET INFIRMIERS DU QUÉBEC. *L'exercice infirmier en soins critiques,* 1996, 57 p.
2. ROY, David J., ROPIN, Charles-Henri et MORISSETTE, Michel R., *Au chevet du malade : analyse de cas à travers les spécialités médicales,* Les archives de l'éthique clinique, Centre de bioéthique, Institut de recherche clinique de Montréal, 1994, p. 56.
3. HENDY, Sandra, PROULX, Martine et ROY, Francine *Le monitoring hémodynamique. Approche clinique et soins infirmiers,* Gaëtan Morin éditeur, 1992, 161 p.
4. CANTIN, Lucie. *La contrepulsion par ballon intra-aortique,* CHUQ, 8e colloque du Regroupement des infirmières et infirmiers en soins intensifs du Québec (RIISIQ), 2000, 24 p.
5. POTTER, Patricia A., PERRY, Anne G. *Soins infirmiers,* tome 2, laval, Études vivantes, 2002, 1617 p.
6. SFTG PARIS-NORD. janvier 2000 (consulté juin 2003), [http ://www.paris-nord-sftg.com/rev.pres.insuf.card.abc.00.03.htm]
7. FACULTÉ DE MÉDECINE DE L'UNIVERSITÉ CATHOLIQUE DE LOU-VAIN. *Prévention des infections respiratoires* (en ligne), 2000 (consulté juin 2003). [http ://www.md.ucl.ac.be/didac/hosp/cours/pinre.htm].
8. KINNEY, M.R., DUNBAR, S.B., BROOKS-BRUNN, J.A., MOLTER, N. et VITELLO-CICCIU, J.M. *AACN-Clinical reference for critical care nursing,* Fourth ed., St. Louis, Mosby, 1996, p. 550.
9. BRUNNER-SUDDARTH *Soins infirmiers médecine et chirurgie,* Tome 6 Fonctions sensorielle et locomotrice, Saint-Laurent, ERPI, 1994, p.1868.
10. MED INFOS. *Hypertension intracranienne* (en ligne), 2001 (consulté juin 2003). [http ://www.medinfos.com/principales/fichiers/pm-neu-hyperintra.shtml]
11. URDEN, L.D. et STACY, K.M. *Priorities in critical care nursing,* 3e éd., St. Louis, Mosby, 2000, p. 475-477.
12. HENDY, S., PROULX, M. ET RAY, F. *Le monitoring hémodynamique. Approche clinique et soins infirmiers,* Québec, Gaëtan Morin éditeur, 1992, p. 120-121.
13. SOLE, M.L., LAMBORN, M.L. et HARTSHORN, J.C. *Introduction to critical care nursing,* 3e éd. Philadelphia, Saunders, 2001, p.19.

Johanne Bouchard
Inf., B. Sc. inf.
Cégep de Chicoutimi

Gaétan Girard
Inf.
Cégep de Chicoutimi

Chantale Tremblay
Inf.
Cégep de Chicoutimi

Chapitre 30

SITUATIONS D'URGENCE

OBJECTIFS D'APPRENTISSAGE

APRÈS AVOIR LU CE CHAPITRE, VOUS DEVRIEZ ÊTRE EN MESURE :

DE DÉCRIRE LES ÉTAPES SÉQUENTIELLES DE L'ÉVALUATION D'UN CLIENT EN SITUATION D'URGENCE PAR LES NOUVELLES NORMES DE L'ÉCHELLE CANADIENNE DE TRIAGE ET DE GRAVITÉ ;

D'EXPLIQUER LA PHYSIOPATHOLOGIE, L'ÉVALUATION ET LE PROCESSUS THÉRAPEUTIQUE DE CERTAINS TYPES DE SITUATIONS D'URGENCE LIÉES À L'ENVIRONNEMENT ET AYANT TRAIT À LA THERMORÉGULATION, À LA NOYADE ET À LA QUASI-NOYADE, AUX FRACTURES ET AUX MORSURES, AUX PIQÛRES D'INSECTES ET AUX INTOXICATIONS ;

DE DISCUTER DE LA PHYSIOPATHOLOGIE, DE L'ÉVALUATION ET DU PROCESSUS THÉRAPEUTIQUE DE CERTAINS TYPES D'URGENCES TOXICOLOGIQUES.

PLAN DU CHAPITRE

En circonstance de crise, l'urgence constitue l'unique endroit où nous pouvons avoir accès à une gamme complète de soins de santé. Depuis les 30 dernières années environ, l'instauration du régime d'assurance maladie du Québec, le vieillissement de la population et la complexité des cas contribuent à augmenter considérablement le nombre de demandes de services, qui dépassent les ressources disponibles. Le personnel qualifié de l'unité d'urgence offre néanmoins des soins rapides et efficaces. Certaines unités d'urgence se spécialisent dans le traitement de problématiques spécifiques (pédiatrie, cardiologie et traumatologie).

Les chapitres du présent ouvrage décrivent les soins spécifiques à prodiguer aux clients victimes de diverses urgences médicales, chirurgicales ou traumatiques. Des tableaux spécialement conçus à cet effet y font ressortir les soins d'urgence propres à ces situations particulières. Dans ce chapitre, il est question du triage, de l'évaluation et du traitement initial du client victime d'un traumatisme ou d'une situation d'urgence n'ayant pas fait l'objet d'un autre chapitre, notamment les urgences liées à la chaleur et au froid, la noyade et la quasi-noyade, les fractures et les morsures, ainsi que les piqûres d'insectes et les intoxications.

30.1 SOINS À PRODIGUER AU CLIENT ADMIS À L'UNITÉ D'URGENCE

Les infirmières doivent agir avec rapidité, mais elles doivent également être en mesure de détecter toute détérioration, apparente ou non, de l'état clinique du client. Elles doivent, pour ce faire, posséder une grande capacité d'écoute et un sens aigu de l'observation. La personne admise à l'urgence et sa famille traversent une crise à laquelle vient se greffer l'anxiété. C'est pourquoi la qualité de l'accueil (à l'unité d'urgence) est déterminante.

L'infirmière prodiguant des soins d'urgence doit pouvoir repérer avec rapidité les clients qui ont besoin de soins immédiats et choisir le traitement approprié lorsque l'urgence est surchargée. De ce besoin est né le service de triage.

30.1.1 Triage

Le triage constitue une partie très importante du fonctionnement de l'urgence. C'est le point de départ menant aux soins d'urgence.

Historique. Il existe un contexte différent dans la pratique des soins d'urgence, tant pour les médecins que pour les infirmières. L'approche des soins doit être centrée sur le client, tenir compte de ses besoins et y répondre dans les meilleurs délais. Comme nous l'avons cité précédemment, la demande de services dans les unités d'urgence est devenue de plus en plus grande. Divers groupes de professionnels, dont les associations d'urgence et, par la suite, l'Ordre des infirmières et infirmiers du Québec (OIIQ) et le Conseil des médecins du Québec (CMD) ont dû se pencher sur cette problématique et ont vu la nécessité d'utiliser un vocabulaire commun.

L'Échelle de triage et de gravité (ETG) a été conçue en 1996 par Dr R.C. Beveridge de l'Association canadienne des médecins d'urgence (ACMU) et Eileen Denomy de l'Association nationale des infirmières et infirmiers d'urgence (ANIIU). Cet outil s'est inspiré du modèle australien comportant cinq niveaux de priorité, auquel on a ajouté une échelle de douleur, l'échelle PQRST, que nous décrirons ultérieurement. L'ETG comporte également une version spécifique pour les enfants (ETG pédiatrique).

À l'automne 1999, l'implantation au Québec de l'ETG, combinée avec une échelle de douleur, a été appuyée par 23 organisations présentes au Forum sur la situation dans les urgences. Ce forum, présidé par la ministre Pauline Marois, présentait la proposition de faire de l'ETG un standard provincial de triage (OIIQ, 2000).

Types de triages   **ENCADRÉ 30.1**

Selon l'achalandage, l'infirmière qui effectue le triage doit s'adapter aux conditions. Elle doit choisir le type d'évaluation qui répond le mieux à la situation du moment. Il y a trois types de triage : l'évaluation initiale, l'évaluation sommaire et l'évaluation rapide.

Évaluation initiale
- Durée : 5 minutes
- Évaluation détaillée qui détermine le niveau de priorité
- S'applique généralement aux priorités 3 à 5 (voir tableaux 30.1 et 30.2)
- Peut comprendre 2 étapes : l'évaluation sommaire, suivie de l'évaluation initiale
- Formulation d'un jugement clinique sur les besoins biopsychosociaux et éducatifs des clients

Évaluation sommaire
- Durée : 2 à 3 minutes
- Si 2 clients et plus sont en attente
- Évaluation pour les priorités 1 et 2 (voir tableaux 30.1 et 30.2)
- Évaluation et documentation complète par l'infirmière qui prend en charge le client. (L'infirmière au triage transfère le client à l'infirmière qui effectuera les soins. Cette dernière a la responsabilité du client jusqu'à ce qu'il y ait évaluation médicale.)

Évaluation rapide ou *quick look*
- Durée : quelques secondes à 1 minute
- Évaluation visuelle de l'apparence générale du client
- Évaluation primaire, ABCD (voir tableau 30.3)

Ordre des infirmières et infirmiers du Québec, 2000.

Définition. Le triage est un processus dynamique qui consiste à évaluer les besoins en matière de santé des clients qui se présentent à l'unité d'urgence et à en déterminer la priorité selon des critères préétablis. Le triage sert à choisir la réponse la plus appropriée (évaluation, surveillance, soins, aires de traitement) dans les délais définis, afin de diminuer la morbidité et la mortalité liées à certaines situations de santé. Il implique également une appréciation périodique et systématique de l'état des clients en attente d'une évaluation médicale lorsque les délais sont expirés (énoncé de position de l'OIIQ et CMD, 2000).

Le système de triage assure également l'enseignement sur la santé et la transmission d'information sur les ressources internes et externes.

Principaux buts et objectifs du triage

- Évaluer rapidement toute personne qui se présente à l'unité d'urgence.
- Évaluer le client dans les 10 premières minutes de son arrivée, et ce, avant son inscription.

- Déterminer la priorité de soins selon l'état de santé.
- Améliorer l'accès aux soins pour les personnes requérant des soins immédiats ou rapides.
- Réduire les risques de détérioration de l'état clinique.
- Humaniser et individualiser l'accueil, diminuer l'anxiété, éduquer et informer le client, augmenter le taux de satisfaction.
- Réduire le temps d'attente.
- Appliquer, dans certains cas, des mesures diagnostiques ou thérapeutiques selon des actes délégués et des protocoles préétablis.
- Réévaluer systématiquement et périodiquement les clients en attente.

Compétences de l'infirmière au triage.

Dans ce secteur spécialisé de soins, où l'état de santé du client peut être précaire et où les risques de complications sont élevés, les connaissances scientifiques et le jugement clinique sont d'autant plus importants. Être infirmière en soins critiques requiert une grande habileté à prévenir et à dépister les crises ainsi qu'à les

---

Processus de triage ENCADRÉ 30.2

Le processus de triage débute dès l'arrivée du client à l'unité d'urgence. L'infirmière au triage est la première professionnelle de la santé que le client rencontre à son arrivée. Elle agit donc à titre de représentante de l'établissement. Elle doit utiliser un outil permettant de documenter adéquatement l'information recueillie. À cet égard, le système SOAPIE peut s'avérer utile. C'est un acronyme qui correspond à une démarche en cinq étapes.

- Évaluation Subjective et Objective
- Analyse des données
- Planification
- Interventions
- Évaluation et réévaluation

Données subjectives. Les données subjectives comprennent l'information fournie par le client :
- raison de la consultation ;
- appréciation détaillée du motif de la visite ;
- évaluation de la douleur ou du problème avec la méthode PQRST :

  P = provoqué/pallié,
  Q = qualité/quantité,
  R = région (siège de la douleur, irradiation),
  S = sévérité (gravité)/symptômes associés,
  T = temps (début, intervalles, soudain ou graduel).

Données objectives. Les données objectives comprennent tous les renseignements vérifiables et quantifiables (regarder, écouter, sentir, toucher) :
- signes vitaux et % de saturation d'oxygène ;
- débit de pointe ;
- signes neurologiques ;
- examen physique (inspection, palpation, auscultation, percussion) ;

- interventions décisionnelles (glycémie capillaire, test de grossesse, mesure de l'acuité visuelle, etc.) ;
- médicaments ;
- allergies ;
- antécédents médicaux et chirurgicaux ;
- maladie infectieuse active ;
- état d'immunisation ;
- date des dernières menstruations ;
- priorisation ;
- orientation.

Analyse des données. L'analyse des données est un processus mental nécessitant diverses connaissances, un jugement clinique rigoureux, une bonne expertise de travail et une intuition fine. Elle permet à l'infirmière de décider le degré de priorité.

Planification. À cette étape, l'infirmière établit le niveau de priorité (voir tableau 30.1) en respectant l'échelle de triage et de gravité et décide du délai d'attente avant l'évaluation du client par le médecin.

Interventions. L'infirmière dirige le client vers l'aire de soins la plus appropriée. Elle transmet des données pertinentes et de qualité à l'intervenant qui reçoit le client, entreprend et applique des mesures diagnostiques ou thérapeutiques selon les protocoles préétablis.

Évaluation et réévaluation. Si l'évaluation médicale est retardée, l'infirmière doit procéder à une réévaluation systématique selon le niveau de priorité. De plus, elle doit demander à tous les clients qu'elle a évalués de revenir la voir s'ils jugent que leur état clinique s'est modifié.

La figure 30.1 illustre, sous forme d'algorithme, les étapes du processus de triage.

Ordre des infirmières et infirmiers du Québec, 2000.

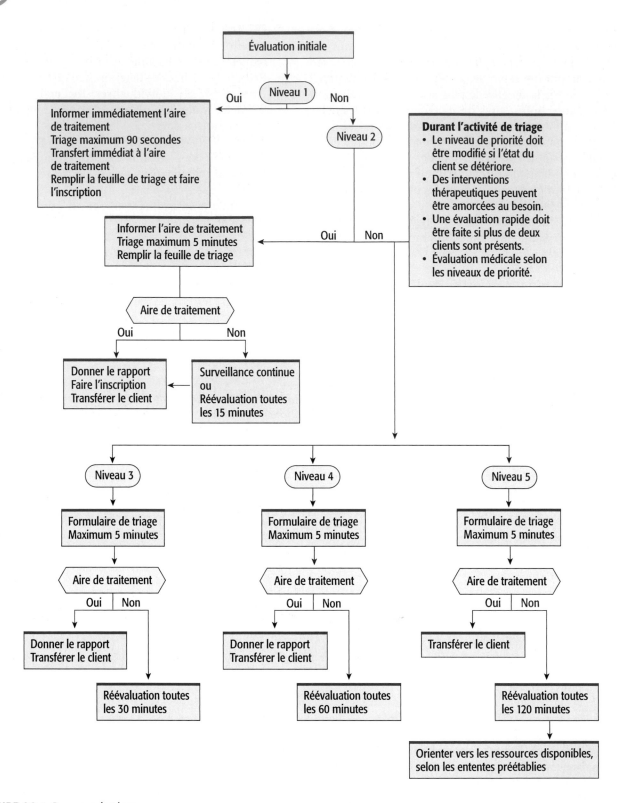

FIGURE 30.1 Processus de triage.
Tiré de *Échelle de triage et de gravité,* Ordre des infirmières et infirmiers du Québec, 2002.

gérer efficacement. Par conséquent, l'infirmière en soins d'urgence doit :

- posséder un bon jugement clinique ;
- posséder des aptitudes et habiletés en relations interpersonnelles et en communication ;
- avoir une grande capacité de gestion des priorités ;
- faire preuve de souplesse ;
- avoir une bonne capacité à s'adapter à des situations qui évoluent rapidement ;
- avoir une bonne connaissance de la physiopathologie ;
- avoir la capacité de recueillir les données pertinentes (méthode d'entrevue efficace) ;
- connaître le fonctionnement global de l'unité d'urgence et ses politiques ;
- détenir une formation adéquate et maintenir à jour ses compétences ;
- avoir la capacité de travailler en interdisciplinarité ;
- posséder une expérience de un an à temps complet en soins d'urgence ;
- recevoir une formation complète sur le triage et se soumettre à une évaluation périodique de la qualité des triages effectués (OIIQ, 2002).

Rôles et responsabilités de l'infirmière au triage.

Les rôles et responsabilités de l'infirmière au triage sont nombreux et variés. C'est elle qui :

- accueille les clients et leur famille avec empathie ;
- fait une évaluation visuelle rapide ;
- évalue chaque client qui se présente à l'unité d'urgence ;
- collige les données pertinentes en relation avec le motif de consultation du client ;
- documente l'évaluation sur un formulaire adapté à l'ETG ;
- attribue le niveau de priorité à l'aide de l'ETG ;
- amorce les mesures diagnostiques et thérapeutiques requises selon des protocoles préétablis ;
- achemine les personnes vers l'aire de traitement appropriée ;
- transmet les données importantes soit à l'infirmière, soit au médecin qui prendra en charge le client ;
- renseigne le client et la famille ;
- réévalue les clients en attente ;
- informe le client des délais d'attente ;
- demande au client de l'informer de tout changement de son état de santé ;
- avise son supérieur lorsque les délais d'attente compromettent la prise en charge initiale et la réévaluation (OIIQ, 2002).

Aspects légaux.
La loi 90 modifiant le *Code des professions* et d'autres dispositions législatives dans le domaine de la santé est entrée en vigueur le 30 janvier 2003.

TABLEAU 30.1	Classements de priorités				
Niveau	**1** réanimation	**2** très urgent	**3** urgent	**4** moins urgent	**5** non urgent
Délai d'attente	AUCUN	15 MINUTES	30 MINUTES	60 MINUTES	120 MINUTES
Action	Prise en charge immédiate par l'infirmière et le médecin	Évaluation immédiate par l'infirmière et prise en charge dans les 15 min par le médecin ; réévaluation toutes les 15 min	Prise en charge dans les 30 min et réévaluation toutes les 30 min par l'infirmière	Prise en charge dans les 60 min par le médecin et réévaluation toutes les 60 min par l'infirmière	Prise en charge dans les 120 min par le médecin et réévaluation toutes les 120 min par l'infirmière
Caractéristiques	Situation qui menace la vie ou la survie d'un membre et qui commande une intervention énergique et immédiate	Situation qui représente une menace potentielle pour la vie, l'intégrité d'un membre ou sa fonction et qui requiert une intervention médicale ou l'exécution d'actes délégués	Situations qui peuvent s'aggraver au point d'entraîner un inconfort significatif ou d'affecter la capacité de travailler ou d'effectuer les AVQ et qui commandent une intervention urgente	Situations qui, compte tenu de l'âge du client, du degré de détresse ou de la possibilité d'une détérioration ou de complications, peuvent nécessiter une intervention ou des conseils dans des délais de une ou deux heures	Situations qui peuvent être aiguës mais non urgentes ou relever d'un problème chronique sans toutefois présenter des signes de détérioration. L'investigation et les interventions pour certains problèmes peuvent être retardées ou même effectuées dans d'autres unités de l'établissement ou milieux du réseau de soins

AVQ : activités de la vie quotidienne.
Échelle de triage et de gravité, Ordre des infirmières et infirmiers du Québec, 2002.

Mise sous tension des ressources à la suite d'un préavis
annonçant l'arrivée d'un client traumatisé à l'urgence

INDICE PRÉHOSPITALIER POUR TRAUMATISMES (IPT)

L'IPT doit être calculé dans tous les cas où un client a subi un traumatisme

1. Tension artérielle systolique

	Points
≥100	0
86 - 100	1
75 - 85	2
<74 ou absence de pouls radial ou carotidien	5

2. Pouls

	Points
120+	3
51 - 119	0
<51	5

3. Fréquence respiratoire

	Points
Normale	0
Difficile	3
<8/minute ou intubé	5

4. Blessure pénétrante (tête, cou, dos, thorax, abdomen)

	Points
Oui	4
Non	0

5. État de conscience

		Points
A (Alert)	La victime est alerte	0
V (Verbal)	La victime répond aux stimuli verbaux	3
P (Pain)	La victime répond aux stimuli douloureux	5
U (Unresponsive)	La victime est inconsciente	5

TRANSPORT AU CENTRE DE TRAUMATAULOGIE
Si le total de l'indice est de 4 ou plus
OU S'IL Y A DES SIGNES D'IMPACT À HAUTE VÉLOCITÉ (IHV)
(à moins d'avis contraire du Centre des communications)

Exemples d'impact à haute vélocité :
- Chute de plus de 7 mètres
- Autre(s) occupant(s) décédé(s)
- Éjection hors du véhicule
- Déformation de l'habitacle
- Intrusion dans l'habitacle
- Piéton/cycliste frappé à plus de 35 km/h
- Tonneaux
- Marque de la tête dans le pare-brise
- Motocycliste éjecté
- Motocycliste qui chute sans casque
- Autres

FIGURE 30.2 Indice préhospitalier pour traumatismes (IPT)
Centre hospitalier de la Sagamie (CHS), département des urgences.

L'autonomie de l'infirmière sera augmentée dans des domaines spécifiques. Plus précisément, le triage permet à l'infirmière d'élargir sa pratique professionnelle.

La refonte récente de la *Loi sur les infirmières et les infirmiers* (juin 2003) va amener plusieurs défis au sein de la profession : d'abord l'application de la nouvelle loi, ainsi que le développement de la pratique spécialisée et de la pratique avancée.

Documentation. Des données pertinentes doivent être colligées sur le formulaire de triage. L'infirmière au triage doit respecter les 12 normes suivantes proposées par l'ETG :
- la date et l'heure de l'évaluation ;
- le nom de l'infirmière qui effectue le triage ;
- la raison de la consultation ;
- les données subjectives ;
- les données objectives ;
- le niveau de priorité assigné ;
- l'aire de traitement ;
- le nom de la personne qui prend en charge le client ;
- les allergies ;
- les médicaments ;
- les interventions diagnostiques et thérapeutiques entreprises par l'infirmière ;
- la réévaluation et le nom de l'infirmière qui l'a effectuée (OIIQ, 2002).

TABLEAU 30.2	Échelle de triage et de gravité (ETG) : quelques exemples			
Niveau 1 (0 min) soins immédiats	**Niveau 2 (15 min) très urgent**	**Niveau 3 (30 min) urgent**	**Niveau 4 (60 min) moins urgent**	**Niveau 5 (120 min) non urgent**
Tout problème majeur de l'ABCD Tous les états de choc Douleur intense Réactions allergiques graves Hypertension grave Brûlure chimique à l'œil Inhalation de substances toxiques Hypothermie >32 °C Blessure par balle ou objet contondant Modification de l'état de conscience Amputation traumatique	Douleur thoracique chez un client cardiaque Arythmies Hémoptisie Agression sexuelle Douleur testiculaire subite Douleur 8/10 Brûlure électrique Hyper ou hypoglycémie Intoxication Exposition chimique aux yeux Fracture d'os majeur ou ouverte Fièvre avec léthargie Céphalée intense	Douleur de 4 à 7/10 Aspiration de corps étranger avec toux sans dyspnée Méléna, rectorragie, hématémèse (grain de café = non actif) Incapacité d'uriner = 8 h Idées suicidaires avec plan Client non agité, coopératif, où il y a incertitude du degré de dangerosité pour lui ou les autres Agitation modérée Luxation Stridor pendant la toux	Contusion mineure Maux d'oreilles Cellulite localisée Corps étranger Thrombophlébite sans dyspnée Épistaxis épisodique Céphalée non subite, non intense avec SV normaux Hématurie, pollakiurie, brûlure à la miction Lacération avec saignement Difficulté respiratoire légère Dépression	Visite de relance Troubles chroniques récurrents Symptômes mineurs Éruptions cutanées Symptômes d'IVRS Lombalgie chronique Contusion, abrasion Douleur 4/10 Vaccination antitétanique Test de grossesse *Rash* localisé Vérification de plâtre sans atteinte neurovasculaire Test pour ITS

ITS : infection transmissible sexuellement ; IVRS : infection des voies respiratoires supérieures ; SV : signes vitaux.

ENCADRÉ 30.3

Loi québécoise sur les infirmières et les infirmiers (2002), article 36

Article 36 : L'exercice infirmier consiste à évaluer l'état de santé d'une personne, à déterminer et à assurer la réalisation du plan de soins et de traitements infirmiers, à prodiguer les soins et les traitements infirmiers et médicaux dans le but de maintenir la santé, de la rétablir et de prévenir la maladie ainsi qu'à fournir les soins palliatifs.

Dans le cadre de l'exercice infirmier, les activités suivantes sont réservées à l'infirmière et a l'infirmier :

1. évaluer la condition physique et mentale d'une personne symptomatique ;
2. exercer une surveillance clinique de la condition des personnes dont l'état de santé présente des risques, incluant le monitorage et les ajustements du plan thérapeutique infirmier ;
3. initier des mesures diagnostiques et thérapeutiques, selon une ordonnance ;
4. initier des mesures diagnostiques à des fins de dépistage dans le cadre d'une activité découlant de l'application de la *Loi sur la santé publique* ;
5. effectuer des examens et des tests diagnostiques invasifs, selon une ordonnance ;
6. effectuer et ajuster les traitements médicaux, selon une ordonnance ;

7. déterminer le plan de traitement relié aux plaies et aux altérations de la peau et des téguments et prodiguer les soins et les traitements qui s'y rattachent ;
8. appliquer des techniques invasives ;
9. contribuer au suivi de la grossesse, à la pratique des accouchements et au suivi post-natal ;
10. effectuer le suivi infirmier des personnes présentant des problèmes de santé complexes ;
11. administrer et ajuster des médicaments ou d'autres substances, lorsqu'ils font l'objet d'une ordonnance ;
12. procéder à la vaccination dans le cadre d'une activité découlant de l'application de la *Loi sur la santé publique* ;
13. mélanger des substances en vue de compléter la préparation d'un médicament, selon une ordonnance ;
14. décider de l'utilisation des mesures de contention.

Article 36.1 L'infirmière et l'infirmier peuvent :

1. prescrire des examens diagnostiques ;
2. utiliser des techniques diagnostiques invasives ou présentant des risques de préjudice ;
3. prescrire des médicaments ou d'autres substances ;
4. prescrire des traitements médicaux ;
5. utiliser des techniques ou appliquer des traitements médicaux, invasifs ou présentant des risques de préjudices.

30.1.2 Protocole de mise sous tension

Le protocole de mise sous tension des ressources à la suite d'un préavis annonçant l'arrivée à l'urgence d'un client traumatisé est appliqué en prévision :

- d'une réanimation initiale ;
- d'un bilan lésionnel ;
- d'une orientation définitive.

Depuis août 2002, toutes les unités d'urgence ont mis en branle une nouvelle procédure, soit la **mise sous tension**. Ce protocole a pour but d'optimiser les soins au client qui présente un état de santé critique et suppose l'intervention d'une équipe multidisciplinaire dans l'immédiat ou dans les minutes qui suivront son arrivée à l'unité d'urgence. Le protocole de mise sous tension a été instauré afin de donner les soins dans les meilleurs

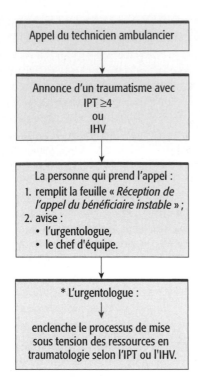

FIGURE 30.3 Mise sous tension des ressources à la suite d'un préavis annonçant l'arrivée d'un client traumatisé à l'urgence.
* L'urgentologue est le seul qui peut déclencher une alerte en traumatologie.
Centre hospitalier de la Sagamie (CHS), département des urgences.
IHV : impact à haute vélocité ; IPT : indice préhospitalier pour les traumatismes (voir figure 30.2).

délais et de diminuer le taux de morbidité ou de mortalité de la clientèle.

Il est maintenant reconnu que le facteur temps est des plus importants quand il s'agit de clients polytraumatisés. Selon Dr A. Cowley (1982), spécialiste dans le domaine du traitement des clients polytraumatisés, les victimes ont une meilleure chance de survie si elles sont traitées dans les 60 minutes suivant l'accident ou le traumatisme. Le pourcentage de décès chez les clients polytraumatisés se situe entre 15 et 20 %, et ce taux double à chaque heure perdue entre le traumatisme et le début des soins.

La prise en charge d'un client polytraumatisé nécessite la présence d'une équipe multidisciplinaire, et chaque membre de l'équipe a un rôle bien défini à jouer. Les clients polytraumatisés nécessitent d'abord des soins physiques, mais il ne faut pas négliger l'aspect ou la dimension psychologique. Ces clients, ainsi que leur famille, vivent une situation qui génère un grand stress. La présence d'intervenants formés leur apportera aide et soutien.

En général, les principaux intervenants de l'équipe de mise sous tension sont :
- un médecin urgentologue ;
- les infirmières désignées pour la salle de stabilisation ;
- l'inhalothérapeute ;

- la technicienne en radiologie ;
- le brancardier (extérieur à la salle de stabilisation) ;
- le laboratoire d'hématologie (sans déplacement) ;
- le laboratoire de biochimie (sans déplacement) ;
- l'assistante infirmière-chef de la salle d'opération (sans déplacement) ;
- l'aumonier, le travailleur social, la coordonnatrice n'ont pas à se déplacer ; cependant, un des représentants doit être présent pour soutenir les familles.

Cette équipe se regroupe dans la salle de stabilisation peu avant l'arrivée du client, de façon à être sur place dès son entrée dans la salle. Elle représente l'équipe de base et elle est toujours présente pour tous les niveaux de mise sous tension.

Critères de mise sous tension. L'indice préhospitalier pour traumatismes (IPT) (voir figure 30.2) ou les signes d'impact à haute vélocité (IHV) sont les critères sur lesquels est basée la démarche de mise sous tension.
- Une mise sous tension est effectuée pour tous les clients transportés directement en centre hospitalier (CH) qui présentent un IPT de 4 ou plus ou des signes d'IHV (voir figure 30.3).
- Pour les transferts interhospitaliers, une mise sous tension est effectuée uniquement sur décision de l'un des urgentologues du CH.

Avis préhospitalier. Lors du transport d'une victime de traumatisme, les techniciens ambulanciers communiquent avec le personnel de l'unité d'urgence du CH dans les plus brefs délais pour l'informer de l'IPT ou de l'IHV. Les renseignements suivants sont communiqués :
- l'âge ;
- le sexe ;
- l'IPT ;
- les signes vitaux ;
- l'AVPU ;
- le temps prévu avant l'arrivée au CH ;
- la présence de plaies pénétrantes ;

Procédure de mise sous tension. Lorsque le médecin ou l'infirmière reçoit l'appel du technicien ambulancier, les données sont colligées et l'urgentologue met en branle le niveau de mise sous tension approprié.

Pour tous les niveaux de mise sous tension, les professionnels faisant partie de l'équipe de base (déplacement immédiat) se dirigent vers la salle de stabilisation à l'unité d'urgence en vue d'être sur place lors de l'arrivée du client traumatisé. Cependant, selon le besoin, les autres intervenants seront avisés de se rendre disponibles.

Dans un délai de 10 minutes après l'arrivée du client traumatisé, le chef d'équipe de l'urgence demande à l'urgentologue de déterminer les besoins supplémentaires en professionnels. Cette période correspond à la fin de la réanimation initiale et au début du bilan lésionnel.

Peu après l'arrivée du chirurgien, celui-ci prend une décision concernant la préparation de la salle d'opération. Cette décision est prise dans un délai maximal de 30 minutes après l'arrivée du client traumatisé.

30.1.3 Évaluation primaire

L'évaluation primaire (ABCD) (voir tableau 30.3) est axée sur les voies respiratoires, la respiration et la circulation. Elle permet de reconnaître les problèmes mettant en danger la vie du client afin d'entreprendre les interventions appropriées. Les troubles graves liés aux voies respiratoires (voir tableau 30.4), à la respiration (voir tableau 30.5) et à la circulation (voir tableau 30.6) doivent être décelés lors de l'évaluation primaire et les interventions nécessaires doivent être entreprises immédiatement.

A : voies respiratoires et immobilisation de la colonne cervicale. Pratiquement tous les décès immédiats des personnes victimes d'un traumatisme sont attribuables à une obstruction des voies respiratoires. La salive, les sécrétions contenant du sang, les vomissements, le traumatisme direct, le traumatisme laryngé, le traumatisme facial, les fractures et la langue peuvent obstruer les voies respiratoires. Les clients prédisposés à des complications des voies respiratoires sont ceux qui sont atteints de convulsions, victimes de noyade et de quasi-noyade, d'intoxication, d'épiglottite, de certains types de brûlures, de choc anaphylactique, d'obstruction des voies respiratoires par un corps étranger ou d'arrêt cardiorespiratoire. Le débit d'air diminue ou se trouve obstrué lorsque les voies respiratoires ne sont pas dégagées, ce qui entraîne de l'hypoxie, de l'acidose et le décès du client.

TABLEAU 30.3 Évaluation primaire lors d'une situation d'urgence	
Évaluation	**Interventions**
Voies respiratoires et immobilisation de la colonne cervicale Voies respiratoires dégagées et ouvertes Vérifier s'il y a obstruction des voies respiratoires Vérifier s'il y a détresse respiratoire Vérifier la présence de dents mobiles ou de corps étrangers Vérifier s'il y a des saignements, des vomissures ou de l'œdème	Aspiration Subluxation de la mâchoire inférieure Insertion d'une sonde nasale, buccale ou endotrachéale ; cricothyrotomie Stabilisation la colonne cervicale à l'aide d'un collier, d'une planche dorsale, de rouleaux souples ; tête fixée à la planche ou matelas coquille

Respiration
Évaluer la ventilation
  Vérifier les mouvements thoraciques associés à la respiration
  Noter l'utilisation des muscles accessoires ou des muscles abdominaux
  Écouter l'air expiré par le nez et la bouche
  Sentir l'air expiré
Observer et compter la fréquence respiratoire
Noter la couleur des lits unguéaux, des membranes de la muqueuse et de la peau
Ausculter les poumons
Vérifier la présence de distension veineuse jugulaire et évaluer la position de la trachée
	Ventiler à l'aide d'un ballon-masque autoremplisseur contenant de l'oxygène pur
	Se préparer à intuber en cas d'arrêt respiratoire
	Se préparer à aspirer s'il y a lieu
	Administrer une oxygénothérapie à l'aide du système approprié
	En cas de traumatisme crânien, hyperventiler à l'aide d'oxygène pur
	S'il y a absence de bruits respiratoires, effectuer une thoracostomie à l'aiguille et préparer l'insertion d'un cathéter thoracique

Circulation Prendre le pouls carotidien ou fémoral Examiner la couleur, la température et l'humidité de la peau Évaluer l'état de conscience Vérifier le remplissage capillaire Vérifier s'il y a des saignements externes	S'il y a absence de pouls, commencer les compressions thoraciques En présence de symptômes de choc ou d'hypotension artérielle, commencer la perfusion avec au moins deux cathéters intraveineux de gros calibre (14 ou 16) et administrer une solution saline physiologique ou du Lactate Ringer Administrer des produits sanguins s'ils sont prescrits Envisager l'autotransfusion s'il y a un traumatisme thoracique isolé Prélever un échantillon de sang pour en déterminer le type et la compatibilité croisée Arrêter le saignement en exerçant une pression directe
Invalidité Évaluer l'état de conscience Examiner la réaction aux stimuli verbaux et à la douleur Examiner le mouvement des extrémités (pieds et mains) Utiliser l'échelle de Glasgow Vérifier la réaction des pupilles à la lumière	Réévaluer périodiquement l'état de conscience

TABLEAU 30.4	Troubles graves liés aux voies respiratoires	
Trouble	**Signes et symptômes**	**Interventions**
Obstruction des voies respiratoires (complète ou partielle)	Dyspnée, respiration difficile Diminution ou absence de la circulation d'air Cyanose Présence d'un corps étranger dans les voies respiratoires Traumatisme facial ou cervical	**Manœuvres d'ouverture des voies respiratoires** Subluxation de la mâchoire inférieure Soulèvement du menton Aspiration **Manœuvres d'appoint** Sonde nasale Sonde buccale Sonde endotrachéale **Manœuvres chirurgicales** Cricothyrotomie Trachéostomie
Lésion causée par l'inhalation	Client trouvé dans un espace clos en feu, inconscient ou exposé à une fumée épaisse Dyspnée Respiration sifflante (*wheezing*), râles ronflants, râles crépitants Enrouement Visage et poils du nez roussis Expectorations carbonées Brûlures au visage et au cou	Administration d'une forte concentration d'oxygène pur à l'aide d'un masque sans réinspiration ou d'un ballon-masque autoremplisseur Préparation en vue de l'intubation endotrachéale dès que possible

Tiré de Kidd PS, Stuart P: *Mosby's Emergency Nursing Reference*, St. Louis, Mosby, 1996.

Le tableau 30.4 présente les signes et symptômes de perturbation des voies respiratoires. Le dégagement des voies respiratoires doit se faire rapidement à partir de la méthode la moins effractive (invasive) jusqu'à la plus effractive. Le traitement comprend l'installation du client en position assise s'il n'a pas de lésions de la colonne cervicale et dorsale, l'aspiration des sécrétions, la subluxation de la mâchoire inférieure (en évitant l'hyperextension du cou) (voir figure 30.4), l'insertion d'une canule nasopharyngée (pour les clients semiconscients) et oropharyngée (pour les clients inconscients). Pour procéder à l'intubation, installer le client en position de décubitus dorsal. Dans les cas où il est impossible d'intuber le client en raison d'une obstruction des voies respiratoires, une cricothyrotomie ou une trachéotomie d'urgence doit être pratiquée (voir chapitre 15).

On doit toujours soupçonner un traumatisme de la colonne cervicale lorsqu'un client présente des lésions importantes de la partie supérieure du thorax, du visage, de la tête et du cou. Plusieurs types d'accidents peuvent provoquer ce genre de lésions et on en néglige parfois le risque. Les accidents de la route, la chute d'une certaine hauteur avec réception sur les pieds (fracture par écrasement), l'électrisation (projection possible lors du choc) et la noyade (plongeon toujours suspecté) sont au nombre des possibilités. Lors de l'évaluation initiale, dès qu'il y a un antécédent de traumatisme avec douleur cervicale, l'examinateur devrait

cesser de remplir son questionnaire, aligner et immobiliser la colonne cervicale. Si le client est inconscient, l'examinateur doit stabiliser la colonne cervicale lors de l'évaluation des voies respiratoires.

Utiliser un immobilisateur de tête avec un collier cervical rigide fixés à une planche dorsale. La planche

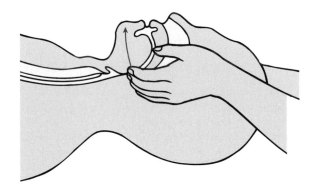

FIGURE 30.4 La manœuvre de subluxation de la mâchoire inférieure est la seule intervention fortement recommandée auprès d'un client inconscient qui est susceptible d'avoir des lésions cervicales et médullaires. La victime doit être allongée sur le dos et le sauveteur doit s'agenouiller à l'extrémité de sa tête de manière à pouvoir se pencher vers l'avant et appuyer ses mains de chaque côté du menton, à un angle latéral de la mâchoire inférieure. Le sauveteur stabilise la tête de la victime à l'aide de ses avant-bras, puis il soulève la mâchoire en exerçant une pression avec l'index des deux mains.

TABLEAU 30.5   Troubles graves liés à la respiration

Trouble	Signes et symptômes	Interventions
Pneumothorax sous tension	Dyspnée, respiration difficile Diminution ou absence des bruits respiratoires du côté atteint Élévation et chute unilatérales du thorax Déviation trachéale distale du côté atteint Cyanose Distension veineuse jugulaire Tachycardie et hypotension Antécédents de traumatisme thoracique ou de ventilation assistée	Administration d'une forte concentration d'oxygène pur à l'aide d'un masque sans réinspiration ou d'un ballon-masque autoremplisseur Décompression thoracique rapide par thoracostomie à l'aiguille du côté atteint Mise en place d'une sonde thoracique du côté atteint
Pneumothorax	Dyspnée, respiration difficile Diminution ou absence des bruits respiratoires du côté atteint Possibilité d'une élévation et d'une chute unilatérales du thorax Possibilité d'une plaie visible au thorax ou au dos Antécédents de traumatisme thoracique	Administration d'une forte concentration d'oxygène pur à l'aide d'un masque sans réinspiration ou d'un ballon-masque autoremplisseur Mise en place d'une sonde thoracique du côté atteint Plaie à recouvrir d'un pansement occlusif dont on fixe trois côtés à l'aide de ruban adhésif
Hémothorax	Dyspnée, respiration difficile Diminution ou absence des bruits respiratoires du côté atteint Possibilité d'une élévation et d'une chute unilatérales du thorax Tachycardie et hypotension Possibilité d'une plaie visible au thorax ou au dos Antécédents de traumatisme thoracique (souvent pénétrant)	Administration d'une forte concentration d'oxygène pur à l'aide d'un masque sans réinspiration ou d'un ballon-masque autoremplisseur Mise en place d'une sonde thoracique du côté atteint Envisager l'autotransfusion
Plaie à thorax ouvert	Dyspnée, respiration difficile Plaie à thorax ou à dos ouvert visible Diminution ou absence des bruits respiratoires du côté atteint	Administration d'une forte concentration d'oxygène pur à l'aide d'un masque sans réinspiration ou d'un ballon-masque autoremplisseur Plaie à recouvrir d'un pansement occlusif dont on fixe trois côtés à l'aide de ruban adhésif Surveillance des signes de pneumothorax sous tension et enlèvement du pansement pendant l'expiration si sa présence est notée
Volet thoracique	Dyspnée, respiration difficile Mouvement paradoxal de la cage thoracique Douleur thoracique Tachycardie	Administration d'une forte concentration d'oxygène pur à l'aide d'un masque sans réinspiration ou d'un ballon-masque autoremplisseur Préparation en vue de l'intubation et de la ventilation mécanique

Modifié de Kidd PS, Stuart P: *Mosby's Emergency Nursing Reference*, St. Louis, Mosby, 1996.

TABLEAU 30.6   Troubles graves liés à la circulation

Trouble	Signes et symptômes	Interventions
Hémorragie externe	Site du saignement apparent	Pression directe Élévation du membre
Choc	Tachycardie Faiblesse, pouls filiforme Peau moite, pâle et froide Tachypnée Altération de l'état mental Allongement du temps de remplissage capillaire Oligurie ou anurie	Administration d'une forte concentration d'oxygène pur à l'aide d'un masque sans réinspiration ou d'un ballon-masque autoremplisseur Mise en place de deux intraveineuses de gros calibre et administration d'une solution cristalloïde isotonique (Lactate Ringer ou NaCl à 0,9 %) Administration de liquides en bolus (2 L pour les adultes) Préparation en vue d'administrer du sang

Tiré de Kidd PS, Stuart P: *Mosby's Emergency Nursing Reference*, St. Louis, Mosby, 1996.

dorsale sert à immobiliser le client pour lui éviter des blessures supplémentaires au dos et aligner la colonne vertébrale. Bien que la planche soit l'outil de choix pour immobiliser un client, on la critique de plus en plus car elle ne respecte pas les courbes naturelles du corps et, si les sangles sont trop serrées, le corps du client sera comprimé sur la planche. Les planches dorsales sont utilisées davantage pour extraire un client d'un véhicule ou d'un autre moyen de locomotion et pour transporter les victimes sur de longues distances. Noter l'heure d'installation et le type de dispositif employé.

Les ambulanciers utilisent toutefois davantage le « matelas coquille » (à dépression), qui est constitué d'une enveloppe renfermant des billes de polystyrène. Celui-ci devient rigide lorsqu'on le vide de son air et il moule parfaitement le corps du client. Le matelas immobilisateur permet de respecter les courbes du corps, d'empêcher les points de pression, de ne pas nuire à la respiration, d'améliorer la qualité de l'immobilisation et le confort (voir figure 30.5). On peut utiliser ce matelas chez tous les clients susceptibles de blessure à la colonne vertébrale. On recommande d'éviter de l'utiliser dans les endroits où se trouvent des abrasifs ou du verre. L'utilisation du matelas coquille n'enlève en rien l'obligation de mettre un collier cervical rigide. Noter l'heure d'installation et le type de dispositif employé.

B : respiration. Une circulation d'air suffisante dans les voies respiratoires supérieures ne signifie pas nécessairement que la ventilation est adéquate. Les perturbations respiratoires sont attribuables à de nombreux problèmes, notamment des côtes fracturées, un pneumothorax, un hémothorax, une lésion pénétrante, des réactions allergiques, une embolie pulmonaire et des crises d'asthme (voir tableau 30.5). Étant donné que tout client blessé éprouve une augmentation des besoins métaboliques et des besoins en oxygène, il est important d'administrer une oxygénothérapie. Les états graves comme un pneumothorax sous tension, un pneumothorax ouvert et un volet thoracique peuvent perturber la ventilation et la perfusion. Les soins prodiguées au client qui ne respire pas comprennent l'administration d'oxygène à 100 % à l'aide d'un ballon-masque autoremplisseur, l'intubation et le traitement de la cause sous-jacente.

C : circulation. Afin que l'appareil circulatoire soit efficace, le cœur doit fonctionner, les vaisseaux sanguins doivent être intacts et la volémie doit être suffisante. (Le tableau 30.6 présente des troubles graves liés à la circulation.) Un client peut être prédisposé à un choc hémorragique si on ne parvient pas à freiner l'hémorragie. L'infirmière doit prendre le pouls carotidien ou fémoral, puisque les pouls périphériques peuvent être absents en raison d'une lésion directe ou d'une vasoconstriction. Toute hémorragie externe devra être qualifiée (artérielle, veineuse) et quantifiée (sommairement) pour évaluer le besoin de remplacement liquidien. Un bandage compressif stérile devra être appliqué et renforcé au besoin, sans retirer le pansement initial pour éviter de déloger le caillot en formation sur une plaie ouverte. Sur une plaie ouverte, sans hémorragie artérielle, faire un pansement sec après désinfection. Sur une plaie fermée, faire un bandage compressif et appliquer de la glace pour limiter l'hématome. Les plaies abrasives seront brossées, désinfectées et pansées. Les plaies pénétrantes contenant encore l'objet pointu seront désinfectées et pansées sans retirer le corps étranger, qui pourrait, lors du retrait, causer une hémorragie plus importante. Il faut s'assurer que ces clients reçoivent le vaccin contre le tétanos.

Un allongement du temps de remplissage capillaire (supérieur à trois secondes) et une altération de l'état mental sont les principaux signes de choc. L'infirmière qui doit évaluer le temps de remplissage capillaire dans un milieu froid doit se rappeler que le froid retarde le remplissage.

De l'oxygène à haut débit (100 %) est administré. Des cathéters intraveineux de gros calibres (n° 14 ou 16) sont insérés dans les veines des extrémités (plis du coude) pour amorcer une réanimation liquidienne, sauf en cas de contre-indications, comme lors d'une fracture importante ou d'une lésion qui nuit à la circulation du sang dans les membres. L'infirmière doit amorcer une perfusion rapide en administrant un soluté isotonique (NaCl à 0,9 %).

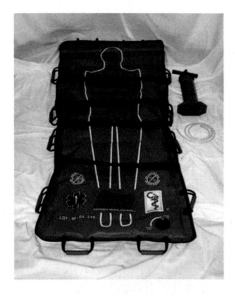

FIGURE 30.5 Matelas immobilisateur.
Coopérative des techniciens ambulanciers de l'Outaouais. *Matelas immobilisateur*, juillet 2003.

Mise en garde. En présence d'un choc hémorragique (hémothorax), on peut donner plus de liquide, mais en présence d'un traumatisme pulmonaire (volet thoracique ou pneumothorax), le volume à administrer devra être plus modéré afin de diminuer les risques d'œdème pulmonaire ou d'insuffisance cardiaque. Dans un état de choc accompagnant un trauma crânien, administrer un grand volume de liquide intraveineux pourrait conduire à un œdème cérébral ; dans ces cas, des débits très lents sont donc recommandés. L'infirmière doit aussi appliquer une pression directe à l'aide d'une compresse stérile sur le site hémorragique apparent. Des échantillons de sang sont prélevés pour en déterminer le groupe sanguin et la compatibilité croisée, et des épreuves diagnostiques sont effectuées pour mesurer les taux d'électrolytes, de glucose, d'urée et de créatinine ; la formule sanguine complète ; le temps de coagulation (temps de prothrombine [PT] et temps de céphaline [PTT]). Il est aussi possible de prélever des échantillons de sang pour déterminer les taux d'alcool et de drogue ou les taux d'enzymes hépatiques et cardiaques et de faire un électrocardiogramme (ECG). Le client doit être sous monitorage complet (télémétrie, saturation, tensiomètre et température rectale) afin de déceler tout signe d'arythmies et de détérioration de son état. Des culots globulaires propres au groupe sanguin du client doivent être administrés s'il y a lieu.

D : invalidité. Un bref examen neurologique doit être effectué après l'évaluation primaire. L'état de conscience, le diamètre des pupilles et la réaction à la lumière doivent être vérifiés. Une mnémonique simple à retenir est EVDA :

    E = éveillé ;
    V = réaction à des stimuli verbaux ;
    D = réaction à des stimuli douloureux ;
    A = absence de réaction.

Les extrémités doivent être examinées pour déceler les mouvements spontanés et évaluer le degré de sensation. L'échelle de Glasgow est utilisée pour évaluer les réactions (voir chapitre 53).

30.1.4 Évaluation secondaire

L'évaluation secondaire sera effectuée après l'évaluation primaire. Les troubles graves liés aux voies respiratoires, à la respiration et à la circulation sont corrigés le plus rapidement possible au cours de l'évaluation primaire. L'évaluation secondaire consiste à recueillir les antécédents de santé du client, à déterminer les lésions et à effectuer un examen de la tête aux pieds, y compris un examen du dos (voir tableau 30.7).

E : exposition. Les vêtements du client victime d'un traumatisme doivent être enlevés pour permettre un exa-

men physique approfondi. On doit ensuite l'envelopper de couvertures chaudes pour prévenir l'hypothermie.

F : celsius. Le client peut être maintenu au chaud à l'aide de liquides intraveineux chauds, de couvertures chaudes ou de lumières chauffantes placées au-dessus de sa tête dans la salle de trauma chauffée. Les clients traumatisés ou malades sont prédisposés à l'hypothermie causée par l'hypovolémie et l'exposition au milieu environnant.

G : prise des signes vitaux. L'infirmière doit prendre les signes vitaux, notamment la pression artérielle, la fréquence cardiaque, la fréquence respiratoire, la température et la saturation en oxygène, une fois que le client est dévêtu. La fréquence et le rythme cardiaques du client doivent également être surveillés par moniteur.

H : histoire et examen de la tête aux pieds. Les données concernant l'incident, l'accident ou la maladie permettent de fournir des indices sur la cause de la crise et suggèrent certains besoins d'évaluation spécifiques.

Bien que le client soit souvent incapable de donner ces renseignements, ceux-ci peuvent être fournis par la famille, les amis ou les témoins. Une équipe expérimentée au sein d'un service des urgences est souvent en mesure de recueillir ces renseignements en moins de cinq minutes suivant l'admission du client. Lorsque le client est gravement malade, les renseignements complets peuvent être obtenus de la part des membres de la famille ou d'amis une fois que le client a été transporté à l'unité d'urgence. Les renseignements à recueillir doivent répondre aux questions suivantes :

- Quel est le problème principal signalé par la victime ? Qu'est-ce qui a poussé le client à consulter un médecin ?
- Combien de temps s'est-il écoulé depuis l'accident ou l'incident ? Combien de temps s'est-il écoulé depuis que le client est malade ?
- À quel endroit l'accident ou l'incident a-t-il eu lieu ? À quel endroit la victime est-elle tombée malade ?
- Décrire l'accident, l'incident ou la maladie. Comment cela s'est-il produit (anamnèse des faits) ? Il est extrêmement important d'obtenir des détails sur l'incident, parce que le mécanisme peut indiquer des lésions spécifiques. Par exemple, un passager assis sur le siège avant d'un véhicule, dont la ceinture de sécurité ne comportait qu'une sangle ventrale, peut souffrir d'un traumatisme crânien après avoir heurté le pare-brise, de fractures ou de luxations au genou, au fémur ou aux hanches après avoir frappé le tableau de bord ou de lésions abdominales causées par la sangle ventrale. Le client a de fortes chances d'avoir un traumatisme important si d'autres victimes sont décédées sur les lieux de l'accident.

TABLEAU 30.7	Évaluation secondaire d'un client en situation d'urgence
Paramètre	Évaluation
Exposition	Enlever les vêtements afin de bien examiner le client.
Celsius	Garder le client au chaud à l'aide de couvertures, de liquides intraveineux et de lumières au-dessus de la tête.
Prise des signes vitaux	Pression artérielle Pouls, rythme cardiaque Fréquence respiratoire Température Saturation en oxygène Sonde urinaire à installer s'il n'y a pas de contre-indications Sonde gastrique, selon l'ordonnance médicale Examens de laboratoire portant sur l'état actuel, selon l'ordonnance médicale
Histoire et examen de la tête aux pieds Histoire	Temps écoulé depuis l'incident Type d'accident, lieu et position du client lors de l'accident Description de l'accident, de l'incident ou de l'affection Allergies Médicaments Antécédents de santé, grossesse Dernier repas Événements à l'origine de l'accident, de l'incident ou de l'affection
Tête, cou, visage	Examiner le visage et le cuir chevelu afin de vérifier la présence de lacérations, la déformation des tissus mous ou des os, la sensibilité, le saignement et des corps étrangers. Examiner les yeux, les oreilles, le nez et la bouche pour déceler la présence de saignement, de corps étrangers, d'écoulement, de douleur, de déformation, d'ecchymose et de lacération. Examiner la tête afin de vérifier la présence de dépression des os faciaux ou crâniens, de contusion, d'hématome, de zone molle et de crépitation osseuse. Examiner le cou afin de vérifier la présence de raideur, de douleur, de déviation de la trachée, de veines cervicales distendues, de saignement, d'œdème, de difficulté à déglutir, de contusion, d'emphysème sous-cutané, de crépitation osseuse.
Thorax	Fréquence, amplitude et nature de la respiration Mouvement antérieur et postérieur de la cage thoracique Palper pour vérifier la présence de crépitation osseuse ou d'emphysème sous-cutané. Utilisation des muscles accessoires Signes externes de lésion : pétéchie, saignement, cyanose, ecchymose, abrasion, lacération, vieille cicatrice
Abdomen et bassin	Asymétrie de la paroi abdominale externe et des structures osseuses Signes externes de lésion : contusion, abrasion, lacération et ponction Vérifier la présence de masse, de défense musculaire et de pouls fémoral. Type de douleur et localisation Bruits intestinaux Rigidité et distension de l'abdomen Examiner les organes génitaux pour déceler la présence de sang dans le méat, de priapisme, d'ecchymose, de saignement rectal et de tonus sphinctérien anal.
Membres	Signes de lésion externe : déformation, ecchymose, abrasion, lacération, inflammation Douleur Mouvement et force dans les bras et les jambes Sensation dans chaque membre Peau colorée Présence et qualité des pouls périphériques
Dos	Tourner la victime sur le côté « en bloc » en maintenant la colonne cervicale bien alignée ; inspecter et palper le dos afin de déceler la présence de déformation, de saignement, de lacération et de contusion.

Le client qui a sauté d'un édifice ou d'un pont peut avoir des fractures bilatérales calcanéennes, des fractures bilatérales au poignet, des fractures de compression à la colonne lombaire et risquer de présenter des déchirures aortiques. Le client âgé qui est tombé d'une échelle peut avoir été victime d'un accident vasculaire cérébral ou d'un infarctus du myocarde avant de tomber. Les balles d'une arme à feu peuvent ricocher dans le corps si elles atteignent les os. Il est donc essentiel de déterminer le nombre de balles tirées et de chercher les plaies d'entrée et de sortie. Un client qui a reçu un projectile dans l'abdomen peut avoir une balle logée dans l'épaule droite, après qu'elle soit passée par le foie et le poumon.

- Que s'est-il passé depuis le début de la maladie ou de la lésion ?
- Le client a-t-il été déplacé ?
- Quels soins d'urgence le client a-t-il reçus sur les lieux de l'accident ?
- Quel est le problème subjectif dont la victime se plaint ?
- Comment les témoins, s'il y en a, décrivent-ils le comportement du client depuis le début de la maladie ou de l'accident ?
- Quels sont les antécédents de santé du client ?
  La mnémonique AMADE peut aider l'infirmière à se souvenir des questions à poser :
  A = allergies ;
  M = médicaments (les médicaments que le client prend actuellement) ;
  A = antécédents de santé (notamment les troubles cardiaques et respiratoires et le diabète), grossesse ;
  D = dernier repas ;
  E = événements précédant la blessure.

Tête, cou et visage. L'infirmière doit examiner l'apparence générale du client, la couleur de sa peau et sa température. Elle doit examiner les yeux afin de vérifier la présence de mouvements extra-oculaires. Un regard divergent indique une atteinte neurologique. Une fracture à la base du crâne est souvent à l'origine d'un œil au beurre noir ou d'une ecchymose périorbitaire. Les membranes du tympan et le canal externe de l'oreille sont examinés afin de vérifier la présence de sang et de liquide céphalorachidien. L'écoulement provenant de l'oreille ne doit pas être arrêté.

Les fractures du crâne sont régulièrement accompagnées d'atteinte de la colonne cervicale ; toute atteinte ou déformation de la boîte crânienne devrait donc entraîner la mise sous contrôle d'une fracture cervicale possible. De plus, toute altération de l'état de conscience devrait laisser suspecter un risque d'intoxication à une matière quelconque (bilan toxicologique) ou une altération du métabolisme des glucides (glycémie capillaire pour éliminer une hypo- ou une hyperglycémie), mais il ne faut pas non plus négliger le risque de fracture. Une radiographie du crâne et un examen scintigraphique des tissus cérébraux devront être prescrits rapidement pour éliminer les risques de saignement intracrânien et les fractures de la boîte crânienne.

La gorge et les voies respiratoires sont examinées pour déceler tout signe de contusion, de corps étranger, de saignement, d'œdème, de dent mobile ou perdue, de difficulté à déglutir, de mouvement du palais et de difficulté à ouvrir la bouche.

L'examen cervical comprend la palpation et la visualisation de la trachée pour déterminer si elle se trouve dans la ligne médiane. Une déviation de la trachée peut signaler un pneumothorax sous tension grave. De l'emphysème sous-cutané peut indiquer une rupture laryngotrachéale. Une raideur à la nuque ou une colonne cervicale douloureuse peut indiquer une fracture d'une vertèbre cervicale. La colonne cervicale doit être protégée à l'aide d'un collier cervical rigide, d'une planche dorsale, de rouleaux de serviettes ou d'autres types de rouleaux souples placés de chaque côté de la tête, et le front doit être fixé à la planche dorsale par des sangles.

Thorax. Le thorax est observé afin de déceler toute déformation de la cage thoracique (vérifier la présence d'une plaie perforante), l'amplitude respiratoire et sa symétrie, l'utilisation des muscles accessoires, les mouvements respiratoires paradoxaux (volet thoracique). La présence de cyanose ou d'acrocyanose, la sécheresse des muqueuses, le langage monosyllabique peuvent indiquer une diminution importante de l'entrée d'air. L'alignement de la trachée, la turgescence des veines du cou et la saturation sont tous des signes importants pour évaluer l'atteinte thoracique. (Le tableau 30.8 présente les symptômes spécifiques de divers traumatismes thoraciques.)

Palper toutes les zones (le sternum, les clavicules et les côtes) afin de vérifier la présence d'une déformation et de points de sensibilité douloureux. En plus de vérifier s'il y a des signes de pneumothorax sous tension ou de pneumothorax ouvert, l'infirmière doit examiner le client pour déceler la présence de côtes fracturées, de contusion pulmonaire, de contusion myocardique et de pneumothorax simple. Une auscultation pulmonaire rapide doit être effectuée afin de déceler tout signe précoce de détresse respiratoire ou d'une diminution des bruits respiratoires (pneumothorax, hémothorax) suggérant la perte de fonction d'un lobe pulmonaire par la présence d'air ou de liquide dans la cavité pleurale ou thoracique. La percussion sera faite sur une zone non ventilée ou moins bien ventilée pour déterminer la présence de liquide ou d'air. L'auscultation cardiaque recherchera les bruits cardiaques distants, signes de saignement péricardique.

Un ECG à 12 dérivations doit être effectué auprès du client, surtout s'il est âgé ou soupçonné de cardiopathie, afin de déceler les arythmies (p. ex. bradycardie).

Abdomen et bassin. Étant donné que l'abdomen est plus difficile à évaluer, il est essentiel de vérifier fréquemment les changements subtils qui peuvent se produire. Un traumatisme contondant peut être provoqué lors d'un accident d'automobile ou d'une agression. Un traumatisme pénétrant tend à léser des organes spécifiques. Une diminution des bruits intestinaux peut

TABLEAU 30.8 Traumatismes thoraciques	Pneumothorax suffocant (sous tension)	Volet thoracique	Hémothorax massif	Tamponnade cardiaque
Difficulté respiratoire (symptôme initial)	X	X		
Choc (symptôme initial)			X	X
Jugulaires distendues	X		Flasques	X
Trachée déviée du côté opposé à la lésion	X			
Mouvements paradoxaux		X		
Murmures vésiculaires atténués	X	En raison de la douleur	X	
Hypersonorité pulmonaire à la percussion du côté atteint	X			
Matité pulmonaire à la percussion du côté atteint			X	
Bruits cardiaques sourds				X

indiquer un iléus paralytique temporaire, alors que des bruits intestinaux à la région thoracique peuvent indiquer une rupture diaphragmatique. L'infirmière doit procéder à la percussion de l'abdomen pour vérifier la distension gastrique et l'irritation péritonéale. Un bruit sourd indique la présence de sang ou de liquide. Le client qui ressent une douleur au bassin lors d'une légère palpation peut souffrir d'une fracture du bassin. Les organes génitaux sont examinés afin de vérifier la présence de sang et de lésions apparentes. Un toucher rectal est effectué pour vérifier la présence de sang, d'une prostate anormalement haute et d'une perte du tonus sphinctérien.

- Installer un oreiller sous les genoux dans un matelas coquille.
- Ne jamais installer de sonde car il y a des risques élevés d'éclatement de l'urètre.
- Soumettre le client à un monitorage cardiaque complet.

Un ECG ; une radiographie du bassin, de la colonne lombosacrée ; une plaque simple de l'abdomen au lit et le bilan sanguin des clients traumatisés (formule sanguine complète, azotémie, ions, glycémie, créatinine, groupé et croisé) avec une analyse d'urine (recherche d'hématurie) devront être prescrits rapidement.

Membres. Les jambes et les bras doivent être examinés. On observe une incapacité fonctionnelle, de faux mouvements, un raccourcissement ou une déformation visible du membre atteint, une ecchymose ou de la dyschromie et de l'œdème. À la palpation, une tuméfac-tion localisée au site de la fracture peut être ressentie ; dans certains cas plus graves, on peut constater la disparition des pouls distaux, une chaleur dans le membre atteint et la perte de sensibilité dans la région distale ou avoisinante.

L'examen des signes neurovasculaires (SNV) consiste en la prise des pouls distaux ainsi qu'en la vérification de la chaleur et de la sensibilité du membre touché en aval. Dans certains centres hospitaliers (p. ex. à l'hôpital de Chicoutimi), on utilise l'acronyme MTSPC :

M = mobilisation ;
T = température ;
S = sensibilité ;
P = pulsation ;
C = coloration.

Une fracture sans déplacement et sans atteinte neurovasculaire doit être immobilisée à l'aide d'une attelle ou d'un bandage avant le déplacement du client pour éviter d'aggraver l'atteinte des tissus mous et la douleur. On doit appliquer de la glace et élever la partie distale du membre pour diminuer et ralentir l'enflure. Un membre bien stabilisé est souvent moins douloureux. Toujours aviser le client de demeurer à jeun. Si un protocole le permet dans l'établissement, on doit soulager la douleur dès que possible. Dans les centres ne disposant pas des services d'orthopédistes, certaines fractures seront stabilisées de façon temporaire dans des attelles plâtrées jusqu'au moment de la consultation en orthopédie.

S'il y a fracture avec déplacement ou que l'on doit mobiliser le client, il faut le soutenir au-dessus et au-dessous du foyer de la fracture en appliquant une

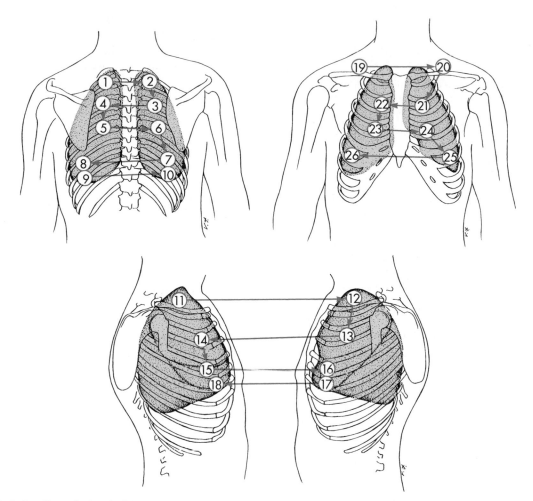

FIGURE 30.6 Sites d'auscultation du thorax

traction selon l'axe le plus long de l'os pour prévenir les mouvements d'angulation et de rotation, car le déplacement des segments osseux peut léser les tissus mous avoisinants, créer ou aggraver une hémorragie et augmenter la douleur. Il faut prendre les pouls distaux après cette manipulation, car la mise sous traction peut avoir entraîné la compression d'une artère. S'il y a disparition des pouls distaux, il faut relâcher la traction et immobiliser le membre dans la position initiale, puis aviser le médecin.

Toute fracture présentant, à l'évaluation initiale, une perte des pouls distaux devra être mise rapidement sous traction pour libérer le lit vasculaire comprimé, et le pouls sera vérifié à la fin de la manipulation. Si les pouls distaux ne réapparaissent pas malgré cette manipulation, faire évaluer rapidement le client par le médecin pour corriger la compression et éviter la nécrose du membre à son extrémité.

Les fractures ouvertes ne doivent jamais être réduites même si un segment osseux fait saillie hors de la peau. Il faut recouvrir la blessure, après désinfection, avec une gaze sèche. Une antibiothérapie prophylactique doit être administrée au client souffrant de fractures ouvertes. Les clients qui ont des fractures devraient recevoir des analgésiques.

Blessures touchant les articulations. Toute déformation d'une articulation, cavité fermée à proximité de laquelle passent des réseaux de vaisseaux sanguins et des nerfs importants, demande un traitement plus rapide. L'œdème entraîné par le traumatisme engendre de plus grands risques d'atteinte vasculaire et exigera une surveillance plus serrée.

Les fractures des articulations devront être immobilisées dans la position initiale ou la plus confortable pour le client ; ne pas oublier de vérifier les signes neurovasculaires.

La fracture de la hanche présente le plus grand risque d'hémorragie et d'embolie graisseuse. Elle apparaît surtout chez la clientèle âgée souvent confuse, dont la stabilisation demande parfois l'utilisation de plusieurs médicaments narcotiques contre la douleur et d'antipsychotiques. Ces médicaments représentent à eux seuls un danger d'atteinte respiratoire supplémentaire, d'où l'importance de soulager rapidement ce type de clientèle pour éviter l'augmentation des comportements non souhaités. La mise sous traction devra être faite avant tout déplacement.

Les contusions, foulures ou entorses sont des lésions traumatiques d'une articulation résultant de sa distorsion brutale associée à une élongation ou à une rupture des ligaments, sans déplacement des surfaces articulaires. Elles sont de moindre gravité, sauf en ce qui concerne l'entorse accompagnée d'une avulsion (arrachement osseux fait par un ligament), qui devra être traitée comme une fracture. Dans les cas de contusion, de foulure ou d'entorse, garder le membre élevé, mettre un bandage élastique pour soutenir l'articulation durant l'attente et appliquer de la glace.

La luxation est une lésion traumatique d'une articulation résultant de sa distorsion brutale associée à une élongation ou à une rupture des ligaments avec déplacement des surfaces articulaires.

Lors de la palpation, si la sortie de la tête de l'os hors de l'articulation est ressentie, le client devra être vu plus rapidement étant donné le risque de luxation. Les luxations sont accompagnées de traumatismes importants aux muscles environnants. La réduction de la luxation doit être faite sous anesthésie partielle dans un délai assez bref, car l'œdème et le spasme musculaire rendront la manœuvre de plus en plus difficile. Une attelle sera installée avant le réveil du client pour éviter que le membre se luxe à nouveau.

Atteintes à la colonne dorsolombaire. Les atteintes à la colonne dorsolombaire, bien que rarement mortelles, peuvent être gravement invalidantes (paraplégie) et nécessitent le même type de prise en charge.

Le client traumatisé doit toujours être tourné en bloc afin de permettre l'inspection du dos, et il faut prendre soin de protéger la colonne vertébrale. Le dos est inspecté pour vérifier la présence d'ecchymoses, d'abra-sions, de plaies perforantes, de coupures et de déformations apparentes, et la colonne vertébrale est palpée pour déceler tout signe de désalignement, de déformation et de douleur. Un client présentant une atteinte médullaire peut présenter des symptômes de choc.

Tout atteinte à la moelle épinière nécessite un traitement médical (voir chapitre 56).

30.1.5 Interventions et évaluation

Quels que soient les symptômes du client, toute situation d'urgence exige un examen complet et des renseignements précis sur ce dernier. Toutes les données doivent être consignées une fois que l'évaluation secondaire est complétée. Les interventions supplémentaires peuvent comprendre la mise en place d'un tube nasogastrique dans le but de réduire la distension gastrique. Le contenu du drainage nasogastrique doit être vérifié à la recherche de la présence de sang. *Un tube nasogastrique ne doit jamais être inséré dans les narines d'un client soupçonné d'avoir une fracture de la base du crâne, car celui-ci pourrait s'introduire dans le cerveau ; il faut plutôt insérer le tube par voie orale.* Une sonde à demeure est mise en place pour surveiller le débit urinaire, qui doit être d'au moins 0,5 ml/kg/h. Ce type de sonde ne doit pas être inséré si on soupçonne une déchirure urétrale. Les clients qui ont des lésions pelviennes ou du sang dans le méat ou les hommes dont la prostate est anormalement haute risquent d'avoir une déchirure urétrale. Un cystogramme pourrait s'avérer nécessaire avant l'insertion d'une sonde. La présence de sang dans les urines doit être vérifiée, et les femmes doivent subir un test urinaire de grossesse. Une prophylaxie antitétanique s'impose chez tous les clients traumatisés dont l'état immunologique contre le tétanos est inconnu (voir tableau 30.9).

TABLEAU 30.9	Prophylaxie du tétanos en cas de blessure (personnes de 7 ans et plus[1])			
Historique d'immunisation antitétanique (doses)	Plaie mineure propre		Toute autre plaie*	
	d_2T_5	TIG	d_2T_5	TIG
Inconnu ou <3 doses	Oui[2]	Non	Oui[2]	Oui
≥3 doses	Non[3]	Non	Non[4]	Non

* L'expression « toute autre plaie » désigne des plaies à risque plus élevé d'infection par *Clostridium tetani* : plaie contaminée par de la poussière, des selles, de la salive ou de la terre, plaie pénétrante (p. ex. morsure, clou rouillé), plaie contenant des tissus dévitalisés, plaie nécrotique ou gangreneuse, engelure, brûlure ou avulsion. Le nettoyage et le débridement de la plaie sont indispensables.
(1) Si la personne a moins de 7 ans, la conduite à tenir est la même, mais le d_2T_5 est remplacé par les vaccins DCaT-Polio-Hib ou DCaT-Polio (référer aux calendriers réguliers et adaptés).
(2) Poursuivre la primo-immunisation au besoin en suivant le calendrier (voir le protocole spécifique).
(3) Oui si > 10 ans depuis la dernière dose.
(4) Oui si > 5 ans depuis la dernière dose. Chez la personne immunosupprimée, on administre le vaccin et les TIG.
TIG : immunoglobulines antitétaniques.
La prophylaxie contre le tétanos doit être administrée le plus tôt possible, de préférence dans les trois jours suivant la blessure. La rapidité d'intervention tient compte de la nature de la plaie et de l'état vaccinal. Toutefois, comme la période d'incubation du tétanos peut être longue (parfois quelques mois), il est justifié d'administrer promptement la prophylaxie même si on dépasse ce délai.
Direction des communications du ministère de la Santé et des Services sociaux. *Protocole d'immunisation du Québec,* 1999. Reproduction autorisée par les Publications du Québec.

Selon l'état de ses lésions, le client doit subir des tests diagnostiques comme une tomodensitométrie (TDM), une radiographie ou une imagerie par résonance magnétique (IRM), ou il doit être admis à une unité de soins généraux ou intensifs. Il incombe à l'infirmière du service des urgences de surveiller le client traumatisé au cours du transport et d'aviser l'équipe de traumatologie si son état change par rapport à son état initial.

Accidents vasculaires cérébraux (AVC). Au Canada, le taux de mortalité par accident vasculaire cérébral a baissé de ± 50 % depuis 20 ans et atteint actuellement 0,5 % par habitant par année, ce qui représente 7 % de toutes les causes de décès.

L'une des clés ouvrant la porte au déroulement positif suite à un AVC aigu constitue la rapidité de l'évaluation, de la localisation de la lésion et de la définition du mécanisme pathologique. L'arrivée rapide à un centre hospitalier disposant des services d'un neurochirurgien peut améliorer le pronostic. Les signes majeurs observables sont une déviation de la bouche, une perte ou une diminution de la force musculaire latéralisée et une atteinte possible de l'état cognitif (désorientation dans le temps, l'espace ; la personne peut ne plus reconnaître certains objets ou leur utilité). Une glycémie capillaire et la prise des signes neurologiques et des signes vitaux, y compris la température, sont essentiels pour l'évaluation. Il faut reconnaître les complications et traiter le client sans délai. L'importante hypertension est habituellement transitoire et il serait sage de ne pas l'abaisser trop rapidement afin de maintenir l'irrigation de la zone voisine de l'infarctus cérébral. Si une thrombolyse est prescrite, on abaissera la pression artérielle si elle est >240/130 avant d'instaurer le traitement. C'est après la tomographie axiale commandée par ordinateur (TACO) cérébrale, qui élimine la possibilité d'un AVC hémorragique, que doit se prendre la décision de thrombolyser le client. *Le délai ne doit pas dépasser 3 heures entre l'apparition des premiers symptômes et le début de la perfusion thrombolytique.* Voir le chapitre 54 pour connaître tous les examens diagnostiques nécessaires avant le départ du client et le mode d'administration des différents types d'agents thrombolytiques. Voir aussi les autres traitements offerts en cas de contre-indication à la thrombolyse cérébrale.

30.1.6 Décès à l'unité d'urgence

Il arrive malheureusement que certains clients décèdent avant l'arrivée à l'unité d'urgence ou quelques heures après. Il est important que l'infirmière de l'unité d'urgence soit capable de surmonter ses sentiments à l'égard de la mort afin de bien accompagner la famille et les proches.

L'infirmière doit reconnaître l'importance de certains rituels pour les clients d'ethnies différentes. De plus, elle doit connaître la politique et les procédures de l'établissement en ce qui a trait aux effets personnels, à l'autopsie, au transfert à la morgue, etc. Lorsqu'un membre de la famille demande à être présent, il est important qu'un membre de l'équipe soignante puisse lui expliquer les soins administrés et soit à sa disposition pour répondre aux questions.

CONSIDÉRATIONS ÉTHIQUES
Mort cérébrale   ENCADRÉ 30.4

Situation
L'infirmière du service des urgences reçoit un appel radio des ambulanciers à propos d'un jeune homme qui a été impliqué dans un accident de motocyclette. Le client ne portait pas de casque et il présente une grande fracture ouverte au crâne : une substance grise s'écoule de la région atteinte. Le transport depuis le lieu de l'accident a été retardé de 45 minutes en raison de la chute de lignes électriques. En route vers le centre hospitalier, le client a subi un arrêt cardiorespiratoire. Les ambulanciers prévoient un autre 45 minutes avant l'arrivée au centre hospitalier en raison du mauvais temps. Le personnel du secours médical d'urgence demande la permission d'arrêter les efforts de réanimation.

Discussion
Chez ce client, la gravité du traumatisme et l'étendue des dommages au cerveau ont été compliquées par le retard à administrer des soins immédiats en réanimation cardiorespiratoire. La description des lésions du client associées à l'arrêt cardiorespiratoire suggère une mort cérébrale. Il y a une très faible chance que le cœur du client puisse être réanimé ; toutefois, la probabilité de survie cérébrale est infime. Un centre hospitalier n'est pas tenu de poursuivre des soins médicaux inutiles pour un client en état de mort cérébrale qui ne peut pas survivre, même avec une intervention mécanique.

Considérations d'ordre éthique et juridique
À l'origine, la définition de la mort cérébrale a été élaborée en 1968 par la *Harvard Medical School Ad Hoc Committee* en réponse à la technologie qui permettait de continuer à faire fonctionner le cœur et les poumons, même sans activité du tronc cérébral.
- Lorsque le client en état de mort cérébrale est maintenu grâce à un soutien mécanique, le cœur et les poumons cessent éventuellement de fonctionner. Il est inutile sur le plan médical de poursuivre le traitement d'un client en état de mort cérébrale.
- Les critères de mort cérébrale ne s'appliquent pas aux clients dans un état végétatif permanent ou aux nourrissons anencéphaliques puisque le tronc cérébral de ces clients est adéquat pour maintenir la fonction du cœur et des poumons.

30.2 SITUATIONS D'URGENCE LIÉES À L'ENVIRONNEMENT

L'engouement croissant pour les activités de plein air comme la course, la randonnée pédestre, le vélo, le ski, la voile, l'escalade, la planche à neige et la nage a également fait augmenter le nombre de situations d'urgence liées à l'environnement dans les services des urgences. Il est possible qu'une affection ou une lésion soit causée au cours d'une activité en raison d'une exposition à une température chaude ou froide ou d'une attaque par un animal. Les situations d'urgence spécifiques liées à l'environnement qui seront traitées ci-dessous comprennent le stress thermique et le stress lié au froid, la noyade et la quasi-noyade, les fractures, les morsures, les piqûres d'insectes et les intoxications.

30.2.1 Situations d'urgence liées à la chaleur

Une brève exposition à une chaleur intense ou une exposition prolongée à une chaleur moins intense entraîne un stress thermique lorsque les mécanismes thermorégulateurs comme la sudation, la vasodilatation et l'augmentation de la respiration sont incapables de compenser l'accroissement de la température ambiante. Celle-ci dépend de la température environnementale et de l'humidité. (Le chapitre 6 traite de la thermorégulation.) Des activités vigoureuses effectuées dans un milieu chaud et humide, le port de vêtements qui entravent la respiration, une fièvre élevée et une maladie préexistante prédisposent les personnes au stress thermique (voir encadré 30.5). Les effets peuvent être légers (érythème calorique ou œdème dû à la chaleur) ou graves (épuisement dû à la chaleur et coup de chaleur). Le stress thermique constitue la principale cause de décès chez les athlètes. Les urgences thermiques spécifiques sont l'érythème calorique, l'œdème dû à la chaleur, les crampes de chaleur, la syncope de chaleur, l'épuisement dû à la chaleur et le coup de chaleur (voir tableau 30.10).

L'**érythème calorique** (miliaire ou bourbouille) est une éruption papuleuse fine et rouge qui apparaît sur le thorax, le cou et les plis cutanés. L'éruption a lieu lorsque les conduits sudoripares sont obstrués et s'enflamment, ce qui empêche la transpiration. Bien que ce type d'éruption se produise normalement lorsque la température est chaude, elle peut également se manifester par temps froid à cause des vêtements.

La **syncope de chaleur** est associée à une position debout pendant une exposition prolongée à la chaleur. Les manifestations cliniques comprennent des étourdissements, de l'hypotension orthostatique et une syncope. Les personnes âgées sont plus vulnérables à cet état, puisque le tonus vasomoteur peut devenir insuffisant en vieillissant.

ENCADRÉ 30.5 — Facteurs de risque relatifs aux situations d'urgence liées à la chaleur

Âge
- Personne âgée
- Nourrisson

État du milieu environnant
- Température ambiante élevée
- Humidité relative élevée
- Faible vent

Maladie préexistante
- Maladie cardiovasculaire
- Antécédents d'AVC ou autre lésion du SNC
- Obésité
- Diabète
- Fibrose kystique
- Affection cutanée (p. ex. grandes cicatrices de brûlure)

Médicaments d'ordonnance
- Anticholinergiques
- Phénothiazines
- Butyrophénones
- Antidépresseurs tricycliques
- Antihistaminiques
- Antispasmodiques
- Diurétiques
- Médicaments antiparkinsoniens
- β-bloquants

Drogues illicites
- Diéthylamide de l'acide lysergique (LSD)
- Stramoine commune
- Amphétamines
- Phencyclidine (PCP)
- Alcool

Tiré de Newberry L., éd. : *Sheehy's Emergency Principles and Practice*, 4e éd., St. Louis, Mosby, 1998.
AVC : accident vasculaire cérébral ; SNC : système nerveux central.

L'**œdème dû à la chaleur** se caractérise par l'inflammation des mains, des pieds et des chevilles lors d'une période prolongée en position debout ou assise chez les personnes qui ne sont pas habituées à la chaleur. L'inflammation disparaît souvent après quelques jours de repos, quand on prend soin d'élever les membres et de porter des bas élastiques. Les diurétiques ne sont pas recommandés, puisque cet état évolue spontanément vers la guérison et ne nécessite aucun traitement supplémentaire.

Les **crampes de chaleur** sont de graves crampes dans les grands groupes musculaires, qui sont fatigués en raison d'un travail exténuant. Les crampes sont brèves, intenses et tendent à se produire au repos après un exercice ou un travail exténuant. Il y a souvent présence de nausées, de tachycardie, de pâleur, de faiblesse, de diaphorèse profuse. Cet état se produit surtout chez les athlètes en santé qui sont habitués à la chaleur et qui ont un apport hydrique adéquat. Une

SOINS D'URGENCE

TABLEAU 30.10   Hyperthermie

Cause	Constatations	Interventions
Environnementale Manque d'habitude Exposition prolongée à des températures extrêmes Baignoire à remous Effort physique **Traumatique** Traumatisme crânien **Métabolique** Thyrotoxicose Diabète Déshydratation **Médicamenteuse (et autres substances)** Médicaments sympathomimétiques β-bloquants Diurétiques Cocaïne Alcool Antihistaminiques Tranquillisants **Autres** Maladie cardiovasculaire Lésions du SNC	**Érythème calorique** Érythème sur le torse, le cou, les plis cutanés **Œdème dû à la chaleur** Œdème aux mains, aux pieds, aux chevilles **Crampes de chaleur** Contractions musculaires graves **Syncope de chaleur** Syncope Étourdissements Hypotension **Épuisement dû à la chaleur** Fatigue, faiblesse Transpiration profuse Anxiété, irritabilité Céphalée Nausées et vomissements Hypotension Tachycardie Pouls faibles et filants Peau froide et moite Altération de l'état de conscience Température rectale ≥40 °C **Coup de chaleur** Céphalée Tremblements Nausées et vomissements Ataxie Peau chaude et sèche Altération de l'état mental Hypotension Tachycardie Convulsions Coma Température rectale >40,6 °C	**Interventions initiales** S'assurer que les voies respiratoires sont libres. Se référer au texte pour le traitement de l'érythème calorique, de l'œdème dû à la chaleur, des crampes de chaleur et de la syncope de chaleur. Établir un accès intraveineux et commencer rapidement le remplacement liquidien en présence d'une lésion thermique importante. Enlever les vêtements du client et commencer les interventions de refroidissement en enveloppant le client dans des draps humides et en appliquant des sacs de glace sur les aines, le cou et le torse. Obtenir le taux d'électrolytes sériques, effectuer un ECG et une formule sanguine complète. Insérer une sonde urinaire. Refroidir rapidement. Utiliser une couverture de refroidissement si la température ne diminue pas à l'aide des mesures d'évaporation. **Surveillance continue** Surveiller les signes vitaux, l'état de conscience, le rythme cardiaque, la saturation en oxygène, les électrolytes et le débit urinaire. Vérifier l'urine pour déceler l'apparition de myoglobinurie à la suite d'une dégradation musculaire.

SNC : système nerveux central.

transpiration profuse et l'ingestion d'eau ou d'autres solutions contenant peu de sodium entraînent une déplétion sodique et une hyponatrémie. Les crampes disparaissent rapidement avec du repos et un remplacement hydrosodique par voie orale ou parentérale. L'élévation du membre, un massage délicat et la prise d'analgésiques aident à diminuer la douleur associée aux crampes de chaleur. Le client doit éviter toute activité intense pendant au moins 12 heures suivant le congé de l'urgence. Il est important de mentionner au client qu'il doit remplacer le sel perdu pendant un exercice astreignant pratiqué dans un milieu chaud et humide. Les boissons électrolytiques vendues commercialement comme Gatorade, Powerade et All Sports sont recommandées.

Brûlures. La brûlure est une atteinte plus ou moins profonde du tissu cutané. Elle doit être évaluée avec diligence. Un diagnostic rapide associé à un traitement approprié amorcé promptement préserveront le pronostic et diminueront l'étendue cicatricielle et la limitation fonctionnelle.

Le sujet des brûlures étant déjà présenté au chapitre 51, nous ne traiterons ici que des critères d'évaluation qui permettent de diriger correctement le client pour accélérer son traitement.

Évaluation. L'évaluation exige de l'infirmière qu'elle recueille le plus de renseignements possibles sur la brûlure, notamment :
- les circonstances détaillées entourant la brûlure, la date et l'heure de sa survenue ;

- la durée du contact avec l'agent causal (p. ex. électrique) ;
- le type d'agent brûlant (p. ex. électrique, chimique ou thermique) :
  • électrique : rechercher le point d'entrée et de sortie (risques principaux : brûlures internes, déshydratation, fractures par projection et arrêt cardiaque),
  • chimique : savoir s'il s'agit d'un acide ou d'une base pour amener l'antidote approprié au besoin (risques principaux : déshydratation des cellules touchées et perforation d'organes lorsque l'agent brûlant est ingéré. Il faut cesser le contact rapidement et le neutraliser),
  • thermique (risques principaux : déshydratation et infection) :
    - y a-t-il eu une explosion (éliminer les risques de polytraumatisme) ?
    - la notion d'atmosphère confinée augmente le risque d'intoxication ou de brûlure par inhalation par des gaz toxiques ou caustiques ;
- la profondeur de la brûlure. Elle fait la gravité de la brûlure et d'elle dépendra le mode de cicatrisation, sa durée et les complications cicatricielles :
  • le 1er degré est une rougeur simple et douloureuse,
  • le 2e degré est accompagné de phlyctènes ; plus celles-ci demeurent roses et sensibles, plus la brûlure est superficielle,
  • le 3e degré débute avec l'apparition d'un placard plan induré, insensible à la douleur et au toucher, dont le centre peut atteindre toutes les structures sous-jacentes selon leur profondeur. (Le tableau 51.2 présente les degrés d'intensité des brûlures.) ;
- l'étendue est le second élément de gravité du brûlé. Elle est évaluée à l'aide du tableau exprimant le pourcentage attribué à chacune des surfaces corporelle touchée selon la règle des 9. Une brûlure à >15 % chez l'enfant et >30 à 35 % chez l'adulte nécessite une hospitalisation dans un centre des grands brûlés (voir figure 51.4) ;
- la localisation : on recherche des atteintes associées qui peuvent augmenter le risque de mortalité :
  • oto-rhino-laryngologique : brûlures des voies respiratoires supérieures,
  • ophtalmologique : pronostics fonctionnels diminués (œil) ;
- la recherche des traumatismes associés (fracture cervicale à la suite d'une explosion) ;
- la localisation dans les plis de flexion et l'atteinte des organes génitaux ;
- le type de clientèle : les risques augmentent dans les âges extrêmes (nourrisson ou vieillard), et les maladies graves associées comme les insuffisances chroniques (p. ex. insuffisance cardiaque, pulmonaire et rénale) seront prises en considération pour déterminer la gravité de la brûlure. Vérifier s'il y a eu des ECG antérieurs.

Prise en charge et traitements pour empêcher l'aggravation de la situation
- Assurer la perméabilité des voies respiratoires.
- Traiter les urgences vitales (arrêt cardiorespiratoire).
- Supprimer l'agent causal brûlant, au besoin déshabiller le client mais le réchauffer rapidement (risque important d'hypothermie).
- Baigner la partie atteinte ou les brûlures thermiques, laver à grande eau les brûlures chimiques ou neutraliser le produit s'il a été ingéré ou projeté dans les yeux.
- Couvrir les plaies.
- Faire les prélèvements sanguins (formule sanguine complète, azote uréique du sang, créatinine, ionogramme, glycémie, aspartate transférase et créatine kinase) et un ECG.
- Installer une sonde urinaire avec une diurèse horaire pour une meilleur gestion de l'apport hydrique.
- Assurer un monitorage cardiaque pour les brûlures électriques pendant 24 à 48 h.

Instaurer la thérapie intraveineuse et la suite des traitements selon le type de brûlure, tel qu'il est suggéré dans le chapitre 51.

Épuisement dû à la chaleur. Une exposition prolongée à la chaleur durant des heures ou des jours entraîne un épuisement. Ce syndrome se caractérise par de la fatigue, des étourdissements, des nausées, des vomissements, de la diarrhée et un sentiment de danger imminent (voir tableau 30.10). Il y a aussi présence de tachypnée, d'hypotension, de tachycardie, d'une élévation de la température, de pupilles dilatées, d'une confusion légère, d'un teint grisâtre et d'une diaphorèse profuse. L'hypotension orthostatique et une élévation de la température allant de légère à grave (37 à 40,6 °C) sont attribuables à une déshydratation. Bien que l'épuisement dû à la chaleur survienne souvent chez les personnes qui pratiquent une activité intense par temps chaud et humide, elle peut aussi se produire chez les personnes sédentaires.

Le traitement débute par l'installation du client dans un endroit frais et le retrait des vêtements contraignants. Un remplacement liquidien et électrolytique doit être amorcé, sauf si le client éprouve des nausées. Les comprimés de chlorure de sodium ne sont pas recommandés en raison de la possibilité d'irritation gastrique et d'hypernatrémie. Une solution saline physiologique à 0,9 % est administrée par voie intraveineuse lorsque le client ne tolère pas les préparations orales. Un bolus liquidien initial peut être administré pour corriger l'hypotension. Cependant, ce remplacement doit correspondre aux paramètres cliniques et aux paramètres de laboratoire. Le client peut être enveloppé dans un drap humide pour faire chuter la température centrale grâce à une perte de chaleur par évaporation. On envisage l'admission au centre hospitalier des personnes âgées, des malades chroniques ou des personnes dont l'état ne s'améliore pas après trois à quatre heures.

Coup de chaleur. Le coup de chaleur représente la plus grave forme de stress thermique et est courant lorsque la température ambiante est excessive et que le taux d'humidité est élevé. L'encadré 30.5 énumère les facteurs de risque relatifs aux situations d'urgence liées à la chaleur, notamment le coup de chaleur. La tentative de l'organisme à faire baisser la température en augmentant la sudation, la vasodilatation et la fréquence respiratoire provoque une diminution des liquides et des électrolytes. Les glandes sudoripares cessent éventuellement de fonctionner, de sorte que la température centrale augmente rapidement et s'élève à plus de 40,6 °C. L'état mental est altéré, il y a absence de transpiration et présence d'un collapsus respiratoire. La peau est chaude, sèche et grisâtre. Étant donné que le cerveau est extrêmement sensible aux lésions thermiques, divers symptômes neurologiques peuvent survenir, comme des hallucinations, la perte de coordination musculaire et l'agressivité. Un œdème cérébral et une hémorragie peuvent survenir en raison d'une lésion thermique directe au cerveau et d'une diminution du débit sanguin cérébral.

Le taux de mortalité associé au coup de chaleur est de 70 %. Le pronostic est lié à l'âge, à la santé et à la durée de l'exposition. Les personnes âgées et les personnes atteintes de diabète, de néphropathie chronique, de maladie cardiovasculaire, de maladie pulmonaire ou de toute autre altération physiologique sont particulièrement vulnérables.

Processus thérapeutique. Le traitement du coup de chaleur vise à réduire rapidement la température centrale et à traiter les complications ultérieures. L'administration d'oxygène pur compense pour l'état hypermétabolique du client. Il peut être nécessaire d'intuber et de ventiler le client à l'aide d'un ballon-masque autoremplisseur. Étant donné que le client ne souffre habituellement pas d'hypovolémie, une réanimation liquidienne de un à deux litres de solution saline physiologique à 0,9 % pendant les quatre premières heures est normalement suffisante. Le Lactate Ringer n'est pas recommandé puisque le foie ischémique est incapable de métaboliser le lactate en bicarbonate.

Les méthodes conventionnelles de refroidissement comprennent une pulvérisation d'eau tiède, l'utilisation de ventilateurs et l'application de sacs de glace sur la tête, les aines, les aisselles et le cou. Les bains de glace, les frictions à l'alcool et les antipyrétiques sont déconseillés. Des techniques de refroidissement plus radicales peuvent être utilisées lorsque les méthodes conventionnelles ne fonctionnent pas. Il n'est pas recommandé d'immerger le client dans l'eau, puisque la vasoconstriction périphérique massive qui se produit peut nuire au refroidissement. Des couvertures refroidissantes peuvent être utilisées. Cependant, la peau se refroidit 25 fois plus rapidement lorsqu'elle est mouillée que lorsqu'elle est sèche. Un lavage à l'eau glacée, une dialyse péritonéale à l'eau froide ou un pontage cardiorespiratoire sont utilisés dans les cas extrêmes d'hyperthermie.

Les efforts de refroidissement sont compliqués par les tremblements, puisque l'activité musculaire en cause augmente la température centrale. La chlorpromazine (Largactil) par voie intraveineuse constitue le médicament de choix pour freiner les tremblements. Un traitement énergique visant à réduire la température doit se poursuivre jusqu'à ce que la température centrale atteigne 38,8 °C. Un autre traitement consiste à administrer une corticothérapie comprenant de la méthylprednisolone (Solu-Medrol) en présence d'œdème cérébral et du mannitol (Osmitrol) lorsque le débit urinaire est inférieur à 0,5 ml/kg/h. Les antipyrétiques ne sont pas recommandés. La dégradation musculaire associée à l'hypothermie entraîne une myoglobinurie, ce qui risque de porter atteinte aux reins. Par conséquent, il est important de surveiller attentivement la couleur, la quantité et le pH de l'urine, ainsi que la présence d'hémoglobine.

30.2.2 Situations d'urgence liées au froid

Les lésions liées au froid peuvent être localisées (engelure) ou systémiques (hypothermie). Les facteurs qui contribuent à ces lésions sont l'âge, la durée de l'exposition, la température ambiante, les états préexistants (p. ex. diabète, maladie de Raynaud), les médicaments contre les tremblements (narcotiques, héroïne, psychotropes et antiémétiques) et l'intoxication à l'alcool, qui cause une vasodilatation périphérique, augmente les sensations de chaleur et diminue les tremblements. Les fumeurs sont plus vulnérables aux lésions liées au froid en raison des effets vasoconstricteurs de la nicotine.

Engelure. La vasoconstriction périphérique diminue le débit sanguin pour réagir à l'exposition au froid. Le débit sanguin cutané moyen chez une personne de 70 kg est de 200 à 250 ml/min. Le stress thermique augmente ce débit jusqu'à 700 ml/min, alors qu'une vasoconstriction due au froid peut réduire le débit sanguin cutané à moins de 50 ml/min. À mesure que la température cellulaire baisse et que des cristaux de glace se forment dans les espaces intracellulaires, le sodium et le chlorure intracellulaires augmentent, la membrane cellulaire est détruite et les organites sont endommagés. La profondeur de l'engelure dépend de la température ambiante, de la durée de l'exposition, du type de vêtements et de leur état (secs ou mouillés) et du contact avec des surfaces de métal. D'autres facteurs qui influent sur la gravité de l'engelure comprennent la couleur de la peau (les personnes à la peau foncée sont plus vulnérables aux engelures), le manque d'habitude aux températures froides, des épisodes précédents, l'épuisement et un mauvais état vasculaire périphérique (p. ex. insuffisance artérielle ou veineuse).

L'engelure superficielle touche à la peau et au tissu sous-cutané, souvent les oreilles, le nez, les doigts et les orteils. La peau est pâle, cireuse et semble craquée et gelée. Le client peut signaler des fourmillements, des engourdissements et des sensations de brûlure. Puisqu'il est facile d'endommager les lésions cutanées, il est important de manipuler cette région soigneusement et de ne jamais la comprimer, la masser ni la frotter. Les vêtements et les bijoux doivent être enlevés, car ils peuvent nuire à la circulation du sang vers les membres et les extrémités. La région touchée doit être élevée et des bas chauds (40 à 43 °C) doivent être enfilés au client. On ne doit pas tenter de réchauffer la région en appliquant de la neige ou de la glace ni en utilisant une flamme. Le client ressent souvent une sensation de chaleur et de brûlure lorsque les tissus dégèlent. Des phlyctènes apparaissent après quelques heures (voir figure 30.7), et celles-ci doivent être débridées et recouvertes d'un pansement stérile. Il faut éviter les couvertures et les vêtements lourds, car leur friction et leur poids peuvent entraîner une escarre. Le réchauffement est extrêmement douloureux. La douleur résiduelle peut durer des semaines, voire même des années. Des analgésiques doivent être administrés, de même qu'une prophylaxie antitétanique au besoin (voir tableau 30.9). L'état du client doit être évalué pour déceler tout signe d'hypothermie systémique.

L'engelure profonde touche les muscles, les os et les tendons. La peau est blanche, dure et insensible au toucher. La région a l'apparence d'une lésion thermique profonde et présente des mouchetures, qui se transforment graduellement en gangrène (voir figure 30.8). Le membre touché doit être immergé dans un bain d'eau circulante (40 à 42 °C) jusqu'à l'apparition d'une coloration normale. Un œdème important peut se manifester après trois heures et des phlyctènes peuvent apparaître six heures à quelques jours suivant l'engelure. Une analgésie parentérale est nécessaire dans les cas d'engelure grave en raison de la douleur associée au dégel des tissus. La victime peut devoir se faire amputer le membre si la région endommagée n'est pas traitée ou si le traitement est inefficace. Lorsque la plaie risque de s'infecter, le client est admis en centre hospitalier pour observation pendant 24 à 48 heures. Dans une telle situation, le repos au lit est prescrit, le membre lésé est élevé et une antibiothérapie prophylactique est administrée.

Hypothermie. L'exposition environnementale à des températures inférieures au point de congélation, à des vents froids et humides, à un terrain humide associée à un épuisement physique, à des vêtements inadéquats ou à l'inexpérience prédisposent les personnes à l'hypothermie. La quasi-noyade et l'immersion dans l'eau y sont associées. Les personnes âgées sont plus vulnérables à l'hypothermie en raison d'une diminution de la mobilité, d'une baisse des réserves énergétiques, d'un ralentissement du métabolisme basal, d'une réduction des réactions aux tremblements, de la perception sensorielle ou encore à cause d'affections chroniques et de la prise de médicaments qui altèrent les défenses corporelles. Étant donné que l'hypothermie ressemble aux troubles cérébraux et métaboliques qui entraînent une ataxie, une confusion et un repli sur soi, il est possible qu'un diagnostic erroné soit posé.

L'hypothermie se définit comme une température centrale de moins de 35 °C et apparaît lorsque la chaleur produite par le corps est incapable de compenser la chaleur perdue dans le milieu ambiant. Entre 55 et 60 % de toute la chaleur corporelle est perdue sous forme d'énergie radiante, dont la principale perte provient de la tête et du thorax, ainsi que de la respiration. La vasoconstriction

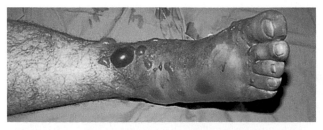

FIGURE 30.7 Œdème et formation de cloques 24 heures après des engelures aux pieds. Le client portait des bottes très ajustées.

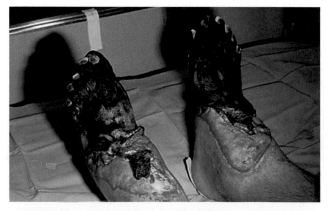

FIGURE 30.8 Nécrose gangreneuse six semaines après la lésion causée par l'engelure illustrée à la figure 30.7

périphérique constitue la première tentative du corps à conserver la chaleur. Les vêtements mouillés augmentent de cinq fois la perte de chaleur par évaporation par rapport à l'évaporation normale, alors que l'immersion dans l'eau froide l'accroît de 25 fois. Le vent augmente la perte de chaleur en diminuant la température ambiante par la conduction. Le corps produit principalement de la chaleur grâce à l'apport calorique. À mesure que les températures froides persistent, les tremblements et les mouvements constituent les seuls mécanismes corporels qui permettent de produire de la chaleur. Le décès survient habituellement lorsque la

température centrale chute sous 25,6 °C. Toutefois, il y a déjà eu des cas de survie chez des personnes dont la température centrale atteignait 17 °C.

Une température centrale inférieure à 30,5 °C est grave et peut mettre en danger la vie de la victime. Les constatations sont variables en cas d'hypothermie et dépendent de la température centrale (voir tableau 30.11). Les clients souffrant d'**hypothermie légère** (33 à 35 °C) montrent des signes de tremblements, de léthargie, de confusion, de comportement rationnel à irrationnel et de légers changements dans la fréquence cardiaque. Les tremblements cessent lorsque

SOINS D'URGENCE

TABLEAU 30.11 Hypothermie

Cause	Constatations	Interventions
Environnementale Exposition prolongée au froid Immersion prolongée Transpiration excessive Vêtements inadéquats pour la température ambiante **Physiologique** Lésion crânienne Hypoglycémie **Iatrogène** Liquides intraveineux froids Administration de sang Réchauffement inadéquat dans le service des urgences ou lors de la chirurgie **Autres** Médicaments Éthanol	Tremblements Somnolence Apathie Apragmatisme, aréflexie Coma Cyanose Diminution de la fréquence respiratoire, de la fréquence du pouls, de la température, de la pression sanguine Extrémités bleues, blanches ou gelées Arythmies : bradycardie, asystolie, fibrillation ventriculaire Empoisonnement Antécédents d'exposition	**Interventions initiales** Enlever le client du milieu froid. S'assurer que les voies respiratoires sont libres. Administrer de l'oxygène à l'aide d'une canule nasale ou d'un masque sans réinspiration. Établir un accès intraveineux à l'aide de deux cathéters de gros calibre et administrer une perfusion de solution saline physiologique et chaude ou de Lactate Ringer. Vérifier la présence d'autres lésions. Enlever les vêtements mouillés du client et l'envelopper dans des couvertures chaudes, l'installer sur un matelas chauffant. Procéder à un réchauffement passif à l'aide d'oxygène humidifié et chaud. Garder la tête du client couverte à l'aide de serviettes chaudes et sèches ou d'une tuque. Réchauffer lentement (1 °C/h) pour éviter l'irritabilité cardiaque attribuable à un retour soudain de sang froid au cœur. Manipuler le client doucement pour éviter d'augmenter l'irritabilité cardiaque. Ne pas frotter les régions où une engelure est soupçonnée. Prévoir l'intubation s'il y a diminution ou absence du réflexe laryngé. Prévoir des traitements de réchauffement énergétiques si le client ne réagit pas aux couvertures chaudes, aux liquides intraveineux chauds et à l'oxygène humidifié et chaud. Ces traitements comprennent un lavage gastrique chaud, une thoracotomie, un pontage cardiorespiratoire, un lavage péritonéal, un réchauffement de l'œsophage, un réchauffement pleural et un lavage vésical. **Surveillance continue** Surveiller les signes vitaux, l'état de conscience, la saturation en oxygène, le rythme cardiaque, la température. L'absence de tremblements indique une hypothermie grave. Ne pas administrer de médicaments par voie intramusculaire.

la température est inférieure à 32 °C. Une **hypothermie modérée** (31 à 33 °C) entraîne de la rigidité, de la bradycardie, un ralentissement de la fréquence respiratoire, de l'acidose métabolique et respiratoire et de l'hypovolémie, et la pression sanguine ne peut être prise que par Doppler.

Lorsque la température centrale chute de 10 °C, le métabolisme basal ralentit de deux à trois fois. Étant donné que le myocarde froid est extrêmement irritable, tout mouvement peut précipiter la fibrillation ventriculaire. La diminution du débit sanguin rénal réduit le débit de filtration glomérulaire, ce qui empêche la réabsorption d'eau et entraîne de la déshydratation. L'hématocrite augmente à mesure que le volume intravasculaire diminue. Le sang froid s'épaissit et agit comme un thrombus, ce qui prédispose le client à un AVC, à un infarctus du myocarde, à une embolie pulmonaire, à une nécrose tubulaire aiguë ou à une insuffisance rénale. Une diminution du débit sanguin entraîne une accumulation d'acide lactique provenant du métabolisme anaérobie et de l'acidose métabolique ultérieure.

Dans les cas d'**hypothermie profonde** (<30,5 °C), la victime semble décédée. Le métabolisme, la fréquence cardiaque et les respirations sont tellement lents qu'ils peuvent être difficiles à déceler. Les réflexes sont absents et les pupilles sont fixes et dilatées. Il peut y avoir manifestation de bradycardie profonde, d'asystolie ou de fibrillation ventriculaire. Toutes les interventions sont destinées à faire augmenter la température du client au-dessus de 32 °C avant de le déclarer mort. Le décès est habituellement causé par une fibrillation ventriculaire réfractaire.

Processus thérapeutique. Le traitement de l'hypothermie vise à réchauffer le client, à corriger la déshydratation et l'acidose, à maintenir les voies respiratoires dégagées et à traiter les arythmies cardiaques (voir tableau 30.11). Le **réchauffement passif** est utilisé pour traiter l'hypothermie légère. Le client est amené dans un endroit chaud et sec, ses vêtements mouillés sont enlevés et il est enveloppé dans des couvertures chaudes. Une manipulation en douceur est essentielle pour prévenir la stimulation du myocarde froid.

Le **réchauffement actif externe** à l'aide de couvertures chaudes, d'un matelas chauffant et de lampes à chaleur radiante sert à traiter l'hypothermie modérée. Le client doit être surveillé attentivement à la recherche d'une vasodilatation et d'une hypotension marquées. Le **réchauffement actif de la température centrale** fait référence à la chaleur directement appliquée à l'ensemble du corps. Les techniques comprennent l'administration d'oxygène humidifié et réchauffé à une température variant entre 40,5 et 46,1 °C et la perfusion intraveineuse de liquides réchauffés, un lavage vésical, un lavage gastrique, une dialyse péritonéale, une hémodialyse, une circulation

extracorporelle et un lavage médiastinal par le biais d'une thoracotomie.

Le client atteint d'hypothermie présente un risque de fibrillation ventriculaire lorsque sa température centrale chute sous 28 °C. Étant donné que la fibrillation ventriculaire ne répond pas au traitement conventionnel lorsque la température centrale est basse, il est recommandé d'effectuer une seule tentative de défibrillation. Il est important d'administrer uniquement les médicaments intraveineux essentiels et de ne donner aucune injection intramusculaire en raison de la faible irrigation et de la mauvaise absorption des médicaments.

La température centrale doit être surveillée attentivement pendant les mesures de réchauffement, car le client pourrait subir un choc de réchauffement, qui entraîne une chute de la température centrale lorsque le sang périphérique froid retourne dans la circulation centrale. *Le réchauffement doit être interrompu une fois que la température centrale du client a atteint 34 °C. Il ne faut pas que la température soit augmentée de plus de 1 °C l'heure.* La réanimation liquidienne, qui comporte des liquides intraveineux réchauffés, doit être liée à l'état hémodynamique et à l'état respiratoire.

L'enseignement en vue du congé de l'urgence vise à informer le client sur la façon d'éviter ces problèmes à l'avenir. L'information essentielle doit comprendre le port de vêtements adaptés lorsque la température est froide, le fait de se couvrir la tête, d'apporter des aliments riches en glucides pour ingérer des calories supplémentaires et l'élaboration d'un plan de survie en cas d'accident. Les sans-abri doivent être logés jusqu'à ce qu'ils soient complètement rétablis.

30.2.3 Noyade et quasi-noyade

Selon Statistique Canada, en 1998, on comptait 309 décès par noyade et immersion accidentelle. En 2000, selon la Croix-Rouge canadienne, les décès reliés à l'eau frappent les personnes de tout âge, depuis les très jeunes enfants jusqu'aux personnes âgées. La noyade chez les tout-petits se classe au deuxième rang des causes de décès par traumatisme. Pour chaque tout-petit (de 1 à 4 ans) qui se noie, de 6 à 10 autres sont hospitalisés en raison d'une quasi-noyade et 20 % d'entre eux sont atteints de lésions cérébrales permanentes. Toujours selon la Croix-Rouge canadienne, dans un bon nombre de ces décès, un facteur clé est le manque de surveillance et l'exposition aux risques associés à l'eau dans une maison et autour de celle-ci. La consommation d'alcool constitue le facteur de risque le plus fréquent dans tous les décès reliés à l'eau.

La **noyade** se traduit par une suffocation attribuable à l'immersion dans l'eau ou d'autres sources de liquide qui entraîne la mort. La **quasi-noyade** se définit comme la survie à la suite d'une noyade imminente. Le

syndrome d'immersion a lieu à la suite d'une immersion dans l'eau froide et entraîne une stimulation du nerf vague et des arythmies potentiellement mortelles.

La mort attribuable à une noyade est causée par de l'hypoxie, qui est consécutive à une aspiration ou à une obstruction des voies respiratoires. La plupart des victimes de noyade aspirent de l'eau dans l'arbre pulmonaire et présentent de l'œdème pulmonaire. Les victimes qui n'aspirent pas de liquide subissent un bronchospasme intense et une obstruction des voies respiratoires, ce qui est à l'origine de la noyade sèche. Quel que soit le liquide aspiré dans l'arbre pulmonaire, le résultat final est l'œdème pulmonaire. Le gradient osmotique causé par le liquide aspiré entraîne des déséquilibres hydriques dans l'organisme. L'eau douce hypotonique est rapidement absorbée dans l'appareil circulatoire par les alvéoles. Cette eau peut être contaminée par du chlore, de la boue et des algues, causant la détérioration du surfactant pulmonaire, la fuite hydrique et l'œdème pulmonaire. L'eau salée hypertonique aspire du liquide des capillaires adjacents et l'amène vers les tissus interstitiels et les alvéoles, ce qui a pour effet d'entraîner une hémoconcentration et une hypovolémie. La figure 30.9 montre l'effet pulmonaire de l'aspiration d'eau.

L'organisme tente de compenser l'hypoxie en faisant dériver le sang vers les poumons, ce qui augmente les pressions pulmonaires, détériore l'état respiratoire et dérive davantage de sang vers les alvéoles. Étant donné que le sang n'est pas suffisamment oxygéné, l'hypoxémie s'aggrave. Le métabolisme anaérobie apparaît, ce qui entraîne une acidose métabolique.

Le tableau 30.12 présente les constatations observées dans les cas de quasi-noyade. La température centrale peut être légèrement élevée ou sous la normale selon la température de l'eau.

Certaines victimes de quasi-noyade qui avaient été immergées dans l'eau froide pendant 40 minutes se sont rétablies sans éprouver d'effets à long terme. Des efforts énergiques de réanimation et le réflexe de plongée permettent d'améliorer la survie. L'eau froide diminue le métabolisme corporel et la demande en oxygène. Le réflexe de plongée entraîne de l'apnée, de la bradycardie, une vasoconstriction périphérique et ralentit davantage le métabolisme. Le débit sanguin est ensuite redistribué vers le cœur, les poumons et le cerveau.

Processus thérapeutique. Le traitement vise à corriger l'hypoxie et les déséquilibres acidobasique et hydrique, à soutenir les fonctions physiologiques de base et à réchauffer le corps en présence d'hypothermie. L'évaluation initiale comprend l'examen des voies respiratoires, de la colonne cervicale, de la respiration et de la circulation. Le tableau 30.12 énumère d'autres interventions.

La ventilation assistée, accompagnée d'une pression positive en fin d'expiration ou d'une ventilation spontanée avec pression expiratoire positive, peut être utilisée pour améliorer les échanges gazeux à travers la membrane alvéolocapillaire lorsqu'un œdème pulmonaire important est présent. La ventilation et l'oxygénation constituent les principales techniques utilisées pour traiter l'acidose. Le mannitol ou le furosemide (Lasix) peuvent être administrés pour diminuer l'eau libre et traiter l'œdème cérébral.

La détérioration de l'état neurologique est un signe d'œdème cérébral, d'augmentation de l'hypoxie ou d'acidose profonde. Les victimes de quasi-noyade peuvent également souffrir de traumatismes crâniens qui provoquent des altérations prolongées de l'état de conscience. Toute personne victime de quasi-noyade doit être observée en milieu hospitalier pendant au moins quatre à six heures, car un œdème pulmonaire retardé (aussi appelé seconde noyade), une pneumonie et un œdème cérébral ont été signalés chez des clients qui ne présentaient aucun symptôme apparent immédiatement après l'épisode de quasi-noyade.

L'enseignement doit être axé sur la sécurité aquatique et la réduction des risques de noyade. Les barrières de piscine doivent être verrouillées, un gilet de sauvetage doit être porté sur toutes les embarcations de plaisance, y compris les chambres à air et les radeaux pneumatiques, et les personnes doivent connaître les techniques de survie en eau, c'est-à-dire savoir nager.

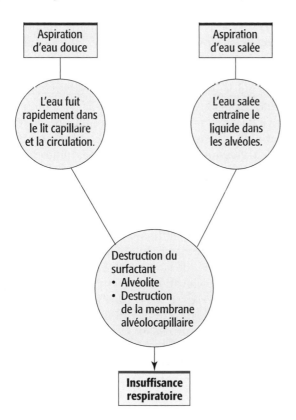

FIGURE 30.9 Effets pulmonaires de l'aspiration d'eau

SOINS D'URGENCE

TABLEAU 30.12   Quasi-noyade

Cause	Constatations	Interventions
Épuisement en nageant Perte de contrôle ou de soutien dans l'eau Piégeage ou étranglement par des objets dans l'eau Incapacité de se déplacer à la suite d'une lésion cervicale Jugement affaibli en raison de la consommation d'alcool ou de médicaments Convulsions pendant que la personne est dans l'eau	**Pulmonaires** Respiration inefficace Dyspnée Détresse respiratoire Arrêt respiratoire Râles crépitants, râles ronflants Toux accompagnée d'expectorations roses spumeuses **Cardiaques** Tachycardie Bradycardie Arythmie Arrêt cardiaque **Autres** Panique Épuisement Coma Lésion cervicale Hypothermie	**Interventions initiales** S'assurer que les voies respiratoires sont libres. Protéger la colonne cervicale en l'immobilisant. Présumer une lésion de la colonne cervicale chez toutes les victimes de noyade. Administrer de l'oxygène pur à l'aide d'une canule nasale ou d'un masque sans réinspiration. Établir un accès intraveineux à l'aide de deux cathéters de gros calibre et perfuser une solution saline physiologique ou un soluté de Lactate Ringer pour maintenir l'état hémodynamique. Examiner les autres lésions. Enlever les vêtements mouillés et envelopper la victime de couvertures chaudes. Prendre la température. Commencer le réchauffement passif au besoin. Prendre des radiographies de la colonne cervicale et des poumons. Prévoir le besoin d'intuber la personne si le réflexe laryngé est absent. **Surveillance continue** Surveiller les signes vitaux, l'état de conscience, l'état respiratoire, la saturation en oxygène et le rythme cardiaque.

Les personnes doivent connaître les dangers associés au mélange d'alcool et de médicaments lorsqu'ils se baignent ou pratiquent des sports nautiques.

30.2.4 Morsures et piqûres

Les animaux, les araignées et les insectes peuvent causer des blessures et même la mort en mordant ou en piquant. La morbidité est attribuable à une atteinte tissulaire directe ou à des toxines létales. L'atteinte tissulaire directe dépend de la taille de l'animal, des caractéristiques des dents de l'animal et de la force de la mâchoire. Le tissu peut être lacéré, écrasé ou mâché, alors que les toxines qui sont libérées par les dents, les griffes, les dards, les rayons épineux ou les tentacules ont des effets locaux ou systémiques. Le décès associé aux morsures d'animaux est causé par la perte de sang et les réactions allergiques. Les lésions causées par les insectes, les araignées, les scorpions, les tiques, les chiens, les chats, les rongeurs et les humains sont décrites ci-dessous.

Piqûres d'hyménoptères. La famille des **hyménoptères** comprend les abeilles, les guêpes jaunes, les frelons et les guêpes. Les piqûres peuvent provoquer un léger inconfort ou une anaphylaxie grave. Le venin peut être cytotoxique, hémolytique, allergénique ou vaso-actif. Les symptômes peuvent apparaître immédiatement ou se produire jusqu'à 48 heures après la piqûre. Les réactions sont plus graves lorsqu'il y a de nombreuses piqûres. Bien que la plupart des hyménoptères piquent plusieurs fois, l'abeille ne pique qu'une seule fois en laissant souvent son dard dans la peau pour continuer à libérer son venin. Il est recommandé de tenter d'enlever le dard avec un ongle, un couteau ou une aiguille en grattant au lieu d'utiliser des pincettes, car celles-ci serrent le dard et libèrent davantage de venin.

Les manifestations cliniques peuvent comprendre piqûre, brûlure, inflammation, démangeaison, œdème, céphalée, fièvre, syncope, malaise, nausées, vomissements, respiration sifflante (*wheezing*), bronchospasme, œdème laryngé et hypotension. Le traitement dépend de la gravité de la réaction. Les réactions légères sont traitées par l'élévation du membre atteint, l'application de compresses froides et d'une lotion antiprurigineuse et l'administration d'antihistaminiques oraux. Les bagues, les montres et les vêtements contraignants doivent être enlevés. Les réactions plus graves nécessitent l'administration d'antihistaminiques par voie intramusculaire ou intraveineuse (diphenhydramine [Benadryl]), d'épinéphrine sous-cutanée (0,3 à 0,5 ml:1000) et de corticostéroïdes. Le chapitre 7 traite des réactions allergiques et anaphylactiques.

Morsures d'araignées (arachnides). Leur venin peut causer une réaction localisée ou une anaphylaxie systémique. Divers types d'araignées libèrent du venin lorsqu'elles mordent et peuvent causer des réactions allergiques chez certaines personnes, mais leur venin n'est pas considéré comme toxique.

Morsures de tiques. Les tiques sont de petits insectes de la taille d'une tête d'épingle qui se nourrissent du sang des animaux et piquent occasionnellement les hommes. Les tiques sont répandues un peu partout au Canada et aux États-Unis et sont associées à la transmission de plusieurs maladies, en particulier la maladie de Lyme, la paralysie par morsure de tique, la fièvre des montagnes Rocheuses et la tularémie (Fortin H., 2002). La maladie est causée par une tique infectée ou par la libération de neurotoxines. Les tiques libèrent un venin neurotoxique aussi longtemps que leur tête est attachée au corps. Par conséquent, il est essentiel d'enlever la tique attachée pour que le traitement soit efficace. Des pinces peuvent être utilisées pour retirer avec soin la tique en la prenant au point d'entrée et en tirant vers le haut dans un mouvement soutenu. Il est aussi possible de retirer la tique de la peau en l'imbibant d'alcool, d'huile minérale, de gelée de pétrole ou d'éther éthylique. Ces méthodes sont efficaces puisque la tique respire par la peau dans laquelle elle est enfouie.

La **fièvre pourprée des montagnes Rocheuses**, qui est causée par *Rickettsia rickettsii*, a une période d'incubation de 2 à 14 jours. Un érythème maculaire rosé apparaît sur les paumes, les poignets, la plante des pieds, les pieds et les chevilles dans les 10 jours suivant l'exposition. Les autres symptômes comprennent la fièvre, les tremblements, le malaise, la myalgie et la céphalée. Le traitement consiste à administrer une antibiothérapie. Encore peu répandue au Canada, la **maladie de Lyme** est de plus en plus fréquente depuis environ 10 ans aux États-Unis (surtout dans les États suivants : New York, New Jersey, Wisconsin, Connecticut, Pennsylvanie, Rhode Island, Californie, Massachusetts et Minnesota).

Les symptômes apparaissent entre 3 et 30 jours après l'exposition au spirochétogène *Borrelia burgdorferi,* que l'on retrouve sur la tique *Ixodes*. Le stade initial de cette maladie se caractérise par des symptômes qui ressemblent à ceux de la grippe et un érythème en forme de cocarde entourée d'un anneau rouge (une zone circulaire rouge qui s'étend sur plus de 5 cm). Les troubles neurologiques, cardiaques et musculosquelettiques comme la méningite, l'hépatite, les neuropathies et les myocardiopathies peuvent se manifester plusieurs jours ou plusieurs semaines plus tard. L'arthrite chronique et la radiculopathie caractérisent les stades ultérieurs de la maladie et peuvent durer des mois ou des années. Le traitement comprend une antibiothérapie ; cependant, il existe une controverse entourant le régime thérapeutique le plus efficace. (Le chapitre 59 traite de la maladie de Lyme.)

La **paralysie par morsure de tique** survient cinq à sept jours après l'exposition à une tique de bois ou à une tique de chien. Les symptômes classiques sont la paralysie ascendante flasque, qui se manifeste après un ou deux jours. Si la tique n'est pas enlevée, le client meurt lorsque les muscles respiratoires paralysent. L'enlèvement de la tique permet habituellement le retour du mouvement musculaire dans les 48 à 72 heures qui suivent.

Morsures de serpents. Il y a seulement deux espèces de serpents venimeux au Canada et ils sont en voie de disparition. Selon Dr Clément Lantier, vétérinaire au zoo de Granby cité par le Centre antipoison comme étant le spécialiste en la matière, le risque de morsures par des serpents venimeux est tellement mince que le gouvernement du Canada a cessé de maintenir opérationnelles les banques de sérum antivenin. De plus, la loi canadienne interdit la possession des espèces venimeuses par les particuliers.

Morsures d'animaux. Les enfants sont ceux qui présentent le plus grand risque de morsure. Les principaux problèmes associés aux morsures d'animaux sont l'infection et la destruction mécanique de la peau, du muscle, des tendons, des vaisseaux sanguins et des os. La morsure peut causer une simple lacération ou elle peut être associée à une lésion par écrasement, à une plaie perforante ou à l'étirement et à l'avulsion du tissu. La gravité de la lésion dépend de la taille de l'animal, de la taille de la victime et de la localisation anatomique de la morsure. Les morsures peuvent également être causées par les humains, les écureuils, les furets, les chevaux, les vaches, les moutons, les chèvres et les porcs.

Les **morsures de chat** entraînent une plus grande incidence d'infection que celles des chiens, car la plupart des chats en santé sont porteurs de la bactérie *Pasteurella multocida*. Les morsures de chat causent des plaies perforantes profondes qui peuvent toucher les tendons et les capsules articulaires. Des cas d'arthrite septique, d'ostéomyélite et de ténosynovite ont été signalés à la suite de morsures de chat.

Les **morsures de chien** se produisent généralement aux extrémités des membres ; cependant, les morsures au visage sont courantes chez les petits enfants. Dans la plupart des cas, les victimes sont mordues par leur chien. Les morsures de chien peuvent comprendre des lésions tissulaires importantes, et des accidents mortels ont été signalés, notamment chez les enfants. Les enfants de moins de deux ans peuvent subir des fractures crâniennes accompagnées de traumatismes

intracrâniens, puis la mort survient. Des plaies défigu-
rantes au visage doivent être examinées par un
chirurgien plastique.

Processus thérapeutique. Le traitement des morsures
d'animaux comprend le nettoyage et l'irrigation à l'aide
de grandes quantités de solution saline, le débridement,
la prophylaxie antitétanique et l'administration d'analgésiques au besoin. Une antibiothérapie est administrée
lorsque les morsures d'humains et d'animaux risquent
de s'infecter, comme les plaies autour d'une articulation, les plaies qui remontent à six à douze heures, les
plaies perforantes et les morsures à la main ou au pied.
Les personnes qui présentent le plus grand risque d'infection sont les nourrissons, les personnes âgées, les
clients immunodéprimés, les alcooliques, les diabétiques et les gens qui prennent des corticostéroïdes. Les
plaies perforantes sont laissées ouvertes, alors que les
lacérations sont suturées sans être comprimées.

Le vaccin antirabique est un élément important à
prendre en considération lors du traitement contre les
morsures d'animaux. La rage est causée par un virus
neurotoxique présent dans la salive de certains mammifères. L'affection est mortelle chez les humains. En
fait, au cours des dernières années, l'incidence de la
rage attribuable aux chauves-souris a augmenté
partout au pays ; quatre des cinq derniers cas de rage
humaine déclarés au Canada étaient attribuables à une
exposition à des chauves-souris. Le virus de la rage
peut infecter tous les mammifères. Au Canada, c'est de
l'Ontario et du Manitoba que proviennent la majorité
des cas déclarés de rage animale, et les animaux les plus
souvent infectés sont les chauves-souris, les mouffettes
et les renards. Bien que les chiens et les chats domestiques représentent moins de 10 % des cas de rage animale au Canada, leurs morsures sont responsables de la
grande majorité des expositions présumées à la rage

chez les humains et sont donc à l'origine de la plupart
des prophylaxies postexposition contre la rage (Santé
Canada, 2002). Une exposition à la rage doit être envisagée lorsque l'animal a attaqué sans être provoqué ou
s'il s'agit d'un animal sauvage ou domestique non
immunisé contre la rage. Un vaccin antirabique est toujours administré lorsque l'animal ne peut pas être trou-
vé ou que la morsure est causée par un animal sauvage
carnivore. Depuis qu'on a commencé à enregistrer les
cas de rage en 1925, cette maladie a causé la mort de
22 personnes au Canada ; on n'a recensé aucun cas de
rage humaine de 1985 à septembre 2000 (voir figure 30.10)
(Santé Canada, 2002). La morsure d'un animal atteint
de la rage ne cause pas nécessairement une maladie,
mais la décision de traiter une personne qui peut avoir
été exposée au virus de la rage doit être prise rapidement et de façon judicieuse, car tout délai dans l'administration de la prophylaxie postexposition réduit son
efficacité. Entre 1000 et 1500 personnes au Canada
reçoivent chaque année un tel traitement en postexposition. Entre 30 000 et 50 000 décès dans le monde sont
attribués, chaque année, à la rage (Santé Canada, 2002).
Le vaccin comporte une injection initiale d'immunoglobulines antirabiques (RIG) pour fournir une immunité passive et une série de cinq injections de vaccin
intradermique cultivé sur des cellules diploïdes
humaines (VCDH) (Santé Canada, 2002). Cinq doses
de 1 ml de VCDH devraient être administrées, la première dose (jour 0) le plus tôt possible après l'exposition et les autres doses aux jours 3, 7, 14 et 28 après la
première dose. On devrait administrer le vaccin dans le
deltoïde (jamais dans la fesse) ou, chez les nourrissons,
dans la partie supérieure de la face antérolatérale de la
cuisse. Une dose adéquate de RIG (20 UI/kg de poids
corporel) devrait également être administrée le jour 0.
Le dosage est proportionnel au poids du client (Santé
Canada, 2002).

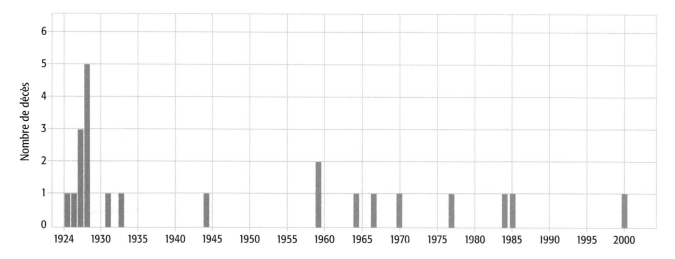

FIGURE 30.10 Rage, nombre de décès, Canada, 1924-2000.
Tiré du *Guide canadien d'immunisation*, 2002. Reproduit avec la permission du ministre des Travaux publics et Services gouvernementaux Canada, 2003.

Morsures humaines. Les **morsures humaines** sont accompagnées d'un risque élevé d'infection causée par la flore bactérienne buccale, notamment *Staphylococcus aureus* et le streptocoque. Les morsures humaines peuvent entraîner une plus grande destruction tissulaire que toute autre morsure d'animaux. Les mains, les doigts et le nez sont les principales zones touchées, et les mains présentent le plus haut taux d'infection. La fracture du boxeur, c'est-à-dire la fracture du 5e métacarpe, est souvent associée à une plaie ouverte lorsque les jointures frappent les dents. Étant donné que la mâchoire humaine a une grande capacité d'écrasement, le coup peut causer une lacération, une ponction, une lésion par écrasement, une déchirure du tissu mou et même entraîner une amputation. Plus de 40 agents pathogènes potentiels présents dans la bouche humaine peuvent entraîner un taux d'infection d'environ 50 % dans les cas où les victimes n'ont pas reçu d'intervention médicale dans les 24 heures suivant la lésion.

Le traitement initial comprend le nettoyage à l'aide d'une irrigation abondante, un débridement, une antibiothérapie et une prophylaxie antitétanique. Bien que les plaies sur les jointures soient soignées et protégées, la fermeture initiale de la plaie est réservée uniquement aux plaies sur le visage. En présence d'une infection, le client est admis en centre hospitalier pour recevoir une antibiothérapie intraveineuse. Le taux d'incidence de cellulite, d'ostéomyélite et d'arthrite septique est élevé chez ces clients.

30.3 EMPOISONNEMENTS OU INTOXICATIONS

Un poison se définit comme tout produit chimique qui nuit à l'organisme. Le numéro de téléphone du Centre antipoison est le 1 800 463-5060. Les empoisonnements peuvent être accidentels, intentionnels, liés au travail ou aux loisirs. Les toxines naturelles ou fabriquées peuvent être ingérées, inhalées ou injectées, éclaboussées dans l'œil ou absorbées par la peau. Le tableau 30.13 passe en revue les poisons courants. L'empoisonnement peut aussi être causé par des plantes toxiques ou des aliments contaminés. (Le chapitre 33 traite de l'intoxication alimentaire.)

La gravité de l'empoisonnement dépend du type, de la concentration et de la voie d'exposition. Étant donné que les toxines peuvent atteindre tous les tissus du corps, les symptômes peuvent se manifester dans n'importe quel système anatomique. Le traitement spécifique contre les toxines exige de diminuer l'absorption, de favoriser l'élimination et de mettre en œuvre des interventions propres à la toxine.

Les méthodes utilisées pour diminuer l'absorption des poisons comprennent les vomissements, le lavage gastrique, le charbon activé, le nettoyage dermique et l'irrigation de l'œil. Selon l'état de conscience du client, on administre de l'ipéca (15 à 45 ml pour les adultes) et 250 à 500 ml d'eau pour provoquer les vomissements. Ce traitement est plus efficace lorsqu'il est administré dans l'heure suivant l'ingestion des substances toxiques. Cependant, il a perdu de la popularité au cours de la dernière décennie pour diverses raisons : le début de l'action est retardé et imprévisible, le taux global de vomissement de la substance toxique est faible et l'ipéca n'est pas efficace avec les drogues qui sont absorbées rapidement comme l'alcool. D'autres troubles associés à la provocation du vomissement comprennent les pertes hydriques, les déséquilibres électrolytiques et acidobasiques à la suite de vomissements prolongés.

Le lavage gastrique nécessite l'insertion d'une sonde gastrique de gros calibre (36 à 40 F) par voie orale afin de pouvoir administrer de grandes quantités de solution saline. La tête du lit doit être relevée ou le client doit être tourné sur le côté pour prévenir l'aspiration. Les clients dont l'état de conscience est altéré ou le réflexe laryngé est diminué sont intubés avant le lavage. Le lavage est contre-indiqué chez les clients qui ont ingéré des agents caustiques. Les problèmes associés au lavage sont l'épistaxis, la perforation de l'œsophage et l'aspiration.

L'intervention la plus efficace pour traiter l'intoxication est l'administration de charbon activé par voie orale ou par sonde nasogastrique. Les toxines adhèrent au charbon et sont excrétées par le tractus gastro-intestinal au lieu d'être absorbées dans la circulation portale. Les adultes reçoivent entre 50 et 100 g de charbon. Bien que le charbon activé puisse absorber une certaine quantité de poison se trouvant dans le tractus gastro-intestinal, il n'absorbe pas l'éthanol, les alcali, le fer, l'acide borique, le lithium, le méthanol ni le cyanure. Les contre-indications liées à l'administration de charbon sont une diminution des bruits intestinaux, l'iléus et l'ingestion d'une substance qui n'est pas bien absorbée par le charbon. Le charbon est également proscrit lorsque de la N-acétylcystéine (NAC) a été administrée par voie orale, car cette substance procure un antidote contre l'intoxication à l'acétaminophène et le charbon a la propriété de neutraliser l'effet de la N-acétylcystéine. La charbon convient cependant si la NAC est administrée par voie intraveineuse.

La décontamination dermique et oculaire est utilisée pour enlever les toxines qui se trouvent dans les yeux et sur la peau et elle se fait en rinçant à grande eau. La plupart des toxines peuvent être enlevées sans danger avec de l'eau, à l'exception du gaz moutarde, qui libère un gaz chlore lorsqu'il est mélangé avec de l'eau. En règle générale, on doit secouer les substances sèches se trouvant sur la peau et les vêtements avant d'utiliser de l'eau. La chaux en poudre doit être secouée au lieu d'être enlevée avec de l'eau. Des vêtements de protection (gants,

TABLEAU 30.13   Poisons courants*

Poisons	Manifestations	Traitements
Acétaminophène (Tylenol)	Nausées et vomissements, anorexie, malaise, diaphorèse, troubles hépatiques	Charbon activé, N-acétylcystéine
Acides et alcalins Acides : nettoyeurs de toilettes, composés antirouille; alcalins : produits pour déboucher les tuyaux, détergents pour le lave-vaisselle, ammoniaque	Salivation abondante, dysphagie, douleur épigastrique, pneumopathie, brûlures de la bouche, de l'œsophage et de l'estomac	Dilution immédiate (eau, lait), corticostéroïdes (pour les brûlures alcalines) ; les vomissements induits sont contre-indiqués
Acide acétylsalicylique (AAS) et médicaments contenant de l'AAS	Augmentation de la fréquence respiratoire, alcalose respiratoire, céphalée, vertige, acouphène, transpiration, nausées, déséquilibres électrolytiques	Lavage gastrique, charbon activé, diurèse alcaline, traitement symptomatique
Agents de blanchiment	Irritation des lèvres, de la bouche et des yeux, lésion superficielle à l'œsophage, pneumonie chimique et œdème pulmonaire	Lavage de la peau et des yeux exposés, dilution avec de l'eau et du lait, lavage gastrique, prévention des vomissements et de l'aspiration
Monoxyde de carbone	Dyspnée, céphalée, tachycardie, confusion, jugement perturbé, cyanose, détresse respiratoire	Retirer la personne de la source, administrer de l'oxygène pur
Cyanure	Céphalée, évanouissement, vertige, tachycardie, hypertension, nausées et vomissements, odeur d'amande lors de la respiration	Thiosulfate de sodium, oxygène
Éthylèneglycol	Odeur aromatique sucrée lors de la respiration, nausées et vomissements, troubles d'élocution, ataxie, léthargie, détresse respiratoire	Lavage gastrique, charbon activé, traitement symptomatique
Fer	Vomissements (souvent teintés de sang), diarrhée (souvent teintée de sang), fièvre, hyperglycémie, léthargie, hypotension, convulsions, coma	Lavage gastrique, traitement chélateur (déféroxamine)
Anti-inflammatoires non stéroïdiens	Gastro-entérite, douleur abdominale, somnolence, nystagmus, troubles hépatiques	Lavage gastrique, charbon activé, cathartiques
Antidépresseurs tricycliques (p. ex. amitriptyline, imipramine)	À doses faibles : effets anticholinergiques, agitation, hypertension, tachycardie; à doses fortes : dépression du système nerveux central, détresse respiratoire, convulsions, hypotension	Charbon activé, lavage gastrique, traitement symptomatique; les vomissements induits sont contre-indiqués

* Avant de traiter, communiquer avec le Centre antipoison au **1 800 463-5060.**

blouse de laboratoire, lunettes) doivent être portés lors de la décontamination afin de prévenir une deuxième exposition. Les modalités de décontamination sont normalement effectuées par des personnes spécialisées dans la décontamination de produits dangereux avant que le client n'arrive au centre hospitalier. La décontamination vient au premier rang des interventions à effectuer, à l'exception des soins immédiats en RCR.

L'élimination des substances toxiques se poursuit par l'administration de cathartiques, l'irrigation complète de l'intestin, une dose répétée de charbon activé, la diurèse forcée, l'hémodialyse, l'hémoperfusion au charbon, l'inhalation d'oxygène, l'ablation chirurgicale et l'administration de chélateurs. Les cathartiques, comme le sorbitol, sont administrés avec le charbon activé pour stimuler la motilité intestinale et augmenter l'élimination. L'administration d'une trop grande quantité de

cathartiques doit toutefois être évitée pour prévenir le risque de troubles électrolytiques mortels. L'irrigation complète de l'intestin requiert l'administration d'une solution de polyéthylène glycol istonique et d'électrolyte (GOLYTELY) pour éliminer les métaux lourds, les médicaments entérosolubles ou les comprimés qui se dissolvent lentement. Cette intervention est également efficace dans les cas où des objets ont été avalés, comme un ballon ou un condom rempli de cocaïne.

L'administration de doses répétées de charbon activé (toutes les deux ou quatre heures) est indiquée dans les cas d'ingestion de théophylline, de phénobarbital, de salicylates, d'antidépresseurs et de carbamazépine (Tegretol). La diurèse forcée est utilisée pour éliminer l'éthanol, le méthanol, l'alcool isopropylique et l'éthylèneglycol. De grandes quantités de solutions salines intraveineuses sont perfusées pour éliminer les toxines par les reins. Le mannitol ou le furosémide (Lasix) peuvent être utilisés pour favoriser le processus. L'hémodialyse et l'hémoperfusion sont utilisées pour les clients dont l'ingestion est associée à une acidose grave.

Les autres interventions comprennent l'alcanilisation et l'administration d'antidote. L'administration de bicarbonate de sodium permet d'augmenter le pH (>7,5), ce qui est particulièrement efficace dans les cas d'ingestion de phénobarbital et de salicylates. On peut ajouter de la vitamine C aux liquides intraveineux pour favoriser l'excrétion des amphétamines et de la quinidine. Bien qu'il n'existe qu'un faible nombre d'antidotes réels, bon nombre de ces agents recommandés ont également des propriétés toxiques.

L'enseignement portant sur les urgences toxiques doit être axé sur la façon dont les personnes peuvent s'intoxiquer. Les clients qui s'intoxiquent à la suite d'une tentative de suicide ou en raison d'un problème de toxicomanie doivent être évalués par un psychiatre et ensuite admis en vue d'une cure de désintoxication pour les problèmes d'alcool ou de drogues ; un suivi avec un psychiatre est également à prévoir.

MOTS CLÉS

BIBLIOGRAPHIE
Version originale

1. Kelly SJ: *Pediatric emergency nursing*, ed 2, Norwalk, Conn, 1994, Appleton & Lange.
2. Rund DA, Rausch TS: *Triage*, St Louis, 1981, Mosby.
3. Brackin JE. In Newberry L, editor: *Sheehy's emergency nursing principles and practice*, St Louis, 1998, Mosby.
4. Kidd PS, Sturt P: *Mosby's emergency nursing reference*, St Louis, 1996, Mosby.
5. Tintinalli JE, Ruiz E, Krome RL, editors: *Emergency medicine: a comprehensive study guide*, ed 4, New York, 1996, McGraw-Hill.
6. Davis LL: Environmental heat-related illnesses, *MEDSURG Nurs* 6:3, 1997.
7. Morris J. In Newberry L, editor: *Sheehy's emergency nursing principles and practice*, St Louis, 1998, Mosby.
8. Simon HB: Hyperthermia and heatstroke, *Hosp Pract* 29:65, 1994.
9. Rosen P, Barkin R: *Emergency medicine concepts and clinical practice*, ed 4, St Louis, 1998, Mosby.
10. Auerbach P, Geehr E: *Management of wilderness and environmental emergencies*, ed 3, St Louis, 1995, Mosby.
11. Emergency Nurses Association: *Emergency nursing core curriculum*, ed 5, Philadelphia, 1999, WB Saunders.
12. Glankler DM: Caring for the victim of near drowning, *Crit Care Nurse* 13:25, 1993.
13. Siebake H and others: Survival after 40 minutes submersion without cerebral sequelae, *Lancet* 1:1275, 1975.
14. DeBoer SL: Neurologic outcomes after near drowning, *Crit Care Nurse* 17:4, 1997.
15. Massachusetts Medical Society: Lyme disease—United States, 1995, *MMWR* 45:481, 1996.
16. Briant C, Roye K, Hutscher AH: Pericarditis as a manifestation of Lyme disease, *J Emerg Nurs* 23:525, 1997.
17. Soski JE: *Snakebite assessment and treatment in the eastern United States*, ed 2, Midway, Fla, 1994, Snakebite Publishing.
18. Strange G, Towns D: Environmental emergencies. In Strange GR and others, editors: *Pediatric emergency medicine: a comprehensive study guide*, New York, 1996, McGraw-Hill.
19. Chonel BB: The modern epidemiological aspects of rabies in the world, *Comp Immunol Microbiol Infect Dis* 16:11, 1993.
20. Kitt S and others: *Emergency nursing: a physiologic and clinical perspective*, ed 2, Philadelphia, 1995, WB Saunders.
21. Criddle LM. In Newberry L, editor: *Sheehy's emergency nursing principles and practice*, St Louis, 1998, Mosby.
22. Johnson D and others: Effect of multiple-dose activated charcoal on the clearance of high-dose intravenous aspirin in a porcine model, *Ann Emerg Med* 26:671, 1995.

Édition de langue française

1. ASSOCIATION D'AIDE AUX VICTIMES DE MORSURES D'ANIMAUX. *Petit Monde* (en ligne), [http://www.petitmonde.com/iDoc/EnBrefUnique.asp?id=2293].
2. ASSOCIATION DES INFIRMIÈRES ET INFIRMIERS D'URGENCE DU QUÉBEC (AIIUQ). *Triage/urgence* (en ligne). [http://www.oiig.org/uploads/publications/prise-de-position/triage/TRIAGE.pdf] [Page consultée en avril 2003].
3. ASSOCIATION DES MÉDECINS D'URGENCE DU QUÉBEC (AMUQ). *Médecine rurale* (en ligne). [http://www.caep.ca/002policies/002-02.ctasht-mx], 2002 [Page consultée en avril 2003].
4. BATES, Barbara. *Guide de l'examen clinique*, Edisem, 1983.
5. BRÛLÉ, Mario. *L'examen clinique dans la pratique infirmière*, ERPI, 2001.
6. BRUNNER-SUDDARTH. *Soins infirmiers : Médecine et Chirurgie*, ERPI, 1994.
7. BUREAU DES STATISTIQUES, CANADA.
8. CAMPBELL, John E. *Soins avancés aux polytraumatisés*, Brady communication cie, inc.
9. CENTRE HOSPITALIER DE LA SAGAMIE (CHS), département des urgences. *Protocole de mise sous tension suite à un préavis annonçant l'arrivée d'un traumatisé à l'urgence*.
10. COOPÉRATIVE DES TECHNICIENS AMBULANCIERS DE L'OUTAOUAIS. *Matelas immobilisateur* (en ligne), juillet 2003. [http://www.ctao.qc.ca/MATELAS.htm].
11. CROIX-ROUGE CANADIENNE. *Noyade des tout-petits* (en ligne), mai 2000. (Page consultée le 6 mai 2003). [http://www.petitmonde.com/iDoc/Fiche.asp?id=7495].
12. CROIX-ROUGE CANADIENNE. *Qui se noie ?* (en ligne), avril 2000 (Page consultée le 6 mai 2003). [http://www.petitmonde.com/iDoc/Fiche.asp?id=7385].
13. DIRECTION DES COMMUNICATIONS DU MINISTÈRE DE LA SANTÉ ET DES SERVICES SOCIAUX. *Protocole d'immunisation du Québec*, 1999.
14. FORTIN, H. Suzanne. *Les insectes nuisibles à la maison* (en ligne), mars 2002 (Page consultée le 5 mai 2003). [http://ecoroute.uqcn.qc.ca/envir/sante/1_m8.htm].
15. MINISTÈRE DE LA SANTÉ ET DES SERVICES SOCIAUX. *Guide de gestion des unités d'urgence* (en ligne). [http://www.msss.gouv.qc.ca], 2000, p. 8-12 [Pages consultées en mai 2003].

16. ORDRE DES INFIRMIÈRES ET INFIRMIERS DU QUÉBEC. *Échelle de triage et de gravité.* Contenu de formation pour le formateur et la participante/Sous la responsabilité de Sylvie Dubois (en ligne), 2002. [http://www.oiiq.org/]

17. ORDRE DES INFIRMIÈRES ET INFIRMIERS DU QUÉBEC. *Triage à l'urgence* (en ligne). [http://www.oiig.org/uploads/publication/prise-de-position/triage/TRIAGE.pdf]

18. RÉPUBLIQUE FRANÇAISE. *Santé* (en ligne), 2003. [http://www.sante.gouv.fr/]

19. SANTÉ CANADA. *Guide canadien d'immunisation* (en ligne), 2002. [http://www.hc-sc.gc.ca/pphb-dgspsp/publicat/cig-gci/index_f.html]

20. SOCIÉTÉ DE LA MÉDECINE RURALE DU CANADA. *Échelle de triage et de gravité* (en ligne), 2002. [http://www.srpc.ca/librarydocs/Ctasjontf.html]

ANNEXE

ANALYSES DE LABORATOIRE

Cecilia C. Dail, Sally Sperry Steen et Lee Danielson

Note importante à l'intention du lecteur

Vous trouverez dans cette annexe des tableaux présentant les principales analyses réalisées en laboratoire médical avec leurs valeurs normales de référence et les causes possibles des valeurs anormales. Les données de laboratoire peuvent varier selon les principes analytiques (chimiques, immunochimiques ou autres) propres aux méthodes utilisées en laboratoire médical et les règles gouvernant l'établissement des intervalles de valeurs normales de référence qui permettent d'interpréter les résultats d'analyse. C'est pourquoi le lecteur moins au fait de ces règles est souvent étonné de trouver dans un volume tel que celui-ci, pour une analyse donnée, des valeurs normales qui sont différentes, par exemple, de celles qui sont fournies par le laboratoire médical de son milieu de pratique professionnelle, hospitalier ou autre. Les différences sont parfois assez importantes pour que le lecteur en déduise qu'il vient de déceler une erreur de la part des auteurs. Le même phénomène survient communément à la lecture de dossiers médicaux contenant des résultats d'analyses provenant de laboratoires différents. Pourquoi en est-il ainsi?

Il faut comprendre, tout d'abord, que pour chacune des analyses offertes par un laboratoire, il existe en général plusieurs méthodes d'analyse, dont la précision, l'exactitude, la sensibilité et la spécificité peuvent être différentes, **sans toutefois altérer la valeur des renseignements cliniques qu'elles fournissent.** Cette situation est particulièrement courante avec les analyses d'enzymes sériques (activité enzymatique) ou les analyses d'hormones, mais se retrouve également avec des paramètres aussi communs que la glycémie.

Un autre facteur important, en partie responsable des différences observées dans les intervalles de valeurs normales de référence, est la variabilité biologique. Tout être vivant en santé travaille à maintenir son homéostasie et connaît des variations normales des compositions biochimique et biologique. Ainsi, l'âge, le sexe, la race, l'état de jeûne, les habitudes alimentaires, le poids corporel, l'activité physique, le stade du cycle ovarien chez la femme, le lieu de résidence et même la posture et l'état psychologique lors du prélèvement biologique peuvent, à des degrés divers, influer sur les résultats d'analyse qui seront obtenus.

Tous ces éléments font en sorte que chaque laboratoire médical est tenu d'établir, pour chacune des analyses offertes, ses propres intervalles de valeurs normales de référence, et ce, pour les méthodes d'analyse utilisées et pour les populations précises de la région où il dispense ses services. Vous pourrez obtenir beaucoup plus d'information à ce sujet en vous adressant, par exemple, au biochimiste responsable du laboratoire de votre milieu de formation ou de travail. Les valeurs normales que vous trouverez ici en annexe vous seront très utiles pour apprendre à connaître les unités du système international (SI) qui s'y appliquent. Cependant, durant votre formation et dans le cours de la pratique professionnelle, **un résultat d'analyse ne devra être interprété qu'avec les valeurs normales de référence du laboratoire ayant fait l'analyse.** C'est d'ailleurs pourquoi, en général, le résultat d'une analyse pour un client sera toujours accompagné des valeurs normales de référence qui serviront à l'interpréter. Si ce n'est pas le cas, n'hésitez pas à les demander.

Enfin, la transmission des résultats d'analyses de laboratoire fait appel à nombre d'abréviations universellement reconnues, mais qui peuvent paraître hermétiques au premier abord. Pour faciliter la lecture des tableaux qui figurent dans la présente annexe, les abréviations employées sont donc définies comme suit :

<	=	plus petit que
>	=	plus grand que
L	=	litre
mEq	=	milliéquivalent
ml	=	millilitre
dl	=	décilitre
mm Hg	=	millimètre de mercure
fl	=	femtolitre (10^{-15})
mm	=	millimètre
g	=	gramme
mg	=	milligramme (10^{-3})
µg	=	microgramme (un millionième de gramme) (10^{-6})
ng	=	nanogramme (un milliardième de gramme) (10^{-9})
pg	=	picogramme (un millième de milliardième de gramme) (10^{-12})
µU	=	micro-unité
µL	=	microlitre
UI	=	unité internationale
mOsm	=	milliosmole
U	=	unité
mmol	=	millimole
µmol	=	micromole
nmol	=	nanomole
pmol	=	picomole
kPa	=	kilopascal
µkat	=	microkatal

TABLEAU 1	Analyse chimique du sérum, du plasma et du sang entier			
	Valeurs normales		**Cause possible d'anomalie**	
Épreuve	**Unités anciennes**	**Unités du SI**	**Probabilité élevée**	**Probabilité faible**
Acétone Quantitative Qualitative	0,3-2,0 mg/dl Négatif	52-344 μmol/L Négatif	Acidocétose diabétique, régime hyperlipidique, régime à faible teneur en glucides, inanition	
Acide ascorbique	0,4-1,5 mg/dl	23-85 μmol/L	Hypervitaminose C	Affections des tissus conjonctifs, hépatopathie, néphropathie, rhumatisme articulaire aigu, carence en vitamine C
Acide folique	3-25 ng/ml	7-57 nmol/L	Hypothyroïdie	Alcoolisme, anémie hémolytique, apport alimentaire insuffisant, syndrome de malabsorption, anémie mégaloblastique
Acide lactique	5-20 μg/dl	0,56-2,2 mmol/L	Acidose, insuffisance cardiaque congestive, choc	
Acide urique Homme Femme	4,5 6,5 mg/dl 2,5-5,5 mg/dl	149-327 μmol/L 268-387 μmol/L	Goutte, destruction des tissus, régime alimentaire hyperprotéinique, leucémie, insuffisance rénale, éclampsie	Administration d'uricosuriques
Activité en rénine Décubitus dorsal Station debout	1,4-2,9 ng/ml/h 0,4-4,5 ng/ml/h	0,39-0,81 ng/L/s 0,11-1,25 ng/L/s	Hypertension rénale, diminution du volume (p. ex. hémorragie)	Augmentation de l'apport sodique, aldostéronisme primaire
Albumine	3,5-5,0 g/dl	35-50 g/L	Déshydratation	Hépatopathie chronique, malabsorption, syndrome néphrotique, grossesse
Aldolase	1,0-7,5 U/L	0,02-0,13 μkat/L**	Maladie des muscles squelettiques	Néphropathie
α1-antitrypsine	78-200 mg/dl	0,78-2,0 g/L	Inflammation aiguë et chronique, arthrite, syndrome de stress	Maladie pulmonaire chronique (apparition précoce), malnutrition, syndrome néphrotique
α-fœtoprotéine (AFP)	<15 ng/ml	<15 μg/L	Cancer des testicules et des ovaires, hépatocarcinome	
Ammoniaque	30-70 μg/dl	17,6-41,1 μmol/L	Hépatopathie grave	
Amylase	0-130 U/L (selon la méthode)	0-2,17 μkat/L**	Pancréatite aiguë et chronique, oreillons (affection des glandes salivaires), ulcère perforé	Alcoolisme aigu, cirrhose du foie, destruction généralisée du pancréas
Antigène prostatique spécifique (PSA)	<4 ng/ml	<4 μg/L	Cancer de la prostate	

TABLEAU 1   Analyse chimique du sérum, du plasma et du sang entier (*suite*)

Épreuve	Valeurs normales		Cause possible d'anomalie	
	Unités anciennes	Unités du SI	Probabilité élevée	Probabilité faible
Azote uréique du sang (BUN)	10-30 mg/dl	2,8-8,2 mmol/L	Augmentation du catabolisme des protéines (fièvre, stress), néphropathie, infection des voies urinaires	Malnutrition, lésion grave au foie
Bicarbonate	20-30 mEq/L	20-30 mmol/L	Acidose respiratoire compensée, alcalose métabolique	Alcalose respiratoire compensée, acidose métabolique
Bilirubine Totale Non conjuguée Conjuguée	0,2-1,3 mg/dl 0,1-1,0 mg/dl 0,1-0,3 mg/dl	3,4-22,0 μmol/L 1,7-17,0 μmol/L 1,7-5,1 μmol/L	Obstruction des voies biliaires, altération de la fonction hépatique, anémie hémolytique, anémie pernicieuse, jeûne prolongé	
Calcium	9-11 mg/dl (4,5-5,5 mEq/L)	2,25-2,74 mmol/L	Ostéoporose aiguë, hyperparathyroïdie, intoxication à la vitamine D, myélome multiple	Pancréatite aiguë, hypoparathyroïdie, hépatopathie, syndrome de malabsorption, insuffisance rénale, carence en vitamine D
Calcium ionisé	4-4,6 mg/dl (2-2,3 mEq/L)	1,0-1,15 mmol/L		
Carotène	10-85 μg/dl	0,19-1,58 μmol/L	Fibrose kystique, hypothyroïdie, insuffisance pancréatique	Carence alimentaire, troubles de l'absorption
Chlorure	95-105 mEq/L	95-105 mmol/L	Décompensation cardiaque, acidose métabolique, alcalose respiratoire, corticothérapie, urémie	Maladie d'Addison, diarrhée, alcalose métabolique, acidose respiratoire, vomissements
Cholestérol HDL (lipoprotéines de haute densité) Homme Femme LDL (lipoprotéines de faible densité)	140-200 mg/dl (selon l'âge) >45 mg/dl >55 mg/dl <130 mg/dl	3,6-5,2 mmol/L >1,2 mmol/L >1,4 mmol/L <3,4 mmol/L	Obstruction des voies biliaires, hypothyroïdie, hypercholestérolémie essentielle, néphropathie, diabète non équilibré	Hépatopathie généralisée, hyperthyroïdie, malnutrition, corticothérapie
Cholinestérase (érythrocyte) Pseudocholinestérase (plasma)	0,65-1,00 pH (méthode Michel) 5-12 U/ml	Identique aux unités anciennes 5000-12 000 U/L	Exercice	Infections aiguës, intoxication aux insecticides, hépatopathie, dystrophie musculaire
Cortisol	8 h : 5-25 μg/dl 20 h : <10 μg/dl	0,14-0,69 μmol/L <0,28 μmol/L	Syndrome de Cushing, pancréatite, stress	Insuffisance surrénale, panhypopituitarisme
Créatine	0,2-1,0 mg/dl	15,3-76,3 μmol/L	Polyarthrite rhumatoïde, obstruction des voies biliaires, hyperthyroïdie, affections rénales, myopathie grave	Diabète

TABLEAU 1	Analyse chimique du sérum, du plasma et du sang entier (*suite*)			
	Valeurs normales		**Cause possible d'anomalie**	
Épreuve	**Unités anciennes**	**Unités du SI**	**Probabilité élevée**	**Probabilité faible**

Créatine-kinase (CK)
  Homme
  Femme
	15-105 U/L
	10-80 U/L
		0,26-1,79 µkat/L**
		0,17-1,36 µkat/L**
			Lésion ou affection musculosquelettique, infarctus du myocarde, myocardite grave, exercice, nombreuses injections intramusculaires, lésion au cerveau	

CK-MB	0-9 U/L	<0,1 µkat/L**	Infarctus aigu du myocarde	
Créatinine	0,5-1,5 mg/dl	44-133 µmol/L	Néphropathie grave	
Cuivre	80-150 µg/dl	12,6-23,6 µmol/L	Cirrhose, femmes prenant des contraceptifs	Maladie de Wilson
Dioxyde de carbone (teneur en CO_2)	20-30 mEq/L	20-30 mmol/L	Identique au bicarbonate	
Fer (capacité de fixation)	250-410 µg/dl	45-73 µmol/L	Carence en fer, contraceptifs oraux, polycythémie	Cancer, infections chroniques, anémie pernicieuse, urémie
Fer total	50-150 µg/dl	9,0-26,9 µmol/L	Destruction excessive d'érythrocytes	Anémie ferriprive, anémie consécutive à une affection chronique

Ferritine
  Homme
  Femme
	20-300 ng/ml
	10-120 ng/ml
		20-300 µg/L
		10-120 µg/L
			Anémie sidéroblastique, anémie liée à une affection chronique (infection, inflammation, hépatopathie)	Anémie ferriprive

γ-glutamyl-transférase (GGT)	0-30 U/L	0-0,5 µkat/L**		Hépatopathie, mononucléose infectieuse

Gazométrie du sang artériel (GSA)*
  pH artériel
 	
  pH veineux
 	
  PCO$_2$ artérielle
 	
  PCO$_2$ veineuse
  PO$_2$ artérielle
  PO$_2$ veineuse
	
	7,35-7,45
	
	7,35-7,45
	
	35-45 mm Hg
	
	42-52 mm Hg
	75-100 mm Hg
	30-50 mm Hg
		
		Identique aux unités anciennes
		Identique aux unités anciennes
		4,67-6,00 kPa**
		
		5,60-6,93 kPa**
		10,0-13,33 kPa**
		4,0-6,67 kPa**
			
			Alcalose
			
			Alcalose métabolique compensée
			Acidose respiratoire
			Administration d'une forte concentration d'oxygène
				
				Acidose
				
				Acidose métabolique compensée
				Alcalose respiratoire
				Maladie pulmonaire chronique, diminution du débit cardiaque

Glucose à jeun	70-120 mg/dl	3,89-6,66 mmol/L	Stress aigu, lésions cérébrales, maladie de Cushing, diabète, hyperthyroïdie, insuffisance pancréatique	Maladie d'Addison, hépatopathie, hypothyroïdie, surdose d'insuline, tumeur du pancréas, insuffisance hypophysaire, syndrome de chasse post-gastrectomie

TABLEAU 1	Analyse chimique du sérum, du plasma et du sang entier (*suite*)			
	Valeurs normales		**Cause possible d'anomalie**	
Épreuve	**Unités anciennes**	**Unités du SI**	**Probabilité élevée**	**Probabilité faible**
Glucose (tolérance) (épreuve d'hypergly-cémie provoquée)			Diabète	Hyperinsulinisme
À jeun	70-120 mg/dl	3,89-6,66 mmol/L		
30 min	30-60 mg/dl supérieur à la glycémie à jeun	1,67-3,33 mmol/L		
60 min	20-50 mg/dl supérieur à la glycémie à jeun	1,11-2,78 mmol/L		
120 min	5-15 mg/dl supérieur à la glycémie à jeun	0,28-0,83 mmol/L		
180 min	Égale ou inférieur à la glycémie à jeun	Égale ou inférieur à la glycémie à jeun		
Haptoglobine	26-185 mg/dl	260-1850 mg/L	Processus infectieux et inflammatoires, tumeurs malignes	Anémie hémolytique, mononucléose, toxoplas-mose, hépatopathie chronique
Hormone thyréotrope (TSH)	0,3-5,4 µU/ml	0,3-5,4 mU/L	Myxœdème, hypothyroïdie primaire, maladie de Graves	Hypothyroïdie secondaire
Insuline	4-24 µU/ml	29-172 pmol/L	Acromégalie, adénome des cellules sécrétrices d'in-suline, diabète léger de type 2 non traité	Diabète, obésité
Lacticodéshydrogénase (LDH)	50-150 U/L	0,83-2,5 µkat/L**	Insuffisance cardiaque congestive, troubles hémolytiques, hépatite, hépatome malin, infarc-tus du myocarde, anémie pernicieuse, embolie pulmonaire, lésion musculosquelettique	
Lacticodéshydrogénase (isoenzymes)				
LDH$_1$	20-35 %	0,20-0,35	Infarctus du myocarde, anémie pernicieuse	
LDH$_2$	30-40 %	0,30-0,40	Embolie pulmonaire, crises d'anémie à hématies falciformes	
LDH$_3$	15-25 %	0,15-0,25	Lymphome malin, embolie pulmonaire	
LDH$_4$	0-10 %	0-0,10	Lupus érythémateux, infarctus pulmonaire	
LDH$_5$	4-12 %	0,04-0,12	Insuffisance cardiaque congestive, hépatite, embolie et infarctus pulmonaires, lésion musculosquelettique	
Lipase	0-160 U/L	0-2,66 µkat/L**	Pancréatite aiguë, troubles hépatiques, ulcère gastroduodénal perforé	

TABLEAU 1	Analyse chimique du sérum, du plasma et du sang entier (*suite*)			
	Valeurs normales		**Cause possible d'anomalie**	
Épreuve	**Unités anciennes**	**Unités du SI**	**Probabilité élevée**	**Probabilité faible**
Magnésium	1,5-2,5 mEq/L	0,62-1,03 mmol/L	Maladie d'Addison, hypothyroïdie, insuffisance rénale	Alcoolisme chronique, hyperparathyroïdie, hyperthyroïdie, hypoparathyroïdie, malabsorption grave
Osmolalité	285-295 mOsm/kg	285-295 mmol/kg	Néphropathie chronique, diabète	Maladie d'Addison, traitement diurétique
pH	Voir Gazométrie du sang artériel			
Phénylalanine	0-2 mg/dl	0-121 μmol/L	Phénylcétonurie (PCU)	
Phosphatase acide	0-5,5 U/L	0-90 nkat/L	Maladie osseuse de Paget avancée, cancer de la prostate, hyperparathyroïdie	
Phosphatase alcaline	30-120 U/L	30-120 U/L	Maladies osseuses, hyperparathyroïdie marquée, obstruction des voies biliaires, rachitisme	Hypervitaminose D, hypothyroïdie, syndrome de Burnett
Phosphore inorganique	2,8-4,5 mg/dl	0,90-1,45 mmol/L	Consolidation d'une fracture, hypoparathyroïdie, néphropathie, intoxication à la vitamine D	Diabète, hyperparathyroïdie, carence en vitamine D
Potassium	3,5 5,5 mEq/l	3,5-5,5 mmol/L	Maladie d'Addison, acidocétose diabétique, destruction massive des tissus, insuffisance rénale	Syndrome de Cushing, diarrhées (graves), traitement diurétique, fistules gastro-intestinales, obstruction pylorique, inanition, vomissements
Protéines Totales Albumine Globuline Rapport albumine/ globuline	6,0-8,0 g/dl 3,5-5,0 g/dl 2-3,5 g/dl 1,5:1-2,5:1	60-80 g/L 35-50 g/L 20-35 g/L Identique aux unités anciennes	Brûlures, cirrhose (fraction globulinique), déshydratation Myélomes multiples (fraction globulinique), choc, vomissements	Agammaglobulinémie, hépatopathie, malabsorption Malnutrition, syndrome néphrotique, protéinurie, néphropathie, brûlures graves
Saturation artérielle en oxygène (SaO$_2$)	95-98 %	0,95-0,98	Polycythémie	Anémie, décompensation cardiaque, troubles respiratoires
Sodium	135-145 mEq/L	135-145 mmol/L	Déshydratation, altération de la fonction rénale, aldostéronisme primaire, corticothérapie	Maladie d'Addison, acidocétose diabétique, traitement diurétique, perte excessive provenant du tractus gastro-intestinal, diaphorèse, intoxication hydrique

TABLEAU 1   Analyse chimique du sérum, du plasma et du sang entier (*suite*)

Épreuve	Valeurs normales		Cause possible d'anomalie	
	Unités anciennes	Unités du SI	Probabilité élevée	Probabilité faible
T_4 totale (thyroxine)	5-12 μg/dl	64-154 nmol/L	Hyperthyroïdie, thyroïdite	Hypothyroïdie congénitale, hypothyroïdie, myxœdème
T_4 libre (thyroxine)	0,8-2,3 ng/dl	10-30 pmol/L		
T_3 (triiodothyronine)	110-230 ng/dl	1,7-3,5 nmol/L	Hyperthyroïdie	Hypothyroïdie
T_3 (fixation)	25-35 %	0,25-0,35	Hyperthyroïdie, néoplasmes métastatiques	Hypothyroïdie, grossesse
Testostérone				Hypofonction testiculaire
Homme	300-1200 ng/dl	10,4-41,6 nmol/L		
Femme	25-90 ng/dl	0,87-3,1 nmol/L	Syndrome des ovaires polykystiques, tumeurs virilisantes	
Transaminases				
Sérum glutamo-oxalacétique transaminase (SGOT) ou aspartate amino-transférase (AST)	7-40 U/L	0,12-0,67 μkat/L**	Hépatopathie, infarctus du myocarde, infarctus pulmonaire, hépatite aiguë	
Sérum glutamo-pyruvique transminase (SGPT) ou alanine-aminotransférase (ALT)	5-36 U/L	0,08-0,6 μkat/L**	Hépatopathie, choc	
Triglycérides	40-150 mg/dl	0,45-1,69 mmol/L	Diabète, hyperlipidémie, hypothyroïdie, hépatopathie	Malnutrition
Vitamine A	15-60 μg/dl	0,52-2,09 μmol/L	Hypervitaminose A	Carence en vitamine A
Vitamine B_{12}	200-1000 pg/ml	148-738 pmol/L	Leucémie myéloïde chronique	Végétalisme, syndrome de malabsorption, anémie pernicieuse, gastrectomie totale ou partielle
Zinc	50-150 μg/dl	7,6-22,9 μmol/L		Cirrhose alcoolique

*Étant donné que l'altitude influe sur la gazométrie du sang artériel, la valeur de la PO_2 diminue à mesure que l'altitude augmente. Une valeur faible est normale à une altitude de 1,61 km.
** Les unités du SI ne sont pas utilisées au Québec.

TABLEAU 2 Hématologie

Épreuve	Valeurs normales		Cause possible d'anomalie	
	Unités anciennes	Unités du SI	Probabilité élevée	Probabilité faible
Concentration globulaire moyenne en hémoglobine	32-36 %	0,32-0,36	Sphérocytose	Anémie hypochrome
D-dimères	Négatifs	Négatifs	CID, infarctus du myocarde, thrombose veineuse profonde (TVP), angine instable	
Fibrinogène	200-400 mg/dl	2,0-4,0 g/L	Brûlures (après les 36 premières heures), maladie inflammatoire	Brûlures (pendant les 36 premières heures), CID, hépatopathie grave
Formule leucocytaire Neutrophiles multilobaires	50-70 %	0,50-0,70	Infections bactériennes, collagénoses, maladie de Hodgkin	Anémie aplastique, infections virales
Neutrophiles non segmentés	0-8 %	0-0,08	Infections aiguës	
Lymphocytes	20-40 %	0,20-0,40	Infections chroniques, leucémie lymphoblastique, mononucléose, infections virales	Corticothérapie, radiothérapie du corps entier
Monocytes	4-8 %	0,04-0,08	Troubles inflammatoires chroniques, malaria, leucémie monocytaire, infections aiguës, maladie de Hodgkin	
Éosinophiles	0-4 %	0-0,04	Réactions allergiques, leucémie éosinophile et granulocytaire, troubles parasitaires, maladie de Hodgkin	Corticothérapie
Basophiles	0-2 %	0-0,02	Hyperthyroïdie, colite ulcéreuse, syndrome myéloprolifératif	Hyperthyroïdie, stress
Hématocrite (varie en fonction de l'altitude)** Homme Femme	40-54 % 38-47 %	0,40-0,54 0,38-0,47	Déshydratation, haute altitude, polycythémie	Anémie, hémorragie, hyperhydratation
Hémoglobine (varie en fonction de l'altitude)** Homme Femme	13,5-18,0 g/dl 12,0-16,0 g/dl	135-180 g/L 120-160 g/L	BPCO, haute altitude, polycythémie	Anémie, hémorragie
Hémoglobine glycosylée	4,0-6,0 %	Identique aux unités anciennes	Diabète mal équilibré	Drépanocytose Insuffisance rénale chronique Grossesse

TABLEAU 2   Hématologie (*suite*)

Épreuve	Valeurs normales		Cause possible d'anomalie	
	Unités anciennes	Unités du SI	Probabilité élevée	Probabilité faible

Méthode de Westergren (vitesse de sédimentation globulaire [VSG])
 Homme   <50 ans
           >50 ans
 Femme   <50 ans
           >50 ans
	
	 <15 mm/h
	 <20 mm/h
	 <20 mm/h
	 <30 mm/h
		Identique aux unités anciennes
		 Identique aux unités anciennes
			Augmentation modérée : hépatite aiguë, infarctus du myocarde ; polyarthrite rhumatoïde ; augmentation prononcée : infections bactériennes aiguës et graves, tumeurs malignes, maladie inflammatoire pelvienne	Malaria
				 Hépatopathie grave
				 Drépanocytose

Numération érythrocytaire** (en fonction de l'altitude) Homme Femme	 $4,5\text{-}6,0 \times 10^6/\mu L$ $4,0\text{-}5,0 \times 10^6/\mu L$	 $4,5\text{-}6,0 \times 10^{12}/L$ $4,0\text{-}5,0 \times 10^{12}/L$	Déshydratation, hautes altitudes, polycythémie vraie, diarrhée grave	Anémie, leucémie post-hémorragique
Numération leucocytaire**	$4,0\text{-}11,0 \times 10^3/\mu l$	$4,0\text{-}11,0 \times 10^9/L$	Processus inflammatoires et infectieux, leucémie	Anémie aplastique, effets indésirables de la chimiothérapie et de la radiothérapie
Numération plaquettaire (thrombocytes)	$150\text{-}400 \times 10^3/\mu l$	$150\text{-}400 \times 10^9/L$	Infections aiguës, leucémie granulocytaire, pancréatite aiguë, cirrhose, collagénoses, polycythémie, postsplénectomie	Leucémie aiguë, CID, purpura thrombopénique
Numération réticulocytaire (manuelle)	0,5-1,5 % de la numération érythrocytaire	Identique	Anémie hémolytique, polycythémie vraie	Anémie hypoproliférative, anémie macrocytaire, anémie microcytaire
Produits de dégradation de la fibrine (PDF)	<10 μg/ml	Identique aux unités anciennes	CID aiguë, hémorragie massive, fibrinolyse primaire	
Répartition érythrocytaire	10,2-14,5 %	Identique aux unités anciennes		Anisocytose, anémie macrocytaire, anémie microcytaire
Temps de céphaline activée (TCA)	30-45 s*	Identique aux unités anciennes	Déficit en facteurs I, II, V, VIII, IX, X, XI et XII ; hémophilie, hépatopathie, héparinothérapie	
Temps de prothrombine (TP) ou temps de Quick	10-14 s*	Identique aux unités anciennes	Traitement à la warfarine, déficit en facteurs I, II, V, VII et X, carence en vitamine K, hépatopathie	

TABLEAU 2	Hématologie (*suite*)			
	Valeurs normales		**Cause possible d'anomalie**	
Épreuve	**Unités anciennes**	**Unités du SI**	**Probabilité élevée**	**Probabilité faible**
Temps de saignement (Simplate)	3,0-9,5 min	180-570 s	Anomalies de la fonction plaquettaire, thrombopénie, maladie de von Willebrand-Jürgens, ingestion d'acide acétyl-salicylique, affection vasculaire	
Teneur globulaire moyenne en hémoglobine	27-33 pg	Identique aux unités anciennes	Anémie macrocytaire	Anémie microcytaire
Test de solubilité des hématies falciformes	Négatif	Négatif	Drépanocytose	
Volume globulaire moyen (VGM)	82-98 fl	Identique aux unités anciennes	Anémie macrocytaire	Anémie microcytaire

*Les données varient en fonction des réactifs et des instruments utilisés.
**Composants de la formule sanguine.
CID : coagulation intravasculaire disséminée ; BPCO : bronchopneumopathie chronique obstructive.

TABLEAU 3	Sérologie-immunologie			
	Valeurs normales		**Cause possible d'anomalie**	
Épreuve	**Unités anciennes**	**Unités du SI**	**Probabilité élevée**	**Probabilité faible**
Anticorps anti-ADN	Négatif ou titre <1:10 ou liaison <20%	Identique aux unités anciennes	Lupus érythémateux disséminé	
Anticorps anti-RNP	Négatif	Négatif	Callogénoses mixtes, polyarthrite rhumatoïde, lupus érythémateux disséminé, syndrome de Sjögren, sclérodermie	
Anticorps anti-Sm (Smith)	Négatif	Négatif	Lupus érythémateux disséminé	
Anticorps antinucléaire	Négatif ou titre <1:10	Identique aux unités anciennes	Hépatite chronique, polyarthrite rhumatoïde, sclérodermie, lupus érythémateux disséminé	
Anticorps antithyroïde	Titre ≤1:10	Identique aux unités anciennes	Thyroïdite chronique de Hashimoto, carcinome de la thyroïde, hypothyroïdie précoce, anémie pernicieuse, lupus érythémateux disséminé, maladie de Graves	
Anticorps de l'hépatite A	Négatif	Négatif	Hépatite A	
Anticorps de l'hépatite C	Négatif	Négatif	Hépatite C	
Antigène carcino-embryonnaire (ACE)	≤2,5 ng/ml	≤2,5 μg/L	Carcinome du côlon, du foie, du pancréas; tabagisme chronique; maladie intestinale inflammatoire; autres cancers	
Antigène de surface de l'hépatite B (Ag HB$_s$)	Négatif	Négatif	Hépatite B	
Antistreptolysine-O (ASO)	≤166 unités Todd ou ≤1:85	Identique aux unités anciennes	Glomérulonéphrite aiguë, rhumatisme articulaire aigu, infection streptococcique	
Facteur rhumatoïde	Négatif ou titre <1:20	Identique aux unités anciennes	Polyarthrite rhumatoïde, syndrome de Sjögren, lupus érythémateux disséminé	
Immunofluorescence absorbée (FTA-Abs)	Non réactive	Négative	Syphilis	

TABLEAU 3	Sérologie-immunologie (*suite*)			
	Valeurs normales		**Cause possible d'anomalie**	
Épreuve	**Unités anciennes**	**Unités du SI**	**Probabilité élevée**	**Probabilité faible**
Immunoglobuline				
IgA	90-400 mg/dl	0,9-4,0 g/L	Myélome à IgA, hépatopathie chronique, infection chronique, polyarthrite rhumatoïde, troubles auto-immuns	Brûlures, télangiectasie héréditaire, syndrome de malabsorption
IgD	0,5-12 mg/dl	5-120 mg/L	Infection chronique, maladie des tissus conjonctifs	
IgE	<1 mg/dl	<10 mg/L	Choc anaphylactique, callogénoses (allergies), infections parasitaires	
IgG	650-1800 mg/dl	6,5-18,0 g/L	Infections aiguës ou chroniques, hépatite, dysglobulinémie monoclonale à l'IgG, lupus érythémateux disséminé	Déficiences congénitales, déficiences acquises, syndrome néphrotique, brûlures, immunodépression
IgM	55-300 mg/dl	0,5-3,0 g/L	Infections aiguës, polyarthrite rhumatoïde, hépatopathie	Immunodéficiences congénitales et acquises, leucémie lymphocytaire, entéropathies par perte protéique
Monospot ou Mono-Test	Négatif	Négatif	Mononucléose infectieuse	
Protéine C réactive (PCR)	Négative ou ≤1,2 mg/dl	Identique aux unités anciennes	Infections aiguës, tout état inflammatoire, tumeurs malignes généralisées	
Protéines du complément				Glomérulonéphrite aiguë, lupus érythémateux disséminé, polyarthrite rhumatoïde, endocardite maligne lente, maladie du sérum
C1q	11-21 mg/dl	0,11-0,21 g/L		
C3	80-180 mg/dl	0,8-1,8 g/L		
C4	15-50 mg/dl	0,15-0,5 g/L		
Test direct à l'antiglobuline ou test de Coombs direct	Négatif	Négatif	Anémie hémolytique auto-immune, anémie aiguë curable du nouveau-né, réactions aux médicaments, réactions transfusionnelles	
Test RPR	Non réactif	Identique aux unités anciennes	Syphilis, lupus érythémateux disséminé, polyarthrite rhumatoïde, lèpre, malaria, maladies fébriles, usage abusif de drogues par voie intraveineuse	
Test VDRL	Non réactif	Identique aux unités anciennes	Syphilis	

ADN : acide désoxyribonucléique ; RNP : ribonucléoprotéine ; RPR : (test) rapide de la réagine plasmatique ; VDRL : *Venereal Disease Research Laboratory.*

TABLEAU 4   **Analyse chimique de l'urine**

Épreuve	Échantillons	Valeurs normales		Cause possible d'anomalie	
		Unités anciennes	Unités du SI	Probabilité élevée	Probabilité faible
Acétone	Aléatoire	Négative	Négative	Diabète, régime alimentaire hyperlipidique et à faible teneur en glucides, état d'inanition	
Acide 5-hydroxy-indole acétique (5-HIA)	24 h	2-9 mg/jour	10,5-47,1 μmol/jour	Syndrome carcinoïde malin	
Acide pyruvique	Aléatoire	Négatif	Négatif	Phénylcétonurie	
Acide urique	24 h	250-750 mg/jour	1,5-4,5 mmol/jour	Goutte, leucémie	Néphrite
Acide vanillyl-mandélique	24 h	1-8 mg/jour 1,5-7 μg/mg de créatine	5-40 μmol/jour	Phéochromocytome	
Acidité titrable	24 h	20-50 mmol/jour	Identique aux unités anciennes	Acidose métabolique	Alcalose métabolique
Aldostérone	24 h	1-80 μg/jour (selon le sodium urinaire)	2,7-222 nmol/jour	Aldostéronisme primaire : tumeurs corticosurrénales ; aldostéronisme secondaire : insuffisance cardiaque, cirrhose, dose massive d'ACTH, syndrome de déplétion sodique	Carence en ACTH, maladie d'Addison, corticothérapie
Amylase	24 h	1-17 U/24 h	Identique aux unités anciennes	Pancréatite aiguë	
Bilirubine	Aléatoire	Négative	Négative	Hépatite	
Calcium	24 h	100-250 mg/jour	2,5-6,3 mmol/jour	Tumeur osseuse, hyper-parathyroïdie, syndrome de Burnett	Hypoparathyroïdie, malab-sorption du calcium et de la vitamine D
Catécholamines Adrénaline Noradrénaline	24 h	<20 μg/jour <100 μg/jour	<118 nmol/jour <591 nmol/jour	Phéochromocytome, dystrophie musculaire progressive, insuffisance cardiaque	
Chlorure	24 h	110-250 mEq/jour	110-250 mmol/jour	Maladie d'Addison	Brûlures, diaphorèse, vomissements, diarrhée, menstruation
Coproporphyrine	24 h	50-200 μg/jour	76-305 nmol/jour	Saturnisme, usage de contraceptifs oraux, poliomyélite	
Corps cétoniques	24 h	20-50 mg/jour	0,34-0,86 mmol/jour	Cétonurie marquée	

TABLEAU 4	Analyse chimique de l'urine (*suite*)				
		Valeurs normales		**Cause possible d'anomalie**	
Épreuve	**Échantillons**	**Unités anciennes**	**Unités du SI**	**Probabilité élevée**	**Probabilité faible**
Créatine	24 h	<100 mg/jour	<763 μmol/jour	Hépatocarcinome, hyperthyroïdie, diabète, maladie d'Addison, infections, brûlures, dystrophie musculaire, atrophie des muscles squelettiques	Hypothyroïdie
Créatinine	24 h	0,8-2,0 g/jour	7,1-17,7 mmol/jour	Anémie, leucémie, amyotrophie, salmonelle	Néphropathie
Créatinine (clairance)	24 h	85-135 ml/min	1,42-2,25 ml/s		Néphropathie
Cuivre	24 h	<30 μg/jour	<0,5 μmol/jour	Cirrhose, maladie de Wilson	
Densité	Aléatoire	1,003-1,030	Identique aux unités anciennes	Albuminurie, déshydratation, glycosurie	Diabète insipide
Glucose	Aléatoire	Négatif	Négatif	Diabète, faible seuil rénal de dissolution du glucose, stress physiologique, troubles hypophysaires	
Hémoglobine	Aléatoire	Négative	Négative	Brûlures importantes, glomérulonéphrite, anémie hémolytique, réactions hémolytiques transfusionnelles	
Métanéphrine	24 h	<1,3 mg/jour	<7,1 μmol/jour	Phéochromocytome	
Myoglobine	Aléatoire	Négative	Négative	Lésion par écrasement, électrocution, effort physique extrême	

Œstrogènes
Femme
  Pic préovulatoire
  Pic lutéal
  Grossesse
 	
  Ménopause
Homme
	24 h	
		
		28-100 μg/jour
		22-80 μg/jour
		Jusqu'à
		   45 000 μg/jour
		1,4-19,6 μg/jour
		5-18 μg/jour
			
			104-370 nmol/jour
			81-296 nmol/j
			Jusqu'à
			   166 455 nmol/jour
			5,2-72,5 nmol/jour
			18-67 nmol/jour
				Tumeur gonadique ou surrénale	Agénésie des ovaires, trouble endocrinien, dysfonctionnement ovarien, ménopause

pH	Aléatoire	4,0-8,0	Identique aux unités anciennes	Insuffisance rénale chronique, phase compensatoire de l'alcalose, intoxication salicylée, végétarisme	Phase compensatoire de l'acidose, déshydratation, emphysème
Phosphore inorganique	24 h	0,9-1,3 g/jour	29-42 mmol/jour	Fièvre, hypoparathyroïdie, épuisement dû à la nervosité, rachitisme, tuberculose	Infections aiguës, néphrite

TABLEAU 4   Analyse chimique de l'urine (*suite*)

Épreuve	Échantillons	Valeurs normales		Cause possible d'anomalie	
		Unités anciennes	Unités du SI	Probabilité élevée	Probabilité faible
Plomb	24 h	<100 μg/jour	<0,48 μmol/jour	Saturnisme	
Porphobilinogène	Aléatoire 24 h	Négatif <2,0 mg/jour	Négatif <9 μmol/jour	Porphyrie aiguë intermittente, troubles hépatiques	
Protéines (bandelette réactive)	Aléatoire	Négatives	Négatives	Insuffisance cardiaque congestive, néphrite, syndrome néphrotique, stress physiologique	
Protéines (quantitatives)	24 h	<150 mg/jour	<0,15 g/jour	Insuffisance cardiaque, inflammation des voies urinaires, néphrite, syndrome néphrotique, toxémie, hypertension gravidique	
Protéine de Bence Jones	Aléatoire	Négative	Négative	Myélome multiple, obstruction des voies biliaires	
Sodium	24 h	40-250 mEq/jour	40-250 mmol/jour	Nécrose tubulaire aiguë	Hyponatrémie
Urobilinogène urinaire	24 h Aléatoire	0,5-4,0 UE/jour <1,0 UE	0-6,8 μmol/24 h Identique aux unités anciennes	Maladie hémolytique, lésion hépatique parenchymateuse, hépatopathie	Obstruction complète des voies biliaires
Uroporphyrine	Aléatoire	Aléatoire	Identique aux unités anciennes	Porphyrie	

ACTH : hormone adrénocorticotrope ; UE : unité Ehrlich.

TABLEAU 5   Analyse du contenu gastrique

Épreuve	Valeurs normales		Cause possible d'anomalie	
	Unités anciennes	Unités du SI	Probabilité élevée	Probabilité faible
Basal				
Acide chlorhydrique libre	0-40 mEq/L	0-40 mmol/L	Hypermotilité de l'estomac	Anémie pernicieuse
Acidité totale	15-45 mEq/L	15-45 mmol/L	Ulcères gastriques et duodénaux, syndrome de Zollinger-Ellison (SZE)	Cancer de l'estomac, gastrites graves
Poststimulation				
Acide chlorhydrique libre	10-130 mEq/L	10-13 mmol/L		
Acidité totale	20-150 mEq/L	20-150 mmol/L		

TABLEAU 6   Analyse des selles

Épreuve	Valeurs normales		Cause possible d'anomalie	
	Unités anciennes	Unités du SI	Probabilité élevée	Probabilité faible
Couleur				
Brune			Couleurs variées selon le régime alimentaire	
Argile			Obstruction des voies biliaires ou présence de sulfate de baryum	
Goudron			Plus de 100 ml de sang dans le tractus gastro-intestinal	
Rouge			Présence de sang dans le gros intestin	
Noire			Présence de sang dans le tractus gastro-intestinal supérieur ou médicaments à base de fer	
Graisses fécales	<6 g/24 h	Identique aux unités anciennes	Pancréatopathie chronique, obstruction de la voie biliaire principale, syndrome de malabsorption	
Mucus	Négatif	Négatif	Syndrome du côlon irritable, constipation spasmodique	
Pus	Négatif	Négatif	Dysenterie bacillaire chronique, colite ulcéreuse chronique, abcès localisés	
Sang*	Négatif	Négatif	Fissures anales, hémorroïdes, tumeur maligne, ulcères gastroduodénaux, maladie intestinale inflammatoire	
Urobilinogène fécale	30-220 mg/100 g de selles	51-372 μmol/100 g de selles	Anémie hémolytique	Obstruction complète des voies biliaires

*L'ingestion de viandes peut entraîner un résultat faux positif. Un régime végétarien peut être prescrit au client trois jours avant le test.

TABLEAU 7	Analyse du liquide céphalorachidien			
	Valeurs normales		**Cause possible d'anomalie**	
Épreuve	**Unités anciennes**	**Unités du SI**	**Probabilité élevée**	**Probabilité faible**
Chlorure	100-130 mEq/L	100-130 mmol/L	Urémie	Infections bactériennes du SNC (méningite, encéphalite)
Glucose	40-75 mg/dl	2,5-4,2 mmol/L	Diabète, infections virales du SNC	Infections bactériennes et tuberculose du SNC
Numération globulaire (selon l'âge) Leucocytes Érythrocytes	0-5 cellules/μL 0	0-5 cellules $\times$ 10^6/L 0 $\times$ 10^6/L	Inflammation ou infections du SNC	
Pression	60-150 mm H$_2$0	Identique aux unités anciennes	Hémorragie, tumeur intracrânienne, méningite	Traumatisme crânien, tumeur de la moelle épinière, hématome sous-dural
Protéine Lombaire Cisternale Ventriculaire	15-45 mg/dl 15-25 mg/dl 5-15 mg/dl	0,15-0,45 g/L 0,15-0,25 g/L 0,05-0,15 g/L	Syndrome de Guillain-Barré, poliomyélite, choc traumatique Syphilis du SNC Méningite aiguë, tumeur cérébrale, infections chroniques du SNC, sclérose en plaques	
Sang	Négatif	Négatif	Hémorragie intracrânienne	

SNC : système nerveux central.

TABLEAU 8	Toxicologie des médicaments et des substances d'usage courant			
Épreuve	**Valeurs thérapeutiques**		**Toxicité**	
	Unités anciennes	**Unités du SI**	**Unités anciennes**	**Unités du SI**
Acétaminophène (Tylenol)	0,2-0,6 mg/dl	13-40 µmol/L	>5 mg/dl	>330 µmol/L

Barbituriques
    Action brève
 	
    Action intermédiaire
    Action prolongée
	1-2 mg/dl
	
	1-5 mg/dl
	15-35 mg/dl
		Varie en fonction la composition du mélange	>5 mg/dl
			
			>10 mg/dl
			>40 mg/dl	

Chlordiazépoxide (Librax)	0,05-5,0 mg/L	2-17 µmol/L	>10 mg/L	>33 µmol/L
Chlorpromazine (Largactil)	0,5 µg/ml	1,6 µmol/L	>2,0 µg/ml	>6,3 µmol/L
Diazépam (Valium)	0,10-0,25 mg/L	0,35-0,88 µmol/L	>1,0 mg/L ≥2,0 mg/L (létal)	>3,5 µmol/L

Gentamicine (Garamycin)
    Pic
    Creux
	4-10 mg/L
	<2 mg/L
		9-22 µmol/L
		<4 mmol/L
			>10 mg/L
			>2 mg/L
				>22 µmol/L
				>4 µmol/L

Monoxyde de carbone (carboxyhémoglobine) Valeurs normales Non-fumeurs en milieu urbain Non-fumeurs en milieu rural Fumeurs Gros fumeurs	<5 % saturation de l'hémoglobine <5 % saturation de l'hémoglobine 0,5-2 % saturation de l'hémoglobine 5-9 % saturation de l'hémoglobine >9 % saturation de l'hémoglobine	<0,05 <0,05 0,005-0,02 0,05-0,09 >0,09	Symptôme lorsque la saturation est >20 %	>0,20
Phénytoïne (Dilantin)	10-20 mg/L	40-80 µmol/L	>30 mg/L	>120 µmol/L
Préparations digitaliques Digoxine (Lanoxin)	0,8-2,4 ng/ml	1,0-3,1 nmol/L	>2,5 ng/ml	>2,6 nmol/L
Propranolol (Indéral)	50-100 ng/ml	192-386 nmol/L	>200 ng/ml	>771 nmol/L
Salicylates	10-20 mg/dl	0,724-1,45 mmol/L	>20 mg/dlà	>1,45 mmol/L
Alcool			>60 mg/dl (létal)	>4,34 mmol/L

Index